आर. गुप्ता® कृत

पॉपुलर मास्टर गाइड

नेशनल टेस्टिंग एजेंसी (NTA)

UGC-NET/JRF

Junior Research Fellowship & Assistant Professor Eligibility Exam

लोक प्रशासन

PAPER 2

by

Mr. Anand and
RPH Editorial Board

2027
EDITION

रमेश पब्लिशिंग हाउस, नई दिल्ली

प्रकाशक

ओ॰पी॰ गुप्ता, **रमेश पब्लिशिंग हाउस**

प्रशासनिक कार्यालय

12-H, न्यू दरियागंज रोड, ऑफिसर्स मेस के सामने,
नई दिल्ली-110002 ✆ 23275224, 23245124

E-mail: info@rameshpublishinghouse.com
For Online Shopping: www.rameshpublishinghouse.com

विक्रय केन्द्र

• बालाजी मार्किट, नई सड़क, दिल्ली-110006 ✆ 23282525 📱 9354373464
• 4457, नई सड़क, दिल्ली-110006

Book Code: R-2819

ISBN: 978-93-5477-955-8

मूल्यः ₹ 740

मुद्रक : दीपक ऑफसेट, दिल्ली

अनुक्रमणिका

पिछले प्रश्न पत्र, जनवरी 2026 1-24
पिछले प्रश्न पत्र, जून 2025 1-24
पिछले प्रश्न पत्र, जनवरी 2025 1-20
पिछले प्रश्न पत्र, अगस्त 2024 21-44

UGC-NET/JRF—लोक प्रशासन (PAPER 2)

■ **लोक प्रशासन का परिचय** **3-68**

• लोक प्रशासन का अर्थ—प्रशासन; लोक प्रशासन का क्षेत्र; लोक प्रशासन की प्रकृति : कला अथवा विज्ञान • लोक प्रशासन का महत्व • लोक प्रशासन का उद्‌भव एवं वर्तमान स्थिति • राजनीति-प्रशासन द्विभाजन—राजनीति और लोक प्रशासन; राजनीति-प्रशासन द्वैतभाव; राजनीति-प्रशासन संबंध : समकालीन दृष्टिकोण • भूमंडलीकरण एवं लोक प्रशासन • सरकार से शासन प्रतिमान की ओर विस्थापन • संगठन के सिद्धान्त—संगठन का अर्थ; संगठन की परिभाषाएं; संगठन की विशेषताएं • पद सोपान—पदसोपान की परिभाषाएँ; पदसोपान का अर्थ; पदसोपान प्रणाली की व्यवस्था; विशेषताएँ; पदसोपान प्रणालियों के प्रकार; पदसोपान प्रणाली के गुण; पदसोपान पद्धति के दोष • समन्वय—समन्वय की परिभाषा; समन्वय के प्रकार; समन्वय की बाधाएँ • आदेश की एकता—आदेश की एकता से अभिप्राय; आदेश की एकता सिद्धांत की आवश्यकता; आदेश की एकता सिद्धांत के गुण; आलोचना • नियंत्रण का क्षेत्र—नियंत्रण के क्षेत्र का अर्थ; नियंत्रण के क्षेत्र का महत्व; नियंत्रण की सीमा क्या होनी चाहिए? • सत्ता, शक्ति एवं उत्तरदायित्व • प्रत्यायोजन—प्रत्यायोजन की परिभाषाएँ; प्रत्यायोजन की आवश्यकता एवं महत्व; प्रत्यायोजन के तत्त्व; प्रत्यायोजन के सिद्धांत • केन्द्रीकरण बनाम विकेन्द्रीकरण—केन्द्रीकरण और विकेन्द्रीकरण से अभिप्राय; केन्द्रीकरण और विकेन्द्रीकरण के निर्धारक तत्त्व • सूत्र, स्टाफ/मंत्रणा और सहायक अभिकरण—सूत्र अभिकरण; स्टाफ या मंत्रणा अभिकरण; सहायक अभिकरण; भारत में स्टाफ अभिकरण • निर्णयन—अर्थ और परिभाषा; प्रशासन में निर्णय प्रक्रिया; एक अच्छे निर्णयन के आधार • नेतृत्व—नेतृत्व का आशय और परिभाषा; नेतृत्व की प्रमुख विशेषताएँ; नेतृत्व के प्रकार; नेतृत्व के कार्य • पर्यवेक्षण—पर्यवेक्षण से तात्पर्य; पर्यवेक्षण की तकनीक; पर्यवेक्षण का महत्व • संचार या सम्प्रेषण—संचार का अर्थ एवं परिभाषाएँ; प्रशासन में संचार का महत्व; संचार प्रणाली; संचार प्रक्रिया के अंग; प्रभावी संचार की विशेषताएँ • कार्मिक प्रशासन का अर्थ, प्रकृति तथा क्षेत्र—कार्मिक प्रशासन : अर्थ एवं परिभाषाएँ; कार्मिक प्रशासन की प्रकृति; कार्मिक प्रशासन का क्षेत्र • वर्गीकरण—वर्गीकरण की परिभाषाएँ; पद वर्गीकरण का मूल आधार; पद वर्गीकरण से लाभ; पद वर्गीकरण के दोष; संयुक्त राज्य अमरीका में पद वर्गीकरण; भारत में पदक्रम का वर्गीकरण • भर्ती • प्रशिक्षण—प्रशिक्षण का उद्देश्य; प्रशिक्षण विधि; प्रशिक्षण के प्रकार; प्रशिक्षण में बाधाएँ • पदोन्नति—लोक सेवा में पदोन्नति; पदोन्नति व्यवस्था का महत्व; पदोन्नति से अभिप्राय; भारत में पदोन्नति प्रणाली • वेतनमान तथा सेवा शर्तें—वेतन संबंधी नीति आधार; 7वाँ वेतन आयोग : सिफारिशें; नई पेंशन प्रणाली • सिविल सेवा तटस्थता, अनामिता तथा प्रतिबद्धता • व्यावसायिक संघ तथा संघवाद • **बहुविकल्पीय प्रश्नोत्तर; उत्तरमाला।**

■ **प्रशासनिक चिन्तन** **69-149**

• लोक प्रशासन के अध्ययन के उपागम • प्राच्य उपागम—कौटिल्य • शास्त्रीय सिद्धान्त—लूथर गुलिक; लिंडाल एफ. उर्विक; मैक्स वेबर; फ्रेडरिक विन्सलो टेलर; हेनरी फेयोल; मेरी पार्कर फोलेट; एल्टन मेयो; चेस्टर बर्नार्ड; हर्बर्ट साइमन; डी.एच. मैकग्रेगर; अब्राहम एच. मास्लो; फ्रैडरिक हर्जबर्ग • सांगठनिक मानववाद—रेन्सिस लिकर्ट; क्रिस आर्गिरिस • लोक प्रशासन

के लेखक–रॉबर्ट गोलाम्बिव्यस्की; पीटर ड्रकर; क्लिफोर्ड ड्वाइट वाल्डो; फेरल हैडी • मिन्नोब्रुक सन्दर्भ–प्रथम मिन्नोब्रुक सम्मेलन, 1968; द्वितीय मिन्नोब्रुक सम्मेलन, 1988; तृतीय मिन्नोब्रुक सम्मेलन, 2008 • नवीन लोकसेवा और उत्तर-आधुनिकतावाद–आधुनिक सिविल सेवा; लोक सेवाएँ : नवीन प्रवृत्तियाँ; उत्तर आधुनिकतावाद • **बहुविकल्पीय प्रश्नोत्तर; उत्तरमाला।**

■ **भारतीय प्रशासन** **150-212**

• उद्भव : प्राचीन–प्राचीनकालीन प्रशासन • ब्रिटिशकालीन प्रशासन • संवैधानिक रूपरेखा : संसदीय तथा संघीय विशेषताएँ • संघीय सरकार–राष्ट्रपति; प्रधानमंत्री; केंद्रीय मंत्रिपरिषद् • केन्द्रीय सचिवालय–उद्भव तथा विकास; सचिवालय की भूमिका; केन्द्रीय सचिवालय : संगठन; केन्द्रीय सचिवालय के कार्य; सचिवालय कार्यप्रणाली की आलोचना; सचिवालय सुधार के लिए सुझाव • मंत्रिमण्डल सचिवालय–मंत्रिमण्डल सचिवालय : संगठन; मंत्रिमण्डल सचिवालय के कार्य; प्रशासनिक सुधार आयोग के सुझाव; कैबिनेट सचिव • प्रधानमंत्री कार्यालय–उद्भव तथा विकास; प्रधानमंत्री कार्यालय का संगठन; प्रधानमंत्री कार्यालय के कार्य • निर्वाचन आयोग तथा चुनावी सुधार • भारतीय संघ में केन्द्र-राज्य संबंध–प्रशासनिक संबंध : संवैधानिक परिप्रेक्ष्य में; केन्द्र-राज्य वित्तीय संबंध : संवैधानिक प्रावधान • जवाबदेयता–जवाबदेयता का अर्थ; जवाबदेयता : कार्यपालिका; जवाबदेयता : न्यायिक • केन्द्रीय सतर्कता आयोग–नियामकीय प्राधिकरण • बहस के मुद्दे (क्षेत्र)–राजनीतिज्ञ तथा सिविल सेवक संबंध; मंत्री-लोक सेवक संबंध : सैद्धान्तिक मान्यताएँ; भारतीय प्रशासन में सामान्यज्ञों एवं विशेषज्ञों की भूमिका • भ्रष्टाचार प्रतिरोधन • सिविल सेवाएँ: वर्गीकरण–अखिल भारतीय सेवाएँ • केन्द्रीय लोक सेवाएँ • राज्य सेवाएँ • भर्ती अभिकरण • संघ लोक सेवा आयोग • अन्य आयोग तथा मण्डल–कर्मचारी चयन आयोग • राज्य लोक सेवा आयोग–गठन; संयुक्त राज्य लोक सेवा आयोग • सिविल सेवकों का सामर्थ्य निर्माण तथा सिविल सेवा सुधार–लोक सेवा तथा क्षमता-निर्माण; सिविल सेवा सुधार; प्रशासनिक सुधार • नियोजन • भारत में योजना आयोग • राष्ट्रीय विकास परिषद् • नीति आयोग–योजना आयोग एवं नीति आयोगः संरचना • राज्य योजना आयोग/मण्डल • योजना विभाग • न्यायपालिका–भारतीय संविधान और न्यायपालिका की स्वतंत्रता; न्यायपालिका : सर्वोच्च न्यायालय • उच्च न्यायालय–उच्च न्यायालय का संगठन; उच्च न्यायालय की स्वतंत्रता; उच्च न्यायालय का न्याय क्षेत्र एवं शक्तियाँ • न्यायिक पुनर्विलोकन–भारत में न्यायिक पुनर्विलोकन : प्रकृति और सीमाएं; भारत में न्यायिक पुनर्विलोकन या संविधान के संरक्षक के रूप में सर्वोच्च न्यायालय • सार्वजनिक हित (जन-हित) याचिकाएं • न्यायिक सुधार • पुलिस प्रशासन तथा सुधार • भारतीय प्रशासन में ई-शासन–ई-शासन का अर्थ • **बहुविकल्पीय प्रश्नोत्तर; उत्तरमाला।**

■ **राज्य एवं स्थानीय प्रशासन** **213-259**

• राज्य प्रशासन की संवैधानिक रूप रेखा–भारत में राज्य प्रशासन की विशेषताएँ • राज्य विधायिका–राज्य विधानमंडल का गठन; दो सदनों का गठन; दोनों सदनों का कार्यकाल; राज्य विधानमंडल की सदस्यता; राज्य विधानमंडल सत्र; विधायी प्रक्रिया; विधानपरिषद की स्थिति • राज्यपाल-भूमिका तथा कार्य; राज्यपाल की नियुक्ति; राज्यपाल के पद के लिए अर्हताएँ; राज्यपाल की पदावधि; राज्यपाल की परिलब्धियाँ; राज्यपाल की शक्तियाँ; राज्यपाल के पद का महत्व • मुख्यमन्त्री के कार्य एवं शक्तियाँ–मुख्यमन्त्री के कार्य; मुख्यमंत्री की भूमिका • मंत्रिपरिषद्–मंत्रिपरिषद् का संगठन; मंत्रिपरिषद् की योग्यताएँ तथा नियुक्ति; मन्त्रिपरिषद् के कार्य • मुख्य सचिव–मुख्य सचिव का चयन; मुख्य सचिव की कार्यावधि; मुख्य सचिव के कार्य • राज्य सचिवालय–सचिवालय का संगठन; राज्य सचिवालय के कार्य; राज्य सचिवालय की कार्यप्रणाली • निदेशालय एवं आयुक्तालय–निदेशालय की आवश्यकता; सचिवालय तथा निदेशालय में अन्तर; सचिवालय तथा निदेशालय (संचालनालय) के मध्य सम्बन्ध; आयुक्तालय; विभागाध्यक्ष या आयुक्त; आयुक्त के कार्य • जिला प्रशासन–अवधारणा; जिला प्रशासन : उद्भव; जिला प्रशासन का महत्व; जिला प्रशासन : कार्य; जिला प्रशासन : संगठनात्मक ढाँचा • जिलाधीश अथवा कलक्टर–जिला कलक्टर के कर्त्तव्य तथा उत्तरदायित्व • जिलाधीश की बदलती भूमिका–जिलाधीश के प्रभाव और भूमिका का ह्रास होना • स्वायत्त जिला परिषदें–स्वायत्त जिला परिषद् के जनजातीय क्षेत्र; स्वायत्त जिला परिषद् की संरचना; स्वायत्त

जिला परिषद् की शक्तियाँ; स्वायत्त जिला परिषद् के कार्य • जिला ग्रामीण विकास अभिकरण–जिला ग्रामीण विकास अभिकरण के कार्य; जिला ग्रामीण विकास एजेन्सी का संगठन • स्थानीय शासन–भारत में स्थानीय शासन का उद्भव; पंचायती राज का विकास • राज्य निर्वाचन आयोग • राज्य वित्त आयोग • जिला नियोजन समिति • ग्रामीण शासन–ग्रामसभा; ग्राम पंचायत; पंचायत समिति तथा जिला परिषदें; जिला परिषद्; पंचायती राज संस्थाओं में वित्त; स्थानीय स्तर पर कार्मिक प्रशासन; ग्रामीण विकास की नीतियाँ तथा कार्यक्रम; महात्मा गाँधी राष्ट्रीय ग्रामीण रोजगार गारण्टी अधिनियम (मनरेगा) • शहरीकरण की वृद्धि–नगर निगम; नगर परिषद्; नगर पंचायत • महानगरीय शासन–कार्मिक प्रशासन • शहरी शासन में सुधार–ठोस अपशिष्ट प्रबन्धन; स्मार्ट सिटी; अमृत शहर • **बहुविकल्पीय प्रश्नोत्तर; उत्तरमाला।**

■ **तुलनात्मक तथा विकास प्रशासन 260-309**

• तुलनात्मक लोक प्रशासन की अवधरणा–तुलनात्मक लोक प्रशासन की प्रकृति एवं क्षेत्र; तुलनात्मक लोक प्रशासन के अध्ययन का महत्व; लोक प्रशासन तथा उसका पर्यावरण; तुलनात्मक प्रशासन के अध्ययन के उपागम तथा विधियाँ • तुलनात्मक शोध की समस्याएँ • तुलनात्मक अध्ययन–भूमण्डलीकरण का प्रभाव • ग्रेट ब्रिटेन तथा संयुक्त राज्य अमेरिका की प्रशासनिक व्यवस्थाओं की मुख्य विशेषताएं • अमेरिकी शासन व्यवस्था की प्रमुख विशेषताएं–फ्रांस की प्रशासनिक व्यवस्था की प्रमुख विशेषताएं; जापानी प्रशासनिक व्यवस्था की मुख्य विशेषताएँ • विकास प्रशासन–विकास के विभिन्न आयाम; विकास तथा आधुनिकीकरण; स्थायी विकास लक्ष्य (S.D.G.) • विकास प्रशासनः अवधारणा, प्रकृति, क्षेत्र, उद्देश्य, विशेषताएँ तथा महत्व–अवधारणा; विकास प्रशासन की प्रकृति एवं विशेषताएं; विकास प्रशासन का क्षेत्र; विकास प्रशासन का उद्देश्य; विकास प्रशासन का महत्व • विकास प्रशासन की पारिस्थितिकी • एफ.डब्लू. रिग्स • ड्वाइट वाल्डो • प्रो. एडवर्ड वीडनर • विकास में नौकरशाही की भूमिका–भारत में विकास प्रशासन • भूमण्डलीकरण तथा विकास प्रशासन • विकास प्रशासन में गैर-राज्य कर्त्ताओं का आविर्भाव • लोक-निजी सहभागिता • निगमित सामाजिक उत्तरदायित्व • मानव विकास संकेतांक तथा सामाजिक अंकेक्षण • **बहुविकल्पीय प्रश्नोत्तर; उत्तरमाला।**

■ **आर्थिक तथा वित्तीय प्रशासन 310-372**

• मिश्रित अर्थव्यवस्था से उदारीकरण, निजीकरण तथा भूमण्डलीकरण–भारत में आर्थिक सुधार; उदारीकरण; दूसरी पीढ़ी के आर्थिक सुधार; निजीकरण; भूमण्डलीकरण; नई आर्थिक नीति • स्वतंत्रता के पश्चात से औद्योगिक नीति • लोक उद्यम–अवधारणा; लोक निगम : अर्थ और परिभाषा; सार्वजनिक उपक्रमों में वित्तीय स्वायत्तता एवं जवाबदेही से संबंधित समस्याएँ • विनिवेश–विनिवेश नीति; वर्तमान नीति • वित्तीय प्रशासन–वित्तीय प्रशासन : अर्थ, महत्व, प्रकृति एवं कार्यक्षेत्र • भारत में बजट संबंधी प्रक्रिया • बजट निर्माण–बजट की तैयारी; बजट अधिनियमन; बजट का क्रियान्वयन; बजट के प्रकार; निष्पादक बजट; शून्य आधारित बजट; भारत में जीरोबेस बजट प्रणाली • लिंग आधारित बजट • राजस्व उत्तरदायित्व तथा बजट प्रबन्ध अधिनियम (FRBM)–सूर्यास्त विधायन; केन्द्र-राज्य संबंध; वित्त आयोग • वित्तीय नियंत्रण–विधायी; कार्यपालिका; संसदीय समितियाँ • करारोपण नीतियाँ–करारोपण के सिद्धान्त–प्रगतिशील तथा आनुपातिक करारोपण–करारोपण नीतियों में सुधार • **बहुविकल्पीय प्रश्नोत्तर; उत्तरमाला।**

■ **सामाजिक कल्याण प्रशासन 373-422**

• सामाजिक कल्याण • सामाजिक न्याय • सामाजिक परिवर्तन की अवधारणा • सामाजिक न्याय में समानता तथा समावेशन की अवधारणा • सकारात्मक कार्रवाई की अवधारणा–आरक्षण • सामाजिक न्याय प्रशासन–केन्द्रीय समाज कल्याण बोर्ड; राज्य समाज कल्याण बोर्ड; बोर्ड का संगठन • गैर-सरकारी संगठन • नागरिक समाज • संगठन–संगठन का अर्थ; संगठन सम्बन्धी दृष्टिकोण : औपचारिक एवं अनौपचारिक संगठन; स्वैच्छिक संगठन; स्वैच्छिक संगठन का अर्थ • अनुसूचित जाति/अनुसूचित जनजाति/अन्य पिछड़ा वर्ग के लिए नीतियाँ, कार्यक्रम तथा सांस्थानिक रूपरेखा • महिलाओं के लिए नीतियाँ, कार्यक्रम तथा

सांस्थानिक रूपरेखा • वृद्धजनों के लिए नीतियाँ, कार्यक्रम तथा सांस्थानिक रूपरेखा • दिव्यांग व्यक्तियों से सम्बन्धित कार्यक्रम, नीतियाँ तथा सांस्थानिक रूपरेखा—नीतियाँ; कार्यक्रम; संस्थागत उपाय; अल्पसंख्यकों के लिए नीतियाँ, कार्यक्रम तथा सांस्थानिक रूपरेखा; राष्ट्रीय महिला आयोग; अनुसूचित जाति आयोग; अनुसूचित जनजाति आयोग; राष्ट्रीय अल्पसंख्यक आयोग • आपदा प्रबन्धन—आपदाओं के प्रकार • भारत में आपदा प्रबन्धन की संस्थागत व्यवस्था • **बहुविकल्पीय प्रश्नोत्तर; उत्तरमाला।**

■ **लोक नीति 423-443**

• लोक नीति : अर्थ एवं परिभाषाएँ • लोक नीति का महत्व • लोक नीति तथा नीति विज्ञान का उद्‌भव • लोक नीति तथा लोक प्रशासन • लोक नीति के उपागम • नीति-निर्माण के सिद्धान्त एवं प्रतिमान—नीति-निर्धारण प्रतिमान • नीति-निर्मात्री संस्थाएँ • नीति विश्लेषण • नीति विश्लेषण के प्रकार • लोक-नीति क्रियान्वयन • लोक-नीति मूल्यांकन • लोक-नीति के अवरोध • नीति निर्माण में संचार माध्यम की भूमिका—नीति निर्माण में जनमत की भूमिका; नीति निर्माण में दबाव समूहों की भूमिका • नीति निर्माण में नागरिक समाज की भूमिका • **बहुविकल्पीय प्रश्नोत्तर; उत्तरमाला।**

■ **शासन तथा सुशासन 444-498**

• सुशासन पर प्राचीन संवाद—कौटिल्य; प्लेटो तथा अरस्तू के सुशासन सम्बन्धी विचार; सुशासन के तत्व एवं प्रारूप • सुशासन के सिद्धान्त तथा अवधारणा—संयुक्त राष्ट्र विकास कार्यक्रम (UNDP) द्वारा बताए गए सुशासन के 8 सिद्धांत; नागरिकों के अधिकारों और कर्तव्यों के बारे में जागरूकता के निम्न स्तर; नवीन लोक प्रबन्ध; राज्य, बाजार तथा नागरिक समाज; लोकविकल्प (लोकचयन) सिद्धान्त; लोक मूल्य सिद्धान्त; शासन सिद्धान्त के रूप में शासन तथा लोकशासन; तंत्र व्यवस्था (नेटवर्किंग) तथा सहयोगी शासन • आई.सी.टी. तथा शासन—ई-तत्परता; ई-शासन या ई-गवर्नेंस; आंगुलिक विभाजन; जवाबदेयता; खुलापन तथा पारदर्शिता; लिंग तथा शासन • सूचना का अधिकार—प्रशासनिक सुधार; राष्ट्रीय सूचना आयोग • नागरिक एवं शासन : नागरिक समाज - भूमिका एवं सीमाएँ—जनसहभागिता • नागरिक अधिकार पत्र : अवधारणा, उद्देश्य तथा महत्व—भारत में नागरिक चार्टर • नैतिकता तथा जन जवाबदेयता—विधि का शासन; प्रशासकीय कानून; प्रत्यायोजित विधान; प्रशासकीय अधिनिर्णय • शासन के नैतिक आधार—संवैधानिक मूल्य; परिवार; समाज; शिक्षा • **बहुविकल्पीय प्रश्नोत्तर; उत्तरमाला।**

■ **शोध प्रविधि 499-544**

• सामाजिक विज्ञान अनुसंधान : अर्थ तथा महत्व • प्रविधि तथा विधियों में अन्तर—शोध में तथ्य तथा मूल्य • सिद्धान्त निर्माण में शोध की भूमिका—सिद्धान्त निर्माण; शोध की भूमिका; वैज्ञानिक विधि; सामाजिक अनुसंधान में निष्पक्षता या वस्तुनिष्ठता; शोध के प्रकार; शोध समस्या की पहचान; उपकल्पना (प्राक्कल्पना अथवा परिकल्पना); नकारात्मक उपकल्पना; उपकल्पना का पुष्टिकरण; शोध प्रारूप • तथ्य या आँकड़े संकलन की विधियाँ—प्राथमिक आँकड़ों को एकत्र करने की रीतियाँ; द्वितीयक आँकड़ों का संग्रहण • साक्षात्कार—साक्षात्कार के उद्देश्य; प्रश्नावली; निरीक्षण या अवलोकन; पुस्तकालय एवं इंटरनेट का उपयोग; निदर्शन तथा निदर्शन विधियाँ; मापन के पैमाने; तथ्यों का विश्लेषण तथा सामाजिक विज्ञान अनुसंधान में कम्प्यूटर का उपयोग; उद्धरण पद्धति तथा अनुसंधान में नैतिकता; सन्दर्भ ग्रन्थ सूची; प्रतिवेदन लेखन • **बहुविकल्पीय प्रश्नोत्तर; उत्तरमाला।**

पिछले प्रश्न-पत्र

National Testing Agency (NTA)

UGC-NET जूनियर रिसर्च फैलोशिप तथा सहायक प्राध्यापक पात्रता परीक्षा

लोक प्रशासन, जनवरी-2026

(Exam held on 07-01-2026)

प्रश्न-पत्र-II

1. निम्नलिखित में से क्या मैक्स वेबर के वैधिक-युक्तिसंगत अधिकारीतंत्र मॉडल की विशेषता नहीं है?

1. अधिकारिक कार्यों में निरंतरता
2. प्राधिकार का पदसोपान
3. अलिखित नियमों पर आधारित प्रशासन
4. उच्च अधिकारी द्वारा निरीक्षण

2. भारत के किस वर्ष में 'रेल बजट' को 'आम बजट' से अलग किया गया है?

1. 1858 2. 1909
3. 1921 4. 1935

3. नेशनल पब्लिक सर्विस लॉ, 1947, किस देश के प्रशासन से संबंधित है?

1. ब्रिटेन 2. आस्ट्रेलिया
3. जापान 4. फ्रांस

4. संयुक्त राज्य अमेरिका में, निम्न में से कौन-सा विभाग बजट के लिए जिम्मेदार है?

1. राजकोष 2. वित्त मंत्रालय
3. प्रबंधन कार्यालय 4. स्वतंत्र वित्तीय बोर्ड

5. निम्न में से कौन-सा संस्थानिक निकाय, फ्रांस में नागरिकों के प्रशासनिक अधिकारियों के खिलाफ शिकायतों के निवारण के लिए बनाया गया है?

1. विधि निवारण इकाई 2. प्रशासकीय न्यायालय
3. नागरिकों के न्यायालय 4. शिकायत निवारण न्यायालय

6. 'महान प्रकाश अनुप्रयोग' किस से संबंधित है?

1. महान् दीवार अनुप्रयोग
2. सफेद प्रकाश निगम
3. वेस्टर्न इलेक्ट्रिक कम्पनी
4. नॉर्थ बेल सोसाईटी

7. निम्नलिखित में से कौन-सी पुस्तक नोबेल पुरस्कार, 1978 के कारण चर्चा में थी?

1. एडमिनिस्ट्रेटिव बिहैवियर : अ स्टडी ऑफ डिसीजन मेकिंग प्रॉसेस इन एडमिनिस्ट्रेटिव ऑर्गेनाइजेशन
2. प्रिंसीपल्स ऑफ एडमिनिस्ट्रेशन
3. दि फंक्शन ऑफ द एक्जीक्यूटिव
4. रिइन्वेंटिंग गवर्नमेंट

8. निम्नलिखित सवैधानिक संशोधन अधिनियमों में से किसमें झारखंड और छत्तीसगढ़ राज्यों में आदिवासी कल्याण मंत्री के लिए प्रावधान है?

1. 92वाँ 2. 94वाँ
3. 96वाँ 4. 99वाँ

9. किस संविधान संशोधन अधिनियम के द्वारा पहली बार 'केबिनेट' शब्द का उपयोग भारतीय संविधान में किया गया है?

1. 39वाँ 2. 42वाँ
3. 44वाँ 4. 52वाँ

10. भारत के संविधान के किस अनुच्छेद में उल्लेखित है कि 'कोई कर विधि के प्राधिकार से ही अधिरोपित या संगृहित किया जाएगा, अन्यथा नहीं'?

1. अनुच्छेद 249 2. अनुच्छेद 265
3. अनुच्छेद 271 4. अनुच्छेद 248

11. जेम्स डी थाम्पॅसन के अनुसार, निम्नलिखित में से कौन संगठन में परस्पर निर्भरता का प्रकार नहीं है?

1. विभेदित परस्पर-निर्भरता 2. क्रमिक परस्पर-निर्भरता
3. परस्पर-आश्रितता 4. संकलित परस्पर-निर्भरता

12. निम्न में से किस विचारक ने उपेक्षित व्यक्तियों को लोक प्रशासन के उत्तर आधुनिक सिद्धांत द्वारा चर्चा में महत्व दिया है?

1. डि.जे. फारमर 2. रोबर्ट गोल्मबास्की
3. जेम्स.सी. स्कॉट 4. फेरल हेडे

13. निम्न में से कौन पब्लिक चॉइस उपागम का मुख्य सिद्धांतकर्ता नहीं है?

1. विनसेंट ऑसर्टम 2. विलेयम निस्कानेन
3. एन्थोनी डाउन्स 4. वुडरो विल्सन

14. निम्नलिखित विचारकों में से किसने कहा कि "हम अपने मतभेदों को एकीकृत करने की आशा नहीं कर सकते जब तक कि हम नहीं जानते कि वे क्या हैं"?

1. चेस्टर बनार्ड 2. अब्राहम मास्लों
3. रॉबर्ट गोलेम्बियेस्की 4. मैरी पार्कर फोलेट

15. ह्यूगो फ्रेमवर्क फॉर एक्शन (HFA) 2005-2015 निम्न में से किस से संबंधित है?

1. जेंडर बजटिंग 2. आपदा प्रबंधन
3. सनसेट विधायन 4. परफॉर्मेंस बजट

16. 'परफॉर्मेंस बजटिंग' शब्दावली का प्रथम बार प्रयोग किस आयोग में हुआ था?

1. प्लेफेयर आयोग 2. एशटन आयोग
3. एसलिंगटन आयोग 4. प्रथम हूवर आयोग

17. भारत के संविधान के अनुसार, भारत का एक नियंत्रक- महालेखा परीक्षक होगा, जिसकी नियुक्ति करेंगे–

1. संसद 2. कैबिनेट समिति
3. राष्ट्रपति 4. सर्वोच्च न्यायालय कॉलेजियम

18. भारत में जनहित याचिका किस से संबंधित नियमों पर छूट देती है?

1. ऑडी अल्टेरम पारटेम 2. लोकस स्टैंडी
3. काविय्ट एम्पटर 4. इजूस्डम जेनेरीस

19. सिटिजंस चार्टर पहली बार किस देश में प्रस्तुत किए गए?

1. जर्मनी 2. ब्रिटेन
3. ऑस्ट्रिया 4. नीदरलैंड

20. भारत सरकार ने किस वर्ष शहरी विकास मंत्रालय का गठन किया था?

1. 1952 2. 1977
3. 1985 4. 1993

21. निम्न में से कौन एक सामाजिक सर्वेक्षण शोध में त्रुटि का स्रोत **नहीं** है?

1. प्रयोजनीयता त्रुटि 2. नमूना त्रुटि
3. आँकड़ा–प्रक्रमणत्र त्रुटि 4. आँकड़ा–संग्रह त्रुटि

22. भारत के प्रथम प्रशासनिक सुधार आयोग का नेतृत्व किसने किया था?

1. लाल बहादुर शास्त्री 2. मोरारजी देसाई
3. गोपाल स्वरूप पाठक 4. न्यायमूर्ति मुहम्मद हिदायतुल्ला

23. निम्नलिखित विचारकों में से किसने कहा था कि 'राजनीतिक प्रणाली मूल्यों के आधिकारिक आवंटन से संबद्ध है'?

1. डेविड ईस्टन 2. रॉबर्ट मिचेल्स
3. विलफ्रेडो पैरेटो 4. गाएतानो मोस्का

24. निम्न में से कौन-सा नीति निर्माण की ऑपटेमल मॉडल की एक विशेषता **नहीं** है?

1. आर्थिक तार्किकता 2. मेटा पॉलिसी मेकिंग
3. समाहित प्रतिपुष्टि 4. नौकरशाही विशिष्टता

25. एल. गुलिक के 'POSDCORB' में 'S' के लोक प्रशासन में क्या मायने हैं?

1. सेलेक्शन 2. स्पैन ऑफ कंट्रोल
3. स्टाफिंग 4. स्ट्रक्चर

26. 'गैंग प्लैंक' शब्द का अर्थ क्या है?

1. एकल नेतृत्व वाला केन्द्रीकृत संगठन
2. पदसोपानीय संगठन में 'लेवल-जंपिग'
3. निजी संगठन में सैन्य संरचना
4. नियमित तथा मापनीय कार्य-आचार नीति

27. यह अभिधारणा की कोई अधिकारी एक समय में एक निश्चित अधीनस्थों की संख्या को प्रभावी रूप से नियंत्रित नहीं कर सकता है, को जाना जाता है:

1. प्रत्यायोजन 2. नियंत्रण का क्षेत्र
3. केन्द्रीकरण 4. समन्वय

28. 'स्टाफ का सिद्धांत' अस्तित्व में आया:

1. नेतृत्व की एकता से 2. प्रदत्त उत्तरदायित्वता से
3. समन्वय का सिद्धांत से 4. चयन का सिद्धांत से

29. निम्नलिखित में से कौन-सा सिद्धांत फ्रेड्रिक् टेलर द्वारा दिए गए 'वैज्ञानिक प्रबंधन' सिद्धांत का भाग नहीं है?

1. श्रमिक के वैज्ञानिक चयन
2. कार्य-विज्ञान का विकास
3. कार्य का विभाजन
4. ई-गवर्नेस

30. निम्नलिखित में से कौन-से विचारक ने 'महासागरीय वृत्त' (ओसियनिक सर्किल) का समर्थन किया था?

1. कौटिल्य 2. एम.के. गांधी
3. एल्टन मेयो 4. मैक्स वेबर

31. प्रशासनिक कानून की फ्रांसीसी प्रणाली को किस नाम से जाना जाता है?

1. ड्रोइट एडमिनिस्ट्रेटिफ 2. कॉन्सेइल द' एटा
3. अरोडिसमेंट 4. कौर द कोप्त्

32. भारत में किस वर्ष में 'लोक प्रशासन' एक स्वतंत्र विषय के रूप में सिविल सेवा परीक्षा में शामिल किया गया?

1. 1978 2. 1982
3. 1987 4. 1991

33. निम्नलिखित में से किस विचारक ने निर्णय निर्माण के परंपरागत तार्किक मॉडल की आलोचना करते हुए, लोक नीति की 'इंक्रिमेंटल मॉडल' को प्रस्तुत किया?

1. डेविड ईस्टन 2. चार्ल्स लिंडब्लाम
3. मैक्स वेबर 4. हेरॉल्ड लासवेल

34. 1992 में, किस अंतर्राष्ट्रीय संस्था में 'गुड गवर्नेंस' को विकासशील देशों को कर्जा देने का पैमाना बनाया था?

1. एशियन विकास बैंक 2. क्वाड
3. विश्व बैंक 4. संयुक्त राष्ट्र संघ

35. भारत में किस वर्ष लोकसभा में, लोक पाल बिल पहली बार प्रस्तुत किया गया?

1. 1952 2. 1968
3. 1977 4. 2013

36. निम्नलिखित में से किस अधिनियम के द्वारा 'डिजिटल प्रशासन' को भारत में कानूनी स्थिति दी गई?

1. ई-गवर्नेंस अधिनियम, 1998
2. डिजिटल ट्रांसफॉरमेंशन एक्ट, 2009
3. स्मार्ट एक्ट, 2005
4. सूचना तकनीक अधिनियम, 2000

37. निम्नलिखित में से कौन-सी पुस्तक कौटिल्य द्वारा नहीं लिखी गई है?

1. अर्थशास्त्र 2. कौटिल्य नीति
3. चाणक्य नीति 4. नीतिशास्त्र

38. "इयुपसाइकीयन प्रबंधन" का अर्थ है:

1. संगठन को इस तरह से डिजाइन किया जाना चाहिए कि यह कर्मचारियों की सुरक्षा, प्रेम और आत्म साक्षात्कार की आवश्यकताओं को पूरा कर सके।
2. सामान्य व्यक्ति स्वाभाविक रूप से काम नापसंद करता है।
3. किसी संगठन में इंटरैक्शन (अंतःक्रिया) प्रभाव प्रणाली
4. एक प्रिज्मीय समाज में उच्च स्तर की विषमता का अस्तित्व

39. निम्नलिखित में से कौन-सा क्रिस आर्गिरिस की परिपक्वता-अपरिपक्वता सिद्धांत में एक चरण नहीं है?

1. शिशु की निष्क्रियता से व्यस्क गतिविधि की ओर
2. सापेक्ष स्वतंत्रता में निर्भरता की ओर
3. अल्पकालिक से दीर्घकालिक दृष्टिकोण तक
4. अधीनस्थ सामाजिक प्रस्थिति से समान सामाजिक प्रस्थिति तक

40. निम्नलिखित में से कौन-सी एक संरचनात्मक विशेषता है जो फ्रेड रिग्स द्वारा एग्रेरियो के रूप में पहचानी गई थी?

1. उपलब्धि मानक 2. उच्च सामाजिक गतिशीलता
3. सुविकसित पेशेवर पैटर्न 4. प्रभेदित स्तरीकरण प्रणाली

41. नीचे दो कथन दिए गए हैं: एक अभिकथन (A) के रूप में लिखित है, तो दूसरा कारण (R) के रूप में है।

अभिकथन (A): भारत के संविधान का अनुच्छेद 71(3) राष्ट्रपति को प्राधिकार देती है कि वह भारत सरकार का कार्य आवंटन के लिए नियम बनाएंगे।

कारण (R): कार्य आवंटन के नियमों के तहत्, मंत्रालय का कोई अधिकारी किसी निश्चित कार्य को करने के लिए कहा जा सकता है।

उपरोक्त कथन के आलोक में, नीचे दिए गए विकल्पों में से **सबसे उपयुक्त** उत्तर का चयन कीजिए:

1. दोनों (A) और (R) सत्य है और (R), (A) की सही व्याख्या है
2. दोनों (A) और (R) सत्य है, लेकिन (R), (A) की सही व्याख्या नहीं है
3. (A) सही है, लेकिन (R) सही नहीं है
4. (A) सही नहीं है, लेकिन (R) सही है

42. नीचे दो कथन दिए गए हैं: एक अभिकथन (A) के रूप में लिखित है, तो दूसरा कारण (R) के रूप में है।

अभिकथन (A): कैबिनेट सचिवालय भारत में ब्रिटिश की देन है।

कारण (R): भारत में इस संस्था की स्थापना पहली बार 1916 में हुई।

उपरोक्त कथन के आलोक में, नीचे दिए गए विकल्पों में से **सबसे उपयुक्त** उत्तर का चयन कीजिए:

1. दोनों (A) और (R) सत्य है और (R), (A) की सही व्याख्या है
2. दोनों (A) और (R) सत्य है, लेकिन (R), (A) की सही व्याख्या नहीं है
3. (A) सही है, लेकिन (R) सही नहीं है
4. (A) सही नहीं है, लेकिन (R) सही है

43. नीचे दो कथन दिए गए हैं: एक अभिकथन (A) के रूप में लिखित है, तो दूसरा कारण (R) के रूप में है।

अभिकथन (A): प्रथम प्रशासनिक सुधार आयोग ने अनुशंसा की 'कि रक्षा तथा विदेशी मामलों के लिए अलग-अलग कैबिनेट समितियाँ बनायी जानी चाहिए'।

कारण (R): संसदीय विषयों की समिति की अध्यक्षता भारत के प्रधानमंत्री करते हैं।

उपरोक्त कथन के आलोक में, नीचे दिए गए विकल्पों में से **सबसे उपयुक्त** उत्तर का चयन कीजिए:

1. दोनों (A) और (R) सत्य है और (R), (A) की सही व्याख्या है
2. दोनों (A) और (R) सत्य है, लेकिन (R), (A) की सही व्याख्या नहीं है
3. (A) सही है, लेकिन (R) सही नहीं है
4. (A) सही नहीं है, लेकिन (R) सही है

44. नीचे दो कथन दिए गए हैं: एक अभिकथन (A) के रूप में लिखित है, तो दूसरा कारण (R) के रूप में है।

अभिकथन (A): बी.आर. अम्बेडकर के सामाजिक एवं राजनीतिक दृष्टिकोण को सामाजिक न्याय के रूप में सारगर्भित किया जा सकता है।

कारण (R): कार्ल मार्क्स ने नौकरशाही या प्रशासन के बारे में अलग से नहीं लिखा परंतु नौकरशाही की भूमिका एवं प्रशासन के प्रारूप के बारे में पर्याप्त रूप से वर्णन किया।

उपरोक्त कथन के आलोक में, नीचे दिए गए विकल्पों में से **सबसे उपयुक्त** उत्तर का चयन कीजिए:

1. दोनों (A) और (R) सत्य है और (R), (A) की सही व्याख्या है
2. दोनों (A) और (R) सत्य है, लेकिन (R), (A) की सही व्याख्या नहीं है
3. (A) सही है, लेकिन (R) सही नहीं है
4. (A) सही नहीं है, लेकिन (R) सही है

45. नीचे दो कथन दिए गए हैं: एक अभिकथन (A) के रूप में लिखित है, तो दूसरा कारण (R) के रूप में है।

अभिकथन (A): भारत में जिला कलेक्टर प्रशासन का मुख्य कार्यकारी होता है।

कारण (R): 1921 में द्वैधशासन ने कलक्टर को नीति निर्माण में निरंकुश रूप से शक्तिशाली बना दिया।

उपरोक्त कथन के आलोक में, नीचे दिए गए विकल्पों में से **सबसे उपयुक्त** उत्तर का चयन कीजिए:

1. दोनों (A) और (R) सत्य है और (R), (A) की सही व्याख्या है
2. दोनों (A) और (R) सत्य है, लेकिन (R), (A) की सही व्याख्या नहीं है
3. (A) सही है, लेकिन (R) सही नहीं है
4. (A) सही नहीं है, लेकिन (R) सही है

46. नीचे दो कथन दिए गए हैं: एक अभिकथन (A) के रूप में लिखित है, तो दूसरा कारण (R) के रूप में है।

अभिकथन (A): कार्ल पॉपर के अनुसार, शोध में एक परिकल्पना या कथन से शुरुआत करनी चाहिए, जिसका परीक्षण करना हो।

कारण (R): फेनोमेनोलॉजी के अनुसार, सामाजिक विश्व एक सामाजिक रचना है।

उपरोक्त कथन के आलोक में, नीचे दिए गए विकल्पों में से **सबसे उपयुक्त** उत्तर का चयन कीजिए:

1. दोनों (A) और (R) सत्य है और (R), (A) की सही व्याख्या है
2. दोनों (A) और (R) सत्य है, लेकिन (R), (A) की सही व्याख्या नहीं है
3. (A) सही है, लेकिन (R) सही नहीं है
4. (A) सही नहीं है, लेकिन (R) सही है

47. नीचे दो कथन दिए गए हैं: एक अभिकथन (A) के रूप में लिखित है, तो दूसरा कारण (R) के रूप में है।

अभिकथन (A): प्रतिभागी अवलोकन् में सबसे मुख्य निर्णय शोधकर्ता के लिए होता है कि वह किस प्रकार सामाजिक समूह में शामिल हो जिस पर शोध करनी है।

कारण (R): शोध में नमूने के प्रतिनिधिनात्मकता पर समझौता किया जा सकता है।

उपरोक्त कथन के आलोक में, नीचे दिए गए विकल्पों में से **सबसे उपयुक्त** उत्तर का चयन कीजिए:

1. दोनों (A) और (R) सत्य है और (R), (A) की सही व्याख्या है
2. दोनों (A) और (R) सत्य है, लेकिन (R), (A) की सही व्याख्या नहीं है
3. (A) सही है, लेकिन (R) सही नहीं है
4. (A) सही नहीं है, लेकिन (R) सही है

48. नीचे दो कथन दिए गए हैं: एक अभिकथन (A) के रूप में लिखित है, तो दूसरा कारण (R) के रूप में है।

अभिकथन (A): शोध में ट्राईएगुलेशन से विभिन्न शोध तकनीकों द्वारा डाटा की वैद्यता को परखा जाता है।

कारण (R): यह प्रक्रिया शोध के नतीजों की विश्वनीयता को बढ़ाता है।

उपरोक्त कथन के आलोक में, नीचे दिए गए विकल्पों में से **सबसे उपयुक्त** उत्तर का चयन कीजिए:

1. दोनों (A) और (R) सत्य है और (R), (A) की सही व्याख्या है
2. दोनों (A) और (R) सत्य है, लेकिन (R), (A) की सही व्याख्या नहीं है
3. (A) सही है, लेकिन (R) सही नहीं है
4. (A) सही नहीं है, लेकिन (R) सही है

49. नीचे दो कथन दिए गए हैं: एक अभिकथन (A) के रूप में लिखित है, तो दूसरा कारण (R) के रूप में है।

अभिकथन (A): गुणात्मक एवं संख्यात्मक शोध दोनों के अपने-अपने फायदे हैं।

कारण (R): दोनों तरीकों से सामाजिक जीवन को गहराई से समझा जा सकता है।

उपरोक्त कथन के आलोक में, नीचे दिए गए विकल्पों में से **सबसे उपयुक्त** उत्तर का चयन कीजिए:

1. दोनों (A) और (R) सत्य है और (R), (A) की सही व्याख्या है
2. दोनों (A) और (R) सत्य है, लेकिन (R), (A) की सही व्याख्या नहीं है
3. (A) सही है, लेकिन (R) सही नहीं है
4. (A) सही नहीं है, लेकिन (R) सही है

50. नीचे दो कथन दिए गए हैं: एक अभिकथन (A) के रूप में लिखित है, तो दूसरा कारण (R) के रूप में है।

अभिकथन (A): 'लाइन' एजेंसी शब्द का सबसे पहले उपयोग सेना प्रशासन में किया गया था।

कारण (R): स्वास्थ्य, रक्षा एवं रेलवे आदि सरकार के मुख्य लाईन विभाग हैं।

उपरोक्त कथन के आलोक में, नीचे दिए गए विकल्पों में से **सबसे उपयुक्त** उत्तर का चयन कीजिए:

1. दोनों (A) और (R) सत्य है और (R), (A) की सही व्याख्या है
2. दोनों (A) और (R) सत्य है, लेकिन (R), (A) की सही व्याख्या नहीं है
3. (A) सही है, लेकिन (R) सही नहीं है
4. (A) सही नहीं है, लेकिन (R) सही है

51. निम्नलिखित नागरिक समाज आंदोलन/अधिनियमों/विधेयकों को कालक्रमानुसार व्यवस्थित करें।

A. साइलेंट वैली आंदोलन

B. नर्मदा बचाओ आंदोलन

C. चिपको आंदोलन

D. अप्पिको आंदोलन

E. वीबी जी-राम-जी विधेयक पारित

नीचे दिए गए विकल्पों में से **सही उत्तर** का चयन कीजिए:

1. A, E, C, B, D　　2. A, C, B, E, D
3. C, A, D, B, E　　4. C, E, B, D, A

52. भारत सरकार द्वारा अंगीकृत निम्नलिखित नीतियों/अधिनियमों को कालक्रमानुसार व्यवस्थित करें।

A. राष्ट्रीय पर्यावरण नीति

B. वन्यजीव संरक्षण अधिनियम

C. वायु (प्रदूषण निवारण एवं नियंत्रण) अधिनियम

D. राष्ट्रीय हरित न्यायाधिकरण की स्थापना

E. जैव-विविधता अधिनियम

नीचे दिए गए विकल्पों में से **सही उत्तर** का चयन कीजिए:

1. B, C, E, A, D　　2. D, A, E, C, B
3. A, B, C, D, E　　4. B, A, C, E, D

53. निम्नलिखित को क्रम में व्यवस्थित करें जैसा कि अब्राहम मास्लों ने अपने आवश्यकता के पद सोपान सिद्धांत में दिया है (उच्च से निम्न की ओर):

A. सुरक्षा और संरक्षा की आवश्यकताएँ

B. अन्य आवश्यकताओं के साथ सामाजिक संबंध

C. सम्मान और आत्मसम्मान की आवश्यकताएँ

D. आत्मसिद्धि की आवश्यकताएँ

E. शारीरिक आवश्यकताएँ

नीचे दिए गए विकल्पों में से **सही उत्तर** का चयन कीजिए:

1. C, D, A, B, E　　2. D, C, B, A, E
3. D, B, C, E, A　　4. B, D, A, E, C

54. निम्नलिखित विषयों को भारत के संविधान में उनके उल्लेख-क्रमानुसार व्यवस्थित करें।

A. विनियोग विधेयक　　B. अनुपूरक अनुदान

C. अपवादानुदान　　D. वार्षिक वित्तीय प्रतिवेदन

E. धन-विधेयक

नीचे दिए गए विकल्पों में से **सही उत्तर** का चयन कीजिए:

1. A, B, C, D, E　　2. A, B, E, D, C
3. E, D, A, B, C　　4. E, A, B, C, D

55. निम्नलिखित विषयों को भारत के संविधान में उनके उल्लेख-क्रमानुसार व्यवस्थित करें।

A. नगरपालिकाओं की संरचना

B. जिला-योजना के लिए समिति

C. महानगर-योजना के लिए समिति

D. वार्ड-समितियों की संरचना

E. सहकारी समितियों का निगमन

नीचे दिए गए विकल्पों में से **सही उत्तर** का चयन कीजिए:

1. D, A, B, E, C　　2. D, B, C, E, A
3. A, B, C, D, E　　4. A, D, B, C, E

56. निम्नलिखित घटनाओं को कालक्रमानुसार व्यवस्थित करें।

A. माल और सेवा कर की शुरुआत।

B. कॉरपोरेट सामाजिक उत्तरदायित्व योजना प्रारंभ।

C. प्रधानमंत्री कार्यालय में जम्मू और कश्मीर विभाग का बनाया जाना।

D. योजना आयोग भंग किया गया।

E. राष्ट्रीय आपदा प्रबंधन प्राधिकरण की स्थापना।

नीचे दिए गए विकल्पों में से **सही उत्तर** का चयन कीजिए:

1. E, C, A, B, D　　2. C, E, B, D, A
3. C, E, B, A, D　　4. E, B, D, A, C

57. निम्नलिखित पुस्तकों को उनके प्रकाशन वर्षानुसार क्रम में व्यवस्थित करें।

A. एल्टन मेयो का 'दि ह्यूमन प्रॉब्लम्स ऑफ इंडस्ट्रीयल सिविलाइजेशन'

B. ड्वाइट वाल्डो का 'दि स्टडी ऑफ पब्लिक एडमिनिस्ट्रेशन'

C. अब्राहम मैस्लो का 'ए थ्योरी ऑफ ह्यूमन मोटिवेशन'

D. फ्रेडरिक हर्जबर्ग का 'दि मैनेजेरियल च्वाइस'

E. मैरी पार्कर फॉलेट का 'क्रिएटिव एक्सपीरियंस'

नीचे दिए गए विकल्पों में से **सही उत्तर** का चयन कीजिए:

1. C, B, D, A, E　　2. A, B, C, D, E
3. D, E, A, B, C　　4. E, A, C, B, D

58. भारत सरकार के निम्नलिखित कार्यक्रमों/समितियों/प्रतिवेदनों को उनके कालक्रमानुसार व्यवस्थित करें।

A. समन्वित ग्रामीण विकास कार्यक्रम का शुभारंभ

B. ग्राम-नगरीय संबंध समिति की स्थापना

C. नगरीकरण पर राष्ट्रीय आयोग की स्थापना

D. जवाहरलाल नेहरु राष्ट्रीय नगर नवीकरण मिशन की शुरुआत

E. कायाकल्प और शहरी परिवर्तन के लिए अटल मिशन

नीचे दिए गए विकल्पों में से **सही उत्तर** का चयन कीजिए:

1. A, B, E, C, D 2. B, C, A, E, D
3. A, B, C, D, E 4. B, A, C, D, E

59. भारत के संविधान में निम्नलिखित विषयों/अनुच्छेदों को उनके उल्लेख-क्रमानुसार व्यवस्थित करें।

A. "शुद्ध आगम" आदि की गणना

B. माल और सेवा कर परिषद्

C. आकस्मिकता निधि

D. वित्त आयोग

E. वृत्तियों पर कर

नीचे दिए गए विकल्पों में से **सही उत्तर** का चयन कीजिए:

1. A, B, C, D, E 2. C, E, A, B, D
3. E, C, B, D, A 4. B, E, A, D, C

60. भारत के संविधान में निम्नलिखित अनुच्छेदों/विषयों को उनके उल्लेख-क्रमानुसार व्यवस्थित करें।

A. राष्ट्रपति का विशेष अभिभाषण

B. संसद के सदनों की अवधि

C. संसद के सत्र, सत्रावसान और विघटन

D. संसद का सचिवालय

E. प्रत्येक जनगणना के पश्चात् पुनः समायोजन

नीचे दिए गए विकल्पों में से **सही उत्तर** का चयन कीजिए:

1. C, E, A, B, D 2. A, B, C, D, E
3. B, E, A, D, C 4. E, B, C, A, D

61. निम्नलिखित को कालक्रमानुसार व्यवस्थित करें।

A. नागरिक अधिकारों का संरक्षण अधिनियम

B. ट्राइफेड की स्थापना

C. भारतीय पुनर्वास परिषद् की स्थापना

D. बाल विवाह निषेध अधिनियम

E. अनैतिक व्यापार (निवारण) अधिनियम

नीचे दिए गए विकल्पों में से **सही उत्तर** का चयन कीजिए:

1. A, B, C, D, E 2. A, E, B, C, D
3. B, A, E, D, C 4. A, C, E, D, B

62. निम्नलिखित समितियों/प्रतिवेदनों को कालक्रमानुसार व्यवस्थित करें।

A. लोक प्रशासन पर ए.डी. गोरवाला प्रतिवेदन

B. पंचायती राज संस्थाओं पर अशोक मेहता समिति

C. कर-सुधारों पर राजा चेलय्या समिति

D. सिविल सेवा परीक्षा के पैटर्न पर बी.एस. बासवान समिति

E. भ्रष्टाचार के निवारण के लिए संथानम समिति

नीचे दिए गए विकल्पों में से **सही उत्तर** का चयन कीजिए:

1. A, B, C, D, E 2. E, D, C, B, A
3. E, A, D, C, B 4. A, E, B, C, D

63. निम्नलिखित पुस्तकों/आलेखों को उनके प्रथम प्रकाशन वर्षानुसार क्रम में व्यवस्थित करें।

A. बिग डेमोक्रेसी

B. इंट्रोडक्शन टू दि स्टडी ऑफ पब्लिक एडमिनिस्ट्रेशन

C. दि स्टडी ऑफ एडमिनिस्ट्रेशन

D. पेपर्स ऑन दि साइंस ऑफ एडमिनिस्ट्रेशन

E. ए हैंडबुक ऑफ पब्लिक एडमिनिस्ट्रेशन (संयुक्त राष्ट्र संघ)

नीचे दिए गए विकल्पों में से **सही उत्तर** का चयन कीजिए:

1. C, A, D, E, B 2. A, B, C, D, E
3. C, D, A, B, E 4. A, C, D, E, B

64. निम्नलिखित अधिनियमों/अभियानों को कालक्रमानुसार व्यवस्थित करें।

A. बच्चों को निःशुल्क एवं अनिवार्य शिक्षा का अधिकार अधिनियम

B. अनुसूचित जातियों के लिए वेंचर कैपिटल फंड योजना का शुभारंभ

C. मानसिक स्वास्थ्य अधिनियम

D. नशा मुक्त भारत अभियान

E. लैंगिक अपराधों से बालकों का संरक्षण (पॉक्सो) अधिनियम

नीचे दिए गए विकल्पों में से **सही उत्तर** का चयन कीजिए:

1. C, A, E, B, D 2. A, C, B, E, D
3. B, C, A, D, E 4. A, B, C, E, D

65. निम्नलिखित को उनके स्थापना के क्रमानुसार व्यवस्थित करें।

A. भारतीय जनसंचार संस्थान की स्थापना

B. प्रेस ट्रस्ट ऑफ इंडिया की स्थापना

C. यूनाइटेड न्यूज ऑफ इंडिया का गठन

D. इंदिरा गाँधी राष्ट्रीय कला केन्द्र की स्थापना

E. भारतीय सांस्कृतिक संबंध परिषद् की स्थापना

नीचे दिए गए विकल्पों में से **सही उत्तर** का चयन कीजिए:

1. B, A, C, E, D 2. C, B, D, E, A
3. C, E, A, B, D 4. B, E, C, A, D

66. निम्नलिखित वक्तव्यों में से अनुसूचित जातियों/जनजातियों के विषय में कौन-कौन सही है?

A. भारत के संविधान में अनुसूचित जातियों/जनजातियों का उल्लेख नहीं है।

B. राष्ट्रपति को यह अधिकार है कि वह प्रत्येक राज्य के राज्यपाल से परामर्श करके, संसद द्वारा संशोधन की संभावना के अधीन, अनुसूचित जाति/जनजाति सूची विनिर्दिष्ट कर सकेगा।

C. भारत के प्रधानमंत्री द्वारा अनुसूचित जातियों के लिए आयोग की नियुक्ति होती है।
D. अनुसूचित जातियों/जनजातियों के कल्याणकारी योजनाओं हेतु अनुच्छेद 275(1) में प्रावधान है।
E. भारत के संविधान के पाँचवीं व छठी अनुसूची केवल अनुसूचित जातियों के क्षेत्रों के प्रशासन से संबंधित है।

नीचे दिए गए विकल्पों में से **सही उत्तर** का चयन कीजिए:

1. केवल A, B और C
2. केवल B, C और D
3. केवल A, B और D
4. केवल B, C और E

67. निम्नलिखित वक्तव्यों में से अल्पसंख्यकों के लिए कौन-से कल्याण नीति सही है?

A. अल्पसंख्यक आयोग की स्थापना 1972 में की गई।
B. अल्पसंख्यक आयोग, राष्ट्रीय अल्पसंख्यक आयोग अधिनियम 1992 लागू होने के बाद सांविधिक निकाय बन गया है।
C. अल्पसंख्यकों के लिए पीएम विकास एक व्यापक योजना है।
D. हज यात्रा का प्रबंधन विदेश मंत्रालय करती है।
E. हज यात्रा भारत और सऊदी अरब के बीच द्विपक्षीय समझौते के प्रावधान द्वारा शासित है।

नीचे दिए गए विकल्पों में से **सही उत्तर** का चयन कीजिए:

1. केवल A, C और D
2. केवल B, C और D
3. केवल A, B और E
4. केवल B, C और E

68. निम्नलिखित में से 'मिशन शक्ति' के बारे में कौन-से सही है?

A. मिशन शक्ति ट्रान्सजेंडर समुदाय के दिव्यांगजन व्यक्तियों के लिए एक समेकित सशक्तिकरण कार्यक्रम है।
B. संबल उप-योजना के तहत वन स्टॉप सेंटर में कानूनी परामर्श सेवाएं प्रदान की जाती है।
C. नारी अदालत एक वैकल्पिक शिकायत निवारण-तंत्र है।
D. बेटी बचाओ, बेटी पढ़ाओ योजना केंद्र सरकार द्वारा 100 प्रतिशत वित्तपोषित है।
E. 'सामर्थ्य' जनजातीय उपयोजनाओं की डिजिटल निगरानी में सहायता करता है।

नीचे दिए गए विकल्पों में से **सही उत्तर** का चयन कीजिए:

1. केवल A, C और D
2. केवल C, D और E
3. केवल B, C और D
4. केवल A, B और E

69. जल-शक्ति मंत्रालय के अंतर्गत हैं:

A. पेयजल और स्वच्छता विभाग
B. विद्युत विभाग
C. नवीकरणीय ऊर्जा विभाग
D. जल संसाधन, नदी विकास और गंगा संरक्षण विभाग
E. नदियों के जोड़ने और बाढ़-प्रबंधन विभाग

नीचे दिए गए विकल्पों में से **सही उत्तर** का चयन कीजिए:

1. केवल A, B और C
2. केवल A, D और E
3. केवल A, C, D और E
4. केवल A और D

70. निम्नलिखित में से कौन-कौन से विभाग कृषि एवं किसान कल्याण मंत्रालय के भाग हैं?

A. कृषि अनुसंधान और शिक्षा विभाग
B. खाद्यान्न विभाग
C. पशुपालन विभाग
D. खाद्य-प्रसंस्करण विभाग
E. कृषि एवं किसान कल्याण विभाग

नीचे दिए गए विकल्पों में से **सही उत्तर** का चयन कीजिए:

1. केवल A और E
2. केवल B और C
3. केवल A, B, C और D
4. केवल A, C और E

71. निम्नलिखित में से कौन-कौन योजनाएँ भारत सरकार ने 2015 में शुरू किया?

A. उज्ज्वला योजना
B. आत्मनिर्भर भारत अभियान
C. बेटी बचाओ, बेटी पढ़ाओ योजना
D. स्मार्ट सिटी मिशन
E. अटल पेंशन योजना

नीचे दिए गए विकल्पों में से **सही उत्तर** का चयन कीजिए:

1. केवल A, B और C
2. केवल A और B
3. केवल C, D और E
4. केवल B और C

72. निम्नलिखित में से कौन-कौन कार्यक्रम/योजनाएँ भारत सरकार ने महात्मा गांधी के जन्म दिवस पर शुभारंभ किया?

A. स्वच्छ भारत अभियान
B. सामुदायिक विकास कार्यक्रम की शुरुआत
C. नागौर जिले में पंचायती राज की शुरुआत
D. SHe Box पोर्टल
E. नमामि गंगे योजना

नीचे दिए गए विकल्पों में से **सही उत्तर** का चयन कीजिए:

1. केवल A, B, D और E
2. केवल A, B और C
3. केवल A, C और E
4. केवल A, B, C और D

73. निम्न में से कौन-सी व्यवसायी संस्था ने सामाजिक शोध पर नीति संहिता नहीं दी है?

A. ब्रिटिश सोशलॉजिकल एसोसिएशन (बी.एस.ए.)
B. कोलंबिया फिजिस्सिट एसोसिएशन (सा.पी.आर.ए.)
C. अमेरिकन सोशलॉजिकल एसोसिएशन (ए.एस.ए.)
D. दि इकोनोमिक एंड सोशल रिसर्च कॉउन्सिल (ई.एस.आर.सी.)
E. एशिया फाउनडेशन ऑफ रिसर्च एसोसिएशन (ए.एफ.आर.ए.)

नीचे दिए गए विकल्पों में से **सही उत्तर** का चयन कीजिए:

1. केवल A
2. केवल C और D
3. केवल B और E
4. केवल D

74. कैबिनेट सचिव के अलावा, कैबिनेट सचिवालय में कुछ सचिव-स्तर के अधिकारी होते हैं। निम्नलिखित में से कौन उनमें से एक नहीं है?

A. सचिव, सुरक्षा
B. सचिव, रिसर्च एंड एनालिसिस विंग
C. सचिव, समन्वय एवं लोक शिकायत
D. चेयरमैन ऑफ दि नेशनल ऑथरिटी फॉर केमिकल विपन्स एंड कन्वेंशन
E. सचिव, मानव कैपिटल (पूंजी)

नीचे दिए गए विकल्पों में से **सही उत्तर** का चयन कीजिए:

1. केवल A, B, C
2. केवल C
3. केवल B, C, D
4. केवल E

75. कम-से-कम चार वर्षों तक अपने पद पर रहने वाले भारत के कैबिनेट सचिवों के नाम चुनें।

A. एन.आर. पिल्लई
B. वाई.एन. सुखथंकार
C. बी.डी. पांडे
D. प्रदीप कुमार सिन्हा
E. पी.के. कॉल

नीचे दिए गए विकल्पों में से **सही उत्तर** का चयन कीजिए:

1. केवल A, B और E
2. केवल B, C और D
3. केवल C और E
4. केवल A, D और B

76. सूची-I को सूची-II से सुमेलित करें:

सूची-I (विचार)	**सूची-II (प्रकार)**
A. गैर-संभाविक नमूनाकरण	I. अपर्याप्त नमूनाकरण फ्रेम या नॉन रेस्पॉन्स
B. संभाविक नमूनाकरण	II. स्नो बॉल
C. गैर-नमूनाकरण त्रुटि	III. इकाईयों का समूहीकरण
D. समूह-नमूनाकरण	IV. स्तरीय यादृच्छिक

नीचे दिए गए विकल्पों में से **सही उत्तर** का चयन कीजिए:

1. A-II, B-IV, C-I, D-III
2. A-III, B-I, C-II, D-IV
3. A-IV, B-II, C-III, D-I
4. A-I, B-III, C-IV, D-II

77. सूची-I को सूची-II से सुमेलित करें:

सूची-I (लेखक)	**सूची-II (पुस्तक)**
A. बेल एंड न्यूबी	I. मेथ्ड्स इन सोशल रिसर्च
B. पैट्रिक मेकनिल	II. डुइंग सोशियोलोजिकल रिसर्च
C. एलन ब्रायमेन	III. रिसर्च मेथ्ड्स
D. गुडे एंड हैट	IV. सोशल रिसर्च मेथ्ड्स

नीचे दिए गए विकल्पों में से **सही उत्तर** का चयन कीजिए:

1. A-I, B-II, C-III, D-IV
2. A-II, B-III, C-IV, D-I
3. A-III, B-IV, C-I, D-II
4. A-IV, B-I, C-II, D-III

78. सूची-I को सूची-II से सुमेलित करें:

सूची-I (विचार)	**सूची-II (परिभाषा)**
A. शून्य परिकल्पना	I. CAQDAS पैकेज जो गुणात्मक डेटा को व्यवस्थित करने में मदद करता है।
B. NViVo	II. जिस सीमा तक दो या दो से ज्यादा व्यक्ति किसी वस्तु की कोडिंग पर सहमत होते हैं
C. सत्तामीमांसा	III. परिकल्पना जिसमें दो चरों के बीच कोई संबंध नहीं हैं
D. इंटर-रेटर विश्वसनीयता	IV. सामाजिक तत्वों के स्वरूप के बारे में सिद्धांत

नीचे दिए गए विकल्पों में से **सही उत्तर** का चयन कीजिए:

1. A-I, B-III, C-II, D-IV
2. A-II, B-IV, C-III, D-I
3. A-III, B-I, C-IV, D-II
4. A-IV, B-II, C-I, D-III

79. सूची-I को सूची-II से सुमेलित करें:

सूची-I (अवधारणा)	**सूची-II (प्रकार)**
A. शोध डिजाइन	I. मानकीकरण
B. शोध विचार	II. नृजाति-वर्णन
C. शोध विधि	III. सहमति
D. शोध आचार	IV. साक्षात्कार

नीचे दिए गए विकल्पों में से **सही उत्तर** का चयन कीजिए:

1. A-III, B-II, C-I, D-IV
2. A-IV, B-III, C-II, D-I
3. A-I, B-IV, C-III, D-II
4. A-II, B-I, C-IV, D-III

80. सूची-I को सूची-II से सुमेलित करें:

सूची-I (शोध का तरीका)	**सूची-II (लक्ष्य)**
A. लांगिट्यूडिनल शोध	I. स्वभाव को प्राकृतिक विन्यास में समझना
B. प्रयोगात्मक शोध	II. कूटबंध के तरीके को समझना
C. नृजातिक शोध	III. चरों के बीच के संबंधों का परीक्षण करना
D. विषयक शोध	IV. किसी समूह पर लम्बी समयावधि तक अध्ययन करना

नीचे दिए गए विकल्पों में से **सही उत्तर** का चयन कीजिए:

1. A-II, B-I, C-III, D-IV
2. A-III, B-II, C-IV, D-I
3. A-IV, B-III, C-I, D-II
4. A-I, B-IV, C-II, D-III

81. सूची-I को सूची-II से सुमेलित करें:

सूची-I (स्टडी/रिपोर्ट)	सूची-II (संबंधित व्यक्ति)
A. ए सर्वे ऑफ पब्लिक एडमिनिस्ट्रेशन इन इंडिया	I. पी.सी. होता
B. स्लम के विभिन्न पहलुओं का परीक्षण	II. प्रणब सेन
C. सिविल सेवा सुधार	III. पॉल एप्लेबी
D. राष्ट्रीय पुलिस आयोग	IV. धरम वीर

नीचे दिए गए विकल्पों में से **सही उत्तर** का चयन कीजिए:

1. A-IV, B-I, C-III, D-II
2. A-II, B-III, C-I, D-IV
3. A-III, B-II, C-I, D-IV
4. A-I, B-IV, C-III, D-II

82. सूची I को सूची-II से सुगेलित करें:

सूची-I (प्रावधान)	सूची-II (विषय वस्तु)
A. अनुच्छेद 124	I. राष्ट्रीय न्यायिक नियुक्ति आयोग
B. अनुच्छेद 124A	II. अपील के लिए उच्चतम न्यायालय की विशेष इजाजत
C. अनुच्छेद 129	III. उच्चतम न्यायालय की स्थापना और गठन
D. अनुच्छेद 136	IV. उच्चतम न्यायालय का अभिलेख न्यायालय होना

नीचे दिए गए विकल्पों में से **सही उत्तर** का चयन कीजिए:

1. A-I, B-III, C-II, D-IV
2. A-III, B-I, C-IV, D-II
3. A-II, B-III, C-IV, D-I
4. A-I, B-II, C-III, D-IV

83. सूची-I को सूची-II से सुमेलित करें:

सूची-I (लेखक)	सूची-II (विचार)
A. येझक्ल ड्रोर	I. न्यू पब्लिक एडमिनिस्ट्रेशन
B. ड्वाइट वाल्डो	II. नॉलेज सोसाइटी एवं नॉलेज वर्कर्स
C. रेनसिस लिकर्ट	III. पारडिगमस् ऑफ पॉलिसी साइंसेज
D. पीटर ड्रकर	IV. इंटरएक्शन-इन्फ्लुएंश सिस्टम

नीचे दिए गए विकल्पों में से **सही उत्तर** का चयन कीजिए:

1. A-II, B-IV, C-III, D-I
2. A-III, B-I, C-IV, D-II
3. A-IV, B-II, C-I, D-III
4. A-I, B-III, C-II, D-IV

84. सूची-I को सूची-II से सुमेलित करें:

सूची-I (संगठनात्मक संरचना)	सूची-II (पदानुक्रमिक पद)
A. डिपार्टमेन्ट	I. उप सचिव
B. विंग	II. अतिरिक्त-सचिव/संयुक्त सचिव
C. डिवीजन	III. अवर सचिव
D. ब्रांच	IV. सचिव

नीचे दिए गए विकल्पों में से **सही उत्तर** का चयन कीजिए:

1. A-IV, B-II, C-III, D-I
2. A-II, B-IV, C-III, D-I
3. A-II, B-IV, C-I, D-III
4. A-IV, B-II, C-I, D-III

85. सूची-I को सूची-II से सुमेलित करें:

सूची-I (वित्त मंत्रालय के खंड (डिवीजन))	सूची-II (फोकस)
A. बहुपक्षीय संबंध खंड	I. देश में आर्थिक ट्रेंड का परीक्षण करना
B. बहुपक्षीय संस्था खंड	II. सभी अल्पकालिक विदेशी प्रशिक्षण कार्यक्रमों को देखना
C. आर्थिक खंड	III. G-20
D. द्विपक्षीय सहयोग खंड	IV. अंतर्राष्ट्रीय मुद्रा कोष

नीचे दिए गए विकल्पों में से **सही उत्तर** का चयन कीजिए:

1. A-III, B-IV, C-I, D-II
2. A-IV, B-III, C-II, D-I
3. A-I, B-II, C-III, D-IV
4. A-II, B-I, C-IV, D-III

86. सूची-I को सूची-II से सुमेलित करें:

सूची-I (अधिनियम/नियम)	सूची-II (वर्ष)
A. आधिकारिक गोपनीयता अधिनियम	I. 1981
B. आवश्यक सेवा रख-रखाव अधिनियम	II. 1951
C. अखिल भारतीय सेवा अधिनियम	III. 1923
D. केन्द्रीय लोक सेवा (आचार) नियम	IV. 1964

नीचे दिए गए विकल्पों में से **सही उत्तर** का चयन कीजिए:

1. A-I, B-III, C-II, D-IV
2. A-III, B-I, C-II, D-IV
3. A-I, B-III, C-IV, D-II
4. A-III, B-I, C-IV, D-II

87. सूची-I को सूची-II से सुमेलित करें:

सूची-I (अनुसंस्थान/कार्यक्रम)	सूची-II (संकल्पना)
A. महान प्रकाश परीक्षण	I. कार्यक्षेत्र का औद्योगिक उत्पादन की उत्पादकता पर प्रभाव
B. रिले असेंबली टेस्ट रूम परीक्षण	II. विभिन्न कार्य परिस्थितियों में बदलाव का समूह उत्पादकता पर प्रभाव
C. बैंक वायरिंग परीक्षण	III. मानव दृष्टिकोण और भावनाओं का अध्ययन
D. सामूहिक साक्षात्कार कार्यक्रम	IV. संगठनों में कार्यकर्ता समूह और अनौपचारिक व्यवहार

नीचे दिए गए विकल्पों में से **सही उत्तर** का चयन कीजिए:

1. A-II, B-I, C-IV, D-III
2. A-I, B-II, C-IV, D-III
3. A-III, B-II, C-I, D-IV
4. A-I, B-III, C-IV, D-II

88. सूची-I को सूची-II से सुमेलित करें:

सूची-I (विचारक)	**सूची-II (पुस्तक/रचना)**
A. हेनरी फेयॉल	I. दि नॉवलिस्ट ऑन ऑर्गनाइजेशन एंड एडमिनिस्ट्रेशन
B. ड्वॉइट वाल्डो	II. जनरल एंड इंडस्ट्रीयल मैनेजमेंट
C. पीटर ड्रकर	III. दि कॉन्सेप्ट ऑफ द कॉरपोरेशन
D. रेनसिस लिकर्ट	IV. न्यू वेज ऑफ मैनेजिंग कॉनफ्लिक्ट

नीचे दिए गए विकल्पों में से **सही उत्तर** का चयन कीजिए:

1. A-II, B-III, C-IV, D-I
2. A-I, B-II, C-III, D-IV
3. A-III, B-II, C-IV, D-I
4. A-II, B-I, C-III, D-IV

89. सूची-I को सूची-II से सुमेलित करें:

सूची-I (विचारक)	**सूची-II (संकल्पना)**
A. हबर्ट साइमन	I. बाजार-कैंटीन मॉडल
B. एफ.डब्ल्यू. रिग्स	II. 'हर्शकाफ्ट' का सिद्धांत
C. एल्टन मेयो	III. हाथोर्न प्रयोग
D. मैक्स वेबर	IV. सीमित तार्किकता

नीचे दिए गए विकल्पों में से **सही उत्तर** का चयन कीजिए:

1. A-IV, B-I, C-III, D-II
2. A-III, B-II, C-I, D-IV
3. A-IV, B-III, C-I, D-II
4. A-II, B-I, C-III, D-IV

90. सूची-I को सूची-II से सुमेलित करें:

सूची-I (प्रावधान)	**सूची-II (विषय/वस्तु)**
A. अनुच्छेद 243R	I. नगरपालिकाओं का गठन
B. अनुच्छेद 243Q	II. नगरपालिकाओं में सीटों (स्थानों) का आरक्षण
C. अनुच्छेद 243T	III. नगरपालिकाओं की संरचना
D. अनुच्छेद 243ZA	IV. नगरपालिकाओं के लिए निर्वाचन

नीचे दिए गए विकल्पों में से **सही उत्तर** का चयन कीजिए:

1. A-I, B-III, C-IV, D-II
2. A-III, B-I, C-II, D-IV
3. A-II, B-III, C-I, D-IV
4. A-IV, B-I, C-II, D-III

निर्देशः (प्र.सं. 91 से 95 के लिए): *निम्नलिखित अनुच्छेद पढ़ें और प्रश्नों के उत्तर दीजिए:*

ऊर्जा प्रभाग, नीति आयोग के अंतर्गत, ऊर्जा संक्रमण का संस्थागत स्थिरक है। यह ऊर्जा संरचना परिवर्तन का धुराग्रीय है। इस संबंध में यह नीति-निर्माण, स्त्रातजीय समन्वय और तकनीकी-आर्थिक विश्लेषण का प्रतिच्छेदन करता है। यह नीति दूर-दर्शिता, आँकड़ा संचालन तथा नियोजन एवं अनुप्रस्थ क्षेत्रीय समन्वय एकीकृत करके एनर्जी वर्टिकल व्यवस्था में समकालक की भूमिका निभाता है। यह विभिन्न मंत्रालयों/विभागों का निष्पक्ष निर्धारण और उनके मध्य सशक्त समन्वय भी करता है। एनर्जी वर्टिकल व्यापक अगुवाई का बीड़ा उठाता है, जो ऊर्जा के पारस्परिक और उभरते क्षेत्रों, दोनों से संबंधित है। इसलिए तकनीकी और नीतिगत पहलों में सम्मिलित हैः कार्बन अभिग्रहण, उपयोगिता एवं भंडारण, राष्ट्रीय हरित हाइड्रोजन मिशन, कोयला-गैसीकरण तथा कोयले को साफ करने की प्रौद्योगिकियाँ। विकार्बनन-पथ भारत के ऊर्जा सुरक्षा 2047 पर केंद्रित है। ऊर्जा प्रभाग पाँच मुख्य क्षेत्रों के बारे में बर्ताव करता हैः बिजली; कोयला; पेट्रोलियम एवं प्राकृतिक गैस; नवीन, नवीकरणीय ऊर्जा और परमाणु शक्ति। इसके अतिरिक्त, यह तेल एवं गैस, बिजली वातावरणीय मुद्दों जिनका संबंध ऊर्जा एवं नगर-क्षेत्र की उन तकनीकों एवं वित्तीय संभाव्यता से संबंधित प्रस्तावों की जाँच–पड़ताल करना है। यह अनुभाग, कई मंत्रालयों के साथ काम भी करता है, जैसे कोयला मंत्रालय, विद्युत मंत्रालय, पेट्रोलियम एवं प्राकृतिक गैस मंत्रालय, परमाणु ऊर्जा विभाग। इसके अन्य ज्ञान साझेदार हैंः टेरी, वसुधा फाउन्डेशन, सी.एस.ई.पी. आदि।

91. अनुच्छेद के अनुसार, नीति आयोग का ऊर्जा प्रभाग निम्न में से किस में एक महत्वपूर्ण संस्थागत आधार के रूप में कार्य करता है?

1. गरीबी उन्मूलन पहल
2. शिक्षा-सशक्तिकरण योजना
3. ऊर्जा परिवर्तन संघटन
4. शहरी विकास परियोजना

92. अनुच्छेद के अनुसार, निम्न में से कौन-सा ऊर्जा वर्टिकल में एक तकनीकी एवं नीतिगत पहल नहीं है?

1. स्वच्छ कोयला तकनीक
2. स्वच्छ पेय जल
3. राष्ट्रीय हरित हाइड्रोजन
4. कार्बन कैप्चर

93. अनुच्छेद के अनुसार, निम्न में से कौन-सा ऊर्जा प्रभाग का एक मुख्य खंड नहीं हैं?

1. परमाणु ऊर्जा
2. कोयला
3. तेल एवं प्राकृतिक गैस
4. लकड़ी एवं वनीकरण

94. अनुच्छेद के अनुसार, निम्न में से कौन-सा नीति आयोग के ऊर्जा प्रभाग का ज्ञान साझीदार है?

1. रेटी
2. टेरी
3. इटरी
4. इरटी

95. अनुच्छेद के अनुसार, निम्न में से कौन-सा मंत्रालय नीति आयोग के ऊर्जा प्रभाग के साथ समन्वय में कार्य नहीं करता है?
1. पेट्रोलियम और प्राकृतिक गैस मंत्रालय
2. संसदीय और अल्पसंख्यक कार्य मंत्रालय
3. कोयला मंत्रालय
4. विद्युत मंत्रालय

निर्देशः (प्र.सं. 96 से 100 के लिए): *निम्नलिखित अनुच्छेद पढ़ें और प्रश्नों के उत्तर दीजिएः*

आरटीआई अधिनियम, 2005 भारत की संसद द्वारा पारित एक कानून है, जो भारत के नागरिकों को केंद्र सरकार और राज्य सरकारों के अभिलेखों तक पहुँच प्रदान करता है। इस अधिनियम के प्रावधानों के तहत, कोई भी नागरिक किसी ''सार्वजनिक प्राधिकरण'' से सूचना का अनुरोध कर सकता है, जिसका उत्तर तीस दिनों के भीतर देना आवश्यक है। इस कानून एवं नियमों के अन्तर्गत सूचना प्राप्त करने का प्रारूप, सूचना प्रदान करने की आवश्यक समयावधि, सूचना देने की विधि, आवेदन शुल्क और सूचना देने छूट प्राप्त संगठनों की सूची का वर्णन किया गया हैं।

भारत में सूचना के अधिकार को औपचारिक मान्यता कानून बनने से दो दशक से भी अधिक समय पहले मिली थी, जब भारत के सर्वोच्च न्यायालय ने उत्तर प्रदेश राज्य बनाम राज नारायण मामले में निर्णय सुनाया था कि सूचना का अधिकार भारतीय संविधान के अनुच्छेद 19 में स्पष्ट रूप से गारंटीकृत वाक् और अभिव्यक्ति की स्वतंत्रता के अधिकार में निहित है।

सूचना देने से इनकार करने वाले अधिकारियों के लिए दंड के संबंध में, विधेयक के प्रावधानों के अनुसार, ऐसे अधिकारियों के खिलाफ अनुशासनात्मक कार्रवाई के लिए सूचना आयोगों द्वारा अधिनियम के अनुच्छेद 20 के अन्तर्गत शास्तियों का उपयोग किया जाएगा। विधेयक में सूचना के अनुरोधों पर विचार करने के लिए एक या एक से अधिक अधिकारियों को लोक सूचना अधिकारी के रूप में नियुक्त करने का प्रावधान है।

इस अधिनियम में किसी बात के होते हुए भी, किसी नागरिक को सूचना देने की कोई बाध्यता नहीं होगी कि– ऐसी सूचना जिनके प्रकटीकरण से भारत की संप्रभुता और अखंडता, राज्य की सुरक्षा, सामरिक, वैज्ञानिक और आर्थिक हितों पर प्रतिकूल प्रभाव पड़ेगा।

96. अनुच्छेद के अनुसार, सूचना का अधिकार अधिनियम निम्न में से नागरिकों के कौन-से महत्वपूर्ण मौलिक अधिकार अनुच्छेद का संहिताकरण है?
1. अनुच्छेद 16
2. अनुच्छेद 17
3. अनुच्छेद 18
4. अनुच्छेद 19

97. अनुच्छेद के अनुसार, निम्न में से कौन-सा आरटीआई अधिनियम में या उसके नियमों में परिभाषित नहीं है?
1. सूचना प्राप्त करने का प्रारूप
2. प्रार्थी की आर्थिक स्थिति
3. आवेदन शुल्क
4. सूचना प्रदान करने की समयावधि

98. अनुच्छेद के अनुसार, निम्न में से किस फैसले में सर्वोच्च न्यायालय ने पुष्टि की सूचना के अधिकार को जीवन के अधिकार से जोड़ा है?
1. उत्तर प्रदेश राज्य बनाम राज नारायण
2. आंध्र प्रदेश राज्य बनाम राज नारायण
3. मध्य प्रदेश राज्य बनाम राज नारायण
4. हिमाचल प्रदेश राज्य बनाम राज नारायण

99. अनुच्छेद के अनुसार, यदि कोई अधिकारी सूचना देने से इंकार करता है जो उसके खिलाफ कार्यवाही किन नियमों के तहत होगी?
1. सीएसएस आचरण नियम
2. सेक्शन 20 के अंतर्गत शास्तियों के उपयोग से
3. एससीएस आचरण नियम
4. एससीसी आचरण नियम

100. अनुच्छेद के अनुसार, राज्य निम्न में से किस से संबंधित सूचना देने के लिए बाध्य नहीं है?
1. भारतीय अप्रवासी का धनप्रेषण
2. वैज्ञानिकों द्वारा दाखिल पेटेंट
3. राज्य की सुरक्षा एवं सामरिक हित
4. जनसंख्या संरचना

उत्तरमाला

1	**2**	**3**	**4**	**5**	**6**	**7**	**8**	**9**	**10**
3	3	3	3	2	3	1	2	3	2
11	**12**	**13**	**14**	**15**	**16**	**17**	**18**	**19**	**20**
1	1	4	4	2	4	3	2	2	3
21	**22**	**23**	**24**	**25**	**26**	**27**	**28**	**29**	**30**
1	2	1	4	3	2	2	1	4	2
31	**32**	**33**	**34**	**35**	**36**	**37**	**38**	**39**	**40**
1	3	2	3	2	4	2	1	2	4
41	**42**	**43**	**44**	**45**	**46**	**47**	**48**	**49**	**50**
4	3	3	2	3	2	2	1	1	2

51	52	53	54	55	56	57	58	59	60
3	1	2	3	4	2	4	4	2	4
61	**62**	**63**	**64**	**65**	**66**	**67**	**68**	**69**	**70**
2	4	*	1	4	*	4	3	4	1
71	**72**	**73**	**74**	**75**	**76**	**77**	**78**	**79**	**80**
3	2	3	4	2	1	2	3	4	3
81	**82**	**83**	**84**	**85**	**86**	**87**	**88**	**89**	**90**
3	2	2	4	1	2	2	4	1	2
91	**92**	**93**	**94**	**95**	**96**	**97**	**98**	**99**	**100**
3	2	4	2	2	4	2	1	2	3

व्याख्यात्मक उत्तर

1. मैक्स वेबर के वैधिक-युक्तिसंगत अधिकारीतंत्र मॉडल में प्रशासन लिखित नियमों, विधिवत निर्धारित प्रक्रियाओं और कानूनी अधिकार पर आधारित होता है। इसमें अधिकार व्यक्ति के निजी गुणों से नहीं, बल्कि पद और नियमों से प्राप्त होता है। आधिकारिक कार्यों में निरंतरता, प्राधिकार का पदसोपान और उच्च अधिकारी द्वारा निरीक्षण इस मॉडल की प्रमुख विशेषताएँ हैं। वेबर के अनुसार नौकरशाही में कार्यों का स्पष्ट विभाजन, अभिलेखों का रख-रखाव और नियमों की लिखित व्यवस्था आवश्यक होती है। इसलिए ''अलिखित नियमों पर आधारित प्रशासन'' इस मॉडल की विशेषता नहीं है, क्योंकि यह वैधिक-युक्तिसंगत नौकरशाही की मूल भावना के विपरीत है।

2. दिए गए विकल्पों में रेल बजट को आम बजट से अलग किए जाने से संबंधित सही उत्तर 1921 है, क्योंकि 1921 में अकवर्थ समिति ने रेलवे वित्त को सामान्य वित्त से अलग करने की सिफारिश की थी। इसी सिफारिश के आधार पर भारत में रेलवे वित्त को अलग पहचान देने की व्यवस्था विकसित हुई। रेल बजट को अलग करने का उद्देश्य रेलवे की विशाल आय-व्यय व्यवस्था को सामान्य प्रशासनिक खर्चों से अलग दिखाना था। इससे रेलवे के राजस्व, व्यय, पूंजीगत निवेश और परिचालन को अधिक स्पष्ट रूप से प्रस्तुत किया जा सका। इसलिए इस प्रश्न के विकल्पों के अनुसार 1921 को रेल बजट और आम बजट के पृथक्करण से संबंधित सही वर्ष माना जाता है।

3. नेशनल पब्लिक सर्विस लॉ, 1947 जापान के प्रशासन से संबंधित है। द्वितीय विश्वयुद्ध के बाद जापान में प्रशासनिक व्यवस्था को लोकतांत्रिक, निष्पक्ष और योग्यता-आधारित बनाने के लिए सिविल सेवा में सुधार किए गए। इसी संदर्भ में National Public Service Law, 1947 लाया गया, जिसने जापान की लोक सेवा व्यवस्था को विधिक आधार दिया। इसका उद्देश्य सरकारी कर्मचारियों की भर्ती, सेवा-शर्तों, अनुशासन और प्रशासनिक उत्तरदायित्व को व्यवस्थित करना था। इसलिए यह कानून ब्रिटेन, ऑस्ट्रेलिया या फ्रांस से नहीं, बल्कि जापान की प्रशासनिक व्यवस्था से संबंधित है।

4. संयुक्त राज्य अमेरिका में बजट-निर्माण की प्रमुख जिम्मेदारी राष्ट्रपति के अधीन कार्य करने वाले प्रबंधन और बजट संबंधी कार्यालय पर होती है। इस संदर्भ में विकल्प ''प्रबंधन कार्यालय'' Office of Management and Budget से मेल खाता है। अमेरिका में बजट केवल राजकोष या किसी वित्त मंत्रालय द्वारा स्वतंत्र रूप से तैयार नहीं किया जाता, बल्कि राष्ट्रपति की नीतिगत प्राथमिकताओं के अनुसार उसे व्यवस्थित किया जाता है। यह कार्यालय विभागों से अनुमान प्राप्त करता है, उन्हें परखता है और राष्ट्रपति के बजट प्रस्ताव को तैयार करने में सहायता करता है। इसलिए दिए गए विकल्पों में बजट के लिए जिम्मेदार सही विभाग ''प्रबंधन कार्यालय'' है।

5. फ्रांस में नागरिकों की प्रशासनिक अधिकारियों के विरुद्ध शिकायतों के निवारण के लिए प्रशासकीय न्यायालयों की व्यवस्था विकसित की गई है। फ्रांस की प्रशासनिक व्यवस्था में सामान्य न्यायालयों और प्रशासनिक न्यायालयों के बीच स्पष्ट अंतर पाया जाता है। प्रशासनिक अधिकारियों के कार्यों, आदेशों और निर्णयों के विरुद्ध नागरिक प्रशासकीय न्यायालयों में राहत प्राप्त कर सकते हैं। यह व्यवस्था फ्रांसीसी प्रशासनिक कानून की एक महत्वपूर्ण विशेषता है, जिसमें राज्य और नागरिक के बीच प्रशासनिक विवादों का निपटारा विशेष न्यायिक व्यवस्था द्वारा किया जाता है। इसलिए दिए गए विकल्पों में ''प्रशासकीय न्यायालय'' सही उत्तर है।

6. 'महान प्रकाश अनुप्रयोग' या Illumination Experiment हॉथोर्न प्रयोगों से संबंधित है, जो वेस्टर्न इलेक्ट्रिक कम्पनी के हॉथोर्न प्लांट में किए गए थे। इन प्रयोगों का उद्देश्य यह जानना था कि कार्यस्थल पर प्रकाश की मात्रा में परिवर्तन से श्रमिकों की उत्पादकता पर क्या प्रभाव पड़ता है। प्रयोगों में पाया गया कि केवल भौतिक परिस्थितियाँ ही उत्पादकता को निर्धारित नहीं करतीं, बल्कि श्रमिकों की मनोवैज्ञानिक स्थिति, समूह-भावना और प्रबंधन का ध्यान भी महत्त्वपूर्ण भूमिका निभाते हैं। इसी आधार पर प्रशासन और प्रबंधन में मानव संबंध दृष्टिकोण को बल मिला। इसलिए दिए गए विकल्पों में यह अनुप्रयोग वेस्टर्न इलेक्ट्रिक कम्पनी से संबंधित है।

7. अ स्टडी ऑफ डिसीजन मेकिंग प्रॉसेस इन एडमिनिस्ट्रेटिव ऑर्गेनाइजेशनः नोबेल पुरस्कार, 1978 के कारण चर्चा में रही पुस्तक हर्बर्ट ए. साइमन की Administrative Behavior है। हर्बर्ट साइमन को 1978 में अर्थशास्त्र का नोबेल पुरस्कार निर्णय-निर्माण प्रक्रिया के अध्ययन में उनके योगदान के लिए दिया गया था। इस पुस्तक में प्रशासनिक संगठनों में निर्णय लेने की प्रक्रिया, सीमित तर्कसंगतता और मानवीय व्यवहार की भूमिका को समझाया गया है। साइमन ने परंपरागत प्रशासनिक सिद्धांतों की आलोचना करते हुए प्रशासन को मुख्यतः निर्णय-निर्माण की प्रक्रिया के रूप में प्रस्तुत किया। इसलिए दिए गए विकल्पों में सही उत्तर यही पुस्तक है।

8. झारखंड और छत्तीसगढ़ राज्यों में आदिवासी कल्याण मंत्री के प्रावधान से संबंधित सही संवैधानिक संशोधन 94वाँ संशोधन अधिनियम है। भारतीय संविधान के अनुच्छेद 164 में कुछ राज्यों के लिए जनजातीय

कल्याण से संबंधित मंत्री रखने का प्रावधान किया गया है। पहले यह व्यवस्था कुछ अन्य राज्यों के संदर्भ में थी, लेकिन राज्यों के पुनर्गठन और नए राज्यों के निर्माण के बाद इसमें संशोधन की आवश्यकता हुई। 94वें संविधान संशोधन अधिनियम द्वारा इस व्यवस्था में झारखंड और छत्तीसगढ़ को शामिल किया गया। इसलिए दिए गए विकल्पों में 94वाँ संशोधन अधिनियम सही उत्तर है।

9. भारतीय संविधान में पहली बार 'कैबिनेट' शब्द का उपयोग 44वें संविधान संशोधन अधिनियम द्वारा किया गया। यह शब्द अनुच्छेद 352 के संदर्भ में जोड़ा गया, जिसमें राष्ट्रीय आपातकाल की घोषणा के लिए मंत्रिमंडल की लिखित सलाह को आवश्यक बनाया गया। इससे पहले संविधान में सामान्यतः 'मंत्रिपरिषद' शब्द का प्रयोग किया गया था, लेकिन 'कैबिनेट' शब्द स्पष्ट रूप से प्रयुक्त नहीं था। 44वें संशोधन का उद्देश्य आपातकालीन शक्तियों के दुरुपयोग पर नियंत्रण लगाना और लोकतांत्रिक उत्तरदायित्व को मजबूत करना था। इसलिए इस प्रश्न में सही उत्तर 44वाँ संविधान संशोधन अधिनियम है।

10. भारत के संविधान के अनुच्छेद 265 में यह स्पष्ट रूप से कहा गया है कि कोई कर विधि के प्राधिकार से ही अधिरोपित या संगृहित किया जाएगा, अन्यथा नहीं। इसका अर्थ है कि सरकार किसी भी व्यक्ति या संस्था से कर तभी वसूल सकती है, जब उसके लिए विधि द्वारा स्पष्ट अधिकार दिया गया हो। यह प्रावधान कराधान में विधि के शासन और नागरिकों की वित्तीय सुरक्षा को सुनिश्चित करता है। बिना वैधानिक आधार के कोई भी कर लगाना या वसूल करना असंवैधानिक माना जाएगा। इसलिए दिए गए विकल्पों में अनुच्छेद 265 सही उत्तर है।

11. जेम्स डी. थॉम्पसन के अनुसार संगठन में परस्पर निर्भरता के प्रमुख प्रकार संकलित परस्पर-निर्भरता, क्रमिक परस्पर-निर्भरता और पारस्परिक/परस्पर-आश्रित परस्पर-निर्भरता हैं। संकलित परस्पर-निर्भरता में विभिन्न इकाइयाँ अलग-अलग कार्य करती हैं, पर उनका योगदान पूरे संगठन से जुड़ा होता है। क्रमिक परस्पर-निर्भरता में एक इकाई का परिणाम दूसरी इकाई के लिए आधार बनता है। पारस्परिक परस्पर-निर्भरता में इकाइयाँ एक-दूसरे को लगातार प्रभावित करती हैं। इसलिए "विभेदित परस्पर-निर्भरता" थॉम्पसन द्वारा बताए गए संगठनात्मक परस्पर-निर्भरता के प्रकारों में शामिल नहीं है।

12. लोक प्रशासन के उत्तर आधुनिक सिद्धांत में उपेक्षित, हाशिए पर स्थित और दबे हुए व्यक्तियों की आवाज को महत्त्व देने का विचार डि.जे. फारमर से संबंधित है। उत्तर आधुनिक लोक प्रशासन परंपरागत, कठोर और एकरूपी प्रशासनिक सिद्धांतों की आलोचना करता है। फारमर ने प्रशासनिक चिंतन में भाषा, कल्पना, व्याख्या, विविधता और उपेक्षित समूहों के अनुभवों को महत्त्व दिया। उनका दृष्टिकोण यह मानता है कि प्रशासन केवल नियमों और संरचनाओं का विषय नहीं है, बल्कि उसमें समाज के कमजोर और अनसुने वर्गों की स्थिति को भी समझना आवश्यक है। इसलिए दिए गए विकल्पों में डि.जे. फारमर सही उत्तर है।

13. पब्लिक चॉइस उपागम के मुख्य सिद्धांतकर्ताओं में विनसेंट ओस्ट्रॉम, विलियम निस्कानेन और एन्थोनी डाउन्स जैसे विचारक शामिल हैं। इस उपागम में राजनीति और प्रशासन का अध्ययन आर्थिक तर्क, व्यक्तिगत हित, विकल्प, लागत-लाभ और निर्णय-निर्माण की दृष्टि से किया जाता है। विनसेंट ओस्ट्रॉम ने लोकतांत्रिक प्रशासन और बहु-केंद्रित व्यवस्था पर बल दिया। निस्कानेन ने नौकरशाही व्यवहार और बजट-अधिकतमीकरण की व्याख्या की, जबकि डाउन्स ने राजनीतिक व्यवहार का आर्थिक विश्लेषण किया। वुडरो विल्सन पारंपरिक लोक प्रशासन और राजनीति-प्रशासन द्वैत से जुड़े विचारक हैं, इसलिए वे पब्लिक चॉइस उपागम के मुख्य सिद्धांतकर्ता नहीं हैं।

14. "हम अपने मतभेदों को एकीकृत करने की आशा नहीं कर सकते जब तक कि हम नहीं जानते कि वे क्या हैं" यह कथन मैरी पार्कर फोलेट से संबंधित है। फोलेट ने संगठन और प्रशासन में संघर्ष को केवल नकारात्मक तत्व नहीं माना, बल्कि उसे रचनात्मक समाधान का अवसर माना। उनके अनुसार मतभेदों को दबाने या समझौते से कमजोर करने के बजाय उन्हें समझकर एकीकरण के माध्यम से श्रेष्ठ समाधान प्राप्त किया जा सकता है। उन्होंने प्रभुत्व, समझौता और एकीकरण में से एकीकरण को सबसे बेहतर तरीका माना। इसलिए इस कथन के लिए सही विचारक मैरी पार्कर फोलेट हैं।

15. ह्यूगो/ह्योगो फ्रेमवर्क फॉर एक्शन 2005-2015 आपदा प्रबंधन और आपदा जोखिम न्यूनीकरण से संबंधित है। इसका उद्देश्य देशों और समुदायों को प्राकृतिक तथा मानवजनित आपदाओं के प्रति अधिक सुरक्षित और सक्षम बनाना था। इस ढाँचे में आपदा जोखिम की पहचान, आकलन, चेतावनी प्रणाली, तैयारी, क्षमता निर्माण और जोखिम कम करने की रणनीतियों पर बल दिया गया। यह जेंडर बजटिंग, सनसेट विधायन या परफॉर्मेंस बजट से संबंधित नहीं है। इसलिए दिए गए विकल्पों में इसका सही संबंध आपदा प्रबंधन से है।

16. 'परफॉर्मेंस बजटिंग' शब्दावली का प्रथम प्रमुख प्रयोग प्रथम हूवर आयोग से संबंधित माना जाता है। प्रथम हूवर आयोग ने अमेरिका में प्रशासनिक सुधारों और बजट प्रणाली को अधिक परिणामोन्मुख बनाने पर बल दिया। परफॉर्मेंस बजटिंग में केवल मदों या खर्चों का विवरण नहीं दिया जाता, बल्कि यह देखा जाता है कि व्यय से कौन-से कार्य, सेवाएँ और परिणाम प्राप्त होंगे। इस प्रणाली में बजट को प्रशासनिक उपलब्धियों, कार्यक्रमों और कार्य-निष्पादन से जोड़ा जाता है। इसलिए दिए गए विकल्पों में 'प्रथम हूवर आयोग' सही उत्तर है।

17. भारत के संविधान के अनुसार भारत का नियंत्रक-महालेखा परीक्षक राष्ट्रपति द्वारा नियुक्त किया जाता है। नियंत्रक- महालेखा परीक्षक संघ और राज्यों के लेखों की जाँच करके वित्तीय उत्तरदायित्व सुनिश्चित करता है। यह संस्था सार्वजनिक धन के उपयोग पर संवैधानिक नियंत्रण बनाए रखने में महत्त्वपूर्ण भूमिका निभाती है। इसकी नियुक्ति संसद, कैबिनेट समिति या सर्वोच्च न्यायालय कॉलेजियम द्वारा नहीं की जाती। इसलिए दिए गए विकल्पों में राष्ट्रपति सही उत्तर है।

18. भारत में जनहित याचिका मुख्य रूप से लोकस स्टैंडी के कठोर नियमों में छूट देती है। सामान्यतः न्यायालय में वही व्यक्ति याचिका दायर कर सकता है जिसके अधिकार सीधे प्रभावित हुए हों। परंतु जनहित याचिका में कोई भी जनहित से जुड़ा व्यक्ति या संगठन उन लोगों की ओर से न्यायालय जा सकता है जो निर्धनता, अशिक्षा, सामाजिक कमजोरी या अन्य कारणों से स्वयं न्यायालय नहीं पहुँच सकते। इस व्यवस्था ने न्याय तक पहुँच को अधिक व्यापक और सामाजिक न्यायोन्मुख बनाया। इसलिए जनहित याचिका का संबंध लोकस स्टैंडी के नियमों में छूट से है।

19. सिटिजंस चार्टर पहली बार ब्रिटेन में प्रस्तुत किए गए थे। ब्रिटेन में इसका उद्देश्य सार्वजनिक सेवाओं को अधिक उत्तरदायी, पारदर्शी, नागरिक-केंद्रित और गुणवत्तापूर्ण बनाना था। सिटिजंस चार्टर में नागरिकों को मिलने

वाली सेवाओं के मानक, समय-सीमा, शिकायत निवारण और सेवा प्रदाताओं की जवाबदेही पर बल दिया जाता है। इस अवधारणा ने बाद में अन्य देशों की प्रशासनिक सुधार प्रक्रियाओं को भी प्रभावित किया। इसलिए दिए गए विकल्पों में ब्रिटेन सही उत्तर है।

20. भारत सरकार में शहरी विकास मंत्रालय का गठन 1985 में किया गया था। शहरीकरण की बढ़ती चुनौतियों, नगर नियोजन, आवास, आधारभूत सुविधाओं और शहरी प्रशासन से संबंधित विषयों को अधिक व्यवस्थित रूप से देखने के लिए इस मंत्रालय की भूमिका महत्त्वपूर्ण रही। इससे पहले शहरी विकास से जुड़े विषय अलग-अलग प्रशासनिक व्यवस्थाओं या मंत्रालयों के अंतर्गत देखे जाते थे। 1985 में इसे स्पष्ट मंत्रालयीय स्वरूप मिलने से शहरी नीति और विकास कार्यक्रमों को अधिक केंद्रित दिशा मिली। इसलिए दिए गए विकल्पों में 1985 सही उत्तर है।

21. सामाजिक सर्वेक्षण शोध में सामान्यतः नमूना त्रुटि, आँकड़ा-संग्रह त्रुटि और आँकड़ा-प्रक्रमण त्रुटि को त्रुटियों के प्रमुख स्रोतों में शामिल किया जाता है। नमूना त्रुटि तब होती है जब चुना गया नमूना पूरी जनसंख्या का सही प्रतिनिधित्व नहीं करता। आँकड़ा-संग्रह त्रुटि प्रश्नावली, साक्षात्कार, उत्तरदाता या अन्वेषक की गलती से उत्पन्न हो सकती है। आँकड़ा-प्रक्रमण त्रुटि वर्गीकरण, कोडिंग, सारणीकरण या गणना की भूलों से उत्पन्न होती है। ''प्रयोजनीयता त्रुटि'' सामाजिक सर्वेक्षण शोध में त्रुटि के मानक स्रोत के रूप में सामान्यतः नहीं मानी जाती, इसलिए यही सही उत्तर है।

22. भारत के प्रथम प्रशासनिक सुधार आयोग का गठन 1966 में किया गया था और प्रारंभ में इसका नेतृत्व मोरारजी देसाई ने किया था। इस आयोग का उद्देश्य भारतीय प्रशासनिक व्यवस्था की समीक्षा करना और प्रशासन को अधिक कुशल, उत्तरदायी तथा आधुनिक बनाना था। बाद में मोरारजी देसाई के उपप्रधानमंत्री बनने के बाद आयोग की अध्यक्षता के. हनुमंथैया ने की, लेकिन प्रश्न ''नेतृत्व किसने किया था'' के संदर्भ में दिए गए विकल्पों में मोरारजी देसाई सही हैं। लाल बहादुर शास्त्री, गोपाल स्वरूप पाठक और न्यायमूर्ति हिदायतुल्ला इस आयोग के अध्यक्ष के रूप में सही विकल्प नहीं हैं। इसलिए इस प्रश्न का सही उत्तर मोरारजी देसाई है।

23. ''राजनीतिक प्रणाली मूल्यों के आधिकारिक आवंटन से संबद्ध है'' यह कथन डेविड ईस्टन से संबंधित है। ईस्टन ने राजनीति को समाज में मूल्यों के आधिकारिक आवंटन की प्रक्रिया के रूप में समझाया। उनके अनुसार राजनीतिक व्यवस्था इनपुट, रूपांतरण, आउटपुट और फीडबैक की प्रक्रिया के माध्यम से कार्य करती है। समाज की माँगें और समर्थन राजनीतिक प्रणाली में प्रवेश करते हैं और निर्णयों तथा नीतियों के रूप में बाहर आते हैं। इसलिए दिए गए विकल्पों में इस कथन के लिए डेविड ईस्टन सही उत्तर हैं।

24. नीति-निर्माण के ऑप्टिमल मॉडल का संबंध येहेज्केल ड्रोर के दृष्टिकोण से माना जाता है, जिसमें नीति-निर्माण को केवल आर्थिक तार्किकता तक सीमित नहीं किया जाता। इस मॉडल में मेटा-पॉलिसी मेकिंग, फीडबैक की व्यवस्था, सुधारात्मक सीख और गुणात्मक निर्णय को महत्त्व दिया जाता है। यह मॉडल नीति-निर्माण को अधिक रचनात्मक, व्यापक, विश्लेषणात्मक और भविष्य-दृष्टि वाला बनाना चाहता है। आर्थिक तार्किकता, मेटा पॉलिसी मेकिंग और समाहित प्रतिपुष्टि इसके उपयुक्त तत्वों में आ सकते हैं। ''नौकरशाही विशिष्टता'' ऑप्टिमल मॉडल की विशिष्ट विशेषता नहीं है, इसलिए यही सही उत्तर है।

25. एल. गुलिक के POSDCORB सूत्र में 'S' का अर्थ Staffing है। POSDCORB में Planning, Organizing, Staffing, Directing, Coordinating, Reporting और Budgeting शामिल हैं। स्टाफिंग का अर्थ संगठन में कर्मचारियों की भर्ती, प्रशिक्षण, पदस्थापन, सेवा-शर्तों और कार्मिक प्रबंधन से है। गुलिक ने प्रशासनिक कार्यों को समझाने के लिए इस सूत्र का प्रयोग किया, जिससे प्रशासनिक प्रबंधन के प्रमुख कार्य स्पष्ट होते हैं। इसलिए दिए गए विकल्पों में 'S' का सही अर्थ स्टाफिंग है।

26. 'गैंग प्लैंक' शब्द हेनरी फेयोल के प्रशासनिक सिद्धांत से संबंधित है। इसका अर्थ है कि पदसोपान की सामान्य लंबी शृंखला को छोड़े बिना, समान स्तर के अधिकारियों के बीच आवश्यक स्थिति में सीधा संपर्क स्थापित किया जा सकता है। इससे निर्णय लेने और सूचना-प्रेषण में अनावश्यक देरी कम होती है। यह अधिकार-शृंखला को पूरी तरह तोड़ने का सिद्धांत नहीं है, बल्कि कार्य की सुविधा के लिए क्षैतिज संचार की अनुमति देता है। इसलिए दिए गए विकल्पों में इसका सबसे उपयुक्त अर्थ पदसोपानीय संगठन में 'लेवल-जंपिंग' है।

27. यह अभिधारणा कि कोई अधिकारी एक समय में केवल निश्चित संख्या में अधीनस्थों को ही प्रभावी रूप से नियंत्रित कर सकता है, नियंत्रण के क्षेत्र से संबंधित है। नियंत्रण का क्षेत्र बताता है कि किसी वरिष्ठ अधिकारी के अधीन कितने अधीनस्थ होने चाहिए ताकि पर्यवेक्षण प्रभावी बना रहे। यदि अधीनस्थों की संख्या बहुत अधिक हो जाए, तो निरीक्षण, निर्देशन और समन्वय कमजोर हो सकते हैं। यदि संख्या बहुत कम हो, तो संगठन में पदों की अनावश्यक अधिकता और खर्च बढ़ सकता है। इसलिए इस अवधारणा को नियंत्रण का क्षेत्र कहा जाता है।

28. 'स्टाफ का सिद्धांत' नेतृत्व की एकता के सिद्धांत से अस्तित्व में आया है। जब संगठन में समस्त अधिकार और अंतिम उत्तरदायित्व एक नेता या मुख्य कार्यकारी के पास रहता है, तो उसे प्रशासन चलाने में सामान्य और विशेष प्रकार की सहायता की आवश्यकता होती है। इसी आवश्यकता से स्टाफ एजेंसियों या स्टाफ अधिकारियों की व्यवस्था विकसित होती है, जो मुख्य अधिकारी को सलाह, सूचना, योजना, विश्लेषण और विशेषज्ञ सहायता प्रदान करते हैं। स्टाफ अधिकारी सामान्यतः प्रत्यक्ष आदेश देने वाली लाइन अथॉरिटी नहीं होते, बल्कि वे नेतृत्व को सक्षम और प्रभावी बनाने में सहायक भूमिका निभाते हैं। इसलिए दिए गए विकल्पों में 'नेतृत्व की एकता' ही 'स्टाफ का सिद्धांत' के उद्‌भव का सही आधार है।

29. फ्रेडरिक टेलर के वैज्ञानिक प्रबंधन सिद्धांत में श्रमिकों का वैज्ञानिक चयन, कार्य-विज्ञान का विकास, समय और गति अध्ययन, मानकीकरण, प्रशिक्षण तथा प्रबंधन और श्रमिकों के बीच सहयोग जैसे तत्व शामिल हैं। टेलर ने कार्य को वैज्ञानिक तरीके से करने और उत्पादन क्षमता बढ़ाने पर बल दिया। कार्य-विज्ञान का विकास और श्रमिक का वैज्ञानिक चयन उनके सिद्धांत के मुख्य भाग हैं। कार्य का विभाजन भी वैज्ञानिक प्रबंधन और शास्त्रीय प्रबंधन परंपरा से जुड़ा महत्वपूर्ण विचार है। ई-गवर्नेंस आधुनिक सूचना-प्रौद्योगिकी आधारित प्रशासनिक अवधारणा है, इसलिए यह टेलर के वैज्ञानिक प्रबंधन सिद्धांत का भाग नहीं है।

30. 'महासागरीय वृत्त' या Oceanic Circle की अवधारणा महात्मा गांधी से संबंधित है। गांधी ने सत्ता के केंद्रीकरण के स्थान पर विकेंद्रीकृत ग्राम-स्वराज की कल्पना प्रस्तुत की। उनके अनुसार समाज की संरचना

ऐसी होनी चाहिए जिसमें व्यक्ति और ग्राम केंद्र में हों, और व्यापक संस्थाएँ सहायक वृत्तों के रूप में कार्य करें। यह व्यवस्था ऊपर से नीचे थोपे गए नियंत्रण के बजाय नीचे से ऊपर विकसित सामाजिक-राजनीतिक संगठन पर बल देती है। इसलिए दिए गए विकल्पों में 'महासागरीय वृत्त' का समर्थन करने वाले विचारक एम.के. गांधी हैं।

31. प्रशासनिक कानून की फ्रांसीसी प्रणाली को ड्रोइट एडमिनिस्ट्रेटिफ कहा जाता है। यह फ्रांस की विशिष्ट प्रशासनिक विधि प्रणाली है, जिसके अंतर्गत प्रशासनिक अधिकारियों और नागरिकों के बीच उत्पन्न विवादों का निपटारा सामान्य न्यायालयों के बजाय प्रशासनिक न्यायालयों द्वारा किया जाता है। कॉन्सेइल द' एटा इस प्रणाली की एक महत्त्वपूर्ण संस्था है, लेकिन स्वयं फ्रांसीसी प्रशासनिक कानून प्रणाली का नाम नहीं है। अरोडिसमेंट फ्रांस की प्रशासनिक इकाई से संबंधित है और कौर द कोप्तू लेखा-परीक्षण संस्था से संबंधित है। इसलिए दिए गए विकल्पों में ड्रोइट एडमिनिस्ट्रेटिफ सही उत्तर है।

32. भारत में 'लोक प्रशासन' को सिविल सेवा परीक्षा में एक स्वतंत्र वैकल्पिक विषय के रूप में 1987 में शामिल किया गया था। लोक प्रशासन पहले प्रशासनिक अध्ययन और राजनीति विज्ञान से संबंधित व्यापक अध्ययन-क्षेत्र के रूप में पढ़ा जाता था, लेकिन सिविल सेवा परीक्षा में स्वतंत्र विषय के रूप में इसकी अलग पहचान 1987 से मानी जाती है। इस विषय के शामिल होने से प्रशासनिक सिद्धांत, भारतीय प्रशासन, लोक नीति, वित्तीय प्रशासन, कार्मिक प्रशासन और विकास प्रशासन जैसे क्षेत्रों को अलग तथा व्यवस्थित रूप से परीक्षा-पाठ्यक्रम में स्थान मिला। दिए गए विकल्पों में 1978, 1982 और 1991 इस विशिष्ट तथ्य से मेल नहीं खाते। इसलिए प्रश्न में पूछा गया सही वर्ष 1987 है।

33. लोक नीति के 'इंक्रिमेंटल मॉडल' को चार्ल्स लिंडब्लाम ने प्रस्तुत किया था। उन्होंने निर्णय-निर्माण के परंपरागत पूर्ण तार्किक मॉडल की आलोचना की, क्योंकि वास्तविक प्रशासनिक परिस्थितियों में निर्णयकर्ता सभी विकल्पों, सभी परिणामों और सभी सूचनाओं का पूर्ण विश्लेषण नहीं कर पाते। लिंडब्लाम ने नीति-निर्माण को छोटे-छोटे परिवर्तनों और क्रमिक सुधारों की प्रक्रिया के रूप में समझाया। उनके अनुसार नीति-निर्माण अक्सर "muddling through" की प्रक्रिया से आगे बढ़ता है। इसलिए दिए गए विकल्पों में चार्ल्स लिंडब्लाम सही उत्तर हैं।

34. 1992 में विश्व बैंक ने विकासशील देशों को कर्ज देने और विकास सहायता के संदर्भ में 'गुड गवर्नेंस' को महत्त्वपूर्ण पैमाना बनाया। विश्व बैंक ने प्रशासनिक दक्षता, जवाबदेही, पारदर्शिता, विधि का शासन और भ्रष्टाचार-नियंत्रण जैसे तत्वों को विकास से जोड़ा। इसका उद्देश्य यह था कि सहायता या ऋण केवल आर्थिक परियोजनाओं तक सीमित न रहे, बल्कि शासन-व्यवस्था की गुणवत्ता से भी जोड़ा जाए। एशियन विकास बैंक और संयुक्त राष्ट्र संघ ने भी बाद में सुशासन पर जोर दिया, परंतु इस प्रश्न में 1992 के संदर्भ में सही उत्तर विश्व बैंक है। इसलिए विकल्प 3 सही है।

35. भारत में लोकसभा में लोकपाल बिल पहली बार 1968 में प्रस्तुत किया गया था। लोकपाल की अवधारणा उच्च लोक पदाधिकारियों के विरुद्ध भ्रष्टाचार और कदाचार की शिकायतों की जाँच के लिए स्वतंत्र संस्था के रूप में विकसित की गई थी। 1960 के दशक में प्रशासनिक सुधार और भ्रष्टाचार-निरोध के संदर्भ में इस पर गंभीर विचार हुआ। 1968 का लोकपाल विधेयक लोकसभा में पारित भी हुआ, लेकिन राज्यसभा में लंबित रहने के कारण कानून नहीं बन सका। इसलिए दिए गए विकल्पों में 1968 सही उत्तर है।

36. भारत में डिजिटल प्रशासन को कानूनी आधार सूचना तकनीक अधिनियम, 2000 द्वारा मिला। इस अधिनियम ने इलेक्ट्रॉनिक अभिलेखों, डिजिटल हस्ताक्षरों और इलेक्ट्रॉनिक माध्यम से होने वाले लेन-देन को विधिक मान्यता दी। ई-गवर्नेंस या डिजिटल प्रशासन के लिए यह आवश्यक था कि इलेक्ट्रॉनिक दस्तावेजों और डिजिटल संचार को कानून की दृष्टि से स्वीकार किया जाए। इस अधिनियम ने सरकारी कार्यों में इलेक्ट्रॉनिक रिकॉर्ड और इलेक्ट्रॉनिक प्रमाणीकरण के प्रयोग का मार्ग खोला। इसलिए दिए गए विकल्पों में डिजिटल प्रशासन को कानूनी स्थिति देने वाला सही अधिनियम सूचना तकनीक अधिनियम, 2000 है।

37. कौटिल्य द्वारा लिखित प्रामाणिक ग्रंथ के रूप में 'अर्थशास्त्र' सर्वाधिक प्रसिद्ध और स्वीकार्य है। 'चाणक्य नीति' तथा 'नीतिशास्त्र' भी परंपरागत रूप से चाणक्य/कौटिल्य से संबंधित नीति-साहित्य के रूप में माने जाते हैं। परंतु 'कौटिल्य नीति' इस रूप में कौटिल्य द्वारा लिखित मानक या स्वतंत्र प्रामाणिक पुस्तक के रूप में स्वीकार्य नहीं है। प्रश्न में दिए गए विकल्पों में ''कौटिल्य नीति'' ही ऐसा विकल्प है जो कौटिल्य की स्वीकृत रचनाओं के रूप में ठीक प्रकार से फिट नहीं बैठता। इसलिए ''कौटिल्य द्वारा नहीं लिखी गई पुस्तक'' के लिए सही उत्तर विकल्प 2, कौटिल्य नीति है।

38. ''इयुपसाइकीयन प्रबंधन'' का संबंध अब्राहम मास्लो के मानवीय और आत्म-साक्षात्कार आधारित प्रबंधन दृष्टिकोण से है। इसका अर्थ है कि संगठन को केवल उत्पादन या नियंत्रण की मशीन नहीं माना जाना चाहिए, बल्कि ऐसा वातावरण बनाया जाना चाहिए जिसमें कर्मचारियों की उच्चतर मानवीय आवश्यकताएँ पूरी हो सकें। इसमें सुरक्षा, प्रेम, सम्मान और आत्म-साक्षात्कार जैसी आवश्यकताओं को संगठनात्मक जीवन से जोड़ा जाता है। यह दृष्टिकोण मानता है कि यदि संगठन व्यक्ति के विकास को प्रोत्साहित करता है, तो कार्यकुशलता और संतुष्टि दोनों बढ़ते हैं। इसलिए दिए गए विकल्पों में पहला विकल्प ही इयुपसाइकीयन प्रबंधन का सही अर्थ देता है।

39. क्रिस आर्गिरिस के परिपक्वता-अपरिपक्वता सिद्धांत में व्यक्ति के विकास को अपरिपक्व अवस्था से परिपक्व अवस्था की ओर बढ़ने वाली प्रक्रिया के रूप में समझाया गया है। इसमें व्यक्ति निष्क्रियता से सक्रियता, निर्भरता से सापेक्ष स्वतंत्रता, अल्पकालिक दृष्टिकोण से दीर्घकालिक दृष्टिकोण और अधीनस्थ सामाजिक स्थिति से समान या उच्च सामाजिक स्थिति की ओर बढ़ता है। इसलिए ''सापेक्ष स्वतंत्रता में निर्भरता की ओर'' इस सिद्धांत की दिशा के विपरीत है। सही चरण निर्भरता से सापेक्ष स्वतंत्रता की ओर होना चाहिए, न कि सापेक्ष स्वतंत्रता से निर्भरता की ओर। इसलिए यह विकल्प आर्गिरिस के परिपक्वता-अपरिपक्वता सिद्धांत में एक चरण नहीं है।

40. फ्रेड रिग्स ने एग्रेरिया को पारंपरिक, कृषि-प्रधान और अपेक्षाकृत स्थिर समाज के रूप में समझाया। इसमें सामाजिक संबंध अधिकतर परंपरा, वंश, जाति, जन्म और सामाजिक स्तरों पर आधारित होते हैं। उपलब्धि मानक, उच्च सामाजिक गतिशीलता और सुविकसित पेशेवर पैटर्न अधिकतर आधुनिक औद्योगिक समाज या इंडस्ट्रिया की विशेषताओं से संबंधित हैं। एग्रेरिया में सामाजिक स्तरीकरण महत्त्वपूर्ण होता है और समाज में स्तरों का विभाजन परंपरागत आधारों पर दिखाई देता है। इसलिए दिए गए विकल्पों में एग्रेरिया की संरचनात्मक विशेषता के रूप में 'प्रभेदित स्तरीकरण प्रणाली' सबसे उपयुक्त सही उत्तर है।

41. अभिकथन (A) सही नहीं है, क्योंकि भारत सरकार के कार्यों के आवंटन के लिए नियम बनाने का प्रावधान अनुच्छेद 71(3) में नहीं, बल्कि संविधान के अनुच्छेद 77(3) में है। अनुच्छेद 71 राष्ट्रपति और उपराष्ट्रपति के निर्वाचन से संबंधित विवादों से संबंधित है, इसलिए इसे कार्य-आवंटन नियमों से जोड़ना गलत है।

कारण (R) का आशय सही है, क्योंकि कार्य-आवंटन और कार्य-संचालन की व्यवस्था के अंतर्गत मंत्रालयों, विभागों और अधिकारियों को निश्चित कार्य सौंपे जा सकते हैं। प्रशासन में अलग-अलग मंत्रालयों और अधिकारियों के बीच कार्यों का वितरण इन्हीं नियमों के आधार पर व्यवस्थित किया जाता है।

इसलिए यहाँ अभिकथन गलत है, लेकिन कारण स्वतंत्र रूप से सही है।

42. अभिकथन (A) सही है, क्योंकि भारत में कैबिनेट सचिवालय की संस्था ब्रिटिश प्रशासनिक परंपरा से विकसित हुई और यह औपनिवेशिक शासन की देन मानी जाती है। भारत में कैबिनेट सचिवालय का विकास वायसराय की कार्यकारी परिषद और उसके सचिवालय की व्यवस्था से जुड़ा था।

कारण (R) सही नहीं है, क्योंकि 1916 में कैबिनेट सचिवालय की भारत में स्थापना नहीं हुई थी; 1916 का संबंध ब्रिटेन में कैबिनेट सचिवालय की स्थापना से माना जाता है। भारत में कैबिनेट सचिवालय के रूप में यह व्यवस्था अंतरिम सरकार के समय 1946 में नामित हुई और स्वतंत्रता के बाद इसका वर्तमान स्वरूप विकसित हुआ।

इसलिए अभिकथन सही है, लेकिन कारण सही नहीं है।

43. अभिकथन (A) सही है कि प्रथम प्रशासनिक सुधार आयोग ने रक्षा और विदेशी मामलों जैसे महत्त्वपूर्ण क्षेत्रों के लिए अलग-अलग कैबिनेट समितियों की व्यवस्था की अनुशंसा की थी। ऐसी समितियों का उद्देश्य उच्चस्तरीय नीति-समन्वय और विशेषज्ञ विचार-विमर्श को अधिक प्रभावी बनाना था।

कारण (R) सही नहीं है, क्योंकि संसदीय विषयों की समिति की अध्यक्षता सामान्यतः प्रधानमंत्री द्वारा नहीं की जाती। यह समिति प्रायः संसदीय कार्यों से संबंधित वरिष्ठ मंत्री के नेतृत्व में कार्य करती है।

इसलिए अभिकथन सही है, लेकिन दिया गया कारण सही नहीं है और अभिकथन की व्याख्या भी नहीं करता।

44. अभिकथन (A) सही है, क्योंकि डॉ. बी.आर. अम्बेडकर के सामाजिक और राजनीतिक विचारों का मूल केंद्र सामाजिक न्याय, समानता, स्वतंत्रता और बंधुत्व था। उन्होंने जाति-व्यवस्था, अस्पृश्यता और सामाजिक भेदभाव के विरुद्ध संघर्ष को लोकतांत्रिक राज्य और संवैधानिक व्यवस्था से जोड़ा।

कारण (R) भी स्वतंत्र रूप से सही है कि कार्ल मार्क्स ने नौकरशाही पर अलग स्वतंत्र ग्रंथ नहीं लिखा, फिर भी राज्य, वर्ग-शक्ति और प्रशासनिक संरचना के संदर्भ में नौकरशाही की भूमिका पर विचार किया। लेकिन मार्क्स का नौकरशाही संबंधी विचार अम्बेडकर के सामाजिक न्याय संबंधी दृष्टिकोण की व्याख्या नहीं करता।

इसलिए दोनों कथन सत्य हैं, पर कारण अभिकथन की सही व्याख्या नहीं है।

45. अभिकथन (A) सही है कि भारत में जिला कलेक्टर जिला प्रशासन का मुख्य कार्यकारी अधिकारी माना जाता है। कलेक्टर राजस्व प्रशासन, विधि-व्यवस्था, विकास प्रशासन, चुनावी कार्यों, आपदा प्रबंधन और जिला-स्तरीय समन्वय में केंद्रीय भूमिका निभाता है।

कारण (R) सही नहीं है, क्योंकि 1921 में द्वैधशासन ने कलेक्टर को नीति-निर्माण में निरंकुश रूप से शक्तिशाली नहीं बनाया। द्वैधशासन का संबंध प्रांतों में विषयों के आरक्षित और हस्तांतरित विभाजन से था, न कि जिला कलेक्टर को निरंकुश नीति-निर्माता बनाने से।

इसलिए अभिकथन सही है, लेकिन कारण गलत है।

46. अभिकथन (A) सही है, क्योंकि कार्ल पॉपर के अनुसार वैज्ञानिक शोध किसी समस्या, परिकल्पना या परीक्षण योग्य कथन से आरंभ होता है। उनके विचार में शोध का उद्देश्य उस परिकल्पना को सत्य सिद्ध करना नहीं, बल्कि कठोर परीक्षण द्वारा उसे असत्य सिद्ध किए जाने की संभावना के लिए खुला रखना है।

कारण (R) भी सही है, क्योंकि फेनोमेनोलॉजी सामाजिक विश्व को मनुष्यों की चेतना, अनुभव, अर्थ-निर्माण और सामाजिक अंतःक्रिया से निर्मित मानती है। परंतु फेनोमेनोलॉजी का यह कथन पॉपर की परिकल्पना-परीक्षण या खंडनीयता की पद्धति की व्याख्या नहीं करता।

इसलिए दोनों कथन सत्य हैं, लेकिन कारण अभिकथन की सही व्याख्या नहीं है।

47. अभिकथन (A) सही है, क्योंकि प्रतिभागी अवलोकन में शोधकर्ता के लिए सबसे महत्त्वपूर्ण व्यावहारिक और पद्धतिगत निर्णय यह होता है कि वह अध्ययन किए जाने वाले सामाजिक समूह में किस रूप में प्रवेश करेगा और किस सीमा तक सहभागी बनेगा। शोधकर्ता की भूमिका खुली होगी या गुप्त, पूर्ण सहभागी होगी या पर्यवेक्षक-सहभागी, यह निर्णय संपूर्ण शोध-प्रक्रिया को प्रभावित करता है।

कारण (R) भी गुणात्मक शोध और प्रतिभागी अवलोकन के संदर्भ में सही माना जा सकता है, क्योंकि ऐसे शोध में सांख्यिकीय प्रतिनिधिनात्मकता की तुलना में गहराई, संदर्भ, अनुभव और अर्थ-समझ को अधिक महत्त्व दिया जाता है। इसलिए नमूने की प्रतिनिधिनात्मकता पर कुछ सीमा तक समझौता संभव है, पर यह बात सीधे यह नहीं समझाती कि शोधकर्ता को समूह में किस प्रकार शामिल होना चाहिए।

अतः यहाँ दोनों कथन सही हैं, लेकिन कारण अभिकथन की सही व्याख्या नहीं है।

48. अभिकथन (A) सही है, क्योंकि शोध में ट्राइएंगुलेशन का अर्थ है कि एक ही तथ्य, घटना या समस्या की जाँच के लिए विभिन्न शोध तकनीकों, स्रोतों या पद्धतियों का उपयोग किया जाए। इससे प्राप्त डाटा की वैधता को अलग-अलग दृष्टियों से परखा जा सकता है।

कारण (R) भी सही है, क्योंकि जब एक ही निष्कर्ष अलग-अलग विधियों या स्रोतों से पुष्ट होता है, तो शोध निष्कर्षों की विश्वसनीयता बढ़ती है। ट्राइएंगुलेशन पक्षपात, एकांगी डाटा और विधिगत कमजोरी को कम करने में सहायक होता है।

इसलिए दोनों कथन सत्य हैं और कारण अभिकथन की सही व्याख्या करता है।

49. अभिकथन (A) सही है, क्योंकि गुणात्मक और संख्यात्मक शोध दोनों की अपनी-अपनी उपयोगिता और सीमाएँ होती हैं। गुणात्मक शोध सामाजिक जीवन के अर्थ, अनुभव, भावनाओं, संदर्भों और गहराई को समझने में सहायक होता है। संख्यात्मक शोध सामाजिक घटनाओं को मापने, तुलना करने, प्रवृत्तियों को पहचानने और व्यापक निष्कर्ष निकालने में उपयोगी होता है।

कारण (R) भी सही है, क्योंकि दोनों पद्धतियाँ अपने-अपने ढंग से सामाजिक जीवन की समझ को समृद्ध करती हैं।

इसलिए दोनों कथन सत्य हैं और कारण अभिकथन की सही व्याख्या करता है।

50. अभिकथन (A) सही है, क्योंकि 'लाइन' एजेंसी शब्द का प्रारंभिक प्रयोग सेना प्रशासन में हुआ था, जहाँ आदेश, नियंत्रण और कार्य-निष्पादन की सीधी शृंखला को महत्त्व दिया जाता था। बाद में यह शब्द लोक प्रशासन में उन विभागों के लिए प्रयुक्त हुआ जो सरकार की मुख्य नीतियों और सेवाओं को सीधे लागू करते हैं।

कारण (R) भी सही है, क्योंकि स्वास्थ्य, रक्षा और रेलवे जैसे विभाग सरकार के मुख्य लाइन विभागों के उदाहरण माने जा सकते हैं। ये विभाग जनता तक प्रत्यक्ष सेवाएँ और प्रशासनिक कार्य पहुँचाते हैं। लेकिन यह कारण केवल लाइन विभागों के उदाहरण देता है, सेना प्रशासन में इस शब्द के प्रथम प्रयोग की व्याख्या नहीं करता।

51. C. **चिपको आंदोलन** – चिपको आंदोलन का आरंभ 1970 के दशक में हुआ और इसे सामान्यतः 1973 से जोड़ा जाता है।

A. **साइलेंट वैली आंदोलन** – साइलेंट वैली आंदोलन चिपको के बाद प्रमुख पर्यावरण आंदोलन के रूप में उभरा और इसका मुख्य चरण 1970 के दशक के उत्तरार्द्ध तथा 1980 के दशक के प्रारंभ से संबंधित है।

D. **अप्पिको आंदोलन** – अप्पिको आंदोलन 1983 में कर्नाटक में वनों की रक्षा से संबंधित आंदोलन के रूप में प्रारंभ हुआ।

B. **नर्मदा बचाओ आंदोलन** – नर्मदा बचाओ आंदोलन 1980 के दशक के मध्य में बड़े बाँधों, विस्थापन और पर्यावरणीय न्याय के प्रश्नों से संबंधित होकर उभरा।

E. **वीबी जी-राम-जी विधेयक पारित** – दिए गए विकल्पों के कालक्रम में यह सबसे बाद की घटना के रूप में फिट बैठती है।

इसलिए सही क्रम C, A, D, B, E है।

52. B. **वन्यजीव संरक्षण अधिनियम** – वन्यजीव संरक्षण अधिनियम 1972 में अपनाया गया था।

C. **वायु (प्रदूषण निवारण एवं नियंत्रण) अधिनियम** – यह अधिनियम 1981 में पारित किया गया।

E. **जैव-विविधता अधिनियम** – जैव-विविधता अधिनियम 2002 से संबंधित है।

A. **राष्ट्रीय पर्यावरण नीति** – राष्ट्रीय पर्यावरण नीति 2006 में अंगीकृत की गई।

D. **राष्ट्रीय हरित न्यायाधिकरण की स्थापना** – राष्ट्रीय हरित न्यायाधिकरण अधिनियम 2010 के अंतर्गत राष्ट्रीय हरित न्यायाधिकरण की स्थापना हुई।

इसलिए सही कालक्रम B, C, E, A, D है।

53. D. **आत्मसिद्धि की आवश्यकताएँ** – मास्लो के आवश्यकता- पदसोपान में यह सर्वोच्च स्तर की आवश्यकता है।

C. **सम्मान और आत्मसम्मान की आवश्यकताएँ** – आत्मसिद्धि से ठीक नीचे सम्मान, प्रतिष्ठा, आत्मसम्मान और मान्यता की आवश्यकताएँ आती हैं।

B. **अन्य आवश्यकताओं के साथ सामाजिक संबंध** – इसके नीचे प्रेम, अपनत्व और सामाजिक संबंधों की आवश्यकताएँ आती हैं।

A. **सुरक्षा और संरक्षा की आवश्यकताएँ** – सामाजिक आवश्यकताओं से नीचे सुरक्षा और संरक्षण की आवश्यकताएँ रखी जाती हैं।

E. **शारीरिक आवश्यकताएँ** – सबसे निचले स्तर पर भोजन, जल, नींद और अन्य मूल जैविक आवश्यकताएँ आती हैं।

इसलिए उच्च से निम्न क्रम D, C, B, A, E है।

54. E. **धन-विधेयक** – संविधान में धन-विधेयक का उल्लेख अनुच्छेद 110 में आता है।

D. **वार्षिक वित्तीय प्रतिवेदन** – वार्षिक वित्तीय विवरण या बजट का उल्लेख अनुच्छेद 112 में है।

A. **विनियोग विधेयक** – विनियोग विधेयक का उल्लेख अनुच्छेद 114 में किया गया है।

B. **अनुपूरक अनुदान** – अनुपूरक, अतिरिक्त या अधिक अनुदान का उल्लेख अनुच्छेद 115 में है।

C. **अपवादानुदान** – अपवादानुदान, लेखानुदान और प्रत्ययानुदान से संबंधित प्रावधान अनुच्छेद 116 में आता है।

इसलिए संविधान में उल्लेख-क्रम E, D, A, B, C है।

55. A. **नगरपालिकाओं की संरचना** – नगरपालिकाओं की संरचना का उल्लेख अनुच्छेद 243R में है।

D. **वार्ड-समितियों की संरचना** – वार्ड समितियों की संरचना का उल्लेख अनुच्छेद 243S में आता है।

B. **जिला-योजना के लिए समिति** – जिला योजना समिति का प्रावधान अनुच्छेद 243ZD में है।

C. **महानगर-योजना के लिए समिति** – महानगर योजना समिति का प्रावधान अनुच्छेद 243ZE में है।

E. **सहकारी समितियों का निगमन** – सहकारी समितियों से संबंधित प्रावधान संविधान में नगरपालिकाओं वाले भाग के बाद पृथक भाग IXB में आते हैं।

इसलिए सही उल्लेख-क्रम A, D, B, C, E है।

56. C. **प्रधानमंत्री कार्यालय में जम्मू और कश्मीर विभाग का बनाया जाना** – यह घटना दिए गए क्रम में सबसे पहले आती है, क्योंकि जम्मू-कश्मीर से संबंधित विशेष प्रशासनिक व्यवस्था GST, CSR और योजना आयोग के विघटन से बहुत पहले विकसित हुई थी।

E. **राष्ट्रीय आपदा प्रबंधन प्राधिकरण की स्थापना** – राष्ट्रीय आपदा प्रबंधन प्राधिकरण 2005 में आपदा प्रबंधन व्यवस्था को संस्थागत रूप देने के लिए स्थापित किया गया।

B. **कॉरपोरेट सामाजिक उत्तरदायित्व योजना प्रारंभ** – कॉरपोरेट सामाजिक उत्तरदायित्व को कंपनी कानून के अंतर्गत व्यवस्थित रूप से 2013-14 के दौर में लागू व्यवस्था के रूप में देखा जाता है।

D. **योजना आयोग भंग किया गया** – योजना आयोग को 2014 में समाप्त किया गया और उसके स्थान पर नई संस्थागत व्यवस्था का मार्ग तैयार हुआ।

A. **माल और सेवा कर की शुरुआत** – माल और सेवा कर 1 जुलाई 2017 से लागू हुआ, इसलिए यह दिए गए क्रम में सबसे बाद की घटना है।

अतः सही कालक्रम C, E, B, D, A है।

57. E. मैरी पार्कर फॉलेट का 'क्रिएटिव एक्सपीरियंस' – यह पुस्तक 1924 में प्रकाशित हुई थी और संगठनात्मक विचार में रचनात्मक अनुभव तथा एकीकरण के विचार से संबंधित है।

A. एल्टन मेयो का 'दि ह्यूमन प्रॉब्लम्स ऑफ इंडस्ट्रियल सिविलाइजेशन' – यह पुस्तक 1933 में प्रकाशित हुई और मानव संबंध दृष्टिकोण से जुड़ी प्रमुख रचना है।

C. अब्राहम मैस्लो का 'ए थ्योरी ऑफ ह्यूमन मोटिवेशन' – यह 1943 में प्रकाशित लेख/रचना है, जिसमें आवश्यकता-पदसोपान सिद्धांत का आधार प्रस्तुत हुआ।

B. ड्वाइट वाल्डो का 'दि स्टडी ऑफ पब्लिक एडमिनिस्ट्रेशन' – यह 1955 में प्रकाशित हुई और लोक प्रशासन के अध्ययन की प्रकृति से संबंधित है।

D. फ्रेडरिक हर्जबर्ग का 'दि मैनेजेरियल च्वाइस' – यह 1970 के दशक की रचना है और प्रबंधन में दक्षता तथा मानवीय पक्ष के संतुलन से संबंधित है।

इसलिए सही क्रम E, A, C, B, D है।

58. B. ग्राम-नगरीय संबंध समिति की स्थापना – ग्राम-नगरीय संबंधों से संबंधित समिति इस क्रम में सबसे पहले आती है और ग्रामीण-शहरी संपर्क के अध्ययन से जुड़ी थी।

A. समन्वित ग्रामीण विकास कार्यक्रम का शुभारंभ – IRDP का आरंभ 1978-79 के आसपास हुआ और बाद में इसे व्यापक ग्रामीण विकास कार्यक्रम के रूप में लागू किया गया।

C. नगरीकरण पर राष्ट्रीय आयोग की स्थापना – राष्ट्रीय नगरीकरण आयोग की स्थापना 1985 में की गई थी।

D. जवाहरलाल नेहरू राष्ट्रीय नगर नवीकरण मिशन की शुरुआत – JNNURM की शुरुआत 2005 में शहरी आधारभूत संरचना और सुधारों के लिए की गई।

E. कायाकल्प और शहरी परिवर्तन के लिए अटल मिशन – AMRUT की शुरुआत 2015 में हुई, इसलिए यह दिए गए क्रम में सबसे बाद में आता है।

अतः सही क्रम B, A, C, D, E है।

59. C. आकस्मिकता निधि – आकस्मिकता निधि का उल्लेख संविधान के अनुच्छेद 267 में आता है।

E. वृत्तियों पर कर – वृत्तियों, व्यापारों, आजीविकाओं और नियोजनों पर कर का प्रावधान अनुच्छेद 276 में है।

A. ''शुद्ध आगम'' आदि की गणना – शुद्ध आगम की गणना से संबंधित प्रावधान अनुच्छेद 279 में आता है।

B. माल और सेवा कर परिषद् – माल और सेवा कर परिषद् का प्रावधान अनुच्छेद 279A में है।

D. वित्त आयोग – वित्त आयोग का उल्लेख अनुच्छेद 280 में है।

इसलिए संविधान में उल्लेख-क्रम C, E, A, B, D है।

60. E. प्रत्येक जनगणना के पश्चात् पुनः समायोजन – यह प्रावधान अनुच्छेद 82 में आता है, इसलिए दिए गए विषयों में सबसे पहले आता है।

B. संसद के सदनों की अवधि – लोकसभा और राज्यसभा की अवधि से संबंधित प्रावधान अनुच्छेद 83 में है।

C. संसद के सत्र, सत्रावसान और विघटन – संसद के सत्र, सत्रावसान और विघटन का उल्लेख अनुच्छेद 85 में आता है।

A. राष्ट्रपति का विशेष अभिभाषण – राष्ट्रपति के विशेष अभिभाषण का उल्लेख अनुच्छेद 87 में किया गया है।

D. संसद का सचिवालय – संसद के सचिवालय का प्रावधान अनुच्छेद 98 में आता है।

इसलिए संविधान में सही उल्लेख-क्रम E, B, C, A, D है।

61. A. नागरिक अधिकारों का संरक्षण अधिनियम – इसका मूल अधिनियम 1955 का अस्पृश्यता अपराध अधिनियम था, जिसे बाद में नागरिक अधिकार संरक्षण अधिनियम के रूप में जाना गया। यह दिए गए क्रम में सबसे पहले आता है, क्योंकि यह स्वतंत्र भारत में अस्पृश्यता-निवारण और नागरिक अधिकारों की रक्षा से जुड़ा प्रारंभिक कानून था।

E. अनैतिक व्यापार (निवारण) अधिनियम – यह अधिनियम **1956** से संबंधित है। इसका उद्देश्य अनैतिक व्यापार और वेश्यावृत्ति से जुड़े शोषणकारी पक्षों को नियंत्रित करना था, इसलिए यह नागरिक अधिकार संरक्षण अधिनियम के बाद आता है।

B. ट्राइफेड की स्थापना – ट्राइफेड की स्थापना 1987 में आदिवासी उत्पादों और जनजातीय आर्थिक हितों को प्रोत्साहित करने के लिए की गई। इसका स्थान 1950 के दशक के सामाजिक कानूनों के बाद और भारतीय पुनर्वास परिषद् से पहले आता है।

C. भारतीय पुनर्वास परिषद् की स्थापना – भारतीय पुनर्वास परिषद् अधिनियम 1992 से जुड़ी वैधानिक संस्था है। यह दिव्यांगजनों के पुनर्वास और पुनर्वास-व्यावसायिकों के नियमन से संबंधित है, इसलिए यह ट्राइफेड के बाद आती है।

D. बाल विवाह निषेध अधिनियम – बाल विवाह निषेध अधिनियम 2006 में बनाया गया। यह दिए गए सभी विकल्पों में सबसे बाद का कानून है।

इसलिए सही कालक्रम A, E, B, C, D है।

62. A. लोक प्रशासन पर ए.डी. गोरवाला प्रतिवेदन – ए.डी. गोरवाला प्रतिवेदन 1951 से संबंधित है। यह स्वतंत्र भारत में प्रशासनिक सुधार और लोक प्रशासन की गुणवत्ता पर आरंभिक महत्त्वपूर्ण रिपोर्टों में से एक था।

E. भ्रष्टाचार के निवारण के लिए संथानम समिति – संथानम समिति **1960** के दशक के प्रारंभ में भ्रष्टाचार-निवारण के लिए गठित की गई थी। इसने प्रशासनिक नैतिकता और भ्रष्टाचार-रोधी संस्थागत उपायों पर महत्त्वपूर्ण सुझाव दिए।

B. पंचायती राज संस्थाओं पर अशोक मेहता समिति – अशोक मेहता समिति 1977 में गठित हुई और 1978 में इसकी रिपोर्ट आई। इसने पंचायती राज को अधिक प्रभावी, विकेंद्रीकृत और सहभागी बनाने के लिए सुझाव दिए।

C. कर-सुधारों पर राजा चेलय्या समिति – राजा चेलय्या समिति 1991 में कर-सुधारों के लिए गठित हुई। इसका संबंध भारत की प्रत्यक्ष और अप्रत्यक्ष कर-व्यवस्था को सरल और आधुनिक बनाने से था।

D. सिविल सेवा परीक्षा के पैटर्न पर बी.एस. बासवान समिति – बी.एस. बासवान समिति 2010 के दशक में सिविल सेवा परीक्षा प्रणाली की समीक्षा से संबंधित थी।

इसलिए दिए गए विकल्पों में सही कालक्रम A, E, B, C, D है।

63. कोई भी विकल्प पूर्णतः सही नहीं हैः सही क्रम C, B, D, A, E:

C. **दि स्टडी ऑफ एडमिनिस्ट्रेशन** – वुडरो विल्सन का यह प्रसिद्ध आलेख 1887 में प्रकाशित हुआ। लोक प्रशासन के स्वतंत्र अध्ययन की शुरुआत के संदर्भ में इसे सबसे आरंभिक और आधारभूत रचना माना जाता है।

B. **इंट्रोडक्शन टू दि स्टडी ऑफ पब्लिक एडमिनिस्ट्रेशन** – एल.डी. व्हाइट की यह पुस्तक 1926 में प्रकाशित हुई। यह लोक प्रशासन की प्रथम व्यवस्थित पाठ्य-पुस्तकों में गिनी जाती है, इसलिए यह विल्सन के आलेख के बाद आती है।

D. **पेपर्स ऑन दि साइंस ऑफ एडमिनिस्ट्रेशन** – यह ग्रंथ 1937 में लूथर गुलिक और लिंडल उर्विक के संपादन में प्रकाशित हुआ। इसमें शास्त्रीय प्रशासनिक सिद्धांतों और POSDCORB जैसी अवधारणाओं को प्रमुख स्थान मिला।

A. **बिग डेमोक्रेसी** – पॉल एच. एप्पलबी की यह पुस्तक 1945 से संबंधित है। यह प्रशासन, लोकतंत्र और नौकरशाही की भूमिका के विश्लेषण से जुड़ी महत्त्वपूर्ण रचना है।

E. **ए हैंडबुक ऑफ पब्लिक एडमिनिस्ट्रेशन** – संयुक्त राष्ट्र संघ की यह पुस्तक 1961 से संबंधित है।

इसलिए वास्तविक प्रकाशन-क्रम C, B, D, A, E है, पर यह क्रम दिए गए विकल्पों में उपलब्ध नहीं है।

64. **C.** **मानसिक स्वास्थ्य अधिनियम** – मानसिक स्वास्थ्य अधिनियम 1987 से संबंधित है। यह मानसिक रोगियों की देखभाल, उपचार और संबंधित संस्थागत प्रबंधन से जुड़ा कानून था।

A. **बच्चों को निःशुल्क एवं अनिवार्य शिक्षा का अधिकार अधिनियम** – यह अधिनियम 2009 में बनाया गया। इसने 6 से 14 वर्ष तक के बच्चों के लिए शिक्षा को अधिकार के रूप में लागू किया।

E. **लैंगिक अपराधों से बालकों का संरक्षण अधिनियम** – पॉक्सो अधिनियम 2012 में बनाया गया। यह बच्चों को यौन अपराधों से सुरक्षा देने के लिए विशेष कानून है।

B. **अनुसूचित जातियों के लिए वेंचर कैपिटल फंड योजना का शुभारंभ** – यह योजना 2014 से संबंधित है। इसका उद्देश्य अनुसूचित जाति के उद्यमियों को वित्तीय सहायता और उद्यमिता-प्रोत्साहन देना था।

D. **नशा मुक्त भारत अभियान** – यह अभियान 2020 में प्रारंभ किया गया।

इसलिए दिए गए अधिनियमों/अभियानों का सही कालक्रम C, A, E, B, D है।

65. **B.** **प्रेस ट्रस्ट ऑफ इंडिया की स्थापना** – प्रेस ट्रस्ट ऑफ इंडिया की स्थापना 1947 में हुई और इसका समाचार-संग्रह कार्य स्वतंत्र भारत के आरंभिक दौर से जुड़ा है। यह दिए गए संस्थानों में सबसे पहले स्थापित संस्था है।

E. **भारतीय सांस्कृतिक संबंध परिषद् की स्थापना** – भारतीय सांस्कृतिक संबंध परिषद् की स्थापना 1950 में हुई। इसका उद्देश्य भारत के सांस्कृतिक संबंधों और सांस्कृतिक कूटनीति को बढ़ावा देना था।

C. **यूनाइटेड न्यूज ऑफ इंडिया का गठन** – यूनाइटेड न्यूज ऑफ इंडिया का गठन 1959 में हुआ। यह भारत की प्रमुख समाचार एजेंसियों में से एक के रूप में विकसित हुई।

A. **भारतीय जनसंचार संस्थान की स्थापना** – भारतीय जनसंचार **संस्थान** की स्थापना 1965 में हुई। इसका संबंध पत्रकारिता, **जनसंचार** प्रशिक्षण और मीडिया अध्ययन से है।

D. **इंदिरा गाँधी राष्ट्रीय कला केन्द्र की स्थापना** – इंदिरा गाँधी **राष्ट्रीय** कला केन्द्र की स्थापना 1985 में हुई।

इसलिए स्थापना-क्रम के अनुसार सही उत्तर B, E, C, A, **D है।**

66. कोई भी विकल्प पूर्णतः सही नहीं है; सही कथन केवल **B** और **D हैं:**

A. **गलत** – भारत के संविधान में अनुसूचित जातियों और **अनुसूचित** जनजातियों का स्पष्ट उल्लेख है। अनुच्छेद 341 अनुसूचित **जातियों** से और अनुच्छेद 342 अनुसूचित जनजातियों से संबंधित **है।**

B. **सही** – राष्ट्रपति को राज्य के राज्यपाल से परामर्श करके अनुसूचित जाति/जनजाति की सूची विनिर्दिष्ट करने का अधिकार है। ऐसी सूची में बाद में परिवर्तन संसद द्वारा **विधि बना**कर ही किया जा सकता है।

C. **गलत** – अनुसूचित जातियों के लिए आयोग की नियुक्ति भारत के प्रधानमंत्री द्वारा नहीं होती है। राष्ट्रीय अनुसूचित जाति आयोग एक संवैधानिक निकाय है और इसके अध्यक्ष तथा सदस्यों की नियुक्ति राष्ट्रपति द्वारा की जाती है।

D. **सही** – अनुच्छेद 275(1) के अंतर्गत विशेष रूप से अनुसूचित जनजातियों के कल्याण और अनुसूचित क्षेत्रों के प्रशासन के स्तर को ऊँचा उठाने के लिए अनुदान का प्रावधान है। इसलिए अनुसूचित जनजाति-कल्याण के संदर्भ में यह कथन सही है, यद्यपि इसे अनुसूचित जातियों पर समान रूप से लागू करना सटीक नहीं होगा।

E. **गलत** – पाँचवीं और छठी अनुसूचियाँ अनुसूचित जातियों के क्षेत्रों के प्रशासन से संबंधित **नहीं हैं।** पाँचवीं **अनुसूची अनुसूचित क्षेत्रों** और अनुसूचित जनजातियों से, तथा छठी अनुसूची कुछ **पूर्वोत्तर** राज्यों के जनजातीय क्षेत्रों के प्रशासन से संबंधित है।

67. **A.** **गलत** – अल्पसंख्यक आयोग की स्थापना 1972 में **नहीं हुई** थी। इसलिए यह कथन अल्पसंख्यक कल्याण नीति के **तथ्यात्मक** कालक्रम से मेल नहीं खाता।

B. **सही** – राष्ट्रीय अल्पसंख्यक आयोग अधिनियम, 1992 **के लागू** होने के बाद अल्पसंख्यक आयोग सांविधिक निकाय बन **गया।** इससे आयोग को विधिक आधार प्राप्त हुआ और वह **केवल** प्रशासनिक व्यवस्था तक सीमित नहीं रहा।

C. **सही** – अल्पसंख्यकों के लिए पीएम विकास एक व्यापक **योजना** के रूप में समझी जाती है। इसका उद्देश्य अल्पसंख्यक **समुदायों** के कौशल, शिक्षा, उद्यमिता और आजीविका-संबंधी विकास को समेकित रूप से बढ़ावा देना है।

D. **गलत** – वर्तमान व्यवस्था में हज यात्रा का प्रबंधन विदेश मंत्रालय द्वारा नहीं किया जाता। हज से संबंधित प्रमुख प्रशासनिक कार्य अल्पसंख्यक कार्य मंत्रालय के अधीन आते हैं।

E. **सही** – हज यात्रा भारत और सऊदी अरब के बीच **द्विपक्षीय** समझौते के प्रावधानों द्वारा शासित होती है। हज कोटा, व्यवस्था और प्रबंधन से जुड़े कई पहलू इसी द्विपक्षीय व्यवस्था के अंतर्गत तय होते हैं।

68. A. **गलत** – मिशन शक्ति ट्रांसजेंडर समुदाय के दिव्यांग व्यक्तियों के लिए समेकित सशक्तिकरण कार्यक्रम नहीं है। मिशन शक्ति महिलाओं और बालिकाओं की सुरक्षा, संरक्षण और सशक्तिकरण से संबंधित योजना है।

B. **सही** – संबल उप-योजना के तहत वन स्टॉप सेंटर में कानूनी सहायता और कानूनी परामर्श जैसी सेवाएँ प्रदान की जाती हैं। वन स्टॉप सेंटर हिंसा या संकट से प्रभावित महिलाओं को एक ही स्थान पर सहायता उपलब्ध कराने की व्यवस्था है।

C. **सही** – नारी अदालत वैकल्पिक शिकायत निवारण-तंत्र के रूप में कार्य करती है। इसका उद्देश्य ग्राम पंचायत स्तर पर महिलाओं की छोटी प्रकृति की शिकायतों का सुलभ, शीघ्र और सामुदायिक समाधान उपलब्ध कराना है।

D. **सही** – बेटी बचाओ, बेटी पढ़ाओ योजना केंद्र सरकार द्वारा 100 प्रतिशत वित्तपोषित योजना के रूप में लागू की जाती है। यह योजना कन्या भ्रूण हत्या रोकने, बालिका की सुरक्षा और बालिका शिक्षा को बढ़ावा देने से संबंधित है।

E. **गलत** – 'सामर्थ्य' जनजातीय उपयोजनाओं की डिजिटल निगरानी से संबंधित नहीं है। मिशन शक्ति में 'सामर्थ्य' महिलाओं के सशक्तिकरण से संबंधित उप-योजना है।

69. A. **सही** – पेयजल और स्वच्छता विभाग जल शक्ति मंत्रालय के अंतर्गत आता है। यह विभाग ग्रामीण पेयजल, स्वच्छता और संबंधित कार्यक्रमों से जुड़ा है।

B. **गलत** – विद्युत विभाग जल शक्ति मंत्रालय के अंतर्गत नहीं आता। विद्युत से संबंधित विषय अलग मंत्रालयी; व्यवस्था के अंतर्गत आते हैं।

C. **गलत** – नवीकरणीय ऊर्जा विभाग जल शक्ति मंत्रालय का भाग नहीं है। नवीकरणीय ऊर्जा से संबंधित विषय नवीन और नवीकरणीय ऊर्जा मंत्रालय से संबंधित हैं।

D. **सही** – जल संसाधन, नदी विकास और गंगा संरक्षण विभाग जल शक्ति मंत्रालय के अंतर्गत आता है। यह विभाग जल संसाधन प्रबंधन, नदी विकास, सिंचाई, बाढ़ प्रबंधन और गंगा संरक्षण जैसे विषयों से जुड़ा है।

E. **गलत** – नदियों के जोड़ने और बाढ़-प्रबंधन के लिए जल शक्ति मंत्रालय के अंतर्गत अलग स्वतंत्र विभाग नहीं है। ये कार्य जल संसाधन, नदी विकास और गंगा संरक्षण विभाग के दायरे में आते हैं।

70. A. **सही** – कृषि अनुसंधान और शिक्षा विभाग कृषि एवं किसान कल्याण मंत्रालय का भाग है। यह विभाग कृषि अनुसंधान, कृषि शिक्षा और भारतीय कृषि अनुसंधान परिषद से संबंधित कार्यों से जुड़ा है।

B. **गलत** – खाद्यान्न विभाग कृषि एवं किसान कल्याण मंत्रालय का भाग नहीं है। खाद्यान्न, सार्वजनिक वितरण और उपभोक्ता संबंधी विषय अलग मंत्रालयीय ढाँचे में आते हैं।

C. **गलत** – पशुपालन विभाग वर्तमान में कृषि एवं किसान कल्याण **मंत्रालय का भाग नहीं है। पशुपालन से संबंधित विषय अलग मंत्रालय, अर्थात मत्स्यपालन, पशुपालन और डेयरी मंत्रालय से जुड़े हैं।**

D. **गलत** – खाद्य-प्रसंस्करण विभाग कृषि एवं किसान कल्याण मंत्रालय का भाग नहीं है। खाद्य प्रसंस्करण से संबंधित विषय अलग खाद्य प्रसंस्करण उद्योग मंत्रालय के अंतर्गत आते हैं।

E. **सही** – कृषि एवं किसान कल्याण विभाग इसी मंत्रालय का प्रमुख विभाग है। यह विभाग कृषि नीति, किसानों से संबंधित योजनाओं, फसल, विस्तार सेवाओं और कृषि विकास कार्यक्रमों से संबंधित है।

71. A. **उज्ज्वला योजना – गलत।** प्रधानमंत्री उज्ज्वला योजना 2015 में नहीं, बल्कि 2016 में शुरू की गई थी, इसलिए इसे 2015 वाली योजनाओं में शामिल नहीं किया जा सकता।

B. **आत्मनिर्भर भारत अभियान – गलत।** आत्मनिर्भर भारत अभियान 2020 में घोषित किया गया था, इसलिए यह 2015 में शुरू की गई योजना नहीं है।

C. **बेटी बचाओ, बेटी पढ़ाओ योजना – सही।** बेटी बचाओ, बेटी पढ़ाओ योजना 2015 में शुरू की गई थी और इसका उद्देश्य बालिका सुरक्षा, बालिका शिक्षा और लिंगानुपात सुधार से जुड़ा है।

D. **स्मार्ट सिटी मिशन – सही।** स्मार्ट सिटी मिशन 2015 में शुरू किया गया था और इसका उद्देश्य चयनित शहरों में शहरी आधारभूत संरचना और सेवाओं को बेहतर बनाना था।

E. **अटल पेंशन योजना – सही।** अटल पेंशन योजना 2015 में शुरू की गई थी और यह असंगठित क्षेत्र सहित नागरिकों को वृद्धावस्था आय-सुरक्षा उपलब्ध कराने से संबंधित है।

72. A. **स्वच्छ भारत अभियान – सही।** स्वच्छ भारत अभियान 2 अक्टूबर, महात्मा गांधी के जन्म दिवस पर शुरू किया गया था और इसका संबंध स्वच्छता व खुले में शौच से मुक्ति से है।

B. **सामुदायिक विकास कार्यक्रम की शुरुआत – सही।** सामुदायिक विकास कार्यक्रम 2 अक्टूबर को शुरू किया गया था, इसलिए यह महात्मा गांधी के जन्म दिवस से संबंधित कार्यक्रमों में आता है।

C. **नागौर जिले में पंचायती राज की शुरुआत – सही।** भारत में पंचायती राज व्यवस्था का औपचारिक शुभारंभ राजस्थान के नागौर जिले में 2 अक्टूबर को किया गया था।

D. **SHe Box पोर्टल – गलत।** SHe Box पोर्टल महात्मा गांधी के जन्म दिवस पर शुरू किए गए कार्यक्रमों में नहीं आताय यह कार्यस्थल पर महिलाओं के यौन उत्पीड़न की शिकायतों से संबंधित पोर्टल है।

E. **नमामि गंगे योजना – गलत।** नमामि गंगे योजना महात्मा गांधी के जन्म दिवस पर शुरू की गई योजना नहीं है; इसका संबंध गंगा नदी के संरक्षण और पुनर्जीवन से है।

73. A. **ब्रिटिश सोशियोलॉजिकल एसोसिएशन (बी.एस.ए.) – गलत।** यह संस्था सामाजिक शोध और समाजशास्त्रीय शोध के लिए नैतिक दिशानिर्देश/नीति-संहिता से संबंधित है, इसलिए इसे "नीति संहिता नहीं देने वाली" संस्था नहीं माना जा सकता।

B. **कोलंबिया फिजिसिस्ट एसोसिएशन (सी.पी.आर.ए.) – सही।** यह सामाजिक शोध पर नीति-संहिता देने वाली मानक व्यवसायी संस्था के रूप में स्वीकार्य नहीं है, इसलिए यह "नहीं दी है" वाली श्रेणी में आती है।

C. अमेरिकन सोशियोलॉजिकल एसोसिएशन (ए.एस.ए.) – गलत। अमेरिकन सोशियोलॉजिकल एसोसिएशन सामाजिक शोध से जुड़े नैतिक सिद्धांतों और आचार-संहिता के लिए प्रसिद्ध संस्था है।

D. दि इकोनॉमिक एंड सोशल रिसर्च काउन्सिल (ई.एस.आर.सी.) – गलत। ई.एस.आर.सी. सामाजिक शोध में अनुसंधान नैतिकता, गुणवत्ता और आचार-मानकों से संबंधित दिशानिर्देशों से जुड़ी संस्था है।

E. एशिया फाउंडेशन ऑफ रिसर्च एसोसिएशन (ए.एफ.आर.ए.) – सही। यह सामाजिक शोध की मानक व्यावसायिक नीति-संहिता देने वाली प्रमुख मान्य संस्था के रूप में फिट नहीं बैठती, इसलिए सही उत्तर में इसे शामिल किया जाएगा।

74. A. सचिव, सुरक्षा – गलत। सचिव, सुरक्षा कैबिनेट सचिवालय में सचिव-स्तर के अधिकारियों में शामिल पद है, इसलिए यह "उनमें से एक नहीं है" के अंतर्गत नहीं आएगा।

B. सचिव, रिसर्च एंड एनालिसिस विंग – गलत। रिसर्च एंड एनालिसिस विंग से संबंधित सचिव-स्तर का पद कैबिनेट सचिवालय की संरचना से जुड़ा माना जाता है।

C. सचिव, समन्वय एवं लोक शिकायत – गलत। समन्वय से संबंधित सचिव-स्तर का पद कैबिनेट सचिवालय में पाया जाता है, इसलिए इसे बाहर वाला पद नहीं माना जाएगा।

D. चेयरमैन ऑफ दि नेशनल अथॉरिटी फॉर केमिकल वेपन्स कन्वेंशन – गलत। राष्ट्रीय रासायनिक हथियार अभिसमय प्राधिकरण का अध्यक्ष भी कैबिनेट सचिवालय से संबद्ध सचिव-स्तर का पद माना जाता है।

E. सचिव, मानव कैपिटल – सही। "सचिव, मानव कैपिटल" कैबिनेट सचिवालय में सचिव-स्तर के मानक पदों में शामिल नहीं है, इसलिए यही सही उत्तर है।

75. A. एन.आर. पिल्लई – गलत। एन.आर. पिल्लई भारत के प्रथम कैबिनेट सचिव थे, लेकिन उनका कार्यकाल 6 फरवरी 1950 से 13 मई 1953 तक था, जो चार वर्ष से कम था।

B. वाई.एन. सुखथंकर – सही। वाई.एन. सुखथंकर ने 14 मई 1953 से 31 जुलाई 1957 तक कैबिनेट सचिव के रूप में पद धारण किया, जो चार वर्षों से अधिक अवधि है।

C. बी.डी. पांडे – सही। बी.डी. पांडे ने 2 नवंबर 1972 से 31 मार्च 1977 तक कैबिनेट सचिव के रूप में कार्य किया, जो चार वर्षों से अधिक अवधि है।

D. प्रदीप कुमार सिन्हा – सही। प्रदीप कुमार सिन्हा ने 14 जून 2015 से 30 अगस्त 2019 तक कैबिनेट सचिव के रूप में पद धारण किया, जो चार वर्षों से अधिक अवधि है।

E. पी.के. कौल – गलत। पी.के. कौल का कार्यकाल 8 फरवरी 1985 से 22 अगस्त 1986 तक था, जो चार वर्ष से बहुत कम था।

इसलिए कम-से-कम चार वर्षों तक पद पर रहने वालों में केवल B, C और D आते हैं।

76. A. गैर-संभाविक नमूनाकरण – II. स्नो बॉलः स्नोबॉल नमूनाकरण गैर-संभाविक नमूनाकरण का प्रकार है, क्योंकि इसमें प्रत्येक इकाई के चयन की ज्ञात और समान संभावना नहीं होती। इसमें एक उत्तरदाता दूसरे संभावित उत्तरदाता तक शोधकर्ता को पहुँचाता है।

B. संभाविक नमूनाकरण – IV. स्तरीय यादृच्छिकः स्तरीय यादृच्छिक नमूनाकरण संभाविक नमूनाकरण का प्रकार है, क्योंकि इसमें जनसंख्या को स्तरों में बाँटकर यादृच्छिक ढंग से नमूना चुना जाता है। इसमें चयन की संभावना ज्ञात होती है।

C. गैर-नमूनाकरण त्रुटि – I. अपर्याप्त नमूनाकरण फ्रेम या नॉन रेस्पॉन्सः गैर-नमूनाकरण त्रुटि नमूने के चयन से अलग कारणों से उत्पन्न होती है, जैसे अपूर्ण नमूनाकरण फ्रेम, उत्तर न मिलना, गलत उत्तर या डाटा-संग्रह की समस्या। इसलिए अपर्याप्त फ्रेम और नॉन रेस्पॉन्स इसी में आते हैं।

D. समूह-नमूनाकरण – III. इकाइयों का समूहीकरणः समूह या क्लस्टर नमूनाकरण में जनसंख्या को समूहों या क्लस्टरों में बाँटा जाता है। इसके बाद कुछ समूहों का चयन कर उनके भीतर की इकाइयों का अध्ययन किया जाता है।

77. A. बेल एंड न्यूबी – II. डुइंग सोशियोलॉजिकल रिसर्चः बेल और न्यूबी का संबंध Doing Sociological Research से है। यह समाजशास्त्रीय अनुसंधान की प्रक्रिया और पद्धति से जुड़ी पुस्तक है।

B. पैट्रिक मेकनिल – III. रिसर्च मेथ्ड्सः पैट्रिक मेकनिल का संबंध Research Methods से है। यह सामाजिक शोध की विधियों और तकनीकों को समझाने वाली पुस्तक है।

C. एलन ब्रायमेन – IV. सोशल रिसर्च मेथ्ड्सः एलन ब्रायमेन की प्रसिद्ध पुस्तक Social Research Methods है। इसमें गुणात्मक और मात्रात्मक शोध विधियों को व्यवस्थित रूप से समझाया गया है।

D. गुडे एंड हैट – I. मेथड्स इन सोशल रिसर्चः गुडे और हैट का संबंध Methods in Social Research से है। यह सामाजिक शोध-पद्धति की मानक पुस्तकों में मानी जाती है।

78. A. शून्य परिकल्पना – III. परिकल्पना जिसमें दो चरों के बीच कोई संबंध नहीं हैः शून्य परिकल्पना वह परिकल्पना है जिसमें माना जाता है कि दो चरों के बीच कोई वास्तविक संबंध या अंतर नहीं है। शोध में इसी को परीक्षण के आधार के रूप में लिया जाता है।

B. NViVo – I. CAQDAS पैकेज जो गुणात्मक डेटा को व्यवस्थित करने में मदद करता हैः यहाँ दिया गया शब्द स्पष्ट रूप से CAQDAS से जुड़े गुणात्मक डाटा-संगठन पैकेज की ओर संकेत करता है। ऐसे पैकेज गुणात्मक डाटा को व्यवस्थित, कोड और विश्लेषित करने में सहायता करते हैं।

C. सत्तामीमांसा – IV. सामाजिक तत्वों के स्वरूप के बारे में सिद्धांतः सत्तामीमांसा या ऑण्टोलॉजी का संबंध वास्तविकता या सामाजिक तत्वों के स्वरूप से होता है। सामाजिक शोध में यह पूछती है कि सामाजिक वास्तविकता वस्तुनिष्ठ है या सामाजिक रूप से निर्मित है।

D. इंटर-रेटर विश्वसनीयता – II. जिस सीमा तक दो या दो से ज्यादा व्यक्ति किसी वस्तु की कोडिंग पर सहमत होते हैंः इंटर-रेटर विश्वसनीयता का अर्थ है कि अलग-अलग मूल्यांकनकर्ता या कोडर एक ही सामग्री को कोड करते समय किस सीमा तक समान निष्कर्ष पर पहुँचते हैं। अधिक सहमति अधिक विश्वसनीयता को दर्शाती है।

79. A. शोध डिजाइन – II. नृजाति-वर्णनः नृजाति-वर्णन या एथ्नोग्राफी एक शोध डिजाइन के रूप में प्रयोग किया जा सकता है। इसमें किसी समुदाय, समूह या सांस्कृतिक व्यवस्था का विस्तृत और संदर्भगत अध्ययन किया जाता है।

B. शोध विचार – I. मानकीकरणः शोध विचार के स्तर पर अवधारणाओं को स्पष्ट और व्यवस्थित करने के लिए मानकीकरण महत्त्वपूर्ण होता है। मानकीकरण से शोध में प्रयुक्त अवधारणाओं और मापों को स्पष्ट रूप मिलता है।

C. शोध विधि – IV. साक्षात्कारः साक्षात्कार एक शोध विधि है, जिसके माध्यम से शोधकर्ता उत्तरदाताओं से प्रत्यक्ष जानकारी प्राप्त करता है। यह संरचित, अर्ध-संरचित या असंरचित रूप में किया जा सकता है।

D. शोध आचार – III. सहमतिः शोध आचार में सूचित सहमति अत्यंत आवश्यक है। इसका अर्थ है कि प्रतिभागी को शोध के उद्देश्य, प्रक्रिया और संभावित प्रभावों की जानकारी देकर उसकी स्वैच्छिक अनुमति ली जाए।

80. A. लांगिट्यूडिनल शोध – IV. किसी समूह पर लम्बी समयावधि तक अध्ययन करनाः लांगिट्यूडिनल शोध में किसी व्यक्ति, समूह, संस्था या घटना का लंबे समय तक अध्ययन किया जाता है। इसका उद्देश्य परिवर्तन, विकास और प्रवृत्तियों को समय के साथ समझना होता है।

B. प्रयोगात्मक शोध – III. चरों के बीच के संबंधों का परीक्षण करनाः प्रयोगात्मक शोध में स्वतंत्र और आश्रित चरों के बीच संबंधों या कारणात्मक प्रभावों की जाँच की जाती है। इसमें नियंत्रित परिस्थितियों में परीक्षण किया जाता है।

C. नृजातिक शोध – I. स्वभाव को प्राकृतिक विन्यास में समझनाः नृजातिक शोध में लोगों के व्यवहार, संस्कृति और सामाजिक जीवन को उनके प्राकृतिक परिवेश में समझा जाता है। शोधकर्ता अक्सर क्षेत्र में जाकर प्रत्यक्ष अवलोकन और सहभागिता करता है।

D. विषयक शोध – II. कूटबंध के तरीके को समझनाः विषयक शोध या थीमैटिक विश्लेषण में डाटा को कोड करके प्रमुख विषयों, पैटर्नों और अर्थों की पहचान की जाती है। इसलिए इसका लक्ष्य कूटबंध और विषय-विकास की प्रक्रिया को समझना है।

81. A. ए सर्वे ऑफ पब्लिक एडमिनिस्ट्रेशन इन इंडिया – III. पॉल एप्लेबीः यह रिपोर्ट पॉल एच. एप्लेबी से संबंधित है। उन्होंने भारत के लोक प्रशासन का अध्ययन कर प्रशासनिक सुधारों पर महत्त्वपूर्ण सुझाव दिए थे।

B. स्लम के विभिन्न पहलुओं का परीक्षण – II. प्रणब सेनः स्लम के विभिन्न पहलुओं के परीक्षण से संबंधित समिति/अध्ययन प्रणब सेन से जुड़ा है। इसका संबंध शहरी गरीबों, स्लम-आँकड़ों और स्लम-परिस्थितियों के अध्ययन से माना जाता है।

C. सिविल सेवा सुधार – I. पी.सी. होताः सिविल सेवा सुधारों से संबंधित समिति पी.सी. होता से जुड़ी है। इसका उद्देश्य सिविल सेवा प्रणाली को अधिक उत्तरदायी, कुशल और सुधारोन्मुख बनाना था।

D. राष्ट्रीय पुलिस आयोग – IV. धरम वीरः राष्ट्रीय पुलिस आयोग का संबंध धरम वीर से है। इस आयोग ने पुलिस प्रशासन, पुलिस सुधारों और पुलिस की जवाबदेही से संबंधित महत्त्वपूर्ण सिफारिशें की थीं।

82. A. अनुच्छेद 124 – III. उच्चतम न्यायालय की स्थापना और गठनः अनुच्छेद 124 भारत के उच्चतम न्यायालय की स्थापना और गठन से संबंधित है। इसमें उच्चतम न्यायालय के न्यायाधीशों की नियुक्ति और संरचना से संबंधित मूल व्यवस्था दी गई है।

B. अनुच्छेद 124A – I. राष्ट्रीय न्यायिक नियुक्ति आयोगः अनुच्छेद 124A राष्ट्रीय न्यायिक नियुक्ति आयोग से संबंधित था। यह न्यायाधीशों की नियुक्ति व्यवस्था में परिवर्तन से जुड़ा प्रावधान था।

C. अनुच्छेद 129 – IV. उच्चतम न्यायालय का अभिलेख न्यायालय होनाः अनुच्छेद 129 उच्चतम न्यायालय को अभिलेख न्यायालय घोषित करता है। इसका अर्थ है कि उच्चतम न्यायालय के अभिलेखों को स्थायी प्रमाणिकता प्राप्त होती है और उसे अवमानना दंड की शक्ति भी होती है।

D. अनुच्छेद 136 – II. अपील के लिए उच्चतम न्यायालय की विशेष इजाजतः अनुच्छेद 136 उच्चतम न्यायालय को विशेष अनुमति से अपील सुनने की शक्ति देता है। यह प्रावधान न्यायालय को असाधारण स्थितियों में व्यापक अपीलीय अधिकार प्रदान करता है।

83. A. येझक्ल द्रोर – III. पारडिगम्स ऑफ पॉलिसी साइंसेजः येझक्ल द्रोर नीति-विज्ञान और नीति-निर्माण के उन्नत मॉडलों से संबंधित विचारक हैं। उनका संबंध "Paradigms of Policy Sciences" जैसे नीति-विज्ञान संबंधी विचारों से है।

B. ड्वाइट वाल्डो – I. न्यू पब्लिक एडमिनिस्ट्रेशनः ड्वाइट वाल्डो न्यू पब्लिक एडमिनिस्ट्रेशन की बौद्धिक पृष्ठभूमि से जुड़े प्रमुख विचारक हैं। इस दृष्टिकोण में सामाजिक समानता, मूल्य, उत्तरदायित्व और परिवर्तनशील प्रशासन पर बल दिया गया।

C. रेनसिस लिकर्ट – IV. इंटरएक्शन-इन्फ्लुएंस सिस्टमः रेनसिस लिकर्ट का संबंध संगठन में interaction-influence system से है। उन्होंने प्रबंधन प्रणालियों, नेतृत्व शैली और सहभागी संगठनात्मक व्यवहार पर बल दिया।

D. पीटर ड्रकर – II. नॉलेज सोसाइटी एवं नॉलेज वर्कर्सः पीटर ड्रकर ने ज्ञान-समाज और ज्ञान-कर्मियों की अवधारणा को प्रमुखता दी। उनके अनुसार आधुनिक संगठनों में ज्ञान, नवाचार और विशेषज्ञता उत्पादन के केंद्रीय साधन बन जाते हैं।

84. A. डिपार्टमेंट – IV. सचिवः भारत सरकार की सचिवालयी संरचना में विभाग का प्रशासनिक प्रमुख सचिव होता है। सचिव विभागीय नीति, प्रशासनिक नियंत्रण और उच्चस्तरीय निर्णयों के लिए उत्तरदायी होता है।

B. विंग – II. अतिरिक्त-सचिव/संयुक्त सचिवः विंग सामान्यतः अतिरिक्त सचिव या संयुक्त सचिव स्तर के अधिकारी के अधीन होता है। यह विभाग के भीतर बड़े कार्य-क्षेत्र या प्रमुख प्रशासनिक खंड का संचालन करता है।

C. डिवीजन – I. उप सचिवः डिवीजन सामान्यतः उप सचिव स्तर के अधिकारी के अधीन होता है। यह किसी विशिष्ट विषय, योजना या प्रशासनिक कार्य-क्षेत्र का अपेक्षाकृत विस्तृत प्रबंधन करता है।

D. ब्रांच – III. अवर सचिवः ब्रांच सामान्यतः अवर सचिव स्तर के अधिकारी के अधीन होती है। यह सचिवालय की कार्य-प्रक्रिया में फाइल, अनुभागों और विशिष्ट मामलों के संचालन से जुड़ी होती है।

85. A. बहुपक्षीय संबंध खंड – III. G-20ः बहुपक्षीय संबंध खंड का संबंध G-20 जैसे बहुपक्षीय मंचों से जोड़ा जाता है। यह खंड अंतरराष्ट्रीय आर्थिक सहयोग और बहुपक्षीय वार्ताओं से जुड़े मामलों को देखता है।

B. बहुपक्षीय संस्था खंड – IV. अंतर्राष्ट्रीय मुद्रा कोषः बहुपक्षीय संस्था खंड का संबंध अंतर्राष्ट्रीय मुद्रा कोष जैसी संस्थाओं से होता है। यह खंड अंतरराष्ट्रीय वित्तीय संस्थाओं और उनसे जुड़े आर्थिक-नीतिगत मामलों को संभालता है।

C. आर्थिक खंड – I. देश में आर्थिक ट्रेंड का परीक्षण करना: आर्थिक खंड देश में आर्थिक प्रवृत्तियों, संकेतकों और आर्थिक स्थिति का परीक्षण करता है। इसका कार्य आर्थिक विश्लेषण, निगरानी और नीतिगत इनपुट उपलब्ध कराना होता है।

D. द्विपक्षीय सहयोग खंड – II. सभी अल्पकालिक विदेशी प्रशिक्षण कार्यक्रमों को देखना: द्विपक्षीय सहयोग खंड विदेशी सहयोग और द्विपक्षीय कार्यक्रमों से संबंधित विषयों को देखता है। अल्पकालिक विदेशी प्रशिक्षण कार्यक्रमों जैसे सहयोगी मामलों को इसी प्रकार के खंड से जोड़ा जाता है।

86. A. आधिकारिक गोपनीयता अधिनियम – III. 1923: आधिकारिक गोपनीयता अधिनियम 1923 से संबंधित है। यह अधिनियम सरकारी गोपनीय सूचना, सुरक्षा और गोपनीय दस्तावेजों के संरक्षण से जुड़ा है।

B. आवश्यक सेवा रख-रखाव अधिनियम – I. 1981: आवश्यक सेवा रख-रखाव अधिनियम का संबंध 1981 से है। इसका उद्देश्य आवश्यक सेवाओं में व्यवधान, हड़ताल या अवरोध को नियंत्रित करना है।

C. अखिल भारतीय सेवा अधिनियम – II. 1951: अखिल भारतीय सेवा अधिनियम 1951 में बनाया गया था। इसके आधार पर अखिल भारतीय सेवाओं की संरचना और सेवा-संबंधी व्यवस्थाएँ संचालित होती हैं।

D. केन्द्रीय लोक सेवा आचार नियम – IV. 1964: केन्द्रीय सिविल सेवा आचरण नियम 1964 से संबंधित हैं। ये नियम केंद्रीय सरकारी सेवकों के आचरण, अनुशासन और सेवा-व्यवहार को नियंत्रित करते हैं।

87. A. महान प्रकाश परीक्षण – I. कार्यक्षेत्र का औद्योगिक उत्पादन की उत्पादकता पर प्रभाव: महान प्रकाश परीक्षण में कार्यस्थल की प्रकाश-व्यवस्था और भौतिक दशाओं का उत्पादकता पर प्रभाव देखा गया। यह हॉथोर्न प्रयोगों का प्रारंभिक चरण था, जिसमें प्रकाश की मात्रा बदलकर उत्पादन पर प्रभाव जाँचा गया।

B. रिले असेंबली टेस्ट रूम परीक्षण – II. विभिन्न कार्य परिस्थितियों में बदलाव का समूह उत्पादकता पर प्रभाव: रिले असेंबली टेस्ट रूम प्रयोग में विश्राम, कार्य-घंटे, प्रोत्साहन और अन्य कार्य-स्थितियों में परिवर्तन का प्रभाव देखा गया। इसमें समूह उत्पादकता और कार्य-स्थितियों के बीच संबंध को समझने का प्रयास किया गया।

C. बैंक वायरिंग परीक्षण – IV. संगठनों में कार्यकर्ता समूह और अनौपचारिक व्यवहार: बैंक वायरिंग परीक्षण में श्रमिक समूहों के अनौपचारिक व्यवहार, समूह-मानदंड और सामाजिक दबाव को समझा गया। इस प्रयोग ने दिखाया कि अनौपचारिक संगठन उत्पादन और व्यवहार को प्रभावित कर सकता है।

D. सामूहिक साक्षात्कार कार्यक्रम – III. मानव दृष्टिकोण और भावनाओं का अध्ययन: सामूहिक साक्षात्कार कार्यक्रम में कर्मचारियों के दृष्टिकोण, भावनाओं, शिकायतों और मनोवैज्ञानिक पक्षों का अध्ययन किया गया। इसने प्रशासन और प्रबंधन में मानव संबंध दृष्टिकोण को अधिक स्पष्ट आधार दिया।

88. A. हेनरी फेयॉल – II. जनरल एंड इंडस्ट्रियल मैनेजमेंट: हेनरी फेयॉल की प्रमुख रचना General and Industrial Management है। इसमें उन्होंने प्रशासनिक सिद्धांतों, प्रबंधन-कार्य और संगठनात्मक प्रक्रिया को व्यवस्थित रूप से प्रस्तुत किया।

B. ड्वाइट वाल्डो – I. दि नॉवलिस्ट ऑन ऑर्गनाइजेशन एंड एडमिनिस्ट्रेशन: ड्वाइट वाल्डो का संबंध The Novelist on Organization and Administration से है। उन्होंने साहित्यिक दृष्टि से संगठन और प्रशासन को समझने का प्रयास किया।

C. पीटर ड्रकर – III. दि कॉन्सेप्ट ऑफ द कॉरपोरेशन: पीटर ड्रकर की प्रसिद्ध रचना The Concept of the Corporation है। इसमें आधुनिक निगम, प्रबंधन और संगठनात्मक संरचना का विश्लेषण किया गया।

D. रेनसिस लिकर्ट – IV. न्यू वेज ऑफ मैनेजिंग कॉन्फ्लिक्ट: रेनसिस लिकर्ट का संबंध New Ways of Managing Conflict से है। उनके विचारों में सहभागी प्रबंधन, संगठनात्मक संबंध और संघर्ष-प्रबंधन को महत्त्व दिया गया।

89. A. हर्बर्ट साइमन – IV. सीमित तार्किकता: हर्बर्ट साइगन ने रीमित तार्किकता की अवधारणा दी। उनके अनुसार निर्णयकर्ता पूर्ण तार्किकता के बजाय सीमित सूचना और सीमित क्षमता के आधार पर संतोषजनक निर्णय लेते हैं।

B. एफ.डब्ल्यू. रिग्स – I. बाजार-कैंटीन मॉडल: एफ.डब्ल्यू. रिग्स का संबंध बाजार-कैंटीन मॉडल से है। उन्होंने तुलनात्मक लोक प्रशासन में पारंपरिक और आधुनिक समाजों के विश्लेषण के लिए ऐसे मॉडल विकसित किए।

C. एल्टन मेयो – III. हॉथोर्न प्रयोग: एल्टन मेयो हॉथोर्न प्रयोगों और मानव संबंध दृष्टिकोण से संबंधित हैं। इन प्रयोगों ने संगठन में मनोवैज्ञानिक, सामाजिक और अनौपचारिक समूहों की भूमिका को महत्त्व दिया।

D. मैक्स वेबर – II. 'हर्शकाफ्ट' का सिद्धांत: मैक्स वेबर का संबंध 'Herrschaft' अर्थात प्रभुत्व या वैध सत्ता के सिद्धांत से है। उन्होंने पारंपरिक, करिश्माई और वैधिक-युक्तिसंगत प्राधिकार की व्याख्या की।

90. A. अनुच्छेद 243R – III. नगरपालिकाओं की संरचना: अनुच्छेद 243R नगरपालिकाओं की संरचना से संबंधित है। इसमें नगरपालिका के सदस्यों और प्रतिनिधित्व की व्यवस्था का उल्लेख मिलता है।

B. अनुच्छेद 243Q – I. नगरपालिकाओं का गठन: अनुच्छेद 243Q नगरपालिकाओं के गठन से संबंधित है। इसमें नगर पंचायत, नगरपालिका परिषद और नगर निगम जैसी संस्थाओं की व्यवस्था दी गई है।

C. अनुच्छेद 243T – II. नगरपालिकाओं में सीटों का आरक्षण: अनुच्छेद 243T नगरपालिकाओं में सीटों के आरक्षण से संबंधित है। इसमें अनुसूचित जातियों, अनुसूचित जनजातियों और महिलाओं के लिए आरक्षण की व्यवस्था है।

D. अनुच्छेद 243ZA – IV. नगरपालिकाओं के लिए निर्वाचन: अनुच्छेद 243ZA नगरपालिकाओं के निर्वाचन से संबंधित है। यह नगरपालिका चुनावों के संचालन, नियंत्रण और पर्यवेक्षण की व्यवस्था से जुड़ा है।

91. अनुच्छेद में स्पष्ट कहा गया है कि नीति आयोग के अंतर्गत ऊर्जा प्रभाग ऊर्जा संक्रमण का संस्थागत स्थिरक है और ऊर्जा संरचना परिवर्तन का धुरीय केंद्र है। इसका कार्य ऊर्जा क्षेत्र में नीति-निर्माण, रणनीतिक समन्वय और तकनीकी-आर्थिक विश्लेषण को जोड़ना है। इसलिए यह गरीबी उन्मूलन, शिक्षा-सशक्तिकरण या सामान्य शहरी विकास परियोजना से मुख्य रूप से संबंधित नहीं है। अनुच्छेद में ऊर्जा

वर्टिकल को विभिन्न मंत्रालयों और क्षेत्रों के बीच समन्वयकारी व्यवस्था के रूप में बताया गया है। इसी आधार पर ऊर्जा प्रभाग ऊर्जा परिवर्तन संघटन में महत्वपूर्ण संस्थागत आधार के रूप में कार्य करता है।

92. अनुच्छेद के अनुसार ऊर्जा वर्टिकल की तकनीकी और नीतिगत पहलों में कार्बन अभिग्रहण, उपयोगिता एवं भंडारण, राष्ट्रीय हरित हाइड्रोजन मिशन, कोयला-गैसीकरण और स्वच्छ कोयला प्रौद्योगिकियाँ शामिल हैं। स्वच्छ कोयला तकनीक, राष्ट्रीय हरित हाइड्रोजन और कार्बन कैप्चर सीधे अनुच्छेद में दी गई ऊर्जा-संबंधी पहलों से मेल खाते हैं। परंतु स्वच्छ पेय जल का उल्लेख ऊर्जा वर्टिकल की तकनीकी और नीतिगत पहल के रूप में नहीं किया गया है। स्वच्छ पेय जल जलापूर्ति और सार्वजनिक स्वास्थ्य से संबंधित विषय है, न कि यहाँ वर्णित ऊर्जा-परिवर्तन तकनीकों का भाग। इसलिए सही उत्तर स्वच्छ पेय जल है।

93. अनुच्छेद में ऊर्जा प्रभाग के पाँच मुख्य क्षेत्रों का उल्लेख किया गया है—बिजली, कोयला, पेट्रोलियम एवं प्राकृतिक गैस, नवीन एवं नवीकरणीय ऊर्जा और परमाणु शक्ति। इन क्षेत्रों से स्पष्ट है कि ऊर्जा प्रभाग मुख्यतः पारंपरिक और उभरते ऊर्जा स्रोतों तथा ऊर्जा नीति से संबंधित है। परमाणु ऊर्जा, कोयला और तेल एवं प्राकृतिक गैस अनुच्छेद में बताए गए मुख्य खंडों से सीधे मेल खाते हैं। लकड़ी एवं वनीकरण का उल्लेख ऊर्जा प्रभाग के मुख्य खंड के रूप में नहीं किया गया है। इसलिए दिए गए विकल्पों में लकड़ी एवं वनीकरण ऊर्जा प्रभाग का मुख्य खंड नहीं है।

94. अनुच्छेद में नीति आयोग के ऊर्जा प्रभाग के ज्ञान साझेदारों के रूप में टेरी, वसुधा फाउंडेशन और सी.एस.ई.पी. का उल्लेख किया गया है। दिए गए विकल्पों में "टेरी" ही उस नाम से मेल खाता है जिसका उल्लेख अनुच्छेद में किया गया है। टेरी ऊर्जा, पर्यावरण और सतत विकास से जुड़े ज्ञान-साझेदार के रूप में प्रसिद्ध संस्था है। बाकी विकल्प रेटी, इटरी और इरटी अनुच्छेद में नहीं दिए गए हैं और वे दिए गए ज्ञान-साझेदारों से मेल नहीं खाते। इसलिए सही उत्तर टेरी है।

95. अनुच्छेद के अनुसार नीति आयोग का ऊर्जा प्रभाग कोयला मंत्रालय, विद्युत मंत्रालय, पेट्रोलियम एवं प्राकृतिक गैस मंत्रालय और परमाणु ऊर्जा विभाग जैसे मंत्रालयों/विभागों के साथ कार्य करता है। दिए गए विकल्पों में पेट्रोलियम और प्राकृतिक गैस मंत्रालय, कोयला मंत्रालय तथा विद्युत मंत्रालय सीधे अनुच्छेद में उल्लिखित हैं। संसदीय और अल्पसंख्यक कार्य मंत्रालय का उल्लेख ऊर्जा प्रभाग के साथ समन्वय करने वाले मंत्रालय के रूप में नहीं किया गया है। यह मंत्रालय ऊर्जा नीति, कोयला, बिजली या पेट्रोलियम क्षेत्र से प्रत्यक्ष रूप से संबंधित नहीं है। इसलिए अनुच्छेद के आधार पर सही उत्तर संसदीय और अल्पसंख्यक कार्य मंत्रालय है।

96. अनुच्छेद के अनुसार सूचना का अधिकार भारतीय संविधान के अनुच्छेद 19 में निहित वाक् और अभिव्यक्ति की स्वतंत्रता के अधिकार से संबंधित है। सर्वोच्च न्यायालय ने उत्तर प्रदेश राज्य बनाम राज नारायण मामले में यह माना था कि सूचना का अधिकार अभिव्यक्ति की स्वतंत्रता का आवश्यक भाग है। लोकतांत्रिक शासन में नागरिकों को सरकारी कार्यवाही और अभिलेखों की जानकारी मिलना आवश्यक है। इसी आधार पर बाद में सूचना का अधिकार अधिनियम, 2005 के रूप में इसे वैधानिक स्वरूप दिया गया। इसलिए दिए गए विकल्पों में अनुच्छेद 19 ही सही उत्तर है।

97. अनुच्छेद में स्पष्ट रूप से बताया गया है कि आरटीआई अधिनियम और उसके नियमों में सूचना प्राप्त करने का प्रारूप, सूचना प्रदान करने की समयावधि, सूचना देने की विधि, आवेदन शुल्क और छूट प्राप्त संगठनों की सूची का वर्णन किया गया है। इन बातों में प्रार्थी की आर्थिक स्थिति को परिभाषित विषय के रूप में नहीं बताया गया है। सूचना माँगने का अधिकार नागरिकता से जुड़ा है, न कि सामान्य रूप से आर्थिक स्थिति से। आवेदन शुल्क का उल्लेख अवश्य है, लेकिन प्रार्थी की आर्थिक स्थिति को अधिनियम/नियमों में दी गई सूची में नहीं रखा गया है। इसलिए दिए गए विकल्पों में "प्रार्थी की आर्थिक स्थिति" सही उत्तर है।

98. अनुच्छेद के अनुसार सर्वोच्च न्यायालय ने उत्तर प्रदेश राज्य बनाम राज नारायण मामले में सूचना के अधिकार को संवैधानिक अधिकारों से जोड़ा। अनुच्छेद में यह विशेष रूप से कहा गया है कि सूचना का अधिकार भारतीय संविधान के अनुच्छेद 19 में गारंटीकृत वाक् और अभिव्यक्ति की स्वतंत्रता में निहित है। प्रश्न में "जीवन के अधिकार" शब्द आया है, पर दिए गए अनुच्छेद और विकल्पों के आधार पर जिस मामले का उल्लेख है, वह उत्तर प्रदेश राज्य बनाम राज नारायण ही है। बाकी विकल्पों में दिए गए राज्य इस अनुच्छेद में उल्लिखित निर्णय से मेल नहीं खाते। इसलिए अनुच्छेद के आधार पर सही उत्तर उत्तर प्रदेश राज्य बनाम राज नारायण है।

99. अनुच्छेद में कहा गया है कि सूचना देने से इंकार करने वाले अधिकारियों के विरुद्ध सूचना आयोगों द्वारा अधिनियम के अनुच्छेद/धारा 20 के अंतर्गत शास्तियों का उपयोग किया जाएगा। इसका अर्थ है कि यदि लोक सूचना अधिकारी अनुचित रूप से सूचना देने से मना करता है या समय पर सूचना नहीं देता, तो उस पर दंडात्मक कार्रवाई की जा सकती है। यह कार्रवाई सामान्य सीएसएस या अन्य आचरण नियमों के नाम से नहीं, बल्कि आरटीआई अधिनियम की धारा 20 के दंड प्रावधान से संबंधित है। सूचना आयोग इस प्रावधान के अंतर्गत दंड और अनुशासनात्मक कार्रवाई की अनुशंसा कर सकता है। इसलिए सही उत्तर सेक्शन 20 के अंतर्गत शास्तियों के उपयोग से है।

100. अनुच्छेद के अनुसार राज्य ऐसी सूचना देने के लिए बाध्य नहीं है जिसके प्रकटीकरण से भारत की संप्रभुता और अखंडता, राज्य की सुरक्षा, सामरिक, वैज्ञानिक और आर्थिक हितों पर प्रतिकूल प्रभाव पड़े। दिए गए विकल्पों में "राज्य की सुरक्षा एवं सामरिक हित" सीधे इसी अपवाद से मेल खाता है। आरटीआई अधिनियम पारदर्शिता को बढ़ाता है, लेकिन राष्ट्रीय सुरक्षा और संवेदनशील रणनीतिक हितों को नुकसान पहुँचाने वाली सूचना को प्रकट करने की बाध्यता नहीं बनाता। यह प्रावधान सूचना के अधिकार और राष्ट्रीय हित के बीच संतुलन बनाता है। इसलिए सही उत्तर राज्य की सुरक्षा एवं सामरिक हित है।

पिछले प्रश्न–पत्र

National Testing Agency (NTA)

UGC-NET जूनियर रिसर्च फैलोशिप तथा सहायक प्राध्यापक पात्रता परीक्षा

लोक प्रशासन, जून-2025

(Exam held on 25-06-2025)

प्रश्न-पत्र-II

1. निम्नलिखित में से किस चिंतक ने लोक प्रशासन के क्षेत्र को लोक प्रशासन के सिद्धांत और लोक प्रशासन के दायरे में विभाजित किया है?

1. हेनरी फेयोल 2. पी.एम. क्वीन
3. पिफिनर 4. मार्शल ई. डिमोक

2. किसी संगठन में, यदि वरिष्ठ/प्रवर अपने अधीनस्थों से अथवा अधीनस्थ अपने वरिष्ठ/प्रवर से समन्वय करते हैं, तो इसे कहा जाता है?

1. लम्बवत् समन्वय 2. बाह्य समन्वय
3. क्षैतिजीय समन्वय 4. पूरक समन्वय

3. निम्नलिखित में से कौन-सी कृति लोक प्रशासन के अनुशासन के उद्विकास के प्रथम चरण के अंतर्गत आती है?

1. पेपर्स ऑन साइंस ऑफ एडमिनिस्ट्रेशन
2. पॉलिटिक्स एंड एडमिनिस्ट्रेशन
3. दि एडमिनिस्ट्रेटिव स्टेट
4. एडमिनिस्ट्रेटिव बिहैवियर

4. लाल बहादुर शास्त्री राष्ट्रीय प्रशासनिक अकादमी में सिविल सेवाओं के लिए फाउंडेशन पाठ्यक्रम की कालावधि क्या है?

1. चार माह 2. छह माह
3. नौ माह 4. बारह माह

5. मैक्स वेबर के अनुसार प्राधिकार का निम्नलिखित में से कौन-सा प्रकार प्रथाओं, पुरानी रीतियों और विश्वासों के प्रति सम्मान पर आधारित है?

1. करिश्माई प्राधिकार 2. परंपरागत प्राधिकार
3. विधिक-तार्किक प्राधिकार 4. धर्मतंत्रात्मक प्राधिकार

6. एल्टन मेयो के अनुसार, किसी को बहुत थोड़ा कार्य नहीं करना चाहिए। यदि कोई ऐसा करता है, तो वह ______ है।

1. रेट बस्टर 2. स्क्यूईलर
3. चेजलर 4. महत्त्वहीन

7. क्रिस अर्गायरिस को ______ का पिता/जनक कहा गया है।

1. संगठनात्मक अधिगम
2. प्रबंधन के मनो-सामाजिक पहलू
3. सहभागितापूर्ण प्रबंधन
4. पर्यवेक्षण शैलियाँ

8. कौटिल्य के सप्तांग सिद्धांत की निम्नलिखित में से कौन-सी प्रकृति राज्यक्षेत्र और जनसंख्या को संदर्भित करती है?

1. स्वामी 2. मित्र
3. दुर्ग 4. जनपद

9. भारत के संविधान का निम्नलिखित में से कौन-सा अनुच्छेद भारत के उच्चतम न्यायालय से परामर्श करने की राष्ट्रपति की शक्ति से संबंधित है?

1. अनुच्छेद 140
2. अनुच्छेद 141
3. अनुच्छेद 142
4. अनुच्छेद 143

10. निम्नलिखित में से कौन संयुक्त लोक सेवा आयोग के सदस्यों की नियुक्ति करता है?

1. भारत का राष्ट्रपति
2. संबंधित राज्यों के राज्यपाल
3. अध्यक्ष, संयुक्त लोक सेवा आयोग
4. भारत का संविधान इस संबंध में मौन है

11. भारत के संविधान के अनुच्छेद 249 के अनुसार राज्य सूची के मामले के संबंध में विधि निर्माण की संसद की शक्ति ______ पर आधारित है।

1. राष्ट्रीय आपातकाल
2. राष्ट्रहित से संबंधित मामले
3. दो या अधिक राज्यों की सहमति
4. अंतरराष्ट्रीय समझौतों से संबंधित मामले

12. वित्त मंत्रालय का निम्नलिखित में से कौन-सा विभाग भारत सरकार का बजट तैयार करने के लिए उत्तरदायी है?

1. वित्त विभाग
2. राजस्व विभाग
3. आर्थिक मामलों का विभाग
4. व्यय विभाग

13. राज्य निर्वाचन आयोग के बारे में निम्नलिखित में से कौन-सा सत्य नहीं है?

1. भारत के संविधान के अनुच्छेद 243 K और 243 ZA में इसका स्पष्ट उल्लेख है।
2. यह पंचायतों और नगरपालिकाओं के निर्वाचन के संचालन/आयोजन के लिए उत्तरदायी है।
3. राज्य निर्वाचन आयुक्त और उच्च न्यायालय के न्यायाधीश को हटाने की रीति समान है।
4. राज्य निर्वाचन आयोग के अनुरोध पर कर्त्तव्यों/कार्यों के निर्वहन के लिए भारत का राष्ट्रपति कर्मचारिवृन्द उपलब्ध करता है।

14. राज्यपाल का अध्यादेश प्रख्यापित करने की शक्ति के बारे में निम्नलिखित में से कौन-सा सत्य नहीं है?

1. भारत के संविधान के अनुच्छेद 213 में इसका स्पष्ट उल्लेख है।
2. प्रत्येक अध्यादेश प्रख्यापित करने से पूर्व राज्यपाल द्वारा भारत के राष्ट्रपति से पूर्व अनुमति लिया जाना आवश्यक है।
3. अनुच्छेद 213 के अंतर्गत प्रख्यापित किसी अध्यादेश का विधायिका के किसी अधिनियम के समान ही बल और प्रभाव होगा।
4. अध्यादेश राज्यपाल द्वारा किसी भी समय वापस लिया जा सकता है।

15. किस वर्ष में राजस्व, सिविल न्याय और दण्डाधिकारिता का प्रशासन जिला कलेक्टर के कार्यालय/पद में एकीकृत/सन्निहित किया गया था?

1. 1772
2. 1773
3. 1787
4. 1789

16. भारत के संविधान के अनुसार निम्नलिखित में से कौन ग्राम सभा की शक्ति और कार्यों का निर्णय करता है?

1. राज्य का राज्यपाल
2. राज्य विधायिका
3. ग्राम सभा का सभापति
4. जिला योजना समिति का सभापति

17. निम्नलिखित में से रॉबर्ट-ए-डाहल के योगदान की पहचान करें।

1. एडमिनिस्ट्रेशन इन डवलपिंग कंट्रीज : दि थ्योरी ऑफ प्रिस्मेटिक सोसायटी
2. पब्लिक एडमिनिस्ट्रेशनः ए कम्पेरेटिव एप्रोच
3. दि साइंस ऑफ पब्लिक एडमिनिस्ट्रेशनः थ्री प्रॉब्लम्स
4. टूवार्ड्स दि कम्पेरेटिव स्टडी ऑफ पब्लिक एडमिनिस्ट्रेशन

18. एफ.डब्ल्यू. रिग्स ने अपनी प्रसिद्ध कृति "प्रिस्मेटिक सोसायटी रिविजिटेड", में समाजों को दो आयामों-एकीकरण की डिग्री और ______ में निरुपित किया था।

1. विभेदीकरण की डिग्री
2. अधिव्यापन की डिग्री
3. औपचारिकीकरण की डिग्री
4. फैलाव/विस्तार की डिग्री

19. निम्नलिखित में से किसने परिभाषित किया कि विकास प्रशासन "कार्रवाई-उन्मुखी और लक्ष्य-उन्मुखी प्रशासनिक प्रणाली" है?

1. एडवर्ड वैडनर
2. यूएल गोस्वामी
3. डोनाल्ड सी. स्टोन
4. जॉर्ज ग्राट

20. निम्नलिखित में से कौन-सी जापान की केन्द्रीय कार्मिक एजेंसी है?

1. ऑफिस ऑफ मिनिस्ट्री ऑफ सिविल सर्विसेज
2. ऑफिस ऑफ पर्सनल मैनेजमेंट
3. सेन्ट्रल सिविल सर्विस डायरेक्टोरेट
4. नेशनल पर्सनल ऑथोरिटी

21. निम्नलिखित में से किस वर्ष "राजकोषीय उत्तरदायित्व और बजट प्रबंधन अधिनियम (एफआरबीएम)" अधिनियमित किया गया था?

1. 2000
2. 2002
3. 2003
4. 2005

22. निम्नलिखित में से कौन-सी इकाई भारत सरकार के वित्त मंत्रालय के आर्थिक मामलों के विभाग के आर्थिक प्रभाग का भाग नहीं है?

1. सूक्ष्म इकाई
2. लोक वित्त इकाई
3. उद्योग एवं अवसंरचना इकाई
4. सिविल व्यय इकाई

23. भारत के संविधान का निम्नलिखित में से कौन-सा अनुच्छेद जीएसटी परिषद् से संबंधित है?

1. 257 A
2. 258 A
3. 268 A
4. 279 A

24. भारत में निष्पादन बजटन किसके द्वारा अनुशंसित किया गया था?

1. प्रथम प्रशासनिक सुधार आयोग
2. निष्पादन सह कार्यक्रम समिति
3. लोक लेखा समिति
4. भारत का 10वाँ वित्त आयोग

25. निम्नलिखित में से कौन राष्ट्रीय आपदा प्रबंधन प्राधिकरण (NDMA) के अध्यक्ष के रूप में कार्य करता है?

1. भारत का राष्ट्रपति 2. प्रधानमंत्री
3. केंद्रीय गृह मंत्री 4. मंत्रीमंडल सचिव

26. अस्पृश्यता (अपराध) अधिनियम 1955 को 1976 से ______ के रूप में पुनः नामित किया गया है।

1. अस्पृश्यता क्रियाकलाप प्रतिषेघ अधिनियम
2. अस्पृश्यता से मानवों का संरक्षण अधिनियम
3. नागरिक और मानवाधिकार संरक्षण अधिनियम
4. सिविल अधिकार संरक्षण अधिनियम

27. निम्नलिखित में से किस सवैधानिक संशोधन द्वारा लोकसभा और राज्य विधानसभाओं में महिलाओं के लिए आरक्षण का उपबंध कराया गया था?

1. 104वाँ संशोधन अधिनियम
2. 105वाँ संशोधन अधिनियम
3. 106वाँ संशोधन अधिनियम
4. 102वाँ संशोधन अधिनियम

28. भारत सरकार की प्रधानमंत्री गरीब कल्याण अन्न योजना (PM-GKAY) किस वर्ष से प्रचालन में है?

1. 2016 2. 2018
3. 2020 4. 2022

29. ''क्रमिक/उत्तरवर्ती सीमित तुलनाओं'' के माध्यम से छोटे-छोटे निर्णय करने की निर्णय-निर्माण विधि को चार्ल्स लिंडब्लोम द्वारा क्या नाम दिया गया है?

1. जड़/रोम विधि 2. शाखा विधि
3. पत्ती/पूर्ण विधि 4. तना विधि

30. येहेजकेल द्रीर द्वारा नीति निर्माण के कितने मानकीय मॉडल चिह्नित किए गए थे?

1. आठ 2. छह
3. पाँच 4. तीन

31. जब राज्य पर प्रतिबंधों की चरमता उच्च होती है और लक्ष्यित समूह की प्रकृति व्यापक होती है तो निम्नलिखित में से कौन-सी नीति कार्यान्वयन शैली अनुप्रयुक्त होती है?

1. संस्थागत स्वयंसेवितावाद 2. प्रतिनिधित्वपूर्ण विधिकवाद
3. निर्देशित सहायिकीकरण 4. निर्देशित उपबंध

32. निम्नलिखित में से कौन-सा क्रिस्टोफर हुड के सरकारी उपकरणों का वर्गीकरण द्वारा प्रदत्त नीति उपकरण/युक्ति नहीं है?

1. अनुनयन 2. संगठन
3. प्राधिकार 4. गैर-वित्तीय प्रोत्साहन

33. कोरपोरेटवाद एक शासन पद्धति है जिसमें राज्य के किससे मजबूत संबंध होते हैं?

1. उद्योग और सार्वजनिक क्षेत्र
2. व्यवसाय संगठन
3. व्यवसाय और श्रम संगठन
4. व्यवसाय और अंतर्राष्ट्रीय निगम

34. निम्नलिखित में से कौन-सा विश्व बैंक प्रस्थापना के अनुसार ''खराब अभिशासन'' नहीं है?

1. सार्वजनिक और निजी के बीच पृथक्करण
2. गैर-जवाबदेही नौकरशाही
3. मनमाना नीति निर्माण
4. कार्यपालिका शक्ति का दुरुपयोग

35. शब्दमूलविज्ञानिय दृष्टिकोण से शब्द ''गवर्नेंस'' को ______ तक खोज/पाया जा सकता है?

1. लैटिन शब्द गुबरनारे 2. ग्रीक क्रिया कुबरनान
3. इतालवी शब्द गवर्ने 4. फ्रेंच क्रिया ब्यूराक्रेजिया

36. ''अभिशासन'' के सिद्धांत में अर्थशास्त्री विश्वास करते हैं कि बाजार सुधारों की प्रभावशीलता किस पर आश्रित है?

1. संस्थागत वृद्धि
2. समुचित राजनीतिक संस्थान
3. सिविल सोसायटी की उन्नत प्रणालियाँ
4. प्रशासनिक संस्थानों की दक्षता

37. डाटा संकलन की निम्नलिखित गें से कौन-सी विधि ''शोधकर्ता और प्रत्युत्तरकर्ता के बीच पुनरावृत्तिक आमुख-सम्मुख भेंट'' के लिए जानी जाती है?

1. अभिकेन्द्रित समूह साक्षात्कार
2. गहन साक्षात्कार
3. आख्यान
4. अनौपचारिक वार्तालाप

38. निम्नलिखित में से कौन-सी डाटा संकलन की प्राथमिक विधि नहीं है?

1. प्रेक्षण 2. साक्षात्कार
3. प्रश्नावली 4. जनगणना

39. प्रत्युत्तरकर्त्ता की मनोदशा अथवा शोध उपकरण में अस्पष्टता के कारण, आश्रित चर में परिवर्तन ______ कहलाता है।

1. यादृच्छिक चर 2. विशेष चर
3. स्वतंत्र चर 4. बाह्य/असंगत चर

40. जनसंख्या के उपसमूह में उत्पत्ति या विवाह, जन्म वर्ष जैसी सामान्य विशेषताओं के अस्तित्व पर आधारित शोध अध्ययन ______ कहलाता है।

1. पैनल अध्ययन 2. प्रवृत्ति अध्ययन
3. समूह अध्ययन 4. अदृश्य अध्ययन

41. भारतीय विदेश सेवा अधिकारियों के निम्नलिखित प्रशिक्षण चरणों को अनुक्रम से व्यवस्थित करें।

A. परिवीक्षाकालीन प्रशिक्षण B. फाउंडेशन/आधारभूत प्रशिक्षण
C. व्यावहारिक प्रशिक्षण D. प्रोफेशनल कोर्स

नीचे दिए गए विकल्पों में **सही** उत्तर चुनें:

1. B, D, C, A 2. B, D, A, C
3. A, B, C, D 4. A, C, B, D

42. लोक प्रशासन से संबंधित निम्नलिखित घटनाओं को कालक्रमानुसार व्यवस्थित करें।

A. फिलाडेल्फिया सम्मेलन
B. अमेरिकी राष्ट्रपति की प्रशासनिक प्रबंधन समिति
C. प्रथम मिन्नोब्रुक सम्मेलन
D. लोक प्रशासन में प्रथम पाठ्यपुस्तक का प्रकाशन

नीचे दिए गए विकल्पों में **सही** उत्तर चुनें:

1. A, B, C, D 2. D, B, A, C
3. D, A, B, C 4. A, C, B, D

43. मैरी पार्कर फोलेट की कृत्तियों को कालक्रम से व्यवस्थित करें:

A. दि न्यू स्टेट
B. क्रिएटिव एक्सपीरियंस
C. दि स्पीकर ऑफ दि हाउस ऑफ रिप्रेजेन्टेटिव्स
D. डायनामिक एडमिनिस्ट्रेशन

नीचे दिए गए विकल्पों में **सही** उत्तर चुनें:

1. A, B, C, D 2. C, A, B, D
3. C, B, A, D 4. C, A, D, B

44. निम्नलिखित में से कौन-सा हेनरी फेयोल द्वारा सुझाया गया प्रबंधक के अभिलक्षणों का अनुक्रम है?

A. मानसिक B. शारीरिक
C. सामान्य शिक्षा D. विशेष ज्ञान
E. नैतिक

नीचे दिए गए विकल्पों में **सही** उत्तर चुनें:

1. A, B, D, C, E 2. A, B, C, D, E
3. B, A, E, C, D 4. B, A, C, D, E

45. निम्नलिखित समितियों को उनके स्थापना वर्ष के अनुसार सही अनुक्रम से व्यवस्थित करें।

A. अशोक मेहता समिति B. गिरधारी लाल व्यास समिति
C. जी.वी.के. राव समिति D. एल.एम. सिंघवी समिति

नीचे दिए गए विकल्पों में **सही** उत्तर चुनें:

1. A, B, C, D 2. B, A, D, C
3. A, B, D, C 4. B, A, C, D

46. निम्नलिखित घटनाओं को अनुक्रम से व्यवस्थित करें।

A. जिला कलेक्टर के पद का सृजन
B. कार्नवालिस संहिता
C. जिला राजकोष को जिला कलेक्टर के अधीन संस्थापित करना
D. राजस्व, सिविल न्याय और दण्डाधिकारिता सेवाओं का प्रशासन जिला कलेक्टर कार्यालय के अंतर्गत एकीकृत करना

नीचे दिए गए विकल्पों में **सही** उत्तर चुनें:

1. A, D, B, C 2. A, B, C, D
3. B, A, C, D 4. B, A, D, C

47. शोध प्रविधि के निम्नलिखित चरणों को अनुक्रम से व्यवस्थित करें।

A. प्रतिदर्श का चयन करना
B. डाटा संकलन करना
C. शोध प्रस्ताव लेखन
D. डाटा संसाधिकरण

नीचे दिए गए विकल्पों में **सही** उत्तर चुनें:

1. C, A, B, D 2. A, C, B, D
3. B, A, C, D 4. A, B, C, D

48. शोध समस्या निर्मिती के निम्नलिखित चरणों को अनुक्रम से व्यवस्थित करें।

A. शोधकर्ता की अभिरुचि के विषय का चयन
B. विस्तृत/व्यापक क्षेत्र को उप-क्षेत्रों में विभाजित करना
C. शोध प्रश्न उठाना/खड़े करना
D. उद्देश्य निर्मित करना

नीचे दिए गए विकल्पों में **सही** उत्तर चुनें:

1. A, B, C, D 2. B, A, D, C
3. B, A, C, D 4. A, B, D, C

49. भारतीय बजटीय प्रक्रिया के निम्नलिखित चरणों को अनुक्रम से व्यवस्थित करें।

A. विभाग संबंधी समितियों द्वारा जांच
B. अनुदानों की मांगों पर मतदान
C. वित्त विधेयक का पारित होना
D. विनियोग विधेयक का पारित होना

नीचे दिए गए विकल्पों में **सही** उत्तर चुनें:

1. A, B, C, D 2. B, A, D, C
3. B, A, C, D 4. A, B, D, C

50. लेखा प्रक्रियाओं के निम्नलिखित शीर्षों को शीर्ष अधोगामी क्रम में व्यवस्थित करें।

A. विस्तृत शीर्ष
B. उप शीर्ष
C. सूक्ष्म/अल्प शीर्ष
D. प्रमुख शीर्ष

नीचे दिए गए विकल्पों में **सही** उत्तर चुनें:

1. A, D, B, C 2. A, B, C, D
3. D, B, A, C 4. D, C, B, A

51. पीटर डिलीओन ने नीति विश्लेषण के मांग और आपूर्ति के जटिल मॉडल की सहायता से पाँच राजनीतिक घटनाओं के माध्यम से 1950 से 1970 के दशक तक के नीति निर्माण के विकास को व्याख्यायित किया। पीटर डिलीओन द्वारा यथा व्याख्यायित राजनीतिक घटनाओं को अनुक्रम में व्यवस्थित करें।

A. द्वितीय विश्व युद्ध B. ऊर्जा संकट
C. वियतनाम युद्ध D. गरीबी पर युद्ध
E. वाटर गेट स्कैंडल

नीचे दिए गए विकल्पों में **सही** उत्तर चुनें:

1. A, B, C, D, E 2. A, B, E, D, C
3. A, D, C, E, B 4. A, B, C, E, D

52. सार्वजनिक क्षेत्र सुधारों के चरणों के सही अनुक्रम की पहचान करें।

A. सूचना के खुलासे के प्रति खुलापन
B. नेटवर्क और साझेदारियां
C. बाजारीकरण और निजीकरण
D. नव उदारवाद और सार्वजनिक चयन/विकल्प

नीचे दिए गए विकल्पों में **सही** उत्तर चुनें:

1. D, C, B, A 2. C, B, A, D
3. B, A, C, D 4. D, B, A, C

53. अभिशासन के भाग के रूप में निम्नलिखित संकल्पनाओं को उनके उद्भव के अनुसार सही कालक्रम से व्यवस्थित करें।

A. गवर्नेंस एण्ड डेवलपमेंट B. सार्वजनिक चयन/विकल्प
C. नवीन लोक सेवा D. गवर्निंग द कॉमन्स

नीचे दिए गए विकल्पों में **सही** उत्तर चुनें:

1. B, A, C, D 2. A, B, C, D
3. B, D, A, C 4. B, C, D, A

54. निम्नलिखित लोक नीति पुस्तकों को उनके प्रकाशन वर्ष के अनुसार कालक्रम से व्यवस्थित करें।

A. हेरोल्ड लास्सवेल की प्रीव्यू ऑफ पॉलिसी साइंसेज
B. आरोन विल्डावस्की की दि आर्ट एंड क्राफ्ट ऑफ पॉलिसी एनालिसिस
C. फैल साबाटियर की थ्योरिज ऑफ दि पॉलिसी प्रोसेस
D. चार्ल्स ओ जोन्स की एन इंट्रोडक्शन टू दि स्टडी ऑफ पब्लिक पॉलिसी

नीचे दिए गए विकल्पों में **सही** उत्तर चुनें:

1. D, A, C, B 2. C, D, A, B
3. C, A, D, B 4. D, A, B, C

55. निम्नलिखित अधिनियमों को उन्हें अधिनियमित किए जाने के वर्ष के अनुसार सही कालक्रम से व्यवस्थित करें।

A. सूचना का अधिकार अधिनियम
B. केन्द्रीय सतर्कता आयोग अधिनियम
C. भ्रष्टाचार निवारण अधिनियम
D. व्हिसल-ब्लोअर्स संरक्षण अधिनियम

नीचे दिए गए विकल्पों में **सही** उत्तर चुनें:

1. B, C, A, D 2. C, B, A, D
3. C, B, D, A 4. B, C, D, A

56. मिन्नोब्रुक सम्मेलनों के बारे में निम्नलिखित में से कौन-से कथन सत्य हैं?

A. प्रथम मिन्नोब्रुक सम्मेलन निर्णायक रूप से व्यवहारात्मक-रोधी था।
B. द्वितीय मिन्नोब्रुक सम्मेलन की शैली और भाव अधिक व्यावहारिक थे।
C. तृतीय मिन्नोब्रुक सम्मेलन ने लोक प्रशासन विधाशाखा पर असंतुष्टि अभिव्यक्त की।
D. मिन्नोब्रुक सम्मेलन प्रति पच्चीस वर्ष के लिए संचालित किए जाते हैं।

नीचे दिए गए विकल्पों में **सही** उत्तर चुनें:

1. केवल A, B और C 2. केवल B, C और D
3. केवल A और C 4. केवल A और B

57. निम्नलिखित में से कौन-से प्रशासनिक लेखक लोक-प्रशासन के "प्रबंधकीय दृष्टिकोण" को स्वीकार करते हैं?

A. हर्बर्ट साइमन B. स्मिथबर्ग
C. लूथर गुलिक D. एल.डी. व्हाइट

नीचे दिए गए विकल्पों में **सही** उत्तर चुनें:

1. केवल A, B और C 2. केवल B, C और D
3. केवल A, C और D 4. A, B, C, D

58. निम्नलिखित में से कौन-से सिद्धांत लिंडाल उर्विक द्वारा चिह्नित संगठन के आठ सिद्धांतों का भाग हैं?

A. उद्देश्यों का सिद्धांत
B. विशेषीकरण का सिद्धांत
C. परिभाषा का सिद्धांत
D. नियंत्रण और बजटीकरण का सिद्धांत

नीचे दिए गए विकल्पों में **सही** उत्तर चुनें:

1. केवल A, B और D 2. केवल A, B और C
3. केवल B, C और D 4. A, B, C, D

59. निम्नलिखित में से चेस्टर बर्नार्ड के योगदानों को चिह्नित करें:

A. स्वीकार्यता क्षेत्र
B. उदासीनता का क्षेत्र
C. प्राधिकार का घर्षण/टकराव
D. योगदान-संतुष्टि-समतुल्यता

नीचे दिए गए विकल्पों में **सही** उत्तर चुनें:

1. केवल A, B और D 2. A, B, C और D
3. केवल B, C और D 4. केवल A, B और C

60. लोकपाल और लोकायुक्त अधिनियम, 2013 के संबंध में निम्नलिखित में से कौन-से कथन सत्य हैं?

A. लोकपाल का प्रशासनिक व्यय भारत की संचित निधि पर भारित होता है।

B. प्रधानमंत्री और केंद्रीय सरकार के सभी मंत्री लोकपाल के न्यायक्षेत्र में सम्मिलित होते हैं।

C. लोकपाल के प्रशासनिक विंग/स्कंध का मुखिया कार्मिक और प्रशिक्षण विभाग का सचिव होता है।

D. केन्द्रीय अन्वेषण ब्यूरो का निदेशक लोकपाल का पदेन सदस्य होता है।

नीचे दिए गए विकल्पों में **सही** उत्तर चुनें:

1. A, B, C और D 2. केवल A और B
3. केवल A, B और C 4. केवल B, C और D

61. निम्नलिखित में से कौन-से गृह मंत्रालय के विभाग हैं?

A. राजभाषा विभाग B. प्रशासनिक सुधार विभाग
C. आंतरिक सुरक्षा विभाग D. सीमा प्रबंधन विभाग

नीचे दिए गए विकल्पों में **सही** उत्तर चुनें:

1. A, B, C और D 2. केवल A, B, C
3. केवल B, C और D 4. केवल A, C और D

62. 74वें संवैधानिक संशोधन अधिनियम की प्रमुख विशेषताएं क्या हैं?

A. इसमें चार-स्तरीय नगरपालिका प्रणाली का प्रावधान किया गया है।

B. इसमें जिला योजना समिति की स्थापना का प्रावधान किया गया है।

C. इस संशोधन द्वारा संविधान की 12वीं अनुसूचित अंतःस्थापित की गई थी।

D. इसमें नगरपालिकाओं में महिलाओं के लिए एक तिहाई आरक्षण का प्रावधान किया गया है।

नीचे दिए गए विकल्पों में **सही** उत्तर चुनें:

1. केवल A, B और D 2. केवल A, B और C
3. केवल B, C और D 4. केवल A, C और D

63. भारत के संविधान में निम्नलिखित में से किनका उल्लेख "नहीं" है?

A. अधिसूचित क्षेत्र समिति B. कस्बा/टाउन क्षेत्र समिति
C. जिला योजना समिति D. मेट्रोपोलिटन योजना समिति

नीचे दिए गए विकल्पों में **सही** उत्तर चुनें:

1. केवल B, C और D 2. केवल A और B
3. केवल A, B और C 4. केवल A और C

64. रिग्स के अनुसार साला मॉडल में निम्नलिखित में से कौन-सी विशेषताएं प्रशासनिक उपप्रणाली को अभिशासित करती हैं?

A. भाई-भतीजावाद

B. बहु-सांप्रदायिकतावाद

C. बहु-मानकवाद

D. नियंत्रण से प्राधिकार का पृथक्करण

नीचे दिए गए विकल्पों में **सही** उत्तर चुनें:

1. A, B, C और D 2. केवल A, B और C
3. केवल A, B और D 4. केवल B, C और D

65. भारत के संविधान के अनुच्छेद 110 के अनुसार, किसी विधेयक को धन विधेयक माना जाएगा, यदि इसमें निहित हैं ______

A. किसी कर का परिवर्तन और अधिरोपण

B. भारत की संचित निधि से धन का विनियोग

C. जुर्माने और अन्य शास्तियों का अधिरोपण

D. किसी स्थानीय प्राधिकारी द्वारा किसी कर का अधिरोपण

नीचे दिए गए विकल्पों में **सही** उत्तर चुनें:

1. केवल A और B 2. केवल A, B और D
3. केवल A, B और C 4. केवल B और D

66. निम्नलिखित में से कौन-से संस्थान यूनाइटेड किंगडम की प्रशासनिक प्रणाली से संबंधित हैं?

A. सिविल सर्विस कमीशन

B. ट्रेजरी

C. सिविल सर्विस कॉलेज

D. नेशनल स्कूल ऑफ एडमिनिस्ट्रेशन

नीचे दिए गए विकल्पों में **सही** उत्तर चुनें:

1. केवल A, B और C 2. केवल A, C और D
3. केवल B, C और D 4. केवल A, B और D

67. निम्नलिखित कथनों पर विचार करें।

A. 'नीति विज्ञान' का सिद्धांत 1951 में हारोल्ड लास्सवेल द्वारा 'पॉलिसी ओरिएंटेशन' लेख के प्रकाशन के साथ उद्भूत हुआ।

B. हेरोल्ड लास्सवेल ने प्रस्तावित किया कि नीति विज्ञान, सामाजिक समस्याओं के समाधान के लिए वास्तविक विश्व राजनीति से अकादमिक विधानुशासनों के ज्ञान को जोड़कर, सृजित किया जा सकता है।

C. हेरोल्ड लास्स्वेल के अनुसार, नीति विज्ञान सार्वजनिक और सिविल व्यवस्था से सबंधित निर्णय प्रक्रियाओं के ज्ञान से संबंधित है।

D. हेरोल्ड लास्स्वेल के अनुसार गैर-अधिनायकवादी सत्ता प्रणालियों में सिविक व्यवस्था निर्णयों में लोक व्यवस्था निर्णयों की पूर्ववर्तितायें हो सकती हैं।

नीचे दिए गए विकल्पों में **सही** उत्तर चुनें:

1. केवल A, B और C 2. केवल B, C और D
3. केवल A, C और D 4. A, B, C और D

68. निम्नलिखित में से कौन-से कथन सत्य हैं?

A. माइकल हिल द्वारा प्रदत्त एजेंडा निर्धारक के अभिसारी शोध प्रबंध के अनुसार देश जैसे-जैसे औद्योगिकीकृत होते हैं, वे समान नीति मिश्रण की ओर अभिसरित होते हैं।

B. पीटर हाल का नीति एकाधिकार मॉडल तर्क देता है कि एजेंडा निर्धारण प्रक्रिया एकाधिकारवादी रीति में विशिष्ट उपप्रणाली कारकों द्वारा अत्यधिक प्रभावित होती है।

C. कॉब और ऐल्डर ने 'व्यवस्थित एजेंडा' और 'संस्थागत एजेंडा' को नीति एजेंडा के दो आधारभूत प्रकारों के रूप में विनिर्दिष्ट किया जो किसी राजनीतिक प्रणाली में चिहित किए जा सकते हैं।

D. जॉन किंगडम ने नीति गवाक्ष मॉडल प्रस्तावित किया, जिसमें नीति गवाक्ष खोलने और सरकारी एजेंडा तक कतिपय मुद्दों की पहुँच के लिए, तीन स्वतंत्र धाराएँ (समस्या धारा, नीति धारा और राजनीति धारा) अभिसरित होती है।

नीचे दिए गए विकल्पों में **सही** उत्तर चुनें:

1. केवल A और B 2. केवल B और D
3. केवल A और C 4. केवल C और D

69. प्रधानमंत्री जन आरोग्य योजना (PM-JAY) के बारे में निम्नलिखित में से कौन-से कथन सत्य हैं?

A. इसमें द्वितीयक और तृतीयक देखभाल अस्पताल चिकित्सा के लिए प्रति वर्ष प्रति परिवार ₹ 5 लाख का प्रावधान है।

B. इसमें अस्पताल में भर्ती होने से पूर्व के 10 दिन और अस्पताल से छुट्टी मिलने के बाद 20 दिन तक की अवधि शामिल की जाती है।

C. उपचार के लिए परिवार के आकार पर प्रतिबंध है।

D. इसमें प्रतिव्यक्ति ₹ 2 लाख का प्रावधान हैं।

नीचे दिए गए विकल्पों में **सही** उत्तर चुनें:

1. केवल A 2. केवल B और C
3. केवल A, B और D 4. केवल B और D

70. भारत के संविधान में राज्य के नीति-निदेशक सिद्धांतों के अंतर्गत निम्नलिखित में से कौन-से अनुच्छेद समाजवादी सिद्धांतों पर आधारित हैं?

A. अनुच्छेद 42 B. अनुच्छेद 40
C. अनुच्छेद 44 D. अनुच्छेद 43

नीचे दिए गए विकल्पों में **सही** उत्तर चुनें:

1. केवल A और C 2. केवल B और D
3. केवल A, B और C 4. केवल A और D

71. नवीन लोक प्रबंधन से संबंधित निम्नलिखित में से कौन-से कथन सत्य हैं?

A. राजकोषीय संकटों से दबाव आया

B. नव उदारवाद से संबद्ध

C. विकासशील देशों ने मुख्य विचारों का योगदान दिया

D. यह सार्वजनिक चयन/विकल्प शाखा का विस्तार है

नीचे दिए गए विकल्पों में **सही** उत्तर चुनें:

1. केवल A, B और C 2. केवल B, C और D
3. केवल A, C और D 4. केवल A, B और D

72. निम्नलिखित में से कौन-से सुशासन संकेतक हैं?

A. जवाबदेहिता

B. विधि का शासन और मानवाधिकार

C. पारदर्शिता

D. निष्पादन मूल्यांकन

नीचे दिए गए विकल्पों में **सही** उत्तर चुनें:

1. A, B, C और D 2. केवल A, B और C
3. केवल A, C और D 4. केवल B, C और D

73. निम्नलिखित में से कौन-से मात्रात्मक शोध में वैधता के प्रकार हैं?

A. आमुख और विषय-वस्तु वैधता

B. समवर्ती और पूर्वानुमेय वैधता

C. रचनात्मक वैधता

D. कारक अभिकल्प वैधता

नीचे दिए गए विकल्पों में **सही** उत्तर चुनें:

1. केवल A, B और D 2. केवल B और C
3. केवल A, C और D 4. A, B और C

74. निम्नलिखित में से किस प्रतिदर्शन डिजाइन में यह आवश्यक है कि जनसंख्या में प्रत्येक तत्व का प्रतिदर्श में चयन का बराबर और स्वतंत्र अवसर हो?

A. यादृच्छिक प्रतिदर्शन B. प्रायिकता प्रतिदर्शन
C. कोटा प्रतिदर्शन D. हिमकंदुक प्रतिदर्शन

नीचे दिए गए विकल्पों में **सही** उत्तर चुनें:

1. A, B, C और D 2. केवल B और C
3. केवल A और B 4. केवल B, C और D

75. भारतीय संसद की लोक लेखा समिति (PAC) की संरचना/संघटन के बारे मे निम्नलिखित में से कौन-से कथन सत्य हैं?

A. वर्ष 1953 में PAC की सदस्य संख्या बढ़ाकर 22 की गई थी।

B. 22 सदस्यों में से, लोकसभा से 14 और राज्य सभा से 8 सदस्य होते हैं।

C. PAC के सदस्यों का निर्वाचन वार्षिक आधार पर होगा।

D. द्वितीय ARC में दोनों सदनों के लिए समान संख्या में सदस्यों की संस्तुति की गई हैं।

नीचे दिए गए विकल्पों में **सही** उत्तर का चयन कीजिए:

1. केवल A, B और C 2. केवल B, C और D
3. केवल A और C 4. केवल A, B और D

76. सूची-I के साथ सूची-II का मिलान कीजिए:

सूची-I (सिविल सेवा सुधार समितियां)	सूची-II (वर्ष)
A. कोठारी समिति	I. 2004
B. सतीश चंद्रा समिति	II. 2000
C. वाई.के. अलघ समिति	III. 1974
D. पी.सी. होता समिति	IV. 1988

नीचे दिए गए विकल्पों में **सही** उत्तर का चयन कीजिए:

1. A-I, B-II, C-III, D-IV
2. A-IV, B-III, C-II, D-I
3. A-III, B-II, C-IV, D-I
4. A-I, B-II, C-IV, D-III

77. सूची-I के साथ सूची-II का मिलान कीजिए:

सूची-I (निकोलस हेनरी द्वारा लोक प्रशासन के आयाम)	सूची-II (अवधि)
A. राजनीति विज्ञान के रूप में लोक प्रशासन	I. 1927-1937
B. लोक प्रशासन के रूप में लोक लोक प्रशासन	II. 1950-1970
C. प्रशासन के सिद्धांत	III. 1956-1970
D. प्रबंधन के रूप में लोक प्रशासन	IV. 1970 से

नीचे दिए गए विकल्पों में **सही** उत्तर का चयन कीजिए:

1. A-IV, B-II, C-III, D-I
2. A-II, B-IV, C-III, D-I
3. A-II, B-I, C-III, D-IV
4. A-II, B-IV, C-I, D-III

78. सूची-I के साथ सूची-II का मिलान कीजिए:

सूची-I (नवीन लोक प्रशासन में प्रमुख घटनाएं)	सूची-II (वर्ष)
A. फिलाडेल्फिया सम्मेलन	I. 1971
B. द्वितीय मिन्नोब्रुक सम्मेलन	II. 1967
C. पब्लिक एडमिनिस्ट्रेशन इन द टाइम ऑफ टर्बुलेंस का प्रकाशन	III. 1988
D. तृतीय मिन्नोब्रुक सम्मेलन	IV. 2008

नीचे दिए गए विकल्पों में **सही** उत्तर का चयन कीजिए:

1. A-I, B-II, C-III, D-IV
2. A-II, B-I, C-IV, D-III
3. A-II, B-III, C-I, D-IV
4. A-II, B-I, C-III, D-IV

79. सूची-I के साथ सूची-II का मिलान कीजिए:

सूची-I (एंथनी डाउंस द्वारा नौकरशाही के प्रकार)	सूची-II (व्याख्या)
A. क्लाइंबर्स	I. शक्ति, आय और प्रतिष्ठा से संबंधित
B. कंजवर्स	II. किसी नीति को आगे बढ़ाने के लिए अत्यधिक प्रेरित अधिकारी
C. जीलट्स	III. परिवर्तन न्यूनतम करने से संबंधित
D. एडवोकेट	IV. जो अपने ब्यूरो की भूमिका बढ़ाने के संदर्भ में अपने हितों को देखता है

नीचे दिए गए विकल्पों में **सही** उत्तर का चयन कीजिए:

1. A-I, B-III, C-II, D-IV
2. A-II, B-I, C-III, D-IV
3. A-I, B-II, C-III, D-IV
4. A-IV, B-I, C-II, D-III

80. सूची-I के साथ सूची-II का मिलान कीजिए:

सूची-I (भारत के संविधान के अनुच्छेद)	सूची-II (उपबंध)
A. अनुच्छेद 77	I. संघ की कार्यपालिका शक्ति का विस्तार
B. अनुच्छेद 78	II. क्षमादान प्रदान करने की राष्ट्रपति की शक्ति
C. अनुच्छेद 72	III. भारत सरकार का कार्य संचालन
D. अनुच्छेद 73	IV. भारत के प्रधानमंत्री के कर्त्तव्य

नीचे दिए गए विकल्पों में **सही** उत्तर का चयन कीजिए:

1. A-I, B-III, C-II, D-IV
2. A-III, B-I, C-II, D-IV
3. A-III, B-IV, C-II, D-I
4. A-IV, B-III, C-II, D-I

81. सूची-I के साथ सूची-II का मिलान कीजिए:

सूची-I (भारत के संविधान की अनुसूचियां)	सूची-II (उपबंध)
A. चौथी अनुसूची	I. संघ और राज्यों के बीच विषयों का आवंटन
B. सातवीं अनुसूची	II. दलबदल के आधार पर निरर्हता
C. नौवीं अनुसूची	III. राज्य सभा में सीटों का आवंटन
D. दसवीं अनुसूची	IV. कतिपय अधिनियमों को न्यायिक समीक्षा से उन्मुक्ति

नीचे दिए गए विकल्पों में **सही** उत्तर का चयन कीजिए:

1. A-IV, B-I, C-II, D-III
2. A-III, B-I, C-II, D-IV
3. A-I, B-III, C-IV, D-II
4. A-III, B-I, C-IV, D-II

82. सूची-I के साथ सूची-II का मिलान कीजिए:

सूची-I (स्थानीय शासन संबंधी समिति)	**सूची-II (अनुशंसाएं)**
A. अशोक मेहता समिति	I. पंचायतराज संस्थानों के लिए संवैधानिक दर्जा
B. एलएम सिंघवी समिति	II. पंचायती राज संस्थानों में राजनीतिक दलों की प्रत्यक्ष सहभागिता
C. गिरधारी लाल व्यास समिति	III. त्रिस्तरीय पंचायती राज
D. बलवंत राय मेहता समिति	IV. ग्राम सभा को वैधानिक मान्यता

नीचे दिए गए विकल्पों में **सही** उत्तर का चयन कीजिए:

1. A-II, B-I, C-III, D-IV
2. A-II, B-I, C-IV, D-III
3. A-I, B-II, C-IV, D-III
4. A-I, B-II, C-III, D-IV

83. सूची-I के साथ सूची-II का मिलान कीजिए:

सूची-I (संस्थान और संघ)	**सूची-II (स्थापना वर्ष)**
A. अमेरिकन सोसायटी फॉर पब्लिक एडमिनिस्ट्रेशन की स्थापना	I. 1939
B. दि जर्नल ऑफ कम्पेरेटिव एडमिनिस्ट्रेशन का अस्तित्व समाप्त	II. 1963
C. कम्पेरेटिव एडमिनिस्ट्रेटिव ग्रुप का विघटन	III. 1973
D. कम्पेरेटिव एडमिनिस्ट्रेटिव ग्रुप की स्थापना	IV. 1974

नीचे दिए गए विकल्पों में **सही** उत्तर का चयन कीजिए:

1. A-I, B-II, C-IV, D-III
2. A-I, B-IV, C-III, D-II
3. A-I, B-III, C-IV, D-II
4. A-II, B-III, C-IV, D-I

84. सूची-I के साथ सूची-II का मिलान कीजिए:

सूची-I (मॉडल)	**सूची-II (मूल्य)**
A. इंडस्ट्रिया	I. लब्धि/सिद्धि
B. फ्यूज्ड	II. समतामूलक वर्ग का अस्तित्व
C. प्रिज्मेटिक	III. विशिष्टतावाद
D. डिफ्फरेक्टेड	IV. उपलब्धि

नीचे दिए गए विकल्पों में **सही** उत्तर का चयन कीजिए:

1. A-I, B-II, C-III, D-IV
2. A-II, B-III, C-I, D-IV
3. A-III, B-IV, C-I, D-II
4. A-II, B-IV, C-I, D-III

85. सूची-I के साथ सूची-II का मिलान कीजिए:

सूची-I (सरकारी पहल)	**सूची-II (वर्ष)**
A. राष्ट्रीय ई-गवर्नेंस योजना की शुरुआत	I. 2015
B. डिजिटल इंडिया मिशन की शुरुआत	II. 2006
C. सूचना का अधिकार अधिनियम पारित	III. 2019
D. लोकपाल का प्रथम अध्यक्ष नियुक्त	IV. 2005

नीचे दिए गए विकल्पों में **सही** उत्तर का चयन कीजिए:

1. A-III, B-I, C-IV, D-II
2. A-IV, B-III, C-II, D-I
3. A-II, B-I, C-IV, D-III
4. A-I, B-II, C-IV, D-III

86. सूची-I के साथ सूची-II का मिलान कीजिए:

सूची-I (अनुसंधान में चर)	**सूची-II (संकल्पना)**
A. स्वतंत्र चर	I. किसी परिघटना या स्थिति में परिवर्तन लाना
B. आश्रित चर	II. स्वतंत्र चर के प्रवेश द्वारा परिवर्तन लाना
C. बाह्य/असंगत चर	III. स्वतंत्र और आश्रित चर को जोड़ना
D. अंतराली चर	IV. स्वतंत्र और आश्रित चर के बीच संबंध की शक्ति में परिवर्तन लाना

नीचे दिए गए विकल्पों में **सही** उत्तर का चयन कीजिए:

1. A-II, B-I, C-IV, D-III
2. A-I, B-II, C-III, D-IV
3. A-I, B-II, C-IV, D-III
4. A-III, B-II, C-I, D-IV

87. सूची-I के साथ सूची-II का मिलान कीजिए:

सूची-I (प्रतिदर्शन विधि)	**सूची-II (संकल्पना)**
A. सायोगिक प्रतिदर्शन	I. सुविधा पर आधारित
B. विशेषज्ञ प्रतिदर्शन	II. प्रत्युत्तरकर्ता की विशेषज्ञता पर आधारित
C. हिमकंदुक प्रतिदर्शन	III. नेटवर्क प्रयोग करने वाला प्रतिदर्श
D. व्यवस्थित प्रतिदर्शन	IV. यादृच्छिक और गैर-यादृच्छिक (मिश्रित), दोनों प्रतिदर्शन डिजाइन

नीचे दिए गए विकल्पों में **सही** उत्तर का चयन कीजिए:

1. A-I, B-II, C-III, D-IV
2. A-I, B-II, C-IV, D-III
3. A-II, B-I, C-III, D-IV
4. A-II, B-I, C-IV, D-III

88. सूची-I के साथ सूची-II का मिलान कीजिए:

सूची-I (लोक नीति की परिभाषा)	सूची-II (समर्थकों)
A. उस कार्रवाई पथ को दिशा, संगतता, निरंतरता प्रदान करना, जिसके लिए निर्णयन-इकाई उत्तरदायी है।	I. जेम्स एंडरसन
B. कतिपय लक्ष्यों या उद्देश्यों को प्राप्त करने के लिए सत्तासीन वर्ग द्वारा लिया गया अथवा अंगीकृत किया गया उद्देश्यपूर्ण कार्रवाई पथ	II. थॉमस आर. डाई
C. संपूर्ण समाज के लिए मूल्यों का तानाशाही आवंटन	III. बी. गाय पीटर्स
D. सरकार जो करने अथवा नहीं करने का चयन करती है।	IV. डेविड ईस्टन

नीचे दिए गए विकल्पों में **सही** उत्तर का चयन कीजिए:
1. A-III, B-I, C-IV, D-II
2. A-II, B-IV, C-III, D-I
3. A-IV, B-I, C-II, D-III
4. A-III, B-II, C-I, D-IV

89. सूची-I के साथ सूची-II का मिलान कीजिए:

सूची-I (विषयवस्तु)	सूची-II (प्रकार)
A. लाभों या सेवाओं का बिना शुल्क आवंटन	I. विनियामकीय नीति
B. समूहों के व्यवहार पर प्रतिबंध और सीमा आरोपित करता है	II. वितरणकारी नीति
C. वर्तमान संसाधनों का वितरण परिवर्तन करने से संबंधित	III. पुनर्वितरणकारी नीति
D. संस्थानों की स्थापना अथवा पुनर्गठन से संबंधित	IV. घटक/अवयव नीति

नीचे दिए गए विकल्पों में **सही** उत्तर का चयन कीजिए:
1. A-III, B-I, C-IV, D-II
2. A-II, B-I, C-III, D-IV
3. A-I, B-III, C-IV, D-II
4. A-III, B-II, C-I, D-IV

90. सूची-I के साथ सूची-II का मिलान कीजिए:

सूची-I (संसदीय समितियां)	सूची-II (स्थापना वर्ष)
A. अधीनस्थ विधान संबंधी समिति	I. 1921
B. प्राक्कलन समिति	II. 1964
C. लोक उपक्रम समिति	III. 1950
D. लोक लेखा समिति	IV. 1963

नीचे दिए गए विकल्पों में **सही** उत्तर का चयन कीजिए:
1. A-III, B-I, C-IV, D-II
2. A-II, B-I, C-III, D-IV
3. A-I, B-II, C-IV, D-III
4. A-IV, B-III, C-II, D-I

निर्देश (प्र.सं. 91 से 95 तक): निम्नलिखित अनुच्छेद पढ़ें और प्रश्नों के उत्तर दीजिए:

किसी भी ऐसे विधेयक को वित्त विधेयक माना जा सकता है, जो राजस्व या व्यय से संबंधित है। धन विधेयक कहे जाने वाले विधेयक को अनुच्छेद 110 से संबंधित छह उपबंधों में परिभाषित किया गया है। भारत के संविधान के अनुच्छेद 109 में यह निर्धारित किया गया है कि एक धन विधेयक राज्य सभा में पुरःस्थापित नहीं किया जाएगा। लोक सभा द्वारा पारित किए जाने के बाद धन विधेयक, राज्यसभा को उसकी सिफारिशों के लिए संप्रेषित किया जाता है। किसी भी सिफारिश के स्वीकृत होने की दशा में, धन विधेयक दोनों सदनों द्वारा उक्त संशोधन के साथ पारित हुआ माना जाएगा। किन्तु इसी के साथ, यदि राज्यसभा चौदह दिनों की अवधि में धन विधेयक को वापस नहीं लौटाती है, तो यह दोनों सदनों द्वारा पारित माना जाएगा। अतः धन विधेयकों के मामले में लोकसभा की प्राथमिकता और सर्वोच्चता सुस्थापित है। और भी, संविधान के अनुच्छेद 111 के अंतर्गत, भारत का राष्ट्रपति "धन विधेयक नहीं" होने पर संसद द्वारा पारित विधेयकों पर अनुमति रोक सकता है तथा वह ऐसे विधेयक पुनर्विचार के लिए लौटा सकता है।

91. अनुच्छेद के अनुसार, संविधान के अनुच्छेद 111 के अंतर्गत, भारत का राष्ट्रपति:
1. धन विधेयक के लिये राज्य सभा को पुनर्विचार के लिए संदर्भित कर सकता है।
2. संसद द्वारा पारित "धन विधेयक नहीं" होने पर विधेयक की अनुमति रोक सकता है।
3. सिफारिश के लिए दोनों सदनों की संयुक्त बैठक बुला सकते हैं।
4. मत/विचार के लिए विधिक विशेषज्ञों को भेज सकता है।

92. एक धन विधेयक लोक सभा द्वारा पारित किए जाने के पश्चात्, यह किसे भेजा जाएगा?

A. राज्य सभा को उसकी सिफारिशों के लिए।

B. यदि यह 14 दिनों में वापस नहीं लौटाया जाता है, तो यह दोनों सदनों की संयुक्त बैठक में भेजा जाएगा।

C. यदि यह राज्य सभा द्वारा 14 दिनों में वापस नहीं लौटाया जाता है, तो दोनों सदनों द्वारा पारित माना जाएगा।

D. यदि यह 14 दिनों की अवधि में लौटाया नहीं जाता है, तो यह राज्य सभा के सभापति द्वारा प्रमाणित किये जाने पर वापस लोकसभा में भेजा जाएगा।

नीचे दिए गए विकल्पों में से **सही** उत्तर चुनें:
1. केवल A, B और C
2. केवल B, C और D
3. केवल A, C और D
4. केवल A और C

93. इस अनुच्छेद के अनुसार, धन विधेयक किस अनुच्छेद में परिभाषित है?

1. 109
2. 110
3. 111
4. 112

94. धन विधेयक किसमें पुरःस्थापित किया जा सकता है?

1. केवल लोक सभा
2. केवल राज्य सभा
3. स्पीकर के अनुमोदन के बाद किसी भी सदन में
4. राष्ट्रपति के अनुमोदन के बाद किसी भी सदन में

95. लोकसभा से धन विधेयक प्राप्त करने के पश्चात्, राज्यसभा इसें:

A. 14 दिनों में लोकसभा को लौटा सकती है।

B. विधेयक पर सिफारिशें कर सकती है तथा लोक सभा उनमें से किसी सिफारिश को स्वीकृत या अस्वीकृत कर सकती है।

C. 14 दिनों में विधेयक नहीं लौटा सकती है।

नीचे दिए गए विकल्पों में से **सही** उत्तर चुनें:

1. A, B और C
2. केवल A और B
3. केवल B और C
4. केवल A और C

निर्देश (प्र.सं. 91 से 95 तक): निम्नलिखित अनुच्छेद पढ़ें और प्रश्नों के उत्तर दीजिए:

डॉ. बी.आर. अंबेडकर के सामाजिक राजनीतिक दर्शन को सामाजिक न्याय के रूप में संक्षेपित किया जा सकता है। उनके अनुसार स्वतंत्रता, समानता और बंधुत्व का अन्य नाम सामाजिक न्याय है। यह सिद्धांत गौतम बुद्ध से प्राप्त किए गए हैं। अंबेडकर सामाजिक न्याय के बारे में बात करने वाले प्रथम व्यक्ति नहीं हैं लेकिन उन्होंने इसे भारतीय समाज पर पहली बार लागू किया। चूंकि भारतीय समाज स्तरित असमानताओं से निरुपित है, उन्होंने सफलतापूर्वक सामाजिक न्याय की संकल्पना इस पर लागू की तथा स्पष्ट किया कि स्वतंत्रता, समानता और बंधुत्व किसी तिकड़ी अथवा त्रयी के अलग पहलू नहीं हैं। डॉ. अंबेडकर ने समानता और स्वतंत्रता के बीच संघर्ष समाधान करने तथा संस्थान निर्माण के लिए लोक भावना पर बल दिया। उनकी सामाजिक न्याय की संकल्पना की जड़ें आत्म-सम्मान और गरिमा पर आधारित मानवीय भातृत्व/बंधुत्व और आर्थिक समानता से स्वतंत्रता एवं आजादी के अंतर्गुन्थित करने वाले सामाजिक न्याय में ठोस रीति से निहित हैं। राज्य और इसके संस्थानों की कार्रवाइयों को समझने के लिए उनके द्वारा दो शक्तिशाली संकल्पनाओं के रूप में तर्क और न्याय का प्रयोग किया गया है। प्रशासनिक दक्षता, सामाजिक दक्षता का कार्य है अर्थात् सामाजिक न्याय के सिद्धांतों का अनुप्रयोग। प्रशासन की वैधता सामाजिक न्याय के कार्याभ्यासों से ग्रहण की जाती है। संसाधन वितरण के लिए राज्य क्षमता और सेवा प्रदायगी के लिए प्रशासनिक क्षमता, सामाजिक न्याय के लिए महत्वपूर्ण हैं।

96. अंबेडकर द्वारा सामाजिक न्याय सिद्धांतों की संकल्पना कहाँ से ली गई है?

1. गौतम बुद्ध
2. पाश्चात्य चिंतक
3. समाज सुधारकों के अनुभव
4. प्रतिनिधित्वपूर्ण लोकतंत्र

97. अनुच्छेद के अनुसार अंबेडकर के मत से भारतीय समाज किन विशेषताओं द्वारा निरुपित है?

1. आर्थिक असमानताएं
2. संस्थागत क्षमताओं की कमी
3. आजादी के साथ स्वतंत्रता
4. स्तरित असमानताएं

98. अंबेडकर की सामाजिक न्याय की संकल्पना की जड़ें ठोस रीति से किसमें स्थित हैं?

A. स्वतंत्रता और आजादी/मुक्ति से अंतर्गुन्थित सामाजिक समानता का संश्लेषण

B. राजनीतिक प्रतिनिधित्व के साथ राजनीतिक समानता

C. सिविल सोसायटी में निहित लोक भावना

D. आत्म-सम्मान और गरिमा पर आधारित आर्थिक समानता और मानवीय भातृत्व/बंधुता

नीचे दिए गए विकल्पों में से **सही** उत्तर चुनें:

1. केवल A, B और C
2. केवल A और B
3. केवल A और C
4. केवल A और D

99. डॉ. बी.आर. अंबेडकर के अनुसार ______ संस्थान निर्मित करने का आधार है।

1. समानता स्थापित करना
2. सामाजिक न्याय सुस्थापित करना
3. समानता और स्वतंत्रता के बीच संघर्ष समाधान करना
4. स्वतंत्रता और बंधुता का समाधान करना

100. डॉ. बी.आर. अंबेडकर के अनुसार, प्रशासनिक दक्षता है:

1. सामाजिक दक्षता का कार्य
2. लोक सेवाएं प्रदान करना
3. नियमों और मानकों का अनुपालन करना
4. सवैधानिक नैतिकता

उत्तरमाला

1	2	3	4	5	6	7	8	9	10
3	1	2	1	2	3	1	4	4	1
11	**12**	**13**	**14**	**15**	**16**	**17**	**18**	**19**	**20**
2	3	4	2	3	2	3	1	1	4
21	**22**	**23**	**24**	**25**	**26**	**27**	**28**	**29**	**30**
3	4	4	1	2	4	3	3	2	2
31	**32**	**33**	**34**	**35**	**36**	**37**	**38**	**39**	**40**
1	4	3	1	2	2	2	4	4	3
41	**42**	**43**	**44**	**45**	**46**	**47**	**48**	**49**	**50**
1	2	2	3	4	1	1	1	4	4
51	**52**	**53**	**54**	**55**	**56**	**57**	**58**	**59**	**60**
3	1	3	4	2	1	1	2	3	2
61	**62**	**63**	**64**	**65**	**66**	**67**	**68**	**69**	**70**
4	3	2	1	1	1	4	4	1	4
71	**72**	**73**	**74**	**75**	**76**	**77**	**78**	**79**	**80**
4	2	4	3	3	3	4	3	1	3
81	**82**	**83**	**84**	**85**	**86**	**87**	**88**	**89**	**90**
4	2	2	2	3	3	1	1	2	4
91	**92**	**93**	**94**	**95**	**96**	**97**	**98**	**99**	**100**
2	4	2	1	1	1	4	4	3	1

व्याख्यात्मक उत्तर

1. लोक प्रशासन के अध्ययन को व्यवस्थित रूप देने के लिए जे. एम. पिफिनर (J.M. Pfiffner) ने इसे दो प्रमुख भागों में विभाजित किया–लोक प्रशासन के सिद्धांत और लोक प्रशासन का दायरा/क्षेत्र (Sphere or Scope)। उनके अनुसार सिद्धांतों के अंतर्गत संगठन, कार्मिक, वित्त, विधि और कार्य-प्रक्रिया जैसे सामान्य प्रशासनिक नियम आते हैं। वहीं दायरे में प्रशासन के विभिन्न कार्यक्षेत्र और गतिविधियाँ सम्मिलित होती हैं। यह वर्गीकरण लोक प्रशासन को एक वैज्ञानिक और सुव्यवस्थित अनुशासन के रूप में समझने में सहायक है। इसलिए इस विभाजन का श्रेय पिफिनर को दिया जाता है।

2. किसी भी संगठन में समन्वय (Coordination) अत्यंत आवश्यक होता है ताकि कार्यों में एकरूपता और प्रभावशीलता बनी रहे। जब संगठन में वरिष्ठ अधिकारी और उनके अधीनस्थ के बीच समन्वय स्थापित होता है, तो यह संगठनात्मक पदानुक्रम के अनुसार ऊपर-नीचे के स्तरों के बीच होता है। इस प्रकार के समन्वय को लम्बवत् समन्वय (Vertical Coordination) कहा जाता है। इसमें आदेश, निर्देश, प्रतिवेदन और फीडबैक की प्रक्रिया शामिल होती है। लम्बवत् समन्वय से नियंत्रण बना रहता है और प्रशासनिक अनुशासन सुदृढ़ होता है।

3. लोक प्रशासन के विकास को सामान्यतः विभिन्न चरणों में विभाजित किया जाता है। प्रथम चरण को "राजनीति-प्रशासन द्वैत" (Politics-Administration Dichotomy) का चरण कहा जाता है। इस चरण की सबसे महत्वपूर्ण कृति वुडरो विल्सन द्वारा लिखित Politics and Administration (1887) मानी जाती है। इस कृति में विल्सन ने यह तर्क दिया कि प्रशासन को राजनीति से अलग रखकर अध्ययन किया जाना चाहिए। यही विचार आगे चलकर लोक प्रशासन को एक स्वतंत्र अकादमिक अनुशासन बनाने में सहायक बना। इसलिए यह कृति लोक प्रशासन के उद्विकास के प्रथम चरण में आती है।

4. लाल बहादुर शास्त्री राष्ट्रीय प्रशासनिक अकादमी (LBSNAA), मसूरी भारत में सिविल सेवकों के प्रशिक्षण का प्रमुख संस्थान है। यहाँ विभिन्न अखिल भारतीय और केंद्रीय सेवाओं के नव-चयनित अधिकारियों के लिए फाउंडेशन पाठ्यक्रम आयोजित किया जाता है। इस पाठ्यक्रम की परंपरागत अवधि चार माह होती है। इस दौरान प्रशिक्षुओं को प्रशासन, संविधान, नीति, नेतृत्व, नैतिकता और शारीरिक प्रशिक्षण से संबंधित बुनियादी ज्ञान दिया जाता है। यह पाठ्यक्रम विभिन्न सेवाओं के अधिकारियों में आपसी समझ और एकता विकसित करने में महत्त्वपूर्ण भूमिका निभाता है।

5. मैक्स वेबर ने प्राधिकार को तीन आदर्श प्रकारों में विभाजित किया–करिश्माई, परंपरागत और विधिक-तार्किक। परंपरागत प्राधिकार वह होता है जो लंबे समय से चली आ रही परंपराओं, प्रथाओं, रीति-रिवाजों और विश्वासों के प्रति सम्मान पर आधारित होता है। इसमें सत्ता इसलिए स्वीकार की जाती है क्योंकि "हमेशा से ऐसा होता आया है।" राजा, सामंत, कबीलाई मुखिया आदि इसका उदाहरण हैं। इस प्रकार के प्राधिकार में नियम लिखित नहीं होते, बल्कि परंपरा से मान्य होते हैं।

6. एल्टन मेयो द्वारा किए गए हॉथोर्न प्रयोगों में यह स्पष्ट किया गया कि श्रमिकों के अनौपचारिक समूह अपने स्वयं के मानदंड (informal group norms) बनाते हैं। इन मानदंडों में यह नियम भी शामिल था कि कोई भी श्रमिक जानबूझकर बहुत कम कार्य नहीं करेगा, क्योंकि इससे समूह का संतुलन बिगड़ता है। जो व्यक्ति जानबूझकर उत्पादन कम करता था, उसे समूह द्वारा नकारात्मक रूप से देखा जाता था। ऐसे व्यक्ति को "चेजलर (Chiseler)" कहा जाता था। यह शब्द उस कर्मचारी के लिए प्रयुक्त होता था जो समूह के निर्धारित कार्य-मानकों का उल्लंघन करता था।

7. क्रिस अर्गायरिस (Chris Argyris) को संगठनात्मक व्यवहार के क्षेत्र में एक प्रमुख विचारक माना जाता है। उन्हें विशेष रूप से "संगठनात्मक अधिगम (Organizational Learning)" का जनक कहा जाता है। उन्होंने सिंगल-लूप और डबल-लूप लर्निंग की अवधारणाएँ दीं। अर्गायरिस के अनुसार संगठन तभी प्रभावी बनते हैं जब वे अपनी गलतियों से सीखने की क्षमता विकसित करते हैं। उनके विचार आधुनिक संगठनों में सीखने की संस्कृति को समझने में अत्यंत महत्त्वपूर्ण हैं।

8. कौटिल्य के सप्तांग सिद्धांत में राज्य को सात अंगों से मिलकर बना माना गया है। इनमें जनपद उस अंग को दर्शाता है जो राज्य के राज्यक्षेत्र (भूमि) और जनसंख्या दोनों को संदर्भित करता है। जनपद में कृषि, प्राकृतिक संसाधन और प्रजा का निवास शामिल होता है। कौटिल्य के अनुसार समृद्ध जनपद के बिना कोई भी राज्य शक्तिशाली नहीं बन सकता। इसलिए जनपद को राज्य की आर्थिक और सामाजिक नींव माना गया है।

9. भारत के संविधान में राष्ट्रपति को यह अधिकार दिया गया है कि वह किसी कानूनी या सार्वजनिक महत्त्व के प्रश्न पर भारत के उच्चतम न्यायालय से परामर्श ले सकता है। यह शक्ति संविधान के अनुच्छेद 143 में निहित है, जिसे सर्वोच्च न्यायालय की परामर्शात्मक अधिकारिता कहा जाता है। राष्ट्रपति इस अनुच्छेद के अंतर्गत न्यायालय की राय मांग सकता है। यद्यपि यह राय बाध्यकारी नहीं होती, फिर भी इसका संवैधानिक और नैतिक महत्त्व अत्यंत अधिक होता है। यह प्रावधान कार्यपालिका और न्यायपालिका के बीच संतुलन तथा सहयोग को दर्शाता है।

10. संयुक्त लोक सेवा आयोग (Joint Public Service Commission) उन परिस्थितियों में गठित किया जाता है जब दो या अधिक राज्य मिलकर एक साझा आयोग बनाना चाहते हैं। इसके अध्यक्ष तथा अन्य सदस्यों की नियुक्ति का अधिकार भारत के राष्ट्रपति को प्राप्त है। यह नियुक्ति संबंधित राज्यों के राज्यपालों से परामर्श के पश्चात की जाती है। यह व्यवस्था संविधान के अनुच्छेद 316 के अंतर्गत की गई है। इसका उद्देश्य आयोग की स्वतंत्रता, निष्पक्षता और अखिल भारतीय स्वरूप को बनाए रखना है।

11. भारत के संविधान का अनुच्छेद 249 संसद को असाधारण परिस्थितियों में राज्य सूची के विषयों पर कानून बनाने की शक्ति देता है। यह शक्ति तब प्रयोग की जाती है जब राज्यसभा यह प्रस्ताव पारित करे कि ऐसा कानून बनाना राष्ट्रहित में आवश्यक है। यह प्रस्ताव विशेष बहुमत से पारित होना चाहिए। यह प्रावधान संघीय व्यवस्था में लचीलापन लाने के लिए किया गया है। इसके माध्यम से राष्ट्रीय महत्त्व के विषयों पर केंद्र को हस्तक्षेप का अधिकार प्राप्त होता है।

12. भारत सरकार का वार्षिक बजट तैयार करना वित्त मंत्रालय की एक अत्यंत महत्त्वपूर्ण जिम्मेदारी है। इस कार्य के लिए मुख्य रूप से आर्थिक मामलों का विभाग (Department of Economic Affairs) उत्तरदायी होता है। यह विभाग बजट अनुमान तैयार करता है, राजकोषीय नीति का निर्धारण करता है तथा सरकारी संसाधनों की योजना बनाता है। बजट से संबंधित दस्तावेजों का प्रारूप तैयार करना और उन्हें संसद में प्रस्तुत करना भी इसी विभाग का कार्य है।

13. राज्य निर्वाचन आयोग का प्रावधान भारत के संविधान के अनुच्छेद 243K (पंचायत) और 243ZA (नगरपालिका) में किया गया है। यह आयोग पंचायतों और नगरपालिकाओं के चुनावों के संचालन, नियंत्रण और पर्यवेक्षण के लिए उत्तरदायी होता है। राज्य निर्वाचन आयुक्त को हटाने की प्रक्रिया उच्च न्यायालय के न्यायाधीश के समान होती है, जिससे उसकी स्वतंत्रता सुरक्षित रहती है। किंतु राज्य निर्वाचन आयोग के अनुरोध पर कर्मचारिवृन्द उपलब्ध कराने का दायित्व भारत के राष्ट्रपति का नहीं, बल्कि राज्य सरकार/राज्यपाल के माध्यम से राज्य का होता है। इसलिए यह कथन असत्य है।

14. राज्यपाल की अध्यादेश प्रख्यापित करने की शक्ति का उल्लेख भारत के संविधान के अनुच्छेद 213 में किया गया है। इस अनुच्छेद के अंतर्गत प्रख्यापित अध्यादेश का वही बल और प्रभाव होता है जो राज्य विधायिका के अधिनियम का होता है। राज्यपाल किसी भी समय अध्यादेश को वापस ले सकता है। किंतु प्रत्येक अध्यादेश के लिए भारत के राष्ट्रपति से पूर्व अनुमति लेना आवश्यक नहीं है। राष्ट्रपति की पूर्व स्वीकृति केवल विशेष परिस्थितियों में आवश्यक होती है। अतः यह कथन असत्य है।

15. भारत में जिला प्रशासन के इतिहास में 1787 ई. एक निर्णायक वर्ष माना जाता है। इसी वर्ष ईस्ट इंडिया कंपनी ने जिला स्तर पर प्रशासन को केंद्रीकृत करने के उद्देश्य से राजस्व प्रशासन, सिविल न्याय तथा दण्डाधिकारिता (magistracy) को जिला कलेक्टर के एकल पद में औपचारिक रूप से एकीकृत किया। यद्यपि 1772 में वॉरेन हेस्टिंग्स ने कलेक्टर का पद सृजित किया था, परंतु व्यापक और विधिवत एकीकरण 1787 में हुआ। बाद में 1793 में लॉर्ड कॉर्नवालिस ने न्यायिक शक्तियाँ कलेक्टर से अलग कर दीं।

16. भारत के संविधान के अनुसार ग्राम सभा ग्रामीण स्वशासन की आधारशिला है। संविधान के अनुच्छेद 243A के तहत ग्राम सभा की शक्तियों और कार्यों का निर्धारण राज्य विधायिका द्वारा किया

जाता है। राज्य विधायिका यह तय करती है कि ग्राम सभा को कौन-कौन से अधिकार और दायित्व सौंपे जाएंगे। इससे संघीय ढांचे में राज्यों को लचीलापन मिलता है। अतः ग्राम सभा की शक्तियाँ राज्य कानूनों पर आधारित होती हैं।

17. रॉबर्ट ए. डाहल (Robert A. Dahl) व्यवहारवादी आंदोलन से जुड़े एक प्रमुख विद्वान थे। उन्होंने लोक प्रशासन को केवल तकनीकी या प्रबंधकीय विषय मानने के बजाय उसे सामाजिक और राजनीतिक संदर्भों में देखने पर बल दिया। उनकी प्रसिद्ध रचना "The Science of Public Administration: Three Problems" (1947) में उन्होंने लोक प्रशासन की ''मूल्य-निरपेक्षता'', ''सार्वभौमिक सिद्धांतों'' और ''राजनीति से पृथक्करण'' की अवधारणाओं की आलोचना की। यह लेख लोक प्रशासन में व्यवहारवादी मोड़ (Behavioral Turn) का महत्वपूर्ण आधार माना जाता है।

18. एफ. डब्ल्यू. रिग्स ने अपनी प्रसिद्ध कृति "Prismatic Society Revisited" में समाजों का विश्लेषण दो प्रमुख आयामों के आधार पर किया। पहला आयाम था एकीकरण (Integration) की डिग्री और दूसरा था विभेदीकरण (Differentiation) की डिग्री। इन्हीं दो आयामों के आधार पर उन्होंने फ्यूज्ड, प्रिस्मेटिक और डिफ्रैक्टेड समाजों की संकल्पना विकसित की। यह ढाँचा तुलनात्मक लोक प्रशासन के अध्ययन में अत्यंत महत्वपूर्ण माना जाता है।

19. विकास प्रशासन (Development Administration) की अवधारणा को स्पष्ट रूप से परिभाषित करने का श्रेय एडवर्ड वैडनर (Edward Weidner) को दिया जाता है। उनके अनुसार विकास प्रशासन एक कार्रवाई-उन्मुखी और लक्ष्य-उन्मुखी प्रशासनिक प्रणाली है, जिसका उद्देश्य सामाजिक-आर्थिक विकास को तीव्र करना है। वैडनर ने इसे पारंपरिक प्रशासन से भिन्न माना, क्योंकि इसमें परिवर्तन, नवाचार और विकास लक्ष्यों की प्राप्ति पर बल दिया जाता है। यह परिभाषा विकासशील देशों के प्रशासन के अध्ययन में विशेष रूप से महत्त्वपूर्ण है।

20. जापान में सिविल सेवाओं के प्रबंधन और कार्मिक नीतियों के लिए National Personnel Authority (NPA) शीर्ष केंद्रीय एजेंसी है। यह संस्था भर्ती, पदोन्नति, सेवा शर्तों और अनुशासन से संबंधित मामलों को नियंत्रित करती है। NPA की भूमिका जापानी प्रशासन में निष्पक्षता और दक्षता सुनिश्चित करने की है। यह एजेंसी भारत के संघ लोक सेवा आयोग से तुलनीय मानी जाती है। इसलिए जापान की केंद्रीय कार्मिक एजेंसी NPA है।

21. भारत में राजकोषीय अनुशासन और वित्तीय पारदर्शिता सुनिश्चित करने के उद्देश्य से राजकोषीय उत्तरदायित्व और बजट प्रबंधन (FRBM) अधिनियम लाया गया। यह अधिनियम 2003 में संसद द्वारा अधिनियमित किया गया। इसका मुख्य उद्देश्य राजकोषीय घाटे को नियंत्रित करना, सरकारी ऋण को कम करना और दीर्घकालिक आर्थिक स्थिरता बनाए रखना था। FRBM अधिनियम के तहत सरकार को बजट में राजकोषीय लक्ष्यों की घोषणा करनी होती है। यह अधिनियम भारतीय सार्वजनिक वित्त व्यवस्था में एक महत्त्वपूर्ण सुधार माना जाता है।

22. भारत सरकार के वित्त मंत्रालय के अंतर्गत आर्थिक मामलों के विभाग (Department of Economic Affairs) का आर्थिक प्रभाग विभिन्न नीति-निर्माण इकाइयों से मिलकर बना होता है। इसमें सामान्यतः लोक वित्त इकाई, उद्योग एवं अवसंरचना इकाई जैसी इकाइयाँ शामिल होती हैं। किंतु सिविल व्यय इकाई आर्थिक प्रभाग का हिस्सा नहीं होती, बल्कि यह व्यय विभाग (Department of Expenditure) से संबंधित होती है। इसलिए यह आर्थिक प्रभाग की इकाई नहीं है।

23. भारत में वस्तु एवं सेवा कर (GST) से संबंधित संवैधानिक व्यवस्था 101वें संविधान संशोधन अधिनियम, 2016 द्वारा की गई। इस संशोधन के अंतर्गत GST परिषद का गठन किया गया, जिसका उल्लेख अनुच्छेद 279A में है। GST परिषद केंद्र और राज्यों के बीच कर-संबंधी समन्वय का प्रमुख मंच है। यह परिषद GST की दरों, छूटों और नियमों पर सिफारिशें करती है। अतः GST परिषद से संबंधित अनुच्छेद 279A है।

24. भारत में निष्पादन बजटन (Performance Budgeting) की संकल्पना प्रशासन में दक्षता, परिणामोन्मुखता और उत्तरदायित्व बढ़ाने के उद्देश्य से प्रस्तुत की गई। इसे औपचारिक रूप से प्रथम प्रशासनिक सुधार आयोग (1966-70) द्वारा अनुशंसित किया गया था। आयोग का मत था कि बजट को केवल व्यय का विवरण न मानकर लक्ष्यों, कार्यक्रमों और उपलब्धियों से जोड़ा जाना चाहिए। निष्पादन बजटन से योजनाओं की प्रभावशीलता का आकलन संभव होता है। यह प्रशासनिक सुधारों की दिशा में एक महत्वपूर्ण कदम माना जाता है।

25. राष्ट्रीय आपदा प्रबंधन प्राधिकरण (NDMA) की स्थापना आपदा प्रबंधन अधिनियम, 2005 के अंतर्गत की गई। इस प्राधिकरण का उद्देश्य आपदाओं की रोकथाम, तैयारी और प्रभावी प्रतिक्रिया सुनिश्चित करना है। अधिनियम के अनुसार प्रधानमंत्री NDMA के पदेन अध्यक्ष (Ex-officio Chairperson) होते हैं। यह व्यवस्था आपदा प्रबंधन को सर्वोच्च राजनीतिक नेतृत्व से जोड़ती है। इससे निर्णय-निर्माण में त्वरितता और समन्वय सुनिश्चित होता है।

26. अस्पृश्यता (अपराध) अधिनियम, 1955 को सामाजिक समानता और नागरिक अधिकारों की रक्षा के उद्देश्य से अधिनियमित किया गया था। वर्ष 1976 में इस अधिनियम का नाम परिवर्तित कर ''सिविल अधिकार संरक्षण अधिनियम'' (Protection of Civil Rights Act) कर दिया गया। इस संशोधन का उद्देश्य कानून के दायरे को व्यापक बनाना और अस्पृश्यता से जुड़े सभी प्रकार के सामाजिक भेदभाव को दंडनीय बनाना था। यह अधिनियम संविधान के अनुच्छेद 17 को प्रभावी बनाने का एक प्रमुख साधन है।

27. भारत में लोकसभा और राज्य विधानसभाओं में महिलाओं के लिए आरक्षण का प्रावधान नारी शक्ति वंदन अधिनियम, 2023 के माध्यम से किया गया। यह प्रावधान 106वें संविधान संशोधन अधिनियम द्वारा संविधान में जोड़ा गया। इसके अंतर्गत लोकसभा और सभी राज्य विधानसभाओं में महिलाओं के लिए 33% आरक्षण सुनिश्चित किया गया है। यह संशोधन महिलाओं की राजनीतिक भागीदारी को सशक्त बनाने की दिशा में एक ऐतिहासिक कदम माना जाता है। हालांकि इसका क्रियान्वयन परिसीमन के बाद किया जाना है।

28. प्रधानमंत्री गरीब कल्याण अन्न योजना (PM-GKAY) भारत सरकार द्वारा कोविड-19 महामारी के दौरान गरीब और जरूरतमंद वर्ग को खाद्य सुरक्षा प्रदान करने के उद्देश्य से प्रारंभ की गई थी। इस योजना की शुरुआत वर्ष 2020 में की गई। इसके अंतर्गत राष्ट्रीय खाद्य सुरक्षा अधिनियम के लाभार्थियों को अतिरिक्त मुफ्त खाद्यान्न उपलब्ध कराया गया। यह योजना महामारी के समय सामाजिक सुरक्षा का एक प्रमुख साधन बनी। बाद में इसे विभिन्न चरणों में आगे बढ़ाया गया।

29. अमेरिकी राजनीतिक वैज्ञानिक चार्ल्स लिंडब्लोम ने निर्णय-निर्माण की उस पद्धति को, जिसमें छोटे-छोटे और क्रमिक परिवर्तनों के माध्यम से निर्णय लिए जाते हैं, "क्रमिक/उत्तरवर्ती सीमित तुलनाओं की विधि" कहा। उन्होंने इसे "शाखा विधि (Branch Method)" का नाम दिया। यह विधि व्यापक और तर्कसंगत निर्णय-निर्माण की तुलना में व्यावहारिक मानी जाती है। इसे सामान्यतः Incrementalism के नाम से भी जाना जाता है।

30. येहेजकेल ड्रोर (Yehezkel Dror) नीति-निर्माण के अध्ययन में एक प्रमुख विचारक माने जाते हैं। उन्होंने नीति-निर्माण प्रक्रिया के छह मानकीय (Normative) मॉडल चिन्हित किए। इन मॉडलों के माध्यम से उन्होंने यह स्पष्ट किया कि नीति-निर्माण केवल तर्कसंगत प्रक्रिया नहीं, बल्कि मूल्य-आधारित और संदर्भ-निर्भर प्रक्रिया भी है। ड्रोर का कार्य नीति विज्ञान (Policy Sciences) के विकास में अत्यंत महत्त्वपूर्ण माना जाता है।

31. नीति कार्यान्वयन शैलियाँ प्रायः दो आधारों पर तय की जाती हैं— (*i*) राज्य पर प्रतिबंध/सीमाएँ (state constraints) कितनी तीव्र हैं और (*ii*) लक्षित समूह (policy target) कितना व्यापक/बड़ा है। Michael Howlett के मॉडल (Implementation Styles matrix) के अनुसार जब राज्य पर प्रतिबंधों की चरमता उच्च (High) हो और लक्षित समूह व्यापक/बड़ा (Large) हो, तो सरकार के लिए सीधे-सीधे सेवा-प्रदान/कठोर नियंत्रण करना कठिन हो जाता है। ऐसी स्थिति में नीति को लागू करने के लिए सरकार स्वैच्छिक सहभागिता, जन-जागरूकता/अनुनयन (exhortation) और संस्थागत पुनर्संगठन जैसे उपायों पर अधिक निर्भर रहती है। इस संयोजन के लिए उपयुक्त शैली Institutionalized Voluntarism (संस्थागत स्वयंसेवितावाद) बताई गई है।

32. क्रिस्टोफर हुड (Christopher Hood) ने सरकारी नीति उपकरणों का प्रसिद्ध NATO मॉडल प्रस्तुत किया, जिसके माध्यम से यह बताया गया कि सरकार अपने उद्देश्यों को प्राप्त करने के लिए किन मूलभूत संसाधनों का प्रयोग करती है। इस वर्गीकरण में चार नीति उपकरण शामिल हैं— Nodality (अनुनयन/सूचना), जिसके द्वारा सूचना और संचार का उपयोग किया जाता है; Authority (प्राधिकार), जिसमें कानून, नियम और आदेश आते हैं; Treasure (वित्तीय साधन), जिसमें कर, अनुदान और सब्सिडी शामिल हैं; तथा Organization (संगठन), जिसमें सरकारी एजेंसियाँ और प्रत्यक्ष प्रशासनिक संरचनाएँ आती हैं। गैर-वित्तीय प्रोत्साहन इस NATO वर्गीकरण का हिस्सा नहीं है, क्योंकि हुड ने प्रोत्साहनों को स्वतंत्र श्रेणी के रूप में नहीं माना।

33. कोरपोरेटवाद (Corporatism) एक ऐसी शासन पद्धति है जिसमें राज्य और संगठित हित-समूहों के बीच संस्थागत और औपचारिक संबंध होते हैं। इस प्रणाली में राज्य विशेष रूप से व्यवसाय संगठनों और श्रम संगठनों के साथ घनिष्ठ संबंध बनाए रखता है। नीति-निर्माण में इन दोनों संगठित समूहों की भागीदारी सुनिश्चित की जाती है। इसका उद्देश्य सामाजिक संघर्ष को कम करना और सहमति आधारित निर्णय लेना होता है। इसलिए कोरपोरेटवाद में राज्य के मजबूत संबंध व्यवसाय और श्रम संगठनों से होते हैं।

34. विश्व बैंक के अनुसार खराब अभिशासन (Bad Governance) उन स्थितियों को दर्शाता है जहाँ शासन व्यवस्था पारदर्शिता, उत्तरदायित्व और कानून के शासन से विचलित हो जाती है। इसके प्रमुख लक्षणों में गैर-जवाबदेही नौकरशाही, मनमाना एवं विवेकाधीन नीति निर्माण, तथा कार्यपालिका शक्ति का दुरुपयोग शामिल हैं। ये तत्व सार्वजनिक संसाधनों के दुरुपयोग और नागरिकों के अधिकारों के हनन को बढ़ावा देते हैं। इसके विपरीत सार्वजनिक और निजी क्षेत्र के बीच स्पष्ट पृथक्करण सुशासन का मूल तत्व माना जाता है, न कि खराब अभिशासन का।

35. शब्दमूलविज्ञान की दृष्टि से "Governance" शब्द का मूल ग्रीक क्रिया "Kubernan" से जुड़ा हुआ है, जिसका अर्थ है जहाज को दिशा देना या संचालन करना। यह शब्द आगे चलकर लैटिन (gubernare) और फ्रांसीसी भाषाओं में विकसित हुआ। शासन और प्रशासन की आधुनिक अवधारणा इसी मूल अर्थ—मार्गदर्शन और नियंत्रण—से विकसित हुई है। इसलिए गवर्नेंस की वैचारिक जड़ें प्राचीन ग्रीक परंपरा में मिलती हैं।

36. अभिशासन के सिद्धांत में अर्थशास्त्रियों का मानना है कि केवल बाजार सुधार (Market Reforms) लागू कर देने से विकास सुनिश्चित नहीं होता। उनके अनुसार इन सुधारों की प्रभावशीलता मुख्यतः समुचित राजनीतिक संस्थानों की उपस्थिति पर निर्भर करती है। मजबूत, स्थिर और उत्तरदायी राजनीतिक संस्थान नियमों का पालन, संपत्ति अधिकारों की सुरक्षा और नीति-स्थिरता सुनिश्चित करते हैं। कमजोर राजनीतिक संस्थानों की स्थिति में बाजार सुधार असफल हो सकते हैं। इसलिए अर्थशास्त्री राजनीतिक संस्थागत ढाँचे पर विशेष बल देते हैं।

37. डाटा संकलन की वह विधि जिसमें शोधकर्ता और प्रत्युत्तरकर्ता के बीच बार-बार आमने-सामने (face-to-face) बातचीत होती है, गहन साक्षात्कार (In-depth Interview) कहलाती है। इस विधि में प्रश्न पूर्व-निर्धारित हो सकते हैं, परंतु उन्हें उत्तरदाता की प्रतिक्रिया के अनुसार बदला या विस्तारित किया जा सकता है। शोधकर्ता उत्तरदाता से गहराई से जानकारी प्राप्त करने का प्रयास करता है। यह विधि भावनाओं, अनुभवों और दृष्टिकोणों को समझने के लिए विशेष रूप से उपयोगी मानी जाती है। गुणात्मक शोध में इसका व्यापक प्रयोग होता है।

38. डाटा संकलन की प्राथमिक विधियाँ वे होती हैं जिनमें शोधकर्ता स्वयं प्रत्यक्ष रूप से सूचना एकत्र करता है। प्रेक्षण, साक्षात्कार और प्रश्नावली प्राथमिक डाटा संकलन की मान्य विधियाँ हैं। इसके विपरीत जनगणना एक सरकारी सांख्यिकीय प्रक्रिया है, जिसका उद्देश्य राष्ट्रीय स्तर पर आँकड़े एकत्र करना होता है। शोधकर्ता जनगणना के आँकड़ों का उपयोग सामान्यतः द्वितीयक डाटा के रूप में करता है। इसलिए जनगणना प्राथमिक विधि नहीं मानी जाती।

39. जब प्रत्युत्तरकर्ता की मनोदशा, थकान, पूर्वाग्रह या शोध उपकरण में अस्पष्टता के कारण आश्रित चर में अनियंत्रित परिवर्तन आ जाता है, तो इसे बाह्य या असंगत चर (Extraneous Variable) कहा जाता है। यह चर स्वतंत्र चर के अतिरिक्त कोई अन्य प्रभाव डालने वाला तत्व होता है। बाह्य चर शोध निष्कर्षों की आंतरिक वैधता को प्रभावित कर सकता है। इसलिए वैज्ञानिक शोध में ऐसे चरों को नियंत्रित करना अत्यंत आवश्यक माना जाता है।

40. जिस शोध अध्ययन में जनसंख्या के ऐसे उपसमूह का अध्ययन किया जाता है जिनमें जन्म-वर्ष, विवाह, उत्पत्ति या किसी समान जीवन-घटना जैसी सामान्य विशेषताएँ होती हैं, उसे समूह अध्ययन (Cohort Study) कहा जाता है। इसमें एक ही समूह को समय के साथ-साथ देखा जाता है। यह विधि सामाजिक परिवर्तन, जनसंख्या अध्ययन और स्वास्थ्य अनुसंधान में अत्यंत उपयोगी है। इससे विभिन्न जीवन-चरणों में होने वाले परिवर्तनों का विश्लेषण संभव होता है।

41. प्रशिक्षण का क्रम–

B. फाउंडेशन/आधारभूत प्रशिक्षणः सभी सिविल सेवा परिवीक्षाधीनों को सबसे पहले LBSNAA, मसूरी में सामान्य प्रशासन, संविधान और सेवा-मूल्यों का आधारभूत प्रशिक्षण दिया जाता है।

D. प्रोफेशनल कोर्सः इसके बाद IFS परिवीक्षाधीन सुषमा स्वराज विदेश सेवा संस्थान, नई दिल्ली में विदेश नीति, कूटनीति और अंतरराष्ट्रीय संबंधों से संबंधित विशेष प्रशिक्षण लेते हैं।

C. व्यवहारिक प्रशिक्षणः प्रोफेशनल अध्ययन के दौरान या बाद में अधिकारियों को भारतीय दूतावासों/उच्चायोगों में भेजकर वास्तविक कार्य-अनुभव कराया जाता है।

A. परिवीक्षाकालीन प्रशिक्षणः उपरोक्त सभी चरण मिलकर परिवीक्षा अवधि का गठन करते हैं, जिसके अंत में अधिकारी की सेवा की पुष्टि की जाती है।

42. लोक प्रशासन से संबंधित घटनाओं का कालक्रम–

D. लोक प्रशासन में प्रथम पाठ्यपुस्तक का प्रकाशनः 1926 में एल. डी. व्हाइट (L.D. White) की पुस्तक Introduction to the Study of Public Administration प्रकाशित हुई, जिसे लोक प्रशासन की पहली पाठ्यपुस्तक माना जाता है।

B. अमेरिकी राष्ट्रपति की प्रशासनिक प्रबंधन समितिः 1936 में गठित ब्राउनलो समिति (Brownlow Committee) ने प्रशासनिक पुनर्गठन और कार्यपालिका की सुदृढ़ता पर बल दिया।

A. फिलाडेल्फिया सम्मेलनः 1967 में आयोजित Philadelphia Conference on the Theory and Practice of Public Administration ने लोक प्रशासन के सामाजिक और मूल्यपरक आयामों पर जोर दिया।

C. प्रथम मिन्नोब्रुक सम्मेलनः 1968 का Minnowbrook Conference नए लोक प्रशासन (New Public Administration) की वैचारिक नींव बना।

43. मैरी पार्कर फोलेट की कृतियों का कालक्रम–

C. दि स्पीकर ऑफ दि हाउस ऑफ रिप्रेजेन्टेटिव्सः यह कृति 1896 में प्रकाशित हुई। यह मैरी पार्कर फोलेट की प्रथम पुस्तक थी, जिसमें उन्होंने अमेरिकी प्रतिनिधि सभा और विधायी नेतृत्व की कार्यप्रणाली का विश्लेषण किया।

A. दि न्यू स्टेटः यह पुस्तक 1918 में प्रकाशित हुई। इसमें फोलेट ने लोकतंत्र, समूह-प्रक्रिया और सामूहिक संगठन की अवधारणाओं को विकसित किया।

B. क्रिएटिव एक्सपीरियंसः यह कृति 1924 में प्रकाशित हुई। इसमें नेतृत्व, शक्ति, संघर्ष-समाधान और सहभागिता से संबंधित उनके परिपक्व विचार प्रस्तुत किए गए हैं।

D. डायनामिक एडमिनिस्ट्रेशनः यह पुस्तक 1942 में मरणोपरांत प्रकाशित हुई। यह उनके लेखों और भाषणों का संकलन है, जिसमें प्रशासन के मानवीय और गतिशील पक्ष पर बल दिया गया है।

44. हेनरी फेयोल द्वारा सुझाए गए प्रबंधक के अभिलक्षणों का क्रम–

B. शारीरिकः फेयोल के अनुसार प्रबंधक में शारीरिक स्वास्थ्य और कार्य-क्षमता होनी चाहिए, ताकि वह संगठनात्मक दायित्वों को प्रभावी ढंग से निभा सके।

A. मानसिकः इसके बाद मानसिक क्षमता आती है, जिसमें बुद्धिमत्ता, निर्णय-क्षमता और तार्किक सोच शामिल है।

E. नैतिकः प्रबंधक में ईमानदारी, सत्यनिष्ठा और चरित्रबल होना आवश्यक है, जिससे अधीनस्थों का विश्वास बना रहे।

C. सामान्य शिक्षाः सामान्य शिक्षा से प्रबंधक का दृष्टिकोण व्यापक बनता है और वह विभिन्न परिस्थितियों को समझ पाता है।

D. विशेष ज्ञानः अंत में, प्रबंधन से संबंधित विशेष तकनीकी और व्यावसायिक ज्ञान आवश्यक माना गया है।

45. समितियों का स्थापना-वर्ष के अनुसार कालक्रम—

B. गिरधारी लाल व्यास समितिः यह समिति 1965 में गठित की गई थी और पंचायती राज वित्त से संबंधित विषयों पर केंद्रित थी।

A. अशोक मेहता समितिः 1977 में गठित इस समिति ने पंचायती राज व्यवस्था के पुनर्गठन पर महत्त्वपूर्ण सिफारिशें दीं।

C. जी. वी. के. राव समितिः यह समिति 1985 में गठित हुई और जिला प्रशासन की भूमिका पर बल दिया।

D. एल. एम. सिंघवी समितिः 1986 में गठित इस समिति ने ग्राम स्वराज और संवैधानिक दर्जे पर विशेष जोर दिया।

46. जिला प्रशासन से संबंधित घटनाओं का कालक्रम—

A. जिला कलेक्टर के पद का सृजनः 1772 में वॉरेन हेस्टिंग्स द्वारा जिला स्तर पर राजस्व संग्रह के लिए कलेक्टर का पद सृजित किया गया।

D. राजस्व, सिविल न्याय और दण्डाधिकारिता सेवाओं का एकीकरणः 1787 में इन तीनों प्रशासनिक कार्यों को जिला कलेक्टर के कार्यालय के अंतर्गत औपचारिक रूप से एकीकृत किया गया।

B. कार्नवालिस संहिताः 1793 में लॉर्ड कार्नवालिस ने संहिता लागू कर कलेक्टर की न्यायिक शक्तियों को अलग किया।

C. जिला राजकोष को जिला कलेक्टर के अधीन संस्थापित करनाः इसके बाद जिला राजकोषीय व्यवस्था को प्रशासनिक नियंत्रण में पुनःव्यवस्थित किया गया।

47. शोध प्रविधि के चरणों का क्रम—

C. शोध प्रस्ताव लेखनः सबसे पहले शोध समस्या, उद्देश्य और कार्ययोजना को स्पष्ट करते हुए शोध प्रस्ताव तैयार किया जाता है।

A. प्रतिदर्श का चयनः इसके बाद अध्ययन हेतु उपयुक्त जनसंख्या/नमूने (sample) का चयन किया जाता है।

B. डाटा संकलनः चयनित प्रतिदर्श से साक्षात्कार, प्रश्नावली आदि द्वारा डाटा एकत्र किया जाता है।

D. डाटा संसाधिकरणः अंत में डाटा का वर्गीकरण, सारणीकरण और विश्लेषण किया जाता है।

48. शोध समस्या निर्माण के चरणों का क्रम—

A. शोधकर्ता की अभिरुचि के विषय का चयनः सबसे पहले शोधकर्ता अपनी रुचि और क्षमता के अनुसार किसी व्यापक विषय का चयन करता है।

B. विस्तृत/व्यापक क्षेत्र को उप-क्षेत्रों में विभाजित करनाः चयनित विषय को छोटे-छोटे उप-क्षेत्रों में बाँटकर अध्ययन को केंद्रित किया जाता है।

C. शोध प्रश्न उठाना/खड़े करनाः इसके बाद उप-क्षेत्र के आधार पर विशिष्ट और शोध-योग्य प्रश्न तैयार किए जाते हैं।

D. उद्देश्य निर्मित करनाः अंत में शोध प्रश्नों के अनुरूप स्पष्ट और मापनीय उद्देश्य निर्धारित किए जाते हैं।

49. भारतीय बजटीय प्रक्रिया के चरणों का क्रम—

A. विभाग संबंधी स्थायी समितियों द्वारा जाँचः सबसे पहले अनुदानों की मांगों को विभागीय स्थायी समितियों के पास जाँच के लिए भेजा जाता है।

B. अनुदानों की मांगों पर मतदानः इसके बाद लोकसभा में अनुदानों की मांगों पर चर्चा और मतदान होता है।

D. विनियोग विधेयक का पारित होनाः मतदान के बाद सरकार को धन व्यय की अनुमति देने हेतु विनियोग विधेयक पारित किया जाता है।

C. वित्त विधेयक का पारित होनाः अंत में करों से संबंधित प्रावधानों के लिए वित्त विधेयक पारित किया जाता है।

50. सरकारी लेखांकन में, खातों के शीर्षों करे व्यापक से विशिष्ट (Broad to specific) क्रम में व्यवस्थित किया जाता है। शीर्ष पर (D) प्रमुख शीर्ष (Major Head) होता है, जो मुख्य कार्य या क्षेत्र (main function or sector) के प्रतिनिधित्व करता है। इसके नीचे (C) सूक्ष्म या अल्प शीर्ष (Minor Head) आता है, जो प्रमुख कार्यों को घटकों (components) के विभाजित करता है। इसके बाद (B) उप-शीर्ष (Sub Head) व्यय की श्रेणियों (expenditure categories) को और विभाजित करता है। सबसे विस्तृत स्तर पर (A) विस्तृत शीर्ष (Detailed Head) है, जिसका उपयोग मद-विशिष्ट लेखांकन और रिपोर्टिंग (item-specific accounting and reporting) के लिए किया जाता है। इस प्रकार, सही शीर्ष-से-नीचे (top-down) क्रम हैः $D \rightarrow C \rightarrow B \rightarrow A$।

51. पीटर डिलीओन द्वारा व्याख्यायित राजनीतिक घटनाओं का अनुक्रम—

A. द्वितीय विश्व युद्धः 1939-1945 के युद्ध अनुभवों ने सरकारी योजना, रक्षा और नीति विश्लेषण की मांग को जन्म दिया।

D. गरीबी पर युद्धः 1964 में लिंडन बी. जॉनसन द्वारा शुरू किए गए War on Poverty ने सामाजिक नीतियों को केंद्र में लाया।

C. वियतनाम युद्धः 1955-1975 के युद्ध का तीव्र प्रभाव 1960-70 के दशकों में नीति-निर्माण पर पड़ा।

E. वाटरगेट स्कैंडलः 1972-1974 के कांड ने शासन, जवाबदेही और नीति-निर्माण पर अविश्वास को उजागर किया।

B. ऊर्जा संकटः 1973 के तेल संकट ने ऊर्जा व आर्थिक नीतियों के पुनर्मूल्यांकन को अनिवार्य बनाया।

52. सार्वजनिक क्षेत्र सुधारों के चरणों का अनुक्रम—

D. नव उदारवाद और सार्वजनिक चयन/विकल्पः 1970-80 के दशकों में उभरे वैचारिक आधार ने राज्य की भूमिका सीमित करने पर बल दिया।

C. बाजारीकरण और निजीकरणः इसके बाद सार्वजनिक सेवाओं में प्रतिस्पर्धा, निजीकरण और बाजार-आधारित उपाय अपनाए गए।

B. नेटवर्क और साझेदारियाँ: 1990 के दशक के अंत/2000 के प्रारंभ में बहु-क्षेत्रीय सहयोग और नेटवर्क शासन पर जोर बढ़ा।

A. सूचना के खुलासे के प्रति खुलापन: अंततः पारदर्शिता, जवाबदेही और सूचना के अधिकार जैसे उपाय प्रमुख बने।

53. अभिशासन से संबंधित संकल्पनाओं का उद्‌भव-क्रम–

B. सार्वजनिक चयन/विकल्प: 1950-60 के दशकों में विकसित Public Choice Theory ने प्रशासन और नीति-निर्माण में आर्थिक तर्क (rational choice) को केंद्र में रखा।

D. गवर्निंग द कॉमन्स: 1990 में एलिनोर ओस्ट्रोम की कृति Governing the Commons प्रकाशित हुई, जिसमें सामूहिक संसाधनों के प्रबंधन पर शासन-आधारित दृष्टिकोण दिया गया।

A. गवर्नेंस एंड डेवलपमेंट: 1990 के दशक की शुरुआत में (विशेषतः विश्व बैंक, 1992) शासन और विकास के परस्पर संबंध पर बल दिया गया।

C. नवीन लोक सेवा: 2000 के आसपास डेनहार्ट दंपति द्वारा New Public Service की अवधारणा प्रस्तुत की गई, जिसमें नागरिक-केंद्रित अभिशासन पर जोर है।

54. लोक नीति पुस्तकों का प्रकाशन-वर्ष के अनुसार क्रम

D. एन इंट्रोडक्शन टू दि स्टडी ऑफ पब्लिक पॉलिसी – चार्ल्स ओ. जोन्स: 1970 में प्रकाशित यह कृति नीति-अध्ययन की प्रारंभिक और आधारभूत पुस्तकों में से एक है।

A. प्रीव्यू ऑफ पॉलिसी साइंसेज – हेरोल्ड लासवेल: 1971 में प्रकाशित इस कृति में नीति विज्ञान (Policy Sciences) की रूपरेखा दी गई।

B. दि आर्ट एंड क्राफ्ट ऑफ पॉलिसी एनालिसिस – आरोन विल्डावस्की: 1979 में प्रकाशित यह पुस्तक नीति विश्लेषण की व्यावहारिक कला पर केंद्रित है।

C. थ्योरीज ऑफ दि पॉलिसी प्रोसेस – पॉल साबाटियर: 1999 में प्रकाशित इस कृति में नीति-प्रक्रिया के प्रमुख सैद्धांतिक मॉडलों का विश्लेषण किया गया।

55. अधिनियमों का अधिनियमन-वर्ष के अनुसार कालक्रम–

C. भ्रष्टाचार निवारण अधिनियम: यह अधिनियम 1947 में अधिनियमित किया गया, जिसका उद्देश्य सार्वजनिक सेवकों में भ्रष्टाचार को रोकना था।

B. केन्द्रीय सतर्कता आयोग अधिनियम: 2003 में यह अधिनियम पारित हुआ, जिससे CVC को वैधानिक दर्जा मिला।

A. सूचना का अधिकार अधिनियम: 2005 में अधिनियमित RTI Act ने पारदर्शिता और जवाबदेही को सुदृढ़ किया।

D. व्हिसल-ब्लोअर्स संरक्षण अधिनियम: यह अधिनियम 2014 में लाया गया, ताकि भ्रष्टाचार उजागर करने वालों को संरक्षण मिल सके।

56. मिन्नोब्रुक सम्मेलनों से संबंधित सत्य कथन–

A. प्रथम मिन्नोब्रुक सम्मेलन (1968): यह सम्मेलन व्यवहारवादी (behavioral) दृष्टिकोण का विरोधी था और मूल्य-आधारित लोक प्रशासन पर जोर देता था। (सत्य)

B. द्वितीय मिन्नोब्रुक सम्मेलन (1988): इस सम्मेलन की शैली और भाव अधिक व्यवहारिक व व्यावहारिक थे, तथा प्रशासनिक यथार्थ पर बल दिया गया। (सत्य)

C. तृतीय मिन्नोब्रुक सम्मेलन (2008): इसमें लोक प्रशासन अनुशासन की स्थिति पर असंतोष और आत्म-मंथन व्यक्त किया गया। (सत्य)

D. सम्मेलनों की आवृत्ति: मिन्नोब्रुक सम्मेलन लगभग 20 वर्ष के अंतराल पर हुए हैं, 25 वर्ष पर नहीं। (असत्य)

57. लोक-प्रशासन के "प्रबंधकीय दृष्टिकोण" को स्वीकार करने वाले लेखक–

A. हर्बर्ट साइमन: हर्बर्ट साइमन ने निर्णय-निर्माण और प्रशासनिक व्यवहार का विश्लेषण किया, परंतु उनका दृष्टिकोण प्रशासन के प्रबंधकीय कार्यों (planning, decision-making, control) पर केंद्रित था। इसलिए उन्हें प्रबंधकीय दृष्टिकोण के अंतर्गत शामिल किया जाता है।

B. स्मिथबर्ग: स्मिथबर्ग ने लोक प्रशासन को प्रबंधन से जुड़ी गतिविधियों जैसे संगठन, समन्वय और नियंत्रण तक सीमित माना। वे स्पष्ट रूप से Managerial View के समर्थक थे।

C. लूथर गुलिक: लूथर गुलिक का POSDCORB सिद्धांत (Planning, Organizing, Staffing, Directing, Coordinating, Reporting, Budgeting) लोक प्रशासन के प्रबंधकीय दृष्टिकोण का सबसे प्रसिद्ध प्रतिपादन है।

D. एल. डी. व्हाइट: एल.डी. व्हाइट एकीकृत दृष्टिकोण (Integral View) के समर्थक थे, जिसमें प्रशासन की सभी गतिविधियाँ (तकनीकी, लिपिकीय, मैनुअल आदि) शामिल मानी जाती हैं, इसलिए वे प्रबंधकीय दृष्टिकोण के समर्थक नहीं हैं।

58. लिंडाल उर्विक द्वारा प्रतिपादित संगठन के आठ सिद्धांतों में शामिल सिद्धांत–

A. उद्देश्यों का सिद्धांत: उर्विक के अनुसार संगठन स्पष्ट उद्देश्यों पर आधारित होना चाहिए।

B. विशेषीकरण का सिद्धांत: कार्य-विभाजन और विशेषीकरण से दक्षता बढ़ती है–यह उर्विक का प्रमुख सिद्धांत है।

C. परिभाषा का सिद्धांत: प्रत्येक पद और उत्तरदायित्व स्पष्ट रूप से परिभाषित होना चाहिए।

D. नियंत्रण और बजटीकरण: यह सिद्धांत मुख्यतः लूथर गुलिक (POSDCORB) से संबंधित है, उर्विक के आठ सिद्धांतों का भाग नहीं है।

59. चेस्टर बर्नार्ड के प्रमुख योगदान–

B. उदासीनता का क्षेत्र (Zone of Indifference): बर्नार्ड ने समझाया कि कर्मचारी कुछ आदेशों को बिना किसी सवाल

के स्वीकार कर लेते हैं जब वे आदेश एक सहज सीमा (comfort range) के भीतर आते हैं। यह प्रबंधकों को अधिकार (authority) का प्रभावी ढंग से प्रयोग करने में मदद करता है।

C. प्राधिकार का घर्षण/टकराव (Fiction of Authority): उन्होंने कहा कि अधिकार (authority) वास्तव में अकेले वरिष्ठों से नहीं आता है। यह तभी अस्तित्व में होता है जब अधीनस्थ स्वेच्छा से आदेश स्वीकार करते हैं, जिससे अधिकार एक "काल्पनिक कथा" (fiction) बन जाता है।

D. योगदान-संतुष्टि-समतुल्यता (Contribution-Satisfaction Equilibrium): बर्नाड ने इस बात पर जोर दिया कि एक संगठन तभी जीवित रहता है जब सदस्यों के योगदान (contributions) को उन्हें प्राप्त होने वाली संतुष्टि पर पुरस्कारों (satisfcation or rewards) से संतुलित किया जाता है।

A. स्वीकार्यता क्षेत्र (Zone of Acceptance): यह शब्द हर्बर्ट साइमन से अधिक जुड़ा हुआ है, हालाँकि यह बर्नार्ड से प्रभावित था; इसलिए इसे बर्नार्ड के प्रत्यक्ष योगदानों में नहीं गिना जाता है।

60. लोकपाल और लोकायुक्त अधिनियम, 2013 से संबंधित सत्य कथन–

A. लोकपाल का प्रशासनिक व्ययः लोकपाल का प्रशासनिक व्यय भारत की संचित निधि पर भारित होता है–यह उसकी स्वतंत्रता सुनिश्चित करता है।

B. प्रधानमंत्री और केंद्रीय मंत्रीः प्रधानमंत्री (कुछ अपवादों/सुरक्षाओं के साथ) तथा केंद्रीय सरकार के सभी मंत्री लोकपाल के न्यायक्षेत्र में आते हैं।

C. प्रशासनिक विंग का मुखियाः लोकपाल का प्रशासनिक प्रमुख कार्मिक एवं प्रशिक्षण विभाग का सचिव पदेन रूप से नहीं होता, इसलिए यह कथन असत्य है।

D. CBI निदेशकः CBI निदेशक लोकपाल का पदेन सदस्य नहीं होता; केवल पर्यवेक्षण/निगरानी संबंध होता है।

61. गृह मंत्रालय (Ministry of Home Affairs) के विभाग–

A. राजभाषा विभागः यह विभाग आधिकारिक भाषा नीति के कार्यान्वयन के लिए गृह मंत्रालय के अंतर्गत कार्य करता है।

C. आंतरिक सुरक्षा विभागः यह विभाग आंतरिक सुरक्षा, आतंकवाद, उग्रवाद आदि से संबंधित मामलों को देखता है।

D. सीमा प्रबंधन विभागः यह विभाग सीमा सुरक्षा, सीमा अवसंरचना और सीमा प्रबंधन से संबंधित है।

B. प्रशासनिक सुधार विभागः यह विभाग गृह मंत्रालय के अंतर्गत नहीं, बल्कि कार्मिक, लोक शिकायत एवं पेंशन मंत्रालय के अंतर्गत आता है।

62. 74वें संवैधानिक संशोधन अधिनियम (1992) की प्रमुख विशेषताएँ–

B. जिला योजना समिति का प्रावधानः इस संशोधन द्वारा अनुच्छेद 243ZD के अंतर्गत District Planning Committee की स्थापना का प्रावधान किया गया, जिससे ग्रामीण-शहरी योजनाओं का समन्वय हो सके।

C. 12वीं अनुसूची का अंतःस्थापनः इस संशोधन के माध्यम से संविधान में 12वीं अनुसूची जोड़ी गई, जिसमें नगरपालिकाओं के 18 कार्य सूचीबद्ध हैं।

A. नगरपालिकाओं में महिलाओं के लिए एक-तिहाई आरक्षणः नगरपालिकाओं में महिलाओं के लिए कम से कम 33% आरक्षण का प्रावधान किया गया।

D. चार-स्तरीय नगरपालिका प्रणालीः यह कथन असत्य है, क्योंकि 74वें संशोधन में तीन प्रकार की नगरपालिकाएँ (नगर पंचायत, नगर परिषद, नगर निगम) का प्रावधान है, चार-स्तरीय नहीं।

63. भारत के संविधान में जिनका उल्लेख नहीं है–

A. अधिसूचित क्षेत्र समितिः अधिसूचित क्षेत्र समिति का भारत के संविधान में कोई उल्लेख नहीं है। इसका गठन राज्यों द्वारा अपने-अपने कानूनों के तहत किया जाता है। यह एक वैधानिक निकाय है, संवैधानिक नहीं।

B. कस्बा/टाउन क्षेत्र समितिः टाउन एरिया समिति का भी संविधान में उल्लेख नहीं मिलता। यह भी राज्य विधानमंडल द्वारा बनाए गए कानूनों के अंतर्गत गठित की जाती है।

C. जिला योजना समितिः जिला योजना समिति का उल्लेख संविधान के अनुच्छेद 243ZD में स्पष्ट रूप से किया गया है, इसलिए यह विकल्प सही नहीं है।

D. मेट्रोपोलिटन योजना समितिः मेट्रोपोलिटन योजना समिति का उल्लेख अनुच्छेद 243ZE में है, अतः यह भी संविधान में उल्लिखित निकाय है।

64. रिग्स के अनुसार साला मॉडल में प्रशासनिक उपप्रणाली की विशेषताएँ–

A. भाई-भतीजावादः साला मॉडल में नियुक्तियाँ योग्यता की बजाय व्यक्तिगत संबंधों और नातेदारी पर आधारित होती हैं।

B. बहु-सांप्रदायिकतावादः प्रशासन विभिन्न जातीय/सांप्रदायिक समूहों के प्रभाव में कार्य करता है, जिससे तटस्थता कम होती है।

C. बहु-मानकवादः एक ही स्थिति में विभिन्न नियम और मानदंड लागू होते हैं; नियमों की एकरूपता का अभाव रहता है।

D. नियंत्रण से प्राधिकार का पृथक्करणः प्राधिकार तो होता है, पर प्रभावी नियंत्रण नहीं–इसे authority without control कहा जाता है।

65. अनुच्छेद 110 के अनुसार धन विधेयक में निहित विषय–

A. किसी कर का परिवर्तन और अधिरोपणः धन विधेयक में करों का आरोपण, निरसन या विनियमन शामिल हो सकता है।

B. भारत की संचित निधि से धन का विनियोगः संचित निधि से धन निकालने/व्यय करने की स्वीकृति धन विधेयक का प्रमुख तत्व है।

C. जुर्माने और अन्य शास्तियाँः सामान्य रूप से जुर्माने/दंड धन विधेयक का विषय नहीं होते, जब तक वे कर से सीधे संबंधित न हों।

D. स्थानीय प्राधिकारी द्वारा करः स्थानीय निकायों द्वारा करारोपण धन विधेयक की परिभाषा में शामिल नहीं है।

66. यूनाइटेड किंगडम की प्रशासनिक प्रणाली से संबंधित संस्थान–

A. सिविल सर्विस कमीशनः यह संस्था यूके में सिविल सेवाओं की भर्ती और निष्पक्षता सुनिश्चित करने के लिए उत्तरदायी है।

B. ट्रेजरीः HM Treasury यूनाइटेड किंगडम का केंद्रीय वित्तीय विभाग है, जो बजट, वित्तीय नीति और आर्थिक प्रबंधन देखता है।

C. सिविल सर्विस कॉलेजः यह यूके के सिविल सेवकों के प्रशिक्षण से संबंधित संस्था रही है (बाद में National School of Government के रूप में जानी गई)।

D. नेशनल स्कूल ऑफ एडमिनिस्ट्रेशनः यह संस्था फ्रांस (ENA) से संबंधित है, यूके की नहीं।

67. हेरोल्ड लासवेल और 'नीति विज्ञान' से संबंधित कथन–

A. 'नीति विज्ञान' का उद्‌भवः 1951 में हेरोल्ड लासवेल के Policy Orientation लेख के साथ नीति विज्ञान की अवधारणा स्पष्ट रूप से सामने आई।

B. अकादमिक ज्ञान और वास्तविक राजनीति का संयोजनः लासवेल ने कहा कि नीति विज्ञान सामाजिक समस्याओं के समाधान हेतु वास्तविक विश्व राजनीति और अकादमिक अनुशासनों के ज्ञान को जोड़ता है।

C. निर्णय-प्रक्रिया पर बलः उनके अनुसार नीति विज्ञान सार्वजनिक और सिविल व्यवस्था से संबंधित निर्णय प्रक्रियाओं के ज्ञान का अध्ययन है।

D. सिविक और लोक व्यवस्थाः लासवेल के अनुसार गैर-अधिनायकवादी प्रणालियों में सिविक व्यवस्था के निर्णय, लोक व्यवस्था के निर्णयों की पूर्वपीठिका बन सकते हैं।

68. नीति एजेंडा निर्धारण से संबंधित कथनों की सत्यता–

A. माइकल हिल और अभिसरण शोध-प्रबंधः यह कथन असत्य है। माइकल हिल का कार्य विशेष रूप से agenda-setting convergence thesis से संबंधित नहीं है। अभिसरण थीसिस एक सामान्य समाजशास्त्रीय अवधारणा है, न कि हिल के एजेंडा-निर्धारण मॉडल का प्रत्यक्ष निष्कर्ष।

B. पीटर हॉल और नीति एकाधिकार मॉडलः यह कथन भी असत्य है। Policy Monopoly Model का प्रतिपादन फ्रैंक बॉमगार्टनर और ब्रायन जोन्स ने किया था। पीटर हॉल का योगदान Policy Paradigms और social learning से संबंधित है।

C. कॉब और ऐल्डर – व्यवस्थित व संस्थागत एजेंडाः यह कथन सत्य है। कॉब और ऐल्डर ने Systemic Agenda (समाज में व्यापक रूप से चर्चित मुद्दे) और Institutional Agenda (सरकारी संस्थाओं द्वारा औपचारिक रूप से विचाराधीन मुद्दे) का स्पष्ट भेद किया।

D. जॉन किंगडन – नीति गवाक्ष मॉडलः यह कथन सत्य है। किंगडन के Multiple Streams Framework में समस्या धारा, नीति धारा और राजनीति धारा के अभिसरण से Policy Window खुलता है, जिससे मुद्दा सरकारी एजेंडा में प्रवेश करता है।

69. प्रधानमंत्री जन आरोग्य योजना (PM-JAY) से संबंधित सत्य कथन–

A. प्रति परिवार 5 लाख का प्रावधानः PM-JAY में द्वितीयक और तृतीयक उपचार के लिए प्रति वर्ष प्रति परिवार 5 लाख का कवरेज दिया जाता है। (सत्य)

B. पूर्व व पश्च-अस्पताल अवधिः इस योजना में अस्पताल में भर्ती होने से पूर्व 3 दिन और छुट्टी के बाद 15 दिन की अवधि शामिल है, न कि 10 और 20 दिन। (असत्य)

C. परिवार आकार पर प्रतिबंधः PM-JAY में परिवार के आकार पर कोई प्रतिबंध नहीं है। (असत्य)

D. प्रतिव्यक्ति ₹ 2 लाखः यह कथन असत्य है क्योंकि कवरेज परिवार आधारित है, प्रतिव्यक्ति नहीं। (असत्य)

70. नीति-निदेशक सिद्धांतों में समाजवादी सिद्धांतों पर आधारित अनुच्छेद–

A. अनुच्छेद 42: यह मातृत्व राहत और कार्य की मानवीय परिस्थितियों से संबंधित है–यह समाजवादी सिद्धांत पर आधारित है।

B. अनुच्छेद 40: यह ग्राम पंचायतों से संबंधित है और गांधीवादी सिद्धांत पर आधारित है।

C. अनुच्छेद 44: समान नागरिक संहिता का प्रावधान उदार-बौद्धिक (Liberal-Intellectual) सिद्धांत से जुड़ा है।

D. अनुच्छेद 43: यह श्रमिकों के लिए उचित वेतन और जीवन-स्तर से संबंधित है–यह समाजवादी सिद्धांत पर आधारित है।

71. नवीन लोक प्रबंधन (New Public Management — NPM) से संबंधित सत्य कथन–

A. राजकोषीय संकटों से दबाव आयाः 1970-80 के दशकों में विकसित देशों में वित्तीय/राजकोषीय संकटों के कारण सरकारों पर लागत घटाने और दक्षता बढ़ाने का दबाव पड़ा–यह NPM का प्रमुख प्रेरक तत्व था। (सत्य)

B. नव उदारवाद से संबद्धः NPM का वैचारिक आधार नव-उदारवाद है, जिसमें बाजार, प्रतिस्पर्धा, निजीकरण और दक्षता पर जोर दिया गया। (सत्य)

C. विकासशील देशों ने मुख्य विचारों का योगदान दियाः यह कथन असत्य है। NPM के प्रमुख विचार विकसित देशों (यूके, न्यूजीलैंड, ऑस्ट्रेलिया, यूएसए) से आए; विकासशील देशों ने बाद में इन्हें अपनाया।

D. यह सार्वजनिक चयन/विकल्प शाखा का विस्तार है: NPM सार्वजनिक चयन सिद्धांत से प्रभावित है और उसे प्रशासनिक सुधारों में लागू करता है—इसे उसका विस्तार/अनुप्रयोग माना जाता है। (सत्य)

72. सुशासन (Good Governance) के संकेतक—

A. जवाबदेहिता: शासन में निर्णयों और कार्यों के लिए उत्तरदायित्व सुनिश्चित करना सुशासन का मूल तत्व है। (सत्य)

B. विधि का शासन और मानवाधिकार: कानून का समान रूप से पालन और मानवाधिकारों की रक्षा सुशासन के केंद्रीय संकेतक हैं। (सत्य)

C. पारदर्शिता: सूचना की उपलब्धता और खुले निर्णय-प्रक्रिया तंत्र से पारदर्शिता सुनिश्चित होती है। (सत्य)

D. निष्पादन मूल्यांकन: यह अधिकतर प्रबंधन/कार्य-निष्पादन से जुड़ा उपकरण है, न कि सुशासन का मूल संकेतक। (असत्य)

73. मात्रात्मक शोध (Quantitative Research) में वैधता के प्रकार—

A. आमुख और विषय-वस्तु वैधता: Face और Content Validity यह जाँचती हैं कि मापन उपकरण विषय-वस्तु को कितनी पर्याप्तता से कवर करता है। यह मात्रात्मक शोध में मूलभूत वैधताएँ हैं।

B. समवर्ती और पूर्वानुमेय वैधता: ये Criterion-related Validity के प्रकार हैं—समवर्ती वर्तमान माप से और पूर्वानुमेय भविष्य के परिणामों से संबंध दर्शाती है।

C. रचनात्मक वैधता: Construct Validity यह सुनिश्चित करती है कि उपकरण जिस सैद्धांतिक संकल्पना को मापना चाहता है, वही माप रहा है।

D. कारक अभिकल्प वैधता: यह प्रायः Construct Validity का उप-प्रकार मानी जाती है, अलग स्वतंत्र श्रेणी के रूप में सामान्यतः सूचीबद्ध नहीं होती।

74. वह प्रतिदर्शन डिजाइन जिसमें प्रत्येक तत्व को बराबर और स्वतंत्र चयन-अवसर मिलता है—

A. यादृच्छिक प्रतिदर्शन: Simple Random Sampling में जनसंख्या के प्रत्येक तत्व को बराबर और स्वतंत्र अवसर मिलता है—यह इसकी परिभाषात्मक विशेषता है।

B. प्रायिकता प्रतिदर्शन: Probability Sampling में प्रत्येक इकाई को ज्ञात/गैर-शून्य अवसर मिलता है; इसमें simple random भी शामिल है, इसलिए यह शर्त पूरी करता है।

C. कोटा प्रतिदर्शन: यह गैर-प्रायिक विधि है; इसमें बराबर और स्वतंत्र अवसर नहीं होता।

D. हिमकंदुक प्रतिदर्शन: यह भी गैर-प्रायिक विधि है; चयन नेटवर्क/सिफारिश पर आधारित होता है।

75. लोक लेखा समिति (PAC) की संरचना से संबंधित कथनों की सत्यता—

A. वर्ष 1953 में PAC की सदस्य संख्या 22 की गई: यह कथन सत्य है। प्रारम्भ में PAC में 15 सदस्य थे, जिसे 1953 में बढ़ाकर 22 कर दिया गया।

B. लोकसभा से 14 और राज्यसभा से 8 सदस्य: यह कथन असत्य है। वर्तमान संरचना के अनुसार PAC में लोकसभा से 15 और राज्यसभा से 7 सदस्य होते हैं, न कि 14 और 8।

C. PAC के सदस्यों का निर्वाचन वार्षिक आधार पर: यह कथन सत्य है। PAC का गठन प्रत्येक वर्ष आनुपातिक प्रतिनिधित्व प्रणाली से किया जाता है।

D. द्वितीय ARC द्वारा दोनों सदनों के लिए समान सदस्य संख्या की संस्तुति: यह कथन असत्य माना जाता है। द्वितीय प्रशासनिक सुधार आयोग (2nd ARC) ने PAC की भूमिका और कार्यों पर चर्चा की, परंतु दोनों सदनों के लिए समान सदस्य संख्या की स्पष्ट संस्तुति नहीं की।

76. सिविल सेवा सुधार समितियाँ – वर्ष

A. कोठारी समिति → III. 1974

यह समिति सिविल सेवा परीक्षा प्रणाली में संरचनात्मक सुधारों और वैकल्पिक विषयों से संबंधित थी।

B. सतीश चंद्रा समिति → II. 2000

इस समिति ने IAS/सिविल सेवा परीक्षा की रूपरेखा की समीक्षा कर सुधार सुझाव दिए।

C. वाई. के. अलघ समिति → IV. 1988

यह समिति प्रशासनिक दक्षता और सिविल सेवा सुधारों से जुड़ी थी।

D. पी. सी. होता समिति → I. 2004

इस समिति ने सिविल सेवाओं में आचार, नैतिकता और जवाबदेही पर जोर दिया।

77. निकोलस हेनरी द्वारा लोक प्रशासन के आयाम – अवधि

A. राजनीति विज्ञान के रूप में लोक प्रशासन → II. 1950-1970

इस अवधि में लोक प्रशासन की पहचान राजनीति विज्ञान के भीतर सीमित हो गई।

B. लोक प्रशासन के रूप में लोक प्रशासन → IV. 1970 से

यह पहचान संकट के बाद पुनः स्वतंत्र पहचान का चरण है।

C. प्रशासन के सिद्धांत → I. 1927-1937

इसे लोक प्रशासन का स्वर्णिम युग माना जाता है।

D. प्रबंधन के रूप में लोक प्रशासन → III. 1956-1970

इस चरण में प्रबंधकीय दृष्टिकोण का प्रभाव बढ़ा।

78. नवीन लोक प्रशासन (New Public Administration) में प्रमुख घटनाएँ – वर्ष के अनुसार मिलान

A. फिलाडेल्फिया सम्मेलन → II. 1967

यह सम्मेलन Theory and Practice of Public Administration पर केंद्रित था और NPA की वैचारिक पृष्ठभूमि तैयार करने में महत्त्वपूर्ण रहा।

B. द्वितीय मिन्नोब्रुक सम्मेलन → III. 1988

इस सम्मेलन में NPA की समीक्षा की गई और अधिक व्यावहारिक व व्यावहारिक दृष्टिकोण अपनाया गया।

C. "Public Administration in the Time of Turbulence" का प्रकाशन → I. 1971

यह कृति (फ्रैंक मारिनी द्वारा संपादित) नवीन लोक प्रशासन के मूल विचारों को प्रस्तुत करती है।

D. तृतीय मिन्नोब्रुक सम्मेलन → IV. 2008

इसमें लोक प्रशासन अनुशासन की समकालीन चुनौतियों और भविष्य पर विमर्श हुआ।

79. एंथनी डाउंस द्वारा नौकरशाही के प्रकार

A. क्लाइंबर्स → I. शक्ति, आय और प्रतिष्ठा से संबंधित

Climbers वे नौकरशाह होते हैं जो व्यक्तिगत उन्नति, पदोन्नति, शक्ति और सामाजिक प्रतिष्ठा प्राप्त करने के लिए कार्य करते हैं।

B. कंजर्वर्स → III. परिवर्तन न्यूनतम करने से संबंधित

Conservers यथास्थिति बनाए रखना चाहते हैं और प्रशासनिक या नीतिगत परिवर्तनों से बचते हैं।

C. जीलट्स → II. किसी नीति को आगे बढ़ाने के लिए अत्यधिक प्रेरित अधिकारी

Zealots किसी विशेष नीति या कार्यक्रम के प्रति अत्यधिक प्रतिबद्ध होते हैं और उसे लागू कराने के लिए सक्रिय रहते हैं।

D. एडवोकेट → IV. जो अपने ब्यूरो की भूमिका बढ़ाने के संदर्भ में अपने हितों को देखता है

Advocates अपने विभाग/ब्यूरो के विस्तार, बजट और प्रभाव को बढ़ाने का प्रयास करते हैं।

80. भारत के संविधान के अनुच्छेद – उपबंध

A. अनुच्छेद 77 → III. भारत सरकार का कार्य संचालन

अनुच्छेद 77 भारत सरकार के कार्यों के संचालन तथा नियमों से संबंधित है।

B. अनुच्छेद 78 → IV. भारत के प्रधानमंत्री के कर्तव्य

यह अनुच्छेद प्रधानमंत्री के राष्ट्रपति के प्रति कर्तव्यों को निर्धारित करता है।

C. अनुच्छेद 72 → II. क्षमादान प्रदान करने की राष्ट्रपति की शक्ति

राष्ट्रपति को दया, क्षमा, दंड-निलंबन आदि की शक्ति देता है।

D. अनुच्छेद 73 → I. संघ की कार्यपालिका शक्ति का विस्तार

संघ की कार्यपालिका शक्ति की सीमा और विस्तार का वर्णन करता है।

81. भारत के संविधान की अनुसूचियाँ – उपबंध

A. चौथी अनुसूची → III. राज्य सभा में सीटों का आवंटन

विभिन्न राज्यों/केन्द्रशासित प्रदेशों को राज्यसभा में सीटों का बँटवारा।

B. सातवीं अनुसूची → I. संघ और राज्यों के बीच विषयों का आवंटन

संघ, राज्य और समवर्ती सूचियाँ।

C. नौवीं अनुसूची → IV. कतिपय अधिनियमों को न्यायिक समीक्षा से उन्मुक्ति

कुछ कानूनों को न्यायिक समीक्षा से संरक्षण।

D. दसवीं अनुसूची → II. दलबदल के आधार पर निरर्हता

दलबदल विरोधी कानून।

82. स्थानीय शासन संबंधी समितियाँ – अनुशंसाएँ

A. अशोक मेहता समिति → II. पंचायती राज संस्थानों में राजनीतिक दलों की प्रत्यक्ष सहभागिता

पंचायती राज में दलगत राजनीति की भागीदारी का सुझाव।

B. एल. एम. सिंघवी समिति → I. पंचायतराज संस्थानों के लिए संवैधानिक दर्जा

पंचायती राज को संवैधानिक मान्यता पर बल।

C. गिरधारी लाल व्यास समिति → IV. ग्राम सभा को वैधानिक मान्यता

ग्राम सभा की सशक्त भूमिका की अनुशंसा।

D. बलवंत राय मेहता समिति → III. त्रिस्तरीय पंचायती राज

ग्राम-ब्लॉक-जिला स्तर की त्रिस्तरीय व्यवस्था का सुझाव।

83. संस्थान और संघ – स्थापना/घटना वर्ष के अनुसार

A. अमेरिकन सोसायटी फॉर पब्लिक एडमिनिस्ट्रेशन (ASPA) → I. 1939

ASPA की स्थापना 1939 में हुई थी और यह लोक प्रशासन के क्षेत्र में एक प्रमुख व्यावसायिक संघ है।

B. दि जर्नल ऑफ कम्पेरेटिव एडमिनिस्ट्रेशन (JCA) का अस्तित्व समाप्त → IV. 1974

JCA ने 1974 में प्रकाशन बंद कर दिया और बाद में Administration - Society के रूप में पुनः विकसित हुआ।

C. कम्पेरेटिव एडमिनिस्ट्रेटिव ग्रुप (CAG) का विघटन → III. 1973

फ्रेड डब्ल्यू. रिग्स से संबद्ध यह समूह 1973 में औपचारिक रूप से भंग हो गया।

D. कम्पेरेटिव एडमिनिस्ट्रेटिव ग्रुप (CAG) की स्थापना → II. 1963

CAG की स्थापना ASPA के तत्वावधान में 1963 में की गई थी।

84. रिग्स के मॉडल – मूल्य

A. इंडस्ट्रियल → II. समतामूलक वर्ग का अस्तित्व

औद्योगिक समाज में अपेक्षाकृत समान/समतामूलक वर्ग संरचना पाई जाती है।

B. फ्यूज्ड → III. विशिष्टतावाद (Particularism)

फ्यूज्ड समाज में व्यक्तिगत/विशिष्ट संबंधों का प्रभुत्व होता है।

C. प्रिज़्मेटिक → I. लब्धि/सिद्धि

संक्रमणशील (प्रिज़्मेटिक) समाज में मिश्रित मूल्य पाए जाते हैं।

D. डिफ्फरेक्टेड → IV. उपलब्धि (Achievement)

डिफ्फरेक्टेड समाज में उपलब्धि-आधारित मानदंड प्रमुख होते हैं।

85. सरकारी पहल – वर्ष

A. राष्ट्रीय ई-गवर्नेंस योजना (NeGP) की शुरुआत → II. 2006

राष्ट्रीय ई-गवर्नेंस योजना को 2006 में प्रशासन में ICT के उपयोग को बढ़ाने के लिए शुरू किया गया।

B. डिजिटल इंडिया मिशन की शुरुआत → I. 2015

डिजिटल इंडिया मिशन 2015 में डिजिटल अवसंरचना और ई-सेवाओं को सशक्त करने हेतु आरंभ हुआ।

C. सूचना का अधिकार अधिनियम पारित → IV. 2005

RTI अधिनियम 2005 में पारित हुआ, जिससे पारदर्शिता और जवाबदेही बढ़ी।

D. लोकपाल का प्रथम अध्यक्ष नियुक्त → III. 2019

भारत के पहले लोकपाल (न्यायमूर्ति पिनाकी चंद्र घोष) की नियुक्ति 2019 में हुई।

86. अनुसंधान में चर – संकल्पना

A. स्वतंत्र चर → I. किसी परिघटना या स्थिति में परिवर्तन लाना

स्वतंत्र चर वह होता है जो परिवर्तन का कारण बनता है।

B. आश्रित चर → II. स्वतंत्र चर के प्रवेश द्वारा परिवर्तन लाना

आश्रित चर स्वतंत्र चर के प्रभाव से बदलता है।

C. बाह्य/असंगत चर → IV. स्वतंत्र और आश्रित चर के बीच संबंध की शक्ति में परिवर्तन लाना

ये चर संबंध की तीव्रता को प्रभावित करते हैं।

D. अंतराली चर → III. स्वतंत्र और आश्रित चर को जोड़ना

अंतराली चर स्वतंत्र और आश्रित चर के बीच सेतु का कार्य करता है।

87. प्रतिदर्शन विधि – संकल्पना

A. सांयोगिक प्रतिदर्शन → I. सुविधा पर आधारित

Convenience (Accidental) Sampling में इकाइयों का चयन शोधकर्ता की सुविधा के आधार पर किया जाता है।

B. विशेषज्ञ प्रतिदर्शन → II. प्रत्युत्तरकर्ता की विशेषज्ञता पर आधारित

Expert Sampling में विषय-विशेषज्ञों का चयन किया जाता है।

C. हिमकंदुक प्रतिदर्शन → III. नेटवर्क प्रयोग करने वाला प्रतिदर्श

Snowball Sampling में एक प्रत्युत्तरकर्ता अन्य प्रत्युत्तरकर्ताओं की ओर संकेत करता है।

D. व्यवस्थित प्रतिदर्शन → IV. यादृच्छिक और गैर- यादृच्छिक (मिश्रित) डिजाइन

Systematic Sampling को कई पाठ्यक्रमों में मिश्रित प्रकृति का माना गया है।

88. लोक नीति की परिभाषाएँ – समर्थक

A. निर्णय-इकाई के लिए कार्रवाई पथ को दिशा, संगतता और निरंतरता देना → III. बी. गाय पीटर्स

Peters लोक नीति को दिशा और संगति देने वाले कार्रवाई पथ के रूप में देखते हैं।

B. सत्तासीन वर्ग द्वारा लक्ष्यों की प्राप्ति हेतु उद्देश्यपूर्ण कार्रवाई पथ → I. जेम्स एंडरसन

Anderson के अनुसार लोक नीति उद्देश्यपूर्ण कार्रवाई का मार्ग है।

C. संपूर्ण समाज के लिए मूल्यों का तानाशाही आवंटन → IV. डेविड ईस्टन

Easton ने नीति को Authoritative Allocation of Values कहा।

D. सरकार जो करने या न करने का चयन करती है → II. थॉमस आर. डाई

क्लम की प्रसिद्ध परिभाषाः "Public policy is what governments choose to do or not to do".

89. विषयवस्तु – नीति के प्रकार (स्वूप का वर्गीकरण)

A. लाभों या सेवाओं का बिना शुल्क आवंटन → II. वितरणकारी नीति

वितरणकारी नीतियाँ बिना प्रत्यक्ष लागत के लाभ/सेवाएँ उपलब्ध कराती हैं (जैसे सब्सिडी, अनुदान)।

B. समूहों के व्यवहार पर प्रतिबंध और सीमा आरोपित करता है → I. विनियामकीय नीति

विनियामकीय नीतियाँ नियम-कानूनों द्वारा आचरण को नियंत्रित करती हैं।

C. वर्तमान संसाधनों के वितरण में परिवर्तन से संबंधित → III. पुनर्वितरणकारी नीति

पुनर्वितरणकारी नीतियाँ संसाधनों का एक वर्ग से दूसरे वर्ग में स्थानांतरण करती हैं।

D. **संस्थानों की स्थापना अथवा पुनर्गठन से संबंधित → IV. घटक/अवयव नीति**

घटक (Constituent) नीतियाँ संस्थागत ढांचे का निर्माण/पुनर्गठन करती हैं।

90. संसदीय समितियाँ – स्थापना वर्ष

A. अधीनस्थ विधान संबंधी समिति → IV. 1963

यह समिति अधीनस्थ विधान की जाँच हेतु 1963 में स्थापित हुई।

B. प्राक्कलन समिति → III. 1950

बजटीय प्राक्कलनों की जाँच के लिए 1950 में स्थापित।

C. लोक उपक्रम समिति → II. 1964

सार्वजनिक उपक्रमों की समीक्षा हेतु 1964 में गठित।

D. लोक लेखा समिति → I. 1921

सबसे पुरानी समितिय सरकारी व्यय की जाँच हेतु 1921 में स्थापित।

91. अनुच्छेद में स्पष्ट किया गया है कि राष्ट्रपति धन विधेयक (Money Bill) पर पुनर्विचार के लिए संसद को वापस नहीं भेज सकता। परंतु यदि कोई विधेयक धन विधेयक नहीं है, तो राष्ट्रपति उसे अनुमति देने से रोक सकता है और पुनर्विचार के लिए लौटा सकता है। राष्ट्रपति न तो राज्यसभा को संदर्भित करता है और न ही संयुक्त बैठक बुलाता है। इसलिए केवल वही कथन सही है जो राष्ट्रपति की वेटो शक्ति को दर्शाता है।

92. राज्यसभा केवल सिफारिशें कर सकती है, उसे अस्वीकार करने की शक्ति नहीं है। यदि राज्यसभा 14 दिनों के भीतर विधेयक वापस नहीं करती, तो वह दोनों सदनों द्वारा पारित माना जाता है। संयुक्त बैठक का कोई प्रावधान धन विधेयक में नहीं है। सभापति द्वारा प्रमाणन का भी कोई उल्लेख नहीं है।

93. इस अनुच्छेद में यह बताया गया है कि कौन-से उपबंध होने पर कोई विधेयक धन विधेयक कहलाएगा। अनुच्छेद 109 प्रक्रिया से, 111 राष्ट्रपति की अनुमति से और 112 वार्षिक वित्तीय विवरण से संबंधित है। अतः सही उत्तर अनुच्छेद 110 है।

94. संविधान के अनुसार धन विधेयक राज्यसभा में प्रस्तुत नहीं किया जा सकता। इसके लिए राष्ट्रपति की पूर्व संस्तुति आवश्यक होती है, परंतु प्रस्तुति केवल लोकसभा में होती है। यह लोकसभा की वित्तीय सर्वोच्चता को दर्शाता है।

95. राज्यसभा 14 दिनों की अवधि के भीतर धन विधेयक को लोकसभा को लौटा सकती है – यह एक वैध प्रक्रिया है (कथन A सत्य)। राज्यसभा विधेयक पर सिफारिशें कर सकती है, जिन्हें लोकसभा स्वीकृत या अस्वीकृत कर सकती है (कथन B सत्य)। साथ ही, यदि राज्यसभा 14 दिनों के भीतर विधेयक वापस नहीं लौटाती, तो वह दोनों सदनों द्वारा पारित माना जाता है – अतः "नहीं लौटा सकती है" भी एक संवैधानिक रूप से स्वीकृत स्थिति है (कथन C सत्य)। इस प्रकार, तीनों कथन धन विधेयक की प्रक्रिया के अलग-अलग, परंतु सही पहलुओं को दर्शाते हैं।

96. अंबेडकर के सामाजिक न्याय के दर्शन की जड़ें भारतीय दार्शनिक परंपरा में निहित हैं। अनुच्छेद में स्पष्ट रूप से कहा गया है कि स्वतंत्रता, समानता और बंधुत्व का विचार उन्होंने गौतम बुद्ध से ग्रहण किया। बुद्ध का दर्शन करुणा, नैतिकता और मानव गरिमा पर आधारित था, जिसे अंबेडकर ने आधुनिक भारतीय समाज पर लागू किया। अतः यह विचार न तो पाश्चात्य चिंतकों से और न ही प्रतिनिधित्वपूर्ण लोकतंत्र से लिया गया है।

97. अनुच्छेद के अनुसार अंबेडकर भारतीय समाज को स्तरित असमानताओं से निरुपित मानते हैं। उन्होंने विशेष रूप से जाति-आधारित असमानताओं और सामाजिक श्रेणीकरण पर बल दिया। यह असमानता केवल आर्थिक नहीं बल्कि सामाजिक और संरचनात्मक भी है। इसी कारण सामाजिक न्याय को भारतीय समाज पर लागू करना आवश्यक बताया गया।

98. अंबेडकर की सामाजिक न्याय की संकल्पना की जड़ें स्वतंत्रता और मुक्ति से अंतर्गुंथित सामाजिक समानता में स्थित हैं। साथ ही यह संकल्पना आत्म-सम्मान, गरिमा, आर्थिक समानता और मानवीय बंधुत्व पर आधारित है। अनुच्छेद में राजनीतिक प्रतिनिधित्व या सिविल सोसायटी को इसकी ठोस जड़ नहीं बताया गया है। इसलिए केवल A और D कथन सही हैं।

99. अंबेडकर के अनुसार संस्थान निर्माण का आधार समानता और स्वतंत्रता के बीच संघर्ष का समाधान है। उन्होंने माना कि यदि इन दोनों के बीच संतुलन नहीं होगा, तो लोकतांत्रिक संस्थाएं टिक नहीं पाएंगी। इस समाधान के लिए उन्होंने लोक भावना और सामाजिक चेतना पर जोर दिया। अतः संस्थान निर्माण का मूल आधार यही संघर्ष समाधान है।

100. अनुच्छेद में स्पष्ट रूप से कहा गया है कि प्रशासनिक दक्षता, सामाजिक दक्षता का कार्य है। अर्थात् प्रशासन तभी प्रभावी माना जाएगा जब वह सामाजिक न्याय के सिद्धांतों को लागू करे। केवल सेवाएं प्रदान करना या नियमों का पालन करना पर्याप्त नहीं है। प्रशासन की वैधता सामाजिक न्याय के कार्यान्वयन से ही प्राप्त होती है।

पिछले प्रश्न-पत्र

National Testing Agency (NTA)

UGC-NET जूनियर रिसर्च फैलोशिप तथा सहायक प्राध्यापक पात्रता परीक्षा

लोक प्रशासन, जनवरी-2025

(Exam held on 03-01-2025)

प्रश्न-पत्र-II

1. लोक प्रशासन में प्रणाली सिद्धांत को लागू किया जा सकता है:

A. सार्वजनिक वस्तुएँ

B. सार्वजनिक सेवाएँ

C. वैश्विक प्रणालियों की तुलना

D. सही तकनीक

E. प्रशासनिक संस्कृति

दिये गये विकल्पों में से **सही** उत्तर चुनें:

1. केवल A, B, C
2. केवल B, C, D
3. केवल C, D, E
4. केवल A, C, E

2. जब कोई शैक्षणिक संस्थान सामाजिक विज्ञान हेतु सांख्यिकीय पैकेज (SPSS) के उपयोग में शोधकर्ता को प्रशिक्षण देना चाहता है, तो कौन-सा कार्यक्रम उपयोग होता है?

1. व्याख्यान (Lecture) 2. सेमिनार (Seminar)
3. कार्यशाला (Workshop) 4. सम्मेलन (Conference)

3. बजट को सार्वजनिक राजस्व और व्यय की प्रारंभिक अनुमोदित योजना वाली एक दस्तावेज के रूप में किसने परिभाषित किया?

1. रॉबर्ट वालपोल 2. लीरॉय ब्यूलियू
3. रेमो स्टॉर्म 4. वुडरो विल्सन

4. सूची-I और सूची-II का मिलान करें :

सूची-I (ग्रामीण शासन पर समितियाँ)	सूची-II (गठन का वर्ष)
A. बलवंत राय मेहता समिति	I. 1986
B. अशोक मेहता समिति	II. 1956
C. जी.वी.के. राव समिति	III. 1977
D. एल.एम. सिंहवी समिति	IV. 1985

दिये गये विकल्पों में से **सही** उत्तर चुनें:

1. A-II, B-III, C-IV, D-I
2. A-II, B-I, C-IV, D-III
3. A-III, B-IV, C-II, D-I
4. A-I, B-II, C-III, D-IV

5. भर्ती प्रक्रिया का सही क्रम क्या है?

A. रिक्तियों की माँग

B. चयन

C. पदों का विज्ञापन

D. स्थापन

E. नियुक्ति

दिये गये विकल्पों में से **सही** उत्तर चुनें:

1. A, B, C, D, E 2. B, A, C, E, D
3. A, C, B, E, D 4. C, A, B, D, E

6. 'प्रशासनिक संस्कृति' शब्द को लोक प्रशासन में किसने लाया?

1. डोनाल्ड पी. वारविक
2. गेब्रियल आमंड और सिडनी वर्बा
3. एल.डी. व्हाइट
4. हर्बर्ट साइमन

7. सूची-I और सूची-II का मिलान करें :

सूची-I (लेखक)	सूची-II (पुस्तकें)
A. वुडरो विल्सन	I. जनरल एंड इंडस्ट्रीयल मैनेजमेंट
B. हेनरी फेयोल	II. कांग्रेसनल गवर्नमेंट
C. एफ.डब्ल्यू. टेलर	III. द प्रिंसिपल्स ऑफ साइंटिफिक मैनेजमेंट
D. कौटिल्य	IV. नीति शास्त्र

दिये गये विकल्पों में से **सही** उत्तर चुनें:

1. A-II, B-III, C-I, D-IV
2. A-I, B-II, C-III, D-IV
3. A-II, B-I, C-III, D-IV
4. A-IV, B-I, C-II, D-III

8. भारत में निम्न संस्थाओं के प्रारंभ का सही क्रम क्या है?

A. नीति आयोग
B. राष्ट्रीय विकास परिषद
C. योजना आयोग
D. जिला आयोजना समिति
E. क्षेत्रीय परिषद

दिये गये विकल्पों में से **सही** उत्तर चुनें:

1. A, B, C, D, E 2. B, C, A, E, D
3. C, B, E, D, A 4. C, E, D, B, A

9. 'डिस्कोर्स थ्योरी' को लोक नीति प्रशासन में किसने विकसित किया?

1. चार्ल्स फॉक्स और ह्यू मिलर
2. सी.पी. एल्डरफर
3. अमिताई एत्ज़ियोनी
4. विक्टर व्रूम

10. सूची-I और सूची-II का मिलान करें :

सूची-I (संकल्पना)	**सूची-II (विवरण)**
A. संतुलित बजट	I. आय-व्यय लगभग समान
B. घाटे का बजट	II. आय-व्यय में बड़ा अंतर
C. अधिशेष बजट	III. अधिक आय, कम व्यय
D. असंतुलित बजट	IV. कम आय, अधिक व्यय

दिये गये विकल्पों में से **सही** उत्तर चुनें:

1. A-I, B-III, C-II, D-IV
2. A-II, B-III, C-IV, D-I
3. A-I, B-IV, C-III, D-II
4. A-II, B-IV, C-I, D-III

11. RTI अधिनियम 2005 की कौन-सी धारा 'व्यक्तिगत जानकारी' से संबंधित है?

1. धारा 8(1)(j) 2. धारा 8(1)(h)
3. धारा 8(1)(f) 4. धारा 2(h)

12. भारत में लागू चुनाव सुधारों को कालानुक्रम में क्रमबद्ध करें:

A. एग्जिट पोल पर प्रतिबंध
B. प्रवासी भारतीयों को मतदान का अधिकार
C. मतदाता आयु को घटाकर 21 से 18 वर्ष करना
D. भारत में बहुसदस्यीय चुनाव आयोग
E. उम्मीदवार द्वारा संपत्ति और आपराधिक रिकॉर्ड की घोषणा

दिये गये विकल्पों में से सही उत्तर चुनें:

1. A, B, C, D, E
2. B, C, D, E, A
3. C, D, E, A, B
4. D, E, A, C, B

13. निम्न में से कौन-सा कथन सही **नहीं** है?

1. हेनरी फेयोल आदेश की एकता सिद्धान्त का प्रबल समर्थक था
2. एफ.डब्ल्यू. टेलर ने आदेश की एकता के सिद्धांत को अस्वीकार किया
3. आदेश की एकता सिद्धांत में एक कर्मचारी को एक से अधिक अधिकारियों से आदेश मिलते हैं
4. आदेश की एकता सिद्धांत में कर्मचारी को केवल एक अधिकारी को रिपोर्ट करना चाहिए है

14. राजस्व प्रशासन में 'समाहर्ता (कलेक्टर) की आंख और कान' किसे माना जाता है?

1. तहसीलदार 2. कानूनगो
3. पटवारी 4. अपर जिला अधिकारी

15. अनुसंधान प्रक्रिया का सही क्रम है :

A. शोध समस्या को परिभाषित करना
B. परिकल्पना बनाना
C. शोध डिज़ाइन तैयार करना
D. डेटा का विश्लेषण करना

दिये गये विकल्पों में से **सही** उत्तर चुनें:

1. B, C, A, D 2. A, B, C, D
3. C, B, A, D 4. D, A, B, C

16. प्रधानमंत्री जन आरोग्य योजना (PM-JAY) से संबंधित घटक हैं :

A. यह विश्व की सबसे बड़ी स्वास्थ्य बीमा योजना है
B. इसमें परिवार के आकार, आयु, लिंग की कोई सीमा नहीं है
C. इसमें हर परिवार को ₹ 5 लाख सालाना कवरेज मिलता है
D. यह योजना पूरी तरह सरकार द्वारा वित्तपोषित है

दिये गये विकल्पों में से **सही** उत्तर चुनें:

1. केवल A, B, C 2. केवल B, C, D
3. A, B, C, D 4. केवल A, B, D

17. नगरपालिकाओं के कर राजस्व के स्रोत हैं :

A. जल आपूर्ति पर कर
B. विद्युत आपूर्ति पर कर
C. संपत्ति कर
D. आयातित वस्तुओं पर कर
E. टोल टैक्स

दिये गये विकल्पों में से **सही** उत्तर चुनें:

1. केवल A, B, C 2. केवल B, C, D
3. केवल A, C, E 4. केवल B, D, E

18. सतत विकास के बारे में कौन-कौन से कथन सही हैं?

A. यह पारिस्थितिकी तंत्र के नवीकरण और पुनः सृजन की क्षमता में हस्तक्षेप नहीं करता

B. इसमें संसाधनों का दोहन होता है, न कि निकासी

C. स्थायित्व स्थानीय कार्य योजनाओं और जन समर्थन, आरंभन और इच्छा शक्ति पर निर्भर करता है

D. यह विकास है जो भविष्य की क्षमताओं को हानि पहुँचाए बिना वर्तमान पीढ़ी की आवश्यकताओं को पूरा करता है

दिये गये विकल्पों में से **सही** उत्तर चुनें:

1. केवल A, B, C 2. केवल A, C, D
3. केवल B, C, D 4. केवल A, B, D

19. लोक नीति निर्माण में प्रमुख कारक हैं :

A. जनहित

B. निष्पक्षता और समानता

C. निरंतरता

D. गैर-चिंतनशील

E. प्रभावशीलता

दिये गये विकल्पों में से **सही** उत्तर चुनें:

1. केवल A, B, C, E 2. केवल B, C, E
3. केवल A, C, E 4. केवल A, B, C, D

20. सूची-I और सूची-II का मिलान करें :

सूची-I (रिपोर्ट)	**सूची-II (विषय)**
A. 5वीं रिपोर्ट	I. राज्य और जिला प्रशासन
B. 8वीं रिपोर्ट	II. आतंकवाद से मुकाबला
C. 15वीं रिपोर्ट	III. वित्तीय प्रबंधन प्रणाली
D. 14वीं रिपोर्ट	IV. लोक व्यवस्था

दिये गये विकल्पों में से **सही** उत्तर चुनें:

1. A-I, B-II, C-III, D-IV
2. A-IV, B-II, C-I, D-III
3. A-II, B-IV, C-III, D-I
4. A-IV, B-I, C-II, D-III

21. राष्ट्रीय आपदा प्रबंधन संस्थान किस शहर में स्थित है?

1. कोलकाता 2. नई दिल्ली
3. हैदराबाद 4. मुंबई

22. निम्न संगठनों को भारत में मुख्य कार्यकारी द्वारा नियंत्रण स्तर के अनुसार क्रमबद्ध करें :

A. विभाग

B. सार्वजनिक क्षेत्र निगम

C. सरकारी कंपनी

D. होल्डिंग कंपनी

E. लिमिटेड कंपनी

दिये गये विकल्पों में से **सही** उत्तर चुनें:

1. A, B, C, D, E 2. B, C, D, E, A
3. C, D, B, E, A 4. D, E, C, A, B

23. भारत में ई-गवर्नेंस पहलों को सही क्रम में रखें :

A. ई-क्रांति

B. डिजी लॉकर

C. राष्ट्रीय सूचना केंद्र (NIC)

D. राष्ट्रीय ई-गवर्नेंस योजना (NeGP)

दिये गये विकल्पों में से **सही** उत्तर चुनें:

1. A, B, C, D 2. D, C, B, A
3. D, C, A, B 4. A, B, D, C

24. सूची-I और सूची-II का मिलान करें :

सूची-I (आयोग)	**सूची-II (वर्ष)**
A. राष्ट्रीय पिछड़ा वर्ग आयोग	I. 1993
B. राष्ट्रीय महिला आयोग	II. 1992
C. राष्ट्रीय बाल अधिकार संरक्षण आयोग	III. 2005
D. राष्ट्रीय अनुसूचित जनजाति आयोग	IV. 2004

दिये गये विकल्पों में से **सही** उत्तर चुनें:

1. A-I, B-II, C-III, D-IV
2. A-II, B-I, C-III, D-IV
3. A-III, B-II, C-IV, D-I
4. A-IV, B-I, C-III, D-II

25. भारत में 'सार्वजनिक धन का संरक्षक' किसे माना जाता है?

1. संविधान 2. वित्त मंत्री
3. संसद 4. वित्त आयोग

26. कौन-सी बाधाएँ तर्कसंगत नीति निर्माण में सहायक नहीं होतीं?

1. लक्ष्य की पूर्ति
2. इष्टतम प्राप्ति सुनिश्चित करना
3. राजनीतिक व्यावहारिकता की दुविधा
4. लागत-लाभ विश्लेषण का अभाव

27. निम्नलिखित में से कौन-सा कथन मुख्य सचिव के संदर्भ में गलत है?

1. वह राज्य सचिवालय का प्रमुख होता है
2. वह सचिवों का प्रमुख होता है
3. उसका कार्यालय कार्यकाल प्रणाली से बाहर नहीं है
4. वह राज्य मंत्रिमंडल का सचिव होता है

28. पीटर ड्रकर ने किसे 'प्रबंधन का भविष्यवक्ता (Prophet of Management)' कहा था?

1. हेनरी फेयोल
2. एम.पी. फोलेट
3. एफ.डब्ल्यू. टेलर
4. क्रिस आर्गिरिस

29. निम्नलिखित योजनाओं का सही कालानुक्रमिक क्रम क्या है?

A. प्रधानमंत्री कौशल विकास योजना
B. स्वच्छ भारत अभियान
C. राष्ट्रीय उच्चतर शिक्षा अभियान
D. प्रधानमंत्री आदर्श ग्राम योजना
E. राष्ट्रीय कृषि विकास योजना

दिये गये विकल्पों में से **सही** उत्तर चुनें:

1. A, B, D, C, E
2. A, C, D, E, B
3. A, B, C, D, E
4. E, D, C, B, A

30. भारत में पुरुषों और महिलाओं में एड्स की व्यापकता के अध्ययन के लिए उपयुक्त सैंपलिंग विधि क्या है?

1. कोटा सैंपलिंग
2. क्लस्टर सैंपलिंग
3. प्रणालीबद्ध सैंपलिंग
4. स्तरीकृत यादृच्छिक सैंपलिंग

31. यूनाइटेड किंगडम में 'सामाजिक कल्याण' को 'कल्याणकारी राज्य' के समान माना गया। इसे किसने 'अपरिभाष्य' कहा था?

1. रिचर्ड टिटमस
2. विलियम बेवरिज
3. वेन वॉसी
4. मॉरिस स्टेक

32. सूची-I और सूची-II का मिलान करें :

सूची-I (विचारक)	सूची-II (अवधारणा)
A. ए.वी. डाइसी	I. प्रशासनिक कानून और न्यायिक पुनरावलोकन
B. सर आइवर जेनिंग्स	II. कानून का शासन
C. केनेथ सी. डेविस	III. लोक कानून और प्रशासनिक कानून
D. ग्रिफिथ और स्ट्रट	IV. प्रशासन से संबंधित कानून

दिये गये विकल्पों में से **सही** उत्तर चुनें:

1. A-I, B-II, C-III, D-IV
2. A-IV, B-III, C-II, D-I
3. A-II, B-IV, C-I, D-III
4. A-II, B-I, C-IV, D-III

33. हर्जबर्ग के अनुसार निम्न में से कौन प्रेरणा कारक नहीं है?

1. उपलब्धि
2. मान्यता
3. निगरानी
4. उन्नति

34. निम्न में से कौन-कौन से परीक्षण शून्य परिकल्पना (Null Hypothesis) के परीक्षण में प्रयुक्त नहीं होते?

A. X परीक्षण पद्धति
B. t-परीक्षण पद्धति
C. ANOVA परीक्षण पद्धति
D. फैक्टोरियल विश्लेषण परीक्षण पद्धति
E. Y परीक्षण पद्धति

दिये गये विकल्पों में से **सही** उत्तर चुनें:

1. केवल A, B, D, E
2. केवल B, C, D, E
3. केवल A, D, E
4. केवल C, D, E

35. एम.पी. फोलेट के अनुसार, संघर्ष को सुलझाने के तीन तरीके कौन से हैं?

A. समन्वय
B. नियंत्रण
C. समझौता
D. एकीकरण
E. वर्चस्व

दिये गये विकल्पों में से **सही** उत्तर चुनें:

1. केवल C, D, E
2. केवल A, C, E
3. केवल A, C, D
4. केवल B, D, E

36. बजट अधिनियमन में निम्नलिखित में से कौन सम्मिलित नहीं है?

A. बजट की प्रस्तुति
B. लेखानुदान
C. मंत्रिमंडल की स्वीकृति
D. विनियोग विधेयक
E. बजट अनुमान की तैयारी

दिये गये विकल्पों में से **सही** उत्तर चुनें:

1. केवल A, B, C
2. केवल A, B, D
3. केवल B, C, E
4. केवल C, D, E

37. सूची-I और सूची-II का मिलान करें :

सूची-I (विषय)	सूची-II (संविधान के अनुच्छेद)
A. वित्त आयोग की सिफारिशें	I. अनुच्छेद 273
B. व्यवसायों, व्यापारों, कॉलिंग्स और रोजगारों पर कर	II. अनुच्छेद 275
C. संघ द्वारा राज्यों को अनुदान	III. अनुच्छेद 276
D. जूट और जूट उत्पादों पर निर्यात शुल्क के बदले अनुदान	IV. अनुच्छेद 281

दिये गये विकल्पों में से **सही** उत्तर चुनें:

1. A-I, B-II, C-III, D-IV
2. A-II, B-III, C-I, D-IV
3. A-II, B-I, C-IV, D-III
4. A-IV, B-III, C-II, D-I

38. भारतीय संविधान का कौन-सा अनुच्छेद साझा मतदाता सूची का प्रावधान करता है?

1. अनुच्छेद 325
2. अनुच्छेद 326
3. अनुच्छेद 327
4. अनुच्छेद 328

39. सूची-I और सूची-II का मिलान करें :

सूची-I (स्थानीय शासन के विकास में ऐतिहासिक घटना)	सूची-II (प्रवर्तक)
A. मद्रास में नगर निगम की स्थापना	I. लॉर्ड रिपन
B. कोलकत्ता में वार्ड प्रणाली	II. ईस्ट इंडिया कंपनी
C. विकेंद्रीकरण योजना	III. वॉरेन हेस्टिंग्स
D. भारत में स्थानीय शासन पर प्रस्ताव	IV. लॉर्ड मेयो

दिये गये विकल्पों में से **सही** उत्तर चुनें:

1. A-I, B-II, C-III, D-IV
2. A-II, B-IV, C-III, D-I
3. A-II, B-III, C-IV, D-I
4. A-I, B-IV, C-II, D-III

40. पदानुक्रम मॉडल से क्या संकेतित होता है?

A. उच्च अधिकारी अधीनस्थों पर अनुशासनात्मक कार्रवाई नहीं कर सकते
B. उच्च स्तर संचालन की स्वतंत्रता रखता है
C. उच्च स्तर लक्ष्य निर्धारित करता है
D. निचले स्तर लक्ष्य निर्धारित करता है

दिये गये विकल्पों में से **सही** उत्तर चुनें:

1. केवल A, B
2. केवल B, C
3. केवल C, D
4. केवल A, D

41. समय के साथ प्रवृत्ति या परिवर्तन दिखाने के लिए कौन-सा चार्ट उपयोगी होता है?

1. पाई चार्ट
2. स्तंभ चार्ट
3. रेखा चार्ट
4. डॉट ग्राफ

42. आपदा प्रबंधन चक्र के चरणों का सही क्रम कौन-सा है?

A. पुनर्प्राप्ति
B. रोकथाम
C. प्रतिक्रिया
D. तैयारी

दिये गये विकल्पों में से **सही** उत्तर चुनें:

1. A, B, C, D
2. B, D, A, C
3. B, D, C, A
4. D, B, C, A

43. सूची-I और सूची-II का मिलान करें :

सूची-I (संवैधानिक संशोधन)	सूची-II (विषय)
A. 101वां संशोधन अधिनियम	I. राष्ट्रीय पिछड़ा वर्ग आयोग की नियुक्ति
B. 102वां संशोधन अधिनियम	II. वस्तु एवं सेवा कर के संदर्भ में
C. 103वां संशोधन अधिनियम	III. लोक सभा एवं विधान सभाओं में महिलाओं को आरक्षण
D. 106वां संशोधन अधिनियम	IV. सामाजिक-आर्थिक रूप से कमजोर वर्गो को आरक्षण

दिये गये विकल्पों में से **सही** उत्तर चुनें:

1. A-I, B-II, C-III, D-IV
2. A-II, B-I, C-IV, D-III
3. A-III, B-IV, C-I, D-II
4. A-III, B-I, C-II, D-IV

44. किस विचारक ने कहा कि 'एक तर्कसंगत नीति वह है, जो शुद्ध मूल्य उपलब्धि को अधिकतम करती है'?

1. थॉमस डाई
2. रॉबर्ट हेवमैन
3. अमिताई एटिजयोनी
4. लुडविग वॉन बर्टलनफी

45. 'वैश्विक रूप से सोचो, स्थानीय रूप से कार्य करो' का नारा सबसे पहले कहाँ दिया गया?

1. स्टॉकहोम सम्मेलन, 1972
2. रियो पृथ्वी शिखर सम्मेलन, 1992
3. ब्रंटलैंड रिपोर्ट, 1987
4. विश्व पर्यावरण और विकास आयोग की रिपोर्ट, 1987

46. परिकल्पना परीक्षण में कौन-से पैरामीट्रिक परीक्षण उपयोग होते हैं?

A. Z-परीक्षण
B. t-परीक्षण
C. χ^2-परीक्षण
D. F-परीक्षण

दिये गये विकल्पों में से **सही** उत्तर चुनें:

1. A, B, C, D
2. केवल B, C, D
3. केवल A, B
4. केवल C, D

47. सूची-I और सूची-II का मिलान करें :

सूची-I (विधियाँ)	सूची-II (व्याख्या)
A. केस स्टडी विधि	I. व्यक्ति की प्रत्यक्ष जांच
B. अवलोकन विधि	II. एक इकाई की गहराई
C. साक्षात्कार विधि	III. क्षेत्र संबंधी डेटा संग्रहण
D. अनुसूची विधि	IV. व्यक्ति की प्रत्यक्ष या अप्रत्यक्ष जांच

दिये गये विकल्पों में से **सही** उत्तर चुनें:

1. A-II, B-IV, C-III, D-I
2. A-II, B-I, C-III, D-IV
3. A-III, B-II, C-IV, D-I
4. A-I, B-II, C-III, D-IV

48. कौन-से सिद्धांत को आत्म-साक्षात्कार जैसे अस्पष्ट विचारों की वजह से आलोचना मिली?

1. थ्योरी-X
2. थ्योरी-Y
3. आवश्यकता पदानुक्रम सिद्धांत
4. परिपक्वता-अपरिपक्वता सिद्धांत

49. चार्ल्स लिंडब्लोम के वृद्धिशील मॉडल से निम्नलिखित में से कौन-से संबंधित नहीं है?

A. सरल वृद्धिशील विश्लेषण
B. रणनीतिक वृद्धिशील विश्लेषण
C. प्रणाली वृद्धिशील विश्लेषण
D. असंबद्ध वृद्धिशील विश्लेषण

दिये गये विकल्पों में से **सही** उत्तर चुनें:

1. केवल A, B, C
2. केवल A, B, D
3. केवल B, C, D
4. केवल A, C

50. किस अनुसंधान डिजाइन में पुस्तकालय की किताबें और जर्नल रिकॉर्ड प्राथमिक स्रोत के रूप में उपयोग होते हैं?

1. क्लिनिकल अनुसंधान
2. ऐतिहासिक अनुसंधान
3. प्रयोगशाला अनुसंधान
4. भागीदारी अनुसंधान

51. प्रदर्शन बजट में प्रदर्शन संकेतकों के सबसे सामान्य प्रकार कौन से हैं?

A. व्यय (Outlays)
B. परिणाम (Outcomes)
C. लागत (Cost)
D. उत्पाद (Outputs)
E. आवंटन (Allocations)

दिये गये विकल्पों में से **सही** विकल्प चुनिए :

1. केवल A और B
2. केवल B और C
3. केवल B और D
4. केवल C और E

52. हेज और किर्नी (Hays & Kearney) ने नई लोक प्रशासन की कुछ विशेषताओं की पहचान की, जिसमें शामिल हैं।

A. कर्मचारियों की कटौती (Downsizing)
B. प्रबंधकीयता (Managerialism)
C. निजीकरण (Privatisation)
D. केंद्रीकरण (Centralisation)

दिये गये विकल्पों में से **सही** उत्तर चुनें :

1. केवल A, B, C
2. केवल B, C, D
3. केवल A, B, D
4. केवल A, C, D

53. नेतृत्व सिद्धांतों के विकास का सही कालानुक्रमिक क्रम क्या है?

A. महान व्यक्ति सिद्धांत (Great Man Theory)
B. गुण सिद्धांत (Trait Theory)
C. आकस्मिकता सिद्धांत (Contingency Theory)
D. व्यवहार सिद्धांत (Behavioural Theory)
E. परिवर्तनकारी नेतृत्व सिद्धांत (Transformational Leadership Theory)

दिये गये विकल्पों में से **सही** उत्तर चुनें :

1. A, B, C, D, E
2. B, A, D, E, C
3. B, A, C, D, E
4. A, B, D, C, E

54. निम्न में से कौन-सा शब्द भारतीय संविधान की उद्देशिका में संशोधन द्वारा नहीं जोड़ा गया है?

1. संप्रभुता (Sovereign)
2. समाजवादी (Socialist)
3. पंथनिरपेक्षता (Secular)
4. अखंडता (Integrity)

55. सूची-I और सूची-II का सही मिलान कीजिए :

सूची-I (सिद्धांत)	सूची-II (अवधारणा)
A. गुण सिद्धांत	I. पर्यावरण के अनुसार नेतृत्व में अनुकूलता
B. व्यवहार सिद्धांत	II. नेतृत्व की क्रिया व कौशल
C. प्रबंधकीय ग्रिड सिद्धांत	III. कार्य और उत्पादन की अधिकतम चिंता
D. परिस्थितिजन्य सिद्धांत	IV. जन्मजात नेता

दिये गये विकल्पों में से **सही** उत्तर चुनें :

1. A-II, B-IV, C-I, D-III
2. A-I, B-II, C-III, D-IV
3. A-IV, B-II, C-III, D-I
4. A-IV, B-III, C-II, D-I

56. सूची-I और सूची-II से मिलान करें :

सूची-I (तंत्र)	सूची-II (स्तर)
A. तंत्र-1	I. शोषणकारी अधिनायकवादी
B. तंत्र-2	II. परामर्शात्मक
C. तंत्र-3	III. उपकारक अधिनायकवादी
D. तंत्र-4	IV. सहभागी

दिये गये विकल्पों में से **सही** उत्तर चुनें :

1. A-I, B-II, C-III, D-IV
2. A-IV, B-III, C-II, D-I
3. A-II, B-III, C-IV, D-I
4. A-I, B-III, C-II, D-IV

57. मनरेगा (MGNREGA) के संबंध में निम्न कथनों पर विचार करें :

A. यह एक अधिकार आधारित विधायी डिजाइन है
B. इसका उद्देश्य ग्रामीण विकास और गरीबी उन्मूलन है
C. यह संसद द्वारा 2005 में पारित हुआ
D. इसे एनडीए सरकार के शासनकाल में लागू किया गया
E. यह सौ दिनों के रोजगार का मौलिक अधिकार प्रदान करता है

दिये गये विकल्पों में से **सही** उत्तर चुनें :

1. केवल A, B, C
2. केवल B, C, D
3. केवल C, D, E
4. केवल B, C, E

58. शून्य आधारित बजटिंग (ZBB) की एक प्रमुख कमजोरी क्या है?

1. पूंजी प्रधान
2. श्रम प्रधान
3. सहायक प्रधान
4. निर्यात प्रधान

59. विच्छिन्न (Diffracted) प्रणाली के बारे में कौन-सा कथन सही नहीं है?

1. यह 'समान कार्य के लिए समान वेतन' और उपलब्धियों पर आधारित है
2. यह व्यक्ति की वंशावली और पद पर आधारित है
3. यह पूरी तरह से योग्यता और योगदान पर आधारित है
4. इसमें अधिक प्राप्ति के लिए सभी प्रयास किए जाते हैं

60. बजट किसे कहा जाता है?

1. अनुमानित प्राप्तियां और व्यय
2. प्रत्याशित प्राप्तियां और व्यय
3. वास्तविक प्राप्तियां और व्यय
4. पूर्व की प्राप्तियां और व्यय

61. सूची-I और सूची-II का सही मिलान करें :

सूची-I (गतिविधि)	सूची-II (व्याख्या)
A. सूचना गतिविधि	I. निर्णय की आवश्यकता वाले अवसरों की खोज
B. डिजाइन गतिविधि	II. एक विशिष्ट क्रिया मार्ग का चयन
C. चयन गतिविधि	III. पूर्व निर्धारित एवं अप्रत्याशित निर्णयों की तुलना
D. मूल्यांकन गतिविधि	IV. विकल्पों का विकास और विश्लेषण

दिये गये विकल्पों में से **सही** उत्तर चुनें :

1. A-I, B-II, C-III, D-IV
2. A-I, B-IV, C-II, D-III
3. A-IV, B-I, C-III, D-II
4. A-I, B-III, C-II, D-IV

62. हर्बर्ट साइमन के निर्णय-निर्माण मॉडल के बारे में क्या सही है?

A. सीमित यथार्थवाद (Bounded rationality)
B. निर्णय निर्माण में तथ्य और मूल्य
C. पुर्व-निर्धारित निर्णय, अप्रत्याशित निर्णय से अधिक महत्वपूर्ण हैं
D. निर्णय प्रक्रिया एक तीन-स्तरीय केक जैसी है
E. अप्रत्याशित निर्णय दोहराए जाने वाले और सामान्य होते हैं

दिये गये विकल्पों में से **सही** उत्तर चुनें :

1. केवल A, B, D
2. केवल B, C, E
3. केवल A, B, C, D
4. केवल C, D, E

63. कौटिल्य के युग में सप्तांग सिद्धांत के कौन से तत्व राज्य के मुख्य अंग माने जाते थे?

A. स्वामिन (राजा)
B. अमात्य (मंत्री)
C. दुर्ग (किला)
D. मित्र (सहयोगी राष्ट्र)

दिये गये विकल्पों में से **सही** उत्तर चुनें :

1. केवल A, B, C
2. केवल B, C, D
3. केवल A, C, D
4. A, B, C, D

64. चेस्टर बर्नार्ड के अनुसार औपचारिक संगठन के तत्वों में कौन-सा शामिल नहीं है?

1. सेवा देने की इच्छा
2. सामान्य उद्देश्य
3. सामाजिक प्रवृत्ति
4. संचार

65. निम्न में से कौन-सा संविधान के 12वीं अनुसूची के तहत नगरपालिकाओं के कार्यों में शामिल नहीं है?

1. पशु क्रूरता की रोकथाम
2. कसाईघरों और चमड़ा कारखानों का विनियमन
3. बाजार और मेले
4. अग्निशमन सेवाएं

66. नीति निर्माण प्रक्रिया पर 'The Intelligence of Democracy' पुस्तक किसने लिखी?

1. एंथनी डाउन्स 2. डेविड ईस्टन
3. चार्ल्स ई. लिंडब्लॉम 4. येहेजकेल ड्रोर

67. निम्न में से किसका अधिकार के संबंध में दृष्टिकोण भिन्न है?

1. एफ.डब्ल्यू. टेलर 2. चेस्टर आई. बर्नार्ड
3. हर्बर्ट साइमन 4. एम.पी. फोलेट

68. निम्न में से कौन-सा युग्म सही प्रकार से मेल खाता है?

1. उद्देश्य : कार्य कैसे करना है यह तय करना
2. योजना : क्या करना है यह तय करना
3. नीति : उद्देश्यों की प्राप्ति के चरणों को निर्धारित करना
4. पर्यवेक्षण : दूसरों के कार्य को निर्देशित करना

69. किसके अनुसार, विकास प्रशासन राष्ट्रीय विकास प्राप्त करने से संबंधित है?

1. जॉर्ज एफ. गैंट 2. एफ.डब्ल्यू. रिग्स
3. मर्ल फेंसोड 4. डोनाल्ड सी. स्टोन

70. लोक प्रशासन में अवधारणाओं के विकास का सही कालानुक्रमिक क्रम क्या है?

A. राजनीतिक दृष्टिकोण के रूप में लोक प्रशासन
B. कार्यात्मक पर्यवेक्षण
C. स्वीकृति की सीमा
D. रचनात्मक संघर्ष

दिये गये विकल्पों में से **सही** उत्तर चुनें :

1. B, D, C, A 2. A, B, C, D
3. D, B, A, C 4. B, D, A, C

71. सार्वजनिक-निजी भागीदारी (PPP) किस पर आधारित नहीं है?

1. संगठन, जनता और कर्मचारियों के बीच अच्छे संबंध
2. स्पष्ट अनुबंध
3. सार्वजनिक और निजी क्षेत्र के बीच एक दीर्घकालिक संबंध
4. निर्णय निर्माण में लचीलापन और उत्तरदायित्व

72. हॉथोर्न अध्ययन का महत्व किसमें था?

1. औपचारिक संगठन की खोज में
2. अनौपचारिक संगठन की खोज में
3. संचार नेटवर्क की खोज में
4. नैतिक संगठन की खोज में

73. भारतीय संविधान की संघीय विशेषताओं के संदर्भ में कौन-सी अनुसूचियाँ सही हैं?

A. चौथी अनुसूची
B. पहली अनुसूची
C. सातवीं अनुसूची
D. पांचवीं अनुसूची
E. दसवीं अनुसूची

दिये गये विकल्पों में से **सही** उत्तर चुनें :

1. केवल A, B, C 2. केवल B, C, D
3. केवल C, D, E 4. केवल B, D, E

74. रिपोर्ट लेखन में शामिल चरणों का सही क्रम क्या है?

A. अंतिम रूपरेखा तैयार करना
B. प्रारंभिक मसौदा तैयार करना
C. संशोधन और परिष्करण
D. अंतिम संदर्भ ग्रंथ सूची

दिये गये विकल्पों में से **सही** उत्तर चुनें :

1. D, A, B, C 2. C, A, B, D
3. B, A, D, C 4. A, B, C, D

75. लोक नीति निर्माण प्रक्रिया के चरणों का सही अनुक्रम कौन-सा है?

A. नीति निर्माण
B. नीति संबंधी शिक्षा
C. नीति आधारित कार्यान्वयन
D. नीति आधारित नियंत्रण
E. नीति की व्याख्या

दिये गये विकल्पों में से **सही** उत्तर चुनें :

1. A, B, C, D, E 2. B, C, D, E, A
3. A, E, B, C, D 4. A, B, C, E, D

76. सूची-I का सूची-II से मिलान करें।

सूची-I (विचारक)	**सूची-II (अवधारणा)**
A. मैक्स वेबर	I. ज्ञान-कर्मी
B. लूथर गुलिक	II. कार्य समृद्धि
C. पीटर ड्रकर	III. विभागीकरण के आधार
D. फ्रेडरिक हर्जबर्ग	IV. प्राधिकरण के रूप

दिये गये विकल्पों में से **सही** उत्तर चुनें:

1. A-IV, B-III, C-I, D-II
2. A-III, B-IV, C-II, D-I
3. A-IV, B-III, C-II, D-I
4. A-I, B-II, C-III, D-IV

77. संविधान में नगरपालिकाओं से संबंधित प्रावधानों के सही क्रम को चुनें :

A. महानगर योजना समिति
B. नगरपालिकाओं के चुनाव
C. नगरपालिकाओं की अवधि
D. नगरपालिकाओं की संरचना
E. जिला आयोजन समिति

दिये गये विकल्पों में से सही उत्तर चुनें :

1. D, B, E, C, A
2. A, B, D, C, E
3. E, C, B, A, D
4. D, C, B, E, A

78. 'शिक्षण अनुसंधान का जनक' के रूप में किसे जाना जाता है?

1. एन. एल. गेज
2. डेविड बर्लिनर
3. एगन ब्रंसविक
4. डोनाल्ड टी. कैंपबेल

79. सूची-I का सूची-II से मिलान करें।

सूची-I (विचारक)	**सूची-II (अवधारणा)**
A. डेविड ईस्टन	I. ब्लैक बॉक्स
B. हर्बर्ट साइमन	II. सीमित तर्कशीलता
C. येहेजकेल ड्रोर	III. मेटा नीति निर्माण
D. चार्ल्स लिंडब्लॉम	IV. क्रमिक निर्णय निर्माण

दिये गये विकल्पों में से **सही** उत्तर चुनें :

1. A-II, B-I, C-III, D-IV
2. A-I, B-II, C-III, D-IV
3. A-I, B-III, C-II, D-IV
4. A-IV, B-III, C-II, D-I

80. शासन के सिद्धांतों के विकास का सही कालानुक्रमिक क्रम चुनें :

A. लोक चयन सिद्धांत
B. नई लोक प्रबंधन
C. लोक मूल्य सिद्धांत
D. नई लोक प्रशासन
E. सेवा का अधिकार सिद्धांत

दिये गये विकल्पों में से **सही** उत्तर चुनें :

1. A, B, C, D, E
2. B, C, D, E, A
3. D, A, B, C, E
4. D, B, A, C, E

81. निम्न में से कौन-सी योजना अनुसूचित जातियों की शैक्षिक प्रगति हेतु नहीं है?

1. राजीव गांधी राष्ट्रीय फेलोशिप
2. राष्ट्रीय ओवरसीज स्कॉलरशिप
3. मौलाना आजाद राष्ट्रीय फेलोशिप
4. अनुसूचित जाति के छात्रों हेतु पोस्ट मैट्रिक छात्रवृत्ति

82. भारत में ग्रामीण स्थानीय सरकार किस अधिनियम की उपज मानी जाती है?

1. बंगाल ग्राम चौकीदारी अधिनियम, 1870
2. बंगाल स्थानीय स्वशासन अधिनियम, 1885
3. बंगाल ग्राम स्वशासन अधिनियम, 1919
4. भारत शासन अधिनियम, 1935

83. 1976 में लेखा से ऑडिट को अलग करने का कारण क्या नहीं था?

1. विभागों/मंत्रालयों पर अधिक कार्यभार
2. सीएजी पर अधिक कार्यभार
3. ऑडिट और लेखांकन अलग और विशिष्ट कार्य हैं; इसलिए अलग करना आवश्यक
4. सिद्धान्त में सीएजी ऑफिस द्वारा तैयार लेखे का सीएजी द्वारा ऑडिट करना उचित नहीं

84. केंद्र सरकार की योजनाओं का सही कालानुक्रमिक क्रम चुनें:

A. स्वामित्व योजना
B. पीएम पोषण शक्ति निर्माण अभियान
C. अग्निपथ योजना
D. पीएम ई-बस सेवा
E. वन नेशन वन सब्सक्रिप्शन

दिये गये विकल्पों में से **सही** उत्तर चुनें :

1. E, D, C, B, A
2. A, B, C, D, E
3. B, A, D, E, C
4. A, B, D, C, E

85. "लेन-देन प्रभाव" की अवधारणा किससे संबंधित है?

1. डगलस मैकग्रेगर
2. फ्रेडरिक हर्जबर्ग
3. रेन्सिस लिकर्ट
4. क्रिस आर्गिरिस

86. निम्नलिखित में से कौन-सी संस्था भारत में नीति निर्माण में भाग नहीं लेती है?

1. सिविल सोसाइटी
2. विधायिका
3. सोशल मीडिया
4. न्यायपालिका

87. प्लेटो के अनुसार 'सुशासन' के तत्व हैं :

A. दार्शनिक राजा का शासन
B. परिवार व संपत्ति का साम्यवाद
C. विधि का शासन
D. शिक्षा प्रणाली
E. विधान मंडल की सर्वोच्चता

दिये गये विकल्पों में से **सही** उत्तर चुनें :

1. केवल A, B, C
2. केवल A, B, D
3. केवल C, D, E
4. केवल B, C, E

88. भारत में योजना से संबंधित संस्थाओं के गठन का सही क्रम चुनें :

A. राष्ट्रीय विकास परिषद
B. योजना आयोग
C. अंतर-राज्य परिषद
D. नीति आयोग
E. जिला आयोजन समिति

दिये गये विकल्पों में से **सही** उत्तर चुनें :

1. A, B, C, D, E
2. B, A, C, E, D
3. A, B, C, E, D
4. B, A, D, C, E

89. 'द्वैध पर्यवेक्षण' की अवधारणा किसने दी?

1. एफ.डब्ल्यू. रिग्स
2. एफ.डब्ल्यू. टेलर
3. जे.डी. मिलेट
4. एफ.डब्ल्यू. टेलर और जे.डी. मिलेट दोनों

90. राज्य स्तर पर मंत्रिपरिषद के बारे में निम्नलिखित कथनों पर विचार करें :

A. यह अनुच्छेद 163 में वर्णित है
B. इसमें मुख्यमंत्री व अन्य मंत्री होते हैं
C. इसकी संख्या असीमित हो सकती है
D. राज्य के महाधिवक्ता इसकी बैठकों में भाग ले सकते हैं
E. मंत्रिपरिषद राज्यपाल को सलाह एवं सहायता देने हेतु होती है

दिये गये विकल्पों में से **सही** उत्तर चुनें :

1. केवल A, B, E
2. केवल A, C, D
3. केवल B, D, E
4. केवल C, D, E

निर्देश (प्र.सं. 91 से 95 तक): *निम्नलिखित अनुच्छेद को पढ़ें और प्रश्नों के उत्तर दें:*

प्रधानमंत्री का पद सबसे पहले इंग्लैंड में सृजित हुआ था और इसे भारतीय संविधान निर्माताओं द्वारा अपनाया गया। संविधान के अनुसार, अनुच्छेद 74(1) स्पष्ट रूप से कहता है कि प्रधानमंत्री मंत्रिपरिषद का प्रमुख होगा और मंत्रिपरिषद प्रधानमंत्री के बिना कार्य नहीं कर सकती। भारत में कैबिनेट सरकार के वेस्टमिंस्टर मॉडल के अनुसार प्रधानमंत्री देश के वास्तविक कार्यकारी होते हैं। वे सरकार के प्रमुख, कैबिनेट के नेता, राष्ट्रपति और कैबिनेट के बीच कड़ी (अनुच्छेद 78 के माध्यम से) के रूप में कार्य करते हैं। प्रधानमंत्री को राष्ट्रपति द्वारा नियुक्त किया जाता है। वे राष्ट्र के चेहरे, संसद के नेता, पार्टी के नेता और नीति आयोग के अध्यक्ष के रूप में कार्य करते हैं। वेस्टमिंस्टर मॉडल के अंतर्गत वे डि-फैक्टो (वास्तविक) शक्ति के साथ कार्य करते हैं, डि-ज्यूर (कानूनी) शक्ति के साथ नहीं।

91. वेस्टमिंस्टर मॉडल में विभिन्न शक्तियों का मिलान करें :

सूची-I (पद)	**सूची-II** (शक्ति)
A. राष्ट्रपति	I. वास्तविक शक्ति (De-facto power)
B. प्रधानमंत्री	II. वास्तविक कार्यकारी (Real executive)
C. मंत्रिपरिषद	III. नीति आयोग के अध्यक्ष
D. प्रधानमंत्री	IV. वैधानिक शक्ति (De-jure power)

दिये गये विकल्पों में से **सही** उत्तर चुनें:

1. A-I, B-II, C-III, D-IV
2. A-IV, B-I, C-II, D-III
3. A-II, B-III, C-I, D-IV
4. A-III, B-II, C-I, D-IV

92. वेस्टमिंस्टर मॉडल के अंतर्गत भारत में "वास्तविक शक्ति (de-facto power)" का उपयोग कौन करता है?

1. राष्ट्रपति
2. प्रधानमंत्री
3. भारत के मुख्य न्यायाधीश
4. राज्यपाल

93. प्रधानमंत्री द्वारा निभाई जाने वाली भूमिकाएं कौन-कौन सी हैं?

A. सरकार का प्रमुख
B. नीति आयोग का अध्यक्ष
C. संसद के नेता
D. भारत के मुख्य न्यायाधीश के सलाहकार

दिये गये विकल्पों में से **सही** उत्तर चुनें:

1. केवल A, B, C
2. A, B, C, D
3. केवल B, C
4. केवल A, B

94. भारतीय संविधान का कौन-सा अनुच्छेद कहता है कि प्रधानमंत्री मंत्रिपरिषद का प्रमुख होगा?

1. अनुच्छेद 74
2. अनुच्छेद 78
3. अनुच्छेद 80
4. अनुच्छेद 76

95. प्रधानमंत्री पद के गठन से संबंधित घटनाओं का सही क्रम क्या है?

A. प्रधानमंत्री का पद इंग्लैंड से लिया गया था
B. अनुच्छेद 74 प्रधानमंत्री से संबंधित है
C. अनुच्छेद 78 मंत्रिपरिषद से संबंधित है
D. प्रधानमंत्री नीति आयोग के अध्यक्ष होते हैं

दिये गये विकल्पों में से **सही** उत्तर चुनें :

1. A, B, C, D
2. D, A, B, C
3. B, A, C, D
4. C, A, B, D

निर्देश (प्र.सं. 96 से 100 तक): *निम्नलिखित अनुच्छेद को पढ़ें और प्रश्नों के उत्तर दें :*

अमेरिकी दुनिया में सबसे अधिक भौतिक वस्तुओं का उत्पादन और उपभोग करते हैं, क्योंकि उनकी संस्थागत व्यवस्था उन्हें ऐसा करने की अनुमति देती है। मूल्य विपणन प्रणाली व्यक्तियों को स्वतंत्र रूप से वस्तुओं और सेवाओं को उच्चतम बोलीदाता को बेचने और अपनी पसंद के अनुसार वस्तुएँ खरीदने की अनुमति देती है। उनका लक्ष्य लाभ को अधिकतम करना होता है, जिसे एक तार्किक (Rational) या उपयोगितावादी दृष्टिकोण कहा गया है। रिग्स ने इस दृष्टिकोण को लोक सेवाओं के बाजारीकरण से जोड़ा है। एक प्रशासक अपनी सेवाएं सरकार को कानून द्वारा निर्धारित शर्तों के अनुसार बेचता है। लेकिन यह बाजारीकरण दिये गये शर्तो के द्वारा सीमित होता है जैसे–कार्यकाल, निष्ठा, अनुबंध या सुरक्षा। प्रशासनिक कार्यालय को एक प्रकार का 'बाजार' माना जाता है जिसमें भागीदारी का उद्देश्य निर्धारित लक्ष्यों को अधिकतम रूप से प्राप्त करना होता है। फिर भी, एक अप्रत्यक्ष प्रभाव 'बाजार मास्टर' का होता है, जो बाजार में गलत प्रस्तुतियों के कारण संघर्ष को रोकता है। अमेरिकी संस्थाएं नियमों और विनियमों द्वारा आकार ली जाती हैं जो सड़कें और डाक सेवाएं जैसी सुविधाएं प्रदान करती है।

96. लोक सेवाओं के बाजारीकरण को सीमित करने वाले कारक कौन से हैं?

A. निष्ठा   B. परंपरा
C. अनुबंध   D. मानदंड
E. सुरक्षा

दिये गये विकल्पों में से **सही** उत्तर चुनें:

1. केवल A, B, C   2. केवल B, C, D
3. केवल A, C, E   4. केवल B, D, E

97. मूल्य विपणन प्रणाली व्यक्तियों को किन चीजों को बेचने की स्वतंत्रता देती है?

A. वस्तुएँ   B. संपत्तियाँ
C. बांड   D. शेयर
E. सेवाएँ

दिये गये विकल्पों में से सही उत्तर चुनें:

1. केवल A और B   2. केवल C और D
3. केवल D और E   4. केवल A और E

98. अमेरिकियों को अधिक भौतिक वस्तुएं उत्पादन और उपभोग करने की अनुमति कौन देता है?

1. सामाजिक वातावरण   2. आर्थिक वातावरण
3. संस्थागत वातावरण   4. राजनीतिक वातावरण

99. निम्न में से कौन-सा 'तार्किक दृष्टिकोण (Rational approach)' कहा जाता है?

1. लाभ को अधिकतम करना
2. संतोष को अधिकतम करना
3. विकल्पों को अधिकतम करना
4. लागत को अधिकतम करना

100. लोक सेवाओं के बाजारीकरण को सीमित करने वाले कारकों को लेखक के अनुसार क्रमबद्ध करें :

A. सुरक्षा   B. कार्यकाल
C. अनुबंध   D. निष्ठा

दिये गये विकल्पों में से **सही** उत्तर चुनें:

1. A, B, C, D   2. B, D, C, A
3. C, B, A, D   4. D, A, C, B

व्याख्यात्मक उत्तर

1. (1): प्रणाली सिद्धांत (Systems Theory) इस विचार को दर्शाता है कि कोई भी प्रणाली विभिन्न परस्पर जुड़े हुए घटकों का समुच्चय होती है। लोक प्रशासन में यह सिद्धांत निम्नलिखित में मदद करता है:

A. सार्वजनिक वस्तुएँ (Public Goods): राष्ट्रीय सुरक्षा या स्ट्रीट लाइट जैसी ये सेवाएं हैं जिनसे सभी नागरिक लाभान्वित होते हैं। प्रणाली सिद्धांत इन वस्तुओं को कुशलता से प्रदान करने के लिए विभिन्न एजेंसियों के समन्वय पर जोर देता है।

B. सार्वजनिक सेवाएँ (Public Services): जैसे स्वास्थ्य सेवा, शिक्षा और स्वच्छता, जिनमें अनेक विभागों का तालमेल जरूरी होता है। प्रणाली सिद्धांत जटिलता को प्रबंधित करने और फीडबैक व अनुकूलन के माध्यम से सेवा वितरण को बेहतर बनाने में सहायक होता है।

C. वैश्विक प्रणालियों की तुलना: प्रणाली सद्धान्त विभिन्न देशों की प्रशासनिक प्रणालियों की संरचना, कार्य और प्रक्रिया की तुलना के लिए एक रूपरेखा प्रदान करता है।

D. (सही तकनीक) और E (प्रशासनिक संस्कृति): प्रणाली सिद्धांत के प्रत्यक्ष उद्देश्य नहीं हैं, लेकिन अन्य सिद्धांतों जैसे संगठनात्मक सिद्धांत और समाजशास्त्रीय उपागम से प्रभावित होते है।

2. (3): कार्यशाला (Workshop): एक अल्पकालिक और गहन कार्यक्रम होता है जिसमें विशेष रूप से SPSS जैसे सॉफ्टवेयर के लिए व्यावहारिक प्रशिक्षण प्रदान किया जाता है।

- शोधकर्ता विशेषज्ञों के मार्गदर्शन में वास्तविक अनुभव प्राप्त करते है।
- व्याख्यान या संगोष्ठियों की तुलना में वर्कशॉप अधिक संवादात्मक और व्यावहारिक होती है।

- शिक्षण संस्थान SPSS जैसे टूल्स में प्रशिक्षण के लिए वर्कशॉप को पसंद करते हैं क्योंकि इसमें सिद्धांत को प्रायोगिक डेटा और रियल टाइम समस्या समाधान के साथ मिश्रित किया जाता है।

3. (3): रेमो स्टॉर्म (Remo Storm) ने बजट को 'लोक राजस्व और व्यय की प्रारंभिक स्वीकृति योजना वाला दस्तावेज' बताया है।

- यह परिभाषा बजट को वित्तीय नियोजन उपकरण के रूप में दर्शाती है जो विधायी अनुमोदन के अधीन होता है।
- इसमें आय (जैसे कर, शुल्क) और व्यय (जैसे वेतन, अवसंरचना) का अनुमान होता है और संसदीय या सरकारी मंजूरी की आवश्यकता होती है।
- यद्यपि वुडरो विल्सन ने प्रशासनिक सिद्धांत में योगदान दिया, लेकिन बजट की यह परिभाषा विशेष रूप से रेमो स्टॉर्म द्वारा दी गयी है।

4. (1): ग्रामीण शासन पर समितियों और उनके गठन वर्ष का सही कालानुक्रमिक क्रम इस प्रकार है:

A. बलवंत राय मेहता समिति—II. 1956: पहली समिति जिसने त्रिस्तरीय पंचायत राज (ग्राम, ब्लॉक, जिला) की सिफारिश की।

B. अशोक मेहता समिति—III. 1977: द्विस्तरीय प्रणाली और वित्तीय सशक्तिकरण पर जोर।

C. जी.वी.के. राव समिति—IV. 1985: जिला स्तर पर योजना निर्माण पर और समन्वय बल।

D. एल.एम. सिंहवी समिति—I. 1986: पंचायती राज संस्थाओं को संवैधानिक दर्जा देने की सिफारिश की, जिससे 73वां संशोधन हुआ।

5. (3): भर्ती प्रक्रिया का सही क्रमः

A. रिक्तियों की माँग—विभाग द्वारा मानव संसाधन को रिक्त पदों की सूचना देना।

C. विज्ञापन— आवेदन प्राप्ति हेतु अखबार, पोर्टल आदि पर रिक्तियों का प्रचार।

B. चयन—लिखित परीक्षा, साक्षात्कार आदि के माध्यम से अभ्यर्थियों का मूल्यांकन।

E. नियुक्ति—चयनित अभ्यर्थियों को नियुक्ति पत्र जारी करना।

D. स्थापन—अंतिम रूप से पदस्थापना।

6. (2): प्रशासनिक संस्कृति (Administrative Culture) शब्द को गेब्रियल आमंड और सिडनी वर्बा ने अपनी पुस्तक "The Civic Culture" (1963) के द्वारा लोक प्रशासन में प्रस्तुत किया।

- यह प्रशासनिक व्यवहार, मूल्यों और आचरण को दर्शाता है।
- प्रशासनिक संस्कृति लोकतांत्रिक समाज की राजनीतिक संस्कृति का उप-प्रणाली है।
- इसने राजनीतिक विज्ञान और लोक प्रशासन के बीच संबंध को मजबूत किया।

7. (3): लेखकों और पुस्तकों का सही मिलानः

A. वुडरो विल्सन–कांग्रेसनल गवर्नमेंट

B. हेनरी फेयोल–जनरल एंड इंडस्ट्रीयल मैनेजमेंट

C. एफ.डब्ल्यू. टेलर–द प्रिंसिपल्स ऑफ साइंटिफिक मैनेजमेंट

D. चाणक्य (कौटिल्य)–नीतिशास्त्र (Although प्रसिद्ध रचना "अर्थशास्त्र" है, लेकिन नैतिकता की चर्चा नीतिशास्त्र में मिलती है।

8. (3): भारत में संस्थाओं के गठन का सही क्रम :

C. योजना आयोग (1950)

B. राष्ट्रीय विकास परिषद (1952)

E. क्षेत्रीय परिषद (1956)

D. जिला आयोजन समिति (1992 में अनुच्छेद 243ZD द्वारा संस्थापित)

A. नीति आयोग (2015)

9. (1): डिस्कोर्स थ्योरी (Discourse Theory) का विकास चार्ल्स फॉक्स और ह्यू मिलर ने किया।

- यह पारंपरिक नीति-निर्माण मॉडल की आलोचना करती है और व्याख्यात्मक तथा उत्तर आधुनिक उपागमों को प्रोत्साहित करती है।
- यह भाषा, प्रतीकों और कथाओं के माध्यम से नीतियों के निर्माण पर बल देती है।
- उनकी पुस्तक "Postmodern Public Administration" इस विषय पर विस्तृत व्याख्या करती है।

10. (3): बजट के प्रकार और उनके सही विवरण :

A. संतुलित बजट–आय और व्यय लगभग बराबर।

B. घाटे का बजट–कम आय, व्यय अधिक।

C. अधिशेष बजट–अधिक आय, व्यय कम।

D. असंतुलित बजट–आय और व्यय में बड़ा अंतर (यह घाटा और अधिशेष दोनों को सम्मिलित करता है)।

11. (1): RTI अधिनियम, 2005 की धारा 8(1)(j) व्यक्तिगत जानकारी के प्रकटीकरण से छूट देती है।

- यदि कोई सूचना व्यक्तिगत जीवन से संबंधित है, जिसका सार्वजनिक गतिविधि या हित से कोई संबंध नहीं है, या जिससे व्यक्ति की निजता का अनावश्यक हनन होता है, तो उसे रोका जा सकता है।
- लेकिन यदि लोक सूचना अधिकारी को लगे कि सार्वजनिक हित अधिक महत्वपूर्ण है, तो प्रकटीकरण हो सकता है।

उदाहरणः किसी की मेडिकल रिपोर्ट या वेतन पर्ची बिना सार्वजनिक हित के मांगना इस धारा के अंतर्गत वर्जित है।

12. (3): भारत में प्रमुख निर्वाचन सुधारों का कालानुक्रम :

C. 1989: मतदाता की न्यूनतम आयु 21 से घटाकर 18 वर्ष करना (61वां संशोधन)।

D. 1993: बहु-सदस्यीय चुनाव आयोग का गठन।

E. 2002: प्रत्याशियों के लिए संपत्ति व आपराधिक रिकॉर्ड की घोषणा अनिवार्य।

A. 2009: एग्जिट पोल्स पर रोक।

B. 2010: प्रवासी भारतीयों को मतदान का अधिकार।

13. (3): यह कथन सही नहीं है क्योंकि यह 'आदेश की एकता' (Unity of Command) के सिद्धांत के विरुद्ध है।

- हेनरी फेयोल के अनुसार एक कर्मचारी को केवल एक अधिकारी से आदेश मिलना चाहिए।
- जबकि एफ. डब्ल्यू. टेलर का "फंक्शनल फोरमैन्सिप" का सिद्धांत इस एकता को नहीं मानता।

14. (3): पटवारी को पारंपरिक रूप से कलेक्टर की 'आंखें और कान' कहा जाता है।

वह भूमि अभिलेखों का रखरखाव करता है, फील्ड निरीक्षण करता है और ग्रामीण स्तर पर जानकारी संकलित करता है।

15. (2): अनुसंधान प्रक्रिया का सही क्रम :

A. शोध समस्या को परिभाषित करना

B. परिकल्पना बनाना

C. शोध डिजाइन तैयार करना

D. डेटा का विश्लेषण करना

16. (3): प्रधानमंत्री जन आरोग्य योजना (PM-JAY) से संबंधित दिये गए सभी कथन सही हैं :

- यह विश्व की सबसे बड़ी स्वास्थ्य बीमा योजना है।
- इसमें परिवार के आकार, आयु या लिंग की कोई सीमा नहीं है।
- प्रति परिवार ₹ 5 लाख सालाना कवरेज प्रदान करती है।
- केंद्र व राज्य सरकारें इसे संयुक्त रूप से वित्तपोषित करती हैं।

17. (3): नगरपालिका के वैध कर स्रोत :

A. जलापूर्ति पर कर

C. संपत्ति कर

E. टोल टैक्स

गलत विकल्पः

B. विद्युत आपूर्ति पर कर (राज्य बोर्ड का कार्य)

D. आयातित वस्तुओं पर कर (केंद्र सरकार के अधीन)

18. (2): सतत विकास के बारे में सही कथन :

- यह पारिस्थितिकी तंत्र की क्षमता से अधिक दोहन नहीं करता।
- स्थानीय स्तर की कार्य योजना और जन समर्थन आवश्यक है।
- यह वर्तमान आवश्यकताओं को पूरा करता है बिना भविष्य को नुकसान पहुंचाए।

गलत कथनः संसाधनों को 'निष्कर्षित' नहीं किया जाता, बल्कि 'नवीनीकृत' किया जाता है।

19. (1): लोक नीति निर्माण में महत्वपूर्ण कारक :

- जनहित
- निष्पक्षता और समानता
- निरंतरता
- प्रभावशीलता

गलत विकल्पः 'गैर-चिंतनशील' नीति निर्माण का हिस्सा नहीं होता।

20. (2): रिपोर्ट और उनके फोकस क्षेत्र का सही मिलान :

- 5वीं रिपोर्ट – लोक व्यवस्था
- 8वीं रिपोर्ट – आतंकवाद से निपटना
- 15वीं रिपोर्ट – राज्य व जिला प्रशासन
- 14वीं रिपोर्ट – वित्तीय प्रबंधन प्रणाली

21. (2): राष्ट्रीय आपदा प्रबंधन संस्थान (NIDM) नई दिल्ली में स्थित है।

- यह गृह मंत्रालय के अधीन काम करता है।
- यह आपदा प्रबंधन से जुड़ी नीति, प्रशिक्षण और अनुसंधान प्रदान करता है।

22. (1): मुख्य कार्यकारी (प्रधानमंत्री या मुख्यमंत्री) द्वारा विभिन्न संगठनों पर नियंत्रण का क्रम (उच्च से निम्न) :

1. विभाग (Department)
2. सार्वजनिक क्षेत्र निगम (PSC)
3. सरकारी कंपनी (Government Company)
4. होल्डिंग कंपनी (Holding Company)
5. लिमिटेड कंपनी (Limited Company)

23. (*)

24. (1): आयोग और स्थापना वर्ष का सही मिलान :

- राष्ट्रीय पिछड़ा वर्ग आयोग – 1993
- राष्ट्रीय महिला आयोग – 1992
- राष्ट्रीय बाल अधिकार संरक्षण आयोग – 2005
- राष्ट्रीय अनुसूचित जनजाति आयोग – 2004

25. (3): संसद को भारत में 'सार्वजनिक धन का संरक्षक' कहा जाता है।

- बजट, कराधान, व्यय आदि संसद की मंजूरी से होते है।
- संविधान के अनुच्छेद 266-283 इसके नियंत्रण को परिभाषित करते है।
- संसद पब्लिक अकाउंट्स कमेटी, CAG रिपोर्ट व बहसों के माध्यम से कार्यपालिका को उत्तरदायी बनाती है।

26. (4): ''लागत-लाभ विश्लेषण का अभाव'' एक महत्वपूर्ण बाधा है जो तर्कसंगत नीति निर्माण में रुकावट डालती है।

- तर्कसंगत नीति निर्माण में यह आवश्यक होता है कि प्रत्येक विकल्प को वस्तुनिष्ठ मापदंडों जैसे लागत और लाभ के आधार पर परखा जाए।
- लागत-लाभ विश्लेषण के बिना निर्णय-निर्माताओं के पास सबसे कुशल, आर्थिक रूप से उपयुक्त या जनहितकारी विकल्प चुनने के लिए कोई मात्रात्मक आधार नहीं होता।
- लक्ष्य पूर्ति, अनुकूलन और राजनीतिक व्यवहार्यता जैसी बातें तर्कसंगतता की प्रक्रिया में आती हैं, लेकिन लागत-लाभ विश्लेषण का अभाव तर्कसंगतता की जड़ को ही कमजोर करता है।

27. (3): यह कथन मुख्य सचिव के संदर्भ में गलत है :

- मुख्य सचिव का पद सामान्यतः नियमित कार्यकाल प्रणाली से बाहर रखा जाता है।
- यह एक संवेदनशील और रणनीतिक पद होता है, जिसमें नियुक्तियाँ विश्वास, अनुभव और राजनीतिक-प्रशासनिक तालमेल के आधार पर की जाती है।
- मुख्य सचिवः
  - ❑ राज्य सचिवालय के प्रमुख होते हैं (कथन 1 – सही)
  - ❑ सभी सचिवों में वरिष्ठतम होते हैं (कथन 2 – सही)
  - ❑ राज्य मंत्रिमंडल के सचिव होते हैं (कथन 4 – सही)

अतः कथन 3 गलत है क्योंकि यह व्यावहारिक प्रशासनिक प्रणाली से विरोधाभासी है।

28. (2): पीटर ड्रकर ने मैरी पार्कर फोलेट को 'प्रबंधन की भविष्यवक्ता (Prophet of Management)' कहा था।

- ड्रकर ने उनके सहयोगात्मक नेतृत्व, समूह गतिशीलता, संघर्ष समाधान, और भागीदारी प्रबंधन के विचारों की सराहना की।
- फोलेट ने मानवीय संबंधों, समन्वय, और लोकतांत्रिक नेतृत्व पर जोर दिया, जो आधुनिक प्रबंधन विचारधारा के आधार बने।
- ड्रकर ने माना कि उनके विचार समय से बहुत आगे थे और बाद में व्यापक मान्यता प्राप्त की।
- उन्होंने सार्वजनिक और निजी दोनों क्षेत्रों के प्रबंधन में दूरदर्शिता दिखाई।

29. (4): योजनाओं के शुभारंभ का सही कालानुक्रमिक क्रम निम्नलिखित है :

E. राष्ट्रीय कृषि विकास योजना (RKVY) – 2007

D. प्रधानमंत्री आदर्श ग्राम योजना (PMAGY) – 2009

C. राष्ट्रीय उच्चतर शिक्षा अभियान (RUSA) – 2013

B. स्वच्छ भारत अभियान (SBA) – 2014

A. प्रधानमंत्री कौशल विकास योजना (PMKVY) – 2015

सही क्रमः RKVY → PMAGY → RUSA → SBA → PMKVY

30. (4): भारत में पुरुषों और महिलाओं के बीच एड्स की व्यापकता के अध्ययन के लिए सबसे उपयुक्त विधि 'स्तरीकृत यादृच्छिक नमूना' (Stratified Random Sampling) है।

- इसमें जनसंख्या को लिंग के आधार पर उप-समूहों (Strata) में बांटा जाता है और प्रत्येक समूह से यादृच्छिक नमूना लिया जाता है।
- यह विधि प्रत्येक समूह का उचित प्रतिनिधित्व सुनिश्चित करती है और तुलनात्मक विश्लेषण की सुविधा देती है।
- अन्य विधियाँ जैसे :
  - ❑ कोटा नमूना पक्षपाती होता है,
  - ❑ क्लस्टर नमूना भौगोलिक समूहों के लिए उपयुक्त है,
  - ❑ प्रणालीबद्ध नमूना (Systematic Sampling) लिंग आधारित विभाजन सुनिश्चित नहीं करता।

31. (1): रिचर्ड टिटमस ने 'कल्याणकारी राज्य' (Welfare State) की अवधारणा में 'सामाजिक कल्याण' को अपरिभाष्य (Indefinable) कहा।

- उन्होंने कहा कि सामाजिक कल्याण एक व्यापक, विकसित होती हुई और बहुआयामी अवधारणा है, जिसे किसी एक निश्चित परिभाषा में नहीं बांधा जा सकता।
- ब्रिटेन में कल्याणकारी राज्य ने शिक्षा, स्वास्थ्य और बेरोजगारी लाभों की सार्वभौमिक पहुँच का लक्ष्य रखा।
- टिटमस ने 'कल्याण'' शब्द की अस्पष्टता की आलोचना की, क्योंकि इसका विभिन्न क्षेत्रों और सेवाओं में भिन्न अर्थ निकलता है।

32. (3): विचारकों और उनके विचारों का सही मिलान :

A. ए.वी. डाइसी – II. कानून का शासन (Rule of Law)

B. सर आइवर जेनिंग्स – IV. प्रशासन संबंधी कानून

C. केनेथ सी. डेविस – I. प्रशासनिक कानून और न्यायिक पुनरावलोकन

D. ग्रिफिथ और स्ट्रट – III. लोक कानून और प्रशासनिक कानून

33. (3): फ्रेडरिक हर्जबर्ग के द्वि-कारक सिद्धांत के अनुसार, 'निगरानी' (Supervision) प्रेरक तत्व नहीं है।

- हर्जबर्ग के अनुसार दो प्रकार के कारक होते हैं :
  - ❑ **प्रेरक कारक (Motivators):** उपलब्धि, मान्यता, कार्य स्वयं, जिम्मेदारी, उन्नति, विकास।
  - ❑ **स्वच्छता कारक (Hygiene Factors):** कंपनी नीति, निगरानी, वेतन, पारस्परिक संबंध, कार्य परिस्थितियाँ।
- निगरानी असंतोष को रोक सकती है, लेकिन यह कार्यसंतोष या प्रेरणा नहीं देती।
- जबकि उपलब्धि, मान्यता और उन्नति असली प्रेरक तत्व हैं।

34. (*)

35. (1): मैरी पार्कर फोलेट के अनुसार संघर्ष सुलझाने के तीन तरीके हैं :

C. समझौता (Compromise): दोनों पक्ष कुछ त्यांग करके बीच का रास्ता अपनाते है।

D. एकीकरण (Integration): सबसे बेहतर तरीका जिसमें दोनों पक्ष बिना त्याग किए समाधान खोजते है।

E. वर्चस्व (Domination): एक पक्ष अपनी इच्छा दूसरे पर थोपता है–इससे संघर्ष समाप्त होता है लेकिन असंतोष रहता है।

- ❑ उन्होंने 'एकीकरण' को सबसे प्रभावी और रचनात्मक तरीका माना।
- ❑ समन्वय और नियंत्रण संगठन प्रबंधन के लिए आवश्यक हैं, परंतु फोलेट के अनुसार ये संघर्ष समाधान के तरीके नहीं है।

36. (*)

37. (4): संवैधानिक अनुच्छेदों का विषयों से सही मिलान :

A. वित्त आयोग की सिफारिशें – IV. अनुच्छेद 281: राष्ट्रपति संसद के समक्ष वित्त आयोग की सिफारिशें अनुच्छेद 281 के अंतर्गत प्रस्तुत करता है।

B. व्यवसायों, व्यापारों, और पेशों पर कर – III. अनुच्छेद 276: यह राज्य विधानसभाओं को व्यावसायिक कर लगाने की अनुमति देता है, जिसकी अधिकतम सीमा ₹ 2500 है।

C. संघ द्वारा राज्यों को अनुदान – II. अनुच्छेद 275: उन राज्यों को वित्तीय सहायता देने के लिए अनुदानों का प्रावधान करता है जिन्हें इसकी आवश्यकता है (वित्त आयोग की सिफारिश पर)।

D. पटसन निर्यात शुल्क के स्थान पर अनुदान – I. अनुच्छेद 273: पटसन एवं इसके उत्पादों पर निर्यात शुल्क हटाने के बदले राज्यों को मुआवजा देने का प्रावधान करता है।

38. (1): भारतीय संविधान का अनुच्छेद 325 साझा मतदाता सूची का प्रावधान करता है।

- यह कहता है कि किसी भी व्यक्ति को धर्म, जाति, नस्ल या लिंग के आधार पर किसी विशेष मतदाता सूची में शामिल होने से वंचित नहीं किया जाएगा।
- यह संसद और राज्य विधानसभाओं दोनों के लिए एक एकीकृत मतदाता सूची सुनिश्चित करता है।

- अनुच्छेद 326 वयस्क मताधिकार से संबंधित है।
- अनुच्छेद 327 और 328 संसद और राज्य विधानसभाओं को चुनावों से संबंधित कानून बनाने का अधिकार देते है।

39. (3): स्थानीय शासन की ऐतिहासिक घटनाओं और उनके प्रवर्तकों का सही मिलान :

A. मद्रास में नगर निगम की स्थापना – II. ईस्ट इंडिया कंपनी: 1687 में भारत का पहला नगर निगम मद्रास में स्थापित हुआ।

B. कोलकाता में वार्ड प्रणाली – III. वॉरेन हेस्टिंग्सः उन्होंने शहरी प्रशासनिक प्रबंधन हेतु वार्ड प्रणाली शुरू की।

C. विकेंद्रीकरण योजना – IV. लॉर्ड मेयोः 1870 का उनका प्रस्ताव स्थानीय निकायों को वित्तीय अधिकार सौंपने की पहली कोशिश माना जाता है।

D. स्थानीय स्वशासन पर प्रस्ताव – I. लॉर्ड रिपनः 1882 का उनका प्रस्ताव भारत में स्थानीय स्वशासन का 'मैग्ना कार्टा' माना जाता है।

40. (2): लोक प्रशासन में पदानुक्रम मॉडल का अर्थ :

B. उच्च स्तर के पास संचालन की स्वतंत्रता होती हैः वरिष्ठ अधिकारी निर्णय लेने में अधिक स्वतंत्र होते हैं।

C. उच्च स्तर लक्ष्य निर्धारित करते हैंः रणनीतिक दिशा और उद्देश्य शीर्ष स्तर द्वारा निर्धारित होते हैं।

A. उच्च अधिकारी अनुशासनात्मक कार्रवाई नहीं कर सकतेः गलत– जैसे-जैसे पद ऊपर जाता है, अनुशासनात्मक अधिकार बढ़ते हैं।

D. निचले स्तर लक्ष्य तय करते हैंः गलत–वे केवल लक्ष्यों को लागू करते हैं, तय नहीं करते।

41. (3): प्रवृत्ति या समय के साथ परिवर्तन को दिखाने के लिए रेखा चित्र (Line Chart) सबसे उपयुक्त होता है।

- इसमें बिंदुओं को रेखाओं से जोड़ा जाता है जिससे समयानुसार वृद्धि या कमी को आसानी से देखा जा सकता है।
- यह जनसंख्या वृद्धि, शेयर बाजार रुझान, या तापमान परिवर्तन जैसे समय-शृंखला आंकड़ों में प्रयुक्त होता है।
- अन्य चार्टः
  - ❑ **पाई चार्टः** प्रतिशत या अनुपात तुलना के लिए।
  - ❑ **कॉलम चार्टः** विभिन्न श्रेणियों के बीच तुलना के लिए।
  - ❑ **डॉट ग्राफः** असतत (discrete) तुलना के लिए, समय-शृंखला के लिए उपयुक्त नहीं।

42. (3): आपदा प्रबंधन चक्र के चरणों का सही क्रम :

B. रोकथाम (Prevention): आपदा के जोखिम को रोकने या घटाने के उपाय।

D. तैयारी (Preparedness): आपदा की स्थिति में सामना करने हेतु योजना, अभ्यास, और जागरूकता।

C. प्रतिक्रिया (Response): आपदा के दौरान और तुरंत बाद की कार्रवाई – जैसे बचाव, राहत कार्य।

A. पुनर्प्राप्ति (Recovery): दीर्घकालिक पुनर्निर्माण, पुनर्वास और सामान्य स्थिति की बहाली।

सही चक्रः रोकथाम → तैयारी → प्रतिक्रिया → पुनःस्थापना

43. (2): संवैधानिक संशोधनों और उनके विषयों का सही मिलान :

A. 101वां संशोधन अधिनियम – II. वस्तु एवं सेवा कर (GST): 2016 में पारित, यह अनुच्छेद 246। आदि में संशोधन द्वारा GST लाया गया।

B. 102वां संशोधन अधिनियम – I. पिछड़ा वर्ग आयोग की नियुक्तिः अनुच्छेद 338B जोड़कर NCBC को संवैधानिक दर्जा दिया गया।

C. 103वां संशोधन अधिनियम – IV. आर्थिक रूप से कमजोर वर्गों को आरक्षणः अनुच्छेद 15 व 16 में संशोधन कर शिक्षा व नौकरी में 10% आरक्षण।

D. 106वां संशोधन अधिनियम – III. महिलाओं को संसद व विधानसभाओं में आरक्षणः 2023 में पारित, 33% आरक्षण प्रदान करता है।

44. (2): रॉबर्ट हेवमैन ने तर्कसंगत नीति को 'शुद्ध मूल्य उपलब्धि'' को अधिकतम करने वाली नीति बताया।

- यह ऐसी नीति होती है जो सभी विकल्पों में से सबसे अधिक लाभ (लागत घटाकर) देती है।
- इसका आधार लागत-लाभ विश्लेषण, वस्तुनिष्ठ मूल्यांकन और तर्कसंगत निर्णय होता है।
- यह लोक नीति के आर्थिक मॉडल के अनुरूप है जो दक्षता और मूल्य अधिकतम पर जोर देता है।

45. (2): 'वैश्विक रूप से सोचो, स्थानीय रूप से कार्य करो'' (Think Globally, Act Locally) का नारा 1992 के रियो डी जनेरो पृथ्वी शिखर सम्मेलन (Earth Summit) के दौरान प्रसिद्ध हुआ।

- यह संयुक्त राष्ट्र पर्यावरण और विकास सम्मेलन (UNCED) था, जिसमें वैश्विक पर्यावरणीय समस्याओं के लिए स्थानीय समाधान और भागीदारी पर बल दिया गया।
- यह सिद्धांत सतत विकास (Sustainable Development) का आधार बन गया।
- यद्यपि यह वाक्यांश पहले से मौजूद था, लेकिन रियो सम्मेलन के बाद यह नीति और जनचेतना में व्यापक रूप से अपनाया गया।

46. (*)

47. (2): शोध विधियों का उनके स्पष्टीकरण से सही मिलान :

A. केस स्टडी विधि – II. एक इकाई की गहराई से अध्ययनः किसी व्यक्ति, समूह या घटना जैसी एक इकाई का विस्तारपूर्वक विश्लेषण।

B. अवलोकन विधि – I. व्यक्ति की प्रत्यक्ष जांचः वास्तविक समय की स्थितियों में सीधा या भागीदारी अवलोकन द्वारा डेटा एकत्रित किया जाता है।

C. साक्षात्कार विधि – III. क्षेत्र संबंधी डेटा संग्रहणः आमने-सामने बातचीत के माध्यम से मौखिक जानकारी एकत्र करना।

D. निर्धारित प्रश्न सूची विधि – IV. व्यक्ति की प्रत्यक्ष या अप्रत्यक्ष जांचः उत्तरदाता या अन्वेषक द्वारा पूर्व-निर्धारित उत्तरों वाला प्रश्नपत्र भरना।

48. (3): अब्राहम मास्लो के आवश्यकता पदानुक्रम सिद्धांत की आलोचना इसके पद्धतिगत आधार पर होती है :

- आत्म-साक्षात्कार (Self-Actualization) की अवधारणा अमूर्त, अस्पष्ट और मापन में कठिन मानी जाती है।

- जरूरतों का पदानुक्रम सार्वभौमिक नहीं है, विभिन्न संस्कृतियों में भिन्न व्यवहार पाया गया।
- कई अध्ययन बताते हैं कि लोग एक साथ कई जरूरतों का पीछा करते हैं, न कि सीढ़ी की तरह।
- जबकि थ्योरी X, Y या परिपक्वता अपरिपक्वता जैसी अन्य थ्योरी अधिक व्यवहारपरक और स्पष्ट ढांचे वाली है।

49. (*)

50. (2): ऐतिहासिक अनुसंधान डिजाइन (Historical Research Design) में प्राथमिक स्रोतों के रूप में पुस्तकालय की किताबें, अभिलेखागार, पत्रिकाएं और दस्तावेजों का उपयोग किया जाता है।

- इसका उद्देश्य अतीत की घटनाओं का विश्लेषण करना है ताकि कारण, प्रवृत्तियाँ और प्रभाव समझे जा सकें।
- इसमें सरकारी दस्तावेज, आत्मकथाएं, अखबार, और रिपोर्ट जैसे रिकॉर्ड्स का उपयोग होता है।
- यह फील्ड या प्रयोगशाला प्रयोगों की आवश्यकता नहीं रखता।
- अन्य विकल्प जैसे :
  - ❑ **क्लिनिकल अनुसंधानः** वास्तविक निदान और उपचार की स्थिति में होता है।
  - ❑ **प्रयोगशाला अनुसंधानः** नियंत्रित वातावरण की आवश्यकता होती है।
  - ❑ **भागीदारी अनुसंधानः** समुदाय-आधारित फील्ड कार्य पर केंद्रित होता है।

51. (3): प्रदर्शन बजट (Performance Budgeting) में सबसे आम प्रदर्शन संकेतक हैं :

B. परिणाम (Outcomes): जैसे साक्षरता में वृद्धि या गरीबी में कमी जैसे अंतिम प्रभाव।

D. उत्पाद (Outputs): जैसे कितने स्कूल बनाए गए, कितने टीके लगाए गए।

- जबकि (A) व्यय, (C) लागत, (E) आवंटन – ये केवल वित्तीय संकेतक हैं, प्रदर्शन संकेतक नहीं।

अतः सही उत्तरः B और D

52. (1): हेज और किर्नी ने नई लोक प्रशासन (New Public Management – NPM) की प्रमुख विशेषताओं के रूप में निम्न को पहचानाः

A. कर्मचारियों की कटौतीः सरकार के आकार और कर्मचारियों को कम करने पर बल।

B. प्रबंधकीयताः निजी क्षेत्र की कार्यशैली को अपनाना जैसे प्रदर्शन मूल्यांकन, दक्षता।

C. निजीकरणः सार्वजनिक सेवाओं का निजी या गैर-सरकारी संस्थाओं को हस्तांतरण।

D. केन्द्रीयकरणः NPM के विपरीत है, क्योंकि NPM विकेन्द्रीकरण को प्राथमिकता देता है।

अतः सही उत्तरः A, B, C

53. (4): नेतृत्व सिद्धांतों के विकास का कालानुक्रमिक क्रम है :

A. महान व्यक्ति सिद्धांत (Great Man Theory)–19वीं सदी

B. गुण सिद्धांत (Trait Theory)–20वीं सदी की शुरुआत

D. व्यवहार सिद्धांत (Behavioural Theory)–1940-50 के दशक

C. आकस्मिकता सिद्धांत (Contingency Theory)–1960-70

E. परिवर्तनकारी नेतृत्व (Transformational Leadership)–1980 के बाद

अतः सही क्रमः A → B → D → C → E

54. (1): 'संप्रभुता' (Sovereign) शब्द संविधान की मूल उद्देशिका (Preamble) में पहले से था।

42वें संशोधन (1976) से तीन शब्द जोड़े गएः

- समाजवादी (Socialist)
- पंथनिरपेक्ष (Secular)
- अखंडता (Integrity)

अतः 'संप्रभुता' पहले से ही मौलिक पाठ में था।

55. (3): नेतृत्व सिद्धांतों का उनके मुख्य विचारों से सही मिलान :

A. गुण सिद्धांत (Trait Theory) – IV. जन्मजात नेता (Natural Born Leader)

B. व्यवहार सिद्धांत (Behavioural Theory) – II. क्रिया और कौशल पर आधारित

C. प्रबंधकीय ग्रिड सिद्धांत (Managerial Grid Theory) – III. कार्य और उत्पादन पर अधिक ध्यान

D. परिस्थितिजन्य सिद्धांत (Situational Theory) – I. परिस्थिति के अनुसार नेतृत्व में बदलाव

अतः सही मिलानः A-IV, B-II, C-III, D-I

56. (4): रेंसिस लिकर्ट के प्रबंधन के चार तंत्र (Four Systems of Management):

A. तंत्र-1 – I. शोषणकारी अधिनायकवादी (Exploitive Authoritative): डर, धमकी और शीर्ष से निर्णय।

B. तंत्र-2 – III. उपकारक अधिनायकवादी (Benevolent Authoritative): नियंत्रण के साथ कुछ इनाम, सीमित भागीदारी।

C. तंत्र-3 – II. परामर्शात्मक (Consultative): अधीनस्थों से परामर्श, पर निर्णय शक्ति शीर्ष पर।

D. तंत्र-4 – IV. सहभागी (Participative): निर्णय विकेन्द्रीकृत, खुला संवाद और विश्वास।

यह प्रणाली नेतृत्व शैली, प्रेरणा, संचार और विश्वास के आधार पर संस्थाओं का विश्लेषण करती है।

57. (1): महात्मा गांधी राष्ट्रीय ग्रामीण रोजगार गारंटी अधिनियम (MGNREGA):

A. अधिकार-आधारित कानूनः ग्रामीण क्षेत्रों में 100 दिन के रोजगार की कानूनी गारंटी देता है।

B. ग्रामीण विकास और गरीबी उन्मूलन पर केंद्रितः रोजगार देकर आय सुरक्षा और परिसंपत्तियों का निर्माण करता है।

C. 2005 में संसद द्वारा पारितः यह UPA सरकार के समय पारित हुआ।

गलत कथनः

D. NDA सरकार में पारित हुआः गलत।

E. यह मौलिक अधिकार की गारंटी देता हैः गलत। यह एक वैधानिक **(statutory)** अधिकार है, मौलिक नहीं।

58. (2): जीरो-बेस्ड बजटिंग (ZBB) की मुख्य कमी है कि यह अत्यधिक श्रम-प्रधान (Labour Intensive) है।

- हर गतिविधि को शून्य से शुरू कर औचित्य साबित करना होता है।
- प्रत्येक विभाग को निर्णय पैकेज तैयार करने होते हैं, लागत और लाभ का विश्लेषण करना होता है।
- यह समय लेने वाला, जटिल और मानव संसाधनों पर भारी होता है।
- सार्वजनिक क्षेत्र में लागू करना और भी कठिन होता है, विशेषकर बड़ी योजनाओं में।

59. (2): यह कथन 'विच्छिन्न प्रणाली' (Diffracted System) के बारे में गलत है (Riggs के मॉडल अनुसार) :

- यह एक आधुनिक, विकसित प्रशासनिक प्रणाली है जिसमें कार्य विभाजन और विशेषज्ञता होती है।
- यह प्राप्ति आधारित होती है, जन्म, जाति या पद के आधार पर नहीं।
- निर्णय योग्यता, प्रदर्शन और व्यावसायिक मूल्यों पर आधारित होते है।

'पद और जन्म के आधार पर निर्णय' कहना गलत है यह फ्यूज्ड या ट्रांजिशनल मॉडल पर लागू होता है।

60. (1): बजट एक वित्तीय विवरण है जिसमें आगामी वर्ष के अनुमानित प्राप्तियाँ और व्यय दर्शाए जाते है।

- अनुच्छेद 112 के अनुसार इसे वार्षिक वित्तीय विवरण (Annual Financial Statement) कहा जाता है।
- इसमें राजस्व और पूंजी दोनों के अनुमान होते है।
- इसका उद्देश्य सरकारी नीतियों की योजना और व्यय प्रबंधन करना होता है।

अतः सही उत्तरः आगामी अवधि की अनुमानित प्राप्तियाँ और व्यय (Estimated receipts and expenditures)

61. (2): हर्बर्ट साइमन की निर्णय लेने की प्रक्रिया के चरणों का सही मिलान :

A. सूचना गतिविधि – I. निर्णय की आवश्यकता वाले अवसरों की पहचान।

B. डिजाइन गतिविधि – IV. विकल्पों का विकास और विश्लेषण।

C. चयन गतिविधि – II. विशिष्ट विकल्प का चयन।

D. मूल्यांकन गतिविधि – III. पूर्व-निर्धारित और अप्रत्याशित निर्णयों की तुलना।

यह 'सीमित तर्कसंगतता मॉडल' का मूल आधार है।

62. (1): हर्बर्ट साइमन का निर्णय मॉडल मुख्यतः 'सीमित तर्कसंगतता' (Bounded Rationality) के सिद्धांत पर आधारित है :

A. सीमित तर्कसंगतताः निर्णयकर्ता सीमित जानकारी, समय और मानसिक क्षमताओं के साथ कार्य करते है।

B. तथ्य और मूल्यः साइमन ने प्रशासन में तथ्यों और मूल्यों दोनों की भूमिका को महत्व दिया।

D. तीन परतों वाला केकः निर्णय को इंटेलिजेंस, डिजाइन और चॉइस की प्रक्रिया के रूप में देखा।

गलत विकल्पः

C. पूर्व निर्धारित निर्णय अधिक महत्वपूर्ण हैं–साइमन ने प्राथमिकता नहीं दी।

E. अप्रत्याशित निर्णय नियमित और दोहराव वाले होते हैं–यह गलत है, यह विशेषता प्रोग्राम्ड निर्णयों की है।

63. (4): कौटिल्य के सप्तांग सिद्धांत में राज्य के सात प्रमुख अंग :

A. स्वामिन (राजा): नेतृत्व का प्रतीक।

B. अमात्य (मंत्री): प्रशासनिक क्रियान्वयन।

C. दुर्गः सुरक्षा और रक्षा संरचना।

D. मित्रः विदेश नीति और कूटनीतिक सहयोग।

अन्य अंगः जनपद, कोष और दंड।

64. (3): चेस्टर बर्नार्ड के औपचारिक संगठन सिद्धांत के तीन प्रमुख तत्वः

- सेवा करने की इच्छा।
- साझा उद्देश्य।
- संप्रेषण (संवाद)।

Gregarious instinct (सामाजिक झुकाव) औपचारिक तत्व नहीं है, यह अनौपचारिक संगठनों से जुड़ा है।

65. (3): भारतीय संविधान की 12वीं अनुसूची (74वां संशोधन): शहरी निकायों के कार्यः

- शहरी नियोजन, जल आपूर्ति, अग्निशमन सेवाएं, सार्वजनिक स्वास्थ्य, अपशिष्ट प्रबंधन इत्यादि।

बाजार और मेले स्पष्ट रूप से शामिल नहीं है।

66. (3): चार्ल्स ई. लिंडब्लॉम की पुस्तक The Intelligence of Democracy (1965) हैः

- नीति निर्माण प्रक्रिया पर आधारित।
- निर्णय 'साझेदार आपसी समायोजन' के माध्यम से होते है।
- उन्होंने 'इन्क्रिमेंटल मॉडल' (Incrementalism) को बढ़ावा दिया, जो क्रमिक और व्यावहारिक निर्णयों पर आधारित है।

67. (1): एफ.डब्ल्यू. टेलर का प्राधिकरण संबंधी दृष्टिकोणः

- टेलर ने शीर्ष-से-नीचे औपचारिक नियंत्रण को अपनाया।
- **चेस्टर आई बर्नार्डः** अधीनस्थ की स्वीकृति को महत्व देते है।
- **हर्बर्ट साइमनः** निर्णय पर बल देते है।
- **एम.पी. फोलेटः** "power with" की समर्थक थीं।

टेलर की सोच अलग और कठोर नियंत्रण आधारित थी।

68. (4): सही जोड़ाः

- पर्यवेक्षण – दूसरों के कार्य का निर्देशन।

गलत जोड़ः

- उद्देश्य – क्या करना है तय करता है, कैसे नहीं।
- योजना – कैसे करना है तय करता है।
- नीति – व्यापक दिशा देती है, विस्तृत कदम योजना का हिस्सा है।

69. (4): डोनाल्ड सी. स्टोन ने विकास प्रशासन (Development Administration) की अवधारणा दी :

- राष्ट्र निर्माण, सामाजिक-आर्थिक विकास, योजना क्रियान्वयन पर बल।

• विकासशील देशों में संस्थागत क्षमता निर्माण पर ध्यान।

रिग्स और फेंसॉड ने सिद्धांत दिए, लेकिन व्यावहारिक दृष्टिकोण स्टोन ने प्रस्तुत किया।

70. (1): लोक प्रशासन में अवधारणाओं के विकास का कालानुक्रमिक क्रम :

B. कार्यात्मक पर्यवेक्षण – टेलर (1911)

D. रचनात्मक संघर्ष – फॉलेट (1920-30s)

C. स्वीकृति की सीमा – बर्नार्ड (1930s-40s)

A. राजनीतिक दृष्टिकोण – 1960s–70s (नई लोक प्रशासन)

अतः सही क्रमः B → D → C → A

71. (1): पब्लिक-प्राइवेट पार्टनरशिप (PPP) का यह आधार नहीं है कि सार्वजनिक संस्था और कर्मचारियों के साथ अच्छे संबंध हों।

PPP के आधार :

- स्पष्ट अनुबंध,
- दीर्घकालीन सहयोग,
- लचीलापन और अनुक्रियाशीलता।

अतः विकल्प 1 (अंदरूनी संबंध) PPP का आधार नहीं।

72. (2): हॉथोर्न अध्ययन (1924-1932), एल्टन मेयो द्वारा किए गएः

- अनौपचारिक संगठन के महत्व की खोज हुई।
- पैसा या निगरानी नहीं, सामाजिक संबंध प्रेरणा के बड़े स्रोत थे।
- कर्मचारियों ने इसलिए अच्छा प्रदर्शन किया क्योंकि वे मूल्यवान महसूस कर रहे थे।

इससे मानव संबंध आंदोलन की शुरुआत हुई।

73. (1): भारतीय संविधान की संघीय विशेषताएँ इन अनुसूचियों में परिलक्षित होती हैं:

A. चौथी अनुसूचीः राज्यसभा में राज्यों को सीटों का आवंटन – राज्यों की भागीदारी सुनिश्चित करता है।

B. पहली अनुसूचीः केंद्र और राज्यों के क्षेत्र – संघीय ढांचे की बुनियाद।

C. सातवीं अनुसूचीः विषयों का विभाजन – संघ, राज्य और समवर्ती सूचियों द्वारा शक्तियों का वितरण।

पाँचवीं अनुसूचीः अनुसूचित क्षेत्रों और जनजातियों का प्रशासन, संघीय ढांचे से सीधे संबंधित नहीं।

दसवीं अनुसूचीः दलबदल कानून से संबंधित, संघवाद से प्रत्यक्ष संबंध नहीं।

74. (4): रिपोर्ट लेखन की सही क्रमिक प्रक्रियाः

A. अंतिम रूपरेखा की तैयारीः विषयवस्तु का ढांचा और दिशा तय करना।

B. प्रारंभिक मसौदा की तैयारीः रूपरेखा के अनुसार सामग्री को एकीकृत करना।

C. संशोधन और परिष्करणः ड्राफ्ट में सुधार, स्पष्टता बढ़ाना, त्रुटियाँ ठीक करना।

D. अंतिम ग्रंथ सूचीः सभी सन्दर्भ स्रोतों का उल्लेख।

75. (3): सार्वजनिक नीति निर्माण की सही प्रक्रिया :

A. नीति निर्माणः प्रस्तावों का विश्लेषण कर नीति तैयार करना।

E. नीति की व्याख्याः इसे दिशा-निर्देशों में बदलना।

B. नीति संबंधी शिक्षाः संबंधित लोगों को नीति के बारे में शिक्षित करना।

C. नीति आधारित कार्यान्वयनः योजनाओं और कार्यक्रमों के माध्यम से लागू करना।

D. नीति आधारित नियंत्रणः निगरानी, मूल्यांकन और प्रतिक्रिया।

76. (1): विचारकों और उनके सिद्धांतों का सही मिलान :

A. मैक्स वेबर – IV. प्राधिकरण के प्रकार (परंपरागत, करिश्माई, कानूनी-प्राकृतिक)।

B. लूथर गुलिक – III. विभागीकरण के आधार (उद्देश्य, प्रक्रिया, ग्राहक, स्थान)।

C. पीटर ड्रकर – I. ज्ञान-कर्मी (Knowledge worker)।

D. फ्रेडरिक हर्जबर्ग –II. कार्य समृद्धि (Job Enrichment)।

77. (4): संविधान में नगरपालिकाओं से संबंधित अनुच्छेदों का सही क्रम (243P-243ZG):

D. अनुच्छेद 243R: नगरपालिकाओं की संरचना।

C. अनुच्छेद 243U: नगरपालिकाओं की अवधि (5 वर्ष)।

B. अनुच्छेद 243ZA: चुनाव।

E. अनुच्छेद 243ZD: जिला आयोजन समिति।

A. अनुच्छेद 243ZE: महानगरीय आयोजन समिति।

78. (1): नेड एल. गेज को 'शिक्षण अनुसंधान का जनक'' कहा जाता है :

- उन्होंने शिक्षक व्यवहार, कक्षा प्रक्रिया, और शिक्षण प्रभावशीलता पर व्यवस्थित शोध किया।
- शिक्षाशास्त्र को वैज्ञानिक आधार देने में योगदान।

अन्य विकल्प प्रसिद्ध हैं, पर शिक्षण अनुसंधान में गेज का योगदान विशिष्ट है।

79. (2): अवधारणाओं और विचारकों का सही मिलान :

A. **डेविड ईस्टन** – I. ब्लैक बॉक्स सिद्धांत (राजनीतिक प्रणाली में इनपुट-आउटपुट)।

B. **हर्बर्ट साइमन** – II. सीमित तर्कसंगतता।

C. **यहजकेल ड्रोर** – III. मेटा नीति निर्माण (नीति पर नीति)।

D. **चार्ल्स लिंडब्लॉम** – IV. क्रमिक निर्णय निर्माण (Incrementalism)।

80. (3): प्रशासनिक सिद्धांतों का कालानुक्रमिक विकास :

D. नई लोक प्रकशासन (1960s&70s): सामाजिक न्याय, मूल्यों पर बल।

A. लोक चयन सिद्धान्त (1970s): आर्थिक दृष्टिकोण से सरकारी निर्णयों का विश्लेषण।

B. नई लोक प्रबंधन (1980s-90s): निजी क्षेत्र की दक्षता को अपनाना।

C. लोक मूल्य सिद्धान्त (1995 के बाद): नागरिक मूल्यों और सेवा वैधता पर केंद्रित।

E. सेवा का अधिकार सिद्धान्त (2010 के बाद): सेवा गारंटी कानून और नागरिक अधिकार।

अतः सही क्रमः D → A → B → C → E

81. (3): मौलाना आजाद नेशनल फेलोशिप (MANF) विशेष रूप से अनुसूचित जातियों (SCs) के लिए नहीं है।

- यह अल्पसंख्यक समुदायों (मुस्लिम, ईसाई, सिख, बौद्ध, पारसी, जैन) के छात्रों को M.Phil. और Ph.D. की पढ़ाई के लिए दी जाती है।
- अनुसूचित जाति के छात्रों के लिए अन्य योजनाएँ हैं:
  - ❑ राजीव गांधी राष्ट्रीय फेलोशिप (RGNF)
  - ❑ राष्ट्रीय विदेशी छात्रवृत्ति योजना (National Overseas Scholarship)
  - ❑ पोस्ट मैट्रिक छात्रवृत्ति (SCs के लिए)

इसलिए, MANF अनुसूचित जाति के लिए नहीं है– यही सही उत्तर है।

82. (1): भारत में ग्रामीण स्थानीय शासन प्रणाली की शुरुआत बंगाल ग्राम चौकीदारी अधिनियम, 1870 से मानी जाती है।

- इसमें ग्रामीण प्रशासन के लिए चौकीदार नियुक्त किए गए थे, जिनके वेतन का भुगतान स्थानीय कर से होता था।
- यह बाद में पंचायत राज की नींव बनी।

इसलिए, 1870 का अधिनियम इस प्रणाली की प्रारंभिक आधारशिला था।

83. (1): लेखा और ऑडिट को 1976 में अलग करने का कारण था–

- मंत्रालयों पर प्रशासनिक बोझ को कम करना।
- इससे नियंत्रक एवं महालेखा परीक्षक (CAG) को स्वतंत्र रूप से कार्य करने में सुविधा हुई।

यह निर्णय मुख्यतः CAG पर नहीं बल्कि मंत्रालयों पर बोझ कम करने के लिए लिया गया।

84. (2): केंद्र सरकार की योजनाओं का सही कालानुक्रमिक क्रम :

A. स्वामित्व योजना – 2020

B. पीएम पोषण शक्ति निर्माण – 2021 (मिड-डे मील योजना का नया नाम)

C. अग्निपथ योजना – 2022

D. पीएम ई-बस सेवा – 2023

E. वन नेशन वन सब्सक्रिप्शन – 2024

अतः सही क्रमः A → B → C → D → E

85. (1): "Transactional Influence" (लेन-देन आधारित प्रभाव) का संबंध डगलस मैकग्रेगर से है।

- उन्होंने Theory X और Theory Y में यह विचार रखा।
- Theory X में प्रबंधक नियंत्रण और दंड/इनाम पर विश्वास करते हैं।
- Theory Y में प्रबंधक प्रेरणा और भागीदारी पर जोर देते हैं।

इसलिए, यह अवधारणा मैकग्रेगर से जुड़ी है।

86. (3): भारत में नीति निर्माण प्रक्रिया में सोशल मीडिया कोई औपचारिक भूमिका नहीं निभाता।

- यह जनमत बनाने, जागरूकता फैलाने और नागरिक भागीदारी बढ़ाने में सहायक है,
- लेकिन यह संवैधानिक या कानूनी नीति निर्धारण संस्था नहीं है।

इसलिए, सोशल मीडिया एक प्रभावक है, नीति निर्माता नहीं।

87. (2): प्लेटो के अनुसार 'सुशासन' की विशेषताएँ :

A. दार्शनिक राजा का शासन

B. परिवार और संपत्ति का साम्यवाद (रक्षक वर्ग में)

D. शिक्षा प्रणाली का महत्व

गलत विकल्पः

C. कानून का शासन – यह प्लेटो की अपेक्षा अरस्तू द्वारा अधिक प्रतिपादित है।

E. विधानमंडल की सर्वोच्चता – यह प्लेटो का विचार नहीं है।

इसलिए, सही विकल्पः A, B, D

88. (2): भारत में योजना संबंधी संस्थाओं की स्थापना का सही क्रमः

B. योजना आयोग – 1950

A. राष्ट्रीय विकास परिषद (NDC) – 1952

C. अंतर-राज्य परिषद – 1990

E. जिला आयोजन समिति – 74वां संशोधन (1992)

D. नीति आयोग – 2015

अतः सही क्रमः B → A → C → E → D

89. (4): "Dual Supervision" (द्वैध पर्यवेक्षण) का सिद्धांत एफ.डब्ल्यू. टेलर और जे.डी. मिलेट दोनों से जुड़ा है :

- **एफ.डब्ल्यू. टेलर** – अपने Functional Foremanship सिद्धांत में
- **जे.डी. मिलेट** – सार्वजनिक प्रशासन में स्टाफ और लाइन एजेंसियों के संदर्भ में

इसलिए, दोनों विचारकों ने इस अवधारणा पर काम किया है।

90. (1): राज्य स्तर पर मंत्रिपरिषद के बारे में सही कथन :

A. अनुच्छेद 163 राज्यपाल की सहायता और सलाह के लिए मंत्रिपरिषद।

B. मुख्यमंत्री और अन्य मंत्री – अनुच्छेद 164 के अंतर्गत नियुक्त।

E. राज्यपाल को सलाह देना – मंत्रिपरिषद की प्रमुख भूमिका।

गलत विकल्पः

C. मंत्रियों की संख्या असीमित हो सकती है – गलत। 91वां संशोधन (2003) इसे विधानसभा की कुल संख्या के 15% तक सीमित करता है।

D. एडवोकेट जनरल मंत्रिपरिषद की बैठक में भाग ले सकता है– गलत। वह सदन की कार्यवाही में भाग ले सकता है, पर मंत्रिपरिषद में नहीं।

अतः सही उत्तरः A, B, E

91. (2): वेस्टमिंस्टर मॉडल और भारतीय संविधान के आधार पर पदों का मिलान :

A. राष्ट्रपति – IV. वैधानिक (De-jure) शक्तिः राष्ट्रपति नाममात्र का प्रमुख होता है, जो मंत्रिपरिषद की सलाह पर कार्य करता है।

B. प्रधानमंत्री – I. वास्तविक (De-facto) शक्तिः प्रधानमंत्री वास्तविक कार्यकारी प्रमुख होता है, जो सरकार का नेतृत्व करता है।

C. मंत्रिपरिषद – II. वास्तविक कार्यपालिकाः प्रधानमंत्री के साथ मिलकर देश की असली कार्यपालिका होती है।

D. प्रधानमंत्री – III. नीति आयोग का अध्यक्षः प्रधानमंत्री नीति आयोग का पदेन (ex-officio) अध्यक्ष होता है।

92. (2): भारत के वेस्टमिंस्टर मॉडल में, प्रधानमंत्री के पास 'वास्तविक शक्ति' होती है।

- राष्ट्रपति नाममात्र का प्रमुख होता है।
- सारे प्रमुख निर्णय प्रधानमंत्री की अगुवाई में होते है।

93. (1): प्रधानमंत्री की भूमिकाएँ :

A. सरकार का प्रमुख – प्रशासन और नीतियों का नेतृत्व करता है।

B. नीति आयोग के अध्यक्ष – राष्ट्रीय नीति योजना का मार्गदर्शन करता है।

C. संसद का नेता – लोकसभा में बहुमत दल का नेतृत्व करता है।

D. मुख्य न्यायाधीश का सलाहकार – गलत है, प्रधानमंत्री का न्यायपालिका से यह संबंध नहीं होता।

अतः सही उत्तरः A, B, C

94. (1): अनुच्छेद 74 के अनुसार :

''राष्ट्रपति की सहायता और सलाह के लिए एक मंत्रिपरिषद होगी, जिसका अध्यक्ष प्रधानमंत्री होगा।''

इससे प्रधानमंत्री की संवैधानिक स्थिति स्पष्ट होती है।

अतः सही उत्तरः अनुच्छेद 74

95. (1): प्रधानमंत्री पद का विकास और संविधानिक अनुच्छेद का क्रमः

A. प्रधानमंत्री पद इंग्लैंड से लिया गया – वेस्टमिंस्टर प्रणाली।

B. अनुच्छेद 74 – प्रधानमंत्री द्वारा मंत्रिपरिषद का नेतृत्व।

C. अनुच्छेद 78 – राष्ट्रपति को मंत्रिपरिषद के निर्णयों की जानकारी देना।

D. प्रधानमंत्री नीति आयोग का अध्यक्ष होता है

अतः सही क्रमः A → B → C → D

96. (3): लोक सेवाओं के बाजारीकरण को निम्न शर्तों से सीमित बताया गया है :

A. निष्ठा (Loyalty)

C. अनुबंध (Contract)

E. सुरक्षा (Security)

''परंपरा'' और ''मानदंड'' का उल्लेख नहीं है।

अतः सही उत्तरः A, C, E

97. (4): मूल्य विपणन प्रणाली (Price Marketing System) :

- व्यक्तियों को सामान (Goods) और सेवाएँ (Services) उच्चतम बोली लगाने वाले को बेचने की स्वतंत्रता देती है।

''संपत्तियाँ'', ''बांड'' और ''शेयर'' का उल्लेख नहीं है।

अतः सही उत्तरः A और E

98. (3): अमेरिका में अधिक उत्पादन और उपभोग का कारण संस्थागत वातावरण (Institutional Environment) है: यह उनके उत्पादन और खपत की क्षमता को सक्षम बनाता है।

99. (1): 'लाभ को अधिकतम करना' (Profit maximisation) को ही 'तार्किक दृष्टिकोण' (Rational approach) कहा गया है। यह बाजार प्रणाली के तहत आर्थिक व्यवहार का मूल लक्ष्य है।

100. (2): बाजारीकरण को सीमित करने वाले कारकों का अनुक्रम (अनुच्छेद अनुसार) :

B. कार्यकाल (Tenure)

D. निष्ठा (Loyalty)

C. अनुबंध (Contract)

A. सुरक्षा (Security)

अतः सही क्रमः B → D → C → A

National Testing Agency (NTA)

UGC-NET जूनियर रिसर्च फैलोशिप तथा सहायक प्राध्यापक पात्रता परीक्षा

लोक प्रशासन, अगस्त-2024

(Exam held on 22-08-2024)

प्रश्न-पत्र-II

1. निम्नलिखित में से कौन-सी संयुक्त राज्य अमेरिका में 'द न्यू डील' की विशेषता नहीं है?
1. आर्थिक संवृद्धि (ग्रोथ) के लिए राजनीतिक-प्रशासनिक पहल
2. सामाजिक परिवर्तन के लिए परिष्कृत विश्लेषण
3. टेनिसी वैली अथोरिटी (टी.वी.ए.) जैसी परियोजनाएं
4. नीति निर्णयन का विकास

2. प्रशासन से प्रतिमानों (पैटर्न्स) और नियमितताओं को समझने और सिद्धांत निर्माण अभिवृद्धि हेतु निम्नलिखित में से कौन-सा सहायक है?
1. प्रणाली उपागम
2. पारिस्थितिकीय उपागम
3. अंतःसांस्कृतिक अध्ययन
4. संरचनात्मक-प्रकार्यात्मक उपागम

3. पुस्तक "मॉडर्नाइजेशन ऑफ ब्यूरोक्रेटिक पॉलिटी इन थाईलैंड" का लेखक कौन है?
1. मिल्टन इस्मैन 2. फेरेल हैडी
3. जेम्स कोलमैन 4. एफ. डब्ल्यू रिग्स

4. स्थानीय सरकार की "पेरिश काउंसिल" कहां पाई जाती है?
1. संयुक्त राज्य अमेरिका 2. जापान
3. इंग्लैंड 4. जर्मनी

5. एफ.डब्ल्यू. रिग्स के कथनानुसार निम्नलिखित में से कौन-सी समपार्श्वीय समाजों में अतिव्यापन विशेषता नहीं है?
1. भाई-भतीजावाद 2. बाजार-केन्टीन मॉडल
3. औपचारिकतावाद 4. बहुमानकवाद

6. निम्नलिखित में से कौन स्थानीय स्तर पर मुगल सरकार का प्रत्यक्ष प्रतिनिधि था?
1. शिग्दार 2. जमींदार
3. फौजदार 4. खजानदार

7. राज्य वित्त आयोग निम्न में से क्या है?
1. विधि प्राधिकारी 2. प्रशासनिक प्राधिकारी
3. नियामक प्राधिकारी 4. संवैधानिक प्राधिकारी

8. निम्न में से किस राज्य में सर्वप्रथम राष्ट्रपति शासन अधिरोपित किया गया था?
1. केरल 2. पंजाब
3. मद्रास 4. मैसूर

9. निम्न में से किसने ग्राम को 'स्थानियतावाद की हौदी और अज्ञानता के अड्डे' के सिवाय कुछ भी न होने के रूप में वर्णन किया था?
1. बाबू राजेन्द्र प्रसाद 2. बी.आर. अंबेडकर
3. महात्मा गाँधी 4. चार्ल्स मेटकॉफ

10. मार्बल-केक संघवाद पद किसके लिए प्रयुक्त किया जाता है?
1. अर्द्ध-संघवाद
2. सहयोगात्मक संघवाद
3. एकात्मक संघवाद
4. तुलनात्मक संघवाद

11. निम्नलिखित में से किसके माध्यम से द्वैध शासन का उन्मूलन और प्रांतीय स्वायत्ता को प्रभावित किया गया था?
1. भारतीय परिषद् अधिनियम, 1909
2. भारतीय सरकार अधिनियम, 1919
3. भारत सरकार अधिनियम, 1935
4. भारत स्वतंत्रता अधिनियम, 1947

12. नवीन लोक सेवा सिद्धांत में लोक सेवक निम्न में से किसके प्रति उत्तरदायी होते हैं?
1. नागरिक 2. संस्थाएं
3. ग्राहक 4. सेवार्थी

13. निम्न में से क्या मेक्लेलैंड के आवश्यकता के सिद्धांत में सम्मिलित नहीं है?

1. उपलब्धि
2. पुरस्कार
3. शक्ति
4. संबंधन

14. 'आत्मसिद्धि' शब्द को निम्न में से किसने गढ़ा था?

1. अब्राहम मास्लो
2. फ्रेडरिख हर्जबर्ग
3. कर्ट गोल्डस्टेन
4. कर्ट लेविन

15. यह निम्न में से किसने कहा था कि नौकरशाही के सदस्यों को राजमर्मज्ञता की आवश्यकता होती है जिसकी किसी परीक्षा के माध्यम से जाँच नहीं की जा सकती है?

1. हीगेल
2. कार्ल मार्क्स
3. मार्क्स वेबर
4. राबर्ट मर्टन

16. हर्बर्ट साइमन का 'प्रशासनिक व्यक्ति' (एडमिनिस्ट्रेटिव मेन) निम्नलिखित में से किसके बीच का सेतु है:

1. मनोवैज्ञानिक व आर्थिक व्यक्ति
2. मनोवैज्ञानिक व मानक व्यक्ति
3. मनोवैज्ञानिक व विवेकी व्यक्ति
4. आर्थिक व मानक व्यक्ति

17. संगठन विकास की उत्पत्ति का श्रेय निम्न में से किसे जाता है?

1. वारेन बेनिस
2. कर्ट लेविन
3. थामस फिट्ज़ेरेल्ड
4. क्रिस अर्गाइरिस

18. निम्न में से किसने नौकरशाही को प्रतिनिधिक, दलीय-राज्य, सैन्य प्रभुत्व अधीन, शासक प्रभुत्व अधीन व शासक नौकरशाही के रूप में वर्गीकृत किया है?

1. पीटर ब्लों
2. मेर्ले फेन्सोड
3. एफ. डब्ल्यू रिग्स
4. कार्ल मार्क्स

19. जब किसी लोक सेवक के दायित्व निजी हित से परे होता है तो इसे कहा जाता है:

1. सत्यनिष्ठता
2. निष्पक्षता
3. वस्तुनिष्ठता
4. ईमानदारी

20. निम्नलिखित में से कौन-सा संबंधित प्रणाली सृजन के माध्यम से लोक प्रशासन में एक मूल्य संवर्धन है, जो बेहतर निर्णय, बेहतर समन्वयन में सहायक होता है और नागरिकों एवं व्यवसायों के लिए सेवाओं का संवर्धन करता है?

1. सहयोगात्मक शासन
2. अंतः प्रचालनता
3. विमर्शी लोकतंत्र
4. लोक प्रशासन प्रतिस्थापन (रिपॉजिशनिंग)

21. निम्नलिखित में से किसने विशेषज्ञों के पास ज्ञान की शक्ति होने के संदर्भ में 'टेक्नोस्ट्रक्चर' (प्रौद्यो-संरचना) शब्द की रचना की थी?

1. गिलब्रैथ
2. ए. डाउन्स
3. एम.एन. जाल्ड
4. बी.ई. विलियमसन

22. निम्नलिखित में से कौन-सा आनुपातिक कर है?

1. आयकर
2. वस्तु और सेवाकर
3. पूंजीगत अभिलाभ कर
4. व्यावसायिक कर (प्रोफेशनल टैक्स)

23. कार्यक्रमों द्वारा बजट के आयोजन और परिणामों के मापन की विधि को किस नाम से जाना जाता है?

1. शून्य-आधारित बजट
2. सनसेट बजट
3. निष्पादन बजट
4. लाइन आइटम बजट

24. भारतीय संविधान के किस अनुच्छेद के अंतर्गत विनियोग विधेयकों को पारित होने संबंधी प्रावधान का उल्लेख है?

1. अनुच्छेद 112
2. अनुच्छेद 114
3. अनुच्छेद 115
4. अनुच्छेद 116

25. निम्नलिखित में से कौन्-सा विभाग वित्त मंत्रालय में बैंकिंग, बीमा और निवेश के कार्यों से संबंधित है?

1. आर्थिक मामलों का विभाग
2. व्यय विभाग
3. राजस्व विभाग
4. आर्थिक नियोजन विभाग

26. सामाजिक सुरक्षा योजना से संबंधित कर्मचारियों की भविष्य निधि को निम्नलिखित में से किसके अंतर्गत रखा गया है?

1. भारत की संचित निधि (कंसोलिडेटेड फंड ऑफ इंडिया)
2. भारत का आकस्मिक निधि
3. लोक लेखा
4. कर्मचारी भविष्य निधि संगठन

27. तार्किक बजट निर्माण प्रणाली आगतों, निर्गतों और परिणामों से संबंधित है, जो वैकल्पिक कार्यक्रम के लागत-लाभ का विश्लेषण करती है, को कहा जाता है?

1. लाइन आइटम बजट
2. निष्पादन बजट
3. नियोजन कार्यक्रमण बजट प्रणाली
4. शून्य-आधारित बजट

28. निम्नलिखित में से कौन-सा सार्वजनिक क्षेत्र का उपक्रम नहीं है?

1. बामर लारी कंपनी लिमिटेड
2. हिन्दुस्तान ऑर्गेनिक केमिकल्स लिमिटेड
3. विदेश संचार निगम लिमिटेड
4. इंडियन ड्रग्स एंड फार्मेस्यूटिकल्स लिमिटेड

29. नीति प्रक्रिया में नीति आयोग की भूमिका है:
1. नीति संबंधी लक्ष्य निर्धारित करना
2. नीति संबंधी सलाह प्रदान करना
3. नीति का आकलन
4. नीति संबंधी अनुवीक्षण

30. अंतर-क्षेत्रीय (इंटर-सेक्टोरल) प्रशासन किससे संबंधित है?
1. यह सार्वजनिक-निजी साझेदारियों को नकारता है।
2. लोक प्राधिकारियों को मजबूत करने का प्रयोजन।
3. यह विशुद्ध सरकारी संस्थानों को समर्थन करता है।
4. विशिष्ट नीतिगत लक्ष्यों को प्राप्त करने का प्रयोजन।

31. निम्नलिखित में से कौन-सा लोक नीति निर्णयन का प्रतिगान (पैरेडाइम) नहीं है?
1. अभिवृद्धिवाद   2. औचित्यपूर्ण
3. शक्ति का विनयमन   4. व्यूह रचनात्मक नियोजन

32. रेखीय क्रमादेशन (प्रोग्रामिंग) निम्नलिखित में से क्या है?
1. इसका प्रयोग सहलग्न स्थितियों की श्रृंखला में किया जाता है
2. यह प्रतीक्षा सूची सेवा तंत्र है
3. सीमित संसाधनों हेतु गणितीय तकनीक
4. माल की प्रमात्राओं में प्रयोग किया जाता है

33. आनुभाविक शोध में निम्न में से क्या अधिक उपयुक्त है?
1. आगमनात्मक विधि   2. निगमनात्मक विधि
3. वैज्ञानिक विधि   4. मानक विधि

34. निम्न में से कौन एक सर्वेक्षण शोध का अभिलक्षण **नहीं** है?
1. जनसंख्या का सटीक माप देना
2. जनसंख्या से प्रतिदर्श आहरित करना
3. जनगणना में उपयोगी
4. अनेक चरों से व्यवहार कर सकता है

35. समाजमितीय विश्लेषण निम्न में से किसे स्पष्ट करता है?
1. व्यक्तियों का व्यवहार
2. एक समूह में व्यक्तियों के बीच के संबंध
3. समूहों के बीच के संबंध
4. एक समूह में व्यक्तियों के बीच के व्यवहार का संशोधन

36. निम्नलिखित में से किसके द्वारा राष्ट्रीय बाल अधिकार संरक्षण आयोग की स्थापना की गई थी?
1. मंत्रिमंडल का कार्यपालक आदेश
2. संसद का अधिनियम
3. संसद का प्रस्ताव
4. मंत्रिपरिषद का निर्णय

37. निम्नलिखित में से किसके द्वारा 'एल्डरली इन इंडिया 2021' रिपोर्ट प्रकाशित की गई थी?
1. सांख्यिकी एवं कार्यक्रम कार्यान्वयन मंत्रालय
2. श्रम और रोजगार मंत्रालय
3. स्वास्थ्य एवं परिवार कल्याण
4. सामाजिक न्याय एवं अधिकारिता मंत्रालय

38. निम्नलिखित में से किसके द्वारा प्रतिपुष्टि (फीडबैक) के लिए, 'ओपन सिटीज फ्रेमवर्क' और डिजिटल उपकरण के उपयोग का प्रतिपादन किया गया था?
1. नीति आयोग
2. शहरी विकास मंत्रालय
3. 15वां वित्त आयोग
4. द्वितीय प्रशासनिक सुधार आयोग

39. कुमार मंगलम बिरला समिति (2000) निम्नलिखित में से किससे संबंधित है?
1. व्यवसाय आचार संहिता
2. प्रशासन में आचार संहिता
3. कॉरपोरेट शासन
4. कॉरपोरेट सामाजिक उत्तरदायित्व

40. निम्नलिखित में से किस तकनीक को 'शांतिकालीन निर्णयन में सुधार करना' कहा जाता है?
1. प्रबंधन सूचना प्रणालियां
2. प्रचलनात्मक शोध
3. लागत-लाभ विश्लेषण
4. ज्ञान-आधारित प्रबंधन

41. निम्नलिखित में से कौन-सा विचारक तुलनात्मक लोक प्रशासन से संबद्ध नहीं है?
A. राल्फ ब्रायबन्ती   B. ई.एन. ग्लेडन
C. फेरल हैडी   D. क्रिस्टोफर हुड

नीचे दिए गए विकल्पों में से **सही** उत्तर का चयन कीजिए।
1. केवल A, B और C   2. केवल B, C और D
3. केवल A और C   4. केवल B और D

42. निम्नलिखित में से कौन-सी विकास प्रशासन की विशेषताएं नहीं हैं?
A. संगठन पर ध्यान केन्द्रित करना
B. समाजीकरण को प्रोत्साहन देना
C. ग्राहक-उन्मुख उपागम
D. प्रशासनिक परिवर्तन को प्रोत्साहन देना

नीचे दिए गए विकल्पों में से **सही** उत्तर का चयन कीजिए।
1. केवल A, B और C
2. केवल B, C और D
3. केवल A और B
4. केवल C और D

43. निम्नलिखित में से कौन-सी तुलनात्मक लोक प्रशासन के बारे में इडियोग्राफिक उन्मुखता की विशेषता है?

A. ऐतिहासिक उपाख्यान

B. चरों के बीच सहसंबंध

C. संस्कृति क्षेत्र

D. व्यवहार नियमितताएं

नीचे दिए गए विकल्पों में से **सही** उत्तर का चयन कीजिए।

1. केवल A और B
2. केवल C और D
3. केवल A और C
4. केवल B और D

44. रिग्स के अनुसार, निम्नलिखित में से कौन-सी समाज के लिए प्रकार्यात्मक आवश्यकताएं है?

A. आर्थिक

B. सामाजिक

C. धार्मिक

D. सम्प्रेषणात्मक

नीचे दिए गए विकल्पों में से **सही** उत्तर का चयन कीजिए।

1. A, B, C और D
2. केवल A, B और C
3. केवल A, B और D
4. केवल A, C और D

45. निम्न में से किन्हें राज्य के राज्यपाल की विवेकाधीन शक्तियां माना जाता है?

A. विधान सभा में किसी भी दल का पूर्ण बहुमत न होने पर मुख्यमंत्री की नियुक्ति

B. विधान सभा के अध्यक्ष (स्पीकर) की नियुक्ति

C. मंत्री की बर्खास्तगी

D. विधान सभा द्वारा पारित विधेयक को स्वीकृति देना

नीचे दिए गए विकल्पों में से **सही** उत्तर का चयन कीजिए।

1. A, B, C, D
2. केवल A, B, C
3. केवल A और D
4. केवल B और C

46. मुख्य सचिव पद हेतु, किसी अधिकारी का चयन करने के समय पर निम्न में से किन कारकों पर विचार किया जाता है?

A. वरिष्ठता

B. सेवा रिकार्ड, कार्य निष्पादन व मेरिट

C. मुख्यमंत्री का विश्वास

D. मंत्रीमंडल सचिव का परामर्श

नीचे दिए गए विकल्पों में से **सही** उत्तर का चयन कीजिए।

1. केवल A
2. केवल A और B
3. केवल A, B और C
4. A, B, C और D

47. निम्न में से किन पुस्तकों का लेखन राबर्ट टी. गोलेम्बिवस्की ने किया है?

A. आर्गेनाइजेशन डेवलपमेंट इन पब्लिक एडमिनिस्ट्रेशन

B. बिहेवियरल एप्रोच टू पब्लिक एडमिनिस्ट्रेशन

C. पर्सपेक्टिव्स ऑन पब्लिक मैनेजमेंट

D. मैनेजमेंट डाइवर्सिटी इन आर्गेनाइजेशन

नीचे दिए गए विकल्पों में से **सही** उत्तर का चयन कीजिए।

1. केवल A, B, C
2. केवल B, C, D
3. केवल A, B, D
4. केवल A, C, D

48. व्यूहरचनात्मक निर्णयों की निम्नलिखित विशेषताओं पर विचार कीजिए?

A. संगठन के शीर्ष पर लिया जाता है।

B. इसमें उच्च जोखिम है।

C. निर्णयन में एकमात्र मापदंड औचित्यता है।

D. इसमें नया कार्यक्रम सम्मिलित है।

नीचे दिए गए विकल्पों में से **सही** उत्तर का चयन कीजिए।

1. केवल A, B
2. केवल A, B, C
3. केवल A, B, D
4. A, B, C, D

49. नियंत्रण के विस्तार की सीमा निर्धारित होती है:

A. प्रबंधन का सामर्थ्य

B. पर्यवेक्षित व्यक्तियों की गुणवत्ता

C. कार्य की प्रकृति

D. सम्प्रेषण की प्रभावशीलता

नीचे दिए गए विकल्पों में से **सही** उत्तर का चयन कीजिए।

1. केवल A, B, C
2. केवल B, C, D
3. केवल A, B, D
4. A, B, C, D

50. शोध एक ऐसा क्रियाकलाप है जो हमें निष्कर्ष तक ले जाता है?

A. उपलब्ध ज्ञान का सत्यापन

B. भावी शोध हेतु सुझाव

C. नवीन तथ्य व सूचना

D. उन चीजों के बारे में प्रश्न उठाना जिन्हें विद्यमान डाटा के आधार पर समझना कठिन है

नीचे दिए गए विकल्पों में से **सही** उत्तर का चयन कीजिए।

1. केवल A, B, C
2. केवल B, C और D
3. केवल A, C और D
4. A, B, C, D

51. सांगठनिक व्यवहार के अध्ययन हेतु निम्न में से कौन-सी विधियां उपयोगी हैं?

A. प्रतिभागी प्रेक्षण

B. गैर प्रतिभागी प्रेक्षण

C. साक्षात्कार अनुसूची

D. ऐतिहासिक विधि

नीचे दिए गए विकल्पों में से **सही** उत्तर का चयन कीजिए।

1. A, B, C और D
2. केवल A, B और D
3. केवल A, B और C
4. केवल B, C और D

52. शोध में प्रायोगिक विधि की विशिष्टताएं हैं:

A. यह बहुचर नियम का अनुसरण करता है

B. यह शोध की प्रयोगशाला विधि है और इसे विशुद्ध विज्ञान से लिया गया है

C. यह वैज्ञानिक विधि का अनुसरण करता है

D. शोधकर्ता सौद्देश्यपूर्ण तरीके से पर्यावरण में कुछ-कुछ परिवर्तन कर सकता है

नीचे दिए गए विकल्पों में से **सही** उत्तर का चयन कीजिए।

1. केवल A, B और C
2. केवल B, C और D
3. केवल A, C और D
4. A, B, C और D

53. प्रकरण अध्ययन शोध में निम्न में से क्या उपयोगी है?

A. व्यक्ति अथवा समूह का अध्ययन

B. शिक्षा के क्षेत्र में

C. तुलनात्मक अध्ययन के क्षेत्र में

D. सिद्धांत रचना में

नीचे दिए गए विकल्पों में से **सही** उत्तर का चयन कीजिए।

1. केवल A, B और C
2. केवल B, C और D
3. केवल A, C और D
4. केवल A, B और D

54. 'न्यू इंडिया' के लिए सुझावित साक्ष्य-आधारित नीति निर्णयन में सम्मिलित है:

A. राष्ट्रीय डेटा साझाकरण और सुगम्यता योजना (एन.डी.एस.ए.पी.)

B. डेटा समेकन और गुणवत्ता आश्वासन

C. विभिन्न स्रोतों से डेटा के भंडारण और समेकन के लिए संग्रहण सुविधाओं का विस्तार करना

D. विद्यमान सरकारी अवसंरचना का उपयोग करते हुए मापन-योग्य नए मानदंडों के लिए डेटा का संग्रह करना

नीचे दिए गए विकल्पों में से **सही** उत्तर का चयन कीजिए।

1. केवल A, B और C
2. केवल A, B और D
3. केवल B, C और D
4. A, B, C और D

55. निम्नलिखित में से कौन-से लोक नीति निर्णयन के अभिवर्धी प्रतिमान की सही अभिव्यक्तियां हैं?

A. इसका चार्ल्स ई. लिंडब्लोम ने प्रतिपादन किया था।

B. नीति निर्णयन प्रक्रिया के विवरण के रूप में असंयुक्त अभिवृद्धिवाद।

C. इसका कहना है कि नीति निर्माता त्वरित परिवर्तनों पर विचार और क्रियान्वयन करते हैं।

D. यह प्रतिमान सामाजिक मूल्यों के वितरण की तुलना में राजनीतिक अधिक है।

नीचे दिए गए विकल्पों में से **सही** उत्तर का चयन कीजिए।

1. केवल A, B और C
2. केवल A, B और D
3. केवल A, C और D
4. A, B, C और D

56. निम्नलिखित में से कौन-से घटक नीतिगत परिणाम के आकलन से संबंधित है?

A. नीतिगत लक्ष्य

B. कार्यक्रम संबंधी परिणाम

C. लक्षित जनसंख्या की पहचान करना

D. संकेतकों के उपाय

नीचे दिए गए विकल्पों में से **सही** उत्तर का चयन कीजिए।

1. केवल A, B, C
2. केवल B, C, D
3. केवल A, B, D
4. केवल A, C, D

57. लोक नीति क्रियान्वयन के संगठित अराजकता मॉडल संबंधित है:

A. समस्या संबंधी प्रवाह से

B. राजनीतिक प्रवाह से

C. नीति प्रवाह से

D. बजट प्रवाह से

नीचे दिए गए विकल्पों में से **सही** उत्तर का चयन कीजिए।

1. A, B, C और D
2. केवल A, B और D
3. केवल A, B और C
4. केवल A, C और D

58. निम्नलिखित में से कौन भारत सरकार में वित्त मंत्री थे?

A. आर.के. षणमुखम चेट्टी

B. चरण सिंह

C. मधु दंडवते

D. सुब्रह्मण्यम स्वामी

नीचे दिए गए विकल्पों में से **सही** उत्तर का चयन कीजिए।

1. A, B, C और D
2. केवल A, B, C
3. केवल A, C, D
4. केवल B, C, D

59. निम्नलिखित में से कौन भाषायी अल्पसंख्यकों के आयुक्त के बारे में सही **नहीं** है?

A. भाषायी अल्पसंख्यक के आयुक्त का कार्यालय वर्ष 1959 में स्थापित किया गया था।
B. आयुक्त के कार्यालय का मुख्यालय प्रयागराज में है।
C. राज्य पुनर्गठन आयोग ने उपर्युक्त कार्यालय के नाम की अनुशंसा की थी।
D. यह आयुक्त भारतीय अल्पसंख्यक आयोग के प्रति उत्तरदायी है।

नीचे दिए गए विकल्पों में से **सही** उत्तर का चयन कीजिए।

1. केवल A और B
2. केवल B और C
3. केवल C और D
4. केवल A और D

60. निम्न में से कौन-सी भौगोलिक सूचना प्रणालियों की डाटा प्रक्रिया की विशेषताएं हैं?

A. प्राप्त करना
B. भण्डारण
C. स्थानान्तरण करना
D. प्रदर्शन करना

नीचे दिए गए विकल्पों में से **सही** उत्तर का चयन कीजिए।

1. केवल A, B और C
2. केवल B, C और D
3. केवल A, C और D
4. केवल A, B और D

61. सूची-I के साथ सूची-II का मिलान कीजिए।

सूची-I (लेखक)	**सूची-II (पुस्तक)**
A. रिचर्ड बेन्डिक्स	I. द ब्यूरोक्रेटिक फेनोमिनन
B. इरविन स्वेर्डलो	II. रीडर इन ब्यूरोक्रेसी
C. माइकल क्रॉजियर	III. मैक्स वेबरः एन इन्टेलेक्चुअल पोर्ट्रेट
D. रॉबर्ट मर्टन	IV. डेवलपमेंट एडमिनिस्ट्रेशनः कॉन्सेप्ट्स एंड प्रोबलम्स

नीचे दिए गए विकल्पों में से **सही** उत्तर का चयन कीजिएः

1. A-III, B-IV, C-I, D-II
2. A-III, B-I, C-II, D-IV
3. A-II, B-IV, C-I, D-III
4. A-II, B-III, C-I, D-IV

62. सूची-I के साथ सूची-II का मिलान कीजिए।

सूची-I	**सूची-II**
A. राज्यपाल के पद का कार्यकाल	I. अनुच्छेद-154
B. राज्यपाल के पद की शर्तें	II. अनुच्छेद-156
C. क्षमादान की राज्यपाल की शक्तियां	III. अनुच्छेद-158
D. राज्य की कार्यकारी शक्ति	IV. अनुच्छेद-161

नीचे दिए गए विकल्पों में से **सही** उत्तर का चयन कीजिएः

1. A-IV, B-I, C-III, D-II
2. A-III, B-II, C-I, D-IV
3. A-II, B-III, C-IV, D-I
4. A-I, B-IV, C-III, D-II

63. सूची-I के साथ सूची-II का मिलान कीजिए।

सूची-I	**सूची-II**
A. महानगर नियोजन समिति	I. अनुच्छेद 243Z
B. जिला नियोजन समिति	II. अनुच्छेद 243ZA
C. नगरपालिकाओं के लेखों की लेखा परीक्षा	III. अनुच्छेद 243ZD
D. नगरपालिकाओं के निर्वाचन	IV. अनुच्छेद 243ZE

नीचे दिए गए विकल्पों में से **सही** उत्तर का चयन कीजिएः

1. A-III, B-IV, C-II, D-I
2. A-IV, B-III, C-I, D-II
3. A-II, B-I, C-III, D-IV
4. A-IV, B-II, C-I, D-III

64. सूची-I के साथ सूची-II का मिलान कीजिए।

सूची-I	**सूची-II**
A. विनियोग विधेयक	I. अनुच्छेद 207
B. वित्त विधेयक हेतु विशेष प्रावधान	II. अनुच्छेद 205
C. लेखानुदान	III. अनुच्छेद 204
D. अनुपूरक अनुदान	IV. अनुच्छेद 206

नीचे दिए गए विकल्पों में से **सही** उत्तर का चयन कीजिएः

1. A-I, B-III, C-IV, D-II
2. A-II, B-IV, C-I, D-III
3. A-IV, B-III, C-II, D-I
4. A-III, B-IV, C-I, D-II

65. सूची-I के साथ सूची-II का मिलान कीजिए।

सूची-I (अधिकारी)	**सूची-II (उत्तरदायित्व)**
A. वजीर	I. आसूचना
B. मुकद्दम	II. राजस्व और वित्त
C. काजी-उल-कुजात	III. न्याय
D. मीर बशीर	IV. ग्राम प्रधान

नीचे दिए गए विकल्पों में से **सही** उत्तर का चयन कीजिएः

1. A-II, B-I, C-III, D-IV
2. A-III, B-IV, C-I, D-II
3. A-III, B-I, C-IV, D-II
4. A-II, B-IV, C-III, D-I

66. सूची-I के साथ सूची-II का मिलान कीजिए।

सूची-I (समिति का अध्यक्ष)	**सूची-II (उद्देश्य/प्रयोजन)**
A. कस्तुरीरंगन समिति	I. क्रिकेट बोर्ड में सुधार
B. न्यायमूर्ति लोढ़ा समिति	II. केन्द्रीय सतर्कता आयोग की स्थापना
C. के. संथानम समिति	III. राष्ट्रीय शिक्षा नीति
D. जे.जे. ईरानी समिति	IV. नए कंपनी अधिनियम का निर्माण

नीचे दिए गए विकल्पों में से **सही** उत्तर का चयन कीजिए:
1. A-III, B-II, C-I, D-IV
2. A-II, B-I, C-III, D-IV
3. A-II, B-III, C-I, D-IV
4. A-III, B-I, C-II, D-IV

67. सूची-I के साथ सूची-II का मिलान कीजिए।

सूची-I (मिशन)	**सूची-II (प्रयोजन)**
A. इंद्रधनुष	I. शहरी अवसंरचनाओं को रूपांतरित करना
B. अमृत	II. नवोन्मेष और उद्यमशीलता की संस्कृति
C. डिजिटल इंडिया	III. टीकाकरण
D. अटल नवोन्मेष मिशन (ए.आई.एम)	IV. डिजिटल सशक्तीकरण और ज्ञान आधारित अर्थव्यवस्था

नीचे दिए गए विकल्पों में से **सही** उत्तर का चयन कीजिए:
1. A-III, B-IV, C-I, D-II
2. A-IV, B-III, C-II, D-I
3. A-III, B-I, C-IV, D-II
4. A-IV, B-I, C-III, D-II

68. सूची-I के साथ सूची-II का मिलान कीजिए।

सूची-I (दिन)	**सूची-II (तिथि)**
A. पंचायती राज दिवस	I. 21 अप्रैल
B. सिविल सेवा दिवस	II. 22 अप्रैल
C. सुशासन दिबस	III. 24 अप्रैल
D. पृथ्वी दिवस	IV. 25 दिसम्बर

नीचे दिए गए विकल्पों में से **सही** उत्तर का चयन कीजिए:
1. A-I, B-III, C-II, D-IV
2. A-II, B-IV, C-III, D-I
3. A-IV, B-II, C-I, D-III
4. A-III, B-I, C-IV, D-II

69. सूची-I के साथ सूची-II का मिलान कीजिए।

सूची-I (प्रशासन का महत्व)	**सूची-II (विचारक)**
A. प्रशासन के स्थिरीकारी और परम्परा के अभिरक्षक हैं।	I. चार्ल्स ए. बेयर्ड
B. प्रशासकों का मुख्य कार्य सामाजिक परिवर्तनों को सुगम बनाना होना चाहिए।	II. वालेन्स डोन्हम
C. प्रशासन के विघटन की परिणति सभ्यता का विघटन है।	III. पॉल पिगोर्स
D. प्रशासन महान समाज में शक्ति को स्थायी बनाने का मूल मंत्र है।	IV. एडम्स ब्रुक्स

नीचे दिए गए विकल्पों में से **सही** उत्तर का चयन कीजिए:
1. A-II, B-III, C-IV, D-I
2. A-III, B-IV, C-II, D-I
3. A-I, B-II, C-III, D-IV
4. A-IV, B-I, C-II, D-III

70. सूची-I के साथ सूची-II का मिलान कीजिए।

सूची-I (हेनरी फायल की अवधारणाएं)	**सूची-II (स्पष्टीकरण)**
A. प्राधिकार (अथोरिटी)	I. निष्पादन की बाध्यता
B. उत्तरदायित्व	II. अधीनस्थ को आदेश देने का वरिष्ठ का अधिकार
C. केन्द्रीकरण	III. सभी स्तरों पर जोड़ते हुए शीर्ष से सबसे निचले स्तर तक प्राधिकार की स्पष्ट रेखा
D. स्केलर चैन	IV. प्रबंधन के शीर्ष पर निर्णयन प्राधिकार

नीचे दिए गए विकल्पों में से **सही** उत्तर का चयन कीजिए:
1. A-II, B-I, C-IV, D-III
2. A-I, B-II, C-III, D-IV
3. A-III, B-IV, C-II, D-I
4. A-IV, B-III, C-I, D-II

71. सूची-I के साथ सूची-II का मिलान कीजिए।

सूची-I (प्रशासन का अर्थ)	**सूची-II (विचारक)**
A. प्रयोजन को निष्पादित करने के लिए व्यक्ति और सामग्री का संगठन	I. लूथर गुलिक
B. वांछित साध्य की प्राप्ति के लिए मानव और सामग्री के संसाधनों का संगठन एक दिशा-निर्देश	II. फेलिक्स ए नीग्रो
C. कतिपय प्रयोजन और उद्देश्यों की प्राप्ति के लिए अनेक व्यक्तियों को निर्देशन, समन्वयन एवं नियंत्रण	III. पिफ्नर
D. प्रशासन को वांछित उद्देश्यों की प्राप्ति के साथ कार्य करने पड़ते हैं।	IV. एल.डी. व्हाइट

नीचे दिए गए विकल्पों में से **सही** उत्तर का चयन कीजिए:
1. A-I, B-III, C-IV, D-II
2. A-III, B-I, C-II, D-IV
3. A-IV, B-II, C-III, D-I
4. A-II, B-III, C-IV, D-I

72. सूची-I के साथ सूची-II का मिलान कीजिए।

सूची-I	सूची-II
A. समूह मॉडल	I. सरकार का संगठनात्मक चार्ट
B. प्रणाली मॉडल	II. सदस्य समान मूल्यों को साझा करते है और उनके पास अधिक शक्ति होती है
C. संस्थावादी मॉडल	III. शक्तियों की प्रणाली और एक-दूसरे के विरूद्ध ढकेलने के लिए दबाव डालना
D. अभिजात मॉडल	IV. चक्रीय और अंतहीन

नीचे दिए गए विकल्पों में से **सही** उत्तर का चयन कीजिए:

1. A-II, B-III, C-I, D-IV
2. A-III, B-IV, C-I, D-II
3. A-IV, B-III, C-II, D-I
4. A-I, B-III, C-II, D-IV

73. सूची-I के साथ सूची-II का मिलान कीजिए।

सूची-I (मापनी का प्रकार)	सूची-II (अभिलक्षण)
A. नामिक	I. एक मान दूसरे से अधिक है
B. क्रमसूचक	II. पूर्ण शून्य बिंदु से आरंभ होता है
C. अंतराल	III. चरों के मध्य गुणात्मक अंतर
D. अनुपात	IV. प्रत्येक मान के मध्य समान दूरी

नीचे दिए गए विकल्पों में से **सही** उत्तर का चयन कीजिए:

1. A-III, B-II, C-I, D-IV
2. A-II, B-I, C-III, D-IV
3. A-III, B-I, C-IV, D-II
4. A-I, B-II, C-III, D-IV

74. सूची-I के साथ सूची-II का मिलान कीजिए।

सूची-I	सूची-II
A. राष्ट्रीय बाल अधिकार संरक्षण आयोग	I. 2006
B. यौन अपराधों से बच्चों के संरक्षण संबंधी अधिनियम	II. 1953
C. केन्द्रीय सामाजिक कल्याण बोर्ड	III. 2007
D. बाल विवाह प्रतिषेध अधिनियम	IV. 2012

नीचे दिए गए विकल्पों में से **सही** उत्तर का चयन कीजिए:

1. A-I, B-IV, C-II, D-III
2. A-IV, B-I, C-III, D-II
3. A-III, B-IV, C-II, D-I
4. A-II, B-I, C-III, D-IV

75. सूची-I के साथ सूची-II का मिलान कीजिए।

सूची-I	सूची-II
A. नव-उदारवाद	I. सार्वजनिक क्षेत्र में बाजरों और कॉरपोरेट तकनीकों की भूमिका में वृद्धि करना
B. नव लोक प्रबंधन	II. लोकतंत्र से बैंकिंग और बजट निर्माण का संरक्षण
C. नव संस्थावाद	III. राज्य अंतर्निहित रूप से अकुशल है
D. गैर-बहुमतवादी संस्थाएं	IV. उपयोगिता अधिकतमीकरण

नीचे दिए गए विकल्पों में से **सही** उत्तर का चयन कीजिए:

1. A-II, B-I, C-III, D-IV
2. A-I, B-III, C-IV, D-II
3. A-IV, B-III, C-II, D-I
4. A-III, B-I, C-IV, D-II

76. निम्नलिखित को उनके प्रारम्भ होने के अनुसार कालक्रमिक रूप से व्यवस्थित कीजिए:

A. प्रधानमंत्री आवास योजना (पी.एम.ए.वाई.-शहरी)

B. अटल नवोन्मेष मिशन

C. राष्ट्रीय ग्रामीण स्वास्थ्य मिशन

D. स्वच्छ भारत मिशन (एस.बी.एम.)

नीचे दिए गए विकल्पों में से **सही** उत्तर का चयन कीजिए।

1. B, C, A, D
2. C, D, A, B
3. D, C, B, A
4. C, B, A, D

77. निम्नलिखित केन्द्रीय सचिवालय सेवा वर्ग को उनके पदानुक्रम के अनुसार व्यवस्थित कीजिए:

A. अवर सचिव

B. सहायक सचिव/अनुभाग अधिकारी

C. संयुक्त सचिव

D. निर्देशक

नीचे दिए गए विकल्पों में से **सही** उत्तर का चयन कीजिए।

1. B, A, D, C
2. C, D, A, B
3. B, D, A, C
4. C, A, B, D

78. समावेशी विकास के भारतीय मॉडल में सम्मिलित है:

A. सब का साथ

B. सब का विकास

C. सब का विश्वास

D. सब का प्रयास

नीचे दिए गए विकल्पों में से **सही** उत्तर का चयन कीजिए।

1. A, B
2. A, B, C
3. A, B, D
4. A, B, C, D

79. द्वितीय प्रशासनिक सुधार आयोग की निम्नलिखित रिपोर्टों का सही अनुक्रम में व्यवस्थित कीजिए:

A. संकट प्रबंधन

B. शासन में आचार नीति

C. सूचना का अधिकारः सुशासन का मूल मंत्र

D. मानव पूंजी को निर्बंध करनाः हकदारियां और शासन

E. सार्वजनिक व्यवस्था

नीचे दिए गए विकल्पों में से **सही** उत्तर का चयन कीजिए।

1. B, D, C, A, E
2. C, D, A, B, E
3. A, B, D, E, C
4. D, B, A, C, E

80. रेंसिस लिकर्ट द्वारा प्रदत्त निम्न प्रबंधन प्रणालियों को सही क्रम में व्यवस्थित कीजिए:

A. हितकारी-सत्तावादी प्रणाली

B. परामर्शी प्रणाली

C. प्रतिभागी प्रणाली

D. शोषक-सत्तावादी प्रणाली

नीचे दिए गए विकल्पों में से **सही** उत्तर का चयन कीजिए।

1. B, C, D, A
2. C, A, B, D
3. D, A, B, C
4. A, B, C, D

81. हेनरी फेयोल द्वारा प्रदत्त प्रबंधन तत्वों को सही क्रम में व्यवस्थित कीजिए:

A. संगठन

B. नियोजन

C. समन्वय

D. कमान

E. नियंत्रण

नीचे दिए गए विकल्पों में से **सही** उत्तर का चयन कीजिए।

1. B, A, D, C, E
2. B, A, C, E, D
3. C, B, A, D, E
4. A, D, C, B, E

82. निम्नलिखित को लोक प्रशासन विषय के उद्विकास में सही अनुक्रम में व्यवस्थित कीजिए:

A. अभिप्रेरणा-आरोग्य सिद्धांत

B. पारिस्थितिकीय उपागम

C. सामाजिक प्रणाली उपागम

D. वैज्ञानिक प्रबंधन उपागम

नीचे दिए गए विकल्पों में से **सही** उत्तर का चयन कीजिए।

1. A, B, C, D
2. D, C, B, A
3. D, C, A, B
4. A, C, B, D

83. विभिन्न विचारकों के योगदान ने एक अकादमिक विषय के रूप में लोक प्रशासन को प्रभावित किया। इन्हें कालक्रमानुसार व्यवस्थित कीजिए:

A. फ्रैंक जे. गुडनॉऊ

B. लिंडाल उर्विक

C. रॉबर्ट डाहल

D. चेस्टर बर्नार्ड

नीचे दिए गए विकल्पों में से **सही** उत्तर का चयन कीजिए।

1. A, B, C, D
2. A, B, D, C
3. A, C, D, B
4. A, D, C, B

84. निम्नलिखित को भारत में उनके प्रारम्भ के अनुसार कालक्रमित रूप से व्यवस्थित कीजिए:

A. विकेन्द्रीकरण आयोग की रिपोर्ट

B. एन.डी.सी. की नियोजन परियोजनाओं पर समिति

C. राष्ट्रीय विस्तार सेवा

D. पंचायती राज का प्रारम्भ

नीचे दिए गए विकल्पों में से **सही** उत्तर का चयन कीजिए।

1. A, C, B, D
2. A, B, D, C
3. C, B, A, D
4. B, C, A, D

85. लोक नीति के प्रारम्भ से उसकी अवधारणाओं के सही क्रम की पहचान कीजिए:

A. तार्किक चयन मॉडल

B. प्रौद्योगिकी मूल्यांकन मॉडल

C. लोक नीति विश्लेषण

D. लोक नीति निर्माण का व्यूह रचनात्मक नियोजन प्रतिमान

नीचे दिए गए विकल्पों में से **सही** उत्तर का चयन कीजिए।

1. A, C, D, B
2. A, D, B, C
3. C, A, B, D
4. C, D, A, B

86. निम्नलिखित कदमों के अनुक्रम की पहचान कीजिए, जो साक्ष्य-आधारित नीति निर्णयन के लिए अभिन्न हैं:

A. समय पर संतुलित डेटा का प्रचार

B. डेटा विश्लेषण का समेकन

C. डेटा के भंडारण और समेकन के लिए संग्रहण की सुविधाएं

D. मापन योग्य मानदंडों के आधार पर डेटा का एकत्रण

नीचे दिए गए विकल्पों में से **सही** उत्तर का चयन कीजिए।

1. D, B, C, A
2. D, C, B, A
3. D, A, C, B
4. D, B, A, C

87. भारत में लगाए गए निम्नलिखित करों की कालक्रमानुसार पहचान कीजिए:

A. मूल्य संवर्धन कर

B. केन्द्रीय बिक्री कर

C. आयकर

D. धन-सम्पत्ति कर (वैल्थ टैक्स)

नीचे दिए गए विकल्पों में से **सही** उत्तर का चयन कीजिए।

1. C, D, A, B
2. C, A, D, B
3. C, D, B, A
4. C, B, D, A

88. निम्नलिखित विनियामक निकायों कि स्थापना को कालक्रमानुसार व्यवस्थित कीजिए:

A. भारतीय टेलीकॉम विनियामक प्राधिकरण (टी.आर.ए.आई.)

B. भारतीय प्रतिभूति और विनिमय बोर्ड (सेबी)

C. पेंशन निधि विनियामक एवं विकास प्राधिकरण

D. बीमा विनियामक एवं विकास प्राधिकरण (आई.आर.डी.ए.)

नीचे दिए गए विकल्पों में से **सही** उत्तर का चयन कीजिए।

1. B, D, A, C
2. B, A, D, C
3. B, C, D, A
4. B, D, C, A

89. प्रतिचयन प्रक्रिया में निम्न कदमों को सही क्रमानुसार व्यवस्थित कीजिए:

A. लक्ष्य जनसंख्या की पहचान करना
B. प्रतिचयन फ्रेम
C. प्रतिचयन विधि का चयन
D. प्रतिदर्श का आकार
E. प्रतिदर्श डाटा का संग्रहण

नीचे दिए गए विकल्पों में से **सही** उत्तर का चयन कीजिए।

1. B, A, C, D, E
2. B, D, C, A, E
3. B, D, A, E, C
4. B, A, D, C, E

90. आपदा प्रबंधन चक्र के निम्नलिखित 4 चरणों को अनुक्रम में व्यवस्थित कीजिए:

A. बहाल करना (रिकवरी)
B. कम करना (माइटीगेशन)
C. तैयारी (प्रिपेयर्डनेस)
D. अनुक्रिया (रिसपोन्स)

नीचे दिए गए विकल्पों में से **सही** उत्तर का चयन कीजिए।

1. B, C, D, A
2. B, D, A, C
3. B, A, C, D
4. B, D, C, A

निर्देशः (प्र.सं. 91 से 95 तक): निम्नलिखित गद्यांश को ध्यानपूर्वक पढ़िए और दिए गए प्रश्नों के उत्तर दीजिए:

भारत के सामाजिक सिद्धांत व सामाजिक नीति, देश की जटिल सामाजिक संरचना, विविधतापूर्ण सांस्कृतिक भूदृश्य और ऐतिहासिक संदर्भों को प्रतिबिंबित करते हुए, एक-दूसरे के साथ गहराई से गुथे हुए हैं। सामाजिक सिद्धांत सामाजिक गतिकी के बोध हेतु रूपरेखा प्रदान करते है, जबकि सामाजिक नीतियां गरीबी, गैर-बराबरी और सामाजिक न्याय जैसे मुद्दों को संबोधित करने के लिए प्रारुपित की जाती हैं।

बी.आर. अंबेडकर व एम.एन. श्रीनिवास जैसे विद्वानों ने सामाजिक स्तरीकरण व गतिशीलता के हमारे बोध में महत्वपूर्ण योगदान किया है। श्रमिक आन्दोलनों, पर्यावरण संरक्षण समूहों और महिला अधिकारों हेतु संघर्ष ने भारत में नए सामाजिक आंदोलनों को सृजित किया है।

वैश्वीकरण व अस्मिता आधारित आंदोलनों के उदय जैसे समकालीन विषयों ने भारतीय समाज व संस्कृति को प्रभावित किया है। नारीवादी सिद्धांतों ने महिला सशक्तिकरण व लिंग आधारित हिंसा से सुरक्षा की और लक्षित नीतियों को आकार दिया है।

भली-भाँति प्रतिपादित नीतियों के बावजूद, कार्यान्वयन में महत्वपूर्ण चुनौतियां का सामना करना होता है जिसमें भ्रष्टाचार व नौकरशाही की अक्षमताएं शामिल हैं। आर्थिक विकास व न्यायसंगत सामाजिक विकास में संतुलन बैठाने के लिए सामाजिक सेवाएं प्रदान करने और पारदर्शित उन्नयन हेतु अंकीय (डिजिटल) मंचों का प्रयोग करना आवश्यक है।

91. भारत के सामाजिक सिद्धांत व सामाजिक नीति के बीच संबंध को निम्न में से कौन स्पष्ट करते हैं?

A. जटिल सामाजिक संरचना
B. सांस्कृतिक विविधता
C. ऐतिहासिक स्थितियां
D. औपनिवेशिक परिवेश

नीचे दिए गए विकल्पों में से **सही** उत्तर का चयन कीजिए।

1. A, B और D
2. A, B और C
3. B, C और D
4. A, B, C और D

92. निम्नलिखित में से किस बोध के लिए बी.आर. अंबेडकर व एम.एन. श्रीनिवास ने योगदान दिया? पहचान कीजिए:

A. सामाजिक गतिशीलता
B. सामाजिक नियोजन
C. सामाजिक असंतोष
D. सामाजिक स्तर

नीचे दिए गए विकल्पों में से **सही** उत्तर का चयन कीजिए।

1. A और B
2. A, B और C
3. B, C और D
4. A और D

93. भारत में नए सामाजिक आंदोलन निम्न में से किसे प्रदर्शित करते हैं?

1. वर्ग संघर्ष
2. सांस्कृतिक विरासत
3. पर्यावरण संरक्षण समूह
4. भूमि वितरण हेतु आंदोलन

94. निम्न में से किसने भारत में महिला सशक्तिकरण हेतु नीतियों को प्रभावित किया और आकार दिया?

A. अस्मिता आधारित आंदोलन
B. नारीवादी सिद्धांत
C. वैश्वीकरण
D. नीति पहल

नीचे दिए गए विकल्पों में से **सही** उत्तर का चयन कीजिए।

1. केवल A, B और C
2. A, B, C और D
3. केवल B, C और D
4. केवल A, B और D

95. भली-भांति प्रतिपादित नीतियां निम्न में से किनके साथ व्यवहारिक होंगी?

A. आर्थिक संवृद्धि व न्यायसंगत सामाजिक विकास के बीच संतुलन
B. सामाजिक समस्याओं के व्यवहारिक समाधानों की पहचान
C. सेवाएं प्रदान करने हेतु अंकीय मंचों का प्रयोग
D. गोपनीयता पर आधारित नौकरशाही नियमों के साथ कार्य करना

नीचे दिए गए विकल्पों में से **सही** उत्तर का चयन कीजिए।

1. केवल A, B और C
2. A, B, C और D
3. केवल B, C और D
4. केवल A, B और D

निर्देशः (प्र.सं. 96 से 100 तक): निम्नलिखित गद्यांश को ध्यानपूर्वक पढ़िए और दिए गए प्रश्नों के उत्तर दीजिए:

समकालीन शासन का मूल रूप से सामाजिक-राजनीतिक तौर पर वर्णन किया जाता है और इसे सामाजिक कर्ताओं, शक्तियों, समूहों एवं लोक प्राधिकारियों, संगठनों तथा संस्थाओं के बीच संबंधों के सापेक्षित रूप से निरंतर प्रक्रियाओं के रूप में देखा जाता है। विकास प्रशासन उन परियोजनाओं, कार्यक्रमों, नीतियों और विचारों के बारे में है, जिस पर इस दृष्टिकोण के साथ राष्ट्र निर्माण पर ध्यान केन्द्रित किया जाता है कि प्रतिभाशाली और निपुण नौकरशाहों द्वारा समाज का सामाजिक-आर्थिक एवं सामाजिक-राजनीतिक विकास किया जाना चाहिए।

आधुनिक शासन सार्वजनिक, निजी, कॉरपोरेट क्षेत्र और सिविल सोसायटी की अन्तर्क्रिया को समाहित करता है। यह पारदर्शिता, खुलापन, जवाबदेही, भागीदारी, पुर्वानुमानता विधि के शासन पर ध्यान देता है। लोक प्रशासन के क्षेत्र में विकासात्मक विकल्प शासन के उस नये प्रतिमान पर बल देता है, जिसने सरकार की नीति एवं प्रक्रिया में नेटवर्क्स, हितधारकों, साझेदारियों और सहयोग के उपयोग में योगदान दिया है। यह मानता है कि किस तरह प्रशासनिक संरचना को आगे कार्यकुशल बनाने हेतु तर्कसंगत बनाया जाय। भले ही वैज्ञानिक प्रशासनिक उपागम या राजनीतिक आकलन उपागम पर बल दिया है या नहीं।

राज्य का कर्तव्य व्यक्तिगत सक्षमताओं के संवर्धन एवं निजी उद्योग को प्रेरित करने के लिए अनुकूल आर्थिक, विधिक और राजनीतिक वातावरण उत्पन्न करना है। शासन के क्षेत्र के अंतर्गत विकास संबंधी कार्रवाइयां ज्ञान प्रबंधन, संगठनात्मक पुनर्रचना, संस्थानिक सुधारों, न्यायिक सुधारों, कानून एवं व्यवस्था, पेशेवर विकास और सेवा प्रदायगी के इर्द-गिर्द घूमती है।

96. निम्नलिखित में से कौन-से समकालीन शासन को स्पष्ट करते हैं?

A. सामाजिक कर्ताओं और लोक प्राधिकारियों के बीच अंतर-संबंध
B. सहयोग के सरोकार
C. राष्ट्र निर्माण पर केन्द्रित
D. पारदर्शिता और जवाबदेही से संबंधित

नीचे दिए गए विकल्पों में से **सही** उत्तर का चयन कीजिए।

1. A, B, C और D 2. A, B और C
3. A, B और D 4. B, C और D

97. विकास प्रशासन किसके बारे में **नहीं** हैं?

1. सामाजिक आर्थिक और राजनीतिक विकास
2. निपुण नौकरशाहों की प्रतिभा
3. राज्य और गैर-राज्यीय कर्ताओं के बीच अंतर्क्रिया
4. नीतियां और परियोजनाएं

98. निम्नलिखित में से कौन-से आधुनिक शासन के सरोकार हैं?

A. पारदर्शिता
B. भागीदारी
C. बाजार और निजी उद्यमों को प्रोत्साहन न देना
D. विधि का शासन

नीचे दिए गए विकल्पों में से **सही** उत्तर का चयन कीजिए।

1. A, B और C 2. B, C और D
3. A, B और D 4. A, B, C और D

99. निम्नलिखित में से कौन-सा विकास प्रशासन से संबंधित है?

1. दवाब समूह
2. निजी उद्यमों को प्रोत्साहन देना
3. राष्ट्र निर्माण
4. ज्ञान प्रबंधन

100. निम्नलिखित में से कौन-सा शासन के अधीन विकास संबंधी पहलों से संबंधित है?

A. ज्ञान प्रबंधन
B. संठनात्मक यथास्थिति
C. सांस्थानिक सुधार
D. पेशेवर विकास

नीचे दिए गए विकल्पों में से **सही** उत्तर का चयन कीजिए।

1. A, B और C 2. A, C और D
3. A, B और D 4. A, B, C और D

व्याख्यात्मक उत्तर

1. (2): 'द न्यू डील' संयुक्त राज्य अमेरिका में 1930 के दशक की महामंदी के दौरान राष्ट्रपति फ्रेंकलिन डी. रूजवेल्ट द्वारा आरंभ की गई एक आर्थिक और सामाजिक नीति थी। इसका मुख्य उद्देश्य आर्थिक सुधार, बेरोजगारी में कमी, और गरीबों की सहायता करना था। इसमें आर्थिक सुधार के लिए कई योजनाएं शुरू की गईं जैसे टेनेसी वैली अथॉरिटी (TVA), पब्लिक वर्क्स एडमिनिस्ट्रेशन (PWA), और सिविलियन कंजर्वेशन कॉर्प्स (CCC)। हालांकि, यह योजनाएं सामाजिक परिवर्तन को लेकर परिष्कृत विश्लेषण पर आधारित नहीं थीं। उनका लक्ष्य तत्काल राहत और आर्थिक स्थिरता था। इसलिए, 'सामाजिक परिवर्तन के लिए परिष्कृत विश्लेषण' 'न्यू डील' की प्रमुख विशेषता नहीं रही।

2. (3): प्रशासन से प्रतिमानों और नियमितताओं को समझने तथा सिद्धांत निर्माण हेतु अंतःसांस्कृतिक अध्ययन अत्यंत सहायक होता है। यह अध्ययन विभिन्न देशों, समाजों और संस्कृतियों की प्रशासनिक प्रणालियों की तुलना द्वारा किया जाता है। इससे यह पता चलता है कि प्रशासनिक व्यवहार संस्कृति विशेष पर किस प्रकार निर्भर करता है।

उदाहरण : एफ. डब्ल्यू. रिग्स का 'प्रिज़्मैटिक मॉडल' इसी अंतःसांस्कृतिक अध्ययन पर आधारित था, जिसमें उन्होंने विकसित और विकासशील देशों की तुलना की। यह प्रशासनिक सिद्धांतों की सार्वभौमिकता या सांस्कृतिक विशिष्टता को समझने में सहायक होता है।

3. (4): पुस्तक 'Modernization of Bureaucratic Polity in Thailand' के लेखक एफ. डब्ल्यू. रिग्स हैं। रिग्स एक प्रसिद्ध प्रशासनिक विचारक

थे, जिन्होंने तुलनात्मक लोक प्रशासन के क्षेत्र में कार्य किया। इस पुस्तक में उन्होंने थाईलैंड की नौकरशाही की संरचना और उसमें हो रहे आधुनिकीकरण का विश्लेषण किया। उन्होंने यह बताया कि किस प्रकार परंपरागत तत्व और आधुनिक प्रशासनिक ढांचे साथ-साथ चलते हैं, जिससे एक प्रिज्मैटिक समाज की स्थिति उत्पन्न होती है।

4. (3): "पेरिश काउंसिल" इंग्लैंड में स्थानीय सरकार की एक इकाई है। यह स्थानीय स्तर पर ग्रामीण क्षेत्रों में कार्य करती है और छोटी प्रशासनिक इकाई होती है। इसकी स्थापना Local Government Act, 1894 के अंतर्गत हुई थी। Parish Councils समुदाय के छोटे-छोटे मुद्दों जैसे सड़क, सफाई, पार्क, और शांति व्यवस्था की देखरेख करती हैं। यह निर्वाचित प्रतिनिधियों द्वारा संचालित होती है, और स्थानीय लोकतंत्र का एक उदाहरण है।

5. (3): एफ.डब्ल्यू. रिग्स ने अपनी पारिस्थितिकीय दृष्टिकोण और प्रिज्मैटिक समाज की अवधारणा में 'अतिव्यापन' (Overlapping) को एक प्रमुख विशेषता के रूप में वर्णित किया है। अतिव्यापन से तात्पर्य है कि एक प्रिज्मैटिक समाज में आधुनिक और परंपरागत संरचनाएं एक साथ मौजूद होती हैं, और औपचारिक रूप से विभेदित संरचनाएं वास्तव में परंपरागत अविभेदित संरचनाओं के साथ मिलकर कार्य करती हैं। रिग्स ने इस संदर्भ में कुछ विशिष्ट आयामों को चिह्नित किया है, जैसे :

1. **भाई-भतीजावाद (Nepotism and Favouritism):** यह अतिव्यापन का एक स्पष्ट उदाहरण है, जहां प्रशासनिक निर्णयों में पारिवारिक या व्यक्तिगत संबंध प्रभावी होते हैं, जो परंपरागत संरचनाओं का प्रभाव दर्शाता है।
2. **बाजार-कैंटीन मॉडल (Market-Canteen Model):** यह रिग्स के प्रिज्मैटिक समाज में आर्थिक गतिविधियों और मूल्य निर्धारण की प्रणाली को दर्शाता है, जो औपचारिक और अनौपचारिक प्रथाओं के मिश्रण को प्रतिबिंबित करता है। यह भी अतिव्यापन का हिस्सा हो सकता है, क्योंकि यह आधुनिक बाजार व्यवस्था और परंपरागत आर्थिक व्यवहारों के बीच संनादि (Overlap) को दिखाता है।
3. **औपचारिकतावाद (Formalism):** यह प्रिज्मैटिक समाज की एक अलग विशेषता है, जो औपचारिक रूप से निर्धारित नियमों और वास्तविक व्यवहार के बीच असंगति को दर्शाती है। यह अतिव्यापन का हिस्सा नहीं है, बल्कि एक स्वतंत्र विशेषता है।
4. **बहुमानकवाद (Polycommunalism):** यह विभिन्न समुदायों के बीच शत्रुतापूर्ण अंतर्क्रियाओं को संदर्भित करता है और अतिव्यापन के आयामों में से एक है, क्योंकि यह सामाजिक संरचनाओं में परंपरागत और आधुनिक तत्वों के मिश्रण को दर्शाता है।

रिग्स के कथनानुसार, औपचारिकतावाद (Formalism) समावेशी समाजों में अतिव्यापन की विशेषता नहीं है, क्योंकि यह अतिव्यापन से अलग एक स्वतंत्र लक्षण है, जो नियमों और व्यवहार के बीच की विसंगति पर केंद्रित है। अतिव्यापन मुख्य रूप से परंपरागत और आधुनिक संरचनाओं के सह-अस्तित्व पर जोर देता है।

6. (3): मुगल प्रशासन व्यवस्था में फौजदार स्थानीय स्तर पर मुगल सम्राट का प्रत्यक्ष प्रतिनिधि होता था। फौजदार का कार्यक्षेत्र 'सरकार' कहलाता था, जो सूबे के अंतर्गत एक प्रशासनिक इकाई होती थी। यह सैन्य और प्रशासनिक दोनों कार्यों को संभालता था, जैसे :

- क्षेत्र की सुरक्षा बनाए रखना,
- विद्रोहों को दबाना,
- न्याय व्यवस्था में सहायता करना,
- शांति व्यवस्था बनाए रखना।

इसके अलावा, फौजदार के अधीन सैनिक बल होता था, जिससे वह अपने क्षेत्र में मुगल सम्राट की सत्ता को लागू करता था।

7. (4): राज्य वित्त आयोग (State Finance Commission) एक संवैधानिक प्राधिकारी है। इसका प्रावधान भारतीय संविधान के अनुच्छेद 243-I के अंतर्गत किया गया है। प्रत्येक राज्य सरकार को हर पाँच वर्षों में राज्य वित्त आयोग का गठन करना आवश्यक है। इसके प्रमुख कार्य हैं :

- पंचायती राज संस्थाओं और नगरपालिकाओं को मिलने वाली वित्तीय सहायता के बारे में सिफारिशें देना,
- करों, शुल्कों, उपकरों का वितरण राज्य और स्थानीय संस्थाओं के बीच तय करना।

यह आयोग केंद्र में गठित वित्त आयोग की तर्ज पर राज्यों के लिए होता है।

8. (2): सर्वप्रथम राष्ट्रपति शासन (President's Rule) भारत में पंजाब राज्य में लगाया गया था। यह घटना 20 जून, 1951 को घटित हुई थी। राष्ट्रपति शासन अनुच्छेद 356 के अंतर्गत तब लागू किया जाता है जब राज्य सरकार संविधान के अनुरूप नहीं चल पाती। उस समय की पंजाब सरकार के प्रशासनिक विफलता के चलते भारत सरकार ने राष्ट्रपति शासन की सिफारिश की थी। यह स्वतंत्र भारत में किसी राज्य में पहली बार लागू किया गया राष्ट्रपति शासन था।

9. (2): डॉ. भीमराव अंबेडकर ने ग्राम व्यवस्था की कड़ी आलोचना करते हुए ग्राम को 'स्थानियतावाद की हौदी और अज्ञानता के अड्डे' के रूप में वर्णित किया था। उनका मानना था कि ग्रामीण समाज जातिवाद, छुआछूत और सामाजिक भेदभाव से ग्रसित है। वे मानते थे कि गाँवों में सामाजिक समरसता का अभाव है और यह प्रगति में बाधक हैं। इसके विपरीत, महात्मा गांधी ग्राम स्वराज्य के समर्थक थे, लेकिन अंबेडकर ने गाँव को पिछड़ेपन का प्रतीक माना। इसीलिए उन्होंने शहरीकरण और आधुनिक औद्योगिक व्यवस्था को समाज सुधार के लिए जरूरी बताया।

10. (2): मार्बल-केक संघवाद (Marble-Cake Federalism) पद सहयोगात्मक संघवाद (Cooperative Federalism) के लिए प्रयुक्त किया जाता है। यह संघवाद का एक मॉडल है जिसमें केंद्र और राज्य सरकारें आपसी सहयोग से कार्य करती हैं, न कि स्पष्ट रूप से विभाजित कार्यक्षेत्रों में। इस विचार की उत्पत्ति संयुक्त राज्य अमेरिका में हुई और यह विशेष रूप से 1930 के दशक में 'न्यू डील' योजनाओं के दौरान प्रचलित हुआ। इसमें संघीय और राज्यीय सरकारें संसाधनों और कार्यक्रमों को साझा करती हैं, जैसे :

- शिक्षा, स्वास्थ्य, अवसंरचना आदि क्षेत्रों में केंद्र और राज्य दोनों की भागीदारी होती है।

'मार्बल-केक' शब्द इसलिए प्रयुक्त होता है क्योंकि इसमें कार्यों और जिम्मेदारियों का स्पष्ट विभाजन नहीं होता, बल्कि वे आपस में घुल-मिल जाते हैं—जैसे संगमरमर की केक में रंग।

11. (3): भारत सरकार अधिनियम, 1935 के माध्यम से द्वैध शासन (Dyarchy) का उन्मूलन किया गया तथा प्रांतीय स्वायत्तता को बल मिला। 1919 के अधिनियम से जो द्वैध शासन प्रणाली शुरू हुई थी, उसमें प्रांतीय प्रशासन दो भागों में बँटा था—आरक्षित (Governor के अधीन) और स्थानांतरित (Ministers के अधीन)। 1935 का अधिनियम इस व्यवस्था को समाप्त करता है और प्रांतों में पूर्ण उत्तरदायित्व वाली सरकार स्थापित करता है। इस अधिनियम के अंतर्गत :

- केंद्र में द्वैध शासन की योजना रखी गई थी, लेकिन वह लागू नहीं हुई।
- प्रांतों में द्वैध शासन हटाकर स्वायत्त सरकारें बनाई गईं।
- भारत में प्रांतीय चुनावों का प्रावधान किया गया, जो 1937 में हुए।

यह अधिनियम ब्रिटिश भारत में अब तक का सबसे व्यापक और विस्तृत संवैधानिक दस्तावेज था, जिसमें केंद्र और प्रांतों के बीच शक्ति का विस्तृत विभाजन किया गया था।

12. (1): नवीन लोक सेवा सिद्धांत (New Public Service Theory) के अनुसार लोक सेवक नागरिकों (Citizens) के प्रति उत्तरदायी होते हैं, न कि केवल उपभोक्ताओं या ग्राहकों के प्रति। यह सिद्धांत डेनिस वीनर और जेनेट डेनहार्ट द्वारा प्रतिपादित किया गया। इसके मुख्य विचार निम्नलिखित हैं :

- प्रशासनिक तंत्र को लोकतांत्रिक मूल्यों पर आधारित होना चाहिए।
- नागरिकों की भागीदारी और सेवा में सहयोग को प्राथमिकता दी जानी चाहिए।
- लोक सेवक नीति निर्माण में सहयोगी (facilitator) की भूमिका में होते हैं, न कि केवल निष्पादक।
- सेवा का उद्देश्य लाभ नहीं, बल्कि जनहित और सहभागिता होना चाहिए।

इस सिद्धांत का फोकस 'Governance with people, not over people' है।

13. (2): मेक्लेलैंड (David McClelland) के आवश्यकता के सिद्धांत (Need Theory) में तीन प्रमुख प्रेरक तत्व शामिल हैं :

1. उपलब्धि (Need for Achievement)
2. संबंधन (Need for Affiliation)
3. शक्ति (Need for Power)

पुरस्कार (Reward) इस सिद्धांत का हिस्सा नहीं है।

मैक्लेलैंड का सिद्धांत यह कहता है कि व्यक्ति में कोई एक आवश्यकता प्रमुख होती है, जो उनके व्यवहार और प्रदर्शन को प्रभावित करती है। जैसे :

- **उपलब्धि** की उच्च आवश्यकता वाले लोग जोखिम उठाते हैं और लक्ष्यों की पूर्ति पर ध्यान केंद्रित करते हैं।
- **संबंधन** वाले व्यक्ति सामाजिक संबंधों को प्राथमिकता देते हैं।
- **शक्ति** की आवश्यकता वाले लोग नेतृत्व और प्रभाव में विश्वास रखते हैं।

इसलिए 'पुरस्कार' इस सिद्धांत का मूल घटक नहीं है।

14. (3): 'आत्मसिद्धि (Self-actualization)' शब्द को सर्वप्रथम कर्ट गोल्डस्टेन (Kurt Goldstein) ने गढ़ा था। कर्ट गोल्डस्टेन एक न्यूरोलॉजिस्ट और मनोवैज्ञानिक थे, जिन्होंने मानव संभावनाओं की पूर्ति (Human Potential) के विचार को आगे बढ़ाया। उन्होंने आत्मसिद्धि को व्यक्ति की पूर्ण क्षमताओं को साकार करने की प्रक्रिया के रूप में परिभाषित किया। यद्यपि अब्राहम मास्लो ने इसे अपनी प्रसिद्ध आवश्यकता सिद्धांत (Hierarchy of Needs) में अंतिम अवस्था के रूप में विस्तृत किया, लेकिन मूल शब्द 'Self-Actualization' कर्ट गोल्डस्टेन से ही लिया गया था।

15. (2): यह कथन कि 'नौकरशाही के सदस्यों को राजमर्मज्ञता (Political Wisdom) की आवश्यकता होती है जिसकी किसी परीक्षा के माध्यम से जाँच नहीं की जा सकती है', कार्ल मार्क्स (Karl Marx) से संबंधित है। मार्क्स ने नौकरशाही की आलोचना करते हुए कहा था कि यह एक ऐसी व्यवस्था है जो स्वहित और पदलाभ में लिप्त होती है। उन्होंने इसे एक "बंद और आत्म-केन्द्रित तंत्र" के रूप में देखा था, जो जनसंपर्क से कटा हुआ रहता है। उनके अनुसार :

- नौकरशाही तर्कहीनता, अंधानुकरण और औपचारिकताओं की पूर्ति करती है।
- वास्तविक राजनैतिक विवेक (Political Sense) परीक्षा द्वारा मापी नहीं जा सकती।

इसलिए उन्होंने नौकरशाही में राजनैतिक विवेक और संवेदनशीलता को महत्वपूर्ण माना।

16. (3): हर्बर्ट साइमन का 'प्रशासनिक व्यक्ति (Administrative Man)' सिद्धांत मनोवैज्ञानिक व्यक्ति (Psychological Man) और विवेकी व्यक्ति (Rational Man) के बीच का सेतु है। साइमन ने आर्थिक व्यक्ति (Economic Man) की धारणा को अवास्तविक बताया क्योंकि वह पूर्ण तर्क (Perfect Rationality) पर आधारित होती है। उन्होंने कहा कि वास्तविक जीवन में निर्णय लेने वाला व्यक्ति सीमित सूचना, सीमित समय और सीमित क्षमताओं के साथ कार्य करता है, जिसे उन्होंने 'सीमित विवेक' (Bounded Rationality) कहा।

'प्रशासनिक व्यक्ति' वह है जो उपलब्ध विकल्पों में से संतोषजनक (Satisficing) विकल्प चुनता है, न कि आदर्शतम (Optimal) विकल्प। अतः यह व्यक्ति पूर्ण तर्कशील नहीं होता लेकिन पूरी तरह अ-तर्कशील भी नहीं होता—बल्कि दोनों के बीच संतुलन रखता है।

17. (2): संगठन विकास (Organization Development) की उत्पत्ति का श्रेय कर्ट लेविन को दिया जाता है। लेविन ने समूह गतिकी (Group Dynamics) और परिवर्तन प्रक्रिया (Change Process) की वैज्ञानिक पद्धतियों को प्रस्तुत किया, जिसमें Unfreeze → Change → Refreeze मॉडल शामिल है। उन्होंने ही T-Groups (Training Groups) की अवधारणा विकसित की, जहाँ समूह में व्यक्तिगत और पारस्परिक व्यवहार को विकसित किया जाता है।

संगठन विकास एक दीर्घकालिक योजना है, जिसका उद्देश्य है—

- संगठन की संस्कृति में सकारात्मक बदलाव,
- कर्मचारियों के व्यवहार में सुधार,
- नेतृत्व, सहभागिता और नवाचार को बढ़ावा देना।

लेविन को इस क्षेत्र में 'Father of Organizational Development' भी कहा जाता है।

18. (2): मेर्ले फेन्सोड (Merle Fainsod) ने नौकरशाही को निम्नलिखित श्रेणियों में वर्गीकृत किया :

1. प्रतिनिधिक नौकरशाही (Representative Bureaucracy)
2. दलीय-राज्य नौकरशाही (Party-State Bureaucracy)
3. सैन्य प्रभुत्वाधीन नौकरशाही (Military Dominated Bureaucracy)
4. शासक प्रभुत्वाधीन नौकरशाही (Ruler Dominated Bureaucracy)
5. शासक नौकरशाही (Ruling Bureaucracy)

फेन्सोड ने नौकरशाही और सत्ता संरचना के संबंध में इन प्रकारों का विश्लेषण विभिन्न राजनीतिक व्यवस्थाओं (विशेषतः समाजवादी और अधिनायकवादी राज्यों) के संदर्भ में किया।

इन वर्गीकरणों के माध्यम से उन्होंने यह स्पष्ट किया कि नौकरशाही किस प्रकार से सत्ता और शासन प्रणाली में सक्रिय भूमिका निभाती है।

19. (1): जब कोई लोक सेवक अपने निजी हितों से ऊपर उठकर सार्वजनिक दायित्व निभाता है, तो उसे सत्यनिष्ठता (Integrity) कहा जाता है। सत्यनिष्ठता का अर्थ है–

- ईमानदारी के साथ नैतिक सिद्धांतों पर अडिग रहना,
- निज स्वार्थ, पदलाभ या पक्षपात से परे रहकर जनहित में कार्य करना।

यह लोक सेवकों के लिए एक मूलभूत नैतिक गुण है, जो प्रशासनिक जवाबदेही, पारदर्शिता और जनविश्वास की नींव बनाता है। भारत में भी 'सिविल सर्विस कोड ऑफ कंडक्ट' में सत्यनिष्ठा को अनिवार्य गुण माना गया है।

20. (2): अंतः प्रचालनता (Interoperability) लोक प्रशासन में एक मूल्य संवर्धन प्रक्रिया है, जो विभिन्न प्रणालियों और विभागों को एक-दूसरे से जोड़कर बेहतर सेवा वितरण सुनिश्चित करती है। यह प्रशासनिक सूचना तंत्रों को आपसी संवाद और डेटा साझा करने की क्षमता प्रदान करती है। इसके माध्यम से :

- निर्णय-निर्माण अधिक डेटा-आधारित और सटीक होता है,
- विभिन्न सरकारी विभागों के बीच बेहतर समन्वय स्थापित होता है,
- नागरिकों व व्यवसायों को समेकित सेवाएं प्राप्त होती हैं (जैसे : एकल खिड़की प्रणाली, डिजिटल गवर्नेंस आदि)।

भारत सरकार के "डिजिटल इंडिया मिशन", "ई-गवर्नेंस" और "सीमा रहित सेवा (Seamless Services)" जैसे प्रयासों में अंतः प्रचालनता की महत्त्वपूर्ण भूमिका है।

21. (1): 'टेक्नोस्ट्रक्चर (Technostructure)' शब्द की रचना जॉन केनेथ गिलब्रैथ (John Kenneth Galbraith) ने की थी। गिलब्रैथ एक प्रसिद्ध अर्थशास्त्री और प्रशासनिक चिंतक थे। उन्होंने "The New Industrial State" (1967) नामक पुस्तक में यह अवधारणा प्रस्तुत की। टेक्नोस्ट्रक्चर उस समूह को दर्शाता है जो किसी संगठन में निर्णय निर्माण की प्रक्रिया को नियंत्रित करता है, विशेषतः विशेषज्ञ और तकनीकी विशेषज्ञ। गिलब्रैथ के अनुसार, आधुनिक संगठनों में निर्णय केवल शीर्ष प्रबंधन द्वारा नहीं लिए जाते बल्कि तकनीकी विशेषज्ञों, योजनाकारों और विश्लेषकों की "ज्ञान की शक्ति" (Power of Knowledge) द्वारा लिए जाते हैं। इस प्रकार, टेक्नोस्ट्रक्चर एक वास्तविक शक्ति केंद्र बन जाती है।

22. (2): वस्तु और सेवाकर (Goods and Services Tax—GST) एक आनुपातिक कर (Proportional Tax) है। आनुपातिक कर वह होता है जिसमें कर की दर सभी आय/लेन-देन पर समान होती है, यानी करदाता की आय या खर्च चाहे जो हो, कर प्रतिशत समान रहता है। GST की प्रमुख विशेषताएँ :

- यह एक एकल अप्रत्यक्ष कर है जो उत्पादन से लेकर उपभोग तक हर स्तर पर लगाया जाता है।
- GST की दरें विभिन्न वस्तुओं/सेवाओं के लिए भिन्न हो सकती हैं (जैसे 5%, 12%, 18%, 28%) लेकिन एक ही श्रेणी में सभी उपभोक्ताओं के लिए दर समान होती है : इसीलिए यह आनुपातिक कर कहलाता है।

इसके विपरीत, आयकर प्रगतिशील कर है, जिसमें आय बढ़ने के साथ दर भी बढ़ती है।

23. (3): जब बजट को कार्यक्रमों के अनुसार व्यवस्थित किया जाता है और उसके परिणामों का मापन किया जाता है, तो उसे निष्पादन बजट (Performance Budget) कहा जाता है। यह परंपरागत बजट से अलग होता है जिसमें केवल व्यय और आय के मदों को दिखाया जाता है। निष्पादन बजट की विशेषताएँ :

- कार्यक्रमों और परियोजनाओं के उद्देश्य स्पष्ट होते हैं।
- प्रत्येक कार्यक्रम के लिए निर्धारित लक्ष्य, संसाधन और प्राप्त परिणामों को मापा जाता है।
- इससे उत्तरदायित्व (Accountability) और प्रभावशीलता (Efficiency) बढ़ती है।

भारत में इस अवधारणा की शुरुआत 1954 में अमेरिकी मॉडल के आधार पर हुई थी, और 1955 में भारत सरकार के रक्षा मंत्रालय ने इसे सबसे पहले अपनाया था।

24. (2): भारतीय संविधान का अनुच्छेद 114 विनियोग विधेयक (Appropriation Bill) के पारित होने से संबंधित है। इसका आशय है कि केंद्र सरकार अपने किसी भी व्यय के लिए संसद की अनुमति के बिना कोष से पैसा खर्च नहीं कर सकती।

अनुच्छेद 114 के अनुसार :

- संसद में विनियोग विधेयक लोकसभा द्वारा पारित किया जाता है,
- राष्ट्रपति की अनुमति से उसे प्रस्तुत किया जाता है,
- इसके द्वारा संविधिक व्ययों (Charged Expenditures) और अन्य व्ययों को अनुमोदन मिलता है।

यह विधेयक वार्षिक वित्तीय विवरण (अनुच्छेद 112 के अंतर्गत) के आधार पर तैयार किया जाता है।

25. (1): वित्त मंत्रालय के अंतर्गत आर्थिक मामलों का विभाग (Department of Economic Affairs) वह विभाग है जो बैंकिंग, बीमा और निवेश से संबंधित कार्यों का दायित्व निभाता है।

इसके प्रमुख कार्य हैं :

- राष्ट्रीय निवेश नीति बनाना,
- विदेशी निवेश को नियंत्रित करना (FDI, FPI आदि),
- बैंकिंग और बीमा क्षेत्र के नियमन से जुड़े विषयों पर समन्वय,
- वित्तीय संस्थानों जैसे विश्व बैंक, IMF, ADB आदि से संपर्क और समझौते।

यह विभाग भारत सरकार की आर्थिक नीति निर्माण में केंद्रीय भूमिका निभाता है। वित्त मंत्रालय के अंतर्गत इसके अतिरिक्त तीन अन्य प्रमुख विभाग हैं :

- व्यय विभाग
- राजस्व विभाग
- वित्तीय सेवा विभाग (लेकिन बैंकिंग से संबंधित नीति-निर्धारण का कार्य मुख्यतः आर्थिक मामलों का विभाग करता है)।

26. **(3):** भारत के संविधान के अनुच्छेद 266(2) के अनुसार, Public Account of India वह खाता है जिसमें सरकार उन निधियों को रखती है जो सरकार की अपनी कमाई नहीं होती हैं, बल्कि जो सरकार द्वारा जनता के लिए रखी जाती हैं। Employee Provident Fund (EPF), Small Savings, Postal Savings, Insurance Funds, आदि सभी Public Account of India के अंतर्गत आते हैं। ये धनराशि संसद की पूर्व अनुमति के बिना खर्च की जा सकती है क्योंकि यह सरकार की आय नहीं बल्कि अमानत (trust) की राशि होती है। हालांकि EPFO (विकल्प 4) इस निधि का प्रशासनिक संगठन है जो भविष्य निधि का प्रबंधन करता है, लेकिन निधि Public Account में जमा होती है।

इसलिए, सही उत्तर है : 3: लोक लेखा (Public Account of India)

27. **(3):** तार्किक बजट निर्माण प्रणाली, जो आगत (inputs), निर्गत (outputs) और परिणामों (outcomes) का विश्लेषण करती है तथा वैकल्पिक कार्यक्रमों के लागत-लाभ की तुलना करती है, उसे नियोजन कार्यक्रमण बजट प्रणाली (Planning Programming Budgeting System—PPBS) कहते हैं। इस प्रणाली की उत्पत्ति 1960 के दशक में अमेरिका के रक्षा विभाग में हुई और बाद में इसे अन्य क्षेत्रों में अपनाया गया। इसकी विशेषताएँ :

- दीर्घकालिक योजना को बजट से जोड़ना,
- प्रत्येक कार्यक्रम का विश्लेषण कर उसके लाभ और लागत का तुलनात्मक मूल्यांकन करना,
- नीति-निर्माण, योजना और निष्पादन को एकीकृत करना।

यह प्रणाली तर्क आधारित निर्णय प्रक्रिया को बढ़ावा देती है और संसाधनों का अधिकतम उपयोग सुनिश्चित करती है।

28. **(3):** विदेश संचार निगम लिमिटेड (VSNL) अब Tata Communications Ltd. बन चुका है और यह अब सरकारी सार्वजनिक उपक्रम नहीं है। 2002 में भारत सरकार ने VSNL के 74% हिस्सेदारी को टाटा समूह को हस्तांतरित कर दिया था। इसके विपरीत, अन्य विकल्प जैसे :

- बामर लारी कंपनी लिमिटेड : सार्वजनिक क्षेत्र की इकाई है जो कोलकाता में स्थित है।
- हिंदुस्तान ऑर्गेनिक केमिकल्स लिमिटेड (HOCL) : रसायन और उर्वरक मंत्रालय के अधीन सार्वजनिक उपक्रम है।
- इंडियन ड्रग्स एंड फार्मास्यूटिकल्स लिमिटेड (IDPL) : औषधि निर्माण हेतु सरकारी क्षेत्र की इकाई है।

अतः VSNL अब सार्वजनिक उपक्रम की श्रेणी में नहीं आता।

29. **(2):** नीति आयोग की भूमिका नीति संबंधी सलाह प्रदान करना (Policy Advisory Role) है। इसकी स्थापना 1 जनवरी 2015 को योजना आयोग के स्थान पर की गई। यह थिंक टैंक के रूप में केंद्र और राज्यों को रणनीतिक तथा तकनीकी सलाह देने का कार्य करता है। इसकी प्रमुख भूमिकाएँ :

- सहकारी संघवाद को बढ़ावा देना,
- नीतिगत समस्याओं का समाधान प्रस्तुत करना,
- सतत विकास लक्ष्य (SDGs) के अनुपालन में सहायता करना,
- विश्लेषण आधारित सलाह प्रदान करना।

नीति आयोग नीति का निर्धारण या कार्यान्वयन नहीं करता, बल्कि सलाहकारी संस्था के रूप में कार्य करता है।

30. **(4):** अंतर-क्षेत्रीय (Inter-sectoral) प्रशासन का मुख्य उद्देश्य विशिष्ट नीतिगत लक्ष्यों की प्राप्ति हेतु विभिन्न विभागों, संस्थाओं और क्षेत्रों के समन्वय और सहयोग को बढ़ावा देना है। यह प्रशासनिक संरचना का वह मॉडल है जो स्वास्थ्य, शिक्षा, पर्यावरण, शहरी विकास आदि क्षेत्रों में साझा नीतियाँ और कार्य सुनिश्चित करता है।

इसकी विशेषताएँ :

- नीति निर्माण में विभिन्न क्षेत्रों का सहयोग,
- पारंपरिक विभागीय बाधाओं को तोड़कर समन्वित दृष्टिकोण अपनाना,
- मल्टी-सेक्टोरल या क्रॉस-सेक्टोरल दृष्टिकोण।

उदाहरण : राष्ट्रीय पोषण मिशन, जिसमें स्वास्थ्य, महिला एवं बाल विकास, जल संसाधन आदि मंत्रालय एक साथ कार्य करते हैं।

31. **(3):** शक्ति का विनियमन (Regulation of Power) लोक नीति (Public Policy) निर्माण का कोई मान्यता प्राप्त प्रतिमान (Paradigm/Model) नहीं है। लोक नीति के प्रतिमानों में सामान्यतः निम्नलिखित प्रमुख मॉडल होते हैं :

1. **अभिवृद्धिवाद (Incrementalism):** चार्ल्स लिंडब्लोम द्वारा प्रतिपादितय यह प्रतिमान नीति को छोटे-छोटे परिवर्तन द्वारा विकसित मानता है।
2. **औचित्यपूर्ण प्रतिमान (Rational Model):** यह नीति निर्माण को तर्कसंगत, क्रमबद्ध और उद्देश्यपरक प्रक्रिया मानता है।
3. **व्यूहरचनात्मक नियोजन (Strategic Planning):** यह दीर्घकालिक लक्ष्यों के लिए सुनियोजित योजना की प्रक्रिया है।

'शक्ति का विनियमन' एक प्रशासनिक अवधारणा या नीति उपकरण हो सकता है, लेकिन यह नीति निर्माण का मूल प्रतिमान नहीं है। अतः यह विकल्प अन्य तीन के मुकाबले नीति प्रतिमान की श्रेणी में नहीं आता।

32. **(3):** रेखीय क्रमादेशन (Linear Programming) एक गणितीय तकनीक है जिसका उपयोग सीमित संसाधनों के सर्वोत्तम उपयोग हेतु किया जाता है। यह मुख्य रूप से प्रबंधन विज्ञान, निर्णय विश्लेषण, और संचालन अनुसंधान में प्रयुक्त होती है।

इसकी प्रमुख विशेषताएँ :

- इसका उद्देश्य संसाधनों की अधिकतम उपयोगिता (जैसे लाभ) या न्यूनतम लागत प्राप्त करना होता है।
- यह 'उद्देश्य फलन (Objective Function)' को अधिकतम या न्यूनतम करने का प्रयास करता है, जो सीमाओं (Constraints) के अंतर्गत होता है।

- उदाहरण : किसी कंपनी को न्यूनतम लागत में अधिकतम उत्पादन के लिए कच्चा माल और श्रम का आवंटन करना है।

इसका प्रयोग निर्माण, परिवहन, वितरण, परियोजना नियोजन आदि क्षेत्रों में व्यापक है।

33. (3): आनुभविक शोध (Empirical Research) में वैज्ञानिक विधि का प्रयोग अधिक उपयुक्त होता है। वैज्ञानिक विधि एक प्रणालीबद्ध, तर्कसंगत और वस्तुनिष्ठ पद्धति है, जिसमें अवलोकन, परिकल्पना, प्रयोग, विश्लेषण और निष्कर्ष शामिल होते हैं।

आनुभविक शोध के अंतर्गत :

- वास्तविक अनुभवों, घटनाओं और आँकड़ों पर आधारित निष्कर्ष निकाले जाते हैं।
- इसका उद्देश्य सिद्धांतों का परीक्षण और नए तथ्यों की खोज होता है।
- उदाहरण : सार्वजनिक स्वास्थ्य नीति पर प्रभाव का मूल्यांकन आंकड़ों और रिपोर्टों के आधार पर किया जाना।

यह विधि अनुसंधान को प्रामाणिक, दोहराने योग्य और तुलनात्मक बनाती है।

34. (1): सर्वेक्षण शोध (Survey Research) का उद्देश्य प्रतिनिधि जानकारी एकत्र करना होता है, न कि पूरी जनसंख्या का सटीक माप देना।

इसकी प्रमुख विशेषताएँ :

- यह प्रतिदर्श (Sample) के माध्यम से डेटा एकत्र करता है, जिससे पूरे समूह के बारे में अनुमान लगाया जा सके।
- यह अनेक चरों (Variables) के साथ व्यवहार करने में सक्षम होता है।
- जनगणना इसके विपरीत, संपूर्ण जनसंख्या का डेटा लेती है।

सर्वेक्षण शोध में सटीकता संभाव्यता विधियों पर निर्भर करती है, लेकिन यह पूर्णता (Exactness) नहीं देती, बल्कि अनुमान (Estimation) देती है। अतः ''जनसंख्या का सटीक माप देना'' इस शोध का अभिलक्षण नहीं है।

35. (2): समाजमितीय विश्लेषण (Sociometric Analysis) का उद्देश्य किसी समूह में व्यक्तियों के बीच के संबंधों को स्पष्ट करना होता है। इसे जैकब मोरेनो ने विकसित किया था।

इसकी विशेषताएँ :

- यह सामाजिक संबंधों को मापने और प्रदर्शित करने का एक उपकरण है।
- यह दर्शाता है कि कौन व्यक्ति किसके साथ कार्य करना चाहता है, किसके साथ नहीं : यानी आकर्षण, अस्वीकार, तटस्थता।
- यह एक चित्रात्मक रूप में प्रस्तुत किया जाता है, जिसे सोशियोमैप (Sociogram) कहा जाता है।
- यह समूह की संरचना, उप-समूहों की पहचान, नेतृत्व के केन्द्र, सामाजिक बहिष्करण आदि को उजागर करता है।

यह तकनीक संगठनात्मक व्यवहार, कक्षा, सेना, या किसी भी सामाजिक समूह में प्रयुक्त होती है।

36. (2): राष्ट्रीय बाल अधिकार संरक्षण आयोग (National Commission for Protection of Child Rights—NCPCR) की स्थापना संसद द्वारा पारित एक अधिनियम के माध्यम से की गई थी। यह आयोग ''बाल अधिकार संरक्षण आयोग अधिनियम, 2005'' (The Commission for Protection of Child Rights Act, 2005) के तहत गठित हुआ। इसकी स्थापना 2007 में की गई और यह बाल अधिकारों की निगरानी, संरक्षण और संवर्धन के लिए उत्तरदायी है। यह आयोग एक वैधानिक निकाय (Statutory Body) है, जो महिला और बाल विकास मंत्रालय के अधीन कार्य करता है। इसके कार्यों में बच्चों से संबंधित नीतियों और कार्यक्रमों की समीक्षा, शिकायतों की जाँच, और सरकार को सुझाव देना शामिल है।

37. (1): 'एल्डरली इन इंडिया 2021' (Elderly in India 2021) रिपोर्ट का प्रकाशन सांख्यिकी और कार्यक्रम कार्यान्वयन मंत्रालय (Ministry of Statistics and Programme Implementation—MoSPI) द्वारा किया गया था। यह रिपोर्ट भारत में वरिष्ठ नागरिकों (Elderly Population) की सामाजिक, आर्थिक, स्वास्थ्य, एवं जनसांख्यिकीय स्थिति पर आधारित आँकड़ों को प्रस्तुत करती है।

इसका मुख्य उद्देश्य :

- नीति निर्माताओं को वृद्धजनों की आवश्यकताओं और समस्याओं को समझने में मदद करना,
- जनसांख्यिकीय बदलावों के अनुरूप योजनाएँ बनाना।

इस रिपोर्ट के अंतर्गत भारत में वृद्धजन जनसंख्या के तेजी से बढ़ने की प्रवृत्ति को दर्शाया गया, जिससे सामाजिक सुरक्षा और स्वास्थ्य सेवाओं की महत्ता सामने आती है।

38. (1): 'ओपन सिटीज फ्रेमवर्क' (Open Cities Framework) और डिजिटल उपकरणों के उपयोग के माध्यम से नागरिकों से फीडबैक प्राप्त करने की पहल नीति आयोग (NITI Aayog) द्वारा की गई थी। यह पहल शहरी शासन प्रणाली को अधिक उत्तरदायी, पारदर्शी और सहभागी बनाने की दिशा में एक कदम थी।

ओपन सिटीज फ्रेमवर्क का उद्देश्य :

- शहरों की डिजिटल परिपक्वता को मापना,
- नागरिक फीडबैक को प्रशासनिक निर्णयों में सम्मिलित करना,
- डेटा-संचालित निर्णय निर्माण को प्रोत्साहन देना।

यह स्मार्ट सिटी मिशन से संबंधित प्रौद्योगिकियों के बेहतर उपयोग को दर्शाता है, जिससे नगर प्रशासन की दक्षता और जवाबदेही में वृद्धि होती है।

39. (3): कुमार मंगलम बिड़ला समिति (2000) का संबंध कॉरपोरेट शासन (Corporate Governance) से है। इस समिति का गठन भारतीय प्रतिभूति और विनिमय बोर्ड (SEBI) द्वारा 1999 में किया गया था।

समिति की प्रमुख सिफारिशें :

- सूचीबद्ध कंपनियों में निदेशक मंडल की संरचना में सुधार,
- स्वतंत्र निदेशकों की नियुक्ति,
- वित्तीय प्रकटीकरण (Financial Disclosure) की पारदर्शिता,
- शेयरधारकों के अधिकारों की सुरक्षा।

समिति की सिफारिशों के आधार पर SEBI ने क्लॉज 49 को लागू किया, जिससे भारत में कॉरपोरेट शासन मानकों को मजबूती मिली। इसका उद्देश्य कॉरपोरेट दुनिया में उत्तरदायित्व, पारदर्शिता और नैतिकता को बढ़ावा देना था।

40. **(2):** प्रचलनात्मक शोध (Operational Research) को अक्सर 'शांतिकालीन निर्णयन में सुधार करने' की तकनीक कहा जाता है। यह शोध प्रक्रिया वैज्ञानिक विधियों के उपयोग द्वारा समस्याओं के समाधान और निर्णय-निर्माण की क्षमता को बेहतर बनाता है।

इसकी प्रमुख विशेषताएँ :

- सीमित संसाधनों के बीच सर्वोत्तम विकल्प चुनना,
- गणितीय मॉडल, सांख्यिकीय विश्लेषण, सिमुलेशन और अनुकूलन तकनीक का प्रयोग,
- इसका उपयोग सेना, प्रशासन, उद्योग, परिवहन, स्वास्थ्य जैसे क्षेत्रों में किया जाता है।

यह तकनीक युद्ध के बाद अंग्रेजी सेना में निर्णय क्षमता सुधारने के लिए विकसित की गई थी, जिसे बाद में शांतिकालीन प्रशासन में लागू किया गया।

41. **(4):** ई. एन. ग्लेडन और क्रिस्टोफर हुड ऐसे विचारक हैं जो तुलनात्मक लोक प्रशासन (Comparative Public Administration) से प्रत्यक्ष रूप से संबद्ध नहीं माने जाते।

- **राल्फ ब्रायबन्टी** और **फेरल हैडी** तुलनात्मक लोक प्रशासन के प्रमुख समर्थक रहे हैं। ब्रायबन्टी ने विकासशील देशों में प्रशासन की भूमिका को समझने में योगदान दिया। फेरल हैडी ने प्रशासनिक व्यवस्था और संस्कृति पर तुलनात्मक अध्ययन किया।
- **ई. एन. ग्लेडन** का कार्य क्षेत्र मुख्यतः प्रशासन के पारंपरिक सिद्धांतों और लोक प्रशासन के ऐतिहासिक परिप्रेक्ष्य में रहा।
- **क्रिस्टोफर हुड** आधुनिक शासन और पब्लिक मैनेजमेंट में कार्यरत रहे, लेकिन तुलनात्मक लोक प्रशासन के कोर क्षेत्र में नहीं आते।

इसलिए सही उत्तर है : केवल B और D।

42. **(3):** विकास प्रशासन की प्रमुख विशेषताएँ हैं : लक्ष्य- उन्मुखता, परिवर्तनशीलता, नवाचार, क्षमता निर्माण आदि।

दिए गए कथनों में से :

A. **संगठन पर ध्यान केंद्रित करना :** यह पारंपरिक प्रशासन की विशेषता है, विकास प्रशासन अधिक उत्पादन और विकास परिणामों पर केंद्रित होता है।

B. **समाजीकरण को प्रोत्साहन देना :** समाजीकरण का कार्य शिक्षा या समाजशास्त्र से जुड़ा होता है, न कि प्रशासन के मूल उद्देश्य से।

C. **ग्राहक-उन्मुख उपागम :** यह नई लोक सेवा या नागरिक-केंद्रित प्रशासन की विशेषता है, जिसे विकास प्रशासन भी आंशिक रूप से ग्रहण करता है।

D. **प्रशासनिक परिवर्तन को प्रोत्साहन देना :** यह विकास प्रशासन की प्रमुख विशेषता है।

अतः A और B, विकास प्रशासन की विशेषताएँ नहीं हैं।

43. **(3):** इडियोग्राफिक उन्मुखता (Idiographic Orientation) तुलनात्मक लोक प्रशासन में सांस्कृतिक विशिष्टताओं और ऐतिहासिक संदर्भों को महत्व देती है।

इसके अंतर्गत :

A. **ऐतिहासिक उपाख्यान (Historical Episode):** किसी प्रशासनिक प्रणाली की विशेषताओं को इतिहास और परंपरा के माध्यम से समझना।

C. **संस्कृति क्षेत्र (Cultural Area):** संस्कृति के अनुसार प्रशासन की कार्यप्रणाली का भिन्न होना।

जबकि :

B. चरों के बीच सहसंबंध और

D. व्यवहार नियमितताएं

ये नामिक उन्मुखता (Nomothetic Orientation) की विशेषताएँ हैं, जो नियमबद्धता और तुलनात्मक वैज्ञानिक विधियों पर आधारित होती हैं।

अतः सही उत्तर है : केवल A और C।

44. **(3):** एफ. डब्ल्यू. रिग्स ने समाजों के तुलनात्मक अध्ययन के लिए प्रकार्यात्मक आवश्यकताओं (Functional Prerequisites) की बात की। इसमें उन्होंने बताया कि समाजों के अस्तित्व और स्थिरता के लिए कुछ प्रमुख क्रियात्मक आवश्यकताएँ होती हैं :

A. **आर्थिक :** संसाधनों का उत्पादन, वितरण और उपभोग।

B. **सामाजिक :** सामाजिक संरचना, भूमिकाएँ और मानदंडों का समन्वय।

D. **संप्रेषणात्मक (Communicational):** सूचना का आदान-प्रदान और संचार प्रणाली।

C. **धार्मिक :** यह एक सामाजिक तत्व हो सकता है, परंतु रिग्स की प्रकार्यात्मक श्रेणी में विशिष्ट रूप से नहीं रखा गया है।

इसलिए सही उत्तर है : केवल A, B और D।

45. **(3):** राज्यपाल की विवेकाधीन शक्तियों में वे कार्य आते हैं जिन्हें वह बिना मंत्रिपरिषद की सलाह के स्वयं निर्णय लेकर करता है।

A. जब विधानसभा में किसी दल को पूर्ण बहुमत न हो, तो राज्यपाल मुख्यमंत्री नियुक्त करने के लिए अपने विवेक से निर्णय लेते हैं।

D. राज्यपाल विधानसभा द्वारा पारित विधेयक को स्वीकृति देने, पुनर्विचार हेतु लौटाने या राष्ट्रपति के पास भेजने का विवेक रखते हैं।

B. विधान सभा अध्यक्ष की नियुक्ति विधायकों द्वारा होती है, न कि राज्यपाल द्वारा।

C. मंत्री को बर्खास्त करने का अधिकार राज्यपाल के पास तभी होता है जब मुख्यमंत्री इसकी सिफारिश करे।

इसलिए केवल A और D विवेकाधीन शक्तियाँ हैं। इसलिए सही उत्तर है : 3: केवल A और D.

46. **(3):** मुख्य सचिव के पद पर नियुक्ति करते समय वरिष्ठता, सेवा रिकार्ड व मेरिट, तथा मुख्यमंत्री का विश्वास–ये तीन प्रमुख कारक होते हैं।

A. **वरिष्ठता :** भारतीय प्रशासनिक सेवा में वरिष्ठता को पदोन्नति के समय एक महत्वपूर्ण मानदंड माना जाता है, विशेषकर उच्च पदों के लिए।

B. **सेवा रिकार्ड व मेरिट :** अधिकारी का कार्य निष्पादन, ईमानदारी, निर्णय क्षमता आदि को ध्यान में रखा जाता है।

C. **मुख्यमंत्री का विश्वास :** चूँकि मुख्य सचिव राज्य सरकार का प्रशासनिक प्रमुख होता है, मुख्यमंत्री द्वारा उस पर विश्वास और सहयोग अपेक्षित होता है।

D. **मंत्रिमंडल सचिव का परामर्श :** यह कारक आमतौर पर केवल केंद्र सरकार के स्तर पर देखा जाता है, राज्य स्तर पर इसका कोई निर्णायक प्रभाव नहीं होता।

अतः सही उत्तर है : केवल A, B और C।

47. (4): राबर्ट टी. गोलेम्बिवस्की एक प्रमुख संगठनात्मक सिद्धांतकार थे, जिन्होंने संगठन विकास, प्रबंधन में विविधता, और लोक प्रबंधन जैसे विषयों पर लेखन किया।

A. Organization Development in Public Adminis-tration : यह पुस्तक संगठनात्मक परिवर्तन और नवाचार पर केंद्रित है।

C. Perspectives on Public Management : इसमें सार्वजनिक प्रबंधन के दृष्टिकोणों का विश्लेषण किया गया है।

D. Management Diversity in Organizations : यह पुस्तक विविधता प्रबंधन से संबंधित है।

जबकि (B) Behavioural Approach to Public Adminis-tration: यह पुस्तक उनके नाम से संबंधित नहीं मानी जाती; यह अवधारणा आम तौर पर ड्वाइट वाल्डो जैसे विद्वानों से जुड़ी है।

अतः सही उत्तर है : केवल A, C और D।

48. (3): व्यूहरचनात्मक निर्णय (Strategic Decisions) वे होते हैं जो संगठन के भविष्य और दीर्घकालीन दिशा को प्रभावित करते हैं।

A. **संगठन के शीर्ष पर लिए जाते हैं :** ये निर्णय आमतौर पर शीर्ष नेतृत्व द्वारा लिए जाते हैं क्योंकि वे संगठन की नीति व दिशा को निर्धारित करते हैं।

B. **उच्च जोखिम युक्त होते हैं :** चूँकि इन निर्णयों का प्रभाव व्यापक होता है, इसलिए ये अधिक जोखिमपूर्ण होते हैं।

D. **इसमें नया कार्यक्रम सम्मिलित होता है :** रणनीतिक निर्णयों के तहत अक्सर नवीन योजनाओं या परियोजनाओं को लागू किया जाता है।

C. **निर्णय में औचित्य ही एकमात्र मापदंड है :** यह कथन आंशिक रूप से सही है; व्यूह रचना में औचित्य महत्वपूर्ण होता है परन्तु राजनीतिक, आर्थिक व सामाजिक कारकों की भी भूमिका होती है।

इसलिए सही उत्तर है : केवल A, B और D।

49. (4): नियंत्रण के विस्तार की सीमा (Span of Control) का निर्धारण अनेक कारकों पर निर्भर करता है:

A. **प्रबंधन का सामर्थ्य :** यदि प्रबंधक की क्षमता अधिक है तो वह अधिक अधीनस्थों का कुशलता से नेतृत्व कर सकता है।

B. **पर्यवेक्षित व्यक्तियों की गुणवत्ता :** यदि अधीनस्थ कुशल, आत्मनिर्भर और प्रशिक्षित हैं, तो नियंत्रण का दायरा बड़ा हो सकता है।

C. **कार्य की प्रकृति :** जटिल और तकनीकी कार्यों में सीमित अधीनस्थों पर नियंत्रण रखना अधिक प्रभावी होता है।

D. **संप्रेषण की प्रभावशीलता :** यदि सूचना का प्रवाह तेज और स्पष्ट है, तो अधिक अधीनस्थों का संचालन संभव होता है।

इन सभी कारकों का सम्मिलन नियंत्रण सीमा को प्रभावित करता है।

अतः सही उत्तर है : A, B, C, D।

50. (4): शोध (Research) एक व्यवस्थित प्रक्रिया है जो वैज्ञानिक पद्धति द्वारा जानकारी प्राप्त कर निष्कर्ष तक पहुँचने में सहायक होती है।

A. **उपलब्ध ज्ञान का सत्यापन :** शोध द्वारा पूर्वज्ञान की पुष्टि या खंडन किया जाता है।

B. **भावी शोध हेतु सुझाव :** किसी शोध से प्राप्त निष्कर्ष आगे के शोध हेतु नए प्रश्न उत्पन्न करते हैं।

C. **नवीन तथ्य व सूचना :** शोध का प्रमुख उद्देश्य नवीन जानकारी प्राप्त करना है।

D. **उन चीजों पर प्रश्न उठाना जिन्हें विद्यमान डाटा से समझना कठिन है :** शोध जिज्ञासु प्रक्रिया है जो अज्ञात क्षेत्रों में प्रश्नों द्वारा प्रवेश करती है।

अतः उपर्युक्त सभी कथन शोध की प्रकृति और उद्देश्य को दर्शाते हैं।

अतः सही उत्तर है : A, B, C, D।

51. (3): सांगठनिक व्यवहार (Organizational Behaviour) के अध्ययन हेतु जिन विधियों का प्रभावी उपयोग होता है वे हैं :

A. **प्रतिभागी प्रेक्षण (Participant Observation):** इसमें शोधकर्ता संगठन का हिस्सा बनकर व्यवहारों का निरीक्षण करता है।

B. **गैर-प्रतिभागी प्रेक्षण (Non-participant Observa-tion):** शोधकर्ता बाहरी पर्यवेक्षक बनकर निरीक्षण करता है।

C. **साक्षात्कार अनुसूची (Interview Schedule):** इसमें कर्मचारियों से प्रत्यक्ष बातचीत द्वारा जानकारी प्राप्त की जाती है।

D. **ऐतिहासिक विधि** का प्रयोग मुख्यतः भूतकालीन घटनाओं के दस्तावेजीय अध्ययन में किया जाता है, जो सांगठनिक व्यवहार के प्रत्यक्ष विश्लेषण में कम प्रभावी होता है।

इसलिए सही उत्तर है : केवल A, B और C।

52. (2): प्रायोगिक विधि (Experimental Method) शोध की एक वैज्ञानिक तकनीक है, जिसका प्रयोग नियंत्रित परिस्थितियों में किया जाता है।

B. **यह शोध की प्रयोगशाला विधि है और इसे विशुद्ध विज्ञान से लिया गया है :** बिल्कुल सही, क्योंकि यह प्रयोगशाला जैसी नियंत्रित स्थितियों पर आधारित होती है।

C. **यह वैज्ञानिक विधि का अनुसरण करती है :** इसमें परिकल्पना, प्रयोग, परीक्षण, और निष्कर्ष जैसे चरण होते हैं।

D. **शोधकर्ता सौद्देश्यपूर्ण तरीके से पर्यावरण में परिवर्तन कर सकता है :** ताकि यह देखा जा सके कि परिवर्तन से क्या प्रभाव पड़ता है।

जबकि A. बहुचर नियम का अनुसरण करना : यह सांख्यिकी का नियम है और प्रायोगिक विधि की प्रमुख विशेषता नहीं है।

इसलिए सही उत्तर है : केवल B, C और D।

53. (1): प्रकरण अध्ययन एक गहराई से किया गया विश्लेषण होता है जो किसी एक व्यक्ति, समूह या संस्था पर केंद्रित होता है।

A. **व्यक्ति अथवा समूह का अध्ययन :** यह इसकी मूलभूत प्रकृति है।

B. **शिक्षा के क्षेत्र में :** शिक्षण विधियों, छात्रों की समस्याओं आदि का अध्ययन इसमें किया जाता है।

C. **तुलनात्मक अध्ययन के क्षेत्र में :** विभिन्न मामलों की तुलना करके नीतिगत या व्यवहारगत अंतर्दृष्टि प्राप्त की जाती है।

D. **सिद्धांत रचना इस विधा का प्राथमिक उद्देश्य नहीं है :** यह मुख्यतः वर्णनात्मक व व्याख्यात्मक प्रकृति की होती है।

अतः सही उत्तर है : केवल A, B और C।

54. (1): साक्ष्य-आधारित नीति निर्माण (Evidence-Based Policy Making) के लिए डेटा की उपलब्धता, विश्लेषण और उपयोग अत्यंत आवश्यक है।

A. **राष्ट्रीय डेटा साझाकरण और सुगम्यता योजना (NDASP) :** इसका उद्देश्य सरकार के पास उपलब्ध डेटा को साझा करना और उसे नीति निर्माण में लाना है।

B. **डेटा समेकन और गुणवत्ता आश्वासन :** सुनिश्चित करता है कि डेटा विश्वसनीय हो और विभिन्न स्रोतों से एकीकृत किया जा सके।

C. **संग्रहण सुविधाओं का विस्तार :** डेटा के केंद्रीकरण और सुरक्षित भंडारण हेतु अवसंरचना का विकास आवश्यक है।

D. में 'मापन योग्य नए मानदंड' की बात है, जो अपेक्षाकृत अगले चरण में आता है और सभी नीतियों में लागू नहीं होता।

इसलिए उपयुक्त उत्तर है : केवल A, B और C।

55. (2): अभिवर्धी प्रतिमान (Incremental Paradigm) की अवधारणा चार्ल्स ई. लिंडब्लोम ने दी थी, जो यथार्थवादी नीति निर्माण प्रक्रिया को प्रतिबिंबित करता है।

A. **इसका प्रतिपादन लिंडब्लोम ने किया :** यह सही है; उन्होंने इसे 'The Science of Muddling Through' लेख में प्रस्तुत किया।

B. **असंयुक्त अभिवृद्धिवाद :** यह बताता है कि नीति निर्माण पूरी तरह तार्किक नहीं, बल्कि छोटे-छोटे कदमों में होता है।

D. **यह प्रतिमान राजनीतिक अधिक है :** लिंडब्लोम का मानना था कि निर्णय प्रक्रियाएँ आदर्शवादी नहीं, बल्कि राजनीतिक एवं यथार्थ आधारित होती हैं।

C. **त्वरित परिवर्तन पर आधारित होना :** यह गलत है, क्योंकि अभिवृद्धि वाद धीरे-धीरे छोटे परिवर्तन करता है, त्वरित नहीं।

इसलिए सही उत्तर है : केवल A, B और D।

56. (3): नीतिगत परिणाम का आकलन करते समय कुछ मुख्य घटकों का ध्यान रखा जाता है, जो यह सुनिश्चित करते हैं कि नीति अपने उद्देश्यों को किस हद तक प्राप्त कर पाई है।

A. **नीतिगत लक्ष्य (Policy Goals):** किसी भी नीति की सफलता को उसके उद्देश्यों की प्राप्ति के संदर्भ में आँका जाता है।

B. **कार्यक्रम संबंधी परिणाम (Programmatic Out-comes):** नीति के अंतर्गत क्रियान्वित कार्यक्रमों के प्रभावों को मापा जाता है।

D. **संकेतकों के उपाय (Measurement of Indicators):** नीति के प्रदर्शन को मापने के लिए उपयुक्त संकेतकों (Indicators) का निर्धारण और उनका विश्लेषण किया जाता है।

C. लक्षित जनसंख्या की पहचान करना आकलन से पहले की प्रक्रिया है, जो नीति निर्माण या क्रियान्वयन चरण से संबंधित होती है।

इसलिए सही उत्तर है : केवल A, B और D।

57. (3): संगठित अराजकता मॉडल (Garbage Can Model) लोक नीति क्रियान्वयन की एक प्रसिद्ध अवधारणा है, जिसे Cohen, March और Olsen ने प्रस्तुत किया था। यह मॉडल बताता है कि नीतियाँ एक सुव्यवस्थित तार्किक प्रक्रिया नहीं होतीं, बल्कि विभिन्न प्रवाहों के संयोग से बनती हैं :

A. समस्या संबंधी प्रवाह (Problem Stream)

B. राजनीतिक प्रवाह (Political Stream)

C. नीति प्रवाह (Policy Stream)

ये प्रवाह स्वतंत्र रूप से चलते हैं और जब किसी 'नीति खिड़की' (Policy Window) में ये एक साथ मिलते हैं, तब निर्णय या क्रियान्वयन संभव होता है।

D. बजट प्रवाह इस मॉडल का भाग नहीं है।

अतः सही उत्तर है : केवल A, B और C।

58. (2): निम्नलिखित व्यक्तियों में से तीन भारत सरकार में वित्त मंत्री रहे हैं :

A. **आर. के. षणमुखम चेट्टी :** स्वतंत्र भारत के पहले वित्त मंत्री (1947-1948)।

B. **चरण सिंह :** अल्पकालिक अवधि के लिए वित्त मंत्री रहे (1979)।

C. **मधु दंडवते :** 1989-1990 में वित्त मंत्री रहे।

D. **सुब्रह्मण्यम स्वामी :** वाणिज्य व कानून मंत्री रहे, लेकिन वे भारत सरकार में कभी भी वित्त मंत्री नहीं रहे।

अतः सही उत्तर है : केवल A, B और C।

59. (4): भाषायी अल्पसंख्यकों के आयुक्त (Commissioner for Linguistic Minorities) से संबंधित निम्नलिखित तथ्य हैं :

A. **कार्यालय 1959 में स्थापित किया गया :** यह गलत कथन है क्योंकि इसकी स्थापना 1957 में हुई थी।

D. **यह आयुक्त भारतीय अल्पसंख्यक आयोग के प्रति उत्तरदायी है :** यह गलत कथन है; वास्तव में यह भारत के राष्ट्रपति को प्रतिवेदन प्रस्तुत करता है, न कि किसी अन्य आयोग को।

B. **मुख्यालय प्रयागराज में है :** यह सही है; इसका कार्यालय प्रयागराज (इलाहाबाद) में स्थित है। प्रारम्भ में इसका मुख्यालय नई दिल्ली में था। थोड़े समय के बाद इसे प्रयागराज स्थानांतरित कर दिया गया और अब 1 जून, 2015 से इसे नई दिल्ली स्थानांतरित कर दिया गया है

C. **राज्य पुनर्गठन आयोग ने अनुशंसा की थी :** यह भी सही है; आयोग ने ही भाषायी आधार पर राज्यों के पुनर्गठन के साथ-साथ भाषा संबंधी अधिकारों के संरक्षण हेतु आयुक्त नियुक्ति की सिफारिश की थी।

अतः गलत कथन हैं : केवल A और D, इसलिए उत्तर है : 4।

60. (4): भौगोलिक सूचना प्रणाली (Geographic Information System—GIS) में डेटा को विशेष तरीके से प्रक्रिया में लिया जाता है :

A. **प्राप्त करना (Capturing):** यह डेटा संग्रहण का पहला चरण है, जिसमें उपग्रह, सर्वेक्षण या नक्शों से जानकारी ली जाती है।

B. **भण्डारण (Storaging):** प्राप्त डेटा को डिजिटल रूप में संरक्षित किया जाता है।

D. **प्रदर्शन (Displaying):** डेटा को नक्शों, चार्ट या रिपोर्ट के रूप में प्रस्तुत किया जाता है ताकि निर्णय लिए जा सकें।

C. **स्थानांतरण करना (Transfering):** यह GIS की प्रक्रिया में आवश्यक नहीं, बल्कि समर्थनात्मक तकनीकी प्रक्रिया है।

इसलिए सही उत्तर है : केवल A, B और D।

61. (1): यह मिलान लेखक एवं उनकी प्रसिद्ध पुस्तकों के आधार पर किया गया है :

A. **रिचर्ड बेन्डिक्स : III. Max Weber: An Intellec-tual Portrait:** यह पुस्तक मैक्स वेबर के प्रशासनिक विचारों की व्याख्या करती है।

B. **इरविन स्वेर्डलो : IV. Development Adminis-tration: Concept and Problems:** यह पुस्तक विकास प्रशासन पर केंद्रित है।

C. **माइकल क्रॉजियर : I. The Bureaucratic Phenomenon:** यह फ्रांसीसी नौकरशाही पर आधारित विश्लेषणात्मक अध्ययन है।

D. **रॉबर्ट मर्टन : II. Reader in Bureaucracy:** यह प्रशासनिक समाजशास्त्र की चर्चित पुस्तक है।

इसलिए सही उत्तर है : 1: A-III, B-IV, C-I, D-II.

62. (3): यह मिलान राज्यपाल से संबंधित संवैधानिक अनुच्छेदों पर आधारित है :

A. **राज्यपाल के पद का कार्यकाल : II. अनुच्छेद 156:** राज्यपाल अपने पद पर राष्ट्रपति की इच्छा पर्यंत कार्य करता है।

B. **राज्यपाल के पद की शर्तें : III. अनुच्छेद 158:** यह अनुच्छेद राज्यपाल के वेतन, पद की शर्तों, अन्य लाभों को नियंत्रित करता है।

C. **क्षमादान की राज्यपाल की शक्तियां : IV. अनुच्छेद 161:** इसमें राज्यपाल को क्षमादान, दंड में परिवर्तन, माफी आदि देने की शक्ति प्राप्त है।

D. **राज्य की कार्यकारी शक्ति : I. अनुच्छेद 154:** यह राज्य की कार्यपालिका की संपूर्ण शक्ति राज्यपाल में निहित करती है।

इसलिए सही उत्तर है : 3: A-II, B-III, C-IV, D-I.

63. (2): यह मिलान नगरीय संस्थाओं से संबंधित संवैधानिक अनुच्छेदों पर आधारित है :

A. **महानगर नियोजन समिति : IV. अनुच्छेद 243ZE:** यह समिति महानगर क्षेत्रों में नियोजन कार्य करती है।

B. **जिला नियोजन समिति : III. अनुच्छेद 243ZD:** यह समिति जिले स्तर पर योजना निर्माण करती है।

C. **नगरपालिकाओं के लेखों की लेखा परीक्षा : I. अनुच्छेद 243Z:** इसमें नगरपालिकाओं के लेखा परीक्षण का प्रावधान है।

D. **नगरपालिकाओं के निर्वाचन : II. अनुच्छेद 243ZA:** इसमें नगरपालिकाओं के चुनावों का वर्णन है।

इसलिए सही उत्तर है : 2: A-IV, B-III, C-I, D-II.

64. (*): कोई भी विकल्प पूर्णतः सही नहीं है। यह प्रश्न भारतीय संविधान में राज्य स्तर पर बजटीय प्रावधानों से संबंधित अनुच्छेदों का सही मिलान करने के लिए है। नीचे प्रत्येक तत्व का वास्तविक संवैधानिक अनुच्छेद से मिलान प्रस्तुत है :

वास्तविक मिलान :

A. **विनियोग विधेयक (Appropriation Bill): अनुच्छेद 204:** अनुच्छेद 204 राज्य विधानमंडल में वित्त विधेयक और विनियोग विधेयक की प्रस्तुति का प्रावधान करता है।

B. **वित्त विधेयक हेतु विशेष प्रावधान : अनुच्छेद 207:** अनुच्छेद 207 राज्य में वित्त विधेयकों से संबंधित विशेष प्रावधानों का उल्लेख करता है (जैसे राष्ट्रपति की अनुशंसा, विधेयक की परिभाषा आदि)।

C. **लेखानुदान (Vote on Account): अनुच्छेद 206:** यह अनुच्छेद अनंतिम अनुदान (Vote on Account) के लिए है, जिससे सरकार सीमित समय तक खर्च कर सकती है जब तक मुख्य विनियोग विधेयक पारित न हो।

D. **अनुपूरक अनुदान (Supplementary Grant) : अनुच्छेद 205:** यह अनुच्छेद राज्य के लिए अनुपूरक, अतिरिक्त या अधिक अनुदान से संबंधित है जब वर्ष के दौरान अतिरिक्त व्यय की आवश्यकता होती है।

अतः सही उत्तर है : 'NONE' : क्योंकि दिए गए किसी भी विकल्प में A, B, C, D का मिलान संविधान के वास्तविक अनुच्छेदों से पूर्णतः सही नहीं है।

65. (4): यह मिलान मध्यकालीन भारत की प्रशासनिक पदों एवं उनके कार्यों के अनुसार है :

A. **वजीर : II. राजस्व और वित्त :** वजीर वित्त और राजस्व से संबंधित मुख्य अधिकारी होता था।

B. **मुकद्दम : IV. ग्राम प्रधान :** मुकद्दम गाँव का मुखिया होता था जो प्रशासन और कानून व्यवस्था संभालता था।

C. **काजी-उल-कुजात : III. न्याय :** यह प्रमुख न्यायिक अधिकारी था, उच्चतम न्यायालय के रूप में कार्य करता था।

D. **मीर बख्शी : I. आसूचना :** यह सैनिक भर्ती, नियुक्ति, और खुफिया तंत्र का प्रमुख होता था।

इसलिए सही उत्तर है : 4: A-II, B-IV, C-III, D-I.

66. (4): यह मिलान विभिन्न समितियों और उनके उद्देश्यों पर आधारित है :

A. **कस्तूरीरंगन समिति : III. राष्ट्रीय शिक्षा नीति :** यह समिति 2017 में गठित हुई थी और इसने 2019 में नई शिक्षा नीति का मसौदा प्रस्तुत किया, जिसे 2020 में लागू किया गया।

B. **न्यायमूर्ति लोढ़ा समिति : I. क्रिकेट बोर्ड में सुधार :** यह समिति 2015 में सुप्रीम कोर्ट के निर्देश पर BCCI में पारदर्शिता और जवाबदेही लाने हेतु गठित हुई।

C. **के. संथानम समिति : II. केन्द्रीय सतर्कता आयोग की स्थापना :** इस समिति की सिफारिश पर ही 1964 में CVC की स्थापना की गई।

D. **जे.जे. ईरानी समिति : IV. नए कंपनी अधिनियम का निर्माण :** यह समिति 2005 में गठित हुई और इसकी सिफारिशों के आधार पर Companies Act 2013 अस्तित्व में आया।

इसलिए सही उत्तर है : 4: A-III, B-I, C-II, D-IV.

67. (3): यह मिलान भारत सरकार द्वारा शुरू किए गए प्रमुख मिशनों और उनके उद्देश्यों पर आधारित है :

A. **इंद्रधनुष : III. टीकाकरण :** मिशन इंद्रधनुष 2014 में शुरू किया गया था ताकि 12 जानलेवा बीमारियों से बच्चों का टीकाकरण सुनिश्चित हो सके।

B. **अमृत : I. शहरी अवसंरचना को रूपांतरित करना :** अटल मिशन फॉर रीजुवेनेशन एंड अर्बन ट्रांसफॉर्मेशन (AMRUT) का उद्देश्य शहरी क्षेत्रों में जल, सीवरेज, हरित स्थानों आदि में सुधार है।

C. **डिजिटल इंडिया : IV. डिजिटल सशक्तीकरण और ज्ञान आधारित अर्थव्यवस्था** : डिजिटल इंडिया का उद्देश्य भारत को डिजिटली सशक्त समाज और ज्ञान आधारित अर्थव्यवस्था में बदलना है।

D. **अटल नवोन्मेष मिशन : II. नवोन्मेष और उद्यमशीलता की संस्कृतिः** नीति आयोग द्वारा संचालित इस मिशन का उद्देश्य स्कूलों और संस्थानों में नवाचार संस्कृति को बढ़ावा देना है।

इसलिए सही उत्तर है : 3: A-III, B-I, C-IV, D-II.

68. (4): यह प्रश्न भारत में मनाए जाने वाले प्रमुख प्रशासनिक एवं सामाजिक दिवसों से संबंधित है :

A. **पंचायती राज दिवस : III. 24 अप्रैल** : यह दिवस 1993 में 73वें संशोधन के लागू होने की स्मृति में मनाया जाता है।

B. **सिविल सेवा दिवस : I. 21 अप्रैल** : इस दिन भारत के पहले गृहमंत्री सरदार वल्लभभाई पटेल ने प्रशासनिक अधिकारियों को "लोहे की रीढ़" कहा था।

C. **सुशासन दिवस : IV. 25 दिसम्बर** : भारत के पूर्व प्रधानमंत्री अटल बिहारी वाजपेयी के जन्मदिवस पर यह दिवस मनाया जाता है।

D. **पृथ्वी दिवस : II. 22 अप्रैल** : यह वैश्विक स्तर पर पृथ्वी की सुरक्षा और पर्यावरण संरक्षण हेतु मनाया जाता है।

इसलिए सही उत्तर है : 4: A-III, B-I, C-IV, D-II.

69. (2): यह मिलान उन विचारकों से है जिन्होंने प्रशासन के महत्व को विभिन्न दृष्टिकोणों से परिभाषित किया :

A. **प्रशासन के स्थिरीकारी और परंपरा के अभिरक्षक हैं : III. पॉल पिगोर्सः** उन्होंने प्रशासन को स्थायित्व और अनुशासन का कारक माना।

B. **प्रशासकों का मुख्य कार्य सामाजिक परिवर्तन को सुगम बनाना होना चाहिए : IV. एडम्स ब्रुक्स** : उन्होंने प्रशासन को सामाजिक विकास का उपकरण माना।

C. **प्रशासन के विघटन की परिणति सभ्यता के विघटन से है : II. वालेन्स डोन्हम** : उन्होंने प्रशासन को सभ्यता के विकास से जोड़कर देखा।

D. **प्रशासन महान समाज में शक्ति को स्थायी करने का मंत्र है : I. चार्ल्स ए. बेयर्ड** : उनका दृष्टिकोण राजनीतिक सत्ता और प्रशासन के तालमेल पर आधारित था।

इसलिए सही उत्तर है : 2: A-III, B-IV, C-II, D-I.

70. (1): यह प्रश्न हेनरी फेयोल के प्रशासनिक सिद्धांतों पर आधारित हैः

A. **प्राधिकार : II. अधीनस्थ को आदेश देने का वरिष्ठ का अधिकारः** फेयोल के अनुसार प्रबंधन में अधिकार और उत्तरदायित्व साथ चलते हैं।

B. **उत्तरदायित्व : I. निष्पादन की बाध्यता** : कार्य को पूरा करने की जिम्मेदारी उत्तरदायित्व कहलाती है।

C. **केन्द्रीकरण : IV. प्रबंधन के शीर्ष पर निर्णय लेने का अधिकारः** निर्णय लेने का अधिकार जितना अधिक शीर्ष स्तर पर होगा, वह उतना ही केंद्रीकृत होगा।

D. **स्केलर चैन : III. शीर्ष से नीचे तक स्पष्ट अधिकार की रेखाः** यह संगठन की कमांड चैन को दर्शाता है, जिसे स्पष्ट और अनुशासित होना चाहिए।

इसलिए सही उत्तर है : 1: A-II, B-I, C-IV, D-III.

71. (4): यह प्रश्न विभिन्न प्रशासनिक विचारकों द्वारा प्रशासन की परिभाषाओं से संबंधित है :

A. **प्रयोजन को निष्पादित करने हेतु व्यक्ति व सामग्री का संगठन : II. फेलिक्स ए नीग्रो** : उन्होंने प्रशासन को उद्देश्य की पूर्ति हेतु संसाधनों के प्रभावी संगठन के रूप में देखा।

B. **वांछित साध्य की प्राप्ति हेतु मानव व सामग्री संसाधनों का संगठनः III. पिफ्नर** : उनका विचार था कि प्रशासन का कार्य उद्देश्यों की प्राप्ति हेतु मानव व भौतिक संसाधनों का संयोजन है।

C. **कतिपय प्रयोजन हेतु निर्देश, समन्वयन व नियंत्रण : IV. एल. डी. व्हाइट** : व्हाइट ने प्रशासन को एक नियोजित गतिविधि माना, जो उद्देश्यपूर्ति में सहायक है।

D. **प्रशासन को वांछित उद्देश्यों की प्राप्ति हेतु कार्य करना होता है : I. लूथर गुलिक** : गुलिक ने POSDCORB सिद्धांत के माध्यम से प्रशासन की कार्यात्मक भूमिका को परिभाषित किया।

इसलिए सही उत्तर है : 4: A-II, B-III, C-IV, D-I.

72. (2): यह प्रश्न लोक नीति के विश्लेषणात्मक मॉडल से संबंधित है :

A. **समूह मॉडल : III. शक्तियों की प्रणाली और विरोधी दबावों का निर्माण** : यह मॉडल कहता है कि नीति दबाव समूहों के बीच प्रतिस्पर्धा का परिणाम होती है।

B. **प्रणाली मॉडल : IV. चक्रीय और अंतहीन प्रक्रिया** : इस मॉडल में नीति एक इनपुट-आउटपुट प्रक्रिया है जिसमें फीडबैक भी होता है।

C. **संस्थावादी मॉडल : I. सरकार के संगठनात्मक ढांचे पर केंद्रित** : इसमें नीति को संस्थानों की संरचना के आधार पर समझा जाता है।

D. **अभिजात मॉडल : II. उच्च वर्ग और सत्ताधारियों के मूल्य और शक्ति पर आधारित** : इस मॉडल में नीति निर्माण पर प्रभुत्वशाली वर्ग का नियंत्रण माना जाता है।

इसलिए सही उत्तर है : 2: A-III, B-IV, C-I, D-II.

73. (3): यह प्रश्न मापन की विभिन्न मापन मापनियों (scales of measurement) पर आधारित है :

A. **नामिक (Nominal) : III. गुणात्मक अंतर** : इसमें श्रेणियाँ होती हैं जिनके बीच केवल नामकरण होता है, जैसे : लिंग, धर्म आदि।

B. **क्रमसूचक (Ordinal) : I. एक मान दूसरे से अधिक है** : इसमें रैंकिंग होती है लेकिन परिमाण ज्ञात नहीं होता, जैसे : प्रथम, द्वितीय।

C. **अंतराल (Interval) : IV. प्रत्येक मान के मध्य समान दूरी** : जैसे : तापमान, इसमें अंतराल समान होते हैं लेकिन पूर्ण शून्य नहीं होता।

D. **अनुपात (Ratio) : II. पूर्ण शून्य बिंदु से आरंभ होता है** : जैसेः वजन, लंबाई, आय; इनका मापन शून्य से शुरू होता है और अनुपात ज्ञात होता है।

इसलिए सही उत्तर है : 3: A-III, B-I, C-IV, D-II.

74. (3): यह प्रश्न बाल संरक्षण और कल्याण से संबंधित महत्वपूर्ण अधिनियमों/संस्थाओं की स्थापना वर्ष पर आधारित है :

A. **राष्ट्रीय बाल अधिकार संरक्षण आयोग : III. 2007:** यह आयोग 'The Commission for Protection of Child Rights Act, 2005' के तहत 2007 में अस्तित्व में आया।

B. **यौन अपराधों से बच्चों का संरक्षण अधिनियम : IV. 2012:** इसे 'POCSO Act, 2012' के नाम से जाना जाता है।

C. **केन्द्रीय सामाजिक कल्याण बोर्ड : II. 1953:** यह महिला एवं बाल विकास मंत्रालय के अधीन 1953 में गठित हुआ।

D. **बाल विवाह प्रतिषेध अधिनियम : I. 2006:** इसे 'Prohibition of Child Marriage Act, 2006' के नाम से जाना जाता है।

इसलिए सही उत्तर है : 3: A-III, B-IV, C-II, D-I.

75. (4): यह प्रश्न लोक प्रशासन की समकालीन अवधारणाओं से जुड़ा है:

A. **नव-उदारवाद : III. राज्य अंतर्निहित रूप से अकुशल है :** यह विचार राज्य के न्यूनतम हस्तक्षेप और अधिक निजीकरण की वकालत करता है।

B. **नव लोक प्रबंधन : I. सार्वजनिक क्षेत्र में बाजार और कॉर्पोरेट तकनीकों की भूमिका को बढ़ाना :** यह अवधारणा दक्षता, परिणाम आधारित प्रबंधन को बढ़ावा देती है।

C. **नव संस्थावाद : IV. उपयोगिता अधिकतमीकरण :** यह संस्था आधारित निर्णय प्रक्रिया और उपयोगिता के उच्चतम स्तर की बात करता है।

D. **गैर-बहुमतवादी संस्थाएं : II. लोकतंत्र से बजट और बैंकिंग को संरक्षित करना :** इसमें स्वतंत्र संस्थाओं की भूमिका प्रमुख होती है जो बहुमत के हस्तक्षेप से मुक्त होती हैं।

इसलिए सही उत्तर है : 4: A-III, B-I, C-IV, D-II.

76. (2): इन योजनाओं का कालक्रम निम्नानुसार है :

C. **राष्ट्रीय ग्रामीण स्वास्थ्य मिशन (NRHM) : प्रारंभ :** 2005 में, ग्रामीण क्षेत्रों में स्वास्थ्य सेवाओं को बेहतर बनाने हेतु।

D. **स्वच्छ भारत मिशन (SBM) : प्रारंभ :** 2 अक्टूबर 2014, इसका उद्देश्य खुले में शौच की समाप्ति और स्वच्छता को बढ़ावा देना है।

A. **प्रधानमंत्री आवास योजना (PMAY-Urban) : प्रारंभ :** 25 जून 2015, इसका उद्देश्य शहरी गरीबों को आवास उपलब्ध कराना है।

B. **अटल नवोन्मेष मिशन (AIM) : प्रारंभ : 2016**, नवाचार व उद्यमशीलता को बढ़ावा देने के लिए नीति आयोग द्वारा शुरू किया गया।

इसलिए सही उत्तर है : 2: C, D, A, B.

77. (2): केन्द्रीय सचिवालय सेवा वर्गों का पदानुक्रम (Hierarchy) उच्च से निम्न स्तर तक इस प्रकार है :

C. **संयुक्त सचिव (Joint Secretary) :** उच्चतम स्तर, मंत्रालय में नीति निर्माण की भूमिका।

D. **निदेशक (Director) :** विभागीय योजनाओं की निगरानी करता है, संयुक्त सचिव को रिपोर्ट करता है।

A. **अवर सचिव (Under Secretary) :** कार्यान्वयन और फाइलों की प्रक्रिया का उत्तरदायी।

B. **सहायक सचिव/अनुभाग अधिकारी (Assistant Secretary/ Section Officer) :** अवर सचिव की सहायता करता है और अनुभागीय कार्यों को देखता है।

इसलिए सही उत्तर है : 2: C, D, A, B.

78. (4): समावेशी विकास के भारतीय मॉडल में निम्नलिखित चारों तत्व शामिल किए गए हैं :

A. **सबका साथ :** विकास में सभी वर्गों की भागीदारी।

B. **सबका विकास :** समान रूप से लाभ साझा करना।

C. **सबका विश्वास :** समाज के सभी वर्गों, विशेषकर वंचितों में विश्वास कायम करना।

D. **सबका प्रयास :** सरकार, जनता और निजी क्षेत्र का सामूहिक प्रयास।

यह नारा प्रधानमंत्री नरेंद्र मोदी द्वारा समावेशी और सहभागी शासन के उद्देश्य से दिया गया।

इसलिए सही उत्तर है : 4: A, B, C, D.

79. (2): द्वितीय प्रशासनिक सुधार आयोग (ARC) की रिपोर्टों का क्रम उनके प्रकाशन के अनुसार इस प्रकार है :

C. **सूचना का अधिकार :** सुशासन का मूल मंत्र : प्रथम रिपोर्ट, सूचना का अधिकार कानून के कार्यान्वयन पर आधारित।

D. **मानव पूंजी को निर्बंध करना :**हकदारियाँ और शासन : शिक्षा, स्वास्थ्य व सामाजिक सुरक्षा से संबंधित।

A. **संकट प्रबंधन :** आपदा प्रबंधन, जोखिम न्यूनीकरण, पुनर्वास नीति से संबंधित।

B. **शासन में आचार नीति :** नैतिकता, जवाबदेही और पारदर्शिता पर आधारित।

E. **सार्वजनिक व्यवस्था :** कानून व्यवस्था, आंतरिक सुरक्षा एवं सामाजिक शांति पर आधारित।

इसलिए सही उत्तर है : 2: C, D, A, B, E.

80. (3): रेंसिस लिकर्ट द्वारा प्रस्तुत प्रबंधन प्रणालियाँ (Manage-ment Systems) के विकासात्मक क्रम में ये चार प्रकार हैं :

D. **शोषक-सत्तावादी प्रणाली (Exploitative-Authori-tative System) :** नियंत्रणपूर्ण, डर और दंड आधारित प्रणाली।

A. **हितकारी-सत्तावादी प्रणाली (Benevolent-Authori-tative System) :** थोड़ा उदार लेकिन अभी भी केंद्रीकृत निर्णय प्रणाली।

B. **परामर्शी प्रणाली (Consultative System) :** कर्मचारियों से सुझाव लिए जाते हैं, आंशिक भागीदारी होती है।

C. **सहभागी प्रणाली (Participative System) :** सबसे लोकतांत्रिक प्रणाली जिसमें कर्मचारियों की पूर्ण भागीदारी होती है।

इसलिए सही उत्तर है : 3: D, A, B, C.

81. (1): हेनरी फेयोल द्वारा दिए गए प्रबंधन के 5 मूलभूत तत्व इस क्रम में माने जाते हैं :

B. **नियोजन (Planning):** भविष्य की रूपरेखा तैयार करना और लक्ष्यों को निर्धारित करना।

A. **संगठन (Organizing):** संसाधनों और जनशक्ति का उचित विभाजन और संयोजन।

D. **कमान (Commanding):** अधीनस्थों को निर्देश देना और मार्गदर्शन करना।

C. **समन्वय (Coordinating):** सभी विभागों और कार्यों में तालमेल बनाए रखना।

E. **नियंत्रण (Controlling):** निष्पादन की निगरानी और विचलनों को सुधारना।

इसलिए सही उत्तर है : 1: B, A, D, C, E.

82. (3): लोक प्रशासन के उद्विकास के चरणों को उसके वैचारिक दृष्टिकोण के अनुसार निम्न प्रकार क्रमबद्ध किया जा सकता है :

D. **वैज्ञानिक प्रबंधन उपागम :** प्रारंभिक यांत्रिक दृष्टिकोण (फ्रेडरिक टेलर) : दक्षता और समय-प्रबंधन पर केंद्रित।

C. **सामाजिक प्रणाली उपागम :** प्रशासन को एक जीवंत सामाजिक प्रणाली के रूप में देखना (चेस्टर बर्नार्ड)।

A. **अभिप्रेरण-आरोग्य सिद्धांत :** मानव संबंध आंदोलन के अंतर्गत, प्रेरणा, नेतृत्व, मनोविज्ञान का अध्ययन (मास्लो, हर्जबर्ग)।

B. **पारिस्थितिकीय उपागम :** प्रशासन और पर्यावरण के आपसी संबंधों पर बल (एफ. डब्ल्यू. रिग्स)।

इसलिए सही उत्तर है : 3: D, C, A, B.

83. (2): लोक प्रशासन के विकास में विभिन्न विचारकों के योगदान को कालक्रमानुसार निम्न प्रकार व्यवस्थित किया जाता है :

A. **फ्रैंक जे. गुडनॉऊ (1900):** प्रशासन और राजनीति के पृथक्करण की शुरुआत की।

B. **लिंडाल उर्विक (1930s):** प्रशासन में सिद्धांतों का योगदान, क्लासिकल विचारधारा को आगे बढ़ाया।

D. **चेस्टर बर्नार्ड (1938):** संगठन और संप्रेषण पर मानवतावादी दृष्टिकोण प्रस्तुत किया।

C. **रॉबर्ट डाहल (1947+):** तुलनात्मक प्रशासन की ओर दृष्टिकोण को मोड़ा, व्यवहारवादी उपागम का प्रवर्तन।

इसलिए सही उत्तर है : 2: A, B, D, C.

84. (1): भारत में विकेन्द्रीकरण और ग्रामीण प्रशासन के विकास का कालक्रम इस प्रकार है :

A. **विकेन्द्रीकरण आयोग की रिपोर्ट (1907):** लार्ड मिंटो के काल में विकेन्द्रीकरण आयोग की सिफारिशें आईं।

C. **राष्ट्रीय विस्तार सेवा (1953):** ग्रामीण विकास में सहायता हेतु कृषि विश्वविद्यालयों और गांवों को जोड़ा गया।

B. **NDC की योजना परियोजनाओं पर समिति (1957):** बलवंत राय मेहता समिति की स्थापना पंचायती राज की ओर बढ़ने हेतु हुई।

D. **पंचायती राज का प्रारंभ (1959):** राजस्थान के नागौर जिले में 2 अक्टूबर 1959 को प्रारंभ हुआ।

इसलिए सही उत्तर है : 1: A, C, B, D.

85. (4): लोक नीति के विकास क्रम में निम्न अवधारणाएँ क्रमवार आई :

C. **लोक नीति विश्लेषण :** 1950-60 के दशक में एक स्वतंत्र शैक्षणिक अनुशासन के रूप में विकसित हुआ।

D. **व्यूह रचनात्मक नियोजन प्रतिमान (Strategic Planning):** दीर्घकालिक योजना आधारित नीति निर्माण की प्रक्रिया को समझाता है।

A. **तार्किक चयन मॉडल (Rational Choice Model):** नीति निर्माण के दौरान अधिकतम लाभ और न्यूनतम लागत के निर्णय को दर्शाता है।

B. **प्रौद्योगिकी मूल्यांकन मॉडल (Technology Assess-ment Model):** 1970 के बाद, तकनीकी नवाचारों के सामाजिक प्रभाव के मूल्यांकन हेतु प्रयुक्त।

इसलिए सही उत्तर है : 4: C, D, A, B.

86. (2): साक्ष्य-आधारित नीति निर्माण (Evidence-Based Policy Making) में चरणों का क्रम तार्किक और डेटा-प्रक्रिया आधारित होता है :

D. **मापन योग्य मानदंडों के आधार पर डेटा का एकत्रण :** नीति प्रभाव की दिशा तय करने के लिए पहले मापनीय मानदंड तय किए जाते हैं।

C. **डेटा के भंडारण और समेकन के लिए संग्रहण की सुविधाएं :** एकत्रित डेटा को संग्रहित और सुरक्षित रखने के लिए उपयुक्त अवसंरचना की आवश्यकता होती है।

B. **डेटा विश्लेषण का समेकन :** संग्रहित डेटा का विश्लेषण करके नीति में उपयोग हेतु प्रस्तुत किया जाता है।

A. **समय पर संतुलित डेटा का प्रचार :** अंतिम चरण में डेटा को पारदर्शिता और भागीदारी के लिए सार्वजनिक किया जाता है।

इसलिए सही उत्तर है : 2: D, C, B, A.

87. (4): भारत में प्रमुख करों के लागू होने का ऐतिहासिक क्रम इस प्रकार है :

C. **आयकर (Income Tax) : 1860:** ब्रिटिश शासनकाल में वॉरेन हेस्टिंग्स द्वारा प्रथम बार लागू।

B. **केन्द्रीय बिकी कर (Central Sales Tax) : 1956:** राज्यों के बीच व्यापार पर लगने वाला कर।

D. **धन-सम्पत्ति कर (Wealth Tax) : 1957:** व्यक्तियों की सम्पत्ति पर लगाया गया, **2015** में समाप्त हुआ।

A. **मूल्य संवर्धन कर (VAT) : 2005:** वस्तुओं पर वैल्यू चेन में मूल्य वृद्धि के अनुसार लगाया गया, जो बाद में GST में समाहित हो गया।

इसलिए सही उत्तर है : 4: C, B, D, A.

88. (2): भारत में विनियामक संस्थाओं की स्थापना का कालक्रम निम्नलिखित है :

B. **सेबी (SEBI) : 1988 (Statutory status in 1992):** पूंजी बाजार के विनियमन हेतु।

A. **TRAI : 1997:** दूरसंचार सेवाओं को नियंत्रित करने के लिए।

D. **IRDA : 1999:** बीमा क्षेत्र में विनियमन और उपभोक्ता संरक्षण हेतु।

C. **PFRDA : 2003 (Act in 2013):** पेंशन क्षेत्र के विकास व निगरानी हेतु।

इसलिए सही उत्तर है : 2: B, A, D, C.

89. (2): प्रतिचयन प्रक्रिया (Sampling Process) में चरणों का सही क्रम इस प्रकार है :

B. **प्रतिचयन फ्रेम :** वह सूची जिससे प्रतिदर्श चुना जाएगा।

D. **प्रतिदर्श का आकार :** कितने लोगोंध्यूनिटों को शामिल किया जाएगा, यह तय करना।

C. **प्रतिचयन विधि का चयन :** रैंडम, स्ट्रैटिफाइड, क्लस्टर आदि विधियों में से उपयुक्त चुनना।

A. **लक्ष्य जनसंख्या की पहचान :** अध्ययन की किस जनसंख्या पर केंद्रित होगा, उसे स्पष्ट करना।

E. **प्रतिदर्श डाटा का संग्रहण :** अंत में चयनित यूनिट्स से जानकारी एकत्र करना।

इसलिए सही उत्तर है : 2: B, D, C, A, E.

90. (1): आपदा प्रबंधन चक्र (Disaster Management Cycle) में चार प्रमुख चरण होते हैं जो व्यवस्थित रूप से अपनाए जाते हैं :

B. **कम करना (Mitigation):** आपदा के प्रभावों को कम करने हेतु दीर्घकालिक उपाय।

C. **तैयारी (Preparedness):** आपदा के पूर्व प्रशिक्षण, संसाधन, योजना आदि तैयार करना।

D. **अनुक्रिया (Response):** आपदा के घटित होने पर त्वरित सहायता, राहत, पुनर्वास।

A. **बहाली (Recovery):** दीर्घकालिक पुनर्निर्माण, जनजीवन को सामान्य स्थिति में लाना।

इसलिए सही उत्तर है : 1: B, C, D, A.

91. (2): गद्यांश के अनुसार, भारत के सामाजिक सिद्धांत और सामाजिक नीति, देश की जटिल सामाजिक संरचना, सांस्कृतिक विविधता, और ऐतिहासिक स्थितियों से गहराई से जुड़े हुए हैं।

A. **जटिल सामाजिक संरचना :** भारत में जाति, वर्ग, धर्म आदि की विविध परतें नीति निर्धारण को प्रभावित करती हैं।

B. **सांस्कृतिक विविधता :** विभिन्न भाषाएँ, परंपराएं, रीति-रिवाज समाज और नीतियों के निर्माण में भूमिका निभाती हैं।

C. **ऐतिहासिक स्थितियां :** औपनिवेशिक काल और स्वतंत्रता आंदोलन जैसे ऐतिहासिक संदर्भ समाज और उसकी समझ को आकार देते हैं।

D. औपनिवेशिक परिवेश का सीधे उल्लेख नहीं किया गया है, इसलिए इसे नहीं चुना गया।

इसलिए सही उत्तर है : 2: A, B और C.

92. (4): गद्यांश के अनुसार, बी. आर. अंबेडकर और एम. एन. श्रीनिवास ने भारत में सामाजिक स्तरीकरण (Social Stratification) और सामाजिक गतिशीलता (Social Mobility) की समझ को समृद्ध किया।

A. **सामाजिक गतिशीलता :** श्रीनिवास ने 'संस्कृतिकरण' जैसे विचार प्रस्तुत किए जो सामाजिक गतिशीलता से जुड़े हैं।

D. **सामाजिक स्तर :** अंबेडकर ने जाति व्यवस्था के आधार पर सामाजिक असमानता को उजागर किया।

B और C गद्यांश में उल्लिखित नहीं हैं।

इसलिए सही उत्तर है : 4: A और D.

93. (3): गद्यांश में स्पष्ट रूप से उल्लेख किया गया है कि 'श्रमिक आंदोलनों, पर्यावरण संरक्षण समूहों और महिला अधिकारों हेतु संघर्ष ने भारत में नए सामाजिक आंदोलनों को सृजित किया है।' इसका अर्थ है कि पर्यावरण संरक्षण समूह भारत में नए सामाजिक आंदोलन के उदाहरण हैं।

इसलिए सही उत्तर है : 3: पर्यावरण संरक्षण समूह।

94. (2): गद्यांश में उल्लेख है कि 'नारीवादी सिद्धांतों ने महिला सशक्तिकरण व लिंग आधारित हिंसा से सुरक्षा की ओर लक्षित नीतियों को आकार दिया है', और साथ ही अस्मिता आधारित आंदोलनों तथा वैश्वीकरण का भी प्रभाव बताया गया है।

A. अस्मिता आधारित आंदोलन

B. नारीवादी सिद्धांत

C. वैश्वीकरण

D. नीति पहल : यह नीति निर्माण से जुड़ा हुआ है और सशक्तिकरण को दिशा देता है।

इसलिए सही उत्तर है : 2: A, B, C और D.

95. (1): गद्यांश में कहा गया है कि 'आर्थिक विकास व न्यायसंगत सामाजिक विकास में संतुलन बैठाने के लिए ... अंकीय मंचों का प्रयोग आवश्यक है', जो स्पष्ट रूप से A, B और C विकल्पों को सही ठहराता है :

A. आर्थिक संवृद्धि व सामाजिक विकास के बीच संतुलन

B. सामाजिक समस्याओं के व्यवहारिक समाधान

C. अंकीय मंचों का प्रयोग

D. गोपनीयता आधारित नौकरशाही नियमों को गद्यांश में नकारात्मक रूप में प्रस्तुत किया गया है (नौकरशाही की अक्षमता), इसलिए यह विकल्प सही नहीं है।

इसलिए सही उत्तर है : 1: केवल A, B और C.

96. (3): गद्यांश के अनुसार, समकालीन शासन को सामाजिक- राजनीतिक रूप में वर्णित किया गया है, जो विभिन्न सामाजिक कर्ताओं, लोक प्राधिकारियों, संगठनों आदि के बीच अंतःक्रियात्मक संबंधों की निरंतर प्रक्रिया है।

A. **सामाजिक कर्ताओं और लोक प्राधिकारियों के बीच अंतर-संबंध :** यह समकालीन शासन की प्रमुख विशेषता है।

B. **सहयोग के सरोकार :** गद्यांश में साझेदारियों और सहयोग की बात स्पष्ट रूप से की गई है।

D. **पारदर्शिता और जवाबदेही से संबंधित :** आधुनिक शासन के गुणों में पारदर्शिता, जवाबदेही, भागीदारी और विधि का शासन सम्मिलित हैं।

C. राष्ट्र निर्माण पर केन्द्रित वाक्यांश विकास प्रशासन से जुड़ा है, न कि समकालीन शासन से सीधे।

इसलिए सही उत्तर है : 3: A, B और D.

97. (3): गद्यांश में विकास प्रशासन को उन परियोजनाओं, कार्यक्रमों और नीतियों से जोड़ा गया है, जो निपुण नौकरशाहों की सहायता से राष्ट्र निर्माण और सामाजिक-राजनीतिक विकास पर केंद्रित होती हैं। इसमें राज्य की भूमिका केंद्रित है, जबकि गैर-राज्यीय कर्ताओं के साथ अंतर्क्रिया को विशेष रूप से विकास प्रशासन से नहीं जोड़ा गया है, बल्कि वह समकालीन शासन के नए प्रतिमानों की विशेषता है।

इसलिए सही उत्तर है : 3: राज्य और गैर-राज्यीय कर्ताओं के बीच अंतर्क्रिया।

98. (3): गद्यांश में आधुनिक शासन को पारदर्शिता, जवाबदेही, भागीदारी, पूर्वानुमानिता और विधि के शासन से जोड़ा गया है।

A. **पारदर्शिता :** शासन की पारदर्शिता को अनिवार्य बताया गया है।

B. **भागीदारी :** हितधारकों की साझेदारी पर बल दिया गया है।

D. **विधि का शासन (Rule of Law):** पूर्वानुमेयता और विधिक ढांचे का पालन शासन का प्रमुख तत्व है।

C. **बाजार और निजी उद्यमों को प्रोत्साहन न देना :** यह गद्यांश के विरोध में है, क्योंकि इसमें निजी उद्योग को प्रेरित करने की बात की गई है।

इसलिए सही उत्तर है : 3: A, B और D.

99. (3): गद्यांश में स्पष्ट रूप से कहा गया है कि विकास प्रशासन का लक्ष्य है–'राष्ट्र निर्माण पर ध्यान केंद्रित करना...' यह निपुण नौकरशाहों की सहायता से सामाजिक-आर्थिक और सामाजिक-राजनीतिक विकास को आगे बढ़ाने का माध्यम है। इसलिए सही उत्तर है : 3: राष्ट्र निर्माण।

100. (2): गद्यांश में बताया गया है कि शासन के क्षेत्र में विकास संबंधी पहलों में जो विषय प्रमुख हैं वे हैं :

A. **ज्ञान प्रबंधन (Knowledge Management):** नीति निर्माण और प्रशासनिक दक्षता हेतु आवश्यक।

C. **सांस्थानिक सुधार (Institutional Reforms):** प्रशासनिक पुनर्रचना के अंतर्गत आता है।

D. **पेशेवर विकास (Professional Development):** सेवा प्रदायगी को कुशल बनाने के लिए आवश्यक है।

B. संगठनात्मक यथास्थिति को बनाए रखना नहीं, बल्कि पुनर्रचना और सुधार पर जोर है, इसलिए यह सही नहीं है।

इसलिए सही उत्तर है : 2: A, C और D.

UGC–NET/JRF

लोक प्रशासन

PAPER-II

UNIT–I

लोक प्रशासन का परिचय
(INTRODUCTION TO PUBLIC ADMINISTRATION)

लोक प्रशासन का अर्थ
(Meaning of Public Administration)

आधुनिक जीवन की जटिलता बढ़ने के साथ-साथ लोक प्रशासन का महत्त्व भी बढ़ता जा रहा है। इसका कारण है नागरिक के दैनिक क्रियाकलापों में राज्य के हस्तक्षेप की आवश्यकता। नागरिकों के जीवन का शायद ही कोई ऐसा पहलू है जो किसी-न-किसी सरकारी एजेंसी के संपर्क में न आता हो। प्राचीन काल में नागरिकों की आवश्यकताएं सीमित थीं। अतः वे न्यूनाधिक स्वावलंबी ग्रामीण समुदायों में रह सकते थे और गाँव में ही उन सभी चीजों का उत्पादन कर लेते थे जो उनके अस्तित्व मात्र की रक्षा के लिए आवश्यक थी। वैज्ञानिक और औद्योगिक क्रांति ने स्थिति को बदल दिया है। औद्योगिक उत्पादों के लिए कुछ विशिष्टीकरण आवश्यक होता है जो समुदायों को बड़े नगरों में रहने के लिए प्रेरित करता है। उत्पादन के साधन किसी सीमा तक जटिल हो गए हैं और उनके लिए संगठनात्मक प्रयास की बहुत अधिक आवश्यकता होती है। ऐसे कई कार्य हैं जो अब निजी तौर पर नागरिकों अथवा ग्रामीण या नगरीय समुदायों द्वारा निष्पादित नहीं किए जा सकते हैं। अतः राष्ट्रीय सरकार और राज्य एवं स्थानीय सरकारों को उत्पादन का संचालन करने और सामुदायिक जीवन को आसान बनाने के लिए आवश्यक आधारभूत सुविधाएँ प्रदान करने हेतु आगे आना पड़ता है। उदाहरणार्थ कच्चे मालों को उत्पादन स्थल तक पहुँचाने एवं तैयार माल के वितरण को आसान बनाने के लिए सड़कों और रेलमार्गों का निर्माण करना पड़ता है। ये सुविधाएँ आधुनिक जीवन की आवश्यकता के अनुरूप लम्बी दूरियाँ तय करने में नागरिकों की जरूरतों को पूरी करने के लिए भी आवश्यक हैं। इसी प्रकार, समुदायों की आवश्यकताओं को पूरी करने के लिए दूरभाष, सूक्ष्मतरंग संचारण, उपग्रह संचार आदि जैसी संचार सुविधाएँ प्रदान करनी पड़ती हैं। इन सभी के लिए मानव और भौतिक संसाधनों में बहुत अधिक निवेश की आवश्यकता होती है जो छोटे-छोटे ग्रामीण और यहाँ तक कि नगरीय समुदायों की आर्थिक क्षमता से बाहर हैं। ये निवेश राष्ट्रीय सरकार द्वारा प्रदान किए जाते हैं और स्थानीय सरकारों एवं स्थानीय समुदायों द्वारा प्रबंधित होते हैं। नागरिकों की इन आवश्यकताओं को पूरा करने के लिए वित्तीय निवेशों के अतिरिक्त काफी संगठनात्मक प्रयास की आवश्यकता होती है। अतः नागरिकों और सरकार के बीच संपर्क-बिन्दु काफी बढ़ गए हैं। लोक प्रशासन का महत्त्व इन विकासों के साथ कदम मिलाकर चलना है। लोक प्रशासन के अध्ययन में विद्वानों की रुचि भी उतनी ही बढ़ती जा रही है। यद्यपि एक पृथक् विषय के रूप में लोक प्रशासन का अध्ययन हाल ही में शुरू हुआ है किन्तु राजनीति शास्त्र विषय में एक अंग के रूप में इस विषय का अध्ययन काफी समय से चल रहा है। लोक प्रशासन विषय का अध्ययन आरंभ करने के पूर्व इसके अर्थ और विस्तार का ज्ञान प्राप्त कर लेना उचित होगा।

लोक प्रशासन एक अधिक विस्तृत पद 'प्रशासन' का ही एक भाग है। अतः लोक प्रशासन का अर्थ समझने के लिए हमें सबसे पहले यह समझने का प्रयास करना चाहिए कि प्रशासन का क्या अर्थ होता है?

■ प्रशासन (Administration)

एडमिनिस्ट्रेशन (प्रशासन) शब्द लैटिन भाषा के एडमिनिस्ट्रेयर शब्द से लिया गया है। जिसका अर्थ है लोगों की देखभाल करना, सारे क्रियाकलापों का प्रबंध करना। इस विस्तृत परिभाषा के अनुसार, लगभग प्रत्येक-मानव क्रियाकलाप में किसी-न-किसी प्रकार का प्रशासन होता ही है। आदिम समाजों में भी शिकार और भोजन-संग्रहण आदि जैसे साधारण कार्य भी बिना किसी प्रकार के संगठन के निष्पादित नहीं किए जा सकते थे। कोई-न-कोई यह निर्धारित करता ही था कि कौन क्या करेगा? आदिम समूहों के सदस्यों के बीच कार्य-वितरण को निर्धारित करने के लिए कुछ व्यवहार-संबंधी मानदंड तो बनाए ही जाते थे। निःसंदेह उस समय प्रशासन साधारण प्रकार का था क्योंकि किए जाने वाले कार्य भी तो साधारण ही थे। आधुनिक जीवन की जटिलता जैसे-जैसे बढ़ती जा रही है वैसे-वैसे व्यक्तिगत और सार्वजनिक मामलों का प्रशासन भी अधिकाधिक जटिल हो गया है। अब हम प्रमुख विद्वानों द्वारा दी गई प्रशासन की कुछ परिभाषाओं पर विचार करेंगे।

साइमन के अनुसार, "अपने व्यापक रूप में प्रशासन की व्याख्या उन समस्त सामूहिक क्रियाओं से की जा सकती है जो सामान्य लक्ष्य की प्राप्ति के लिए सहयोगात्मक रूप में प्रस्तुत की जाती हैं।"

मार्क्स के अनुसार, "प्रशासन चैतन्य उद्देश्य की प्राप्ति के लिए निश्चयात्मक क्रिया है। यह उन वस्तुओं के लिए एक संगठित प्रयत्न तथा साधनों का निश्चित प्रयोग है, जिसको कि हम कार्यान्वित करवाना चाहते हैं।"

पिफनर के अनुसार, "मनुष्य तथा भौतिक साधनों का संगठन एवं नियन्त्रण ही प्रशासन है।"

नीग्रो के अनुसार, "प्रशासन लक्ष्य की प्राप्ति के लिए मनुष्य तथा सामग्री का उपयोग एवं संगठन है।"

व्हाइट के अनुसार, "प्रशासन किसी विशिष्ट उद्देश्य अथवा लक्ष्य की प्राप्ति के लिए बहुत से व्यक्तियों के सम्बन्ध में निर्देश, नियन्त्रण तथा समन्वयीकरण की कला है।"

लूथर गुलिक के अनुसार, "प्रशासन का सम्बन्ध कार्यों को सम्पन्न कराने से है जिससे कि निर्धारित लक्ष्य पूरे हो सकें।"

मार्शल डिमॉक का कहना है, "प्रशासन का सम्बन्ध सरकार के 'क्या' तथा 'कैसे' से है। 'क्या' का अर्थ विषय-वस्तु है अर्थात् एक क्षेत्र का तकनीकी ज्ञान जो कि प्रशासकों को उनका कार्य करने की सामर्थ्य प्रदान करता है। 'कैसे' प्रबन्ध की तकनीकी है अर्थात् वे सिद्धांत जिनके अनुसार सरकारी योजनाएँ सफल बनायी जाती हैं, दोनों ही अपरिहार्य हैं और दोनों मिलने पर प्रशासन की स्थापना करते हैं।"

लोक प्रशासन के दो अर्थ : व्यापक और संकुचित

व्यापक रूप से राज्य की राजनैतिक शक्तियों के प्रयोग करने में उसके द्वारा की जाने वाली क्रियाओं को ही लोक प्रशासन की संज्ञा दी जाती है। इसमें विधायिका, न्यायपालिका तथा कार्यपालिका द्वारा किये गए सभी कार्यों का समावेश हो जाता है। संकुचित अर्थ में इसका प्रयोग केवल कार्यपालिका द्वारा किये जाने वाले कार्यों के लिए ही होता है। प्रश्न यह है कि लोक प्रशासन की क्रियाओं को सरकार की केवल कार्यपालिका शाखा तक ही क्यों सीमित रखा जाये? लोक प्रशासन के अन्तर्गत सरकारी नीति की परिधि में आने वाली प्रत्येक क्रिया को प्रत्येक क्षेत्र में ही क्यों न सम्मिलित किया जाये? प्रशासन की समस्याएं तो सरकार की तीनों ही शाखाओं में किसी-न-किसी रूप में विद्यमान हैं। विधायिका में किसी विधेयक के प्रस्तुतिकरण आदि में एक बड़े नाजुक तरह के प्रशासन की आवश्यकता होती है, इसी प्रकार, किसी न्यायालय में प्रस्तुत मुकदमें को निपटाने के लिए एक बड़े उच्च प्रशासन की आवश्यकता होती है। चूँकि प्रशासन की समस्याएँ सरकार के इन तीनों ही अंगों के सामने आती हैं, अतः ऐसा कोई कारण नहीं है कि लोक प्रशासन के अन्तर्गत सरकार के सम्पूर्ण कार्यों को सम्मिलित न किया जाये। निम्नलिखित परिभाषाएँ लोक प्रशासन को व्यापक तथा संकुचित परिप्रेक्ष्य में देखती हैं:

विलोबी–'अपने व्यापक अर्थ में लोक प्रशासन उस कार्य का प्रतीक है जो कि सरकारी कार्यों के वास्तविक सम्पादन से संबंधित होता है, चाहे वे सरकार की किसी शाखा से सम्बन्धित क्यों न हों....। अपने संकुचित अर्थ में, वह केवल प्रशासकीय शाखा की कार्यवाहियों की ओर संकेत करता है।'

एल. डी. ह्वाइट–"लोक प्रशासन में वे सभी कार्य आ जाते हैं, जिनका उद्देश्य लोकनीति को पूरा करना अथवा क्रियान्वित करना होता है।"

वुडरो विल्सन–"लोक प्रशासन विधि अथवा कानून को विस्तृत एवं क्रमबद्ध रूप में कार्यान्वित करने का नाम है। कानून को कार्यान्वित करने की प्रत्येक क्रिया एक प्रशासकीय क्रिया है।"

लोक प्रशासन का क्षेत्र
(The Scope of Public Administration)

परिवर्तन के इस युग में लोक प्रशासन जैसे गतिशील विषय का क्षेत्र निश्चित करना बहुत कठिन है। लोक प्रशासन के अध्ययन-क्षेत्र के बारे में विचारकों में बड़ा मतभेद है। मूलतः मतभेद इन प्रश्नों को लेकर है कि क्या लोक प्रशासन शासकीय कामकाज का केवल प्रबंधकारी अंश है, अथवा सरकार के समस्त अंगों का समग्र अध्ययन है? क्या लोक प्रशासन सरकारी नीतियों का क्रियान्वयन है अथवा वह नीति-निर्धारण में भी प्रभावी भूमिका निभाता है?

लोक प्रशासन के क्षेत्र के सम्बन्ध में मुख्य रूप से चार दृष्टिकोण प्रचलित हैं–

1. व्यापक दृष्टिकोण,
2. संकुचित दृष्टिकोण,
3. पोस्डकॉर्ब दृष्टिकोण, तथा
4. लोक कल्याणकारी दृष्टिकोण।

व्यापक दृष्टिकोण (Broader View)

कतिपय विद्वानों जैसे एल. डी. ह्वाइट, मार्क्स आदि ने लोक प्रशासन के क्षेत्र के सम्बन्ध में व्यापक दृष्टिकोण अपनाया है। इस दृष्टिकोण के अनुसार लोक प्रशासन सरकार के तीनों अंगों–कार्यपालिका, व्यवस्थापिका एवं न्यायपालिका से सम्बन्धित है। इस दृष्टिकोण के अनुसार लोक प्रशासन के क्षेत्र में वे सभी क्रियाकलाप सम्मिलित है। जिनका प्रयोजन लोकनीति को पूरा करना या क्रियान्वित करना होता है। प्रो. ह्वाइट ने लोक प्रशासन को व्यापक दृष्टिकोण से परिभाषित करते हुए लिखा है, "लोक प्रशासन में वे सभी कार्य आते हैं जिनका उद्देश्य सार्वजनिक नीति को पूरा करना अथवा लागू करना होता है।"

संकुचित दृष्टिकोण (Narrow View)

कतिपय विद्वानों जैसे साइमन, लूथर गुलिक आदि ने भी लोक प्रशासन के क्षेत्र के सम्बन्ध में संकुचित दृष्टिकोण अपनाया है। उनके अनुसार लोक प्रशासन का सम्बन्ध शासन की केवल कार्यपालिका शाखा से है। साइमन लिखते हैं–"लोक प्रशासन से अभिप्राय उन क्रियाओं से है जो केन्द्र, राज्य

तथा स्थानीय सरकारों की कार्यपालिका शाखाओं द्वारा सम्पादित की जाती है।"

लूथर गुलिक के अनुसार 'इसका विशेष सम्बन्ध कार्यपालिका से है।' संक्षेप में लोक प्रशासन में कार्यपालिका के संगठन, उसकी कार्य-प्रणाली एवं कार्य-पद्धति का अध्ययन किया जाना चाहिए। इस दृष्टि से लोक प्रशासन के क्षेत्र में निम्नलिखित बातें आती हैं–

(i) **कार्यरत् कार्यपालिका का अध्ययन (Study of the Executive in Action):** लोक प्रशासन प्रशासन की वह शाखा है जो कार्यरत कार्यपालिका का अध्ययन करती है। कार्यपालिका से यहाँ तात्पर्य केवल असैनिक कार्यपालिका से है।

(ii) **सामान्य प्रशासन का अध्ययन (Study of the General Administration):** लोक प्रशासन सामान्य प्रशासन की सभी समस्याओं से सम्बन्धित रहता है। उसके क्षेत्र में प्रशासनिक नीतियाँ, लक्ष्य निर्धारण, प्रशासन के ऊपर निर्देशन, निरीक्षण तथा नियन्त्रण आदि शामिल है।

(iii) **संगठन सम्बन्धी समस्याओं का अध्ययन (Study of the Problems of Organisation):** लोक प्रशासन यह भी अध्ययन करता है कि विभिन्न प्रशासनिक क्रियाओं को सुचारु रूप से सम्पन्न करने के लिए सेवाएँ किस प्रकार संगठित की जाएँ? लोक प्रशासन के क्षेत्र में असैनिक सेवाओं के विभिन्न सूत्र, उसके संगठनों तथा क्षेत्रीय संगठनों का व्यापक अध्ययन करते हैं।

(iv) **सेविवर्ग की समस्याओं का अध्ययन (Study of the Problems of Personnel):** लोक प्रशासन के क्षेत्र में पदाधिकारियों की भर्ती, प्रशिक्षण, सेवाओं की दशा अनुशासन तथा कर्मचारी संघ आदि समस्याओं का विस्तृत अध्ययन किया जाता है।

(v) **सामग्री प्रदाय सम्बन्धी समस्याओं का अध्ययन (Study of the Problems of Supply of Material):** लोक प्रशासन की परिधि में विविध सामग्री की खरीदारी, उसका संग्रह करना और कार्य करने के यन्त्र तथा साज-सज्जा आदि समस्याएँ भी सम्मिलित हैं।

(vi) **वित्त सम्बन्धी समस्याओं का अध्ययन (Study of the Problems of Finance):** लोक प्रशासन के अन्तर्गत बजट, करारोपण और वित्त से सम्बन्धित अन्य प्रश्नों का भी समुचित अध्ययन किया जाता है।

(vii) **प्रशासकीय उत्तरदायित्व का अध्ययन (Study of Administrative Responsibility or Accountability):** लोक प्रशासन के अन्तर्गत प्रशासकों के विभिन्न प्रकार के उत्तरदायित्वों का पर्याप्त अध्ययन किया जाता है। प्रशासक स्वच्छन्द आचरण नहीं कर सकते। वे जनता, विधायिका, कार्यपालिका एवं न्यायपालिका के प्रति किस प्रकार उत्तरदायी रहते हैं, इसका अध्ययन भी लोक प्रशासन का महत्त्वपूर्ण पहलू है।

पोस्डकॉर्ब दृष्टिकोण (Posdcorb View)

लोक प्रशासन के कार्य-क्षेत्र के सम्बन्ध में लूथर गुलिक ने जिस मत को प्रतिपादित किया है उसे 'पोस्डकॉर्ब' कहा जाता है। लूथर गुलिक से पहले उर्विक तथा हेनरी फेयोल इत्यादि विद्वानों ने भी 'पोस्डकॉर्ब' दृष्टिकोण अपनाया था, परन्तु इन विचारों को सुव्यवस्थित ढंग से प्रस्तुत करने का श्रेय गुलिक को ही जाता है। 'पोस्डकॉर्ब' शब्द अंग्रेजी के सात शब्दों के प्रथम अक्षरों को मिला कर बनाया गया है, वे शब्द इस प्रकार हैं–

P	—	Planning	=	योजना बनाना
O	—	Organising	=	संगठन बनाना
S	—	Staffing	=	कर्मचारियों की व्यवस्था करना
D	—	Directing	=	निर्देशन करना
Co	—	Co-ordination	=	समन्वय करना
R	—	Reporting	=	रपट देना
B	—	Budgeting	=	बजट तैयार करना

इन शब्दों से निम्नलिखित क्रियाओं का बोध होता है–

- **P–योजना बनाना :** प्लानिंग अर्थात् नियोजन। कार्यों की रूपरेखा तैयार करना और निश्चित ध्येय की प्राप्ति के लिए रीतियों का निर्धारण करना।
- **O–संगठन बनाना :** इसका उद्देश्य प्रशासकीय ढाँचे को इस प्रकार संगठित करना है, ताकि प्रशासकीय कार्यों का विभाजन उचित ढंग से किया जा सके और विभाग में समन्वय किया जा सके।
- **S–कर्मचारियों की व्यवस्था करना :** स्टॉफ अर्थात् सम्पूर्ण कर्मचारी वर्ग की नियुक्ति, प्रशिक्षण और उनके लिए कार्य करने की अनुकूल दशाओं का निर्माण करना।
- **D–निर्देशन करना :** इसके अन्तर्गत वे निर्णय आते हैं जो निर्णायकों द्वारा कर्मचारियों के कार्यों के संबंध में लिये जाते हैं। ये निर्णय सामान्य आदेशों के रूप में सन्निहित करके प्रशासकीय कर्मचारियों तक पहुँचाये जाते हैं।
- **Co–समन्वय करना :** कार्य के विभिन्न भागों को परस्पर सम्बन्धित करना अथवा उनमें समन्वय स्थापित करना।
- **R–रपट देना :** इसका उद्देश्य वरिष्ठ तथा निम्न कर्मचारियों के कार्यों के सम्बन्ध में निरीक्षण अधिकारियों को सूचित करना है। इसका उद्देश्य निरीक्षण के लिए अभिलेख तैयार करना भी है।
- **B–बजट तैयार करना :** इसके अन्तर्गत हम वित्त व्यवस्था का संक्षिप्त अध्ययन करते हैं। विशेष रूप से इसका अध्ययन बजट तैयार करने से है। उपर्युक्त 'पोस्डकॉर्ब' क्रियाएँ सभी संगठनों में सम्पन्न की जाती हैं। प्रशासन का चाहे कोई भी क्षेत्र हो तथा कोई भी उद्देश्य हो ये प्रबंध सम्बन्धी सामान्य समस्याएँ सभी में एक सरीखी और अनिवार्य होती हैं। लोक प्रशासन के कार्य-क्षेत्र के सम्बन्ध में 'पोस्डकॉर्ब' विचार को सामान्यतया स्वीकार किया जाता है।

'पोस्डकॉर्ब' विचार की आलोचना : पोस्डकॉर्ब सिद्धांत के विरुद्ध यह कहा जाता है कि वह अत्यन्त स्वेच्छाचारी तथा काल्पनिक है, और जिसके अन्तर्गत प्रशासन के वास्तविक तत्त्व को छोड़ दिया जाता है। इस सिद्धांत की आलोचना इस आधार पर की जाती है कि इसमें लोक प्रशासन से सम्बद्ध एक महत्वपूर्ण तत्त्व की उपेक्षा की गयी है। वह तत्त्व है 'पाठ्य-विषय का ज्ञान (Knowledge of Subject-Matter)'। इस आलोचना के प्रमुख प्रतिपादक लेविस मेरियम हैं।

उन्हीं के शब्दों में, "किसी भी प्रशासकीय अभिकरण के प्रभावशाली एवं प्रज्ञावान प्रशासन के लिए उससे सम्बन्धित पाठ्य-विषय का गहरा ज्ञान प्राप्त कर लेना नितान्त अनिवार्य है। पोस्डकॉर्ब दृष्टिकोण केवल प्रशासन की तकनीकों से सम्बन्धित है, उसके पाठ्य विषय से नहीं। पोस्डकोर्ब को यदि प्रशासन का सामान्य तत्त्व स्वीकार कर लिया जाये तो उसका अर्थ होगा प्रशासन के हृदय को बाहर निकाल फेंकना, क्योंकि उसका सम्बन्ध प्रबंध तक ही सीमित नहीं है वरन् शिक्षा, चिकित्सा तथा सुरक्षा आदि से भी है। 'पोस्डकॉर्ब' विचार और 'पाठ्य-विषय' विचार दोनों को मिलाने से ही लोक प्रशासन का कार्य-क्षेत्र पूर्णरूपेण निर्धारित होता है। लेविस मेरियम के ही शब्दों में, "कैंची के दो फलकों के समान लोक प्रशासन दो फलकों वाला औजार है। उस औजार का एक फलक है 'पोस्डकॉर्ब' के अन्तर्गत आने वाले क्षेत्रों का ज्ञान और दूसरा फलक है उस पाठ्य-विषय का ज्ञान, जिसमें कि ये तकनीकें लागू की जाती हैं। उस औजार को प्रभावशाली बनाने के लिए यह आवश्यक है कि उसके दोनों ही फलकें ठीक हों।"

वे विद्वान भी 'पोस्डकॉर्ब' विचार की आलोचना करते हैं जो प्रशासन के क्षेत्र में मानवीय सम्बन्धों के दृष्टिकोण के समर्थक हैं। हॉर्थोन प्रयोग प्रशासन को मानवीय पहलू से ही देखता है। इन प्रयोगकर्त्ताओं का कहना है कि उत्पादकता काम करने वालों की सेवा की दशाओं पर निर्भर रहती है। प्रशासन में इस तथ्य की उपेक्षा करना ठीक नहीं पोस्डकोर्ब धारणा इस तत्त्व के प्रति उदासीन है। लोक प्रशासन के अन्तर्गत केवल प्रशासन की तकनीकों एवं विधियों का ही अध्ययन नहीं किया जाना चाहिए बल्कि इसको अपना ध्यान उन मनुष्यों पर भी केन्द्रित करना चाहिए जो कि उन तकनीकों एवं विधियों को प्रयुक्त करते हैं।

लोककल्याणकारी दृष्टिकोण (Idealistic or Welfare View)

लोक प्रशासन के क्षेत्र से सम्बन्धित एक अन्य दृष्टिकोण लोककल्याणकारी दृष्टिकोण है। इसे आदर्शवादी दृष्टिकोण भी कहा जाता है। इस दृष्टिकोण के समर्थक राज्य और लोक प्रशासन में अधिक अन्तर नहीं मानते। उनके मतानुसार वर्तमान समय में राज्य लोक कल्याणकारी है, अतः लोक प्रशासन भी लोक कल्याणकारी है। दोनों का लक्ष्य एक ही है—जनहित अथवा जनता को हर प्रकार से सुखी बनाना। इस दृष्टिकोण के समर्थक कहते हैं कि "आज लोक प्रशासन सभ्य जीवन का रक्षक मात्र ही नहीं, वह सामाजिक न्याय तथा सामाजिक परिवर्तन का भी महान साधन है"। इससे स्पष्ट होता है कि लोक प्रशासन का क्षेत्र जनता के हित में किये जाने वाले सभी कार्यों तक फैला हुआ है।

निष्कर्ष : निष्कर्ष रूप में यह कहा जा सकता है कि वर्तमान युग में लोक प्रशासन की क्रियाओं का क्षेत्र अत्यन्त व्यापक हो गया है और समाजवादी व जन-कल्याणकारी विचारधारा की प्रगति के साथ-साथ वह निरन्तर बढ़ता ही जा रहा है। लोक प्रशासन के अन्तर्गत केन्द्र, राज्य तथा स्थानीय सभी स्तरों की सरकारों के संगठन एवं कार्यप्रणाली का अध्ययन किया जाता है, पोस्डकॉर्ब द्वारा दर्शायी गयी तकनीकों का भी अध्ययन किया जाता है और मानवीय सम्बन्धों का भी। "लोक प्रशासन के अन्तर्गत केवल प्रशासन की तकनीकों एवं विधियों का ही अध्ययन नहीं किया जाना चाहिए बल्कि इसको अपना ध्यान उन मनुष्यों पर भी केन्द्रित करना चाहिए जो कि उन तकनीकों एवं विधियों का प्रयोग करते हैं और जो प्रशासनिक संगठनों में काम करते हैं।"

लोक प्रशासन की प्रकृति : कला अथवा विज्ञान (Nature of Public Administration : Art or Science)

लोक प्रशासन कला है या विज्ञान : लोक प्रशासन के स्वरूप (Nature) के सम्बन्ध में प्रबल मतभेद है। कुछ विद्वान इसे एक विज्ञान मानते हैं जबकि प्रबंधन सिद्धांत के अधिकांश व्यवहारकर्त्ता जोर देते हैं कि यह एक कला है।

लोक प्रशासन को एक विज्ञान मानने के दो तात्पर्य हैं : यह एक विज्ञान हो सकता है अथवा यह एक सामाजिक विज्ञान हो सकता है।

पहले हम यह देखें कि लोक प्रशासन को विज्ञान कैसे माना जा सकता है। 'विज्ञान' की दो शाखाएँ हैं—'विशुद्ध विज्ञान' और 'सामाजिक विज्ञान'। 'विशुद्ध विज्ञान' की निम्नलिखित विशेषताएँ हैं:

1. नियमों की सार्विकता
2. इन नियमों पर आधारित परिणामों का यथातथ्य
3. घटनाओं की पूर्वानुमेयता

लोक प्रशासन में सार्विक नियमों को प्राप्त करने का प्रयास चलता रहा है लेकिन ऐसे सार्विक नियम अभी तक स्थापित नहीं हो पाए हैं इसी तरह कुछ हद तक परिणाम भी यथातथ्य नहीं हैं, और घटनाएं चूँकि उनमें मानव व्यवहार निहित हैं, भी पूरी तरह पूर्वानुमेय नहीं है। अतः समझ की अपनी वर्तमान हैसियत में लोक प्रशासन को विशुद्ध विज्ञान नहीं माना जा सकता। अब हम इस बात पर विचार कर सकते हैं कि लोक प्रशासन को 'सामाजिक विज्ञान' कैसे माना जाए। सामाजिक विज्ञान को दिन-प्रतिदिन के अनुभव, अवलोकन और व्यवहार से व्युत्पन्न ज्ञान की क्रमबद्ध राशि के रूप में परिभाषित किया जाता है। सामाजिक विज्ञान में संकल्पनाएँ, परिकल्पनाएँ, प्रयोग, सिद्धांत आदि होते हैं और इन सिद्धांतों को विकसित करने के लिए निगमनात्मक अथवा आगमनात्मक उपागम का प्रयोग किया जाता है। अतः उपर्युक्त परिभाषा के आधार पर लोक प्रशासन को सामाजिक विज्ञान माना जाता है क्योंकि—

1. इसमें व्यवहारिक स्थितियों में प्रयोज्य अनुभवों और अवलोकनों से व्युत्पन्न उपयुक्त ज्ञान-राशि होती है। अतः इस परिप्रेक्ष्य में यह उतना ही सामान्य विज्ञान है जितना कि अर्थशास्त्र अथवा मनोविज्ञान अथवा जीवन विज्ञान।

2. अनवरत प्रयासों के जरिए किसी प्रशासनिक ढाँचे में प्रयोज्य सिद्धांत-समूह विकसित किया गया है। प्रशासन में कार्य-कुशलता लाने के लिए इन सिद्धांतों का इस्तेमाल किया जाना आवश्यक है।
3. अपने अध्ययन में यह अन्वेषण की वैज्ञानिक विधियों का प्रयोग करता है, जैसे अनुसंधान और विश्लेषण किसी भी लोक-नीति का अनिवार्य अंग है।
4. यह वैज्ञानिक प्रक्रिया का प्रयोग करता है, अर्थात् तथ्यों और आँकड़ों का संग्रह और विश्लेषण किया जाता है, तथा इस विश्लेषण के आधार पर सामान्यानुमान लगाए जाते हैं। अतः एक प्रशासक उसी तरह से विज्ञान का प्रयोग करता है जिस तरह से अभियंता या चिकित्सक।
5. इसने अपनी विषय-वस्तु भी विकसित की है जो अन्य सामाजिक विज्ञानों से भिन्न है, यद्यपि यह अन्तर-विषयक और बहु-विषयक है।

अतः यह कहा जा सकता है कि लोक प्रशासन प्रदर्शित यथार्थों का पिंड है और इसलिए एक सामाजिक विज्ञान है।

लोक प्रशासन का महत्व (Importance of Public Administration)

लोक प्रशासन का महत्व हर काल में रहा है, सार्वजनिक गतिविधियों को संचालित करने के लिए लोक प्रशासन का महत्व प्राचीन काल से ही रहा है। मनुष्य के विकास और सुरक्षा के लिए राज्य विभिन्न संसाधनों का प्रशासन करता है ताकि मनुष्य सुखी और शांतिपूर्ण जीवन जी सके। यह सब राज्य द्वारा लोक प्रशासन के माध्यम से किया जाता है। प्रारंभ में राज्य के कर्त्तव्य सीमित थे। लेकिन आधुनिक युग में लोक प्रशासन का महत्व बढ़ गया। पहले राज्य एक पुलिस राज्य था, लेकिन आज राज्य का स्वरूप कल्याणकारी बन गया है। अतः राज्य की जिम्मेदारी बढ़ने के साथ-साथ सार्वजनिक व्यवस्था का महत्व भी लगातार बढ़ता जा रहा है। उन्नीसवीं शताब्दी तक राज्य की प्रकृति एक पुलिस राज्य से अधिक नहीं थी, पुलिस राज्य केवल कानूनी और अनुशासनात्मक कर्तव्य ही निभाती थी। लेकिन औद्योगिक क्रांति के विकास, जनसंख्या में वृद्धि और आधुनिकीकरण के कारण राज्य के आकार और प्रकृति में निरंतर परिवर्तन होता रहा, जिसके परिणामस्वरूप पुलिस राज्य की अवधारणा एक कल्याणकारी राज्य में बदल गई।

चूंकि राज्य और लोक प्रशासन सदैव एक-दूसरे के निकट रहे हैं, लेकिन औद्योगिक क्रांति, तकनीकी प्रगति, लोकतांत्रिक विचार, दो विश्व युद्ध, मुद्रास्फीति और आर्थिक संकट तथा हाल की खोजों आदि ने लोक प्रशासन के महत्व को बढ़ा दिया है। प्रारंभ में राज्य के कर्त्तव्य सीमित थे क्योंकि राज्य की जनसंख्या कम थी इसलिए समस्याएँ भी कम थीं, लेकिन आधुनिक राज्य कल्याणकारी राज्य होने के कारण उसके कर्त्तव्य बढ़ गये। लोगों के कल्याण के लिए आधुनिक राज्य को व्यक्ति के सामाजिक, आर्थिक, धार्मिक, सांस्कृतिक और राजनीतिक क्षेत्रों में हस्तक्षेत करना होगा। ऐसे अलग-अलग कानून बनाने की जरूरत है जो मानव विकास में बाधक न हों और शोषण को अस्वीकार कर सकें। राज्य इन कर्तव्यों का पालन लोक प्रशासन के माध्यम से करता है। लोक प्रशासन का महत्व इस प्रकार है।

1. लोक प्रशासन सरकार की नींव है, चाहे वह राजतंत्र हो या लोकतंत्र, समाजवादी व्यवस्था हो या पूंजीवादी व्यवस्था। लोक प्रशासन किसी भी व्यवस्था के लिए महत्वपूर्ण है।
2. राज्य के कर्त्तव्य एवं गतिविधियाँ निरंतर बढ़ती जा रही हैं, इसलिए लोक प्रशासन का महत्व भी बढ़ता जा रहा है। किसी राज्य की गतिविधि की सफलता और विफलता लोक प्रशासन के प्रदर्शन या गैर-प्रदर्शन पर आधारित होती है। वर्तमान युग में राज्य के कार्यों में निरंतर वृद्धि हो रही है। राज्य न केवल प्रतिबंध लागू करने और दंडित करने के कर्त्तव्यों का पालन करता है बल्कि अपने नागरिकों को बुनियादी सुविधाएं और विकास भी प्रदान करता है। जीवन का कोई भी क्षेत्र ऐसा नहीं है जो राज्य की गतिविधियों से प्रभावित न हो। इसीलिए कहा जाता है कि राज्य जन्म से कब्र तक फैला हुआ हैः जन्म के लिए सरकारी अस्पताल, शिक्षा के लिए स्कूल, कॉलेज और विश्वविद्यालय, रोजगार के लिए सरकारी विभाग, मृत्यु के बाद कब्रिस्तान, बेरोजगारी, दैवीय आपदाएं, प्रजनन और गर्भावस्था सभी में राज्य का हस्तक्षेप शामिल है। राज्य की ये सभी गतिविधियाँ लोक प्रशासन के माध्यम से संचालित होती है। अतः जैसे-जैसे राज्य की गतिविधियाँ बढ़ रही हैं, लोक प्रशासन का महत्व भी बढ़ता जा रहा है।
3. लोक प्रशासन सरकारी कानूनों, नीतियों और कार्यक्रमों को लागू करने का एक उपकरण है जो सरकारी निर्णयों को वास्तविकता में बदलता है। लोक प्रशासन कानून-आधारित नीतियों और कार्यक्रमों को लागू करने के लिए जिम्मेदार हैं राज्य की नीति चाहे कितनी भी अच्छी क्यों न हो, बेहतर परिणाम तभी प्राप्त हो सकते हैं जब लोक प्रशासन उसे बेहतर तरीके से लागू करेगा। सार्वजनिक सेवाओं और कार्यक्रमों को लागू करके, यह उन लोगों को सेवाएँ प्रदान करता है जो उनसे लाभान्वित होते हैं।
4. लोक प्रशासन सभ्यता एवं संस्कृति का संरक्षक है। आज का युग सभ्य युग है। इस सभ्य संस्कृति एवं सभ्यता की रक्षा लोक प्रशासन द्वारा ही संभव है। डी.एल. डॉन हैम के अनुसार, "यदि हमारी सभ्यता और संस्कृति असफल होती है, तो इसका मुख्य कारण प्रशासन का संघर्ष होगा।" लोक प्रशासन आधुनिक सभ्यता और संस्कृति का हृदय है। यह समाज का स्थायी अंग है। लोक प्रशासन की विफलता का अर्थ है समाज और सभ्यता की संपूर्ण संरचना का विघटन।
5. लोक प्रशासन सामाजिक व्यवस्था और समाज को स्थिर करने में सहायता प्रदान करता है, इसलिए आज के युग में लोक प्रशासन सामाजिक व्यवस्था का एक महत्वपूर्ण हिस्सा बन गया

है। लोक प्रशासन एक ऐसा उपकरण है जो समाज को स्थिरता और मजबूती प्रदान करता है। आपातकाल के दौरान भारत में कोई निर्वाचित सरकार नहीं थी। यह एक शाही कार्यालय था जो लोगों को सेवाएँ प्रदान करता था और कानून और व्यवस्था बनाए रखता था। इस प्रकार कानून और व्यवस्था समाज में स्थिरता प्रदान करती है। लोक प्रशासन स्थायी होने के कारण लोगों को राजनीतिक उथल-पुथल से बचाता है। राजनीतिक उथल-पुथल के कारण सरकारें बदलती रहती हैं। लेकिन इन सभी स्थितियों में प्रशासन की संरचना समाज को स्थिर और मजबूत बनाए रखती है। कानून एवं व्यवस्था समाज को टूटने से बचाती है। यह सामाजिक एकता को मजबूत करता है। यह समाज में स्थिरता लाता है क्योंकि जब चुनाव, क्रांति या तख्तापलट के कारण सरकारें बदलती हैं तो यह सार्वजनिक व्यवस्था को स्थिर करता है।

6. लोक प्रशासन सामाजिक एवं आर्थिक परिवर्तन का एक महत्वपूर्ण साधन है। आजादी के बाद भारत में गरीबी उन्मूलन, व्यवस्थित योजना, सामुदायिक विकास कार्यक्रम, सुदूर ग्राम विद्युतीकरण, सड़क निर्माण, ग्रामीण विकास, भूमि सुधार, हरित क्रांति, औद्योगिक विकास और बुनियादी ढांचे के विकास जैसी सफल प्रथाओं का श्रेय लोक प्रशासन को जाता है। लोक प्रशासन सामाजिक परिवर्तन में भी योगदान देता हैं समाज में फैली कुरीतियों और बुराइयों को खत्म करने के लिए सरकार कानून बनाती है, सरकार इन बुराइयों के बारे में जानकारी देने और सार्वजनिक व्यवस्था बनाए रखने का कर्तव्य निभाती है। लोक प्रशासन के माध्यम से दहेज, अस्पृश्यता, बाल विवाह और अन्य सामाजिक बुराइयों का उन्मूलन किया जाता है। सर जोशिया स्टाम्प ने लिखा है कि उच्च पद समाज को शिक्षा देने के साधन हैं, वे उसे हर स्तर पर राह दिखाते हैं, सुधार, प्रोत्साहन और सलाह देते हैं। राज्य के माध्यम से सामाजिक एवं आर्थिक न्याय स्थापित करने के लक्ष्य को सरकार प्रशासन के माध्यम से पूरा करती है।

7. लोक प्रशासन देश की सभी समस्याओं का समाधान करने में सहायता करता है। लूथर गुलिक ने लिखा है कि "सार्वजनिक प्रशासन एक निर्धारित लक्ष्य को पूरा करने के लिए विभिन्न कार्यों और समस्याओं को हल करने से संबंधित है।" देश में बेरोजगारी, अशिक्षा, बीमारी, गरीबी, आतंकवाद, क्षेत्रवाद, साम्प्रदायिकता तथा जातिवाद आदि समस्याओं का समाधान सरकार द्वारा लोक प्रशासन के माध्यम से किया जाता है। इस प्रकार समस्याओं के समाधान की दृष्टि से प्रबन्धन का महत्व बना रहता है।

8. औद्योगिक क्रांति, नागरिक, सरकारी अधिकारियों की संख्या में वृद्धि, कार्य विभाजन, मूल्यांकन, औद्योगिक विकास, टेलीफोन, टेलीविजन, कंप्यूटर, रेडियो, टेलीप्रिंट आदि ने लोक प्रशासन का दायरा बढ़ा दिया है। तकनीकी प्रगति और परिवहन के उच्च गति वाले साधनों के विकास ने सार्वजनिक प्रशासन को एक साथ ला दिया है।

9. लोक प्रशासन सामाजिक व्यवस्था में स्थिरता लाकर सामाजिक विकास के लिए एक मजबूत आधार तैयार करती है। यह सामाजिक विकास के स्वस्थ तत्वों को प्रेरित करता है। लोक प्रशासन के कार्य निष्पादन के फलस्वरूप आर्थिक एवं सामाजिक क्षेत्र में विकास के द्वार अथवा नये रास्ते खुलते रहते हैं। इसमें कोई संदेह नहीं है कि एक कुशल और स्वस्थ लोक प्रशासन सामाजिक प्रगति का एक पैमाना है। आधुनिक समाज में लोक प्रशासन एक महत्वपूर्ण भूमिका निभाता है। यह जनता को सेवाएँ प्रदान करने का एक उपकरण है। यह कानून और व्यवस्था स्थापित करके लोगों के जीवन और संपत्ति की रक्षा करता है। यह लोगों को स्वास्थ्य, शिक्षा, आवास और सामाजिक सुरक्षा जैसी अन्य सेवाएँ प्रदान करता है। लोक प्रशासन द्वारा प्रदान की जाने वाली विभिन्न सेवाएँ प्रत्येक नागरिक को जन्म से लेकर मृत्यु तक प्रभावित करती हैं।

10. लोक प्रशासन का व्यक्ति के दैनिक जीवन से गहरा संबंध है। जीवन के प्रत्येक चरण में, बच्चे के जन्म से लेकर उसकी मृत्यु तक, व्यक्ति लोक प्रशासन से जुड़ा रहता है। आज लोक प्रशासन मानव जीवन के सफल संचालन के लिए आवश्यक है। आज जनसंख्या वृद्धि ने अस्वास्थ्यकर बस्तियों में वृद्धि, भोजन, परिवहन की कमी जैसी तमाम सामाजिक एवं आर्थिक समस्याओं को जन्म दिया है, जिनका समाधान लोक प्रशासन के माध्यम से किया जा सकता है। अंतरसमूह संघर्ष, संप्रदायवाद, क्षेत्रीय और व्यक्तिगत लड़ाई, सामाजिक संबंधों में गिरावट, हिंसा और प्राकृतिक आपदाओं में वृद्धि ने शासन के महत्व को बढ़ा दिया है। इसके अलावा, पर्यावरण परिवर्तन, बाढ़, सूखा, तूफान आदि जैसी प्राकृतिक आपदाओं के कारण भी लोक प्रशासन के महत्व में भी वृद्धि हुई है।

11. कल्याणकारी राज्य के लक्ष्यों को प्राप्त करने के लिए आधुनिक सरकारों द्वारा आर्थिक नियोजन के उपयोग ने लोक प्रशासन के उद्देश्यों को बढ़ा दिया है। गेराल्ड ई. केडन ने अपनी प्रसिद्ध पुस्तक "द डायनेमिक्स ऑफ पब्लिक एडमिनिस्ट्रेशन" में लिखा है कि वर्तमान आधुनिक समाज में लोक प्रशासन निम्नलिखित महत्वपूर्ण भूमिका निभाता है।

- पॉलिसी का संरक्षण
- स्थिरता एवं अनुशासन स्थापित करना
- सामाजिक, आर्थिक परिवर्तन को संगठनात्मक स्वरूप देना
- बेहतर व्यवसाय सेव्रा प्रशासन
- अतिशेष और आर्थिक विकास का निर्धारण
- जनमत को आकार देना
- सार्वजनिक नीतियों और राजनीतिक रुझानों को प्रभावित करना

12. युद्ध के दौरान लोक प्रशासन का महत्व बहुत अधिक होता है। आधुनिक युग पूर्ण युद्ध का युग है। युद्ध के समय में लोक प्रशासन का महत्व और भूमिका और भी अधिक हो जाती है। ऐसी स्थितियों में, लोक प्रशासन देश की पूर्ण सार्वजनिक शक्ति और सभी संसाधनों के लिए भी जिम्मेदार होता है।

13. लोक प्रशासन विद्यार्थियों के लिए लाभदायक है। छात्र देश का भविष्य हैं और वे देश की संपत्ति हैं। इसलिए छात्रों के लिए प्रशासन की पढाई करना बहुत जरूरी है। विश्व के सभी देश विश्वविद्यालय एवं महाविद्यालय स्तर पर छात्रों को लोक प्रशासन की शिक्षा प्रदान करते हैं। भारत में कई विश्वविद्यालयों और कॉलेजों में लोक प्रशासन का एक अलग विभाग होता है जिसमें छात्रों को पढ़ाया जाता है।

लोक प्रशासन का उद्‌भव एवं वर्तमान स्थिति

एक क्रियाकलाप के रूप में सामाजिक जीवन के प्रारम्भिक काल से ही लोक प्रशासन का अस्तित्व रहा है। एक प्रक्रिया के रूप में लोक प्रशासन उतना ही प्राचीन है जितना कि राज्य। जिस प्रकार राज्य की प्रकृति कार्यक्षेत्र तथा दायित्व परिवर्तित हुए हैं, लोक प्रशासन भी परिवर्तित होता रहा है। एक विषय के रूप में लोक प्रशासन का आरम्भ 18वीं सदी के अन्तिम चरण में हुआ है। प्राचीन काल से ही अनेक चिन्तकों ने प्रशासकीय विचार और व्यवहार में अपना योगदान दिया है जैसे—प्राचीन भारत में कौटिल्य का अर्थशास्त्र, पश्चिम में अरस्तू की पॉलिटिक्स, मध्यकालीन भारत में अबुल फजल द्वारा लिखित ग्रंथ तथा मध्यकालीन पश्चिम में मैकियावली की प्रिन्स में सरकार के संगठन प्रशासन के कार्य करने के तरीके आदि के विषय में महत्वपूर्ण सामग्री उपलब्ध है।

17वीं शताब्दी तक 'लोक प्रशासन' शब्द का कहीं प्रयोग नहीं हुआ था। 17वीं शताब्दी में यूरोपीय भाषाओं में लोक प्रशासन शब्द का प्रचलन राजा के निजी कार्यों और सार्वजनिक कार्यों को पृथक करने के सन्दर्भ में हुआ था। आधुनिक लोक प्रशासन का अध्ययन सर्वप्रथम प्रशा (जर्मनी) में हुआ था। 18वीं सदी के अन्तिम वर्षों में अमरीका में, पहली बार लोक प्रशासन के अर्थ और उद्देश्य को अमरीकी वित्त मंत्री अलेकजेंडर हैमिल्टन की पुस्तक 'फैडरलिस्ट' में परिभाषित किया गया। फ्रांस के चार्ल्स बूनिन पहले व्यक्ति थे जिन्होंने 1812 में *लोक प्रशासन के सिद्धान्त* नामक प्रथम पुस्तक फ्रेंच भाषा में लिखी। 1859 में विवेयन द्वारा लिखित *एतुदेज एदमिनिस्त्रेतित्वस* (Administrative Sudies) नामक पुस्तक प्रसिद्ध है।

औद्योगिक क्रान्ति के पश्चात लोक प्रशासन के वातावरण का नए एवं उच्चतर तकनीकी क्षेत्रों में प्रसार हुआ। लोक प्रशासन के विषय का विस्तार संयुक्त राज्य अमेरिका में 18वीं और 19वीं सदी के राजनीतिक तथा प्रशासनिक स्वरूप को बदलने के साथ आरम्भ हुआ। इसका आरम्भ इस विश्वास के साथ हुआ कि सरकार एवं प्रशासन का स्वरूप सामान्य हो जिससे साधारण व्यक्ति की पकड़ में आ जाए। यह जैक्सोनियम विचारधारा थी जो 19वीं सदी के आठवें दशक तक प्रचलित रही। इसमें एक ऐसी नौकरशाही का विकास हुआ जो लूट-प्रणाली में विश्वास रखती थी, फलस्वरूप उसमें भ्रष्टाचार का प्रादुर्भाव हुआ। इसी की प्रतिक्रिया के कारण अध्ययन-क्षेत्र में एक अलग विषय के रूप में लोक प्रशासन के प्रति लोगों की रुचि बढ़ी। 1887 में अमरीका में इसका जन्म तब हुआ, जब वुडरो विल्सन का *द स्टडी ऑफ एडमिनिस्ट्रेशन (The Study of Administration)* नामक लेख "पॉलिटिकल साइन्स क्वार्टरली" नामक पत्रिका में प्रकाशित हुआ। सामाजिक विज्ञानों में लोक प्रशासन अपेक्षाकृत नया विषय है। इसने अभी तक केवल 134 वर्ष की यात्रा ही पूरी की है। एक युवा सामाजिक विज्ञान होने के बावजूद इसमें कई उतार-चढ़ाव आए हैं, इसमें उथल-पुथल होती रही है। इन वर्षों के विकास के इतिहास में इसने जिन चरणों को पार किया है, वे निम्नलिखित हैं :

1. प्रथम चरण : 1887-1926—राजनीतिक प्रशासन द्वैतभाव
2. द्वितीय चरण : 1927-1937—सिद्धान्तों का काल
3. तृतीय चरण : 1938-1947—चुनौतियों का काल
4. चतुर्थ चरण : 1948-1970—स्वरूप की संकटावस्था
5. पंचम चरण : 1971-1990—अन्तर्विषयी एवं परिपक्वता का काल
6. षष्ठम चरण : 1991-वर्तमान—नवीन लोकप्रबन्ध का काल

प्रथम चरण (1887-1926)

एक पृथक् विषय के रूप में लोक प्रशासन का जन्म संयुक्त राज्य अमरीका में हुआ तथा इसकी जन्मतिथि 1887 है। वुडरो विल्सन (Woodrow Wilson), जो उस समय प्रिन्सटन यूनिवर्सिटी में राजनीतिशास्त्र के प्राध्यापक थे और जो बाद में अमरीका के राष्ट्रपति भी बने, इस शास्त्र के जनक माने जाते थे। उनका 1887 में पॉलिटिकल साइंस क्वार्टरली नामक पत्रिका में एक लेख प्रकाशित हुआ जिसका शीर्षक था 'The Study of Administration' (प्रशासन का अध्ययन)। इस लेख को लोक प्रशासन के अध्ययन-क्षेत्र की प्रथम युग प्रवर्तक घटना माना जाता है। इस लेख में उन्होंने राजनीति और प्रशासन को अलग-अलग बताया तथा कहा : "एक संविधान की रचना सरल है पर इसको चलाना बड़ा कठिन है।" उन्होंने इस 'चलाने' के क्षेत्र के अध्ययन पर बल दिया। आज विल्सन की ख्याति दो कारणों से है। एक तो वे लोक प्रशासन शास्त्र के जनक माने जाते हैं; दूसरे, वे राजनीति और प्रशासन के पृथक्करण में विश्वास रखते हैं। इसीलिए प्रो. वाल्डो ने वुडरो विल्सन को एक शास्त्र के रूप में लोक प्रशासन का जनक माना है।

राजनीति और प्रशासन के पृथक्करण के साथ एक दूसरा नाम जुड़ा है। वह नाम है : फ्रेंक जे. गुडनाउ (Frank J. Goodnow) का। कोलम्बिया विश्वविद्यालय के प्राध्यापक गुडनाउ ने 1900 में अपनी पुस्तक 'Politics and Administration (राजनीति तथा प्रशासन)' लिखी, जिसमें उन्होंने तर्क दिया कि "राजनीति राज्य-इच्छा को प्रतिपादित करती है, जबकि प्रशासन इस इच्छा या नीति के क्रियान्वयन से सम्बन्धित है।" इस समय अमरीका में सरकार में सुधार के आन्दोलन चल रहे थे। वहाँ की सरकार में काफी भ्रष्टाचार था और ढीलापन भी कम न था। इस तरह के वातावरण में सुधार की लहर उठना स्वाभाविक था। अनेक विद्यालयों में

लोक प्रशासन का विषय खुलने लगा, और विद्वान इस क्षेत्र में लिखने-पढ़ने लगे।

1926 में लोक प्रशासन की प्रथम पाठ्य-पुस्तक (First text book) प्रकाशित हुई। Introduction to the Study of Public Administration (लोक प्रशासन के अध्ययन की भूमिका) नामक यह पुस्तक एल.डी. व्हाइट (L.D. White) द्वारा लिखी गई थी जिसमें लोक प्रशासन को सार्वजनिक नीतियों को क्रियान्वित करने वाली व्यवस्था बताया था जो आधुनिक शासन व्यवस्थाओं का केन्द्र बिन्दु है। यह पुस्तक राजनीति और प्रशासन द्वैतभाव (पृथक्करण) में आस्था रखती है तथा इसके लेखक की यह मान्यता है कि लोक प्रशासन का मुख्य लक्ष्य दक्षता एवं मितव्ययिता है। इस प्रकार, इस चरण की दो प्रमुख विशेषताएँ रही हैं : 'लोक प्रशासन का जन्म' तथा 'राजनीति और प्रशासन में पृथक्करण'।

द्वितीय चरण (1927-1937)

इस चरण की प्रथम पुस्तक डब्ल्यू.एफ. विलोबी (W.F. Willoughby) की Principles of Public Administration (लोक प्रशासन के सिद्धान्त) थी, जो 1927 में प्रकाशित हुई। विलोबी की पुस्तक का शीर्षक ध्यान देने योग्य है। वे इस बात में पूर्ण विश्वास रखते थे कि लोक प्रशासन में अनेक सिद्धान्त हैं और इनको कार्यान्वित करने से लोक प्रशासन में सुधार हो सकता है। विलोबी के बाद अनेक विद्वानों ने पुस्तकें लिखना प्रारम्भ कर दिया, फलस्वरूप निम्नलिखित उल्लेखनीय रचनाएँ इस काल में प्रकाशित हुईं—1929 में मेरी पार्कर फॉलेट (Mary Parker Follet) द्वारा लिखित Creative Experience (सृजनात्मक अनुभव), हेनरी फेयोल (Henry Fayol) द्वारा 1929 में लिखित (यह पुस्तक पहले 1916 में फ्रेंच भाषा में लिखी गई थी) Industrial and General Management (औद्योगिक एवं सामान्य प्रबन्ध), 1937 में लूथर गुलिक (Luther Gulick) तथा उर्विक (Urwick) द्वारा सम्पादित एक ग्रन्थ Papers on the Science of Administration (प्रशासन विज्ञान पर लेख) तथा 1939 में मूने (Mooney) और रैले (Reiley) द्वारा लिखित The Principles of Organisation (संगठन के सिद्धांत) आदि।

इन विद्वानों का दावा था कि प्रशासन में सिद्धान्त होने के कारण यह एक विज्ञान है। क्योंकि प्रशासन एक विज्ञान है, इसके आगे 'लोक' शब्द लगाना व्यर्थ है। सिद्धान्त तो सभी जगह कार्यान्वित होते हैं, चाहे वह क्षेत्र 'लोक' हो या 'निजी'। गुलिक और उर्विक ने इन सिद्धान्तों को पोस्डकार्ब (POSDSCORB) में समाहित किया। यह युग 'लोक प्रशासन में सिद्धान्तों का स्वर्ण युग' के नाम से प्रसिद्ध हुआ क्योंकि लोक-प्रशासन से सम्बन्धित सिद्धान्तों की व्याख्या और साहित्य निर्माण में यह काल याद किया जाता है।

तृतीय चरण (1938-1947)

1946 में हर्बर्ट ए. साइमन (Herbert A. Simon) ने अपना एक लेख प्रकाशित किया जिसमें उन्होंने तथाकथित सिद्धान्तों का उपहास किया और उनको किंवदन्तियाँ (Proverbs) की संज्ञा दी। साइमन के अनुसार, "ये सिद्धान्त मनुष्यों के रहने लायक मकान निर्मित करने की अपेक्षा क्रम में लगी हुई छोटी-छोटी गुमटियों की शृंखला ही दिखाई देते हैं।" एक साल बाद ही 1947 में उन्होंने अपनी सर्वाधिक चर्चित पुस्तक Administrative Behaviour : A Study of Decision-Making Processes in Administrative Organization (प्रशासनिक व्यवहार : प्रशासनिक संगठन में निर्णय प्रक्रिया का अध्ययन) लिखी जिसमें उन्होंने यह भलीभांति सिद्ध किया कि प्रशासन में सिद्धान्त नाम की कोई चीज नहीं है। उन्होंने प्रतिबंधित विवेकशीलता के साथ-साथ प्रशासन के विवेकपूर्ण सिद्धान्त का विकास किया। इस पुस्तक में उनके 'निर्णय प्रक्रिया के विश्लेषण पर योगदान' को ध्यान में रखते हुए उन्हें 1978 में अर्थशास्त्र में नोबल पुरस्कार से सम्मानित किया गया।

1947 में रॉबर्ट डहल (Robert Dahl) ने अपने एक लेख में यह सिद्ध किया कि लोक प्रशासन विज्ञान नहीं है। इस लेख का शीर्षक था—The Science of Public Administration (लोक प्रशासन का विज्ञान)। उन्होंने यह भी बताया कि लोक प्रशासन को सिद्धान्त की खोज में तीन बाधाओं का सामना करना पड़ता है—सर्वप्रथम, विज्ञान मूल्य-शून्य होता है जबकि प्रशासन में मूल्यों का बाहुल्य है। दूसरी बाधा यह है कि मनुष्यों के व्यक्तित्व अलग-अलग होते हैं, जिससे प्रशासन के कार्यों में विभिन्नता आ जाती है। लोक प्रशासन के विज्ञान होने के मार्ग में तीसरी बाधा है सामाजिक ढाँचा, जिसके अंतर्गत लोक प्रशासन अपने को पाता है। रॉबर्ट डहल के इस लेख एवं विचार से लोक प्रशासन को एक 'स्वतन्त्र विज्ञान' मानने के प्रयासों को ठेस लगी।

इसी समय जर्मन समाजशास्त्री मैक्स वेबर (Max Weber) के साहित्य का अंग्रेजी में अनुवाद हुआ तथा सत्ता, नौकरशाही और आदर्श प्रारूप के सम्बन्ध में वेबर के विचारों ने शैक्षिक जगत में उथल-पुथल मचा दी। लेकिन लोक प्रशासन के समक्ष उपस्थित चुनौतियाँ बढ़ती चली गईं। हॉथोर्न प्रयोगों के पश्चात् लोकप्रिय हुई मानव-सम्बन्ध विचारधारा ने भी लोक प्रशासन के परम्परागत दृष्टिकोण को ध्वस्त कर नई चुनौती पैदा कर दी।

इस प्रकार हम देखते हैं कि लोक प्रशासन का तीसरा चरण चुनौतियों तथा आलोचनाओं से भरा हुआ रहा।

चतुर्थ चरण (1948-1970)

चतुर्थ चरण में लोक प्रशासन ने मोटे तौर पर दो रास्ते अपनाए—कुछ विद्वान लोक प्रशासन से पुनः राजनीतिशास्त्र के अन्तर्गत आ गए। आखिर, लोक प्रशासन राजनीति से ही निकला था और उसका एक अंग भी था। राजनीतिशास्त्र में इस समय कुछ परिवर्तन आ रहे थे। लोक प्रशासन का राजनीतिशास्त्र में जितना महत्व पहले था उसमें गिरावट आ गयी। दूसरी तरफ कुछ विद्वान 'प्रशासनिक विज्ञान' की ओर चले गए। दोनों ही स्थितियों में लोक प्रशासन अपनी अलग पहचान बनाए न रख सका। अतः लोक प्रशासन ऐसी अवस्था में सौतेलापन व अकेलापन अनुभव करने लगा।

लोक प्रशासन को एक विकल्प की खोज करनी पड़ी। यह विकल्प था : 'प्रशासनिक विज्ञान (Administrative Science)'। लोक प्रशासन, व्यापार प्रबंध आदि शास्त्र मिलकर प्रशासनिक विज्ञान की नींव डाल रहे

थे। इनका विचार था कि प्रशासन तो प्रशासन ही है, चाहे मिलों में हो या सरकारी दफ्तरों में। 1956 में एडमिनिस्ट्रेटिव साइंस क्वार्टरली (Administrative Science Quarterly) नामक पत्रिका का प्रकाशन हुआ। इस विकल्प में भी लोक प्रशासन को अपने निजी स्वरूप को त्यागना पड़ा। बहुतों को यह अखरता था। इसी चरण में नवीन लोक प्रशासन की विचारधारा पनपने लगी। फ्रेड रिग्ज के प्रतिमानों ने भी लोक प्रशासन को सम्बल प्रदान किया।

पंचम चरण (1971-1991)

इस चरण में अनेक शास्त्रों के विज्ञान लोक प्रशासन के क्षेत्र में आए तथा इसकी सेवा करने लगे। अर्थशास्त्र, मनोविज्ञान, समाजशास्त्र, ऐन्थ्रोपोलॉजी आदि शास्त्रों के विज्ञान इस विषय में रुचि लेने लगे। राजनीति शास्त्र के विद्यार्थी तो सदैव से ही लोक प्रशासन में रुचि लेते रहे हैं। इन सबके प्रयत्नों के फलस्वरूप लोक प्रशासन अन्तर्विषयी अर्थात् 'Inter-disciplinary' बन गया। समाजशास्त्रों में यदि कोई सबसे अधिक अन्तर्विषयी है तो वह लोक प्रशासन ही है।

लोक प्रशासन के विकास के इस चरण में वाल्डो और फ्रेड डब्ल्यू. रिग्स जैसे विद्वानों का योगदान सराहनीय रहा। रिग्स ने लोक प्रशासन के तुलनात्मक लोक प्रशासन के अध्ययन पर बल दिया। उसने विकासशील देशों के समाजों के लिए आदर्शों एवं नमूनों का गठन किया। इस काल में फ्रेंक मेरीनी द्वारा सम्पादित एक पुस्तक Towards A New Public Administration : Minnowbrook Perspective (नवीन लोक प्रशासन की दिशाएँ—मिन्नोब्रुक परिप्रेक्ष्य) के 1971 में प्रकाशन के साथ ही नवीन लोक प्रशासन की एक नई विचारधारा विकसित हुई। डी. वाल्डो द्वारा सम्पादित पुस्तक Public Administration in a Time of Turbulence (पब्लिक एडमिनिस्ट्रेशन इन द टाइम ऑफ टरबुलेन्स) के 1977 के प्रकाशन ने इस काल में लोक प्रशासन को सहारा दिया।

तुलनात्मक लोक प्रशासन (Comparative Public Administration) के साथ-साथ विकास प्रशासन (Development of Administration) का प्रादुर्भाव भी न भुलाई जाने वाली घटनाएँ थीं। अभी तक लोक प्रशासन में पश्चिमी देशों का ही अध्ययन होता रहा था। लोक प्रशासन संस्कृतिबद्ध (Culture-bound) तो था ही। अतः यह आवश्यक था कि लोक प्रशासन में शोध-कार्य अफ्रीका तथा एशिया के देशों में भी हो, जहाँ की संस्कृति दूसरी व भिन्न थी। लोक प्रशासन एक संस्कृति के घेरे से निकलकर अन्य संस्कृतियों की ओर चला भी आया।

षष्टम् चरण (1991 से आज तक)

अभी तक राज्य का बोलबाला था। अब राज्य के साथ बाजार या मार्केट भी आ गया। प्रतियोगिता में नागरिक को लाभ होता है, चीजें अच्छी व कम कीमत पर मिलती हैं। बाजार के आगमन के साथ अन्य परिवर्तन भी समाज में आए। कई कार्य सहकारी समितियाँ अपने हाथ में लेने लगी। केरल में मछली उद्योग को मछुआरों की सहकारी समितियाँ संभालने लगी। खेती के लिए पानी की व्यवस्था कुछ राज्यों में किसानों ने अपने हाथ में ले ली। ऐसे सामान्य कार्य जिनमें गाँव के जंगल, चरने के लिए छोड़ी गई जमीन (Grazing ground), मछली पकड़ना आदि आ जाता है, CPR के नाम से जाने जाते हैं। CPR का अर्थ है Common Property Resources। ऐसे प्रसाधनों का प्रबंधन कम्युनिटी के हाथ में है। यह बढ़ता हुआ क्षेत्र एक समय था जब हम राज्य की ओर ही देखते थे। 1990 के पश्चात् बाजार आया और साथ ही एक तीसरा क्षेत्र भी CPR संस्थाओं के रूप में उभरा।

लोक प्रशासन के विकास में छठा चरण 1991 में प्रारम्भ हुआ। भारत में भी यह इसी समय प्रारम्भ हुआ था। निजी प्रशासन या दूसरे शब्दों में बाजार की ओर आकर्षण बढ़ता जा रहा था। इसी समय पाश्चात्य देशों में नवीन लोक-प्रबन्ध (New Public Management) का विचार उत्पन्न हुआ जिसकी शुरूआत 1991 में क्रिस्टोफर हुड ने की। लोक प्रशासन को लोक प्रबन्ध (Public Management) में बदल दिया जाना चाहिए, यह विचार प्रतिपादित किया गया। नवीन प्रबंध लोक प्रशासन में 'प्रबंधवाद' (Managerialism) को अंधाधुंध बढ़ावा देता है। यह इसलिए कि पारम्परिक लोक प्रशासन में लोक निर्णय शीघ्र हो और मितव्ययिता के साथ हो। छठे चरण में नवीन लोक प्रबंध एक प्रबल आन्दोलन के रूप में उभरा है। नवीन लोक प्रबंध अब लोक प्रशासन के अध्ययन का अंग बन गया है। यह लोक प्रशासन के कार्य सम्पादन को अधिक महत्व देता है। लोक प्रशासन की कार्यप्रणाली में समयानुसार परिवर्तन हो रहे हैं। नवीन लोक प्रबंध की विशेषताओं को स्वीकार करने से लोक प्रशासन की कार्य- शैली, संस्कृति, दृष्टिकोण और छवि में निश्चित रूप से सुधार हो रहा है।

राजनीति-प्रशासन द्विभाजन (Politics-Administration Dichotomy)

राजनीति और लोक प्रशासन

राजनीतिज्ञ लोग अनेक रूपों में प्रशासन के कार्यों में भाग लेते हैं—मंत्रियों और विधायकों के रूप में वे कतिपय प्रशासनिक कार्यों का सम्पादन करते हैं। दूसरी ओर प्रशासनिक अधिकारी भी राजनीति के कार्यों में कई प्रकार से दखल देते हैं, जैसे—व्यवस्थापन का प्रारूप तैयार करते हैं, मंत्रियों के साथ कार्य करते हैं, आदि। राजनीतिज्ञ प्रशासकों को अपनी योजनाओं एवं नीतियों को आगे बढ़ाने में प्रयोग करते हैं; दूसरी ओर प्रशासक भी अपने कैरियर को जल्दी ही अच्छा बनाने के लिए राजनीतिज्ञों पर निर्भर रहते हैं। चैपमैन के अनुसार, "राजनीतिज्ञ और प्रशासक दोनों ही सरकार के व्यापार में व्यस्त रहते हैं और उनके मार्ग एक-दूसरे का अतिक्रमण कर जाते हैं।" लेसली लिपसन लिखते हैं, "सरकार के कार्यों के बीच पूर्ण विभाजन की कोई रेखा नहीं खींची जा सकती है। सरकार एक निरन्तर प्रक्रिया होती है। व्यवस्थापन उसका एक पहलू है और प्रशासन दूसरा। किन्तु ये दोनों परस्पर सम्बद्ध हैं तथा कुछ स्थानों पर इनमें भेद नहीं किया जा सकता।"

वुडरो विल्सन ने कहा है कि राजनीति प्रशासन के लिए कार्य निर्धारित करती है...प्रशासन उन्हें नीति निर्धारित करने के लिए आवश्यक सामग्री एवं परामर्श देता है....नीति को कार्यान्वित करता है। अतः यह कहा जा सकता है कि राजनीतिज्ञ एवं प्रशासक एक-दूसरे पर निर्भर करते हैं। दोनों एक ही गाड़ी के दो पहिये हैं। राजनीतिज्ञ जनता का निर्वाचित प्रतिनिधि होने

के कारण दावे में यह कह सकता है कि जन नीति क्या होगी? जनता क्या चाहती है? प्रशासक प्रबन्ध विशेषज्ञ होने के नाते यह कह सकता है कि ये जन नीतियाँ किस प्रकार कम-से-कम व्यय एवं असुविधा उत्पन्न किए बिना ही कार्यान्वित की जा सकती हैं। अच्छे प्रशासन के लिए दोनों ही आवश्यक हैं। आज का प्रशासन जनप्रिय होना चाहिए। राजनीतिज्ञ जनता के विचारों को मूर्तरूप देकर प्रशासन को जनप्रिय बनाता है। प्रशासक अपने विशेष ज्ञान से प्रशासन की कुशलता बढ़ाता है और जनता की आकांक्षाओं को पूरा करने में सहायक होता है।

राजनीतिज्ञ और प्रशासन में इतना निकट सम्बन्ध है कि प्रशासन के उच्च स्तरों पर इन्हें अलग-अलग रखना संभव भी नहीं है। प्रशासन के उच्च स्तरों पर राजनीतिज्ञ और प्रशासक एक-दूसरे से घुल-मिल जाते हैं। विज्ञानों के रूप में राजनीति ओर लौक प्रशासन एक ही मूल विद्या के उपवर्ग प्रतीत होते हैं।

राजनीति–प्रशासन द्वैतभाव

लोक प्रशासन के अध्ययन के आरम्भिक युग में इन दोनों को सर्वथा पृथक् और स्वतन्त्र समझने व इनमें द्वैतभाव (Dichotomy) मानने के सिद्धान्त पर बड़ा बल दिया जाता था। वुडरो विल्सन ने अपने निबन्ध 'स्टडी ऑफ एडमिनिस्ट्रेशन' में लिखा है, "प्रशासन राजनीति के विषय-क्षेत्र के बाहर है। प्रशासनिक समस्याएँ राजनीतिक समस्याएँ नहीं होतीं। यद्यपि राजनीति प्रशासन के कार्यों का स्वरूप निर्धारित करती है, तथापि उसको यह अधिकार नहीं दिया जाना चाहिए कि वह प्रशासनिक पक्षों के बारे में हेर-फेर कर सके।" उन्होंने अपने कथन के सन्दर्भ में ब्लंटश्ली का यह उदाहरण प्रस्तुत किया, "महान् और व्यापक विषयों में राजनीति राजकाज का संचालन है, परन्तु प्रशासन व्यक्तिशः तथा छोटी बातों में राजकाज का संचालन है। इस प्रकार राजनीति को राजनीतिज्ञों का तथा प्रशासन को प्राविधिक अधिकारियों का विशेष कार्य माना गया है।"

विल्सन के लिए "प्रशासन का क्षेत्र व्यापार का क्षेत्र है और वह राजनीति की जल्दबाजी और संघर्षों से दूर होता है। प्रशासन व्यापार है और व्यापार की तरह वह राजनीति के सवालों में स्वयं को नहीं उलझाता। प्रशासन राजनीति से दूर होने के नाते सनक और उतार-चढ़ावों के शिकंजे में नहीं होता बल्कि व्यवस्था के वायदों को निरन्तर पूरा करता चला जाता है।" अन्य विद्वानों जैसे एलबर्ट स्टिकने, फ्रेंक जे. गुडनो, डब्ल्यू. एफ. विलोबी, जॉन एम. फिफनर तथा कतिपय अंशों में एल.डी. ह्वाइट ने विल्सन के दृष्टिकोण का समर्थन किया है। सन् 1900 में एक अमरीकी विद्वान फ्रैंक जे. गुडनो ने 'पॉलिटिक्स एंड एडमिनिस्ट्रेशन' नामक पुस्तक प्रकाशित की। इसमें उसने यह प्रतिपादित किया कि राजनीति और प्रशासन दोनों के क्षेत्र बिल्कुल अलग और स्वतन्त्र रखे जाने चाहिए। यदि इनमें परस्पर सम्बन्ध रखा जाएगा तो सरकार के कार्य पर राजनीति का प्रभाव पड़ने के बड़े घातक परिणाम उत्पन्न होंगे। इस सिद्धान्त के अनुसार राजनीति का सम्बन्ध नैतिक मूल्यों से था और प्रशासन का सरकारी कार्य करने की विधियों और तकनीकों से। राजनीति राजनीतिज्ञों का ही विशेष-क्षेत्र था और प्रशासन इस कला में पारंगत कार्यकुशल विशेषज्ञों और तकनीकी ज्ञान रखने वाले कार्यकर्ताओं का। विलोबी ने प्रशासन को पृथक् स्तर प्रदान करने का प्रयास किया। उन्होंने न केवल इसको राजनीति से पृथक किया अपितु विधायिका, कार्यपालिका और न्यायपालिका के साथ इसको सरकार के चतुर्थ अंग के रूप में खड़ा करने का प्रयास किया। उन्होंने 'प्रशासन' शब्द का प्रयोग केवल प्रशासनिक शाखा के कार्यों तक सीमित रखा। लेपास्की के शब्दों में "विलोबी द्वारा प्रशासन को सरकार की चतुर्थ शाखा के रूप में मान्यता देना बहुत उग्र है किन्तु यह राजनीति और प्रशासन के बीच भेद, जो विल्सन ने शुरू किया था, का संभवतः सर्वाधिक तर्कसंगत परिणाम है।"

फिफनर ने इस बात पर जोर दिया कि राजनीति को केवल नीति निर्माण के क्षेत्र तक ही सीमित रहना चाहिए और प्रशासन को राजनीतिक हस्तक्षेप के रोग से मुक्त होकर अपनी तकनीकी प्रक्रिया लागू करने के लिए छोड़ दिया जाए।

फिफनर ने राजनीतिज्ञों और प्रशासकों के बीच अन्तर इस प्रकार बताया है :

	राजनीतिज्ञ	प्रशासक
1.	अविशेषज्ञ–चुनाव का आधार जनप्रियता।	विशेषज्ञ–नियुक्ति का आधार विशिष्ट ज्ञान।
2.	अतकनीकी।	तकनीकी।
3.	दलगत भावना से कम करते हैं।	दलगत भावना से परे रहते हैं।
4.	अस्थायी।	स्थायी।
5.	जनता से अधिक सम्पर्क।	जनता से सम्पर्क कम।
6.	कानून बनवाने में अधिक साझेदार।	कानून को कार्यान्वित करने में अधिक योगदान।
7.	अधिकतर नीति निर्धारण का काम।	नीतियों को कार्यान्वित करने का काम।
8.	अधिकतर निर्णय करते हैं।	अधिकतर परामर्श करते हैं।
9.	समन्वय बनाए रखने का काम करते हैं।	वास्तविक कार्य करते हैं।
10.	लोकमत से प्रभावित होते हैं।	अध्ययन एवं अनुसंधान द्वारा प्राप्त तकनीकी आंकड़ों से प्रभावित होते हैं।

वस्तुतः परम्परागत दृष्टिकोण संकीर्णतावादी है और राजनीति को सत्ता का विज्ञान मानते हुए मूल रूप से नीति निर्धारक कला मानता है। इस दृष्टिकोण के अनुसार लोक प्रशासन केवल सरकारी कर्मचारियों का क्षेत्र है जिनकी अपनी भूमिका इतनी सीमित होती है कि वे नीति निर्माण में कोई महत्वपूर्ण भाग नहीं लेते।

राजनीति का सांस्थानिक स्थान विधान मंडलों, राजनीतिक दलों तथा दबाव समूहों को माना जाता है; जबकि प्रशासन को सरकार के औपचारिक रूप से गठित कार्यपालिका शाखा में देखा जा सकता है। व्यवसाय की दृष्टि से राजनीति वह है जो राजनीतिज्ञ करते हैं और प्रशासन वह है जो प्रशासक करता है।

उपर्युक्त विवरण के आधार पर दोनों प्रकार के अधिकारियों के कार्यों की सूचियाँ बनाई जा सकती हैं। राजनीतिक अधिकारी अथवा मंत्री कार्यक्रमों तथा निर्वाचन के समय जनता को दिए गए वचनों को पूरा करने के लिए महत्वपूर्ण नीतियाँ आरम्भ कर सकता है तथा यह देखने के लिए उन्हें सही रूप में तथा तीव्र गति से क्रियान्वित किया जा रहा है या नहीं वह उनके क्रियान्वयन का मोटे तौर पर अधीक्षण कर सकता है। वह नयी अथवा जटिल समस्याएँ उत्पन्न करने वाले बड़े प्रशासनिक प्रश्नों के बारे में निर्णय ले सकता है; कुछ उच्च अधिकारियों की नियुक्ति के बारे में भी उसके मत को महत्व दिया जा सकता है, विशेषतः उसके विभाग से संबंधित प्रत्येक जानकारी प्राप्त करे तथा उसके बारे में जांच करा सके। वह सार्वजनिक अथवा व्यक्तिगत उचित शिकायतों को दूर कराने के लिए प्रशासन में हस्तक्षेप तक कर सकता है। यह सब होते हुए भी इन सब शक्तियों का प्रयोग करते समय उससे यह आशा की जाती है कि वह अपने अधीनस्थ अधिकारियों से परामर्श करे तथा उनके परामर्श को अस्वीकार करने से पहले सम्बन्धित प्रश्न पर सावधानीपूर्वक विचार कर ले। जनतन्त्रात्मक शासन व्यवस्था में अन्तिम निर्णय करने का अधिकार मंत्री (राजनीतिज्ञ) को ही प्राप्त है, परन्तु उसका यह अधिकार शासकीय प्रक्रिया के नियमों से अनुशासित होता है।

इस समय के विचारक इस कारण के आधार पर भी राजनीति और प्रशासन में भेद करते थे कि राजनीति में राजनीतिज्ञ का प्रमुख उद्देश्य शक्ति (Power) को पाना, और उसका उपयोग करना होता है, वह सदैव इस तिकड़म में लगा रहता है कि किस प्रकार सत्ता हस्तगत करे। इसे अधिक से अधिक समय तक अपने हाथ में बनाए रखे तथा विरोधियों द्वारा सत्ता पाने के प्रयासों को विफल करता रहे; जबकि प्रशासक केवल ऐसी सत्ता और शक्ति का प्रयोग करता हे जो उसे अपने पद के अनुसार कार्य करने के लिए दी जाती है।

राजनीति प्रधानतः राज्य के सिद्धान्तों से सम्बन्धित है अर्थात् वह राज्य के उदय, विकास, विविध स्वरूपों, उसके अस्तित्व के औचित्य, उसके कार्य सम्बन्धी सिद्धान्तों तथा जनता की इच्छा की अभिव्यक्ति और सार्वजनिक नीतियों के रूप में उसके प्रभावशील उपकरणों का अध्ययन करती है। लोक प्रशासन का उदय सार्वजनिक नीतियों के निर्माण के पश्चात होता है तथा उसका प्रधान विषय नीतियों के क्रियान्वयन की रीतियों और उसके लिए आवश्यक संगठन की खोज करना है। लोक प्रशासन राज्य, शासन और उनके कार्यों के सिद्धान्तों को स्वयंसिद्ध मानकर चलता है तथा उनके चिन्तन और निर्णय का भार राजनीतिशास्त्रियों पर छोड़ देता है। उसके अधिकारी अपना समूचा ध्यान शासकीय निर्णयों को क्रियान्वित करने के लिए कुशल साधनों और रीतियों के विस्तृत अध्ययन पर केन्द्रित करते हैं। यह ठीक ही कहा गया है कि लोक प्रशासन क्रियात्मक शासन है।

वस्तुतः विल्सन और उनके समर्थक पद-पुरस्कार की राजनीति (Spoils politics) और उसके परिणामस्वरूप शासन की अकुशलता से बहुत प्रभावित थे। अतः उन्होंने समूची सरकार को राजनीति और प्रशासन में बांट दिया। विल्सन ने राजनीति और प्रशासन में जो भेद किया उसको आमतौर पर नीति और प्रशासन के भेद के रूप में देखा जाने लगा।

राजनीति–प्रशासन संबंध : समकालीन दृष्टिकोण

द्वितीय विश्व-युद्ध की समाप्ति तक राजनीति और प्रशासन के सर्वथा अलग क्षेत्र मानने का सिद्धान्त सर्वमान्य रहा। आज इस प्राचीन अथवा परम्परागत दृष्टिकोण को अव्यावहारिक माना जाता है। लूथर गुलिक, ई. पी. हेरिंग, मार्शल ई. डिमॉक, कार्ल जे. फ्रेडरिक, चार्ल्स मेरियम तथा तथा हर्बर्ट साइमन जैसे विद्वानों ने प्रशासन को राजनीति के क्षेत्र से बाहर ले जाने की तार्किकता का विरोध किया। 1940 के लगभग कार्ल जे. फ्रेडरिक ने घोषणा की कि राजनीति-प्रशासन द्विभाजन एक गुमराह करने वाला भेद है। किंग्स्ले ने तो यहाँ तक कहा कि प्रशासन राजनीति की ही एक शाखा है। द्वितीय विश्व युद्ध की समाप्ति के तत्काल बाद प्रकाशित मोरस्टेन मार्क्स की पुस्तक 'एलिमेंट्स ऑफ पब्लिक एडमिनिस्ट्रेशन' में यह सिद्ध किया गया कि राजनीति और प्रशासन एक-दूसरे में अन्तर व्याप्त (Overlapping) और परस्पर मिश्रित हैं। मोरस्टेन ने इन दोनों विषयों के बीच अलगाव को स्थायी और अन्तिम रूप में समाप्त करने की घोषणा की। सन् 1948 में ड्वाइट वाल्डो ने अपनी पुस्तक 'द एडमिनिस्ट्रेटिव स्टेट' में परम्परागत विचारधारा पर प्रबल प्रहार किया और कहा कि राजनीति एवं प्रशासन की पृथकता एक 'घिसा-पिटा सिद्धान्त' बन गया है। सन् 1949 में पॉल एपिलबी ने अपनी पुस्तक 'पॉलिसी एंड एडमिनिस्ट्रेशन' में गुडनो द्वारा प्रतिपादित सिद्धान्त का खंडन करते हुए कहा कि सरकार के समस्त शासन का सम्बन्ध राजनीति से होता है। अतः नीति का निर्माण केवल उच्च स्तर पर ही नहीं, अपितु सभी स्तरों के पदाधिकारियों द्वारा किया जाता है। प्रशासन विधि द्वारा निर्धारित नीति को व्यवहार में लाने तथा क्रियान्वित करने का कार्य करता है, अतः प्रशासन को राजनीति से पृथक् नहीं किया जा सकता है। जेम्स डब्ल्यू. डेविस ने स्पष्ट शब्दों में लिखा है कि लोक प्रशासन का सार राजनीति और लोकनीति है और लोक प्रशासन लोकनीति के निर्माण, क्रियान्वयन, मूल्यांकन एवं संशोधन से संबंधित विषय है। अमरीकी शासन प्रणाली का विश्लेषण करते हुए हावर्ड ली मैक्बेन ने इस तथ्य की ओर ध्यान दिलाया कि राजनीति ने राष्ट्रपति पद की भूमिका में परिवर्तन ला दिया है। आज राष्ट्रपति सर्वोच्च कार्यपालिका की अपेक्षा सर्वोच्च विधायक अधिक है। राष्ट्रपति और उसकी कैबिनेट का समय और ध्यान कार्यपालक विषयों की अपेक्षा विधि निर्माण की ओर अधिक रहता है। इसीलिए लेपास्की ने टिप्पणी की है कि ''सर्वोच्च कार्यपालक को सर्वोच्च विधायक बनाकर मैक्बेन ने नई ऊर्जा के साथ प्रशासन को पुनः राजनीति और नीति के क्षेत्र में लाकर खड़ा कर दिया।''

जोसफ ला पालम्बरा इस बात को स्वीकार करते हैं कि प्रशासन और नीति को कभी पूर्णतया पृथक् नहीं किया जा सकता....यह निष्कर्ष निकाले बिना नहीं रहा जा सकता कि नौकरशाही को राजनीति से अलग करना एक व्यर्थ आशा है।'' विकासशील राष्ट्रों की राजनीति में नौकरशाही के असाधारण मात्रा तक उलझे होने की पुष्टि फ्रेड डब्ल्यू. रिग्स ने भी की है। उनके अनुसार राजनीतिक शाखाओं की अपेक्षाकृत कमजोरी के कारण राजनीतिक कार्य काफी हद तक नौकरशाही के कब्जे में आ जाता है।

भूमंडलीकरण एवं लोक प्रशासन (Globalisation and Public Administration)

भूमंडलीकरण का सम्बन्ध मुख्यतः अर्थव्यवस्था के विश्व बाजारीकरण से है। इसका तात्पर्य विश्व के संसाधनों, ज्ञान, जानकारी, जनशक्ति और बाजारों को एक स्तर पर लाते हुए उन्हें निर्बाध रूप से पहुँचाने से है। इससे देश की अर्थव्यवस्था सुगमतापूर्वक विश्व अर्थव्यवस्था से जुड़ जाती है।

गायक्रयंबंटी के अनुसार, "वैश्वीकरण की प्रक्रिया केवल विश्व व्यापार की खुली व्यवस्था, संचार के अत्याधुनिक तरीकों के विकास, वित्तीय बाजार के अन्तर्राष्ट्रीयकरण, बहुराष्ट्रीय कम्पनियों के बढ़ते महत्व, जनसंख्या, देशान्तरण गमन तथा विशेषतः लोगों, वस्तुओं, पूँजी आंकड़ों तथा विचारों के गतिशीलन से ही संबंधित नहीं है, बल्कि संक्रामक रोगी तथा प्रदूषण का प्रसार भी इसमें सम्मिलित है।"

चुनौतियाँ

उदारीकरण, निजीकरण, वैश्वीकरण के कारण देश में लोक प्रशासन के समक्ष निम्नलिखित चुनौतियाँ प्रतीत होती हैं—

1. लोक प्रशासन की परम्परागत नौकरशाही की कठोर कार्य-प्रणाली के स्थान पर लचीली, खुलेपनवाली संवेदनशील, सुशासन, जवाबदेह अर्थव्यवस्था की माँग की जा रही है।
2. समय के अनुसार, कार्य-प्रणाली में सुधार नवीन तकनीक, प्रभावशीलता, कार्यकुशलता, मितव्ययिता, आपसी सहमति अपनाने की चुनौती है।
3. जनता को निजी क्षेत्रों के शोषण से बचाने की गम्भीर चुनौती है।
4. राज्य की लोक कल्याणकारी अवधारणा पर गहराता संकट भी एक चुनौती है।
5. बौद्धिक सम्पदा अधिकार की समस्या एक चुनौती है।
6. पर्यावरण की रक्षा एवं सतत् विकास प्रशासन की चुनौती है।
7. व्यापारिक कुचक्रों की समस्या एवं नक्सलवाद मुद्दे चुनौती हैं।

भारत में 1991 में पी.वी. नरसिंहराव सरकार ने उदारीकरण एवं भूमंडलीकरण की माँग तथा सरकार के सीमित संसाधनों को देखते हुए नवीन औद्योगिक या आर्थिक नीति की घोषणा की। यह नीति उदारीकरण, निजीकरण, खुली अर्थव्यवस्था की परिचायक है। नवीन आर्थिक नीति ने प्रारम्भ में पाँच क्षेत्रों—विदेशी निवेश, लाइसेंसीकरण, विदेशी प्रौद्योगिकी समझौते, सार्वजनिक उपक्रमों से संबंधित तथा MRTP में संशोधन किए। गैर-समझौते के अनुसार, 1 जनवरी, 1995 से प्रवर्तित विश्व व्यापार संगठन (WTO) का भारत भी सदस्य है।

इसके बाद सार्वजनिक उपक्रमों के सम्बन्ध में निम्नलिखित निर्णय लिए गए हैं—

1. बीमार या निरन्तर घाटे में चल रहे सार्वजनिक उपक्रम का पुनर्वास बोर्ड फॉर इंडस्ट्रियल एवं फाइनेंशियल रिकन्स्ट्रक्शन की सिफारिश पर होगा।
2. घाटे में चल रहे सार्वजनिक उपक्रमों को बन्द करने, श्रमिकों की छँटनी करने तथा निजीकरण भी सम्मिलित है।
3. कार्य निष्पादन एवं गुणवत्ता में सुधार हेतु उपक्रमों को अधिक स्वायत्तता दी जा रही है।
4. विनिवेश आयोग की सिफारिश पर बहुत से सार्वजनिक उपक्रमों से सरकारी पूँजी अंश घटाया जा रहा है तथा नवीन आर्थिक नीति के पश्चात् सार्वजनिक उपक्रमों का अनावश्यक प्रसार बन्द हो चुका है।
5. छह क्षेत्रों (रक्षा, उत्पादन, अणु ऊर्जा, रेलवे परिवहन, खनिज तेल, तथा कोयला) को छोड़कर शेष सभी निजी क्षेत्रों को छूट प्रदान कर दी गई है।

सरकार से शासन प्रतिमान की ओर विस्थापन

शासन (Governance) शब्द 'सरकार' (Government) की अपेक्षा व्यापक शब्द है। 'सरकार' का आशय एक मशीनरी और संस्थाओं की व्यवस्था से है, जिसके द्वारा प्रभुसत्ता का प्रयोग किया जाता है तथा सरकार राजनीतिक इच्छा के आन्तरिक और बाह्य हितों की पूर्ति करता है। सरकार न होने से समाज में सामान्य हित नष्ट हो जाता है।

वहीं 'शासन' का आशय एक प्रक्रिया तथा परिणाम से है जो समाज के हित में निर्णय लेता है। 'शासन' एक मूल्यहीन प्रबंध करने की प्रक्रिया है।

'सद्-शासन' का आशय समस्त जनता के हित के लिए कार्य करना है। 'सद्-शासन' एक विशेषण है, जिसमें कुछ मूल्यों को धारण किया जाता है। जे.एस. मिल के शब्दों में, "सुशासन किसी सरकार की अच्छाई को देखने का एक तरीका है कि वह शासन चलाने में कितनी अच्छाई का काम लेती है।" 'सद्शासन' से शासन का प्रतिमान स्थापित होता है।

प्रारंभ में राज्य, सरकार और सुशासन पर्यायवाची रहे हैं। प्लेटो ने 'रिपब्लिक' में आदर्श राज्य के निर्माण की बात कही थी। राज्य तभी आदर्श रूप प्राप्त कर सकता है जब उसका शासन योग्य, कुशल, ज्ञानी, स्वार्थहीन, दार्शनिक हाथों में हो। प्लेटो सुशासन की बागडोर विशेषज्ञ और प्रशिक्षित शासकों के हाथ में सौंपना चाहते हैं। वहीं हाब्स, लॉक, रूसो, मिल, मार्क्स, गाँधी आदि समाज के व्यक्तियों ने राज्य को बाध्यकारी शक्ति सुशासन की स्थापना के लिए प्रदान की है, अन्तिम निर्णय का फैसला जनता को दिया है। भारत के प्राचीन राजनीतिक चिंतन में भी 'सुशासन' धर्म के बंधन में बंधे होकर शासन करना बताया गया है। कौटिल्य ने अर्थशास्त्र में प्रजा के सुख में राजा का सुख बताया है तथा प्रजा के हित में राजा का हित बताया है।

तृतीय विश्व के देशों ने लम्बी गुलामी के पश्चात स्वतंत्रता प्राप्त की थी। सबके समक्ष विकास, सम्पन्नता को अपना लक्ष्य बनाया। लेकिन लम्बे समय बाद भी अपने लक्ष्य के आस-पास वे पहुँच नहीं रहे थे। संस्थाओं में पारदर्शिता की कमी तथा भ्रष्टाचार का बोलबाला था। प्रशासन को आमतौर पर अप्रतिक्रियाशील, असंवेदी और भ्रष्ट समझा जाने लगा था।

समाज का सरकारीकरण होता चला गया था, उससे राज्य और समाज के मध्य संवाद ही समाप्त हो गया। तृतीय विश्व के देश लोकतांत्रिक, समतामूलक, धर्मनिरपेक्ष एवं जागरूक समाज की स्थापना करने में असफल रहे।

प्रभावी और कुशल संस्थान, सफल विकास और शासन प्रक्रिया का आधार है। इस बात पर विचार किया जाने लगा कि क्या संरचना आने वाले वर्षों के लिए पर्याप्त है, क्या कामकाज के पुराने तरीके से तेजी से बदलते विश्व में भावी माँगों का समाधान हो सकता है, क्या विगत में अपनाई गई दक्षताओं और क्षमताओं की प्रासंगिकता समाप्त हो गई है। लोगों में अधिकारों और कर्तव्यों के बारे में जागरूकता बढ़ने से उत्तम शासन की माँग बढ़ने लगी। अतः सरकार से शासन प्रतिमान की माँग उठने लगी।

विश्व बैंक रिपोर्ट, 1992 ने 'सुशासन' (Good Governance) की नई अवधारणा का प्रतिपादन किया, जिसके बारे में सभी देशों में विचार-मंथन किया जाने लगा है। 1997 के बाद की विश्व विकास रिपोर्ट में संधारणीय आर्थिक उन्नति के लिए राज्य की प्रभाव क्षमता को एक अनिवार्य पूर्वपिक्षा का महत्व दिया गया। यह महसूस किया गया कि आर्थिक उदारीकरण में सुधार तब तक सफल नहीं हो सकते जब तक कि उससे पूर्व उत्तम स्तर का और साफ-सुथरा अभिशासन सुनिश्चित नहीं किया जाता। आगे अन्तर्राष्ट्रीय मुद्रा कोष ने सुशासन को एक मानदंड माना है। आधुनिक युग में 'गवर्नेंस' शब्द का प्रचलन ओसवोर्न और गैबलर की रचना 'Reinventing government' में उक्त अवधारणा की घोषणा की गई। इस प्रकार सरकार से शासन प्रतिमान की ओर विस्थापन का पता चलता है।

संगठन के सिद्धान्त (Theory of Organization)

निश्चित उद्देश्य की प्राप्ति के लिए मानव सहयोग का नाम संगठन है। संगठन शब्द सम् उपसर्ग तथा गठन शब्द से मिलकर बना है। सम् उपसर्ग का तात्पर्य मिल-जुलकर अच्छे ढंग से कार्य करना होता है। संगठन में तीन तत्व निहित हैं–

(*i*) यह कार्य निश्चित उद्देश्य की पूर्ति के लिए किया जाता है।

(*ii*) इसमें सहयोग की भावना होती है।

(*iii*) यह अनेक व्यक्तियों द्वारा किया जाता है।

गठन उपसर्ग का अर्थ व्यवस्था से होता है। व्यवस्था का आशय विशेष रूप से व्यक्तियों तथा कार्यों की स्थिति है। ऑक्सफोर्ड शब्दकोष के अनुसार, TO ORGANIZE शब्द का अर्थ तैयार करना तथा चालू अवस्था में रखना है। अतः संगठन ऐसा ढाँचा या संरचना (Structure) होता है जिसमें अनेक व्यक्ति मिलकर सहयोगपूर्वक कार्य करते हैं।

संगठन केवल सरकारी तन्त्र में ही नहीं होता है वरन् यह सम्पूर्ण मानव-सभ्यता में व्याप्त होता है। किसी कार्य को सुचारू रूप से सम्पन्न करने के लिए संगठन का होना आवश्यक है।

साइमन, स्मिथवर्ग तथा थाम्सन के अनुसार, "समस्याएँ संगठन का निर्माण करती हैं। प्रत्येक व्यक्ति ऐसे ध्येयों की पूर्ति करना चाहता है जिन्हें अकेला नहीं कर सकता है। अतः संगठन का निर्माण होता है। संगठन का इतिहास उतना ही प्राचीन है जितनी कि मानव सभ्यता। मानव सभ्यता का प्रारम्भ भी उसी वक्त हुआ जब अपनी आवश्यकताओं की पूर्ति के लिए परिवार के सदस्य एक साथ रहने लगे।

संगठन प्रबंध की ऐसी प्रक्रिया है जो सामूहिक उद्देश्यों की प्राप्ति के लिए भिन्न-भिन्न प्रतिभाओं व योग्यताओं के धनी व्यक्तियों को आपस में मिलाती है और उन्हें सुनिश्चित सम्बन्धों के द्वारा संगठन में बाँधती है।

साइमन के शब्दों में "संगठन का अर्थ ऐसे योजनाबद्ध तथा सामूहिक प्रयत्न से है जिसमें प्रत्येक व्यक्ति का एक निश्चित कार्यक्रम होता है जिसे वह कर्तव्य की भावना से करता है।"

जी.डी. मूने ने कहा है कि, "साझा उद्देश्यों की प्राप्ति के लिए बनाया गया प्रत्येक मानवीय संघ संगठन कहलाते हैं।"

संगठन का अर्थ (Organisation : Meaning)

सामान्य बोलचाल की भाषा में हम यह कह सकते हैं कि किसी कार्य को योजनाबद्ध ढंग से करना ही संगठन है। "कार्य आरम्भ करने से पहले उसे भली प्रकार नियोजित कर लिया जाये, इसी को संगठन कहते हैं।" 'संक्षिप्त ऑक्सफोर्ड शब्द कोश' के अनुसार 'संगठन' शब्द का अर्थ है 'किसी वस्तु का व्यवस्थित ढांचा बनाना' (To give orderly structure to), अथवा 'किसी वस्तु का आकार निश्चित करना तथा उसको कार्य करने की स्थिति में लाना' (To frame and put into working order)। 'संगठन' में तीन तत्त्व निहित हैं: यह कार्य किसी निश्चित उद्देश्य की पूर्ति के लिए किया जाता है, इसमें सहयोग की भावना होती है तथा यह अनेक व्यक्तियों द्वारा किया जाता है। 'गठन' का अर्थ है 'व्यवस्था'। व्यवस्था में विशेष रूप से व्यक्तियों तथा कार्यों को नियोजित किया जाता है। इस प्रकार संगठन का आशय अनेक व्यक्तियों की ऐसी स्थिति या ढांचे (Structure) से है जिसमें वे पहले से निश्चित लक्ष्य को पूर्ण करने के लिए योजनाबद्ध रीति से काम करते हैं तथा एक-दूसरे को सहयोग देते हुए अपने निर्धारित कर्तव्य का पालन सुव्यवस्थित रूप से करते हैं। उदाहरणार्थ, हमारा शरीर एक संगठन है। इसमें विभिन्न अंग–हाथ, पैर, नाक, कान, रक्त संचार, नाड़ियों आदि की पद्धतियां अपने निश्चित निर्धारित कार्यों को करते हुए शरीर के सजीव संगठन का निर्माण करते हैं। ये सभी अन्योन्याश्रित हैं, निश्चित सम्बन्धों से एक-दूसरे के साथ बंधे हुए हैं। यदि कोई एक अंग अपना कार्य करना छोड़ देता है तो इसका समूचे शरीर पर प्रभाव पड़ता है। शरीर के सभी अंगों का अपने स्थान पर यथावत् रहते हुए कार्य करना स्वास्थ्य के लिए परम आवश्यक है। इसी सिद्धांत के आधार पर जब किसी निश्चित उद्देश्य के लिए 'व्यवस्था' की जाती है तो अंग्रेजी में इसे 'organise' (संगठन करना) कहा जाता है, क्योंकि इसमें उसके विभिन्न अंगों को निश्चित कार्य करने के लिए बनाया जाता है। इसी से संगठन का अर्थ देने वाला शब्द 'ऑर्गेनाइजेशन' (Organisation) बना है। इसका अर्थ एक निश्चित उद्देश्य की पूर्ति के लिए की गयी क्रमबद्ध व्यवस्था है।

प्रबंधकीय दृष्टिकोण से संगठन शब्द का प्रयोग दो अर्थों में किया जाता है। प्रथम अर्थ में संगठन से आशय 'संगठन के ढांचे (Structure of organisation) से है। इस अर्थ में संगठन मूलतः ऐसे व्यक्ति का

समूह है जो औपचारिक सम्बन्धों द्वारा संस्था के उद्देश्यों की प्राप्ति हेतु साथ मिलकर प्रयत्न करते हैं। द्वितीय अर्थ में संगठन से आशय एक ऐसी प्रक्रिया (Process) से है जो किसी उपक्रम की विभिन्न क्रियाओं को परिभाषित करने, उन्हें समूह में बांटने एवं उनके बीच अधिकार संबंध स्थापित करने से सम्बन्धित होती है। इस प्रक्रिया में ही यह निर्धारित किया जाता है कि निश्चित लक्षणों को प्राप्त करने हेतु कौन-कौन सी क्रियाएं की जायेंगी तथा इन क्रियाओं को विभिन्न अधिकारियों तथा कर्मचारियों को कार्य-निष्पादन करने हेतु किन-किन समूहों में बांटा जायेगा। इस प्रक्रिया के अन्तर्गत ही अधिकारियों एवं कर्मचारियों को कार्य-निष्पादन हेतु आवश्यक अधिकार एवं उत्तरदायित्व भी सौंपे जाते हैं।

संक्षेप में, संगठन से तात्पर्य ऐसी कार्य-योजना से है, जिसमें एक समूह अपने निर्धारित उद्देश्यों की प्राप्ति के लिए सामूहिक रूप में अपनी सारी शक्तियों को लगा देता है।

संगठन की परिभाषाएं (Organisation: Definitions)

विभिन्न विद्वानों ने "संगठन" की परिभाषा भिन्न-भिन्न अर्थों में प्रस्तुत की है। समाज शास्त्री, मनोवैज्ञानिक, प्रबंध विचारक अपने-अपने दृष्टिकोणों से संगठन के अर्थ को स्पष्ट करते हैं। किसी ने संगठन को 'सम्प्रेषण व्यवस्था' (A system of communication) और कुछ ने इसे 'समस्या निवारण का साधन' (A means of solving problems) माना है। संगठन की कुछ प्रमुख परिभाषाएं, जो विभिन्न विद्वानों द्वारा दी गयी हैं, निम्नलिखित हैं:

जॉन एम. गॉस–"संगठन का अर्थ है कर्मचारियों की व्यवस्था करना ताकि कार्यों और उत्तरदायित्वों के उचित विभाजन द्वारा निर्धारित उद्देश्य को सरलतापूर्वक पूरा किया जा सके।"

जे. डी. मूने–"एक समान ध्येय की प्राप्ति के लिए बनने वाले प्रत्येक मानवीय समुदाय का ढांचा संगठन है।"

लूथर गुलिक–"संगठन सत्ता का औपचारिक ढांचा है जिसके द्वारा किसी निर्धारित लक्ष्य की प्राप्ति के लिए कार्यों को विभाजित तथा निर्धारित किया जाता है और उनका समन्वय किया जाता है।"

उरविक–"संगठन का अर्थ है उन क्रियाओं का निर्धारण करना जो किसी उद्देश्य की पूर्ति के लिए आवश्यक हों, और उनको ऐसे वर्गों में क्रमबद्ध करना जो विभिन्न व्यक्तियों को सौंपे जा सकें।" उरविक ने अपने ग्रन्थ 'एलिमेण्ट्स ऑफ एडमिनिस्ट्रेशन' में यह मत व्यक्त किया है कि संगठन का अर्थ ढांचे का रूपांकन मात्र होना चाहिए। वे कार की उपमा देते हुए कहते हैं कि कार का रूपांकन, उसका निर्माण तथा स्वयं कार, ये तीन भिन्न अवस्थाएं हैं। वे मानते हैं कि जिस प्रकार रूपांकन का अर्थ निर्माण नहीं है और निर्माण या रूपांकन में से किसी का भी अर्थ कार नहीं है, उसी प्रकार संगठन को प्रशासकीय ढांचा मानना अनुचित होगा।

फिफनर–"संगठन का अर्थ व्यक्तियों एवं व्यक्तियों के बीच तथा वर्गों और वर्गों के बीच उन सम्बन्धों से है जो इस प्रकार आयोजित किये जायें कि व्यवस्थित श्रम विभाजन किया जा सके।"

ग्लेडन–"संगठन से तात्पर्य है किसी उद्यम में लगे हुए व्यक्तियों के परस्पर सम्बन्धों की ऐसी प्रतिकृति बनाना जो उद्यम के कार्यों को पूरा कर सके।"

एम. मार्क्स–"संगठन उस ढांचे का नाम है जो शासन के प्रमुख कार्यवाह तथा उसके सहायकों को सौंपे गये कार्यों को पूरा करने के लिए बनाया जाता है।"

आर. सी. डेविस–"संगठन मूलतः व्यक्तियों का एक समूह है जो कि सामान्य उद्देश्यों की पूर्ति हेतु एक नेता के निर्देशन में सहयोग करते हैं।"

मेकफारलैण्ड–"निश्चित व्यक्ति समूह द्वारा निश्चित उद्देश्यों की प्राप्ति हेतु किये जाने वाले कार्यों को ही संगठन कहते हैं।"

उपर्युक्त परिभाषाओं का विश्लेषण करने पर हमें संगठन की दो विशेषताएं ज्ञात होती हैं: प्रथम, संगठन एक प्रशासकीय ढांचा है तथा द्वितीय, संगठन में मानव संबंध होते हैं।

यथार्थ में संगठन कोरा ढांचा (Structure) ही नहीं है। जैसा कि डिमॉक एण्ड डिमॉक का मत है: "संगठन संरचना तथा मानव जीवन दोनों ही है। संगठन को केवल एक ढांचा मानना और जिन लोगों से वह बनता है उनकी उपेक्षा करना पूर्णतः अवास्तविक अथवा अयथार्थवादी बात होगी।"

संगठन की विशेषताएं (Characteristics of an organisation)

विभिन्न विद्वानों द्वारा दी गयी उपरोक्त परिभाषाओं का सावधानीपूर्वक अध्ययन करने के बाद यह कहा जा सकता है कि किसी भी संगठन में निम्नांकित विशेषताएं होनी चाहिए:

1. यह विभिन्न व्यक्तियों का समूह है, चाहे वह छोटा हो अथवा बड़ा;
2. यह समूह कार्यकारी नेतृत्व के निर्देशन के अधीन संगठित होकर कार्य करता है;
3. यह समूह के उत्तरदायित्वों को परिभाषित करता है;
4. यह प्रबंध का यन्त्र है। इसके अभाव में प्रबंध अपना कार्य व्यवस्थित ढंग से नहीं कर सकता है;
5. समूहों के प्रयासों को निर्देशन के द्वारा नियन्त्रित किया जाता है;
6. यह एक क्रियात्मक विचारधारा है;
7. यह संरचनात्मक सम्बन्धों को स्थापित करता है;
8. यह कर्तव्यों एवं उत्तरदायित्वों के स्वरूप को स्थापित करता है;
9. इसमें श्रम विभाजन, अधिकार एवं दायित्वों के विभाजन आदि का नियोजन किया जाता है;
10. यह सामान्य निर्धारित उद्देश्यों को प्राप्त करने में सहायता प्रदान करता है;
11. यह अधिकारों के क्षेत्रों का निर्धारण करता है।

हॉज एवं जॉनसन (Hodge and Johnson) ने संगठन के अग्रलिखित घटक बताये हैं :

(*i*) उद्देश्य,

(*ii*) समूह सदस्यता,

(*iii*) उचित कार्य विभाजन,
(*iv*) भौतिक सम्पत्तियाँ,
(*v*) नीतियाँ एवं कार्य-विधियाँ आदि।

पद सोपान (Hierarchy)

पदसोपान का शाब्दिक अर्थ है 'श्रेणीबद्ध प्रशासन' अर्थात निम्नतर पर उच्चतर का शासन या नियंत्रण होता है। इसमें उच्च अधिकारी अपने अधीनस्थ कर्मचारी को आज्ञा देता है तथा अधीनस्थ कर्मचारी उन आशाओं का पालन करता है।

पदसोपान की परिभाषाएँ

डी.मिलेट–"पदसोपान एक प्रणाली है, जिसमें विभिन्न व्यक्ति के प्रयासों को जोड़ दिया जाता है।"

डी.व्हाइट–"पदसोपान, ऊपर से नीचे तक उत्तरदायित्वों का अनेक स्तरों के कारण उत्पन्न वरिष्ठ अधीनस्थ का वह सम्बन्ध है, जो उन पर लागू होता है।"

जे. पीटर–"पदसोपान में प्रत्येक कर्मचारी अपनी योग्यता के स्तर तक ऊपर उठने का प्रयास करता है।"

पदसोपान का अर्थ

पदसोपान का शाब्दिक अर्थ है "श्रेणीबद्ध-प्रशासन"। अंग्रेजी में इसे 'हायराकी' कहते हैं। जिसका मतलब है 'निम्नतर पर उच्चतर का शासन अथवा नियन्त्रण'। इस अर्थ में प्रत्येक उच्च अधिकारी अपने तात्कालिक अधीनस्थ कर्मचारियों को आज्ञा देता है। अधीनस्थ अधिकारी उन आज्ञाओं का पालन करते हैं अर्थात् पदसोपान एक ऐसे संगठन का परिचायक होता है जो पदों के एक उत्तरोत्तर क्रम के अनुसार सोपान अथवा सीढ़ी की भाँति संगठित किया जाए। पदसोपान का अर्थ है क्रमिक संगठन, जिसमें निम्नस्तरीय व्यक्ति उच्चस्तरीय व्यक्ति अथवा पदाधिकारी के प्रति उत्तरदायी रहते हैं। यही क्रम ऊपर से नीचे तक और नीचे से ऊपर की ओर चलता है। एल. डी. ह्वाइट ने पदसोपान की परिभाषा करते हुए लिखा है– "पदसोपान संगठन के ढ़ाँचे में ऊपर से लेकर नीचे तक उत्तरदायित्व के अनेक सोपानों द्वारा उच्च तथा अधीनस्थ सम्बन्धों का सार्वभौमिक प्रयोग ही है।" अर्ल लाथम के अनुसार "पदसोपान निम्न तथा उच्च व्यक्तियों का श्रेणीबद्ध रूप में एक व्यवस्थित संगठन है।" इस पद्धति को लोक प्रशासन में अपनाने का अर्थ है एक ऐसे संगठन की रचना जिसके अन्तर्गत प्रत्येक पदाधिकारी की कार्यक्षमता तथा कर्त्तव्यों का क्षेत्र निश्चित एवं पृथक् कर दिया जाता है और जिसमें आज्ञाओं का सूत्र ऊपर से नीचे की ओर और उत्तरदायित्व का नीचे से ऊपर की ओर चलता है।

पदसोपान का विशिष्ट लक्षण यह है कि इसमें संगठन अनेक क्रमिक स्तरों से युक्त होता है। इसमें प्रत्येक अधीन व्यक्ति अपने से एकदम ऊपर के अधिकारी से आदेश एवं निर्देश प्राप्त करता है और उसी के प्रति उत्तरदायी होता है। कोई संगठन पदसोपान के सिद्धांत पर आधारित है–कहने का तात्पर्य यह होता है कि उसमें सत्ता नीचे से शिखर की ओर उतरती चली जाती है। पदसोपान का सबसे अधिक महत्त्वपूर्ण सिद्धांत यह भी है कि ऊपर के पदाधिकारी कभी भी नीचे के साथ सम्पर्क स्थापित करते समय मध्यस्थ पदाधिकारी की उपेक्षा नहीं कर सकता। दूसरे शब्दों में, इस पद्धति में प्रशासकीय संरचना एक सीढ़ी के समान रहती है। इसमें समस्त कार्यवाही क्रमिक रूप में अथवा 'चरणों की पंक्ति' द्वारा होती है। प्रत्येक कार्य 'उचित मार्ग द्वारा' (Through Proper Channel) सम्पन्न होता है। उसे सत्ता के विभिन्न स्तरों से क्रम से गुजरना पड़ता है।

पदसोपान प्रणाली की व्यवस्था

पदसोपान की तुलना 'पिरामिड' से की जा सकती है। इसमें शिखर पर एक प्रधान प्रशासनिक अधिकारी होता है तथा सत्ता क्रमिक रूप से नीचे की ओर बढ़ती है। पदसोपान संगठन की संरचना तथा कार्य-प्रणाली को रेखाचित्र द्वारा निम्न प्रकार से समझाया जा सकता है–

प्रथम रेखाचित्र से हमें ज्ञात होता है कि प्रशासकीय पिरामिड के शीर्ष अथवा शिखर पर प्रधान कार्यकारी 'क' स्थित है। उसके अधीन ख^{1}, ख^{2} इत्यादि अधिकारी हैं। इनके अधीन ग^{1}, ग^{2} पदाधिकारी हैं। इनके बाद घ^{1}, घ^{2} आदि तथा निम्नस्तर पर छ^{1}, छ^{2} आदि कर्मचारी हैं। इस रेखाचित्र से यह भी प्रकट होता है कि ज्यों-ज्यों हम आधार रेखा की ओर बढ़ते जाते हैं, त्यों-त्यों प्रशासकीय कर्मचारियों की संख्या में वृद्धि होती जाती है। अधिकतम संख्या आधार रेखा पर पायी जाती है। इस प्रणाली में प्रत्येक कर्मचारी का तत्कालीन उच्च अधिकारी निश्चित रहता है और वह मुख्यतः उसी के प्रति उत्तरदायी रहता है। इसके साथ ही प्रत्येक अधिकारी अथवा कर्मचारी को समस्त आदेश उसके प्रथम उच्चाधिकारी के द्वारा तथा नीचे से आने वाले समस्त प्रतिवेदन, प्रार्थनापत्र, सूचना व आँकड़े इत्यादि निम्न अधिकारी के द्वारा ही भेजे जाते हैं। उदाहरणार्थ, रेखाचित्र I में ग^{1} किसी भी काम के लिए सीधे 'क' के पास नहीं जा सकता; उसे ख^{1} के माध्यम से बात करनी होगी।

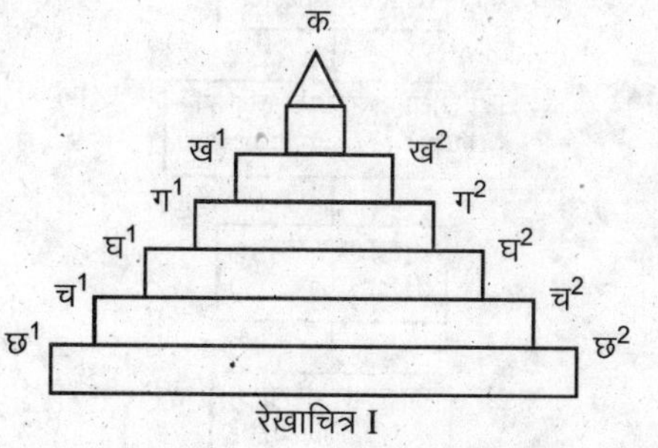

रेखाचित्र I

द्वितीय रेखाचित्र से हमें ज्ञात होता है कि शिखर पर एक सर्वोच्च अधिकारी 'क' है। उसमें सारी सत्ता पूर्णरूप से केन्द्रित है, किन्तु वह कार्य के लिए अपने अधीनस्थ व्यक्तियों में विभिन्न शक्तियों और कार्यों का बँटवारा करता है। 'ख' के स्तर पर यह सत्ता दो अधिकारियों में, 'ग' के स्तर पर तीन अधिकारियों में–इस प्रकार क्रमशः बढ़ते हुए 'झ' के स्तर पर 9 व्यक्तियों में बँट जाती है। नीचे की ओर जाते हुए अधिकारियों और कर्मचारियों की संख्या बढ़ती जाती है। 'झ' के स्तर पर यह सबसे अधिक होती है। इसमें सभी स्तरों पर सभी के अधिकार और कर्त्तव्य बँटे

होने से और व्यक्ति के नियन्त्रण में रहने से सारा कार्य सुचारू रूप से सम्पन्न होता है।

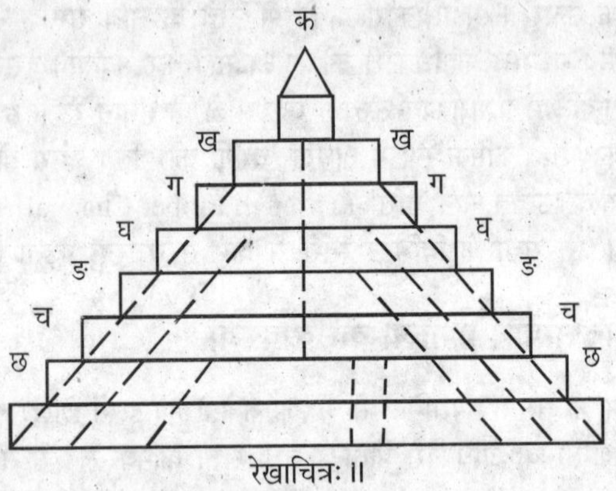

रेखाचित्रः II

हमारे देश में राज्यों के पुलिस संगठन में पदसोपान की रचना को निम्नलिखित ढंग से दर्शाया जा सकता है–

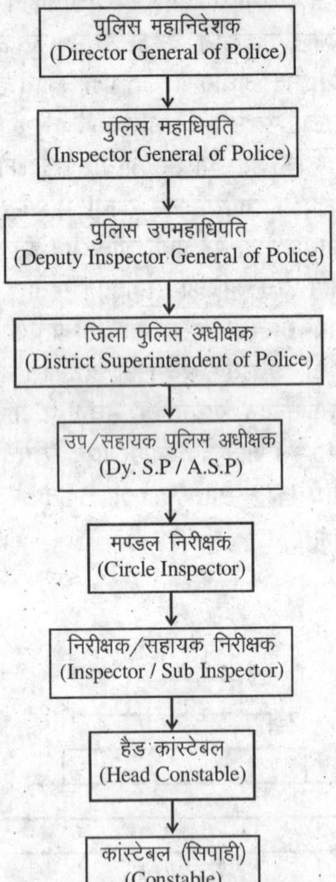

इस प्रकार पुलिस प्रशासन में पदसोपान ऊपर से नीचे तक इस तरह से होता है–पुलिस महानिदेशक, पुलिस महाधिपति, पुलिस उपमहाधिपति, पुलिस अधीक्षक, उप/सहायक अधीक्षक, मण्डल-निरीक्षक, निरीक्षक, हेड कान्स्टेबल, सिपाही।

पदसोपान शासन के प्रत्येक विभाग में पाया जाता है। एक लिपिक (Clerk), प्रधान लिपिक (Head clerk) के अधीन है, प्रधान लिपिक एक कार्यालय अधीक्षक (Office Superintendent) के अधीन है, तथा कार्यालय अधीक्षक अनुभाग अधिकारी (Section officer) के अधीन है, आदि-आदि। यदि लिपिक को कोई बात अनुभाग अधिकारी से कहनी है तो वह प्रधान लिपिक के माध्यम से कार्यालय अधीक्षक तक जाएगा और तब उसके द्वारा अनुभाग-अधिकारी तक पहुँचेगा। इसी प्रकार यदि अनुभाग अधिकारी कोई आदेश देना चाहता है तो वह आदेश कार्यालय-अधीक्षक के द्वारा प्रधान लिपिक तक पहुँचेगा और तब उसके माध्यम से लिपिक तक।

विशेषताएँ

पदसोपान सिद्धांत की निम्नलिखित विशेषताएँ हैं–

1. ऐसा संगठन पिरामिडाकार होता है। इसके शीर्ष पर एक विभागाध्यक्ष या शीर्षस्थ पदाधिकारी होता है। वह सभी प्रकार की सर्वोच्च सत्ता रखता है।
2. इसमें समूची रचना और कार्य अनेक छोटे-छोटे स्तरों और उप-स्तरों में बँटे हुए होते हैं।
3. इसके अनुसार बनाए गए संगठन में सत्ता, आदेश और नियन्त्रण क्रमशः एक-एक स्तर से गुजरते हुए ऊपर से नीचे की ओर जाते हैं। जब हम सीढ़ी पर चढ़ते या उतरते हैं उस समय हमें इसके प्रत्येक डण्डे या पद पर पग रखना पड़ता है। हम सामान्य रूप से इसके किसी भी डण्डे को लाँघकर सीधा नीचे या ऊपर नहीं जा सकते हैं। इसमें गिरने का खतरा रहता है। इसी तरह इस सिद्धांत के अनुसार बनाये गए संगठन में प्रत्येक पत्रावली और कागज को हर स्तर से होकर गुजरना पड़ता है।
4. इसमें आदेश की एकता के नियम का पालन होता है। इसमें सम्पूर्ण आदेश शिखरस्थ उच्च-अधिकारी द्वारा दिए जाते हैं। प्रत्येक व्यक्ति अपने से उच्च अधिकारी से सम्पूर्ण आदेश ग्रहण करता है। उसकी आज्ञाओं का पालन करता है और उसके प्रति उत्तरदायी रहता है। इससे संगठन का कार्य सुचारू रूप से चलता है।
5. ऐसे संगठनों की विभिन्न इकाइयाँ एक-दूसरे से अच्छी तरह से सम्बद्ध, जुड़ी हुई और एकीकृत (Integrated) होती हैं, ये एक-दूसरे के साथ जंजीर की कड़ियों के समान बँधी रहती हैं।
6. इससे संगठन की विभिन्न इकाइयों के कार्यों में परस्पर समन्वय और तालमेल बना रहता है। सत्ता का अन्तिम अधिकार सर्वोच्च शिखरस्थ अधिकारी के पास होता है, अतः वह उसकी विभिन्न इकाइयों द्वारा किए जाने वाले कार्यों और गतिविधियों में बड़ी सुगमता से समन्वय स्थापित कर सकता है।

पदसोपान प्रणालियों के प्रकार

फिफनर और शेरवुड ने चार प्रकार की पदसोपान प्रणालियों का वर्णन किया है–

1. कार्य आधारित पदसोपान (Job Task Hierarchy)–इसके अनुसार प्रत्येक कर्मचारी का स्थान उसके द्वारा किए जा रहे कार्यों तथा उसके अधिकारों एवं कर्त्तव्यों के अनुसार निर्धारित

होता है। जिनके पास अधिक अधिकार होते हैं उनकी स्थिति संगठन में उतनी ही उच्च होती है, जिनके पास कम अधिकार होते हैं वे संगठन में निम्न स्तर पर होते हैं।

2. **प्रतिष्ठा आधारित पदसोपान (Rank Hierarchy)**–इस पदसोपान पद्धति में व्यक्तियों की स्थिति उनके कार्यों और उत्तरदायित्वों के अनुसार निर्धारित न होकर उनके पद के आधार पर होती है। सेना में यही पद्धति पायी जाती है। एक कर्नल, कर्नल ही रहेगा चाहे वह मोर्चे पर सैनिकों को आदेश दे रहा हो या वह दिल्ली में सैनिक मुख्यालय में बैठा हुआ व्यूह रचना कर रहा हो। इसमें व्यक्ति के कार्य के महत्त्व को नहीं देखा जाता, उसके पद का महत्त्व देखा जाता है।
3. **कुशलताओं का पदसोपान (Hierarchy of Skill)**–इसमें योग्यता एवं दक्षता पर बल दिया जाता है। औद्योगिक संगठन के शीर्ष पर उत्पादन अभियन्ता होता है, तथा उसकी सहायता के लिए अनेकों कार्यवाहक विशेषज्ञ होते हैं। कुशलता का पदसोपान कार्य की सम्पन्नता के लिए अति आवश्यक है। किसी व्यक्ति को किसी पद पर इसलिए नियुक्त किया जाता है क्योंकि उसमें एक निश्चित व निर्धारित समय में कुछ प्राप्त करने की अपूर्व क्षमता पायी जाती है।
4. **वेतन आधारित पदसोपान (Pay Hierarchy)**–इसमें वेतन के आधार पर पदसोपान का निर्माण किया जाता है। सर्वोच्च वेतन पाने वाला सर्वोच्च शिखर पर होता है, निम्नतम वेतन पाने वाला निम्न शिखर पर होते हैं। वेतन के अनुसार ही प्रशिक्षण का स्वरूप एवं अनुभव की मात्रा निश्चित की जाती है।

पदसोपान प्रणाली के गुण (Merits)

पदसोपान प्रणाली संगठन का एक सर्वव्यापी महत्त्वपूर्ण सिद्धांत है। इसका प्रयोग सभी प्रकार के संगठनों में किया जाता है। डॉ. एम. पी. शर्मा के अनुसार, "यह एक धागा है जिसके द्वारा विभिन्न हिस्से एक साथ सिले जाते हैं।" साइमन, स्मिथबर्ग और थाम्पसन के अनुसार, "पदसोपान सुविधाजनक है, उद्देश्यों को कार्य विभाजन द्वारा प्राप्त करवाता है तथा मतभेदों को दूर करके संगठन में सामंजस्य स्थापित करता है।"

पदसोपान सिद्धांत के निम्नलिखित गुण पाए जाते हैं–

1. **आदेश की एकता सिद्धांत का पालन**–इस सिद्धांत का सर्वाधिक महत्त्वपूर्ण गुण यह है कि इसमें आदेश की एकता (Unity of Command) के सिद्धांत को अपनाया जाता है। प्रत्येक व्यक्ति को इस बात की जानकारी रहती है कि उसका तत्कालीन उच्च अधिकारी कौन है जिसकी आज्ञा का उसे पालन करना है। प्रत्येक कर्मचारी केवल एक ही व्यक्ति के अधीन रहकर कार्य करता है और उसी के प्रति उत्तरदायी रहता है। इससे संगठन का कार्य सुचारू रूप से चलता है।
2. **नेतृत्व का निर्धारण**–संगठन को पदसोपान द्वारा भिन्न-भिन्न स्तरों में विभाजित करके यह निश्चित कर दिया जाता है कि कौन किसका नेतृत्व करेगा तथा निर्णयों के लिए कौन उत्तरदायी होगा।
3. **समग्रीकरण**–पदसोपान से संगठन की इकाइयाँ परस्पर एकीकृत (Integrated) और सुसम्बद्ध रहती हैं।
4. **उचित मार्ग द्वारा कार्य**–इसके द्वारा प्रशासन और कार्यालयीन पद्धति के महत्त्वपूर्ण सिद्धांत 'उचित मार्ग द्वारा' (Through Proper Channel) का विकास हुआ है। इस पद्धति में प्रत्येक मामला हर स्तर से गुजरता हुआ ऊपर तक पहुँचता है। इसका बड़ा लाभ यह है कि इससे उच्च अधिकारियों के बहुमूल्य समय की बड़ी बचत होती है।
5. **उत्तरदायित्व का प्रत्यायोजन**–इस प्रक्रिया द्वारा उच्च अधिकारी अपने अधीनस्थ कर्मचारियों को अपनी कुछ शक्तियाँ हस्तान्तरित अथवा प्रत्यायोजित (Delegation of Authority) कर देता है। इसे सत्ता का प्रत्यायोजन कहते हैं। इससे सत्ता का विकेन्द्रीकरण हो जाता है और निचले स्तरों पर आवश्यक कार्य किए जाने से सर्वोच्च अधिकारी का कार्यभार बहुत हल्का हो जाता है और वह अधिक दक्षतापूर्वक अपने संगठन का संचालन कर सकता है।
6. **प्रशासन में सूचना माध्यम का कार्य**–इसके अन्तर्गत प्रशासन में संगठन की विभिन्न सोपानें सूचना माध्यम के रूप में कार्य करती हैं। इसके द्वारा ऊपर से नीचे तथा नीचे से ऊपर की ओर संचार का मार्ग प्रशस्त किया जाता है। इसके द्वारा प्रत्येक कर्मचारी को यह मालूम हो जाता है कि उसको अपने कार्यों में किस प्रकार आगे बढ़ना चाहिए।
7. **समन्वय** यह सिद्धांत समूचे विभाग की कार्यवाहियों में समन्वय स्थापित करने में सफल होता है। चूँकि सत्ता के अन्तिम सूत्र शिखर के अधिकारी के पास रहते हैं। इसलिए वह विभाग की विभिन्न शाखाओं की गतिविधियों में ताल-मेल (co-ordination) बैठा सकता है।

पदसोपान पद्धति के दोष (Demerits)

पदसोपान के सिद्धांत में कतिपय दोष भी पाए जाते हैं जिससे इस सिद्धांत की बहुत आलोचना हुई है। इसके प्रमुख दोष निम्नलिखित हैं–

1. **कार्य में विलम्ब**–इस पद्धति का सबसे बड़ा दोष यह है कि इसमें कार्य में विलम्ब होता है। इसमें प्रत्येक पत्रावली को हर स्तर के अधिकारियों के माध्यम से होकर गुजरना होता है, प्रत्येक अधिकारी के यहाँ पत्रावली पर आवश्यक कार्यवाही करने में कुछ समय लगता है। अतः इस पद्धति में निर्णय लेने में काफी देर लग जाती है।
2. **लालफीताशाही तथा नौकरशाही**–पदसोपान का एक दोष यह भी है कि इसके अन्तर्गत लालफीताशाही और नौकरशाही में वृद्धि होती है।
3. **औपचारिक संबंधों पर आधारित**–इस पद्धति में नियमों पर बल दिए जाने के कारण बड़ी कठोरता आ जाती है, सौहार्द्रपूर्ण मानवीय सम्बन्धों का विकास नहीं होने पाता है। प्रत्येक मामले पर तभी विचार और आवश्यक कार्यवाही की जाती है जब वह 'उचित माध्यम' से उच्च अधिकारी के समक्ष प्रस्तुत किया जाए।

कई बार इसके बड़े घातक परिणाम होते हैं। इसका सर्वश्रेष्ठ उदाहरण 1950 में पर्ल हार्बर की भीषण दुर्घटना है। इस विषय में यह कहा जाता है कि अमेरिकी बेड़े के सर्वोच्च सेनापति को जापानी सेना की गतिविधियों की सूचना तो जापानी आक्रमण से पहले ही मिल गयी थी किन्तु वह सूचना उचित माध्यम से न होने के कारण सेनापति ने उसके संबंध में कोई आवश्यक कार्यवाही नहीं की थी।

पदसोपान के दोषों को दूर करने के सुझाव

पदसोपान के दोषों को देखते हुए उर्विक का यह कथन उल्लेखनीय है, "प्रत्येक संगठन में पदसोपानवत् व्यवस्था ठीक उसी प्रकार आवश्यक है, जिस प्रकार घर में नाली। परन्तु इस माध्यम को आमतौर पर संचार के एकमात्र माध्यम के रूप में प्रयोग में लाना उसी प्रकार अनावश्यक है जिस प्रकार नाली में समय व्यतीत करना।"

पदसोपान व्यवस्था में निहित दोषों को दूर करने के लिए फेयॉल ने एक 'पुल व्यवस्था' (Gang Plank) का निर्माण किया है। वस्तुतः यह समन्वय की व्यवस्था है। इस व्यवस्था द्वारा एक विभाग या उप-विभाग का कर्मचारी सीधे-सीधे भी दूसरे उप-विभाग या विभाग के कर्मचारी से सम्पर्क स्थापित कर सकता हैं। यह पुल दो प्रकार में से किसी भी एक प्रकार का हो सकता है—आड़ा या तिरछा (Horizontal or Vertical)। फेयॉल की व्यवस्था में "द" नामक अधिकारी "प" नामक अधिकारी से सीधा सम्पर्क कर सकता है; "य" नामक अधिकारी सीधे "द" से सम्पर्क स्थापित कर सकता है; "द" नामक अधिकारी सीधा "र" से सम्पर्क स्थापित कर सकता है किन्तु फेयॉल की "पुल व्यवस्था" किन्हीं विशेष परिस्थितियों में लागू हो सकती है क्योंकि इसको प्रत्येक दशा में लागू करने पर पदसोपान का कोई भी अर्थ नहीं रह जाता है। इसे हम निम्न उदाहरण द्वारा इस प्रकार समझ सकते हैं कि एक जिलाधीश कभी-कभी रेवेन्यू इन्सपेक्टर से सम्पर्क स्थापित कर सकता है, वह कभी किन्हीं परिस्थितियों में जिले में स्थित स्कूल के सहायक निरीक्षक से भी सम्पर्क स्थापित कर सकता है।

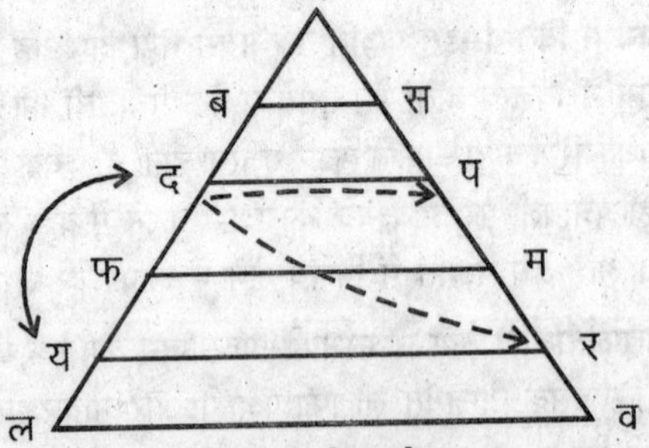

चित्र : *गैंग प्लैंक*

कुछ विचारकों ने पदसोपान संगठन के दोषों को दूर करने के लिए पंखे के आकार के संगठन को अपनाने पर बल दिया है। इस पद्धति में सत्ता सोपान पद्धति की भाँति ऊपर से निचले स्तरों पर आगे बढ़ते हुए विशिष्ट विषयों में दक्षता रखने वाले अनेक छोटे भागों में विभक्त होती चली जाती है। पंखेनुमा संगठन का स्वरूप नीचे दिया जा रहा है—

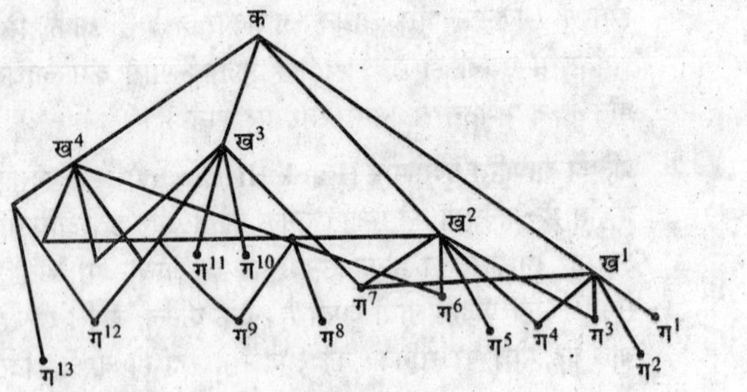

चित्रः *पंखाकृति संगठन*

इसमें विभागाध्यक्ष जब कोई एक कार्यक्रम प्रसारित करता है तो इसे कार्यक्रम के स्वरूप को देखते हुए अनेक छोटे हिस्सों में बाँटकर उन्हें विशेष व्यक्तियों को क्रियान्वित करने के लिए विशेषीकरण के सिद्धांत पर बाँट दिया जाता है। इस प्रकार का संगठन विशाल बाँध अथवा अणु ऊर्जा के संयन्त्र लगाने जैसे अत्यधिक तकनीकी कार्यक्रमों को पूरा करने के लिए अधिक उपयोगी होता है क्योंकि इसमें उच्चतम अधिकारी अपने कार्यक्रम को अनेक छोटे-2 भागों में बांट देता है, और ये समूची परियोजना का डिजाइन बनाने, सामग्री एकत्र करने, बजट तैयार करने, कर्मचारी नियुक्त करने आदि के अपने निश्चित कार्यों को करते हैं। इसमें एक अधिकारी अपने विभिन्न कार्यों के लिए केवल मात्र एक उच्च अधिकारी के प्रति उत्तरदायी नहीं होता है। यह व्यवस्था तकनीकी कार्यों में ही उपयोगी है किन्तु सरकार द्वारा किए जाने वाले आर्थिक और सामाजिक कार्यों में विशेष महत्त्व नहीं रखती है।

संक्षेप में, पदसोपान पद्धति में दोषों की अपेक्षा गुण अधिक हैं। इस पद्धति में यह सुनिश्चित एवं स्पष्ट हो जाता है कि कौन किसके अधीन है तथा कौन किसको आदेश देगा। इससे संगठन के उद्देश्य की पूर्ति में बहुत सहायता मिलती है। इसीलिए सैनिक और नागरिक दोनों प्रकार के संगठनों में इस पद्धति को सर्वत्र अपनाया गया है। मूने के शब्दों में, "पदसोपान सिद्धांत संगठन का एक सार्वभौमिक सिद्धांत है। यद्यपि यह माना जा सकता है कि बाह्य दृष्टि से नियामक आयोग, स्थानीय निकाय तथा अन्य स्वतन्त्र प्रशासकीय निकाय किसी पदसोपान के अंग नहीं होते और इसीलिए उन्हें इस नियम का अपवाद माना जा सकता है तथापि उनकी आन्तरिक संरचना पदसोपान सिद्धांत के आधार पर ही संयोजित होती है।"

समन्वय (Co-ordination)

यह संगठन एवं प्रबन्ध का सिद्धांत है। समन्वय साध्य या लक्ष्य की ओर ले जाने वाला एक साधन है। समन्वय स्वयं साध्य नहीं है। समन्वय की आवश्यकता तीन मुख्य कारणों से उत्पन्न होती है।

1. किसी संगठन की इकाइयों या कर्मचारियों के कार्य में अतिच्छादन या झगड़ों से बचाव करना।
2. कार्य की उपेक्षा कर किसी एक ही पहलू पर अत्यधिक ध्यान देने की प्रवृत्ति को रोकना।

3. किसी अभिकरण की इकाइयों में विद्यमान अधिकार-लिप्सा की प्रवृत्ति को रोकना।

समन्वय की परिभाषा

समन्वय किसी संगठन के कर्मचारियों के सामूहिक कार्य तथा सहयोग की भावना के संचार का प्रयत्न करना है।

टैरी के अनुसार—विभिन्न भागों का परस्पर समायोजन विभिन्न हिस्सों की गतिविधियों तथा प्रवर्तन का समय-समय पर समायोजन ही समन्वय है, ताकि समग्र के उत्पादन के लिए प्रत्येक भाग अपना अधिकतम योगदान दे सके।

चार्ल्सवर्थ के शब्दों में, ''समन्वय उद्यम का प्रयोजन पूरा करने के लिए कई हिस्सों की एक व्यवस्थित समग्रता का एकीकरण है।''

मेरी पार्कर फॉलेट ने समन्वय की परिभाषा दी, ''यदि किसी स्थिति में सभी तत्वों का पारस्परिक सम्बन्ध है, आप यह सोचकर किसी प्रक्रिया की यथार्थ कल्पना नहीं कर सकते कि क अपना समायोजन ख, ग और घ के साथ स्वयं कर लेता है। क अपना समायोजन ख के साथ, और ग से प्रभावित ख के साथ, तथा ङ से प्रभावित ख के साथ एक स्वयं अपने से अर्थात् क से प्रभावित ख के साथ करता है....इत्यादि। इस प्रकार का पारस्परिक सम्बन्ध, प्रत्येक भाग की प्रत्येक अन्य भाग द्वारा यह व्याख्या और दूसरे के प्रभाव के परिणामस्वरूप प्रत्येक अन्य भाग द्वारा इस प्रकार रमना ही समन्वय के सभी कार्यों का लक्ष्य होना चाहिए।''

टैरी के शब्दों में, ''सहयोग किसी सामान्य लक्ष्य की प्राप्ति के लिए एक व्यक्ति का दूसरे या दूसरों के साथ सामूहिक कार्य है।'' समन्वय सामूहिक कार्य से कहीं अधिक है और इसका अर्थ 'प्रयत्नों की समकालिकता' अर्थात् प्रयत्न एक ही समय होना चाहिए। इस अन्तर को स्पष्ट करने के लिए टैरी मनोरंजक कहानी का उल्लेख करते हैं : ''एक लड़का था। वह एक दिन प्रातः एक ही रेलगाड़ी पकड़ना चाहता था। उसने सोने से पहले आधे घंटे घड़ी बढ़ा दी ताकि वह निश्चित रूप से काफी समय पहले उठ जाए। बिस्तर के पास ही घड़ी रखकर वह सो गया। उसके पिता को पता था कि लड़के को तड़के ही गाड़ी पकड़नी है। उसने यह सोचकर कि लड़के को कपड़े पहनने का अतिरिक्त समय मिल जाए, लड़के की घड़ी आधा घंटे बढ़ा दी। इसी प्रकार माता ने भी घड़ी को आधे घंटे आगे कर दिया कि लड़के को सुबह जल्दी न करना पड़े, परिणाम यह हुआ कि आधा घंटा पहले उठने की अपेक्षा लड़का डेढ़ घंटे पहले उठ गया और एक घंटे की नींद मारी गई। यहाँ माता, पिता, बेटे के कार्य में सहयोग तो था पर समन्वय नहीं था।

समन्वय के प्रकार (Forms of Co-ordination)

समन्वय दो प्रकार के होते हैं—

आन्तरिक समन्वय (कार्यात्मक) (Internal Co-ordination)

आन्तरिक समन्वय किसी संगठन के कार्य करने वाले व्यक्तियों के व्यक्तिगत कर्तव्यों के समन्वय से सम्बन्ध रखता है। यह कर्मचारियों के मध्य होता है और बाह्य तत्वों से प्रभावित नहीं होता है। आन्तरिक समन्वय को दो भागों में विभक्त किया जा सकता है—

(i) **लम्बवत् समन्वय (Perpendicular Co-ordination):** यह वह समन्वय होता है जो किसी संगठन की पद-सोपानात्मक व्यवस्था में उच्च एवं निम्न कर्मियों में किया जाता है। यदि उच्च पदाधिकारी अपनी सत्ता अधीन कर्मचारियों पर लादता है तो इसे उर्ध्वाधर समन्वय कहते हैं।

(ii) **क्षैतिज समन्वय (Horizontal Co-ordination):** यह वह समन्वय है जो दो या अधिक समान स्तरीय कार्मिकों या विभागों के मध्य किया जाता है। इसमें अधिकारियों को स्वेच्छा से अधिक महत्व दिया जाता है और पदाधिकारी एक-दूसरे पर अपनी सत्ता लादने की कोशिश नहीं करते हैं।

बाह्य समन्वय (External Co-ordination)

एक संगठन का दूसरे संगठन के साथ किया जाने वाला समन्वय बाहरी समन्वय कहलाता है। इस समन्वय का सम्बन्ध विविध संघात्मक इकाइयों की क्रियाओं के समन्वय से होता है।

समन्वय के विभिन्न प्रकार हैं :

1. नियोजनः यह समन्वय का आदर्श प्रकार है। नियोजन में जन धन तथा सामग्री के सभी प्राप्य साधनों का अधिकतम उपयोग होता है। नियोजन का उद्देश्य होता है लक्ष्यों को सीमित अवधि के भीतर प्राप्त किया जाए।
2. सामान्य प्रविधियाँः यह भी संगठन का तरीका होता है। ये सम्मेलन, समितियाँ, संगोष्ठियाँ, अन्तर्विभागीय समितियाँ इत्यादि के रूप में हो सकते हैं। पद-परम्परा किसी संगठन के समन्वयकारी अभिकरण हैं। समन्वयकारी संगठन के अनेक उदाहरण हैं। जैसे केन्द्रीय सरकार, केन्द्रीय सचिवालय, मंत्रिमंडल, नीति आयोग, क्षेत्रीय परिषदें, प्रधानमंत्री कार्यालय आदि।
3. प्रक्रियाओं तथा रीतियों का प्रमापीकरण भी समन्वय का तरीका है। उन समस्त प्रक्रियाओं को जिसका सम्बन्ध बहुत से मनुष्यों से होता है और जो पुनरावर्ती स्वभाव की होती है, सामान्यतः प्रमाणीकृत कर दिया जाता है। कार्यप्रणालियों के प्रमाणीकरण के अच्छे उदाहरण प्रपत्र (forms) हैं। नियमावली, विनिमय तथा नियम ऐसे प्रमापीकरण के ही अन्य उदाहरण हैं।
4. केन्द्रीकृत गृह-पालन (Centralized House-keeping) भी समन्वय का तरीका है। प्रशासन में गृह-पालन समस्या के अन्तर्गत प्रायः प्रदाय, भण्डारागार, भवनों की सफाई तथा मरम्मत, परिवहन, टेलीफोन सेवा आते हैं। प्रथम हूवर आयोग (1949) ने सिफारिश की थी कि सामान्य सेवाओं के एक कार्यालय की स्थापना की जानी चाहिए जिसे इस प्रकार की गृह-पालन सेवाएँ सौंप दी जाएं।
5. वित्त मंत्रालय (विभाग) भी एक समन्वयकर्ता है। सम्बन्धित सरकार के कार्यक्रमों, व्ययों तथा साधनों का समन्वय करने के

बारे में वार्षिक बजट एक निबन्ध मात्र है। वित्त मंत्रालय ही ऐसा तत्व है जो कार्य की समन्वय योजना अर्थात् बजट बनाने के लिए विभिन्न मंत्रालयों के कार्यक्रमों, माँगों तथा दावों का समाधान एवं समन्वय करता है। वित्त मंत्रालय का कार्य बजट स्वीकृत हो जाने तथा मंत्रालयों में निधियों के बँटवारे के साथ ही समाप्त नहीं हो जाता बल्कि कार्य करने वाले विभागों आदि किसी कार्यक्रम को कार्यरूप में परिणत करना चाहते हैं तो इसके लिए वित्त मंत्रालय का अनुमोदन आवश्यक होता है।

समन्वय की बाधाएँ (Hinderences to Co-ordination)

किसी भी अभिकरण की समन्वय क्षमता की भी सीमा होती है। गुलिक के अनुसार कठिनाइयों के कुछ कारण इस प्रकार हैं–

1. व्यक्ति एवं जनता के व्यवहार के विषय में भविष्य सम्बन्धी अनिश्चितताएँ।
2. नेताओं में ज्ञान अनुभव, बुद्धिमानी एवं चरित्र का अभाव और उनके उलझे हुए परस्पर विरोधी विचार व उद्देश्य।
3. प्रशासकीय कौशल तथा तकनीक का अभाव।
4. अनेक विभिन्नताओं का समूह और मानवीय ज्ञान की अपूर्णता, विशेषतः मनुष्य और उसके जीवन के सम्बन्ध में।
5. नवीन विचारों एवं कार्यक्रमों का विकास करने, उन पर विचार करने, उन्हें परिपूर्ण बनाने तथा अपने में व्यवस्थित तरीकों का अभाव।

समन्वय के मार्ग में निम्नलिखित बाधाएँ हैं :

1. लोक प्रशासन के आकार में वृद्धि।
2. नयी आवश्यकताओं तथा माँगों का प्रचार करने के लिए नए अभिकरण की रचना करने की बढ़ती प्रवृत्ति।
3. नियंत्रण के विस्तार का संकुचित होना।
4. अधिकारी की ओर से अधिकारों के विकेन्द्रीकरण का अभाव।
5. कार्य को अपने से ऊपर के अधिकारी पर छोड़ने की अधीनस्थों की प्रवृत्ति।

आदेश की एकता (Unity of Command)

आदेश की एकता से अभिप्राय

आदेश की एकता का अर्थ है कि संगठन के अन्तर्गत कार्य करने वाला कोई भी कर्मचारी अपने से ऊँचे एक से अधिक अधिकारी से आदेश ग्रहण नहीं करेगा। यदि संगठन में किसी व्यक्ति से दो परस्पर विरोधी आदेशों को मानने को कहा जाता है तो उसके परिणामस्वरूप भ्रम तथा अकुशलता उत्पन्न होती है। आदेश देने वाले के एक होने के कारण ही इसे आदेश की एकता का सिद्धांत कहा जाता है।

फिफनर तथा प्रेस्थस के अनुसार, "आदेश की एकता से यह आशय है कि किसी संगठन का प्रत्येक सदस्य एक और केवल एक वरिष्ठ अधिकारी के प्रति ही जवाबदेह होगा।" फेयॉल के अनुसार 'किसी कर्मचारी को केवल एक ही उच्च अधिकारी द्वारा आदेश दिए जाने चाहिए।'

आदेश की एकता सिद्धांत की आवश्यकता

संगठन में कई प्रकार के कर्मचारी होते हैं। थोड़े ही उच्च अधिकारी रहते हैं जो आदेश देते हैं और इनके नीचे काफी बड़ी संख्या में निम्न कर्मचारी रहते हैं जो इन आदेशों को ग्रहण कर उनका पालन करते हैं। ऐसी स्थिति में कुशल एवं सफल प्रशासन के लिए यह आवश्यक है कि प्रत्येक कर्मचारी को उसके तात्कालिक उच्च अधिकारी का ज्ञान हो। प्रत्येक कर्मचारी को यह ज्ञात होना चाहिए कि उसे किससे आदेश एवं निर्देश प्राप्त करने हैं अर्थात् एक अधीन कर्मचारी को कितने उच्च पदाधिकारियों की आज्ञाओं को मानना चाहिए। आज्ञा की एकता के सिद्धांत की आवश्यकता निम्नलिखित कारणों से है–

1. किसी संगठन की संरचना दोहरे नियन्त्रण के अनुकूल नहीं होती।
2. एक ही व्यक्ति या विभाग के ऊपर जब दो अधिकारी सत्ता का उपयोग करते हैं तो गड़बड़ी पैदा होने लगती है।
3. किसी संगठन के प्रत्येक सदस्य को एक और केवल एक नेता के प्रति ही उत्तरदायी होना चाहिए।
4. यदि आज्ञा प्रसारित करने वाले कर्मचारियों की संख्या एक से अधिक होती है तो उनमें विरोध अथवा भ्रान्ति उत्पन्न करवाकर अधीनस्थ कर्मचारी उसका लाभ उठा सकता है।
5. यदि किसी संगठन में कर्मचारी अनेक अधिकारियों से आदेश ग्रहण करता है तो इस बात की सम्भावना हो सकती है कि उसे विरोधी आदेश प्राप्त हों और वह कठिन स्थिति में पड़ जाए।
6. आदेश की एकता के अभाव में भ्रम उत्पन्न हो सकता है तथा उत्तरदायित्व को निश्चित करना कठिन हो सकता है।

आदेश की एकता सिद्धांत के गुण

आदेश की एकता का सिद्धांत संगठन में 'एक व्यक्ति, एक स्वामी' अवधारणा को स्थापित करता है। यह अवधारणा संगठन के सुगम एवं क्षमताशील संचालन में बहुत सहायक होती है। इस सिद्धांत के फलस्वरूप संगठन में सत्ता के सूत्रों (Lines of authority) का स्पष्टीकरण हो जाता है। आदेश के अनेक स्रोत होने से संभ्रम उत्पन्न होता है, अक्षमता और अनिश्चितता फैलती है, कार्य का उत्तरदायित्व निश्चित नहीं किया जा सकता तथा कर्मचारी किंकर्त्तव्यविमूढ़ स्थिति में आ जाता है। इस सिद्धांत के कई गुण हैं–

(*i*) इस सिद्धांत से प्रशासन में कार्यकुशलता का विकास होता है;
(*ii*) यह स्कैलर पद्धति के अनुकूल है;
(*iii*) कर्मचारियों में आज्ञा के संबंध में भ्रान्ति उत्पन्न नहीं होती। इसी कारण से प्रशासन के कार्यों में देरी नहीं होती;

(*iv*) इसमें प्रत्येक कर्मचारी अपने तात्कालिक उच्च अधिकारी को अच्छी तरह से जानता है, उसे यह पता रहता है कि उसे किससे आदेश ग्रहण करने हैं और वह किसके प्रति उत्तरदायी है।

इस सिद्धांत का समर्थन करते हुए हेनरी फेयॉल लिखते हैं—"यदि सिद्धांत का उल्लंघन किया जाए तो सत्ता कमजोर होती है, अनुशासन खतरे में पड़ जाता है, व्यवस्था गड़बड़ा जाती है और स्थायित्व संकट में पड़ जाता है।"

आलोचना

आदेश की एकता सिद्धांत की अनेक आधारों पर आलोचना की गयी है। प्रथमतः, इस सिद्धांत को आदेश की शृंखला में एक व्यक्ति को केवल एक अधिकारी के ही आदेश मानने चाहिएँ, प्रशासन में सार्वदेशिक रूप से लागू नहीं किया जा सकता। इसके कुछ अपवाद होते हैं। उदाहरण के लिए, प्राविधिक या तकनीकी कर्मचारियों को लिया जा सकता है—जैसे एक सहायक यन्त्री। आदेश की एकता सिद्धांत के अनुसार उसे अपने जिले के सामान्य उच्च अधिकारी (जिलाधीश) की आज्ञा का पालन करना चाहिए क्योंकि वह एक तकनीकी कर्मचारी है इसलिए उसे अपने तकनीकी उच्च अधिकारी (कार्यपालन यन्त्री) से ही निर्देश मिलना चाहिए। ऐसी समस्या का समाधान यह निकाला जाता है कि अधीनस्थ तकनीकी कर्मचारी तकनीकी मामलों में उच्च तकनीकी पदाधिकारियों से ही आदेश ग्रहण करे किन्तु अन्य सामान्य बातों के बारे में वे सामान्य उच्च अधिकारी के अधीन रहें। जैसा कि मिलेट का अभिमत है—"आज्ञा की एकता की अवधारणा के साथ-साथ यह भी मान लिया जाना चाहिए कि कुछ कार्यों से दोहरे नियन्त्रण (Dual-Supervision)—तकनीकी और प्रशासकीय की आवश्यकता पड़ती है। इन दो प्रकार का नियन्त्रण अथवा निरीक्षण भिन्न-भिन्न व्यक्तियों द्वारा किया जा सकता है।"

फ्रेडरिक टेलर ने भी आदेश की एकता सिद्धांत को अस्वीकार करते हुए कृत्यमूलक निदेशन के सिद्धांत का प्रतिपादन किया है। वे कहते हैं कि प्रत्येक कर्मचारी को आठ अधीनस्थों के नियन्त्रण में रहना चाहिए—

1. दल अधिकारी (Gang boss);
2. गति अधिकारी (Speed boss);
3. निरीक्षक (Inspector);
4. मरम्मत अधिकारी (Repair boss);
5. कार्यव्यवस्था तथा पद्धति क्लर्क (Order of work and route clerk);
6. अनुदेश कार्ड क्लर्क (Instruction Card Clerk);
7. समय तथा लागत क्लर्क (Time and Cost Clerk); तथा
8. कार्य अनुशासक (Shop disciplinarian)।

टेलर के अनुसार इस योजना का मुख्य लाभ यह होगा कि प्रत्येक कार्य में विशेषज्ञ तथा प्रशासकीय अधीक्षण उपलब्ध हो जाएंगे।

द्वितीय, टेलर ने इस सिद्धांत की आलोचना करते हुए लिखा है कि 'इससे सैनिक प्रकार की चौधराहट' का विकास होता है। एक व्यक्ति को अपने कार्य के लिए विभिन्न टेक्नीशियन से निर्देश प्राप्त करने पड़ते हैं, इसके बिना एक भी कर्मचारी दक्ष नहीं हो सकता।

तृतीय, सेकलर हडसन ने इसका विरोध अनुभव के आधार पर किया है। उसकी मान्यता है कि अनुभव ने इसे अनुपयोगी, असम्भव तथा काल्पनिक सिद्ध किया है। उनका मत है कि "...... प्रत्येक व्यक्ति के लिए एक उच्च अधिकारी की अवधारणा जटिल सरकारी स्थितियों में शायद ही कहीं वास्तव में पायी जाती है......शासन में स्थित प्रशासक के कई स्वामी रहते हैं और वह उनमें से किसी की भी उपेक्षा नहीं कर सकता। एक से वह नीति सम्बन्धी आदेश प्राप्त करता है, दूसरे से कार्मिक, तीसरे से बजट, चौथे से वितरण तथा उपकरण सम्बन्धी।"

संक्षेप में, नवीन लेखकों की दृष्टि में यह सिद्धांत पुराना पड़ गया है। विशेषज्ञों की संख्या एवं महत्त्व में वृद्धि तथा प्रशासन के क्षेत्र में बढ़ती हुई जटिलता ने आदेश की एकता के सिद्धांत को लगभग समाप्त कर दिया है। फिर भी, इसमें कोई सन्देह नहीं है कि इस सिद्धांत के पालन से संगठन में एकता और स्थिरता बनी रहती है। यह नियन्त्रण को बड़े प्रभावशाली रूप में स्थापित करता है, संगठन को अधिक शक्तिशाली और कार्यकुशल बनाता है।

नियंत्रण का क्षेत्र

नियंत्रण के क्षेत्र का अर्थ

उच्च पदाधिकारी अपने अधीन कितने कर्मचारियों के कार्य का नियंत्रण कर सकता है। नियंत्रण की सीमा वास्तव में निगरानी की सीमा है। संगठन में सोपानों की संख्या वास्तव में इसी से निर्धारित होती है। नियंत्रण का विस्तार क्षेत्र उन अधीनस्थों या संगठन की इकाइयों की संख्या है जिनका निदेशन प्रशासन स्वयं करता है। यह अवधारणा वी. ग्रेक्यूनस द्वारा वर्णित 'ध्यान के विस्तार क्षेत्र (Span of Attention) के सिद्धान्त से सम्बन्धित है। मानवीय क्षमता की भी सीमाएँ होती हैं। यदि निरीक्षण का क्षेत्र बहुत अधिक विस्तृत कर दिया जाता है तो उसके परिणाम असन्तोषजनक होते हैं। एक अधिकारी के अधीन कितने अधीनस्थ होने चाहिए। इस पर कोई एक मत नहीं है, किन्तु यह सभी मानते हैं कि विस्तार क्षेत्र जितना छोटा होगा उतना ही सम्पर्क तथा नियंत्रण अधिक प्रभावशाली होगा।

प्रसिद्ध लेखक डिमॉक के शब्दों में नियंत्रण का क्षेत्र किसी उद्यम की मुख्य कार्यपालिका तथा उसके प्रमुख साथी कार्यालयों के बीच सीधे तथा सामान्य संचार की संख्या एवं क्षेत्र से है। इस सिद्धान्त का औचित्य इस तथ्य में निहित है कि मानवीय ज्ञान की कुछ सीमाएँ होती हैं। यदि इन सीमाओं से आगे हम उसे कार्य करने के लिए बाध्य करेंगे तो इसके परिणाम खतरनाक हो सकते हैं। वह अपने उत्तरदायित्व का पूरी तरह से निर्वाह नहीं कर पाएगा और उसकी शक्ति विवर्ण होने के कारण अव्यवस्थित हो जाएगी।

नियंत्रण की सीमा से हमारा अभिप्राय अधीनस्थ कर्मचारियों की उस संख्या से है, जिसके कार्यों का अधीक्षण एक अधिकारी क्षमतापूर्वक कर सकता है। दूसरे शब्दों में, "नियंत्रण की सीमा से आशय अधीनस्थ

कर्मचारियों की उस संख्या से है जिस पर उच्च अधिकारी प्रभावशाली नियंत्रण रख सकता है।'' प्रो. जियाउद्दीन खान के अनुसार, ''नियंत्रण की सीमा उन मातहतों की या कार्य की इकाइयों की संख्या है जिनका संचालन प्रधान कार्यकारी स्वयं कर सकता है।''

नियंत्रण के क्षेत्र का महत्व

संगठन में एक के बाद एक कई स्तर और सीढ़ियाँ होती हैं। प्रत्येक स्तर की जिम्मेदारी किसी एक व्यक्ति पर होती है। किसी संगठन में कितने स्तर होने चाहिए, यह इस बात पर निर्भर करता है कि उस संगठन में निचले स्तर पर कर्मचारी कितने हैं जिनका निरीक्षण किया जाना है और प्रत्येक वरिष्ठ अधिकारी कितने अधीनस्थों का कारगर ढंग से निरीक्षण कर सकता है। इससे पता चलता है कि पदसोपान एवं नियंत्रण के क्षेत्र में निकट का संबंध है। इसलिए किसी संगठन में एक वरिष्ठ अधिकारी के नियंत्रण के क्षेत्र को ध्यान में रखकर पदसोपान में स्तरों की सीढ़ियों का निर्धारण किया जाना चाहिए। यदि किसी वरिष्ठ अधिकारी से उसकी क्षमता से अधिक संख्या में कर्मचारियों के नियंत्रण की उम्मीद की जाएगी तो उससे कार्य में विलम्ब होगा और अकुशलता बढ़ेगी। किसी संगठन के कार्य की गुणवत्ता उसके कारगर नियंत्रण और निरीक्षण पर निर्भर करती है।

नियंत्रण की सीमा क्या होनी चाहिए?

बिना नियंत्रण के प्रशासन सुचारू रूप से संचालित नहीं किया जा सकता। कर्मचारियों पर नियंत्रण रखने का उद्देश्य यह देखना रहता है कि कर्मचारी दिए गए आदेशों एवं निदेशों के अनुसार कार्य कर रहे हैं या नहीं? यह तो सर्वमान्य है कि मानवीय ध्यान क्षेत्र सीमित होता है। अतएव एक पदाधिकारी अपने नीचे काम करने वाले कितने कर्मचारियों पर भली-भांति निरीक्षण रख सकता है, इसकी भी सीमा होती है। मिलेट के शब्दों में, ''अनुभव एवं मनोवैज्ञानिक अनुसंधान दोनों ने इस बात की पुष्टि की है कि किसी भी प्रशासनिक अधिकारी की पर्यवेक्षण क्षमता की सीमा रहती है।'' परन्तु यह सीमा कितनी होनी चाहिए, इस प्रश्न पर विद्वानों में मतभेद है। फेयोल के अनुसार, ''एक बड़े उद्यम के शिखर स्थित प्रबंधक के नीचे पाँच या छह से अधिक अधीनस्थ कर्मचारी नहीं होने चाहिए।'' उर्विक की सम्मति में, ''उच्च पदाधिकारियों के लिए आदर्श संख्या चार होगी और निम्न स्तर के कर्मचारियों के आठ या बारह।''

नियंत्रण की सीमा नीचे से प्रारंभ होती है अगर पुलिस विभाग में 1000 कान्स्टेबल हैं तो 200 हवलदार होने चाहिए। 40 असिस्टेंट इंस्पेक्टर, 8 इंस्पेक्टर, 2 डी.एस.पी. तथा एक एस.पी.।

सत्ता, शक्ति एवं उत्तरदायित्व
(Authority, Power and Responsibility)

किसी भी संगठन में सत्ता, शक्ति एवं उत्तरदायित्व का होना आवश्यक तत्व माना गया है। कोई भी संगठन सत्ता शक्ति एवं उत्तरदायित्व के सन्तुलन में कार्य नहीं कर सकता है। साइमन, स्मिथवर्ग तथा थाम्पसन ने कार्य-विभाजन और सत्ता को संगठन की विशेषता कहा है। उनके अनुसार, ''जब कभी हम संगठन का ढाँचा तैयार करते हैं, तो हमको संगठन की प्रत्येक इकाई को एक स्थान देना होता है।

सत्ता (Authority)

उच्च एवं प्रवर व्यक्ति की उस क्षमता को जिसके आधार पर वह निर्णय के साथ-साथ अधीनस्थों के व्यवहार को भी प्रभावित कर सके, ''सत्ता की संज्ञा दी जा सकती है। यह संगठन की ओर से किसी व्यक्ति को कुछ करने के लिए दी गई आज्ञा भी है।

हेनरी फेयोल के अनुसार, ''सत्ता आदेश देने का अधिकार है और उसके पालन करवाने की शक्ति है।''

एलेन के अनुसार, ''भारार्पित कार्यों के निष्पादन को संभव बनाने हेतु सौंपी गई शक्तियाँ एवं अधिकार सत्ता कहलाते हैं।''

डेविस के अनुसार, ''सत्ता निर्णय लेने एवं आदेश देने का अधिकार है।''

पेटरसन के अनुसार, ''आदेश देने एवं उसके पालन की आज्ञा का अधिकार सत्ता कहा जाता है।''

उपर्युक्त परिभाषाएँ औपचारिक सत्ता के सिद्धान्त पर आधारित हैं और यह मानकर चलती हैं कि सत्ता उच्च स्तर से पैदा होती है तथा प्रत्यायोजन (delegation) के द्वारा नीचे पहुँचती है।

किन्तु मैरी पार्कर फॉलेट, रॉबर्ट टेननबाम, बर्नार्ड, साइमन एवं अन्य मानवीय सम्बन्ध स्कूल विचारकों का कहना है कि जब तक अधीनस्थ उच्चाधिकारी के आदेशों को स्वीकार नहीं करते तब तक उच्चाधिकारी का वह आदेश या विचार 'सत्ता' नहीं माना जा सकता। सत्ता तब अर्थपूर्ण बनती है जबकि व्यवहार में, अधीनस्थों द्वारा उसे स्वीकारा जाता है। इस दृष्टि से साइमन की निम्न परिभाषा महत्वपूर्ण है :

''अधिकार सत्ता, निर्णय लेने एवं अन्य व्यक्तियों की क्रियाओं को मार्गदर्शित करने की शक्ति है। यह दो व्यक्तियों के बीच उच्चाधिकारी एवं अधीनस्थ का सम्बन्ध है। उच्चाधिकारी निर्णय लेता है और इस आशा के साथ प्रेरित करता है कि अधीनस्थ द्वारा उसका पालन किया जाएगा। अधीनस्थ ऐसे ही निर्णयों की आशा करते हैं और उनके व्यवहार उनसे निर्धारित होते हैं।''

सत्ता की विशेषताएँ (Characteristics of Authority)

प्रबंधकीय दृष्टिकोण से 'सत्ता' की प्रमुख विशेषताएँ निम्नांकित हैं :

1. सत्ता एक प्रबंधकीय अधिकार है जिसका प्रत्यायोजन (delegation) ऊपर से होता है।
2. सत्ता निर्णय लेने, अधीनस्थों को कार्य सौंपने तथा अधीनस्थों से संतोषप्रद निष्पादन की अपेक्षा रखने का अधिकार है।
3. संगठन संरचना के उच्च स्तर पर सत्ता का क्षेत्र काफी व्यापक होता है तथा संगठन के निचले स्तरों तक पहुँचते-पहुँचते काफी संकीर्ण हो जाता है।
4. सत्ता का प्रत्यायोजन न हो तो किसी संगठन की कल्पना तक नहीं की जा सकती है।

शक्ति (Power)

कार्ल जे. फ्रेडरिक ने लिखा है कि "सत्ता शक्ति का एक प्रकार नहीं बल्कि यह एक ऐसी वस्तु है जो शक्ति के साथ चलती है। यह व्यक्तियों और वस्तुओं में एक गुण है जो उनकी शक्तियों में वृद्धि करती है, यह ऐसी वस्तु है जो शक्ति को उत्पन्न करती है परन्तु जो स्वयं शक्ति नहीं है।"

शक्ति का अस्तित्व सत्ता के अभाव में संभव तो है, परन्तु उसका दीर्घकालीन अस्तित्व सत्ता के अभाव में संभव नहीं। शक्ति के अभाव में भी सत्ता विद्यमान रह सकती है। उदाहरणार्थ, एक डॉक्टर या प्रोफेसर के पास शक्ति नहीं है, किन्तु ये सत्ता का इस कारण उपयोग करते हैं कि उनके पास श्रेष्ठ ज्ञान और अनुभव है। शक्ति असंस्थागत, परिस्थितिजन्य एवं अनिश्चित होती है, जबकि सत्ता संस्थागत, स्पष्ट तथा निश्चित होती है। बायर्सटेड के अनुसार, "सत्ता शक्ति के प्रयोग का संस्थागत अधिकार है परन्तु स्वयं शक्ति नहीं है।" शक्ति का प्रत्यायोजन नहीं किया जा सकता जबकि सत्ता का प्रत्यायोजन होता है। शक्ति में स्वविवेक का अभाव होता है जबकि सत्ता में स्वविवेक निहित होता है।

जब हम लोक प्रशासन में संगठनों का अध्ययन करते हैं तो ऐसे अनेक उदाहरण प्राप्त हो जाते हैं, जबकि पदसोपान के उच्च अधिकारी, जिनको औपचारिक रूप से अधिकार मिले हुए हैं, उनका प्रयोग नहीं करते। उनके स्थान पर अधीनस्थ अधिकारी इन शक्तियों का प्रयोग करते हैं। इस प्रकार उच्च अधिकारी केवल सत्ताधारी हैं, शक्तिवान नहीं। अधीनस्थ अधिकारी सत्ताधारी न होते हुए भी शक्तिवान हैं।

सत्ता की अवधारणा : मैक्स वेबर के विचार

सत्ता अथवा प्रभुत्व का अर्थ है नियंत्रण की आधिकारिक शक्ति। दूसरे शब्दों में कहें तो वेबर ने यह प्रश्न उठाया कि कैसे एक व्यक्ति दूसरों पर अपना प्रभुत्व जमाता है और इसी के उत्तर में यह भी कहा कि प्रभुत्व का प्रयोग यदि तर्कसंगत और वैध हो तो वह स्वीकार्य हो जाता है। मैक्स वेबर ने अधिकार सत्ता या प्रभुत्व के तीन प्रकार माने हैं :

1. **पारम्परिक प्रभुत्व या सत्ता (Traditional Authority):** ऐसी सत्ता की दो विशेषताएँ मानी जाती हैं—रीतिरिवाज (Custom) पर आधारित होना तथा व्यक्तिगत स्वेच्छाचारिता (Personal arbitrariness)। जो व्यक्ति आदेश का पालन करते हैं उन्हें 'अनुयायी' (followers) कहा जाता है। वे मालिक के आदेशों का पालन व्यक्तिगत वफादारी तथा उनकी सम्मानीय स्थिति होने के कारण करते हैं। सामन्तवादी व्यवस्था में सत्ता का यह रूप देखने को मिलता है। आज भी धर्मगुरुओं—पोप, इमामों और महन्तों को परम्परागत सत्ता का प्रतीक माना जाता है। राजतन्त्रात्मक व्यवस्था में भी ऐसी ही सत्ता का रूप पाया जाता है। इसके अन्तर्गत अधीनस्थ 'सेवक' समझे जाते हैं।
2. **करिश्माती या श्रद्धा पर आधारित सत्ता (Charismatic Authority):** आम जनता नेताओं के निर्देशों का इसलिए पालन करती है कि वह उनकी अभूतपूर्व योग्यताओं और दैवीय गुणों (करिश्मा) में विश्वास करती है न कि किसी पद या नियमों में। इसमें अधीनस्थ अनुयायी होते हैं और अपने प्रिय नेता के करिश्माती एवं आदर्शवादी व्यक्तित्व के कारण उसके आदेशों का पालन करते हैं। उदाहरणार्थ, तीसरी दुनिया के अनेक देशों में द्वितीय विश्वयुद्ध के बाद करिश्माती नेतृत्व का उदय हुआ। राष्ट्रीय आन्दोलनों के लम्बे कालों में ऐसे देव तुल्य नेता (जैसे, महात्मा गाँधी) जनमानस में समा गए थे। इस कारण स्वतन्त्रता-प्राप्ति के बाद ऐसे नेताओं के कार्यपालिका अध्यक्ष बनने पर उनको आदर व असाधारण प्रतिभा का प्रतीक ही नहीं वरन् राष्ट्र का पिता मान लिया गया। जोमो केन्याता, सुकर्णो, बोर्गिबा, नासिर, नेहरू, ऐनक्रूबा, नेरेरे, शेख मुजीब, जिन्ना, यूनू, टीटो, इत्यादि अपने अद्वितीय व्यक्तित्व के कारण लम्बी अवधि तक राजनीतिक व्यवस्थाओं पर छाए रहे, और लोगों की श्रद्धा के पात्र रहे।
3. **वैधानिक सत्ता (Legal Authority):** यह सत्ता संवैधानिक नियमों के अन्तर्गत धारण किए गए पद की स्थिति से निःसृत होती है।

सत्ता के कार्य

साइमन ने सत्ता के कार्यों का निम्न प्रकार से उल्लेख किया है :

(*i*) यह उन लोगों को कुछ उत्तरदायित्व सौंपती है जो सत्ता का प्रयोग करते हैं।

(*ii*) यह निर्णय लेने में विशेषज्ञता को काम में लाती है।

(*iii*) यह क्रियाओं के बीच समन्वय स्थापित करती है।

सत्ता के कानूनी समर्थकों का कहना है कि सत्ता का एक प्रमुख कार्य यह है कि वह व्यक्तिगत कार्यों की समाज द्वारा स्थापित आदर्शों के साथ एकरूपता स्थापित करती है। सत्ता का दूसरा महत्वपूर्ण कार्य यह है कि इसके द्वारा जो निर्णय लिए जाते हैं उनमें उच्च स्तर की बुद्धि का प्रयोग किया जाता है और वे अत्यन्त प्रभावशाली होते हैं। सत्ता का तीसरा कार्य यह है कि इसके द्वारा संगठन में समन्वय स्थापित किया जाता है। सत्ता की तुलना एक मानव शरीर से करते हुए कुछ विचारक यह मानते हैं कि जिस तरह मस्तिष्क शरीर के अन्य भागों को निर्देशित करता है और बदले में उनके कार्यों की सूचनाएँ प्राप्त करता है, उसी प्रकार संगठन में एक सत्ताधारी व्यक्ति का यह प्रमुख कर्तव्य होता है कि अन्य सदस्यों को वह आवश्यक निर्देश और आदेश देता रहे तथा उन सदस्यों से संगठन की गतिविधियों का परिचय प्राप्त करता रहे।

सत्ता की सीमाएँ (Limits of Authority)

सत्ता की निम्नलिखित सीमाएँ हैं :

1. **आर्थिक सीमाएँ (Economic Limits):** प्रबंधकों की सत्ताएँ यद्यपि काफी विस्तृत हो सकती है फिर भी संस्था के पास उपलब्ध आर्थिक साधन उनकी अधिकार सत्ता को सीमित करने की प्रवृत्ति रखते हैं।
2. **मनोवैज्ञानिक सीमाएँ (Psychological Limits):** प्रबंधकों की अधिकार सत्ता को अधीनस्थों की प्रक्रियाएँ भी प्रभावित करती हैं। इसलिए अधिकार सत्ता का प्रयोग करते समय प्रबंधकों को संभावित प्रतिक्रियाएँ ध्यान में रखनी चाहिए।

3. **कानूनी सीमाएँ (Legal Limits):** देश का कानून प्रबंधकों की अधिकार सत्ता को सीमित करने की क्षमता रखता है। प्रबंधकों के उन आदेशों का पालन करने हेतु अधीनस्थ विवश नहीं किए जा सकते जिससे कानूनी व्यवस्थाओं का उल्लंघन होता हो।
4. **जैविक सीमाएँ (Biological Limits):** किसी भी प्रबंधक को अपने अधीनस्थों को ऐसे आदेश नहीं देने चाहिए जिन्हें अधीनस्थ इसलिए पूरा न कर सकें क्योंकि उनकी पूर्ति से जीवन समाप्त होने का खतरा हो, जैसे–जहर चखने का आदेश देना, बिना उपकरण के बिजली का कार्य करने का आदेश देना, आदि।
5. **तकनीकी सीमाएँ (Technical Limits):** प्रौद्योगिकी का विकास काफी तीव्रता से हो रहा है। इसलिए प्रत्येक व्यक्ति को वही काम सौंपा जाना चाहिए जिसमें वह दक्ष हो। यदि आवश्यक तकनीकी ज्ञान किसी व्यक्ति में न हो तो, वह अपनी अधिकार सत्ता की प्रयुक्ति भली प्रकार नहीं कर सकेगा।
6. **प्राकृतिक सीमाएँ (Natural Limits):** जलवायु, वातावरण, भौगोलिक स्थिति, प्राकृतिक संकट आदि भी अधिकार सत्ता को सीमित करने की क्षमता रखते हैं।
7. **अन्य सीमाएँ (Other Limits):** जनसाधारण, श्रम संघों की कार्यवाही, सामाजिक परम्पराएँ एवं प्रथाएँ, समूह व्यवहार आदि भी अधिकार सत्ता को सीमित करने वाले घटक हैं।

उत्तरदायित्व (Responsibility)

उत्तरदायित्व जिस प्राधिकारी के पास है वह प्राधिकारी तब तक अपनी जिम्मेदारी नहीं निभा सकता जब तक उसको उत्तरदायित्व के अनुकूल ही प्राधिकार प्राप्त न हो। ऐसा व्यक्ति जिसके पास सत्ता (प्राधिकार) तो है, परन्तु वह किसी के प्रति उत्तरदायी नहीं है तो संगठन के उद्देश्य की प्राप्ति नहीं कर सकता क्योंकि उस प्राधिकार का प्रयोग वह ऐसी स्थिति में संगठन के हित में न करके अपने व्यक्तिगत हित में करने लगेगा।

किसी व्यक्ति पर कुछ कार्य करने या न करने, किसी विशेष प्रकार से करने अथवा न करने की जिम्मेदारी ही 'उत्तरदायित्व' कहलाती है। उत्तरदायित्व का अर्थ निकलता है कि जिसमें अधिकार है, वह उच्चतर उचित अधिकारी को यह बतलाए कि उसने अपने अधिकार का कैसा और क्या व्यवहार किया।

जॉर्ज आर. टेरी (George R. Terry) के अनुसार, ''सुपुर्द किए गए कार्य को अपनी श्रेष्ठतम योग्यता से करने के बंधन को ही उत्तरदायित्व कहते हैं।''

थियो हैमन (Theo Haimann) के अनुसार, ''उत्तरदायित्व एक अधीनस्थ पर अपने अधिकारी द्वारा इच्छित तरीके से कार्य को सम्पन्न करने का बंधन है।''

लुइस ऐलन (Louis Allen) के अनुसार, ''उत्तरदायित्व मानसिक तथा शारीरिक क्रियाएँ हैं, जिन्हें किसी कार्य के करने तथा कर्तव्य का पालन करने के लिए किया जाना चाहिए।''

कूण्टज एवं ओ' डोनेल (Koontz and O' Donnell) के अनुसार, ''उत्तरदायित्व किसी कर्मचारी का आबंधन है जिसे कोई काम निष्पादन हेतु सौंपा गया है।''

उत्तरदायित्व की विशेषताएँ

उत्तरदायित्व की प्रमुख विशेषताएँ निम्नलिखित हैं–

1. यह एक बंधन है जो नैतिक व वैधानिक दोनों प्रकार का हो सकता है।
2. यह बंधन सदैव अधीनस्थ व्यक्तियों पर लागू होता है।
3. यह उच्च अधीनस्थ के औपचारिक संबंधों के कारण पैदा होता है।
4. कुछ उत्तरदायित्व स्वतः उत्पन्न हो जाते हैं।
5. उत्तरदायित्व के साथ अधिकार अवश्य होते हैं।

प्रत्यायोजन (Delegation)

प्रत्येक व्यक्ति की अपनी सीमाएँ एवं क्षमताएँ होती हैं और वह सीमाओं एवं क्षमताओं में ही कार्य कर सकता है। जब कार्यभार बढ़ने लगता है अथवा उसका तकनीकी पहलू जटिल होने लगता है तो उसे अपने कार्यभार को कम करने की आवश्यकता प्रतीत होती है। इस आवश्यकता की पूर्ति अर्थात् "कार्य भार को कम करने के लिए अन्य व्यक्तियों को अपने कार्य का कुछ भाग आवश्यक अधिकारों सहित सौंपना 'प्रत्यायोजन' कहलाता है"। इससे स्पष्ट होता है कि "प्रत्यायोजन एक प्रक्रिया है जिसके द्वारा एक उच्चाधिकारी अपने कुल कार्य को स्वयं के तथा अपने अधीनस्थों के मध्य वितरित करता है जिससे कि क्रियात्मक एवं प्रबंधकीय विशिष्टीकरण की प्राप्ति की जा सके।"

लेकिन अधिकारों के प्रत्यायोजन का तात्पर्य उत्तरदायित्वों का प्रवर से अधीनस्थों को हस्तान्तरण नहीं समझना चाहिए। कुछ भी हो, उत्तरदायित्व तो अधिकारों को सौंपने वाले का ही रहेगा। अधिकारी अपने अधीनस्थों को मात्र कार्य का कुछ भाग देकर, कुछ निश्चित सीमाओं में कराने की आशा कर सकता है। प्रत्यायोजन कार्य को अन्यों के साथ बाँटकर करने का एक रास्ता है। यह एक ऐसा रास्ता है जिसके द्वारा अधीनस्थों के समूह तथा उनकी योग्यता का अनुकूलतम उपयोग किया जा सके। प्रत्यायोजन अधीनस्थों को शक्ति, उत्तरदायित्व एवं अधिकारों को देकर कार्य कराने की प्रक्रिया है। यह अधीनस्थों तथा प्रवरों के मध्य एक आवश्यकता है, क्योंकि कोई भी व्यक्ति स्वयं ही समस्त कार्यों को नहीं कर सकता, अतएव कुछ कार्य अपने अधीनस्थों को सौंप देता है जिससे कार्य का निष्पादन समय पर तथा विशिष्टीकरण के साथ सम्पन्न हो जाए।

प्रत्यायोजन की परिभाषाएँ (Definitions of Delegation)

कतिपय प्रमुख विद्वानों द्वारा 'प्रत्यायोजन' की निम्न प्रकार से परिभाषाएँ की गयी हैं–

एफ. जी. मूरे–"प्रत्यायोजन का अर्थ अन्य व्यक्तियों को कार्य का वितरण करना है और उसे करने हेतु अधिकार प्रदान करना है।"

थियो हैमन–"अधिकार सत्ता के प्रत्यायोजन का अर्थ अधीनस्थों को निर्धारित सीमाओं में कार्य करने हेतु अधिकार प्रदान करने से है।"

मिलेट–"सत्ता के प्रत्यायोजन का अर्थ दूसरे को कर्त्तव्य सौंप देने से कुछ अधिक है। प्रत्यायोजन का सार है दूसरों को स्वविवेक सौंपना ताकि वे अपने कर्त्तव्यों से सम्बन्धित विशिष्ट समस्याओं को सुलझाने में अपने निर्णयों का प्रयोग कर सके।"

हेमेन–"सत्ता के हस्तान्तरण का अर्थ केवल यह है कि अधीनस्थों को एक निर्धारित सीमा में कुछ करने की सत्ता सौंप दी जाए। प्रत्यायोजन की इस प्रक्रिया के कारण अधीनस्थ अधिकारी अपने उच्च अधिकारी से सत्ता प्राप्त करता है किन्तु उच्च अधिकारी के पास सत्ता अब भी मौलिक रूप से बनी रहती है, वह उसे पूरी तरह से नहीं त्याग देता।"

डगलस सी बसिल–"प्रत्यायोजन में अधिकार प्रदान करना या कुछ परिभाषित क्षेत्रों में निर्णयन का अधिकार तथा सौंपे गए कार्य की निष्पत्ति के लिए अधीनस्थों को उत्तरदायी बनाना सम्मिलित है।"

प्रत्यायोजन की आवश्यकता एवं महत्त्व (Need and Importance of Delegation)

प्रत्यायोजन की आवश्यकता एवं महत्त्व को निम्नांकित लाभों के सन्दर्भ में भली प्रकार समझा जा सकता है–

1. **मानवीय अपूर्णता का पूरक**: प्रत्यायोजन मानवीय अपूर्णता का पूरक है। यह मानवीय सीमाओं एवं क्षमताओं का विस्तार करता है। प्रत्येक व्यक्ति सभी क्रियाओं में दक्ष नहीं होता है और न उन्हें वह स्वयं ही कर पाता है। उसे अन्य व्यक्तियों की सहायता की जरूरत होती है। इस जरूरत की पूर्ति करने हेतु प्रत्यायोजन की आवश्यकता होती है।
2. **प्रबंधकीय गुणों के विकास का साधन**–प्रत्यायोजन के द्वारा अधीनस्थों को अधिकार तथा कर्त्तव्य सौंपे जाते हैं जिससे कि उनकी प्रबंधकीय योग्यताओं का विकास होता है और भावी प्रबंधकों की आवश्यकताओं को प्रत्यायोजन के माध्यम से एक बड़ी सीमा तक पूरा किया जा सकता है। अतएव प्रत्यायोजन अधीनस्थों को विकास के अवसर प्रदान करता है।
3. **तकनीकी जटिलताएँ**–तकनीकी जटिलताएँ प्रत्यायोजन की आवश्यकता पर बल देती है। प्रत्येक व्यक्ति सभी प्रकार की क्रियाएँ न तो समझ ही सकता है और न ही उन्हें कर सकता है। अतएव उसे विशिष्ट योग्यता वाले व्यक्तियों की आवश्यकता होती है। इन विशेषज्ञों की सेवाएँ प्राप्त करने के लिए उसे प्रत्यायोजन करना ही होता है।
4. **नैतिक स्तर और मनोबल में वृद्धि**–प्रत्यायोजन अधीनस्थों के मनोबल को ऊँचा उठाता है, क्योंकि अधीनस्थों को अधिकार तथा दायित्व सौंपने से वे अपने स्थान का महत्त्व समझते हैं, ईमानदारी से कार्य करते हैं और पूर्ण लगन के साथ कार्य करते हैं। इससे नैतिक स्तर तथा मनोबल में वृद्धि होती है।
5. **प्रबंध कार्यों में सुविधा**–प्रत्यायोजन प्रबंधकों के कार्यभार में कमी करता है जिससे वे अपना समय अन्य प्रबंधकीय कार्यों, जैसे–नियोजन, नियन्त्रण अभिप्रेरण आदि पर केन्द्रित करते हैं। इससे प्रबंधकीय कार्यों में सुविधा और प्रभावशीलता उत्पन्न होती है और कार्य का समान व सन्तुलित वितरण हो जाता है।
6. **तत्काल निर्णय**–प्रत्यायोजन तत्काल निर्णय को सम्भव बनाता है और कार्य के विलम्ब को समाप्त करता है क्योंकि प्रत्यायोजन के जरिए निम्नतम स्तर तक निर्णय लिए जाने सम्भव होते हैं।

प्रत्यायोजन के तत्त्व (Elements of Delegation)

प्रत्यायोजन के निम्न तत्त्व हो सकते हैं–

1. **अधिकार प्रदान करना**–प्रत्यायोजन हेतु आवश्यक अधिकारों को सौंपा जाना चाहिए। कोई भी व्यक्ति जिसे कार्य अथवा दायित्व सौंपा गया है, उस कार्य को भली प्रकार उस समय तक पूरा नहीं कर सकता जब तक कि उसे आवश्यक अधिकार सत्ता न सौंप दी जाए। उदाहरण के लिए, यदि किसी व्यक्ति को विज्ञापन करने का कार्य सौंपा जाता है तो उसे स्थान खरीदने या किराये पर लेने, प्रतिलिपि लेखक की सेवाएँ लेने, अखबार या अन्य समाचार-पत्रों की सहायता लेने आदि कार्य करने के अधिकार सौंपे जाने आवश्यक हैं अन्यथा वह अपने उत्तरदायित्व का निर्वाह नहीं कर सकता।

   दुर्भाग्य से अधिकारों का प्रत्यायोजन सरल कार्य नहीं है। यह कार्य करते समय प्रत्यायोजनकर्त्ता को चाहिए कि वह यह तय कर ले और समझ ले कि वह किस तरह के अधिकार प्रदान कर सकता है और किस सीमा तक उनके प्रयोग की छूट दे सकता है। इसके साथ ही अधिकार सत्ता के प्रत्यायोजन से सम्बन्धित प्रतिबन्धों की जानकारी भी प्रत्यायोजनकर्त्ता को कर लेनी चाहिए।
2. **कार्य वितरण**–कार्य का वितरण प्रत्यायोजन की प्रक्रिया का प्रमुख तत्त्व है। इसके अन्तर्गत प्रत्यायोजन करने वाला व्यक्ति इस बात का निश्चय करता है कि कौन-से कार्य वह स्वयं करेगा और कौन-से कार्य वह अन्य व्यक्तियों को सौंपेगा। उदाहरण के लिए, यदि एक कम्पनी के पास विविध उत्पादों के निर्माण एवं विक्रय का कार्य है और ऐसा निर्माण तथा विक्रय कई स्थानों पर स्थापित संयन्त्रों एवं शाखा इकाइयों के द्वारा सम्पन्न किया जाता है तो ऐसी स्थिति में प्रत्यायोजनकर्त्ता को यह निश्चय करना होगा कि वह स्वयं केन्द्रीय कार्यालय में कार्य करेगा अथवा किसी अन्य शाखा के प्रबंध का कार्य करेगा। संयन्त्रों एवं शाखाओं का कार्यभार किसे सौंपेगा और निरीक्षण एवं नियन्त्रण का कार्य कौन करेगा? इस कदम के अन्तर्गत कार्यों का वितरण करते समय उसके उत्तरदायित्व एवं अधीनस्थों की योग्यताओं आदि का ध्यान रखा जाता है।
3. **उत्तरदायित्व निर्धारित करना**–प्रत्यायोजन का तीसरा तत्त्व अधीनस्थों के लिए उत्तरदायित्वों का निर्माण करना है। उत्तरदायित्व अथवा जबावदेही का सीधा-सा अर्थ यह देखने से होता है कि कार्य

आशानुकूल हो रहा है अथवा नहीं। प्रत्येक अधीनस्थ का यह कर्त्तव्य होता है कि वह अपने उच्चाधिकारी को इस बात की सन्तुष्टि उपलब्ध करे कि सौंपा गया कार्य निर्धारित रीति के अनुसार हो रहा है और वांछित परिणाम प्राप्त हो रहे हैं। यह ध्यान देने योग्य बात है कि अधीनस्थ, जिसे कार्य सौंपा गया है, उस कार्य की जबावदेही को अन्य व्यक्तियों को पुनः नहीं सौंप सकता। उत्तरदायित्व तो सदैव उच्चाधिकारी के प्रति बना रहता है। मान लीजिए कि संचालक मण्डल ने यह निर्णय लिया कि हमें व्यापार का विकास व विस्तार करने के लिए दस स्थानों पर शाखाएँ खोलनी हैं। यह निर्णय कार्य भार के रूप में महाप्रबंधक को सौंप दिया गया। महाप्रबंधक ने इसे विक्रय प्रबंधक को सौंप दिया। निर्धारित समय में केवल पाँच शाखाएँ ही खोली जा सकीं। ऐसी स्थिति में महाप्रबंधक संचालक मण्डल के प्रति जबावदेह रहेगा। महाप्रबंधक यह नहीं कह सकता कि मैंने अपना कार्य विक्रय प्रबंधक को सौंप दिया था। स्पष्ट है कि अन्तिम दायित्व का भारार्पण नहीं किया जा सकता।

प्रत्यायोजन के सिद्धांत (Principles of Delegation)

प्रत्यायोजन के प्रमुख सिद्धांत निम्नानुसार हैं–

1. **निश्चित दायित्व तथा अधिकार का सिद्धांत**–प्रत्यायोजन का प्रथम सिद्धांत यह है कि जिस व्यक्ति को अधिकार सौंपे जायें उसे स्पष्टतः अपने अधिकारों तथा दायित्वों का ज्ञान होना चाहिए। ऐसी स्पष्ट जानकारी उसे बार-बार उच्चाधिकारी तक स्पष्टीकरण पूछने हेतु विवश नहीं करती और दोनों के ही समय को बचाती है। इसलिए अधिकार सूचियाँ (Schedules of Power) एवं हस्तपुस्तिकाएँ (Hand books) आदि बनाकर कर्मचारियों में वितरित कर दी जानी चाहिए। इसी प्रकार प्रत्यायोजनकर्त्ता को भी इस बात का स्पष्ट ज्ञान होना चाहिए कि वह किस अधिकार सत्ता को किस सीमा तक सुपुर्द कर सकता है।
2. **आदेश की एकता का सिद्धांत**–प्रत्यायोजन का यह सिद्धांत स्पष्ट करता है कि एक अधीनस्थ को एक उच्चाधिकारी से ही आदेश प्राप्त होने चाहिए, जिससे कि जबावदेही का निर्धारण हो सके। इसी प्रकार प्रत्यायोजनकर्त्ता को भी चाहिए कि वह केवल अपने अधिकार क्षेत्र में आने वाले अधीनस्थों को ही कार्य सौंपें। यह सिद्धांत इस मान्यता पर है कि 'सभी का उत्तरदायित्व किसी का उत्तरदायित्व नहीं होता। इसीलिए कार्य के निष्पादन हेतु आधारित किसी-न-किसी एक व्यक्ति का दायित्व निश्चित होना चाहिए।
3. **अधिकार तथा दायित्व की समानता का सिद्धांत**–प्रत्यायोजन का यह सिद्धांत इस बात पर बल देता है कि जिस अधीनस्थ को कार्य सौंपा जा रहा है उसे पर्याप्त अधिकार भी सौंपे जाने चाहिएँ जिससे कि वह अपने कार्य को भली प्रकार सम्पन्न कर सके। यह सिद्धांत इस बात को मानकर चलता है कि अधिकार एवं दायित्व साथ-साथ चलते हैं, सहविस्तृत होते हैं और सहभागी होते हैं। यह सिद्धांत अधिकारों एवं दायित्वों में सन्तुलन की माँग करता है जिससे कि उपलब्ध योग्यताओं एवं साधनों से समुचित लाभ उठाया जा सके।
4. **अनुमानित परिणामों के अनुसार कर्त्तव्यों के वितरण का सिद्धांत**–प्रत्यायोजन का यह सिद्धांत इस मान्यता पर आधारित है कि जिन व्यक्तियों को अधिकार तथा दायित्व सौंपे जा रहे हैं उन्हें केवल कार्यों का ही ज्ञान न हो अपितु उनके द्वारा उत्पन्न होने वाले परिणामों का भी ज्ञान होना चाहिए जिससे कि वे कार्य के महत्त्व को समझते हुए उसे भली प्रकार पूरा करें।
5. **औपचारिक अधिकार का सिद्धांत**–यह सिद्धांत बतलाता है कि प्रबंधकों को जो अधिकार प्राप्त होते हैं वे उनको संगठनात्मक स्थिति के अनुरूप होते हैं और ये अधिकार औपचारिक रूप में प्राप्त होते हैं। इन औपचारिक अधिकारों का प्रवाह ऊपर से नीचे की ओर होता है। संचालक मण्डल महाप्रबंधक को, महाप्रबंधक प्रबंधकों को तथा प्रबंधक पर्यवेक्षकों को अधिकार सौंपते हैं।
6. **अधिकार की स्वीकृति का सिद्धांत**–वर्तमान में यह माना जाने लगा है कि प्रबंधकों के अधिकारों का वास्तविक स्रोत ऊपर से प्रारम्भ न होकर नीचे से प्रारम्भ होता है अर्थात् शक्ति अथवा दण्ड प्रत्यायोजन का आधार न होकर कर्मचारियों या अधीनस्थों की स्वीकृति उसका आधार होती है। इसीलिए प्रत्यायोजन तभी हो सकता है जबकि कर्मचारी अधिकार व दायित्व ग्रहण करें। इसीलिए यह सिद्धांत बतलाता है कि कर्मचारियों को इस बात के लिए प्रेरित किया जाना चाहिए कि वे अधिकार-दायित्व का भार ग्रहण करें। यह प्रेरणा उनको इससे होने वाले लाभों के प्रकटीकरण द्वारा दी जानी चाहिए।
7. **अन्य सिद्धांत**–(*i*) क्रियात्मक कार्यों का ही प्रत्यायोजन किया जाना चाहिए। (*ii*) कम महत्त्वपूर्ण कर्त्तव्यों का प्रत्यायोजन किया जाना चाहिए और अधिक महत्त्वपूर्ण कर्त्तव्य स्वयं प्रत्यायोजनकर्त्ता को अपने पास रखने चाहिए। (*iii*) प्रत्यायोजन शृंखला जहाँ तक हो सके छोटी होनी चाहिए जिससे कम समय एवं कम धन के व्यय से अच्छे निर्णय लिए जा सकें।

केन्द्रीकरण बनाम विकेन्द्रीकरण (Centralization Vs Decentralization)

सरकार के समक्ष यह दुविधा बनी हुई है कि केन्द्रीकरण करें या विकेन्द्रीकरण। सबल रक्षा और एकरूपता की इच्छा के कारण एक जटिल और नियोजित प्रशासन की अनिवार्यता केन्द्रीकरण की ओर खिंचती है। दूसरी ओर, आधारभूत लोकतन्त्र के प्रति बढ़ती हुई मांग विकेन्द्रीकरण की ओर ले जाना चाहती है। इन विरोधी प्रवृत्तियों को समायोजित करना और व्यवस्था की कार्यकुशलता के अनुरूप उनके बीच भेद करना संगठन की प्रमुख समस्याओं में से एक है।

केन्द्रीकरण और विकेन्द्रीकरण से अभिप्राय

केन्द्रीकरण और विकेन्द्रीकरण का सार निर्णय की शक्ति के वितरण में निहित है। किसी भी संगठन में निर्णय के केन्द्र जितने कम होते हैं, वह संगठन उतना ही अधिक केन्द्रित माना जाता है। इसके विपरीत, निर्णय के जितने अधिक केन्द्र किसी संगठन में होते हैं, वह उतना ही अधिक विकेन्द्रित माना जाता है। जिस प्रशासकीय पद्धति में केन्द्रीय सरकार के अधिकारियों के हाथों में अत्यधिक शक्ति निहित हो, जिसके परिणामस्वरूप निम्नतर शासकीय स्तरों के कर्मचारियों की शक्ति और विवेक में कमी होती हो उसे 'केन्द्रीयकृत' व्यवस्था कहते हैं। इसके प्रतिकूल जिस प्रशासकीय प्रणाली में कानून या विधान के द्वारा स्थानीय प्रबंधकारी निकायों में काफी अधिक शक्ति रखी गयी हो, उसे 'विकेन्द्रीकृत' व्यवस्था कहते हैं। विलोबी के अनुसार, "अत्यधिक केन्द्रीकृत व्यवस्था में स्थानीय इकाइयाँ केवल कार्यवाहक अभिकरणों के रूप में कार्य करती है। उन्हें अपनी पहल से कार्य करने की कोई शक्ति प्राप्त नहीं होती....प्रत्येक कार्य केन्द्रीय कार्यालय की ओर से किया जाता है।"

फेज्लर ने एक निबन्ध में दोनों धारणाओं के अन्तर का उल्लेख करते हुए लिखा है, "कोई सेवा केन्द्रीकरण की ओर उन्मुख हो रही है अथवा विकेन्द्रीकरण की ओर, इसका अनुमान मुख्यालय से निर्णीत किए जाने वाले मामलों की तुलना में उन मामलों के महत्त्व का अवलोकन करके जिन पर अधिकारियों को निर्णय देने की सत्ता प्राप्त है, मुख्यालय में उठने वाले और वहीं निर्णीत होनेवाले मामलों में क्षेत्रीय अधिकारियों के केन्द्र के परामर्श की सीमा और ऐसे क्षेत्रीय अभिमत के महत्त्व की सीमा से लगाया जा सकता है।" एल. डी. ह्वाइट के अनुसार, "सरकार के निम्नतल से उच्चतल की ओर प्रशासकीय सत्ता के स्थानान्तरण की प्रक्रिया को केन्द्रीकरण कहा जाता है, इसके विपरीत प्रक्रिया को विकेन्द्रीकरण।" केन्द्रीयकृत व्यवस्था का श्रेष्ठ उदाहरण फ्रांस की प्रणाली है। वहाँ समूचे देश को 90 डिपार्टमेंटों में विभक्त कर दिया गया है। इन डिपार्टमेंटों के सर्वोच्च अधिकारी को 'प्रीफेक्ट' कहते हैं। ये मुख्य कार्यालय के कार्यवाहक के रूप में कार्य करते हैं। इसके विपरीत भारत और इंग्लैंड में विकेन्द्रित व्यवस्था है। हमारे देश में स्थानीय संस्थाओं को अपने विवेकानुसार कार्य करने की पर्याप्त स्वतन्त्रता दी गयी है। विभिन्न राज्यों में (भारत संघ के घटकों में) पंचायती राज की स्थापना विकेन्द्रीकरण की प्रवृत्ति का प्रतीक है।

केन्द्रीकरण और विकेन्द्रीकरण के निर्धारक तत्त्व

एक अधिकरण को अपनी शक्ति का किस मात्रा में केन्द्रीकरण करना चाहिए तथा किस मात्रा में विकेन्द्रीकरण, यह बात कई तत्त्वों पर निर्भर करती है। फेज्लर ने इस प्रकार के चार तत्त्वों का उल्लेख किया है–

1. **उत्तरदायित्व का तत्त्व**–उत्तरदायित्व का तत्त्व विकेन्द्रीकरण पर रोक लगाता है तथा वह केन्द्रीकरण के पक्ष में है। विभाग का अध्यक्ष विभाग के प्रत्येक कार्य के लिए अन्तिम रूप से उत्तरदायी होता है, अतः यह स्वाभाविक है कि वह अपनी शक्ति को विकेन्द्रित नहीं करना चाहता तथा यह चाहता है कि अधिक महत्त्वपूर्ण विषयों पर निर्णय करने की शक्ति उसके अपने हाथों में रहे।
2. **प्रशासकीय तत्त्व**–केन्द्रीकरण और विकेन्द्रीकरण को प्रभावित करने वाले प्रशासकीय तत्त्व अनेक हैं। इनमें से एक तत्त्व किसी संगठन की आयु है। पुराने संगठनों में विकेन्द्रीकरण सरल होता है। इसका कारण यह है कि उनके भीतर प्रक्रियाएँ और परम्पराएँ भली प्रकार जड़ पकड़ लेती हैं जबकि इसके विपरीत नए संगठनों में छोटी-छोटी बातों पर उच्चतर अधिकारियों का निर्णय प्राप्त करना आवश्यक होता है। दूसरा प्रशासकीय तत्त्व संगठन की नीतियों का स्थायित्व है। बहुधा परिवर्तन किए जाने से नीतियाँ अस्थायी बन जाती हैं। तीसरा महत्त्वपूर्ण तत्त्व क्षेत्र कार्मिक (Field Personnel) की कार्यक्षमता है। यदि वे कार्यकुशल हों तो विकेन्द्रीकरण सुगम हो जाता है अन्यथा केन्द्रीकरण ही एकमात्र मार्ग रह जाता है।
3. **कार्यात्मक तत्त्व**–कार्यात्मक तत्त्व केन्द्रीकरण तथा विकेन्द्रीकरण की समस्या को अनेक रीतियों से प्रभावित करते हैं। यदि किसी विभाग के कार्य बहुमुखी हों तथा उनकी प्रकृति प्राविधिक हो तो निश्चय ही उस विभाग का विकेन्द्रीकरण किया जाएगा, क्योंकि विभागाध्यक्ष के पास न तो इतना समय ही होगा और न प्राविधिक कौशल ही कि वह स्वयं उन सभी का प्रबंध कर सके। उसे प्रत्येक महत्त्वपूर्ण कार्य किसी-न-किसी प्रभाग अथवा शाखा को सौंपना होगा जो मोटे तौर पर उसके निर्देशन के अन्तर्गत उस विषय के बारे में स्वतन्त्र रूप से उत्तरदायी होगी। परन्तु यदि किसी विभाग को प्रतिरक्षा, यातायात आदि के मामले से सम्बन्धित कोई ऐसा कार्य सौंपा गया है जिसके अन्तर्गत राष्ट्रीय स्तर पर समरूपता आवश्यक हो, तो उस समरूपता की स्थापना के लिए केन्द्रीकरण अनिवार्य हो जाएगा।
4. **बाह्य तत्त्व**–केन्द्रीकरण तथा विकेन्द्रीकरण को प्रभावित करने वाले कुछ बाह्य तत्त्व भी होते हैं। यदि विकास योजना जैसे किसी कार्यक्रम के क्रियान्वयन के लिए लोक समर्थन अथवा जनता के समर्थन की आवश्यकता हो तो उसकी प्राप्ति के लिए विकेन्द्रीकरण अनिवार्य हो जाता है। यदि एक संगठन में यह आवश्यक हो जाए कि आन्तरिक कार्यों के अतिरिक्त बाह्य समस्याओं पर भी ध्यान दिया जाए जैसे—नागरिकों को प्रशासकीय प्रक्रिया में शामिल करना; अन्य संघीय, राज्यीय एवं स्थानीय अधिकरणों के साथ सहयोग करना; क्षेत्रीय कार्यों पर राजनीतिक दबावों का ध्यान रखना आदि, तो विकेन्द्रीकरण किया जा सकता है।

केन्द्रीकरण की प्रवृत्ति प्रबल होने के कारण

वर्तमान समय में लगभग सभी देशों में केन्द्रीकरण की प्रवृत्ति का प्रसार हो रहा है। इस विकास के पक्ष में अनेक प्रभाव कार्य कर रहे हैं–

(*i*) **यातायात तथा संचार के साधनों में उन्नति**–यातायात तथा संचार के शीघ्रगामी साधनों के कारण केन्द्रीय सरकार के लिए दूरवर्ती प्रदेशों के साथ सम्पर्क स्थापित करना और उनसे अपने आदेशों का पालन करवाना और उन पर प्रभुत्व स्थापित करना सुगम

हो गया है। कहा जाता है कि 1869 में स्वेज नहर खुल जाने से और उसके बाद भारत का टेलीफोन द्वारा इंग्लैंड से सम्पर्क स्थापित होने पर ही ब्रिटिश सरकार का भारत की शासन व्यवस्था पर नियन्त्रण सुदृढ़ रूप से स्थापित हुआ।

(ii) **वित्तीय अनुदान प्रणाली**–वर्तमान परिस्थितियों में स्थानीय संस्थाओं के वित्तीय साधन केन्द्रीय सरकार की तुलना में बहुत कम होते हैं। अतः उन्हें सहायता के लिए केन्द्रीय सरकार के अनुदानों पर अवलम्बित रहना पड़ता है। केन्द्रीय सरकार राज्यों तथा स्थानीय संस्थाओं को ये अनुदान देते हुए अनेक प्रकार की शर्तें और प्रतिबन्ध लगा देती है। इससे केन्द्रीय सरकार के अधिकार और शक्ति में वृद्धि होती चली जाती है।

(iii) **कार्यक्षमता एवं मितव्ययता में वृद्धि**–वर्तमान समय में अधिकांश विचारक इस मत को मानते हैं कि प्रशासन में केन्द्रीय निरीक्षण, देखभाल और नियन्त्रण से कार्य अधिक कुशलता और क्षमता के साथ किए जा सकते हैं। इससे प्रशासन में होने वाले धन की बर्बादी, निकम्मापन, अक्षमता और भाई-भतीजावाद को रोका जा सकता है। हूवर आयोग की रिपोर्ट में अमेरिका में अनेक क्षेत्रों में केन्द्रीकरण की पद्धति अपनाने के लिए बहुत बल दिया गया था। केन्द्रीकरण में कुशलता का कारण यह होता है कि उसमें अधिक योग्यता और अनुभव रखने वाले कर्मचारी कार्य करते हैं। उनका दृष्टिकोण राष्ट्रीय स्तर पर कार्य करने के कारण अधिक व्यापक और विशाल होता है। अतः वे किसी भी प्रश्न पर अधिक अच्छी तरह से निर्णय लेने में और उसके अनुसार सफलतापूर्वक कार्य करने में अधिक समर्थ होते हैं।

(iv) **आर्थिक नियोजन और प्रतिरक्षा की आवश्यकता**–आर्थिक नियोजन और प्रतिरक्षा की आवश्यकता भी केन्द्रीकरण के पक्ष में बल देती है। देश की आर्थिक उन्नति एवं विकास के लिए किए जाने वाले नियोजन में भी केन्द्रीय सरकार का संचालन और निर्देशन आवश्यक समझा जाता है ताकि सभी योजनाएँ राष्ट्र को अधिकाधिक हित पहुँचाने की दृष्टि से बनायी जाएँ, न कि कुछ विशेष प्रदेशों को लाभ पहुँचाने के संकीर्ण दृष्टिकोण से। इसी प्रकार वर्तमान समय में युद्धों का सफलतापूर्वक संचालन करने के लिए यह अति आवश्यक है कि देश के सभी राष्ट्रीय साधनों और स्रोतों का पूरा सदुपयोग और दोहन किया जाए। यह केन्द्रीय सरकार के संचालन में ही हो सकता है।

इन कारणों के अतिरिक्त प्रशासन में विशेषज्ञों के वर्ग की उत्पत्ति, प्रशासन की जटिल प्रकृति एवं स्थानीय अधिकारियों तथा कर्मचारियों की क्षमता और ईमानदारी में अविश्वास आदि कारणों से केन्द्रीकरण की प्रवृत्ति का प्रसार हो रहा है।

निष्कर्ष

केन्द्रीकरण और विकेन्द्रीकरण में से किस पद्धति को सुनिश्चित रूप से अधिक अच्छा माना जाए, यह कहना कठिन है। किन्तु समय, परिस्थिति और कार्य की प्रकृति के आधार पर ही यह निर्धारण किया जाना चाहिए कि किसी संगठन का केन्द्रीकरण किया जाए अथवा विकेन्द्रीकरण। डेविड टू मेन का यह कथन उल्लेखनीय है कि–"ऐसा प्रतीत होता है कि व्यवहार में किसी भी प्रशासकीय संगठन में इन दोनों ही प्रकार की प्रवृतियों अथवा पद्धतियों के कुछ-न-कुछ लक्षण अवश्य पाए जाते हैं" वास्तव में, इन दोनों ही पद्धतियों को साध्य नहीं समझना चाहिए वरन् उन्हें कुशल प्रशासन के उद्देश्य की प्राप्ति का साधन मात्र मानना चाहिए। किसी भी प्रशासकीय संगठन में ये दोनों प्रवृतियाँ इस अनुपात में अपनायी जानी चाहिए जिससे उसमें अकुशलता की मात्रा न्यूनतम की जा सके। विलोबी का भी कुछ ऐसा ही निष्कर्ष है–वे लिखते हैं–".....इन दोनों में से कौन-सी पद्धति प्रयुक्त की जानी चाहिए, इसके संबंध में कोई सामान्य वक्तव्य नहीं दिया जा सकता। सभी कुछ किए जाने वाले कार्य की प्रकृति और अन्य विशेष परिस्थितियों पर निर्भर करेगा।"

सूत्र, स्टाफ/मंत्रणा और सहायक अभिकरण
(Line, Staff and Auxiliary Agency)

सरकारी अभिकरणों के तीन भेद हैं–सूत्र, मंत्रणा तथा सहायक। तीसरे प्रकार के प्रशासकीय अभिकरणों को अभी तक कोई निश्चित संज्ञा नहीं दी गई है।

ह्वाइट का कथन है कि "सरकार का काम एक विस्तृत संगठन द्वारा किया जाता है, जिसमें वरिष्ठता तथा अधीनता के सम्बन्धों के आधार पर एकता कायम रहती है। संगठन विशेषीकरण के सिद्धान्त पर आधारित होता है। सूत्र का पदसोपान में केन्द्रीय स्थान है। सूत्र की सहायता के लिए अनेक इकाइयाँ होती हैं। उनमें से कुछ का काम सलाह देना तथा उद्देश्य के लिए तैयारी सम्बन्धी कामकाज करना होता है। इन्हें 'स्टाफ' या 'मंत्रणा' कहते हैं। कुछ संस्थात्मक कार्य करती हैं, उन्हें 'सहायक अभिकरण' कहा जाता है। सूत्र अभिकरण में राजनीतिक समादेश संगठन (Political command structure) तथा स्थायी कर्मचारीगण सम्मिलित होते हैं। सूत्र से सम्बन्धित अधिकारियों का सम्बन्ध सरकार के वास्तविक कार्यकलापों से होता है। उनका जनता से सीधा सम्पर्क होता है; वे सेवा करते, आचरण का नियमन करते, कर वसूल करते तथा विधानांग द्वारा निर्धारित कार्यक्रमों को पूरा करते हैं। प्रशासकीय संगठन में उनका केन्द्रीय स्थान होता है। स्टाफ तथा सहायक अभिकरण बड़े संगठन के लिए आवश्यक होते हैं किन्तु उनका स्थान गौण होता है। वे सूत्र और जनता की सेवा करते हैं।"

फिफनर और प्रेस्थस के अनुसार, "सामान्यतः स्टाफ और सूत्र में वही अन्तर है जो प्रत्यक्ष और अप्रत्यक्ष श्रमिकों के बीच होता है। सूत्र प्रत्यक्ष है और स्टाफ अप्रत्यक्ष है।" 'स्टाफ और अभिकरण' के स्थान पर 'स्टाफ कार्य' शब्द का प्रयोग अधिक पसन्द किया जाता है, क्योंकि इससे इस सैद्धान्तिक विवाद से मुक्ति मिल जाती है कि अमुक व्यक्ति स्टाफ में आता है अथवा सूत्र में।

फिफनर और प्रेस्थस ने स्टाफ के तीन प्रकार बताए हैं–सामान्य (General) स्टाफ, तकनीकी (Technical) स्टाफ और सहायक (Auxiliary) स्टाफ। सामान्य स्टाफ में वे कर्मचारीगण सम्मिलित हैं जो मुख्य कार्यपालिका को सहायता देते हैं और जिनका अधिकांश समय नीति

या योजना के निर्माण और तत्सम्बन्धी विचार-विमर्श में व्यतीत होता है। इसलिए 'स्टाफ अभिकरण' की अपेक्षा 'स्टाफ कार्य' (Staff Activities) शब्द का प्रयोग प्रायः उपयुक्त माना गया है। जो लोग स्टाफ का काम करते हैं वे वस्तुतः अपना कुछ समय सूत्र सम्बन्धी अथवा उत्पादन के कार्यों में भी व्यय करते हैं। दूसरे अर्थात् तकनीकी स्टाफ में विशेषज्ञ और विशेषीकृत कार्यकलाप सम्मिलित होते हैं, जैसे–प्रयोगशाला अनुसंधान, इंजीनियरिंग डिजाइन अथवा श्रमिकों के कार्य का प्रत्यक्ष निरीक्षण। तीसरे प्रकार का स्टाफ आदेश देने का कार्य नहीं करता है। इन्हें 'सहायक सेवाएँ' कहना अधिक उपयुक्त होगा। ब्रिटिश लेखक इन्हें संस्थागत सेवाएँ कहते हैं। इनमें कर्मचारी, वित्त, पूर्ति, औद्योगिक इंजीनियरिंग तथा प्रशासनिक विश्लेषण आदि कार्य या सेवाएँ सम्मिलित होती हैं। इससे भी निम्न प्रकार की सेवाएँ, जैसे–पत्र भेजने की केन्द्रीय व्यवस्था, भवनों तथा साज-सज्जा की व्यवस्था, परिवहन का नियंत्रण, अभिलेख संरक्षण, सम्पत्ति का प्रबंध तथा संचार सुविधाएँ आदि सहायक सेवाओं के अन्तर्गत सम्मिलित होती हैं।

सूत्र अभिकरण (Line Agency)

संगठन के कार्यात्मक तथा प्राथमिक कार्य सूत्र अभिकरण द्वारा ही सम्पन्न किए जाते हैं। सूत्र अभिकरणों का कार्य सरकार के प्राथमिक उद्देश्यों को पूर्ण करना है। सूत्र अभिकरण को प्रशासन के केन्द्रीय तत्व के रूप में जाना जाता है।

जॉन मिलेट के अनुसार, "सूत्र का अर्थ होता है वह अधीनस्थ सम्भाग जो उत्तरदायित्व के पूरा करने में लगा हो।" एल.डी. ह्वाइट के शब्दों में, "सूत्र अभिकरण उन प्राथमिक उद्देश्यों से सम्बन्धित होता है, जिनके लिए शासन स्थापित किया जाता है।" अतः यह कह सकते हैं कि सूत्र अभिकरण प्रशासन के उद्देश्यों को प्राप्त करने में प्रत्यक्ष रूप से सामने आकर कार्य करता है। यह अभिकरण आदेश, निर्देश और नीति-निर्धारण की शक्ति अपने पास रखता है।

प्रत्येक प्रशासनिक व्यवस्था कई अभिकरणों अथवा विभागों में विभक्त होती है। यह विभाजन प्रधान तत्व–उद्देश्य पर आधारित होता है। इस विभाग/निगम में कई उपविभाग और सम्भाग होते हैं। ये विभाग और सम्भाग व्यवस्थापिका द्वारा निर्मित नीतियों को लागू करते हैं तथा सरकार के उद्देश्यों को पूरा करते हैं। सूत्र अभिकरण वह अभिकरण है जो वास्तव में कानून व्यवस्था को जनता तक ले जाता है और उनके बीच लागू करता है। ये अभिकरण जनता से सीधा व्यवहार करते हैं–जनता को सेवाएँ उपलब्ध कराते हैं, उसके आचरण का नियमन करते हैं, विधानांग (व्यवस्थापिका) द्वारा निर्धारित कार्यक्रम को पूरा करते हैं, कर वसूल करते हैं तथा इसी प्रकार के अन्य कार्य करते हैं। साधारण नागरिक का सूत्र अभिकरणों से ही सम्पर्क होता है। ये अभिकरण ही वस्तुतः प्रशासन का केन्द्रीय तत्व होते हैं। लोपावस्की ने कहा है कि, "सूत्र अभिकरण में सत्ता और उत्तरदायित्व की रेखाएँ उसी प्रकार ऊपर से नीचे तक फैली होती हैं, जिस प्रकार पेड़ की एक पत्ती की नसें उसके डण्ठल में इकट्ठी रहती हैं तथा अनेक पत्तियों में डण्ठलों से टहनी तक, टहनी से शाखा तक और शाखाओं से पेड़ के तने तक फैली रहती हैं। इन नसों, डण्ठलों, टहनियों, शाखाओं तथा तने को पेड़ के विकास और उसके जीवन में समान कार्य सम्पन्न करने होते हैं।" स्वास्थ्य, प्रतिरक्षा, शिक्षा, श्रम, रेलपथ, परिवहन, संचार, सामुदायिक विकास, वाणिज्य तथा उद्योग भारत सरकार में प्रधान सूत्र विभाग हैं। संयुक्त राज्य अमरीका के विभाग, सरकारी निगम तथा स्वतन्त्र नियामकीय आयोग सूत्र अभिकरणों की श्रेणी में आते हैं।

सूत्र अभिकरण तीन प्रकार के होते हैं–

1. विभाग (Departments),
2. लोक निगम (Public Corporations),
3. स्वतन्त्र नियामकीय आयोग (Independent Regulatory commissions)

स्टाफ या मंत्रणा अभिकरण (Staff Agency)

स्टाफ को मुख्य कार्यपालिका का विस्तार ही मानना चाहिए। वस्तुतः वह उन कार्यों को करता है जिन्हें, यदि समय होता तो, स्वयं मुख्य कार्यपालक ही करता। वे योजना तैयार करने में सहायता देते हैं, निर्देशों को सुधारते हैं तथा अधीनस्थ कर्मचारियों के कार्यों में समन्वय करते हैं। इन सब कार्यों को वे मुख्य कार्यपालक के नाम पर ही करते हैं। स्टाफ का दूसरा कार्य तकनीकी जानकारी एवं सूचना देना है। परिचालन शोधसमूह (operational research group) को तकनीकी स्टाफ कहा जा सकता है। स्टाफ कर्मचारियों को वित्तीय मामलों में सहायता देते हैं। स्टाफ अभिकरण का मुख्य उद्देश्य अधीन सूत्र तथा स्टाफ मंडलों को उन विशेषीकृत कामों से मुक्त करना है जिन्हें एक केन्द्र से अधिक कुशलतापूर्वक सम्पादित किया जा सकता है।

अंग्रेजी के शब्द Staff या स्टाफ का अर्थ होता है सहारा देने वाली छड़ी। दूसरे शब्दों में जिस प्रकार से एक वृद्ध व्यक्ति छड़ी का सहारा लेकर चलता है उसी प्रकार से एक संगठन में 'सूत्र अभिकरण', 'स्टाफ अभिकरण' का सहारा लेकर संगठन को चलाते हैं। स्टाफ अभिकरण का प्रमुख कार्य गृह-प्रबन्धन सम्बन्धी अथवा प्रबन्धन सम्बन्धी होता है। स्टाफ प्रशासनिक समस्याओं का अध्ययन करके, योजना तैयार करके तथा सम्प्रेषण, परामर्श और सुझावों के द्वारा सूत्र की सहायता करता है। प्रो. एल.डी. ह्वाइट के शब्दों में, "स्टाफ उच्च श्रेणी के पदाधिकारियों को परामर्श देने वाला एक अभिकरण होता है, जिसकी कोई क्रियात्मक जिम्मेदारी नहीं होती।" मूने के अनुसार, "स्टाफ कार्यपालिका के व्यक्तित्व का प्रसार ही है। इसका अर्थ है कि प्रशासक को अपनी योजनाओं को कार्यान्वित करने के लिए अधिक आँखें, अधिक कान और अधिक हाथ प्राप्त हो जाते हैं।" यह उसका आत्मेतर अहं होता है। इसकी विशेषता यह है कि वह आदेश नहीं दे सकता और क्रियान्वयन सम्बन्धी उसकी कोई जिम्मेदारी नहीं होती।

हेनरी फेयोल ने स्टाफ अभिकरण की अपरिहार्यता का निम्न शब्दों में वर्णन किया है : "बड़े-बड़े उद्यमों के प्रमुख अधिकारी कितने ही योग्य और कर्मठ क्यों न हों, वे अकेले ही अपने उत्तरदायित्वों का निर्वहन नहीं कर सकते। इसलिए उन्हें विवश होकर लोगों के एक समूह का सहयोग लेना पड़ता है जिसके पास शक्ति, क्षमता और समय होता है और जिसका प्रमुख अधिकारी के पास अभाव होता है। व्यक्तियों का यह समूह प्रबंध-मंडल का स्टाफ कहलाता है। वह प्रबंधक का सहायक अथवा एक प्रकार से उसके व्यक्तित्व का प्रसार होता है। यह प्रबंधक को उसके कर्तव्यों के

पालन में सहायता करता है। केवल बड़े उद्यमों में स्टाफ का पृथक अस्तित्व होता है और उद्यम का महत्व बढ़ने के साथ-साथ उसका महत्व भी बढ़ता जाता है।

चार्ल्सवर्थ के अनुसार, "एक स्टाफ ऑफिसर वह है जो शोध, पर्यवेक्षण तथा अध्ययन करके योजनाओं का निर्माण करता है और उन प्रस्तावों को शीर्ष कार्यपालिका के साथ स्वीकृति हेतु प्रस्तुत करता है जिसके साथ कि वह सम्बद्ध है।" एफ.ए. क्लीवलैंड ने भी कहा है, "स्टाफ अभिकरण निष्कर्ष निकालने तथा प्रबन्धकों को निष्कर्ष निकालने में सहयोग देता है।"

उपर्युक्त परिभाषाओं से स्पष्ट हो जाता है कि स्टाफ का कार्य परामर्श देना और सहायता पहुँचाना ही है। स्टाफ के सम्बन्ध में एक ब्रिटिश सैनिक कहावत जो इनकी सही व्याख्या करती है इस प्रकार है, "स्टाफ सेवाएँ वे खच्चर हैं जो युद्ध लड़ने वाले खच्चरों के लिए सामग्री ढोते हैं।"

स्टाफ अभिकरणों के कार्य (Functions of Staff Agencies)

यद्यपि स्टाफ तथा सहायक अभिकरण सूत्र की सहायता करते हैं, किन्तु यह नहीं भूलना चाहिए कि दोनों में महत्वपूर्ण अन्तर होता है। स्टाफ की परिचालन सम्बन्धी कोई जिम्मेदारी नहीं होती। उसका काम शोध तथा परामर्श के ढंग का होता है। सहायक अभिकरण का मुख्य कार्य सूत्र अभिकरण को बनाए रखना है। उसे सूत्र अभिकरण के सुधार अथवा पुनर्संगठन से प्रयोजन नहीं होता। गुलिक ने इसे 'POSDCORB' क्रियाओं की संज्ञा प्रदान की है। फिर भी यह स्वीकार करना पड़ेगा कि उसका निर्णय अन्तिम नहीं होता। फिफनर के अनुसार स्टाफ निम्नलिखित कार्य करता है :

1. कभी-कभी सूत्र-संचालन द्वारा प्रदत्त सत्ता का प्रयोग करना।
2. सूत्रों की सत्ता का अतिक्रमण किए बिना उन्हें सहायता प्रदान करना।
3. दूसरे संगठनों तथा व्यक्तियों से सम्पर्क स्थापित करना जिससे यह पता चलता रहे कि अन्यत्र क्या हो रहा है।
4. योजना बनाना।
5. तथ्यों का पता लगाना तथा तत्सम्बन्धी शोध करना।
6. तालमेल या समन्वय करना—सहायक अभिकरण केवल योजनाओं के माध्यम से ही नहीं, अपितु मानवीय सम्पर्क द्वारा भी समन्वय करते हैं। उदाहरणार्थ, संगठन के प्रत्येक स्तर पर विरोधियों को अपने पक्ष में करना इत्यादि।
7. परामर्श, मंत्रणा तथा कार्य संबंधी शिक्षण।

स्टाफ के कर्मचारियों को अत्यधिक मेधावी होना चाहिए। उनमें इतनी समझ होनी चाहिए कि वे सम्पूर्ण प्रशासन के सन्दर्भ में समस्याओं का मूल्यांकन कर सकें। उन्हें कट्टर आदर्शवादी नहीं होना चाहिए। उन्हें ऐसे व्यक्तियों में से चुना जाना चाहिए जिन्हें दूसरों के साथ मिलजुलकर काम करना आता हो। उनमें दूसरों को प्रभावित करने की प्रतिभा होना आवश्यक है। अपने विचारों को स्पष्ट एवं तर्कसंगत ढंग से व्यक्त करने की क्षमता भी उनमें होनी चाहिए। सूत्र कर्मचारियों की तुलना में उन्हें अपने को अधिक श्रेष्ठ बताने का प्रयत्न नहीं करना चाहिए। ब्राउन लो समिति के शब्दों में, "सबसे अधिक आवश्यक यह है कि उनमें अज्ञात रहने की भावना तीव्रतर होनी चाहिए।"

सहायक अभिकरण (Auxiliary Agency)

फिफनर 'स्टाफ' और 'सहायक' अभिकरणों में कोई अन्तर नहीं समझता। वह 'सहायक एजेन्सियों' को 'स्टाफ' में ही सम्मिलित कर लेता है। विलोबी और एल.डी. ह्वाइट इसे स्टाफ अभिकरण से अलग दर्जा देना चाहते हैं। विलोबी इन्हें संस्थात्मक (Institutional) अथवा हाउस-कीपिंग (House-keeping) कार्य कहता है। गाइस ने इनको सहायक तकनीकी स्टाफ सेवाओं (Auxiliary technical staff services) की संज्ञा दी है। जबकि एल.डी. ह्वाइट ने इन्हें सहायक सेवाओं (Auxiliary Services) का नाम देते हुए कहा है कि, "सहायक अभिकरण सूत्र अभिकरणों की सेवा करते हैं, आवश्यक सामान्य कार्यों को पूरा करके उन्हें सहायता पहुँचाते हैं, जैसे—माल तथा सामग्री खरीदना, सरकारी मुद्रण के ठेके लेना, वास्तविक सम्पदा खरीदना तथा इसी प्रकार के अन्य कार्य करना।"

यह शब्द सहायक (Auxiliary) प्रायः सैनिक संगठन के प्रयोग में आता है। व्याकरण में 'सहायक क्रिया' का कार्य जिस प्रकार 'क्रिया' को सहयोग देना है, उसी प्रकार प्रशासन में भी 'सहायक' अभिकरण का कार्य 'लाइन' अभिकरण की सहायता करना होता है। सहायक कार्य इसलिए सम्पादित किए जाते हैं कि सूत्र अभिकरण अपना प्राथमिक कार्य पूर्ण कर सकें। ये कार्य गौण होते हैं; किन्तु शासन जैसे प्रसारोन्मुख एवं जटिल संगठन में यह आवश्यक कार्य है। डाक-तार विभाग का प्राथमिक कार्य पत्रों एवं तारों का वितरण करना है। यह सूत्र सम्बन्धी कार्य है। इस कार्य का सम्पादन अन्य अनेक कार्यों के सम्पादन पर निर्भर होता है। जैसे—कागज की खरीद, पोस्टकार्डों और लिफाफों का मुद्रण, भूमि का अधिग्रहण, डाक तथा तार कार्यालय का निर्माण, कर्मचारियों की भर्ती इत्यादि। ये सब काम प्राथमिक कार्य के सम्पादन में अर्थात् पत्रों एवं तारों के वितरण में सहायता देते हैं, इसलिए सहायक अथवा संस्थापालक कार्य कहलाते हैं।

कुछ समय पूर्व तक प्रत्येक विभाग अपने कार्य संचालन में स्वावलम्बी बनने के लिए प्रयत्न करता था। फलस्वरूप, सहायक कार्यों की व्यवस्था भी वह विभाग स्वयं ही किया करता था। इन सहायक कार्यों की विशेषता यह है कि सभी सूत्र विभागों में इनकी आवश्यकता होती है। इसीलिए इन कार्यों को यदि समस्त सूत्र विभागों से लेकर पृथक् अभिकरणों को सौंप दिया जाए तो व्यय में पर्याप्त कमी की जा सकती है और विशेषीकरण तथा क्षमता से होने वाले लाभ भी प्राप्त किए जा सकते हैं। यह प्रवृत्ति पहले से विद्यमान है। प्रायः सभी सरकारों में सहायक अभिकरण होते हैं। भारत सरकार के सहायक अभिकरणों में केन्द्रीय सार्वजनिक निर्माण विभाग (Central Public Works Department) तथा पूर्ति एवं निपटान महानिदेशालय (Directorate General of Supply and Disposal) इसके उदाहरण हैं। निर्माण विभाग अपने इंजीनियरों के द्वारा सभी विभागों

सम्बन्धी कार्य करता है। पूर्ति एवं निपटान महानिदेशालय सरकार के विभिन्न विभागों द्वारा खरीदी जाने वाली मशीनों तथा अन्य सामग्रियों की खरीद से पहले जाँच करता है।

भारत में स्टाफ अभिकरण (Staff Agencies in India)

भारत में स्टाफ अभिकरणों के अन्तर्गत मंत्रिमंडलीय सचिवालय, प्रधानमंत्री का कार्यालय (जो जून 1977 तक 'प्रधानमंत्री सचिवालय' के नाम से ज्ञात था) मंत्रिमंडलीय समितियाँ, नीति आयोग, वित्त मंत्रालय में बजट तथा आर्थिक मामलों का विभाग, गृह मंत्रालय में प्रशासकीय सतर्कता सम्भाग तथा वित्त मंत्रालय में विशेष पुनर्संगठन इकाई (एस.आर.यू.) आते हैं।

प्रधानमंत्री का कार्यालय (Prime Minister's Office : PMO)

15 अगस्त, 1947 को भारत के गणराज्य बनने पर प्रधानमंत्री के कार्यालय की स्थापना की गई। प्रधानमंत्री के सचिवालय का निर्माण उन समस्त कार्यों का सम्पादन करने के उद्देश्य से किया गया जिन्हें उस तारीख से पूर्व गवर्नर-जनरल के सचिव (व्यक्तिगत) द्वारा किया जाता था। स्मरणीय है कि प्रधानमंत्री ने भी इसी तिथि से वे सभी कार्य अपने हाथ में ले लिए जो 15 अगस्त, 1947 से पूर्व गवर्नर-जनरल, सरकार की कार्यपालिका के प्रमुख के रूप में किया करता था। आज यह असाधारण रूप से शक्तिशाली संगठन है, जिससे अनेक विशेषज्ञ सम्बद्ध हैं। श्रीमती इन्दिरा गाँधी के 1977 तक के प्रधानमंत्रित्व में इसने शासन के शीर्षस्थ निर्णय-निर्धारण केन्द्र का स्थान प्राप्त कर लिया। इसके खतरे आन्तरिक आपातकाल (26 जून, 1975 से 23 मार्च, 1977) में भली प्रकार स्पष्ट हो गए थे। इस कार्यालय द्वारा इस काल में भारत सरकार के रूप में कार्य किया गया और सभी शासकीय विभागों की स्थिति इसके समक्ष नगण्य हो गयी थी। परन्तु मोरारजी देसाई के नेतृत्व में जनता शासन ने इसके अत्यधिक बढ़े हुए महत्व को कम करने के लिए शीघ्रतापूर्वक कार्रवाई की और 1977 में इसका नाम बदलकर प्रधानमंत्री का कार्यालय कर दिया। नाम में परिवर्तन से इसकी भूमिका और स्तर में परिवर्तन नहीं हुआ है। पी.एम.ओ. जैसा कि इसे बहुधा कहा जाता है एक असाधारण रूप से शक्तिशाली संस्था है जो वास्तव में भारत सरकार है।

प्रधानमंत्री का कार्यालय प्रधानमंत्री को उसकी सार्वजनिक क्रियाओं में तथा शासन के प्रधान के रूप में किए गए कार्यों में शासन की सामान्य संरचना एवं निर्धारित कार्यपद्धति के अधीन सहायता देता है। साधारणतः प्रधानमंत्री के कार्यालय के पदाधिकारियों का स्तर वही होता है जो शासन के मंत्रालयों में तदनुरूप श्रेणी के पदाधिकारियों का होता है।

ब्रिटेन की भाँति भारत में मंत्रिमंडलीय समितियों ने महत्वपूर्ण भूमिका निभायी है। श्रीमती इन्दिरा गाँधी के प्रधानमंत्रित्व का 1971 से मार्च 1977 का काल इसका अपवाद है। मंत्रिमंडल अपना अधिकांश कार्य समितियों द्वारा सम्पादित करता हैं और समितियों के निर्णय संबंधित मामलों में बंधनकारी होते हैं। मंत्रिमंडल समितियों के निर्णयों पर पुनर्विचार कर सकता है। सामान्यतः कोई मामला सीधा मंत्रिमंडल के समक्ष प्रस्तुत नहीं किया जाता।

मंत्रिमंडलीय सचिवालय (Cabinet Secretariat)

मंत्रिमंडलीय सचिवालय की स्थापना अगस्त 1947 में गवर्नर-जनरल की कार्यकारिणी परिषद् के स्थान पर की गई थी। यह स्टाफ (मन्त्रणादि) के दायित्वों एवं कार्यों का सम्पादन करता है। यह मंत्रिमंडल की और साथ ही मंत्रिमंडल की लगभग एक दर्जन स्थायी समितियों के कार्यों की देखभाल करता है तथा बैठकों सम्बन्धी सचिवालय के आवश्यक कार्यों को सम्पन्न करता है। मंत्रिमंडल की बैठकों के लिए कार्यावलि (एजेंडा) तैयार करना, मंत्रिमंडल में होने वाली बहसों और उनमें लिए गए निर्णयों का विवरण रखना, मंत्रिमंडल के विचारार्थ मामलों से संबंधित स्मृतिपत्र तैयार करना, प्रत्येक मंत्रालय को निर्णय भेजना, बहुत-से विशिष्ट विषयों पर मासिक विवरण तैयार करना तथा उन्हें मंत्रिमंडल के समक्ष प्रस्तुत करना, आदि विषय मंत्रिमंडलीय सचिवालय के अन्तर्गत आते हैं।

निर्णयन (Decision-Making)

निर्णयन किसी लक्ष्य की प्राप्ति के लिए उपलब्ध विकल्पों में से सचेतन पूर्ण चयन करने की प्रक्रिया है। निर्णयन के सन्दर्भ में तीन बातें महत्वपूर्ण हैं। प्रथम, निर्णय में चुनाव (choice) अन्तर्निहित है। यदि किसी लक्ष्य को प्राप्त करने के लिए एक ही कार्य मार्ग है तब निर्णय सम्भव नहीं है। द्वितीय, निर्णय में सचेतन रूप से मानसिक प्रक्रिया अन्तर्निहित है। इस प्रक्रिया में तार्किक पहलू (logical aspect) महत्वपूर्ण है, लिहाजा भावनात्मक, विवेकहीनता और अवचेतन कारक भी इस प्रक्रिया को प्रभावित करते हैं। तृतीय, निर्णय सप्रयोजन होता है; अर्थात् निर्णय कुछ उद्देश्यों की प्राप्ति में सहायक है।

प्रबंध के क्षेत्र में निर्णयन कौशल (decision-making skill) सभी संगठनात्मक स्तरों पर सफल नियोजन की कुंजी है। निर्णय लेना प्रबंधकों का मूल कार्य है। निर्णयन प्रबंधकों की सार्वभौमिक पहचान है। प्रबंधकों का निर्णय वह ढांचा प्रस्तुत करता है जिसके भीतर संगठन के अन्य सदस्य अपने-अपने निर्णय लेते हैं और कार्य करते हैं। विशेषकर, जब प्रबंधक नियोजन कार्य में लगते हैं तब निर्णयन की महत्त्वपूर्ण भूमिका दृष्टिगत होती है। नियोजन की प्रक्रिया में प्रबंधकों को कुछ इस प्रकार के मामलों में निर्णय लेना होता है कि कौन-से लक्ष्य और अवसर उनके संगठन को आगे बढ़ाएंगे, कौन-से संसाधनों का उपयोग होगा और प्रत्येक आवश्यक कार्यों को कौन निष्पादित करेगा। समूची नियोजन प्रक्रिया प्रबंधकों को निर्णयन-स्थितियों की अनवरत शृंखला में सम्मिलित करती है। 'प्रबंधकों का निर्णय कितना अच्छा है' यह बात एक अर्थपूर्ण सीमा तक निर्धारित करती है कि उनकी योजना कितनी प्रभावी होगी।

अर्थ और परिभाषा (Meaning and Definitions)

किसी कार्य के करने के लिए उपलब्ध विभिन्न विकल्पों में से श्रेष्ठतम विकल्प का चयन करना निर्णयन है।

1. **ऐलन**–"निर्णयन वह कार्य है जिसे एक प्रबंधक किसी निष्कर्ष और निर्णय पर पहुँचने के लिए करता है।"

2. **हर्बर्ट साइमन (Herbert Simon)**–"निर्णयन के अन्तर्गत तीन प्रमुख अवस्थाओं का समावेश है–(*i*) निर्णय करने के अवसरों का पता लगाना, (*ii*) कार्य करने के सम्भव क्रमों का पता लगाना, तथा (*iii*) कार्य के क्रमों में से चयन करना।"
3. **आर. एस. डावर (R.S. Davar)**–"निर्णयन को दो या अधिक सम्भव विकल्पों में से एक आचरण-विकल्प के किसी सिद्धांत के आधार पर चुनाव करने के रूप में परिभाषित किया जा सकता है। निर्णय लेने का मतलब है काम खत्म करना या व्यावहारिक भाषा में किसी निष्कर्ष पर पहुंचना।"
4. **हॉज एवं जॉनसन (Hodge and Johnson)**–"विभिन्न उपलब्ध विकल्पों में से एक क्रिया-पथ (a particular course of action) चयन करना ही निर्णयन कहलाता है।"
5. **व्हीलर (Wheeler)**–"अन्य विकल्पों के मध्य से एक विशिष्ट क्रियापथ के चयन की प्रक्रिया ही निर्णयन है।"
6. **जार्ज टैरी (George Terry)**–"निर्णयन कुछ मापदंण्डों पर आधारित दो अथवा दो से अधिक सम्भावित विकल्पों में से किसी एक विकल्प का चयन है।"
7. **लुइस ऐलन (Louis Allen)**–"प्रबंधकीय निर्णयन का कार्य वह हो जो एक प्रबंधक निष्कर्षों पर पहुँचने के लिए करता है।"
8. **कूण्ट्ज एवं ओ' डोनेल (Koontz and O' Donnel)**– "निर्णयन एक क्रिया को करने के विभिन्न विकल्पों में से किसी एक का वास्तविक चयन है। यह नियोजन की आत्मा है।"
9. **डी. ई. मैकफरलैण्ड (D.E. McFarland)**–"निर्णयन एक चयन प्रक्रिया है जिसके अन्तर्गत एक प्रबंधक को अमुक परिस्थितियों में क्या करना चाहिए, इस बात के संबंध में निष्कर्ष पर पहुंचना है।"

निष्कर्ष–व्यावसायिक नियोजन लक्ष्यों, नीतियों, कार्यविधियों तथा प्रोग्राम के विकल्पों में चयन करने की एक प्रक्रिया होती है। यह चयन करना ही प्रबंध की भाषा में 'निर्णय लेना' कहलाता है। इस संबंध में यह भी स्मरणीय है कि नियोजन अधिक व्यापक शब्द है तथा निर्णय उसका एक अंग है। दूसरे शब्दों में, 'नियोजन' में निर्णय लेना समाहित है।

प्रशासन में निर्णय प्रक्रिया (Decision-Making Process in Administration)

हरबर्ट साइमन ने निर्णय प्रक्रिया के तीन स्तर बतलाए हैं–प्रथम स्तर को वह बौद्धिक क्रिया (Intelligence activity) मानते हैं, जो कि यह बतलाती है कि कब और कहाँ पर निर्णय लेना जरूरी है। दूसरे स्तर को उन्होंने डिजाइन क्रिया (Design activity) के नाम से सम्बोधित किया है जिसमें वैकल्पिक विधियों की खोज और उनका विकास किया जाता है। तीसरे स्तर को उन्होंने चुनाव क्रिया (Choice activity) का नाम दिया है जिसमें उपलब्ध विकल्पों में से सही विकल्प का चुनाव किया जाता है। पीटर एफ. ड्रकर ने निर्णय प्रक्रिया के निम्न चरण बतलाए हैं–

1. समस्या को परिभाषित करना;
2. समस्या का विश्लेषण करना;
3. वैकल्पिक साधनों का विकास करना;
4. सबसे अच्छे समाधान का चुनाव करना;
5. निर्णय को प्रभावशाली क्रिया में परिणित करना।

न्यूमैन, समर तथा वारेन ने निर्णय प्रक्रिया के निम्न चार चरण बतलाए हैं–

1. निदान करना;
2. विकल्पों की खोज करना;
3. विकल्पों का विश्लेषण व तुलना करना; और
4. एक ऐसी योजना को चुनना जिस पर चलना है।

बैके ने निर्णय प्रक्रिया के निम्न 11 चरण बतलाए हैं–

1. समस्या की जानकारी;
2. समस्या के सभी पहलुओं के संबंध में उचित सूचनाओं को प्राप्त करना;
3. इस खोज तथा संरचना में निर्णय लेना;
4. समस्या को सरल रूप में रखना;
5. विकल्प निर्धारण में खोज एवं निष्कर्ष पर पहुंचना;
6. विकल्पों का मूल्यांकन करना;
7. निर्णय करना;
8. समाधान के लिए साधनों की व्यवस्था करना;
9. उद्देश्यों को प्राप्त करने की दशा में कदम उठाना;
10. समाधान के संबंध में निर्णय;
11. अन्त में यह निर्धारित करना कि मूल्यांकन की समस्या का क्या समाधान हो चुका है?

निर्णय प्रक्रिया के उपर्युक्त चरणों का अध्ययन करने के बाद यह कहा जा सकता है कि एक निर्णय प्रक्रिया के निम्नांकित चरण हो सकते है :

1. **उद्देश्यों का निर्धारण (Setting of Objectives)**–निर्णय प्रक्रिया के प्रथम स्तर में किसी एक समस्या को व्यवस्थित ढंग से सुलझाने के लिए उसके उद्देश्यों को जानना व समझना बहुत आवश्यक है। प्रशासक को अपने कार्यों के संबंध में यह जानना चाहिए कि उसकी कियाएं प्रभावशाली हो रही हैं या नहीं। कार्यों की तुलना उद्देश्यों के द्वारा ही की जा सकती है। ये उद्देश्य इस प्रकार के हों कि व्यक्तिगत तथा संस्थागत उद्देश्यों में समन्वय स्थापित हो सके।
2. **समस्या की व्याख्या करना (Defining the Problems)**–निर्णयन प्रक्रिया का दूसरा महत्वपूर्ण चरण समस्या को सही अर्थों में समझने से है। दूसरे शब्दों में यह कह सकते हैं कि प्रशासक को यह जानना चाहिए कि वास्तव में समस्या क्या है? समस्याओं को सही अर्थ में समझ लेने से उन समस्याओं के समाधान

खोजने का कार्य भी सरल हो जाता है। आज यह बात हमें आमतौर पर देखने को मिलती है कि अधिकांश प्रशासक समस्या को ठीक प्रकार से समझ ही नहीं पाते हैं और बिना सोचे-समझे किसी एक निर्णय पर पहुंचने का प्रयास करते हैं। जिस प्रकार एक डॉक्टर के लिए रोगी के रोग को समझना जरूरी है ठीक उसी प्रकार प्रशासक के लिए संगठन की समस्या को समझना भी अत्यन्त आवश्यक है। प्रशासक को समस्या को समझने के साथ-साथ उसके लक्षण भी समझ लेने चाहिए।

चेस्टर आई. बर्नार्ड इस संबंध में यह कहते हैं कि समस्या की व्याख्या करने से पूर्व उसके किसी 'समालोचक तत्त्व' को जान कर लेना चाहिए, क्योंकि 'समालोचक तत्त्व' ही निर्णयन का केन्द्र बिन्दु होता है। यह वह बिन्दु है जहां पर चुनाव किया जाता है। हमारा अनुभव यह कहता है कि कई निर्णय केवल इसी कारण से असफल हो जाते हैं कि समस्या के 'समालोचक तत्त्व' का ठीक प्रकार से चुनाव नहीं किया जाता है। हेन्स तथा मैसी के अनुसार, ''समस्या की व्याख्या में समालोचक तत्त्व होता है।'' कई अधिकारी तो यहां तक कहते हैं कि समस्या की व्याख्या करना उनके समाधान करने से भी अधिक कठिन है। अतः समस्या की व्याख्या सावधानीपूर्वक की जानी चाहिए।

3. **समस्या का विश्लेषण (Analysing the Problem)**–समस्या की स्पष्ट व्याख्या तथा परिभाषा के बाद निर्णयन प्रक्रिया का अगला चरण समस्या का विश्लेषण करना है। यदि समस्या बड़ी है तो उसको कई भागों में विभक्त कर लिया जाता है तथा उसके प्रत्येक भाग का विश्लेषण किया जाता है। इसके लिए समस्या के प्रत्येक भाग का पूर्ण एवं व्यवस्थित अन्वेषण किया जाना जरूरी है। विश्लेषण के लिए सम्बन्धित तथ्यों को भी एकत्रित किया जाना चाहिए।

4. **वैकल्पिक समाधानों का विकास करना (Developing Alternative Solutions)**–समस्या की स्पष्ट व्याख्या तथा विश्लेषण करने के बाद निर्णयकर्त्ता विभिन्न सूचनाओं तथा तथ्यों के आधार पर विभिन्न वैकल्पिक समाधानों का विकास करता है। इसको हम एक उदाहरण द्वारा समझ सकते हैं– यदि समस्या किसी वस्तु के विक्रय की है तो इसके लिए कई विकल्पों का चुनाव किया जा सकता है। जैसे माल प्रत्यक्ष रूप से बेचा जाए या मध्यस्थों के माध्यम से या डाक द्वारा प्रत्यक्ष विक्रय किया जाए। सही निर्णय को प्राप्त करने के लिए वैकल्पिक समाधानों का विकास करना बहुत आवश्यक है।

   वैकल्पिक समाधानों का विकास करना निर्णयन प्रक्रिया का एक महत्वपूर्ण चरण है। अतः प्रशासकों में यह योग्यता होनी चाहिए कि वे वैकल्पिक समाधानों का विकास कर सकें।

5. **विकल्पों की छंटनी (Screening the Alternatives)**– विभिन्न वैकल्पिक समाधानों का विकास करने के बाद इन विकल्पों का निर्णय करने की दृष्टि से मूल्यांकन करना ही निर्णयन प्रक्रिया का अगला चरण है। विकल्पों का मूल्यांकन निम्न बातों को ध्यान में रखकर किया जाना चाहिए। 1. उद्देश्यों की प्राप्ति में सहयोग, 2. विकल्पों की लागत, 3. विकल्पों की उपयुक्तता, 4. समय, तथा 5. विकल्पों के परिणाम, आदि।

6. **सर्वश्रेष्ठ विकल्प का चयन (Selection of Best Solution)**– विभिन्न विकल्पों का मूल्यांकन करने के बाद निर्णयन प्रक्रिया का अगला चरण उन विकल्पों में से किसी एक सर्वश्रेष्ठ विकल्प का चुनाव करना है। प्रशासकों के अनुभव, प्रयोग, अनुसन्धान एवं विश्लेषण इत्यादि विकल्पों के चुनाव के आधार हो सकते हैं। अन्तिम निर्णय लेने से पूर्व प्रशासक कई बातों से प्रभावित होता है। इसमें उसका अनुभव महत्वपूर्ण है। निर्णयों को लेने में प्रशासकों के दैनिक अनुभव बहुत महत्वपूर्ण भूमिका अदा करते हैं लेकिन केवल अनुभव के आधार पर ही सदैव निर्णय नहीं लिये जा सकते हैं। इसके लिए प्रशासकों को चाहिए कि वे संगठनों द्वारा निर्णयों के प्रभावों की वास्तविकता तथा कल्पित परिस्थितियों की जांच करें। चुनाव की अनुसन्धान तथा विश्लेषण विधियां भी बहुत अधिक प्रभावशाली विधियां मानी जाती हैं परन्तु इन विधियों का उपयोग वहीं पर किया जाना चाहिए जहां पर कि बहुत महत्वपूर्ण निर्णय लिया जाना हो।

7. **निर्णयों का क्रियान्वयन (Implementing the Decisions)**– जब किसी समस्या के समाधान के लिए कोई निर्णय ले लिया जाता है तो अगला चरण उसको कार्यरूप प्रदान करना होता है। प्रशासक को इस प्रकार के प्रयास करने चाहिए कि चुनी हुई कार्य-विधि सुचारू रूप से लागू की जा सके। निर्णय को जिन लोगों पर लागू किया जा रहा है उनकी सहमति भी उस निर्णय के संबंध में ली जानी चाहिए। कर्मचारियों से कार्य करवाना, उन पर आवश्यक नियन्त्रण रखना, निर्णय के लिए संचार व्यवस्था को अपनाना, लोगों को उत्प्रेरित करना तथा समन्वय स्थापित करके निर्णयों के प्रभावों को ज्ञात करना आदि सभी कार्य निर्णय के क्रियान्वयन के ही अंग हैं।

8. **प्रतिपुष्टि तथा नियन्त्रण (Feed back and Control):** जब किसी निर्णय को कार्यरूप प्रदान किया जाता है तो प्रशासक को चाहिए कि वह उस निर्णय के प्रभावों का मूल्यांकन करे तथा उनके संबंध में सभी आवश्यक सूचनाओं को एकत्रित करे। साथ ही साथ प्रशासक को चाहिए कि वह उन क्रियाओं पर भी नियन्त्रण स्थापित करे जो कि निर्णय को कार्यरूप प्रदान करने के लिए की जा रही हैं।

निर्णय प्रक्रिया के उपरोक्त सभी स्तर एक आदर्श निर्णय-प्रक्रिया के स्तर कहे जा सकते हैं। उपरोक्त स्तर हमको इस बात से अवगत कराते हैं कि एक निर्णय लेने के लिए क्या-क्या क्रियाएं की जा सकती हैं। परन्तु यहां यह बात विशेष रूप से उल्लेखनीय है कि प्रत्येक निर्णय में उपरोक्त सभी स्तरों का उपयोग किया जाय यह आवश्यक नहीं है। इन स्तरों को निर्णय की प्रकृति के अनुसार घटाया-बढ़ाया भी जा सकता है।

एक अच्छे निर्णयन के आधार
(Criteria for the Soundness of a Decision)

प्रशासन में एक अच्छे निर्णय के निम्नांकित आधार होने चाहिएः

1. **आर्थिक आधार (Economic Criterion):** प्रशासन में प्रत्येक कार्य मितव्ययिता से होना चाहिए। अतः लिया गया प्रत्येक निर्णय आर्थिक दृष्टिकोण से उचित होना चाहिए।
2. **वैधानिक आधार (Legal Criterion):** प्रशासन में कोई भी कार्य वैधानिक नियमों तथा सीमाओं के बाहर नहीं किया जा सकता। विधान ही प्रशासन को सुरक्षा प्रदान करता है। अतः इस प्रकार का कोई भी निर्णय नहीं लिया जाना चाहिए जो कि वैधानिक मान्यताओं तथा नियमों की अवहेलना करता हो।
3. **सामाजिक आधार (Social Criterion):** प्रशासन का एक प्रमुख उद्देश्य समाज की सेवा करना होता है। अतः प्रशासन में लिये गये प्रत्येक निर्णय का सामाजिक आधार बहुत ही सुदृढ़ और ठोस होना चाहिए जिससे समाज अधिकाधिक लाभान्वित हो सके। निर्णय इस प्रकार का हो कि वह समाज की समस्त महत्वपूर्ण आवश्यकताओं तथा सेवाओं को अधिक से अधिक व्यक्तियों को कम से कम सामाजिक तथा आर्थिक लागत पर उपलब्ध करा सके।
4. **नैतिक आधार (Moral Criterion):** एक प्रशासनिक निर्णय को नैतिक आधार पर सुदृढ़ होना चाहिए यद्यपि नैतिक दृष्टि से लिया गया निर्णय न तो सामाजिक दृष्टि से उचित है और न आर्थिक दृष्टि से ही।
5. **अधिकार और स्वीकृति (Authority and Sanction):** एक अच्छा निर्णय तभी लिया जा सकता है जब निर्णय लेने वाले अधिकारी को निर्णय से सम्बन्धित समस्त अधिकार प्रदान कर दिये गये हों। निर्णय का विषय तथा क्षेत्र भी निर्णय करने वाले के अधिकार में होना चाहिए।
6. **उद्देश्यात्मक (Purposefulness):** प्रत्येक लिए गए निर्णय के पीछे कुछ उद्देश्य होते हैं। ये उद्देश्य संस्था के उद्देश्यों से मेल खाते होने चाहिएं तथा समाज के मूल्यों के अनुरूप भी होने जरूरी हैं। निर्णय इस प्रकार के होने चाहिए जिससे वे संस्था में रचनात्मक योगदान प्रदान कर सकें।
7. **उचित समय (Timeliness):** समय तत्त्व निर्णयों पर हमेशा हावी रहा है या यह कहा जा सकता है कि सफल निर्णयों में समय एक महत्वपूर्ण तत्त्व है। प्रत्येक प्रशासक के लिए आवश्यक है कि वह अपने संगठंन क्षेत्र में घटने वाली प्रत्येक घटना के प्रति सचेत रहे तथा उचित अवसरों पर सही निर्णय लेकर लाभ उठा सके। इस संबंध में यह कहा जा सकता है कि निर्णय लेने में विलम्ब अवसरों का भयंकर शत्रु है लेकिन अनावश्यक जल्दबाजी करना भी इसका विकल्प नहीं है।
8. **पूर्णता (Completeness):** लिये गये निर्णयों में सभी तत्त्वों का समावेश होना जरूरी है तथा उन सभी तत्त्वों में पारस्परिक संबंध होना आवश्यक है। जहां तक सम्भव हो, निर्णय के संबंध में सभी तत्त्वों को ध्यान में रखकर ही सर्वश्रेष्ठ निर्णय लेना चाहिए।
9. **स्वीकार्य होने का गुण (Acceptability):** निर्णय की सफलता के लिए यह कहा जाता है कि उसकी सफलता उसे कार्यान्वित करने वालों के सहयोग व समर्थन पर निर्भर करती है। अतः निर्णय लेने से पूर्व उन्हें लागू करने वालों की सहमति भी प्राप्त कर लेनी चाहिए। दूसरे शब्दों में, हम यह कह सकते हैं कि उन लोगों को भी निर्णय में हिस्सेदारी प्रदान करनी चाहिए जिन पर कि यह लागू किया जाएगा।
10. **व्यावहारिक उपयोग (Practicability):** जब तक साधन उपलब्ध न हों तब तक किसी भी उद्देश्य को सफलतापूर्वक प्राप्त नहीं किया जा सकता है। अच्छे से अच्छा सिद्धांत भी सिर्फ इसलिए असफल हो जाता है क्योंकि व्यवहार में उसे लागू करना कठिन होता है। अतः निर्णय लेने से पूर्व उन मानवीय तथा भौतिक तत्त्वों को भी ध्यान में रखा जाना चाहिए जिसके माध्यम से निर्णय को लागू किया जा सके।
11. **बुद्धिपूर्णता (Rational):** निर्णय बुद्धिपूर्ण होना चाहिए। इसका अर्थ यह है कि सम्बन्धित समस्या पर पूरी तरह से विचार कर लिया जाये। उस पर विचार करते समय निर्णायक के सम्मुख तथ्य रहने चाहिए और इन तथ्यों के चयन तथा उनकी व्याख्या में उसे अपनी इच्छाओं, भावनाओं आदि का समावेश नहीं करना चाहिए।
12. **वस्तुगतता (Objectivity):** निर्णय वस्तुनिष्ठ होना चाहिए। निर्णय लेते समय यदि निर्णायक के व्यक्तित्व भाव, प्राथमिकताएं, मूल्य एवं सहज प्रवृत्तियों का प्रभाव रहा तो यह निश्चित है कि लिया गया निर्णय तथ्य संगत कम होगा।
13. **प्रतिक्रियाओं से सजग**–प्रशासन में जो निर्णय लिये जायं उनकी सम्भावित प्रतिक्रियाओं पर पहले से ही विचार कर लेना चाहिए। निर्णय लेने वाला यह चाहता है कि संगठन के सदस्यों द्वारा एक विशेष रूप में प्रतिक्रिया की जानी चाहिए। यदि उस प्रतिक्रिया का रूप निर्णायक की आकांक्षा से भिन्न या विपरीत होता है तो वह असफल कहा जाता है।

नेतृत्व (Leadership)

नेतृत्व प्रबंध का एक महत्वपूर्ण पक्ष है। प्रबंधक अपने अधीनस्थों का प्रभावी ढंग से नेतृत्व करके ही अपने प्रबंधकीय कार्य को प्रभावी बना सकता है। प्रबन्धक नियोजन, संगठन, नियुक्तिकरण नियन्त्रण कार्यों के द्वारा परिणामों की प्राप्ति कर सकता है, किन्तु प्रभावी नेतृत्व के अभाव में अधीनस्थों की 60 से 65 प्रतिशत क्षमता का उपयोग ही हो पाता है। सिर्फ प्रभावी नेतृत्व के द्वारा ही कर्मचारियों को संगठनात्मक लक्ष्यों की प्राप्ति में अपना अनुकूलतम योगदान करने हेतु प्रेरित किया जा सकता है। संगठन का जीवन तथा चेतना उसकी संरचना से उत्पन्न नहीं होते। अभिप्रेरणा और उत्साह का गुण अधिकांश मात्रा में उसके नेतृत्व पर निर्भर

करता है। अधिकार सत्ता, निर्णयन, समन्वय, पर्यवेक्षण, आदि सभी कुछ नेतृत्व के इर्द-गिर्द घूमते हैं। वास्तव में नेतृत्व प्रबंधक का गतिज होता है। यदि प्रबंधक सिर्फ अधिकारसत्ता पर निर्भर रहने के बजाय नेतृत्व का सहारा लेता है तो वह अधिक प्रभावी प्रबंध कर सकता है। इसलिए इसे 'सर्वव्यापी आवश्यकता' कहा गया है।

नेतृत्व का आशय और परिभाषा (Meaning and Definitions of Leadership)

अर्थ–'नेतृत्व' से तात्पर्य किसी व्यक्ति विशेष के उस गुण से है जिसके द्वारा वह अन्य व्यक्तियों का मार्गदर्शन करता है तथा नेता के रूप में उनकी क्रियाओं का संचालन करता है। स्वभावतः एक नेता के नियन्त्रण में अनेक अनुसरणकर्ता होते हैं जो उसी के निर्देशानुसार कार्य करते हैं। नेतृत्व वह क्षमता है जिसके द्वारा अनुयायियों के एक समूह से वांछित कार्य स्वेच्छापूर्वक एवं बिना दबाव के कराए जा सकते हैं। नेतृत्व की प्रमुख परिभाषाएं निम्न प्रकार हैं:

1. **सामाजिक विज्ञान का शब्दकोश (Encyclopaedia of Social Science):** "नेतृत्व का आशय किसी व्यक्ति एवं वर्ग के मध्य ऐसे संबंध से है जिसके परिणामस्वरूप सामान्य हित के लिए दो पक्षकार परस्पर मिल जाते हैं एवं अनुसरणकर्ताओं का समूह अपने नेता के निर्देशानुसार काम करने लगता है।"
2. **कून्ट्ज एवं ओ' डोनेल (Koontz and O' Donnell):** "नेतृत्व व्यक्तियों को प्रभावित करने की कला अथवा प्रक्रिया है जिससे कि समूह के लक्ष्यों को प्राप्त करने के लिए वे स्वेच्छापूर्वक काम करने लगें। न केवल स्वेच्छा से प्रयास करने वरन् जोश और विश्वास के साथ स्वेच्छा से प्रयास करने को सम्मिलित कर इस विचार को विस्तृत किया जा सकता है।"
3. **जार्ज. आर. टेरी (George R. Terry):** "नेतृत्व व्यक्तियों को पारस्परिक उद्देश्यों के लिए स्वेच्छापूर्वक प्रयास करने हेतु प्रभावित करने की क्षमता है।"
4. **मूने तथा रैले (Mooney and Reiley):** "प्रक्रिया के समय अधिकारी वर्ग जो स्वरूप ग्रहण करता है, उसी का नाम नेतृत्व है।"
5. **हॉज एवं जॉनसन (Hodge and Johnson):** नेतृत्व मुख्य रूप से औपचारिक एवं अनौपचारिक परिस्थितियों में दूसरों की प्रवृत्तियों एवं व्यवहार को एक स्वरूप प्रदान करने की क्षमता है।"
6. **चेस्टर आई. बर्नार्ड (Chester I. Bernard):** "नेतृत्व का आशय व्यक्ति के व्यवहार के उस गुण से है जिसके द्वारा वह अन्य लोगों को संगठित प्रयास से सम्बन्धित कार्य करने में मार्गदर्शन करता है।"
7. **फ्रेंकलिन जी. मूरे (Franklin G. Moore):** "नेतृत्व अनुयायियों को नेता की इच्छानुसार क्रियाएं करने के लिए तैयार करने की योग्यता है।"
8. **लिविंगस्टन (Livingston):** "नेतृत्व अन्य व्यक्तियों में किसी सामान्य उद्देश्य का अनुसरण करने की इच्छा को जाग्रत करने की योग्यता है।"
9. **आडवे टीड (Ordway Tead):** "नेतृत्व से तात्पर्य गुणों के उस संयोजन से है जिसके द्वारा एक व्यक्ति दूसरों से काम लेने योग्य हो जाता है क्योंकि उसके प्रभाव के परिणामस्वरूप वे काम करने को तत्पर हो जाते हैं।"
10. **न्यूनर एवं कीलिंग (Neuner and Keeling):** "नेतृत्व कर्मचारियों को अभिप्रेरित एवं निर्देशित करने से सम्बन्धित है जिससे कि कम्पनी की नीतियों, कार्यक्रमों व योजनाओं को सफलतापूर्वक क्रियान्वित किया जा सके।"

संक्षेप में, नेतृत्व से आशय एक व्यक्ति द्वारा अन्य व्यक्तियों की क्रियाओं का मार्गदर्शन करने से है।

नेतृत्व की प्रमुख विशेषताएँ (Chief Characteristics of Leadership)

नेतृत्व की परिभाषाओं का विश्लेषण करने पर उसकी निम्नलिखित प्रमुख विशेषताएँ स्पष्ट होती हैः

1. **अनुयायियों को एकत्रित करना**–बिना अनुयायियों के नेतृत्व की कल्पना करना कठिन है। वास्तव में, बिना समूह के नेतृत्व का कोई अस्तित्व ही नहीं है, क्योंकि नेता या नायक केवल अनुयायियों अथवा समूह पर ही अपने अधिकार का प्रयोग कर सकता है। नेतृत्व का उद्देश्य अपने चारों ओर अपने अनुयायियों अथवा व्यक्तियों के समूह को एकत्र करना तथा उन्हें किसी पूर्व-निर्धारित सामूहिक उद्देश्य के प्रति निष्ठावान बनाये रखना है।
2. **आचरण एवं व्यवहार को प्रभावित करना**–नेतृत्व प्रभाव के विचार की अपेक्षा करता है क्योंकि बिना प्रभाव के नेतृत्व की कल्पना नहीं की जा सकती। नेतृत्व की सम्पूर्ण अवधारणा अब व्यक्तियों के एक-दूसरे के प्रभाव पर केन्द्रित है। लोक प्रशासन में नेतृत्व की भूमिका का सार ही यह है कि कोई अधिशासी किस सीमा तक अपने सहयोगी अधिशासियों के आचरण या व्यवहार को अपेक्षित दिशा में प्रभावित कर सकता है। परन्तु इस संबंध में यह ध्यान रहे कि अन्य व्यक्तियों के आचरण को प्रभावित करने से आशय उनसे अनुचित रूप से कार्य लेने से नहीं है। उसका कार्य अपने अधीनस्थ व्यक्तियों को निर्देशन देना तथा उन्हें एक निश्चित ढंग से कार्य करने के लिए प्रेरित करना है, ताकि उनमें समझदार व स्वहित वाली प्रतिक्रिया स्वतः जागृत हो सके।
3. **पारस्परिक संबंध**–मेरी पार्कर फॉलेट ने नेता तथा अनुयायियों के मध्य पारस्परिक संबंध को नेतृत्व की प्रमुख विशेषता माना है। नेता वह नहीं है जो दूसरों की इच्छा को निर्धारित करता है, बल्कि वह है जो यह जानता है कि दूसरों की इच्छाओं को किस प्रकार अन्तर-सम्बन्धित किया जाय कि उनमें एक साथ मिलकर कार्य करने की प्रेरणा स्वतः जागृत हो सके। इस प्रकार एक नेता

न केवल अपने समूह को प्रभावित करता है वरन् वह स्वयं भी अपने समूह द्वारा प्रभावित होता है।

4. **सामूहिक लक्ष्य**–नेतृत्व का यह प्रकृति एवं स्वभाव है कि वह अपने अनुयायियों के प्रयत्नों को सामूहिक लक्ष्यों या उद्देश्यों को प्राप्त करने हेतु निर्देशित करता है। अतः नेता का यह कर्तव्य है कि वह कुछ लक्ष्यों को स्पष्ट रूप से परिभाषित कर दे, जिससे कि अनुयायी इन लक्ष्यों से अपने हितों का एकीकरण कर सके।

नेतृत्व के प्रकार (Types of Leadership)

ओहियो स्टेट विश्वविद्यालय के सेविवर्गीय शोध बोर्ड ने नेतृत्व को पाँच वर्गों में रखा है:

1. **नौकरशाह (The Bureaucrat)**–ऐसा नेता केवल निर्धारित दिनचर्या से चिपका रहता है, अपने वरिष्ठों को सन्तुष्ट करने का प्रयास करता है, और अधीनस्थों की उपेक्षा करता है। अधीनस्थ ऐसे नेता के प्रति उदासीनता एवं अवज्ञा की भावना रखते हैं।
2. **तानाशाह या अधिनायक (The Autocrat)**–ऐसा नेता निर्देशक होता है और सम्मान की अपेक्षा करता है। ऐसे नेता के अधीनस्थ विरोधी हो जाते हैं एवं स्वार्थ सिद्धि में लगे रहते हैं।
3. **कूटनीतिज्ञ (The Diplomat)**–ऐसा नेता अवसरवादी होता है और लोगों का शोषण करता है। उनमें लोगों का विश्वास नहीं रहता है।
4. **विशेषज्ञ (The Expert)**–ऐसा नेता केवल अपने क्षेत्र से ही सम्बन्धित होता है। वह अपने अधीनस्थों के साथ सहयोग के रूप में व्यवहार करता है। उसके सहकर्मी उसका आदर करते हैं परन्तु वे किसी परिवर्तन के विरूद्ध होते हैं।
5. **सहभागी (The Quarter-Back)**–ऐसा नेता अपने अधीनस्थों के साथ अपना घनिष्ठ संबंध स्थापित कर लेता है, चाहे उसके वरिष्ठ अधिकारी उससे अप्रसन्न ही क्यों न हो जायँ।

क्रिस एरगाइरिस ने तीन प्रकार के नेताओं में अन्तर स्थापित किया है–

1. **निदेशक प्रकार का नेता (The Directive Type)**–यह पारितोषिक के साथ-साथ दण्ड की भी व्यवस्था करता है। इसके अधीनस्थ अपने आपको इसका मातहत समझते हैं और इसके कारण निष्क्रिय होते हैं। उनका मनोबल नीचा होता है जिसके कारण नेतृत्व विकसित नहीं हो पाता है।
2. **अनुज्ञात्मक या अनुमतिबोधक प्रकार का नेता (The Permissive Type)**–ऐसा नेता दूसरे के लिए कार्य की शुरूआत करता है। इसमें सहनशक्ति अधिक होती है और वह दूसरों की भावनाओं के प्रति संवेदनशील होता है। वह निर्धारित कार्य को पूरा तो करा लेता है परन्तु नेतृत्व का विकास करने में असफल होता है।
3. **सहयोगी प्रकार का नेता (The Participative Type)**–ऐसा नेता दूसरों में पहल शक्ति निर्णय लेने की क्षमता तथा कार्य करने की विधियों को विकसित करने में सहायता प्रदान करता है। वह दूसरों को अपनी आवश्यकताओं और उनकी सीमाओं को समझने के अवसर देता है। वह अपनी भावनाओं को स्वतन्त्रतापूर्वक व्यक्त करता है।

टैरी ने नेतृत्व के छः प्रकार बतलाये हैं: व्यक्तिगत नेतृत्व (Personal Leadership), अव्यक्तिगत नेतृत्व (Non-Personal Leadership), आदेशात्मक नेतृत्व (Authoritarian Leadership), लोकतान्त्रिक नेतृत्व (Democratic Leadership), पैत्रिकवादी (Patternalistic Leadership) तथा स्थानीय नेतृत्व (Indigenous Leadership)।

नेतृत्व के कार्य (Functions of Leadership)

नेतृत्व के कार्यों के संबंध में विद्वानों में मतैक्य नहीं है। अलग-अलग विद्वानों ने नेतृत्व की कार्य सूची में भिन्न-भिन्न कार्यों को सम्मिलित किया है, जो इस प्रकार हैं: डाल्टन ई. मैकफारलैण्ड ने नेतृत्व के कार्यों में निम्न बातों को सम्मिलित किया है:

1. समूह लक्ष्यों का निर्धारण करना
2. योजना का निर्माण करना
3. नीति तथा क्रियाविधि निर्धारित करना
4. अधीनस्थों का पथ-प्रदर्शन करना
5. कार्यकुशल कर्मचारियों का समूह तैयार करना तथा उनका संरक्षण करना
6. अधीनस्थों के व्यवहार का उनकी उपलब्धियों के सन्दर्भ में मूल्यांकन करना
7. अनुयायियों के लिए एक आदर्श प्रस्तुत करना।

नॉरमैन एफ. वाशबर्न ने एक अच्छे नेता द्वारा किये जाने वाले निम्न आठ कार्यों का वर्णन किया है :

1. क्रियाओं का सूत्रपात करना
2. आदेश प्रदान करना
3. अपने समूह में स्थापित वाहिकाओं का प्रयोग करना
4. अपने समूह के नियमों एवं प्रथाओं को जानना और उनका अनुपालन करना
5. अनुशासन बनाये रखना
6. अधीनस्थों को सुनना
7. अधीनस्थों की आवश्यकताओं के प्रति जागरूक रहना, तथा
8. अधीनस्थों की सहायता करना।

पर्यवेक्षण (Supervision)

पर्यवेक्षण या निरीक्षण का अर्थ है 'दूसरों के कार्यों का अधीक्षण करना।' 'दूसरे के कार्यों का सत्ता के सहयोग से निर्देशन' करना 'पर्यवेक्षण' है। पर्यवेक्षण का अर्थ परिणामों का अवलोकन है। प्रशासनिक संगठन में जहाँ

बहुसंख्यक कार्यकर्ता अनेक श्रेणियों तथा वर्गों में विभक्त होते हैं, वहाँ इसकी अत्यन्त आवश्यकता है। पर्यवेक्षक संगठन में समन्वय की स्थापना के लिए अधीक्षण, सम्प्रेषण, नियंत्रण व नेतृत्व, आदि को अपनाता है। प्रशासनिक संगठन पदसोपान में उच्च अधिकारी निम्न अधिकारी व अधीनस्थों पर पर्यवेक्षण के माध्यम से नियंत्रण रखता है।

पर्यवेक्षण से तात्पर्य (Meaning of Supervision)

'पर्यवेक्षण' शब्द अंग्रेजी के 'सुपरवीजन' (Supervision) शब्द का अनुवाद है। 'सुपरवीजन' शब्द Super + Vision से मिलकर बना है जिसका अर्थ है 'उच्च + दृष्टि'। इसका भावार्थ है 'सत्ता सहित काम की देख-रेख।' मार्गरेट विलियमसन के अनुसार, "पर्यवेक्षण एक ऐसी प्रक्रिया है जिसके अन्तर्गत कर्मचारियों को उनकी आवश्यकताओं के अनुसार सीखने में, उनके ज्ञान व कौशल का सर्वोत्तम प्रयोग करने में तथा उनकी योग्यताओं का सुधार करने में किसी पदाधिकारी की सहायता मिलती है, ताकि वे अपने कार्य अधिक प्रभावशाली ढंग से करें और उन्हें स्वयं को तथा संगठन को अधिकाधिक सन्तोष मिलता रहे।"

पर्यवेक्षण मात्र निरीक्षण नहीं है। निरीक्षण (Inspection) की प्रकृति नकारात्मक है, जबकि पर्यवेक्षण की प्रकृति नकारात्मक तथा सकारात्मक दोनों प्रकार की होती है।

पुराने जमाने में प्रशासन में निरीक्षण का मुख्य उद्देश्य छिद्रान्वेषण होता था। इसका कारण है कि तत्कालीन निरीक्षण एवं निरीक्षक भय की दृष्टि से देखे जाते थे। परन्तु आधुनिक निरीक्षण का प्रयोजन दूसरा ही है। अब निरीक्षण में यह देखा जाता है कि कार्य करने की सभी सुविधाएँ पर्याप्त हैं या नहीं; कार्यों के सम्पादन में कोई कठिनाई तो नहीं है और कार्यों को नई विधियों या साधनों से अधिक सरल बनाया जा सकता है या नहीं। यह भी देखा जाता है कि कार्य पूरा हो रहा है या नहीं। परन्तु सुधार या सहायता की भावना सदैव पर्यवेक्षण में अन्तर्निहित रहती है। आज एक पर्यवेक्षक वरिष्ठ सहयोगी होता है, वह सुझाव देता है और सहानुभूति से काम लेता है।

पर्यवेक्षण में कौन-कौन सी बातें सम्मिलित होती हैं, इस ओर संकेत करते हुए हाल्सी ने लिखा है, "प्रत्येक कृत्य के लिए उपयुक्त व्यक्ति छांटना; प्रत्येक व्यक्ति में उसके कार्य के प्रति रुचि उत्पन्न करना तथा उसे उस कार्य के करने का ढंग सिखाना; कार्य सम्पन्न किए जाने की गति तथा दर नापना ताकि यह निश्चय हो जाए कि शिक्षण पूर्णरूप से प्रभावशाली सिद्ध हुआ है। जहाँ गलती सुधारने की आवश्यकता हो वहाँ गलती सुधारना तथा जिन पर इसका असर न हो उन्हें किसी अन्य अधिक उपयुक्त कार्य में लगा देना या उनको हटा देना। जब प्रशंसा करने की आवश्यकता हो, प्रशंसा करना और अच्छे कार्य के लिए पुरस्कार देना; और अन्त में प्रत्येक व्यक्ति को कार्यरत समूह में लाभपूर्ण तरीके से नियत कर देना, ये सभी कार्य उचित ढंग से धैर्य तथा कौशल के साथ पूरे किए जाने चाहिए जिससे कि प्रत्येक व्यक्ति अपना कार्य चतुराई से, बुद्धिमत्तापूर्वक, उत्साह के साथ तथा पूर्ण रूप से कर सके।"

पर्यवेक्षण की तकनीक (Techniques of Supervision)

पर्यवेक्षण की तकनीकों का अध्ययन निम्नलिखित शीर्षकों के अन्तर्गत किया जा सकता है :

1. **परामर्शात्मक तकनीक (Consultative Technique):** पर्यवेक्षण या अधीक्षण की यह तकनीक जनतन्त्र के सिद्धान्तों पर आधारित है। इसका आशय यह है कि सभी महत्वपूर्ण बातों पर कार्मिकों का परामर्श लेना चाहिए। उन्हें स्वयं भी परामर्श देने के लिए प्रोत्साहित करना चाहिए। ऐसा करने से श्रमिकों में मौलिक शक्तियाँ जाग्रत होती हैं तथा वे अधिक उत्साह और साहस के साथ-साथ काम करते हैं, किन्तु इसका आशय यह नहीं कि कार्मिकों द्वारा दिए जाने वाले सुझाव यथावत् स्वीकार कर लिए जाएंगे। इसका मूलभूत उद्देश्य तो इन्हें सुझाव देने के लिए प्रेरित करना है और यदि कोई सुझाव वास्तव में उपयोगी है, तो उसे अवश्य कार्यान्वित करना चाहिए तथा उनकी सफलता का श्रेय भी उसी को देना चाहिए जिससे वे अपने महत्व को समझें तथा यह अनुभव करें कि अधीक्षक उनके विकास, साख-वृद्धि व प्रगति में सहायक है, बाधक नहीं। इस तकनीक की सफलता मुख्यतः कर्मचारियों को विभागी योजनाओं में भाग लेने-देने तथा संयुक्त कार्यवाही के प्रति सद्भावना पर निर्भर करती है। इस तकनीक के व्यावसायिक उपयोग के लिए औपचारिक सम्मेलनों का भी आयोजन किया जा सकता है जहाँ कर्मचारी अपनी समस्याओं व कठिनाइयों का खुले दिल से विवेचन करके रचनात्मक सुझाव भी दे सकते हैं।

2. **निरंकुशता की तकनीक (Autocratic Technique):** वर्तमान जनतन्त्रात्मक युग में 'निरंकुशता' (Autocracy) को स्वीकार नहीं किया जा सकता, किन्तु कभी-कभी परिस्थितियाँ ऐसी हो जाती हैं कि बिना निरंकुश शासन के नियंत्रण में नहीं आ सकतीं। इसी प्रकार जब श्रमिक अविश्वसनीय तथा अनुशासनहीन होते हैं, तो पर्यवेक्षक को निरंकुशता की तकनीक का उपयोग करना चाहिए। ऐसी दशा में श्रमिकों की समस्त क्रियाओं पर अधीक्षक का पूर्ण नियंत्रण रहता है। इस तकनीक के अन्तर्गत समस्त अधिकार अधीक्षक के पास केन्द्रित रहते हैं तथा उसके आदेशों व अनुज्ञाओं का कठोरता के साथ पालन किया जाता है।

3. **खुली छूट की तकनीक (Free Rein Technique):** जैसा कि इसके नाम से प्रकट होता है, इस तकनीक के अन्तर्गत पर्यवेक्षक अपने अधीनस्थ कार्मिक को खुली छूट दे देता है। यह ऐसी दशा में संभव है जबकि कार्मिक ईमानदार, कर्तव्यपरायण तथा अनुशासित हों। खुली छूट देने से उसमें उत्तरदायित्व की भावना पैदा होती है एवं उसमें छुपी हुई प्रतिभाओं का भी विकास होता है। ऐसी दशा में अधीक्षकों का कार्य केवल सूचनाओं का समन्वय करना तथा कार्मिकों को निर्देश देना रहता है। नीतियों, विधियों एवं कार्यक्रमों की सीमाएँ स्पष्ट करने के बाद वे कर्मचारियों को कार्य

के सम्पादन के लिए खुली छूट देकर केवल सामान्य मार्गदर्शन का ही कार्य करते हैं।

मिलेट ने पर्यवेक्षण की छह तकनीकों की चर्चा की है, जो इस प्रकार हैं:

1. **योजनाओं का पूर्व में अनुमोदन करना :** जिसका पर्यवेक्षण का दायित्व होता है वह पूर्वानुमोदन (Approval in advance) के अधिकार को अपने हाथ में सुरक्षित रख लेता है। अपने अधीन होने वाले विभिन्न कार्यों की परियोजनाओं को स्वयं ही अनुमोदित करता है। पूर्वानुमान का प्रभाव यह होता है कि जो भी कार्य होता है उसकी जानकारी में और उसके निदेशानुसार होता है। भारत में वित्त मंत्रालय विभिन्न विभागों और मंत्रालयों से उनकी परियोजनाओं को अपने पास मंगवाता है। जब इन परियोजनाओं का अनुमोदन वित्त मंत्रालय कर देता है तब ही यह परियोजनाएँ प्रारम्भ की जा सकती हैं।
2. **सेवा का एक निश्चित स्तर तय करना :** पर्यवेक्षण का एक उद्देश्य यह होता है कि संगठन में लगे हुए कर्मचारी जो कार्य करें वह एक निश्चित स्तर का हो। पर्यवेक्षक इस उद्देश्य की प्राप्ति के लिए पहले से ही एक स्तर निर्धारित करके उसकी प्राप्ति को अनिवार्य घोषित कर सकता है जैसे प्रत्येक दिन टाइपिस्ट को 40 पृष्ठ टाइप करने होंगे।
3. **आय-व्यय पर नियंत्रण :** यदि एक प्रबंधक चाहता है कि कार्य उसकी इच्छा के ही अनुकूल हो तो उसका सबसे अच्छा तरीका यह है कि वह आय-व्यय पर नियंत्रण रखे। यदि विभाग आय करने वाला है तो अधिकारी यह निर्धारित कर सकता है कि एक माह में न्यूनतम आय इतनी होनी चाहिए। जिन विभागों को जनता की सेवा करनी है और मुख्य रूप से धन व्यय करना है उनमें पर्यवेक्षक यह निर्धारित कर सकता है कि कम-से-कम इतना धन उपयोग में आना चाहिए।
4. **अधीनस्थ कर्मचारियों में से मुख्यों की नियुक्ति :** जिसका पर्यवेक्षण का उत्तरदायित्व है उसको यह अधिकार होना चाहिए कि उसके अधीन जो कार्मिक नियुक्त हों उसकी अनुमति से नियुक्त हों।
5. **कार्य की प्रगति के सम्बन्ध में प्रतिवेदन मांगना :** पर्यवेक्षक को संगठन में कार्य की प्रगति के सम्बन्ध में प्रतिवेदन मांगते रहना चाहिए। विभिन्न क्षेत्रों से नियमित रूप से कार्य की प्रगति का प्रतिवेदन स्पष्ट रूप से यह बता सकेगा कि उद्देश्य की प्राप्ति किस सीमा तक हो रही है और संगठन किस हद तक निर्धारित मार्ग पर आगे बढ़ रहा है। प्रतिवेदन भिन्न-भिन्न प्रकार के हो सकते हैं।
6. **निरीक्षण करना :** निरीक्षण से तात्पर्य यह देखना है कि काम किस प्रकार हो रहा है। निरीक्षण का उद्देश्य सूचना प्राप्त करना है। यह प्रबंध के प्रयोजनों तथा अभिप्रायों को स्पष्ट करने में सहायता देता है।

पर्यवेक्षण का महत्व (Importance of Supervision)

वास्तव में पर्यवेक्षण एक प्रकार के नियंत्रण का कार्य करता है। वे दिन चले गए जब पर्यवेक्षक को 'चालक' या 'जंगली सांड' कहा जाता था। प्राचीन काल में उच्च प्रबंध द्वारा उसकी अपेक्षा की जाती थी, परन्तु आज पर्यवेक्षक प्रत्येक प्रशासनिक संस्थान में एक महत्वपूर्ण भूमिका अदा करता है। वह प्रबंध पदाधिकारियों की अन्तिम कड़ी का काम करता है तथा कार्मिकों से उसी का निकटतम सम्पर्क होता है। पर्यवेक्षक कार्मिकों का मित्र, दार्शनिक व मार्गदर्शक सब कुछ होता है। इस प्रकार कर्मचारियों को अभिप्रेरित करना उसका मुख्य कार्य होता है। वह कार्मिकों को आदेश देता तथा उसके काम की देखभाल करता है। यही नहीं, वह उनकी समस्याओं को सुलझाने का भी प्रयास करता है। विभागाध्यक्ष तथा अन्य अधिकारियों से प्राप्त आदेशों को कार्मिकों तक पहुँचाने का कार्य पर्यवेक्षक के माध्यम से ही किया जाता है। पर्यवेक्षक की कार्यकुशलता व योग्यता का संस्था की उत्पादकता पर गहरा प्रभाव पड़ता है। यदि पर्यवेक्षक कार्यक्षम व कर्मठ व्यक्ति है, तो वह अपने कर्मचारियों को भी सदैव कर्तव्यनिष्ठ रहने के लिए जागरूक रख सकता है। इसके विपरीत, अकुशल तथा उदासीन पर्यवेक्षकों से यह आशा नहीं की जा सकती है कि वे अपने अधीनस्थ श्रमिकों से अच्छा व अधिक काम ले सकेंगे।

जोजेफ टिफिन तथा अर्नेस्ट कॉर्मेक के शब्दों में, ''स्वस्थ मानवीय सम्बन्धों के विकास में 'पर्यवेक्षक' को सामान्यतः आधारशिला के रूप में मान्यता प्रदान की जाती है। अपने अधीनस्थों में वह प्रबंध व प्रशासन का प्रतिनिधित्व करता है। उसका व्यक्तित्व व व्यवहार सभी कर्मचारियों पर प्रभाव डालता है।''

संचार या सम्प्रेषण (Communication)

संचार का अर्थ एवं परिभाषाएँ (Meaning and Definitions of Communication)

'संचार' या 'सम्प्रेषण' शब्द में विचारों का आदान-प्रदान, विचारों की साझेदारी तथा भाग लेने की भावना सम्मिलित है। थियो हैमैन के अनुसार, ''संचार एक व्यक्ति से दूसरे व्यक्ति को सूचनाएँ एवं समझ हस्तान्तरित करने की प्रक्रिया है।'' न्यूमैन एवं समर के अनुसार, ''संचार दो या दो से अधिक व्यक्तियों के तथ्यों, विचारों, सम्मतियों अथवा भावनाओं का पारस्परिक आदान-प्रदान है। एफ.जी. मैयर के शब्दों में, ''मानवीय विचारों और सम्मतियों को शब्दों, पत्रों एवं संदेशों के माध्यम से आदान-प्रदान ही संचार है।'' लुई.ए. ऐलन के अनुसार, ''....संचार एक व्यक्ति के मस्तिष्क को दूसरे व्यक्ति के मस्तिष्क से जोड़ने वाला पुल है। इसके अन्तर्गत कहने, सुनने तथा समझने की एक व्यवस्थित एवं अनवरत प्रक्रिया सम्मिलित है।'' संक्षेप में, ''संचार एक व्यक्ति से दूसरे व्यक्ति को संदेश देने एवं पारस्परिक समझ उत्पन्न करने की प्रक्रिया है। यह प्रक्रिया लिखित एवं मौखिक शब्दों द्वारा ही संदेश एवं समझ का विनिमय नहीं करती है, अपितु संकेतों, हाव-भावों तथा मौन द्वारा ही विनिमय करती है।'' संचार प्रत्यक्ष

या परोक्ष रूप से, चेतन एवं अचेतन रूप से सम्प्रेषित भावनाओं, प्रवृत्तियों व इच्छाओं का योग है।

प्रशासन में संचार का महत्व (Importance of Communication in Administration)

प्रशासन में संचार के महत्व को स्वीकारते हुए एल्विन डाड लिखते हैं कि 'संचार प्रबंध की मुख्य समस्या है।' थियो हैमैन का कहना है कि 'प्रबंधकीय कार्यों की सफलता कुशल संचार पर निर्भर करती है।' जॉर्ज आर. टेरी के शब्दों में, 'संचार उस चिकने पदार्थ का कार्य करता है जिससे प्रबंध प्रक्रिया सुगम हो जाती है।' हैण्डरसन सुओजानिन के अनुसार, 'अच्छा संचार प्रबंध के एकीकृत दृष्टिकोण हेतु बहुत महत्वपूर्ण है।' ''संचार संगठन को बाँधे रखता है।'' ''सम्प्रेषण के अभाव में कोई संगठन नहीं हो सकता।''

1. **नियोजन एवं संचार :** नियोजन प्रशासन का अत्यन्त महत्वपूर्ण एवं प्राथमिक कार्य है। प्रशासन की सफलता कुशल नियोजन के प्रभावी क्रियान्वयन पर निर्भर करती है। 'संचार' योजना के निर्माण एवं उसके क्रियान्वयन दोनों के लिए अनिवार्य है। कुशल नियोजन हेतु अनेक प्रकार की आवश्यकता एवं उपयोग सूचनाओं, तथ्यों एवं आँकड़ों और कुशल क्रियान्वयन हेतु आदेश, निदेश एवं मार्गदर्शन की आवश्यकता होती है।
2. **संगठन एवं संचार :** प्रशासन का दूसरा प्रमुख कार्य संगठन है। अधिकार एवं दायित्वों का निर्धारण एवं प्रत्यायोजन करना और कर्मचारियों को उनसे अवगत कराना संगठन के क्षेत्र में आते हैं। ये कार्य भी बिना संचार के असंभव हैं। चेस्टर आई. बर्नार्ड के शब्दों में, ''संचार की एक सुनिश्चित प्रणाली की आवश्यकता संगठनकर्ता का प्रथम कार्य है।''
3. **उत्प्रेरण एवं संचार :** प्रबंधकों द्वारा कर्मचारियों को अभिप्रेरित किया जाता है। इसके लिए भी संचार की आवश्यकता पड़ती है। पीटर एफ. ड्रकर के शब्दों में, ''सूचनाएँ प्रबंध का एक विशेष अस्त्र है। प्रबंधक व्यक्तियों को हांकने का कार्य नहीं करता वरन् वह उनको अभिप्रेरित, निर्देशित और संगठित करता है। ये सभी कार्य करने हेतु मौखिक अथवा लिखित शब्द अथवा अंकों की भाषा ही उसका एकमात्र औज़ार होती है।''
4. **समन्वय एवं संचार :** समन्वय एक समूह द्वारा किए जाने वाले प्रयासों को एक निश्चित दिशा प्रदान करने हेतु आवश्यक होता है। न्यूमैन के अनुसार, ''अच्छा संचार समन्वय में सहायक होता है।'' मेरी कुशिंग नाइल्स लिखती हैं कि 'समन्वय हेतु अच्छा संचार अनिवार्यता है।' चेस्टर आई. बर्नार्ड के शब्दों में, ''संचार वह साधन है जिसके द्वारा किसी संगठन में व्यक्तियों को एकसमान उद्देश्य की प्राप्ति हेतु परस्पर संयोजित किया जा सकता है।''
5. **नियंत्रण एवं संचार :** नियंत्रण द्वारा प्रबंधक यह जानने का प्रयास करता है कि कार्य पूर्व-निश्चित योजनानुसार हो रहा है अथवा नहीं? इसके अतिरिक्त, वह त्रुटियों एवं विचलनों को ज्ञात कर यथाशीघ्र ठीक करने और उनकी पुनरावृत्ति को रोकने का प्रयास करता है। ये सभी कार्य बिना कुशल संचार प्रणाली के असंभव हैं।
6. **निर्णयन एवं संचार :** सही निर्णय लेने हेतु प्रबंधकों को सही समय पर सही एवं पर्याप्त सूचनाओं, तथ्यों एवं आँकड़ों का ज्ञान प्राप्त करना अनिवार्य होता है। यह कार्य भी बिना प्रभावी संचार प्रणाली के सम्भव नहीं होता।
7. **प्रभावशीलता :** प्रभावी सेवाएँ उपलब्ध करने के लिए जरूरी है कि स्टाफ के सदस्यों के बीच विचारों का मुक्त आदान-प्रदान बना रहे। किसी संगठन की प्रभावशीलता इसी बात पर निर्भर होती है कि वहाँ के कर्मचारी आपस में विचारों का कितना आदान-प्रदान करते हैं और वे एक-दूसरे की बात कितनी समझते हैं।
8. **न्यूनतम व्यय पर अधिकतम उत्पादन :** समस्त विवेकशील प्रबंधकों का लक्ष्य अधिकतम, श्रेष्ठतम व सस्ता उत्पादन करना होता है। पुराने जमाने में छोटे पैमाने पर उत्पादन होता था। उस समय कर्ता बड़ी आसानी से कार्य करने वालों को आदेश व निर्देश दे सकता था। किन्तु बड़े पैमाने पर उत्पादन करने वाले आधुनिक संगठनों में काम करने वालों तथा काम लेने वालों के मध्य यह घनिष्ठता नहीं है। श्रमिकों, स्वामियों तथा प्रबंधकों के बीच आजकल गहरी खाई है जिसको पाटने में 'संदेशवाहन' बहुत सहायक सिद्ध हुआ है। संगठन का कोई भी स्वरूप हो—विभागीय अथवा क्रियात्मक—आजकल सूचनाएँ व आदेश विभिन्न कर्मचारियों द्वारा होकर श्रमिकों तक पहुँचते हैं, अतः प्रत्येक स्तर पर यह आशंका बनी रहती है कि सूचनाओं को समझने में कहीं भ्रम न हो जाए। उत्पादकता को बढ़ाने के लिए यह भी आवश्यक है कि कर्मचारियों में किसी प्रकार का भ्रम अथवा मतभेद न हो, सभी में परस्पर सद्भव होना चाहिए। केवल श्रेष्ठतम मानव, मशीन व माल के समूह से उत्पादकता बढ़ नहीं सकती। उत्पादकता की वृद्धि हेतु कर्मचारियों को यह स्पष्ट बता देना चाहिए कि प्रत्येक को क्या कार्य करना है एवं कार्य के निष्पादन के लिए उन्हें आवश्यक निर्देश भी देने चाहिए। इस कार्य में संदेशवाहन ही सहायक होता है जो अधिक से अधिक महत्वपूर्ण होना चाहिए।

संचार प्रणाली (Communication System)

संचार प्रणाली में मुख्यतः निम्नलिखित पक्षों पर विचार करते हैं, जो कि इसका निर्माण करते हैं : 1. संचार की विषय-सामग्री, 2. संचार की विधि, और 3. संचार प्रक्रिया।

1. **संचार की विषय-सामग्री :** संचार की विषय-सामग्री में इस बात पर विचार किया जाता है कि किसका संचार किया जाना है अर्थात् संदेश क्या है जिसे प्रेषित करना है। प्रशासन में जिन उद्देश्यों अथवा कार्यों को ध्यान में रखकर संचार कार्य किया जाता है, वे हैं :

(*i*) निदेश तथा आदेश

(*ii*) सूचना तथा विचार

(*iii*) तथ्य एवं सम्मतियाँ

(*iv*) मनोवृत्तियां तथा भावनाएं

2. **संचार की विधि :** संचार की विधि के अन्तर्गत इस बात का निश्चय किया जाता है कि संचार कैसे किया जाए। संचार की विधियों में सामान्यतः निम्न चार विधियों को सम्मिलित किया जा सकता है :

(*i*) बोलना या कहना,

(*ii*) लिखना,

(*iii*) आचरण करना,

(*iv*) सुनना।

3. **संचार प्रक्रियाः** संचार प्रक्रिया में इस बात पर विचार किया जाता है कि संचार की प्रक्रिया कैसी हो और उस प्रक्रिया में भाग लेने वाले व्यक्ति संदेश के प्रेषण में कौन-से कार्य करें? संचार प्रक्रिया के प्रमुख तत्व हैं :

(*i*) **प्रेषक (Sender):** संचार की शुरूआत प्रेषक से होती है। वह संचार का पहलकर्ता है। उसे संवाद का स्रोत भी कहा जा सकता है। प्रेषक के पास विचार, सूचनाएँ, भावनाएँ, मनोवृत्तियाँ, मूल्य आदि होते हैं जिसे वह प्रापक के साथ साझा करना चाहता है।

(*ii*) **संकेतीकरण (Encoding):** इस प्रक्रिया में अगला कदम संकेतीकरण है। इसका आशय प्रेषक द्वारा संदेशों को प्रतीकों में बदलना है। प्रेषक अपने विचारों को शब्दों, चित्रों, रेखाचित्रों, आकृतियों अथवा संकेतों में व्यक्त कर सकता है। संकेतीकरण या कूटाभिव्यक्ति इसलिए आवश्यक है कि सिर्फ प्रतीकों के द्वारा ही सूचनाओं का विनिमय हो सकता है।

(*iii*) **संदेश (Message):** कूटाभिव्यक्ति की प्रक्रिया का परिणाम संदेश होता है। संदेश मौखिक या अमौखिक हो सकता है। संदेश उस रूप में हो सकता है जिस रूप में प्रापक उसे समझ सके।

(*iv*) **माध्यम (Medium):** माध्यम संदेश का वाहक होता है। प्रबंधक के सम्मुख विभिन्न प्रकार के माध्यम उपलब्ध होते हैं, जैसे आमने-सामने, टेलीफोन, आदेश, नीति वक्तव्य, पुरस्कार प्रणाली, समूह बैठक आदि।

(*v*) **संकेतार्थीकरण (Decoding):** जब संदेश प्रापक के पास पहुँच जाता है तब वह इसका संकेतार्थीकरण या कूटानुवाद करता है। वह इसका भाष्य करता है, इसका अर्थ लगाता है और इसके उद्देश्य को समझता है। यदि प्रापक संदेश को उसी अर्थ में समझ लेता है जो प्रेषक का है, तो यह कहा जा सकता है कि संचार की प्रक्रिया प्रभावी है।

(*vi*) **संदेश प्राप्ति या प्रतिपुष्टि (Message Received):** संदेश प्राप्ति की पुष्टि या प्रतिपुष्टि से पता चलता है कि प्रेषित संदेश का प्रापक पर क्या प्रभाव पड़ा है। प्रतिपुष्टि संचार प्रक्रिया का विलोम होता है। इसमें प्रापक प्रेषक बन जाता है।

उपर्युक्त सभी तत्व मिलकर संचार-प्रक्रिया को निर्मित करते हैं।

अधोगामी, ऊर्ध्वगामी, क्षैतिज एवं तिर्यक संचार (Downward, Upward, Horizontal and Cross Communication)

वरिष्ठ अधिकारियों से अधीनस्थ कर्मचारियों तक निर्देश पहुँचाने की प्रक्रिया को अधोगामी अथवा 'नीचे की ओर संचार' कहते हैं। इसका मुख्य उद्देश्य कर्मचारियों को यह जानकारी देना है कि क्या किया जाना है और कौन उस काम को किस प्रकार पूरा करेगा। इस सूचना से संचालन लक्ष्य स्पष्ट करने, निदेशन की भावना विकसित करने और अधीनस्थ कर्मचारियों को आवश्यक आंकड़े और संगठन संबंधी जानकारी उपलब्ध कराने में सहायता मिलती है। अधोगामी संप्रेषण आदेश, निदेश अथवा नीति विषयक होते हैं।

ऊर्ध्वगामी अथवा 'ऊपर की ओर संचार' के माध्यम से अधीनस्थ कर्मचारी अपनी प्रतिक्रिया और अनुभवों के बारे में उच्च अधिकारियों तक जानकारी पहुँचाते हैं। ऊर्ध्वगामी संप्रेषण अनुपालन, शिकायत अथवा प्रस्ताव के रूप में होते हैं। इस संचार का सबसे बड़ा लाभ यह है कि एक ऐसी कड़ी बन जाती है जिससे प्रबंधकों को कर्मचारियों की शिकायतों या कम उत्पादकता के कारणों का सही वक्त पर पता चल जाता है और यह गंभीर रूप नहीं ले पाते। दुर्भाग्य से, कई संगठनों में इस प्रकार के संचार को अक्सर बहुत कम महत्व दिया जाता है।

क्षैतिज अथवा समस्तरीय संचार संगठन में एक ही स्तर के कर्मचारियों या अधिकारियों के बीच होता है। इसका प्रतिपादन आधुनिक प्रबन्ध सिद्धान्त के जनक हेनरी फेयोल ने किया था। क्षैतिज संप्रेषण विचार-विमर्श अथवा आम सहमति ज्ञात करने के लिए किया जाता है तथा तिर्यक संप्रेषण (Cross Communication) इन सभी उद्देश्यों का मिलाजुला रूप है।

संचार प्रक्रिया के अंग

(Organs of Communication Process)

संचार प्रक्रिया के प्रमुख अंग पाँच हैं :

1. **संवाददाता (Communicator):** संवाददाता सबसे पहले संचार प्रक्रिया का श्रीगणेश करता है।

2. **संवाद (Message):** संचार प्रक्रिया का दूसरा महत्वपूर्ण अंग संवाद है। संवाद (अर्थात् क्या कहना है) की तैयारी संवाददाता ही करता है। यह संवाद आदेश, निदेश, सुझाव, शिकायत, प्रशंसा, परिवेदन आदि किसी भी रूप में हो सकता है।

3. **माध्यम (Media):** माध्यम संचार प्रक्रिया का तीसरा अंग है। सामान्यतः संचार को पहुँचाने के लिए मौखिक, लिखित, सांकेतिक तथा दृश्य माध्यमों को अपनाया जाता है, परन्तु इसमें कौन-सा माध्यम श्रेष्ठ होगा, यह संवाद की प्रकृति, संवाद-प्राप्तकर्ता की अभिरुचि, आदि बातों पर निर्भर करती है।
4. **संवाद प्राप्तकर्ता (Receiver):** संवाद प्राप्तकर्ता वह पक्षकार है जिसके पास संवाद भेजा जाता है। इसके अभाव में संचार प्रक्रिया अधूरी रहती है।
5. **प्रतिक्रिया (Reaction):** प्रतिक्रिया संचार प्रक्रिया का सबसे महत्वपूर्ण अंग है, क्योंकि यदि संवाद प्राप्तकर्ता निर्देशानुसार कार्य न करे तो संचार प्रभावहीन समझा जाएगा।

प्रभावी संचार की विशेषताएँ (Essentials of Eeffective Communication)

प्रभावी संचार की निम्नलिखित विशेषताएँ हैं :

1. अच्छे संचार में इस बात पर भी विचार किया जाता है कि कौन-सा माध्यम प्रयुक्त किया जाए और किस प्रकार संदेश वितरित किया जाए ताकि वह सही व्यक्ति तक पहुँचे। इसके लिए आमतौर पर ऐसी प्रणाली चाहिए जिसमें बड़े अधिकारी से छोटे अधिकारी की तरफ या छोटे अधिकारी से बड़े अधिकारी की तरफ नहीं बल्कि समस्तरीय संचार भी पूरी तरह प्रभावी रहे।
2. अच्छा संचार समय पर होता है, क्योंकि उसके जारी होने के स्थान पर भी समय का ध्यान रखा जाता है और प्राप्त होने के स्थान पर इसकी प्रतीक्षा रहती है।
3. एकमार्गीय संचार की तुलना में द्विमार्गीय संचार श्रेष्ठ होता है।
4. प्रभावी संचार संदेशों की एक निरन्तर शृंखला होती है। बाद में भेजे जाने वाले संदेश बराबर पहले भेजे गए संदेश से जुड़े रहते हैं।
5. संदेश की भाषा बोधगम्य, सरल व आसानी से समझ में आने वाली होनी चाहिए।
6. संचार का उद्देश्य स्पष्ट होना चाहिए और यह संदेश भेजने वाले तथा उसे प्राप्त करने वाले दोनों की समझ में साफ-साफ आना चाहिए।

एल्फ्रेड बॉगल ने प्रभावी संचार के लिए निम्न सुझाव दिए हैं :

1. श्रेष्ठ श्रवण के लिए उत्तरदायित्व की भावना का विकास करना।
2. अधीनस्थों के सकारात्मक एवं नकारात्मक दोनों प्रकार के विचारों को सुनना तथा उन्हें सहन करना।
3. अधीनस्थों द्वारा की गई आलोचनाओं को पर्याप्त महत्व देना।
4. अधीनस्थों को उनके द्वारा प्रस्तुत किए गए उपयोगी सुझावों को स्वीकार करना तथा उन्हें पुरस्कृत करना।
5. द्विमार्गीय संचार की व्यवस्था हो।

कार्मिक प्रशासन का अर्थ, प्रकृति तथा क्षेत्र

कार्मिक प्रशासन लोक सेवा के सरकारी प्रशासनिक तंत्र का संचालन करता है। इससे तात्पर्य सरकार के कार्मिकों का वर्गीकरण, भर्ती, नियुक्ति, प्रशिक्षण, पदोन्नति, पारिश्रमिक, अनुशासन व सेवानिवृत्ति इत्यादि से सम्बन्धित प्रक्रियाओं से है।

कार्मिक प्रशासन : अर्थ एवं परिभाषाएँ (Personnel Administration : Meaning and Definition)

कार्मिक प्रशासन का कार्य परामर्शात्मक और सलाहकारी होता है। कार्मिक प्रशासन का प्रबंधक एक स्टाफ अधिकारी होता है। उसका कार्य व्यवसायिक अधिकारों को कार्मिक नीतियों और समस्याओं के सम्बन्ध में परामर्श देना होता है। कार्मिक प्रशासन आधुनिक राज्य में लोक प्रशासन का महत्वपूर्ण पक्ष है। यह लोक सेवा के सरकारी प्रशासनिक तंत्र का संचालन करता है। इस प्रकार प्रशासन की सम्पूर्ण कार्यकुशलता कार्मिक प्रशासन पर होता है। हरमन फाइनर के अनुसार, ''लोक प्रशासन में सेविवर्ग को ही सर्वोच्च तत्व माना जाता है।'' फिफनर के अनुसार, ''कार्मिक प्रशासन प्रशासन की आधारशिला है।''

कार्मिक प्रशासन की विद्वानों द्वारा निम्नलिखित परिभाषाएँ दी गई हैं।

मार्शल ई. डिमॉक– ''कार्मिक प्रशासन ऐसी प्रशासनिक प्रक्रियाएँ हैं जिनके द्वारा कर्गचारी की नियुक्ति एवं रोजगार संबंधों का नियगन तथा परिवर्तन किया जाता है।''

एडविन फिलप्पो–''सेविवर्ग प्रबन्ध कार्य करने वाले लोगों की कार्य-सम्पन्नता को नियोजित, संगठित, निर्देशित, नियंत्रित करता है।

पीगर्स एवं मायर्स–''कार्मिक प्रशासन कार्मिकों की सम्भावित क्षमता को विकसित करने की विधि है जिससे उन्हें अपने कार्य से अधिकतम सन्तुष्टि प्राप्त हो तथा संस्था को उसके परिश्रम का लाभ मिले।''

एम.जे. जूशियस–''यह प्रबन्धन का कार्यक्षेत्र है जो कर्मचारियों की भर्ती, विकास, संधारण तथा उपयोग करने के कार्यों के नियोजन, संगठन, निदेशन, नियंत्रण से संबंधित है।''

इन परिभाषाओं से स्पष्ट है कि कार्मिक प्रशासनः

(*i*) सिद्धान्तों, व्यवहारों, तकनीकों के प्रयोग से संसाधनों के प्रबंधन में संगठन की सहायता करता है।

(*ii*) संगठन में प्रबंधन प्रक्रिया का भाग है।

(*iii*) संगठन में मानवीय संब्रंधों से संबंधित है।

कार्मिक प्रशासन की प्रकृति (Nature of Personnel Administration)

कार्मिक प्रशासन की प्रकृति प्रत्यक्ष या अप्रत्यक्ष रूप से संगठन की कार्यकुशलता को बढ़ाने की है। इसकी प्रकृति निम्नलिखित प्रकार की है जिसके माध्यम से कार्यकुशलता बढ़ती है।

1. भर्ती
2. प्रशिक्षण
3. पदोन्नति
4. वेतन व्यवस्था
5. वर्गीकरण
6. प्रशासनिक संगठन आदि।

कार्मिक प्रशासन का मुख्य उद्देश्य संगठन के लक्ष्यों को प्राप्त करना रहा है। इन लक्ष्यों को प्राप्त करने के लिए आवश्यक है कि मानवीय संसाधनों का प्रभावकारी उपयोग हो। कार्मिक प्रशासन प्रकृति के अनुसार संगठन के सदस्यों में प्रभावकारी व्यवहारिक सम्बन्ध स्थापित करता है।

कार्मिक प्रशासन की प्रकृति निम्नलिखित है:

1. सरकार की नीतियों की क्रियान्विति
2. अनुशासन
3. उत्तरदायित्व की भावना
4. मानवीय साधनों का उचित प्रयोग
5. संगठन में अच्छे मानवीय सम्बन्ध स्थापित करना
6. सेविवर्ग का अधिकतम विकास।

कार्मिक प्रशासन का क्षेत्र (Scope of Personnel Administration)

कार्मिक प्रबंध के कार्य का सम्बन्ध संगठन में हो रहे काम के मानवीय पहलू से होता है। यह संगठन में व्यक्तियों का प्रबंधन है। यह कार्मिक प्रबंध के तीन क्षेत्रों का उल्लेख करता है।

1. कल्याणकारी क्षेत्र
2. कार्मिक क्षेत्र
3. औद्योगिक सम्बन्ध क्षेत्र।

कार्मिक प्रशासन का कार्य क्षेत्र व्यापक और गंभीर प्रकृति का है। इसके माध्यम से ही कुशल कर्मचारी संगठन में भर्ती होते हैं और यही अन्ततः संगठन की कार्यकुशलता तथा छवि को प्रभावित करता है। सामान्य रूप से कार्मिक प्रशासन के कार्यक्षेत्र में निम्न बातों को सम्मिलित किया जाता है :

1. नीति का निर्माण
2. पद वर्गीकरण
3. भर्ती
4. प्रशिक्षण
5. पदोन्नति
6. वेतन, भत्ते एवं अन्य सुविधाएँ
7. सेवा अभिलेख और निष्पादन मूल्यांकन
8. आचार संहिता एवं अनुशासनात्मक कार्यवाही
9. सेवानिवृत्ति सुविधाएँ।

वर्गीकरण (Classification)

कार्मिक प्रशासन में वर्गीकरण का अर्थ कर्तव्यों और दायित्वों के आधार पर पदों का ऐसा समूहीकरण है, जिससे मोटे तौर पर कुछ वर्ग निर्मित हो जाए। वर्गीकरण श्रेणीबद्ध क्रिया को कहते हैं; यह दैनिक जीवन के अनुभव पर आधारित है और वस्तुओं के प्रबंध एवं उन्हें व्यवस्थित करने में परम आवश्यक है। वर्गीकरण एक क्रिया है। जिसका अर्थ "व्यक्तियों, वस्तुओं या विचारों को समूह या सामूहिक रूप में समान या एक से गुणों के आधार पर व्यवस्थित, विभाजित अथवा एकत्रित करना है।" अर्थात् पद वर्गीकरण का तात्पर्य समान कर्तव्यों और समान उत्तरदायित्वों वाले पदों को एक साथ एक वर्ग में रखने से है।

योग्यता पर आधारित नौकरी पेशे के लिए शासकीय पदों के वर्गीकरण फलस्वरूप कर्मचारियों के चयन संबंधी विवेकपूर्ण नियमों का निर्माण संभव हो सकता है। विभिन्न प्रकार के कार्यों के लिए एकरूपता की व्यवस्था और समान कार्य के लिए समान वेतन एवं समान स्तर प्रदान करना संभव होता है। वर्तमान में पदों के वर्गीकरण का आधार शैक्षणिक योग्यता, कार्यक्षमता, कार्य सम्बन्धी दायित्व, कर्मचारी की स्थिति एवं व्यक्तिगत स्तर आदि है। यह पद वर्गीकरण सभी देशों में भिन्न-भिन्न है।

वर्गीकरण की परिभाषाएँ

डिमॉक के अनुसार, "वर्गीकरण का अर्थ है तुलनात्मक कठिनाइयों और उत्तरदायित्वों के अनुसार पदसोपान के रूप में पदों को छाँटना और श्रेणीबद्ध करना।"

प्रो. एल.डी. ह्वाइट के अनुसार, "पद वर्गीकरण की सम्पूर्ण योजना वह ढाँचा है जिस पर सेवा की कार्मिक आवश्यकताएँ टिकी हुई हैं। वह सार्वजनिक रोजगार से सम्बन्धित विभिन्न प्रकार के कार्य एवं उत्तरदायित्वों के तार्किक विश्लेषण का परिणाम है।"

फिफनर के अनुसार, "वर्गीकरण से हमारा तात्पर्य यह है कि समान कार्य और समान उत्तरदायित्व वाले पद एक ही श्रेणी में रखे जाएँ चाहे वे किसी भी विभाग अथवा सेवा से सम्बन्धित हैं।"

मार्सटीन मार्क्स के अनुसार, "वर्गीकरण का अर्थ कर्तव्यों एवं अपेक्षित योग्यताओं की समानता के आधार पर पदों को समूहीकृत करना है।"

हरमन फाइनर के अनुसार, "वर्गीकरण की समस्या यह है कि सभी कर्मचारियों को ऐसे कार्य में लगाना जिसे सम्पन्न करना उनके लिए न तो बहुत कठिन है और न बहुत सरल और उन लोगों के साथ समान व्यवहार करना जो समान कार्य करते हैं और जहाँ किए गए कार्य की मात्रा गुण में अन्तर हो, वहाँ उस सेवा के अनुपात में पुरस्कृत करना है।"

पद वर्गीकरण का मूल आधार

पदों को निम्न मूल आधारों पर उच्चतर अथवा निम्नतर वर्गों और श्रेणियों में विभाजित किया जाता है।

1. **किसी पद का विषय अथवा कार्यक्षेत्र :** जैसे इंजीनियरिंग, स्वास्थ्य तथा चिकित्सा, राजस्व आदि।

2. **पर्यवेक्षण और अधीक्षण की मात्रा :** जिन पदों का ऊपर से अत्यधिक पर्यवेक्षण किया जाता है, उन्हें निम्न स्तर के पद माना जाता है, जिन पर पर्यवेक्षण की मात्रा कम हो, वे पद उच्च श्रेणी के माने जाएंगे।
3. **अधीक्षण करने की शक्तियों की मात्रा :** यदि पदधारी को अधिक अधीक्षणात्मक शक्तियाँ प्राप्त हैं तो इसका अर्थ है कि उसका पद ऊँचा है और यदि उसे अधीक्षण की कम शक्तियाँ प्राप्त हैं, तो उसका पद नीचा है।
4. **कार्य की प्रकृति :** किसी व्यक्ति को जितना सरल काम करना पड़ता है उसका पद उतना ही छोटा माना जाएगा और जिसे जितना कठिन काम करना पड़ता है, उसका पद उतना ही बड़ा माना जाएगा।
5. **पद के लिए वांछनीय योग्यताएँ :** जिस पद के लिए ऊँची योग्यता निर्धारित है, वह पद ऊँचा होगा और जिसके लिए साधारण या निम्न कोटि की योग्यताएँ रखी गई हों, वह पद नीचा होगा।

उपर्युक्त आधारों पर विभिन्न पदों की श्रेणियाँ और वर्ग बनाए जाते हैं। एक वर्ग में ऐसे पदों का समावेश किया जाता है जिनके लिए कार्य का स्वरूप तथा प्रकृति, काम करने में कठिनाई तथा उत्तरदायित्व की मात्रा एक जैसी हो तथा जिनके लिए एक प्रकार की अर्हताएँ तथा शैक्षणिक योग्यताएँ, अनुभव, कार्य निष्पादन तथा साक्षात्कार की परीक्षाएँ एक जैसी होती हैं और इनको कार्य के लिए समान वेतन दिया जाता है। एक श्रेणी में पदों की संख्या एक से कई हजार तक हो सकती है।

डॉ. एम.पी. शर्मा के अनुसार, "वर्गीकरण के तीन प्रमुख होते हैं—सेवा, श्रेणी तथा स्तर। इनमें सबसे ऊपर सेवा (Service) है, वह सबसे बड़ा वर्ग है। श्रेणी (Class) सेवा का उपवर्ग है तथा स्तर (Grade) श्रेणी का उपवर्ग है।" भारत में भारतीय प्रशासनिक सेवा, भारतीय लेखा परीक्षण एवं लेखा सेवा, सचिवालय सेवा, आदि सेवा वर्ग के उदाहरण हैं। इन वर्गों के भीतर विभिन्न श्रेणियाँ होती हैं, जैसे वरिष्ठ तथा कनिष्ठ तथा एक श्रेणी के भीतर अनेक स्तर हो सकते हैं और प्रत्येक स्तर के पदों का वेतन क्रम आदि भिन्न होता है।

पद वर्गीकरण से लाभ

पद वर्गीकरण का आन्दोलन 'समान कार्य के लिए समान वेतन' की माँग के साथ प्रारम्भ हुआ था। एक ही प्रकार के कार्य को सम्पन्न करने वाले और एक से ही प्रकार के उत्तरदायित्वों का निर्वाह करने वाले कर्मचारी प्रतिफल (Compensation) की एक-सी दरों की माँग करते थे। पद वर्गीकरण का उद्देश्य यह था कि सरकार के भिन्न-भिन्न अभिकरणों में एक-से ही काम के लिए दिए जाने वाले प्रतिफल की भिन्न-भिन्न दरों के अन्याय को समाप्त किया जाए। पद वर्गीकरण को उचित तथा न्यायपूर्ण व्यवहार का प्रधान स्रोत समझा जाता था। यह पक्षपात के विरुद्ध सुरक्षा का एक स्रोत था। प्रारम्भ में 'समान कार्य के लिए समान वेतन' सिद्धान्त पर आधारित होकर, अब एक केन्द्रीय स्थिति प्राप्त कर ली है। बिना वर्गीकरण के किसी भी देश के कार्मिक वर्ग प्रशासन में भ्रम तथा अव्यवस्था उत्पन्न होने की संभावना रहती है। वर्गीकरण भर्ती की प्रणालियों, परीक्षाओं, वेतन, सूचियों तथा पदोन्नतियों के लिए एक आधार (Basis) प्रस्तुत करता है। डॉ. सी.पी. भाम्भरी लिखते हैं, "भर्ती की कुशलता, एक विवेकपूर्ण पदोन्नति व्यवस्था के निर्माण की संभावना तथा विभिन्न विभागों में कार्य करने वाले व्यक्तियों के साथ न्यायपूर्ण व्यवहार की आशा समुचित वर्गीकरण पर ही निर्भर रहती है।"

पद वर्गीकरण के प्रमुख लाभ निम्नलिखित हैं :

1. **कर्मचारियों की भर्ती की समस्या में सुविधा :** पद वर्गीकरण से कर्मचारियों की भर्ती की समस्या सुविधा के साथ हल हो जाती है। यदि विभिन्न विभागों के सभी कर्मचारियों की भती के लिए अलग-अलग प्रतियोगी परीक्षाएँ की जाएं तो इसमें बड़ी असुविधा होगी, परन्तु पद वर्गीकरण के कारण इसकी आवश्यकता समाप्त हो जाती है। उदाहरणार्थ, भारत सरकार के पचास विभागों को आशुलिपिकों की आवश्यकता है। यदि आशुलिपिकों की भर्ती के लिए प्रत्येक विभाग अपनी-अपनी निजी परीक्षाओं की व्यवस्था करता है, तो इसमें दो दोष उत्पन्न हो जाते हैं—प्रथम, तो ऐसा करना महंगा पड़ेगा और उसमें समय काफी लगेगा, क्योंकि आशुलिपिकों की भर्ती के लिए पचास विभागों को पृथक्-पृथक् परीक्षाओं की व्यवस्था करनी होगी। दूसरे, यह हो सकता है कि भिन्न-भिन्न विभागों में परीक्षाओं का स्तर पृथक्-पृथक् हो और ऐसा होना अनुचित तथा अन्यायपूर्ण है। इन कठिनाइयों को दूर करने के लिए, कर्मचारी चयन आयोग द्वारा एक परीक्षा ली जाती है और सामान्य परीक्षा के आधार पर 'पदों के योग्य' आशुलिपिकों की एक सूची तैयार कर ली जाती है। फिर, किसी भी विभाग की आशुलिपिकों की मांग को इस सूची में से पूरा कर दिया जाता है। पद वर्गीकरण की व्यवस्था से भर्ती का कार्य बड़ा सुविधाजनक तथा सुगम हो जाता है।
2. **न्यायपूर्ण पदोन्नति व्यवस्था के लिए आधार प्रस्तुत करना :** पद वर्गीकरण से न्याय पर आधारित पदोन्नति व्यवस्था के निर्माण की संभावना बढ़ जाती है। पद वर्गीकरण में प्रत्येक कर्मचारी के लिए पदोन्नति के अवसर समान तथा निश्चित रूप से उपलब्ध रहते हैं। उसे इस बात की पूर्ण जानकारी रहती है कि यदि वह कुशलतापूर्वक अपने कर्तव्यों का पालन करता रहे तो वह कौन-से उच्च पद पर पदोन्नत होने की आशा कर सकता है। इसका परिणाम यह होता है कि सेवाओं में संतोष रहता है और उनका मनोबल ऊँचा रहता है।
3. **पद वर्गीकरण और प्रतिफल के बीच गहरा सम्बन्ध पाया जाता है :** वर्गीकरण 'समान कार्य के लिए समान वेतन' के सिद्धान्त के आधार पर वेतनों के मानकीकरण को प्रोत्साहित करता है। इस प्रकार प्रतिफल पदाधिकारियों की मनचाही इच्छा पर निर्भर नहीं रहता। पद वर्गीकरण पद के कार्यों, कठिनता की मात्रा तथा उन कार्यों की जिम्मेदारियों के स्तर को निर्धारित करता है। कार्यों की प्रकृति का निर्धारण करने के पश्चात् प्रत्येक वर्ग या श्रेणी

के कर्मचारियों के लिए प्रतिफल की दरें निश्चित की जाती हैं। कर्मचारी एक-सी किस्म के कार्यों तथा उत्तरदायित्वों के लिए समान पारिश्रमिक (Remuneration) प्राप्त करते हैं। इससे एक उचित तथा व्यवसाय जैसी वेतन नीति स्पर्द्धायुक्त सेवा का प्रोत्साहन मिलता है। इस प्रकार प्रतिफल की दर तथा किए हुए कार्य के बीच प्रत्यक्ष सम्बन्ध स्थापित हो सकता है।

4. **लोक सेवा आयोगों के कार्यों में सुविधा :** पद वर्गीकरण लोक सेवा आयोगों के कार्य में सहायक होता है। यदि पद वर्गीकरण न हों तो उन्हें सैकड़ों परीक्षाओं का संचालन करना होगा जो कि एक असाध्य, जंटिल कार्य होगा।
5. **पद वर्गीकरण बजट बनाने के कार्य को सुविधाजनक बनाता है :** पद वर्गीकरण बजट बनाने और लेखा तैयार करने के कार्य को सुविधाजनक बनाता है। यदि प्रत्येक पद दूसरे से भिन्न हो तो उनके वेतन का लेखा तैयार करने में बड़ी अड़चन पैदा होगी, किन्तु पद वर्गीकरण के कारण विभिन्न कर्मचारियों के वेतन और आवर्ती व्यय का पूर्वानुमान लगाना आसान हो जाता है।
6. **प्रत्येक पद के कर्तव्यों तथा दायित्वों का स्पष्ट निर्धारण :** पद वर्गीकरण से लोक सेवाओं के प्रत्येक पद के कर्तव्यों एवं दायित्वों का निर्धारण करने में सुविधा होती है और कार्य सम्पन्नता के मानदंड निश्चित किए जा सकते हैं। इस प्रकार प्रशासन को व्यक्ति-निरपेक्ष बनाया जा सकता है।

पद वर्गीकरण के दोष

पद वर्गीकरण व्यवस्था की कुछ हानियाँ भी हैं, जो निम्न प्रकार हैं :

1. **प्रशासन में जड़ता व अनमनीयता :** पद वर्गीकरण हो जाने के बाद कर्मचारियों के नियत कर्तव्यों में यदि अस्थायी हेर-फेर भी किया जाता है तो वे उसका विरोध करते हैं। वे अपने कर्तव्य वर्णनों को कानूनी अधिकार के रूप में प्रस्तुत करते हैं और केवल उन्हीं कार्यों को सम्पन्न करते हैं जिन्हें करने के लिए उनके वर्ग बनाए गए हैं। इससे प्रशासन में जड़ता व अनमनीयता उत्पन्न होती है।
2. **विशेष योग्यता के लिए कोई स्थान नहीं :** इस व्यवस्था के अन्तर्गत वैयक्तिक प्रतिभा को पुरस्कृत नहीं किया जा सकता। इसमें मनुष्यों के साथ वस्तुओं के सदृश व्यवहार किया जाता है। उदाहरणार्थ, संभव है कि कोई लिपिक बहुत ही प्रतिभाशाली, योग्य एवं कार्यकुशल हो, परन्तु उसे अपने साथियों के बराबर ही वेतन मिलेगा, उसे अधिक वेतन नहीं दिया जा सकता। इससे अच्छी प्रतिभा तथा बौद्धिक योग्यता वाले व्यक्तियों में निराशा की भावना पैदा होती है और प्रशासन में अकुशलता को प्रोत्साहन मिलता है।
3. यह वर्गीकरण प्लान बहुत ही विस्तृत होता है। इससे कार्मिक व्यवस्था में कठोरता आ जाती है।
4. इसके अन्तर्गत कर्मचारी को एक पद से दूसरे पद पर भेजने में कठिनाई होती है। उन्हें कार्यालय के काम के हित में एक काम से हटाकर सुविधापूर्वक दूसरे काम पर नहीं लगाया जा सकता।

संयुक्त राज्य अमरीका में पद वर्गीकरण

संयुक्त राज्य अमरीका में पद वर्गीकरण में निहित विचार लगभग सवा सौ वर्ष पूर्व ही विकसित हो चुके थे। सन् 1838 में अनेक सरकारी लिपिकों ने जब समान कार्य के लिए समान वेतन की माँग रखी तो सीनेट ने एक प्रस्ताव पारित करके विभागाध्यक्षों को यह निर्देश दिया कि वे लिपिकों का वर्गीकरण तैयार करें तथा ऐसा करते समय इन बातों का ध्यान रखें—आवश्यक श्रम की प्रकृति, सौंपा गया दायित्व, अन्य सेवाओं की अपेक्षा प्रत्येक श्रेणी द्वारा दी गई सेवाओं का जनता के लिए मूल्य, आदि। लिपिकों के लिए संविधीय वर्गीकरण योजना कांग्रेस द्वारा 1853 में बनाई गई। इसके बावजूद भी 1920 में पुनर्वर्गीकरण आयोग ने यह रिपोर्ट दी कि "कभी-कभी एक साथ एक-सा कार्य करने वाले कर्मचारियों को जिन दरों से वेतन दिया जाता है उनमें 50 प्रतिशत अथवा इससे अधिक अन्तर होता है। प्रायः ऐसा होता है कि अपेक्षाकृत अधिक कुशल कर्मचारियों को निम्न दरों से वेतन दिया जाता है। ऐसे अनेक उदाहरण दिए जा सकते हैं जबकि किसी अनुभाग का कार्यभारी लिपिक अथवा संगठन का अन्य कोई व्यक्ति उन कर्मचारियों से भी कम वेतन प्राप्त करता है जो कि उसके निर्देशन में कार्य कर रहे होते हैं।" आयोग के प्रतिवेदन से सन् 1923 के वर्गीकरण अधिनियम (Classification Act) को बनाने की प्रेरणा मिली। यह अधिनियम सेविवर्ग व्यवस्थापन का महान् सीमा-चिह्न कहा गया है। इसके बाद समय-समय पर इस अधिनियम में उल्लेखनीय संरचनात्मक परिवर्तन जुड़ते गए। सन् 1949 में इस अधिनियम का स्थान पूर्ण रूप से एक नए वर्गीकरण अधिनियम ने ले लिया। सन् 1949 के वर्गीकरण अधिनियम द्वारा एक सामान्य अनुसूची के लिए जिसमें कि व्यावसायिक व वैज्ञानिक सेवा, लिपिक वर्गीय, प्रशासकीय, राजकोषीय तथा उप-व्यावसायिक सेवाएँ सम्मिलित हैं और एक शिल्पिक रक्षक तथा अभिरक्षक अनुसूची के लिए जिसमें संदेशवाहक लड़के व पार्सलों की जाँच करने वाले आदि की किस्म के कर्मचारी सम्मिलित हैं। प्रतिफल की दरें (Compensation Rates) निश्चित की गईं।

इस प्रकार 1949 के वर्गीकरण अधिनियम द्वारा जो वर्गीकरण प्रचलित किया गया, वह निम्न प्रकार है :

1. व्यावसायिक एवं वैज्ञानिक सेवाएँ
2. उप-व्यावसायिक एवं उप-वैज्ञानिक सेवाएँ
3. लिपिक वर्गीय, प्रशासकीय एवं सामान्य कार्य संबंधी सेवाएँ
4. अभिरक्षित श्रम (Custodian Labour) सेवाएँ
5. यांत्रिक (Mechanical) सेवाएँ।

ब्रिटेन में पद वर्गीकरण

ग्रेट ब्रिटेन में व्यापक रूप से लोक सेवाओं को चार श्रेणियों में विभाजित किया जाता है, ये सेवाएँ हैं :

1. **औद्योगिक तथा गैर-औद्योगिक सेवा :** औद्योगिक लोक सेवक वे कहलाते हैं जिन्हें अस्त्र फैक्टरियाँ जैसे स्थानों में नियुक्त किया जाता है। डाकघर के कार्यकर्ता भी औद्योगिक लोक सेवक माने जाते हैं। इनका वेतन सम्बन्धित उद्योग द्वारा ही निर्धारित होता है तथा इन्हें व्यावसायिक संघों में संगठित रहने की सुविधा रहती है। गैर-औद्योगिक लोक सेवाएँ वे होती हैं, जो औद्योगिक सेवा की परिभाषा में नहीं आती हैं।
2. **सुस्थापित तथा गैर-सुस्थापित सेवाएँ :** सुस्थापित लोक सेवक वे कहे जाते हैं जिनकी नियुक्ति राजकोष द्वारा स्वीकृत सुस्थापित पदों पर होती है। दूसरी तरफ गैर-सुस्थापित लोक सेवक वे हैं जो या तो अस्थागी पदों पर नियुक्त हैं अथवा अस्थायी, किन्तु गैर-सुस्थापित पदों पर हैं तथा उनकी स्थायी नियुक्ति अभी विचाराधीन है।
3. **राजकोषीय अथवा विभागीय श्रेणी :** विभागीय लोक सेवक सामान्यतः एक विभाग तक प्रतिबंधित होते हैं और उनकी सेवा की शर्तें बहुत कुछ उनके विभाग द्वारा नियंत्रित होती हैं। राजकोषीय श्रेणी के लोक सेवक किसी विशेष विभाग के लिए नहीं वरन् 'सामान्य विभाग' के लिए नियुबत किए जाते हैं और इनकी सेवा की शर्तें राजकोष द्वारा निर्धारित होती हैं।
4. **सामान्य और विशेषज्ञ सेवाएँ :** सामान्य और विशेषज्ञ सेवाएँ वे होती हैं जो वैज्ञानिक, तकनीकी या व्यावसायिक प्रकृति के कार्य सम्पन्न करती हैं। वकील, डॉक्टर, अभियन्ता, प्रयोगशाला सहायक, आदि सेवाएँ इसी श्रेणी में आती हैं। इनके अतिरिक्त सेवाएँ 'सामान्य सेवा' की श्रेणी में आती हैं।

भारत में पदक्रम का वर्गीकरण

भारत में लोक सेवा को राजपत्रित और अराजपत्रित वर्ग में वर्गीकृत किया गया है। वर्ग I और वर्ग II की सेवाएँ राजपत्रित होती हैं जबकि वर्ग III (समूह-C) और वर्ग IV (समूह-D) की सेवाएँ अराजपत्रित वर्ग की होती हैं।

राजपत्रित वर्ग के सदस्यों के नाम नियुक्ति, स्थानांतरण, पदोन्नति और सेवानिवृत्ति के लिए सरकारी राजपत्र में प्रकाशित किए जाते हैं जबकि अराजपत्रित वर्ग के कर्मचारी का नहीं। राजपत्रित वर्ग के सदस्यों को कुछ विशेषाधिकार प्राप्त होते हैं जबकि अराजपत्रित वर्ग के कर्मचारियों को कोई विशेषाधिकार प्राप्त नहीं होता है। राजपत्रित वर्ग के सदस्यों को अधिकारी कहा जाता है जबकि अराजपत्रित वर्ग के सदस्यों को कर्मचारी कहा जाता है।

लोक सेवा नियम 1930 के अनुसार भारत में पदक्रम वर्ग प्रणाली है जिससे निम्नलिखित सेवाओं को नियंत्रित किया जाता है।

- अखिल भारतीय सेवाएँ
- केन्द्रीय सेवाएँ, वर्ग-I (समूह-A)
- केन्द्रीय सेवाएँ, वर्ग-II (समूह-B)
- केन्द्रीय सेवाएँ, वर्ग-III (समूह-C)
- केन्द्रीय सेवाएँ, वर्ग-IV (समूह-D)
- केन्द्रीय सचिवालय सेवाएँ, वर्ग-I (समूह-A)
- केन्द्रीय सचिवालय सेवाएँ, वर्ग-II (समूह-B)
- केन्द्रीय सचिवालय सेवाएँ, वर्ग-III (समूह-C)
- केन्द्रीय सचिवालय सेवाएँ, वर्ग-IV (समूह-D)
- विशेषज्ञ सेवाएँ
- राज्य सेवाएँ, वर्ग-I (समूह-A)
- राज्य सेवाएँ, वर्ग-II (समूह-B)
- राज्य सेवाएँ, वर्ग-III (समूह-C)
- राज्य सेवाएँ, वर्ग-IV (समूह-D)

भारत में पद वर्गीकरण की आलोचना (Criticism)

भारत में लोक सेवाओं के पद वर्गीकरण की आलोचना निम्नलिखित आधारों पर की जाती है :

1. पहली आलोचना यह है कि इसका आधार वैज्ञानिक नहीं है। यह केवल वेतन पर आधारित है। इसमें विभिन्न पदों के कार्यों, कर्तव्यों, उत्तरदायित्वों का समुचित विश्लेषण करने की आधुनिक पद्धति का अनुसरण नहीं किया गया है। केन्द्रीय वेतन आयोग के समक्ष यह प्रस्ताव रखा गया था कि इंग्लैंड की भांति यह वर्गीकरण कार्यों तथा योग्यताओं के आधार पर होना चाहिए।
2. दूसरी आलोचना यह है कि पद वर्गीकरण में पुरानी परम्पराओं का अंधानुकरण किया गया है। पहले एक जैसा कार्य करने पर यूरोपियन लोगों को अधिक वेतन वाले ऊँचे पद तथा भारतीयों को कम वेतन वाले निम्न पद दिए जाते थे। प्रथम और द्वितीय श्रेणी के पदाधिकारियों में योग्यता के आधार पर नहीं, अपितु वेतन के आधार पर भेद किया जाता था। वही परम्परा अब तक चली आ रही है, वर्गीकरण का कोई सैद्धान्तिक आधार नहीं है।
3. तीसरी आलोचना, इसमें ग्रेडों की संख्या का बहुत अधिक होना है। संयुक्त राज्य अमरीका की संघीय सेवाओं में ग्रेडों की संख्या केवल 18 है, जबकि भारत में इनकी संख्या वर्तमान में 33 है। अखिल भारतीय सेवाओं तथा केन्द्रीय सेवा समूह 'क' एवं समूह 'ख' में बड़ी विविधता है।
4. चौथी आलोचना, एक सेवा में काम करने वाले कर्मचारियों की दूसरी सेवा वालों से कोई सम्बन्ध न रखना है। यद्यपि इन सबका संचालन सिविल सर्विस के नियमों से किया जाता है, किन्तु वेतन सम्बन्धी नियम एक जैसे नहीं हैं। विभिन्न सेवाओं में पर्याप्त भेद पाया जाता है और सब सेवाएँ अपने कर्मचारियों को पृथक्, बड़ा ऊँचा समझती हैं। यह राष्ट्रीय एकता की दृष्टि से बड़ा हानिकर तथा घातक है।

5. पाँचवीं आलोचना, हमारी सेवा में जाति भेद की परम्परा का एक नए रूप में पुष्ट होना है। ब्रिटिश युग की इंडियन सिविल सर्विस की उत्तराधिकारिणी भारतीय प्रशासनिक सेवा को अन्य सभी सेवाओं की तुलना में वेतन, भत्तों, विशेषाधिकारों, सेवा की शर्तों, आदि की दृष्टि से अधिक सुविधा एवं प्रतिष्ठा प्राप्त है। वे न केवल सरकारी सेवाओं में उच्चतम स्थान के अधिकारी समझे जाते हैं, अपितु सामाजिक क्षेत्र में भी उन्हें सर्वोच्च गरिमा प्राप्त है। पंडित जवाहरलाल नेहरू ने इसकी आलोचना करते हुए कहा था कि, ''हमारी सेवाओं में जाति की भावना उत्पन्न हो गई है। कुछ सेवाएँ सबसे ऊँची समझी जाती हैं, कुछ दूसरे दर्जे की और कुछ तीसरे दर्जे की। मैं इसे बहुत हानिकारक समझता हूँ। यह स्वाभाविक है कि उच्चतर दायित्व की दृष्टि से ग्रेड हो। अधिक अनुभव और अधिक बुद्धि वाले व्यक्तियों को अधिक ऊँचे ग्रेड दिए जाएँ, किन्तु अधिक ऊँचे ग्रेड को अधिक ऊँची जाति में परिणत नहीं किया जाना चाहिए। यह हर दृष्टि से बुरा है, इसे अवश्य बदलना चाहिए।''

अनेक अवसरों पर यह कहा गया है कि वर्गीकरण की पद्धति अप्रजातान्त्रिक है। किसी सीमा तक अप्रजातान्त्रिकता की शिकायत संभवतः ठीक है। प्रचलित व्यवस्था के अन्तर्गत कर्मचारियों के आवास, चिकित्सा तथा अन्य सुविधाएँ उनके वर्ग विशेष पर निर्भर करती हैं।

पॉल एप्पिलबी ने भारत में सेवाओं के वर्गीकरण के 6 दोषों को गिनाया है। ये हैं :

(*i*) कठोरता (Rigiditiy);

(*ii*) बौद्धिक अनुप्रेरित (Intellectually Oriented);

(*iii*) विशृंखलित (Disjointed);

(*iv*) स्तर से प्रभावित (Status Oriented);

(*v*) अन्तर्विभागीय ईर्ष्या (Interclass jealousies); एवं

(*vi*) सामान्यज्ञों का वर्चस्व (More generalist dominated);

पर साथ ही यह तथ्य भी विचारणीय है कि बिना वर्गीकरण के काम भी नहीं चल सकता। सरकारी सेवाओं में लाखों आदमी काम करते हैं। सब न तो एक ही योग्यता के हैं और न उन सबका उत्तरदायित्व ही एक-सा है। उनके वेतनमान भी अलग-अलग हैं। अतः वर्गीकरण की कोई-न-कोई व्यवस्था लागू करना नितान्त आवश्यक है। शायद इसका कोई विकल्प नहीं है।

भर्ती (Recruitment)

डी.ई. क्लिंगर के शब्दों में, ''भर्ती योग्यता प्राप्त आवेदकों को आकर्षित करने की प्रक्रिया है।'' दूसरे शब्दों में भर्ती में श्रम बाजार का सम्पर्क होता है। इस प्रकार यह आवेदकों का समूह उपलब्ध कराती है। संगठन में भर्ती कर्मचारियों का समुच्चय उपलब्ध कराने की प्रक्रिया है। किसी संगठन में योग्यता प्राप्त कर्मचारियों की पर्याप्त संख्या में पूर्ति की व्यवस्था करना आवश्यक होता है जो संगठन के लक्ष्यों को प्राप्त करने के लिए विभिन्न कार्य कर सकें। जैसा कि स्टाल का कथन है, ''यह सम्पूर्ण लोक कर्मचारियों के ढाँचे की आधारशिला है।'' भर्ती की दूषित नीति के कारण प्रशासन में स्थायी दुर्बलता आ जाती है। भर्ती और चयन की प्रक्रिया ही शक्तिशाली लोक सेवा की कुंजी है।

भर्ती के 'योग्यता सिद्धान्त' ने 'लूट सिद्धान्त' का स्थान ले लिया है। लेकिन यह परिवर्तन धीरे-धीरे ही हो सका है। ब्रिटेन में यह परिवर्तन 1870 में पूरा हो पाया है, यद्यपि सरकार ने विभागों द्वारा मनोनीत अभ्यर्थियों के परीक्षण के लिए लोक सेवा आयोग की स्थापना 1855 में ही कर दी थी।

संयुक्त राष्ट्र में लूट-प्रणाली का इतिहास बहुत लम्बा है। एक निराश बेरोजगार व्यक्ति द्वारा 1871 में राष्ट्रपति गारफील्ड की हत्या इसकी स्थापना का तात्कालिक कारण था। इसके परिणामस्वरूप 1833 में पेण्डलेटन अधिनियम पारित किया गया और प्रथम बार प्रतियोगिता परीक्षा के माध्यम से भर्ती का प्रावधान किया गया है।

लूट-प्रणाली के दोष एवं कमियाँ इतनी ज्वलन्त तथा जड़ें इतनी गहरी थीं कि उसे उखाड़ फेंकने के लिए लोक सेवा आयोग का निर्माण किया गया। प्रारंभ में इसका मुख्य कार्य शासकीय सेवाओं में से 'धूर्तों को बाहर रखने' तक सीमित था। फिफनर कहते हैं, ''जगत में धूर्तों को बाहर रखने पर उतना बल नहीं दिया जाएगा जितना इन बातों पर कि राज्य की सेवा करने के लिए सर्वोत्तम व्यक्तियों को कैसे प्रोत्साहित किया जाए।''

प्रशिक्षण (Training)

प्रशिक्षण को कर्मचारियों और 'अधिकारियों की कार्यकुशलता की कुंजी' समझी जाती है। इसे कार्य की प्रवीणता तथा विधि के सम्बन्ध में परिचित कराया जाता है। कर्मचारी या अधिकारी द्वारा समुचित प्रशिक्षण के बिना कार्य को कुशलता के साथ सम्पन्न नहीं किया जा सकता है।

लोक प्रशासन में पदस्थ उच्चस्तरीय प्रशासन की प्रशासनिक नीति का निर्धारण किया जाता है। यह ध्यान रखना पड़ता है कि जो नीति कार्यान्वित हो, उसका कल्याणकारी प्रभाव हो। प्रशिक्षण ही प्रशासकों में ऊँची दृष्टि उत्पन्न करने का माध्यम है। लोक सेवकों में उत्तरदायित्व की भावना उत्पन्न करने के लिए भी प्रशिक्षण जरूरी माना जाता है। यदि कर्मचारियों को उचित प्रशिक्षण न दिया जाए, तो नयी परिस्थितियों के अनुरूप वे अपने आपको ढालने में असमर्थ होंगे। इससे राष्ट्र की बड़ी हानि होगी, विकास के कार्य रूक जाएंगे और प्रशासन का लक्ष्य प्राप्त नहीं हो सकेगा।

लोक कर्मचारियों के लिए प्रशिक्षण की आवश्यकता के निम्नलिखित कारण हैं :

(*i*) प्रशिक्षण द्वारा कर्मचारियों को समस्याओं की जानकारी दी जाती है तथा समस्याओं से निपटने की आदत उत्पन्न की जाती है।

(*ii*) प्रशिक्षण द्वारा कर्मचारियों का दृष्टिकोण व्यापक हो जाता है।

(*iii*) प्रशिक्षण द्वारा कर्मचारियों में दक्षता, कुशलता, प्रवीणता, स्वतंत्र निर्णय लेने और विशिष्टीकरण आदि उत्पन्न किए जाते हैं।

(*iv*) प्रशिक्षण द्वारा कर्मचारियों में सामाजिक समस्याओं को मनोवैज्ञानिक तरीके से हल करने की क्षमता उत्पन्न की जाती है।

(*v*) प्रशिक्षण द्वारा कर्मचारियों में आत्मनिर्भरता की भावना का विकास होता है।

हमारे परिवेश में परिवर्तन हो रहे हैं। उसमें कर्मचारियों के लिए आवश्यक कौशल में भी बार-बार बदलाव की जरूरत पैदा हो जाती है। आज से 20 वर्ष पश्चात् किस कौशल की जरूरत होगी इसका अनुमान लगाना और कर्मचारियों की भर्ती करना कठिन काम है। संगठन ज्यादा से ज्यादा ऐसे लोगों की भर्ती करता है, जो लगातार सीखने में सक्षम हों।

प्रशिक्षण एक विशिष्ट (Specialized) क्रिया है। प्रशिक्षण में व्यक्ति की प्रवृत्ति एवं उच्च विचार को विशेष मोड़ दिया जाता है। लोक प्रशासन के परिप्रेक्ष्य में प्रशिक्षण और शिक्षा के बीच जो व्यावहारिक भेद किया जाता है, वह यह है कि प्रशिक्षण किसी विशेष व्यवसाय के क्षेत्र में विशेष कौशल बढ़ाता है।

प्रशिक्षण का सामान्य अर्थ है लोक सेवकों को अपने कार्य के लिए तैयार करना। जब एक अधिकारी की कुशलता, शक्ति, बुद्धि एवं दृष्टिकोण को एक निश्चित दिशा में सशक्त करने का प्रयास किया जाता है तो वह प्रशिक्षण कहलाता है।

विलियम जी. टॉर्पी के अनुसार, "प्रशिक्षण कर्मचारियों की कुशलता, आदतें, ज्ञान तथा दृष्टिकोण विकसित करने की एक प्रक्रिया है जिससे कर्मचारियों की उनकी वर्तमान सरकारी स्थितियों में प्रभावशीलता बढ़ायी जा सके और साथ ही उन्हें भावी सरकारी स्थितियों के लिए तैयार किया जा सके।"

मैण्डेल के अनुसार, "प्रशिक्षण का अर्थ है नये काम के लिए अभिनवीकरण (Orientation), वर्तमान कार्य के लिए ज्ञान तथा कुशलता का विकास एवं भावी उत्तरदायित्वों के लिए तैयारी।"

प्रशिक्षण का आशय किसी विशेष कला, व्यवसाय या पेशे की शिक्षा देना है। लोक प्रशासन के क्षेत्र में इसका अभिप्राय ऐसा प्रशिक्षण देने से है जो किसी सरकारी कर्मचारी में काम करने की कुशलता, शक्ति और क्षमता में वृद्धि करे, जिससे वह अपने काम को अधिक उत्साह और दक्षता से करने लगे। मैण्डेल के शब्दों में, "एक संयोगात्मक क्रिया के बदले, प्रशिक्षण लोक प्रशासन का एक महत्वपूर्ण पहलू बन गया है।" प्रशिक्षण के अर्थ को और भी स्पष्ट करते हुए वे लिखते हैं, "हम प्रशिक्षण की परिभाषा इस प्रकार कर सकते हैं कि वह प्रबंध द्वारा किया गया सचेत प्रयास है जिससे कि कर्मचारियों को अपना काम सीखने और अपनी उपजीविका सम्बन्धी विकास करने में सहायता और निदेशन प्राप्त हो।"

प्रशिक्षण से सामान्य कर्मचारी कुशल कर्मचारी बन जाता है। कर्मचारी अपने कार्यों को अधिक सुचारुता से पूरा करने लगता है। उसका जो दृष्टिकोण है उसमें थोड़ा परिवर्तन उत्पन्न किया जा सकता है।

प्रशिक्षण का उद्देश्य

"प्रशिक्षण एक ऐसा माध्यम है जिससे व्यवहार में परिवर्तन लाया जा सकता है, हालांकि इससे व्यक्तित्व को नहीं बदला जा सकता.....प्रशिक्षण के बाद भी कर्मचारी का व्यक्तित्व वही रहता है मगर उसके व्यवहार में सकारात्मक बदलाव आ जाता है।"

प्रशिक्षण के द्वारा कर्ता में अपने कर्तव्य को समस्त संस्था के कल्याण का अंग समझने की क्षमता आती है। इससे उसका सम्पूर्ण स्वभाव उदात्त होता है और प्रस्तुत क्रिया-व्यापार के प्रति उसमें उत्साह का उदय होता है। जब उसमें यह भाव उदित होता है कि जो कुछ वह करता है, वह लोक कल्याण के लिए की जाने वाली बड़ी सेवा का अंग है, तो अपना कार्य उसको अधिक मूल्यवान और महत्वपूर्ण लगने लगता है। इसके बाद वह अधिकाधिक परिश्रम करने लगता है।

सन् 1944 ई. में इंग्लैंड में अस्शेटन समिति (Assheton Committee) ने प्रशिक्षण के पांच उद्देश्य बताए थे :

1. कर्मचारियों में विश्वसनीय चातुर्य उत्पन्न करना,
2. कर्मचारियों के दृष्टिकोण को व्यापक बनाना और उन्हें यह समझाना कि वे सेवक हैं, स्वामी नहीं।
3. कर्मचारियों में सामुदायिक चेतना उत्पन्न करना और उन्हें यंत्रीकरण से बचाना।
4. लोक कर्मचारियों को इस योग्य बनाना कि वे बदलते हुए संसार में अपने काम को सुगमतापूर्वक निभा सकें।
5. लोक कर्मचारियों में उच्चतर कर्तव्यों एवं दायित्वों के लिए क्षमता उत्पन्न करना।

यह कहा जाता है कि प्रशिक्षण द्वारा व्यक्ति को पद ग्रहण करने से पूर्व ही अपने कार्यों एवं उत्तरदायित्वों का ज्ञान प्रदान कर दिया जाता है। जब पहली बार अधिकारी अपने पद के कार्यों को सम्पन्न करने लगता है तो उसे अनेक कठिनाइयों का सामना करना पड़ता है। प्रशिक्षण द्वारा उसमें आवश्यक योग्यताएँ विकसित करके उसे प्रशासन की वांछनीय आवश्यकताओं के अनुरूप बनाया जाता है। प्रत्येक सरकारी पद के कार्यों का एक निश्चित तरीका है जिसे कोई भी व्यक्ति जन्म से ही सीखकर नहीं आता। उसे यह सब प्रशिक्षण द्वारा सिखाए जाते हैं। प्रशिक्षण के अभाव में वह इन तरीकों को 'भूल और सुधार' (Trial and Error) की लम्बी प्रक्रिया द्वारा ही सीख पाएगा।

पदाधिकारी की मानसिक एवं बौद्धिक क्षमता में वृद्धि प्रशिक्षण का महत्वपूर्ण कार्य है। प्रशिक्षण द्वारा प्रशासनिक अधिकारियों में दृष्टिकोण को व्यापक बनाया जाता है। निग्रो के शब्दों में, "प्रशिक्षण का कार्य कर्मचारियों को न केवल यांत्रिक दृष्टि से कुशल बनाना है वरन् उनके दृष्टिकोण को इतना व्यापक बनाना है जितना कि एक लोक-सेवक के लिए आवश्यक होता है।"

संक्षेप में, लोक प्रशासन में प्रशिक्षण कार्यक्रम निम्नलिखित लक्ष्यों की प्राप्ति के लिए संचालित किया जाता है :

1. विभागीय लक्ष्यों की प्राप्ति के लिए व्यावसायिक कुशलता की प्राप्ति,
2. नवीन लक्ष्य एवं वातावरण के साथ समायोजन स्थापित करना,
3. प्रशिक्षण प्राप्तकर्ता को वांछनीय भर्ती के लिए योग्य बनाना,

4. प्रशिक्षणार्थी को आधुनिकतम बनाना,
5. दृष्टिकोण एवं भविष्य को व्यापक बनाना,
6. पदोन्नति एवं उच्च स्थिति के योग्य बनाना,
7. आजीवन सेवाओं में क्षमताओं का विकास,
8. संगठन के स्तर को ऊँचा उठाना,
9. लोक सेवाओं में ईमानदारी तथा मनोबल को ऊँचा उठाना, एवं
10. दृष्टिकोण में एकरसता लाना।

प्रशिक्षण विधि (Training Methods)

यदि कर्मचारी को व्यक्तिगत रूप में प्रशिक्षण प्राप्त करना हो तो उसके लिए विचार-विमर्श, कार्य परिवर्तन, औपचारिक पाठ्यक्रम, पत्राचार पाठ्यक्रम, सामुदायिक शिक्षा व्यवस्था, पर्यवेक्षणाधीन अध्ययन विषय, आदि तरीके अपनाये जाने चाहिए। यदि प्रशिक्षण समूह को प्रदान करना हो तो अन्य प्रकार के तरीके अपनाये जा सकते हैं, जैसे–सेमिनार, सम्मेलन, सामूहिक, विचार-विमर्श, क्षेत्रीय दौरे, भाषण, निरीक्षणात्मक दौरे आदि। प्रशिक्षण की प्रक्रिया में संचार साधनों का अधिकाधिक प्रयोग भी उपयोगी रहता है। इस दृष्टि से रेडियो, टेलीविजन, समाचार-पत्र, प्रेस, आदि का पर्याप्त उपयोग किया जा सकता है। किसी भी प्रशिक्षण कार्यक्रम की प्रभावशीलता इस बात पर निर्भर करती है कि उसमें किन तरीकों को अपनाया गया है।

लोक प्रशासकों के प्रशिक्षण हेतु निम्नलिखित प्रशिक्षण विधियों को अपनाया जा सकता है :

1. **सामूहिक प्रशिक्षण (Group Training):** प्रशिक्षण की इस विधि में कुछ लोगों को एक साथ मिलकर प्रशिक्षण दिया जाता है। प्रशिक्षण के इस रूप में औपचारिक पाठ्यक्रम, कक्षा के विचार-विमर्श, औपचारिक भाषण, सामयिक वार्ता, प्रदर्शन, प्रयोगशाला कार्य, आदि की गणना की जा सकती है। समय-समय पर होने वाली स्टाफ की मीटिंग और कर्मचारियों की सभाएं भी इस प्रकार के प्रशिक्षण में सम्मिलित हैं।
2. **कार्य पर निर्देश (On the Job Instruction):** कार्य पर व्यक्तिगत निर्देश प्रशिक्षण का एक प्रसिद्ध प्रकार है। इस विधि में एक नए कर्मचारी को पर्यवेक्षक द्वारा पूर्ण सहायता दी जाती है। जब समूह बड़ा होता है तब निदेशन के लिए एक अलग व्यक्ति को नियुक्त कर दिया जाता है, किन्तु अधिकतर पर्यवेक्षक सुयोग्य व्यक्ति होता है और वह अपने अधीनस्थों को निर्देश देता है।
3. **लिखित परिपत्र (Manuals and Bulletins):** संगठन के अधिकारियों को विभिन्न निर्देश समय-समय पर लिखित रूप में प्रसारित किए जाते हैं। कभी-कभी कार्यालय-पुस्तिका भी वितरित या घुमायी जाती है। इन पुस्तिकायों में नियमावली अथवा विशेष निर्देश आदि होते हैं।
4. **परिसंवाद कक्षाएँ :** इसके अन्तर्गत प्रशिक्षण एवं प्रशिक्षणार्थी विभिन्न विषयों पर विचार-विमर्श तथा विचारों का आदान-प्रदान करते हैं।
5. **अधिसभा (Syndicate):** इसके अन्तर्गत सम्पूर्ण प्रशिक्षणार्थियों को कई छोटे-छोटे दलों में विभाजित कर दिया जाता है और प्रत्येक दल अथवा टुकड़ी का एक अध्यक्ष नियुक्त कर दिया जाता है। प्रत्येक दल को एक गम्भीर समस्या पर विचार-विमर्श करने और उसका हल तलाश करने की जिम्मेदारी सौंप दी जाती है। प्रत्येक दल उस समस्या पर पूर्ण रूप से विचार-विमर्श करके उसके समाधान के बारे में अपना हल प्रशिक्षणार्थियों के सामने रख देता है। उसके पश्चात् सारे प्रशिक्षणार्थी उस पर विचार-विमर्श करते हैं और इस तरह विचारों का आदान-प्रदान होता रहता है।
6. **भ्रमण द्वारा प्रशिक्षण :** प्रशिक्षणार्थियों को अनेक कार्य-स्थलों पर घटना स्थलों का भ्रमण कराके उसी स्थान पर गंभीर समस्या के अध्ययन के लिए कहा जाता है।
7. **अनुभव द्वारा प्रशिक्षण :** इसके अन्तर्गत कर्मचारियों को सीधे उनके कार्य पर भेज दिया जाता है और अनुदेश दे दिया जाता है कि वे अपने सहयोगी से पूछ-पूछ कर काम को सीख लें।
8. **श्रव्य-दृश्य साधनों का उपयोग :** रेडियो, टेलीविजन, रिकॉर्ड एवं चलचित्रों, आदि के द्वारा कर्मचारियों में भावनात्मक उत्साह जाग्रत किया जाता है।

प्रशिक्षण के प्रकार

मोटे रूप से प्रशिक्षण के दो प्रकार हैं : (*i*) अनौपचारिक प्रशिक्षण तथा (*ii*) औपचारिक प्रशिक्षण। औपचारिक प्रशिक्षण को निम्न चार भागों में विभाजित किया जा सकता है :

1. प्रवेश-पूर्व प्रशिक्षण (Pre-entry Training),
2. अभिनवकरण प्रशिक्षण (Orientation Training),
3. सेवाकालीन प्रशिक्षण (In Service Training),
4. प्रवेश के उपरान्त प्रशिक्षण (Post-entry Training)।

लोक प्रशासन में सरकारी अधिकारियों को दिए जाने वाले प्रशिक्षण को हम सुविधा की दृष्टि से निम्नलिखित पाँच प्रकारों में बांट सकते हैं :

1. औपचारिक तथा अनौपचारिक प्रशिक्षण,
2. अल्पकालीन तथा दीर्घकालीन प्रशिक्षण,
3. प्रवेश-पूर्व, सेवाकालीन तथा प्रवेशोत्तर प्रशिक्षण,
4. विभागीय तथा केन्द्रीय प्रशिक्षण,
5. कौशल तथा आधारभूत प्रशिक्षण।

प्रशिक्षण में बाधाएँ

1. **प्रशिक्षण का अनुचित मूल्यांकन :** प्रशिक्षण पश्चात् यदि आर्थिक लाभ या सम्मान प्राप्त नहीं होता तो वह उसमें उदासीन दृष्टिकोण अपनाएगा। इसी प्रकार यदि प्रशिक्षण कार्य के स्तर को ऊँचा नहीं उठाता, उसे मात्रा एवं गुण की दृष्टि से आगे नहीं बढ़ाता, तो संगठन उसमें किसी प्रकार की रुचि नहीं लेगा। प्रशिक्षण

प्रदान करने के बाद प्रशिक्षक एवं प्रशिक्षणार्थी दोनों इस बात को भुला देते हैं। परिणाम यह होता है कि प्रशिक्षण कार्यक्रमों पर किया गया समय व्यर्थ चला जाता है। प्रशिक्षण कार्यक्रमों का उचित मूल्यांकन करते समय प्रशिक्षक को कार्यक्रम के लक्ष्यों की दृष्टि से विश्लेषण करना चाहिए और कार्यक्रम के परिणामों को भी देखना चाहिए।

2. **कर्मचारी के कार्यों और प्रशिक्षण कार्यों के बीच ढीला समन्वय :** कर्मचारी की भर्ती तथा उनके प्रशिक्षण की समस्याएँ परस्पर घनिष्ठ रूप से सम्बन्धित हैं। यदि अयोग्य व्यक्ति की भर्ती कर ली गई तो अच्छे-से-अच्छा प्रशिक्षण कार्यक्रम भी उनको योग्य नहीं बना सकता। इसी प्रकार यदि प्रशिक्षण कार्यक्रम निकम्मा है तो भर्ती किए गए व्यक्ति की उत्कृष्ट योग्यताएँ भी कुंठित हो जाएंगी, अतः यह जरूरी है कि भर्तीकर्ता एवं प्रशिक्षणकर्ता दोनों के बीच समन्वय हो।
3. **सामान्य सेविवर्ग के कार्यों से प्रशिक्षण का प्रशासनिक पार्थक्य :** अनेक बार प्रशिक्षण कार्य को सेविवर्ग कार्यों से प्रशासनिक रूप में पृथक् कर दिया जाता है अर्थात् सेविवर्ग के कार्यों का प्रशासन एक प्रकार से होता है और प्रशिक्षण कार्यो का प्रशासन दूसरे प्रकार से। इस प्रकार के पार्थक्य में प्रशिक्षण को एक ऐसे अधिकारी के हाथों में सौंप दिया जाता है जो सेविवर्ग अधिकारी से स्वतन्त्र रहता है।
4. **सेवाकालीन प्रशिक्षण पाठ्यक्रमों की प्रामाणिकता :** जब तक प्रशिक्षण का कोई व्यावहारिक उपयोग नहीं होता, तब तक प्रशिक्षणार्थी उसमें अपना पूरा ध्यान एवं शक्ति नहीं लगा पाता। यदि सेवाकालीन प्रशिक्षणों को पदोन्नति, आदि की दृष्टि से महत्व नहीं दिया जाता तो प्रशिक्षित व्यक्ति को घोर निराशा होती है। अनेक प्रशासनिक संगठनों में यह एक सामान्य प्रवृत्ति है कि पदोन्नति करते समय केवल प्रशिक्षण को योग्यता का आधार नहीं बनाया जाता। यदि एक प्रशिक्षित व्यक्ति को पदोन्नति का अवसर दिया जाता है तो इसके दूसरे कई कारण होते हैं न कि उसने प्रशिक्षण प्राप्त किया है।
5. **कार्य-भार :** कुछ अभिकरणों में कार्य भार इतना अधिक होता है कि पर्यवेक्षक एवं कर्मचारी दोनों ही यह अनुभव करते हैं कि प्रशिक्षण कार्यक्रमों में भाग लेने के लिए उनके पास समय नहीं है।
6. **धन की समस्या :** अनेक बार धन का अभाव प्रशिक्षण कार्यक्रमों की सफलता को मन्द कर देता है। जब इन कार्यक्रमों को कार्यान्वित करने के लिए पर्याप्त स्टाफ नहीं दिया जाता या प्रशिक्षणार्थियों के कार्य को सम्पन्न करने के लिए अन्य व्यक्तियों को नियुक्त नहीं किया जाता या प्रशिक्षण के लिए आवश्यक साधन एवं सामान नहीं जुटाए जाते तो इन कार्यक्रमों की सफलता संदिग्ध बन जाती है।

पदोन्नति (Promotion)

लोक सेवा में पदोन्नति (Promotion in Civil Services)

पदोन्नति भर्ती का ही एक रूप है। भर्ती में खुले बाजार से प्रत्याशियों का चयन किया जाता है जबकि पदोन्नति में चयन की प्रक्रिया केवल उन्हीं तक सीमित रहती है जो पहले से ही संगठन की सेवा में होते हैं। अनेक बार अमरीकी लेखक पदोन्नति के स्थान पर भीतर से भर्ती (Selection from within) का प्रयोग करते हैं।

अपने वेतनमान में ही वार्षिक वेतन वृद्धि को कदापि पदोन्नति नहीं कहा जा सकता। इसमें न तो कार्मिक के दायित्व में बढ़ोत्तरी होती है और न ही उसका वेतनमान बढ़ता है। पदोन्नति के लिए आवश्यक है कि (अ) पहले की अपेक्षा उसे अधिक दायित्व का पद दिया जाए। (ब) पहले के वेतनमान से अधिक वेतनमान दिया जाए।

पदोन्नति व्यवस्था का महत्व

प्रो. विलोबी ने पदोन्नति को समस्त सेविवर्ग प्रशासन में सर्वाधिक महत्वपूर्ण कार्य माना है। सेविवर्ग व्यवस्था में पदोन्नति के महत्व तथा उपयोगिता की दृष्टि से मुख्यतः निम्नलिखित बातें उल्लेखनीय हैं :

1. यह अच्छे कार्य का पुरस्कार है। इसकी आकांक्षा में लोक सेवक अपने कार्य समुचित रूप से सम्पन्न करते हैं तथा जिन्हें पदोन्नति प्राप्त हो जाती है वे अपने कठिन परिश्रम, ईमानदारी, सजगता, कार्यकुशलता आदि के प्रति सन्तोष का अनुभव करते हैं। प्रोक्टर के अनुसार, "कर्मचारियों के लिए पदोन्नति पुरस्कार है ही किन्तु पदोन्नति का अवसर भी संभावित पुरस्कार है।"
2. पदोन्नति प्रत्येक कर्मचारी के लिए व्यापक प्रेरणा का स्रोत है। यह कर्मचारी के लिए ऐसा बाह्य आकर्षण है जो उसमें आन्तरिक भावनाएँ प्रेरित करता है।
3. इसमें प्रशासनिक कार्यकुशलता बढ़ती है। कारण यह है कि पदोन्नति के कारण एक ओर तो कर्मचारियों को अपने कार्य के प्रति संतोष रहता है तथा दूसरी ओर उच्च पदों पर अनुभवी, क्षमतावान, कार्यकुशल वरिष्ठ एवं संगठन से पूर्णतः परिचित कर्मचारी नियुक्त हो पाते हैं।
4. पदोन्नति व्यवस्था संगठन को अनेक रूपों में लाभान्वित करती है। इसके फलस्वरूप उपयुक्त कार्यकर्ता विभिन्न पदों पर नियुक्त हो जाते हैं, इसके कारण कर्मचारी अधिक समय तक अपने पद पर कार्य कर पाते हैं, इससे सरकारी कर्मचारी का प्रशिक्षण तथा आत्मसुधार का कार्य प्रभावित होता है, इससे संगठन में वांछनीय अनुशासन रह पाता है, यह संगठन के लिए अपेक्षित सद्इच्छा एवं उत्साह को प्रभावित करता है तथा कुल मिलाकर इसके कारण संगठन की कार्यकुशलता प्रभावित होती है।

5. किसी भी संगठन में पदोन्नति के अवसरों का अभाव हानिकारक है। यदि किसी संगठन में लोक सेवकों को पदोन्नति के उपयुक्त अवसर प्राप्त न हो सकें तो योग्य तथा सक्षम कार्यकर्ता उसकी ओर आकर्षित नहीं हो पाएंगे। जो लोग कार्य कर रहे हैं वे भी निरंतर यह प्रयत्न करते रहेंगे कि ज्यों ही अवसर प्राप्त हो त्यों ही वे इस संगठन को त्याग कर ऐसे संगठन में प्रवेश कर लें जहाँ पदोन्नति के पर्याप्त अवसर मिलें। यदि पदोन्नति की प्रक्रिया में धांधली होती है तथा पक्षपातपूर्ण नीतियां अपनायी जाती हैं तो कर्मचारियों में असन्तोष पैदा होता है। प्रो. ह्वाइट के शब्दों में, एक दुर्नियोजित पदोन्नति पद्धति संगठन को न केवल इस प्रकार हानि पहुँचाती है कि उससे अयोग्य व्यक्ति आगे बढ़ जाते हैं बल्कि इस प्रकार भी कि उससे सम्पूर्ण समूह का मनोबल गिर जाता है।
6. संगठन में उच्च मनोबल की दृष्टि से उपयुक्त पदोन्नति व्यवस्था विशेष रूप से महत्व रखती है। यदि उपयुक्त पदोन्नति व्यवस्था असफल हो जाती है तो इसका भर्ती पर विपरीत प्रभाव पड़ेगा और इससे अच्छा कार्य करने की प्रेरणा मर जाएगी तथा कर्मचारियों का मनोबल नीचा हो जाएगा।

पदोन्नति से अभिप्राय

पदोन्नति से तात्पर्य है कि एक निम्न श्रेणी से उच्च श्रेणी के पद पर उन्नत होना और उसके साथ-ही-साथ कर्तव्यों व उत्तरदायित्वों में भी परिवर्तन होना। ''कर्तव्यों तथा उत्तरदायित्वों में परिवर्तन होना पदोन्नति प्रक्रिया का एक अनिवार्य लक्षण है।''

ह्वाइट ने पदोन्नति की परिभाषा इस प्रकार की है : ''पदोन्नति का अर्थ है कि ''पदोन्नति का अर्थ है एक पद से किसी दूसरे पद पर नियुक्ति, जो उच्चतर श्रेणी का है तथा जिसमें कठिनतर प्रकृति एवं अधिक बड़े उत्तरदायित्व का कार्य करना पड़ता है। इसमें पद का नाम बदल जाता है तथा प्रायः वेतन में वृद्धि हो जाती है।'' विलियम जी. टॉर्पी के अनुसार, ''पदोन्नति पदाधिकारी के एक पद से दूसरे पद पर पहुँचने की ओर संकेत करती है, जो उच्चतर श्रेणी या उच्चतर न्यूनतम वेतन वाला होता है। पदोन्नति का अभिप्राय है कर्मचारी के कर्तव्यों एवं उत्तरदायित्वों में वृद्धि कर देना।''

पदोन्नति तथा वेतन वृद्धि के अन्तर को विलोबी ने इन शब्दों द्वारा स्पष्ट किया है, ''वेतन वृद्धि का अर्थ केवल यह है कि कर्मचारी के वर्तमान पद अथवा उसके कार्य की प्रकृति में कोई परिवर्तन किए बिना उसके वेतन में वृद्धि कर दी गई है। पदोन्नति का अर्थ यह है कि कर्मचारी को निम्न स्तर के पद से उच्च स्तर के पद पर नियुक्त कर दिया गया है।'' उदाहरण के लिए, यदि एक प्रवक्ता को किसी कॉलेज में विभागाध्यक्ष नियुक्त किया जाता है तो इसे पदोन्नति कहा जाएगा क्योंकि एक प्रवक्ता उच्चतर श्रेणी के पद पर पहुँच गया है और साथ-ही-साथ, उसके कर्तव्यों एवं उत्तरदायित्वों में भी परिवर्तन हो गया। यदि विभागाध्यक्ष को कॉलेज के प्राचार्य के पद पर नियुक्त किया ज़ाए तो इसे पदोन्नति कहा जाएगा। जब एक कर्मचारी की पदोन्नति होती है तो उसके परिणामस्वरूप उसके वेतन में भी वृद्धि होती है। परन्तु केवल वेतन में वृद्धि पाना ही पदोन्नति नहीं है। वेतन में वृद्धि होना तो पदोन्नति का एक सहायक अंग है, पदोन्नति का वास्तविक अथवा मुख्य अंग है कर्मचारी की पद स्थिति (Class Status) जिसके कारण कि उसके कर्तव्य व उत्तरदायित्वों में परिवर्तन होता है।

पदोन्नति प्रायः विभागीय (Departmental) होती है। इसका आशय है कि एक विभाग में उच्च पद रिक्त होने पर उसकी पूर्ति प्रायः उस विभाग के निम्न स्तरीय कर्मचारियों में से ही की जाती है, भले ही अन्य विभागों में उनसे अधिक अनुभवी और योग्य कर्मचारी इस कार्य के लिए उपलब्ध हों। इस व्यवस्था का समर्थन प्रायः दो कारणों से किया जाता है। पहला कारण यह है कि विभाग में बाहर का कर्मचारी लाने से विभागीय कर्मचारी यह समझते हैं कि उन्नति का द्वार बन्द हो गया है। इसमें उनमें असन्तोष और निराशा की भावना उत्पन्न होती है। इसका दूसरा कारण यह है कि विभागीय कर्मचारी अपने विभाग के कार्यों को जितनी अच्छी तरह से जानते हैं और कुशलतापूर्वक कर सकते हैं उतना दूसरे विभाग के कर्मचारी नहीं कर सकते हैं। किन्तु इस व्यवस्था में एक बड़ा दोष यह है कि सब लोक सेवकों को पदोन्नति के समान अवसर नहीं मिलते हैं।

इस प्रकार एक सेवा से दूसरी सेवा में पदोन्नति सामान्य रूप से नहीं होती है। उदाहरणार्थ, पुलिस विभाग की सेवा में कार्य करने वाले व्यक्ति की पदोन्नति शिक्षा अथवा स्वास्थ्य सेवा विभाग में नहीं हो सकती है।

पदोन्नतियाँ दो प्रकार की हो सकती हैं :

(*i*) एक वर्ग से दूसरे वर्ग में पदोन्नति : उदाहरण के लिए, राजस्थान प्रशासनिक सेवा से भारतीय प्रशासनिक सेवा में पदोन्नति अथवा राजस्थान पुलिस सेवा से भारतीय पुलिस सेवा में पदोन्नति इस श्रेणी में आती हैं।

(*ii*) किसी सेवा के कनिष्ठ वेतनमान से वरिष्ठ वेतनमान में पदोन्नति : उदाहरण के लिए, भारतीय प्रशासनिक सेवा अथवा भारतीय पुलिस सेवा के कनिष्ठ वेतनमान से वरिष्ठ वेतनमान में पदोन्नति अथवा भारतीय प्रशासनिक सेवा या भारतीय पुलिस सेवा के वरिष्ठ वेतनमान से सुपर टाइम स्केल (Super time scale) में पदोन्नतियाँ इसी श्रेणी में आती हैं।

भारत में पदोन्नति प्रणाली

पदोन्नति के लिए भारत में वरिष्ठता सिद्धान्त व योग्यता सिद्धान्त दोनों को काम में लिया जाता है और कहीं पर वरिष्ठता सिद्धान्त को प्राथमिकता दी जाती है और कहीं पर योग्यता सिद्धान्त को। साधारणतया वरिष्ठता को ही ध्यान में रखा जाता है। यदि वरिष्ठ कर्मचारी अयोग्य हो तब ही वरिष्ठता की अवहेलना की जाती है। उच्च पदों पर एक अनुपात में योग्यता के आधार पर भी भर्ती की जाती है, विभाग के कर्मचारियों के अतिरिक्त बाहर के लोगों को भी आवेदन का अवसर प्रदान किया जाता है।

भारत शासन के अन्तर्गत केन्द्रीय सेवा समूह 'क' के लगभग 55 प्रतिशत पद उन व्यक्तियों द्वारा भरे जाते हैं जिनकी इस श्रेणी में सीधी

भर्ती की जाती है और शेष स्थान पदोन्नति द्वारा भरे जाते हैं। पदोन्नति द्वारा भरे जाने वाले पदों का ठीक-ठीक अनुपात सेवा के अनुसार भिन्न-भिन्न होता है। भारतीय विदेश सेवा में 90 प्रतिशत पद सीधी भर्ती से भरे जाते हैं जबकि केन्द्रीय सचिवालय के उच्चतम पदों के लिए यह अनुपात बहुत ही कम है, जहाँ कि प्रथम श्रेणी के स्तर पर सीधी भर्ती होती ही नहीं। सारे पद पदोन्नति से भरे जाते हैं। समूह 'ख' (राजपत्रित) की सेवाओं एवं पदों में सीधी भर्ती अपेक्षाकृत कम ही होती है। इस श्रेणी के लगभग 65 प्रतिशत पदों की भर्ती समूह 'ग' के स्टाफ के लिए सुरक्षित रहती है। समूह 'घ' से बहुत कम कर्मचारियों की पदोन्नति समूह 'ग' में होती है। रेलवे तथा डाक-तार विभाग में ऐसी कुछ व्यवस्था अवश्य पायी जाती है कि समूह 'घ' के कर्मचारियों को भी समूह 'ग' में आने का अधिकार प्राप्त हो जाता है। डाक और तार विभाग में तो 40 प्रतिशत तक पद पदोन्नति से भरे जाते हैं। रेलवे में यह प्रतिशत केवल 10 प्रतिशत है।

केन्द्रीय वेतन आयोग ने यह सिफारिश की थी कि जिन पदों के लिए कार्यालयीन कार्य की जानकारी ही पर्याप्त प्रशिक्षण है, उन पदों के लिए वरिष्ठता के आधार पर ही पदोन्नतियाँ की जाएं, ऊँचे पदों पर पदोन्नति करते समय मात्र वरिष्ठता का ही ध्यान नहीं रखा जाना चाहिए।

भारत में पदोन्नति करने का अधिकार विभागाध्यक्ष को है। जब भारत शासन के उच्च पदों पर पदोन्नतियाँ की जाती हैं तब संघ लोक सेवा आयोग (UPSC) का भी परामर्श लिया जाता है। इसी प्रकार जब राज्य शासन के उच्च पदों पर पदोन्नतियाँ की जाती हैं तब राज्य लोक सेवा आयोग से परामर्श लिया जाता है। जब एक श्रेणी से दूसरी श्रेणी में पदोन्नति होती है तब वित्त मंत्रालय की भी स्वीकृति ले ली जाती है। विभागीय सचिवों के पद पर जब पदोन्नति की जाती है तो केन्द्र में प्रधानमंत्री की तथा राज्य में मुख्यमंत्री की अनुमति भी प्राप्त की जाती है।

भारत शासन के कतिपय विभागों में तथा कतिपय राज्यों में कुछ विभागों में 'पदोन्नति मंडल' या 'विभागीय पदोन्नति समिति' के माध्यम से भी पदोन्नतियाँ की जाती हैं। केन्द्रीय सचिवालय सेवा में एक वेतनमान से दूसरे वेतनमान में जो पदोन्नतियाँ होती हैं वे 'विभागीय पदोन्नति समिति' की अनुशंसा से होती हैं। पदोन्नति समिति में लोक सेवा आयोग का एक सदस्य होता है। यह सदस्य ही समिति का अध्यक्ष होता है। इसके अतिरिक्त सम्बन्धित विभाग के कुछ अधिकारी जो कर्मचारियों के कार्य की व्यक्तिगत जानकारी रखते हैं, भी पदोन्नति समिति में सम्मिलित होते हैं।

राज्य सेवा से जब भारतीय प्रशासनिक सेवा के लिए पदोन्नतियाँ होती हैं तो संघ लोक सेवा आयोग के एक सदस्य तथा सम्बन्धित राज्य के भारतीय प्रशासनिक सेवा (IAS) के वरिष्ठ सदस्यों को मिलाकर एक समिति बनायी जाती है। ऐसी समिति प्रत्येक राज्य के लिए अलग रहती है। वह राज्य की प्रशासनिक सेवा के उन अधिकारियों की क्रमानुसार एक सूची तैयार करती है जो कि भारतीय प्रशासनिक सेवा में पदोन्नति के योग्य हैं। यह सूची योग्यता के आधार पर बनायी जाती है, परन्तु वरिष्ठता का भी ध्यान रखा जाता है। यह भी संभव है कि कनिष्ठ अधिकारी का नाम वरिष्ठ अधिकारी के ऊपर रखा जाए। ऐसे चुनाव के लिए आठ साल की न्यूनतम सेवा पूरी होनी चाहिए। राज्य की सरकार उस सूची को संघ लोक सेवा आयोग के पास अनुमति के लिए भेजती है। जब-जब स्थान रिक्त होते हैं, तब-तब उस सूची के अधिकारियों को पदोन्नत किया जाता है। उक्त समिति की बैठक कम-से-कम साल में एक बार अवश्य होती है।

दोष–

1. इसमें सरकारी सेवा के बाहर के व्यक्तियों को पदोन्नति का अवसर नहीं देना है। यह व्यवस्था सरकारी कर्मचारियों की विशेष लाभ प्रदान करती है, उन्हें बाहर से योग्य व्यक्तियों के साथ प्रतियोगिता नहीं करनी पड़ती।
2. इसमें निम्न स्तर के कर्मचारियों के लिए बहुत ही कम और सीमित अवसर का होना है।
3. वरिष्ठता के कठोर नियम के कारण योग्यता के आधार पर पदोन्नति नहीं हो पाती।
4. पदोन्नति परिषद् जैसी नियमित संस्था के अभाव में पदोन्नति मनमाने ढंग से की जाती है।
5. कर्मचारी की व्यक्तिगत फाइल की जिन बातों को पदोन्नति के समय देखा जाता है, वे पूरी जाँच-पड़ताल तथा निष्पक्षता के साथ नहीं बनायी जातीं।
6. कई पदोन्नतियाँ स्वेच्छाचारी तथा असम्बद्ध रूप में होती हैं। जिस गोपनीय प्रतिवेदन के आधार पर ये की जाती हैं उसका निष्पक्ष एवं विश्वसनीय होना भी सन्देहजनक है।
7. ऐसी कोई कारगर व्यवस्था नहीं है जिसके द्वारा प्रभावित कर्मचारी अपनी पदोन्नति सम्बन्धी शिकायतों का निदान पा सकें। उच्च अधिकारी अपने अधीनस्थ अधिकारी के प्रतिवेदन पर विरोध या आपत्ति प्रकट नहीं करते, उसे यथावत् स्वीकार कर लेते हैं।

पदोन्नति के सम्बन्ध में वेतन आयोग की सिफारिशें

वेतन आयोग द्वारा पदोन्नति के सम्बन्ध में की गई सिफारिशें निम्नलिखित हैं :

1. उच्च पदों पर पदोन्नति करते समय योग्यता को मापदण्ड बनाना चाहिए और निम्न स्तर के पदों पर वरिष्ठता एवं उपयुक्तता को अपनाना चाहिए।
2. गोपनीय प्रतिवेदन का सूक्ष्म परीक्षण कर पता लगाना चाहिए।
3. 'ग' श्रेणी तथा राजपत्रित 'ख' श्रेणी कर्मचारियों की पदोन्नति करते समय सीमित प्रतियोगिता परीक्षा।
4. पदोन्नति के लिए योग्यता परीक्षाएँ केवल उन्हीं पदों के सम्बन्ध में की जानी चाहिए जिसके लिए विशिष्ट ज्ञान की आवश्यकता है।

प्रशासनिक सुधार आयोग की सिफारिशें

1969 में प्रशासनिक सुधार आयोग ने केन्द्रीय कर्मचारियों के पदोन्नति के संदर्भ में निम्नलिखित सिफारिशें दीं :

1. **विभागीय पदोन्नति :** पदोन्नति का कार्य सदैव विभागीय पदोन्नति समितियों द्वारा किया जाना चाहिए। यह विभागाध्यक्ष द्वारा किये गए पदोन्नति से पारदर्शी तरीका है।
2. **कार्य सम्पन्नता प्रतिवेदन :** वर्ष की समाप्ति पर जिस अधिकारी की रिपोर्ट लिखी जानी है उसे स्वयं 300 शब्दों में वर्ष भर किए गए कार्यों का विवरण अपने सम्बन्ध में उच्च अधिकारी को प्रस्तुत करना चाहिए। टिप्पणियाँ देते हुए सम्बद्ध अधिकारी के कार्य का मूल्यांकन करते हुए उसका क्रम-निर्धारण करना चाहिए। इसमें केवल तीन ही क्रम दर्ज होने चाहिए।
   (क) अवसर न होने पर भी पदोन्नति योग्य (Fot for promotion out of turn)
   (ख) पदोन्नति योग्य (Fit for promotion)
   (ग) अभी पदोन्नति योग्य न होना (Not yet fit for promotion)
3. **समूह 'ख' में पदोन्नति हेतु परीक्षाएँ :** वर्तमान में प्रायः समूह 'ख' से समूह 'क' में पदोन्नति से भरे जाने वाले पदों की संख्या 20 प्रतिशत होती है। प्रशासनिक सुधार आयोग ने इसे 40 प्रतिशत तक बढ़ाने की सिफारिश की थी और यह कहा था कि इनमें से आधे पदों के लिए वर्तमान ढंग से पदोन्नति की जाए, किन्तु शेष आधे पदों के लिए परीक्षा पद्धति को अपनाया जाए ताकि इससे व्यक्तियों को पर्याप्त प्रोत्साहन मिले जो तुलनात्मक दृष्टि से कम आयु के और कनिष्ठ होते हुए भी बहुत योग्य हैं।
4. **समूह 'ग' वालों की समूह 'ख' में पदोन्नति :** ऐसे कर्मचारियों की संख्या काफी होती है जो समूह 'ग' से समूह 'ख' में पदोन्नत किए जाते हैं। ऐसे 50 प्रतिशत पदों पर पदोन्नति के लिए परीक्षा प्रारम्भ की जानी चाहिए। शेष 50 प्रतिशत की पदोन्नति के लिए वर्तमान तरीका ही अपनाया जाना चाहिए।

छठा केन्द्रीय वेतन आयोग एवं एश्योर्ड प्रोग्रेसन

छठे वेतन आयोग ने अपने प्रतिवेदन (2008) में 'एश्योर्ड कैरियर प्रोग्रेसन' की सिफारिश की है जिसके अन्तर्गत सभी कर्मचारियों एवं अधिकारियों को अब पूरे सेवा काल में 3 पदोन्नतियाँ आवश्यक रूप से मिलेंगी। केन्द्रीय सरकार ने सिविलियन कर्मियों को 10, 20, 30 वर्ष की सेवा पर तथा रक्षाकर्मियों को 8, 16, 24 वर्ष की सेवा पर पदोन्नति देना स्वीकार किया है।

वेतनमान तथा सेवा शर्तें
(Payscales and Service Conditions)

वेतन संबंधी नीति आधार

सबसे प्रथम आधार तो यह बताया जाता है कि लोक सेवकों को निजी उद्योग और व्यवसाय के भीतर समान पदों के लिए निर्धारित वेतन और सुविधा के बराबर ही पारिश्रमिक मिलना चाहिए। डाक कर्मचारियों के वेतन के बारे में नीति निर्धारित करते हुए 1935 में ब्रिटिश औद्योगिक न्यायालय ने यह निर्णय दिया था कि डाकघर कर्मचारियों का वेतन और समूचे औद्योगिक जगत में प्रचलित वेतन दरों के भीतर समानता की स्थापना की जाए।

यह सिद्धान्त वैसे तो बड़ा उचित प्रतीत होता है, परन्तु इसमें अनेक कठिनाइयां निहित हैं। पहली कठिनाई तो यह है कि लोक सेवाओं में अनेक पद ऐसे होते हैं जिनके समान स्तर के पद निजी नौकरियों में नहीं होते, जैसे पुलिस के सिपाही का पद। इसके अतिरिक्त लोक सेवाओं के उच्च स्तरों पर श्रमिक संघवाद एवं वेतन बढ़ाने के लिए हड़ताल, आदि करने की अनुमति नहीं दी जाती और वैधानिक प्रतिबंधों के द्वारा उनका निषेध कर दिया जाता है। कुछ लोगों का यह विचार है कि लोक सेवाएँ निजी सेवाओं की अपेक्षा अधिक लाभदायक स्थिति में होती हैं, उनमें कार्यकाल की निश्चितता, निरन्तर रोजगार, अनेक प्रकार की छुट्टियाँ और भत्तों की व्यवस्था तथा निवृत्ति वेतन का प्रावधान होता है। अतः लोक सेवाओं में वेतन की दरें निजी व्यवसायों की अपेक्षा कम होनी चाहिए।

इस विषय में सही विचार यह प्रतीत होता है कि लोक सेवाओं की वेतन दर निजी व्यवसाय की वेतन दरों की अपेक्षा कम बिल्कुल नहीं होनी चाहिए, वरन् यदि यह संभव हो तो वे उससे ऊँची ही रखी जानी चाहिए। टॉमलिन आयोग के समक्ष राष्ट्रीय ह्विटले परिषद् के कार्मिक प्रतिनिधियों ने स्पष्ट कहा था कि "लोक सेवा एक बहुत ऊँचे स्तर पर छँटी हुई सेवा है, तथा इसी कारण यह आवश्यक है कि उसके पदों की वेतन दरें निजी व्यवसाय के पदों की वेतन दरों की अपेक्षा अधिक ऊँची हों।"

दूसरा सिद्धान्त यह है कि राज्य को एक आदर्श नियोजक होना चाहिए और उसे अपने कार्मिक की वेतन दरों का निरीक्षण करते समय आदर्श रूप में कार्य करना चाहिए। आदर्श नियोजक का अर्थ है कि नियोजक की सेवा की दशाएँ निर्धारित करने के काम में दूसरे नियोजकों से आगे रहना चाहिए। परन्तु यहाँ यह प्रश्न उठता है कि राज्य को अपने कार्मिक का वेतन निर्धारित करते समय कितनी उदारता दिखानी चाहिए। सभी लोगों को यह स्वीकार करना होगा कि राज्य की उदारता केवल उस सीमा तक की जा सकती है जहाँ तक कि उसके उपलब्ध साधन उसे उदारता दिखाने की अनुमति प्रदान करें और इसके साथ ही राज्य की करदाता, अर्थात् सामान्य जनता के प्रति अपने उत्तरदायित्वों को भी पूरा करना होगा।

तीसरा सिद्धान्त यह है कि वेतन क्रम निर्धारित करते समय शासन को यह ध्यान रखना चाहिए कि कर्मचारी की आवश्यकता के अनुसार उसको प्रतिफल मिल जाए। समाज एक कर्मचारी से जैसे रहन-सहन की अपेक्षा करता है, उसको पूरा करने के लिए उसको समुचित वेतन मिलना चाहिए। इस सिद्धान्त के भीतर, उत्तरदायित्व, जीवन-निर्वाह की लागत, विवाह, सन्तान, सामाजिक स्थिति, आदि समस्त प्रासंगिक तत्वों का समावेश होता है। निश्चय ही यह सिद्धान्त सही है, परन्तु व्यावहारिक दृष्टि से यह प्रश्न फिर भी बना रहता है कि वह क्या मानदंड है, जिससे एक कुशल कार्मिक की आवश्यकताओं का सही अनुमान लगाया जा सके? वस्तुतः रहन-सहन के स्तर, प्रति व्यक्ति वार्षिक आय तथा जीविका के व्यय को दृष्टि में रखकर वेतन क्रम निर्धारित किया जाना चाहिए।

वेतन दरों का निर्धारण करने के लिए अन्य सिद्धान्त यह है कि वेतन मूल्य दरों के बढ़ने पर बढ़ा देना चाहिए और यदि मूल्य दरें घट जाएँ तो वेतन कम किया जाना चाहिए। निजी क्षेत्रों में पारिश्रमिक और वेतन निर्धारित करने के लिए इसी सिद्धान्त का प्रयोग किया जाता है। यदि लोक सेवा में भी इसी सिद्धान्त का अनुसरण किया जाए तो मूल्यों के उतार-चढ़ाव के साथ राज्य-कार्मिक की वेतन दरों में भी बहुधा परिवर्तन करने होंगे। यह बहुत असुविधाजनक होगा। यही कारण है कि लोक सेवाओं के वेतन क्रम प्रायः निश्चित होते हैं और निर्वाह स्तर से कुछ ऊपर ही रखा जाता है, जिससे कि प्रचलित मूल्यों में होने वाला छोटा-मोटा उतार-चढ़ाव उन वेतन दरों को प्रभावहीन न कर दे।

एक सिद्धान्त गह भी है कि लोक सेवाओं की वेतन दरें देश की प्रति व्यक्ति औसत आय के समानुपात में निर्धारित की जाएँ। इस सिद्धान्त के कारण चोटी के पदों की वेतन दरें कुछ घट सकती हैं, परन्तु पूरी तरह इसका पालन संभव नहीं है क्योंकि लोक सेवकों को उत्तरदायित्व और सत्ता के पद दिए जाते हैं और यदि उन्हें बहुत कम वेतन दिया जाए तो यह खतरा उत्पन्न हो सकता है कि वे अपनी सत्ता का दुरुपयोग करें।

सन् 1951 में कतिपय साक्षियों ने केन्द्रीय वेतन ओग के समक्ष एक अन्य सिद्धान्त रखा कि विभिन्न पदों का वेतन निर्धारित करते समय जहाँ तक संभव हो समानता के लोकतन्त्रात्मक सिद्धान्त का पालन किया जाए। ऐसा करने के लिए निम्नतर पदों के वेतन ऊँचे करने होंगे तथा उच्चतर पदों के वेतन घटाने होंगे। केन्द्रीय वेतन आयोग का विचार था कि समानता की स्थापना और वेतन क्रम निर्धारित करने के लिए दूसरे मार्ग अपनाए जाने चाहिए तथा इन दोनों प्रश्नों को आपस में नहीं मिलाया जाना चाहिए।

अन्ततः समान कार्य के लिए समान वेतन तथा विभिन्न प्रकार के कार्य के लिए वेतन क्रमों में समतायुक्त सम्बन्ध के सिद्धान्त का भी प्रतिपादन किया गया है, जिसके परिणामस्वरूप यह सिफारिश की गई है कि ऊँचे प्रकार के कार्य के लिए निम्नतर कार्यों की अपेक्षा उच्चतर वेतन क्रम निर्धारित किया जाना चाहिए।

उपर्युक्त सिद्धान्तों के परिप्रेक्ष्यों में निम्नलिखित कुछ ऐसे तत्व हैं जिन पर वेतन निर्धारित करते समय अवश्य ध्यान देना चाहिए :

(*i*) वेतन क्रम निर्धारित करते समय यह ध्यान रखना चाहिए कि कर्मचारी की आवश्यकता के अनुसार उसको प्रतिफल मिल जाए।

(*ii*) कर्मचारी अपनी कार्यकुशलता बनाए रख सके इतना वेतन तो उसको मिलना ही चाहिए।

(*iii*) कर्मचारी का वेतन निर्धारित करते समय प्रति व्यक्ति वार्षिक आय को ध्यान में रखना चाहिए।

(*iv*) कर्मचारियों के वेतन क्रमों में अधिक भेदभाव नहीं होना चाहिए।

(*v*) समान कार्य करने वाले कर्मचारियों को समान वेतन मिलना चाहिए।

(*vi*) वेतन निर्धारित करते समय कर्मचारी को दी जाने वाली सभी सुविधाओं को गिना जाना चाहिए।

(*vii*) वेतन निर्धारण में मूल्य सूचकांक का भी ध्यान रखा जाना चाहिए।

लॉर्ड इस्लिंग्टन का मत था कि ''सरकार अपने कर्मचारियों को इतना और केवल इतना वेतन दे जितना कि उचित प्रकृति एवं चरित्र वाले व्यक्तियों की भर्ती के लिए आवश्यक हो और जिसके द्वारा वे सन्तुष्टि तथा प्रतिष्ठा की ऐसी मात्रा कायम रख सकें जो कि उनको प्रलोभनों से बचाए तथा उन्हें सेवाकाल तक कुशल बनाए रखे।''

7वाँ वेतन आयोग : सिफारिशें

सातवां वेतन आयोग केन्द्रीय कर्मचारियों और पेंशनभोगियों के लिए बड़ी सौगात लेकर आया है। आयोग ने वेतन, भत्ते व पेंशन में 23.55 प्रतिशत की वृद्धि और सैनिकों की तर्ज पर असैन्य कर्मचारियों के लिए भी समान रैंक, समान पेंशन की व्यवस्था लागू करने की सिफारिश की है। सिफारिश के अनुसार केन्द्रीय नौकरियों में न्यूनतम मासिक वेतन ₹ 18,000 और अधिकतम ₹ 2.5 लाख प्रतिमाह हो जाएगा। आयोग की सिफारिशें जस की तस लागू करने पर सरकारी खजाने पर ₹ 1.02 लाख करोड़ का वार्षिक बोझ आएगा। इसमें ₹ 28,450 करोड़ से अधिक का बोझ रेलवे बजट और बाकी ₹ 73,650 करोड़ का बोझ आम बजट पर जाएगा। न्यायमूर्ति ए.के. मांथुर की अध्यक्षता वाले आयोग ने 19 नवम्बर, 2015 को वित्त मंत्री अरुण जेटली को अपनी सिफारिशें सौंपीं।

नई पेंशन प्रणाली

सरकार ने 23 अगस्त, 2003 को प्रथम चरण में सशस्त्र सेनाओं को छोड़कर केन्द्रीय सरकार की सेवा में नए भर्ती होने वालों के लिए मौजूद परिभाषित लाभ पेंशन प्रणाली के स्थान पर एक नई पुनर्संरचित परिभाषित अंशदान पेंशन प्रणाली शुरू करने के लिए निर्णय लिया। तदनुसार, दिनांक 22 दिसम्बर, 2003 की अधिसूचना के द्वारा नई पेंशन प्रणाली (एनपीएस) 1 जनवरी, 2004 से लागू की गई थी।

नई पेंशन प्रणाली (एनपीएस) क्या है?

एनपीएस केन्द्र सरकार द्वारा अपने नए कर्मचारियों के लिए शुरू की गई नई अंशदायी पेंशन योजना है। एनपीएस के अन्तर्गत, केन्द्र सरकार का प्रत्येक नया कर्मचारी सेवा में आने पर एक वैयक्तिक सेवा-निवृत्ति खाता खोलेगा। प्रत्येक माह और जब तक कर्मचारी सेवा-निवृत्त नहीं होता या सरकारी सेवा नहीं छोड़ देता, कर्मचारी के वेतन का एक हिस्सा इस खाते में अन्तरित किया जाएगा। जब व्यक्ति सेवानिवृत्त होगा तब बचत का उपयोग अपनी वृद्धावस्था के दौरान परिवार की जरूरतों के लिए खर्च कर सकेगा।

सिविल सेवा तटस्थता, अनामिता तथा प्रतिबद्धता (Civil Service Neutrality, Anonymity and Commitment)

लोक प्रशासन में तटस्थता, अनामिता तथा प्रतिबद्धता एक महत्वपूर्ण मूल्य है जिसमें लोकतांत्रिक विधान एवं शासन में कर्मचारी निर्दलीय और निरपेक्ष

भाव से काम कर सकते हैं, तभी शासन में कार्यकुशलता और पारदर्शिता आ सकती है। दूसरा पहलू यह भी है कि ये कर्मचारी समाज के विवेकी अंग हैं और जैसे-जैसे शासन का कार्य-क्षेत्र बढ़ता जाता है वैसे-वैसे उसकी संख्या बढ़ती जाती है। अतः उनको राजनीतिक क्रियाकलापों से बरी कर देने से समाज का बड़ा अंश राजनीति के लिए पंगु एवं निष्क्रिय हो जाता है। यह एक समस्या है कि लोक कर्मचारियों की व्यावहारिक निष्पक्षता एवं सामान्य नागरिक अधिकारों से किस प्रकार समन्वय स्थापित किया जाए?

तटस्थता (Neutrality)

तटस्थता का अर्थ है कि एक लोक सेवक अपने सार्वजनिक जीवन में राजनीतिक विचारों या धारणाओं से पूर्ण मुक्त रहे।

लोक सेवा में तटस्थता ब्रिटिश अवधारणा के मुख्य तथ्य हैं :

(क) जनता को विश्वास होना चाहिए कि लोक सेवक सभी प्रकार के राजनीतिक पक्षपात से युक्त हों।

(ख) मंत्रियों को विश्वास होना चाहिए कि चाहे कोई भी दल सत्तारूढ़ हो, लोक सेवक की निष्ठा उन्हें प्राप्त होती रहनी चाहिए।

(ग) वरिष्ठ लोक सेवकों का औपचारिक वक्तव्य ही प्रेस को देना चाहिए, सार्वजनिक या निजी वक्तव्य नहीं देना चाहिए। उन्हें राजनीतिक व विवादास्पद ढंग से सार्वजनिक भाषण नहीं देना चाहिए।

तटस्थता की धारणा को चुनौती

1. **आधुनिक युग में राज्य का बदलता हुआ चरित्र :** आधुनिक राज्य परंपरागत राज्य से अलग है। आज के लोक सेवक परंपरागत औपनिवेशिक राज्य के सेवक नहीं माने जाते हैं जहाँ लोक सेवक संवेदनहीन होकर कार्य करें या नीतियों को लागू करें। आज के राज्य लोक कल्याणकारी राज्य हैं जिसमें लोक सेवकों से अपेक्षा की जाती है कि नीतियों के लिए वे जनता के प्रति जवाबदेह हों। नीतियाँ तभी सफल हो सकती हैं जब नीतियों से जनता का जुड़ाव हो। आज लोक सेवक नीति-निर्धारण प्रक्रिया में राजनीतिक कार्यपालिका के सहयोगी बन गए हैं।
2. लोक सेवक को दलीय राजनीति से दूर रहने की अपेक्षा की जाती है किन्तु नीति सम्बन्धित राजनीति से नहीं। पॉल.एच. एपिलबी के शब्दों में, ''आज सभी प्रशासक राजनीतिज्ञ हैं क्योंकि ये लोकहित के प्रति उत्तरदायी होते हैं।
3. लोक सेवक का कार्य उसी प्रकार बदल गए हैं जैसे सरकार के स्वभाव तथा उद्देश्य नकारात्मक से सकारात्मक में परिवर्तित हो गए हैं। अतः आज ऐसे लोक सेवक की आवश्यकता है जिसका विकास और लोकतांत्रिक मूल्यों के प्रति भावात्मक लगाव हो।

हूवर आयोग के शब्दों में, ''यदि वरिष्ठ लोक सेवकों का समूह राजनीतक तटस्थता का अनुगमन करता है, तो वह नपुंसकों का समूह बन जाता है। कोई भी राजनीतिक कार्यपालिका अपने होशोहवास में ऐसे किसी व्यक्ति को कोई पद नहीं सौंपेगी। भावनात्मक लगाव से वंचित कर्मचारियों की सरकार, ऐसे डॉक्टरों और नर्सों के समान हैं, जिन्हें इस बात की चिन्ता नहीं कि उनके रोगी मरते हैं या जीते हैं और केवल यही ध्यान रखते हैं कि उनके धंधे की उचित प्रक्रियाओं का अनुसरण किया जा रहा है। तटस्थता पर अत्यधिक बल देने पर सम्पूर्ण सरकार तटस्थ बन जाएगी।

इसी प्रकार सोमर के अनुसार, ''भावनात्मक लगाव का अनुमोदन करना सरल है किन्तु 'बौद्धिक लगाव' या 'व्यावसायिक लगाव' या 'नैतिक लगाव' के विषय का क्या होगा? प्रबन्ध के उद्देश्यों के प्रति तथा राजनीति के सामाजिक परिणामों से तटस्थ होकर लोक सेवा में 'अच्छे प्रबंध' की आशा करने का अर्थ लोक प्रशासन को यदि शून्यवादी नहीं तो अनुर्वर बना देना होगा।

अनामिता (Anonymity)

सरकारी कर्मचारी अपना कार्य विशुद्ध कर्तव्यपालन की भावना से मंत्रियों के आदेश का पालन तथा सरकारी नीति को क्रियान्वित करने के लिए करते हैं, अतः उनसे यह अपेक्षा की जाती है कि वे अपने काम में किसी प्रकार से नाम कमाने और ख्याति पाने का प्रयास न करें। उन्हें कोई नाम की चाह या परवाह नहीं होनी चाहिए। उन्हें अपने व्यक्तिगत प्रचार या विज्ञापनबाजी से बचे रहना चाहिए। लोक सेवक सारा कार्य मंत्रियों के नाम से करते हैं। उसकी सारी कीर्ति अथवा अपकीर्ति मंत्रियों को प्राप्त होनी चाहिए न कि लोक सेवक को।

फाइनर ने इस व्यवस्था के मूल कारण का स्पष्टीकरण करते हुए लिखा है, ''यदि सरकारी कर्मचारी सार्वजनिक रूप से जनता के समक्ष आएंगे तो कुछ राजनीतिज्ञ उन पर कृपा करेंगे और कुछ घृणा। इससे उनके तटस्थ तथा निष्पक्ष रहने की ख्याति होती है कि सिविल सर्विस के किसी व्यक्ति का नाम जनता के सामने लाया जाता है।''

प्रतिबद्धता (Commitment)

नौकरशाही की प्रतिबद्धता से दो अर्थ लिए जा सकते हैं। प्रथम नीतियों और सवैधानिक आदर्शों के प्रति प्रतिबद्धता और द्वितीय राजनीतिक दल एवं राजनेता के प्रति प्रतिबद्धता।

सभी प्रशासक यह चाहेंगे कि कार्यकुशलता, दक्षता, परिणाम-प्राप्ति या उत्पादन आदि क्षेत्रों में वे सम्पूर्ण निष्ठा के साथ प्रतिबद्ध हों। लोक सेवक सरकार की आर्थिक, सामाजिक, राजनीतिक नीतियों के सम्बन्ध में अपने निष्पक्ष विचार रखें और जब नीतियों का निर्माण हो जाए तो सम्पूर्ण निष्ठा के साथ भावनात्मक रूप से जुड़ जाएँ।

यदि 'प्रतिबद्धता' शब्द से यही आशय है तो उस पर कोई विवाद नहीं हो सकता है। संविधान के मूल आदर्शों के प्रति प्रतिबद्ध होने से प्रशासकों को क्या आपत्ति हो सकती है। लेकिन प्रतिबद्धता पद विशेष से मुड़कर व्यक्ति विशेष के प्रति हो अथवा प्रतिबद्धता के नाम पर प्रशासकों को किसी विशेष विचारधारा के अनुसार काम करने के लिए विवश किया जा रहा हो तो यह लोक प्रशासन के लिए अच्छा नहीं है।

वर्तमान प्रशासनिक संरचना में प्रतिबद्धता का अभाव

वर्तमान प्रशासनिक संरचना में प्रतिबद्धता के अभाव का निम्नलिखित कारण हैं :

1. नौकरशाही में उच्च पदों पर अभिजात एवं उच्च वर्ग से संबंधित व्यक्ति आसीन हैं। ऐसी स्थिति में उनसे अपेक्षा नहीं की जा सकती कि वे शोषित और उत्पीड़ित जनता की आकांक्षाओं को पूरा कर सकेंगे।
2. उच्च प्रशासनिक पदों पर चुने गए उम्मीदवारों के प्रशिक्षण का तरीका ऐसा है कि वे सामान्य जनता की बजाय उच्च वर्ग से जुड़ते हैं। जनता से घुलने-मिलने की बजाय उनमें अलगाव की प्रवृत्तियाँ पैदा हो जाती हैं।
3. उच्च पदों पर चुने गए उम्मीदवारों में शहरी लोगों का बाहुल्य होता है जो ग्रामीण जनता की समस्याओं से अनभिज्ञ हैं।
4. प्रशासकों के सामाजिक पृष्ठभूमि के अध्ययन से ज्ञात हुआ है कि एक विशेष प्रकार की सामाजिक पृष्ठभूमि ही प्रशासकों के चयन में सहायक होती है। जैसे अधिकांश प्रशासक शहरी पृष्ठभूमि से आते हैं। उनकी शिक्षा विश्वविद्यालय स्तर की होती है। उनके पिता आधुनिक व्यवसाय के होते हैं। शहरी सुविधा व आधुनिक भौतिक मूल्यों के प्रभावित होने के कारण ग्रामीण कार्यक्षेत्र उन्हें प्रेरणा नहीं देती है।
5. हमारा संवैधानिक तथा घोषित लक्ष्य औपनिवेशिक काल के व्यवस्था से अलग है। उस समय व्यवस्था मूलतः कानून व व्यवस्था को बनाए रखने के लिए विकसित व प्रशिक्षित की गई थी। वर्तमान लक्ष्यों और परिस्थितियों के सन्दर्भ में औपनिवेशिक शासन व्यवस्था न केवल अनुपयुक्त है वरन् वह सामाजिक परिवर्तन के प्रवाह व गति को धीमी करती है।
6. वर्तमान शिक्षा प्रणाली ऐसी है कि युवा अधिकारियों को जनसेवी बनाने की बजाय अमीर बनाने की आकांक्षा पैदा करती है। शिक्षा के पाठ्यक्रम इस प्रकार निर्धारित किए गए हैं कि नौजवानों में सामाजिक-आर्थिक न्याय मूल्यों के स्थान पर पूँजीवादी एवं सामन्ती मूल्यों को स्थापित करते हैं। परिणामस्वरूप विश्वविद्यालय में पढ़ा हुआ छात्र अधिकारी बनने के बाद अपने को एक अलग वर्ग का समझने लगता है और देश की आम जनता से कट जाता है।

व्यावसायिक संघ तथा संघवाद
(Professional Associations and Unionism)

भारत का संविधान सभी नागरिकों को संघ बनाने का अधिकार प्रदान करता है लेकिन सरकारी कर्मचारियों के सम्बन्ध में यह विचार सभी देशों में अलग-अलग है। भारत में नागरिकों को कानूनी प्रक्रियाओं के तहत् कानून सम्मत उद्देश्यों के लिए संगम या संघ बनाने का अधिकार है जो कि अनुच्छेद 19(iii) से प्राप्त होता है तथापि किसी संगम की स्वीकारोक्ति मूल अधिकार नहीं है।

भारत में सभी नागरिकों को सभा, संघ अथवा सहकारी समितियाँ गठित करने का अधिकार होगा। इसमें शामिल हैं–राजनीतिक दल बनाने का अधिकार, कम्पनी साझा फर्म, समितियाँ, क्लब, संगठन, व्यापार संगठन लोगों की अन्य इकाई बनाने का अधिकार। लेकिन ये अधिकार निरपेक्ष अधिकार नहीं हैं।

भारत में वर्तमान स्थिति यह है कि लोक सेवक किसी भी ऐसे सेवा संघ में सम्मिलित नहीं हो सकता और न ही सदस्य ही हो सकता है जिसे अस्तित्व में आने के छह माह के अन्दर सरकार द्वारा मान्यता प्रदान नहीं कर दी गई हो या मान्यता देना अस्वीकार कर दिया गया हो या मान्यता वापस ले ली गई हो। इन संघों को मान्यता निम्नलिखित शर्तों पर दी जाती है :

(*i*) कोई ऐसा व्यक्ति जो सरकारी कर्मचारी नहीं है, संघ के मामलों से सम्बन्धित नहीं होना चाहिए।

(*ii*) संघ के पदाधिकारियों को केवल सदस्यों में से ही नियुक्त किया जाना चाहिए।

(*iii*) संघ किसी एक ही सरकारी सदस्य के हित का पोषण या समर्थन नहीं करेगा।

(*iv*) संघ को कोई राजनीतिक नींव नहीं रखनी चाहिए, और न किसी राजनीतिक दल या राजनीतिज्ञ के विचारों का प्रचार करना चाहिए।

(*v*) गैर-रेलवे औद्योगिक कर्मचारियों तथा रेलवे कर्मचारियों के सम्बन्ध में यह नियम अधिक उदार हो। उदाहरण के लिए, उनके संघों को राजनीतिक निधि रखना निषिद्ध नहीं है।

उपर्युक्त वर्णन से स्पष्ट है कि भारत में लोक सेवकों के संघ बनाने के अधिकार पर कठोर शर्तें लगा दी गई है। इस प्रकार किसी भी अमान्य (Unrecognized) संघ की सदस्यता अनुशासन सम्बन्धी अपराध माना जाता है। भारत में संघ के मामले में स्थिति यह है कि सरकार को विवेकानुसार मान्यता देने या न देने की स्वतंत्रता है। सरकार इस आधार पर भी मान्यता देने से इंकार कर सकती है कि उसी वर्ग के कर्मचारियों का एक संघ, जिसकी सदस्य संख्या अपेक्षाकृत अधिक है, पहले से विद्यमान है। जगन्नाथदास (द्वितीय वेतन आयोग) ने इससे सम्बन्धित कठिनाइयों का अनुभव करते हुए यह सुझाव दिया था कि "किसी अमान्य संघ की सदस्यता मात्र ही अनुशासनात्मक अपराध नहीं होना चाहिए। जहाँ तक संघों की मान्यता का सम्बन्ध है शासन द्वारा निर्मित तत्सम्बन्धी नियम हमें कुछ कठोर प्रतीत होते हैं। कर्मचारियों के संघ सफलतापूर्वक काम कर सकें, इसके लिए आवश्यक है कि मान्यता सम्बन्धी शर्तें युक्तियुक्त होनी चाहिए।"

अतः हम यह आवश्यक समझते हैं कि मान्यता के नियमों का निर्धारण किया जाना चाहिए और उदारतापूर्वक मान्यता प्रदान की जानी चाहिए। इन प्रतिबंधों के होते हुए भी काफी बड़ी संख्या में केन्द्रीय सरकार के कर्मचारी सेवा संघों में संगठित हैं। द्वितीय वेतन आयोग के अनुसार इनकी संख्या 956 हैं। इनमें 600 संघों ने सरकारी मान्यता प्राप्त नहीं की है और शेष 356 संघों को मान्यता प्राप्त है। संभवतः केन्द्रीय सरकार के लगभग आधे कर्मचारी इन संघों या यूनियनों के सदस्य हैं।

यद्यपि संघों के निर्माण में कारण के रूप में कर्मचारी उद्योग विवाद या सरकारें एवं उनके कर्मचारी विवाद रहा है। इन समस्याओं के निदान के लिए ह्विटले समिति गठित की गई थी जिसे ह्विटलेवाद भी कहा जाता है। ह्विटलेवाद एक भावना है जिसके अनुसार संयुक्त चर्चा रूपी उपकरण द्वारा दोनों पक्षों को संतोष प्रदान करने वाले मैत्रीपूर्ण समझौते पर पहुँचना चाहिए। इसका प्रारंभ ब्रिटिश लोक सेवा में 1919 में हुआ है और लोक सेवा के विभिन्न श्रमिक संघीय नेताओं, वरिष्ठ कोषाधिकारियों तथा सभी विभागीय प्रधानों के मतानुसार यह प्रणाली सफल सिद्ध हुई है।

ह्विटले परिषद् का उद्देश्य निम्नलिखित है :

(*i*) प्रबंधन तथा कर्मचारी वर्ग के मध्य इस दृष्टि से पूर्ण सहयोग उत्पन्न करना कि लोक सेवा की कार्यकुशलता में वृद्धि की जा सके तथा कर्मचारियों का हित साधन हो सके।

(*ii*) शिकायतों को निपटाने के लिए उपयुक्त उपकरण की व्यवस्था करना, तथा

(*iii*) समस्याओं का समाधान करने के लिए विभिन्न लोक-सेवकों के दृष्टिकोणों तथा अनुभवों का प्रयोग करना।

ह्विटले परिषदों के कार्य

राष्ट्रीय परिषद् के क्षेत्र में वे सभी मामले आते हैं जो कर्मचारियों की सेवा शर्तों को प्रभावित करते हैं। इसके कार्य निम्नवत् हैं :

(*i*) कर्मचारियों के अनुभव तथा विचारों के उपयोग के लिए सर्वोत्तम साधनों का प्रबन्ध।

(*ii*) कर्मचारी जिन परिस्थितियों में कार्य करते हैं उन परिस्थितियों के निर्धारण में उन्हें अधिक स्थान तथा उत्तरदायित्व देना।

(*iii*) सामान्य सिद्धान्तों का निश्चय करना जिन पर भर्ती काम के घंटे, पदोन्नति, अनुशासन पदावधि, पारिश्रमिक तथा अधिवार्षिकी जैसी सेवा सम्बन्धी शर्तें आधारित हैं।

(*iv*) लोक सेवकों को भावी शिक्षा के लिए प्रोत्साहित करना तथा उच्चतर प्रशासन और संगठन में उनके प्रशिक्षण की उपयुक्त व्यवस्था करना।

(*v*) कार्यालय तंत्र तथा संगठन का सुधार और इस विषय पर कर्मचारी वर्ग द्वारा दिए सुझावों पर पूर्ण विचार के लिए अवसर की व्यवस्था करना।

(*vi*) सभी प्रस्तावित विधानों पर उस सीमा तक विचार करना जहाँ तक कि वे लोक-सेवकों की नौकरी एक स्थिति को प्रभावित करती है।

अमेरिका में कर्मचारी संघों का संगठन

कर्मचारियों के विभिन्न वर्गों के प्रतिनिधित्व करने के लिए चुने गए सदस्य प्रायः प्रत्येक प्रवर्ग के संगठित कर्मचारी समूहों में से चुने जाते हैं। यह भी होता है कि सुरक्षा की दृष्टि से सम्बन्धित विभाग किसी संगठित कर्मचारी समूह के किसी प्रतिनिधित्व को परिषद् में प्रतिनिधित्व से पृथक भी कर सकते हैं। यह माना जाता है कि सुरक्षा के कारण ऐसे मामले में निष्कासन आवश्यक होता है जो अभिकरण के कार्य-संचालन सम्बन्धी विवरणों या अभिलेखों से सम्बन्धित सूचना होते हैं। यही नहीं, ऐसी किसी सूचना को उन लोगों के समक्ष प्रकट करना विधि-विरुद्ध है जो इस प्रकार निष्कासित नहीं किए गए हों।

कर्मचारियों के प्रतिनिधित्व हेतु सामान्यतः यह व्यवस्था है कि अवर्गीकृत कर्मचारियों का प्रतिनिधित्व वर्ग, शिल्प, प्रशासकीय सम्भाग, उपभाग या किसी ब्यूरो की अन्य उपयुक्त सेवायोजन इकाई द्वारा होना चाहिए। प्रशासन, अभिकरण निगम, विभाग के संस्थापन सम्भाग या संस्थान को उस संगठन को नामजद करने का अधिकार है जो नीति के अनुसार ऐसे सभी कर्मचारियों का प्रतिनिधित्व करे। इस प्रकार नामजद किए गए संगठन तत्सम्बन्धी सभी कर्मचारियों के तब तक प्रतिनिधित्व माने जाते हैं जब तक वेतन की दरों, घंटों के विनियमन, कार्य के नियमों तथा अन्तरों के समायोजन या ऐसी संयुक्त क्रियाओं को उन्नत करने के तरीकों या मतभेदों के समायोजन या वेतनों की दरों को निश्चित करने वाली अनुसूचियाँ, कार्य-प्रणालियों को निश्चित करने वाले लिखित समझौते आदि लागू किए जाते हैं। अतः यह स्पष्ट है कि संघीय सेवा में संघीय प्रबंध संबंधों के विषय में विद्यमान रीति निजी उद्यमों की रीति से भिन्न है। संघीय कर्मचारियों को सरकार के विरुद्ध हड़ताल का आश्रय लेना कानून द्वारा निषिद्ध है। जबकि ऐसा कोई कानून निजी क्षेत्र के कर्मचारियों की स्वतंत्रता का हनन नहीं करता है।

जहाँ तक संघीय प्रबंध का प्रश्न है, प्रत्येक अभिकरण यह निश्चय करने के लिए स्वतंत्र है कि कौन-से सम्बन्ध उसके विशिष्ट क्रियाकलापों के लिए सबसे अधिक उपयुक्त होंगे। उदाहरण के लिए, टेनेसी घाटी प्राधिकरण, बार्नेविले विद्युत प्रशासन नियमित रूप से कर्मचारी संघ के साथ मजदूरी, अवकाश, वरिष्ठता, शिकायतें तथा कार्य करने की शर्तें पर परामर्श करते रहते हैं। लेकिन सभी मालिकों ने इस औपचारिक कार्यप्रणाली को नहीं अपनाया है। सबसे महत्वपूर्ण बात यह है कि संयुक्त राज्य अमेरिका में प्रतिनिधि सभा भी इस मामलों में पर्याप्त रुचि लेती हैं। यह सेविवर्ग सम्बन्धी विधानों का प्रस्ताव करने वाले संघों का दृष्टिकोण जानने का प्रयास करती है। लोक सेवा आयोग ने भी सेविवर्ग कार्यक्रम तथा नीतियों के निर्धारण में इसी प्रणाली को अपनाया है।

बहुविकल्पीय प्रश्नोत्तर

1. अनेक भागों के एकीकरण से एक सुव्यवस्थित संपूर्ण को संपादित करने के प्रयोजन के उपक्रम को कहा जाता है :

A. पदानुक्रम B. निदेशन
C. समन्वय D. नेतृत्व

2. निर्णय निर्माण में 'सीमित युक्तिसंगतता' (तर्कता) निम्नलिखित में से किस वैयक्तिक क्षमता पर आधारित है?

A. निर्णय क्षेत्र की गंभीरता और जटिलता की समझ
B. निर्णय के परिवेश को देखना

C. सीमित तर्क क्षमता

D. प्रथम प्राप्त की गई जानकारी को कम महत्व प्रदान करना

3. निम्नलिखित में से कौन वैयक्तिक क्षमताओं के बल के कारण अनुयायियों पर अगाध और असाधारण प्रभाव डालने में सक्षम हैं?

A. परंपरागत नेता B. करिश्माई नेता

C. व्यावसायिक नेता D. स्थिति नेता

4. निम्नलिखित भारत के गवर्नर जनरलों को कालानुक्रम में लिखिए :

(*a*) लॉर्ड डलहौजी (*b*) विलियम बेन्टिक

(*c*) लॉर्ड चेम्सफोर्ड (*d*) लॉर्ड कर्जन

नीचे दिए गए विकल्पों में से सबसे उपयुक्त उत्तर का चयन कीजिए :

A. (*a*), (*b*), (*c*), (*d*) B. (*a*), (*c*), (*b*), (*d*)

C. (*b*), (*a*), (*d*), (*c*) D. (*b*), (*d*), (*a*), (*c*)

5. सूची-I के साथ सूची-II का मिलान कीजिए :

सूची-I (लेखक)	सूची-II (पुस्तक)
(*a*) वुडरो विल्सन	(*i*) द पेपर्स ऑन दी साईंस ऑफ एडमिनिस्ट्रेशन
(*b*) डब्ल्यू.एफ. विलोबी	(*ii*) इंडस्ट्रियल और जनरल मैनेजमेंट
(*c*) हेनरी फेयोल	(*iii*) द स्टडी ऑफ एडमिनिस्ट्रेशन
(*d*) गुलिक और उर्विक	(*iv*) प्रिंसिपल्स ऑफ एडमिनिस्ट्रेशन

नीचे दिए गए विकल्पों में से सही उत्तर का चयन कीजिए :

	(*a*)	(*b*)	(*c*)	(*d*)
A.	(*i*)	(*iii*)	(*iv*)	(*ii*)
B.	(*iv*)	(*ii*)	(*i*)	(*iii*)
C.	(*iii*)	(*iv*)	(*ii*)	(*i*)
D.	(*ii*)	(*iii*)	(*i*)	(*iv*)

6. निम्नलिखित को सही अनुक्रम में व्यवस्थित कीजिए :

(*a*) मेयो का संकल्प

(*b*) मोंटेग्यू की घोषणा

(*c*) रिपन का संकल्प

(*d*) विकेंद्रीकरण पर रॉयल आयोग

नीचे दिए गए विकल्पों में से सही उत्तर का चयन कीजिए :

A. (*a*), (*d*), (*b*), (*c*) B. (*b*), (*c*), (*a*), (*d*)

C. (*a*), (*c*), (*d*), (*b*) D. (*c*), (*a*), (*b*), (*d*)

7. सूची-I के साथ सूची-II का मिलान कीजिए :

सूची-I (निर्देश/अवधारणाएँ)	सूची-II (विशेषताएँ)
(*a*) कृषक	(*i*) प्रतिमानकों और मूल्यों में असंगति
(*b*) ट्रांसफिरिया	(*ii*) संरचनात्मक विभेदीकरण का उच्च स्तर
(*c*) औपचारिकतावाद	(*iii*) पारंपरिक कृषक समाज
(*d*) विखंडित समाज	(*iv*) कृषि से उद्योग की ओर पारगमन

नीचे दिए गए विकल्पों में से सही उत्तर का चयन कीजिए :

	(*a*)	(*b*)	(*c*)	(*d*)
A.	(*ii*)	(*i*)	(*iii*)	(*iv*)
B.	(*i*)	(*ii*)	(*iii*)	(*iv*)
C.	(*iv*)	(*iii*)	(*ii*)	(*i*)
D.	(*iii*)	(*iv*)	(*i*)	(*ii*)

8. नीचे दो कथन दिए गए हैं। एक अभिकथन (A) के रूप में लिखित है तो दूसरा उसके कारण (R) के रूप में :

अभिकथन (A) : वेबर का लोकशाही प्रारूप पर्याप्त है जब संगठन प्रारंभिक रूप से समान घटनाओं का सामना करता है।

कारण (R) : वेबर का लोकशाही प्रारूप विकासशील समाज में परस्पर व्याप्त और विषम संरचना को सम्मिलित/समाहित नहीं करता है।

उपरोक्त कथन के आलोक में, नीचे दिए गए विकल्पों में से सही उत्तर का चयन कीजिए :

A. (A) और (R) दोनों सत्य हैं और (R), (A) की सही व्याख्या है

B. (A) और (R) दोनों सत्य हैं, लेकिन (R), (A) की सही व्याख्या नहीं है

C. (A) सत्य है, लेकिन (R) असत्य है

D. (A) असत्य है, लेकिन (R) सत्य है

9. नीचे दो कथन दिए गए हैं। एक अभिकथन (A) के रूप में लिखित है तो दूसरा उसके कारण (R) के रूप में :

अभिकथन (A) : वेबर प्रशासनिक प्रणाली को 'स्थिर राज्य प्रणाली' मानते थे।

कारण (R) : लोकशाही प्रारूप विवर्तित समाज की अपेक्षा अधिक प्रिज्मीय प्रणाली है।

उपरोक्त कथन के आलोक में, नीचे दिए गए विकल्पों में से सही उत्तर का चयन कीजिए :

A. (A) और (R) दोनों सत्य हैं और (R), (A) की सही व्याख्या है।

B. (A) और (R) दोनों सत्य हैं, लेकिन (R), (A) की सही व्याख्या नहीं है।

C. (A) सत्य है, लेकिन (R) असत्य है।

D. (A) असत्य है, लेकिन (R) सत्य है।

10. पद सोपान की निम्नलिखित विशेषताओं पर विचार कीजिए :

(*a*) यह कार्य विभाजन के साथ अंतनिर्हित है

(*b*) यह सम्प्रेषण का एक माध्यम है

(*c*) यह प्रत्यायोजन का एक पथ है

(*d*) यह संघटन के प्राधिकार, संरचना को निर्धारित करता है

नीचे दिए गए विकल्पों में से सही उत्तर का चयन कीजिए :

A. केवल (*a*), (*b*) और (*c*) B. केवल (*a*), (*c*) और (*d*)

C. केवल (*b*), (*c*) और (*d*) D. (*a*), (*b*), (*c*) और (*d*)

11. नीचे दो कथन दिए गए हैं। एक अभिकथन (A) के रूप में लिखित है तो दूसरा उसके कारण (R) के रूप में :

अभिकथन (A) : पदोन्नति की अपेक्षा प्रोन्नति का निहितार्थ व्यापक है।

कारण (R) : प्रोन्नति केवल वेतन वृद्धि में समाविष्ट है।

उपरोक्त कथन के आलोक में, नीचे दिए गए विकल्पों में से सही उत्तर का चयन कीजिए :

A. (A) और (R) दोनों सत्य हैं और (R), (A) की सही व्याख्या है।
B. (A) और (R) दोनों सत्य हैं, लेकिन (R), (A) की सही व्याख्या नहीं है।
C. (A) सत्य है, लेकिन (R) असत्य है।
D. (A) असत्य है, लेकिन (R) सत्य है।

12. किस देश के प्रशासन को आधुनिकीकारी प्रशासन कहा गया है?

A. फ्रांसीसी प्रशासकीय तंत्र B. ब्रिटिश प्रशासकीय तंत्र
C. अमेरिकी प्रशासकीय तंत्र D. जापानी प्रशासकीय तंत्र

13. नीचे दो कथन दिए गए हैं। कथन (A) के रूप में लिखित है तो दूसरा उसके कारण (R) के रूप में :

कथन (A) : आदेश की एकता का अर्थ है कि समूचे संगठन का एक ही स्वामी होता है और उसकी एक ही कार्य योजना होती है जो दक्षता और प्रभावशीलता का प्रवर्धन करती है।

कारण (R) : आदेश की एकता 'प्रकार्यात्मक फोरमैनी' के प्रतिस्थापक के रूप में प्रस्तावित है।

उपरोक्त कथन के आलोक में, नीचे दिए गए विकल्पों में से सही उत्तर का चयन कीजिए :

A. (A) और (R) दोनों सही हैं, और (R), (A) की सही स्पष्टीकरण है।
B. (A) और (R) दोनों सही हैं, परन्तु (R), (A) की सही स्पष्टीकरण नहीं है।
C. (A) सही है, परन्तु (R) गलत है।
D. (A) गलत है, परन्तु (R) सही है।

14. पदसोपान सिद्धान्त निम्न में से किसके साथ संदर्भित है?

A. सिविल कर्मचारियों का उनके वेतनमान के अनुसार वर्गीकरण
B. अधिकार के स्तर के अनुसार कर्त्तव्यों का अनुक्रमण
C. 'लाइन स्टाफ' अभिकरणों के सदस्यों के बीच सम्बन्धों का व्यवस्थीकरण
D. अधिकार क्रम को विभिन्न स्तरों पर व्यक्तियों के बंटवारे का नियमन करना

नीचे दिए गए विकल्पों में से सही उत्तर का चयन कीजिए :

A. केवल (*a*), (*b*) और (*d*) B. केवल (*b*), (*c*) और (*d*)
C. केवल (*a*), (*b*) और (*c*) D. केवल (*a*), (*c*) और (*d*)

15. निम्नलिखित में से कौन-से सांगठनिक संस्कृति के प्रकार्य हैं?

(*a*) सांगठनिक व्यवहार को नियंत्रित करना
(*b*) स्थिरता को प्रोत्साहित करना
(*c*) विविधता को प्रोत्साहित करना
(*d*) सांगठनिक सहयोग को प्रोत्साहित करना

नीचे दिए गए विकल्पों में से सही उत्तर का चयन कीजिए :

A. केवल (*a*), (*b*) और (*c*) B. केवल (*b*), (*c*) और (*d*)
C. केवल (*c*) और (*d*) D. केवल (*a*) और (*d*)

16. निम्नलिखित में से कौन-सा कथन भारतीय परिषद् अधिनियम 1861 के संबंध में सही है?

(*a*) इसने बॉम्बे और मद्रास प्रेसीडेंसी की शक्तियों को पुनर्स्थापित किया।
(*b*) गवर्नर जनरल इन काउंसिल में आठ (8) साधारण सदस्य थे।
(*c*) इसने गवर्नर जनरल इन काउंसिल को पोर्टफोलियों आधारित कैबिनेट के तौर पर कार्य करने के लिए रूपांतरित कर दिया।

नीचे दिए गए विकल्पों में से सही उत्तर का चयन कीजिए :

A. केवल (*a*) और (*b*) B. केवल (*b*) और (*c*)
C. केवल (*a*) और (*c*) D. केवल (*a*), (*b*) और (*c*)

17. निम्नलिखित को सही क्रम में व्यवस्थित करें।

(*a*) आवाहन–नीतिगत नियमों के लिए निधान या कानून।
(*b*) निर्धारण–नीतिगत विकल्पों को अपनाना।
(*c*) आसूचना–नीतिगत उद्देश्य निर्धारित करने के लिए सूचना का किस प्रकार प्रसंस्करण किया जाता है।
(*d*) अनुप्रयोग–नीति का प्रवर्तन या कार्यान्वयत।

नीचे दिए गए विकल्पों में से सही उत्तर का चयन कीजिए :

A. (*c*), (*a*), (*d*), (*b*) B. (*c*), (*b*), (*d*), (*a*)
C. (*c*), (*b*), (*a*), (*d*) D. (*c*), (*d*), (*a*), (*b*)

18. नीचे दो कथन दिए गए हैं। एक अभिकथन (A) के रूप में लिखित है तो दूसरा उसके तर्क (R) के रूप में :

अभिकथन (A) : सार्वजनिक, निजी और गैर सरकारी संगठनों का क्षैतिज नेटवर्क शासन का नवीन ढाँचा है।

तर्क (R) : पदानुक्रम और नियंत्रण मानव आवश्यकताओं को पूरा करने के आधुनिक प्रयासों की सहयोगात्मक प्रकृति शासन का आधार है।

उपरोक्त कथन के आलोक में, नीचे दिए गए विकल्पों में से सही उत्तर का चयन कीजिए :

A. (A) और (R) दोनों सत्य हैं और (R), (A) की सही व्याख्या है।
B. (A) और (R) दोनों सत्य हैं, परन्तु (R), (A) की सही व्याख्या नहीं है।
C. (A) सत्य है, परन्तु (R) असत्य है।
D. (A) असत्य है, परन्तु (R) सत्य है।

19. अट्ठारह मूल मानव गतियों–समस्त शारीरिक गतिविधि– की अवधारणा 'थेरब्लिग' को निम्नलिखित ने विकसित किया था :

A. एफ. डब्ल्यू. टेलर
B. हेनरी फेयोल
C. फ्रेंक व लिलियन गिल्बर्थ
D. मेरी पार्कर फॉलेट

20. 'अंगूरी लता' (ग्रेपवाइन) को बहुधा निम्नलिखित में से क्या कहा जाता है?

A. औपचारिक संप्रेषण B. दूरभाषिक संप्रेषण
C. अनौपचारिक संप्रेषण D. उर्ध्वाधर संप्रेषण

21. निम्नलिखित में से कौन-सा युग्म सुमेलित नहीं है?

(नेतृत्व शैली)		**(अभिलक्षण)**
A. प्रतिभागिता परक	–	परामर्शमूलक से लोकतांत्रिक
B. अधिकार-तंत्रीय	–	कठोर, वैयक्तिक, नियमोन्मुखी
C. कूटनयिक	–	लक्ष्य निर्धारक, प्रत्यायोजन
D. सत्तावाही	–	अ-परामर्शी, आदेशात्मक

22. दो प्रकार के अधिकारी तंत्र, दंड-आधारित अधिकारी तंत्र और प्रतिनिध्यात्मक अधिकारी तंत्र का विभेद किसने किया?

A. पीटर ब्लॉउ B. रॉबर्ट मर्टन
C. एल्विन गोल्डनर D. रॉबर्ट प्रेस्थस

23. उर्विक का पत्राचार का सिद्धांत किससे संबंधित है?

A. संचार B. प्राधिकार एवं उत्तरदायित्व
C. समन्वय D. सहयोग

24. निम्नलिखित में से कौन-सा एक शासन की मूल विशिष्टताओं का भाग नहीं है?

A. पारदर्शिता B. पदसोपान
C. विधि का शासन D. आचार व सत्यनिष्ठा

25. जापान सरकार के राष्ट्रीय कार्मिक अभिकरण के संबंध में निम्नांकित में से कौन-से वक्तव्य सही नहीं हैं?

(*a*) इसे नेशनल पर्सनल अथॉरिटी के रूप में जाना जाता है।
(*b*) इसका प्रशासन तीन आयुक्तों द्वारा किया जाता है।
(*c*) आयुक्तों की नियुक्ति प्रधानमंत्री द्वारा मंत्रिमंडल के परामर्श से की जाती है।
(*d*) आयुक्तों के पद का कार्यकाल पाँच वर्षों का होता है।

नीचे दिए गए विकल्पों में से सही उत्तर चुनिए :

A. केवल (*a*) और (*b*) B. केवल (*b*) और (*c*)
C. केवल (*c*) और (*d*) D. केवल (*a*) और (*d*)

26. संगठन के बहु-इकाई कंपनी प्रकार के मुख्य उद्देश्य हैं :

(*a*) विविध संसाधनों का एकत्रीकरण
(*b*) विकेंद्रीकरण
(*c*) समरूप नीतियां
(*d*) शोध और विकास में स्व-निर्भरता

नीचे दिए गए विकल्पों में से सही उत्तर चुनिए :

A. केवल (*a*), (*b*), (*c*) और (*d*)
B. केवल (*a*), (*b*) और (*c*)
C. केवल (*a*), (*b*) और (*d*)
D. केवल (*b*), (*c*) और (*d*)

27. निम्नलिखित में से कौन-से कथन स्तरीकृत यादृच्छिक प्रतिदर्शी के बारे में सही हैं?

(*a*) उस जनसंख्या से लिया गया, जिसमें समरूपी समूह नहीं है।
(*b*) जनसंख्या अनेक अति व्यापन वाली उप-जनसंख्या या स्तरों में विभाजित है।
(*c*) साधारण यादृच्छिक प्रतिदर्शी पद्धति अपना कर प्रत्येक उप-जनसंख्या से मदों का चयन किया जाता है।
(*d*) व्यक्तिगत तत्व के बजाय समूहों के चयन को वरीयता दी जाती है।

नीचे दिए गए विकल्पों में से सही उत्तर चुनिए :

A. केवल (*a*) और (*b*) B. केवल (*b*) और (*c*)
C. केवल (*c*) और (*d*) D. केवल (*a*) और (*c*)

28. निम्नलिखित में से केन्द्रीय प्रवृत्ति के कौन-से माप हैं?

(*a*) माध्यिका (*b*) बहुलक
(*c*) मानक विचलन (*d*) हरात्मक माध्य

नीचे दिए गए विकल्पों में से सही उत्तर चुनिए :

A. केवल (*a*), (*b*) और (*c*) B. केवल (*a*), (*b*) और (*d*)
C. केवल (*a*), (*c*) और (*d*) D. केवल (*b*), (*c*) और (*d*)

29. निम्नलिखित में से कौन-से कथन बहु-चरणीय यादृच्छिक प्रतिदर्श के बारे में सही हैं?

(*a*) इसको समुच्चय प्रतिदर्श विचार के विकास के रूप में माना जाता है।
(*b*) इसका उपयोग विस्तारित अति-विशाल भौगोलिक क्षेत्र में वृहद् जांच के लिए किया जाता है।
(*c*) एक प्रतिदर्शी इकाई, जैसे–राज्य या जिले आदि का प्रथम चरण में चयन किया जाता है।
(*d*) यादृच्छिक प्रतिदर्शी तकनीक का केवल अंतिम चरण में ही अनुप्रयोग किया जाता है–अर्थात् व्यक्तिगत तत्व का चयन करते समय।

नीचे दिए गए विकल्पों में से सर्वाधिक उपयुक्त उत्तर चुनिए :

A. केवल (*a*), (*b*) और (*c*) B. केवल (*b*), (*c*) और (*d*)
C. केवल (*a*), (*b*) और (*d*) D. केवल (*a*), (*c*) और (*d*)

30. नीचे दो कथन दिए गए हैं। एक को अभिकथन (A) और दूसरे को तर्क (R) कहा गया है :

अभिकथन (A): यदि जटिल सांगठनिक व्यवस्थाओं को सतत परिवर्तनशील पर्यावरण में कार्य करना है, तो उन्हें अपनी संरचनाओं को तदनुरूप गति पर संशोधित करना होगा।

तर्क (R): सांगठनिक व्यवस्थाओं को जिन कठिनाइयों का सामना करना पड़ता है वे ये हैं कि वे नवीन सांगठनिक व्यवस्थाएँ उन्हें पीछे छोड़ देती है जिन्हें पुराने ज्ञान व स्वभाव का भार वहन नहीं करना होता है।

उपर्युक्त कथनों के आलोक में निम्नांकित विकल्पों में से सर्वाधिक उपयुक्त उत्तर चुनें :

A. (A) और (R) दोनों सही हैं और (R), (A) की सही व्याख्या है।
B. (A) और (R) दोनों सही हैं और (R), (A) की सही व्याख्या नहीं है।
C. (A) सही है, परन्तु (R) सही नहीं है।
D. (A) सही नहीं है, परन्तु (R) सही है।

31. निम्नलिखित में से कौन-सा जिला प्रशासन का स्कूल/प्रणाली ब्रिटिश काल के दौरान न्यायिक शक्तियों के कार्यकारी अधिकार (जिला कलेक्टर) को विभाजित करने के पक्ष में था?
A. कॉर्नवालिस सिस्टम B. मेटकाफ सिस्टम
C. एल्फिंस्टन सिस्टम D. मुनरो स्कूल

32. निम्नलिखित में से किस सिद्धांत से 'ग्रेपवाइन' की अवधारणा जुड़ी है?
A. संप्रेषण B. निर्णय निर्माण
C. प्रेरणा D. नेतृत्व

33. निम्नलिखित में से किस सिद्धांत का उल्लंघन प्राधिकरण को कमजोर करता है, अनुशासन को खतरे में डालता है, आदेश में गड़बड़ी करता है और एक संगठन की स्थिरता को खतरे में डालता है?
A. नियंत्रण का क्षेत्र B. पदानुक्रम/पदसोपान
C. आदेश की एकता D. समन्वय

34. किसने लोक प्रशासन को इस प्रकार परिभाषित किया: "लोक प्रशासन वह प्रशासन है जो सरकार के संचालन से संबंधित है, चाहे वह केंद्रीय हो या स्थानीय"?
A. एम.ई. डिमॉक B. एच. वॉकर
C. पी. मैक्क्वीन D. जे.एम. फिफनर

35. निम्नलिखित में से कौन-से दो वैज्ञानिक मूल विचार के संदर्भ हैं?
(*a*) यह केवल व्यवहारिक समस्याओं के समाधान तक ही सीमित है।
(*b*) इसमें नियंत्रित प्रयोग शामिल है।
(*c*) यह व्यापक सामान्यीकरण की तलाश करता है।
(*d*) वैज्ञानिक प्रयोग सामान्यीकरण के मौजूदा निकाय तक ही सीमित है।

सही विकल्प चुनें:
A. (*a*) और (*b*) B. (*b*) और (*c*)
C. (*c*) और (*d*) D. (*a*) और (*d*)

36. निम्नलिखित में से कौन नौकरशाही सिद्धांत की विशेषता नहीं है?
A. कार्य का विभाजन B. अनौपचारिक चयन
C. अनामता D. कैरियर ओरिएंटेशन

37. संविधान को अपनाने के समय निम्नलिखित में से कौन-सा 'भाग सी राज्य' था?
A. अंडमान निकोबार द्वीप
B. दिल्ली
C. आगरा और अवध का संयुक्त प्रांत
D. अवध

38. निम्नलिखित में से कौन-सा एक हित समूह की विशेषता नहीं है?
A. औपचारिक या अनौपचारिक रूप से संगठित
B. हित उन्मुख
C. सरकारी वित्तीय सहायता पर निर्भर
D. सरकार की नीतियों को प्रभावित कर भी सकता है या नहीं भी

39. किसने प्राधिकरण को 'आज्ञाकारिता के लिए आदेश और शक्ति देने का अधिकार' के रूप में परिभाषित किया?
A. मैक्स वेबर B. हेनरी फेयोल
C. चेस्टर बर्नार्ड D. मूने और रैले

40. किसने मास्लो के पांच मानव आवश्यकताओं के सिद्धांतों को तीन श्रेणियों में संशोधित किया है, अर्थात् अस्तित्व, संबंध और विकास?
A. डगलस मैकग्रेगर B. मैक क्लीलैंड
C. क्लेटन पी. अल्डरफर D. फ्रेड्रिक हर्जबर्ग

41. डिमॉक और डिमॉक के अनुसार "एक उद्यम के मुख्य कार्यकारी और उसके प्रमुख साथी अधिकारियों के बीच प्रत्यक्ष अभ्यस्त संचार संपर्कों की संख्या और सीमा" को कहा जाता है।
A. पदानुक्रम B. प्रतिनिधिमंडल
C. आदेश की एकता D. नियंत्रण का क्षेत्र

42. भारत में ब्रिटिश काल के दौरान निम्नलिखित अधिनियमों/समितियों/आयोगों को कालक्रमानुसार व्यवस्थित करें।
(*a*) रेग्यूलेटिंग अधिनियम
(*b*) रॉयल कमीशन
(*c*) मैकाले समिति
(*d*) एचीसन कमीशन

सही विकल्प चुनें:
A. (*a*), (*c*), (*b*), (*d*) B. (*a*), (*c*), (*d*), (*b*)
C. (*c*), (*a*), (*d*), (*b*) D. (*c*), (*a*), (*b*), (*d*)

43. कौटिल्य द्वारा अर्थशास्त्र में वर्गीकृत किए गए करों के प्रकारों का मिलान करें।

सूची-I	सूची-II
(*a*) अतिरिक्त लाभ कर	(*i*) यह अमीर वर्ग पर लगाया गया था
(*b*) आयकर	(*ii*) यह धार्मिक यात्रा करने वाले व्यक्तियों पर लगाया गया था
(*c*) द्वरोदय	(*iii*) यह विदेशी उत्पादों पर लगाया जाने वाला आयात शुल्क था
(*d*) यात्रावेलना	(*iv*) कलाकारों पर उनकी आय के अनुसार आयकर लगाया जाता था

सही विकल्प चुनें:

	(*a*)	(*b*)	(*c*)	(*d*)
A.	(*i*)	(*ii*)	(*iii*)	(*iv*)
B.	(*i*)	(*iv*)	(*iii*)	(*ii*)
C.	(*i*)	(*iii*)	(*ii*)	(*iv*)
D.	(*i*)	(*iv*)	(*ii*)	(*iii*)

44. भारतीय संविधान की निम्नलिखित अनुसूची में से कौन-सा राज्यों और केंद्र शासित प्रदेशों को सूचीबद्ध करता है?

A. पहली अनुसूची B. तीसरी अनुसूची
C. चौथी अनुसूची D. दसवीं अनुसूची

45. निम्नलिखित में से किसके तहत निष्पादन प्रबंधन प्रभाग काम करता है?

A. कार्मिक और प्रशिक्षण विभाग
B. गृह विभाग
C. नीति आयोग
D. प्रधानमंत्री कार्यालय

46. कौन निर्णय लेने के गॉडल से संबंधित है, जिसगें नीतिगत बदलाव छोटे से वृद्धिशील निर्णय के माध्यम से पूरा किया जाता है जो निर्णय निर्माताओं को नीतियों को समायोजित करने की अनुमति देता है क्योंकि वे अपनी सफलता और असफलताओं से सीखते हैं?

A. जेम्स मार्च B. हर्बर्ट साइमन
C. चार्ल्स लिंडब्लोम D. थॉमस डाई

47. निम्नलिखित में से किस सिद्धांत का एक आधुनिक संस्करण एडवोकेसी कोएलिशन फ्रेमवर्क (ACF) है?

A. अभिजात/विशिष्टवर्गीय सिद्धांत
B. समूह सिद्धांत
C. संस्थागत सिद्धांत
D. तार्किक चयन सिद्धांत

48. नेतृत्व की लोकतांत्रिक शैली की विशेषताओं से निम्नलिखित की पहचान करें।

A. अधीनस्थों को आदेश जारी करने और उन पर गैर-अनुपालन के लिए सजा देने का अधिकार नेता में केंद्रित है।
B. अधीनस्थों को निर्णय लेने में भाग लेने की अनुमति है और निर्णय समूह चर्चा के आधार पर लिए जाते हैं।
C. अधीनस्थ लक्ष्य निर्धारित करने और उन्हें प्राप्त करने के लिए प्रयास करने की पूर्ण स्वतंत्रता का आनंद लेते हैं।
D. अधीनस्थों के प्रदर्शन को बहुत बारीकी से देखा जाता है।

49. निम्नलिखित में से किस विधि से विकासशील देशों को वैश्वीकरण से कोई लाभ नहीं हुआ है?

A. वैश्वीकरण ने उन्हें अंतरराष्ट्रीय ऋणग्रस्तता के लिए बिना पूंजी जुटाने में सक्षम बनाया।
B. इसने कल्याणकारी राज्य को मजबूत किया है।
C. ये देश अनुसंधान और विकास में निवेश के बिना विदेशी प्रौद्योगिकी का उपयोग कर सकते हैं।
D. यह परिवहन और संचार की लागत को कम करता है।

50. नीचे दो सूचियाँ दी गई हैं। सूची-I में परिभाषाएं तथा सूची-II में विद्वान हैं। इन दोनों सूचियों को सुमेलित कीजिए और नीचे दिए गए कूट का प्रयोग करते हुए सही उत्तर को चुनिए:

सूची-I (परिभाषाएं)	सूची-II (विद्वान)
(*a*) एक उद्देश्य को पूरा करने के लिए प्रशासन एक संगठन है जो पुरूषों तथा सामग्री का उपयोग करता है।	(*i*) फिफनर
(*b*) प्रशासन मानव का संगठन और मानव की दिशा है और वांछित संसाधन प्राप्त करने के लिए भौतिक संसाधन है।	(*ii*) डी. वाल्डो
(*c*) प्रशासन एक प्रकार का सहकारी मानवीय प्रयास है जिसमें तर्कसंगतता का उच्च स्तर है।	(*iii*) लूथर गुलिक
(*d*) परिभाषित उद्देश्यों की सिद्धि के साथ प्रशासन को चीजों के साथ काम करना है।	(*iv*) फेलिक्स ए. निगरो

कूट :

	(*a*)	(*b*)	(*c*)	(*d*)
A.	(*i*)	(*ii*)	(*iii*)	(*iv*)
B.	(*iv*)	(*ii*)	(*iii*)	(*i*)
C.	(*ii*)	(*i*)	(*iv*)	(*iii*)
D.	(*ii*)	(*i*)	(*iii*)	(*iv*)

51. निम्नलिखित में से कौन-सा शब्द 'वैश्वीकरण' के मापदण्ड हैं?

(*a*) राष्ट्र-राज्यों के बीच व्यापार बाधाओं को कम करना।
(*b*) राष्ट्र-राज्यों के बीच पूंजी के मुक्त प्रवाह के लिए अनुकूल वातावरण का निर्माण।
(*c*) प्रौद्योगिकी के मुक्त प्रवाह को सुविधाजनक बनाने वाले पर्यावरण का निर्माण
(*d*) अंतर्राष्ट्रीय सीमाओं के पार श्रम के मुक्त आवागमन पर प्रतिबंध।

नीचे दिए गए कूट से **सही** उत्तर का चयन कीजिए :

A. (*a*), (*b*), (*c*) और (*d*) B. (*a*), (*b*) और (*c*)
C. (*a*), (*b*) और (*d*) D. (*b*) और (*c*)

52. जेम्स फेसलर के अनुसार, निम्नलिखित में से कौन-सा कारक केंद्रीकरण बनाम विकेंद्रीकरण के मुद्दे को नियंत्रित नहीं करता है?

A. कार्यात्मक कारक B. प्रशासनिक कारक
C. उत्तरदायित्व कारक D. नेतृत्व कारक

53. निम्नलिखित में से किस लेखक ने प्रभावी संचार के तत्वों/सिद्धांतों के रूप में स्पष्टता, स्थिरता, पर्याप्तता, समयबद्धता, एकरूपता, लचीलापन और स्वीकार्यता की पहचान की?

A. जी. आर. टेरी B. जे. डी. मिलेट
C. हेनरी फेयोल D. हर्बर्ट साइमन

54. निम्नलिखित में से कौन-सा कारक सीमित समझदारी के लिए संतोषजनक निर्णय की ओर उन्मुख तर्कशक्ति के लिए जिम्मेदार नहीं है?
A. संगठनात्मक उद्देश्यों की स्थिर प्रकृति के बजाय गतिशील प्रकृति
B. उपलब्ध जानकारी को संसाधित करने के लिए अपूर्ण जानकारी के साथ-साथ सीमित क्षमता
C. इसमें एक अंतर्निहित प्रतिक्रिया होती है
D. समय और लागत की कमी

55. निम्नलिखित में से कौन-सा तर्कसंगत विकल्प सिद्धांत के बारे में गलत कथन है?
A. यह अर्थशास्त्र से बहुत सारे निष्कर्ष निकालते हैं।
B. यह अक्सर गणितीय मॉडलिंग का उपयोग करता है।
C. यह मानता है कि व्यक्ति निर्णय लेने में रैशनल एक्टर्स हैं।
D. रैशनल एक्टर्स सार्वजनिक हित की प्रप्ति के लिए अधिकतम प्रयास करते हैं।

56. प्रशासन में आईसीटी के उपयोग का श्रेय दिया जा सकता हैः
(*a*) भंडारण की जगह को कम करने के लिए
(*b*) सुरक्षा जोखिमों को कम करने के लिए
(*c*) लाल फीताशाही को कम करने के लिए
(*d*) ग्रुपवेयर के साथ-साथ मिडलवेयर

नीचे दिए गए कूट में से सही उत्तर को चुनिएः
A. (*a*), (*b*) और (*c*) B. (*b*), (*c*) और (*d*)
C. (*a*), (*c*) और (*d*) D. (*a*), (*b*) और (*d*)

57. पदोन्नति के संबंध में निम्नलिखित में से कौन-सा कथन सही है?
A. पदोन्नति से कार्य-संतोष होता है।
B. किसी संगठन में पदोन्नति आम तौर पर वरिष्ठ अधिकारी के साथ व्यक्तिगत संबंधों के आधार पर दिया जाता है।
C. पदोन्नति केवल अधीनस्थों द्वारा मूल्यांकन पर आधारित है।
D. पदोन्नति, हमेशा योग्यता के आधार पर होती है।

58. निम्नलिखित में से मैरी पार्कर फॉलेट के अनुसार संघर्षों के समाधान में एकीकरण के लिए कौन-सी बाधा नहीं है?
A. बुद्धि का अभाव
B. वर्चस्व का आनंद लेने की आदत
C. नेताओं का अनुचित प्रभाव
D. कीन की अवधारणा

59. निम्नलिखित में से किसने कहा कि "पदानुक्रम में संरचना के ऊपर से नीचे तक पहुंचने वाले जिम्मदारी के कई स्तरों के माध्यम से वरिष्ठ-अधीनस्थ संबंध के सार्वभौमिक अनुप्रयोग शामिल हैं?
A. लूथर गुलिक
B. अर्ल लाथम
C. मैक्स वेबर
D. एल. डी. व्हाइट

60. नेतृत्व की 'सत्तावादी और शोषणकारी' शैली की वकालत निम्नलिखित में से किसके द्वारा की गई थी?
A. फ्रेड ई. फिडलर B. रॉबर्ट जे. हाउस
C. रेन्सिस लिकर्ट D. विलियम रेड्डिन

61. प्रशासन से प्रतिमानों (पैटन्स) और नियमितताओं को समझने और सिद्धांत निर्माण अभिवृद्धि हेतु निम्नलिखित में से कौन-सा सहायक है?
A. प्रणाली उपागम
B. पारिस्थितिकीय उपागम
C. अंतःसांस्कृतिक अध्ययन
D. संरचनात्मक-प्रकार्यात्मक उपागम

62. नवीन लोक सेवा सिद्धांत में लोक सेवक निम्न में से किसके प्रति उत्तरदायी होते हैं?
A. नागरिक B. संस्थाएं
C. ग्राहक D. सेवार्थी

63. संगठन विकास की उत्पत्ति का श्रेय निम्न में से किसे जाता है?
A. वारेन बेनिस B. कर्ट लेविन
C. थामस फिट्ज़रेल्ड D. क्रिस अर्गाइरिस

64. निम्न में से किसने नौकरशाही को प्रतिनिधिक, दलीय-राज्य, सैन्य प्रभुत्व अधीन, शासक प्रभुत्व अधीन व शासक नौकरशाही के रूप में वर्गीकृत किया है?
A. पीटर ब्लों B. मेर्ले फेन्सोड
C. एफ. डब्ल्यू रिग्स D. कार्ल मार्क्स

65. जब किसी लोक सेवक के दायित्व निजी हित से परे होता है तो इसे कहा जाता हैः
A. सत्यनिष्ठा B. निष्पक्षता
C. वस्तुनिष्ठता D. ईमानदारी

66. निम्नलिखित में से कौन-सा संबंधित प्रणाली सृजन के माध्यम से लोक प्रशासन में एक मूल्य संवर्धन है, जो बेहतर निर्णय, बेहतर समन्वयन में सहायक होता है और नागरिकों एवं व्यवसायों के लिए सेवाओं का संबर्धन करता है?
A. सहयोगात्मक शासन
B. अंतः प्रचालनता
C. विमर्शी लोकतंत्र
D. लोक प्रशासन प्रतिस्थापन (रिपॉजिशनिंग)

67. व्यूहरचनात्मक निर्णयों की निम्नलिखित विशेषताओं पर विचार कीजिए?
(*a*) संगठन के शीर्ष पर लिया जाता है।
(*b*) इसमें उच्च जोखिम है।
(*c*) निर्णयन में एकमात्र मापदंड औचित्यता है।
(*d*) इसमें नया कार्यक्रम सम्मिलित है।

नीचे दिए गए विकल्पों में से **सही** उत्तर का चयन कीजिए।

A. केवल (*a*), (*b*) B. केवल (*a*), (*b*), (*c*)
C. केवल (*a*), (*b*), (*d*) D. (*a*), (*b*), (*c*), (*d*)

68. नियंत्रण के विस्तार की सीमा निर्धारित होती है:

(*a*) प्रबंधन का सामर्थ्य
(*b*) पर्यवेक्षित व्यक्तियों की गुणवत्ता
(*c*) कार्य की प्रकृति
(*d*) सम्प्रेषण की प्रभावशीलता

नीचे दिए गए विकल्पों में से **सही** उत्तर का चयन कीजिए।

A. केवल (*a*), (*b*), (*c*) B. केवल (*b*), (*c*), (*d*)
C. केवल (*a*), (*b*), (*d*) D. (*a*), (*b*), (*c*), (*d*)

69. निम्नलिखित को लोक प्रशासन विषय के उद्विकास में सही अनुक्रम में व्यवस्थित कीजिए:

(*a*) अभिप्रेरणा-आरोग्य सिद्धांत
(*b*) पारिस्थितिकीय उपागम
(*c*) सामाजिक प्रणाली उपागम
(*d*) वैज्ञानिक प्रबंधन उपागम

नीचे दिए गए विकल्पों में से **सही** उत्तर का चयन कीजिए।

A. (*a*), (*b*), (*c*), (*d*) B. (*d*), (*c*), (*b*), (*a*)
C. (*d*), (*c*), (*a*), (*b*) D. (*a*), (*c*), (*b*), (*d*)

70. विभिन्न विचारकों के योगदान ने एक अकादमिक विषय के रूप में लोक प्रशासन को प्रभावित किया। इन्हें कालक्रमानुसार व्यवस्थित कीजिए:

(*a*) फ्रैंक जे. गुडनॉऊ
(*b*) लिंडाल उर्विक
(*c*) रॉबर्ट डाहल
(*d*) चेस्टर बर्नार्ड

नीचे दिए गए विकल्पों में से **सही** उत्तर का चयन कीजिए।

A. (*a*), (*b*), (*c*), (*d*) B. (*a*), (*b*), (*d*), (*c*)
C. (*a*), (*c*), (*d*), (*b*) D. (*a*), (*d*), (*c*), (*b*)

71. रॉबर्ट ब्लेक और जेन माउटन के लीडरशिप ग्रिड मॉडल में, उस नेतृत्व शैली को निम्न में से क्या कहा जाता है जो मजदूरों की आवश्यकताओं की उपेक्षा करते हुए केवल मात्र उत्पादन पर केन्द्रित करती है?

A. मध्यमार्ग (मिडल ऑफ द रोड)
B. कंट्री क्लब
C. अशक्त
D. उत्पादन करो अथवा नष्ट हो जाओ

72. निम्न में से कौन केन्द्रीकरण का एक लाभ नहीं है?

A. आदेश (कमांड) की स्पष्ट श्रृंखला
B. केन्द्रित दृष्टि
C. कार्य में विलंब
D. निर्णय का त्वरित कार्यान्वयन

73. अलेक्जेंडर एच. लेइटन ने निम्न में से किस की संकल्पना प्रदान की थी?

A. नियंत्रण का क्षेत्र B. ज्ञान कर्मी
C. मनोबल D. प्रत्यायोजन

74. निम्न में से किसने 'शासन के आधार के रूप में संवैधानिक नैतिकता का समर्थन किया था'?

A. सरदार पटेल
B. बी.आर. अंबेडकर
C. राजेन्द्र प्रसाद
D. आचार्य जे.बी. कृपलानी

74. निम्नलिखित में से कौन संगठन के लोक निगम स्वरूप की एक लाक्षणिक विशेषता नहीं है?

A. विशेष परिनियम के अन्तर्गत निगमित
B. विलगित व्यक्तित्व
C. प्राधिकार का केन्द्रीकरण
D. सेवा उद्देश्य

76. निम्न में से कौन-सी गैर-कार्यक्रमिक निर्णय की विशिष्टता नहीं है?

A. जिस व्यक्ति के समक्ष समस्या आ रही है उसके एक से अधिक उद्देश्य हो सकते हैं।
B. निर्णय प्रक्रिया में भागीदार एक से अधिक व्यक्ति के पास प्रभावित करने की शक्ति हो सकती है।
C. समस्या के संबंध में अत्यधिक सूचना उपलब्ध है।
D. विभिन्न उद्देश्यों को वरीयता नियतन के रांबंध में सहमति होगी।

77. 'पर्यवेक्षण' का उद्देश्य है:

(*a*) पर्यवेक्षक व परिविक्षित दोनों हेतु जवाबदेही को घटाना।
(*b*) संगठन के विभिन्न भागों के बीच समन्वय प्राप्त करना।
(*c*) यह सुनिश्चित करना कि संगठन का प्रत्येक भाग ठीक-ठीक वही कार्य कर रहा है जो कार्य योजना के अधीन उसे सौंपा गया है।
(*d*) यह सुनिश्चित करना कि संगठन स्वयं के लिए नियत लक्ष्य प्राप्त करे।

नीचे दिए गए विकल्पों में से सही उत्तर का चयन कीजिए:

A. केवल (*a*) और (*d*) B. केवल (*b*) और (*c*)
C. केवल (*a*) और (*c*) D. केवल (*b*) और (*d*)

78. सांगठनिक संचार में 'जन-प्रवाद' (ग्रेपवाइन) क्या होता है?

(*a*) संचार का एक अनौपचारिक चैनल
(*b*) प्राधिकार के स्तरों का ध्यान किए बिना समूचे संगठन में सभी दिशाओं में फैलना
(*c*) गप अथवा अफवाह के द्वारा अनौपचारिक व गैर-आधिकारिक रूप से कुछ जानना
(*d*) संचार का एक गुप्त चैनल

नीचे दिए गए विकल्पों में से सही उत्तर का चयन कीजिए:
A. केवल (*a*) और (*b*)
B. केवल (*a*), (*b*) और (*c*)
C. केवल (*a*), (*b*) और (*d*)
D. (*a*), (*b*), (*c*) और (*d*)

79. संगठन के विभागीय उपक्रम वाले स्वरूप के अन्तर्गत सार्वजनिक उद्यमों को निम्न रूपों में संगठित किया जा सकता है?
(*a*) स्वयं मंत्रालय द्वारा नियंत्रित
(*b*) अन्तर मंत्रालय बोर्ड द्वारा नियंत्रित
(*c*) मंत्रालय के अन्दर के विभाग द्वारा नियंत्रित
(*d*) अन्तर विभागीय समिति द्वारा नियंत्रित
नीचे दिए गए विकल्पों में से सही उत्तर का चयन कीजिए:
A. केवल (*a*), (*b*), (*c*) B. केवल (*b*), (*c*), (*d*)
C. केवल (*a*), (*c*), (*d*) D. केवल (*b*), (*c*)

80. सामान्य रूप से निर्णयन के सर्वाधिक उल्लेखनीय उपकरणों व तकनीकियों में निम्न में से क्या-क्या शामिल है?
(*a*) लागत-लाभ विश्लेषण
(*b*) गुणात्मक तकनीकें
(*c*) ज्ञान प्रबंधन
(*d*) प्रबंधन सूचना प्रणाली
(*e*) लघुअवधि नियोजन
नीचे दिए गए विकल्पों में से सही उत्तर का चयन कीजिए:
A. केवल (*a*), (*b*) और (*c*)
B. (*a*), (*b*), (*c*) और (*d*)
C. केवल (*b*), (*c*) और (*d*)
D. केवल (*a*), (*d*) और (*e*)

81. अस्तव्यस्त करने (मडलिंग थ्रू) के संदर्भ में निर्णयन के निम्न में से कौन से अभिलक्षण हैं?
(*a*) यह अभिवृद्धिकारी परिवर्तनों के क्रम में अग्रसर होती है।
(*b*) इसमें पारस्परिक समायोजन व वार्ताएं अंतर्ग्रस्त होती है।
(*c*) अभिवृद्धिकारी उपागम में पर्यल्त त्रुटि पद्धति अंतर्ग्रस्त होती है।
(*d*) नीति अंतिम रूप से बनाई जाती है।
नीचे दिए गए विकल्पों में से सही उत्तर का चयन कीजिए:
A. केवल (*a*), (*b*) और (*c*)
B. केवल (*b*), (*c*) और (*d*)
C. केवल (*c*) और (*d*)
D. केवल (*a*) और (*d*)

82. लोक प्रशासन के विषय में निम्न सेपानों को उनके क्रमिक विकास के सही क्रम में व्यवस्थित कीजिए। उत्तर के लिए प्रदत्त कूटों का प्रयोग कीजिए:
(*a*) उत्प्रेरण-स्वास्थ्य सिद्धांत
(*b*) पारिस्थितिकीय उपागम
(*c*) आवश्यकता पदानुक्रम सिद्धांत
(*d*) शास्त्रीय उपागम
नीचे दिए गए विकल्पों में से सही उत्तर का चयन कीजिए:
A. (*a*), (*b*), (*c*), (*d*) B. (*d*), (*c*), (*b*), (*a*)
C. (*d*), (*c*), (*a*), (*b*) D. (*a*), (*c*), (*b*), (*d*)

83. नीचे दो कथन दिए गए हैं: एक अभिकथन (A) के रूप में लिखित है तो दूसरा उसके कारण (R) के रूप में:

अभिकथन (A): सहयोग भौतिक, जैविक व सामाजिक जैसे विविध कारकों का संश्लेषण है और यह सांदर्भिक है।

कारण (R): सहयोग पर सीमाएं व्यक्ति के भौतिक, जैविक व सामाजिक कारकों अथवा किसी स्थिति में कारकों के संयोजन के कारण होती है।

उपरोक्त कथन के आलोक में नीचे दिए गए विकल्पों में से सही उत्तर का चयन कीजिए:
A. (A) और (R) दोनों सत्य हैं और (R), (A) की सही व्याख्या है.
B. (A) और (R) दोनों सत्य हैं, लेकिन (R), (A) की सही व्याख्या नहीं है
C. (A) सत्य है, लेकिन (R) असत्य है
D. (A) असत्य है, लेकिन (R) सत्य है

84. वारेन बेनिस के अनुसार अकादमिक विद्वानों और लोक प्रबंधकों के बीच सहयोग संगठनात्मक .... का मार्ग प्रशस्त करता है।
A. परिवर्तन B. विकास
C. पुनर्जीवन D. समाकलन

85. निम्नलिखित में से कौन-सी पद-वर्गीकरण की एक विशेषता नहीं है?
A. कर्तव्य B. अर्हता
C. विशेषज्ञता D. पदों का समूह

86. "वैश्वीकरण से आशय भिन्न हितों (रुचियों) वाले भिन्न लोगों हेतु भिन्न वस्तुएँ हैं" यह उक्ति निम्नलिखित में से किसकी है?
A. फुकुयामा B. फ्रीडमैन
C. थॉम्पसन D. अली फर्जमन्द

87. निम्नलिखित में से कौन-सा एक केन्द्रवाद का गुण नहीं है?
A. बेहतर समन्वय
B. संगठन में द्विरावृत्ति से बचा जा सकता है
C. शीर्ष की प्रतिष्ठा और प्रभाव में वृद्धि करना
D. अधीनस्थों के अभिप्रेरण में सुधार करना

88. किसी पद-सोपानिक संगठन में 'लेवल जम्पिंग' हेतु आवश्यकता का नाम है :
A. पीटर प्रिंसिपल (सिद्धांत) B. गैंगप्लैंक
C. रूल ऑफ थम्ब D. पॉवर-ओवर

89. नियंत्रण क्षेत्र (Span) की विशेषताओं पर विचार कीजिए :

(*a*) यह प्रशासन का एक अलंघनीय सिद्धांत है।

(*b*) यह साधारणतया अधीनस्थों की संख्या होती है जिन्हें प्रशासक निजी तौर पर निर्देशित कर सकता है।

(*c*) इसे वी.ए. ग्रैकुनस द्वारा कुशल तरीके से वर्णित किया गया है।

(*d*) कम्प्यूटर के आगमन ने नियंत्रण क्षेत्र की संकल्पना के संशोधन की आवश्यकता पर बल दिया है।

नीचे दिए गए विकल्पों में से सही उत्तर का चयन कीजिए :

A. केवल (*a*) और (*b*)
B. केवल (*a*), (*b*) और (*c*)
C. केवल (*b*), (*c*) और (*d*)
D. (*a*), (*b*), (*c*) और (*d*)

90. सूची-I के साथ सूची-II का मिलान कीजिए :

सूची-I (तकनीकें)	**सूची-II (व्याख्या)**
(*a*) O एंड M	(*i*) यह तकनीक तब अनुप्रयोज्य है, जब परियोजना को पूरा करने के लिए आवश्यक समय निश्चित नहीं है
(*b*) मैट्रिक्स संगठन	(*ii*) विभिन्न गतिविधियों के नियंत्रण और समन्वयन के लिए तकनीक
(*c*) क्रिटिकल मार्ग विश्लेषण	(*iii*) एक प्रमुख परियोजना को पूरा करने के लिए आवश्यक प्रबंधन-सुधार के लिए लाइन- अधिकारियों की सहायता करना
(*d*) पर्ट (PERT)	(*iv*) एक प्रणाली, जो कमांड की बहु-विध शृंखला के प्रबंधन के एक रूप द्वारा विशेषित की जाती है

नीचे दिए गए विकल्पों में से सही उत्तर का चयन कीजिए :

	(*a*)	(*b*)	(*c*)	(*d*)
A.	(*i*)	(*iii*)	(*ii*)	(*iv*)
B.	(*i*)	(*iii*)	(*iv*)	(*ii*)
C.	(*iv*)	(*iii*)	(*i*)	(*ii*)
D.	(*iii*)	(*iv*)	(*ii*)	(*i*)

91. सरकारी संस्थाओं/अभिकरणों में समन्वय की कमी की चुनौतियों के समाधान हेतु, तृतीय मिन्नोब्रुक सम्मेलन ने निम्न में से किस नवीन अवधारणा को समावेशित किया?

A. अन्तरसंचालितता
B. सहयोगी शासन
C. नेटवर्क सोसाइटी
D. विमर्शशील लोकतंत्र

92. सूची-I को सूची-II से सुमेलित कीजिए। नीचे दिए गए कूट से सही उत्तर का चयन कीजिए।

सूची-I (मुख्य गतिविधि)	**सूची-II (अभिकरण)**
(*a*) संगठन के उद्देश्य से संबंधित	(*i*) तकनीकी स्टॉफ अभिकरण
(*b*) अपने कार्य क्षेत्र में विशेषज्ञ	(*ii*) लाईन अभिकरण
(*c*) कार्यपालिका को जल्दबाजी में और गलत निर्णयों को लेने से रोकना	(*iii*) स्टॉफ अभिकरण
(*d*) गृह प्रबंध और खरीदारी के लिए उत्तरदायी	(*iv*) सहायक स्टॉफ अभिकरण

कूटः

	(*a*)	(*b*)	(*c*)	(*d*)
A.	(*i*)	(*ii*)	(*iii*)	(*iv*)
B.	(*ii*)	(*i*)	(*iii*)	(*iv*)
C.	(*ii*)	(*i*)	(*iv*)	(*iii*)
D.	(*ii*)	(*iv*)	(*i*)	(*iii*)

93. निम्नलिखित में से कौन-सा नेतृत्व का सिद्धांत यह मानता है कि "नेता जन्म लेता है, बनाया नहीं जाता'?

A. गुण सिद्धांत
B. चमत्कारिक सिद्धांत
C. व्यवहारवादी सिद्धांत
D. स्थितिजन्य सिद्धांत

94. यह विचार कि 'कर्मचारी केवल एक पर्यवेक्षक के प्रति उत्तरदायी होता है, जो पुनः केवल एक ही पर्यवेक्षक के प्रति उत्तरदायी होता है तथा संगठन के पदानुक्रम में शीर्ष तक यही व्यवस्था होती है' इसे निम्नलिखित में से क्या कहा जाता है?

A. निर्देश की एकता
B. वैयक्तिक हित की अधीनस्थता
C. एस्प्रिट डे कॉर्प्स
D. आदेश की एकता

95. सूची-I को सूची-II से सुमेलित कीजिए। नीचे दिए गए कूट से सही उत्तर का चयन कीजिए।

सूची-I (अवधारणा)	**सूची-II (व्याख्या)**
(*a*) पदसोपान	(*i*) वरिष्ठ द्वारा नियंत्रित किए जाने वाले अधीनस्थों की संख्या
(*b*) नियंत्रण का क्षेत्र	(*ii*) नियंत्रण एवं संचार के संदर्भ में वरिष्ठ-अधीनस्थों के संबंध
(*c*) समन्वय	(*iii*) एक अधीनस्थ को एक ही निकटतम वरिष्ठ से आदेश मिलने चाहिए।
(*d*) आदेश की एकता	(*iv*) कार्यक्रमों को समक्रमिक बनाना तथा दोहराव से बचना

कूट :

	(*a*)	(*b*)	(*c*)	(*d*)
A.	(*i*)	(*ii*)	(*iii*)	(*iv*)
B.	(*ii*)	(*i*)	(*iv*)	(*iii*)
C.	(*iv*)	(*i*)	(*iii*)	(*ii*)
D.	(*iii*)	(*i*)	(*iv*)	(*ii*)

96. **अभिकथन (A) :** हम न ही राजनीति-प्रशासन के द्विभाजन को स्वीकार कर सकते हैं और न ही इसके बिना आगे बढ़ सकते हैं।

तर्क (R) : संविधान निर्माण से संविधान के क्रियान्वयन का कार्य ज्यादा कठिन होता जा रहा है।

कूट :

A. (A) तथा (R) दोनों सही हैं तथा (R), (A) की सही व्याख्या है।
B. (A) तथा (R) दोनों सही हैं, परन्तु (R), (A) की सही व्याख्या नहीं है।
C. (A) सही है, परन्तु (R) गलत है।
D. (A) गलत है, परन्तु (R) सही है।

97. "उत्तरदायित्व का तात्पर्य जिम्मेदारी की औपचारिक और विशिष्ट अवस्थिति है वहीं जिम्मेवारी व्यक्तिगत, नैतिक होती है और औपचारिक सत्ता से आवश्यक रूप से जुड़ी नहीं होती है।" निम्नांकित में से यह किसका कथन है?

A. वेबस्टर शब्दकोष B. जॉन एम. पिफनर
C. रॉबर्ट मर्टन D. विलियम स्कॉट

98. "मानवता के लिए संगठन से संबंधित अपने ज्ञान को आगे ले जाना तब तक असम्भव है जब तक कि संरचना के कारक को अन्य पहलुओं से पृथक न कर लिया जाए, चाहे इस प्रकार का पृथक्करण कितना भी कृत्रिम प्रतीत क्यों न हो"।

A. लिंडल उर्विक B. लुथर गुलिक
C. एम.पी. फॉलेट D. हेनरी फेयोल

99. निम्नलिखित में से कौन-सी करिश्माई नेतृत्व की सही विशेषता **नहीं** है?

A. उनकी अपनी दृष्टि होती है।
B. वे अपनी दृष्टि को पूरा करने के लिए व्यक्तिगत जोखिम उठाने के इच्छुक होते हैं।
C. वे अपने अनुयायियों की जरूरतों के प्रति संवेदनशील होते हैं।
D. वे सामान्य व्यवहार दर्शाते हैं।

100. सूची-I को सूची-II से सुमेलित कीजिए। नीचे दिए गए कूट की सहायता से सही उत्तर का चयन कीजिए :

सूची-I	सूची-II
(*a*) वैज्ञानिक प्रबंधन	1. सार्वभौमिक वैज्ञानिक प्रशासकीय सिद्धांतों का अनुप्रयोग
(*b*) प्रशासकीय प्रबंधन	2. मानव कामगार संभवतः समग्रतः मशीन के तरह नहीं हैं
(*c*) नौकरशाही सिद्धांत	3. समय-वेग अध्ययन
(*d*) मानव संबंध सिद्धांत	4. नियम एवं विनियम का प्रयोग

कूट :

	(*a*)	(*b*)	(*c*)	(*d*)
A.	1	2	3	4
B.	2	1	4	3
C.	3	1	4	2
D.	3	4	1	2

उत्तरमाला

1	2	3	4	5	6	7	8	9	10
C	C	B	C	C	C	D	B	C	D
11	**12**	**13**	**14**	**15**	**16**	**17**	**18**	**19**	**20**
A	D	B	A	D	C	C	A	C	C
21	**22**	**23**	**24**	**25**	**26**	**27**	**28**	**29**	**30**
C	C	B	B	C	C	D	B	A	B
31	**32**	**33**	**34**	**35**	**36**	**37**	**38**	**39**	**40**
A	A	C	C	B	B	B	C	B	C
41	**42**	**43**	**44**	**45**	**46**	**47**	**48**	**49**	**50**
D	B	B	A	D	C	B	B	B	A
51	**52**	**53**	**54**	**55**	**56**	**57**	**58**	**59**	**60**
B	D	B	C	D	A	A	D	D	C
61	**62**	**63**	**64**	**65**	**66**	**67**	**68**	**69**	**70**
C	A	B	B	A	B	C	D	C	B
71	**72**	**73**	**74**	**75**	**76**	**77**	**78**	**79**	**80**
D	C	C	B	C	C	B	B	C	B
81	**82**	**83**	**84**	**85**	**86**	**87**	**88**	**89**	**90**
A	C	A	C	C	D	D	B	D	D
91	**92**	**93**	**94**	**95**	**96**	**97**	**98**	**99**	**100**
A	B	A	D	B	B	B	B	D	C

★ ★ ★

UNIT–II

प्रशासनिक चिन्तन

(ADMINISTRATIVE THOUGHT)

लोक प्रशासन के अध्ययन के उपागम (Approaches to the Study of Public Administration)

उपागम को वैज्ञानिक पद्धतियाँ, दृष्टिकोण, सिद्धान्त विचारधारा, वैचारिक प्रतिमान नामों से जानते हैं। लोक प्रशासन के सिद्धान्तों की प्रकृति, विश्वसनीयता, स्थायी, सार्वभौमिक तथा सार्वकालिक नहीं है। राज्य के बदलतें स्वरूप तथा कार्यक्षेत्र ने लोक प्रशासन के सिद्धान्तों को भी परिवर्तित किया है। आज लोक प्रशासन के परम्परागत सिद्धान्तों का महत्व कम हो गया है तथा नवीन सिद्धान्तों का महत्व बढ़ता जा रहा है। समय के अनुसार लोक-विकल्प तथा नवीन प्रबन्ध जैसे नवीन सिद्धान्त आ रहे हैं।

लोक प्रशासन में सिद्धान्तों का क्रमिक विकास हुआ है। 19वीं सदी के बाद और 20वीं सदी में संगठन के व्यवस्थित अध्ययन की प्रकृति का देखने को मिलती है। लूथर गुलिक, उर्विक, हेनरी फेयोल, फ्रेडरिक टेलर, मैक्स वेबर, एल्टन मेयो, चेस्टर बर्नार्ड, हर्बर्ट साइमन, डगलस मैकग्रेगर, अब्राहम मैस्लो और फ्रेडरिग्स आदि विद्वानों की रचनाओं में संगठन सिद्धान्तों को देखा जा सकता है।

लोक प्रशासन में संगठन सिद्धान्त आज भी विकास की प्रक्रिया में है। किसी विषय के अध्ययन के लिए अनेक सिद्धान्त हो सकते हैं। प्रशासन के भौतिक, सामाजिक, आर्थिक, मनोवैज्ञानिक, प्रशासनिक तत्वों का ठीक-ठीक वर्णन करने और पूर्वानुमान लगाने की दिशा में किए प्रयासों को सिद्धान्त या उपागम कहते हैं।

कान्ट तथा रोजेन्बीग तथा अन्य विद्वानों के आधार पर इसे तीन श्रेणियों में विभक्त किया जा सकता है–

1. परम्परावादी या शास्त्रीय सिद्धान्त
2. नवशास्त्रीय सिद्धान्त तथा मानव सम्बन्ध आन्दोलन
3. आधुनिक सिद्धान्त

संगठन के अध्ययन के उपागमों को सात वर्गों में विभक्त किया जा सकता है–

1. शास्त्रीय या परम्परावादी सिद्धान्त (Classical or Traditional Theory)
2. वैज्ञानिक प्रबन्ध सिद्धान्त (Scientific Management Theory)
3. नौकरशाही सिद्धान्त (Bureaucratic Theory)
4. मानव सम्बन्ध सिद्धान्त (Human Relation Theory)
5. व्यवहारवादी सिद्धान्त (Behavioural Theory)
6. व्यवस्था सिद्धान्त (System Theory)
7. पारिस्थितिकीय सिद्धान्त (Ecological Theory)

प्राच्य उपागम (Oriental Approach)

कौटिल्य (Kautilya)

भारतीय चिन्तक आचार्य कौटिल्य उर्फ चाणक्य उर्फ विष्णुगुप्त का चिन्तन क्षेत्र इतना व्यापक है कि यदि इन्हें राजनीतिक, आर्थिक तथा प्रशासनिक चिंतक तीनों साथ-साथ कहें तो कोई अतिशयोक्ति न होगी। कौटिल्य की पुस्तक 'अर्थशास्त्र' के विशद् अध्ययन के पश्चात् हम कह सकते हैं कि कौटिल्य का अर्थशास्त्र समग्र रूप में राज्य प्रशासन पर लिखा गया ग्रन्थ है। इतना ही नहीं, इसे व्यावहारिक प्रशासन पर लिखा गया ग्रंथ कहें तो कोई अतिशयोक्ति न होगी। अर्थशास्त्र में 15 अधिकरण हैं, जिनमें एक से पाँच अधिकरणों में हमें आन्तरिक प्रशासन संबंधी विचार देखने को मिलते हैं तथा अधिकरण छः से तेरह तक में अन्तर्राष्ट्रीय संबंध एवं शासन व्यवस्था की चर्चा मिलती है।

कौटिल्य की पुस्तक 'अर्थशास्त्र' में लोक प्रशासनिक विचारों को ढूंढ़ने के लिए हमें इस तथ्य की खोज करनी होगी कि कौटिल्य ने अपनी पुस्तक को 'अर्थशास्त्र' नाम क्यों दिया? आचार्य कौटिल्य ने अपनी पुस्तक के

15वें अधिकरण में 'अर्थ' शब्द का विश्लेषण करते हुए अर्थशास्त्र की परिभाषा भी दी है यथा–

"मनुष्याणांवृत्तिरर्थ मनुष्यवती भूमिरिव्यर्थः।
तस्या पृथिव्या लाभ पालनोपाय शास्त्रमर्थशास्त्रमिति।।"

अर्थात् "मनुष्य की जीविका को अर्थ कहते हैं और मनुष्य से युक्त भूमि का नाम भी अर्थ है। इस भूमि को प्राप्त करने और रक्षा करने के उपाय का निरूपण करने वाले शास्त्र को अर्थशास्त्र कहते हैं।" स्पष्ट है कि अर्थशास्त्र भारतीय लोक कल्याणकारी प्रशासन की आदर्शतम एवं प्राचीन पुस्तक है।

कौटिल्य की चिंतन धारा किस तरह लोक प्रशासन के सिद्धांत की स्थापना हेतु प्रवाहित होती है उसका निरूपण हम निम्न रूपों में करते हैं–

कौटिल्य लोक प्रशासन के सिद्धांत की स्थापना मानव स्वभाव पर चिंतन के साथ करता है। जब वह मानव स्वभाव का चिंतन करता है तो पाता है कि मानव में काम, क्रोध, मद, लोभ, मान तथा हर्ष छः विकार पाये जाते हैं जिन्हें कौटिल्य ने 'षडवर्ग' नाम दिया है। इसी षडवर्ग से प्रभावित होकर मनुष्य अधर्म की ओर उन्मुख होता है जिससे समाज में मत्स्यन्याय का जन्म होता है जो अन्ततः नाश का कारण बनता है। कौटिल्य ने इस मत्स्यन्याय को समाप्त करने के लिए दण्डनीति का निर्माण किया। इस दण्डनीति के अनुसार प्राणियों में दण्ड प्रयोग करने के लिए एक कुशल दंडधारी की आवश्यकता होती है। यही दंडधारी व्यक्ति आगे चलकर राजा कहलाता है और यही राजा प्रशासनिक कार्यों का संपादन करता है। इस प्रकार प्रशासन का आरम्भ भी यहीं से होता है।

कौटिल्य ने अपने लोक प्रशासनिक सिद्धांत में राजतंत्रीय केन्द्रीयकरण पर ज्यादा जोर दिया है। इसने अपने राज्य की कार्यकारी, प्रशासकीय तथा न्यायिक तीनों शक्तियों को एकमात्र राजा में केन्द्रित किया है। कौटिल्य ने अपनी पुस्तक अर्थशास्त्र में राज्य प्रशासनिक यंत्र की रचना को बड़े विस्तार से प्रस्तुत किया है। लेकिन यह प्रशासनिक यंत्र आज की नौकरशाही व्यवस्था की तरह विस्तृत नहीं है। फिर भी हम यह कह सकते हैं कि नौकरशाही व्यवस्था, प्रत्यायोजित विधायन, प्रशासकीय न्यायाधिकरण संबंधी विचार का सूत्रपात उसी प्राचीन शासन व्यवस्था की देन है। कौटिल्य की प्रशासनिक संरचना से स्पष्ट होता है कि वह शासन राजतांत्रिक शासन का आदर्श स्वरूप रहा है। यही कारण है कि सभी प्रशासनिक अध्यक्षों की शक्ति एवं निर्णय अंतिम रूप से राजा में ही केन्द्रित थे।

यद्यपि कौटिल्य ने राजतंत्र का समर्थन तो किया है, पर यहाँ प्रश्न उठता है कि कैसा राजतंत्र? तानाशाही राजतंत्र या जनहितकारी राजतंत्र? कौटिल्य ने राज्य प्रशासन की सारी शक्ति राजा में केन्द्रित की है लेकिन राजा को स्वेच्छाचारी नहीं बनने दिया। कौटिल्य कहता है कि राजा कोई भी निर्णय अपनी मंत्रिपरिषद्, विभागाध्यक्ष तथा अन्य प्रशासनिक अधिकारियों के परामर्श से जनहित में करेगा। जो राजा अपने प्रशासनिक अधिकारी के परामर्श से जनहित में शासन नहीं करेगा उसका नाश शीघ्र ही हो जाएगा। अतः कौटिल्य का शासन सिद्धांत राजतांत्रिक जरूर है लेकिन तानाशाही राजतंत्र नहीं, प्रजातांत्रिक राजतंत्र है। कौटिल्य के लोकप्रशासन सिद्धांत 'प्रजातांत्रिक राजतंत्र' का यदि कहीं हाल के समय तक अक्षरशः पालन किया जा रहा था तो वह राष्ट्र था, नेपाल। यद्यपि भारतीय प्रशासन में भी बहुत हद तक कौटिल्य के प्रशासनिक सिद्धांत का अनुसरण किया गया है लेकिन नेपाल की तरह शत-प्रतिशत नहीं।

प्रशासनिक बनावट (Administrative Structure)

राजतंत्र में अर्थशास्त्रीय धारणा एक छोटी प्रादेशिक हस्ती के लिए बिल्कुल उपयुक्त है लेकिन वर्तमान विशाल भारत के लिए कौटिल्य की प्रशासनिक बनावट उपयुक्त नहीं कही जा सकती है। कारण है कि कौटिल्य ने अपने प्रशासनिक सिद्धांत में पूरे राज्य के प्रशासनिक कार्य हेतु 'अष्टादश तीर्थ' की चर्चा की है। अर्थात् यही 18 तीर्थ राजा के मुख्य सलाहकार एवं निर्णय को लागू करने वाले अधिकारी होंगे। यहीं पर कौटिल्य इन 18 तीर्थो के अतिरिक्त 30 विभागाध्यक्षों की भी चर्चा करते हैं। परन्तु उसने यह स्पष्ट नहीं किया कि 18 तीर्थ तथा 30 विभागाध्यक्षों के बीच राजा समन्वय की स्थापना कैसे करेगा। दोनों के अधिकार क्षेत्र का स्पष्ट विभाजन करने में भी कौटिल्य का प्रशासनिक सिद्धांत असफल रहा है। फिर भी कौटिल्य ने हर विभाग का संगठन किया है जिसकी संरचना में एक अध्यक्ष के अन्तर्गत पाँच अधिकारी एवं कुछ कर्मचारी रहते हैं। कौटिल्य के शब्दों में ये पाँच अधिकारी क्रमशः हैं–(1) लेखक (लिपिक) (2) रूपा-द्रासका (सिक्का निरीक्षक) (3) सान्ख्याका (लेखापाल) (4) नीवीग्राहका (रोकड़पाल) (5) उत्तराध्यक्ष (पर्यवेक्षक)। यही पाँच अधिकारी विभागाध्यक्ष सहित एक विभाग का गठन करते हैं। इस प्रकार कौटिल्य के राज्य प्रशासन में 30 विभाग कार्यरत् थे। अध्यक्ष के कार्यों में सहायता के लिए लगभग 200 उपाध्यक्षों की भी चर्चा की है, जो कौटिल्य की प्रशासनिक बनावट में भी अस्पष्टता कायम करते हैं। इसकी सचिवालय व्यवस्था इस बात को पूर्णतः स्पष्ट करती है कि इसने (प्लेटो की भाँति नगर राज्य की कल्पना कर अपना प्रशासनिक सिद्धांत दिया है। कौटिल्य के प्रशासनिक सिद्धांत के अध्ययन से यह अहसास होता है कि जिस प्रकार वर्तमान भारतीय शासन की सबसे छोटी इकाई ग्राम है, उसी तरह कौटिल्य ने भी अपने विचार में ग्राम को शासन की सबसे छोटी इकाई माना है। ग्राम के ऊपर "संग्रहण" (आज के प्रखण्ड के रूप में) की स्थापना की। संग्रहण के ऊपर 'कस्बा', कस्बा के ऊपर द्रोणामुख, द्रोणामुख के ऊपर संस्थानीय का गठन किया। यही संस्थानीय कौटिल्य के अनुसार एक राज्य होगा। संस्थानीय में 800 ग्राम होंगे जिसका अधिकारी स्वयं राजा होगा। 400 ग्राम पर द्रोणमुख का गठन किया जाता है। 200 ग्राम के बीच खार्वाटिक तथा 10 ग्रामों के बीच संग्रहण का गठन किया जाता है। प्रत्येक ग्राम की सीमा पर सीमा सुरक्षा हेतु 'अन्नपाल' नामक एक अधिकारी का गठन किया गया है।

कौटिल्य के प्रशासनिक सिद्धांत के अनुसार उसने प्रशासन पर जो सांगठनिक स्वरूप प्रस्तुत किया है उसका विशद् रूप में विवेचन डा. उमेश कुमार ने अपनी पुस्तक 'Kautilya's Thought on Public Administration' में किया है। डॉ. कुमार के अनुसार–

	प्रशासनिक संस्था	मुख्य अधिकारी
1.	साम्राज्य	सम्राट
2.	प्रान्त	युवराज एवं महामात्र
3.	मण्डल	समाहर्ता
4.	जनपद	समाहर्ता

5. स्थानीय — स्थानिक
6. द्रोणमुख — –
7. खार्वाटिक — स्थानिक
8. संग्रहण — गोपा
9. ग्राम — ग्रामिक

प्रशासन का सूत्र राज्य से लेकर गाँव तक कैसे पहुँचता है यह उपर्युक्त विवेचन से स्पष्ट है।

कौटिल्य ने अपने प्रशासनिक सिद्धांत में वित्तीय प्रशासन का गठन एवं विवेचन आज की तरह विस्तार से नहीं किया है। फिर भी, वित्तीय प्रशासन की महत्ता को इसने स्वीकार किया है। वित्त ही प्रशासन का आधार होता है, वित्त पर ही किसी भी राष्ट्र का अस्तित्व निर्भर करता है। अतः कौटिल्य ने कहा है कि प्रत्येक राजा अथवा प्रशासक को वित्त विभाग अपने पास रखना चाहिए। उसे अपने वित्तीय प्रशासन का गठन काफी विस्तार से करना चाहिए।

यह बात ध्यान देने योग्य है कि राजतंत्र का राजनीतिक सिद्धांत जो अर्थशास्त्र में बताया गया है लगता है कि वह नौकरशाही के विकास के संदर्भ में प्रस्तुत किया गया है। राजतंत्र एक निश्चित गुण में 'पितृसत्तात्मक' था क्योंकि रानी तथा राजा सबसे अधिक वेतन लेते थे। कौटिल्य की राजतंत्रीय व्यवस्था में 'द्वारिक' तथा 'अन्तरंवामासिका' नामक दो उच्च नौकरशाह अधिकारी थे जो राज्य की अर्न्तव्यवस्था की देखभाल करते थे। सैद्धांतिक रूप से जब हम अर्थशास्त्र में नौकरशाही के संगठन और संरचना की खोज करते हैं तो पाते हैं कि कौटिल्य ने इस पर कोई विशद् एवं व्यवस्थित विवेचन प्रस्तुत नहीं किया है। कौटिल्य का संकेत ऐसे राजतंत्र की ओर था जो एकताबद्ध होकर सिविल सेवा का विकास करता हो और भविष्य की सिविल सेवा के लिए एक आदर्श का काम करे। वास्तव में वर्तमान भारतीय सिविल सेवा की संरचना निश्चित रूप से कौटिल्य की सिविल सेवा संरचना का विस्तार है।

जैसा कि हमने ऊपर भी बताया है कि कौटिल्य ने राजतंत्र का समर्थन तो किया है लेकिन वहीं उसने शासन के विकेन्द्रीयकरण पर भी जोर दिया है। शासन जनहित में हो इसके लिए उसने ग्राम शासन पर काफी बल दिया है। गाँव में शासन व्यवस्था के विधिवत् संचालन हेतु कौटिल्य ग्रामिक नाम के अधिकारी की नियुक्ति करता है। शायद आज उसी का नाम बदल कर ग्राम सेवक हो गया है। अर्थशास्त्र में यह बताया गया है कि ग्रामिक एक राजकीय कर्मचारी होता था जो गांव की जनता का प्रतिनिधित्व उच्च प्रशासकीय अभिकरण के समक्ष करता था। ग्रामिक के कार्याधिकार के विशद् विवेचन से यह स्पष्ट होता है कि कौटिल्य ने प्रजातांत्रिक विकेन्द्रीयकरण पर भी बल दिया है। आज की पंचायती राज व्यवस्था को हम काफी हद तक कौटिल्य के लोक प्रशासन सिद्धात की देन मानते हैं।

इतना ही नहीं, इसने स्थानीय स्वशासन को आज की भाँति दो श्रेणियों में बांटा है। पहली श्रेणी में ग्राम शासन है तो वहीं दूसरी श्रेणी नगर शासन की है। नगर शासन के संचालन हेतु 'नागरक' नाम के अधिकारी की नियुक्ति करता है। यह 'नागरक' भी नगर की जनता का प्रतिनिधि होता है जिसकी तुलना हम आज नगर निगम के 'मेयर' से करते हैं।

कौटिल्य के प्रशासनिक सिद्धांत में आज की भांति पद सोपान, नियंत्रण का क्षेत्र तथा आदेश की एकता इस रूप में दिखाई नहीं देती, फिर भी उपर्युक्त सिद्धांत की झलक कमोबेश स्पष्ट दिखती है। दबाव समूह एवं हित समूह जैसी व्यवस्था भी कौटिल्य के सिद्धांत में स्पष्ट दिखती है। राजा के समक्ष अनेक समस्याओं के समाधान हेतु छोटे-छोटे समूह जाते थे और तरह-तरह से राजा के सलाहकारों को अपने पक्ष में सलाह देने हेतु बाध्य करते थे जिससे अन्ततः राजा भी जनहित तथा जनाकांक्षा को ध्यान में रखते हुए समूह के पक्ष में निर्णय देने लगते थे। अतः कौटिल्य के उपर्युक्त प्रशासनिक विचारों के विवेचन के बारे में हम निश्चित रूप से कह सकते हैं कि कौटिल्य एक कुशल प्रशासनिक चिंतक था। प्रशासनिक चिंतक के रूप में उसका विचार लोक प्रशासन के सिद्धांत पर आधारित था। इसका कारण यह है कि वह राजतंत्र का समर्थक होते हुए भी प्रत्येक स्तर पर जनहित का पक्षधर था। उसने राजा को एक महाप्रशासक के रूप में देखा है एक विलासकारी तानाशाही बादशाह के रूप में नहीं। उसने राजा के लिए जो 'दिनचर्या' बनायी है उसी से कौटिल्य के लोक-कल्याणकरी प्रशासन के बीज का वपन हो जाता है। इस प्रकार हम अंतिम निष्कर्ष के रूप में कह सकते हैं कि कौटिल्य ने लोक प्रशासन के आधुनिक सिद्धांत के निर्माण में एक 'द्वीप पुंज' का काम किया है।

कौटिल्य का राजा–शासन के प्रधान के रूप में
(Kautilya's King as Heado of Administration)

कोई भी राजा केवल राजा तब तक होता है जब वह केवल राज करता है शासन नहीं। लेकिन जो राजा राज तथा शासन दोनों करता है वह राजा मात्र नहीं होता वरन् महाप्रशासक, महाप्रबंधक, मुख्य कार्यपालक तथा प्रशासनिक प्रधान साथ-साथ होता है। प्राचीन राजाओं में अधिकांश राजा केवल राज करते थे, लेकिन कौटिल्य का राजा व अबुल फजल का राजा केवल राज ही नहीं करता वरन् राज तथा शासन दोनों साथ-साथ करता था। यद्यपि कौटिल्य ने राजतंत्र का समर्थन किया है लेकिन उसका राजतंत्र वैसा नहीं है जिसमें राजा केवल तानाशाह के रूप में राज करता है वरन् उसने वैसे राजतंत्र का समर्थन किया है जिसमें राजा भी अन्य नौकरशाहों की भाँति प्रधान नौकरशाह था। कौटिल्य ने अपने राजा को राज्य के एक प्रधान सेवक की भांति समस्त जनता की सेवा करने का उपदेश दिया है।

कौटिल्य का राजा केवल राजा ही नहीं वरन् महाप्रशासक तथा प्रमुख कार्यपालक है। इस बात की पुष्टि कौटिल्य द्वारा की गई राजा की दिनचर्या से होती है। राजा अपना बहुमूल्य समय राज्य प्रशासन की देखरेख में लगाए। कौटिल्य का विश्वास था कि अधिकांश राजा अपना समय रास-रंग, राग-विराग में व्यतीत करते हैं और इस प्रकार अपने कर्त्तव्यों का पालन न कर, जनता में असंतोष का बीज वपन कर देते हैं। कौटिल्य इस प्रमादी और व्यसनग्रस्त जीवन से बचाते हुए स्वच्छ प्रशासक के रूप में राजा को प्रतिष्ठित करने के लिए व्यस्त दिनचर्या का विधान देता है। इस प्रकार दिनचर्या के माध्यम से राजा एक महाप्रशासक बन सकता है।

कौटिल्य ने अपनी दिनचर्या में दिन और रात को 16 भागों में विभाजित किया है। वह दिन और रात दोनों के लिए आठ-आठ घड़ी के दो प्रमुख भाग बनाता है।

दैनिकचर्या (8 भाग)

सूर्योदय से दिनचर्या प्रारंभ होती है। दैनिक दिनचर्या के इसने चार-चार घड़ी के दो भाग किए हैं। दिन के प्रथम भाग की घड़ी यानी सूर्योदय के बाद राजा को प्रजा की रक्षा व्यवस्था पर चिंतन एवं कार्य करना चाहिए। दिन की दूसरी घड़ी में ग्राम एवं नगरवासियों के कार्यों की देखभाल, तीसरी घड़ी में स्नान, भोजन, स्वाध्याय आदि व्यक्तिगत कार्य तथा दिन की चौथी एवं अंतिम घड़ी में वित्त विभाग का निरीक्षण तथा वित्तीय प्रशासन संबंधी कार्यों का सम्पादन करना चाहिए।

दिन के दूसरे भाग यानी मध्यान्तर के बाद की प्रथम घड़ी में राजा को अपने वरिष्ठ मंत्रियों, प्रशासनिक अधिकारियों एवं गुप्तचरों से विचार विमर्श करना चाहिए। दूसरी घड़ी में इच्छानुसार मनोविनोद या भ्रमण, तीसरी घड़ी में उसे अपने विभिन्न वाहनों तथा शस्त्रागारों का निरीक्षण एवं चौथी व अंतिम घड़ी में अपने सेनापति से सैनिक प्रशासन पर विचार-विमर्श तथा निर्णय निर्माण करना चाहिए।

रात्रिचर्या (8 भाग)

दिन की तरह रात्रि को भी उसने आठ घड़ी में विभक्त किया है जिसमें भी चार-चार घड़ी के दो भाग हैं। रात्रि की प्रथम चार घड़ी की प्रथम घड़ी में राजा गुप्तचरों से राज्य की समस्याएँ सुनेगा तथा इस पर चिंतन करेगा। दूसरी घड़ी में स्नान, स्वाध्याय, तीसरी घड़ी में गायन-वादन का श्रवण कर राजा शयन हेतु शयनागार में चला जाएगा। चौथी घड़ी में राजा शयन करेगा। रात्रि के द्वितीय भाग की प्रथम घड़ी भी राजा के शयन हेतु सुरक्षित रखी गयी है। दूसरी घड़ी में शयनोपरान्त राजा अपने गुप्तचरों से विचार विमर्श, तीसरी घड़ी में राज्य तथा जनता एवं अन्य समस्याओं से सम्बन्धित अनिवार्य बातों पर विचार विमर्श करेगा। पुनः चौथी एवं रात्रिचर्या की अंतिम घड़ी में अपने आचार्य, पुरोहित के साथ मांगलिक पाठ करेगा तथा उनसे आशीर्वाद प्राप्त करके, गाय-बछड़े की परिक्रमा कर, वैद्य, रसोइया तथा ज्योतिषियों से वार्त्तालाप कर अपनी दिनचर्या समाप्त करेगा और शीघ्र ही दूसरे दिन की दिनचर्या में प्रवेश करेगा। हिन्दू राजनीति की दृष्टि से राज्य, राजा की पुनीत थाती होती है जो राजा को इसलिए सौंपी जाती है कि वह प्रजा की सुख समृद्धि और कल्याण कामना के लिए सतत् प्रयत्नशील रहे। प्रत्येक राज्याभिषेक के समय अभिसिक्त राजा को यह कहकर पुनीत थाती सौंपी जाती है कि तुम इसके संचालक, नियामक और उत्तरदायित्व के दृढ़ वाहनकर्त्ता हो। यह राष्ट्र तुम्हें कृषि के कल्याण, संपन्नता, प्रजा के पोषण के लिए दिया जाता है।

प्रजा का पालन ही राजा का सर्वोपरि कर्तव्य है तथा उसे जनकल्याणकारी कार्य करते रहना चाहिए। कौटिल्य के अनुसार "राजा को चाहिए कि वह अनाथ बच्चों, वृद्धों और स्त्रियों की देखभाल स्वयं करे, उन्हें अपने अधीनस्थ अधिकारियों पर न छोड़े। वह प्रजा की रक्षा और शत्रु के आक्रमण से देश की रक्षा के लिए मंदिरों, मुनियों के मठों, आश्रमों, वेदशालाओं, गोशालाओं तथा धर्मशालाओं का समय-समय पर निरीक्षण करता रहे।

उपर्युक्त कार्यों के अतिरिक्त कौटिल्य का राजा उन सारे कार्यों का संपादन करता था जो आधुनिक युग में कार्यपालिका प्रधान के द्वारा संपादित किया जाता है।

POSDCORB कौटिल्य का राजा

POSDCORB सिद्धांत के संदर्भ में भी कौटिल्य का राजा बिल्कुल खरा उतरता है। कौटिल्य ने राजा को एक कुशल प्रशासक बनाने के लिए यह विचार दिया है कि प्रत्येक राजा को किसी भी कार्य को करने से पहले उसकी योजना बनानी चाहिए। क्योंकि योजनाबद्ध ढंग से किया गया कार्य ज्यादा लाभकारी होता है।

कौटिल्य के अर्थशास्त्र में प्रशासनिक संगठन पर भी काफी बल दिया गया है। 18 तीर्थ, 30 विभागाध्यक्ष तथा अन्य कर्मचारी किस रूप में कार्य करेंगे, विभाग में कितने अधीनस्थ कर्मचारी होंगे, पदसोपान व्यवस्था, आदेश की एकता तथा नियंत्रण का क्षेत्र आदि विषयों पर कौटिल्य ने किसी-न-किसी रूप में अपना विचार व्यक्त किया है।

राज्य में कितने कर्मचारी किस स्तर पर कैसे निर्देशित किए जायेंगे, उनके बीच कैसे समन्वय स्थापित किया जाएगा इस पर भी कौटिल्य ने थोड़ी बहुत चर्चा अपनी पुस्तक में की है। उसका यह भी कहना था कि राजा को एक प्रशासक की भाँति प्रतिदिन अपने कार्यों का विवरण अथवा प्रतिवेदन तैयार करवाना चाहिए। आय-व्यय का ब्यौरा प्रत्येक राजा को बड़ी सतर्कता से तैयार कराना चाहिए। यही आय-व्यय का ब्यौरा प्रशासन का वह दर्पण है जिसमें राज्य की जनता की आवश्यकता, उपयोगिता एवं माँग की स्वच्छ छवि राजा देखता है और राजा द्वारा लगाए गये कर की जानकारी जनता को प्राप्त होती है।

कौटिल्य का राजा उपर्युक्त सारे कार्यों को कमोबेश व्यवस्थित ढंग से करता था। यही कारण है कि कौटिल्य का राजा 'चन्द्रगुप्त मौर्य' अखंड भारत का एक कुशल एवं प्रतापी शासक बना और उसने भारत में हिन्दू राज्य के सबसे कुशल प्रशासन का एक व्यावहारिक आदर्श कायम किया, जिसका पालन आज के लोक प्रशासक भी कर रहे हैं। वर्तमान भारतीय प्रशासन की ओर जब एक नजर दौड़ाते हैं तो निश्चित रूप से हम कह सकते हैं कि प्रशासन के प्रत्येक क्षेत्र में आज कौटिल्य के लोक प्रशासन संबंधी विचार का दिग्दर्शन होता है। विशेषकर कौटिल्य का राजा वर्तमान मुख्य कार्यपालक, महाप्रबंधक अथवा महाप्रशासक से किसी भी मायने में कम नहीं है।

कौटिल्य के सप्तांग सिद्धांत या राज्य सिद्धांत (Kautilya's Saptang Theory or Kautilya's Theory of State)

कौटिल्य का अर्थशास्त्र अपने सैद्धांतिक विवेचन के कारण नहीं, बल्कि राज्य और प्रशासन की व्यावसायिक समस्याओं के विश्लेषण के लिए प्रसिद्ध है। कौटिल्य ने राजतंत्र को सरकार का सामान्य रूप माना है और इसी कारण उसने अर्थशास्त्र (राजा को केन्द्र मानकर) लिखा। किन्तु इसका यह अभिप्राय नहीं कि कौटिल्य को दूसरे प्रकार के शासनतंत्रों का ज्ञान नहीं था। उसने साधारण राज्य के अतिरिक्त संघ, दैत्यराज्य तथा वैराज्य का भी वर्णन किया है।

चाहे शासन का रूप कोई भी हो, महत्त्वपूर्ण बात यह है कि कौटिल्य ने किसी भी प्रकार तथा किसी भी परिस्थिति में राज्य के कुछ आवश्यक तत्त्व अथवा प्रकृतियों को स्वीकार किया है। प्राचीन हिन्दू विचारकों ने

राज्य को सप्त प्रकृति कहा था अर्थात् राज्य के सात अंग बताये गये थे। इस परंपरा का अनुसरण करते हुए कौटिल्य राज्य के सात अंगों की चर्चा करते हैं–(1) स्वामी (राजा) (2) अमात्य (मंत्री) (3) जनपद (जनसंख्या एवं भूमि) (4) दुर्ग (क़िला) (5) कोष (खजाना) (6) सेना (सैनिक) (7) मित्र (दोस्त)। प्राचीन भारत में राज्य के इन सात अंगों में से सभी का सुदृढ़ सहयोग आवश्यक माना जाता था। इन सभी प्रक्रियाओं के सम्पन्न होने से ही राष्ट्र सम्प्रभु सत्ताधारी बन सकता है। अतः कौटिल्य के अनुसार राज्य अच्छी तरह उसी समय कार्य कर सकता है जब उन सात अंगों का उचित सहयोग हो।

यद्यपि प्रत्येक अंग अलग-अलग महत्त्वहीन प्रतीत हो सकते हैं किन्तु राज्य के लिए ये अति आवश्यक हैं क्योंकि उनका कार्य कोई अन्य प्रकार से नहीं कर सकता। दूसरे शब्दों में राज्य की सुदृढ़ता के लिए ये भी आवश्यक है कि ये सातों अंग सहयोग के साथ-साथ उचित रूप से अपना-अपना कार्य करें।

कौटिल्य की इन सात प्रकृतियों की चर्चा संक्षिप्त रूप मे निम्नलिखित हैं–

1. **स्वामी (राजा)**–राज्य के साप्तांग में स्वामी (राजा) का महत्त्वपूर्ण स्थान है। स्वामी का अर्थ राजा या राज्याध्यक्ष होता है। यहाँ यह ध्यान रखने योग्य बात है कि कौटिल्य ने राजा के बदले 'स्वामी' शब्द का प्रयोग इसलिए किया है कि राज्य से कौटिल्य का अभिप्राय राजतंत्रात्मक राज्य से नहीं, बल्कि जनतंत्रात्मक राज्य से है। यद्यपि कौटिल्य का राज्य पूर्णरूपेण जनतंत्रात्मक राज्य था फिर भी वह राजतंत्र का प्रबल समर्थक था। इसी कारण उसने राजा के आवश्यक गुणों, योग्यताओं, नीतियों आदि पर विस्तार से प्रकाश डाला है।

   कौटिल्य के अनुसार राज्य की सफलता राजा की नीति पर निर्भर करती है इसी कारण कौटिल्य ने स्वामी अथवा राजा के लिए कुछ गुणों का होना आवश्यक बताया है। इन गुणों की चर्चा करते हुए कौटिल्य ने बतलाया है कि राजा को उच्च कुल में पैदा होना चाहिए। उसे धर्म में रुचि रखनेवाला, दूरदर्शी तथा सत्य बोलनेवाला होना चाहिए। उसमें सेवा करने की भावना, शास्त्रों का आदर करने की इच्छा, जनता की आवाज सुनने वाला तथा सुनकर ग्रहण एवं तर्क-वितर्क द्वारा निश्चित निष्कर्ष करने की शक्ति होनी चाहिए। उसे शक्ति सम्पन्न तथा आत्मसंयमी होना चाहिए। उसे प्रजा की रक्षा करने योग्य, अपने शत्रु की कमजोरियों को पहचानने वाला, मधुरभाषी तथा बड़ों के उपदेश पर आचरण करने वाला होना चाहिए। ऐसा ही राजा राज्य के साप्तांग का कुशल संगठन कर महाशक्तिशाली बन सकता है।

   कौटिल्य के द्वारा बताये हुए गुणों में नैतिक गुण विशेष महत्त्व रखते हैं। उसके अनुसार कुछ गुण तो स्वाभाविक होते हैं तथा कुछ गुणों को अभ्यास से प्राप्त किया जा सकता है। इसी कारण कौटिल्य ने प्लेटो की भाँति शिक्षा पर अत्यधिक जोर दिया है। उसके शब्दों में जिस राजकुल में राजकुमार शिक्षित नहीं होते वह राजकुल जल्दी ही भ्रष्ट हो जाता है। कौटिल्य ने राजा के लिए जिन शिक्षाओं का उल्लेख किया है उनमें दंड नीति, राज्यशासन, सैनिक शिक्षा, मानवशास्त्र, इतिहास, धर्मशास्त्र व विधिशास्त्र आदि महत्त्वपूर्ण हैं।

2. **अमात्य (मंत्री)**–कोई भी राजा अमात्य अथवा मंत्री के बिना शासन नहीं कर सकता। अमात्य शब्द से ऐसा बोध होता है कि राज्य का दूसरा अंग मंत्री है किन्तु वास्तव में कौटिल्य के अनुसार अमात्य का अर्थ मंत्रियों के अतिरिक्त राज्य के अन्य कर्मचारियों से भी है। इसका अभिप्राय यह है कि राज्य का कार्य बिना सहायता के नहीं चल सकता। अतः राजा को अपने सहायक मंत्रियों की नियुक्ति करना तथा उनकी सलाह पर ही राज्य कार्य का संचालन करना चाहिए। अकेला राजा कितना ही गुणवान क्यों न हो, जब तक उसके अमात्य गुणवान तथा योग्य नहीं होंगे तब तक राज्य का शासन सुचारु रूप से नहीं चल सकता। कौटिल्य के अनुसार राजा को देश तथा काल के अनुसार मंत्रियों की नियुक्ति करनी चाहिए। मंत्रियों के लिए यह आवश्यक है कि वे कुलीन, बुद्धिमान, शुद्ध हृदय तथा स्वामिभक्त हों। प्रधान अमात्य को अपने देश तथा उत्तम कुल में उत्पन्न होना, प्रभावशाली होना तथा शिल्प कला में कुशल, विधि का ज्ञाता होना आवश्यक है। उसे दूरदर्शी, बुद्धिमान, प्रतिभाशाली तथा राजा के प्रति वफादार रहना चाहिए।

3. **जनपद (जनसंख्या तथा भूमि)**–कौटिल्य के अनुसार जनपद राज्य का एक महत्त्वपूर्ण तत्त्व है। यद्यपि कौटिल्य ने कहीं भी स्पष्ट रूप से जनपद की परिभाषा नहीं दी है तथापि इसके अनेक गुणों का वर्णन किया है। इस आधार पर जनपद का अभिप्राय जनसंख्या अर्थात् जनता और भूभाग अर्थात् भूमि से है। संक्षेप में किसी प्रदेश की भूमि और जनता जनपद है।

   कौटिल्य के अनुसार जनपद में पहला गुण यह होना चाहिए कि उसकी सीमा तथा मध्य में दुर्ग हो, उसमें भूमि इतनी उपजाऊ होनी चाहिए कि कम परिश्रम द्वारा अधिक-से-अधिक अनाज उपजाया जा सके तथा देश के निवासियों एवं आने वाले विदेशियों की आवश्यकता को पूरा कर सके। भूमि को घने जंगलों, खनिज पदार्थों, बहुमूल्य लकड़ियों तथा पशुओं आदि से सम्पन्न होना चाहिए। वहां की जलवायु स्वास्थ्यप्रद हो तथा थल एवं जल मार्गों द्वारा यातायात की पूरी सुविधा हो।

4. **दुर्ग (किला)**–कौटिल्य के अनुसार राजा को अपने राज्य के चारों ओर ऐसे किले का निर्माण करना चाहिए जो लड़ाई के लिए उपयोगी हो। उसके अनुसार दुर्ग चार प्रकार के होते हैं सर्वप्रथम आदक दुर्ग जो राष्ट्र की तरह स्वाभाविक जल अथवा गहरी खाई से घिरा हो। दूसरा पर्वत दुर्ग है जो बड़े-बड़े पत्थरों की दीवारों से घिरा हो तथा जल एवं घास से रहित मरुभूमि में स्थित हो। तीसरा वन दुर्ग जो चारों ओर दलदल तथा कांटे से घिरा हुआ होता है। चौथा औद्योगिक प्रकृति का दुर्ग जिसमें देश के बीच में राजधानी की स्थापना हो।

5. **कोष (खजाना)**–प्रजा के लिए सेवा और राज्य के आवश्यक कार्यों को करने के लिए राजकोष की जरूरत पड़ती है। कौटिल्य के अनुसार राज्य के विभिन्न अंग बहुत हद तक कोष पर निर्भर करते हैं तथा इसे राजा के हाथ में होना चाहिए। कोष को सोने, चांदी तथा बहुमूल्य रत्नों से भरपूर होना चाहिए। कौटिल्य का उद्देश्य यह है कि कोष को आयात अथवा दीर्घकालीन विपत्तियों को सहन करने योग्य होना चाहिए। उसके अनुसार कोष की आय का स्रोत युद्ध में लूटा गया माल तथा जनता द्वारा दिया गया कर दोनों से है।
6. **सेना (दण्ड)**–कौटिल्य के अनुसार सेना का संगठन राज्य की रक्षा के लिए किया जाता है और दण्ड राज्य का सेना रूपी दूसरा शस्त्र है। कौटिल्य ने चार प्रकार की सेनाओं का वर्णन किया है। हाथी सेना, रथ सेना, अश्व सेना तथा पैदल सेना और इन सेनाओं का प्रधान सेनापति राजा ही होता है। सेना के गुणों का उल्लेख करते हुए कौटिल्य ने कहा है कि सेना ऐसी होनी चाहिए जिसमें वंशानुगत तथा स्वामिभक्त सैनिक हों और जो पिता, पितामह से चले आ रहे अनुशासित तथा वीर हों। सेना को दुख सहने में समर्थ होना चाहिए तथा राजा के लाभ या हानि को अपना लाभ और हानि समझना चाहिए। यदि प्रजा चोरी, डकैती या कोई अन्य अनैतिक कार्य करती है तो राजा को उसे दण्ड देना चाहिए।
7. **मित्र (दोस्त)**–कौटिल्य के अनुसार कोई भी राज्य अन्तर्राष्ट्रीय राजनीति में मित्रहीन होकर केवल अपनी शक्ति से राष्ट्र की रक्षा नहीं कर सकता। मित्र का अभिप्राय वैसे मित्र राज्य से है जो पिता, पितामह से चला आ रहा हो, जो सभी छोटे-बड़े कार्यों में राज्य की सहायता करने वाला हो। कौटिल्य के अनुसार सबसे निकट का राज्य अरि (दुश्मन) होता है। इसके निर्धारक के रूप में कौटिल्य ने राज्य की सात प्रकृतियाँ स्वीकार की हैं। सर्वप्रथम कहा जाता है कि राज्य कोई जीवधारी प्राणी नहीं है किन्तु राज्य दर्शन में राज्य के अंकित सिद्धांत का वर्णन है जिसमें राज्य को जीवधारी प्राणी स्वीकार किया गया है।

कुछ पाश्चात्य विद्वान कौटिल्य के सप्तांग में आधुनिक राज्य के चार तत्त्व जनसंख्या, भू-भाग, सरकार तथा संप्रभुता को खोजने में असमर्थ हुए। किन्तु यह उनकी समझ की भूल है। सप्तांग में जनपद, आधुनिक राज्य के दो तत्त्व जनसंख्या तथा भू-भाग का योग है। अमात्य तथा सेना शासन का संगठन करते हैं और संप्रभुता राजा में पायी जाती है। इसके अतिरिक्त कौटिल्य ने दुर्ग, कोष तथा मित्र भी राज्य के आवश्यक अंग स्वीकार किये हैं। पुनः पाश्चात्य आलोचक दुर्ग, कोष तथा मित्र भी राज्य के आवश्यक अंग मानने में असमर्थ हैं किन्तु ऐसे आलोचक भूल जाते हैं कि तत्कालीन नगर राज्यों में कौटिल्य के लिये इन अंगों को आवश्यक बताना सर्वथा उचित था। उपरोक्त वर्णन के पश्चात् हम इस निष्कर्ष पर पहुंचते हैं कि यद्यपि कौटिल्य के सप्तांग सिद्धांत की कुछ त्रुटियां है किन्तु कौटिल्य ने इन सात प्रकृतियों अथवा अंगों को महत्त्व देकर इस सिद्धांत को परिपूर्ण बना दिया है। वास्तव में कौटिल्य ने राज्य तथा राजा के सप्तांग के प्रति व्यावहारिक दृष्टिकोण ही अपनाया है।

कौटिल्य का वैदेशिक प्रबंध

कौटिल्य ने अपनी पुस्तक 'अर्थशास्त्र' में जो विचार दिया है उसे यदि हम आज के राजनीतिक, सामाजिक तथा आर्थिक (तीनों क्षेत्रों के) परिप्रेक्ष्य में (रखकर) मूल्यांकन करते हैं तो पाते हैं कि कौटिल्य का विचार सर्वव्यापी है और निश्चय ही कौटिल्य आज हमारे समक्ष महान भारतीय राजनीतिक विचारक के रूप में सर्वप्रमुख स्थान पर विराजमान हैं। कौटिल्य के अर्थशास्त्र के छठे और सातवें अधिकरण का हम गहन अध्ययन करते हैं तो पाते हैं कि दोनों अध्याय कौटिल्य की विदेश नीति से सम्बद्ध हैं। एक राजा को अपने पड़ोसी राज्यों के साथ कैसी नीति अपनानी चाहिए, विदेशी राज्यों में किसके साथ कैसा संबंध रखना चाहिए, ये सभी छठे और सातवें अधिकरण में वर्णित हैं।

अर्थशास्त्र का छठा अधिकरण, जो मंडल सिद्धांत की चर्चा करता है और सातवाँ अधिकरण 'षडगुण नीति' की चर्चा करता है, दोनों मिश्रित अध्ययन के पश्चात् हम कौटिल्य के अंतर्राज्यीय शासन का सही एवं विस्तृत विवरण प्रस्तुत कर सकते हैं।

मंडल सिद्धांत

कौटिल्य का मंडल सिद्धांत यह बताता है कि किस राज्य के साथ कैसा संबंध मानकर चलेंगे तो हमारी नीति सफल होगी और हम अपने को विजिगीषु बना सकते हैं। कौटिल्य का विजिगीषु आज के Super Power की तरह है। लेकिन कौटिल्य का विजिगीषु एक है पर आज का विजिगीषु अर्थात् Super Power दो या तीन है। कौटिल्य ने अपने मंडल सिद्धांत में एक विजिगीषु अर्थात् एक Super Power मानकर उसके इर्द-गिर्द राज्यों का समूह बनाया है और सभी के साथ भिन्न-भिन्न नीतियाँ अपनायी हैं। कौटिल्य मंडल के बीच में विजिगीषु को रखकर उसके दायें पाँच राज्य तथा बायें चार राज्य और दो राज्य को ऊपर या नीचे कहीं भी रखा जा सकता है। ये राज्य क्रमशः निम्नलिखित हैं–विजिगीषु के दायें अरि, मित्र, अरि मित्र, मित्र मित्र, अरि मित्र मित्र।

बायें क्रमशः पार्ष्णिग्राह, आक्रांद, पार्ष्णिग्रहासार और आक्रंदासार। नीचे और ऊपर क्रमशः दो राज्य माध्यम और उदासीन होते हैं। इस प्रकार स्पष्ट है कि कौटिल्य का मंडल विजिगीषु सहित 12 राज्यों का होता है। विजिगीषु के साथ संबंध के आधार पर ही इन 12 राज्यों का नामकरण किया गया है–

1. **विजिगीषु**–अपने राज्य के विस्तार की आकांक्षा करने वाला राजा विजिगीषु कहलाता है। इसका स्थान मंडल के मध्य में रहता है।
2. **अरि**–किसी भी सीमा पर का देश शत्रु होता है। अतः विजिगीषु की सीमा पर का राज्य भी अरि है। भारत, पाकिस्तान, चीन इसके उदाहरण हैं।
3. **मित्र**–अरि की सीमा पर का राज्य अरि का शत्रु होता है। अतः वह विजिगीषु का मित्र होता है। भारत, अफगानिस्तान तथा रूस।
4. **अरि मित्र**–मित्र की सीमा पर का राज्य अरि मित्र कहलाता है क्योंकि वह राज्य अरि का मित्र होता है। अतः विजिगीषु का शत्रु होगा।

5. **मित्र मित्र**–मित्र के सामने वाला राज्य मित्र का मित्र होता है इसलिए वह विजिगीषु का मित्र होता है।

6. **अरि मित्र मित्र**–मित्र के सामने वाला राज्य अरि मित्र मित्र कहलाता है क्योंकि वह अरि मित्र राज्य का मित्र होता है जो विजिगीषु का शत्रु होता है।

7. **पार्ष्णिग्रह**–विजिगीषु के पीछे जो राज्य रहता है, वह पार्ष्णिग्रह कहलाता है। अरि की तरह वह भी विजिगीषु का शत्रु होता है।

8. **आक्रंद**–पार्ष्णिग्रह के पीछे जो राज्य रहता है उसे आक्रांद कहा जाता है। मित्र की तरह आक्रंद भी विजिगीषु का मित्र होता है।

9. **पार्ष्णिग्रहासार**–आक्रांद के पीछे वाला राज्य पार्ष्णिग्रहासार कहा जाता है क्योंकि वह पार्ष्णिग्रह का मित्र होता है।

10. **आक्रांदासार**– पार्ष्णिग्रहासार के पीछे वाला राज्य आक्रांदासार होता है और वह आक्रांद का मित्र होता है।

11. मध्यम-विजिगीषु एवं अरि राज्यों की सीमा से संलग्न राज्य मध्यम होता है। वह विजिगीषु और अरि दोनों से शक्तिशाली होता है।

12. **उदासीन**–विजिगीषु और शत्रु के मध्य यह कहीं भी स्थित रह सकता है। युद्ध के समय यह पूर्ण तटस्थ रहता है साथ ही विजिगीषु, अरि और मित्र तीनों से अधिक शक्तिशाली होता है।

अब हम कौटिल्य की विदेश नीति के पूर्ण वर्णन के लिए मंडल सिद्धांत को ध्यान में रखते हुए अर्थशास्त्र के सातवें अधिकरण में वर्णित षडगुण नीति का वर्णन करते हैं।

अपनी षडगुण नीति के आधार पर कौटिल्य कहता है कि किसी भी राज्य की विदेश नीति मुख्यतः 6 प्रकार की होती है। वे 6 नीतियाँ हैं–संधि, विग्रह, आसन, यान, संश्रय और द्वैधीभाव।

कौटिल्य ने इन षडगुण नीतियों को परिभाषित भी किया है। उदाहरणस्वरूप कुछ शर्तों के आधार पर दो राजाओं में परस्पर मेल को संधि कहते हैं। यह शांति की नीति होती है। जब कोई राजा उदासीन और शांत होकर चुपचाप बैठ जाता है और किसी अन्य राज्य पर चढ़ाई की नीति नहीं बनाता तो उस नीति को आसन कहते हैं। जब कोई राजा दूसरे राज्य पर चढ़ाई करने के लिए प्रस्थान करता है तो उसे यान कहा जाता है। डर या भय से किसी शक्तिशाली राजा की शरण में चले जाना संश्रय कहा जाता है।

जब एक ही समय में एक राजा से संधि एवं दूसरे राजा से विग्रह की नीति अपनायी जाए तो उसे द्वैधीभाव कहा जाता है।

उपर्युक्त सभी नीतियों का मुख्य उद्देश्य शत्रु की तुलना में अपने को शक्तिशाली बनाकर राज्य का विस्तार करना है। अतएव कौटिल्य ने काल और स्थिति के अनुकूल षडगुण नीति का विशद् विवेचन भी किया है जिसका स्पष्टीकरण निम्नलिखित रूप में किया गया है–

1. **संधि**–अपनी दुर्बलता के कारण संधि की नीति अपनायी जाती है। यदि कोई राजा शक्तिशाली राजा से हार जाये तो उसे शीघ्र ही सम्मानित शर्तों पर संधि कर लेनी चाहिए। दुर्बल राजा पर तीन तरह की संधियाँ थोपी जा सकती हैं–दंडोपनीति संधि, कोषोपनीति संधि और देशोपनीति संधि। जब दुर्बल राजा प्रबल राजा को स्वयं अपने सेनापति या राजकुमारी को देकर संधि करता है तो उसे दंडोपनीति संधि कहते हैं। जब दुर्बल राजा अपना कोश सबल राजा को देकर संधि करता है तो उसे कोषोपनीति संधि कहते हैं। देशोपनीति संधि वह संधि है जब दुर्बल राजा सबल राजा को अपनी भूमि का कुछ अंश देता है। लेकिन कौटिल्य यह भी कहता है कि ये संधियाँ तभी तक मान्य होंगी जब तक राजा दुर्बल बना रहता है। किसी कारणवश जैसे ही दुर्बल राजा शक्ति में आता है, तुरन्त संधि भंग कर अपनी सम्पदा वापस करा लेता है।

2. **विग्रह**–इसका अर्थ शत्रुता है। अपने राज्य की रक्षा करते हुए दूसरे राज्य पर आक्रमण करने को विग्रह नीति कहा जाता है। जब कोई राजा यह देखे कि शत्रु राज्य कमजोर है, शत्रु विपत्ति में उलझा है, राज्य में प्रजा खुश नहीं है, वह युद्ध में फंसा है तो ऐसी स्थिति में संधि को त्याग कर विग्रह की नीति अपनानी चाहिए। परन्तु विजिगीषु यदि यह देखे कि संधि और विग्रह से समान लाभ मिलनी है तो उसे विग्रह नीति को त्याग कर संधि नीति अपनानी चाहिए।

3. **आसन**–जब राजा शत्रु पर चढ़ाई की योजना न बना कर चुपचाप बैठा रहता है तो उसे आसन कहा जाता है। राजा आसन की नीति तभी अपनाता है जब वह यह समझता है कि वह इतना सागर्थ्यवान नहीं है कि शत्रु को हानि पहुँचा सके और न शत्रु ही इतना प्रबल है कि उसे हानि पहुँचा सके, तो इस प्रकार की स्थिति में दोनों को आसन नीति अपनानी चाहिए। कौटिल्य कहता है कि यदि भविष्य में किसी राज्य के दुर्बल होने की संभावना हो तो विजिगीषु को तत्काल आसन नीति का अनुसरण करना चाहिए।

4. **यान**–पड़ोसी शत्रु राज्य पर चढ़ाई करने की नीति को यान कहते हैं। कौटिल्य ने कहा है कि विजिगीषु यदि यह सोचता है कि उसके अपने दुर्ग की रक्षा शत्रु के दुर्ग, जनपद आदि के विनाश से ही संभव है तो उसे यान नीति का अनुसरण करना चाहिए।

5. **संश्रय**–संश्रय का अर्थ है शरण में जाना। जब कोई राजा शत्रु से हार जाए तो तुरंत उसे शत्रु से शक्तिशाली राजा की शरण में चला जाना चाहिए। यदि उसे कोई राजा शत्रु से शक्तिशाली और प्रिय न हो तो उसे अपने शत्रु की भी शरण में चला जाना चाहिए, ताकि उसके जनपद और दुर्ग की रक्षा हो जाए।

6. **द्वैधीभाव**–एक से संधि एवं दूसरे के साथ विग्रह की नीति को द्वैधीभाव कहा जाता है। यदि विजयाभिलासी राजा यह देखता है कि एक राज्य से संधि कर वह अपना काम निकाल सकता है और दूसरे राज्य से विग्रह कर उसे नष्ट कर सकता है तो उसे द्वैधीभाव नीति का अनुसरण करना चाहिए।

इस प्रकार स्पष्ट है कि प्रत्येक राजा को अपने समय और परिस्थितिं के अनुकूल इन्हीं छः नीतियों का पालन कर अपने उद्देश्य की प्राप्ति करनी

चाहिए। जो राजा इन नीतियों का समयानुकूल पालन करता है वह अवश्य ही विजिगीषु बन सकता है।

विदेश नीति के संचालन के लिए कौटिल्य ने छः नीतियों के अलावा चार उपाय भी बताये हैं जो क्रमशः साम, दाम, भेद, दण्ड के नाम से जाने जाते हैं। यदि राजा को अपने वश में करना है तो सर्वप्रथम 'साम' अर्थात् सामान्य नीति अपनानी चाहिए, इससे भी यदि प्रभाव में नहीं आता तो उसे कुछ दाम (दान) देना चाहिए, इसके बाद भी वश में नहीं होता तो विजिगीषु को चाहिए कि उस राज्य में आंतरिक फूट पैदा कर दे या दो राज्यों में मतभेद पैदाकर उसे कमजोर बना दे तब अन्त में युद्ध का दण्ड देकर अपने वश में करना चाहिए। यद्यपि ये चारों उपाय उन्हीं षडगुण नीति से मिलते-जुलते हैं। साम तथा दाम संधि नीति है और भेद तथा दण्ड विग्रह नीति है। फिर भी समयानुकूल इन चारों उपायों तथा छः गुणों का पालन करने से ज्यादा लाभ हो सकता है।

राजा के आचरण—कौटिल्य अपनी विदेश नीति के अन्तर्गत कुछ आचार-संहिता को भी ध्यान में रखता है। वह कहता है कि विजिगीषु को पराजित राजा के साथ सम्मानपूर्ण व्यवहार करना चाहिए। यदि वह अन्यायपूर्ण व्यवहार करता है तो मंडल के सभी राज्य एक साथ होकर विजिगीषु को ही समाप्त कर देंगे। कौटिल्य कहता है कि विजिगीषु को समस्त मंडल पर अपना अधिपत्य जमाने के लिए आवश्यक है कि वह पहले अरि पर विजय प्राप्त करे, फिर मध्यम पर चढ़ाई कर उसे जीत ले और तब उदासीन को वश में करे। ऐसा करने से मंडल के सभी राज्य सहज ही उसके वश में हो जाएँगे।

आक्रमण के पूर्व विचार—कौटिल्य कहता है कि विजिगीषु को आक्रमण के पूर्व अपने राज्य की सभी प्रकृतियाँ, सैन्य शक्ति, भौतिक साधन, सुरक्षा के उपाय, कूटनीति तथा आक्रमण से लाभ-हानि पर पूरा विचार कर युद्ध का समय निर्धारित करना चाहिए। युद्ध के समय के बारे में कौटिल्य कहता है कि अधिकांशतः युद्ध मध्यम समय में ही करना चाहिए। यदि युद्ध की अवधि लंबी होने की संभावना हो तो युद्ध अग्रहण (अगहन) तथा पौष में प्रारम्भ करना चाहिए। यदि भू-प्रदेश विजिगीषु के अनुकूल तथा शत्रु के लिए प्रतिकूल हो तो वर्षांत में भी युद्ध प्रारम्भ करना चाहिए। युद्ध क्षेत्र में राजा को अपनी समस्त सेना को नहीं ले जाना चाहिए। उसे एक चौथाई सेना राज्य की सुरक्षा के लिए छोड़ देनी चाहिए।

युद्ध के प्रकार—कौटिल्य ने तीन तरह के युद्ध बताये हैं। प्रकाश-युद्ध, कूट-युद्ध तथा तुष्णि-युद्ध। प्रकाश-युद्ध अत्यधिक भयपूर्वक तथा लूटमार करते हुए युद्ध को कहते हैं। छल-प्रपंच से किया गया युद्ध कूट-युद्ध कहा जाता है। विष प्रयोग द्वारा राजा को मारकर राज्य पर कब्जा करना तुष्णि-युद्ध कहा जाता है। कौटिल्य राजा के लिए परिस्थिति और काल के अनुसार तीनों युद्धों की सलाह देता है।

युद्ध के बाद राजा के आचार—कौटिल्य कहता है कि विजिगीषु द्वारा शत्रु राज्य पर कब्जा करने के बाद उस राज्य की जनता के सुख सुविधा की व्यवस्था पहले के राजा से ज्यादा अच्छी तरह से करनी चाहिए ताकि प्रजाजन उसे ही अपना राजा समझने लग जाए, तभी विजिगीषु उस राज्य का वास्तविक शासक रह सकता है। अन्यथा जनता के असन्तुष्ट होने पर विजिगीषु को भी दूसरे राजा से पराजित होना पड़ सकता है।

बहुत से आलोचकों ने कौटिल्य की विदेश नीति पर कटु प्रहार किए हैं, जो निम्न हैं—

1. यह आलोचना की जाती है कि कौटिल्य की विदेश नीति साम्राज्य विस्तार को उद्देश्य मान कर छोटे राज्यों के अस्तित्व को समाप्त कर देता है जबकि आज हमारा तृतीय विश्व छोटे राज्यों के समुचित विकास की गांरटी देता है। यही नहीं, अमेरिका तथा रूस भी आज छोटे राज्यों के प्रति सहयोग की भावना रखते हैं। लेकिन उस आलोचना के उत्तर में कहा जा सकता है कि प्रत्येक राजा अपने राज्य का विस्तार कर विजिगीषु बनना चाहता है और यह छोटे राज्यों के अस्तित्व समाप्त कर ही संभव है।
2. आलोचकों ने कौटिल्य की विदेश नीति पर यह आरोप लगाया है कि आधुनिक युग, जो विज्ञान का युग है, इसमें इसकी विदेश नीति सफल नहीं हो सकती। लेकिन ऐसा उचित नहीं होगा। द्वितीय विश्व युद्ध काल में कौटिल्य की किलाबंदी नीति अपनाकर ही ब्रिटेन, जर्मनी के प्रहार से अपनी रक्षा कर सका था। 1962 में चीन ने भारत के साथ दोस्ती का हाथ बढ़ाकर युद्ध शुरू कर दिया जो कौटिल्य के कूट-युद्ध का उदाहरण है। 1971 में भारत ने कौटिल्य की द्वैधीभाव नीति अपना कर रूस से मित्रता कर पाकिस्तान से युद्ध किया और बंगलादेश को आजाद कराया था।
3. आलोचकों ने यह भी कहा है कि कौटिल्य ने अपनी विदेश नीति में नैतिकता से मुख मोड़कर अनैतिक आचरणों को बढ़ावा दिया है। उसने विदेश नीति एवं युद्ध के क्षेत्र में छल-प्रपंच, कूटनीति, तुष्णिनीति आदि तत्त्वों को अपनाने का सुझाव दिया है जो पूर्णतः अनैतिक है। लेकिन यहां हम यह कह सकते हैं कि कौटिल्य की विदेश नीति निर्माण के समय महाभारत ग्रंथ अवश्य उसके हाथ में होगा। वे श्रीकृष्ण के उपदेश अवश्य जानते होंगे कि युद्ध में नैतिक-अनैतिक, उचित-अनुचित का विचार नहीं किया जाता है। उन्हें यह अवश्य जानकारी होगी कि कैसे कृष्ण ने व्यूह की रचना कर अर्जुन से कर्ण का वध करवाया था। अतः कौटिल्य की विदेश नीति पर अनैतिकता का आरोप नहीं लगाया जा सकता। यदि कौटिल्य की विदेश नीति में नैतिकता को ढूंढ़ा जाता है तो मैं पूछना चाहता हूँ कि क्या 1971 का भारत-पाक का युद्ध नैतिक था? 1962 का भारत-चीन युद्ध नैतिक था? उस समय चीन ने किस तरह भारत में 'हिन्दी-चीनी भाई-भाई' का नारा लगा कर भारत को सब्जबाग दिखाया था? क्या अमेरिका द्वारा दियागोगार्सिया पर सैनिक अड्डा रखना नैतिक था? अतः हम कह सकते हैं कि अन्तर्राष्ट्रीय राजनीति में विदेश नीति के संचालन हेतु नैतिक-अनैतिक का न तो कभी ख्याल किया गया है और न कभी ख्याल किया जाएगा।

दौत्य कर्म

यद्यपि राज्य का स्वरूप लोक कल्याणकारी हो या पुलिस, प्राचीन राज्य प्रशासन हो या आधुनिक, दूत या राजदूत तथा गुप्तचर की भूमिका राज्य के आंतरिक तथा बाह्य प्रशासन में बड़ी महत्त्वपूर्ण होती है। प्राचीन

भारतीय आचार्यों ने तो दूत को इतना महत्त्व दिया है कि उन्हें मंत्रिपरिषद् का सदस्य ही माना है। आज भी राजदूतों का वही महत्त्व है जो एक मंत्री का है। प्राचीन काल में जब राजतंत्रीय शासन व्यवस्था थी तो उस समय राजाओं के मध्य पारस्परिक वार्तालाप करने का एक प्रमुख साधन दूत माना जाता था। कौटिल्य ने भी दूत को राजा का मुख माना है। आज भी राजदूत विदेशों में अपने देश के प्रतिनिधि माने जाते हैं।

कौटिल्य ने अंतर्राज्यीय प्रशासन हेतु तीन तरह के दूतों की चर्चा की है जिन्हें निसृष्टार्थ, परिमितार्थ तथा शासनहर कहा जाता है। शायद आज हमारे देश में भी राजदूतों की जो श्रेणियाँ निर्धारित की गयी हैं उनमें प्राचीन कौटिल्य कालीन राजदूत व्यवस्था को ही आधार माना गया है। भारत में चार तरह के दूतों का निर्धारण किया गया है। राजदूत, पूर्ण शक्तियुक्त मंत्री व साधारण दूत, वासामात्य तथा कार्यदूत। इनके कार्याधिकारों की विवेचना करने पर ये स्पष्टतः कौटिल्य के दूत के समान दिखाई पड़ते हैं।

जिस प्रकार राज्य के कर्मचारियों एवं अधिकारियों के अपने कार्यों के संपादन हेतु कुछ उन्मुक्तियाँ तथा विशेषाधिकार दिये जाते हैं, कौटिल्य ने राजदूतों के लिए भी कुछ विशेषाधिकार एवं उन्मुक्तियाँ नितांत जरूरी बतलायी गई हैं। दूतों की उन्मुक्ति तथा विशेषाधिकार कौटिल्यकाल से पूर्व भी दिखता है। इसका वर्णन रामायण एवं महाभारत में भी मिलता है। रामदूत बनकर हनुमान जब रावण के दरबार में लंकापुरी जाते हैं और अशोक वाटिका को उजाड़ने के अभियोग में वे पकड़े जाते हैं तो उसी समय विभिषण कहते हैं–

"नाइ सीस करि विनय बहूता,
नीति विरुद्ध न मारिय दूता"।

शायद इसलिए कौटिल्य ने भी कहा है कि दूत यदि चाण्डाल भी क्यों न हो फिर भी अवध्य है, उसे कभी पकड़ा नहीं जा सकता। तभी तो श्रीकृष्ण भी निर्भय होकर पाण्डव के दूत के रूप में संधि प्रस्ताव के साथ कौरव दरबार जाने की तैयारी करते हैं। द्रौपदी श्रीकृष्ण को कौरव दरबार में जाने के लिए मना करती है। लेकिन श्रीकृष्ण तो दूत की उन्मुक्ति तथा विशेषाधिकार को जानते थे और इसलिए द्रौपदी के मना करने पर बड़ी दृढ़ता से राजनयज्ञ भरी बातें कहते हैं। जिसे सरदार के. एम. पाणिक्कर ने अपनी पुस्तक "Theory and Practice of Diplomacy" में लिखा है–

"I shall go the Kaurava court and put up your case in the best light and if my effort fail and war become inevitable, I shall show the world that who had committed for this mistake. So that coming generation of mankind might not misjudge between us".

चूँकि श्रीकृष्ण यह जानते थे कि दूत अवध्य होता है, उसे न तो बाँधा जा सकता है न वध किया जा सकता है। साथ ही उन्हें राजनयज्ञ भरी चाल भी चलनी थी, इसलिए निर्भय होकर कौरव दरबार में गये। उपर्युक्त विवेचन के आधार पर यह स्पष्ट होता है कि चाहे आंतरिक प्रशासन हो या बाह्य प्रशासन, राजदूत का महत्त्व अति प्राचीन काल से चला आ रहा है। बिना राजदूत की नियुक्ति के अंतर्राष्ट्रीय प्रबंध या प्रशासन का संचालन असंभव है।

शास्त्रीय सिद्धान्त (Classical Theory)

शास्त्रीय सिद्धान्त को परम्परावादी, यांत्रिकी, औपचारिक संरचनात्मक, प्रशासनिक सिद्धान्त आदि नामों से भी जाना जाता है। शास्त्रीय सिद्धान्त का विकास 20वीं सदी के पूर्वार्द्ध में हुआ है। यह सिद्धान्त सबसे प्राचीन है, इसीलिए इसे 'शास्त्रीय शास्त्र' की संज्ञा दी गई है।

शास्त्रीय सिद्धान्त की महत्वपूर्ण विशेषता संगठन के सिद्धान्तों का विकास करना है। इस सिद्धान्त की मान्यता है कि संगठन एक इमारत है तो सिद्धान्त इसकी वस्तुकला है। प्रत्येक संगठन का निर्माण निश्चित सिद्धान्तों पर आधारित होता है। संगठन की योजना को मूर्त रूप देने के लिए सैविवर्ग की आवश्यकता होती है। ये संगठन के पुर्जे हैं। गुलेट के अनुसार यह सिद्धान्त मूलतः व्यवस्था, तार्किकता, संरचना तथा सत्ता पर बल देता है तथा श्रमिकों को 'आर्थिक मानव' के रूप में देखता है, जिन्हें आर्थिक प्रेरणाओं से प्रेरित किया जा सकता है।

लूथर गुलिक (Luther Gullick)

19वीं शताब्दी की औद्योगिक क्रांति के दौरान भिन्न-भिन्न विचारकों द्वारा उद्योगों की समस्याओं को दूर करने के लिए विभिन्न सिद्धांतों का निर्माण किया गया। इन विचारकों में टेलर, फेयोल, मैक्स वेबर आदि प्रमुख माने जाते हैं। लूथर गुलिक ने भी अन्य विचारकों की भाँति लोक प्रशासन के संबंध में अपने विचार प्रकट किये जिसे एक महत्त्वपूर्ण कृति माना जाता है।

लूथर गुलिक को न केवल सामान्य प्रशासन का ज्ञान प्राप्त था बल्कि सैनिक तथा औद्योगिक प्रशासन के कार्यों का भी अनुभव था। इसीलिए उन्होंने विभिन्न संगठनों के सिद्धांतों का प्रतिपादन किया। उन्होंने लाइन तथा स्टॉफ सिद्धांतों का निर्माण सैनिक संगठनों से प्राप्त अनुभव के आधार पर ही किया था। इनके द्वारा प्रशासन तथा प्रबंध पर अनेक पुस्तकें तथा लेख प्रकाशित हुए जिनमें निम्नलिखित प्रमुख हैं–

(*i*) Administrative Reflections from World War II.
(*ii*) Metropolitan Problems and American Ideas.
(*iii*) Modern Management for the city of New York.
(*iv*) Papers on the Science of Administration.

लूथर गुलिक का योगदान (Contribution of Luther Gullick)

लूथर गुलिक के योगदान का निम्नलिखित शीर्षकों के अन्तर्गत अध्ययन किया जा सकता है।

(A) लोक प्रशासन का क्षेत्र (The Scope of Public Administration)

परिवर्तन के इस युग में लोक प्रशासन जैसे गतिशील विषय का क्षेत्र निश्चित करना बहुत कठिन है। लोक प्रशासन के क्षेत्र के बारे में विचारकों में बड़ा मतभेद है। मूलतः मतभेद इन प्रश्नों को लेकर है कि क्या लोक प्रशासन शासकीय काम-काज का केवल प्रबंधकारी अंश है अथवा सरकार

के समस्त अंगों का समग्र अध्ययन है? क्या लोक प्रशासन सरकारी विधियों का क्रियान्वयन है अथवा वह नीति निर्धारण में भी प्रभावी भूमिका अदा करता है।

लोक प्रशासन के क्षेत्र के विषय में लूथर गुलिक का मत है कि लोक प्रशासन में सामान्य कार्यों के अतिरिक्त प्रशासन की कार्यपालिका की क्रियाओं का भी समावेश होता है।

लूथर गुलिक का मत है "प्रशासन का संबंध कार्य पूरा किये जाने और निर्धारित उद्देश्यों की परिपूर्ति से है।

लोक प्रशासन की परिभाषा देते हुए लूथर गुलिक ने कहा है–"लोक प्रशासन प्रशासन के विज्ञान का वह भाग है जो सरकार से संबंधित है और इसलिए उसका संबंध कार्यपालिका से है, जहां कि सरकार का काम मुख्य रूप से होता है, यद्यपि उसको स्पष्ट रूप से उन प्रशासकीय समस्याओं पर भी ध्यान देना होता है जो व्यवस्थापिका तथा न्यायपालिका के क्षेत्र में आती हैं।"

लोक प्रशासन की इसी परिभाषा के आधार पर लोक प्रशासन के क्षेत्र के संबंध में लूथर गुलिक ने जिस मत को प्रतिपादित किया है उसे 'POSDCORB' कहा जाता है। लूथर गुलिक से पहले उर्विक तथा हेनरी फेयोल आदि विद्वानों ने भी इस दृष्टिकोण को अपनाया था। परन्तु इन विचारों को सुव्यवस्थित ढंग से प्रस्तुत करने का श्रेय लूथर गुलिक को ही जाता है। Posdcorb शब्द अंग्रेजी के सात शब्दों के प्रथम अक्षरों को मिलाकर बनाया गया है। ये शब्द इस प्रकार हैं–

P — Planning (योजना बनाना)
O — Organisation (संगठन स्थापित करना)
S — Staffing (कार्मिकों की व्यवस्था करना)
D — Directing (निर्देशन देना)
Co — Co-ordination (सामंजस्य स्थापित करना)
R — Reporting (प्रतिवेदन)
B — Budgeting (बजट बनाना)

इन सभी से वास्तव में क्या तात्पर्य है यह निम्नलिखित शब्दों में स्पष्ट किया जा सकता है–

(*i*) **योजना बनाना (Planning)**—योजना बनाने से तात्पर्य उन सारी बातों की कल्पना करना है, जो किए जाने वाले हैं। यह निर्धारित करना कि कार्य को किस ढंग से किया जाना है? किस प्रकार के लोगों की आवश्यकता उस कार्य को पूरा करने के लिए होगी तथा उद्देश्य की प्राप्ति कैसे की जा सकती है? इत्यादि योजना के विषय होते हैं। उदाहरण के तौर पर यदि विस्थापितों को बसाने का कार्य पूरा किया जाना है तो इस संबंध में सबसे पहले योजना बनानी होगी कि विस्थापितों को कैसे बसाया जा सकता है, उनको बसाने के कौन-से साधन प्रयोग में लाये जा सकते हैं। कार्य करने की प्रक्रिया में सबसे पहली कड़ी योजना की होती है। योजना बनाने के बाद ही आगे बढ़ा जा सकता है।

(*ii*) **संगठन स्थापित करना (Organisation)**—प्रशासकीय प्रक्रिया की दूसरी कड़ी संगठन स्थापित करना है। विस्थापितों को बसाने का कार्य सम्पन्न करने के लिए यदि एक पुनर्वास विभाग स्थापित करता है तो उस विभाग को संगठित करना होगा। संगठन से तात्पर्य उस ढाँचे से है जो मानवीय तथा भौतिक साधनों के द्वारा एक विशिष्ट उद्देश्य की प्राप्ति के लिए स्थापित किया जाता है। काम का विभाजन करना तथा विभाग को उप-विभागों में बाँटना भी संगठन की क्रिया के अंग हैं।

(*iii*) **कार्मिकों की व्यवस्था करना (Staffing)**—संगठन की स्थापना के पश्चात् उसमें काम करने वाले कर्मचारियों की व्यवस्था करनी होती है। यह निर्धारित करना होता है कि संगठन में कितने वरिष्ठ और कितने कनिष्ठ पदाधिकारी चाहिए। उनमें कौन-सी योग्यताएँ पाई जानी अपेक्षित हैं, भर्ती के कौन-से नियम बनाये जाने चाहिएँ तथा कार्मिकों को कौन-कौन-सी सुविधाएँ उपलब्ध कराई जायें इत्यादि।

(*iv*) **निर्देशन देना (Directing)**—शासन का कोई भी विभाग एक उद्देश्य की प्राप्ति हेतु स्थापित किया जाता है। इस उद्देश्य की प्राप्ति की ओर संगठन तथा उसमें लगे हुए कर्मचारी अग्रसर हैं या नहीं यह देखना आवश्यक होता है। विभाग के वे पदाधिकारी, जो उसके कार्यों के लिए उत्तरदायी हैं, विभाग के समस्त कार्मिकों को उचित निर्देशन देते हैं। निर्देशन का अर्थ नेतृत्व प्रदान करना है। पूरे संगठन को एक नेतृत्व प्रदान करना तथा उसको वांछित उद्देश्य की ओर प्रवृत्त करना प्रशासन का एक महत्त्वपूर्ण कार्य है।

(*v*) **सामंजस्य स्थापित करना (Co-ordination)**—प्रशासकीय संगठन में अनेक लोग कार्यरत होते हैं। इन लोगों के द्वारा जो भी प्रशासकीय निर्णय लिए जाएं या प्रशासकीय कार्य किए जाएं उन सबमें ताल-मेल बैठाना भी जरूरी होता है। एक संगीत मंडली में यदि सभी ऐसे स्वर निकालें जिनमें कोई सामंजस्य न हो उस समय जैसी स्थिति बनेगी वैसी जब एक संगठन में काम करने वाले लोग अपना-अपना राग अलापने लगें तब होगी। सामंजस्य या समन्वय से जैसे संगीत मधुर हो सकता है, वैसे ही सामंजस्य या समन्वय से ही प्रशासकीय संगठन अपने उद्देश्य की प्राप्ति कर सकता है।

(*vi*) **प्रतिवेदन देना (Reporting)**—इसका उद्देश्य वरिष्ठ तथा निम्न कर्मचारियों के कार्यों के संबंध में अधिकारियों को सूचित करना होता है। आज के लोकतांत्रिक शासनों में प्रशासन जनता के प्रति उत्तरदायी होता है। प्रशासन का उद्देश्य लोकनीति को कार्यान्वित करना है। अतः प्रशासन को इस बात का स्पष्टीकरण देना आवश्यक हो जाता है कि उसने लोकनीति को कार्यान्वित करने में किस सीमा तक सफलता प्राप्त की है। इस स्पष्टीकरण के लिए प्रशासन प्रतिवेदन तैयार करता है और प्रतिनिधियों के माध्यम से जनता तक पहुँचता है। कनिष्ठ अधिकारी इसी प्रकार से अधीनस्थ कर्मचारियों के काम का प्रतिवेदन वरिष्ठ अधिकारियों

तक पहुँचाते हैं। प्रशासन के द्वारा जाँच, अनुसंधान या निरीक्षण करने का उद्देश्य अपनी स्थिति का स्पष्टीकरण करना होता है।

(*vii*) बजट बनाना (Budgeting)—प्रशासन का एक अन्य कार्य Posdcorb विचार के अनुसार बजट बनाने का है। बजट बनाने से तात्पर्य आगामी समय के लिए आय और व्यय का लेखा-जोखा तैयार करना है। लोकनीति को कार्यान्वित करने के लिए प्रशासन को वित्त की आवश्यकता होती है। वित्त पर पूरा अधिकार प्रशासन का ही होता है। बजट बनाने के कार्य से संबंधित ही बजट पर नियंत्रण रखने का तथा हिसाब रखने का कार्य है।

(B) संगठन के सिद्धांत (Principles of Organisation)

लूथर गुलिक एक परम्परावादी विचारक हैं। उन्होंने संगठन की कार्यकुशलता बढ़ाने के लिए कुछ निश्चित सिद्धांतों पर ज्यादा जोर दिया। उन्होंने संगठन को परिभाषित करते हुए कहा है कि "संगठन सत्ता का औपचारिक ढाँचा है जिसके द्वारा किसी निर्धारित लक्ष्य की प्राप्ति के लिए कार्यों को विभाजित और निर्धारित किया जाता है तथा उनका समन्वय किया जाता है।"

अर्थात् संगठन मूलतः एक औपचारिक संरचना अथवा योजना है तथा कुछ सुनिश्चित सिद्धांतों की सहायता से विशेषज्ञ इस योजना का निर्माण ठीक उसी प्रकार कर सकते हैं, जिस प्रकार कोई वास्तुकार वास्तुकला के सिद्धांतों की सहायता से किसी भवन की योजना बनाता है।

लूथर गुलिक ने संगठन के सिद्धांतों को पोस्टकोर्ब (Posdcorb) शब्द में अभिव्यक्त किया है जिसका अर्थ लोक प्रशासन के क्षेत्र के अन्तर्गत स्पष्ट किया जा चुका है। इसके अलावा उन्होंने संगठन के निम्नलिखित सिद्धांतों को बतलाया है–

1. **कार्य का विभाजन (Division of work)**—गुलिक के अनुसार कार्यों को छोटी-छोटी इकाइयों में बाँट देना चाहिए तथा ये विभिन्न इकाइयाँ अलग-अलग सेवी वर्गों द्वारा सम्पादित किया जाना चाहिए। संगठन में प्रत्येक व्यक्ति का कार्य किसी एक प्रमुख कार्य के निष्पादन करने तक ही सीमित रहना चाहिए। संगठन के सदस्यों को उनकी योग्यता, रुचि तथा कार्यकुशलता के अनुसार कार्य दिया जाना चाहिए। इससे प्रत्येक व्यक्ति अपने कार्य में विशेषज्ञ हो जाता है तथा संगठन की कार्यकुशलता में वृद्धि होती है। इससे उत्पादन के मानवीय एवं भौतिक साधनों की कार्यकुशलता में वृद्धि की जा सकती है और न्यूनतम लागत पर अधिकतम उत्पादन प्राप्त किया जा सकता है।

2. **विभागीय संगठनों के आधार (Bases of Departmental organisation)**—संगठन या विभागों के कार्य में कुशलता बनी रहे, इसके लिए आवश्यक है कि उसे सुविधानुसार इकाइयों एवं उप-इकाइयों में विभाजित किया जाए तथा उनके एक साथ मिलकर कार्य करने के लिए उनके बीच संबंध स्थापित हो। लूथर गुलिक इन समस्याओं को संगठन के चार तत्त्वों के आधार पर संगठित कर सुलझाने की सलाह देते हैं। अर्थात् इसके अनुसार संगठन के विभाग के निर्माण के प्रमुख चार आधार हैं–

   (*a*) कार्य अथवा लक्ष्य (Purpose)

   (*b*) प्रक्रिया (Process)

   (*c*) व्यक्ति (Persons)

   (*d*) स्थान (Place or Area)

3. **पदसोपान (Scalar Chain)**—गुलिक के अनुसार एक अच्छे संगठन के आदेश की श्रृंखला अथवा अधिकारों की रेखा की स्पष्ट व निश्चित व्याख्या होनी चाहिए। प्रत्येक संगठन में ऊपर से नीचे तक औपचारिक अधिकारों एवं संबंधों की एक स्पष्ट रेखा होनी आवश्यक होती है। प्रत्येक संगठन में कार्यरत कर्मचारी उच्चस्तरीय, मध्यस्तरीय एवं निम्नस्तरीय प्रबंध स्तरों के अन्तर्गत आते हैं। उन सभी को एक ही स्तर में रखना उचित नहीं होता है। अतः वरिष्ठ व कनिष्ठ अधिकारियों में परस्पर औपचारिक संबंध श्रृंखला की स्थापना की जानी चाहिए। प्रत्येक कर्मचारी को अपनी श्रृंखला का उल्लंघन नहीं करना चाहिए।

4. **समन्वय (Co-ordination)**—समन्वय से तात्पर्य संगठन के कार्यकलापों एवं गतिविधियों में उचित संबंध, समायोजन तथा तालमेल स्थापित करना होता है। गुलिक के अनुसार किसी भी संस्था के प्रभावपूर्ण, लाभपूर्ण एवं सतत् कार्य संचालन के लिए उसके उद्देश्यों को ध्यान में रखते हुए संस्था या संगठन के साधनों एवं प्रयासों में उचित समन्वय स्थापित किया जाना चाहिए। बिना रामन्वय के राभी राधन एवं प्रयारों का अपव्यय होता है तथा वे संस्थान के उद्देश्यों को प्राप्त करने में असफल हो जाते हैं। समन्वय संगठन से दुहराव, अतिब्याप्ति तथा संघर्ष को हटाता तो है ही, साथ-साथ संगठन के कर्मचारियों, समूहों और इकाइयों में सामूहिक कार्य तथा सहयोग की भावना का संचार भी करता है।

5. **विकेन्द्रीयकरण (Decentralisation)**—गुलिक के अनुसार जिस प्रशासकीय प्रणाली में उच्च अधिकारियों की शक्तियाँ अधिक हों और इसके फलस्वरूप निम्न स्तर के प्रशासकीय स्तरों के कर्मचारियों की शक्ति और विवेक में कमी होती है, उसे केन्द्रीयकृत व्यवस्था कहते हैं। इसके विपरीत जिस प्रशासकीय पद्धति में स्थानीय शासकीय निकायों या कर्मचारियों को अधिक शक्ति दी गई हो उसे विकेन्द्रित व्यवस्था कहा जाता है। गुलिक ने संगठन में विकेन्द्रीयकरण की व्यवस्था पर जोर दिया। अधीनस्थ कर्मचारियों तथा पदाधिकारियों द्वारा उत्तरदायित्वों को सम्पन्न करने पर कार्य में शीघ्रता तथा उपयुक्त निर्णय की ज्यादा संभावना बनी रहती है।

6. **आदेश की एकता (Unity of Command)**—इस सिद्धांत के अनुसार प्रत्येक कर्मचारी या व्यक्ति का एक से अधिक अफसर नहीं होना चाहिए क्योंकि प्रत्येक व्यक्ति दोनों अफसरों को खुश नहीं रख सकता है। अतः एक कर्मचारी को एक ही अधिकारी से आदेश प्राप्त होने चाहिएं। यदि एक से अधिक अधिकारियों

से आदेश प्राप्त होगा तो इससे उसे आदेश मानने एवं दायित्व संभालने में देरी लगेगी। इसके साथ ही आदेशों में व्यर्थ का संघर्ष होगा और कार्य भी जिम्मेदारी के साथ पूरा नहीं किया जा सकेगा। अतः एक कर्मचारी का एक अफसर होना चाहिए। लूथर गुलिक ने कहा है कि "इस सिद्धांत के महत्त्व को भूला नहीं दिया जाना चाहिए।" (The significance of this principle of unity of command must not be lost sight of).

7. **स्टॉफ तथा लाइन (Staff and line)**—गुलिक के अनुसार संगठन में ये दोनों ही इकाइयाँ होनी चाहिए। लाइन इकाई शक्ति का प्रतिनिधित्व करती है और स्टॉफ इकाई का कार्य परामर्श देना एवं विचार प्रकट करना होता है।
8. **प्रत्यायोजन (Delegation)**—प्रत्यायोजन का अर्थ किसी उच्च सत्ताधारी द्वारा किसी निम्न सत्ताधारी को विशिष्ट सत्ता प्रदान करना होता है। अर्थात् गुलिक के अनुसार आवश्यक मात्रा में कुछ अधिकार अधीनस्थ अधिकारियों अथवा कर्मचारियों को सौंप देने चाहिएं। प्रत्यायोजन से संगठन में कार्यों का विशिष्टीकरण तथा कर्मचारियों के उत्तरदायित्व का निर्धारण होता है।
9. **नियंत्रण का क्षेत्र (Span of Control)**—गुलिक के अनुसार किसी भी संगठन में प्रत्येक अधिकारी के अन्तर्गत 5 या 6 से अधिक व्यक्ति नहीं होने चाहिए। अधिक व्यक्ति होने से वह भली-भाँति उन्हें मार्गदर्शन नहीं दे सकेगा तथा उनका प्रभावपूर्ण निर्देशन, नियंत्रण व पर्यवेक्षण भी नहीं कर सकेगा।

(C) मुख्य कार्यपालिका के कार्य (Function of Chief Executive)

लोक प्रशासन के प्रसिद्ध विद्वान लूथर गुलिक ने मुख्य कार्यपालिका के कार्यों के बारे में भी बतलाया है। उन्होंने मुख्य-कार्यपालिका के कार्यों को एक ही शब्द 'पोस्डकार्ब' में संग्रहीत कर दिया है। 'पोस्डकार्ब' में प्रत्येक अंग्रेजी वर्ण के अर्थ अलग-अलग हैं जिनका वर्णन "लोक प्रशासन के क्षेत्र" शीर्षक के अन्तर्गत कर दिया गया है।

निष्कर्ष (Conclusion)

निष्कर्ष रूप में यह कहा जा सकता है कि लूथर गुलिक ने लोक प्रशासन के क्षेत्र, संगठन के सिद्धांत तथा कार्यपालिका के कार्यों की व्याख्या कर लोक प्रशासन को समुचित दिशा प्रदान करने का प्रयास किया है। गुलिक की पोस्डकार्ब विचारधारा के अन्तर्गत योजना, संगठन, कर्मचारियों की व्यवस्था, निर्देशन, कार्यों का समायोजन तथा नियंत्रण, रिपोर्ट, बजट की तैयारी आदि वे मौलिक बातें हैं जिनका ज्ञान किसी भी प्रशासन के लिए अनिवार्य होता है। संगठन के सिद्धांत किसी भी प्रकार के विभाग या उपक्रम के उद्देश्यों की प्राप्ति में सहायक होते हैं। विभागीय संगठन में निर्माण के आधारों के बारे में विचार प्रस्तुत कर इन्होंने संगठन को भिन्न-भिन्न विभागों में विभाजित होकर कार्य करने का महत्त्वपूर्ण विचार प्रकट किया है। अतः प्रशासन या संगठन के क्षेत्र में उनके सिद्धांतों की उपेक्षा नहीं की जा सकती है।

लिंडाल एफ. उर्विक (Lyndall F. Urwick)

लिंडाल उर्विक परम्परावादी विचारकों में एक मुख्य विचारक माने जाते हैं। प्रबंध के क्षेत्र में इन्होंने काफी अनुभव प्राप्त कर सिद्धांतों का प्रतिपादन किया। उर्विक का जन्म ब्रिटेन में 1891 ई. में हुआ था। उन्होंने ऑक्सफोर्ड विश्वविद्यालय से अपनी शिक्षा प्राप्त की। प्रथम विश्व युद्ध के दौरान उन्होंने ब्रिटिश लेफ्टिनेंट कर्नल के रूप में भी कार्य किया। वे जेनेवा में अन्तर्राष्ट्रीय प्रबंध संस्था के निदेशक, ब्रिटिश प्रबंध संस्था के उपाध्यक्ष भी रह चुके हैं। उन्होंने 'न्यू साउथ वेल्स' विश्वविद्यालय में एक प्रोफेसर के रूप में कार्य किया।

इस प्रकार उर्विक को सामान्य तथा सैनिक प्रशासन के बारे में काफी अनुभव प्राप्त हुआ था। प्रबंध को वैज्ञानिकता तथा एकीकृत स्वरूप प्रदान करने की दिशा में इन्होंने महत्त्वपूर्ण योगदान दिया। इन्होंने फेयोल, टेलर, फोलेट आदि विचारकों के द्वारा दी गयी अवधारणाओं के आधार पर अपना विचार प्रकट किया। इनके द्वारा अनेक पुस्तकें एवं लेख प्रकाशित किये गये जिनमें निम्नलिखित प्रमुख हैं—

(A) पुस्तकें (Books)—

(*i*) Papers on the Science of Administration, 1937.
(*ii*) Dynamic Administration, 1941.
(*iii*) The Elements of Administration, 1943.
(*iv*) The Making of Scientific Management.
(*v*) A Short Survey of Industrial Management.
(*vi*) A Golden Book of Management
(*vii*) Is Management a Profession?
(*viii*) Personnel Management in Relation to Factory Organisation.
(*ix*) Problems of growth in Industrial Undertakings.
(*x*) Staff in Organisation, 1960
(*xi*) The Theory of Organisation, 1952.
(*xii*) The Pattern of Management, 1956.
(*xiii*) Management Education in American Business.

(B) लेख (Essays)—

(*i*) Axioms of Organisation.
(*ii*) Principles of Direction and Control.
(*iii*) Organisation and Theories about the Nature of Man.
(*iv*) That word—"Organisation".
(*v*) Notes on the Theory of Organisation

उर्विक का योगदान (Contribution of Urwick)

उर्विक के प्रमुख योगदानों का अध्ययन निम्न शीर्षकों में किया जाता है—

(A) संगठन के सिद्धांत (Principles of Organisation)

उर्विक ने संगठन के सिद्धांतों के बारे में 'Theory of Organisation' नामक पुस्तक में बताया है। उनके अनुसार संगठन के सिद्धांतों को

वैज्ञानिकता प्रदान की जा सकती है। उन्होंने संगठन की परिभाषा देते हुए कहा कि, "संगठन का अर्थ है किसी उद्देश्य की पूर्ति के लिए आवश्यक क्रियाओं का निर्धारण करना और उन्हें ऐसे वर्ग में क्रमबद्ध करना जो विभिन्न व्यक्तियों को सौंपे जा सकें"।

अतः संगठन में कार्यों की पहचान एवं वर्गीकरण पहले आते हैं तथा कर्मचारियों के बीच कार्यों का विभाजन बाद में किया जाता है। उनके अनुसार संगठन ढाँचा निर्माण करने की एक प्रक्रिया होती है। संरचना के अभाव में संगठन अतार्किक, कठोर, अपव्ययी एवं अकुशल होता है। अतार्किक इसलिए होता है क्योंकि कर्मचारियों के कार्यों की स्थिति के बारे में बिना जाने उसकी नियुक्ति एवं वेतन निर्धारण करना दुर्लभ होता है। कठोर इसलिए क्योंकि संरचना के बिना कर्मचारियों के कार्यों एवं कार्यों के सम्पादन करने के लिए आवश्यक योग्यताओं का ज्ञान नहीं हो सकता है। अपव्ययी होता है क्योंकि यह नहीं ज्ञात हो पाता है कि किन कर्मचारियों की नियुक्ति एवं प्रशिक्षण की जानी है जो कर्मचारियों की सेवानिवृत्ति के बाद कार्यों को कर सके। यह अकुशल इसलिए होता है क्योंकि पर्यवेक्षक संघर्ष और संदेह को दूर करने में असमर्थ हो जाते हैं। इस प्रकार संगठन को उर्विक ने एक संरचना के रूप में माना है। उन्होंने संगठन की संरचना को मुख्यतः निम्नलिखित सिद्धांतों के आधार पर आधारित बतलाया है, जो संगठन के सिद्धांत कहलाते हैं–

1. **उद्देश्य का सिद्धांत (Principle of objective)**—जिस प्रकार उद्देश्य रहित जीवन व्यर्थ होता है, उसी प्रकार किसी भी संस्थान व संगठन के उद्देश्य रहित होने से उसका निर्माण व अस्तित्व संभव नहीं होता है। प्रत्येक संगठन का एक सामान्य उद्देश्य होना चाहिए जिससे कि विभिन्न विभागों, साधनों, मशीनों व मालों के प्रयासों को निर्देशित करके उसकी पूर्ति की जा सके। इसके अभाव में संगठन की कार्य योजनाएं एवं निर्णय प्रभावहीन हो जाते हैं। विभाग एवं उपक्रम के लक्ष्यों में कोई विरोध नहीं होना चाहिए।
2. **समानता का सिद्धांत (Principle of Correspondence)**—इसके अनुसार संगठन में प्रत्येक पद के लिए विभिन्न क्रियाओं, अधिकारों एवं दायित्वों में समानता होनी चाहिए अन्यथा आपसी मतभेद, मनमुटाव और अव्यवस्था उत्पन्न होने की संभावना बनी रहती है जिसके कारण संगठन प्रभावपूर्ण ढंग से अपने उद्देश्यों की प्राप्ति में असफल हो जाएगा।
3. **उत्तरदायित्व का सिद्धांत (Principle of Responsibility)**—संगठन में प्रत्येक अधिकारी एवं उसके अधीनस्थों के उत्तरदायित्व निश्चित रहने चाहिएँ। साथ-साथ प्रत्येक अधिकारी व उसके अधीनस्थों को यह ज्ञात होना चाहिए कि उनके क्या उत्तरदायित्व हैं और वे किस प्रकार अपने उत्तरदायित्वों को पूरा कर सकते हैं। अधीनस्थ कर्मचारी अपने अधिकारी के प्रति उत्तरदायी होते हैं तथा अधिकारी अपने अधीनस्थों से कार्य को पूरा कराने के लिए उत्तरदायी होते हैं। जब प्रत्येक कर्मचारी को इस सिद्धांत का ज्ञान होगा तो वे अपने दिये हुए कार्य को पूर्ण जिम्मेदारी के साथ पूरा करेंगे। इस सिद्धांत के अभाव में कार्य पूरा नहीं किया जाएगा और संगठन में अव्यवस्था उत्पन्न हो जाएगी।
4. **पद शृंखला का सिद्धांत (Principle of Separation)**—उर्विक के अनुसार एक अच्छे संगठन के आदेश की शृंखला अथवा अधिकारों की रेखा की स्पष्ट व निश्चित व्याख्या होनी चाहिए। प्रत्येक संगठन में ऊपर से नीचे तक औपचारिक अधिकारों एवं संबंधों की एक स्पष्ट रेखा होनी आवश्यक होती है। प्रत्येक संगठन में कार्यरत् कर्मचारी उच्चस्तरीय, मध्यस्तरीय एवं निम्नस्तरीय प्रबंध स्तरों के अंतर्गत आते हैं। उन सभी को एक ही स्तर में रखना उचित नहीं है। अतः वरिष्ठ व कनिष्ठ अधिकारियों में परस्पर औपचारिक संबंध शृंखला की स्थापना की जानी चाहिए। प्रत्येक कर्मचारी को अपनी शृंखला का उल्लंघन नहीं करना चाहिए।
5. **नियंत्रण के विस्तार का सिद्धांत (Principle of Span of Control)**—एक अधिकारी के नियंत्रण में कार्य करने वाले कर्मचारियों की संख्या सीमित होनी चाहिए ताकि वह अधिक कुशलता से उनका पर्यवेक्षण कर सके। उर्विक के अनुसार एक व्यक्ति 5 या 6 कर्मचारियों से अधिक की देखभाल नहीं कर सकता है।
6. **विशिष्टीकरण का सिद्धांत (Principle of Specialisation)**—इसके अनुसार प्रत्येक व्यक्ति का कार्य एक कार्य विशेष तक ही सीमित होना चाहिए। संगठन के सदस्यों को उनकी योग्यता, रुचि तथा कार्यकुशलता के अनुसार कार्य दिया जाना चाहिए। इससे कर्मचारी अपने कार्य को दक्षता से कर सकने तथा कार्य की समस्त जटिलताओं को सरलता से समझ सकने में सक्षम होता है।
7. **समन्वय का सिद्धांत (Principle of Co-ordination)**—समन्वय से तात्पर्य संगठन के कार्यकलापों एवं गतिविधियों में उचित संबंध, समायोजन तथा तालमेल स्थापित करना होता है। उर्विक के अनुसार किसी भी संस्था के प्रभावपूर्ण, लाभपूर्ण एवं सतत् कार्य संचालन के लिए उसके उद्देश्यों को ध्यान में रखते हुए संस्था या संगठन के साधनों एवं प्रयासों में उचित समन्वय स्थापित किया जाना चाहिए। बिना समन्वय के सभी साधन एवं प्रयासों का अपव्यय होता है तथा वे संस्थान के उद्देश्यों को प्राप्त करने में असफल हो जाते हैं। समन्वय संगठन से दुहराव, अतिव्याप्ति तथा संघर्ष को हटाता है ही साथ ही साथ संगठन के कर्मचारियों समूहों और इकाइयों में सामूहिक कार्य तथा सहयोग की भावना का संचार करता है।
8. **परिभाषा का सिद्धांत (Principle of Definition)**—इस सिद्धांत के अनुसार एक संगठन में कार्यरत् कर्मचारियों, अधिकारियों और विभागों के कार्यक्षेत्र का स्पष्ट एवं निश्चित विवेचन किया जाना चाहिए। इससे कर्मचारी अपने कार्य को पूर्ण दायित्व एवं अधिकारों को ध्यान में रखते हुए पूरा कर सकेंगे। किसी तरह से एक-दूसरे के कार्य क्षेत्र की सीमाओं, अधिकारों एवं दायित्वों

का दुरूपयोग तथा दुहराव नहीं हो सकेगा। कार्यों एवं अधिकारों का स्पष्टीकरण मौखिक एवं लिखित होने के साथ-साथ सर्वत्र संप्रेषित भी किया जाना चाहिए। बाद में उर्विक ने अपने इन आठ सिद्धांतों को और विकसित किया। टेलर, फेयोल, मूने, फोलेट आदि के द्वारा दिए गए सिद्धांतों द्वारा प्रभावित होकर उर्विक ने कहा कि संगठन के सिद्धांत संगठन के विभिन्न कारकों को ध्यान में रखते हुए निर्मित किए जाते हैं। अतः ये सिद्धांत घट-बढ़ भी सकते हैं। अपने सिद्धांतों की चर्चा करते हुए उन्होंने बतलाया कि ये सिद्धांत अन्य विचारकों द्वारा किए जाने वाले अन्वेषण में सहायता प्रदान कर सकते हैं।

उर्विक ने अपने 29 सिद्धांतों की चर्चा प्रसिद्ध पुस्तक 'प्रशासन के तत्त्व' में की है। ये सिद्धांत हैं–

1. अनुसंधान 2. पूर्वानुमान 3. नियोजन 4. उपयुक्तता 5. संगठन 6. समन्वय 7. व्यवस्था 8. निर्देशन 9. नियंत्रण 10. समन्वय का सिद्धांत 11. सत्ता 12. स्केलर प्रक्रिया 13. कार्य विभाजन 14. नेतृत्व 15. प्रत्यायोजन 16. कार्यात्मक व्याख्या 17. निर्धारण 18. प्रयोगात्मक 19. विवेचनात्मक 20. सामान्य हित 21. केन्द्रीयकरण 22. कर्मचारी भर्ती 23. सहयोग 24. चयन व नियुक्ति 25. पुरस्कार व मान्यता 26. पहलपन 27. न्याय 28. अनुशासन एवं 29. स्थायित्व।

(B) नेतृत्व की विचारधारा (Concept of Leadership)

उर्विक ने नेतृत्व के बारे में भी अपना विचार व्यक्त किया है। नेतृत्व की परिभाषा देते हुए वह बतलाता है कि "नेतृत्व व्यक्तियों में व्यवहार का ऐसा गुण है जिसके द्वारा अन्य व्यक्ति नेता का निर्देशन स्वीकार करते हैं।" अतः उर्विक नेतृत्व के सत्तावादी रूप की अपेक्षा उसके गुणात्मक पहलू पर अधिक जोर देता है।

उर्विक ने नेतृत्व के कार्यों को चार भागों में विभाजित किया है–

1. **प्रतिनिधित्व करना (To Represent)**—नेता अपने संगठन का प्रतिनिधित्व करता है। संगठन के सदस्यों को उसमें संगठन का पूर्ण व्यक्तित्व दिखाई देता है। किसी प्रकार की समस्या उत्पन्न होने पर वे उसी के पास विचार-विमर्श एवं सुझाव के लिए जाते हैं। संगठन के बाहर भी नेता संगठन के हितों एवं विचारों का प्रवक्ता होता है। नेता संगठन का अमूर्त विचार (Abstract Idea) है और नेता के रूप में ही यह अमूर्त विचार अभिव्यक्त होता है। यदि किसी संगठन की प्रशंसा या उसके कार्यों की आलोचना करनी हो तो इसके लिए नेता की प्रशंसा या आलोचना करनी होगी। जब लोग संगठन का नाम लेते हैं तो वास्तव में वे नेता का उल्लेख कर रहे होते हैं।

2. **पहल करना (To Initiate)**—संगठन के कार्यों को स्वस्थ रूप में सम्पन्न करने तथा उसे प्रगति की ओर अग्रसर करने के लिए नेता को नए विचार एवं प्रक्रियाओं में पहल करनी होती है। ये सभी नवीन विचार उसके स्वयं के भी हो सकते हैं और दूसरों के भी। संगठन के अन्य सदस्य यदि कोई महत्त्वपूर्ण विचार प्रस्तुत करते हैं तो नेता को चाहिए कि उन्हें अपनाकर अधिक-से-अधिक उपयोग में लाएँ। नेता के मुँह से कही गई बात प्रायः प्रभावशील होती है। अन्यथा महत्त्वपूर्ण होते हुए भी वह प्रभावहीन रूप में ही समाप्त हो जाती है। नेता का यह उत्तरदायित्व है कि ऐसी परिस्थितियाँ पैदा करें जिनमें संगठन के सभी सदस्य रुचिपूर्वक पहल करने में भाग ले सकें।

3. **उद्यम का प्रशासन करना (To Administer the Undertaking)**—नेता का एक महत्त्वपूर्ण कार्य यह है कि वह संगठन के कार्यों का सुचारू रूप से प्रशासन संभाले। जहाँ तक अनौपचारिक नेतृत्व (Informal leadership) का संबंध है उसका यह एक प्रमुख कार्य है जिसे सम्पन्न करने का उत्तरदायित्व वैधानिक रूप से उसी के कंधों पर रहता है किन्तु अनौपचारिक नेतृत्व को यह कार्य करना चाहिए या नहीं इस संबंध में लेखकों ने अलग-अलग विचार प्रस्तुत किए हैं। नेतृत्व तथा प्रशासन एक प्रकार से पर्यायवाची शब्दों के समान हैं। अतः नेता को नियोजन, संगठन तथा निर्देशन आदि प्रशासनिक कार्यों से संबंध रखना पड़ता है।

4. **व्याख्या करना (To Interpret)**—नेता संगठन के उद्देश्यों तथा कार्यों को संगठन के सदस्यों के समक्ष स्पष्ट करता है। यदि संगठन में कोई परिवर्तन किया जाता है तो यह आवश्यक है कि नेता उस परिवर्तन का कारण तथा उस परिवर्तन के प्रभाव की व्याख्या सदस्यों के सामने इस प्रकार करे कि सदस्य उसे स्वीकार करें। यदि नेता परिवर्तन के कारणों की व्याख्या सदस्यों के सामने नहीं करता है तो सदस्य भाँति-भाँति के अनुमान लगा सकते हैं जो आगे संगठन के लिए हानिकारक सिद्ध हो सकते हैं।

उर्विक ने नेतृत्व की प्रमुख छः योग्यताएं बतलाई हैं जो निम्नलिखित हैं–

1. **आत्मविश्वास (Self-confidence)**—संगठन के नेता को अपनी योग्यता एवं सामर्थ्य का वस्तुगत ज्ञान होना चाहिए और उसके आधार पर उसमें आत्मविश्वास की भावना रहनी चाहिए ताकि उसके निर्णयों में निर्भरता एवं संकोचहीनता हो। कभी-कभी आत्मविश्वास और मिथ्याभ्रम को एक मानने की गलती कर दी जाती है। मिथ्याभ्रम आत्मज्ञान पर आधारित नहीं होता। मिथ्या-अभिमान से नेता संगठन में ही अपने अनेक विरोधी पैदा कर लेगा और वह एक सच्चे नेता के रूप में विश्वास पैदा नहीं कर पाएगा।

2. **व्यक्तित्व (Personality)**—नेता का व्यक्तित्व आकर्षक होना अत्यन्त आवश्यक है। संगठन के लोगों को प्रभावित करने के लिए नेता के व्यक्तित्व में कुछ असाधारण गुण होने चाहिए। इस दृष्टि से उसकी शारीरिक बनावट, पहनावा आदि प्रथम रूप से उल्लेखनीय है। किसी भी अपरिचित व्यक्ति पर सर्वप्रथम प्रभाव नेता की शारीरिक रचना एवं ऊपरी व्यवहार का पड़ता है। नेता के पास न तो इतना समय होता है और न ही इतने अवसर होते हैं कि वह संगठन के प्रत्येक सदस्य को अपने विचारों से

प्रभावित कर सकें। अधिकांश लोग तो नेता की चाल-ढाल एवं व्यवहार के अन्य तरीकों से ही प्रभावित होते हैं।

एक अच्छा नेता वह माना जाता है जो अपने गुणों एवं विशेषताओं के प्रति संगठन का सम्मान प्राप्त कर सके और अपनी मानवीय कमजोरियों के प्रति उनकी सहानुभूति अर्जित कर सके। नेता में जन-सामान्य के हृदय तक पहुँचने की सामर्थ्य होनी चाहिए। समूह के सभी सदस्यों के प्रति यदि उसके दिल में सद्भाव है और वह उनके साथ मिलने में रुचि एवं उत्साह प्रदर्शित करता है तो बहुत कम समय में ही वह उस समूह का एक लोकप्रिय एवं प्रभावशाली नेता बन जायेगा।

3. **जीवन-शक्ति (Vitality)**—नेता के व्यक्तित्व का बाहरी रूप प्रभावशाली होना चाहिए क्योंकि इसी के माध्यम से वह अपने अनुयायियों को प्रथम साक्षात्कार में ही प्रभावित कर लेता है। समूह के लोगों में उसके प्रति चर्चाएँ होती हैं जिसके परिणामस्वरूप उसका प्रतिरूप (image) बनता है। एक नेता का यह प्रतिरूप अधिक दिनों तक प्रभावशाली नहीं रह सकेगा यदि वह अपने वास्तविक गुणों द्वारा इसको ठोस रूप न दे दे अथवा संशयशील लोगों को अपनी ओर आकर्षित न कर ले। नेता में आन्तरिक व्यक्तित्व की प्रतिभा शक्ति होनी चाहिए। उसमें एक जीवन-शक्ति होनी चाहिए जिसके द्वारा वह संगठन के निराश लोगों में आशा, निष्क्रिय लोगों में क्रियाशीलता उत्साहहीन लोगों में उत्साह पैदा करने के अतिरिक्त संगठन के गुणवान लोगों को भी प्रोत्साहन प्रदान कर सके। नेता की जीवन-शक्ति एवं उसका आकर्षण कई बार संगठन के सदस्यों के जीवन का एक महत्त्वपूर्ण मोड़ बन जाता है। नेता के गुण समूह के सदस्यों के व्यवहार के आदर्श बन जाते हैं।

4. **सामान्य बुद्धि (General Intelligence)**—नेता का बुद्धिमान होना अत्यन्त महत्त्वपूर्ण है ताकि वह निर्णय लेते समय उसके स्वरूप एवं परिणामों पर सभी पहलुओं से विचार कर सकें। उसकी बुद्धि का स्तर एकांगी नहीं होना चाहिए। बुद्धि के एकांगी होने के दो आशय हो सकते हैं। प्रथम तो इस प्रकार की बुद्धि का किसी क्षेत्र विशेष में छोटी से छोटी बात में भी प्रवेश होता है किन्तु दूसरे क्षेत्रों का ज्ञान नहीं होता। इस प्रकार भी बुद्धि से नेता अपने उत्तरदायित्वों को सफलतापूर्वक नहीं निभा पायेगा क्योंकि उसका संबंध संगठन के किसी एक भाग से न होकर पूरे संगठन से होता है। बौद्धिक एकांगिता का दूसरा रूप वह है जिसमें नेता का बौद्धिक स्तर इतना ऊँचा होता है कि समूह का सामान्य सदस्य उसे ग्रहण करने में असमर्थ रहता है। ऐसी स्थिति में नेता की बातें सामान्य रूप से प्रभावशाली नहीं होती।

5. **संचालित करने की योग्यता (Ability to Communicate)**—संचार-व्यवस्था नेता के शस्त्रागार का एक मुख्य शस्त्र है जिसके माध्यम से वह अपनी आज्ञा, निर्देश, सुझाव एवं दृष्टिकोण आदि संगठन के अन्य लोगों तक संचारित कर सकता है। नेता संगठन के सभी कार्यों को स्वयं नहीं कर सकता। वह दूसरे लोगों में कार्य को इस प्रकार विभाजित करता है कि वे सभी स्वेच्छा से सहयोग प्रदान कर उसे सफलतापूर्वक सम्पन्न कर सकें। यह सब करते समय वह संचार-व्यवस्था का सहारा लेता है ताकि लोगों में भ्रम न बढ़े एवं कुशलता बनी रहे।

6. **न्यायपूर्ण निर्णय (Judgement)**—नेता संगठन का प्रभावशाली व्यक्ति होता है जिसकी सद्भावना पाने के लिए लोग मिथ्या प्रशंसा, असत्य सूचनाओं आदि का आश्रय ले सकते हैं। अतः नेता में सत्य-असत्य को पहचानकर परिस्थितियों का सही मूल्यांकन करने की क्षमता होनी चाहिए। उर्विक के मतानुसार नेता के इस गुण को निश्चित रूप से परिभाषित नहीं किया जा सकता। न्यायपूर्ण निर्णय देने की प्रक्रिया में व्यक्ति की अन्तरात्मा का महत्त्वपूर्ण योग रहता है।

(C) प्रबंध एवं प्रशासन (Management and Administration)

उर्विक ने प्रबंध के अभियांत्रिक, कलात्मक, मानवीय आदि सभी पहलुओं पर बल देते हुए इसकी अवधारणा को स्पष्ट किया है। उनका मत है कि प्रबंध चार पक्षों का मिला हुआ रूप होता है। प्रबंध का प्रथम पक्ष कार्य के विज्ञान (Science of task) से संबंधित है। इसमें औद्योगिक अभियांत्रिकी का क्षेत्र आता है। इसकी प्रमुख तकनीकों में समय अध्ययन, गति अध्ययन, कार्य प्रमाप आदि सम्मिलित है। इसके निष्कर्ष लगभग निश्चित होते हैं। इसके प्रवर्तकों में फ्रेड्रिक टेलर, लारेंस गेन्ट, गिलब्रेथ आदि प्रमुख हैं। प्रबंध का द्वितीय पक्ष व्यक्ति को कार्य में समायोजित करने पर बल देता है। इसके क्षेत्र में सेविवर्गीय प्रबंध की विभिन्न तकनीकें, व्यावसायिक निर्देशन, चयन, प्रशिक्षण, अभिप्रेरण, कर्मचारी विकास, वित्तीय प्रेरणायें आदि सम्मिलित हैं। यह दुर्घटनाओं की रोकथाम में अभियांत्रिकी, वेतन समायोजन में सांख्यिकी तथा कैन्टीन प्रबंध में आहार विज्ञान का भी प्रयोग करता है। इसके विकास में जीव विज्ञान, मनोविज्ञान, औद्योगिक चिकित्सा आदि का प्रमुख योगदान रहता है। चूँकि यह पक्ष व्यक्तियों को मानव के रूप में देखता है, अतः इसके सिद्धांत प्रबंध के एकात्मक पहलू को दर्शाते हैं। प्रबंध का तृतीय पक्ष कार्यों के समूहीकरण एवं सह-संबंध से सम्बन्धित है। इसके अन्तर्गत प्रबंध के सामान्य कार्य पूर्वानुमान, नियोजन, संगठन, निर्देशन, समन्वय, नियंत्रण, सम्प्रेषण आदि सम्मिलित होते हैं। विशिष्ट प्रबंधकीय कार्य उपक्रम के उद्देश्य पर निर्भर करते हैं। विशिष्ट स्थितियों की अपेक्षा इसका संबंध मुख्य रूप से प्रणाली विज्ञान (Methodologies) से है, अतः व्यक्ति को 'मानव' के रूप में देखना इसमें आवश्यक नहीं है। इसके सिद्धांत मानवीय प्रकृति पर आधारित होते हैं। यह एक संगठित ज्ञान के रूप में विकसित हो रहा है। हेनरी फेयोल, डेनिसन, पूने चोतर, बर्नार्ड आदि विचारकों का इसके विकास में प्रमुख योगदान रहा है। प्रथम व तृतीय पक्ष मिलकर प्रबंध की यांत्रिकी की रचना करते हैं। प्रबंध का चतुर्थ पक्ष समूहों के निर्देशन एवं अभिप्रेरण से संबंधित होता है। इसकी तकनीकों में उपक्रम का संचालन, नीतियों व उद्देश्यों की व्याख्या, नेतृत्व प्रदान करना, मनोबल बनाये रखना व संप्रेषण, अनुशासन तथा जनसंपर्क आदि सम्मिलित हैं। तृतीय व चतुर्थ पक्ष इसकी गतिशीलता को इंगित करते हैं। इस प्रकार उर्विक के अनुसार प्रबंध ज्ञान चार पक्षीय पिरामिड है।

उर्विक ने प्रबंध के सिद्धांतों पर बल देते हुए कहा है कि "प्रबंधक सिद्धांतों के बिना कार्य नहीं कर सकता है। व्यवहार जड़वत है। हम वही कुशलता से कर सकते हैं जो हम जानते हैं। जो हम नहीं जानते हैं, उसको हल करने के लिए तो सिद्धांतों की आवश्यकता ही नहीं होती है। गतिशील वातावरण में शीघ्र समायोजन के लिए 'व्यवहार' (Practice) कुशलता से परिवर्तित नहीं हो सकता। किन्तु सिद्धांत लोचपूर्ण हैं। ये परिवर्तित दशाओं के साथ समायोजन कर सकते हैं। नई संभावनाओं एवं सम्मिश्रण के लिए सोच सकते हैं तथा भविष्य में झाँक सकते हैं।"

उर्विक ने प्रशासन के अन्तर्गत वैज्ञानिक एवं कौशलात्मक पहलू को शामिल किया है। एक अच्छे प्रशासक के लिए सिद्धांतों व विचारधाराओं का एक बौद्धिक आधार होना आवश्यक है। उसे प्रशासनिक विधियों एवं प्रशासन के तकनीकी कौशल का पूर्ण ज्ञान होना चाहिए। सिद्धांतों, अवधारणाओं व विचारों के माध्यम से प्रशासनिक कौशल में सुधार किया जा सकता है। किन्तु प्रशासन 'ज्ञान का समूह' ही नहीं, वरन् एक कौशल व एक कला भी है। व्यक्ति के मानवीय गुणों का उसकी प्रशासनिक शैली पर गहन प्रभाव होता है।

उर्विक ने प्रशासन व्यवस्था को संचालित करने के लिए प्रशासन के सिद्धांत पर बल दिया है। उर्विक ने उपर्युक्त वर्णित संगठन के सिद्धांत के प्रशासन के सिद्धांत के रूप में क्रियान्वयन पर बल दिया है। उनके अनुसार ये सभी सिद्धांत प्रशासन के उद्देश्यों की प्राप्ति के लिए आवश्यक होते हैं।

निष्कर्ष (Conclusion)

उपर्युक्त वर्णित आलोचनाओं के बावजूद उर्विक ने विभिन्न परम्परावादी विचारकों के समान ही संगठन तथा प्रशासन के क्षेत्र में एक महत्त्वपूर्ण दिशा प्रदान की है। प्रबंध के क्षेत्र में प्रचलित विचार एवं अवधारणाओं से विभिन्न राष्ट्रों, विभिन्न संस्कृतियों तथा विभिन्न व्यवसायों के बीच समन्वय स्थापित करने का उसने प्रयास किया। हालाँकि उर्विक द्वारा प्रतिपादित सिद्धांत नवयुग में उतना सार्थक सिद्ध नहीं हो सका है फिर भी उसकी महत्ता स्पष्ट करते हुए क्लॉड एस. जार्ज ने कहा है कि "कई बार ऐसा होता है कि सही समय पर सही सिद्धांतों की व्याख्या करने वाले लेखकों का योगदान उन विचारकों से ज्यादा महत्त्वपूर्ण होता है जिनके विचार अपने समय से कई दशक पूर्व होने के कारण अस्वीकृत कर दिये जाते हैं। उर्विक के विचार समयानुकूल रहे हैं। प्रबंध सांतलक (Continuum) में यही उनका महत्त्वपूर्ण योगदान है।" अर्थात् उर्विक ने समयानुकूल सिद्धांतों का प्रतिपादन किया है। उर्विक द्वारा दिया गया यह सुझाव कि संगठन, प्रबंध या प्रशासन के सिद्धांत परिवर्तनशील होते हैं तथा यह उनके विभिन्न पहलुओं पर निर्भर करते हैं, अत्यन्त ही सही मालूम पड़ता है। वस्तुतः उर्विक ने अपने विचारों द्वारा प्रबंध तथा प्रशासन के क्षेत्र को आगे बढ़ाने का प्रयास किया है तथा उनकी नींव को सुदृढ़ करने का प्रयास किया है।

मैक्स वेबर (Max Weber)

प्रख्यात राजनीतिक, आर्थिक, सामाजिक एवं प्रशासनिक विचारक मैक्स वेबर का जन्म 21 अप्रैल सन् 1864 में जर्मनी के 'इरफूर्ट' (Erfurt, Thringia) नामक स्थान में हुआ था। इनके पिता एक प्रतिष्ठित उदारवादी राजनीतिज्ञ थे। पिता पेशागत राजनीतिज्ञ होने के कारण बालक वेबर पर पारिवारिक वातावरण का प्रभाव पड़ना स्वाभाविक था। कुशाग्र बुद्धियुक्त बालक वेबर ने 13 वर्ष की अवस्था में ही अपनी विद्वता का परिचय एक ऐसा ऐतिहासिक निबंध लिखकर दिया जिसे पढ़कर केवल उनके पिता ही आश्चर्यचकित नहीं हुए वरन् सारे लोग आश्चर्यचकित रह गये। तीन वर्ष तक वेबर ने 'हैडलवर्ग विश्वविद्यालय' में कानून की शिक्षा ग्रहण की। इसके बाद जीवन में कुछ नवीनता लाने के लिए वे सेना में भर्ती हो गये। जब सेना से काम छोड़कर वापस लौटे तो उन्होंने 'बर्लिन विश्वविद्यालय' में प्रवेश लिया और सन् 1885 में कानून की उपाधि ली। उन्होंने एक प्राध्यापक के रूप में बर्लिन, फ्रेबर्ग, हैडेलबर्ग तथा म्यूनिख आदि अनेक विश्वविद्यालयों में काम किया। उन्होंने अपनी पहली पुस्तक कानून और आर्थिक इतिहास पर "रोमन एग्रेरिअन हिस्ट्री इन इट्स सिग्निफिकेंस फोर स्टेट एन्ड प्राइवेट लॉ' 1891 में लिखी। इसके बाद वे समाजशास्त्र के अध्ययन की ओर उन्मुख हुए। इस क्षेत्र में इन्हें सबसे बड़ी चुनौती मार्क्स के "आर्थिक निर्धारणवाद" से मिली। इन्होंने इतिहास का गंभीर अध्ययन कर सन् 1904-05 में "दी प्रोटेस्टेन्ट एथिक एवं स्प्रिट ऑफ कैपिटलिज्म" नामक पुस्तक लिखी जिसमें इन्होंने बताया कि धर्म और नैतिकता का आर्थिक विकास में बड़ा महत्त्व है। अपनी इस कृति में उन्होंने भारत-चीन एवं यहूदियों के धर्म का भी अध्ययन किया। वेबर जर्मनी के एक महान् मनीषी और प्रजातंत्र के प्रबल समर्थक रहे। परन्तु उनका बौद्धिक जीवन उनकी दीर्घकालीन बीमारी के कारण विघटित अवस्था में रहा और यह अवस्था सन् 1918 तक बनी रही। बीमार रहने पर भी वेबर ने अध्ययन कार्य न छोड़ा। थोड़ा स्वस्थ होते ही वे "सोशल रिफॉर्म एन्ड सोशल पॉलिटिक्स" नामक पत्रिका में संपादन का कार्य प्रारंभ किया। उन्होंने अपनी लेखन को ही एक राजनीतिक अस्त्र के रूप में काम में लिया, जिसके फलस्वरूप वे उस कमीशन के सदस्य बने जिसने 'वरसैलिज शांति सम्मेलन' के विषय में अपनी रिपोर्ट प्रस्तुत की थी। वे उस समिति के भी सदस्य रहे जिसने 'बीमर संविधान' की रूपरेखा तैयार की थी। सन् 1918 में वे बर्लिन विश्वविद्यालय में दूसरी बार प्रोफेसर बने। इस विश्वविद्यालय से फिर वे 'म्यूनिख विश्वविद्यालय' में चले गये। वहीं 1920 में इनका देहांत हुआ।

मैक्स वेबर ने पर्सिया में उस समय अपना विचार प्रकट किया था जब वहां नागरिक सेवाओं का संगठन अपनी पराकाष्ठा पर पहुँच चुका था, जिसका स्पष्ट प्रभाव समाज पर भी झलक रहा था। परंपरागत मूल आस्थाएँ बदल रही थीं । वेबर इन सारी परिस्थितियों तथा जर्मन राष्ट्रवाद के प्रतिनिधि थे। उन्होंने एक वैज्ञानिक की भाँति उस समय के नौकरशाही के स्वरूप, जन्म विकास और परिणामों का समाजशास्त्रीय, ऐतिहासिक और तुलनात्मक संदर्भ में विश्लेषण किया है। उन्होंने प्रशासन की जिस पृष्ठभूमि को अपनाया है उसे आदर्श प्रकार की धारणा कही जाती है। अतः यही कारण है कि वेबरवाद को प्रकारवाद भी कहा जाता है।

मैक्स वेबर ने नौकरशाही का आदर्श रूप तो प्रस्तुत किया ही है, विभिन्न क्षेत्रों में भी अपने विचारों का विश्लेषण किया है। एक विद्वान के रूप में उनका चिंतन "विज्ञान और व्यवसाय" पर लिखे गये निबंध में मिलता है। एक राजनीतिज्ञ के रूप में वे अपने निबंध "पॉलिटिक्स एज

वोकेशन" में दिखते हैं। यद्यपि मैक्स वेबर ने उपर्युक्त विभिन्न क्षेत्रों में अपना चमत्कार दिखाया, अपने ज्ञान की रोशनी फैलायी, लेकिन इनकी नौकरशाही का विचार सबों में तेज रोशनी के साथ आज हम लोक प्रशासन के प्रशासनिक विचारों में जलते देख रहे हैं। अर्थात् आज वेबर अपने सभी विचारों में नौकरशाही विचारक के रूप में प्रसिद्ध हैं।

वेबर का नौकरशाही का सिद्धांत

इस प्रकार हम कह सकते हैं कि "नौकरशाही" शब्द वेबर के साथ अभिन्न रूप से जुड़ा हुआ है। प्रारम्भ में इस शब्द का प्रयोग फ्रेंच सरकार के अधिकारियों की डेस्क को ढंकने वाले कपड़े के लिए किया जाता था। आगे चलकर इसका प्रयोग विशेष प्रकार की सरकार को चलाने के लिए संभवतः फ्रांसीसी क्रांति के पूर्व फ्रांस सरकार के लिए किया गया। धीरे-धीरे इसका अर्थ बदलता गया। अब सरकार में निरंकुशता, संकुचित दृष्टिकोण तथा सरकारी अधिकारियों की मनमानी करके नियमों का कठोर रूप से पालन करना आदि को नौकरशाही कहा जाने लगा है। किन्तु वेबर ने किसी आनुभविक नौकरशाही का विश्लेषण न करके उसका एक 'आदर्श प्रकार' के रूप में अध्ययन किया है।

वेबर नौकरशाही के आदर्श प्रकार के रूप में बताता है कि कानूनी सत्ता का विशुद्ध प्रकार नौकरशाही के प्रशासनिक कर्मचारी वर्ग को नियुक्त करता है। नौकरशाही संगठन के सर्वोच्च अधिकारी (अध्यक्ष) निर्वाचन के आधार पर नियुक्त होते हैं। अन्य कर्मचारीगण निम्नलिखित मापदंडों के आधार पर नियुक्त होते हैं।

1. वे व्यक्तिगत रूप से स्वतंत्र होते हैं और अपने निर्वैयक्तिक सरकारी दागित्वों की दृष्टि से ही सत्ता के अधीन होते हैं।
2. उन्हें एक सुस्पष्ट परिभाषित पदसोपान में संगठित कर दिया जाता है।
3. प्रत्येक कार्यालय का कानूनी दृष्टि से सुस्पष्ट परिभाषित नियन्त्रण का क्षेत्र होता है।
4. पदों को स्वतंत्र करार सम्बन्धों से भरा जाता है। इस तरह सिद्धांततः स्वतंत्र चयन होता है।
5. उम्मीदवारों का चयन तकनीकी योग्यता के आधार पर होता है।
6. अधिकांशतः पदों पर पेंशन अधिकार के साथ इन्हें नगद धनराशि में नियत वेतन दिया जाता है। पदाधिकारी पदत्याग के लिए सदैव स्वतंत्र होता है। वेतन शृंखला मूलरूप से पदसोपान में स्तर के अनुसार संवर्गित होती है, किन्तु उस मानदंड के अतिरिक्त, पद के दायित्व तथा पदाधिकारी के सामाजिक स्तर से सम्बन्धित आवश्यकताओं को भी ध्यान में रखा जाता है।
7. पद ही पूरी तरह से या मूलरूप से पदाधिकारी का व्यवसाय होता है।
8. पदाधिकारी आजीवन सेवा में होता है। उसमें ज्येष्ठता या उपलब्धि अथवा दोनों के अनुसार पद वृद्धि की व्यवस्था होती है। पदवृद्धि वरिष्ठों के निर्णय पर निर्भर होता है।
9. कर्मचारी प्रशासन के साधन पर स्वामित्व से पूर्णतः पृथक रहता है और अपने पद का निजी कार्यों के लिए उपयोग नहीं करता।
10. उसका पद संबंधित आचरण कठोर एवं व्यवस्थित अनुशासन तथा नियंत्रण के अधीन होता है।

उपर्युक्त विवरण से स्पष्ट होता है कि आधुनिक संगठनों में कार्यों को लक्ष्य प्राप्ति के लिए श्रम विभाजन के सिद्धांतानुसार विभाजित एवं वितरित कर दिया जाता है। इससे उच्च मात्रा में विशेषीकरण सम्भव हो जाता है। पदों को एक सोपानबद्ध सत्ता संरचना के रूप में संगठित करने के कारण उनका आकार पिरामिड के आकार का हो जाता है। प्रत्येक वरिष्ठ अधिकारी अपने अधीनस्थों के निर्णयों एवं कार्यों के लिए उत्तरदायी होता है। नौकरशाही संगठन का कर्मचारी जनता तथा दूरारे कर्मचारियों के साथ निर्वैयक्तिक संबंध के आधार पर सम्पर्क करता है। वे भावनात्मक संबंध नहीं रखते हैं। इससे वे अपने दायित्व का निर्वहन विशुद्ध बौद्धिक आधार पर करा सकते हैं। कर्मचारी पूर्व कथित कार्यकर्त्ता होते हैं। उनकी नियुक्ति परिवार, कुल, राजनैतिक दल आदि के आधार पर न होकर उनकी योग्यता के आधार पर की जाती है। इससे उनमें सम्वर्ग भाव उत्पन्न हो जाता है। उनकी पदावधि को स्वेच्छाचारी, बर्खास्तगी से बचा दिया जाता है। सेवा काल में वेतन तथा सेवामुक्ति के बाद उन्हें पेंशन दिया जाता है।

इस प्रकार वेबर ने नौकरशाही का बौद्धिकतायुक्त एवं कुशलतापूर्वक विवेचन किया है। उसके अनुसार जटिल प्रशासनिक कार्यों को व्यापक आधार प्रदान करने के लिए उसे विशेष उत्तरदायित्व में विभाजित कर दिया जाता है और इसे सरलतापूर्वक उन व्यक्तियों को सौंप दिया जाता है जिनको उन कार्यों के लिए विशेष रूप से प्रशिक्षित किया जा चुका है। व्यावसायिक प्रशिक्षण, निरीक्षण तथा अनुशासन प्रणालियों के द्वारा संगठनों को गतिमान बनाया जाता है। वेबर कहता है कि ये सभी विशेषताएँ मिलकर संगठनों को उच्चतम मात्रा में कुशलता प्राप्त करने में सक्षम बना देती हैं। सिद्धांततः यह नौकरशाही के 'आदर्श प्रकार' विभिन्न क्षेत्रों में सभी प्रकार के संगठनों के लिए लागू होते हैं। नौकरशाही सत्ता अपने विशुद्ध रूप से वहां लागू होती है जहां पर शासन अधिकाधिक बौद्धिकता के आधार पर बनाया गया हो। वेबर ने यह भी कहा है कि नौकरशाही आज के प्रशासन का एक महत्त्वपूर्ण तत्त्व है। इसकी बुराई या आलोचना कितनी भी क्यों न की जाए, सरकारी कार्यालय में बैठे कर्मचारियों के बिना प्रशासन सम्बन्धी कार्य को निरन्तर एवं प्रभावशाली ढंग से नहीं कराया जा सकता।

वेबर के नौकरशाही के आदर्श प्रकार की उपर्युक्त विवेचना के आधार पर हमें निम्नलिखित विशेषताएँ देखने को मिलती हैं।

1. **कार्यों को पूरा करने के लिए विधिपूर्वक व्यवस्था**– नौकरशाही पद्धति में कार्यों को नियमित रूप से पूरा करने के लिए विधिपूर्वक व्यवस्था की जाती है। कार्य पूर्ण सक्षमता के साथ सम्पन्न हो, इस उद्देश्य से केवल उन्हीं व्यक्तियों को संगठन में नियुक्त किया जाता है जो कि निर्धारित योग्यताएँ रखते हैं।
2. **पदसोपान पद्धति**–नौकरशाही प्रणाली पदसोपान पर आधारित होती है। इसमें कर्मचारियों के बीच उच्च-अधीनस्थ संबंध पाया जाता है। आदेश का सूत्र ऊपर से नीचे की ओर प्रभावित होता है। संगठन का प्रशासकीय ढाँचा एक 'पिरामिड' के समान रहता

है। उच्चतम और निम्नतम अधिकारियों के बीच कई सोपान रहते हैं। हर काम उचित मार्ग से होता है।

3. **पद के लिए अर्हताएं**—नौकरशाही का एक लक्षण यह भी है कि इसमें प्रत्येक पद के लिए योग्यताएँ निर्धारित रहती हैं। इसमें केवल उन्हीं व्यक्तियों को नियुक्त किया जाता है जो कार्यकुशल हों। नौकरशाही में शासन के पदाधिकारियों की न केवल भर्ती बल्कि पदोन्नति भी योग्यता के आधार पर की जाती है।
4. **पृथक् वर्ग**—नौकरशाही व्यवस्था में अधिकारियों का एक पृथक वर्ग बन जाता है जो सिविल सेवा को जीविकोपार्जन का एक साधन मात्र मानते हैं। इस पृथक पद के सदस्यों को समाज में अपने पद के अनुरूप शक्तियाँ तथा विशेषाधिकार मिले होते हैं।
5. **पदाधिकारियों में अहं की भावना**—उनका प्रशिक्षण शुद्ध प्रावैधिक आधार पर कुशल प्रशासन की दृष्टि में किया जाता है। यह वस्तुतः अच्छी बात है लेकिन इसमें अधिकारी एक कुशल प्रशासक बनकर ही रह जाता है मनुष्य नहीं। वे अपने आपको सामान्य जनता से ऊँचा मानने लगते हैं। जनता के सेवक बनने के बजाए वे उसके मालिक बन जाते हैं।
6. **लालफीताशाही**—नौकरशाही में लालफीताशाही अर्थात् अनावश्यक औपचारिकताएँ पायी जाती हैं। लालफीताशाही का अर्थ विनियमों के पालन में आवश्यकता से अधिक बारीकी है। इसमें प्रत्येक कार्यवाही उचित मार्ग से ही की जा सकती है। प्रशासकीय अधिकारी प्रत्येक कार्य में नियमों का पालन कठोरता से करते हैं।
7. **कठोर एवं व्यवस्थित अनुशासन तथा नियंत्रण**—नौकरशाही संगठन के किसी भी पदाधिकारी को अनियन्त्रित अथवा स्वच्छन्द नहीं होने दिया जाता। यहां नियन्त्रण एवं अनुशासन की उपयुक्त व्यवस्था की जाती है। यहां शक्ति वितरित किया जाता है तथा उत्तरदायित्व एक से अधिक निकायों के बीच बांट दिये जाते हैं।
8. **वेतन एवं पेंशन अधिकार**—नौकरशाही संगठन में आय के आधार पर कर्मचारी का वेतन निर्धारित नहीं किया जाता, बल्कि उसके स्तर, पद के दायित्व, सामाजिक स्थिति आदि बातों को ध्यान में रखा जाता है।

सत्ता की धारणा एवं औचित्यपूर्णता

मैक्स वेबर ने अपने नौकरशाही के आदर्श प्रकार की धारणा पर विचार करने के क्रम में सत्ता की धारणा पर भी अपना विचार दिया है। वेबर सामाजिक संगठनों के पीछे शक्ति को महत्त्वपूर्ण मानता है। इसने शक्ति के दो आधारभूत प्रकार बताये हैं प्रथम, एक-दूसरे पर स्थापित वह प्रभुत्व जो उनके हितों को प्रभावित कर सकने की योग्यता पर आधारित होता है। द्वितीय, सत्ता पर आधारित प्रभुत्व। सत्ता में आदेश देने तथा आज्ञा पालन के कर्त्तव्य का भाव निहित है। वेबर अपने प्रभुत्व विश्लेषण में दमनात्मक शक्ति पर अनुनय को भी शामिल नहीं करता। सत्ता का मूलाधार "ऐच्छिक समर्पण" की एक न्यून मात्रा होती है। विभिन्न अभिप्रेरणाओं, दमनात्मक उपायों आदि का प्रयोग यह बताता है कि उस व्यक्ति के पास दूसरों के ऊपर सत्ता नहीं है। ऐच्छिक अनुपालन ही उन पर नियंत्रण स्थापित करने का सरल मार्ग है। सत्ता के प्रयोग में एक व्यक्ति सफलतापूर्वक अधीनस्थों के समूहों को आदेश देता है जो उनके आदेशों में औचित्यपूर्णता का विश्वास रखते हुए उसका अनुपालन करते हैं। अनुपालन करने का यह दायित्वपूर्ण भाव सत्ता संबंधों का मूल तत्त्व है। सत्ता के संस्थायिकृत हो जाने पर उसका संबंध निर्मित समूहों से जुड़ जाता है और उनका प्रशासनिक अधिकारी वर्ग उसका उपयोग करने लगता है। वास्तव में उन समूहों की सत्ता का स्वरूप उस प्रक्रिया द्वारा निर्धारित होता है जिसके द्वारा उसे औचित्यीकरण प्राप्त होता है।

इस प्रकार औचित्यीकरण के अनेक आधार होते हैं, जैसे परम्परागत, व्यक्तिगत भावात्मक संबंध, भौतिक हित एवं स्वार्थ, समान आदर्शात्मक विचार आदि। इन्हीं तत्त्वों से प्रेरित होकर अधीनस्थ अपने अधिकारियों का आज्ञापालन करता है। वेबर ने औचित्यपूर्ण सत्ता के तीन प्रकार बताए हैं—

(1) परम्परागत सत्ता

इसका आधार प्राचीन परम्परा है। वैसे अधिकारी जिनका विश्वास प्राचीन परम्पराओं में होता है, वे परम्परागत सत्ता में विश्वास करते हैं। ब्रिटेन के संदर्भ में परम्परागत सत्ता का उदाहरण है कि वहां शासनसत्ता पूर्णतः परम्परा पर आधारित होती है। यह सत्ता एक व्यक्ति को वैधानिक नियमों के अन्तर्गत एक पद पर आसीन होने के कारण नहीं बल्कि परम्परा द्वारा स्वीकृत पद पर आसीन होने के कारण प्राप्त होती है। उदाहरण के लिए कृषि युग में भारतीय गाँवों में पायी जाने वाली पंचायतों में पंचों की सत्ता को लिया जा सकता है। इन पंचों की सत्ता वैधानिक नियमों के अन्तर्गत नहीं आती थी बल्कि परम्परागत रूप में उन्हें सत्ता प्राप्त हो जाती थी। यहां तक कि पंचों की सत्ता की तुलना ईश्वरीय सत्ता से की जाती थी जैसा कि पंच परमेश्वर की धारणा में व्यक्त होता है। इस प्रकार की प्रणाली के लिए मुख्यतः दो प्रकार के उपस्कर उपयुक्त होते हैं। पैतृक शासन में इस उपस्कर में व्यक्ति अनुकरणगामी होते हैं। उदाहरणार्थ, घर का स्वामी, संबंधी या व्यक्तिगत कृपा पात्र व्यक्ति। एक सामंतवादी समाज में इस उपस्कर के अन्तर्गत व्यक्तिगत रूप से भक्त मित्र होते हैं—जैसे अधीन जागीरदार या करदाता सरदार। ऐसे व्यक्तिगत अनुगामी प्राधिकारी की हैसियत से अपने प्रभु के दर्पण हैं प्रतिबिम्ब हैं। इसके विपरीत एक सामंतवादी समाज में पदाधिकारी व्यक्तिगत रूप से निर्भर एवं आश्रित नहीं होते हैं बल्कि सामाजिक रूप से प्रमुख मित्र होते हैं जिन्होंने स्वाभिमान की शपथ ली है। अनुदान या संविदा (Grant & Contract) के आधार पर जिनका स्वतंत्र प्रक्षेत्र या अधिकार क्षेत्र होता है।

अतः इस प्रकार की सत्ता एक व्यक्ति को वैज्ञानिक नियमों के अधीन एक पद पर आसीन होने के कारण नहीं, वरन् परम्परा के आधार पर स्वीकृत पद पर पदासीन होने के कारण प्राप्त होती है। चूँकि इस पद को परम्परागत व्यवस्था के अनुसार परिभाषित किया जाता है। इसलिए ऐसे पद पर पदासीन होने के नाते व्यक्ति को कुछ विशेष सत्ता मिल जाती है। इस प्रकार की सत्ता परम्परागत विश्वास पर अवलम्बित होती है। फलतः यह परम्परागत सत्ता कहलाती है।

परम्परागत सत्ता के रूप में यह देखा गया है कि पितृप्रधान परिवार में पिता को जो सर्वसत्ताधिकार प्राप्त होते हैं उनका भी आधार परम्परा ही है। पिता की आज्ञा का पालन हम इसलिए नहीं करते कि उन्हें कोई वैधानिक सत्ता प्राप्त है, वरन् इसलिए करते हैं कि परम्परागत रूप से वर्षों से ऐसा होता आ रहा है।

(2) वैधानिक सत्ता

राज्य द्वारा प्रतिपादित कुछ सामान्य नियमों के अनुसार उत्पन्न अनेक पद ऐसे होते हैं जिनके साथ एक विशिष्ट प्रकार की सत्ता जुड़ी रहती है। इस कारण जो भी व्यक्ति उन पदों पर आसीन होते हैं उनके हाथों में उन पदों से सम्बन्धित सत्ता भी चली आती है। एक व्यक्ति को वैधानिक नियम के अन्तर्गत जितना अधिकार प्राप्त हुआ है उसके बाहर या उससे अधिक सत्ता का प्रयोग वह व्यक्ति नहीं कर सकता। इस प्रकार व्यक्ति की वैधानिक सत्ता के क्षेत्र या उसके बाहर के क्षेत्र में बुनियादी भेद हैं। उदाहरण के लिए मिस्टर मोहन एक जज की हैसियत से जिन अधिकारों के अधिकारी हैं वे अधिकार एक व्यक्ति के रूप में या परिवार के एक सदस्य के रूप में मिस्टर मोहन के अधिकारी की सत्ता से भिन्न है। घर पर मिस्टर मोहन जज नहीं, वह किसी के पुत्र, पिता एवं पति हैं। पिता या पति की सत्ता जज की सत्ता से भिन्न है। एक जटिल समाज में वैधानिक सत्ता प्रत्येक व्यक्ति के हाथों में समान नहीं होती। प्रायः जहां भी नियमों की ऐसी प्रणाली, जो निश्चित सिद्धांतों के अनुसार न्यायिक एवं प्रशासकीय तौर पर प्रयोग किए गए, सभी सदस्यों के लिए वैध होते हैं वहां वैधानिक सत्ता है। जो व्यक्ति आदर्श की शक्ति को क्रियान्वित करते हैं वे विशिष्ट रूप से श्रेष्ठ होते हैं। वे कानूनी तौर पर समस्त प्रविधि के अनुसार नियुक्त होते हैं तथा वे वैधानिक व्यवस्था के रक्षण हेतु स्वयं निर्देशित रहते हैं। जो व्यक्ति इन आदेशों के अधीन हैं, वे वैधानिक रूप से समान हैं तथा वे विधान का पालन करते हैं न कि इस विधान को लागू करने वाले लोगों का।

वैधानिक सत्ता में सत्ता का स्रोत व्यक्ति की निजी प्रतिष्ठा में निहित नहीं होता है अपितु जिन नियमों के अन्तर्गत वह एक विशेष पद पर विद्यमान है उन नियमों की सत्ता में निहित है। अतः उसका क्षेत्र वहीं तक सीमित है जहां तक कि वैधानिक नियम व्यक्ति को विशिष्ट अधिकार प्रदान करते हैं। एक व्यक्ति को वैधानिक नियम के अन्तर्गत जितना अधिकार प्राप्त हुआ है उसके बाहर या उससे अधिक सत्ता का प्रयोग वह व्यक्ति नहीं कर सकता है। इस प्रकार व्यक्ति की वैधानिक सत्ता का क्षेत्र और उसके बाह्य क्षेत्र में प्राथमिक विभेद है।

(3) करिश्माई सत्ता

यह सत्ता न तो वैधानिक नियमों पर, न ही परम्परा पर बल्कि कुछ करिश्मा या चमत्कार पर आधारित होती है। जिन व्यक्तियों में कोई विलक्षणता, करामात या चमत्कार दिखाने की वास्तविक अनुमानित शक्ति होती है वे इस प्रकार के सत्ता के अधिकारी होते हैं। इस प्रकार के करिश्माई नेता अपने प्रति, लक्ष्य के प्रति या आदर्श के प्रति निष्ठा के नाम पर दूसरों से आज्ञा पालन करने की माँग करते हैं। जादूगर, पीर पैगम्बर, अवतार, धार्मिक नेता, सैनिक योद्धा या किसी दल का नेता इसी प्रकार का सत्ताधारी व्यक्ति होता है। ऐसे व्यक्तियों की सत्ता को लोग इस कारण भी स्वीकार कर लेते हैं कि इनमें कुछ ऐसे अद्वितीय या विलक्षण गुण पाए जाते हैं जो जनसामान्य में नहीं होते हैं। वैयक्तिक सत्ता का स्रोत परम्परागत सत्ता से बिल्कुल अलग हो सकता है, पृथक् हो सकता है। आदेश की शक्ति अकेला नेता भी कार्यान्वित कर सकता है, भले ही वह पीर-पैगम्बर हो, बॉस हो या कोई अवसरवादी। पर ऐसा व्यक्ति चमत्कारी नेता हो सकता है जब वह यह प्रमाणित कर दे कि तान्त्रिक शक्तियों, दैवी संदेश, नायकत्व अथवा अन्य अभूतपूर्व विशेषता के कारण उसके पास चमत्कार है। जो व्यक्ति इस प्रकार के नेता की आज्ञा मानते हैं वे शिष्य होते हैं या अनुगामी होते हैं, जो निर्धारित नियमों या परम्परा से पवित्र पद की गरिमा के बजाए उससे अभूतपूर्व गुणों में एक चमत्कारी नेता के अन्तर्गत पदाधिकारियों को उसके चमत्कार और व्यक्तिगत निर्भरता के आधार पर विश्वास करते हैं।

अतः स्पष्ट है कि चमत्कारिक या करिश्माई सत्ता न तो वैधानिक नियमों पर आधारित है न ही कुछेक परम्पराओं पर। इस प्रकार की शक्ति सिर्फ उन्हीं व्यक्तियों के पास सीमित होती है जिनके पास विलक्षण या चमत्कारिक अथवा जादुई शक्तियाँ होती हैं। इस प्रकार की सत्ता प्राप्त करने में व्यक्ति को काफी समय लग जाता है और पर्याप्त परिश्रम एवं साधना-प्रयत्न के बाद ही लोगों द्वारा इस प्रकार की सत्ता स्वीकार्य होती है। इस प्रकार एक करिश्माई नेता अपने प्रति या अपने आदर्श एवं लक्ष्य के प्रति निष्ठा के नाम पर दूसरों से आज्ञा पालन करवाता है। जादूगर, पीर-पैगम्बर, सेनापति, राजनेता तथा अवतारी पुरुष चमत्कारिक सत्ता सम्पन्न व्यक्ति होते हैं।

इस प्रकार बेबर ने सत्ता के विवेचन के क्रम में यह भी कहा है कि औचित्यपूर्ण सत्ता के ये रूप कहीं भी हर समय अपने विशुद्ध रूप में नहीं मिलते। सामाजिक, आर्थिक या ऐतिहासिक परिस्थितियों के अनुसार इनमें परस्पर रूपान्तरण होता रहता है। वेबर ने यह स्वीकार भी किया है कि समाज में सत्ता विशेष रूप से आर्थिक आधार पर आधारित होती है। आर्थिक जीवन में यह सहज ही स्पष्ट है कि एक ओर मालिक वर्ग उत्पादन के साधनों तथा मजदूरों की सेवाओं पर अपने अधिकार को बढ़ाने का प्रयत्न करता है और दूसरी ओर मजदूर अपनी सेवाओं के बदले में प्राप्त मजदूरी पर अधिकाधिक अधिकार पाने की चेष्टा करते रहते हैं। सत्ता उन्हीं के हाथों में रहती है जिनके पास सम्पत्ति तथा उत्पादन के साधन केन्द्रित हों। इसी सत्ता के आधार पर मजदूरों की स्वाधीनता खरीदी जाती है और मालिकों को मजदूरों के ऊपर एक विशेष प्रकार के अधिकार प्राप्त होते हैं। यद्यपि ऐसी सत्ता अब दिन प्रतिदिन घटती जा रही है फिर भी आर्थिक तथा निजी क्षेत्रों में आज भी करिश्माई सत्ता का ही ज्यादा बोलबाला है। खासकर नौकरशाही संगठन में करिश्माई परम्परागत सत्ता का महत्त्व अधिक है लेकिन 1975 में श्रीमती गांधी की नौकरशाही के संगठन पर भी करिश्माई सत्ता आ गई थी।

फ्रेडरिक विन्सलो टेलर (F. W. Taylor)

फ्रेडरिक विन्सलो टेलर को वैज्ञानिक प्रबंध का जन्मदाता कहा जाता है। इनका प्रबंध विज्ञान के क्षेत्र में महत्त्वपूर्ण योगदान रहा है। इन्होंने प्रबंध

विज्ञान के क्षेत्र में वैज्ञानिक दृष्टिकोण का प्रयोग करके एक नई दिशा प्रदान की। इनके द्वारा प्रतिपादित वैज्ञानिक प्रबंध के सिद्धांतों को न केवल औद्योगिक प्रबंध, वरन् अन्य कई क्षेत्रों में व्यापक मान्यता प्राप्त हुई है। इनके द्वारा प्रतिपादित वैज्ञानिक प्रबंध के सिद्धांतों का प्रभाव न केवल समस्त अमेरिका बल्कि अन्य विकसित तथा विकासशील देशों में भी फैला।

टेलर की रचनाएँ (Publications of Taylor)

वैज्ञानिक प्रबंध की धारणाओं के प्रतिपादन के दौरान उन्होंने कई लेख तथा पुस्तकें भी प्रकाशित किए। उनकी प्रमुख रचनाएँ निम्नलिखित हैं–

पुस्तकें (Books)

(*i*) Concrete, Plain and Reinforced (with S.F. Thompson (1905))

(*ii*) Shop Management, 1910

(*iii*) Principles and Methods of Scientific Management (1911)

(*iv*) Concrete costs (with S.F. Thompson; 1912)

निबंध (Papers)

(*i*) Notes on Belting, 1894

(*ii*) A Piece Rate System, 1895

(*iii*) Shop Management, 1903

(*iv*) On the Art of Cutting Metals, 1906

(*v*) The Gospel of Efficiency, 1911

इन प्रमुख रचनाओं में 'ए पीस रेट सिस्टम' शॉप मैनेजमेंट तथा प्रिंसिपल्स एण्ड मेथड्स ऑफ साइन्टिफिक मैनेजमेंट ज्यादा चर्चित रही।

'ए पीस रेट सिस्टम' में उन्होंने मजदूरों की मजदूरी के भुगतान संबंधी सिद्धांतों का उल्लेख किया है। इन सिद्धांतों द्वारा उन्होंने बताया है कि मजदूरों को मजदूरी उनके पद के अनुसार नहीं बल्कि उनके कार्यों के अनुसार दी जानी चाहिए।

'शॉप मैनेजमेंट' द्वारा उन्होंने प्रबंध संबंधी निम्नलिखित सिद्धांतों का उल्लेख किया है–

1. किसी भी अच्छे प्रबंध का उद्देश्य उच्च उत्पादन होना चाहिए। इसे प्राप्त करने के लिए प्रबंध को अधिक मजदूरियों का भुगतान करना चाहिए।
2. प्रबंध की समस्याओं को दूर करने के लिए वैज्ञानिक विधियों को लागू करना चाहिए।
3. वैज्ञानिक आधारों पर कर्मचारियों के उत्पादन तथा कार्य की दशाओं का प्रमाणीकरण होना चाहिए।
4. कर्मचारियों की कार्यक्षमता को बढ़ाने के लिए उन्हें प्रशिक्षण दिया जाना चाहिए।
5. प्रबंध तथा कर्मचारियों के बीच अच्छे संबंध स्थापित होने चाहिए। इसके बाद 'प्रिंसिपल्स एण्ड मेथड्स ऑफ साइन्टिफिक मैनेजमेंट' द्वारा उन्होंने वैज्ञानिक प्रबंध के प्रमुख सिद्धांतों का उल्लेख किया है।

टेलर का योगदान (Contribution of Taylor)

टेलर के प्रमुख योगदान को निम्नलिखित शीर्षकों के अन्तर्गत व्यक्त किया जा सकता है–

(A) टेलर के अध्ययन एवं प्रयोग (Taylor's Studies and Experiments)

टेलर ने निजी तथा सरकारी उपक्रमों में अनेक पदों पर कार्य करके उपक्रमों तथा कारखाना की समस्याओं का अध्ययन किया। उन्होंने इन उपक्रमों में मुख्यतः निम्नलिखित समस्याओं का अनुभव किया–

1. प्रबंधकों में श्रमिक-प्रबंध उत्तरदायित्व के संबंध में स्पष्ट विचार का अभाव।
2. कार्य प्रमाणों का निर्धारण न होना।
3. श्रमिकों की कार्य कुशलता में वृद्धि हेतु प्रेरणा का अभाव।
4. श्रमिकों में कार्य से जी चुराने की प्रवृत्ति पाया जाना।
5. प्रबन्धीय निर्णयों का अनुमान, अंतर्ज्ञान, गत अनुभव, परम्पराओं व अटकलबाजी पर आधारित होना।
6. कार्य प्रवाह के बारे में व्यवस्थित अध्ययन का अभाव।
7. श्रमिकों की रुचि व योग्यता पर ध्यान दिये बिना उन्हें कार्य सौंपना।
8. प्रबंधक इस बात की मान्यता नहीं देते थे कि श्रमिकों की कार्यक्षमता व निष्पादन में सुधार होने से नियोक्ता व श्रमिक दोनों को लाभ होगा।
9. उत्पादन की मात्रा के संबंध में श्रमिक व फोरमैन के मध्य संघर्ष।

उपर्युक्त समस्याओं को हल करने हेतु फ्रेडरिक विन्सलो टेलर ने निरंतर दो दशकों तक मशीन यंत्र, कार्य-निर्धारण, समय गति, उत्पादकता, सामग्री प्रमाण, कार्यविधि आदि के संबंध में अनेक प्रयोग किए। इन प्रयोगों में कुछ प्रमुख निम्नलिखित हैं–

(1) मिडवेल प्रयोग (The Midvale Experiments)

मिडवेल स्टील कम्पनी में कार्य करते समय टेलर ने यह पाया कि श्रमिकों की कार्यविधियों में एकरूपता नहीं है और वे स्वेच्छा से अलग-अलग विधियों को प्रयोग में लाते हैं। फलस्वरूप वे पूर्ण कार्यक्षमता के साथ कार्य नहीं कर पाते हैं तथा 'क्रमबद्ध रूप से कामचोरी' करते हैं। टेलर का मत था कि अधिक उत्पादन तभी संभव है जबकि श्रमिक एक निश्चित विधि से कार्य करें। श्रमिकों से विधिपूर्वक कार्य कराने के लिए उन्होंने प्रबंधकों को यह सुझाव दिया कि सर्वप्रथम श्रमिक के दिनभर के कार्य को ज्ञात किया जाना चाहिए। इस संबंध में उन्होंने कई परीक्षण किये जिनमें समय अध्ययन प्रमुख है।

(2) बेथलेहम प्रयोग (The Bethlehem Experiments)

सन् 1899 में बेथलेहम स्टील कम्पनी में उत्पादन वृद्धि के उद्देश्य से उन्होंने तीन महत्त्वपूर्ण प्रयोग किये थे, जो निम्नलिखित हैं–

(*a*) **कच्चे लोहे की उठा-रखी का प्रयोग (Pig Iron Handling Experiments)**–टेलर ने कच्चे लोहे को ढोने के बारे में प्रयोग करके यह सिद्ध कर दिया था कि श्रमिकों को कार्य के मध्य विश्राम देकर उनकी कार्यक्षमता को बढ़ाया जा सकता है। उन्होंने श्रमिकों को कार्य के बीच व्यवस्थित रूप से विश्राम देकर तथा लोहा ढोने की विधि में परिवर्तन करके श्रमिक की दक्षता को औसत रूप से 12½ टन से 47½ टन प्रतिदिन कर दिया था। परिणामस्वरूप लोहा ढोने के कार्य में लगे 75 श्रमिकों में से एक बड़ी संख्या को मुक्त करके अन्य कार्य में लगा दिया गया। प्रति श्रमिक आय में भी 1.15 डॉलर से 1.85 डॉलर प्रतिदिन की वृद्धि हो गयी थी।

(*b*) **फावड़े का प्रयोग (The Shovelling Experiments)**–बेथलेहम स्टील कम्पनी में टेलर ने देखा कि श्रमिक विभिन्न प्रकार के फावड़ों का प्रयोग करते थे तथा उनकी उत्पादन क्षमता अत्यन्त कम थी। अतः उन्होंने फावड़ों की प्रयोग विधि पर प्रयोग करके यह निष्कर्ष निकाला कि हल्के पदार्थों के लिए लम्बे और भारी पदार्थों के लिए हल्के फावड़ों का प्रयोग किया जाना चाहिए। टेलर ने नये प्रकार के फावड़ों का प्रयोग तथा श्रमिकों को उनकी प्रयोग विधि के बारे में विधिवत् प्रशिक्षण भी प्रदान किया। फलस्वरूप प्रतिदिन का उत्पादन 16 टन से बढ़कर 59 टन हो गया, प्रति श्रमिक प्रतिदिन की आय 1.55 से बढ़कर 1.88 डालर हो गई तथा वस्तुओं को हटाने की लागत 7.2 सैंट से घटकर 3.2 सैंट प्रति टन रह गई। इसके अतिरिक्त पहले की तुलना में उस कार्य को करने के लिए श्रमिकों की आवश्यकता केवल एक तिहाई ही रह गई।

(*c*) **धातु कटाई का प्रयोग (The Metal Cutting Experiments)**–धातु कटाई के संबंध में टेलर ने लगभग 30,000 प्रयोग करके यह निष्कर्ष निकाला था कि किसी भी धातु की कटाई मशीन की गति, नियोजन, कटाई की गहराई एवं कोण, मिलिंग मशीन, संबंधित यंत्र आदि बातों पर निर्भर करती है। अतः इन तत्वों पर विशेष ध्यान देकर विधिवत् रूप से कटाई की जा सकती है। टेलर के इस प्रयोग के बारे में एलबर्ट का कथन है कि–"धातु कटाई प्रयोग की उपलब्धियाँ कई बातों में टेलर के अन्य योगदानों से ज्यादा महत्त्वपूर्ण है। अमेरिका के औद्योगिक विकास में यह एक बड़ी उपलब्धि है।"

(B) वैज्ञानिक प्रबंध की धारणा (Concept of Scientific Management)

टेलर के अनुसार प्रबंध का मुख्य उद्देश्य प्रत्येक कर्मचारी की अधिकतम समृद्धि (Prosperity) को प्राप्त करते हुए नियोक्ता को अधिकतम उत्पादन प्राप्त कराना होता है। इसके लिए प्रबंध में नियोक्ताओं, मजदूरों तथा ग्राहकों के बीच किसी भी प्रकार का विवाद नहीं होना चाहिए। टेलर के अनुसार किसी भी प्रबंध के उच्चतर उत्पादन से नियोक्ताओं, कर्मचारियों तथा ग्राहकों सभी को लाभ प्राप्त होना चाहिए। कर्मचारियों को अधिक पारिश्रमिक, प्रबंधकों को अत्यधिक लाभ तथा ग्राहकों को कम मूल्यों पर अधिक वस्तु प्राप्त होनी चाहिए।

टेलर के अनुसार प्रबंध तथा कर्मचारियों के बीच सहमति प्राप्त करने के लिए वैज्ञानिक पद्धतियों को अपनाया जाना चाहिए। वैज्ञानिक पद्धतियों का उपयोग कर्मचारियों के चयन, उनके कार्यों का निर्धारण तथा प्रबंध एवं कर्मचारियों के बीच एक आम सहमति प्रदान करने में किया जा सकता है। इन सभी कार्यों में वैज्ञानिक पद्धतियों का उपयोग करने से उद्योग की कार्य-कुशलता बढ़ जाती है। उनके अनुसार किसी कर्मचारी को जो कार्य सौंपा जाता है यदि उस कार्य को वह पूरा नहीं कर पाता है तो उसे दंड दिया जाना चाहिए तथा जो कर्मचारी अपने कार्यों को सही ढंग से पूरा कर लेता है उसे उपहार दिया जाना चाहिए।

उनके अनुसार प्रबंध में कर्मचारियों तथा प्रबंधकों में 'मानसिक क्रांति' की भावना जागृत होनी चाहिए। मानसिक क्रांति द्वारा कर्मचारियों तथा प्रबंधकों में अपने कर्त्तव्यों तथा उत्तरदायित्वों को निभाने की मानसिक भावना में परिवर्तन आता है। टेलर ने कहा है–"सार रूप में वैज्ञानिक प्रबंध किसी प्रतिष्ठान अथवा उद्योग में कार्यरत व्यक्तियों की अपने कर्त्तव्यों के प्रति, अपने कार्य के प्रति, अपने सहकर्मियों के प्रति तथा अपने नियोजकों के प्रति 'मानसिक क्रांति' में सम्मिलित है। और, इसी प्रकार प्रबंध पक्ष की ओर से संपूर्ण मानसिक क्रांति का तात्पर्य फोरमैन, सुपरिटेंडेंट, संचालक मंडल तथा स्वामियों का अपने सहकर्मियों, श्रमिकों तथा प्रतिदिन की समस्याओं के प्रति दृष्टिकोण के परिवर्तन में है। दोनों पक्षों का पूर्ण मानसिक क्रांति के अभाव में वैज्ञानिक प्रबंध संभव ही नहीं है।"

टेलर ने अपने अवलोकनों से यह पता लगाया कि प्रबंधकों एवं श्रमिकों के अज्ञान के कारण ही उत्पादकता में वृद्धि नहीं हो पा रही थी। इस अज्ञान के दो प्रमुख कारण थे–

1. प्रबंधकों, श्रमिकों के दोनों ही वर्ग को 'उचित दिन के कार्य' एवं 'उचित दिन के वेतन' के बारे में कोई ज्ञान नहीं था।
2. इसके अतिरिक्त उत्पादकता में वृद्धि करने के बजाए दोनों वर्ग लाभ के विभाजन पर ज्यादा ध्यान दे रहे थे तथा विपरीत विचार रखते थे।

अतः टेलर ने यह निष्कर्ष निकाला कि वैज्ञानिक विधियों का प्रयोग करके बिना अतिरिक्त मानवीय ऊर्जा एवं प्रयासों के उत्पादकता बढ़ायी जा सकती है ताकि श्रमिकों को उच्च वेतन व नियोजक को उच्च लाभ प्रदान किये जा सकें।

प्रायः यह देखा जाता है कि प्रबंधक ज्यादातर कार्य अपने अधीनस्थ को सौंप देते हैं। इस ओर टेलर अपनी सलाह देते हैं कि प्रबंधक द्वारा संपूर्ण कार्यों का 50 प्रतिशत कार्य अवश्य ही किया जाना चाहिए तथा प्रबंधकीय कार्य जैसे नियोजन, संगठन, नियंत्रण, कार्यों का निर्धारण आदि भी इनके द्वारा सम्पादित किया जाना चाहिए।

(C) वैज्ञानिक प्रबंध के सिद्धांत
(Principles of Scientific Management)

टेलर ने सबसे पहले प्रबंध के निम्नलिखित चार सिद्धांतों का प्रतिपादन किया था।

1. **प्रतिदिन का एक निश्चित कार्य (Daily defined work)**—संगठन में कार्य करने वाले प्रत्येक कर्मचारी को, चाहे वह ऊँचे पद पर हो, या नीचे स्तर के पद पर, एक निश्चित कार्य करने को दिया जाना चाहिए। इससे वह कर्मचारी एक निश्चित उद्देश्य को ध्यान में रखते हुए अपने कार्यों का संपादन करता है।
2. **प्रामाणिक कार्य दशाएँ (Standardised working condition)**—संगठन में कार्य करने की दशाएँ प्रामाणिक होनी चाहिए। कार्य के घंटे, रोशनदान, तापक्रम, कारखाने की सफाई आदि प्रामाणिक होनी चाहिए। इससे कर्मचारी तथा प्रबंध दोनों एक निश्िंचतता के साथ अपने कार्यों को पूरा करते हैं।
3. **सफलता के लिए पुरस्कार (Reward for success)**—टेलर के अनुसार जो कर्मचारी अपने कार्यों को सफलता तथा क्षमतापूर्वक पूरा कर लेते हैं, उन्हें अलग से इनाम दिया जाना चाहिए।
4. **असफलता पर दंड (Penalty for failure)**—जो कर्मचारी अपने कार्यों को ठीक ढंग से पूरा नहीं करते उन्हें दंड दिया जाना चाहिए।

कुछ दिनों के बाद टेलर ने अपने सिद्धांतों को अपूर्ण समझा। अतः उन्होंने पुनः उन्हीं सिद्धांतों पर आधारित निम्नलिखित चार नये वैज्ञानिक प्रबंध के सिद्धांतों का प्रतिपादन किया।

1. **कार्य के लिए विज्ञान का विकास (Development of Science for Work)**—टेलर के प्रथम वैज्ञानिक प्रबंध के सिद्धांत के अनुसार कार्य के लिए "अंगूठा के नियम" (Rule of Thumb) की जगह पर विज्ञान का विकास किया जाना चाहिए। यह कर्मचारियों के प्रत्येक दिन के कार्यों तथा कार्य दशाओं को वैज्ञानिक तरीके से निश्चित कर किया जा सकता है। कर्मचारियों के प्रत्येक दिन के कार्य निश्चित रहने पर वे योजनाबद्ध रूप से अपने कार्यों का संपादन वैज्ञानिक तरीके से करते हैं। टेलर ने कहा है कि "वैज्ञानिक प्रबंध यह मानता है कि प्रत्येक कार्य को करने का एक श्रेष्ठ ढंग होता है और उस श्रेष्ठ ढंग को हमेशा कुछ नियमों में बदला जा सकता है। इस प्रकार यह परम्परागत अव्यवस्थित 'अंगूठे के नियम' पर आधारित ज्ञान से निम्न संगठित ज्ञान होता है।"

   जो कर्मचारी अपने कार्यों का संपादन वैज्ञानिक तरीके से करते हैं उन्हें अवैज्ञानिक तरीके से कार्य करने वाले कर्मचारियों की अपेक्षा अधिक पारिश्रमिक दिया जाना चाहिए। उनके अनुसार अपने कार्यों को पूरा करने में असफल कर्मचारियों को दण्ड तथा सफल कर्मचारियों को पुरस्कार दिया जाना चाहिए।
2. **कर्मचारियों का वैज्ञानिक चयन तथा प्रशिक्षण (Scientific Selection and Training of Workers)**—वैज्ञानिक रूप से विकसित कार्यों के प्रभावकारी ढंग से संपादन के लिए योग्य कर्मचारियों की नियुक्ति प्रबंध में की जानी चाहिए। अतः इसके लिए कर्मचारियों का चयन तथा पदस्थापन वैज्ञानिक तरीके से किया जाना चाहिए। नियुक्ति करते समय कर्मचारियों की भौतिक तथा मानसिक योग्यताओं की जाँच की जानी चाहिए। कर्मचारियों का पदस्थापन उसी तरह के कार्यों को संपादन करने के लिए किया जाना चाहिए जिसके लिए वे योग्य हों। उनके अनुसार प्रत्येक कर्मचारी की योग्यताओं का विकास प्रशिक्षण द्वारा किया जा सकता है। अतः यह प्रबंध का उत्तरदायित्व होना चाहिए कि कर्मचारियों की योग्यताओं के विकास के लिए प्रशिक्षण की व्यवस्था करे। समय के अनुसार कार्य करने के लिए नयी पद्धतियों तथा औजारों का उपयोग भी किया जाना चाहिए।
3. **प्रबंधकों तथा कर्मचारियों के बीच समन्वय (Co-ordination between Management and Workers)**—प्रबंधकों और कर्मचारियों में पारस्परिक सह-संबंध की भावना रहनी चाहिए। कर्मचारियों को अपने कार्यों का संपादन करने के योग्य बनाने के लिए या अपने कार्यों के संपादन करने में नये सिद्धांतों को लागू करने के लिए किसी भी प्रेरणा की आवश्यकता होती है। यह सहयोग की भावना द्वारा ही प्रबंधकों द्वारा दी जा सकती है। टेलर के अनुसार कर्मचारियों में हर वक्त सहयोग की भावना बनी रहती है। परन्तु प्रबंधकों के द्वारा ही इन्हें उपेक्षा की दृष्टि से देखा जाता है। हार्दिक प्रेम, सहानुभूति और विश्वास की भावना के द्वारा ही उनमें मानसिक, क्रांति उत्पन्न किया जा सकता है।
4. **प्रबंधकों एवं कर्मचारियों के बीच कार्यों एवं उत्तरदायित्वों का समान विभाजन (Equal Division of Works and Responsibilities between Management and Workers)**—पारम्परिक प्रबंध के सिद्धांतों के अनुसार कर्मचारियों को प्रबंध के सारे कार्यों के उत्तरदायित्व को वहन करना पड़ता था जबकि प्रबंधकों के पास बहुत कम कार्यों के उत्तरदायित्व रहते थे। लेकिन टेलर के वैज्ञानिक प्रबंध के सिद्धांतों के अनुसार प्रबंध में कर्मचारियों तथा प्रबंधकों के बीच कार्यों का समान रूप से विभाजन होना चाहिए। प्रबंधकों को उन सभी कार्यों का दायित्व ले लेना चाहिए जिनके लिए ये योग्य हों। यह उनमें शांतिपूर्ण वातावरण को जन्म देते हुए पारस्परिक निर्भरता का विकास करता है। फलतः संघर्ष तथा हड़ताल की संभावना नहीं रहती है।

ये सभी सिद्धांत टेलर के वैज्ञानिक प्रबंध के सिद्धांत कहलाते हैं। इनमें से किसी भी एक सिद्धांत को नहीं हटाया जा सकता है। इन वैज्ञानिक प्रबंध के सिद्धांतों के दर्शन को निम्नलिखित तत्त्वों द्वारा व्यक्त किया जा सकता है।

1. विज्ञान, न कि अंगूठा का नियम (science, not rule of thumb)

2. शांति, न कि संघर्ष (harmony, not discord)
3. सहयोग, न कि व्यक्तिवाद (cooperation, not individualism)
4. अधिकतम उत्पादन, न कि सीमित उत्पादन (maximum out-put, not minimum out-put)
5. प्रत्येक व्यक्ति का उसकी अधिकतम कार्यकुशलता एवं समृद्धि का विकास (development of each greater prosperity and efficiency)

(D) वैज्ञानिक प्रबंध की तकनीकें एवं यांत्रिकी (Techniques and Mechanics of Scientific Management)

वैज्ञानिक प्रबंधक के सिद्धांतों को क्रियात्मक रूप देने तथा प्रबंध की दक्षता बढ़ाने के लिए टेलर ने निम्नलिखित तकनीकों एवं यांत्रिकी के क्रियान्वयन को आवश्यक बतलाया है—

(1) मानसिक क्रांति (Mental Revolution)

वैज्ञानिक प्रबंध की पूर्ण सफलता के लिए श्रमिकों तथा प्रबंधकों में मानसिक क्रांति उत्पन्न करना आवश्यक हो जाता है। बिना इस क्रांति के श्रमिकों और प्रबंधक के बीच पूर्ण सहयोग न होने पर संस्थान या कारखाने के उद्देश्यों को पूरा नहीं किया जा सकता है। मानसिक क्रांति औद्योगिकरण क्रांति का जीवन रक्त है और इसके अभाव में औद्योगीकरण नहीं किया जा सकता है तथा वैज्ञानिक प्रबंध का उपयोग प्रभावपूर्ण ढंग से नहीं किया जा सकता है। परम्परागत प्रबंध के अंतर्गत श्रमिकों एवं प्रबंधकों में पारस्परिक सहयोग तथा मधुर सम्बन्ध नहीं पाए जाते हैं क्योंकि वे अपने स्वार्थों की दृष्टि से एक-दूसरे को विरोधी तथा प्रतिस्पर्द्धी समझते हैं। प्रबंधकों को श्रमिकों के साथ मानवीय दृष्टिकोण अपनाना चाहिए। श्रमिकों को उचित मजदूरी तथा कार्यदशाएँ प्रदान करनी होंगी। जबकि श्रमिकों को भी अपने श्रम संगठनों के संघर्षात्मक कार्यों के स्थान पर रचनात्मक कार्यों पर जोर देना होगा। उन्हें उद्योग को अपना उद्योग समझकर कार्य करना होगा। इस प्रकार, वैज्ञानिक प्रबंध का मूल मंत्र—श्रम प्रबंध की मानसिक क्रांति द्वारा उनमें आपसी सौहार्दपूर्ण संबंध स्थापित करना है। दोनों पक्षों के बीच सौहार्दपूर्ण संबंध स्थापित करने के विषय में टेलर ने लिखा है कि "वैज्ञानिक प्रबंध के अंतर्गत दोनों पक्षों के मानसिक दृष्टिकोण में एक बड़ी क्रांति आती है जिसके अन्तर्गत दोनों पक्ष अन्य महत्त्वपूर्ण मामलों की भाँति आधिक्य के बंटवारें से अपनी निगाह दूर रखते है और इसके साथ ही अधिक्य आकार में वृद्धि करने की ओर अधिक ध्यान देते रहना चाहिए, जब तक कि यह आधिक्य इतना बड़ा आधिक्य न हो जाए कि इसमें वितरण के विषय में झगड़ना आवश्यक हो।"

इस प्रकार श्रमिकों एवं प्रबंधकों को न केवल अपने विचारों को त्याग कर सौहार्दपूर्ण वातावरण तैयार करना होगा बल्कि इन दोनों पक्षों को वैज्ञानिक प्रबंध को क्रियान्वित करने हेतु कार्य करने के ढंग पर भी एकमत होना आवश्यक है। दोनों पक्षों द्वारा वैज्ञानिक अन्वेषण और ज्ञान के तरीके बिना किसी पक्षपात के स्वीकार करना होगा। इससे उत्पादकता में वृद्धि होगी और दोनों ही पक्षों की समृद्धि में वृद्धि होगी।

(2) प्रमाणीकरण (Standardisation)

वैज्ञानिक प्रबंध के अंतर्गत वैज्ञानिक कार्य अध्ययन के आधार पर प्रमाणित कार्य निर्धारित किया जाता है और यह देखा जाता है कि यह दिया हुआ कार्य सभी व्यक्तियों द्वारा पूरा किया जाता है अथवा नहीं। श्रमिक उसी समय कार्य पूरा कर सकेंगे जब इस दिशा में प्रबंध द्वारा महत्त्वपूर्ण कदम उठाए जाते हैं। औजारों, यंत्रों, मशीनों आदि का प्रमाणीकरण आवश्यक हैं। श्रमिकों द्वारा कार्य को पूरा करने हेतु काम में लाए जाने वाले औजारों यंत्रों व मशीनों का प्रमाणीकरण किया जाना चाहिए। वैज्ञानिक प्रबंध के सिद्धांत इस बात पर जोर देते हैं कि उत्पादन में काम आने वाली मशीनें, औजार, उपकरण विधियों, माल तथा अन्य साधन प्रमाणित होने चाहिए। कार्य की दशाएँ, समय, वस्तु की किस्म भी प्रमाणित होनी चाहिए। प्रमाणीकरण से उत्पादन लागत कम होती है, उत्पादन की विधियों एवं किस्म में सुधार होता है और श्रमिकों की कार्यकुशलता में वृद्धि होती है। ये विभिन्न प्रमाण वैज्ञानिक प्रबंध के अंतर्गत सामयिक प्रयोगों द्वारा निर्धारित किए जाते हैं।

टेलर ने औजारों और उपकरणों के प्रमाणीकरण के विषय में लिखा है कि "कुछ प्रथम श्रेणी, द्वितीय एवं तृतीय श्रेणी में निरूद्देश्य डाले हुए स्थान पर वे द्वितीय श्रेणी की समरूपता में ज्यादा अच्छे होते हैं।" प्रत्येक मशीन की चाल भी अनुकूलतम होनी चाहिए। अधिक अथवा धीमी गति के परिणामस्वरूप मशीन को नुकसान पहुँचता है। प्रमाणित कार्य का निष्पादन करने हेतु रोशनदान, तापक्रम, कमी, सुरक्षा आदि दशाएँ भी प्रमाणित होनी चाहिएं जिससे कि उत्पादित वस्तु भी प्रमाणित हो सकें और कच्चे माल का अपव्यय भी न हो। इसके लिए प्रबंध को अनुसंधान एवं वैज्ञानिक अध्ययन करना चाहिए।

(3) कार्य अनुमान (Task Idea)

श्रमिक अपनी योग्यतानुसार कार्य कर रहे हैं अथवा नहीं, इसकी जानकारी हेतु वैज्ञानिक प्रबंध के अंतर्गत किसी भी कार्य को करने से पूर्व उसका सही अनुमान लगाया जाता है। परम्परागत प्रबंध के अंतर्गत कार्य का अनुमान नहीं लगाया जाता था, वैज्ञानिक प्रबंध के अंतर्गत प्रमाणित कार्य निर्धारित किया जाता है। यह कार्य दी हुई प्रमाणित दशाओं में एक औसत श्रमिक द्वारा पूरा किया जा सकता है। टेलर ने इसे एक उचित दिन का कार्य (A Proper day's work) कहा है। प्रमाणित कार्य वह कार्य है जिसे एक औसत श्रमिक अपने स्वास्थ्य को हानि न पहुँचाते हुए निर्धारित समय में पूरा कर सके। यदि कार्य एक औसत श्रमिक की दक्षता से अधिक निर्धारित किया जाता है तो इससे श्रमिकों में आत्मग्लानि उत्पन्न होगी और यदि औसत कार्य से कम है तो कार्य अनुमान के उद्देश्य निरर्थक सिद्ध करता है।

(4) प्रयोग (Experiments)

वैज्ञानिक प्रबंध के अंतर्गत परीक्षणों अथवा प्रयोगों को महत्त्वपूर्ण स्थान दिया गया है। कार्य अनुमान हेतु तथा श्रमिकों की कार्यकुशलता में वृद्धि करने के लिए कई प्रयोग किए जाते हैं। ये निम्नलिखित हैं—

(*a*) **समय अध्ययन (Time study)**—कार्य के नियोजन तथा कार्य के सही निर्धारण हेतु उस कार्य में लगने वाले समय को ज्ञात किया

जाता है। किसी भी कार्य को पूरा करने में लगे समय तथा उसका समय-समय पर रिकार्ड रखना ही समय अध्ययन कहलाता है। इस अध्ययन का मूल उद्देश्य किसी कार्य के निष्पादन में लगने वाले उचित समय को जानना है जिससे कि समय पर कार्य पूरा हो सके।

समय अध्ययन के उद्देश्य–इसके निम्न उद्देश्य होते हैं–

1. कार्य की एक क्रिया में लगने वाले समय के आधार पर प्रमाणित समय का निर्धारण करना।
2. समय निर्धारण के माध्यम से वस्तु की पूर्ति में लगने वाले समय का अनुमान।
3. मशीनों की कार्यक्षमता का अधिकतम उपयोग करना।
4. कार्य की गति के अध्ययन में सहायता करना।
5. प्रमाणित समय के आधार पर समय–आँकड़ों को तैयार करके प्रेरणात्मक मजदूरी योजना तैयार करना।
6. समय पर कार्य पूरा न करने वाले श्रमिकों की असमर्थता के कारण का पता लगाना तथा उन्हें दूर किया जा सकता है तो इसके लिए कार्य करना।

सूक्ष्म गति (Micro Motion) के आधार पर एक कार्य का पूर्ण विवरण ले लिया जाता है और उसी के आधार पर समय अध्ययन किया जाता है। उदाहरणार्थ, मकान बनाने हेतु पत्थरों को ट्रक में लादने के समय का अध्ययन करना हो, तो उसे निम्न भागों में विभाजित किया जाएगा (i) पत्थर को जमीन से उठाने में लगा समय, (ii) पत्थर को लेकर ट्रक तक जाने का समय, (iii) पत्थर को ट्रक में फेंकने में लगने वाला समय (iv) खाली हाथ वापस पत्थर उठाने हेतु आने में लगने वाला समय। लेकिन यह तरीका व्ययपूर्ण है। दूसरा तरीका विराम घड़ी (stop watch) की सहायता से अध्ययन करना है। इसके अध्ययन हेतु औसत कुशलता एवं योग्यता वाले श्रमिकों का चयन किया जाता है। इसके अंतर्गत किसी भी कार्य को अधिकांश श्रमिकों द्वारा पूरा करने में लगे प्रमाणित समय को निश्चित कर दिया जाता है। इसके पश्चात् सभी प्रकार के श्रमिकों के लिए समय निश्चित किया जा सकता है।

(*b*) **गति अध्ययन (Motion Study)**—प्रत्येक कार्य को करते समय श्रमिक के हाथ व पैरों में गति पाई जाती है। शरीर में जितनी अधिक गति पाई जाती है, उस कार्य को पूरा करने में उतना ही अधिक समय लगेगा और श्रमिक को थकावट का अनुभव भी अधिक होगा। इसलिए वैज्ञानिक आधार पर अनावश्यक एवं अकुशल गतियों को समाप्त करके कार्य को उचित समय में तथा बिना थकावट के पूरा करने हेतु गति अध्ययन आवश्यक है। गति अध्ययन के निम्नांकित उद्देश्य हैं–

1. अनावश्यक, अनिर्देशित एवं अकुशल गतियों को समाप्त करके थकान में कमी करना एवं कम समय में कार्य को पूरा करना।
2. कार्य की सर्वोत्तम विधि ज्ञात करके कार्य को शीघ्रता से पूरा करना।
3. लागत को कम करना, कार्यकुशलता में वृद्धि करके उत्पादन में वृद्धि करना।

गति के अध्ययन हेतु किसी भी कार्य को विभिन्न क्रियाओं में विभक्त किया जाता है। प्रत्येक क्रिया में लगने वाले समय, गतियों की संख्या आदि का अवलोकन किया जाता है और उनका रिकार्ड तैयार किया जाता है। यदि गतियों का परिवर्तन तेजी से होता है तो कैमरे की सहायता से चित्र ले लिए जाते हैं। इन कैमरों में समय-अंकन भी होता है। इसके पश्चात् इससे पता लगाया जा सकता है कि कौन-सी गतियाँ अलग से की जा सकती हैं तथा कौन-सी साथ-साथ काम में लाई जाती हैं तथा कौन-सी गतियाँ अनावश्यक हैं। इससे गतियों की संख्या कम करके थकान तथा समय की बचत की जा सकती है।

(*c*) **थकान अध्ययन (Fatigue Study)**—प्रत्येक कार्य करने में श्रमिक की मांसपेशियों पर जोर पड़ता है और इसके परिणामस्वरूप उसे थकान महसूस होती है। थकान का कार्य के परिणाम से महत्त्वपूर्ण संबंध है। टेलर ने हर क्रिया का सूक्ष्म दृष्टि से अध्ययन करके यह पता लगाया कि यह थकान कैसी होती है और इसमें किस प्रकार से सुधार किया जाए कि श्रमिक कम-से-कम थके तथा अधिक-से-अधिक उत्पादन प्राप्त किया जा सके। थकान से श्रमिकों की कार्यक्षमता प्रभावित होती है। यदि श्रमिक अधिक थकता है तो उसकी कार्यक्षमता में गिरावट आएगी, उत्पादन कम होगा तथा इससे उत्पादन की किस्म में भी गिरावट आएगी। इसलिए वैज्ञानिक प्रबंध में इस बात का जोर दिया गया है कि श्रमिक पर कार्यभार इतना हो कि उसे अधिक थकावट महसूस न हो और कार्य करने में कोई कठिनाई नहीं आए। यही कारण है कि वैज्ञानिक प्रबंध के जन्मदाता श्री टेलर कार्य के उचित वितरण, विशिष्टीकरण तथा श्रम-विभाजन के सिद्धांतों तथा प्रमाणीकरण के सिद्धांत की पालना पर जोर देते हैं। थकान चाहे शारीरिक हो अथवा मानसिक हो, श्रमिक के कारण उत्पादन में गिरावट आती है, कार्य की निम्न किस्म हो जाती है, इससे दुर्घटनाओं में वृद्धि होती है, श्रमिकों का स्वभाव चिड़चिड़ा हो जाता है तथा कार्य भी अच्छा नहीं हो पाता है।

थकान के कारण–वैज्ञानिक प्रबंध के जनक श्री टेलर ने थकान के मुख्य निम्न कारण बताए हैं–

1. कार्य का अवैज्ञानिक वितरण।
2. लम्बे कार्य के घंटे।
3. भारी समान को लादना।
4. अधिक गर्मी में कार्य करना।
5. शारीरिक दुर्बलता एवं असंतुलित भोजन।
6. कार्य में पुनरावृत्ति का पाया जाना।

7. दूषित वातावरण में कार्य करना।
8. तेज गति से कार्य करना।

थकान को दूर करने हेतु सुझाव—श्रमिकों की थकान दूर करने हेतु निम्नांकित सुझाव दिए जा सकते हैं—

1. कार्य का वैज्ञानिक आधार पर आवाहन।
2. बीच-बीच में विश्राम की व्यवस्था।
3. सन्तोषप्रद कार्य की दशाओं का होना।
4. अनावश्यक गतियों को गति अध्ययन के आधार पर कम अथवा समाप्त करना।
5. कार्य की पुनरावृत्ति पर रोक लगाना।
6. मशीनों द्वारा भारी सामान की लदाई करना।
7. प्रेरणात्मक योजनाओं का विकास करना।
8. कार्य की तेज गति को कम करना।
9. श्रमिकों को संतुलित भोजन उपलब्ध कराना।

(5) कार्य का नियोजन (Planning the Task)

यह वैज्ञानिक प्रबंध का हृदय कहा जाता है। इसके अंतर्गत प्रत्येक कार्य तथा उसकी क्रियाओं के निष्पादन हेतु योजनाएँ तैयार की जाती हैं। श्रमिक इन्हीं योजनाओं के अनुसार कार्य करते रहते हैं।

किसी भी औद्योगिक क्रिया के नियोजन के अंतर्गत चार बातों का समावेश किया जाता है—(i) क्या कार्य करना है? (ii) कार्य कैसे किया जाएगा? (iii) कार्य कहां किया जाएगा? (iv) कार्य कब किया जाएगा? नियोजन विभाग द्वारा उपर्युक्त क्रियाओं के बारे में निश्चित योजना कार्यक्रम तथा उचित निर्देश किए जाते हैं जिससे कि कार्य समय पर पूरा किया जा सके।

(6) श्रमिकों का वैज्ञानिक चयन एवं प्रशिक्षण (Scientific Selection and Training of Workers)

वैज्ञानिक प्रबंध के अन्तर्गत किसी भी कारखाने हेतु श्रमिकों के चयन एवं प्रशिक्षण का वैज्ञानिक आधार होना आवश्यक समझा गया है। परम्परागत प्रबंध के अंतर्गत श्रमिकों के चयन हेतु कोई सुव्यवस्थित वैज्ञानिक आधार नहीं अपनाया जाता था। वैज्ञानिक चयन न होने पर श्रमिकों की कार्यकुशलता तथा उनके मनोबल पर बुरा असर पड़ता है। टेलर ने वैज्ञानिक चयन पर जोर देते हुए कहा है कि "प्रत्येक श्रमिक की उसकी अपनी विशेष योग्यताएँ एवं समस्याएँ होती हैं। और हम व्यक्तियों को समूह के रूप में नहीं देखते हैं बल्कि प्रत्येक श्रमिक की अधिकतम कार्यकुशलता एवं समृद्धि के विधान का प्रयत्न कर रहे हैं। अतः हमारा प्रथम कदम उचित श्रमिक का पता लगाना है तथा अंत में बहुत से श्रमिकों में से कुछ को चुनना होगा।"

इसके पश्चात् चुने हुए श्रमिकों को उचित स्थान पर लगाना होगा। प्रत्येक श्रमिक को उसकी योग्यता के अनुसार कार्य दिया जाना चाहिए अथवा कार्य के अनुसार श्रमिक को लगाया जाना चाहिए। यदि योग्य श्रमिक को उचित कार्य नहीं दिया जाता है तो इससे उसकी कार्य-कुशलता तथा मनोबल पर बुरा प्रभाव पड़ने के साथ-साथ कारखाने के उत्पादन पर भी विपरीत प्रभाव पड़ेगा। यह कहावत सही है कि "एक अकुशल श्रमिक अपने औजारों से झगड़ता है।" (A bad workman quarrels with his tools)। अतः व्यक्ति के अनुसार कार्य तथा कार्य के अनुसार व्यक्ति (Man to job and Job to man) का चयन किया जाना चाहिए। कर्मचारियों के चयन के लिए आवेदन प्राप्त करना, मनोवैज्ञानिक टेस्ट, साक्षात्कार तथा लिखित विधियों का उपयोग किया जाना चाहिए।

अपव्यय को रोकने तथा श्रमिकों की कार्यकुशलता में वृद्धि करने हेतु विभिन्न संस्थानों में प्रशिक्षण भी दिया जाता है। प्रशिक्षण भी वैज्ञानिक एवं सुव्यवस्थित ढंग से दिया जाना चाहिए। आधुनिक समय में श्रम-विभाजन एवं विशिष्टीकरण का महत्व बढ़ जाने से कर्मचारियों को प्रशिक्षित किया जाना आवश्यक हो गया है। टेलर ने श्रमिकों द्वारा कार्य कुशलतापूर्वक करने हेतु वैज्ञानिक चयन एवं प्रशिक्षण पर बल दिया। इस सिद्धांत के आधार पर सबसे अच्छा कार्य करने वाले को प्रथम श्रेणी का कारीगर माना गया। इसके लिए दो विशेषताओं का उल्लेख किया गया है—

1. कर्मचारी को दिए गए कार्य के अनुसार योग्य होना।
2. कर्मचारी में अधिक मजदूरी प्राप्ति के लिए अधिक कार्य करने का उत्साह होना चाहिए।

(7) कार्य का वैज्ञानिक आवंटन (Scientific Allocation of Work)

किसी भी औद्योगिक संस्थान में कर्मचारियों के वैज्ञानिक चयन एवं प्रशिक्षण के पश्चात् उन्हें कार्य सौंपने की समस्या उत्पन्न होती है। प्रत्येक कर्मचारी को कितना और कैसा कार्य सौंपा जाए—कार्य सौंपते समय प्रत्येक कर्मचारी की योग्यता, कुशलता तथा कार्य करने की इच्छा का ध्यान रखा जाना चाहिए। कार्य का आवंटन वैज्ञानिक आधार पर किया जाना चाहिए अन्यथा श्रमिकों में अनुपस्थिति, अरुचि, अकार्यकुशलता तथा श्रम आवृत्ति आदि बुराइयां उत्पन्न हो जाएँगी। इससे संस्थान की कार्य कुशलता एवं उत्पादन पर बुरा असर पड़ेगा। अतः कर्मचारियों को कार्य का आवंटन करते समय हमें 'सही कार्य पर सही व्यक्ति' (Right man on the right job) अथवा 'सही व्यक्ति को सही कार्य' (Right job to the right man) प्रदान करने के सिद्धांत का ध्यान रखना होगा।

(8) प्रेरणात्मक मजदूरी प्रणाली (Incentive Wage System)

टेलर ने श्रमिकों की कार्यकुशलता में वृद्धि करने हेतु प्रोत्साहनवर्द्धक मजदूरी प्रणाली अपनाने पर जोर दिया। यदि श्रमिकों को अधिक मजदूरी प्राप्त होने की आशा होती है तो वे अधिक लगन, उत्साह, रुचि एवं प्रेरणा से कार्य करते हैं। अतः कार्यकुशलता के अनुसार श्रमिकों को मजदूरी दी जानी चाहिए। इसके लिए टेलर ने विभेदात्मक मजदूरी दरों (Differential Wage Rates) के महत्त्व पर जोर देते हुए लिखा है कि, "इसके परिणामस्वरूप कार्य की मात्रा में वृद्धि होती है और इसके साथ ही उच्च किस्म प्राप्त की जाती है।" अतः श्रमिकों को प्रमाणित कार्य से अतिरिक्त कार्य करने पर अतिरिक्त भुगतान दिया जाना चाहिए जिससे कि अधिक उत्पादन हो सके। इस पद्धति के परिणामस्वरूप कुशल श्रमिकों को उनकी

औसत दैनिक मजदूरी का 30 से 35 प्रतिशत अधिक पारिश्रमिक मिलेगा जबकि अकुशल श्रमिकों को कुशल बनाने की ओर प्रोत्साहन देने का कार्य होगा। अकुशल श्रमिकों को टेलर के वैज्ञानिक प्रबंध में कोई स्थान नहीं है।

(9) कार्य की अच्छी दशाएँ (Good Working Conditions)

वैज्ञानिक प्रबंध के सिद्धांत के अन्तर्गत किसी भी उद्यम या संगठन में श्रमिकों को प्रदान की गई कार्य की दशाएँ भी श्रमिक के स्वास्थ्य व कार्यकुशलता को प्रभावित करती हैं। कार्य की दशाओं में कार्य के घंटे, रोशनदान, तापक्रम, कारखाने की सफाई, विश्रामस्थल, कैंटीन, पीने का पानी, वाचनालय, पुस्तकालय, श्रमकल्याणकारी कार्य, बच्चों का पालन आदि शामिल हैं। यदि एक संस्थान में ये सुविधाएँ नहीं हैं तथा दूसरे संस्थान में ये सुविधाएँ हैं तो इसका प्रभाव यह होगा कि अच्छी कार्य दशाओं वाले श्रमिक के अधिक कार्यकुशल होने के कारण उस कारखाने का उत्पादन भी अधिक होगा। स्वास्थ्यप्रद तथा संतोषजनक कार्य दशाओं के कारण श्रमिकों का स्वास्थ्य ठीक रहता है तथा उनकी कार्यकुशलता बढ़ने के कारण कारखाने का उत्पादन भी बढ़ता है। टेलर ने अच्छी कार्य की दशाओं के महत्त्व पर प्रकाश डालते हुए लिखा है, "उनके श्रम घंटों में कमी करने और उन्हें अधिक अनुकूल कार्य दशाओं की पूर्ति करने पर उनसे कार्य से जी चुराने के स्थान पर निरंतर कार्य करवाना संभव होता है।"

(10) क्रियात्मक संगठन (Functional Organisation)

टेलर ने वैज्ञानिक प्रबंध के अन्तर्गत जिस श्रम-संगठन पद्धति के अपनाने पर बल दिया है उसे 'क्रियात्मक संगठन' (Functional organisation) अथवा "क्रियात्मक फोरमैनशिप' (Functional Foremanship) कहा जाता है। परम्परागत प्रबंध के अन्तर्गत एक फोरमैन को जो कार्य करने पड़ते थे, वे कार्य अब कई फोरमैन करते हैं। इससे कार्य विभाजन हो जाता है ताकि कार्य समय पर व आसानी से पूरा किया जा सके। यह संगठन श्रम-विभाजन व विशिष्टीकरण के सिद्धांत पर आधारित है। इसके अनुसार प्रत्येक व्यक्ति को वही कार्य सौंपा जाता है जिसका कि वह कर्मचारी विशेषज्ञ होता है। कार्यात्मक संगठन विभागीय संगठन के अधिक उपयुक्त होता है क्योंकि इसके अन्तर्गत प्रत्येक व्यक्ति को कम-से-कम कार्य देकर श्रम-विभाजन व विशिष्टीकरण के सिद्धांत का पालन किया जाता है। इस संगठन में विशेषज्ञों का श्रमिकों से प्रत्यक्ष एवं सीधा संबंध होता है। प्रशासन विशेषज्ञ नियुक्त किए जाते हैं, जैसे उत्पादन प्रबंधक, वित्त प्रबंधक, कार्मिक प्रबंधक, विक्रय प्रबंधक आदि। इन विशेषज्ञों के माध्यम से प्रशासन श्रमिकों से सीधा संबंध स्थापित कर सकता है। इन विशेषज्ञों में से कुछ श्रमिकों का मार्गदर्शन व पर्यवेक्षण का कार्य भी नहीं करते हैं और अन्य कार्यों में व्यस्त रहते हैं। इनके विषय में टेलर ने लिखा है, "आवश्यक रूप से ये व्यक्ति (विशेषज्ञ) अपना अधिकांश समय नियोजन विभाग में लगाते हैं, क्योंकि उन्हें रिकार्ड एवं आँकड़ों के अधिक निकट रहना पड़ता है जिनका कि वे अपने कार्य में उपयोग करते हैं जिससे उनका कार्य डैस्क तथा स्वतन्त्रतापूर्वक होता रहना चाहिए।" टेलर ने एक कारखाने में कार्य करने वाले श्रमिकों पर आठ नायकों (Boss) को नियुक्त करने का सुझाव दिया था। उनके अनुसार ये नायक श्रमिकों का कार्य देखने तथा उन्हें आवश्यक निर्देश देने हेतु आवश्यक हैं। जैसा कि टेलर ने लिखा है, "इसलिए यह आवश्यक है कि श्रमिकों को समझने तथा निर्देशित करने हेतु अध्यापकों, जिन्हें कि क्रियात्मक फोरमैन (Functional Foreman) कहा जाता है, की नियुक्ति की जाए। क्रियात्मक प्रबंध के अंतर्गत परम्परागत एकांकी फोरमैन के स्थान पर आठ विभिन्न व्यक्ति नियुक्त किए जाते हैं। प्रत्येक का अपना विशेष कर्त्तव्य होता है और यह व्यक्ति नियोजन विभाग के अभिकर्त्ता के रूप में कार्य करते हैं। ये निपुण अध्यापक होते हैं जो कि कारखाने में पूरे समय तक श्रमिकों की सहायता एवं उनका निर्देशन करते रहते हैं।" टेलर द्वारा दिए गए क्रियात्मक संगठन के अंतर्गत कारखाना स्तर तथा कार्यालय अथवा नियोजन विभाग में श्रमिकों के ऊपर चार-चार नायक अथवा अध्यापक (Bosses or Teachers) नियुक्त होते हैं। वे निम्नांकित हैं–

(*i*) टोली नायक (Gang Boss)

(*ii*) गति नायक (Mechanical Boss)

(*iii*) मरम्मत नायक (Repair Boss)

(*iv*) निरीक्षक (Inspector)

योजना विभाग या कार्यालय में भी निम्न चार नायक कार्य करते हैं–

(*a*) कार्यक्रम लिपिक (Routine Clerk)

(*b*) निर्देशन-पत्र लिपिक (Instruction-card clerk)

(*c*) समय और लागत लिपिक (Time and Cost Clerk)

(*d*) अनुशासक (Disciplinarian)

(11) आधुनिक मशीनों तथा उपकरणों का उपयोग (Use of Modern Machinery and Equipments)

वैज्ञानिक प्रबंध के सिद्धांतों में किसी भी कारखाने में आधुनिक मशीनों, यन्त्रों, औजारों एवं उपकरणों के प्रयोग पर जोर दिया गया है। इनसे श्रमिकों की कार्यकुशलता में वृद्धि होती है, उत्पादन में लगने वाले समय की बचत होती है, उत्पादित वस्तु की किस्म सुधरती है और उत्पादन लागत में कमी होती है। इसके परिणामस्वरूप उद्योग द्वारा उत्पादित वस्तु प्रतिस्पर्द्धी बाजार में आसानी से बिक जाती है। इसके लिए संबंधित कारखाने अथवा उद्योग में आधुनिकतम मशीनों, औजारों, उपकरणों आदि के आविष्कारों एवं उचित मरम्मत करने की व्यवस्था होनी आवश्यक है। इस हेतु अनुसंधान कार्यालय स्थापित किया जाना चाहिए।

(12) कुशल लागत लेखा पद्धति (Efficient Cost Accounting System)

वैज्ञानिक प्रबंध के सिद्धांत के अंतर्गत किसी भी संस्थान अथवा उद्योग में एक कुशल लागत लेखा पद्धति का होना परमावश्यक है। इसकी सहायता से लागत को कम करने, उत्पादन की लागत को ज्ञात करने तथा वस्तुओं की कीमतों को निर्धारित करने का कार्य किया जाता है। उद्योग की जाँच करने हेतु हमें लागत का पता लगाना, लागत का अनुमान लगाना तथा लागत पर नियंत्रण करना परमावश्यक है। इससे वस्तु का उत्पादन

भी नियंत्रित किया जाता है। यदि किसी वस्तु की उत्पादन लागत कम है तथा उसकी माँग अधिक है तो उस स्थिति में वस्तु की कीमत में वृद्धि करके उद्योग लाभ प्राप्त कर सकते हैं। अधिक लागत होने पर इसके कारणों का पता लगाकर इसको कम करने का प्रयास किए जाते हैं।

(E) वैज्ञानिक प्रबंध के उद्देश्य (Aims of Scientific Management)

टेलर सोसाइटी द्वारा वैज्ञानिक प्रबंध के निम्न उद्देश्यों का वर्णन किया गया है–

1. औद्योगिक प्रवृत्तियों एवं बाजार दशाओं का पता लगाना ताकि परिचालन क्रियाओं को नियमित करते हुए विनियोजन को संरक्षित किया जा सके, उपक्रम को एक सेवा-नियोजन इकाई के रूप में कायम रखा जा सके तथा निरंतर संचालन एवं सेवा विनियोजन को सुनिश्चित किया जा सके।
2. सही विपणन स्थितियों की जानकारी करके कर्मचारियों को न केवल निरंतर परिचालन एवं सेवा-नियोजन की सेवा देना, वरन् नियोजित एवं संतुलित परिचालन के द्वारा निरंतर आय की सुविधा भी प्रदान करना।
3. अपव्यय-संचय प्रबंध (Wask-saving management) के द्वारा भौतिक एवं मानवीय साधनों पर किये गये खर्च से आय अर्जित करना।
4. आय में हुई वृद्धि से श्रमिकों के जीवन स्तर को उच्च बनाना।
5. आय में वृद्धि करके तथा प्रतिकूल व चिन्ता योग्य दशाओं को समाप्त करके श्रमिक के पारिवारिक व सामाजिक जीवन को सुखी बनाना।
6. सामाजिक एवं वैयक्तिक रूप से अनुकूल व स्वास्थ्यप्रद कार्य की दशाएँ उपलब्ध करवाना।
7. कार्य की वैज्ञानिक विधियों व उपयुक्त चयन, प्रशिक्षण, कार्य वितरण, स्थानान्तरण व कार्य पदोन्नति के द्वारा व्यक्ति को अपनी क्षमताओं के विकास के अवसर प्रदान करना।
8. प्रशिक्षण एवं शिक्षात्मक फोरमैनशिप के माध्यम से कर्मचारियों की क्षमता का विकास करना और उन्हें उच्च स्थानों की पदोन्नति के योग्य बनाना।
9. कर्मचारियों में आत्म-विश्वास व आत्म-सम्मान की भावना का विकास करना।
10. अन्वेषण एवं मूल्यांकन के उत्साहवर्द्धक वातावरण के माध्यम से, योजनाओं एवं पद्धतियों की उचित समझ से तथा क्रियात्मक संगठन में समस्तरीय एवं लम्बवत् संबंधों को बढ़ावा देकर कर्मचारियों में आत्म अभिव्यक्ति एवं आत्म दर्शन की भावना का विकास करना।
11. कर्मचारियों के चरित्र का निर्माण करना।
12. मजदूरी की दरों में असमानताओं को दूर करके कर्मचारियों को न्याय दिलाना।
13. कार्य-वातावरण में से प्रदाहजनक एवं वैमनस्यकारी घटकों को हटाकर आपसी समझ, सहिष्णुता व समूह भावना का विकास करना।

(F) वैज्ञानिक प्रबंध एवं परम्परागत प्रबंध में अंतर (Distinction between Scientific Management and Traditional Management)

परम्परागत प्रबंध व्यवस्था वह व्यवस्था है जो समय बीतने के साथ-साथ बदल नहीं पायी है। अर्थात् किसी प्रबंध में अपनायी जाने वाली विधियों, पद्धतियों, सिद्धांतों एवं नियम समूह में समय बीतने के साथ-साथ कोई परिवर्तन नहीं आ सकता है। ये सभी व्यवस्थाएँ वैज्ञानिक सिद्धांतों एवं विधियों पर आधारित न होकर व्यक्तिगत सिद्धांतों एवं व्यवहारों पर आधारित हैं। व्यक्तिगत स्वार्थ अथवा हितों का अधिक ध्यान रखा जाता है। इसलिए इसे 'अंगूठा के नियम' (Rule of Thumb) पर आधारित प्रबंध व्यवस्था भी कहा जाता है।

वैज्ञानिक प्रबंध एवं परम्परागत प्रबंध दो भिन्न-भिन्न प्रबंध व्यवस्थाएँ हैं। इनका युग अलग-अलग रहा है। 19वीं शताब्दी में परम्परागत प्रबंध व्यवस्था विद्यमान थी, लेकिन 20वीं शताब्दी में इसके स्थान पर एक प्रगतिशील एवं मानवीय दृष्टिकोण वाली प्रबंध व्यवस्था का उदय हुआ। इसे वैज्ञानिक प्रबंध के नाम से पुकारा जाता है। इस व्यवस्था के अंतर्गत प्रबंध के प्रत्येक क्षेत्र में वैज्ञानिक आधार पर विभिन्न विधियों, सिद्धांतों एवं पद्धतियों का उपयोग किया जाता है।

टेलर ने परम्परागत प्रबंध एवं वैज्ञानिक प्रबंध में निम्नलिखित अंतर बताये हैं–

1. **अनेक तत्त्वों का सहयोग (Combination of various Elements)**—वैज्ञानिक प्रबंध के निर्माण में अनेक तत्त्वों को सम्मिलित किया जाता है। जैसे–कर्मचारियों का वैज्ञानिक चयन, उनका वैज्ञानिक प्रशिक्षण, कार्य के क्रियान्वयन में उनका सहयोग, प्रबंध एवं श्रमिकों के मध्य कार्य एवं उत्तरदायित्व का विभाजन तथा पुराने 'अंगूठा के नियम' (Rule of Thumb) के स्थान पर वैज्ञानिक पद्धति का प्रयोग आदि। जबकि परम्परागत प्रबंध में इस प्रकार के कोई तत्त्व सम्मिलित नहीं होते। उसमें कार्य तथा उत्तरदायित्व का विभाजन नहीं होता तथा कर्मचारियों के प्रशिक्षण की भी कोई व्यवस्था नहीं होती।
2. **कार्य का पूर्वानुमान (Pre-Estimation of Work)**—वैज्ञानिक प्रबंध में प्रबंधकों द्वारा कार्य का पूर्वानुमान लगाया जाता है तथा उसकी योजना तैयार की जाती है। उस योजना की पूर्ति हेतु कर्मचारियों को आवश्यक निर्देश दिये जाते हैं तथा उनको सहयोग भी प्रदान किया जाता है लेकिन परम्परागत प्रबंध में कार्य को पूरा करने का उत्तरदायित्व कर्मचारी का होता है।
3. **प्रेरणा-योजना (Incentive-Plan)**—वैज्ञानिक प्रबंध कर्मचारियों में अधिक कार्य करने की प्रेरणा जागृत करने के उद्देश्य से प्रेरक योजना का सिद्धांत अपनाता है। इसके अंतर्गत पदोन्नति, ऊँचे वेतन, कार्य की अच्छी दशाएँ तथा प्रेरणात्मक मजदूरी (Incentive

wages) आदि की व्यवस्थाएँ की जाती हैं। इसके विपरीत परम्परागत प्रबंध में श्रमिक के साथ समान व्यवहार किया जाता है, उसमें किसी प्रेरणा योजना का कोई स्थान नहीं होता है।

4. **मानसिक क्रांति (Mental Revolution)**—वैज्ञानिक प्रबंध श्रमिकों एवं प्रबंधकों तथा पूंजीपतियों के पारस्परिक संबंधों में संपूर्ण परिवर्तन पर बल देता है जबकि परम्परागत प्रबंध स्वामी सेवक धारणा (Master Servent Concept) का पालक है। अतः यह किसी प्रकार के वैचारिक परिवर्तन में विश्वास नहीं रखता है।
5. **विधि अथवा रीति (Method)**—वैज्ञानिक प्रबंध समस्याओं के समाधान हेतु वैज्ञानिक सिद्धांतों, विधियों एवं रीतियों के पालन पर बल देता है जबकि परम्परागत प्रबंध वैज्ञानिक दृष्टिकोण का विरोध करता है। उनके अनुसार समस्याओं के निवारण हेतु परम्परागत सिद्धांतों तथा व्यवहारों का प्रयोग ही उचित है।
6. **हित पूर्ति (Fulfilment of Interests)**—वैज्ञानिक प्रबंध सामूहिक प्रयासों द्वारा सामूहिक हितों की पूर्ति पर बल देता है जबकि परम्परागत प्रबंध श्रमिकों का शोषण करके स्वामी को अधिकतम लाभ पहुँचाकर उसके व्यक्तिगत हितों की पूर्ति पर बल देता है।

वैज्ञानिक प्रबंध के लाभ (Advantages of Scientific Management)

वैज्ञानिक प्रबंध के लाभों के विषय में टेलर ने लिखा है, "वैज्ञानिक प्रबंध का सामान्य अनुकरण औद्योगिक कार्यों में लगे प्रत्येक औसत व्यक्ति की उत्पादकता को भविष्य में दुगुना कर देगा। सोचिए, सम्पूर्ण राष्ट्र के लिए इसका क्या अर्थ होगा? इससे देश के व्यक्तियों की आवश्यक एवं विलासिता की वस्तुओं में वृद्धि होगी, श्रमिकों के कार्य के घंटों में कमी सम्भव होगी और शिक्षा, संस्कृति एवं मनोरंजन के अवसरों में वृद्धि होगी।. ... वैज्ञानिक प्रबंध का नियोक्ताओं एवं कर्मचारियों के लिए अर्थ होगा उनके आपसी मतभेदों एवं झगड़ों का अन्त।.... जो कम्पनियाँ इस प्रबंध को अपनाएँगी उनकी उत्पादन लागत में कमी होगी और उत्पादन दुगुना हो जाएगा। इससे न केवल कर्मचारियों की गरीबी हटेगी अपितु समाज की गरीबी हटकर समृद्धि बढ़ेगी।"

इस प्रकार टेलर के अनुसार वैज्ञानिक प्रबंध उत्पादकों, कर्मचारियों, समाज एवं राष्ट्र सभी के लिए वरदान सिद्ध होता है। इस प्रबंध व्यवस्था में होने वाले लाभों का निम्न विवरण दिया जाता है–

(1) उत्पादकों को लाभ (Advantages to Producers)

उत्पादकों अथवा उद्योगपतियों को वैज्ञानिक प्रबंध के कारण निम्न लाभ प्राप्त होते हैं–

(*i*) श्रम विभाजन व विशिष्टीकरण के लाभ
(*ii*) अधिकतम उत्पादन
(*iii*) श्रम विवादों का अंत
(*iv*) उत्पादन लागत में कमी

(2) श्रमिकों को लाभ (Advantages to Workers)

वैज्ञानिक प्रबंध के सिद्धांतों को अपनाने से श्रमिक वर्ग को निम्नलिखित लाभ प्राप्त होते हैं–

(*i*) संतोषप्रद कार्य की दशाएँ
(*ii*) श्रमिकों को कार्य संतुष्टि
(*iii*) पारिश्रमिक में वृद्धि
(*iv*) स्थायी रोजगार
(*v*) व्यक्तिगत विकास
(*vi*) उच्च जीवन स्तर

(3) समाज एवं राष्ट्र को लाभ (Advantages to Society and the Nation)

वैज्ञानिक प्रबंध से किसी भी समाज व राष्ट्र को निम्नलिखित लाभ प्राप्त होते हैं–

(*i*) औद्योगिक शांति एवं तीव्र आर्थिक विकास
(*ii*) राष्ट्रीय उत्पादन में वृद्धि
(*iii*) देशवासियों के जीवन-स्तर में वृद्धि
(*iv*) रोजगार के अवसरों में वृद्धि

टेलर एवं फेयोल के कार्य–सदैव पूरक (The work of Taylor and Fayol Essentially Complementary)

टेलर एवं फेयोल दोनों समकक्ष एवं समकालीन प्रबंध विशेषज्ञ थे। टेलर ने अमेरिका तथा हेनरी फेयोल ने फ्रांस में प्रबंध संबंधी विचारों का विकास किया। दोनों विचारकों के विचारों में निम्नलिखित समानताएँ एवं असमानताएँ पायी जाती हैं–

समानताएँ (Similarities)

1. दोनों ही प्रबंध विशेषज्ञों ने तत्कालीन दशाओं में सुधार करने के लक्ष्य को अपने सम्मुख रखते हुए प्रबंध को विवेकपूर्ण एवं सुव्यवस्थित आधार प्रदान किया है। टेलर ने प्रबंध विचारधारा को "वैज्ञानिक प्रबंध" (General Theory of Administration) का नाम दिया है। आधुनिक प्रबंध विज्ञान को इन दोनों से प्रेरणा मिलती है।
2. दोनों ही विचारक प्रबंधकों के पेशे में रह चुके थे, अतः प्रबंध विचारधारा का विकास अपने अनुभव के आधार पर किया।
3. दोनों ने ही प्रबंध में मानवीय साधन के महत्त्व को स्वीकार किया है और यह माना है कि उचित मानवीय व्यवहार के माध्यम से उपक्रम के विभिन्न स्तरों पर उत्पन्न विवादों को सरलता से निपटाया जा सकता है यह औद्योगिक सफलता के लिए एक व्यापक कुंजी है।

इस प्रकार दोनों ही विचारकों ने प्रबंध कुशलता पर जोर दिया तथा प्रबंध की दशाओं को सुधारने की सिफारिश की। किसी भी उद्योग की

सफलता इस बात पर निर्भर करती है कि उसमें कर्मचारियों एवं उनका प्रबंध किस प्रकार किया जाता है। दोनों ने प्रबंध जगत में एक वैज्ञानिक आधार तैयार किया है जिस पर आगे चलकर आधुनिक प्रबंध की सुदृढ़ नींव रखी जा सकी है। इनके बीच समानताओं को स्पष्ट करते हुए 1925 ई. में ब्रुसेल्स के अंतर्राष्ट्रीय कांग्रेस में बोलते हुए स्वयं फेयोल ने यह स्पष्ट किया था कि, "टेलर का कार्य उनके कार्य का पूरक है।" एल. उर्विक ने इस संबंध में लिखा है कि–"उन दोनों ने यह महसूस किया था कि कर्मचारियों एवं प्रत्येक स्तर पर उनके प्रबंध की समस्या औद्योगिक सफलता की कुंजी है। दोनों ने इस समस्या के समाधान में वैज्ञानिक विधि का प्रयोग किया। टेलर द्वारा क्रियान्वयन स्तर व फेयोल द्वारा प्रबंध के उच्च स्तर पर कार्य करना उनके भिन्न-भिन्न पदों की झलक मात्र थी।" टेलर की विचारधारा का प्रसार जितनी तीव्र गति से हुआ था उतनी तेजी से फेयोल के कार्य को नहीं जाना गया। प्रबंध के क्षेत्र में कई लेखक जैसे ओलिवर शेल्डन, हेनरी डेनीसन, जेम्स डी मूने, रिले, चेस्टर आई. बनार्ड आदि फेयोल के योगदान से परिचित नहीं थे। इसका मुख्य कारण 1949 के पूर्व तक उनकी पुस्तक का अंग्रेजी अनुवाद उपलब्ध न होना था।

असमानताएँ (Dissimilarities)

टेलर और फेयोल के विचारों में समानताएँ होने के बावजूद भी इनमें निम्नलिखित भिन्नताएँ पाई जाती हैं–

1. टेलर ने सर्वाधिक ध्यान कारखाना प्रबंध पर दिया है और उत्पादन के इंजीनियरिंग पहलू जैसे–औजारों का प्रमाणीकरण, समय एवं गति अध्ययनों पर ध्यान दिया है। इसके विपरीत हेनरी फेयोल ने प्रबंधकों के समस्त कार्यों एवं उनमें निहित सिद्धांतों पर अत्यधिक ध्यान दिया है।
2. टेलर ने प्रबंध के निम्नस्तर से कार्य शुरू किया है और उच्चस्तरीय अध्ययन की ओर आगे बढ़े हैं। अतः उनके अध्ययन का मुख्य बिन्दु श्रमिक और उसके द्वारा संचालित क्रियाएँ हैं इसके विपरीत, फेयोल ने अपनी प्रबंध प्रणाली का विकास उच्चस्तरीय प्रबंध से शुरू किया है और फिर निम्नस्तरीय प्रबंध की ओर बढ़ने का कार्य किया है। इसलिए फेयोल ने 'समन्वय', 'निर्देशन की एकता' तथा 'एकता की भावना' आदि प्रबंधकीय सिद्धांतों पर विशेष जोर दिया है।
3. टेलर का दृष्टिकोण कार्य-कुशलता में वृद्धि करने पर आधारित है इसलिए कई प्रयोगों जैसे–समय अध्ययन, गति-अध्ययन तथा थकान-अध्ययन का समावेश किया गया है। जबकि फेयोल का दृष्टिकोण व्यापक था जिसके कारण उन्होंने प्रबंध के तत्त्वों एवं सिद्धांतों का प्रतिपादन किया है। इन सिद्धांतों को न केवल प्रबंध क्षेत्र में ही लागू किया जा सकता है बल्कि, राजनीति, धर्म, युद्ध, उद्योग आदि सभी क्षेत्रों में समान रूप से लागू किया जा सकता है। टेलर को 'कुशलता विशेषज्ञ' तथा हेनरी फेयोल को 'प्रबंध विशेषज्ञ' कहा जाए तो इसमें कोई अतिशयोक्ति नहीं होगी।
4. टेलर के वैज्ञानिक प्रबंध के सिद्धांतों में आधुनिक परिवर्तनों के परिणामस्वरूप परिवर्तन हुए हैं। लेकिन हेनरी फेयोल के प्रबंध के सिद्धांत आज भी ज्यों के त्यों हैं और उन्हें आज भी विभिन्न क्षेत्रों जैसे–क्लब, चर्च, सरकार और उद्योग में समान रूप से लागू किया जाता है। इस प्रकार टेलर एवं हेनरी फेयोल ने प्रबंध जगत में महत्त्वपूर्ण योगदान दिया है जिसको प्रबंध जगत कभी नहीं भूला सकता। उन्होंने प्रबंध की दशाओं में सुधार लाने एवं प्रबंधीय कुशलता बढ़ाने की दिशा में प्रयास किया है। दोनों ही प्रबंधीय क्षेत्र से जुड़े हुए थे तथा तार्किक विश्लेषण के आधार पर कार्य कर रहे थे। दोनों के कार्य प्रबंध के क्षेत्र में अन्य विचारकों के लिए अग्रगामी रहे हैं।

क्लाड एस. जार्ज के शब्दों में, "दोनों महान थे, दोनों अगुआ थे। आधुनिक प्रबंध चिंतन दोनों के प्रति ऋणी रहेगा।" जहां एक ओर टेलर को "वैज्ञानिक प्रबंध" का जन्मदाता माना जाता है, वहीं दूसरी ओर फेयोल को "आधुनिक प्रबंध विचारधारा" में जनक के रूप में स्वीकार किया जाता है।

प्रबंध विज्ञान विशेषज्ञ उर्विक ने टेलर एवं हेनरी फेयोल के योगदान का तुलनात्मक विवरण निम्नलिखित शब्दों में प्रस्तुत किया है–

"टेलर एवं हेनरी फेयोल दोनों के ही कार्य एक-दूसरे के पूरक थे। इन दोनों ने ही यह अनुभव किया कि प्रबंध के प्रत्येक स्तर पर कर्मचारियों तथा उनके प्रबंध की समस्या औद्योगिक सफलता की कुंजी है। दोनों ने ही सदस्य के औद्योगिक प्रबंध के क्रम के नीचे से ऊपर की ओर क्रियात्मक स्तर पर कार्य किया तथा फेयोल ने जनरल मैनेजर के पद पर ध्यान केन्द्रित करके ऊपर से नीचे की ओर कार्य पर जोर दिया। यद्यपि यह अंतर उनके बहुत भिन्न व्यवसाय क्रमों का प्रतिबिम्ब मात्र था।"

अतः टेलर एवं फेयोल के कार्य एक दूसरे के सदैव पूरक हैं।

प्रबंध विज्ञान में टेलर और मेयो के योगदान की तुलना

टेलर का योगदान–एफ. डब्ल्यू. टेलर प्रबंध में वैज्ञानिक विचारधारा के प्रथम प्रबंधक थे। अतः इन्हें वैज्ञानिक प्रबंध का जनक भी कहा जाता है। टेलर का विश्वास था कि प्रबंधकों का उद्देश्य संगठन में कार्य करन वाले प्रत्येक कर्मचारी की सम्पन्नता के साथ स्वयं की संपन्नता प्राप्त करने का होना चाहिए। यह उद्देश्य तब पूर्ण हो सकता है जब प्रबंध की समस्याओं को वैज्ञानिक विधि से हल किया जाए। टेलर ने निरंतर अनुसंधान करके कारखाने में कार्य करने के सर्वोत्तम तरीके को खोजने का प्रयास किया तथा यह निष्कर्ष निकाला कि अकुशल संगठन तथा दोष पूर्ण निरीक्षण श्रम तथा अन्य साधनों के दुरुपयोग का कारण बनता है। टेलर ने अपनी पुस्तक "वैज्ञानिक प्रबंध के सिद्धांत" (Principle of Scientific Management) में सामान्य उदाहरणों द्वारा यह स्पष्ट किया है कि दैनिक कार्यों में अकुशलता के कारण व्यावसायिक संस्थाओं तथा राष्ट्र की हानि होती है। उन्होंने यह भी बताया कि इस अकुशलता को वैज्ञानिक प्रबंध द्वारा दूर किया जा सकता है। उन्होंने यह सिद्ध किया है कि सर्वोत्तम प्रबंध एक विज्ञान है तथा यह स्पष्ट विधियों, नियमों तथा सिद्धांतों पर आधारित है। उन्होंने व्यावसायिक प्रबंध में वैज्ञानिक विधियों के प्रयोग पर बल दिया। उनका

मानना था कि नियोजनों तथा कर्मचारी दोनों की समृद्धि हेतु यह आवश्यक है कि इनमें पारस्परिक सहयोग एवं सद्भाव का विकास हो। टेलर ने प्रबंध विज्ञान को एक वास्तविक विज्ञान माना तथा प्रबंध की समस्याओं के वैज्ञानिक विश्लेषण के आधार पर समाधान प्रस्तुत किया। इनका मुख्य उद्देश्य श्रमिकों तथा संस्था की कार्यकुशलता में वृद्धि करने का था इसलिए इन्हें कार्य-कुशलता का सृजनकर्त्ता (Creater of efficiency) भी कहा जाता है।

संक्षेप में टेलर द्वारा वैज्ञानिक प्रबंध परम्परावादी विधियों के स्थान पर वैज्ञानिक विधियों का प्रयोग उपयुक्त बताता है। यह संघर्ष को दूर करने वाला तथा समन्वय का पोषक है। व्यक्तिवादिता के साथ ही सहकारिता का समर्थक है तथा यह कार्य-कुशलता तथा उत्पादकता में वृद्धि करके सामूहिक समृद्धि का विकास चाहता है।

मेयो का योगदान–जार्ज एल्टन मेयो 'हारवर्ड ग्रेजुएट स्कूल ऑफ बिजनेस एडमिनिस्ट्रेशन' में प्रोफेसर के पद पर कार्य करते थे। उन्होंने कारखाने में कुछ महत्वपूर्ण योगदान किया था तथा उनके आधार पर प्रबंध जगत को कुछ महत्त्वपूर्ण निष्कर्ष प्रस्तुत करके इस क्षेत्र में अपूर्व योगदान दिया है। उनका कहना था कि कार्य एक सामूहिक क्रिया है तथा कार्य-स्थल एक सामाजिक संगठन। उनका मानना था कि मनुष्य की भावनाओं एवं मनोस्थितियों का आर्थिक संबंधों पर महत्त्वपूर्ण प्रभाव पड़ता है तथा यह प्रभाव संगठन की कार्यवाहियों को भी प्रभावित करते हैं। उन्होंने यह बताया कि श्रमिकों का सहयोग पाने, उनकी उत्पादकता बढ़ाने तथा उनके मनोबल को ऊँचा करने के लिए यह आवश्यक है कि उनके साथ मानवीय, सम्मानपूर्ण, सहानुभूतिपूर्ण तथा आत्मीय व्यवहार किऐ जाएं। मानवीय संबंधों द्वारा संगठन में औपचारिकता का वातावरण उत्पन्न हो जाता है तथा इसका प्रभाव श्रमिकों की कार्यकुशलता पर पड़ता है। श्रमिकों की कार्यकुशलता में वृद्धि लाने के लिए कार्य की दशायें तो संतोषप्रद होनी ही चाहिए किन्तु इससे भी अधिक महत्त्वूर्ण तथ्य हैं नियोजकों का श्रमिकों के प्रति मानवीय व्यवहार।

एटन मेयो ने विविध संगठनों पर विभिन्न प्रयोग करके निम्नलिखित निष्कर्ष निकाले थे–

1. किसी श्रमिक द्वारा किए जाने वाले कार्य की मात्रा उसकी शारीरिक क्षमता (Physical Capacity) पर निर्भर करती है।
2. श्रमिकों को प्रसन्न रखने तथा उन्हें कार्य करने हेतु प्रेरित करने के लिए आर्थिक पुरस्कारों का विशेष महत्त्व है।
3. सर्वोत्तम विशिष्टीकरण को श्रम-विभाजन का सर्वाधिक कुशल रूप नहीं कहा जा सकता।
4. प्रबंध के आदर्शों एवं पुरस्कारों के प्रति श्रमिक एक व्यक्ति के रूप में नहीं वरन् एक समूह के सदस्य के रूप में प्रतिक्रिया करते हैं।

इस प्रकार मेयो ने प्रबंध जगत में मानवीय संबंधों का सूत्रपात किया तथा विकास के मार्गों को प्रशस्त किया। उन्होंने यह बताया कि कारखाना एक सामाजिक प्रणाली है और अनौपचारिक समूह उद्योग जगत में एक महत्त्वपूर्ण भूमिका निभाती है। उन्होंने बताया कि कर्मचारियों के साथ किया जाने वाला व्यवहार यदि मानवोचित, न्यायसंगत तथा सम्मानजनक है तो यह कार्य की भौतिक दशाओं की अपेक्षा कर्मचारियों से अधिक सहयोग प्राप्त कर सकता है।

टेलर तथा मेयो के सिद्धांतों के विश्लेषण से यह स्पष्ट है कि टेलर प्रबंध में वैज्ञानिक विधियों के प्रयोग पर बल देते हैं तथा मेयो की मानवीय विचारधारा प्रबंध एवं कर्मचारियों के मध्य संचार एवं मानवीय संबंधों पर बल देती है। वर्तमान में प्रबंध की समस्याएँ परिवर्तित हो गई हैं। कुछ समय पूर्व तक भौतिक साधनों के उपयोग की समस्या प्रधान हो गयी है। जब मानव तथा मशीन में कोई भेद नहीं किया जाता था तब मानवीय व्यवहारों का कोई महत्त्व नहीं था। किन्तु आज मनुष्य को मशीन के समान न मानकर उसे मशीन का चालक और स्वामी माना जाता है। मानव-शक्ति का महत्त्व यांत्रिक शक्ति से कम नहीं है। अतः मानवीय शक्ति का अनुरक्षण एवं विकास प्रबंधकों का पावन कर्त्तव्य है। मानवीय संबंधों की विचारधारा कर्मचारियों एवं मशीनों के मध्यान्तर को स्पष्ट करना चाहती है। टेलर का वैज्ञानिक प्रबंध का विचार भी प्रबंध की समस्याओं के निवारण के लिए वैज्ञानिक विधियों के प्रयोग के अतिरिक्त श्रमिकों एवं स्वामियों के मध्य सहयोग एवं सद्भावपूर्ण संबंधों को भी आवश्यक बताता है। इस प्रकार टेलर के "वैज्ञानिक प्रबंध तथा मेयो के मानवीय प्रबंध" को एक-दूसरे का पूरक माना जा सकता है। क्योंकि दोनों ही विचारधाराएँ कार्यकुशलता तथा उत्पादकता में वृद्धि का उद्देश्य लेकर चलती हैं। इस उद्देश्य की पूर्ति तभी संभव है जब प्रबंध क्षेत्र में वैज्ञानिक विधियों का प्रयोग किया जाए तथा साथ ही श्रमिकों एवं स्वामियों के मध्य न्यायोचित, सम्मानजनक, मानवीय एवं सहयोगपूर्ण संबंधों का विकास हो।

निष्कर्ष (Conclusion)–विभिन्न आलोचनाओं के बावजूद यह निर्विवाद रूप से सत्य है कि प्रबंध दर्शन एवं विचारधारा के इतिहास में फ्रेडरिक टेलर का योगदान अतुलनीय रहा है। उन्होंने प्रबंध के वैज्ञानिक तार्किकता (Scientific Rationality) एवं विवेक का प्रयोग करके समस्त औद्योगिक क्षेत्र में एक क्रांति उत्पन्न कर दी थी। इनके द्वारा प्रतिपादित वैज्ञानिक प्रबंध की विचारधारा वर्तमान औद्योगिक समस्याओं के निराकरण में खरी उतर रही है। उनके प्रबंध दर्शन से प्रबंध के अनेक विचारकों, वैज्ञानिकों एवं अनुसंधानकर्त्ताओं का मार्ग प्रशस्त हुआ है। इनकी "मानसिक क्रांति" का सिद्धांत उद्योगों में श्रम एवं प्रबंध की साझेदारी का महत्त्वपूर्ण आधार है। उत्पादकता वृद्धि पर उनका बल आज भी औचित्यपूर्ण है।

विभिन्न विद्वानों ने भी टेलर की विचारधारा के प्रति अपने विचार व्यक्त किए हैं। उर्विक एवं ब्रेच (Urwick and Brech) ने लिखा है कि, "यद्यपि वैज्ञानिक प्रबंध टेलर का कोई आकस्मिक "आविष्कार" नहीं था, किन्तु फिर भी उन्होंने कारखानों में कई वर्षों से चल रहे कार्य व्यवहारों (Practices) के सुसंगत एवं तार्किक संहिताकरण एवं पुनर्व्यवस्था में उत्प्रेरक (Catalyst) का कार्य किया।" कोपले (Copely) के अनुसार, "टेलर सम्पूर्ण वैज्ञानिक प्रबंध आन्दोलन की आत्मा है।" क्लाउड एस. जार्ज (Claude S. George) ने टेलर के कार्यों की समीक्षा करते हुए लिखा है कि–टेलर को हम किसी भी भूमिका के लिए उत्तरदायी मान सकते हैं। किन्तु वह निर्विवाद रूप से एक पूर्णतावादी था तथा अपने कार्य में उत्कृष्ट था जिसकी मर्मभेदी अन्तर्दृष्टि थी व जिसे प्रबंध की भूमिका की अच्छी समझ थी।" प्रो.टी. केम्पनर (Prof. T. Kempner) ने कहा है कि–

"टेलर उत्कृष्ट परिणामों में नव-प्रवर्त्तक थे। उनके कई विचारों ने उत्पादन, नियोजन, लागत विश्लेषण, भुगतान पद्धति आदि के क्षेत्रों में जहां पहले कभी अँगूठे के नियम के आधार पर कार्य किए जाते थे, एक उपयुक्त प्रणाली व्यवस्था व तार्किकता को जन्म दिया। यदि उन्होंने इन प्रणालियों का सृजन न किया होता तो ये कई अवस्थाओं के बाद अवन्तरित होती।

अतः टेलर के द्वारा दिया गया वैज्ञानिक प्रबंध का सिद्धांत प्रबंध के क्षेत्र में महत्त्वपूर्ण योगदान है। वे ऐसे प्रथम व्यक्ति थे जिन्होंने अमेरिका के उद्योगों के लिए वैज्ञानिक प्रबंध की सार्थकता को स्पष्ट करके इसके सिद्धांतों को लागू किया था।

हेनरी फेयोल (Henry Fayol)

हेनरी फेयोल को 'आधुनिक प्रबंध विचारधारा' का जन्मदाता माना जाता है। उन्होंने प्रबंध के क्षेत्र में जिन सामान्य सिद्धांतों का सम्पादन किया है वे आज भी समस्त राष्ट्रों व संगठनों में उपयोगी सिद्ध हो रहे हैं। उन्होंने उच्च प्रबंध एवं प्रशासन के क्षेत्र में आधारभूत दर्शन एवं दृष्टिकोण को जन्म दिया। फेयोल ही पहले व्यक्ति थे जिन्होंने प्रबंध की सार्वभौमिकता को बतलाया तथा सभी प्रकार के औद्योगिक, वाणिज्यिक, राजनैतिक, धार्मिक, सामाजिक या शैक्षणिक उपक्रमों के संचालन में प्रबंध की महत्त्वपूर्ण भूमिका को स्पष्ट किया। इसीलिए उन्हें 'सर्वयुक्तिवादी' के रूप में जाना जाता है।

फेयोल एक तकनीकी व्यक्ति थे। वे एक अच्छे इंजीनियर, राजमिस्त्री, वैज्ञानिक, दर्शनशास्त्री तथा कुशल प्रशासक थे। वे प्रथम विश्व युद्ध के समय फ्रांसीसी सरकार के एक प्रमुख सलाहकार रहे तथा अंतर्राष्ट्रीय प्रशासकीय विज्ञान काँग्रेस में एक उच्च श्रेणी के सदस्य भी थे। उन्होंने अपने जीवन के अंतिम वर्षों में सरकार के प्रशासकीय कार्यों में सुधार लाने में विशेष रुचि ली थी। वे एक उच्च कोटि के लेखक थे। उनके प्रबंधकीय सिद्धांत उनकी बौद्धिक सत्यनिष्ठा, असाधारण अर्न्तदृष्टि एवं व्यावहारिक विवेक का परिणाम थे। 50 वर्षों के प्रबंधकीय अनुभव एवं अध्ययन के बाद उन्होंने लेखन के जगत में प्रवेश किया था। उन्हें प्रबंध साहित्य में फ्रांसिस बेकन (Francis Bacon) के नाम से जाना जाता है।

हेनरी फेयोल का जन्म 1841 ई. में फ्रांस में एक साधारण परिवार में हुआ था। उन्होंने अपने प्रारम्भिक कार्य की शुरुआत फ्रेंच माइनिंग इन्स्टरी, से की। 21 वर्ष की आयु में ही Commentary Four Chambault Company में ये कनिष्ठ अभियन्ता के पद पर नियुक्त किये गये। 1888 ई. में जब उनकी उम्र 47 वर्ष थी, उन्हें इसी कंपनी का प्रबंध-संचालक बनाया गया। जिस समय उन्हें इस कंपनी का प्रबंध-संचालक बनाया गया, उस समय कंपनी की आर्थिक स्थिति बहुत ही खराब थी तथा कंपनी 'दिवालिया घोषित' होने पर थी। लेकिन उनके नेतृत्व तथा कार्य के प्रति समर्पित भाव के कारण कंपनी की हालत इतनी मजबूत हो गयी कि उस समय उसके बराबर कोई कंपनी नहीं रह गयी। यह उनके प्रशासकीय नेतृत्व की पहली सफलता थी। वे 1918 ई. में सेवानिवृत्त हो गये।

सेवानिवृत्ति के पश्चात् 1918 से अपनी मृत्यु (1925) तक फेयोल ने सारा समय अपनी प्रशासनिक विचारधारा (Theory of Administration) के संसार में लगाया। इस अवधि में उन्होंने एक 'प्रशासनिक अध्ययन केन्द्र' (Centre of Administrative Studies) की स्थापना की, जिसका संचालन अनेक प्रतिभाशाली व्यक्तियों, लेखकों, दार्शनिकों, विचारकों, इंजीनियरों, सैनिकों, अधिकारियों, उद्योगपतियों, क्रियाशील व्यक्तियों के सहयोग से होता था। फेयोल इसके अध्यक्ष थे। द्वितीय, उन्होंने प्रशासनिक सिद्धांतों की ओर अधिक ध्यान देने के लिए सरकार को प्रोत्साहित किया। अपनी मृत्यु के समय वे फ्रांसीसी तम्बाकू उद्योग, जो सरकारी एकाधिकार में था, के संगठन के बारे में अनुसंधान कर रहे थे।

फेयोल के प्रमुख प्रकाशन–फेयोल ने प्रबंध विषय पर अनेक लेख लिखे थे, उनमें से कुछ प्रमुख निम्न प्रकार हैं–

(*i*) Discourse on the General Principles of Administration (1908)

(*ii*) Importance of the Administrative Function in the Conduct of Business (1917)

(*iii*) The Reform of the Public Services (1918)

(*iv*) Industrialisation of the State (1919)

(*v*) Administrative Reference of the Posts and Telegraphs (1921)

(*vi*) The Theory of Administration in the State (1923)

(*vii*) Administration, Industrial at general. (Republished 1925)

फेयोल का योगदान (Fayol's Contribution)

फेयोल ने प्रशासन की परिभाषा देते हुए बतलाया है कि प्रशासन एक प्रकार की प्रक्रिया होती है जिसके द्वारा एक निश्चित लक्ष्य की प्राप्ति की जाती है। उन्होंने प्रशासन की इस परिभाषा को सर्वव्यापी बतलाया है। अर्थात् उनके अनुसार प्रशासन के अंतर्गत जो भी क्रियाएँ आती हैं वे सारी क्रियाएँ सभी क्षेत्रों में, चाहे निजी, लोक या घरेलू हो, समान रूप से व्याप्त रहती हैं। फेयोल ने अपनी इसी परिभाषा के आधार पर लोक प्रशासन के क्षेत्र के अन्तर्गत आने वाली क्रियाओं को निम्नलिखित वर्गों में विभाजित किया है–

1. **तकनीकी क्रियाएँ**–इनमें उत्पादन, निर्माणकारी तथा अनुकूलता संबंधी क्रियाओं को शामिल किया जाता है।
2. **व्यापारिक क्रियाएँ**–इनमें क्रय-विक्रय एवं विनिमय का समावेश किया जाता है।
3. **वित्तीय क्रियाएँ**–इनमें पूंजी प्राप्ति तथा उसके श्रेष्ठतम उपयोग को सम्मिलित किया जाता है।
4. **सुरक्षा क्रियाएँ**–इनमें जानमाल की रक्षा संबंधी क्रियाएँ आती हैं।
5. **लेखाक्रम क्रियाएँ**–इनमें हिसाब-किताब रखने, लागत नियंत्रण तथा आँकड़े एकत्रित करने संबंधी क्रियाएँ आती हैं।
6. **प्रबंधकीय क्रियाएँ**–इनमें नियोजन, संगठन, आदेश, समन्वय एवं नियंत्रण आदि का समावेश किया जाता है।

फेयोल ने उपरोक्त क्रियाओं में से प्रबंधकीय क्रियाओं को लोक प्रशासन में अधिक महत्त्वपूर्ण स्थान दिया है। उनके अनुसार यदि सारी क्रियाएँ ठीक रूप से संचालित हों, परंतु प्रबंधकीय क्रियाएँ ठीक रूप से संचालित न हों तो लोक प्रशासन अपने उद्देश्य को ठीक ढंग से प्राप्त नहीं कर सकता है।

फेयोल ने प्रबंधकीय क्रियाओं के अन्तर्गत निम्नलिखित पाँच मुख्य कार्यों को शामिल किया है। इसे प्रशासन या प्रबंध का तत्त्व (Elements) भी कहा जाता है।

1. **योजना बनाना**—योजना बनाने का अर्थ पूर्वानुमान करना होता है। इसके अन्तर्गत भविष्य के बारे में अनुमान लगाया जाता है और कार्य की योजना तैयार की जाती है। योजना प्रक्रिया के अंतर्गत संबंधित समस्या का वैज्ञानिक विश्लेषण किया जाता है। समस्या का समाधान चिंतन द्वारा निकाला जाता है तथा भविष्य के लिए उद्देश्य निश्चित किये जाते हैं। अर्थात् लोक प्रशासन की योग्यता एवं कुशलता इस बात पर निर्भर करती है कि कार्यों के लिए योजना को किस ढंग से तैयार किया जाता है। फेयोल के अनुसार लोक प्रशासन के सभी कार्य योजना पर ही निर्भर करते हैं।

2. **संगठित करना**—फेयोल ने लोक प्रशासन की प्रबंधकीय क्रियाओं के इस कार्य के अंतर्गत कर्मचारियों तथा सामग्री के संगठन की संरचना को सम्मिलित किया है। लोक प्रशासन के कार्यों को प्रारम्भ करने के लिए संगठन आवश्यक होता है। फेयोल के अनुसार लोक प्रशासन के अंतर्गत संगठन के दो भाग होते हैं। भौतिक संगठन तथा मानवीय संगठन। भौतिक संगठन के अंतर्गत कच्चा माल, पूंजी और औजार तथा मानवीय संगठन के अंतर्गत कर्मचारियों एवं प्रबंधकों या प्रशासकों के कार्य आते हैं। फेयोल ने मुख्यतः मानवीय संगठन पर ज्यादा जोर दिया है। किसी भी प्रशासन के ऊँचे स्तर पर समस्याओं का निवारण, नीतियों का निर्धारण, सभी नीतियों पर नियंत्रण तथा निदेशकों के बोर्ड की नियुक्ति अंशधारियों द्वारा की जानी चाहिए। उनके नीचे एक या दो प्रबंधक या प्रशासक होने चाहिएँ जो प्रशासन के लक्ष्यों को प्राप्त करने के लिए निर्देशन का कार्य करते हैं। इसी पदसोपान के क्रम के अंत में लाइन तथा स्टॉफ होना चाहिए जो अपने विशिष्ट ज्ञान द्वारा प्रशासन को सहायता पहुँचाते हैं।

   लोक प्रशासन में संगठन के अंतर्गत निम्नलिखित कार्यों को सम्मिलित किया गया है—

   (A) योजनाओं का ठीक रूप से निर्माण कर सम्पादन करना।
   (B) उचित सत्ता तथा उत्तरदायित्व को व्यवस्थित करना।
   (C) कार्यों को समन्वित करना।
   (D) स्वच्छ तथा उचित निर्णयों का निर्माण करना।
   (E) स्पष्ट रूप से कर्त्तव्यों को परिभाषित करना।
   (F) प्रेरणाओं द्वारा कर्मचारियों को प्रेरित करना।
   (G) आदेश की एकता को व्यवस्थित करना।
   (H) अनुशासन बनाये रखना।

3. **आदेश देना**—आदेश देने का अर्थ कर्मचारियों द्वारा किए जाने वाले कार्यों की व्यवस्था करना होता है। इसके द्वारा लोक प्रशासन में कार्यरत कर्मचारियों से अधिकतम उत्पादन प्राप्त किया जाता है। इसके अंतर्गत योजना के अनुसार कार्य को सम्पन्न करने हेतु कर्मचारियों को आवश्यक निर्देश एवं आदेश देकर उनसे अनुकूलतम कार्य कराया जाता है। फेयोल ने आदेश की विचारधारा में प्रशासकों द्वारा उच्च आदर्श प्रस्तुत करने की आवश्यकता बताई है। फेयोल ने आदेश के अंतर्गत निम्नलिखित कार्यों को सम्मिलित किया है—

   (A) कर्मचारियों के संबंध में पूर्ण जानकारी रखना।
   (B) अयोग्य कर्मचारियों की छंटनी करना।
   (C) संगठन तथा इसके कर्मचारियों के बीच सहमति बनाए रखना।
   (D) प्रशासन के कार्यों का लेखा परीक्षण करना।
   (E) निर्णयों के लिए सम्मेलन विधि का प्रयोग करना।
   (F) कर्मचारियों को आवश्यक आदेश एवं निर्देश देना।
   (G) कर्मचारियों के बीच एकता, कार्य एवं संस्था के प्रति विश्वास का विकास करना।

4. **समन्वय करना**—फेयोल के मतानुसार समन्वय का अर्थ लोक प्रशासन की सफलता तथा सुगम कार्य संचालन हेतु समस्त क्रियाओं का तालमेल बैठाना होता है। यह लोक प्रशासन के कर्मचारियों के प्रयत्नों एवं क्रियाओं को सुव्यवस्थित करने, उन्हे परस्पर संबंध करने एवं एक शृंखला में पिरोने का कार्य करता है। यह कर्मचारियों के कार्यों में संघर्ष का समाधान तथा एक-दूसरे को रोकने का कार्य करता है। इसके द्वारा प्रत्येक वरिष्ठ कर्मचारी को क्या करना है इसकी निश्चितता का ज्ञान प्राप्त होता है। फेयोल समन्वय के निम्नलिखित उद्देश्य बताते हैं:

   (A) खर्चो को वित्तीय साधनों के अनुपात में रखना।
   (B) साधनों व औजारों को उत्पादन की आवश्यकताओं के अनुपात में रखना।
   (C) विक्रय को उत्पादन के अनुपात में रखना।

5. **नियंत्रण**—नियंत्रण द्वारा यह निश्चित किया जाता है कि समस्त कार्य नियमानुसार तथा पूर्वनिर्धारित लक्ष्यों के अनुरूप हो रहा है अथवा नहीं। नियंत्रण का उद्देश्य गलतियों एवं दुर्बलताओं का पता लगाना तथा आवश्यक सुधार प्रस्तुत करना होता है। जिससे ये गलतियां भविष्य में न दोहराई जाएँ। फेयोल ने प्रभावशाली नियंत्रण के लिए दो बातें आवश्यक बताई हैं।

   प्रथम—यह उपयुक्त समय में किया जाना चाहिए तथा

   द्वितीय—यह पर्याप्त अनुज्ञाओं द्वारा किया जाना चाहिए।

   फेयोल के अनुसार उपरोक्त वर्णित क्रियाओं को सम्पादित करने के लिए प्रशासकों में निम्नलिखित आवश्यक गुण होने चाहिए:

   (A) शारीरिक गुण— स्वास्थ्य, मेहनत आदि।

(B) मानसिक गुण–समझने और सीखने की योग्यता, निर्णय लेना एवं अनुकूलता।

(C) नैतिक गुण–शक्ति, दृढ़ता, दायित्व स्वीकार करने की इच्छा, प्रेरणा, इज्जत, वफादारी आदि।

(D) शैक्षणिक गुण–कार्य संबंधी ज्ञान के अतिरिक्त सामान्य ज्ञान की जानकारी।

(E) तकनीकी गुण–कार्य की जानकारी।

(F) अनुभव–उचित कार्य करने से प्राप्त।

फेयोल ने प्रबंध के सिद्धांतों का व्यवस्थित रूप से प्रशिक्षण प्रदान किये जाने पर जोर दिया। उनका मत था कि प्रत्येक उपक्रम के कर्मचारियों में तकनीकी, वाणिज्यिक, वित्तीय, सुरक्षा, लेखा व प्रबंधकीय कार्यों को करने की योग्यता होनी चाहिए। इन योग्यताओं को विकसित करने के लिए उन्होंने स्कूल, कॉलेज व व्यावसायिक संस्थानों में प्रबंध विषय को पढ़ाये जाने का सुझाव रखा था। स्वयं उनके शब्दों में "प्रबंधकीय योग्यता तकनीकी योग्यता की भाँति पहले स्कूल में व बाद में कार्यशाला में विकसित की जा सकती है व की जानी चाहिये।"

शैक्षिक संस्थाओं में प्रबंध का अध्यापन न होने का मुख्य कारण उन्होंने इसके व्यवस्थित सिद्धांतों का अभाव होना बताया है। प्रबंध के सर्वमान्य सिद्धांतों की स्थापना के बिना इसका प्रशिक्षण दिया जाना संभव नहीं था। उद्योगों में विरोधी प्रबंधीय व्यवहार एवं व्यक्तिगत सिद्धांतीकरण की प्रथा प्रचलित थी। प्रबंध के सामान्य सिद्धांतों, विधियों, नियमों, कार्य पद्धतियों, मूलाधारों का पूर्णतः अभाव था। प्रबंध के क्षेत्र में प्रवेश करने वाला अन्त तक केवल नौसिखुआ ही रहा करता था। अतः फेयोल ने प्रबंध के व्यवस्थित सिद्धांतों का निर्माण किया। उन्होंने प्रबंध के सामान्य अध्यापन पर बल देते हुए सुझाव दिया था कि–"प्रबंध की प्राथमिक शिक्षा प्राथमिक स्कूलों में, कुछ व्यापक शिक्षा माध्यमिक स्कूलों व प्रबंध की पूर्णतः उच्च व गहन शिक्षा उच्चतर शैक्षणिक संस्थाओं में प्रदान की जानी चाहिए।"

प्रबंध तथा प्रशासन के सिद्धांत
(Principles of Management and Administration)

हेनरी फेयोल ने अपनी पुस्तक (General and Industrial Administration) में 1916 में प्रबंध के सामान्य सिद्धांतों की विस्तृत रूप से व्याख्या की है। उनके अनुसार किसी भी औद्योगिक संस्थान का प्रबंध करने हेतु प्रबंधकों को कुछ सामान्य आधारभूत सिद्धांतों का ज्ञान होना आवश्यक है। ये सिद्धांत लोचपूर्ण हैं जिनको किसी भी स्थिति में लागू किया जा सकता है। ये 14 सिद्धांत हेनरी फेयोल की प्रबंध जगत को एक महान देन हैं। ये सिद्धांत इस प्रकार हैं–

1. **कार्य का विभाजन (Division of Work)**—फेयोल के अनुसार एक संगठन का सबसे अनिवार्य कार्य छः औद्योगिक क्रियाओं (तकनीकी, व्यापारिक, वित्तीय, सुरक्षा, लेखाक्रम तथा प्रबंधकीय) को करने के लिए कर्मचारियों को अपनी योग्यता का विकास करना चाहिए। इसके लिए ज्ञान का विशिष्टीकरण होना आवश्यक होता है। यह किसी भी प्रबंध में उत्पादन को बढ़ाता है। अर्थात् विशिष्टीकरण एवं प्रमाणीकरण से अधिकतम लाभ प्राप्त करने हेतु प्रत्येक उपक्रम या संस्थान में कार्य का निष्पादन श्रम विभाजन के सिद्धांत पर आधारित होना चाहिए। इसके उत्पादन के मानवीय एवं भौतिक साधनों की कार्यकुशलता में वृद्धि की जा सकती है और न्यूनतम लागत पर अधिकतम उत्पादन किया जा सकता है। फेयोल कहते हैं कि किसी भी संगठन में (छोटा हो या बड़ा) अपने कर्मचारियों को उनके विशिष्टीकरण तथा अनुभव के आधार पर ही कार्यों का विभाजन करना चाहिए।

2. **अधिकार एवं उत्तरदायित्व (Authority and Responsibility)**—फेयोल के अनुसार अधिकार (Authority) का अर्थ "आदेश देने तथा आज्ञा पालन करवाने का अधिकार" होता है। वे दो प्रकार के अधिकार (Authority) का वर्णन करते हैं।

   (1) कार्यालयिक अधिकार (Official authority)—यह किसी व्यक्ति को कानूनी रूप से प्रदान किया जाता है।

   (2) व्यक्तिगत अधिकार (Personal authority)—यह व्यक्ति अपने व्यक्तित्व, बुद्धिमत्ता, अनुभव तथा नैतिक बल द्वारा प्राप्त करता है।

   फेयोल के अनुसार प्रबंध में अधिकार एवं उत्तरदायित्व में घनिष्ठ संबंध हैं। ये एक-दूसरे के साथ काम में आते हैं। बिना अधिकार के उत्तरदायित्व और बिना दायित्व के अधिकार व्यर्थ हैं। इसलिए फेयोल ने इन दोनों में समानता लाने पर जोर दिया है। क्योंकि ये एक कार्य के दो पहलू हैं जिनका उपयोग प्रत्येक व्यावसायिक क्रिया में किया जाता है। किसी भी व्यक्ति को कार्य करने का उत्तरदायित्व सौंपने के साथ-साथ उसे अधिकार भी दिए जाने चाहिए। ये दोनों साथ-साथ चलने चाहिए। अधिकारों के अंतर्गत कई संयोजन सम्मिलित किए जाते हैं। इनमें प्रबंधक मंडल को प्राप्त अधिकार तथा उसके व्यक्तिगत गुणों अर्थात् उसका पद, व्यक्तित्व, बुद्धिमत्ता, अनुभव, नैतिक बल तथा पिछली सेवाओं का समावेश ही उसके अधिकार क्षेत्र को इंगित करता है।

3. **अनुशासन (Discipline)**—फेयोल के अनुसार अनुशासन का अभिप्राय समझौतों के प्रति आस्था प्रकट करना है जिससे आज्ञाओं का पालन किया जा सके और व्यक्ति अपनी योग्यता एवं क्षमता के अनुसार कार्य कर सके। किसी भी संस्थान में अनुशासन उसके प्रबंधक के व्यक्तित्व पर निर्भर करता है। एक अच्छे अनुशासन हेतु एक सफल नेतृत्व की आवश्यकता है। इसमें तीन बातों का होना आवश्यक है–

   1. सभी स्तरों पर अच्छे एवं सुनियोजित पर्यवेक्षण (supervision) का होना।
   2. समझौते स्पष्ट एवं उचित होने चाहिए।
   3. दण्ड-विधान को दृढ़तापूर्वक एवं विवेक के साथ लागू करने का प्रावधान होना चाहिए।

4. **आदेश की एकता (Unity of Command)**—इस सिद्धांत के अनुसार एक कर्मचारी को आदेश देने वाला एक ही अधिकारी

होना चाहिए जिससे असुविधा एवं अनुशासन भंग की स्थिति उत्पन्न नहीं हो। यदि आदेश देने वाले अधिकारी एक से अधिक होंगे तो कर्मचारी के समक्ष भ्रमपूर्ण स्थिति उत्पन्न हो जायेगी। यदि आदेश देने वाला व्यक्ति एक ही होगा तो कर्मचारी अपने दायित्व को भली प्रकार निभा सकेगा।

5. **निर्देश की एकरूपता (Unity of Direction)**—इसके अनुसार प्रत्येक एक समान उद्देश्य वाली क्रियाओं के समूह की एक ही योजना हो तथा उसका अधिकारी भी एक ही हो। इस अधिकारी द्वारा दिए जाने वाले निर्देश में एकरूपता का होना आवश्यक है जिससे क्रियाओं एवं प्रयासों में समन्वय आसानी से किया जा सके और किसी प्रकार की भ्रांति उत्पन्न न हो। फेयोल ने आदेशों की एकता तथा निर्देशों की एकरूपता का अंतर स्पष्ट करते हुए लिखा है कि आदेशों की एकता का संबंध केवल विभिन्न स्तरों पर कार्यरत कर्मचारियों से है जबकि निर्देशों की एकरूपता समूचे निगम शरीर (Corporate body) से संबंधित है। अतः जिस प्रकार शरीर पर एक सिर से अधिक होना राक्षस की निशानी है, उसी प्रकार निगम रूपी शरीर पर भी एक ही सिर होना अधिक उचित होगा।

6. **व्यक्तिगत हित की तुलना में सामान्य हित को महत्त्व (Subordination of Individual Interest to General Interest)**—फेयोल के अनुसार प्रबंध के लक्ष्य पर व्यक्तिगत हित का प्रभाव पड़ता है। व्यक्ति को, कर्मचारी हो या प्रबंधक, अपना व्यक्तिगत हित संगठन के लक्ष्य के हित में ही मिला देना चाहिए क्योंकि संगठन ही सब कुछ होता है। किसी भी संस्थान में व्यक्तिगत हितों एवं सामान्य हितों में संघर्ष नहीं होना चाहिए। यह सर्वोच्च प्रशासकों एवं प्रबंधकों का दायित्व है कि वे व्यक्तिगत हितों को त्याग कर संस्थान के सामान्य हितों की ओर सभी कर्मचारियों का ध्यान आकर्षित करें। व्यक्तिगत हितों एवं सामान्य हितों में समन्वय करके संघर्ष की स्थिति को उत्पन्न नहीं होने देना चाहिए। यह तभी संभव हो सकता है जबकि उच्च अधिकारी अच्छे उदाहरण प्रस्तुत करें। जहां तक संभव हो उचित समझौते हों एवं निरंतर रूप से पर्यवेक्षण कार्य होता रहे। आलस्य, महत्त्वकांक्षा, कमजोरी एवं अन्य तत्त्व सामान्य हितों के महत्त्व को कम कर देते हैं।

7. **कर्मचारियों का पारिश्रमिक (Remuneration of Personnel)**—फेयोल के अनुसार संगठन में पारिश्रमिक तथा क्षतिपूर्ति नीति इस प्रकार की होनी चाहिए कि उससे कर्मचारी तथा नियोक्ता (employer) दोनों संतुष्ट रहें। यह सिद्धांत टेलर के वैज्ञानिक प्रबंध के एक आधारीय सिद्धांत i.e. (कर्मचारियों का उत्पोषण (motivation) आर्थिक प्रेरणा (money incentive) पर भी निर्भर करता है) जैसा प्रतीत होता है। पारिश्रमिक का तात्पर्य सेवाओं के बदले दिया जाने वाला प्रतिफल है। फेयोल के अनुसार इसकी मात्रा इतनी होनी चाहिए जो कर्मचारी तथा संस्था दोनों के प्रति न्यायसंगत हो।

8. **केन्द्रीयकरण (Centralisation)**—यह सिद्धांत निर्देशन एवं नियंत्रण के ऐसे केन्द्रीयकरण पर बल देता है जिससे पूर्ण संगठन गतिशील रह सके अर्थात् यह संस्था के उच्च अधिकारियों के साथ-साथ संस्था के समस्त कर्मचारियों से संबंध रखता है। हेनरी फेयोल ने केन्द्रीयकरण के सिद्धांत पर जोर देते हुए कहा है कि किसी भी संस्थान में अधिकारों का किस सीमा तक विकेन्द्रीयकरण (Decentralisation) किया जाए, यह अलग-अलग संस्थानों की प्रकृति एवं आकार पर निर्भर करते हैं। एक बड़े उद्योग में अधिकारों का केन्द्रीयकरण अधिक नहीं होगा बल्कि वहां उच्चस्तरीय प्रबंध से मध्यम व निम्नस्तरीय प्रबंधकों तक अधिकारों का विकेन्द्रीयकरण होगा। इसके विपरीत एक छोटे उपक्रम में अधिकार-सत्ता का केन्द्रीयकरण बड़े पैमाने पर मिलेगा।

9. **स्केलर शृंखला (Scalar chain)**—यह सिद्धांत पदसोपान (Hierarchy) पर आधरित है। इसके अनुसार संगठन में उच्च से निम्न अधिकारियों तथा सत्ता की एक शृंखला होती है जिसके द्वारा आदेश, सुझाव आदि प्रेषित किये जाते हैं तथा निम्न स्तर से उनकी प्रतिक्रिया जानी जाती है। इस शृंखला का पालन संचार वाहन में किया जाना चाहिए किंतु यदि विलम्ब की संभावना हो तो प्रत्येक अधिकारी अपने उच्च अधिकारी की अनुमति द्वारा अन्य अधिकारी से संपर्क स्थापित कर सकता है।

10. **व्यवस्था (Order)**—यह वस्तुओं और व्यक्तियों के संगठन के सिद्धांत पर आधारित है। यह सिद्धांत इस बात पर जोर देता है कि प्रत्येक वस्तु एवं व्यक्ति के लिए एक उचित स्थान होता है और प्रत्येक स्थान के लिए एक उचित वस्तु एवं एक उपयुक्त व्यक्ति। अतः व्यक्तियों एवं वस्तुओं को उचित स्थान प्रदान किया जाना चाहिए। प्रबंध में निम्न लागत पर अधिकतम उत्पादन करने हेतु उचित वस्तु व व्यक्ति का होना आवश्यक है। इसके लिए प्रबंधकीय क्रियाओं के दो पहलू अच्छा संगठन एवं अच्छा चयन का होना परमावश्यक है। आदेश समय तथा साधन की बर्बादी को कम करता है।

11. **समता (Equity)**—इसके लिए दया एवं न्याय का होना आवश्यक है। किसी भी संस्थान के प्रबंधकों को अपने अधीनस्थ कर्मचारियों के साथ दया एवं न्याय के साथ व्यवहार करना चाहिए। जिससे कर्मचारी आदर दे सकेंगे तथा आज्ञाकारिता एवं स्वामिभक्ति की भावना उत्पन्न हो सकेगी। प्रबंध के सभी स्तरों पर समता के सिद्धांत को लागू करना चाहिए। इसके लागू करने हेतु अच्छा विवेक, अनुभव एवं अच्छा स्वभाव होना आवश्यक है।

12. **कर्मचारियों के पदों की स्थिरता (Stability of Tenure of Personnel)**—इस सिद्धांत के अनुसार कर्मचारियों को कार्य की सुरक्षा तथा पद की स्थिरता प्रदान की जानी चाहिए। यह आवश्यक होता है क्योंकि कर्मचारियों के प्रशिक्षण में समय और लागत का खर्च होता है। पदों में बार-बार परिवर्तन करने पर

उद्योग के कार्य में बाधा उत्पन्न होगी और ऐसा एक अकुशल प्रबंध की निशानी है। इससे संस्थान को नुकसान होता है। पदों की अस्थिरता कर्मचारियों के मनोबल को कम तथा अनुभव एवं संगठन की नीति की प्रवाहता (continuity) को खत्म करता है।

13. **प्रेरणा (Initiative)**—इसके अंतर्गत किसी योजना पर विचार करने एवं उसके क्रियान्वयन का कार्य आता है। यह सिद्धांत इस मान्यता पर आधारित है कि प्रत्येक व्यक्ति में सोचने विचारने की शक्ति होती है। किसी भी योजना को तैयार करने एवं उनको लागू करने में कर्मचारियों को छूट होनी चाहिए। इससे कर्मचारियों में उत्साह एवं शक्ति में वृद्धि होती है। अतः फेयोल के अनुसार प्रबंधकों को चाहिए कि वे कर्मचारियों में प्रेरणा की भावना उत्पन्न करने का कार्य करें।

14. **सहयोग की भावना (Esprit Decorps)**—यह संगठन की शक्ति है। यह (Union of Strength) के सिद्धांत पर आधारित है। यह एकता उत्पन्न करता है। प्रबंधकों को अपने अधीनस्थ कर्मचारियों से सहयोग प्राप्त करना चाहिए और सभी को एक साथ लेकर एक टीम के रूप मे कार्य करना चाहिए। सहयोग की भावना उत्पन्न करने हेतु संदेशवाहन के महत्त्व पर जोर दिया गया है। यदि श्रमिकों में एकता नहीं है तो यह संस्थान के हितों के लिए घातक सिद्ध होती है। पूर्ण सहयोग की प्राप्ति हेतु एक ओर आदेशों में एकरूपता रखनी होगी, तथा दूसरी ओर 'फूट डालो और शासन करो' (Divide and Rule) वाली ताकतों को समाप्त करना होगा। इसके लिए प्रभावपूर्ण ढंग से संदेशवाहन का उपयोग करना होगा, जिससे कि तुरंत किसी भी प्रकार के संदेह को दूर किया जा सके।

निष्कर्ष (Conclusion)

फेयोल द्वारा दिया गया उपर्युक्त प्रशासन एवं प्रबंध संबंधी योगदान महत्त्वपूर्ण माना जाता है। फेयोल ने प्रशासकीय एवं प्रबंधकीय कार्य को एक विशेष प्रकृति का कार्य माना एवं इसके लिए विशेष कौशल की आवश्यकता पर बल दिया है। उन्होंने प्रबंधकों एवं प्रशासकों के मार्गदर्शन के लिए महत्त्वपूर्ण सिद्धांतों का वर्णन किया। ये सिद्धांत प्रशासन एवं प्रबंध के क्षेत्र में सार्वभौमिक रूप से उपयोगी रहे हैं। Harwood F. Meritt के शब्दों में "फेयोल के ये सिद्धांत समय की कसौटी पर खरे उतरे हैं।" प्रशासन एवं प्रबंध के सिद्धांतों के क्रियान्वयन के संदर्भ में फेयोल ने कहा है– "There is nothing.......absolute in management affairs, seldom do we have to apply the same principle twice as in identical conditions, allowance must be made for different changing circumstances".

नॉरमन कथबर्ट ने प्रबंध के क्षेत्र में फेयोल के महान योगदान को स्वीकार करते हुए लिखा है कि "प्रबंध के महत्त्व की उद्घोषणा करने में फेयोल अपने समय से एक पीढ़ी आगे थे और उन्होंने कई ऐसे विचारों का प्रतिपादन किया जिनका श्रेय उनके अनुयायियों को दिया जाता है। संगठन चार्ट, कार्य विशिष्टीकरण, प्रबंध शिक्षा व प्रशिक्षण आदि की विचारधारा के लिए फेयोल को श्रेय दिये जाने के बावजूद भी उनके कार्यों का ठीक से आकलन नहीं किया गया है। कार्य पर मानवीय संबंधों के बारे में उन विचारों ने औद्योगिक मनोविज्ञान के आधारभूत निष्कर्षों का पूर्वानुमान कर लिया था। फ्रांस की "कमिजरियेट टू योजना" (Commissariat Du Plan) जिसने फ्रांसीसी अर्थव्यवस्था के आधुनिक विस्तार में महत्त्वपूर्ण योगदान दिया है, के विकास के पीछे फेयोल का प्रत्येक स्तर पर 'लोचपूर्ण नियोजन' का विचार ही था। क्लाड एस. जार्ज के शब्दों में "वह अनुभव वाला व्यक्ति था, जिसने उनकी भाषा, बोली, उनकी समस्याओं को पहचाना तथा अपने विचारों को एक शुद्ध वाद (a neat theory) के रूप में प्रस्तुत किया।" प्रोफेसर एलबर्ट लेपास्की (Albert Lapawasky) ने फेयोल के योगदान का मूल्यांकन करते हुए लिखा है कि–"बीसवीं शताब्दी को हेनरी फेयोल की भाँति योग्य व्यवसायियों एवं प्रशासन के उत्साही छात्र का एक संतुलित संयोजन प्रस्तुत करना शेष है।" श्री पी. एस. पाघ (P.S. Paugh) ने फेयोल के बारे में अपने विचार इस प्रकार व्यक्त किये हैं कि "प्रबंध के क्षेत्र में फेयोल का गौरवपूर्ण स्थान उतना उनके सिद्धांतों के कारण नहीं है, यद्यपि वे अभी भी शाश्वत हैं, जितना कि उनकी परिभाषा के कारण कि प्रबंध क्या है। प्रबंधकीय क्रियाओं के सैद्धांतिक विश्लेषण के वे सबसे प्रारम्भिक प्रतिपादक रहे हैं। एक ऐसा विश्लेषण जिसने आधी शताब्दी तक विचारकों के महत्त्वपूर्ण वाद-विवाद का सामना किया है।" एल उर्विक (L. Urwick) ने फेयोल के कार्यों एवं योगदान का मूल्यांकन करते हुए कहा है कि–"फेयोल ने अपने जीवन को चार रूपों में अंगीकार किया। इनमें से प्रत्येक में पूर्व-अग्रगम्य (Preeminent) थे। तकनीकी व्यक्ति के रूप में उन्होंने खनन अभियांत्रिकी में अपने योगदान के लिए राष्ट्रीय प्रतिष्ठा प्राप्त की। भूगर्भशास्त्री के रूप में कोयले का रूप धारण करने वाली परतों (strata) के निर्माण के संबंध में एक पूर्णतः नये सिद्धांत का प्रतिपादन किया। एक वैज्ञानिक एवं औद्योगिक अगुआ के रूप में उनकी सफलता अपूर्व थी। एक प्रशासनिक, दार्शनिक एवं राजनेता के रूप में उन्होंने अपने एवं यूरोपीय देशों में एक अविस्मरणीय छाप छोड़ी जो अमेरिका में टेलर द्वारा छोड़ी गयी छाप से कम नहीं थी।"

इस प्रकार फेयोल ने प्रबंध एवं प्रशासन विषय का एक व्यावहारिक व्यवसाय की भाँति अध्ययन कर सिद्धांतों का प्रतिपादन किया था। उनका अवलोकन, विश्लेषण, चिंतन एवं सिद्धांत आज भी प्रबंधकीय विकास के लिए एक आधार भूमि सिद्ध हो रहा है।

मेरी पार्कर फोलेट (M.P. Follet)

प्रशासकीय विचारकों में मेरी पार्कर फोलेट प्रथम महिला विचारक थी। उनका जन्म 1868 में बोस्टन (Boston) में हुआ। उन्होंने अपनी माध्यमिक शिक्षा ब्रेनड्रीक थेयर एकेडमी में प्राप्त की। 1889 ई. में रेडक्लिफ से स्नातक पास करने के बाद वह पुनः बोस्टन लौट गयी। 1902 ई. में वह एक समिति की अध्यक्ष बन गयीं जो स्थानीय विद्यालय तथा घरों में क्लबों की स्थापना (sponsored) करती थी।

मेरी पार्कर फोलेट का मुख्य रूप से योगदान सामाजिक कार्यों में ही रहा। उनके अनुसार समूहों में मनुष्य विचारों तथा क्रियाओं में किसी भी व्यक्तिगत विचार तथा क्रिया की अपेक्षा अच्छी सफलता प्राप्त कर सकता है, तथा इसे कभी भी अकेला मनुष्य नहीं प्राप्त कर सकता है। इन्हीं

सिद्धांतों पर उन्होंने 1918 में एक पुस्तक प्रकाशित की, जिसका नाम 'दी न्यू स्टेट ग्रुप ऑर्गेनाइजेशन दी सोल्युशन ऑफ पॉपुलर गवर्नमेंट (The New State Group Organisation the Solution of Popular Government) था। इसी पुस्तक के कारण मेरी पार्कर फोलेट का नाम राष्ट्रीय तथा अन्तर्राष्ट्रीय स्तरों पर जाना जाने लगा।

सामुदायिक कार्य ही मेरी पार्कर फोलेट को लोक सेवाओं में मैसाचुसेट्स मिनीमम वेज बोर्ड (Massachusets Minimum Wage Board) में एक सदस्य के रूप में लाया। यहां पर व्यवसायियों से संपर्क रहने के कारण उनमें व्यावसायिक क्रियाओं के निरीक्षण करने में ज्यादा रुचि आयी। फोलेट ही पहली विचारक थी जिन्होंने बतलाया कि व्यावसायिक प्रबंधों का असली प्रबंध के रूप में कैसे विकास किया जा सकता है।

प्रबंध पर मेरी पार्कर फोलेट का मुख्य विचार उनकी रचना 'डायनेमिक एडमिनिस्ट्रेशन' (Dynamic Administration) में प्रकाशित हुई है। यही रचना प्रबंध पर अमेरिका तथा इंग्लैंड में उनके द्वारा दिये गये सभी व्याख्यानों का समावेश करती है। उनके द्वारा प्रतिपादित कुछ मुख्य विचार (ideas) निम्नलिखित हैं–

(1) विवाद तथा एकीकरण (Conflict and Integration)

मेरी पार्कर फोलेट के अनुसार संगठनों में विवाद अवश्यंभावी है। यह विचारों तथा हितों में विभिन्नताओं के कारण उत्पन्न होता है। यह न तो अच्छा होता है और न बुरा होता है। लेकिन अच्छे या बुरे परिणामों के लिए अवसर प्रदान करता है। फोलेट का विचार है कि प्रबंधकों को विवादों का उपयोग निर्माणकारी ढंग से करने के लिए सीखना चाहिए।

फोलेट के अनुसार संगठन के विवादों को तीन प्रकार से सुलझाया जा सकता है। पहला, प्रभाव जमाकर (domination) अर्थात् एक पक्ष दूसरे पक्ष पर विजय पाकर। दूसरा, समझौता द्वारा (Compromise) अर्थात् प्रत्येक पक्ष अपने माँगों में से कुछ माँगों को वापस कर ले जिससे एक निर्णय निकाला जा सके। अन्तिम, एकीकरण (Integration) द्वारा अर्थात् एक नया समाधान खोजकर जो दोनों पक्षों की वास्तविक जरूरतों को पूरा कर सके। फोलेट के अनुसार यद्यपि एकीकरण का कार्यान्वयन करना आसान नहीं होता है फिर भी यही विवादों को सुलझाने का सबसे अच्छा तरीका होता है। प्रभाव जमाकर (domination) विवादों को सुलझाने में एक पक्ष को दूसरे पक्ष द्वारा हराना पड़ता है तथा समझौता (compromise) में दोनों पक्षों की जरूरतों तथा अच्छाइयों को ध्यान में रखते हुए स्वीकृति का मध्यबिंदु चुनना पड़ता है। अतः विवादों को सुलझाने के लिए एकीकरण सबसे अच्छा तथा लाभदायक तरीका होता है।

एकीकरण की विधि द्वारा विवादों को सुलझाने के लिए सबसे पहले विवादों को स्पष्ट कर प्रत्येक पक्ष को अपनी वास्तविक आवश्यकताओं को पहचानना चाहिए। उनके प्रतीकों (symbols) के वास्तविक अर्थ को समझते हुए वास्तविक माँगों को ढूंढ़ना चाहिए। उनके अनुसार ये क्रियाएँ उनमें एकता की भावना ला सकती हैं। क्योंकि दोनों पक्ष एक समाधान खोजते हैं जो उनकी वास्तविक आवश्यकताओं को संतुष्ट कर सकें।

यद्यपि विवादों को सुलझाने का यह सबसे अच्छा तरीका होता है। लेकिन इनमें कुछ बाधाएँ भी आती हैं। इस विधि से विवादों को सुलझाने के लिए समझौता वार्त्ता करने वालों को अच्छी बुद्धि तथा अनुभव होना चाहिए जो कुछ ही समझौता वार्त्ता करने वालों में पाया जाता है। दूसरा, प्रस्तावित कार्यक्रम के अनुसार न चलकर सभी समस्याओं के बारे में पूर्ण जानकारी प्राप्त करनी होती है। सबसे अधिक महत्त्वपूर्ण तथा अन्तिम बाधाएँ (obstacles) इन विधियों द्वारा विवादों को सुलझाने के लिए प्रशिक्षण का अभाव है।

फोलेट के अनुसार विवादों को सुलझाने में इन सभी कठिनाइयों के बावजूद प्रबंधकों को एकीकरण (integration) प्राप्त करने की ही कोशिश करनी चाहिए क्योंकि यह विवादों को सुलझाता है तथा निर्माणकारी रूप देता है।

(2) आदेशों का विवरण (The Giving of Orders)

संगठन के शास्त्रीय विचारकों जैसे–टेलर, फेयोल, गुलिक तथा उर्विक के अनुसार संगठन में मानवों को कार्य करने के लिए आदेश, निर्देशन तथा आज्ञा देना अनिवार्य होता है। इसी धारणा को फोलेट ने भी स्वीकार किया। उनके अनुसार आदेश देने के पहले तीन पदों (steps) का अनुकरण करना चाहिए। (1) चैतन्य (conscious) भाव का विकास करना (2) उत्तरदायी भाव (responsible attitude) का विकास करना (3) प्रायोगिक भाव (experimental attitude) का विकास करना।

फोलेट के अनुसार आदेशों का वितरण एक साधारण सी बात नहीं होती है। खासकर व्यावसायिक तथा औद्योगिक संगठनों में आदत का तरीका तथा मानसिक भाव प्रशिक्षण द्वारा बनाना चाहिए। इनमें समय, स्थान तथा परिस्थितियों पर भी ध्यान रखना चाहिए। उनके अनुसार प्रबंधकों का कार्य केवल आदेश देना ही नहीं होता बल्कि उसे कर्मचारियों को दक्षतापूर्वक चलाने के लिए सीखना चाहिए ताकि वे लोग बिना किसी प्रकार के प्रश्न किए उनके आदशों को स्वीकार कर सकें।

आदेशों के वितरण के लिए दोनों प्रबंधकों को तथा कर्मचारियों को मिलकर स्थितियों के अनुसार कानून का निर्माण करना चाहिए तथा इन कानूनों का पालन करना चाहिए। प्रायः यह देखा जाता है कि संगठनों में न तो प्रबंधकों की इच्छा रहती है कि उनकी शक्तियों में कोई हिस्सा ले तथा न कर्मचारियों में इतनी बुद्धि रहती है कि वे निर्णय-निर्माण प्रक्रिया में भाग ले सकें। अतः फोलेट के अनुसार प्रबधकों को सहकारी अध्ययन तथा निर्णय-निर्माण के लिए एक भाव (attitude) का अवश्य ही निर्माण करना चाहिए।

(3) स्थिति का नियम (The Law of Situation)

फोलेट ने ही सर्वप्रथम 'स्थिति' (Situation) के तत्व का संगठनों के लिए उपयोगी ढंग से विश्लेषण किया था। उन्होंने इस नियम का प्रयोग संगठनों में आदेश देने के संबंध में किया था। अक्सर संगठनों में आदेश जारी करने व उन्हें स्वीकार करने के संबंध में कई समस्याएँ उत्पन्न हो जाती हैं। कर्मचारियों द्वारा आदेशों का विरोध व अवहेलना करने के अतिरिक्त कई बार अधिकारी भी आदेशों के प्रति अनिच्छा प्रकट करते हैं।

इस सिद्धांत के अनुसार यदि दोनों पक्षकार 'स्थिति की तर्कसंगतता' (Logic of the situation) को देखें तथा स्थिति के समस्त घटकों का

पूर्ण-अवलोकन कर लें तो तथ्यों के आधार पर वे स्वयं कोई निर्णय ले सकते हैं। किन्तु तथ्यों के अभाव में स्थिति को समझना असंभव होता है। फोलेट ने यह सुझाव दिया था कि एक व्यक्ति को दूसरे व्यक्ति पर आदेश जारी नहीं करने चाहिए, वरन् प्रत्येक व्यक्ति को स्थिति से ही आदेश प्राप्त कर लेने चाहिए। स्वयं उनके शब्दों में–"आदेश देने का निर्वैयक्तिकरण (depersonalisation) कर दिया जाना चाहिए।" इस प्रकार यदि आदेश स्थिति से उत्पन्न एवं संचालित होगा तो किसी व्यक्ति के द्वारा आदेश देने अथवा किसी के द्वारा आदेश प्राप्त करने की आवश्यकता ही नहीं होगी तथा कर्मचारियों को यह महसूस नहीं होगा कि वे किसी व्यक्ति के अधिकार एवं नियंत्रण में कार्य कर रहे हैं। उनके पारस्परिक संबधों में मधुरता बनी रहेगी। फोलेट ने इन सिद्धांतों द्वारा यह स्पष्ट किया है कि संस्था में आदेश प्रबंधकों की व्यक्तिगत इच्छाओं व तरंगों से नहीं बल्कि संपूर्ण पद्धति की पालना से उत्पन्न होने चाहिए।

(4) अधिकार की अवधारणा (The Concept of Authority)

फोलेट का यह मत है कि संगठन के संपूर्ण अधिकार व शक्ति उच्चतम अधिकारी को सौंप देना उचित नहीं है। उन्होंने बताया कि प्रबंध में 'अन्तिम सत्ता' (ultimate authority) व 'सर्वोत्तम नियंत्रण' (supreme control) जैसे शब्द का प्रयोग अत्यंत भ्रामक है। अंतिम अधिकार मात्र एक भ्रम है (The final authority is only illusion)। 'अन्तिम अधिकार' की अवधारणा वर्तमान व्यावसायिक संगठनों में अपना महत्त्व खो रही हैं। समस्त शक्तियों का संगठन के शीर्ष पर केन्द्रीयकरण कर देना अत्यंत अव्यावहारिक एवं निराधार धारणा है।

उनका मत है कि किसी व्यक्ति को अधीनस्थ मानकर उस पर अधिकार रखना व्यक्ति की भावनाओं के प्रति अपराध एवं अपमान है और यह स्थिति कभी भी सुदृढ़ औद्योगिक संगठनों की नींव नहीं बन सकती है। उन्होंने सुझाव दिया है कि प्रत्येक व्यक्ति को कार्य-सत्ता (Authority of function) दी जानी चाहिए। अर्थात् प्रत्येक व्यक्ति जिसे जो कार्य सौंपा जाय वह उस कार्य के लिए अंतिम रूप से उत्तरदायी होना चाहिए। उसे अपने कार्य के क्षेत्र (job area) के बारे में अधिकार मिला होना चाहिए। उन्होंने लिखा है कि–"अधिकार कार्य से संबंधित है तथा कार्य के साथ ही रहते हैं। (Aurhority belongs to the job and stays with the job).

फोलेट की यह मान्यता भी है कि संगठन में प्रत्येक व्यक्ति की सत्ता 'प्रत्यायोजित सत्ता' (delegated authority) न होकर कार्य से जुड़ी सत्ता होनी चाहिए। तथा, वह स्वयं ही उसके लिए अंतिम रूप से जिम्मेदार होना चाहिए। वे लिखती हैं कि "प्रत्यायोजित सत्ता का आशय तो यह होगा कि आपका मुख्य अधिकारी उस संपूर्ण सत्ता पर 'अधिकार' रखता है, यद्यपि वह इसके कुछ भाग का प्रत्यायोजन करना लाभप्रद मानता है। मैं नहीं मानती कि एक अध्यक्ष को उसके कार्य से अधिक सत्ता रखनी चाहिए।" दूसरे शब्दों में, फोलेट के अनुसार सत्ता का प्रत्यायोजन किया जाना भी ठीक अर्थ में संभव नहीं है। क्योंकि जो व्यक्ति आपके स्थान पर कार्य कर रहा है, उसे उस कार्य के भाग विशेष के संबंध में सत्ता प्राप्त होगी। सारांश में, "सत्ता वास्तव में किसी को प्रदान नहीं की जा सकती वरन् यह वह शक्ति है जो कार्य में अन्तर्निष्ठ होती है।"

(5) नेतृत्व की विचारधारा (Theory of Leadership)

फोलेट की मान्यता है कि नेतृत्व करना दूसरे व्यक्तियों पर प्रभुत्व जमाना नहीं है। इसकी प्रकृति आक्रामक नहीं है और न ही यह अनुरूप-नियम का गुण है। उनका मानना है कि नेता समूह का ही वह व्यक्ति होता है जो समूह में अन्तर्प्रवेश करके समूह के हितों की रक्षा कर सके तथा लोगों की भावनाओं का आदर कर सके। मेरी पार्कर फोलेट ने तीन प्रकार के नेतृत्व-पद नेतृत्व, व्यक्तित्व नेतृत्व व कार्य नेतृत्व की चर्चा करते हुए कहा है कि "आधुनिक उधोगों में कार्य-नेतृत्व (Leadership of function) का महत्त्व बढ़ता जा रहा है।" उनके अनुसार वास्तविक व स्थायी नेतृत्व शक्ति व्यक्ति को उसके पद या व्यक्तित्व के कारण प्राप्त न होकर उसके 'कार्य' के आधार पर प्राप्त होती है। उन्होंने नेतृत्व के संबंध में निम्न आवश्यक तत्त्वों का उल्लेख किया था–

1. नेता को अपने कार्य का पूर्ण ज्ञान होना चाहिए।
2. नेता में संपूर्ण स्थिति को समझने की योग्यता होनी चाहिए।
3. नेता शक्ति को उत्पन्न करते हैं तथा उसे प्रवाहित करते हैं। नेतृत्व का सार नियंत्रण का सृजन करना है। (The essence of leadership is to create control).
4. श्रेष्ठ नेता अपने उपक्रम की समस्त शक्तियों को संगठित करके सामान्य उद्देश्य के लिए उनका प्रयोग करता है।
5. नेता में साहसिक कार्य करने व नये रास्ते खोजने का अदम्य साहस होना चाहिए।
6. नेता व उसके अनुसरणकर्त्ताओं को एक अदृश्य नेता–'सामान्य उद्देश्य' का अनुसरण करना चाहिए।
7. श्रेष्ठ नेता अपने अनुयायियों को अपनी बात मानने के लिए प्रेरित नहीं करता, बल्कि वह उन्हें यह बतलाता है जो उनके उत्तरदायित्वों को पूरा करने के लिए आवश्यक है।
8. श्रेष्ठ नेता अपने अनुयायियों को स्वयं नेता हो जाने के लिए प्रशिक्षित करता है।

   फोलेट ने इस तथ्य पर बल दिया था कि नेता केवल जन्मजात ही नहीं होते हैं बल्कि मानव व्यवहार एवं समूह गति-विज्ञान की शिक्षा देकर उनकों तैयार किया जा सकता है।
9. नियंत्रण (Control)—फोलेट ने नियंत्रण का अर्थ 'तथ्यों के नियंत्रण' से लिया है, न कि मानवीय प्रयासों के नियंत्रण से। उनका यह मत भी है कि केन्द्रीय नियंत्रण तभी प्रभावशाली हो सकता है जबकि वह प्रभुत्व पर नहीं, वरन् सहयोग की भावना पर आधारित हो।
10. समन्वय के सिद्धांत (The Principles of co-ordination)—मेरी पार्कर फोलेट ने समन्वय के चार सिद्धांतों का उल्लेख किया है। आर्थिक विकास के लिए राष्ट्रीय तथा अन्तर्राष्ट्रीय योजनाओं के बनाने में इन सिद्धांतों को अवश्य ही ध्यान में रखना चाहिए। उनके अनुसार समन्वय को निम्नलिखित प्रक्रियाओं द्वारा सार्थक तथा प्रभावपूर्ण बनाना चाहिए।

(*a*) समन्वय की स्थापना के लिए संबंधित उत्तरदायी व्यक्तियों के बीच सीधा संपर्क स्थापित करना चाहिए। इनके बीच प्रत्यक्ष व्यक्तिगत संचार-व्यवस्था रहनी चाहिए। उनको एक-दूसरे की समस्या, स्थिति एवं प्रगति से परिचित रहना चाहिए। जब दो अधिकारी अपने कार्यालयों में बैठकर अपने पद की हैसियत से एक-दूसरे से संपर्क स्थापित करते हैं तो अनेक बार समस्याएँ सुलझने की अपेक्षा अधिक कठिन समस्या का समाधान भी सहज ही हो जाता है।

(*b*) समन्वय योजना एवं नीति का निर्माण करते समय उन्हें प्रारंभिक स्तरों पर ही अधिक आसानी से प्राप्त किया जा सकता है। जब प्रशासन से संबंधित नीतियाँ निर्धारित की जा रही हों या नियोजन किया जा रहा हो, उसी समय अधिकारियों के बीच सीधा संपर्क स्थापित हो जाना चाहिए। नीति एवं योजना संबंधी निर्णयों को लेने के बाद एक-दूसरे से संपर्क करने और अपनी समस्याओं को समायोजित करने की स्थिति में समन्वय का कार्य बहुत कठिन हो जाता है, क्योंकि तब उनमें से प्रत्येक यह चाहता है कि वह स्वयं के निर्णयों पर स्थित रहे तथा दूसरे को ही अपनी नीतियों एवं योजनाओं के अनुसार झुका ले।

(*c*) समन्वय एक स्थिति विशेष में सभी तत्त्वों के आदान-प्रदान का संबंध है। संगठन के सदस्यों में समन्वय की स्थिति वह मानी जा सकती है जब उनमें से प्रत्येक अपने साथी की व्यावहारिक समस्याओं को समझें और सभी तत्त्वों को ध्यान में रखकर उन्हें सुलझाने का प्रयास करें। दूसरे शब्दों में, संगठन के सदस्यों के बीच लेन-देन (Give and Take) की प्रवृत्ति रहनी चाहिए।

(*d*) समन्वय एक निरन्तर चलने वाली प्रक्रिया (continuing process) है। ऐसा नहीं होता कि संगठन में एक ही बार समन्वय स्थापित कर दिया जाए तो सदैव या बहुत समय तक चलता रहे। समन्वय के कार्य को अवसरों पर नहीं छोड़ा जा सकता। संगठन के अध्यक्ष को लगातार इस दिशा में प्रयत्नशील रहना होता है। अन्यथा संगठन में ऐसे विकार पैदा हो सकते हैं जिनकी वह कल्पना भी न कर सके और जिन पर वह नियंत्रण न रख सके।

एल्टन मेयो (Elton Mayo)

जार्ज एल्टन मेयो आस्ट्रेलिया के रहने वाले थे, जिनका जन्म 1880 में एडीलेड (Adilaide) नामक नगर में हुआ। इन्होंने अपने व्यवसाय की खोज में काफी भ्रमण किया। इसी भ्रमण के क्रम में वह स्काटलैंड से पश्चिम अफ्रीका तक गये और वापस लौट कर अपना एक स्थायी व्यवसाय का चयन किया। इन्होंने छापे खाने के कार्य से अपना व्यवसाय आरम्भ किया। मेयो ने एडीलेड विश्वविद्यालय में मनोविज्ञान का अध्ययन किया। प्रथम विश्व युद्ध के अन्त में इन्होंने अपने सहयोगी के साथ एक मनोवैज्ञानिक जांच कार्यक्रम का संगठन किया। इनके निर्देशन में इनका कार्य काफी सफल हुआ। परिणामस्वरूप 1919 में क्विंसलैण्ड विश्वविद्यालय में दर्शनशास्त्र विभाग में शिक्षक के पद पर इनकी नियुक्ति हुई।

मेयो का पहला शोध उद्योग में मानवीय संबंध पर हुआ जिसे उसने अमेरिका के रोकफेलर ग्रांट की सहायता से पेनसिल्वानियां विश्वविद्यालय में काम करते हुए किया था। 1920 से मायो का विकासात्मक, उत्पादक एवं लाभकारी जीवन आरंभ होता है जब वह हारवर्ड विश्वविद्यालय के व्यावसायिक प्रशासन स्कूल में औद्योगिक शोध विषय के प्रोफेसर बने।

वर्तमान युग में सभी व्यवसायों में मानवीय संबंधों की ओर अधिक ध्यान दिया जाने लगा है। श्रमिकों के कल्याण के लिए विविध प्रकार के कानून बनाये गये हैं, जिनके अन्तर्गत श्रमिकों को आवास, मनोरंजन तथा चिकित्सा व वातावरण संबंधी सुविधाएँ प्रदान करने का दायित्व उद्योगपति पर है। मानवीय संबंधों को उद्योग में महत्त्वपूर्ण स्थान दिलाने का श्रेय मानवीय संबंध आन्दोलन को है जो 19वीं शताब्दी के अन्तिम वर्षों में प्रारम्भ हुआ। 1920 के बाद के वर्षों में मानव संबंधों के विकास की गति काफी तेज होती है और यह मानव संबंधों का विकास अब उद्योग तथा अन्य व्यवसाय से बढ़ कर लोक प्रशासन के क्षेत्र में भी छा गया है। किसी भी संगठन में मानव संबंध साधन होते हैं साध्य नहीं। कोई प्रशासनिक अधिकारी अपने क्षेत्राधिकार के अन्तर्गत कार्य करने वाले कार्मिकों के साथ अपना संबंध केवल अपनी लोकप्रियता बढ़ाने के लिए स्थापित नहीं करता, वरन् इसलिए कि वह संगठन के कार्यों में अन्य का सहयोग प्राप्त करे। आज प्रशासकीय विभागों में आये दिन नयी-नयी समस्याएँ उत्पन्न हो रही हैं। अतः ऐसी स्थिति में मानव संबंध का विकास करना नितान्त जरूरी है।

एल्टन मेयो एवं हॉथोर्न प्रयोग

एल्टन मेयो को लोक प्रशासन में मनोवैज्ञानिक उपागम का संस्थापक माना गया है एवं उनके द्वारा किये गये हॉथोर्न प्रयोग का औद्योगिक मनोविज्ञान में महत्त्वपूर्ण स्थान है। 1927 से 1932 (लगभग 6 वर्ष) तक मायो के नेतृत्व में पश्चिमी विद्युत कंपनी के हॉथोर्न वर्क्स में कुछ अन्वेषण किये गये। इसीलिए इन अन्वेषण का नाम ही हॉथोर्न अन्वेषण पड़ गया। अन्वेषण में हम देखते हैं कि उद्योगों की विभिन्न समस्याएँ एक-दूसरे से सम्बन्धित हैं। कार्य की दशाओं में और कर्मचारियों के सामाजिक संगठनों में एक विशेष संबंध है। कर्मचारी की कार्य के लिए मनोवृत्ति उसके जीवन की देन है। इसी देन के कारण थकान, अरोचकता, दुर्घटनाओं जैसे वातावरण से समायोजित करने में वह असमर्थ है।

हॉथोर्न अध्ययनों को सुविधा की दृष्टि से निम्न पाँच वर्गों में बाँटा जाता है—

1. प्रकाश चमक पर प्रयोग

यह प्रयोग तीन चुने हुए विभागों पर किया गया। पहले विभाग का कार्य छोटे-छोटे पुर्जों का निरीक्षण करना था। दूसरे विभागों में विद्युत यन्त्र को इकट्ठा करना था। तीसरे विभाग में बिजली के तारों को बांधने का कार्य था। परिस्थिति को नियंत्रित करने के लिए सभी कर्मचारियों को एक निश्चित प्रकाश की तीव्रता के अन्तर्गत रखा गया ताकि उनके उत्पादन का

मापन किया जा सके। सर्वप्रथम इन्हें काफी तेज बिजली की रोशनी में उत्पादन कार्य करवाया गया, फिर रोशनी को थोड़ा मन्द किया गया। अन्त में इतना मन्द किया गया कि कार्मिकों को दिखाई पड़ना भी मुश्किल हो गया। अध्ययनकर्त्ताओं ने यह ज्ञात किया कि प्रकाश को कुछ मन्द करने पर उत्पादन की मात्रा बढ़ी है। उत्पादन की मात्रा में थोड़ी कमी, काफी तेज प्रकाश में तथा उत्पादन की मात्रा में थोड़ी कमी, एकदम मन्द प्रकाश में आयी। प्रकाश चमक पर प्रयोग के परीक्षण के बाद यह पाया गया कि प्रकाश की तीव्रता का उत्पादन से कोई विशेष संबंध नहीं है। इसे कोई विशेष महत्त्वपूर्ण कारण नहीं माना जा सकता।

2. यन्त्र-संग्रहित परीक्षण कक्ष

इस प्रयोग का मूल उद्देश्य बहुत से परिवर्त्यों में से किसी एक परिवर्त्य (variable) को अत्यधिक नियंत्रण में रखना था जो कि प्रथम अध्ययन में कार्य करने वाले ऑपरेटरों को प्रभावित करते थे। अत्यधिक नियंत्रण हेतु यह निश्चय किया गया कि कर्मचारियों के एक छोटे वर्ग को नियमित कार्य करने वाले कर्मचारियों से पृथक कक्ष में रखा जाए। इस अध्ययन में छोटे विद्युत चालित यन्त्र को संग्रहित करने का कार्य चुना गया। क्योंकि यह कार्य साधारण था व इसकी बहुत बार पुनरावृत्ति हो सकती थी तथा इससे उत्पादन के शुद्ध मापन के लिए किसी मशीन की आवश्यकता नहीं होती थी। इस कार्य के लिए दो अनुभवी ऑपरेटर बुलाये गये जो आपस में मित्र के समान थे। इन दो ऑपरेटरों ने तीन संग्रह करने वाले कर्मचारियों को एक और सहायक ऑपरेटर के साथ (जो कार्य की देखभाल करता था), बुला लिया। प्रत्येक कार्य दशा नियमित कार्य करने वाले विभाग के ही समान थी। केवल अन्तर इतना ही था कि नियमित विभाग में 6 या 7 लड़कियों के लिए एक ऑपरेटर था और दूसरा व्यक्ति वह था जो प्रकाश चमक पर प्रयोग कर रहा था। यह व्यक्ति मैत्रीपूर्ण वातावरण बनाये रखता तथा प्रत्येक परिवर्तन का लेखा-जोखा रखता था। तापक्रम, नमी आदि को प्रत्येक घंटे बाद लिखा जाता था। प्रत्येक 6 सप्ताह बाद लड़कियों की शारीरिक परीक्षा की जाती थी और कमरे में होने वाले परिवर्तनों का सम्पूर्ण विवरण रखा जाता था।

इस प्रकार सम्पूर्ण प्रयोग को 13 भागों में बाँट दिया गया—

1. कार्य की विशेष परिस्थितियों के अन्तर्गत प्रत्येक लड़की के कार्य के उत्पादन का शुद्ध मापन करना असम्भव था।
2. इस चरण में उस प्रभाव को निर्धारित करने का प्रयत्न किया गया जो कि कार्य में परिवर्तन लाने के परिणामस्वरूप उत्पादन पर पड़ता है।
3. इसमें भुगतान के ढंग में परिवर्तन किया गया। इसमें 6 लड़कियों को पारिश्रमिक उसी हिसाब से दिया गया जितना कि उनके स्वयं के समूह ने उत्पादन किया था, जबकि पहले उनको 190 ऑपरेटरों के सम्पूर्ण समूह के उत्पादन के आधार पर पारिश्रमिक दिया जाता था।
4. दो विश्राम काल 5-5 मिनट के दिये गये।
5. विश्राम काल 5 से बढ़ाकर 10 मिनट किया गया।
6. 5-5 मिनट के 6 विश्राम काल दिये गये।
7. दो विश्राम काल तथा दोपहर का भोजन दिया गया।
8. इस काल की दशाएँ सातवें के समान ही रहीं, परन्तु कार्य का समय आधा घंटा कम कर दिया गया।
9. समस्त दशाएँ आठवें की तरह ही रहीं परन्तु कार्यकाल आधा घंटा और कम कर दिया गया।
10. इस भाग में नवें काल की अपेक्षा कार्य का एक घंटा पुनः बढ़ा दिया गया।
11. इसमें सप्ताह में 5 दिन का काम कर दिया गया।
12. इस अवस्था में सारी स्थितियां तीसरे काल की तरह कर दी गयीं अर्थात् मुफ्त भोजन नहीं दिया गया तथा सप्ताह के पूरे दिन कार्य कराया गया।
13. इसमें सातवें तथा दसवें की पुनरावृत्ति की गयी, सिवाय इसके कि उनको सुबह का भोजन दिया जाता था व थोड़ी-सी शराब भी।

कार्य करने की उपर्युक्त दशाओं में परिवर्तन लाने के कारण बहुत रोचक परिणाम प्राप्त हुए। प्रत्येक परीक्षण काल का उत्पादन पिछले वालों से अधिक हुआ। इस प्रकार उत्पादन बढ़ने से लड़कियों के वेतन भी बढ़े।

जब इन लड़कियों से उत्पादन वृद्धि का कारण पूछा गया तो उत्तर मिला—अधिक स्वतंत्रता, मालिकों की अनुपस्थिति, अत्यधिक व्यक्तिगत ध्यान तथा अपना स्थान स्वयं निश्चित करने का अवसर आदि।

जब उनसे और आगे पूछा गया तो उन्होंने कहा कि कठोर निरीक्षक से मुक्ति उत्पादन वृद्धि का एक बहुत बड़ा कारण है। उन्होंने विश्वास के साथ कहा कि विश्राम, मुफ्त भोजन, सप्ताह में कम काम व अधिक पारिश्रमिक आदि सुविधाएँ उनके लिए अधिक महत्त्व नहीं रखती जितनी कि कठोर निरीक्षण के बन्धन से मिलने वाली मुक्ति महत्त्वपूर्ण होती है।

जब परीक्षण काल के अन्तर्गत इन लड़कियों का शारीरिक परीक्षण किया गया तो उनमें किसी प्रकार का अन्तर नहीं पाया गया।

इसी सन्दर्भ में कार्योत्पादन पर वेतन प्रलोभन का क्या प्रभाव पड़ता है, इस समस्या पर और अध्ययन किये गये। जो निम्नलिखित हैं—

द्वितीय यन्त्र संग्रहित परीक्षण कक्ष—पहले वाले यन्त्र संग्रहित परीक्षण के समूह के वातावरण तथा वेतन के भुगतान करने के नियमों एवं विधियों में कुछ परिवर्तन किये गये। इसके लिए पाँच अनुभवी ऑपरेटरों को चुना गया। इसको पहले समूह की तरह ही वेतन का भुगतान किया गया। इन लोगों के उत्पादन में 15 प्रतिशत की वृद्धि पायी गयी। इस प्रकार प्रयोगकर्त्ता ने महत्त्वपूर्ण निष्कर्ष निकाले। पहले निष्कर्ष के अन्तर्गत उन्होंने यह बात कही कि केवल पारिश्रमिक भुगतान करने का तरीका ही उत्पादन को नहीं बढ़ाता वरन् अन्य दूसरे कारण जैसे काम पर मजदूरों के आपसी संबंध व कार्य के बाहर की स्थिति भी उत्पादन पर एक विशेष प्रभाव डालती है। इस प्रकार वर्षों तक कार्य करने के उपरान्त इस अध्ययन से स्पष्ट होता है कि कार्योत्पादन पर कर्मचारी की अभिवृत्ति का एक बहुत बड़ा प्रभाव पड़ता है। कर्मचारी की ये अभिवृत्तियाँ उसके मानसिक सुख तथा सामाजिक प्रतिष्ठा पर निर्भर करती हैं।

3. जन समूह साक्षात्कार कार्यक्रम

दूसरे अध्ययन से यह स्पष्ट हो चुका है कि मनोबल तथा निरीक्षण के मध्य गहरा संबंध है। यदि निरीक्षण में सुधार किया जाता है तो कर्मचारी के मनोबल तथा विचारधारा में एक महत्त्वपूर्ण परिवर्तन होता है, जो उद्योग के लिए हितकर है। अतः इस अध्ययन के अन्तर्गत मानवीय संबंधों तथा वृत्तियों की जानकारी हेतु विभिन्न प्रकार के प्रयोग किये गये।

कर्मचारियों की वृत्तियों को जानने के लिए यह तय किया गया कि उनका साक्षात्कार किया जाए। साक्षात्कार कार्यक्रम निरीक्षण विभाग को सौंपा गया। इस विभाग में 1600 कर्मचारी कार्य करते थे। तीन पुरुष तथा दो स्त्रियाँ निरीक्षकों का साक्षात्कार लेने के लिए चुने गये। उनको यह कह दिया गया था कि वे केवल कर्मचारियों की अभिवृत्तियों को जानने के लिए सूचना प्राप्त करेंगे न कि किसी जासूसी कार्यवाही के लिए। साक्षात्कार में निम्नलिखित सावधानियाँ बरती गयीं तथा साक्षात्कारकर्त्ता को निम्नलिखित नियमों का अनुकरण करना पड़ा।

1. प्रत्येक साक्षात्कारकर्त्ता को कर्मचारियों के निश्चित क्षेत्र प्रदान किए गए। तत्पश्चात् साक्षात्कारकर्त्ता ने उस कार्यक्षेत्र के निरीक्षक से कर्मचारियों के नामों की सूची प्राप्त की।
2. साक्षात्कारकर्त्ता को कार्य प्रारम्भ करने से पूर्व कार्य संचालक से कार्य की वर्तमान स्थिति के बारे में जानकारी प्राप्त कर लेनी चाहिए।
3. साक्षात्कारकर्त्ता साक्षात्कार के पूर्व निरीक्षकों एवं मालिकों को यह सूचना दे देता है कि आज वह कर्मचारियों का साक्षात्कार लेगा। जिससे कार्य व्यवस्था में किसी प्रकार की बाधा नहीं पड़ती है और साक्षात्कारकर्त्ता को निरीक्षकों का सहयोग प्राप्त हो जाता है।
4. साक्षात्कारकर्त्ता द्वारा साक्षी को यह बता देना चाहिए कि साक्षात्कार में जितना समय लगेगा उसका उसे वेतन मिलेगा।
5. साक्षात्कारकर्त्ता द्वारा कर्मचारी को यह विश्वास दिला देना चाहिए कि वह उसकी किसी भी गोपनीय सूचना को उसके मालिक या निरीक्षक को नहीं देगा।
6. एक दिन में केवल कुछ ही लोगों का साक्षात्कार लेना चाहिए।
7. जहां तक हो सके साक्षात्कारकर्त्ता को साक्षी का नाम निरीक्षक से पूछ लेना चाहिए।
8. साक्षात्कारकर्त्ता द्वारा कर्मचारियों को यह बता देना चाहिये कि उनकी कम्पनी उनकी भलाई में कितनी रुचि लेती है।

इस प्रकार साक्षात्कार कार्यक्रम के द्वारा कर्मचारियों की प्रतिक्रिया का अध्ययन समुचित रूप से किया जाता है। इस कार्यक्रम से कर्मचारियों को सबसे बड़ा लाभ हुआ कि वे अपने मन की बात लोगों को बता सके, अपना व्यावसायिक दुःख दर्द सुना सके। इससे कर्मचारियों को कार्य करने की प्रेरणा मिली। निरीक्षकों एवं मालिक की आँखें खुल गयीं हैं। विभिन्न प्रकार की कल्याणकारी योजनाएँ बनायी गयी। प्रबंधक अच्छा व्यवहार करने के लिए मजबूर हो गये। इस प्रकार इस कार्यक्रम से कर्मचारी के सामाजिक अस्तित्व का मूल्यांकन हुआ।

4. बैक-वायरिंग निरीक्षण कक्ष

इस भाग के अन्तर्गत जो अध्ययन हुए उनका मुख्य उद्देश्य कर्मचारियों के सामाजिक समूह के विषय में और अधिक विस्तार से सूचना प्राप्त करना था। इन प्रयोगों में वैज्ञानिक प्रबंध की अनेक मान्यताओं को एक-एक कर परखा गया। इस अध्ययन द्वारा जो निष्कर्ष निकाले गये उनको बाद के अध्ययनों द्वारा पुष्ट किया गया। इसके अन्तर्गत जितने भी अध्ययन हुए उनसे कर्मचारियों के समूह, कार्य, उनकी वृत्तियों का व्यवस्थित रूप में अध्ययन प्रस्तुत किया गया। इस अन्वेषण के तथ्यों ने प्रबंधकों की आँखें खोल दीं। कर्मचारियों की क्या माँगें होती हैं, उनका कार्य संचालन कैसे होना चाहिए, उन्हें कैसे सन्तुष्ट रखा जा सकता है आदि का अहसास प्रबंधकों को हुआ। इस प्रयोग द्वारा यह सिद्ध किया गया है कि एक मजदूर उतना उत्पादन नहीं करता जितना वह कर सकता है वरन् वह उतना उत्पादन करता है जितना उत्पादन करने की प्रेरणा उसके साथ काम करने वाले उच्चाधिकारियों द्वारा दी जाती है।

इस अध्ययन ने कर्मचारियों के सामाजिक पक्ष की स्पष्ट वकालत की है। इस अध्ययन के निष्कर्ष ने मालिक को या प्रबंधक को यह बता दिया कि कर्मचारी की क्या-क्या मूलभूत आवश्यकताएँ होती हैं और उनसे काम लेने के लिए कैसा व्यवहार किया जाना चाहिए।

5. कर्मचारी परामर्श

अब तक जिन चार अध्ययनों की चर्चा की गयी है वे कर्मचारियों के दृष्टिकोण से बहुत अधिक उपयुक्त नहीं थे। ये अध्ययन वास्तव में कर्मचारियों की स्थिति में मूलभूत सुधार करने में कोई विशेष पहल नहीं कर सके। अतः इस पाँचवें अध्ययन ने अन्वेषकों को इस ओर आकर्षित किया।

इस अध्ययन द्वारा यह प्रमाणित किया गया कि कर्मचारियों के सामाजिक स्तर को ऊँचा उठाने के लिए, उनके सामाजिक कल्याण के लिए तथा मानसिक एवं व्यावसायिक समायोजन के लिए कर्मचारी संघों, संस्थाओं तथा संगठनों की स्थापना बहुत आवश्यक है। इन संस्थाओं के द्वारा कर्मचारियों को उचित शिक्षण प्रदान किया जा सकता है। वे निरीक्षक और मालिकों के साथ अपने संबंध ठीक रख सकते हैं। उन अध्ययनों द्वारा हड़ताल, घेराव, तालाबन्दी, धरना जैसी सामाजिक स्थितियों को नियमित किया जा सकता है। कुल मिलाकर यह कह सकते हैं कि कर्मचारी सामाजिक प्रतिष्ठा का अनुभव करेगा और अपने कार्य के साथ समायोजन बनाये रखेगा। इसके द्वारा कर्मचारी संघ, संस्थाओं की स्थापना को भी बल मिला जिससे नियोक्ता कर्मचारी संबंध मधुर बन सके।

पाँच वर्ष तक के लम्बे काल में किये गये इन हॉथोर्न प्रयोगों के परिणाम अत्यन्त महत्त्वपूर्ण थे। इन अध्ययनों के बाद जो निष्कर्ष निकाले गए उनमें से मुख्य निम्न प्रकार हैं:

सामाजिक आदर्शों का महत्त्व—इन अध्ययनों के दौरान यह देखा गया कि उत्पादन का स्तर सामाजिक आदर्शों द्वारा निश्चित किया जाता है। इसे तय करने में मनोवैज्ञानिक सामर्थ्य का बहुत बड़ा स्थान है। इस निष्कर्ष को अवकाश एवं थकान के प्रारम्भिक अध्ययनों द्वारा निकाल लिया गया था। इसे जानने के लिए नये प्रयोगों में प्रयोगकर्त्ताओं ने यह ज्ञात किया

कि इन दोनों तत्त्वों के बीच कोई सम्बन्ध नहीं है। बाद के अध्ययनों से यह भी पता लगा कि जब प्रकाश को बन्द कर दिया गया तो उत्पादन की मात्रा बढ़ी। उत्पादन की मात्रा में कमी केवल तभी आयी जबकि रोशनी इतनी कम हो गई कि मज़दूर वर्ग अच्छी प्रकार से देख नहीं पाया।

कालान्तर में परम्परावादी कथनों की सत्यता को प्रयोगों की कसौटी पर कसा जाने लगा था। यह कहा जाता है कि कार्य की भौतिक परिस्थितियों एवं उत्पादन की दर के बीच प्रत्यक्ष एवं साधारण संबंध होता है। रोशनी से संबंधित प्रयोग कर लेने के बाद इस बात पर प्रयोग किया गया कि आराम एवं अवकाश का उत्पादन पर क्या तथा कितना प्रभाव पड़ता है। इस प्रयोग के लिए पाँच मजदूरों को चुना गया। उन्हें क्रमशः पाँच, दस और पन्द्रह मिनट का आराम अवकाश देकर यह देखा गया कि उत्पादन की मात्रा पर इसका कैसा प्रभाव पड़ता है। इन प्रयोगों के परिणामस्वरूप उत्पादन की वृद्धि तो हुई परन्तु उसका श्रेय आराम अवकाश को नहीं दिया जा सकता था क्योंकि इस अवकाश को जब पूरी तरह से समाप्त किया गया और सारा दिन काम लिया गया तो भी उत्पादन की मात्रा सामान्य रूप से अधिक ही थी। इन सभी का यह निष्कर्ष निकाला गया कि उत्पादन की मात्रा तथा थकान से छुटकारे के बीच कोई संबंध नहीं। उत्पादन की मात्रा को सामान्य रूप से कैसे बढ़ाया जा सकता है इसके बारे में प्रयोगकर्त्ताओं को एक परिकल्पना सुझाई गई कि उत्पादन की मात्रा उस समय बढ़ जाती है जबकि काम करने वालों की सामाजिक स्थितियाँ बदल दी जाती हैं। उनके मनोवैज्ञानिक सन्तोष के स्तर में परिवर्तन कर दिये जाते हैं तथा सामाजिक संबंधों को नया रूप दे दिया जाता है। इस परिकल्पना के आधार पर भी प्रयोग किये गये। इन प्रयोगों का परिणाम आशाजनक था। सामाजिक तथ्यों की खोज हॉथोर्न अध्ययनों की सबसे प्रमुख देन मानी जाती है।

प्रसिद्ध बैंक वायरिंग पर किये गये अध्ययन प्रत्येक दृष्टि से अत्यन्त महत्त्वपूर्ण हैं। इन प्रयोगों में वैज्ञानिक अध्ययन की अनेक मान्यताओं को एक-एक करके परखा गया। प्रत्येक अध्ययन द्वारा जो निष्कर्ष निकाले गये थे उन्हें बाद के अध्ययनों द्वारा पुष्ट किया गया। इससे यह स्पष्ट हो गया कि एक मजदूर उतना उत्पादन नहीं करता जितना वह कर सकता है परन्तु वह उतना उत्पादन करता है जितना करने की प्रेरणा उसके साथ कार्य करने वाले उसे देते हैं। इसी आधार पर उत्पादन की मात्रा तय की जाती है।

अनार्थिक प्रेरणाएँ–मजदूरों के कार्यों को अनार्थिक प्रेरणाओं द्वारा बहुत अधिक प्रगति दी जा सकती है। इस प्रकार आर्थिक योजनाओं की प्रेरणा का स्थान बहुत कुछ सीमित हो जाता है। इस संबंध में पुरस्कार एवं दबाव अत्यन्त महत्त्वपूर्ण माने जा सकते हैं। इन दोनों का रूप प्रतीकात्मक है न कि स्थूल। जो मजदूर समूह के आदर्श से सर्वथा अधिक उत्पादन करते हैं वे शीघ्र ही अपने साथियों को प्रेम एवं आदर भी देते हैं। मजदूरों के जिस समूह का अध्ययन किया गया था उन सभी ने यह प्रयास किया था कि वे अधिक ध्यान लगाने के साथ-साथ अधिक अधिकारियों से भी मित्रतापूर्ण संबंध बनाये रखें। कुछ समय बाद के अध्ययनों में डाल्टन ने यह दिखाया कि यह बात हमेशा नहीं होती। उन्होंने देखा कि समूह के आदर्श से कम कार्य करने वाले वे लोग थे जिन्हें कि शिक्षा एवं सामाजिक अनुभवों ने यह बताया था कि प्रेम तथा आदर के साथ भी किस प्रकार कार्य करते रहा जा सकता है। डाल्टन ने यह पाया कि 98 समूहों में कार्य करने वाले कैथोलिकों में से एक भी ऐसा नहीं था जिसे मुफ्तखोर कहा जा सके। इसका कारण यह है कि कैथोलिक लोग अपेक्षाकृत आर्थिक, सामाजिक तथा दूसरे के आदर एवं प्रेम के प्रति बहुत भावुक होते हैं। कैथोलिक लोग अधिक स्वाभिमानी एवं अहंकारी होते हैं। मुफ्तखोर प्रायः ऐसी जगहों से आते हैं जहां शिक्षा, सभ्यता, संस्कृति एवं जीवन के अन्य मूल्यों का स्तर काफी नीचा होता है। वे स्वामिभक्त, सहयोगपूर्ण संबंध एवं ईमानदारी जैसे गुणों का पूरा ज्ञान प्राप्त नहीं कर पाते। डाल्टन का कहना था कि ये मुफ्तखोर ही प्रायः संगठन के शीर्ष की ओर बढ़ने में प्रयत्नशील रहते हैं। फिर भी डाल्टन के प्रयोग तथा उपलब्धियाँ हॉथोर्न की मूल मान्यताओं का विरोध नहीं करती। इनमें भी कर्मचारी वर्ग समूह के आदर्शों को मान्यता देता है और जो लोग इसकी अवहेलना करते हैं उन्हें संगठन का स्वीकृत सदस्य नहीं माना जाता।

उत्पादन की मात्रा पर एक अन्य अनार्थिक तत्त्व का प्रभाव थॉमस के एक कथन द्वारा स्पष्ट होता है। उनका कहना है कि यदि व्यक्ति स्थिति को व्यवस्थित रूप में प्रभावित करते हैं तो वे उनके परिणामों में वास्तविक होते हैं। मजदूरों का यह विश्वास बन जाता है कि यदि उन्होंने अधिक काम किया तो उनके वेतन की दर घट जायेगी और यदि उन्होंने एक निश्चित मात्रा में उत्पादन नहीं किया तो यह प्रबंध के प्रति उचित नहीं होगा। इन परिणामों का अध्ययन करने के बाद वे इस निश्चय पर आते हैं कि उत्पादन की मात्रा समूह के आदर्श के अनुसार ही रखी जाये। इस प्रकार मजदूर एक फैक्ट्री से उत्पादन की मात्रा निश्चित करने में अत्यन्त महत्त्वपूर्ण योगदान करते हैं।

सामूहिक व्यवहार–प्रायः मजदूरों की क्रिया एवं प्रतिक्रिया एक व्यक्ति के रूप में नहीं वरन् समूह के सदस्य के रूप में होती है। प्रत्येक व्यक्ति में न तो इतनी सामर्थ्य होती है न ही वह इतना स्वतंत्र होता है कि वह अपने लिए उत्पादन का कोटा निश्चित कर सके। यह सभी तो समूह द्वारा तय किया जाता है। जो मजदूर समूह के आदर्श के ऊपर या नीचे होते हैं उन्हें साथी कर्मचारियों द्वारा दण्डित किया जाता है। एक व्यक्ति दबावों के कारण अपने व्यक्तिगत व्यवहार को बदलने के लिए तैयार हो जाएगा यदि वह समूह, जिसका कि वह सदस्य है, भी अपना व्यवहार बदल लेता है। इस संबंध मे लेनिन का कहना है कि जब तक समूह के मापदण्ड अपरिवर्तित रहते हैं तब तक व्यक्ति भी परिवर्तनों का जोरदार विरोध करेगा और वह समूह के मापदंडों का उल्लंघन भी करेगा। किन्तु यदि समूह का मापदंड भी बदल जाता है तो व्यक्ति और समूह के मापदंडों के बीच में रहने वाला विरोध भी मिट जाता है। लेनिन ने खाने की आदतों के परिवर्तन पर किये गये प्रयोगों पर विचार-विमर्श करते हुए संगठन की उस शक्ति का विश्लेषण किया है जिसके आधार पर वह व्यवहार में परिवर्तन ला सकता है। ये प्रयोग यह जानने के लिए किये गये थे कि ऐसा खाना लेने के लिए कैसी विधि को तैयार किया जा सकता है जिसे कि वे साधारण रूप से प्रयोग में नहीं लायें। मानव-संबंधों के विचारकों ने अनेक प्रयोगों के आधार पर यह निष्कर्ष निकाला है कि व्यक्तिगत परिवर्तनों के साथ इस प्रकार के संबंध नहीं रखा जा सकता जैसे कि वे एक-दूसरे के साथ ऐसे विचार करते हैं जैसे कि वह कार्यकारी समूह के सदस्य हों और उनके ऊपर इन समूहों का प्रभाव पड़ सकता है।

नेतृत्व का महत्त्व–इन अध्ययनों के बाद वैज्ञानिक प्रबंध का एक अन्य प्रमुख तत्त्व सामने आया कि समूह के आदर्शों को बनाने तथा लागू करने में नेतृत्व का अत्यन्त महत्त्वपूर्ण स्थान होता है। इसके अतिरिक्त औपचारिक एवं अनौपचारिक नेतृत्व के बीच पर्याप्त अन्तर पाया जाता है। वैज्ञानिक प्रबंध यह मानकर चलता है कि कम-से-कम उत्पादन से संबंधित सभी मामलों में मजदूरों का नेतृत्व पूरी तरह से फोरमैन द्वारा किया जाता है किन्तु वास्तविक निरीक्षण करने पर यह मान्यता कई बार सही नहीं उतरती। कहा गया है कि वायरिंग रूप का अध्ययन करने पर यह ज्ञात हुआ कि मजदूरों में से एक व्यक्ति ऐसा था जो कि समूह का औपचारिक नेता बना हुआ था। उस कमरे में उसे सबसे अधिक प्रसन्न किया जाता था और उसने संगठन के आदर्शों को पूरी तरह अपना रखा था। उसके सुझावों पर अत्यधिक ध्यान दिया जाता था तथा इस प्रकार उसका समूह के ऊपर पर्याप्त नियंत्रण था। वह कार्य को समाप्त करवाने की सामर्थ्य रखता था तथा एक सीमा तक संगठन के अन्य कर्मचारियों के समक्ष अपने समूह का वक्ता बन जाता था। संक्षेप में यह कहा जा सकता है कि उसने मजदूरों की एक सामाजिक समूह के रूप में कार्य करने में सहायता की। इस अध्ययन से यह भी स्पष्ट हुआ कि एक फोरमैन का अपने समूह पर अधिक प्रभाव न था और उसे उन समूह आदर्शों को प्रायः मानकर चलना पड़ता था जिन पर नियंत्रण रखने की उससे आशा की जाती थी। बाद में प्रयोगों ने यह स्पष्ट कर दिया कि यदि एक फोरमैन अपने आपको मान्य तथा अपने पद को सार्थक करना चाहता है तो उसे अपने नेतृत्व का प्रयोग मानव संबंधों के तरीके से करना होगा।

संचार व्यवस्था का महत्त्व–इस संदर्भ में किये गये अनेक प्रयोगों तथा मायो के लेखों द्वारा मानवीय संबंध दृष्टिकोण ने विभिन्न श्रेणियों के बीच संचार पर बहुत जोर दिया। संगठन के निम्न कर्मचारियों को यह बताने पर जोर दिया गया कि एक निश्चित कार्य क्यों किया जा रहा है। उच्च अधिकारियों द्वारा निर्णय लेने की प्रक्रिया में निम्न अधिकारियों द्वारा भाग लेने के महत्त्व पर, विशेष रूप से उन विषयों पर जो उन्हें प्रभावित करते हैं, जोर दिया गया। नेतृत्व के प्रजातंत्रात्मक स्वरूप का समर्थन किया गया क्योंकि इसमें संचार व्यवस्था अधिक सक्रिय होती है, अधिकाधिक लोग भाग ले सकते हैं। और, साथ ही न्यायपूर्ण भी होती है, स्वेच्छाचारी नहीं होती। इसके अतिरिक्त मजदूरों के कार्य से नहीं वरन् उनकी समस्याओं से भी संबंधित रहता है।

मानव संबंधों की विचारधारा के अनुसार सर्वाधिक संतोषजनक संगठन वह होता है जो सर्वाधिक कार्यकुशल होता है। इस विचारधारा के अनुसार औपचारिक एवं बौद्धिक संगठन में, जो केवल आर्थिक आवश्यकताओं को संतुष्ट करता है, मजदूर प्रसन्न नहीं हो सकता। इस विचारधारा के समर्थकों का कहना है कि प्रबंध अपने संगठन में श्रम और सत्ता का कुशल निर्धारण करने के बाद आवश्यक रूप से एक ऐसे संगठन की स्थापना नहीं करता जिससे सभी मजदूर संतुष्ट हों। मानव संबंध के विचारकों ने यह भी बताया कि संगठन के कार्य और बनावट को कर्मचारियों की सामाजिक आवश्यकताओं से संबंध रखने चाहिएँ। इस प्रकार यदि कर्मचारियों को प्रसन्न कर दिया गया तो संगठन उनका पूरा सहयोग प्राप्त कर सकेगा। इसके अतिरिक्त संगठन में कार्यकुशलता को भी बढ़ावा दिया जा सकता है। संगठन को बौद्धिक बनाने का तरीका यह है कि विचारपूर्ण प्रयासों द्वारा श्रमिकों की प्रसन्नता बढ़ाई जाए। लोक प्रशासन में आजकल ऐसा साहित्य पर्याप्त मात्रा में आने लगा है। मानव संबंधों का दृष्टिकोण यह भी प्रतिपादित करता है कि मजदूरों में यह भावना होनी चाहिए कि कम्पनी के लक्ष्यों में उनके कार्यों का पर्याप्त महत्त्व है, उन्हें अपने आप को कम्पनी का एक भाग समझना चाहिए तथा उसके लक्ष्यों की प्राप्ति में वह जो योगदान करे उसके लिए गर्व करना चाहिए। इसका अर्थ यह है कि कम्पनी के लक्ष्य ऐसे होने चाहिए कि प्रबंध के अभिप्रायों में विश्वास प्रेरित कर सकें और मजदूरों में यह विश्वास जागृत कर सकें कि इन लक्ष्यों के लिए कार्य करने में प्रत्येक को उचित पुरस्कार प्राप्त होगा।

हॉथोर्न अध्ययन और टेलरवाद

ये दोनों अध्ययन औद्योगिक मनोविज्ञान एवं लोक प्रशासन के मनोवैज्ञानिक उपागम के आधारभूत अध्ययन माने जाते हैं। दोनों का उद्देश्य लगभग समान रहा है अर्थात् उत्पादन को किस तरह से बढ़ाया जाए। परन्तु इनके बावजूद दोनों में कुछ अन्तर है–

1. टेलर के अध्ययन 1910 के लगभग किये गये थे। हॉथोर्न अध्ययन 1927 से 1932 तक पाँच वर्ष लगातार हुए। अतः टेलरवाद पहले तथा हॉथोर्न अध्ययन बाद में हुए। औद्योगिक मनोविज्ञान के विकासकाल में टेलरवाद का जन्म हुआ जबकि हॉथोर्न अध्ययन औद्योगिक मनोविज्ञान के परिपक्वकाल में आरम्भ हुआ।
2. टेलरवाद में उत्पादन से संबंधित केवल एक प्रकार के कारकों पर ही विचार किया गया, जबकि हॉथोर्न अध्ययन में सभी संभावित कारकों का अध्ययन किया गया।
3. टेलरवाद में केवल काम करने की विधियों पर अधिक बल दिया गया है, जबकि हॉथोर्न अध्ययन में मानवीय दृष्टिकोण को मूलभूत माना गया है।
4. टेलरवाद में मनोवैज्ञानिकों का दृष्टिकोण व्यष्टि Micro है जबकि हॉथोर्न अध्ययन में मनोवैज्ञानिक का दृष्टिकोण समग्रता के नियम पर आधारित है।
5. टेलरवाद का प्रधान उद्देश्य काम की परिस्थितियों में पाये जाने वाले कारकों को ज्ञात करना है जबकि हॉथोर्न अध्ययन का उद्देश्य उन कारकों को मालूम करना भी है जो काम की परिस्थितियों के बाहर भी पाये जाते हैं। अतः हॉथोर्न अध्ययन को अधिक प्राकृतिक, सफल तथा ईमानदारी से परिपूर्ण कहा गया है।
6. टेलरवाद ने उद्योग के केवल आर्थिक उद्देश्य को पूरा करने का प्रयत्न किया है जबकि हॉथोर्न प्रयोग ने आर्थिक, सामाजिक और मनोवैज्ञानिक तीनों उद्देश्यों की प्राप्ति में हाथ बंटाया है।
7. टेलर के वैज्ञानिक प्रबंध का मजदूरों ने डट कर विरोध किया है और टेलर को उद्योगपतियों एवं पूंजीपतियों का पक्षधर बताया है। जबकि हॉथोर्न अध्ययन का विरोध नाममात्र से ही किया गया है और इसे श्रमिकों के हित में बताया गया है।

8. टेलर ने उद्योग की उन्नति को मशीन तथा समयगति अध्ययन तक ही सीमित रखा है जबकि हॉथोर्न प्रयोग ने मजदूरों के वेतन और सामाजिक प्रतिष्ठा को महत्त्व दिया है।

मनोवैज्ञानिक उपागम

इस उपागम को मानव संबंध उपागम भी कहा जाता है। एल्टन मेयो ने हॉथोर्न प्रयोग के फलस्वरूप इस उपागम या सिद्धांत का प्रतिपादन किया, सामाजिक, मनोवैज्ञानिक या मानव संबंध उपागम के अनुसार संगठन व्यक्तियों का एक ऐसा समूह है जिसमें व्यक्ति परस्पर इस प्रकार संबंधित रहते हैं कि प्रत्येक का व्यवहार सामान्य लक्ष्य की प्राप्ति में सहयोग प्रदान करना है। जब कुछ व्यक्ति दीर्घकाल तक मिलकर काम करते हैं तो उनमें भावनात्मक और वैयक्तिक संबंध विकसित हो जाते हैं, जो औपचारिक संबंधों से भिन्न होते हैं अथवा उनके विपरीत भी हो सकते हैं। वास्तविक व्यवहार में संगठन कदाचित् ही इस प्रकार से व्यवहार करता है क्योंकि किसी भी संगठनकर्त्ता को मानवीय तत्त्व इच्छानुकूल प्राप्त नहीं हो पाता। वह व्यक्तियों के व्यवहार, उनकी आदतों और योग्यताओं को संगठन के आवश्यकतानुसार नहीं बदल सकता। वह तो केवल उपलब्ध मानव तत्त्व का अधिकाधिक प्रयोग ही कर सकता है।

मेयो के अनुसार मनुष्यों, मानवीय अभिप्रेरणाओं और अनौपचारिक सामूहिक कार्य संचालन पर बहुत अधिक बल देता है। संगठन के रूप पर विचार करते समय सदैव यह ध्यान रखना चाहिए कि यह कोई जड़ वस्तु नहीं है बल्कि क्रियाशील एवं सजग व्यक्तियों का समूह है।

संगठन के प्रति एल्टन मेयो का मत है कि संगठन का औपचारिक रूप उसकी वास्तविक प्रकृति को स्पष्ट नहीं कर सकता। संगठन में अनौपचारिक रूप से जो संबंध स्थापित होते हैं तथा जो व्यवहार होते हैं उनके द्वारा संगठन में अनौपचारिक रूप से क्रान्तिकारी प्रभाव पड़ता है। यह प्रभाव की तुलना में अधिक गंभीर, अधिक स्थायी तथा अधिक वास्तविक होता है जो अनौपचारिकताओं के निर्वहन पर पड़ सकता था। संगठन में कार्य करने वाले व्यक्ति मानव होने के नाते अनेक बाहरी तत्त्वों से प्रभावित रहते हैं और इसलिए संगठन के नियमों का पालन इन विभिन्न प्रभावों के संदर्भ में ही किया जाता है। संगठन की विभिन्न समस्याओं का अध्ययन करने तथा समाधान करने के लिए यह आवश्यक है कि व्यक्ति की बहुमुखी प्रकृति को अच्छी तरह समझ लिया जाए।

इस प्रकार मेयो का मनोवैज्ञानिक उपागम या मानवीय संबंध का विचार इस बात पर ध्यान देता है कि मनुष्य संगठन का महत्त्वपूर्ण अंग है। वह उत्पादन का साधनमात्र नहीं है। कोई भी कर्मचारी केवल धन प्राप्त करने के लिए ही प्रयास नहीं करता वरन् वह अपनी सामाजिक एवं मानवीय आवश्यकताओं को सन्तुष्ट करने के लिए भी कार्य करता है। इन आवश्यकताओं की पूर्ति न होने पर व्यक्तियों में असहयोग की भावना जागृत होती है। ऐसी स्थिति में मानवीय संबंधों को विकसित करने पर असन्तोष को दूर किया जा सकता है। यदि प्रत्येक व्यक्ति को उचित मान्यता, सम्मान, स्तर, प्रतिष्ठा आदि की व्यवस्था कर दी जाए तो वह निरन्तर अपना सहयोग देने को तत्पर रहेगा।

मानवीय संबंधों या मानवों की मनोवैज्ञानिक स्थिरता को निम्नलिखित सिद्धांतों द्वारा स्थापित किया जा सकता है।

1. व्यक्ति का महत्त्व
2. पारस्परिक भावना
3. सामान्य हित
4. कार्य की मान्यता
5. कर्मचारी सहभागिता
6. निर्विरोध सम्प्रेषण
7. अनुकूल परिस्थितियों का विकास

इस प्रकार सामाजिक, मनोवैज्ञानिक उपागम कर्मचारियों के मानवीय पहलुओं पर बल देता है तथा संगठन में अनौपचारिक संबंधों की महत्ता को आवश्यक बताता है। प्रत्येक संगठन में कर्मचारियों तथा प्रबंधकों के कार्यों को प्रभावित करने वाले सभी मानवीय तत्त्वों पर विचार करना चाहिए।

चेस्टर बर्नार्ड (Chester Barnard)

चेस्टर बर्नार्ड का जन्म 1886 में 'मैसाचुसेट्स' (अमेरिका) के मेलडेन नामक स्थान में एक अत्यंत निर्धन परिवार में हुआ था। इन्होंने उस समय अपनी शिक्षा प्राप्त की थी जिस समय उन्हें अपनी जीविका के लिए भी कड़ी मेहनत करनी पड़ी थी। माउंट हरमन एकेडमी में अपनी प्रारंभिक शिक्षा प्राप्ति के बाद वे 1906 में हारवर्ड कॉलेज से जुड़ गए। तीन वर्ष तक उस कॉलेज में अध्ययन के पश्चात् बिना किसी तरह की डिग्री प्राप्त किये कॉलेज को छोड़ दिया। 1909 में अमेरिका के बोस्टन नामक नगर में टेलीफोन टेलीग्राफ कम्पनी में विभिन्न पदों पर कार्यरत् रहे। 1927 में इन्हें 'न्यू जर्सी टेलीफोन कम्पनी' के प्रथम अध्यक्ष के रूप में चुना गया। 1931 से 1935 तक 'न्यू जर्सी स्टेट रीहैबीटेशन ऑर्गेनाइजेशन' के निदेशक पद पर कार्य किया। 1946 में राज्य विभाग की परमाणु ऊर्जा समिति में सदस्य के रूप में कार्य किया। न्यू जर्सी बेल टेलीफोन कंपनी से अवकाश ग्रहण करने के बाद 1948 से 1952 तक वे 'रॉकफीलर फाउंडेशन' के अध्यक्ष के रूप में कार्य करते रहे। इस प्रकार हम देखते है कि चेस्टर बर्नार्ड एक ऐसे व्यक्ति हैं जिन्होंने सरकार तथा निजी दोनों प्रशासन में अपनी सफलतापूर्वक महत्त्वपूर्ण भूमिका निभाई। बिना स्नातक की डिग्री प्राप्त किए इन्होंने सात प्रतिष्ठित विश्वविद्यालयों की डॉक्टरेट डिग्री ली तथा प्रशासकीय विचारों के इतिहास में महत्त्वपूर्ण स्थान प्राप्त किया। विभिन्न संगठनों में विभिन्न पदों पर कार्य करने का अनुभव ही उन्हें सरकार के प्रशासकीय अनुभव को समझने का अवसर दे सका।

1927 से 1961 यानी मृत्यु के पूर्व तक बर्नार्ड महोदय ने अपना समय प्रबंध को समझने तथा विश्लेषण करने में व्यतीत किया। एक कुशल प्रशासक एवं प्रबंध के पद पर कार्य करते हुए बर्नार्ड ने अमेरिका के विभिन्न विश्वविद्यालयों में अध्ययन कार्य भी किया था। चेस्टर इर्विंग बर्नार्ड संगठनात्मक सिद्धांत के प्रर्वतकों में अग्रगण्य हैं। व्यक्तिगत अनुभव के आधार पर संगठनात्मक सिद्धांत का प्रतिपादन करने वाले कुछ एक दार्शनिकों सामाजिक व्यवस्था में से वे एक हैं। विभिन्न क्षमताओं में

विभिन्न संगठनों में उनके अनुभवों ने उन्हें सरकार की प्रशासकीय प्रक्रियाओं को समझने का प्रचुर अवसर प्रदान किया है। प्रशासकीय विचारधारा के सामाजिक व्यवस्था (Social System) के आध्यात्मिक पिता के रूप में वे विख्यात हैं। बर्नार्ड महोदय ने इस शताब्दी के अनेक संगठनात्मक विचारकों को प्रभावित किया है। अनुभव के आधार पर उन्होंने संगठन सिद्धांत का विश्लेषण भी विभिन्न दृष्टिकोणों से किया है। बर्नार्ड महोदय के अध्ययन की पद्धति भी अत्यंत व्यापक है क्योंकि इन्होंने अपने अध्ययन एवं विवेचन की पद्धति में राजनीति शास्त्र, अर्थशास्त्र, दर्शनशास्त्र, समाज शास्त्र तथा मनोविज्ञान का सहारा लिया है। इनके प्रशासकीय विचारों का दिग्दर्शन इनकी प्रमुख पुस्तक The organisation and Management में इनके संगठनात्मक एवं प्रबंधात्मक विचारों के साथ होता है। बर्नार्ड की उपर्युक्त कृतियाँ महान एवं विचारोत्तेजक मानी जाती हैं।

बर्नार्ड ने संगठन और मानव पर अपने विचार देते हुए अपनी पुस्तक में बताया है कि आज हर व्यक्ति एक सांगठनिक मानव युग में रह रहा है। 'सांगठनिक मानव' का तात्पर्य वैसा व्यक्ति जो व्यक्तियों द्वारा संगठित समाज में निवास करता है। आज हम व्यक्तियों को पहचानने के लिए इस बात पर विचार करते हैं कि वह व्यक्ति किस प्रधान मानव संगठन (समाज) का सदस्य है। आज दिन प्रतिदिन संगठन की महत्ता बढ़ती जा रही है। गाँव हो या नगर, उद्योग हो या व्यवसाय या प्रशासकीय विभाग, संगठन की महत्ता हर क्षेत्र में बढ़ती जा रही है। संगठन के इस बढ़ते महत्त्व के कारण अब तो यह भी कहा जा रहा है कि मानव का व्यवहार ही संगठनात्मक हो गया है। एल्टन मेयो के हॉथोर्न अध्ययन के फलस्वरूप संरचनात्मक सिद्धांत में जो विश्वास निहित था, वह छिन्न भिन्न हुआ और संगठन की धारणा विषयक विचारों का उदय हुआ।

संगठन के अर्थ एवं कार्य

सामान्य तौर पर संगठन उद्देश्य प्राप्ति के लिए किए जा रहे कार्य की एक ऐसी योजना की ओर निर्देश करता है जिसे सफल बनाने का व्यक्तियों के एक समूह ने निश्चय कर लिया है और जिसकी प्राप्ति के लिए यह सामूहिक रूप से प्रयत्नशील हो। चेस्टर बर्नार्ड ने संगठन को परिभाषित करते हुए कहा है कि "दो या दो से अधिक व्यक्तियों की सहकारी क्रियाओं की प्रणाली को संगठन कहते हैं।" बर्नार्ड की परिभाषा के अनुसार–संगठन का अर्थ व्यक्तियों अथवा कर्मचारियों का ऐसा समूह या समुदाय है जो सामान्य उद्देश्य की प्राप्ति हेतु प्रयत्न करता है। बर्नार्ड के अनुसार संगठन में सहकारिता के तत्त्व अनिवार्य हैं। सहकारिता का तात्पर्य विभिन्न क्षमता वाले सामूहिक प्रयास से है। यह सामूहिक प्रयास संगठन के सामान्य उद्देश्यों की पूर्ति हेतु किया जाता है। इस प्रकार स्पष्ट है कि संगठन का तात्पर्य ऐसी योजनाएँ, जिनमें एक समूह अपने निर्धारित उद्देश्य या उद्देश्यों की प्राप्ति के लिए सामूहिक रूप से अपनी सारी शक्ति लगा देता है। संगठन के संबंध में यह भी कहा जा सकता है कि संगठन किसी उद्यम में लगे हुए मनुष्यों के बीच संबंधों का ऐसा रूप है जिसमें उद्यम के कार्यों की पूर्ति हो सके।

बर्नार्ड ने संगठन के कार्य अथवा तत्त्व का उल्लेख करते हुए बताया है कि सर्वप्रथम आवश्यकता यह है कि संगठन व्यक्तियों के सहयोग से बने तथा व्यक्तियों का यह समूह संगठन के उद्देश्यों हेतु प्रयत्न करे। द्वितीय आवश्यकता संगठन में नेतृत्व की होती है। बर्नार्ड के अनुसार "नेतृत्व का आशय व्यक्ति के व्यवहार के उस गुण से है जिसके द्वारा यह अन्य लोगों के संगठित प्रयास से संबंधित कार्य करने में मार्गदर्शन करता है। बर्नार्ड ने नेतृत्व के गुण के संबंध में लिखा है कि "नेतृत्व के गुणों का पता स्वयं नेता को या उसके पीछे चलने वाले को भी नहीं रहता है। उन्हीं के शब्दों में "वास्तव में मैंने कोई ऐसा नेता कभी नहीं देखा जो पर्याप्त रूप से बुद्धिमतापूर्वक यह कह सके कि वह नेता बनने योग्य क्यों है और न ही उस नेता के अनुयायी यह बता सकते हैं कि वे उसका अनुगमन क्यों कर रहे हैं।" इस प्रकार हम कह सकते हैं कि नेतृत्व को किसी विशेष गुण अथवा विशेषताओं की परिधि में नहीं बांध सकते क्योंकि इसका निर्धारण तो समय, परिस्थिति, आवश्यकता, संगठन के लक्ष्य, उद्देश्यों आदि विभिन्न तत्त्वों द्वारा होता है और ये तत्त्व अति परिवर्तनशील प्रकृति के हैं। संगठन का तत्त्व भौतिक संपदा का है जिसका अभिप्राय यह है कि कर्मचारियों को काम करने हेतु आवश्यक औजार एवं साधन सौंपे जाएँ। पंचम तत्त्व संगठन में अधिकार एवं दायित्व का है। कर्मचारियों को कार्य करने के लिए अधिकार देना नितान्त जरूरी है। अधिकार के बिना दायित्व का कोई महत्त्व ही नहीं रह जाता। अधिकार, जिसे सत्ता कहा जाता है, इसका दायित्व के साथ वही संबंध है जो शरीर और आत्मा के साथ है। यदि संगठन में कर्मचारियों को केवल दायित्व दिए जाएँ और अधिकार नहीं दिए जाएँ तो संगठन कुछ कार्य नहीं कर सकता। इसलिए जिस किसी व्यक्ति को कुछ करने के लिए दायित्व बोझ दिया जाता है तो उसे पूरा करने के लिए कुछ अधिकार भी दिए जाते हैं। अधिकार के बिना दायित्व पूरे नहीं होते और दायित्व के बिना अधिकार (सत्ता) एक गलत दिशा पकड़ सकता है। बर्नार्ड ने इसी तथ्य को उजागर किया है कि कोई भी संगठन सही ढंग से कार्य तब तक नहीं कर सकता जब तक उसे सत्ता और दायित्व का संयोग न दिया जाए। हर्बर्ट साइमन ने भी कहा है कि "सत्ता के व्यवस्था की यह एक महत्त्वपूर्ण विशेषता होती है कि सत्ता सदैव दायित्व के साथ चलती है।"

संगठन के सिद्धांत

यद्यपि विद्वानों ने संगठन के अनेक सिद्धांतों का विवेचन अपने-अपने ढंग से किया है। संगठन सिद्धांतकारों में चेस्टर बर्नार्ड का स्थान सर्वोपरि है। इसलिए उन्होंने संगठन सिद्धांत की व्यवस्था अपने ढंग से की है। बर्नार्ड ने संगठन के निर्माण हेतु निम्नलिखित सिद्धांतों को अपनाना आवश्यक बतलाया है–

1. **सामान्य उद्देश्य**–दुनिया में किसी भी वस्तु या तथ्य का एक सामान्य उद्देश्य होता है। मानव जीवन का भी एक उद्देश्य होता है जिसकी प्राप्ति हेतु मानव सदैव तत्पर रहता है। यदि मानव जीवन से उद्देश्य की समाप्ति हो जाए तो वह जीवन, जीवन नहीं बल्कि जीवन का संक्रमण काल हो जाएगा। मुख्यतः संगठन के लिए तो उद्देश्य और भी जरूरी है। चाहे संगठन जैसा भी हो उसका एक सामान्य उद्देश्य होता है जिसकी प्राप्ति हेतु संगठन में संलग्न सारे सदस्य प्रयत्नशील रहते हैं। इस प्रकार स्पष्ट होता है कि संगठन सिद्धांत उद्देश्य का होना नितांत जरूरी है।

2. **संतुलन एवं समन्वय**–संगठन के लिए साधनों के बीच संतुलन का होना नितांत जरूरी है। यदि साधनों के मध्य संतुलन नहीं होता तो वह संगठन अपने किसी भी उद्देश्य की पूर्ति नहीं कर सकता। इतना ही नहीं, संगठन के उद्देश्य की पूर्ति हेतु संगठन में कार्यरत कर्मियों के मध्य समन्वय का होना भी नितांत जरूरी है। समन्वय के अभाव में संगठन के विभिन्न भागों के द्वारा कठिन परिश्रम करने पर भी पूर्ण लाभ नहीं उठाया जा सकता। 'भुने' ने भी कहा है कि "समन्वय के अन्य सिद्धांतों को क्रियान्वित किया जाता है।" यही कारण है कि कुछ लेखकों ने भी संगठन के प्रबंधकों को 'समन्वयकर्त्ता' कहना ज्यादा उचित बताया है। यदि संगठन में समन्वय का अभाव हो तो इसके परिणाम बड़े भयंकर होते हैं। संगठन में समन्वय का अभाव होगा तो कर्मचारियों के बीच कार्यों का दोहराव होगा। जब कार्यों का दोहराव होगा तो संगठन में धन का अपव्यय, संघर्ष जैसी समस्या उत्पन्न होती चली जाएगी जिससे संगठन समाप्त हो जाएगा। इतना ही नहीं समन्वय के अभाव में संगठन की विभिन्न इकाइयाँ अपना अलग-अलग प्रभाव क्षेत्र बनाने लगती हैं तथा उनमें साम्राज्य विस्तार की प्रवृत्ति आ जाती है। अतः बर्नार्ड ने संगठन को स्वच्छ बनाने के लिए यह विचार दिया है कि संगठन के सिद्धांत में समन्वय का महत्त्वपूर्ण स्थान होता है।

3. **आदेश की एकता**–बर्नार्ड ने यह बताया है कि किसी भी संगठन में यह आवश्यक है कि नियंत्रण एकीकृत हो। इसके लिए जरूरी है कि आदेश की एकता हो अर्थात् आदेश देने वाला एक हो अनेक नहीं। यदि संगठन में आदेश की एकता नहीं होगी आदेश देनेवाला एक से अधिक होगा तो पूरा संगठन असंगठित हो जाएगा, समाप्त हो जाएगा। हेनरी फेयोल ने भी कहा है कि "संगठन के किसी कर्मचारी को केवल एक वरिष्ठ अधिकारी द्वारा ही आदेश दिये जाने चाहिए।" बर्नार्ड ने कहा है कि यदि संगठन में आदेश की एकता का अभाव हो जाता है तो संगठन की सत्ता कमज़ोर हो जाएगी, अनुशासन संकट में पड़ जाएगा, व्यवस्था भंग हो जाएगी तथा स्थायित्व को पाला मार जाएगा। संगठन में दोहरे आदर्श के परिणाम बड़े भयंकर होते हैं। इससे या तो आदेश देने वाले दो अधिकारियों में से अन्ततः एक का अन्त हो जाता है या फिर संगठन ही विनाश की ओर जाने लगता है। अतः बर्नार्ड ने जोरदार शब्दों में यह कहा है कि कभी भी कोई संगठन दोहरे नियंत्रण के अनुकूल नहीं बैठ सकता। अतः आदेश की एकता संगठन का एक आधारभूत सिद्धांत है।

4. **नियंत्रण का क्षेत्र**–बर्नार्ड के अनुसार नियंत्रण का क्षेत्र भी संगठन का एक महत्त्वपूर्ण सिद्धात है। प्रत्येक अधिकार के अधीन नियंत्रित होने वाले कर्मचारियों की संख्या उतनी ही होनी चाहिए जिस पर कोई उच्चाधिकारी कुशलतापूर्वक नियंत्रण कर सके। इस सिद्धांत का औचित्य इस तथ्य में निहित है कि मानवीय ज्ञान की कुछ सीमाएँ होती हैं। यदि इन सीमाओं से आगे हम उसे कार्य करने के लिए बाध्य करेंगे तो इसके परिणाम खतरनाक हो सकते हैं। वह अपने उत्तरदायित्व का पूरी तरह से निर्वाह नहीं कर सकेगा। उसकी शक्ति विभक्त होने के कारण अव्यवस्थित हो जाएगी। अतः बर्नार्ड ने ठीक ही कहा है कि एक अधिकारी को जिन अधीनस्थों पर नियंत्रण रखना है उनकी संख्या निश्चित होनी चाहिए। कार्यकुशलता, ईमानदारी, शीघ्रता एवं प्रशासन की इसी प्रकार की अन्य आकांक्षाएँ तब तक पूरी नहीं की जा सकती जब तक इस सिद्धांत को बुद्धिपूर्ण ढंग से लागू नहीं कर दिया जाता।

5. **संगठन की संरचना सरल**–बर्नार्ड ने संगठन के लिए यह भी एक महत्त्वपूर्ण सिद्धांत बताया है कि संगठन की संरचना सरल होनी चाहिए ताकि संगठन की प्रक्रिया, कार्यपद्धति में आसानी से तथा समयानुकूल परिवर्तन लाया जा सके। संगठन की संरचना ऐसी न हो कि यदि उसमें परिवर्तन की आवश्यकता हो या किसी तरह का परिवर्तन किया जाए तो संगठन नष्ट हो जाए। अतः संगठन की रचना सरल होनी चाहिए।

6. **सहकारिता**–संगठन के सिद्धांत में सहकारिता को भी बर्नार्ड ने काफी महत्त्वपूर्ण बताया है। सहकारिता का तात्पर्य संगठन के सदस्यों का सामूहिक प्रयास है। संगठन एक संस्थान है जो मनुष्यों की क्रियाओं से बनता एवं संचालित होता है। मनुष्य अकेला कुछ भी नहीं कर सकता। मूल प्रस्तावना के साथ बर्नार्ड ने अपने संगठन का सिद्धांत बनाया है कि सारे मनुष्य कोई भी कार्य आपस में मिलजुल कर करें। संगठन की पुरानी परिभाषा को अमान्य करते हुए बर्नार्ड ने कहा है कि "दो या दो से अधिक मनुष्यों की समन्वित क्रिया की व्यवस्था या पद्धति ही संगठन है।" इस प्रकार संगठन के सिद्धांत में सहकारिता भी एक महत्त्वपूर्ण सिद्धांत है।

इसके अतिरिक्त बर्नार्ड ने संगठन के और भी सिद्धांतों पर विचार व्यक्त किया है। बर्नार्ड ने लिखा है कि श्रेष्ठ कार्यकारिणी आचरण का सिद्धात भी संगठन का एक महत्त्वपूर्ण सिद्धांत है। इस सिद्धांत के अनुसार योग्य तथा कुशल कार्यपालक अधिकारी द्वारा ऐसे आदेश न दिए जाएँ जो पूरे न किए जाएँ। पूरा न करने से संगठन पर विपरीत प्रभाव पड़ता है। संगठन का एक अन्य सिद्धांत यह भी है कि "समान कार्य करने वाले कर्मचारियों, अधिकारियों तथा उनके दायित्वों में एकरूपता होनी चाहिए।"

संगठन के उद्देश्य

प्रत्येक संगठन का अपना कुछ निश्चित उद्देश्य होता है। बनार्ड ने भी यह बताया है कि संगठन के मुख्य तीन उद्देश्य होते हैं। विकास, स्थायित्व और पारस्परिक क्रियाएँ। प्रत्येक संगठन का यह उद्देश्य होता है कि वह अपना विकास करे। विकास के लिए प्रत्येक संगठन कठिन प्रयास करता है। इसके लिए संगठन में कार्यरत् सारे कार्मिक मिल जुल कर कार्य करते हैं। संगठन का तीसरा उद्देश्य जो स्थायित्व है इसका भी बड़ा महत्त्व है। किसी भी संगठन का विकास तभी होगा जबकि उसमें स्थायित्व है। स्थायित्व का तात्पर्य संगठन की संरचना में स्थायित्व, उसमें कार्यरत कार्मिकों में स्थायित्व तथा उनके अन्य आंतरिक एवं बाह्य सारी स्थितियों में स्थायित्व से है।

उपर्युक्त तीनों उद्देश्यों की प्राप्ति के लिए भी बर्नार्ड ने कुछ तकनीकें बतायीं हैं। बर्नार्ड कहता है कि जो संगठन निम्नलिखित तकनीकों को अपना कर कार्य करेगा वह उपर्युक्त तीनों उद्देश्यों की प्राप्ति हमेशा करता रहेगा।

1. **मितव्ययिता**–संगठन के उद्देश्य की प्राप्ति हेतु मितव्ययिता का पालन करना नितांत जरूरी है। चाहे पारिवारिक संगठन हो या सरकारी विभाग अथवा व्यापार या प्रबंध, मितव्ययिता किसी भी उद्देश्य की प्राप्ति हेतु जरूरी है। मितव्ययिता का तात्पर्य यह है कि उत्पादन लागत कम एवं उत्पादन की मात्रा अधिक। अर्थात् कम-से-कम लागत पर अधिक-से-अधिक उत्पादन किया जाए ताकि अधिकतम लाभ हो। संगठन में यदि मितव्ययिता पायी जाएगी तो उससे संगठन का विकास होगा, उसमें स्थिरता आएगी। संगठन के सदस्य आपस में मिलकर कार्य करेंगे तथा उनका रूप सहयोगात्मक होगा।

2. **साधनों का संतुलित उपयोग**–बर्नार्ड ने संगठन के उद्देश्य की प्राप्ति हेतु साधनों के संतुलित उपयोग पर अपने विचार दिए हैं, जिससे बर्नार्ड को हम एक महान् अर्थशास्त्री के रूप में पाते हैं। बर्नार्ड ने कहा है कि कोई भी संगठन अपने उद्देश्य की प्राप्ति तभी कर सकता है जब वह उपलब्ध साधनों का मितव्ययितापूर्वक और संतुलित रूप से उपयोग करे। साधनों का संतुलित उपयोग संगठन को विकास एवं स्थायित्व प्रदान करता है और साधनों के दुरुपयोग द्वारा संगठन का विनाश होता है। जब संगठन में साधनों का संतुलित उपयोग होगा तब संगठन से अधिकतम उपयोगिता प्राप्त होगी और उसका परिणाम होगा अधिकतम लाभ अर्थात् संगठन का विकास।

3. **सामाजिक हित**–कोई भी संगठन समाज के साधनों द्वारा निर्मित होता है, इसलिए सामाजिक हितों की पूर्ति संगठन का प्रमुख कर्त्तव्य होता है। अर्थात् संगठन को अधिकतम लाभ पर ही ध्यान नहीं देना चाहिए वरन् सामाजिक हित के उद्देश्यों को भी प्राप्त करना चाहिए। इसी आधार पर निजी एवं सरकारी संगठन का उद्देश्य बंटा होता है। निजी संगठन का उद्देश्य केवल व्यक्तिगत लाभ होता है जबकि सरकारी संगठन का उद्देश्य लाभ कम एवं सामाजिक हित की पूर्ति अधिक होता है। यही कारण है कि वैसा संगठन जो केवल व्यक्तिगत हित को ज्यादा महत्त्व प्रदान करता है उसका विकास एवं स्थायित्व वैसे संगठन की अपेक्षा कम होता है जो सामाजिक हित को अधिक महत्त्व देता है।

4. **अच्छे औद्योगिक संबंध**–चेस्टर बर्नार्ड मानवीय व्यवहार के समर्थक रहे हैं, इसलिए उनका कहना था कि आर्थिक हित तथा मानवीय व्यवहार दोनों का अस्तित्व संगठन में एक साथ नहीं रह सकता। इसका मतलब यह है कि संगठन के अंतर्गत अच्छे श्रम एवं पूँजी संबंधों का निर्माण व विकास किया जाए। इस उद्देश्य की पूर्ति हेतु मानवीय पहलू पर ध्यान देना नितांत जरूरी है।

अस्तु यह कहा जा सकता है कि बर्नार्ड के विचारानुसार वैसे संगठन जिनका उद्देश्य विकास, स्थायित्व एवं पारस्परिक क्रियाएँ हैं, उनकी प्राप्ति तभी की जा सकती है जबकि संगठन में उपर्युक्त चारों तत्त्व विद्यमान हो।

प्रशासकीय विचारधारा में चेस्टर बर्नार्ड की देन

बर्नार्ड की पुस्तक 'The Function of Executive or The Organisation and Management' के गहन अध्ययन के पश्चात् प्रशासनिक विचारधारा में बर्नार्ड की निम्नलिखित देन स्पष्ट होती हैः

संगठन सहकारी व्यवस्था के रूप में–उन्होंने संगठन की पुरानी परिभाषा, जो केवल सदस्यता पर जोर देती है,उसे अमान्य करते हुए नयी परिभाषा दी है। बर्नार्ड के अनुसार "दो या दो से अधिक मनुष्यों के समवेत एवं समन्वित क्रिया की व्यवस्था या पद्धति ही संगठन है।" अपनी इस परिभाषा में बर्नार्ड महोदय ने संगठन में व्यक्ति की क्रिया प्रतिक्रिया पर अधिक बल दिया है। यह पद्धति मनुष्यों की क्रियाओं से निर्मित है। इस पद्धति की पूर्णता हमेशा अपने अंशों के कुल योग की अपेक्षा बड़ी होती है और प्रत्येक अंश किसी महत्त्वपूर्ण तरीके से प्रत्येक-दूसरे अंश के साथ जुड़ा होता है। यह पद्धति के रूप में कुछ सामान्य उद्देश्यों के आधार पर जुड़ा होता है वह सामान्य उद्देश्य कुछ लोगों की इच्छा से पैदा होते हैं। जो लोग संगठन के परिचालन के लिए कुछ करना चाहते हैं वे लोग एक-दूसरे के साथ सहयोग एवं संचार में सक्षम होते हैं। उसी सक्षमता से वह पद्धति जुड़ी होती है।

चेस्टर बर्नार्ड ने अपनी पुस्तक में जबर्दस्त रूप से आर्थिक मानव के विचार का खंडन किया है और उसके स्थान पर अनुदान, संतोषन और संतुलन सिद्धांत का प्रतिपादन किया है। बर्नार्ड ने यह प्रश्न उठाया है कि क्यों कोई व्यक्ति किसी खास संगठन के परिचालन की क्रिया में सहयोगी होता है। यह तभी संभव है जबकि वह क्रिया व्यक्तिगत संतोष के रूप में व्यक्ति के लिए लाभदायक हो। संगठन की दृष्टि से जो संतोष कार्य और सहयोग के बदले व्यक्ति पाता है, उसे ही हम उत्प्रेरक या प्रलोभनात्मक प्रोत्साहन कहते हैं।

बर्नार्ड के विचार में मनुष्य मुख्यतः आर्थिक प्रेरकों से प्रेरित होता है। इसका भी खंडन करते हुए उन्होंने संतुष्टि की विविधता की भी आलाचेना की, और उसने चार विशिष्ट प्रेरकों की ओर हमारा ध्यान आकर्षित किया है–(1) पदार्थिक प्रेरक जैसे धन, वस्तुएँ, तथा भौतिक अवस्था (2) योग्यता के लिए व्यक्तिगत अपदार्थिक अवसर, प्रतिष्ठा तथा व्यक्तिगत शक्ति या अधिकार। (3) कार्य की ऐच्छिक भौतिक अवस्था तथा (4) आदर्श उपकरण जैसे–कारीगरी (कार्य-कौशल) का गौरव, अपर्याप्तता का ज्ञान, परिवार या संगठन के प्रति निष्ठा, देशभक्ति तथा धार्मिक भावना, विश्वास या प्रतिकार के प्रेरक में संतुष्टि। आगे बर्नार्ड महोदय ने अपनी पुस्तक में चार प्रकार की सामान्य प्रेरणाओं की ओर भी ध्यान आकर्षित किया है–

1. सहयोगी के साथ अनुकूलता पर आधारित सम्मिलित आकर्षण।
2. अभ्यस्त विधि तथा मुद्रा के कार्य की अवस्था का ग्रहण।
3. घटनाओं के दौरान अधिक भाग लेने के लिए अनुभव का अवसर।
4. दूसरे से परस्पर बातचीत करने की अवस्था, सामाजिक संबंध में व्यक्तिगत सुविधा पर आधारित अवस्था तथा व्यक्तिगत मुद्रा में मित्रता तथा पारस्परिक सहायता के लिए अवसर।

विशिष्ट प्रेरणाओं के बीच संबंध की विवेचना करते हुए बर्नार्ड महोदय कहते हैं कि जीविका के आधार पर आर्थिक पुरस्कार अप्रभावी होते हैं। वह कहते हैं कि प्रेरणाएँ यांत्रिक रूप से लागू नहीं की जा सकती हैं तथा उनका अनुपात खास अवस्था, समय तथा मानव पर निर्भर करता है। प्रेरणाओं की सजावट या प्रबंध एक गतिशील क्रिया है जिसमें अनुभव तथा कल्पना की आवश्यकता होती है। बर्नार्ड महोदय अनुभव करते हैं कि कार्यकारी निष्पादन का पहला-कार्य संगठन के अन्य प्रेरकों की मितव्ययिता को संभालना होता है।

औपचारिक तथा अनौपचारिक संगठन

बर्नार्ड महोदय कहते हैं कि औपचारिक संगठन तभी अस्तित्व में आता है जब—

1. व्यक्ति एक-दूसरे के साथ संपर्क में हो।
2. जो कुछ करने के लिए इच्छुक हों तथा
3. किए गए कार्य का कुछ सामान्य उद्देश्य हो।

इस प्रकार हम कह सकते हैं कि कुछ व्यक्तियों के सामूहिक सहयोग द्वारा कुछ निश्चित उद्देश्य के लिए किये गये कार्य या संगठन को औपचारिक संगठन कहते हैं।

बर्नार्ड महोदय इस बात का समर्थन करते हैं कि "आधुनिक समाज में, वस्तुतः एक संगठन में वास्तविक इच्छा के साथ सहायता करने वाले सदा अल्पसंख्यक होते हैं तथा मानवों का आधिक्य अपनी वचनबद्धता में ऋणात्मक ही होता है। इससे भी ज्यादा आवश्यक है कि मानवों की वचनबद्धता सदा अस्थिर रहती है जिससे कि संगठन में अस्थिर व्यवस्था बनी रहती है।"

इच्छाएँ धनात्मक या ऋणात्मक रूप में प्रत्येक मानव द्वारा किये जाने वाले अनुभव की है। यह कुल संतुष्टि या असंतुष्टि की शक्ति है। मानव के बीच सहयोग के लिए एक उद्देश्य होना आवश्यक है जो संगठन का एक प्रमुख उद्देश्य होता है। यदि समाज का उद्देश्य उन सभी के द्वारा स्वीकार नहीं किया जाता है जिनके प्रयास से संगठन बनता है तो यह सहयोग की क्रिया को प्रेरित नहीं करेगा। यहां सामान्य उद्देश्य के सहकारी तथा व्यक्तिगत पहलू के बीच विभेद बतलाना लाभदायक हो सकता है। एक उद्देश्य एक सहयोगी व्यवस्था के एक तत्त्व जैसा कार्य कर सकता है। बर्नार्ड के अनुसार "एक वस्तुनिष्ठ उद्देश्य, जो सहकारी व्यवस्था के लिए आधार जैसा कार्य कर सकता है। वह संगठन के उद्देश्य निर्धारित करने के लिए सहयोगकर्त्ता द्वारा विश्वास किया जाता है।"

पुनः संगठन के उद्देश्य तथा व्यक्तिगत अभिप्रेरक शक्ति के बीच अन्तर बतलाया जा सकता है। व्यक्तिगत शक्ति, प्रेरक तथा आत्मनिष्ठ होती है। सामान्य उद्देश्य अव्यक्तिगत, बाध्य तथा वस्तुनिष्ठ होते हैं। सामान्य नियम में एक अपवाद है कि एक संगठन के उद्देश्य की गुणसंपन्नता अधिक संगठनों में व्यक्तिगत संतुष्टि का स्रोत तथा अधिकांशतः मानवों के लिए एक प्रेरक शक्ति होती है।

एक संगठन में योगदान करने वाले मानवों द्वारा एक उद्देश्य की गुणसम्पन्नता सिर्फ संचार के माध्यम से ही प्राप्त की जा सकती है। यह एक गतिशील क्रिया है जो उद्देश्य का कार्य में परिवर्तन करती है। संचार की विधि मौखिक, लिखित अथवा निरीक्षण की हुई हो सकती है। संचार के उपर्युक्त तरीके का अभाव संगठन के लिए आधारयुक्त कुछ उद्देश्यों को अलग करता है।

व्यक्ति अपने संगठन में अपने व्यक्तिगत संबंध के आधार पर लगातार अन्तःक्रिया करता रहता है। ऐसी अन्तःक्रियाएँ समूहचर की प्रवृत्ति या कुछ व्यक्तिगत इच्छाओं की पूर्ति करने के कारण हो सकती है। ऐसी अन्तःक्रियाओं के कारण ऐसा संबंध व्यवस्थित हो जाता है जिसे अनौपचारिक संगठन कहा जाता है। बर्नार्ड ने व्यक्तिगत सम्पर्कों, पारस्परिक क्रियाओं तथा मनुष्यों के सम्मिलित समूहीकरण के कुल योग को अनौपचारिक संगठन कहा है। ऐसे संगठन अनिश्चित, संरचनाहीन तथा आकार रहित पिंड होते हैं। एक अनौपचारिक संगठन को प्रभावशाली होने के लिए इसके अन्दर अनिवार्य रूप से औपचारिक संगठन स्थापित होना चाहिए। दूसरे शब्दों में औपचारिक संगठन का निर्माण करते हैं। बर्नार्ड के शब्दों में "वे एक ही पदार्थ या घटना के एक-दूसरे पर आश्रित पहलू हैं। समाज औपचारिक संगठन द्वारा ही निर्मित होता है तथा औपचारिक संगठन अनौपचारिक संगठन द्वारा जीवित एवं व्यवस्थित होता है। यदि एक संगठन असफल होता है तो दूसरा अवश्य विघटित हो जाएगा।

यद्यपि यह एक महत्त्वपूर्ण तथ्य है कि बर्नार्ड की परिभाषाओं की प्रकृति में औपचारिक तथा अनौपचारिक संगठन के बीच का संबंध परस्पर विरोधी लगता है। यह तभी होता है जब मानव को औपचारिक संगठन के उद्देश्यों द्वारा मजबूत व्यक्तिगत इच्छा के अभ्यास करने की समझदारी होती है और वह एक व्यक्तित्व को बचा सकता है तथा इनके उद्देश्य समझकर औपचारिक संगठन को योगदान कर सकता है।

अनेक निष्पादक प्रचुर अनुभव के साथ उनके औपचारिक संगठन के अंदर अनौपचारिक संगठन के अस्तित्व को अस्वीकार या उसकी अवहेलना करते हैं। यह औपचारिक संगठन की समस्याओं के साथ पूर्वाधिकार अथवा जो परिभाषित करने में कठिन हो, के अस्तित्व को कारगर करने के कारण हो सकता है। यह भी हो सकता है कि निष्पादक संगठन उनके अपने संगठन के अन्दर विस्तृत प्रभाव, मुद्रा तथा व्याकुलता से बिल्कुल अपरिचित हो। यह राजनीतिक संगठन सरकार, चर्च तथा विश्वविद्यालय में समान रूप से सत्य होता है। बर्नार्ड के अनुसार—किसी संगठन की बनावट, कानूनों, नियमों तथा इसके कर्मचारी वर्ग को जानने से किसी संगठन को नहीं समझा जा सकता है। संगठन को समझने के लिए यह आवश्यक है कि इस बात की जानकारी ली जाए कि संगठन में कौन, क्या, क्यों, तथा इसका औपचारिक समाज पर कैसा प्रभाव पड़ता है। बर्नार्ड महोदय यह अनुभव करते हैं कि प्रत्येक दिन के संपर्क से घनिष्ठ अनुभव के कारण शामिल विशिष्ट अन्तःक्रियाओं का केवल एक भाग देखते हुए हम लोगों में से अधिकांश अनौपचारिक संगठन से अपरिचित रहते हैं। बर्नार्ड महोदय निम्नलिखित कार्यों को अनौपचारिक संगठन के कार्य के रूप में स्वीकार करते हैं—संचार, सेवा करने की इच्छा के नियमन तथा वस्तुगत सत्ता के स्थायित्व द्वारा अनौपचारिक संगठन में एकरूपता का संचरण, व्यक्तिगत ईमानदारी की भावना, आत्मसम्मान एवं स्वतंत्र चयन की भावना को बनाये रखना।

सत्ता का सिद्धांत

बर्नार्ड महोदय सत्ता की परंपरागत धारणा से सहमत नहीं है। वह सत्ता को अपने सिद्धांत के आधार के रूप में स्वीकृति को स्थापित कर देते हैं। इन्होंने सत्ता की परिभाषा देते हुए कहा है कि "एक औपचारिक संगठन में संचार के गुणों द्वारा संगठन के सदस्य, या संगठन में योगदान करने वाले, संगठन से संबंधित शासन, निर्धारण जैसा कार्य करता या नहीं करता है।" यह परिभाषा वस्तुनिष्ठ तथा व्यक्तिनिष्ठ दोनों पहलू से सम्बन्धित है। पहले का संबंध संचार की स्वीकृति के रूप में सत्ता से है और दूसरे का संबंध संचार के गुण या विशेषता से है जिसके कारण स्वीकृति दी जाती है। संगठन में व्यक्ति सत्ता को तभी स्वीकृत करता है जब निम्नलिखित चार शर्तें एक साथ प्राप्त होती हैं–

1. जब संचार को समझ लिया जाता है।
2. जब संगठन उद्देश्य के अनुरूप होता है।
3. जब यह व्यक्तिगत पूर्णता के अनुकूल होता है।
4. उसके अनुकूल प्रतिक्रिया के लिए जब मानसिक और शारीरिक प्रतिक्रिया होती है।

सत्ता की धारणा इस मान्यता को स्थापित करती है कि व्यक्ति अपने श्रेष्ठतर आदेश इसलिए स्वीकार करता है कि वह ऐसे आदेशों को विवादास्पद मुद्दा बनाने से बचाना चाहता है तथा व्यक्तिगत अधीनता से भी बचना चाहता है। वह अपने सहयोगियों के साथ व्यक्तिगत स्तर के खोने से बचना चाहता है। सत्ता की यह धारणा दो महत्त्वपूर्ण कारणों से आवश्यक महसूस होती है–

1. सत्ता की धारणा व्यक्ति के ऊपर की ओर या संगठन की ओर दायित्व को हस्तांतरित करने में समर्थ बनाती है। यह दायित्व संगठन के निर्णय संबंधी होते हैं। अधिकांश लोग सत्ता की आज्ञा का पालन करते हैं क्योंकि व्यक्तिगत दायित्व को जब वे स्वीकारने की स्थिति में नहीं होते हैं तो उसे नापसंद करते हैं।
2. सत्ता की अवज्ञा मनमाने कारणों से करने और व्यक्तिगत जरूरत के लिए संगठन की जरूरत को तोड़-मरोड़ करने को मानना चाहिए कि यह संगठन पर ही जानबूझ कर आक्रमण है। बर्नार्ड कहता है कि एक दायित्व के पालन में जानबूझ कर असफल होना एक शत्रुतापूर्ण कार्य है। कोई भी संगठन इसकी अनुमति नहीं देगा और दण्डात्मक कार्य के रूप में वह प्रतिक्रिया करेंगे।

सत्ता के कार्य

एक संगठन की कार्यकुशलता उस पद पर निर्भर करती है जो मानव आदेश स्वीकार करते हैं। साधारणतः एक संचार की सत्ता अस्वीकार नहीं की जाएगी। जैसा कि वे जानते हैं कि सभी मानवों की यह एक धमकी है जो संगठन से कुछ लाभ प्राप्त करता है। अतः किसी समय योगदान करने वाले के आदेशों में एक सक्रिय व्यक्तिगत चाह होती है जो उसकी अपेक्षा के क्षेत्र के अंदर होती है। यह रुचि अधिकतर अनौपचारिक संगठन के कारण ही स्थित होती है। यह जनमत, संगठन के विचार के कारण भी हो सकता है।

सत्ता के कार्य पूर्वकल्पनाएँ स्थापित करते हैं। वे मानव उच्चाधिकारी के आदर्शों को स्वीकार करते हैं क्योंकि वे ऐसे आदेशों के द्वारा बनाये गये विषय तथा उनके अनुगामी के साथ व्यक्तिगत उपयोगिता या अनुपयोगिता त्यागना चाहते हैं। योगदान करने वाले सत्ता संचार स्वीकार करते हैं। जिससे उत्तरदायित्व सिर्फ देखने के लिए प्राप्त किया जाता है उनमें से अधिक व्यक्तिगत उपेक्षा के क्षेत्र तथा सांप्रदायिक अर्थ के क्षेत्र के अंतर्गत पड़ते हैं तथा योगदान करने वाले की प्रेरणा को प्रभावित करते हैं। उच्चतर सत्ता के कार्य दो महत्त्वपूर्ण कारणों के आवश्यक होने पर शामिल होते हैं–प्रथम, सत्ता का कार्य एक संगठन के निर्णय के लिए उत्तरदायित्व या संगठन को प्रत्यायोजन के लिए मानव को योग्य बनाता है। अधिकांश मनुष्य सत्ता की आज्ञा का पालन करते हैं क्योंकि वे व्यक्तिगत उत्तरदायित्व को नापसंद करते हैं। जब वे इसे स्वीकार करने की स्थिति में नहीं हैं। संगठन की क्रिया में कठिनाइयां संगठन में उनके अपने कार्यों के लिए उत्तरदायित्व को लेकर मानव की अभिरुचि में अवस्थित रहती हैं न कि संगठन के कार्यों के लिए उत्तरदायित्व का भार लेने हेतु मानव की इच्छाओं में।

उत्तरदायित्व की व्यवस्था

सत्ता के साथ बर्नार्ड ने उत्तरदायित्व का भी व्यापक रूप से विवेचन किया है। इन्होंने नैतिकता की दृष्टि से दायित्व की समीक्षा की है। बर्नार्ड महोदय ने दायित्व की परिभाषा देते हुए कहा है कि "The Power of a particular private code of Morals to counter the conduct of individual in the presentation." दायित्व का विनिश्चयन किसी एक नैतिक संहिता से नहीं होता बल्कि एक नैतिक जटिल कानूनी, तकनीकी, पेशागत और संस्थागत संहिताओं के जटिल समूह के द्वारा होता है। इसका परिणाम संघर्ष हो सकता है, इनका तर्क है कि प्रशासन के व्यवहार और नैतिकता के सिद्धांतों के बीच संबंधों के विभिन्न पहलुओं को जानने के लिए और अधिक अनुसंधान की आवश्यकता है।

संचार की व्यवस्था

बर्नार्ड के अनुसार निम्नलिखित तत्त्व वस्तुगत सत्ता की संचार व्यवस्था में है–(A) संचार के मार्ग सुविज्ञ हों, (B) संचार की रेखा सीधी हो या लघुतम हो। संचार की पूर्ण रेखा का प्रयोग हो, (C) संचार केन्द्र के रूप में काम करने वाले व्यक्ति की क्षमता पर्याप्त हो, (D) जिस समय संगठन कार्य करे उसके दौरान संचार की रेखा अबाध्य होनी चाहिए, (E) प्रत्येक संचार अधिकृत होना चाहिए।

निष्पादक के कार्य

संगठन में निष्पादक सहकारी पद्धति के समन्वय को निश्चित करने के लिए अनेक आवश्यक कार्यों को संपादित करता है। वे संचार के माध्यम के रूप में कार्य करते हैं। बर्नार्ड के अनुसार उसके सभी कार्य निष्पादकीय कार्य नहीं हैं। उसके अनुसार निष्पादक (कार्यपालक) कार्य संगठन को कार्यरत रखने में विशेष योगदान देता है। निष्पादक कार्य नाड़ी प्रणाली के समान है जिसमें मस्तिष्क भी शामिल रहता है। इस प्रकार शरीर के साथ नाड़ी प्रणाली के समान संगठन के साथ निष्पादक के कार्य को माना जाएगा।

बर्नार्ड ने निष्पादक के कार्य को तीन भागों में बाँटा है–(1) संगठन में संचार प्रणाली को बनाये रखना। (2) मानवों से आवश्यक सेवाएँ प्राप्त करना। (3) उद्देश्यों तथा लक्ष्यों का निर्माण।

संगठन में संचार प्रणाली को बनाये रखना

इस कार्य के भी तीन महत्त्वपूर्ण पहलू हैं। (1) संगठन की योजना अथवा संगठन की स्थिति को परिभाषित करना। (2) एक कर्मचारी वर्ग की व्यवस्था करना (3) एक अनौपचारिक संगठन प्राप्त करना। संगठन की योजना संगठन के चार्ट, कर्त्तव्यों का विशिष्टीकरण तथा श्रम विभाजन का वर्णन करता है। यह कर्मचारी वर्ग की सेवाओं के प्रकार, गुण, मात्रा का निर्धारण करता है तथा संगठन में इसे कार्यान्वित करता है।

अनौपचारिक संगठन, संगठन के संचार मार्ग को बढ़ाता है। अच्छे अनौपचारिक संगठन के साथ आपातकाल को छोड़कर औपचारिक निर्णय की आवश्यकता घट जाती है। वैसा ही एक औपचारिक आदेश अनौपचारिक सहमति सूचित करता है। निष्पादक को सदा उन आदेशों को अवश्य त्यागने की कोशिश करनी चाहिए जो स्पष्टतः अस्वीकार करने योग्य हैं तथा ऐसी स्थिति को अनौपचारिक माध्यम से करना चाहिए। अनौपचारिक संगठन के निम्न कार्य हैं–

स्पष्ट तथ्य, विचार सुझाव तथा संदर्भ का संचार जो औपचारिक साधन द्वारा सुविधापूर्वक प्रवाहित नहीं हो सकता। राजनीतिक प्रभाव के आधिक्य को कम करना, समूह के अपने अनुशासन को बढ़ाना, संगठन में महत्त्वपूर्ण व्यक्तिगत प्रभाव के विकास को संभव बनाना।

मानवों से आवश्यक सेवाएँ प्राप्त करना

इस कार्य के दो मुख्य पहलू हैं। संगठन के साथ मनुष्यों के प्रस्तुतीकरण से सहकारी संबंध सेवाओं का भेद खोलना तथा उस संबंध के बाद से मनोबल या नैतिकता का निर्वाह करते हुए तथा प्रेरणा निवारण, पर्यवेक्षण, नियंत्रण, शिक्षा और प्रशिक्षण देते हुए उसे प्राप्त किया जाता हो। प्रत्येक संगठन को जीवित रहने के क्रम में समन्वय, प्रभावशीलता तथा कार्यकुशलता के लिए अनिवार्य चीजें इसकी सत्ता के निर्वाह के लिए सावधानीपूर्वक अवश्य उपस्थित होना चाहिए। संस्थान या व्यवस्था के संतुलन का निर्वाह कर काफी मात्रा में प्रभावी प्रेरणाओं के प्रस्ताव द्वारा एक संगठन के सामर्थ्य के विशिष्ट विचार में बर्नाड कार्यकुशलता का उपयोग व व्यवहार करते हैं।

उद्देश्यों तथा लक्ष्यों का निर्माण

निष्पादक का तीसरा कार्य संगठन के परिणाम, उद्देश्य तथा लक्ष्यों का निर्माण एवं परिभाषित करना है। संगठन का उद्देश्य प्रयास व्यवस्था में सभी योगदान करने वालों द्वारा अवश्य स्वीकृत होगा। उद्देश्य खंड में उपविभाजित होगा, तथा विशिष्ट लक्ष्य विस्तारपूर्वक, उद्देश्य तथा कार्यों को प्रतिबिंबित करेगा।

उत्तरदायित्व की पूर्व कल्पनाएँ तथा सत्ता का प्रत्यायोजन निष्पादक के कठिन या निर्णायक पहलू हैं। प्रत्येक स्तर के नीचे उद्देश्य, लक्ष्य तथा निर्देशन उस स्तर के संबंध में पुनः परिभाषित होता है। ये सभी स्तर के उद्देश्य की बाधाएँ, असंभावनाओं की प्राप्ति, पुनः स्पष्टीकरण तथा बदलने की सूचना देते हुए ऊपर तथा नीचे के संचार को भी शामिल करता है। उद्देश्य कार्य को विशिष्टीकरण करने के शब्द में परिभाषित किया जाता है तथा विशिष्टीकरण तब बनता है जब कार्य किया जाता है। उद्देश्य की आकृति अधिक-से-अधिक सामान्य होती है। अधिक समय के निर्णय हेतु उत्तरदायित्व रेखा के ऊपर प्रत्यायोजित होता है तथा कार्यों के लिए उत्तरदायित्व आधार पर ही होता है।

उद्देश्य की परिभाषा तथा निर्णय विस्तार रूप से विभाजित कार्य है तथा जिसका केवल सामान्य भाग निष्पादकीय होता है। निष्पादकीय कार्य एक सुव्यवस्थित वस्तु के तत्त्व हैं जिनके संयोग से एक संगठन बनता है। यह संयोग कार्यों को या प्रेरणाओं को शामिल करता है। (अ) निष्पादक कार्य संगठन के वातावरण द्वारा अंशतः निर्धारित किया जाता है। (ब) यह कार्य की चेतना के निर्वाह पर निर्भर करता है।

संक्षेप में निष्पादक के कार्य मुख्यतः भौतिक, जीव वैज्ञानिक तथा सामाजिक तत्त्वों या कारकों के संश्लेषण से संबंधित है।

हर्बर्ट साइमन (Herbert Simon)

हर्बर्ट साइमन का जन्म 1916 में विसकोन्सीन में हुआ। वे एक श्रेष्ठ अमेरिकन राजनीतिज्ञ तथा समाज शास्त्रीय विद्वान हैं। उन्होंने शिकागो विश्वविद्यालय से राजनीति शास्त्र में पी.एच.डी. की। अपने जीवन की शुरुआत म्युनिसिपल गवर्मेंट से की। वे समाज विज्ञान रिसर्च कौंसिल (Social Science Research Council) तथा न्यूक्लियर साइन्स और इन्जीनियरिंग कॉरपोरेशन (Nuclear Science and Engineering Corporation) के निदेशक भी थे। बाद में वे पीट्सबर्ग के कॉरनेगीमेलोन विश्वविद्यालय में मनोविज्ञान तथा कम्प्यूटर विज्ञान के प्रोफेसर के रूप में नियुक्त किए गए।

साइमन ने विभिन्न प्रशासनिक विषयों पर अनेक पुस्तकें लिखी हैं जिनका अनुवाद विभिन्न भाषाओं में भी किया गया है। उनकी कुछ मौलिक रचनाएँ निम्नलिखित हैं–

- Administrative Behaviour (1947)
- Fundamental Research in Administration (1953)
- The New Science of Management Decision (1969),
- Human Problem Solving (1972)

साइमन को 1978 में नोबेल पुरस्कार द्वारा पुरस्कृत किया गया। 'प्रशासनिक व्यवहार' नामक पुस्तक में साइमन ने शास्त्रीय विचारधारा के प्रतिपादक कर्नल डर्विल के विचारों का विस्तारपूर्वक खंडन किया है। 'प्रशासनिक व्यवहार' पुस्तक का उपशीर्षक है–(A Study of Decision-Making Process in Administrative Organisation)। उसने चेस्टर बर्नार्ड से प्रेरणा ग्रहण करते हुए, प्रशासनिक संगठनों का व्यवहारपरक या व्यवहारवादी अध्ययन किया। अपने व्यवहारवादी अध्ययनों के आधार पर साइमन ने बताया है कि निर्णयन या निर्णय-निर्माण (decision-making) प्रशासनिक संगठनों का हृदय है। निर्णयन संगठनों का आधारभूत संयंत्र है, और उसका अध्ययन किया जाना चाहिए। समस्त कार्यों को करने से पूर्व 'चयन' किया जाता है। अतः प्रशासन एवं प्रबंध क्षेत्र में हर्बर्ट ए. साइमन

के योगदान को एक महान युगान्तर माना जाता है। वास्तव में वह परम्परागत अथवा शास्त्रीय सिद्धांतों के औपचारिक मशीनी पदसोपान प्रधान या रूपात्मक युग को आधुनिक युग में लाने हेतु मुख्य द्वार है। वह लोक प्रशासन एवं प्रबंध के विकास को नवशास्त्रीय अथवा मानव संबंधवादी युग से आगे ले जाता है। उसे लोक प्रशासन के विषय को 'विज्ञान' बनाने का श्रेय दिया जा सकता है। लोक प्रशासन के क्षेत्र में व्यवहारवाद एवं अनुभववाद का उसे प्रमुख प्रवक्ता या प्रयोक्ता माना जाता है। वह एक ऐसे आंदोलन का प्रणेता है, जिसे 'ज्यूडिश शक्लर' ने 'निर्णयवाद' या 'विनिश्चयवाद' कहा है।

साइमन एवं लोक प्रशासन में व्यवहारवाद

लोक प्रशासन में व्यवहारवाद का अर्थ यह है कि प्रशासन एवं प्रशासनिक संगठनों में कार्यरत व्यक्तियों के वास्तविक व्यवहार का वैज्ञानिक अध्ययन किया जाए और आनुभाविक निष्कर्ष प्राप्त किए जाएँ। ऐसे व्यवहारपरक निष्कर्षों अथवा सामान्यीकरणों को प्राप्त करके प्रशासन के विषय को वैज्ञानिकता प्रदान की जा सकती है और उसमें एक उपयोगी एवं व्याख्यात्मक प्रशासन सिद्धांत (Administrative Theory) का विकास किया जा सकता है। किन्तु साइमन प्रशासनिक व्यवहार को और भी अधिक विशिष्ट तथा आनुभविक स्वरूप प्रदान करना चाहता है। उसके अनुसार प्रशासनिक व्यवहार एवं संगठनात्मक परिवेश में मानव व्यवहार है, विशेषतः जिसके साथ निर्णय लेने अथवा दूसरों के व्यवहार को प्रभावित करना जुड़ा हुआ है। ऐसा व्यवहार सामाजिक व्यवहार का ही अंश होता है। वह तथ्यों के वर्णन या 'है' (is) में अभिरुचि रखता है, और 'चाहिए' (ought) या आदर्शकथन की दुनिया से दूर रहता है। प्रशासन का व्यवहारवादी उपागम शब्दों की 'परिचालनात्मक परिभाषाओं तथा अनुभवपरक अध्ययन, पर जोर देता है। वह क्रियात्मक क्षेत्र में जाकर संगठनों का प्रेक्षण या पर्यवेक्षण करता है। आवश्यकता पड़ने पर उनके द्वारा संगठनों पर नियंत्रित प्रयोग किए जाते हैं। प्रशासनिक व्यवहारवाद वस्तुपरक तथ्यों के परिमापन (qualification) एवं गणितीयकरण पर जोर देता है। इससे प्रशासनिक संगठनों के औपचारिक सिद्धांत (Theory) को विकसित करने में सहायता मिलती है। इस उद्देश्य की प्राप्ति के लिए वह मनोविज्ञान, समाज शास्त्र और अर्थशास्त्र से मार्गदर्शन प्राप्त करता है। इस दिशा में वेबर, मर्टन, क्लाइड, साइमन, मायो, लिकर्ट ने विशेष कार्य किया है।

प्रशासन विज्ञान में व्यवहार ने जिन विषयों का विशेष रूप अपनाया है, वे हैं नौकरशाही, अभिप्रेरणा, मानव-संबंध, नेतृत्व, निर्णय आदि। प्रशासनिक व्यवहार दो प्रकार के होते हैं, (i) बौद्धिक या विवेकपूर्ण तथा (ii) अबौद्धिक या अविवेकपूर्ण।

व्यवहार में, दीनों परस्पर मिश्रित अवस्था में पाये जाते हैं। प्रशासन में व्यवहार या आचरण 'चयन' (choice) से प्रेरित होता है। चयन मूल्यों अथवा तथ्यों के आधार पर किए जाते हैं। जो लोक सेवक संगठन में आता है, उसे संगठनात्मक मूल्य स्वीकार करने पड़ते हैं। फिर भी संगठनात्मक मूल्यों या लक्ष्यों के प्रति समर्पित रखने के लिए विविध प्रकार की अभिप्रेरणाएँ (incentives) तथा उत्प्रेरक (inducements) प्रदान किए जाते हैं। संगठन इन मूल्यात्मक आधारों के अतिरिक्त तथ्यात्मक आधारों पर भी काम करता है। तथ्यात्मक आधार दो प्रकार के होते हैं:

(*i*) लोक सेवक की कुशलताएँ, ज्ञान, अनुभव आदि तथा

(*ii*) सूचनाओं की प्रक्रिया अथवा संचारण

इन सभी मूल्यात्मक एवं तथ्यात्मक आधारों पर कई प्रभाव पड़ते हैं तथा निर्णयन का प्रशासनिक व्यवहार विभिन्न प्रकार से प्रभावित होता है। ये चार प्रकार के पाये जाते हैं–

(*i*) **संगठन पर बाह्य प्रभाव**–इसके अन्तर्गत लोक सेवक या कर्मचारी की शिक्षा, अनुभव, सामाजिक नैतिक भावनाएँ, कौशल आदि आते हैं।

(*ii*) **व्यक्तित्व संबंधी विभिन्नताएँ**–वैसे तो इसमें संपूर्ण व्यक्तित्व ही आ जाता है, किन्तु उसमें भी उसका चेतन तथा अबौद्धिक अंश विशेष महत्वपूर्ण होता है। व्यक्ति में उसके विकास–प्रतिमान, महत्वाकांक्षा, संवेदनशीलता, सामाजिकता आदि को अधिक आवश्यक माना गया है।

(*iii*) **बाह्य संगठनों का प्रभाव**–इसमें अन्य संघ, समुदाय आदि आते हैं। कर्मचारीगण इनके प्रभावों को भी साथ लिए रहते हैं। तथा,

(*iv*) **औपचारिक शिक्षा तथा पूर्व कार्यानुभव**–इनका लोक सेवकों के प्रशासनिक व्यवहार पर गहरा प्रभाव पड़ता है। इस प्रकार, प्रशासनिक व्यवहार का परिप्रेक्ष्य औपचारिक तथा अनौपचारिक संगठनों के प्रभाव के समवेत स्वरूप का विश्लेषण करता है।

साइमन का व्यवहारवादी परिप्रेक्ष्य

साइमन लोक प्रशासन में व्यवहारवाद आंदोलन का अग्रदूत है। उसने अपनी पुस्तक 'प्रशासनिक व्यवहार' में बताया है कि लोक प्रशासन के विषय को वैज्ञानिक बनाने के लिए प्रशासन की अपेक्षाकृत छोटी किन्तु महत्त्वपूर्ण इकाई का अध्ययन किया जाना चाहिए। इस लक्ष्य की प्राप्ति के लिए 'निर्णयन' या 'विनिश्चयन' सर्वाधिक उपयोगी इकाई है। यह इकाई व्यक्ति (micro) होते हुए भी संगठन की समष्टि (macro) से जुड़ी हुई है। साइमन का कथन है कि यदि निर्णय के आधारों (Premises) को विस्तारपूर्वक बता दिया जाये तो संगठन के व्यवहार का पूर्वकथन लिया जा सकता है। प्रत्येक निर्णय अपने आधारों से वृक्ष, नदी या पत्ते की तरह संबद्ध होता है। इन आधारों एवं उनसे संबद्ध निर्णयों का विश्लेषण करके 'मानव-चयन या निर्णयन के सिद्धांत' को प्रस्तावित किया जा सकता है।

ऐसा करने से लोक प्रशासन को आनुभविक उपकरण एवं नवीन अवधारणाएँ प्राप्त हो सकेंगी। साथ ही उसे एक ऐसी शब्दावली प्राप्त हो जाएगी जोकि प्रशासनिक संगठन के परिचालन तथा संगठन के स्वरूप का वर्णन करने के लिए उपयुक्त हो। बर्नार्ड ने 'प्रशासनिक व्यवहार' की प्रस्तावना लिखते हुए बताया है कि व्यवहारवादी निष्कर्ष ऐसे होने चाहिए जो संगठनों के समस्त प्रकारों एवं प्रशासनिक व्यवहारों पर लागू हो सकें। प्रशासनिक संगठनों में अधिकांश व्यवहार स्वभावगत् अनुक्रियात्मक, नैतिक एवं समायोजनपूर्ण होता है। यह व्यवहार भी चेतन अथवा अचेतन रूप से परिवर्तित होता रहता है। इससे परिवर्तन की प्रक्रिया को जाना जा सकता है। जो लोग विशिष्ट संगठनों में कार्य करते हैं, वे उसके बारे में अपने अनुभव के आधार पर जानते हैं। साथ ही इन सभी के आधार पर संगठन

या प्रशासनिक व्यवहार का सामान्य ज्ञान प्राप्त किया जा सकता है, और संगठन की संरचना के अमूर्त्त सिद्धांतों (Principles) का पता लगाया जा सकता है। ऐसा करने पर भी लोक प्रशासन को विज्ञान बनाया जा सकता है और प्रशासनवेत्ता अपने आपको प्रशासन-वैज्ञानिक मान सकता है।

अपने व्यवहारवादी परिप्रेक्ष्य के आधार पर साइमन कहता है कि प्रशासन के सार्वभौम नियमों का प्रतिपादन करने से पूर्व यह आवश्यक है कि हम यह वर्णन करें कि संगठन सचमुच में कैसा दिखता है और कैसे कार्य करता है। इस दृष्टि से उसने औपचारिक संगठन प्रशासन के समाज विज्ञान को महत्त्वपूर्ण योगदान दिया है। उसने मूल्यों और तथ्यों को पृथक करके निर्णय की प्रकृति, प्रशासनिक प्रक्रिया और संगठन का दर्शन जिस स्पष्टता, पूर्णता और व्यापकता के साथ किया है, वह सराहनीय है। वह स्पष्टतः बताता है कि निष्कर्ष प्रशासन का 'सिद्धांत' नहीं बनाते। उन्हें केवल परिकल्पनाएँ प्रस्तावनाएँ मात्र समझा जाना चाहिए। उसकी मूल विशेषता यह है कि वह प्रशासन की शब्दावली को मानव चयन के मनोविज्ञान तथा तर्कता से ग्रहण करता है।

प्रशासनिक व्यवहार के आयाम एवं निर्णयन

मैक्स वेबर ने बताया है कि "नौकरशाही" अधिकांशतः बौद्धिक संरचना होती है। उसे लक्ष्योन्मुख व्यवस्था कहा जाता है। इस लक्ष्योन्मुखता के कारण ही प्रशासनिक व्यवहार को सोचने व समस्या समाधान करने के सिद्धांतों से जोड़ा जाता है। बौद्धिक चयन के विषय में दो सिद्धांत (Theories) पाये जाते हैं।

प्रथम–सांख्यिकी या गणितीय सिद्धांत–यह मनुष्य की 'पूर्ण बौद्धिकता, संबंधी धारणा पर आधारित है। जैसे–अर्थशास्त्र में चयन का सिद्धांत, क्रीड़ा का सिद्धांत अथवा सांख्यिकीय निर्णयों का सिद्धांत आदि।

द्वितीय–सीमित या बंधित बौद्धिकता का सिद्धांत–इसमें यह स्वीकार नहीं किया जाता है कि मनुष्य कोई भी चयन अपनी बुद्धि का पूर्णतम प्रयोग कर चुकने के बाद ही करता है।

साइमन 'पूर्ण बौद्धिकता' (Total rationality) के स्थान पर 'सीमित बौद्धिकता' (bounded rationality) का सिद्धांत अपनाता है। उसके आयाम यह हैं–

सीमित योग्यता

साइमन 'पूर्ण बौद्धिकता' के सिद्धांत को यथार्थ मान्यताओं पर आधारित मानते हुए तीन आक्षेप करता है कि–

1. निर्णयकर्त्ता समस्त विकल्पों तथा उसके परिणामों का ज्ञाता नहीं हो सकता,
2. उसके परिणाम या विकल्प की गणना क्षमता असीमित नहीं होती, तथा
3. निर्णयकर्त्ता अपने मस्तिष्क में समस्त संभाव्य परिणामों को सुसंबद्ध तथा प्राथमिकता क्रम लिए नहीं फिरता।

साइमन के मतानुसार, मानव की वास्तविक बौद्धिकता न तो पूर्णतः बौद्धिक है और न पूर्णतः अबौद्धिक। मनुष्य वास्तव में असंख्य विकल्पों में से केवल कुछ को ही देखने में समर्थ है और कुछ विकल्पों के परिणामों के विषय में ही पूर्वकथन कर सकता है। उसमें भी यह त्रुटियाँ कर बैठता है। उसका आकांक्षा-स्तर (Aspiration level) भी स्थायी अथवा अलोचशील नहीं होता। जब तक वह संतोषप्रद विकल्पों को सरलतापूर्वक खोजता रहता है, उसका आकांक्षा स्तर उठाया जा सकता है। ज्योंहि उसके लिए संतोषप्रद विकल्प ढूंढ़ना कठिन हो जाता है, उसका आकांक्षा-स्तर गिर जाता है।

इस तरह, व्यक्ति अधिकतम लाभप्रद समाधान ढूंढ़ने के बजाय 'ठीक-ठाक' या पर्याप्त रूप से अच्छे (good enough) समाधानों से ही संतुष्ट हो जाता है। चूँकि उसमें अधिकतमीकरण (Maximisation) की वृद्धि नहीं होती, उसे सन्तोषीकरण (satisfaction) को अपनाने के लिए बाध्य होना पड़ता है। एक संगठन तथा उसमें कार्यरत अनेक लोक सेवक मिल-जुलकर व्यक्तियों की इस सीमित बौद्धिकता की क्षतिपूर्ति कर देते हैं। संगठन में पर्याप्त मात्रा में बौद्धिकता आ जाती है।

संगठन का मानवीय स्वरूप एवं संतुलन की धारणा

साइमन संगठन में सर्वाधिक महत्त्वपूर्ण तत्त्व संरचना या बनावट (structure) को मानने के बजाए, मानव-संबंधों अथवा मानवीय अंतःक्रिया को मानता है। संगठन एक ऐसा घर है जोकि मानव-प्राणियों के निवास हेतु बनाया गया है। समाज शास्त्रियों की भाषा में वह 'व्यक्ति-कार्य-व्यवस्था' (role-system) का प्रतिमान है। साइमन की शब्दावली में संगठन में कार्यरत व्यक्ति 'निर्णयन-अभिकरणों' के समान है। कार्यपालक अथवा प्रबंधक अधीनस्थों के लिए मूल्य या लक्ष्यों संबंधी स्थितियों या पूर्वापेक्षाएँ तैयार करते हैं। इसके आधार पर संगठन के सदस्य निर्णय लेते रहते हैं।

प्रत्येक सदस्य सर्वप्रथम अपने लिए यह निर्णय लेता है कि संगठन में भाग लेगा अथवा नहीं लेगा। बर्नार्ड के 'समतोलन सिद्धांत' (Balance-Principle) को अपनाते हुए, साइमन व्यक्ति के लिए यह कहता है कि संगठन में व्यक्ति उस प्राप्त संतोष के आधार पर रहता है जिसे वह अपने योगदान तथा संगठन द्वारा प्रदत्त उत्प्रेरणाओं (Inducements) की तुलना के बाद प्राप्त करता है। उसका यह संतोष, संगठन में शामिल न रहने की दशा से अधिक उपयोगी होना चाहिए।

ज्योंहि व्यक्ति संगठन में रहने का निर्णय ले चुका होता है, वह अपने आत्मगत उद्देश्यों को गौण बना लेता है और उन्हें संगठन के लक्ष्यों के अधीन बना देता है। उसकी इस स्थिति को निरन्तर बनाये रखने के लिए संगठन द्वारा कर्मचारियों के व्यवहार को प्रभावित करने की व्यवस्था होनी चाहिए। यह प्रभाव व्यवस्था ऐसी होनी चाहिए कि संगठन-दल, उत्प्रेरकों तथा कर्मचारियों के योगदान में एक समतोलन (balance) बना रहे। कर्मचारीगण उत्साहपूर्वक संगठन की गतिविधि में संगठन के लक्ष्यों को प्राप्त करने के लिए अपनी समस्त ऊर्जा को समर्पित करते हुए भाग लेते रहें।

व्यक्ति जब संगठन के साथ तादात्म्य (identification) स्थापित कर लेता है, उस समय उत्प्रेरणा योगदान समतोलन प्राप्त हो जाता है। यद्यपि व्यक्ति के तादात्म्य पर विगत अनुभवों एवं बाह्य प्रभावों का भी प्रभाव पड़ता है, किन्तु अनेक युक्तियों द्वारा संगठन के प्रति निष्ठा अथवा तादात्म्य को प्रोत्साहित किया जाता है। तादात्म्य उत्पन्न करने की क्रिया

ऐसी दशाएँ तथा अभिप्रेरणाएँ उत्पन्न करने से संबंध रखती हैं जिसके प्रभाव से व्यक्ति अपने निजी हितों को संगठन के हितों के साथ एकाकार कर लेते हैं। ऐसा हो जाने की अवस्था में व्यक्ति संगठन के हितों के अनुकूल निर्णय लेता रहता है। उसमें तथा व्यक्ति के हितों में एक सन्तुलन (equilibrium) बना रहता है।

सत्ता तथा संचारण (Authority and Communication)

संगठन में प्रभाव व्यवस्था अथवा प्रभाव संयंत्रों को उत्पन्न करने के उपकरणों में सत्ता और संचारण को साइमन महत्त्वपूर्ण स्थान प्रदान करता है। अन्य उपकरणों में प्रशिक्षण मूल्य आदि है। प्रबंधक इन सभी का कार्यकुशल रीति से प्रयोग करते हैं कि व्यक्ति स्वतः अनुकूल कार्य करने लगता है। सत्ता, दूसरे के कार्यों का मार्गदर्शन करने के लिए निर्णय करने की शक्ति है। संगठनों के लक्ष्यों को प्राप्त करने की इच्छा, दूसरों का अनुगमन करने की मानसिक तैयारी तथा समूह-मानक कर्मचारी को प्रबंध से मार्ग-दर्शन स्वीकार करने की प्रेरणा देते हैं। सत्ता का प्रकट तो निर्णयों को रोकने या उलटने के लिए होता है। सत्ता के विषय में साइमन व्यवहारवादी या स्वीकृति सिद्धांत का प्रतिपादन करता है। बर्नार्ड ने तो कहा है कि सत्ता जिस पर लागू होती है, उसी के पास रहती है। उसका एक 'स्वीकृति का क्षेत्र' (Zone of acceptance) होता है। इस क्षेत्र में आने और निर्देश दिए जाने की अवस्था में ही कर्मचारी अपने व्यवहार में अनुकूल परिवर्तन करते हैं। व्यवहार-परिवर्तन न कर सकने की अवस्था में सत्ता वर्तमान नहीं रहती। बर्नार्ड की दृष्टि से सत्ता सहयोग-पूर्ण व्यवस्थाओं की आवश्यकताओं के सम्मुख व्यक्तियों की स्वेच्छा और क्षमता के समर्पण का ही दूसरा नाम है। सत्ता स्थिति में व्यक्ति और संगठन के मध्य मूल्यात्मक तादात्म्य स्थापित हो जाता है। ऐसा हो जाने के बाद शास्तियों (sanctions) अथवा दण्ड या भय का महत्त्व घट जाता है। संगठन में इस कारण पदसोपान को अधिक ऊँचा स्थान देने की आवश्यकता नहीं है। उसमें सत्ता का संबंध 'कार्यात्मक परिस्थिति' अथवा सत्ताधारियों की कार्यक्षमता और सद्भावना में देखा जाना चाहिए। यहीं संगठन में संचारण या संप्रेषण का महत्त्व प्रकट होता है। संचारण इस प्रक्रिया का नाम है जिसके द्वारा निर्णय आमुख (Premises) संगठन के एक सदस्य से दूसरे सदस्य तक पहुँचते हैं। यह एक बहुमुखी प्रक्रिया है जो औपचारिक एवं अनौपचारिक सभी मार्गों का उपयोग करती है। संचारण के विभिन्न स्तरों पर अनेक बाधाएँ आती हैं और उसके स्वरूप और संप्रेषण में तोड़-मरोड़ होती रहती हैं। इस स्थिति को सुधारने के लिए अनेक संगठनात्मक युक्तियों का सहारा लिया जाता है। उनमें 'समान संगठनात्मक भाषा' तथा 'समान विचार संदर्भों' का अधिक उपयोग है। संचारण प्रतिमान "कौन-किससे-कैसे-कितनी बार किस मामले में बात करने" से संबंधित होता है। वह सत्ता से सम्बद्ध होता है।

तथ्य एवं मूल्य (Fact and Value)

साइमन ने लोक प्रशासन के क्षेत्र में, विशेषतः निर्णयों के मामले में तथ्य मूल्य का पृथक्करण करके अपार योगदान दिया है। इस विषय में साइमन ने बताया है कि तथ्यात्मक कथन प्रेक्षणीय विश्व के विषय में ऐसे वक्तव्य होते हैं जिनसे पता चलता है कि वह किस प्रकार परिचालित होता है। किन्तु प्रशासनिक निर्णय तथ्यात्मक कथन मात्र नहीं होते। उनमें तथ्य और मूल्य दोनों निहित होते हैं। वह स्पष्ट स्वीकार करता है कि मूल्यों को तथ्यों में नहीं बदला जा सकता। इसी कारण प्रशासकीय निर्णय का विशुद्ध वैज्ञानिक साधनों में मूल्यांकन नहीं किया जा सकता। निर्णय प्रक्रिया में एक बौद्धिक गतिविधि तथा एक तार्किक मार्ग का अनुसरण करने के साथ-साथ अन्य कई अतार्किक, भावनात्मक एवं रहस्यात्मक तत्त्व भी होता है। निर्णय प्रक्रिया में तथ्य मूल्य विभाजन का आधार लेकर चलना कठिन है। मूल्य अथवा तथ्य दोनों में से यदि किसी एक पर बल दिया जाएगा तो निर्णय की वैज्ञानिकता नष्ट होने की संभावना रहेगी। निर्णय प्रक्रिया के विभिन्न चरण होते हैं। उन चरणों की विभिन्न क्रियाएँ यह दर्शाती हैं कि निर्णयकर्त्ता एक प्रकार की रणनीति (strategy) तैयार करता है। प्रथम चरण पर समस्या की माप की जाती है जिसमें मूल्यों (values) और तथ्यों (Fact) का स्पष्ट संघर्ष होता है। मूल्य वे हैं जो नीति और संगठन के उद्देश्य की व्याख्या के अन्तर्गत निर्णयकर्त्ता की समझ में आते हैं और तथ्य अनुमानित होते हैं तथा मूल्य आदतों और परम्पराओं से सुदृढ़ होते हैं। अतः यह संभव है कि मूल्य तथ्यों को दबा दे।

तथ्यों की खोज में दूसरी समस्या निष्पक्षता की आती है। यह निष्पक्षता निर्णयकर्त्ता के समक्ष एक चुनौती है। तथ्यों की खोज विभिन्न चरणों में होती है। प्रथम यह है कि संग्रहकर्त्ता कितना स्वतंत्र, निष्पक्ष एवं समस्या के समाधान में निष्ठावान है। दूसरे, उसे समस्या के विभिन्न दृष्टिकोणों का कितना ज्ञान है जो तथ्यों से सम्बद्ध है। तीसरे, तथ्यों में कितनी गहराई है कि उन्हें नीति के संदर्भ में देखा जा सके तथा तथ्यों में ऐसे कितने तथ्य हैं जो नये तथ्यों को पहचानने में सहायक सिद्ध हो सकें। यह समस्त प्रश्न एक निर्णयकर्त्ता की क्षमता को झकझोरते हैं। यदि निर्णयकर्त्ता तथ्य खोजने की कला में दक्ष नहीं है तो वह समस्या का समाधान करने के लिए कोई निर्णय नहीं ले पाएगा।

निर्णय प्रक्रिया में एक महत्त्वपूर्ण अवस्था तथ्य मूल्यांकन की भी होती है। तथ्यों का मूल्यांकन करते समय निर्णयकर्त्ता के लिए यह आवश्यक है कि पूर्ण सावधानी बरतने के बाद वह अपने तथ्यों को प्रश्नों के संदर्भ में देखे कि क्या तथ्यों में परस्पर सामन्जस्य है, क्या वे किसी सीमा तक गलत हो सकते हैं, क्या वे पूर्ण विश्वसनीय हैं तथा क्या उनके आधार पर निर्णय प्रक्रिया को आगे बढ़ाया जा सकता है। तथ्य मूल्यांकन निर्णयकर्त्ता की स्थिति समझने की क्षमता, समस्या के आकार तथा नीति संबंधी मूल्यों के संदर्भ में किया जाता है।

निर्णय नियम सापेक्ष होते हुए भी मूल्य निरपेक्ष हो सकते हैं। इनमें तथ्यों की वास्तविकतायें मूल्य की अपेक्षाओं के साथ समझौता कर सकती हैं। इस प्रकार निर्णय प्रक्रिया को आगे बढ़ाया जा सकता है। तथ्य मूल्यांकन निर्णयकर्त्ता की स्थिति समझने की क्षमता, समस्या के आकार तथा नीति संबंधी मूल्यों के संदर्भ में किया जाता है। निर्णय नियम सापेक्ष होते हुए भी मूल्य निरपेक्ष हो सकता है। इसमें तथ्यों की वास्तविकताएँ मूल्य की अपेक्षाओं के साथ समझौता कर सकती हैं। इस प्रकार निर्णय प्रक्रिया में तीनों स्तरों पर ही तथ्य मूल्य विभाजन की समस्या का सामना निर्णयकर्त्ता को करना पड़ता है। यदि वह तथ्य अथवा मूल्य किसी एक के आधार पर निर्णय लेता है तो निर्णय में वैज्ञानिकता का अभाव उत्पन्न

हो सकता है। अतः निर्णयकर्त्ता के लिए यह आवश्यक है कि वह अपना निर्णय तथ्यों तथा मूल्यों दोनों के संदर्भ में करे।

साइमन का निर्णय प्रक्रिया मॉडल (Simon's Decision Making Model)

हर्बर्ट साइमन प्रशासनिक प्रक्रियाओं को निर्णयात्मक प्रक्रिया मानते हैं। साइमन की यह मान्यता रही है कि संगठन की संरचना और कार्य की विशेषताएँ मानवीय समस्या निवारण प्रक्रियाओं तथा बौद्धिक मानवीय चुनाव के लक्षणों से ग्रहण की जाती है।

जब यह कहा जाता है कि निर्णय लिया गया तो इसका अर्थ यह होता है कि एक लम्बी प्रक्रिया से गुजरते हुए यह तय कर लिया गया कि क्या किया जाए। इस दृष्टि से निर्णय लेने पर निर्णय प्रक्रिया का स्थान विशेष होता है। यह एक घटना भी है और निरन्तरता के लिए निर्मित हुई प्रक्रिया भी। इसे एक निष्कर्ष भी कहा जा सकता है किन्तु यह एक ऐसा निष्कर्ष होता है जिससे भावी निष्कर्ष या निर्णय भी निकलते हैं। यदि इन निर्णयों के आधारों से संबद्ध अज्ञात निर्णयों का पूर्वकथन किया जा सकता है तो निर्णय को हम पूर्व विचारों या आधारों से निकाले गये निष्कर्ष मान सकते हैं। निष्कर्ष बड़े निर्णयों के लिए पूर्व विचार या पूर्व आधार बन जाते हैं।

मूल्य दो प्रकार के होते हैं–(1) अन्तिम या परम मूल्य (2) इन्हें प्राप्त करने वाले साधनात्मक या उपकरणात्मक मूल्य। इन्हें अन्तर्वर्ती या मध्यस्थ मूल्य भी कहा जाता है। परममूल्य मानवीय इच्छा, संकल्प या आत्मगत अथवा अबौद्धिक भावनाओं से प्राप्त होते हैं। प्रशासन को ये राजनीतिज्ञों, नीति निर्माताओं, संविधान, विधानमंडलों या मुख्य कार्यपालकों से प्राप्त होते हैं। प्रशासकीय संगठनों के लिए ये निर्दिष्ट या प्रवत्त होते हैं। प्रशासकीय संगठनों का संबंध अंतर्वर्त्ती अथवा उपकरणात्मक मूल्यों से होता है। उपकरणात्मक मूल्यों का उनके वस्तुगत परिणामों के संदर्भ में विश्लेषण किया जा सकता है। प्रशासन के सम्मुख जो विभिन्न प्रकार के विकल्प आते हैं, उन पर वह सम्भावित परिणामों को सामने रखकर तुलना कर सकता है। वह अपने लिए कामचलाऊ या पर्याप्त रूप से अच्छे विकल्प को चुन लेता है। विकल्प का यह चयन 'निर्णय' बन जाता है। इस निर्णय को पुनः उपकरणात्मक मूल्य मानकर अगले निर्णय या निष्कर्ष निकाले जा सकते हैं। इसे 'मूल्य साधन' अथवा 'मूल्य-तथ्य' की निरन्तरता का तारतम्य बंध जाता है। इन सभी उपकरणात्मक मूल्यों को तथ्य या आँकड़े मानकर परिणामों की दृष्टि से वैज्ञानिक विश्लेषण किया जा सकता है। ऐसे विश्लेषण से निष्कर्ष प्राप्त होते हैं, उन निष्कर्षों से सिद्धांत प्राप्त करने की दशा में ठोस प्रयास किए जा सकते हैं। किन्तु प्रशासनिक निर्णय की प्रक्रिया कभी भी पूर्णतः 'बौद्धिक' नहीं होती और उसमें सदैव कुछ-न-कुछ नैतिक, भावनात्मक अथवा मूल्यात्मक तथ्यों का समावेश बना रहता है।

व्यापकता लिए हुए निर्णय प्रायः उच्च स्तर पर लिये जाते हैं। प्रायः उनका संबंध संगठन के उद्देश्यों, नीतियों से होता है। निर्णय जितना अधिक व्यापक होगा, उतना ही मूल्यों की ओर झुका हुआ होगा। किन्तु उसकी व्यावहारिक उपयोगिता एवं लोकप्रियता इस बात पर निर्भर होगी कि वह कहां तक तथ्यों में वैज्ञानिक विश्लेषण पर आधारित है। प्रशासकीय निर्णय व्यक्तिगत निर्णयों की अपेक्षा अधिक बौद्धिकता लिए हुए होते हैं। उनके परिणाम दूरगामी, अच्छे या बुरे हो सकते हैं। अतः उनको अधिकाधिक मात्रा में वैज्ञानिक निर्णयों पर आधारित किया जाना चाहिए। संगठनात्मक दृष्टि से संगठन का निर्णयन यंत्र जिस प्रकार का तंत्र स्थापित कर देता है, वह निर्णय प्रक्रिया की वैज्ञानिकता एवं निर्णयों की गुणात्मकता को गंभीर रूप से प्रभावित करता है। उस यंत्र के माध्यम से संगठन के अधिकारीगण निर्णय लेते रहते हैं। संगठन में कुछ निर्दिष्ट तत्त्व या कारण होते हैं। साथ ही, नीतियों और नेतृत्व के रूप में कुछ 'चाहिए' भी होते हैं। इन निर्दिष्टों एवं 'चाहिए' में तारतम्य बैठाना पड़ता है।

संगठन के लक्ष्यों को प्राप्त करने के लिए इस तारतम्य या तालमेल बैठाने की प्रक्रिया को निर्णयन कहा जाता है।

साइमन के अनुसार निर्णयन-प्रक्रिया के तीन चरण या अवस्थाएँ होती हैं–

1. अन्वेषण कार्य (Intelligence Activity)
2. स्वरूप निर्धारण (Designing Activity)
3. विकल्पों का चयन (Choice Activity)

निर्णयन प्रक्रिया का प्रथम चरण अन्वेषण कार्य कहलाता है। इसे आवश्यक मूल्यांकन भी कहा जा सकता है। समस्या को पहचानने तथा समझने के लिए यह आवश्यक है कि जिस समस्या पर निर्णय लेना है उसे अनुसंधानात्मक दृष्टि से देखा जाये। इस स्तर पर आवश्यक है कि भूतकालीन अनुभव के आधार पर समस्या की समग्रता को ध्यान में रखा जाए तथा वर्तमान के संदर्भ में भविष्य की तस्वीर खड़ी की जाए।

इस चरण में निम्न उपचरण हो सकते हैं:

(*a*) इस अवस्था में उत्पन्न समस्या के क्षेत्र, स्तर और प्रकृति को पहचाना एवं समझा जाता है। सबसे पहले यही जानना महत्त्वपूर्ण है कि समस्या है अथवा नहीं है। यह आवश्यक होता है कि समस्या के क्षेत्र, स्तर और प्रकृति को निष्पक्षता या निरपेक्षता के साथ पहचाना जाए। प्रशासन की जटिल दुनिया में यह कार्य इतना सरल नहीं होता, जितना कि साधारणतया समझा जाता है। संगठन में विभिन्न समस्याएँ एक-दूसरे के साथ संबंधित एवं उलझी हुई होती हैं। उन्हें यदि संपूर्णता के परिप्रेक्ष्य में नहीं देखा गया, तो समझने में भूल हो सकती है।

(*b*) फिर उस समस्या के पूर्व इतिहास को देखा जाता है। ऐसी कितनी ही समस्याएँ होती हैं जो अपने पूर्व निर्णयों और निष्कर्षों से जन्म लेती हैं। उनका इतिहास उनसे संबंधित स्थितियों के पूर्व अनुभव तथा स्थिति के निरंतर विकास एवं बदलती हुई स्थिति को समझने में सहायता करता है।

(*c*) साथ ही, उस समस्या से उत्पन्न स्थिति का अवलोकन एवं सर्वेक्षण किया जाना चाहिए। ऐसा सर्वेक्षण निर्णयकर्त्ता को इस दृष्टि से सहायता देता है कि वह यह समझ सके कि स्थिति किस प्रकार ही है। स्थिति को वैचारिक रूप से समझते समय संगठन के मूल्यों, उद्देश्यों और नीतियों का ज्ञान हो जाता है। इससे स्थिति की अस्पष्टता समाप्त हो जाती है और उसका सही रूप सामने आ जाता है।

अगला कदम समस्या की भावी दिशाओं और नये क्षितिजों का अन्वेषण कहा जा सकता है। ऐसा करते समय निर्णयकर्त्ता स्थिति का विश्लेषण करने का प्रयत्न करता है और उसमें स्वयं सक्रिय रुचि एवं भाग लेने लगता है।

स्वरूप निर्धारण (Designing Activity)

निर्णय प्रक्रिया के दूसरे चरण को साइमन अभिकल्पना या स्वरूप निर्धारण कहता है। इसे तथ्यों की खोज एवं खोज की कसौटी कहा जा सकता है।

इसमें दो उपचरण हैं–

(*a*) तथ्यों को संगतिपूर्ण ढंग से समस्या के वातावरण से चुनना।

(*b*) तथ्यों का मूल्यांकन करना।

तथ्यों का मूल्यांकन करते समय किसी भी निर्णयकर्त्ता के लिए यह भी आवश्यक है कि तथ्य-संग्रह की समस्त विशेषताएँ निम्न संदर्भ में देखेः

(A) क्या तथ्यों में परस्पर सामंजस्य है?

(B) क्या तथ्य किसी सीमा तक गलत भी हो सकते हैं।

तथ्यों का मूल्यांकन निर्णयकर्त्ता की स्थिति को समझने की क्षमता, समस्या के आकार तथा संगठन की नीतियों के संदर्भ में किया जा रहा है। इस दौरान समाधान के कुछ विकल्प भी सामने आते हैं। कुछ विकल्प तो ऐसे होते हैं जिन्हें सहज, तर्कपूर्ण और अवश्यंभावी माना जाता है। कुछ विकल्प इस प्रकार के होते हैं जिनके विषय में तर्क-वितर्क करना पड़ता है। तदन्तर वे संभावना के रूप में प्रकट होते हैं। कतिपय विकल्प प्रच्छन्न होते हैं। जिनकी संभावना कुछ कठिन एवं दूरगामी आशंकाओं पर आधारित होती है।

निर्णयन प्रक्रिया का यह चरण इस दृष्टि से निर्णायक है कि इस स्तर पर पहुँचते-पहुँचते निर्णयक्रम एक ऐसा मोड़ ले लेता है कि निर्णयकर्त्ता का विवेक क्षेत्र सीमित, निश्चित एवं तुलनात्मक बन जाता है।

विकल्पों का चयन (Choice Activity)

इस चरण में विभिन्न विकल्पों में से एक विकल्प का चयन किया जाता है। निर्णयकर्त्ता विकल्पों का इस प्रकार श्रेणीयन करते हैं कि सर्वोत्तम विकल्प उसकी उपयोगिता एवं आवश्यकता के अनुसार चुना जा सके। एक सर्वोत्तम विकल्प का चयन करने के लिए निम्नलिखित कार्य अपेक्षित हैं–

(*a*) अधिकतम लाभों और कम दोषों वाले विकल्प का चयन करना चाहिए।

(*b*) विकल्प दीर्घकाल तक प्रभावी रहने वाला होना चाहिए।

(*c*) विकल्प चयन करते समय संस्था में उपलब्ध साधनों को भी दृष्टिगत करना चाहिए।

(*d*) विकल्प ऐसा होना चाहिए जो न्यूनतम प्रयासों पर अधिकतम लाभों की उपलब्धि करा सके।

अतः निर्णय लेते समय प्रबंधकों या प्रशासकों को अपने अनुभव, परीक्षण, अन्तर्ज्ञान आदि तकनीकों को काम में लेना चाहिए। जब एक संगठन का अध्यक्ष निर्णय की प्रक्रिया के इन सभी सोपानों से परिचित रहता है तो भूल की गुंजाइश कम हो जाती है। उसके द्वारा लिए गये निर्णय बुद्धिमत्तापूर्ण और वैज्ञानिक प्रकृति के होते हैं।

साइमन के निर्णयन मॉडल के अन्तर्निहित सिद्धांत

साइमन ने स्वयं इस बात को जोर देकर कहा है कि उसके निर्णय 'प्रशासन' के सिद्धांत (theory) नहीं हैं। इसका अर्थ यह है कि उसके निर्णयों में व्याख्यात्मक शक्ति एवं पूर्व-कथनीयता का अभाव है। उसने मानवीय चयन का निर्णयन संबंधी 'सिद्धांत' विकसित करने के लिए जोरदार आग्रह किया है, और उसके लिए महत्त्वपूर्ण प्रयास प्रस्तुत किये हैं। उसने संगठनों का आनुभविक वर्णन करने के लिए नवीन विचार एवं धारणाएँ दी हैं।

उसने संगठन के परम्परागत शास्त्रीय सिद्धांतों (Principles) की कटु आलोचना की है और उन्हें परस्पर विरोधी एवं अपर्याप्त बताया है। वे संगठनों की शरीर-रचना मात्र को बताते हैं और वर्तमान मानवीय तत्त्वों एवं प्रक्रियाओं की अनदेखी करते हैं। इस अभाव की पूर्ति के लिए साइमन ने निर्णय-निर्माण जैसी गतिविधि को लिया है। संगठन में निर्णयन एक व्यापक प्रक्रिया है। प्रत्येक संगठनात्मक क्रिया के पीछे चयन का निर्णय वर्तमान होता है। अतएव निर्णय-निर्माण प्रक्रिया और संगठन का स्वरूप पर्याय अथवा समानार्थक होता है। निर्णयन सिद्धांत प्रशासनिक संगठनों के लिए आधारभूत सिद्धांत हो सकता है।

निर्णयन की प्रक्रिया संगठन के समस्त अंगों एवं प्रक्रियाओं को जोड़ने वाली गतिविधि है। विभिन्न निर्णय एक-दूसरे से जुड़े होते हैं। इन निर्णयों का वैज्ञानिक विश्लेषण करके आनुभविक निष्कर्ष निकालने के लिए साइमन मूल्य तथ्य पृथक्करण की व्याख्या करता है। वह अन्तिम अथवा परम मूल्यों को वैज्ञानिकता की सीमा से परे मानता है। किन्तु, प्रशासन का संबंध उपकरणात्मक या मध्यवर्ती मूल्यों से होता है। इनका उनके वस्तुपरक परिणामों की दृष्टि से वैज्ञानिक विश्लेषण किया जाता है। उच्चतर मूल्यों के अधीन निम्नस्थ मूल्य परस्पर साध्य-साधन या मूल्य तथ्य संबंधों से जुड़ जाते हैं। मूल्यों से तथ्यात्मक विश्लेषण की संभावनाएँ लोक प्रशासन को विज्ञान बना देती है। निम्न मूल्य अपने उच्चस्तर मूल्यों से जुड़े होते हैं। अतः तथ्यों के वैज्ञानिक विश्लेषण की आवश्यकता निरन्तर बनी रहती है। तथ्यों के आधार पर निर्णय करने पर साइमन को बहुत जोर दिया है।

मूल्यों की दृष्टि से संगठनों को तीन स्तरों पर गठित किया जा सकता है। सर्वोच्च स्तर अपेक्षाकृत अनिश्चित और अधिक दायित्वपूर्ण होते हैं। इन्हें सर्वोच्च निर्णयों द्वारा प्राप्त करने के लिए साइमन ने सत्ता और समन्वय जैसी धारणाएँ दी है। मध्य स्तर पर निर्णय-क्षेत्र अपेक्षाकृत संकुचित, स्पष्ट और निश्चित हो जाता है। उन्हें परिणामों की दृष्टि से आंका जा सकता है। निम्नस्तर पर निर्णय नैतिकता को लिए हुए होते हैं। इन स्तरों पर उसी प्रकार की सूचना एवं संचार जाल बिछाने और नियुक्तियां करने की व्यवस्था होनी चाहिए। संगठन में व्यक्ति अपने योगदान का प्रतिदान ग्रहण करने के लिए आता है। व्यक्ति के लक्ष्यों और संगठन के लक्ष्यों में तारतम्य स्थापित होने पर परस्पर हितों का समतोलन या संतुलन बना रहता है। ऐसा तारतम्य ही सत्ता का मूल आधार है। इस तारतम्य को

बनाए रखने व प्रोत्साहित करने के लिए संगठन प्रशिक्षण, अभिप्रेरणाओं आदि का आयोजन करता है। हितों का तारतम्य स्थापित हो जाने पर सत्ता अधीनस्थों की सहमति या स्वीकृति बन जाती है और सूचना मात्र के सहारे प्रवाहित होती है। सूचनाओं का संचारण सभी दिशाओं से होते रहना चाहिए अन्यथा सत्ता का अस्तित्व ही संकटग्रस्त हो सकता है। साइमन के अनुसार संगठन का 'प्रशासन का मानव' अर्थशास्त्रियों के आर्थिक-मानव की तरह पूर्णतः बौद्धिक नहीं होता। उसमें बौद्धिक एवं अबौद्धिक दोनों प्रकार के तत्त्व वर्तमान रहते हैं। किन्तु संगठन में आने के पश्चात् व्यक्तियों की अबौद्धिकता काफी कम हो जाती है। यद्यपि व्यक्ति की बौद्धिकता भी सीमित होती है, और वह पूर्ण परिगणना करने के पश्चात् निर्णय लेने के बजाए 'काम चलाऊ' निर्णयों से ही संतुष्ट हो जाता है। फिर भी एक-दूसरे के सहारे से तथा पूरक परिपूरक प्रवृत्ति की विशिष्ट बौद्धिकता होने के कारण संगठन के निर्णय काफी मात्रा में बौद्धिक हो जाते हैं। उपकरणात्मक मूल्यों से संबंध होने के कारण इन निर्णयों का तथ्यात्मक विश्लेषण किया जा सकता है और वैज्ञानिक बनाया जा सकता है। संगठन सिद्धांत बौद्धिकता की पूर्णता जैसे—क्रीड़ा सिद्धांत पर आधारित नहीं होने चाहिए।

प्रशासन के सामान्य सिद्धांत के द्वारा प्रतिपादित संगठन संबंधी नियम ऐसे होने चाहिए कि वे प्रभावशाली क्रियान्विति के साथ सही निर्णय भी प्राप्त कर सके। उस संगठन को इस तरह से बनाया जाए कि उसके निर्णयन में भाग न लेने वाला व्यक्ति भी अपने आपको संगठन में सहभागी मानता रहे, क्योंकि निर्णयों को अन्तिम छोर पर कार्यरूप में परिणत उसी के द्वारा किया जाता है। संगठन की प्रभावी व्यवस्था ऐसी होनी चाहिए कि वह अपने सदस्यों को इतनी अभिप्रेरणाएँ देती रहे कि वे उस संगठन के उद्देश्य की पूर्ति के लिए अपनी ऊर्जा का संपूर्ण योगदान करते रहें। इसके लिए प्रभावशाली व्यवस्था, अनुकूल संचारण योजना, सही भर्ती आदि को अपनाया जा सकता है।

निर्णय-सिद्धांत हमें यह बताता है कि निर्णयन के कौन-कौन से प्रमुख आधार या कारक हैं। यदि हमें ये आधार ज्ञात हों तो हम संगठन की सीमाओं की जानकारी, संगठन द्वारा लिए जाने वाले निर्णयों का पूर्वकथन कर सकते हैं। हम किये गये निर्णयों के आधार पर यह भी जानने का प्रयास कर सकते हैं कि उनमें किन-किन कारकों की अवहेलना की गयी अथवा उसके निर्णयन-तंत्र में क्या खराबी है, जिसे ठीक किया और सुधारा जाना चाहिए। यही बात निर्णयन-प्रक्रिया के चरणों के साथ भी लागू होती है। निर्णयन प्रक्रिया के तीन चरणों या सोपानों में किन्हीं दो के ज्ञात होने पर तीसरे का पूर्वानुमान लगाया जा सकता है। विभिन्न स्तरों पर संगठन की रचना इस तरह से की जानी चाहिए, और उसकी प्रक्रियाओं को इस प्रकार से परिचालित किया जाना चाहिए कि प्रत्येक निर्णयन बिन्दु पर निर्णय तीन अवस्थाओं को पार करके लिया जाए। साथ ही समस्त संगठन का पुनर्निर्माण भी इस तरह से किया जाए कि उसके अंग प्रत्यंग एवं प्रक्रियाएँ निर्णयन की इन अवस्थाओं की आवश्यकताओं की पूर्ति करती रहें। जैसे कि वे एक ओर समस्याओं को पहचानने के लिए सहायता करे, तो दूसरी ओर निर्णय तक पहुँचने के लिए विभिन्न विकल्प तथा उनसे संबंधित तथ्य एवं आँकड़े प्रस्तुत करें। तीसरे सोपान पर, जो वस्तुतः संगठन का सर्वोच्च शिखर होगा, निर्णयकर्त्ता को अन्तिम मूल्यों के साथ-साथ संगठन के व्यापक उपकरणात्मक मूल्यों, नीतियों आदि का अभिज्ञान होना चाहिए। उसके पास प्रभावशील सत्ता और समन्वय प्रक्रियाओं के अतिरिक्त पूर्वानुमान की पूर्णक्षमता भी होनी चाहिए। यह आवश्यक है कि निर्णय के विभिन्न स्तरों और सोपानों पर संबंधित तथ्यों की जानकारी उपलब्ध रहे तथा सूचनाओं का प्रवाह उन्मुख रूप से विभिन्न दिशाओं में बहता रहे। प्रशासन एक सामूहिक गतिविधि है। उसमें अकेला व्यक्ति निर्णय नहीं लेता।

साइमन संगठन के लिए लंबवत् समन्वय का पक्षपाती है ताकि निर्णयन विशेषीकरण के आधार पर किया जाए। विशिष्ट ज्ञान और अनुभव के आधार पर निर्णयकर्त्ताओं अथवा अधीनस्थ कर्मचारियों का गठन किया जाए ताकि वैसे निर्णयों से संबंधित सभी व्यक्ति एक समूह या दल के रूप में कार्य कर सकें। निर्णयन एक केन्द्रीयकरण करने वाली गतिविधि है। अतः सभी निर्णयन-समूह से संबंधित हो जाएँगे। यह कार्य सामान्य नियोजन के अन्तर्गत योजनाबद्ध रीति से हुआ करेगा। संगठन अपने सदस्यों को अपने क्षेत्रों से तथा लक्ष्यों के अनुकूल निर्णय लेने के लिए अभिप्रेरित करता रहेगा। इसमें कर्मचारियों अथवा श्रमिकों की संगठन के प्रति निष्ठा पर विशेष ध्यान दिया जाना आवश्यक है क्योंकि सत्ता का अस्तित्व तभी तक माना जायेगा, जब तक अधीनस्थ अपने व्यवहार को उच्चाधिकारियों के निर्णय के अनुसार बदलने को तैयार रहते रहें। आदेश अधीनस्थ के स्वीकृत क्षेत्र की सीमाओं के भीतर ही होना चाहिए। प्रशासनिक संगठन की कार्यकुशलता को मशीनी दृष्टि से देखने के बजाय व्यक्ति के मूल्यमानों को संगठन द्वारा प्रभावित करने तथा उसके संगठन के प्रति निष्ठाभाव के दृष्टिकोण से देखना चाहिए। इस विषय में प्रशिक्षण का स्थान सर्वाधिक महत्त्वपूर्ण होता है। संगठन के सदस्यों को निर्णयन के कारकों, तत्त्वों, प्रक्रियाओं आदि का बोध हो जाता है। वे स्वतः ही सहयोगपूर्ण व्यवहार करने लग जाते हैं। संगठन ऐसे व्यवहार को प्राप्त करने के लिए समुचित वातावरण बनाये रखता है।

संगठन में युक्तियुक्त निर्णय लिए जाएँ इसके लिए यह आवश्यक है कि उसमें समन्वय अधिकाधिक मात्रा में हो। समन्वय के लिए आवश्यक है कि—

(*i*) व्यक्ति अपने निजी लक्ष्यों का संगठन के विभिन्न अंगों से संबंधित आंशिक लक्ष्यों से जोड़ ले,

(*ii*) समूह के अन्य सदस्यों तथा उनके समान विक्रय उपलब्ध हो।

(*iii*) उसे दूसरों द्वारा अपनाये जाने वाले मार्ग या गतिविधियों का पूर्वानुमान हो।

(*iv*) समूह के सदस्यों द्वारा निर्धारित व्यवहार-प्रतिमान अपनाये जाने की व्यवस्था हो, तथा

(*v*) इन सभी का ज्ञान कुशल संचार-व्यवस्था द्वारा कराया जाए।

डी. एच. मैकग्रेगर (D. H. Mcgregor)

प्रबंध की कला और विज्ञान पर अपने महत्त्वपूर्ण योगदान के लिए प्रो. डगलस मैकग्रेगर लम्बे अंतराल से जाने जाते हैं। इनकी प्रमुख रचना 'उद्यम की मानवीय पक्ष (1960)' है। इनकी यह कृति वैज्ञानिक प्रबंध के बारे में सारी परम्परावादी धारणाओं को समाप्त करते हुए एक नवीन एवं स्थाई

प्रश्न "सफल प्रबंधक पैदा होते हैं या बनाए जाते हैं" का उत्तर ढूंढती है। मैकग्रेगर के अनुसार–"मुझे यह स्पष्ट दिखता है कि प्रबंधकों को बनाने में जहां तक वह बनाए जाते हैं, प्रबंध के विकास में प्रबंधक के औपचारिक प्रयासों का केवल काफी-कम अंश का परिणाम है। यह एक बहुत बड़े अंश में प्रबंधकों की उनके कार्य की प्रकृति की धारणा का और इस धारणा को लागू करने के लिए जो नीतियाँ और व्यवहारिकताएँ रची गई हैं उनका परिणाम है। जिस तरह से व्यवसाय चलाया जाता है बहुत अधिक समय तक यह निर्धारित करता है कि लोगों में क्या क्षमता होनी चाहिए और उसे वह कैसे विकसित कर सकते हैं। हम भटक कर गलत रास्ते पर चले जाते हैं जब हम प्रबंध विकास का अध्ययन इस लेवल को लगा कर योजनाओं के औपचारिक व्यवस्थाओं के संदर्भ में करते हैं।"

मैकग्रेगर ने अपनी उपर्युक्त पुस्तक के माध्यम से अपने को एक प्रमुख व्यवहारवादी एवं मनोवैज्ञानिक विचारक के रूप में भी प्रस्तुत किया है। इन्होंने अपनी पुस्तक में कुछ जटिल प्रश्नों का उत्तर देकर प्रबंध एवं संगठन सिद्धांत का एक नया मार्ग खोला है। इस पुस्तक का मुख्य विषय "सैद्धांतिक विचारधारा जो उसके मानवीय संसाधनों को नियंत्रित करने के बारे में प्रबंधक अपने पास रखता है उद्यम की पूरी प्रकृति को निर्धारित करते हैं" रहा है।

मैकग्रेगर ने प्रबंध सबंधी विचारधारा को दो भागों में बाँट कर विवेचन किया है–

(1) प्रबंध के X सिद्धांत

(2) प्रबंध के Y सिद्धांत

X-सिद्धांत (X-Theory)

मैकग्रेगर का X-सिद्धांत यह बताता है कि मनुष्य स्वभावतः आलसी, लोभी-लालची तथा असहयोगात्मक होता है। वह बिना आर्थिक प्रलोभन के कोई काम नहीं कर सकता। मानवीय संगठन की छिपी हुई क्षमता को उजागर करने के पश्चात् ही संगठन क्रियाशील हो सकता है। मैकग्रेगर ने यह अनुभव किया कि कार्मिक को नियंत्रित करने हेतु सैद्धांतिक मान्यताएँ संगठन एवं प्रबंध का चरित्र निर्धारित करता है। संगठन में कार्मिकों से अत्यधिक एवं उत्तम काम लेने में असफलता का कारण संगठन तथा व्यक्ति को समझने का एक परंपरावादी दृष्टिकोण है। मैकग्रेगर ने इसी दृष्टिकोण को X-सिद्धांत के रूप में माना है।

जैसा कि ऊपर बताया गया कि मनुष्य स्वभावतः आलसी, लोभी तथा असहयोगी होता है जिसे मानवीय संगठन की छिपी हुई क्षमता कहा जाता है और इसी क्षमता को उजागर करने के लिए कुछ प्रलोभन की आवश्यकता होती है, जिसका संबंध आर्थिक तत्त्व से है। यह धारणा मनुष्य के नकारात्मक गुणों की ओर संकेत करती है तथा यह स्वीकार कर चलती है कि मनुष्य स्वभावतः निष्क्रिय होता है जिसे आर्थिक प्रलोभन द्वारा सक्रिय किया जा सकता है। इसीलिए कहा जाता है कि मैकग्रेगर अपने इस सिद्धांत के माध्यम से आर्थिक मानव की कल्पना करता है। यह आर्थिक मानव ऐसा है जो येन-केन प्रकारेन धन को ही महत्त्व देता है। यहाँ मैकग्रेगर की यह मान्यता है कि धन एक ऐसा प्रलोभन है जो मनुष्य के आलस्य को दूर कर सकता है और अक्षम कार्मिक संगठन को सक्षम कार्मिक संगठन बना सकता है। संगठन में आर्थिक तत्त्व या आर्थिक प्रलोभन के अंतर्गत बोनस, अतिरिक्त मजदूरी, वेतन के साथ अवकाश तथा पुरस्कारों को शामिल किया जा सकता है।

मैकग्रेगर का यह भी विचार है कि जब समस्त संगठन में नकारात्मक गुणों का भरपूर समावेश हो जाता है तब ऐसी स्थिति में संगठन दो नीतियाँ अपना सकता है–कठोर एवं शिथिल। कठोर नीति में दबाव एवं धमकी जैसी तकनीक निहित है। शिथिल नीति में छूट का प्रावधान होता है। संगठन में कठोर नीति का परिणाम हड़ताल, तालाबंदी व तोड़-फोड़ होता है। जबकि शिथिल नीति मध्यम मार्गी होता है। इसमें मिला-जुला कर काम निकालना होता है। इसी उद्देश्य की पूर्ति हेतु आर्थिक तत्त्व का सहारा लिया जाता है।

मैकग्रेगर जब आगे अध्ययन करता है तो यह पाता है कि यदि इन क्षेत्रों में यह मान्य हो जाए तो कार्मिकों के प्रति एक सर्वमान्य गलत धारणा फैलेगी जिसका गलत परिणाम होगा जो अंततः सारे कार्मिकों के लिए हानिकारक होगा। मैकग्रेगर की मान्यता है कि यह परंपरावादी दृष्टिकोण न तो संगठन को उद्देश्य प्राप्ति और न ही कर्मचारियों को उद्देश्य प्राप्ति के लिए प्रेरित करने में सहायक हैं। अतः मैकग्रेगर ने Y-सिद्धांत नामक एक वैकल्पिक विचारधारा भी प्रस्तुत किया है।

Y-सिद्धांत (Y-Theory)

मैकग्रेगर का Y-सिद्धांत उन्हीं के X-सिद्धांत में व्याप्त खामियों को दूर करता है। अपने इस सिद्धांत के माध्यम से इन्होंने मानव स्वभाव के बारे में निम्नलिखित मान्यताएँ निर्धारित की हैं–संगठनात्मक समस्याओं को सुलझाने में अपेक्षाकृत उच्च कल्पनाशीलता, ईमानदारी तथा रचनात्मकता का प्रयोग संकीर्ण की उपेक्षा व्यापक रूप से आम नागरिकों में पाया जाता है।

कार्य में शारीरिक तथा मानसिक श्रम लगना उतना ही स्वाभाविक है जितना कि खेलना या आराम करना। आम आदमी स्वाभाविक रूप से कार्य करना चाहता है। नियंत्रण योग्य स्थितियों पर निर्भर करते हुए कार्य संतोष या कार्य संतुष्टि का स्रोत हो सकता है तथा दंड का स्रोत हो सकता है।

बाहरी नियंत्रण तथा दंड की धमकी ही संगठनात्मक लक्ष्यों की प्राप्ति के मात्र साधन नहीं हैं। यदि व्यक्ति इन लक्ष्यों के प्रति प्रतिबद्ध है तो कार्य पूर्ण करने में आत्मनिर्देशन तथा आत्म-नियंत्रण का प्रयोग करेगा। इतना ही नहीं आधुनिक औद्योगिक जीवन की स्थितियों में औसत आदमी की बौद्धिक क्षमताओं का केवल आंशिक रूप में प्रयोग किया जाता है।

मैकग्रेगर का विचार है कि 'Y-सिद्धांत' परिवर्तन तथा नवीनता का नियंत्रण है। Y-सिद्धांत को मान्यता के अनुरूप नवीन विचार हैः सत्ता तथा दायित्व का प्रदत्तीकरण एवं विकेन्द्रीयकरण, कार्य को कार्य-पुनर्रचना के द्वारा अधिक आकर्षक या रुचिकर बनाना, निर्णय निर्माण प्रक्रिया में अधिकाधिक लोगों को शामिल करने की भागीदारी व्यवस्था, उचित निष्पादन–मूल्यांकन प्रणाली का विकास करना।

Y-सिद्धांत विशेषकर इस बात पर बल देता है कि मनुष्य स्वभावतः आलसी, कामचोर और असहयोगात्मक नहीं होता। ऐसा विचार रखते हुए

मैकग्रेगर ने स्वयं ही अपने X-सिद्धांत का प्रतिवाद किया है। Y-सिद्धांत मनुष्य के सकारात्मक गुणों की ओर संकेत करते हुए यह बताता है कि संगठन या प्रबंध में कार्यरत प्रत्येक कार्मिक सक्रिय होता है और उसमें कार्य करने की क्षमता पाई जाती है। लेकिन यह भी जरूरी है कि कार्मिक में सदैव कार्य करने की इच्छा पायी जाए। इसी इच्छा को सदैव जागृत बनाए रखने हेतु कुछ विशेष प्रेरणाओं की आवश्यकता होती है। जो X-सिद्धांत में आर्थिक तत्त्व के रूप में बताया गया है लेकिन यहां आर्थिक तत्त्वों के अतिरिक्त भी कुछ ऐसे तत्त्व बताए गए हैं जिससे कार्मिकों में कार्य करने की प्रेरणा को जागृत किया जा सके।

जैसे आत्मसम्मान की जरूरत, आचार-विचार की आवश्यकता, सुरक्षा एवं शान्ति का समुचित वातावरण आदि। चूंकि संगठन एवं प्रबंध में अपने कार्मिकों के लिए उपर्युक्त सारी बातों पर ध्यान दिया जाए तो सारे कार्मिकों की क्रियाशीलता एवं कार्यक्षमता काफी बढ़ेगी। स्पष्ट है कि मैकग्रेगर ने अपने Y-सिद्धांत के माध्यम से वास्तविक रूप में अभिप्रेरणा के महत्त्व को दर्शाया है और उसका यही विचार काफी महत्त्वपूर्ण रहा है।

यह कहा जा सकता है कि मैकग्रेगर का X एवं Y-सिद्धांत दोनों एक-दूसरे के विरोधी नहीं वरन् पूरक हैं। X-सिद्धांत कार्मिकों के नकारात्मक गुणों की ओर संकेत करता है तो Y-सिद्धांत उसके सकारात्मक पहलू की ओर। मनुष्य में दोनों तरह के गुण सदैव विद्यमान रहते हैं। प्रलोभन तथा आर्थिक तत्त्व कार्मिकों को सक्रिय बनाती है तथा Y-सिद्धांत में बताए गए अनार्थिक तत्त्व कार्मिकों को और अधिक सक्रिय बनाती है। वर्तमान के बड़े संगठनों एवं प्रबंधकीय क्षेत्र में Y-सिद्धांत ज्यादा प्रासंगिक है कारण कि बड़े संगठनों में कार्गरत कार्मिकों से केवल कार्य ही नहीं वरन् अधिकतम और कुशलता से कार्य की अपेक्षा होती है ओर यह अभिप्रेरणा द्वारा ही संभव है। साथ ही इसमें अनार्थिक तथा आर्थिक दोनों का समान महत्त्व है। अतः मैकग्रेगर का X-एवं Y-सिद्धांत दोनों ही का समान महत्त्व है।

X-सिद्धांत की कुछ महत्त्वपूर्ण मान्यताएँ

मैकग्रेगर का X-सिद्धांत जिन मान्यताओं को लेकर आगे चलता है उनमें निम्नलिखित प्रमुख हैं–

1. प्रबंध या संगठन में कोई भी कार्मिक स्वेच्छा से कार्य करने को उत्सुक नहीं होता जब तक कि उसे क्रियाशील न किया जाए।
2. कार्य के प्रति रूझान सामान्य तौर पर कार्मिकों में कम पाया जाता है।
3. ज्यादातर कार्मिक महत्त्वाकांक्षी नहीं होते, अतः उनमें कुछ कर दिखाने की भावना नहीं होती।
4. ज्यादातर व्यक्तियों में संगठन एवं प्रबंध की समस्याओं को समझने एवं सुलझाने की कुछ रचनात्मक क्षमता नहीं होती है।
5. सामान्य व्यक्तियों से कार्य लेने के लिए उन पर दबाव डालना या उन्हें भय दिखाना आवश्यक है। डराना धमकाना आदि उपायों को काम में लेना चाहिए क्योंकि तभी व्यक्ति कार्य हेतु तत्पर होता है।
6. अधिकांश कार्मिक आर्थिक प्रलोभन पर ही क्रियाशील होते हैं। इसलिए उन्हें अधिक पारिश्रमिक दिया गया तो वे ज्यादा क्रियाशील होंगे।
7. प्रबंध की दृष्टि से साधारणतया कार्मिकों की कोई आवाज नहीं होती, वह तो एक मशीन का अंग होता है जिसे अपनी बुद्धि का परिचय देना नहीं पड़ता।

Y-सिद्धांत की मान्यताएँ

1. उस कार्मिक को कार्य करने का समुचित अवसर दिया जाना चाहिए जो स्वेच्छा से कार्य करना चाहता हो।
2. खेलना और विश्राम करना जितना जरूरी और स्वाभाविक है उतना ही जरूरी और स्वाभाविक कार्मिकों के लिए कार्य करना भी है।
3. संगठन में कार्यरत् कर्मचारी कार्य करने हेतु एक स्वतंत्र वातावरण चाहता है। उसे अपने प्रबंधक या उच्चाधिकारी से अच्छे व्यवहार की सदैव कामना रहती है।
4. अधिकांश कार्मिक अपने उचित दायित्व का निर्वाह लगभग सदैव करता है।
5. कार्मिकों में उत्तरदायित्व से बचने की प्रवृत्ति स्वाभाविक नहीं वरन् इसका मूल कारण महत्त्वाकांक्षा का अभाव होना एवं सुरक्षा को अत्यधिक बल दिया जाना है।
6. प्रबंधकीय समस्याओं के समाधान हेतु विवेक क्षमता सारे कार्मिकों में पायी जाती हैं। अन्तर इतना ही रहता है कि कुछ में कम या कुछ में अधिक। प्रबंध एवं संगठन को इससे लाभ उठाना चाहिए।
7. वर्तमान समय में कोई भी संगठन या प्रबंध ऐसा नहीं है जहां उसके कार्मिकों की कार्यक्षमता का भरपूर उपयोग किया जाता है।
8. अंततः यह भी कहा जा सकता है कि Y-सिद्धांत प्रजातांत्रिक मूल्यों पर आधारित है जो कार्मिक की संतुष्टि पर बल देता है।

Y-सिद्धांत का मूलभूत उद्देश्य व्यक्तिगत तथा सामूहिक रूप में उन दशाओं का सृजन करना है जिनके द्वारा प्रबंध अपने उद्देश्य की प्राप्ति करे। अंततः मैकग्रेगर का यह भी कहना है कि "एक प्रभावशाली संगठन वह है जहाँ नियंत्रण तथा निर्देशन के स्थान पर निष्ठा और सहयोग स्थापित हो गया है और प्रत्येक निर्णय से प्रभावित होने वाले व्यक्ति सम्मिलित किए जाते हैं।"

अब्राहम एच. मास्लो (Abraham H. Maslow)

अब्राहम एच. मास्लो एक मनोवैज्ञानिक एवं व्यावहारिक विचारक हैं जिन्होंने संगठनों तथा व्यक्तियों के बीच संबधों का मानवीय आवश्यकताओं की दृष्टि से विश्लेषण किया है। प्रारंभ से ही मास्लो को मनुष्य के व्यवहार को समझने तथा मनोवैज्ञानिक विश्लेषण करने में रुचि रही है। फलस्वरूप तीसरे दशक से ही उन्होंने इस विषय पर पुस्तकें एवं शोध-पत्र लिखने

आरंभ कर दिये थे। इन्हीं लेखों में एक "मानव अभिप्रेरणा का एक सिद्धांत" 'A Theory of Human Motivation' है जिसका प्रकाशन 1943 में हुआ। बाद में उन्होंने अपने पूर्व प्रकाशित सभी लेखों का संग्रहण कर 1954 ई. में अपनी लोकप्रिय पुस्तक 'Motivation and Personality' प्रकाशित की। इन लेखों तथा पुस्तकों में मास्लो ने संगठन में एक व्यक्ति की अभिप्रेरणात्मक आवश्यकताओं को स्पष्ट करते हुए उन्हें सोपानात्मक रूप से व्यवस्थित किया है। हालांकि प्रारम्भ में उनके इन विचारों का संगठनात्मक क्षेत्रों में कोई खास प्रभाव नहीं पड़ा परन्तु बाद में मैकग्रेगर द्वारा रेखांकित करने पर प्रबंधकों एवं प्रशासकों के बीच काफी लोकप्रिय बना।

मानव व्यवहार मनुष्य की चेतना या अचेतन लक्ष्यों का प्रतिबिंब होता है। मानव व्यवहार को उसकी क्रियाओं और उसके उद्देश्यों के आधार पर विश्लेषित किया जा सकता है। मानवीय प्रेरणा के बारे में यह मान्यताएँ 'सिगमंड फ्रायड' के दिनों से ही सुविदित थी। मानव व्यवहार को मानवीय आवश्यकताओं और उद्देश्यों के जरिए विश्लेषित करना समाज मनोविज्ञान में एक नई राह है। प्रेरणा के सिद्धांत पर कई योगदान देने वालों के बीच आवश्यकताओं की क्रमिकता के तौर पर मास्लो का योगदान संगठनात्मक शोध की महत्त्वपूर्ण घटना है। यह मानव प्रेरणा के अध्ययन और विश्लेषण के लिए एक ढाँचा प्रदान करता है। मास्लो ने स्वयं कहा है, "प्रेरणा सिद्धांत व्यवहार सिद्धांत का पर्यायवाची नहीं है। प्रेरणाएँ व्यवहार के केवल एक ही वर्ग की निर्धारक हैं, जबकि व्यवहार करीब-करीब हमेशा प्रेरित होता है। वह हमेशा जैविक, सांस्कृतिक और पारिस्थितिकीय कारणों से भी निर्धारित होता है।" प्रेरणा के सिद्धांत और मास्लो का योगदान मानवीय आवश्यकताओं का मानवीय व्यवहार के आधार की तरह मानकर किया गया सरल और सीधा विश्लेषण है।

आवश्यकता की क्रमिकता (Need Hierarchy)

मनुष्य अपनी आवश्यकताओं की पूर्ति करने के लिए कार्य करने की ओर प्रवृत्त होता है तथा संगठनों का सदस्य बनता है। ये आवश्यकताएँ अनेक क्षेत्रों में उत्पन्न होती हैं। कई आवश्यकताएँ मनुष्य को उत्प्रेरित करने में केन्द्रीय भूमिका निभाती हैं। तथा इनकी पूर्ति उन्हें निष्पादन के उच्चतर स्तर की ओर अभिप्रेरित करती हैं। मास्लो ने आवश्यकता की क्रमिकता के सिद्धांत में एक व्यक्ति की अभिप्रेरणात्मक आवश्यकताओं को क्रमिकता से व्यवस्थित किया है। उनके अनुसार व्यक्ति की मुख्य आधारभूत आवश्यकताएँ हैं—शारीरिक आवश्यकताएँ, सुरक्षा संबंधी आवश्यकताएँ, सामाजिक आवश्यकताएँ, प्रतिष्ठा या आदर संबंधी आवश्यकताएँ तथा आत्मसिद्धि आवश्यकताएँ। शारीरिक तथा सुरक्षा की आवश्यकताएँ सोपानक्रम में निचले स्तर की आवश्यकताएँ हैं तथा आत्मसिद्धि आवश्यकताएँ सोपानक्रम में सर्वोच्च हैं। सामाजिक तथा आदर संबंधी आवश्यकताएँ इनके बीच में या सोपानक्रम के मध्य स्तर पर आती हैं। एक बार जब शारीरिक आवश्यकताओं की पूर्ति हो जाती है तब अन्य आवश्यकताओं के लिए आवश्यकताएँ क्रमबद्ध प्रक्रिया में जागृत होती हैं। प्रत्येक निम्न श्रेणी की आवश्यकता एक बार संतुष्ट होने पर उच्च श्रेणी की असंतुष्ट आवश्यकता के लिए स्थान बनाती हैं। अर्थात् संतुष्ट की गई आवश्यकता व्यक्ति को पुनः प्रेरित नहीं करती है।

A. शारीरिक आवश्यकताएँ (Physiological Needs)–मनुष्य की भूख, प्यास, मकान, काम-लालसा आदि आधारभूत आवश्यकताएँ शारीरिक आवश्यकताएँ होती हैं। मनुष्य के लिए इन आवश्यकताओं को सर्वप्रथम पूरा करना आवश्यक होता है। मनुष्य के ऊपर इन आवश्यकताओं का इतना प्रभाव रहता है कि इसे पूरा किए बिना अन्य आवश्यकताओं का कोई स्थान नहीं बन पाता है। ऐसे व्यक्ति के लिए, जिसने अपने जीवन में अधिकतर आवश्यकताओं को खो दिया है, शारीरिक आवश्यकताएँ उसे प्रेरित करने वाली प्रमुख शक्ति होती हैं तथा इन्हें स्वतंत्रता, प्यार, सांप्रदायिक जीवन आदि चीजें महत्त्वहीन लगती हैं। ऐसे लोगों के लिए, जिन्होंने अपने जीवन में किसी भी समय भोजन की समस्या का सामना नहीं किया है, उनके लिए क्षुधा ही शारीरिक आवश्यकता है। ऐसे लोगों की अपनी आवश्यकता एक विशेष भोज्य पदार्थ में होती है जिसे पूरा किया जाना है। एक बार जब शारीरिक आवश्यकताएँ तृप्त हो जाती हैं तो मनुष्य अधिक सामाजिक आवश्यकताओं की ओर देखता है।

B. सुरक्षा संबंधी आवश्यकताएँ (Safety Needs)–नौकरी की सुरक्षा या कार्यस्थल में सुरक्षा मनुष्यों को मनोवैज्ञानिक सुरक्षा प्रदान करती है। मास्लो का बल शारीरिक तथा भावनात्मक दोनों प्रकार की सुरक्षा पर है। मानव जीवन में सुरक्षा ढूंढता है तथा प्राकृतिक विपत्तियों, खतरों और अभावों से सुरक्षा और बचाव खोजता रहता है। ऐसे व्यक्ति जिनकी शारीरिक आवश्यकताओं की पूर्ति हो जाती है, उनकी अगली आवश्यकता सुरक्षा होती है। एक व्यवस्थित, शांतिपूर्ण और सभ्य समाज में सुरक्षा और संरक्षण का ध्यान काफी हद तक सरकार द्वारा रखा जाता है। ऐसे समाजों में सुरक्षा संबंधी आवश्यकताएँ मनुष्य को कभी भी प्रेरित नहीं कर पाती हैं। सुरक्षा संबंधी आवश्यकताओं के अंतर्गत मनुष्य की सेवानिवृत्ति, पेंशन, दुर्घटना एवं मृत्यु के बाद बीमारियों आदि की सुरक्षा को भी शामिल किया जाता है।

C. सामाजिक आवश्यकताएँ (Social Needs)–मनुष्य एक सामाजिक प्राणी है। वह दूसरे मनुष्यों से और अपने चारों तरफ के समाज से स्नेह, प्यार और अपनत्व पाने की कोशिश करता है। सामाजिक आवश्यकताएँ संगठन में कार्यरत लोगों के समूहों के आपस में अच्छे संबंध पर बल देती हैं। उनके बीच यह आवश्यकता लोगों को भावनात्मक सुरक्षा देती है। इससे संगठन का सदस्य तथा साझेदारी होने की भावना आती है। सामाजिक आवश्यकताओं वाला व्यक्ति अपने दोस्तों, परिवार, पत्नी और बच्चों की अनुपस्थिति को तीव्रता से महसूस करता है। वह स्नेहयुक्त संबंधों और अपने लोगों के साथ अपनत्व के लिए लालायित होता है। टूटे हुए परिवारों के या बचपन में अपने माता-पिता द्वारा उपेक्षित बच्चों में स्नेह और प्यार की तीव्र अभिलाषा विकसित होती है। यह इच्छाएँ चेतन या अवचेतन तौर पर उनके व्यवहार को प्रेरित करती हैं।

D. प्रतिष्ठा या आदर संबंधी आवश्यकताएँ (Esteem Needs)–लोगों को समाज, कार्य, परिवार और दोस्ती के दायरे से सम्मान और सामाजिक स्वीकृति की लालसा होती है। लोगों का साधारण तौर पर अपना स्वयं का मूल्यांकन ऊँचा होता है। उनकी आत्मसम्मान और स्वाभिमान की आवश्यकताएँ होती हैं। वह अपने स्वयं के मानकों और धारणाओं के अनुसार कार्य करने की इच्छा रखते हैं। आत्म-स्वाभिमान की आवश्यकताओं को मोटे तौर पर दो समूहों में विभाजित किया जा सकता है। उदाहरण के लिए उपलब्धि और मान्यता की आवश्यकताएँ। उपलब्धि की आवश्यकताएँ आत्मविश्वास, बल और स्वाग्रह तथा दूसरों के ऊपर निर्भरता से मुक्त होने की इच्छा के रूप में अभिव्यक्त होती है। मान्यता की आवश्यकताएँ दूसरों से सम्मान की अभिलाषा, समाज में मान्यता, ध्यानाकर्षण और महत्त्वपूर्ण व्यक्ति बनने की इच्छा के रूप में अभिव्यक्त होती हैं। स्वाभिमान की आवश्यकता पूरी होने पर व्यक्ति को आत्मविश्वासी, उपयुक्त और उपयोगी बनाती है। इन आवश्यकताओं की पूर्ति न होने पर किसी को हीन, कमजोर और असहाय बनाती है। यह आवश्यकता मनुष्य के व्यक्तित्व को ढ़ालने में महत्त्वपूर्ण भूमिका निभाती है।

E. आत्मसिद्धि की आवश्यकताएँ (Self-Actualisation Needs)–आत्मसिद्धि को आवश्यकताओं की क्रमिकता में उच्चतम आवश्यकता माना जाता है और जीवन में अर्थ और ध्येय की खोज ही इसका लक्ष्य होता है। अगर सभी अन्य आवश्यकताएँ संतुष्ट हो गई हों तो भी मनुष्य बेचैनी महसूस करता है और अपने प्रिय क्षेत्रों में प्रवीणता पाने की कोशिश करता है। आत्मपरिपूर्ति, आत्मसिद्धि और अर्थपूर्ण जीवन जीने की अभिलाषा इरा आवश्यकता गें प्रतिबिंबित होती है। यह आवश्यकता हर व्यक्ति में भिन्न-भिन्न रूपों में प्रकट होती है। उदाहरण के लिए एक औरत की अभिलाषा आदर्श माँ बनने की होती है तो अन्य एक को आदर्श शिक्षक। जरूरी नहीं है कि यह आवश्यकता सृजनात्मकता के लिए आवश्यक हो।

एक आत्मसिद्ध व्यक्ति मिथ्या, नकली और बेईमान चरित्र का पता लगाने की असाधारण क्षमता रखता है और साधारणतः लोगों को सही तरह से और कुशलता से माप सकता है। वह अपराध भावना, अपंग करने वाली शर्म और चिंता से दूर होता है। व्यवहार में स्वतः प्रवृत्ति रखते हैं। वह आत्म-केन्द्रित होने के बजाए समस्या केन्द्रित होते हैं और जीवन में लक्ष्य और ध्येय रखते हैं। वह अकेलापन और निजत्व पसंद करते हैं। साथ ही अमर्यादित वातावरण और परिस्थितियों में भी अपनी मर्यादा बनाए रखते हैं। जीवन या कार्य में लगे अपने में स्वायत्तता और स्वतंत्रता पसंद करते हैं। वह जीवन के आधारभूत अनुभवों से परमानंद, आत्मप्रेरणा और ताकत निकालते हैं। उनके पास रहस्यमय अनुभव होते हैं। उनके अंदर आदमजाति के लिए पहचान, सहानुभूति और स्नेह की गहरी भावनाएँ होती हैं। वह कुछ ही लोगों के साथ अंतर्वैयक्तिक संबंधों को बनाते हैं। वह प्रजातांत्रिक होते हैं और साध्य एवं साधनों तथा सही या गलत के बीच भेद कर सकते हैं। उनमें विनोदप्रियता होती है साथ ही वह सृजनात्मक और मौलिक होते हैं।

आवश्यकता की क्रमिकता की प्रक्रिया
(Process of Need Hierarchy)

मास्लो के अनुसार प्रत्येक आवश्यकता एक समय पर एक व्यक्ति के लिए लक्ष्य होती है। यदि व्यक्ति की मूल आवश्यकताएँ अर्थात् शारीरिक आवश्यकताएँ पूरी नहीं होती तो वह अपनी सारी शक्तियाँ उस क्षेत्र में संतुष्टि प्राप्त करने में केन्द्रित करता है। जब वह एक आवश्यकता क्षेत्र में संतुष्टि प्राप्त कर लेता है तो वह उसके ऊपर के क्रम की आवश्यकता की ओर चलता है। यह प्रक्रिया मानव जीवन में प्रतिदिन चलती रहती है। एक आवश्यकता क्षेत्र में किसी विशेष लक्ष्य का पूरा न होना व्यक्ति को उसे प्राप्त करने के लिए प्रेरित करता है। जब यह प्राप्त हो जाता है तो फिर यह व्यक्ति को उस क्षेत्र में कार्य करने के लिए अभिप्रेरित नहीं करता। यह मास्लो के आवश्यकता की क्रमिकता सिद्धांत की मुख्य शिलाओं में से एक है।

आवश्यकता की क्रमिकता में सबसे नीचे शारीरिक आवश्यकताएँ जैसे भूख, प्यास, मकान आदि हैं। ऐसी आवश्यकताएँ संगठन द्वारा संगठन सदस्यों को वेतन तथा अन्य सुविधाएँ उपलब्ध कराना आवश्यक बनाती हैं। एक बार जब संगठन के योगदान से व्यक्ति की शारीरिक आवश्यकताएँ संतुष्ट हो जाती हैं तो वह सोपानक्रम में ऊपर बढ़ जाता है और उच्च स्तर वाली आवश्यकताएँ उसके लिए महत्त्वपूर्ण बन जाती हैं। फिर उस आवश्यकता क्षेत्र में वह स्वयं को संतुष्ट करने का कठिन प्रयास करता है। जैसे शारीरिक आवश्यकताओं की संतुष्टि एक व्यक्ति को उसकी सुरक्षा आवश्यकताओं की संतुष्टि करने की ओर संचालित करती है। इस समय उसकी सुरक्षा की आवश्यकता उसके व्यवहार को अभिप्रेरित करती है। सुरक्षा की आवश्यकता पूरी होने पर सामाजिक आवश्यकताएँ महत्त्वपूर्ण हो जाती हैं। मानव एक सामाजिक प्राणी है और वह रांगठन तथा संवद्धता का मूल्य समझता है। सामाजिक आवश्यकताओं में मनोवैज्ञानिक आवश्यकताओं की पूर्ति जैसी संगठन की मान्यता भी शामिल है। सामाजिक आवश्यकताएँ लोगों को अपने अन्तः वैयक्तिक संबंध सुधारने के लिए संचालित करती है। यदि संबद्धता की आवश्यकता पूरी हो जाती है तो मानव मन संगठन में स्वायत्तता और प्रतिष्ठा तथा आदर की आवश्यकता के अंतर्गत वर्णित लोगों के साथ उनके माध्यम से कार्य करने की स्वतंत्रता की खोज करता है। आदर की आवश्यकताओं की पूर्ति लोगों में आत्मविश्वास का निर्माण करती है तथा उन्हें नेतृत्व करने, दूसरों का मार्गदर्शन करने एवं लोगों के काम का मूल्यांकन करने के लिए तैयार करती है। आवश्यकता की क्रमिकता में सर्वोच्च तथा अंतिम स्तर आत्मसिद्धि की आवश्यकता का है। इसका वर्णन निजी तथा व्यावसायिक विकास के माध्यम से जीवन में अर्थ एवं ध्येय प्राप्त करने के रूप में उन्होंने किया है। इसकी अभिव्यक्ति कार्य में उच्चस्तर निष्पादन प्राप्त करने में होती है, चाहे वह संगठन में कामगार, पर्यवेक्षक या एक प्रबंधक हो। यह संपूर्ण समाज एवं संगठन में पायी जाने वाली सर्वोत्तमता की भावना है। हमारे पास संपूर्ण विश्व में जीवन के सभी क्षेत्रों में ऊँचा निष्पादन करने वाले उदाहरण हैं। आत्मसिद्ध लोग अपने सभी प्रयासों में अर्थ तथा ध्येय ढूंढ़ते हैं तथा संगठन विकास के लिए अपनी क्षमताओं एवं शक्तियों का योगदान करते हैं। मास्लो के अनुसार यह आवश्यकता उस समय उत्पन्न होती है जब उससे नीचे की सभी आवश्यकताएँ–शारीरिक, सुरक्षा, सामाजिक तथा आदर पूरी हो जाती है।

आवश्यकता पूर्ति की परिस्थितियाँ
(Conditions for Satisfaction of Needs)

किसी संगठन की संस्कृति, इतिहास, नीतियाँ, प्रक्रियाएँ, वातावरण तथा उसकी लोगों को आकर्षित करने, विकास करने तथा अपने यहाँ रोके रखने की क्षमता उसके सदस्यों की आवश्यकता पूर्ति में महत्त्वपूर्ण भूमिका निभाती है। हम ऐसे संगठन भी देखते हैं जो मानवीय कारक अर्थात् अपने सदस्यों के विषय में कम ही सोचते हैं। कुछ संगठन लोगों में तथा उनकी निष्पादन क्षमता की योग्यता में विश्वास रखते हैं। अपने सदस्यों की आवश्यकताओं को पूरा करने की व्यवस्था करते हैं। ऐसे संगठन जो लोकोन्मुख नहीं हैं, अपने सदस्यों की आवश्यकताओं को पूर्ण करना कठिन बना देते हैं। ऐसे संगठन अपने सदस्यों की आवश्यकताओं को पूरा न होने के नकारात्मक परिणामों का सामना करते हैं। इसके विपरीत जो लोग नीतिपरक, आत्मसंयमी नहीं हैं तथा कार्य में रुचि नहीं रखते ऐसे लोग संगठन की नकारात्मक शक्तियाँ बन जाते हैं। वे अपने उच्चतर स्तर की आवश्यकताओं जैसे आदर एवं आत्मसिद्धि की पूर्ति नहीं कर सकते। एक संगठन में आवश्यकता पूर्ति के लिए आत्म-नियंत्रण उद्देश्योन्मुखता तथा कार्यपरता की आवश्यकता संगठन तथा उसके सदस्य दोनों की तरफ से आवश्यक है।

मास्लो के अनुसार आवश्यकता की क्रमिकता में उसकी क्रमिकता उतनी दृढ़ नहीं है जितना सिद्धांत के तौर पर इसका अर्थ लगाया जाता है। अर्थात् इसमें अंतर की संभावनाएँ बनी रहती हैं। उदाहरणस्वरूप, कुछ लोग सामाजिक आवश्यकताओं की तुलना में आत्मसम्मान को अधिक पसंद करते हैं। एक निम्न क्रम की आवश्यकता की संतुष्टि के बाद एक विशिष्ट आवश्यकता का उभरना अकस्मात् नहीं होता है। यह एक क्रमबद्ध घटना है।

फ्रैडरिक हर्जबर्ग (Frederick Herzberg)

Psychological Service, Pittsburgh में किए गए अनुसन्धानों के आधार पर हर्जबर्ग (Herzberg) तथा उनके सहयोगियों ने 'स्वास्थ्य तथा आरोग्य' विचारधारा का प्रतिपादन किया है। उनके अनुसार मनुष्य की आवश्यकताओं को दो समूहों में विभक्त किया जा सकता है–प्रथम समूह स्वास्थ्य-तत्त्वों तथा दूसरा समूह अभिप्रेरक तत्त्वों के नाम से जाना जाता है तथा ये समूह निम्नानुसार हैं–

स्वास्थ्य तत्त्व (Hygiene Factors)—1. पर्यवेक्षण, 2. नीतियाँ एवं प्रशासन, 3. काम करने की दशाएँ, 4. पारस्परिक वैयक्तिक सम्बन्ध, 5. स्थिति, 6. मजदूरी, 7, कार्य-सुरक्षा।

अभिप्रेरक तत्त्व (Motivations)—1. कार्य, 2. उपलब्धियां, 3. उत्तरदायित्व, 4. मान्यता, 5. उन्नति, 6. विकास।

उपर्युक्त दोनों ही तत्त्व एक-दूसरे से भिन्न हैं तथा वे मानवीय व्यवहार को अलग-अलग ढंग से प्रभावित करते हैं। इस सिद्धांत के दो मुख्य निष्कर्ष हैं–(1) जब कोई व्यक्ति अपने कार्य से असन्तुष्ट होता है तो उसके असन्तोष का मुख्य कारण उसके कार्यों का वातावरण होता है जो स्वास्थ्य तत्त्वों (Hygiene Factors) से निर्मित होता है। इन्हें 'बाह्य घटक' भी कहा जा सकता है।

(2) जब कोई व्यक्ति अपने कार्य से सन्तुष्टि का अनुभव करता है, तो ऐसी सन्तुष्टि केवल कार्य का परिणाम होती है, वातावरण का नहीं। दूसरे शब्दों में कार्य सन्तुष्टि को केवल निष्पादित कार्य से ही प्राप्त किया जा सकता है। हर्जबर्ग ने सन्तुष्टि प्रदान करने वाले घटकों को 'अभिप्रेरक तत्त्व' का नाम दिया है। ये सभी तत्त्व मनुष्य को अधिक कुशलता के साथ काम करने के लिए अभिप्रेरित करते हैं।

प्रो. हर्जबर्ग ने 'प्रेरणा' एवं 'अभिप्रेरणा' में भी इसी प्रकार अन्तर प्रकट किया है–(1) प्रेरणा वह बाहरी तत्त्व है जिसे व्यक्ति के सम्मुख प्रस्तुत किया जा सकता है, परन्तु अभिप्रेरणा आन्तरिक तत्त्व होता है जो व्यक्ति के भीतर रहता है।

(2) प्रेरणा उस बैटरी की भांति है जिसे चार्ज एवं रिचार्ज करना पड़ता है जबकि अभिप्रेरणा उस जेनरेटर के समान है जिसे बाहरी उद्दीपन की आवश्यकता नहीं पड़ती।

इस सिद्धांत के अनुसार प्रबंधकों को केवल स्वास्थ्य तत्त्वों पर ही ध्यान नहीं देना चाहिए वरन् कार्य को समुन्नत करने (Job enrichment) पर ध्यान देना चाहिए जिससे कि वह अधिक रुचिकर बन सके एवं व्यक्तियों को अभिप्रेरित कर सके। Job enrichment का तात्पर्य किसी कार्य के निष्पादन हेतु कर्मचारी को अधिकार सत्ता के भारार्पण, दायित्व-वृद्धि, क्षेत्र-विस्तार एवं कार्य को चुनौतीपूर्ण बनाने से है।

हर्जबर्ग ने घटकों के पहले समूह को आरोग्य अथवा अनुरक्षण घटक कहा है, क्योंकि इनकी उपस्थिति से अभिप्रेरण या सकारात्मक सन्तुष्टि नहीं मिलती, यद्यपि इनकी अनुपस्थिति के कारण असन्तुष्टि अवश्य होती है। इसलिए इन्हें असन्तुष्टक (dissatisfiers) कहा गया है अभिप्रेरक नहीं। इन्हें कार्य-सन्दर्भ या बाह्य घटक भी कहा जाता है, क्योंकि ये कार्य के आस-पास के परिवेश-भौतिक, प्रशासनिक तथा सामाजिक परिवेश से सम्बन्धित होते हैं।

घटकों के दूसरे समूह में उपलब्धि, मान्यता, उत्तरदायित्व, उन्नति, संवृद्धि और स्वयं कार्य शामिल हैं। इन घटकों को सन्तुष्टक (satisfiers) अथवा अभिप्रेरक कहा गया है इनकी अनुपस्थिति के कारण असन्तुष्टि तो नहीं होती किन्तु इनकी उपस्थिति से कर्मचारी अभिप्रेरणा में वृद्धि होती है। इन घटकों को आन्तरिक (intrinsic) या कार्य विषय-वस्तु (कार्य-सन्तुष्टि) घटक भी कहा जाता है, क्योंकि ये घटक घनिष्ठ रूप से कार्य-केन्द्रित है। इनका सम्बन्ध कार्य के वातावरण से नहीं है। यह पहली बार था जब अभिप्रेरणा को प्रभावित करने वाले दो पृथक-पृथक् घटकों की पहचान की गई। इससे पहले लोगों की यह धारणा थी कि अभिप्रेरणा और अभिप्रेरणा का अभाव समान घटकों की उपस्थिति और अनुपस्थिति से संबंधित है। हर्जबर्ग ने इस परम्परागत धारणा को निरस्त करते हुए प्रतिपादित किया कि कार्य-सन्दर्भ वाले आरोग्य घटकों की अनुपस्थिति से कर्मचारी असन्तुष्टि महसूस करते हैं। इनकी उपस्थिति उन्हें तटस्थ बनाती है, उन्हें सशक्त रूप से अभिप्रेरित नहीं करती, जबकि कार्य-विषय वस्तु वाले घटकों के माध्यम से ही कर्मचारियों को सशक्त रूप से अभिप्रेरणा मिलती है। इनकी अनुपस्थिति से उन्हें शायद ही असन्तुष्टि का अनुभव होता है।

यहाँ उल्लेखनीय है कि हर्जबर्ग ने 'आरोग्य' (hygiene) शब्द का प्रयोग चिकित्सा विज्ञान के क्षेत्र में प्रयुक्त 'प्रतिरोधक और वातावरणमूलक' (Preventation and environmental) के समतुल्य किया है। जैसा कि प्रदूषण रहित जल बीमारी को रोकता है, किंतु यह बीमारी का इलाज नहीं करता, ठीक इसी तरह से आरोग्य घटक कार्य के प्रति ऋणात्मक अनुभवों व असन्तुष्टि को रोकता है, किन्तु यदि प्रबंधकीय ध्यान केवल इन्हीं कारकों की ओर है तो इसका परिणाम कार्य सन्तुष्टि में प्रकट नहीं हो सकता है। कार्य सन्तुष्टि तभी मिल सकती है जब अभिप्रेरणात्मक घटकों की तरफ समुचित रूप से ध्यान दिया जाए।

हर्जबर्ग की द्विघटक विचारधारा का मूल्यांकन

हर्जबर्ग की द्विघटक विचारधारा ने अपनी विशिष्टता, सरलता और निदानात्मक दृष्टिकोण के कारण प्रबंधकर्त्ताओं को बहुत अधिक आकर्षित किया है। अभिप्रेरणा के इस द्विघटक सिद्धांत पर आगे और शोधकार्य हुए जिसके द्वारा इसे यथेष्ट समर्थन मिला। किन्तु यह विचारधारा आलोचना रहित नहीं है। आलोचकों ने इसकी शोध-प्रविधि (research methodology) और मान्यताओं पर भारी प्रश्नचिह्न लगाए हैं। मुख्य आलोचनाएँ निम्नांकित हैं–

1. इस विचारधारा के प्रतिपादन में जो शोध-प्रविधि अपनाई गई उसने प्रत्युत्तरकर्त्ताओं को अच्छे निष्पादन का श्रेय स्वयं को देने और निकृष्ट निष्पादन का दोष अपने कार्य के वातावरण पर मढ़ने के लिए प्रेरित किया। वस्तुतः लोगों में यह प्रवृत्ति होती है कि वे अपने कार्यों की सफलता का श्रेय स्वयं को देते हैं जबकि असफलता के लिए बाहरी कारणों को दोषी ठहराते हैं। शोधकर्त्ताओं ने प्रत्युत्तरकर्त्ताओं के द्वारा प्रस्तुत प्रतिवेदनों पर ही भरोसा किया जो पक्षपातपूर्ण भी हो सकते हैं।
2. 'मूलशोध साक्ष्य' बहुत सीमित आधार लिए हैं। इसमें उच्च वेतनभोगी वर्ग के सिर्फ 200 लेखाकारों व इंजीनियरों को शामिल किया गया। इतने कम और इस तरह के गैर-प्रतिनिधिक प्रतिदर्श के आधार पर सैद्धान्तिक सामान्यीकरण की रचना करना उचित नहीं है।
3. कार्य-सन्दर्भ और कार्य-विषय वस्तु से सम्बन्धित घटकों को स्पष्ट रूप से पृथक्-पृथक् नहीं किया जा सकता। कुछ मामलों में कार्य-सन्दर्भ वाले घटक भी कर्मचारियों को अभिप्रेरित कर सकते हैं जबकि कुछ मामलों में कार्य-विषयवस्तु वाले घटक ऐसा करने में पूरी तरह से असफल भी हो सकते हैं।
4. यह सिद्धांत इस बात की उपेक्षा करता है कि लोगों में अपनी जरूरतों और अपेक्षाओं को लेकर भिन्नता होती है। अतः सभी स्थितियों में और सभी प्रबंधकों, कर्मचारियों और श्रमिकों को एक समान मानते हुए उन पर इस सिद्धांत को लागू करना बुद्धिमानी नहीं होगी।
5. इस विचारधारा के अनुसार जिस तरह से कार्य-सन्तुष्टि को बढ़ाये बिना ही कार्य-असन्तुष्टि को घटाना सम्भव होता है, उसी तरह से कार्य असन्तुष्टि को घटाए बिना कार्य-सन्तुष्टि को बढ़ाना भी सम्भव हो सकता है। लेकिन ऐसा होना सन्देहास्पद है।
6. हर्जबर्ग कार्य सन्तुष्टि और उत्पादकता के बीच सम्बन्ध मानकर चलते हैं लेकिन वे सिर्फ सन्तुष्टि और असन्तुष्टि पर ही प्रकाश डालते हैं। सन्तुष्टि और उत्पादकता के बीच कारण-करण सम्बन्ध की विवेचना नहीं करते।

इन आलोचनाओं के उपरान्त भी यह स्वीकारना होगा कि हर्जबर्ग की द्विघटक विचारधारा ने प्रबंधकीय शोध और व्यवहार को बहुत अधिक प्रभावित किया है। इस विचारधारा ने लोगों के कार्य-व्यवहार के बारे में रुढ़िगत धारणाओं पर फिर से विचार करने के लिए मजबूर किया है। इसने पहली बार कार्य की विषयवस्तु के महत्त्व की ओर ध्यान आकर्षित किया और कार्यों को फिर से रूपरेखा बनाने तथा कार्यों के भीतर अभिप्रेरणा व सन्तुष्टि को निर्मित करने के लिए प्रेरित किया।

मास्लो और हर्जबर्ग की विचारधाराओं में तुलना (Comparison of Maslow and Herzberg Theories)

मास्लो और हर्जबर्ग दोनों ने मानवीय आवश्यकताओं की पहचान की है, उसे वर्गीकृत किया है और अभिप्रेरण का एक सामान्य सिद्धांत विकसित किया है। मास्लो और हर्जबर्ग दोनों ही के विचारधाराओं (या सिद्धांतों) के अवलोकन से यह स्पष्ट होता है कि इन दोनों में इस बात को स्पष्ट करने की कोशिश की गई है कि लोगों को कौन-सी चीजें अभिप्रेरित करती हैं। जैसा कि प्रस्तुत रेखाचित्र से स्पष्ट है कि हर्जबर्ग की आवश्यकताएँ मास्लो की आवश्यकता क्रमबद्धता के किसी एक या अन्य वर्ग में आ जाती है।

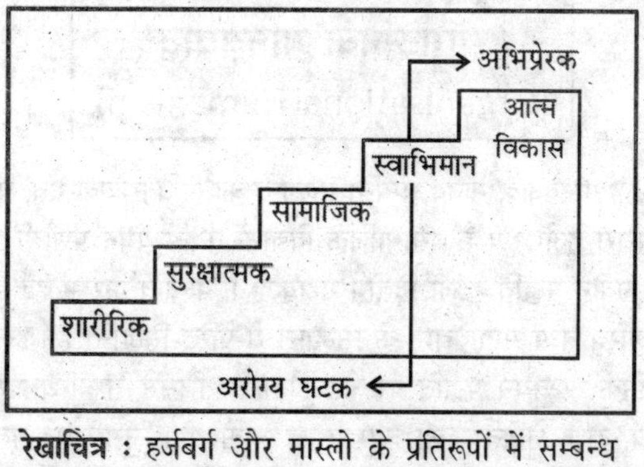

रेखाचित्र : हर्जबर्ग और मास्लो के प्रतिरूपों में सम्बन्ध

मास्लो की शारीरिक, सुरक्षात्मक और सामाजिक आवश्यकताओं को हर्जबर्ग ने आरोग्य घटकों की श्रेणी में रखा है, जबकि आत्म-विकास की आवश्यकताओं को हर्जबर्ग ने अभिप्रेरक कहा है। स्वाभिमान की आवश्यकताओं में जहां, आत्म-सम्मान, आत्म-विश्वास, स्वायत्तता, प्रतिष्ठा, शक्ति और मान्यता को हर्जबर्ग ने अभिप्रेरकों में शामिल किया है वहीं, प्रस्थिति (status) और पर्यवेक्षण के तकनीकी पहलू (सक्षमता व ज्ञान) को अनुरक्षण या आरोग्य घटकों में शामिल किया है। इस तरह, मास्लो की स्वाभिमान आवश्यकताओं के कुछ भाग अभिप्रेरकों में तथा कुछ भाग आरोग्य घटकों में शामिल हैं। इसे उपरोक्त रेखाचित्र में दर्शाया गया है।

मास्लो ओर हर्जबर्ग की विचारधाराओं में कुछ प्रमुख भिन्नताएँ भी प्रकट होती हैं–

1. मास्लो यह सोचते हैं कि आवश्यकताएँ क्रमबद्धता के रूप में व्यवस्थित होती हैं। जब निम्नस्तरीय आवश्यकताएँ पर्याप्त रूप

से सन्तुष्ट हो जाती हैं तभी उच्चस्तरीय आवश्यकताएँ सक्रिय होती हैं, जबकि हर्जबर्ग के अनुसार आवश्यकताओं की ऐसी कोई क्रमबद्धता नहीं होती। सभी आवश्यकताएँ हर समय सक्रिय रहती हैं।

2. मास्लो का तर्क है कि कोई भी असन्तुष्ट आवश्यकता चाहे वह निम्नस्तरीय हो या उच्चस्तरीय, लोगों को अभिप्रेरित करती हैं। लेकिन हर्जबर्ग का कहना है कि सिर्फ कार्य-सन्तुष्टिमूलक आवश्यकताएँ जैसे—संवृद्धि, उपलब्धि, मान्यता, आदि ही लोगों को अभिप्रेरित करती हैं। कार्य-सन्दर्भमूलक आवश्यकताओं—संगठनात्मक नीतियों, वेतन, प्रस्थिति, कार्यशील दशाओं आदि से लोगों को अभिप्रेरणा नहीं मिलती। इनसे अभिप्रेरित करने वाली आवश्यकताओं को सन्तुष्ट करने के लिए वातावरण का निर्माण होता है। सार रूप में हम कह सकते हैं कि मास्लो की विचारधारा हर्जबर्ग की तुलना में अधिक व्यावहारिक और सार्वभौमिक है। इसे निम्नस्तरीय कर्मचारियों और उच्चस्तरीय प्रबंधकों सभी पर लागू किया जा सकता है। आर्थिक व सामाजिक रूप से अविकसित समाज के लोगों के सन्दर्भ में भी मास्लो का सिद्धांत उपयोगी है। चूँकि इन समाजों में लोगों की निम्नस्तरीय आवश्यकताएँ पर्याप्त रूप से सन्तुष्ट नहीं होती इसलिए ये आवश्यकताएँ उन्हें अभिप्रेरित करती हैं।

सांगठनिक मानववाद (Organisational Humanism)

सांगठनिक मानववाद, मानव सम्बन्ध सिद्धान्त का अधिक व्यवस्थित, परिष्कृत तथा सुधरा हुआ रूप है। सामाजिक विज्ञानों के अध्ययन प्रणाली के रूप में एक नवीन पद्धति है जो द्वितीय महायुद्ध के पश्चात प्रारम्भ हुई है। यह समाजशास्त्र तथा मनोविज्ञान के सिद्धान्त से प्रेरित सिद्धान्त है। इससे पूर्व सांस्थानिक अध्ययन पद्धति पर बल होता था जिससे सम्बन्धित संस्थान के कार्य, ढाँचे, शक्तियों की व्याख्या की जाती थी। जिससे यह पता नहीं चलता था कि वास्तव में व्यक्ति या कार्यकर्ता कैसा व्यवहार करते हैं। अतः परम्परागत अध्ययन प्रणालियों तथा सिद्धान्तों के मानववाद की शुरूआत हुई है। यह एक अन्तरविषयी सिद्धान्त है जो वैज्ञानिक पद्धति तथा मूल्यनिरपेक्ष दृष्टिकोण का समर्थन करता है।

मानव सम्बन्ध तथा व्यवहारवादी सिद्धान्त या सांगठनिक मानववाद समान प्रतीत होते हैं। क्योंकि दोनों का सम्बन्ध संगठन में जुड़े व्यक्तियों से है। मानव-सम्बन्ध दृष्टिकोण संगठन में कार्यरत व्यक्तियों के पारस्परिक सम्बन्धों का अध्ययन करता है जबकि सांगठनिक मानववाद का मुख्य ध्यान संगठन के व्यक्तियों के आन्तरिक मूल्यों तथा विचारशीलता पर होता है। इसी प्रकार मानव-सम्बन्ध सिद्धान्त सहयोग पर ध्यान देता है जबकि सांगठनिक मानववाद व्यक्ति के अन्तर्मन को समझने पर बल देता है।

सांगठनिक मानववाद की प्रारम्भिक जड़ें 1930 के मानव-सम्बन्ध आन्दोलन से जुड़ी हुई हैं। इसे सामाजिक-मनोवैज्ञानिक सिद्धान्त और नवीन मानव सम्बन्ध सिद्धान्त भी कहते हैं। इसके अध्ययन का केन्द्र मानव व्यवहार है।

यह सिद्धान्त निर्णय, निर्माण प्रक्रिया से सम्बन्धित है जो कार्य किए जाने से पहले की भूमिका अदा करती है। निर्णय-निर्माण की आवश्यकता तब उठती है, जब अनेक विकल्पों में से उसे एक विकल्प चुनना होता है जो उसके वांछित उद्देश्यों की प्राप्ति के लिए श्रेष्ठ हो सकता है। यह सिद्धान्त किसी संगठन में निर्णय-निर्माण प्रक्रिया के गतिशील विकास के अध्ययन पर केन्द्रित है।

सांगठनिक मानववाद के अनुसार प्रत्येक संगठन की कार्य-प्रणाली इस तथ्य पर निर्भर रहती है कि उसमें किस तरह निर्णय लिए जाते हैं तथा कर्मचारियों का व्यवहार कैसे प्रभावित होता है। अतः संगठन की संरचनाओं और कार्यों का गहन अध्ययन करने के लिए उस ढंग का विश्लेषण किया जाए जिससे उन कर्मचारियों के निर्णय एवं व्यवहार के अन्दर प्रभावित होते हैं।

सांगठनिक मानववाद की विशेषताएँ (Features of Organisational Humanism)

सांगठनिक मानववाद की मुख्य विशेषताएँ निम्नलिखित हैं :

1. संगठन में कार्यरत व्यक्तियों के अनौपचारिक सम्बन्धों और संचार को महत्व देता है।
2. यह आदेशात्मक की अपेक्षा अधिक वर्णनात्मक एवं विश्लेषणात्मक है। यह संगठन में व्यक्तियों के व्यवहार और सम्बन्ध को महत्व देता है। इस प्रकार यह संगठन में मानव व्यवहार का अध्ययन करता है।
3. इसकी अध्ययन प्रणाली अनुभवसिद्ध है अर्थात् वैज्ञानिक पद्धति का समर्थक है।
4. यह संगठन में सक्रिय व्यवहार; जैसे—उत्प्रेरणा, नेतृत्व, निर्णय-लेना, सत्ता और शक्ति को महत्व देता है।
5. यह मात्रात्मक, गणितीय और औपचारिक विचार सिद्धान्त के निर्माण के प्रति सजग है। यह प्रशासन के अध्ययन के लिए वैज्ञानिक दृष्टिकोण का समर्थन करता है, अर्थात् इसका दृष्टिकोण विश्वव्यापी है।
6. स्वरूप में अन्तरविषयी है। अध्ययन के लिए अन्य सामाजिक विषयों का समर्थक है।
7. प्रभुता सिद्धान्त के स्थान पर औचित्यता के सिद्धान्त को स्वीकार करता है।

डेविड ईस्टन ने निम्न आठ मूल मान्यताओं का वर्णन किया है—

1. नियमितताएँ
2. सत्यापन
3. तकनीकें
4. परिमाणीकरण
5. मूल्य

6. क्रमबद्धता
7. विशुद्ध विज्ञान
8. एकीकरण।

संगठनात्मक मानववाद का लोक प्रशासन पर प्रभाव (Impact of Organisational Humanism on Public Administation)

लोक प्रशासन विषय के अध्ययन तथा इसे वैज्ञानिक स्वरूप प्रदान करने के क्रम में व्यवहारवादियों का योगदान उल्लेखनीय रहा है। इस सम्बन्ध में निम्नांकित तथ्य महत्वपूर्ण हैं–

1. यह उपागम अन्तरविषयी प्रकृति का है, अतः समाज के व्यवहार से सम्बन्धित सभी विषय, यथा–समाजशास्त्र, राजनीतिशास्त्र, लोक प्रशासन, दर्शनशास्त्र तथा मनोविज्ञान इत्यादि में निकटता उत्पन्न हुई तथा समग्र सामाजिक विज्ञान एकीकृत एवं सुदृढ़ हुए।
2. इस दृष्टिकोण ने लोक प्रशासन के अध्येताओं सहित सभी समाज वैज्ञानिकों को व्याख्यात्मक-विश्लेषणात्मक अध्ययन का आधार प्रदान किया जो अन्ततः विषय को वैज्ञानिक सिद्धान्तों की ओर ले गया।
3. व्यवहारवादी उपागम में कोरें, आदर्शों के बजाय यथार्थ को जानने-समझने पर बल दिया जाता है, अतः विषय की प्रकृति 'क्या होना चाहिए' से हटकर 'क्या है' से सम्बन्धित हो गई।
4. इस उपागम ने लोक प्रशासन को मूल्य-निरपेक्ष बनाने में योगदान दिया।
5. इस उपागम के प्रयोग से वैज्ञानिक अनुभववाद, नवीन दृष्टि, नई तकनीक, व्यापक सोच, सूक्ष्म अध्ययन, विश्लेषण-क्षमता, नए मापदंड तथा उपादेयता की ओर गंभीरतापूर्वक सोचा जाने लगा।
6. व्यवहारवादी उपागम ने लोक प्रशासन को केवल वैचारिक विषय (अध्ययन) के दाये से निकालकर व्यावहारिक अध्ययन का विषय बनाया।
7. इस उपागम ने निःसन्हेद समाज विज्ञानों को परम्परा के सीमित दायरे से बाहर लाकर वैज्ञानिक आधार ढूँढने पर विवश किया तथा सामाजिक विषयों में नवीन पद्धतियों का समावेश किया।
8. व्यवहारवादी उपागम ने ऐसी अवधारणाओं को स्थापित करने में योगदान दिया है जो 'यथार्थ के सन्दर्भ में' अध्ययन का विषय बन सकती हैं।

सिद्धान्त की आलोचना (Criticism of the Theory)

1. व्यवहारवादी उपागम से अभी तक मानव व्यवहार का सटीक विश्लेषण नहीं हो सका है, क्योंकि विश्व की सबसे जटिल अवधारणा, आश्चर्य तथा समस्या 'मानव व्यवहार' ही है। व्यवहार भी मानव व्यवहार की स्पष्ट व्याख्या करने में असमर्थ हैं।
2. व्यवहारवादी विचारक इस उपागम से प्राप्त निष्कर्षों तथा मान्यताओं को सापेक्ष मानते हैं, साथ ही तथ्यों के माप-तौल (परिमाण) पर भी बल देते हैं। इस प्रकार ये दो मान्यताएँ विरोधाभासी बन जाती हैं।
3. बहुत-से वैज्ञानिक इसे सिद्धान्त या अध्ययन का उपागम मानने के बजाय केवल एक मनोवृत्ति ही करार देते रहे, जो एक विशेष सोच से प्रेरित थी।
4. कुछ विद्वान यह भी मानते हैं कि इस उपागम में वैज्ञानिक पद्धति पर अधिक ध्यान केन्द्रित करना पड़ता है। ऐसे में पद्धति तथा तकनीक तो शुद्ध या प्रामाणिक हो सकती हैं किन्तु अध्ययन के अन्य महत्वपूर्ण पक्ष छूट जाते हैं।
5. यह उपागम उत्तर आधुनिकता के समर्थकों की भांति जो बीत गया (इतिहास) उसे स्वीकारने तथा समझने में रुचि नहीं लेता है जबकि वर्तमान तो भूतकाल पर ही खड़ा हुआ है।

रेन्सिस लिकर्ट (Rensis Likert)

संगठन के उद्देश्यों की प्राप्ति में लिकर्ट ने प्रबंध कुशलता पर प्रकाश डाला है उन्होंने अपनी पुस्तक New Pattern of Management (1961), The Human Organization (1967) तथा New Way of Management (1976) में चार प्रकार की प्रबन्ध व्यवस्था का उल्लेख किया है:

1. प्रथम प्रबन्ध व्यवस्था – स्वार्थी सर्वसत्ताधारी
2. द्वितीय प्रबन्ध व्यवस्था – हितैषी सर्वसत्ताधारी
3. तृतीय प्रबन्ध व्यवस्था – परामर्शी सर्वसत्ताधारी
4. चतुर्थ प्रबन्ध व्यवस्था – सहभागी प्रजातान्त्रिक सर्वसत्ताधारी

प्रथम प्रकार की व्यवस्था कार्यकेन्द्रित है। इसमें प्रबन्धकीय प्रणाली परम्परागत विधि द्वारा नियंत्रित की जाती है। चतुर्थ प्रकार की लोकतांत्रिक व्यवस्था जिसमें टीम कार्य, आपसी विश्वास और सहभागिता है। इसे कर्मचारी उन्मुख कहा जा सकता है। द्वितीय एवं तृतीय प्रणाली इन दोनों के बीच की अवस्था है। प्रबन्ध व्यवस्था-2 तथा प्रबन्ध व्यवस्था-3 डगलस मैक्ग्रेगर के 'एक्स सिद्धान्त' और 'वाई सिद्धान्त' के समीप है। ये दोनों व्यवस्था कर्मचारियों से अधिक कार्य करवाने के लिए अभिप्रेरित करने में सर्वश्रेष्ठ है।

उन्होंने अपने प्रयोग द्वारा प्रमाणित किया है। चतुर्थ व्यवस्था से उत्पादन में वृद्धि होती है। तथा वह श्रमिकों के संगठन से अधिक काम लेने में समर्थ है। यही एक ऐसी व्यवस्था है जिसमें प्रबन्धक अपने कर्मचारियों को कार्य के लिए अधिक अभिप्रेरित करके टीम भावना जाग्रत करते हैं। और उसमें आपसी विश्वास तथा प्रबन्ध के प्रति आस्था उत्पन्न करते हैं। मनुष्य को मशीन का पुर्जा न समझकर उसके साथ मानवता का व्यवहार, मनुष्य समझ कर करें तथा काम के लिए प्रेरित किया जाए तो अधिक सफलता मिल सकती है।

क्रिस आर्गिरिस (Chris Argyris)

किर्स आर्गिरिस के विचारों में सहभागी प्रबंध दिखते हैं। आज के प्रबन्ध में सहभागी प्रबन्ध काफी प्रचलित हो गया है। इसमें प्रबंध के कर्मचारियों को संगठन का अभिन्न अंग माना जाता है तथा निर्णय-प्रक्रिया एवं पद्धतियों में उसको सक्रिय रूप से सम्मिलित किया जाता है। इसका तात्पर्य कर्मचारियों द्वारा सम्बन्धित संगठन की निर्णय देने वाली प्रक्रिया में उस सीमा तक भाग लेना जहाँ तक यह उनके हितों पर प्रभाव डालता हो। 'सहगामी प्रबंध की अवधारणा' का जन्म प्रबंध एक प्रशासन के क्षेत्र में मानवीय संबंधों को असहमति देने का द्योतक है। संगठन मात्र 'मशीनीकृत' तथा 'औपचारिक' ढाँचा न रहकर मनुष्यों का जीवन्त, सरस, अनौपचारिक और संवेदनशील समाज बन सकें। यही सहगामी प्रबंध का उद्देश्य है।

यह एक सामूहिक कार्य (Team Work) है। संगठन में 'लोकतांत्रिक नेतृत्व' तथा प्रशासन में 'मानवीय तत्व' की नवीन मांग की जाने लगी है। फ्रांस, कनाडा, अमेरिका, तथा भारत में जिन संगठनों ने सहगामी प्रबंध को अपनाया है वहीं कर्मचारियों के 'मनोबल' और 'सम्मान' में वृद्धि से उत्पादकता बढ़ी है। समान घंटे कार्य करके भी अपेक्षाकृत ज्यादा अच्छे परिणाम प्राप्त हुए हैं।

'सहगामी प्रबंध' सूत्र के परिणामस्वरूप निम्न प्रवृत्तियाँ उभरती हैं–

1. अति संकुचित परम्परा में विभागीय दृष्टिकोण के स्थान पर सहभागियों के समग्र संगठनात्मक दृष्टिकोण का विकास होता है।
2. संगठन के प्रति सहभागियों में 'हम' की भावना या संलग्नता की प्रवृत्ति की वृद्धि होती है।
3. सभी एक-दूसरे को जानने-समझने लगते हैं जिनसे उनमें एक-दूसरे के प्रति सहनशीलता की वृद्धि होती है।
4. सहभागियों में विरोध, शत्रुता तथा तीव्र प्रतिस्पर्द्धा कम हो जाती है।
5. व्यक्ति अपने-अपने व्यक्तित्व को अपेक्षाकृत स्वतंत्र रूप से प्रकट कर सकते हैं जिससे कर्मचारियों का संगठन के प्रति अधिक लगाव हो जाता है।
6. अन्य प्रवृत्तियों के फलस्वरूप कार्य संबंधी वातावरण विकसित हो जाती है जिससे अधीनस्थों को अधिक सृजनात्मक रूप में कार्य करने का अवसर प्राप्त होता है।

अर्गिरिस के अनुसार, "किसी भी संगठन में इसका सफलतापूर्वक आरम्भ उसकी संगठनात्मक संरचना, संगठन के भीतर अनौपचारिक समूहों के निर्णय, संगठन की सेविवर्ग सम्बन्धी नीतियों और उसके प्रति प्रबंध के उच्चाधिकारी के दृष्टिकोण जैसे तत्वों पर निर्भर करता है।

लोक प्रशासन के लेखक

विल्सन एक श्रेष्ठ प्रशासनिक विद्वान, सुधारक, राजनेता के रूप में जाने जाते हैं। उन्होंने प्रशासन तथा तुलनात्मक शासन से सम्बन्धित विचारों को नया मोड़ दिया है। उनके शब्दों में "लोक प्रशासन सार्वजनिक विधि का विस्तृत और व्यवस्थित क्रियान्वयन है। सामान्य विधि का प्रत्येक अनुप्रयोग प्रशासनिक कार्य है। विल्सन के अनुसार प्रशासन उच्च कोटि का विज्ञान है। विल्सन के अनुसार, यूरोपीय देशों की सरकारें लोक सहमति से स्वतंत्र होती हैं और दूसरे, इच्छा के कारण ऐसा हुआ है। विल्सन के अनुसार राजतंत्र की तुलना में लोकतंत्र में प्रशासन को संगठित करना अधिक कठिन कार्य है। लोकतंत्र में प्रशासन को लोकमत के प्रति उत्तरदायी रहना पड़ता है। विल्सन के अनुसार कोई देश अपने प्रशासन पर तब तक अच्छी तरह से ध्यान केन्द्रित नहीं कर पाता जब तक कि वह अपने संविधान के साथ छेड़छाड़ बन्द नहीं कर देता। ऐसा इस कारण होता है कि बिना संशोधन-परिवर्तन के कोई भी संविधान 10 वर्ष से ज्यादा नहीं चल सकता और सरकारें इन परिवर्तनों और बदलावों में व्यस्त रहती हैं कि वे प्रशासन विज्ञान पर अपना ध्यान केन्द्रित नहीं कर पाते हैं। विल्सन के शब्दों में, "संविधान निर्माण की तुलना में संविधान का संचालन ज्यादा कठिन है।"

रॉबर्ट गोलाम्बिव्यस्की (Robert Golembiewski)

नवीन लोक प्रशासन के अनेक चिन्तक इस नए रूप में एक मौलिक विषय के रूप में प्रतिष्ठित करते हैं किन्तु कतिपय आलोचक नवीन लोक प्रशासन को परम्परागत प्रशासन का ही एक संशोधित रूप मानते हैं। कैम्पबेल के अनुसार नवीन लोक प्रशासन का विषय मौलिक अध्ययन की अपेक्षा पुनर्व्याख्या पर अधिक बल देता है। इसी प्रकार एक अन्य विद्वान रॉबर्ट टी. गोलाम्बिव्यस्की का अभिमत है कि नवीन लोक प्रशासन शब्दों में क्रान्तिवाद का उद्घोष करता है।

नवीन लोक प्रशासन की धारणा ने लोक प्रशासन की विषय-वस्तु को व्यापक बना दिया है। लोक प्रशासन की नवीन धारणा के अनुसार उसका समाज से सीधा सम्बन्ध जुड़ गया है। नवीन लोक प्रशासन की धारणा से लोक प्रशासन सम्बन्धी परम्परागत धारणा एवं विचारों को गहरा धक्का लगा है और लोक प्रशासन का क्षेत्र बढ़ा है। यह और अधिक रूप में आदर्शात्मक होता जा रहा है, क्योंकि यह अब सामाजिक समता के प्रति उन्मुखता, गैर-नौकरशाही, विकेन्द्रीकरण, लोकतान्त्रिक निर्णय प्रक्रिया, आचार सम्बन्धी व्यवहार एवं निरन्तर फैलती हुई प्रशासनिक व्यवस्थाओं व नागरिकों की भागीदारी के प्रश्नों से सम्बन्धित है। यह लोक प्रशासन को 'नौकरशाही' के जाल से निकालकर 'मैनेजीरियलिज्म' की ओर उन्मुख करना चाहता है। यह पदसोपान की कड़ाई से कार्मिकों को मुक्त कर 'साहसिक सरकार' की अवधारणा को साकार करना चाहता है। वस्तुतः नौकरशाही के मैक्स वेबर प्रतिमान को नवीन लोक प्रशासन सीधी चुनौती देता है। मुवक्किल उन्मुख, मूल्यों पर जोर देने वाला अथवा आदर्शी एवं सामाजिक दृष्टि से सजग लोक प्रशासन, जैसा नव आन्दोलन ने प्रतिपादित किया, 'तीसरे विश्व' के लिए प्रत्यक्ष रूप से प्रासंगिक है। नवीन लोक प्रशासन ने, संक्षेप में, मानवीय चिन्ताओं पर जोर दिया और विकेन्द्रीकरण, जन सहभागिता, सामाजिक समता और ऐसे ही अन्य सामाजिक गुणों पर जोर दिया। "नव लोक प्रशासनवादी सामाजिक समता के खुले आम समर्थक अधिवक्ता है।

पीटर ड्रकर

पीटर ड्रकर संचार प्रशासन का महत्वपूर्ण विचारक है। संचार प्रशासन का प्राथमिक सिद्धान्त माना जाता है। अभिकरण के उद्देश्यों की सफलता के लिए प्रभावशाली संचार व्यवस्था आवश्यक होती है। किसी संगठन के लिए कार्य करने वाले लोग यदि संगठन के उद्देश्यों, नीतियों तथा परिस्थितियों को समझते हैं, तो उसका उसके प्रति अधिक लगाव होगा, वे अपने कार्य में अधिक रुचि लेंगे तथा संगठन के साथ अधिक एकरूपता होगी। किसी व्यक्ति के उत्साहपूर्वक तथा क्रियात्मक सहयोग को प्राप्त करने का यही मार्ग है कि उस अभिकरण का प्रधान उसका विश्वास प्राप्त करे। पीटर. एफ. ड्रकर के शब्दों में, ''संचार किसी उद्यम के भीतर विभिन्न क्रियात्मक समूहों की वह क्षमता है, जिसके माध्यम से वे एक-दूसरों के कार्यों और चिन्ताओं को समझते हैं।''

समूह त्रावैगिकी तथा मानव मनोविज्ञान में हुए अनुसंधान ने सिद्ध कर दिया है कि किसी भी संगठन का सफल संचालन उसमें काम करने वाले व्यक्तियों के सहयोग पर निर्भर करता है। लोकतंत्र की प्रथम आवश्यकता है कि जनता प्रशासन से अधिकाधिक सम्बद्ध हो। इसी कारण व्यापार तथा शासन, दोनों क्षेत्रों के संगठनों में अति उत्तम संचार-व्यवस्था को स्थापित करने की आवश्यकता को स्वीकार कर लिया गया है।

पीटर ड्रकर के अनुसार, ''एक प्रभावपूर्ण नेता वह है जो साधारण लोगों से असाधारण कार्य कराने की क्षमता रखता है।'' नेतृत्व महत्व के निम्न कारण हैं–

1. अभिप्रेरणा का स्रोत
2. सहयोग प्राप्त करना
3. सम्भव को यथार्थ बनाना
4. समूह में विश्वास एवं निष्ठा उत्पन्न करना
5. संघर्षों का समाधानकर्ता
6. लक्ष्य तय करना तथा समन्वयकर्ता की भूमिका निभाना
7. विभिन्न इकाइयों में समन्वय स्थापित करना
8. समर्थकों के व्यवहार और आचरण को प्रभावित करना।

क्लिफोर्ड ड्वाइट वाल्डो

सन् 1971 में वाल्डो द्वारा सम्पादित पुस्तक 'Public Administration in a Time of Turbulence' है। यह मिन्नोब्रुक सम्मेलन की (उथल-पुथल के काल में) धारणा को आगे बढ़ाया है।

सन् 1980 में ड्वाइट वाल्डो द्वारा रचित दूसरी पुस्तक 'Enterprise of Public Administration' प्रकाशित हुई जिसमें उन्होंने लोक प्रशासन के तीन परिप्रेक्ष्यों यथा–नागरिकोन्मुख नौकरशाही, प्रतिनिधि नौकरशाही तथा जन प्रतिनिधि पर जोर देते हुए कहा है कि यदि इन सार्वजनिक परिप्रेक्ष्यों को लोक प्रशासन में सही प्रकार से लागू किया जा सके तो लोक-प्रशासन अधिक लोकतांत्रिक रूप ग्रहण कर सकेगा।

वाल्डो के अनुसार, ''नवीन लोक प्रशासन मानकात्मक सैद्धान्तिक विचारधारा (Normative Theory), दर्शन (Philosophy), सामाजिक प्रतिबद्धता (Social concern) तथा सक्रियतावाद (Activism) की दिशा में एक प्रकार का क्रांति घोष है।'' यह ग्राहक उन्मुखी तथा मूल्यपरक है। यह जातिगत (generic) की तुलना में जनोन्मुखी (Publicly) अधिक है, यह विवरणात्मक (Descriptive) की तुलना में निर्देशात्मक (Perspective) अधिक है।

लोक प्रशासन शास्त्रीय मूल्य-दक्षता, मितव्ययिता, उत्पादकता एवं विकेन्द्रीकरण रहे हैं। नवीन लोक प्रशासन मूल्यों के नवीन तथ्यों को प्रश्रय देता है। यह मानववाद, बहुवाद, विकेन्द्रीकरण, प्रत्ययोजन, व्यक्तिगत गरिमा, मौलिकता, सदाचरण आदि का समर्थक है। यह इस मत को अस्वीकार करता है कि प्रशासन मूल्यों के प्रति तटस्थ होता है। यह नागरिक सहभागिता का समर्थक है तथा नौकरशाही के प्रति उत्तरदायित्व का समर्थन करता है।

ड्वाइड वाल्डो ने लोक प्रशासन की तीन विशेषताएँ बताई हैं–

(*i*) ग्राहक-उन्मुख नौकरशाही (Client-oriented bureaucracy)

(*ii*) प्रतिनिधात्मक नौकरशाही (Representative bureaucracy)

(*iii*) प्रशासन में जन-सहभागिता (People's participation in Administration)

यह प्रशासन मूल्यों की तटस्थता को अस्वीकार करता है। यह मानव-विकेन्द्रीकरण, मानववाद, प्रत्यायोजन, बहुलवाद, व्यक्तिगत गरिमा आदि का पक्षपोषण करता है। यह नागरिक सहभागिता और सड़कछाप अधिकारी तंत्र पर प्रतिवेश नियंत्रण का पक्षपोषण करता है।

फेरल हैडी

तुलनात्मक लोक प्रशासन के नौकरशाही व्यवस्था उपागम को अपनाने वाले प्रशासन विश्लेषक फेरल हैडी का नाम प्रमुख है। द्वितीय विश्व युद्ध के पश्चात् तुलनात्मक प्रशासनिक विश्लेषण के क्षेत्र में उदित विश्लेषण में प्रथम रहा है। तुलनात्मक प्रशासनिक दल से सम्बद्ध विद्वानों में प्रमुख है–राल्फ ब्रेवांटी, फ्रेडरिक क्लीवलैंड, अल्फ्रेड डायमेन्ट, सैम्युल, आइनसटाइट, फेरल हैडी आदि। फेरल हैडी 1962 में तुलनात्मक लोक प्रशासन के विद्वानों के साथ बौद्धिक सम्बन्ध स्थापित करने वाले विद्वानों में प्रमुख थे।

मिन्नोब्रुक सन्दर्भ

1971 में फ्रेंक मेरिनी द्वारा सम्पादित पुस्तक नवीन लोक प्रशासन की दिशाएँ : मिन्नोब्रुक परिप्रेक्ष्य के प्रकाशन के साथ ही नवीन लोक प्रशासन की मान्यता प्राप्त हुई। यह रचना 1968 में आयोजित मिन्नोब्रुक सम्मेलन के निष्कर्षों पर आधारित है। नवीन लोक प्रशासन के विकास में मिन्नोब्रुक सम्मेलन का महत्वपूर्ण योगदान है जिसके विकास क्रम के निम्नलिखित प्रारूप हैं:

1. सार्वजनिक सेवाओं सम्बन्धी उच्च शिक्षा पर हनी प्रतिवेदन, 1967
2. लोक प्रशासन के सिद्धान्त एवं व्यवहार सम्बन्धी फिलाडेल्फिया सम्मेलन, 1967

3. प्रथम मिन्नोब्रुक सम्मेलन, 1968
4. मेरिनी एवं वाल्डो की रचनाओं का प्रकाशन
5. द्वितीय मिन्नोब्रुक सम्मेलन, 1988
6. तृतीय मिन्नोब्रुक सम्मेलन, 2008

तीनो मिन्नोब्रुक सम्मेलन का नवीन लोक प्रशासन के विकास में महत्वपूर्ण योगदान रहा है।

प्रथम मिन्नोब्रुक सम्मेलन, 1968

प्रथम मिन्नोब्रुक सम्मेलन (First Minnowbrook Conference), जो कि लोक प्रशासन की युवा पीढ़ी का सम्मेलन था, के जन्म के लिए दो तत्व प्रधानतः उत्तरदायी हैं–प्रथम, 1960 का दशक लोक प्रशासन के उथल-पुथल का काल था। अनगिनत सामाजिक समस्याएँ थीं लेकिन लोक प्रशासन द्वारा इन समस्याओं को सुलझाना तो दूर की बात थी, उसे उनका ज्ञान तक नहीं था। 1968 में प्रकाशित वाल्डो के एक लेख Public Administration in a Time of Turbulance (क्रान्तिकाल में लोक प्रशासन) में, जो लोक प्रशासन रिव्यू नामक पत्रिका में प्रकाशित हुआ था, इस समस्या पर प्रकाश डाला गया था। द्वितीय, लोक प्रशासन के युवा पीढ़ी के विद्वानों की बात सुनना भी आवश्यक हो गया था क्योंकि पुराने एवं युवा विद्वानों में पीढ़ी का अन्तराल तीव्रता से दिखाई दे रहा था। फिलाडेल्फिया सम्मेलन में भाग लेने वाले विद्वान औसतन 35 वर्ष से अधिक आयु के थे। उनमें अधिकांश तो 51 से 69 वर्ष के थे। लेकिन मिन्नोब्रुक सम्मेलन में भाग लेने वाले अपेक्षाकृत कम आयु के अर्थात् युवा थे। यह लोक प्रशासन की युवा पीढ़ी का सम्मेलन था। इस सम्मेलन के परिणामों ने नवीन लोक प्रशासन को जन्म दिया।

मैथ्यू क्रेनसन (Mathew Cranson) ने मिन्नोब्रुक सम्मेलन के निर्णयों को संक्षेप में इस प्रकार व्यक्त किया है : ''सम्मेलन के निर्णयों को दो शीर्षकों में संक्षिप्त और सार रूप में व्यक्त कर सकते हैं : प्रथम, इस सम्पूर्ण वाद-विवाद की पृष्ठभूमि में क्या कोई सामान्य विचार हैं, तथा द्वितीय, क्या विचार नवीन हैं?''

क्रेनसन ने आगे कहा कि ''प्रथम, मैं यह अनुभव करता हूँ कि कुछ सामान्यत बातें हैं। प्रायः सभी गोष्ठियों का यह निष्कर्ष है कि लोक प्रशासन के आदेशात्मक पहलू पर बल दिया जाना चाहिए। दूसरी से सम्बन्धित एक प्रश्न यह है कि समाज में प्रशासन की क्या भूमिका होनी चाहिए? क्या उसे पूरी तरह मूल्य-निरपेक्ष होना चाहिए या किसी नीति या विचारधारा के प्रति प्रतिबद्ध होना चाहिए? इसी से सम्बन्धित एक प्रश्न और है। यदि प्रशासक किसी विचार या मूल्यों से प्रतिबद्ध है तो वह क्या करता है या करेगा? इसका एक प्रश्न और है। यदि प्रशासन किसी विचार या मूल्यों से प्रतिबद्ध है तो वह क्या करता है या करेगा? इसका उत्तर कुछ व्यक्ति यह देते हैं कि लोक प्रशासन को सामाजिक परिवर्तन के अभिकर्ता के रूप में कार्य करना चाहिए। एक अन्य प्रश्न इसके प्रत्युत्तर में उठता है कि परिवर्तन की अवस्था में संगठन को किन बातों या तत्वों के प्रति संवेदनशील होना चाहिए; उदाहरणार्थ–वातावरण। क्या वातावरण के प्रति संवेदनशील होना चाहिए? कुछ का मत है कि वातावरण के प्रति अधिक संवेदनशीलता के साथ प्रशासन में वातावरण के परिणामों को अधिक महत्व दिया जाना चाहिए। प्रश्न यह है कि इन सब बातों के सम्बन्ध में मतैक्य है अथवा नहीं? यदि मतैक्य है तो सहज रूप में यह प्रश्न उठता है कि क्या वे सर्वथा नवीन है?''

प्रथम मिन्नोब्रुक सम्मेलन में कुछ बातों पर आम सहमति पाई गई, जिन्हें मैथ्यू क्रेनसन ने संक्षेप में निम्नलिखित बिन्दुओं में दर्शाया था–

1. समूहों में यह आम सहमति थी कि लोक प्रशासन वैचारिक सर्वसम्मति पर विशेष बल दे;
2. लोक प्रशासन को परिवर्तन का दूत होना चाहिए और
3. उन्हें वातावरण के प्रति जिम्मेदार और संवेदनशील होना चाहिए।

इस सम्मेलन में विषय की वर्तमान स्थिति पर असन्तोष व्यक्त किया गया और यह इच्छा व्यक्त की गई कि लोक प्रशासन समाज की समस्याओं के प्रति उन्मुख हो तथा प्रासंगिकता, उत्तर-आशावादिता, आचरण, नैतिकता व मूल्यों, उपभोक्ताओं के प्रति चिन्ता, सामाजिक समानता तथा नवीन प्रयोग हेतु एक मापदण्ड को अपनाए। उत्तर-आशावादी दृष्टिकोण का तात्पर्य स्वतन्त्र मूल्यों का दृष्टिकोण है लेकिन यह सामाजिक समानता पर आधारित दृष्टिकोण को स्वीकार करने पर बल देता है। इसका अर्थ यह हुआ कि लोक प्रशासन को निर्धनों, दलितों अथवा सामाजिक असमानता का दंश भोग रहे व्यक्तियों का हिमायती होना चाहिए।

संक्षेप में, प्रथम मिन्नोब्रुक सम्मेलन को यह गौरव प्राप्त है कि उसके द्वारा लोक प्रशासन को एक व्यवस्थित ढंग से प्रस्तुत किया गया तथा उसकी वर्तमान स्थिति पर सरल एवं स्पष्ट शब्दों में प्रकाश डाला गया। इस सम्मेलन के फलस्वरूप लोक प्रशासन की एक नई छवि उभर कर सामने आयी। अब लोक प्रशासन सामाजिक समस्याओं के प्रति सचेत हो गया। इस नई सामाजिक जिम्मेदारी को निभाने का दायित्व प्रशासकों पर डाला गया।

द्वितीय मिन्नोब्रुक सम्मेलन, 1988 (Second Minnowbrook Conference, 1988)

प्रथम मिन्नोब्रुक सम्मेलन (1968) के ठीक 20 वर्ष पश्चात् सितम्बर, 1988 में द्वितीय मिन्नोब्रुक सम्मेलन 'सिराकुज विश्वविद्यालय' में आयोजित हुआ। इसे सिराकुज विश्वविद्यालय, कानसास विश्वविद्यालय तथा अक्रोन विश्वविद्यालय द्वारा आर्थिक सहायता दी गई थी। इसमें नीति विज्ञान से सम्बन्धित लगभग 60 विद्वानों ने हिस्सा लिया। इस सम्मेलन के अध्ययन क्षेत्र के विषय इतिहास, अर्थशास्त्र, समाजशास्त्र, राजनीतिशास्त्र एवं लोक प्रशासन थे। यह सम्मेलन अपने पूर्ववर्ती सम्मेलन से कई मायनों में भिन्न था, जैसे कि उसकी विषयवस्तु, सहभागीगण, चिन्तन और समसामयिक परिस्थितियाँ।

जॉर्ज फ्रेडरिक्सन के अनुसार, ''जहाँ प्रथम मिन्नोब्रुक कलहप्रिय, विवादास्पद एवं क्रान्तिकारी था वहीं द्वितीय मिन्नोब्रुक अधिक सौम्य एवं व्यावहारिक था। यह सम्मेलन लोक प्रशासन के बदलते युगों (सन्दर्भों) की तुलना करने तथा अन्तर करने के लिए आयोजित हुआ था।'' प्रथम मिन्नोब्रुक सम्मेलन के समान द्वितीय मिन्नोब्रुक सम्मेलन में भी एक विषय

के रूप में लोक प्रशासन की स्थापना तथा विकास पर खुलकर चर्चा हुई। 1968 का सम्मेलन व्यवहारवाद विरोधी था, वहीं 1988 का सम्मेलन लोक प्रशासन में व्यवहारवादी एवं सामाजिक विज्ञानों के प्रति कटिबद्ध था। 1988 सम्मेलन में नेतृत्व, सांविधानिक-विधिक परिप्रेक्ष्य, नीति, आर्थिक-सामाजिक परिवेश, सामाजिक विषयों, निजीकरण, वैश्वीकरण, नव लोक प्रबन्ध, राज्य बनाम बाजार पर अधिक जोर दिया गया।

दरअसल प्रथम और द्वितीय मिन्नोब्रुक सम्मेलनों के मध्य दो दशक का अन्तर था। एक प्रकार से यह समय की करवट का भी अन्तर था। बीसवीं सदी के मध्य उठे प्रश्नों का स्वरूप, सदी का अन्त आते-आते परिवर्तित हो गया। लेकिन प्रथम मिन्नोब्रुक सम्मेलन ने द्वितीय मिन्नोब्रुक सम्मेलन के लिए आधार का कार्य किया तथा वैश्वीकरण, निजीकरण, नव लोक-प्रबन्ध, राज्य बनाम बाजार तथा अन्य प्रश्नों ने द्वितीय मिन्नोब्रुक सम्मेलन को प्रभावित किया। द्वितीय सम्मेलन में पूर्ववर्ती सम्मेलन की कमियाँ नहीं दोहराई गईं तथा इसमें लोक प्रशासन का अनुशासन अधिक अन्तर्विषयी होकर उभरा।

तृतीय मिन्नोब्रुक सम्मेलन, 2008
(Third Minnowbrook Conference, 2008)

प्रथम मिन्नोब्रुक सम्मेलन (1968) के 40 वर्ष और द्वितीय मिन्नोब्रुक सम्मेलन (2008) के ठीक 20 वर्ष बाद तृतीय मिन्नोब्रुक सम्मेलन 3 से 7 सितम्बर 2008 तक सिराकुज विश्वविद्यालय में ही आयोजित किया गया तथा इस सम्मेलन में विभिन्न विषयों के असिस्टेंट प्रोफेसरों तथा लोक प्रशासन के वरिष्ठ प्रोफेसरों को मिलाकर कुल 56 विद्वानों ने भाग लिया।

लोक प्रशासन को ग्लोबलाइजेशन के परिवेश में देखने तथा अन्य विषयों से तुलनात्मक अध्ययन पर इस सम्मेलन में बल दिया गया। इसमें The Journal of Public Administration Research and Theory (JPART) का एक 'विशेष अंक' जो 2009-10 में प्रकाशित किया गया, को लाने का भी निर्णय लिया गया। इस 'विशेष अंक' का सम्पादन सिराकुज विश्वविद्यालय के डेविड वान स्लाइक (David Van Slyke) तथा इंडियाना विश्वविद्यालय के बेथ गेजले (Beth Gazley) ने किया। इस सम्मेलन के अन्त में सिराकुज विश्वविद्यालय के तीन प्रोफेसरों Rosemary O'Leary, David Van Slyke और Soonhee Kim द्वारा सम्पादित एक पुस्तक प्रकाशित करने का भी निर्णय लिया गया, जो वर्ष 2009-10 में प्रकाशित हुई।

नवीन लोकसेवा और उत्तर-आधुनिकतावाद

लोक सेवा का अर्थ

हरमन फाइनर के शब्दों में, "लोक सेवा अधिकारियों का एक व्यावसायिक निकाय है जो स्थायी है, वैतनिक है तथा कार्यकुशल है।" ग्लैडन ने सिविल सेवा की व्याख्या निम्नलिखित शब्दों में की है : "प्रशासन के क्षेत्र में तटस्थ विशेषज्ञों का व्यावसायिक निकाय, जो निःस्वार्थ रूप से बिना राजनीतिक दलीय विचारों अथवा वर्ग हितों से प्रभावित हुए राष्ट्र की सेवा में प्राणपण से जुटा है।" 'लोक सेवा' शब्द की ब्रिटेन में यह परिभाषा की गई है : "राजनीतिक या न्यायिक पदाधिकारियों के अतिरिक्त 'ताज' के वे सेवक जो असैनिक रूप से सेवायोजित हों और जिनका पारिश्रमिक पूर्णतः तथा प्रत्यक्षतः उस धनराशि से दिया जाता है जो संसद द्वारा इस हेतु स्वीकृत की गई हो।"

सिविल सर्विस की उपर्युक्त परिभाषा सन् 1929 में टॉमलिन आयोग की रिपोर्ट में की गई है। इस परिभाषा के अनुसार ग्रेट ब्रिटेन में केवल केन्द्रीय सरकार के असैनिक कर्मचारी ही सिविल सर्विस के कर्मचारियों की श्रेणी में आते हैं। स्थानीय संस्थाओं के कर्मचारियों को 'स्थानीय सरकार सेवा' (Local Government Service) कहा जाता है।

संयुक्त राज्य अमरीका में इस शब्द का प्रयोग अधिक व्यापक रूप में होता है, वहाँ संघीय सरकार में जो सरकारी कर्मचारी प्रतियोगिता परीक्षाओं के द्वारा योग्यता के आधार पर नियुक्त किए जाते हैं, उन्हें 'सिविल सर्विस प्रतियोगिता सेवा' अथवा 'वर्गीकृत सेवा' (Classified Service) का नाम दिया जाता है। इसी प्रकार विभिन्न राज्यों तथा नगरों की सेवा के लिए प्रतियोगिता परीक्षाओं के आधार पर जो व्यक्ति चुने जाते हैं, उन्हें भी सिविल सर्विस में सम्मिलित किया जाता है।

भारत में 1947 तक प्रतियोगिता के आधार पर चुने गए व्यक्ति इंडियन सिविल सर्विस (ICS) का अंग होते थे। ये सैनिक सेवा के व्यक्तियों से पृथक् होते थे, किन्तु इंग्लैंड की भांति उस समय तक यहाँ न्यायाधीशों और सरकारी प्रशासकों के पृथक् वर्ग नहीं थे। स्वतन्त्रता के बाद इन दोनों को पृथक् कर दिया गया है तथा इसे 'भारतीय प्रशासनिक सेवा' का नया नाम दे दिया गया है।

आधुनिक सिविल सेवा (Modern Civil Service)

आधुनिक समय में तो कुशल, प्रशिक्षण प्राप्त तथा सुशिक्षित व्यक्तियों के एक ऐसे वर्ग की आवश्यकता है जो कि राज्य की सेवा कर सके तथा योजनाओं एवं कार्यक्रमों को लागू कर सके। कार्यों का विशिष्टीकरण तथा श्रम-विभाजन (Division of Labour) वर्तमान वैज्ञानिक युग की विशेषता है। अतः प्रशासन के विभिन्न कार्यों को पूरा करने के लिए तकनीकी योग्यता प्राप्त कर्मचारी नियुक्त किए जाते हैं। आजकल तो हम देखते हैं कि लोक सेवकों के एक व्यावसायिक वर्ग (Professional Class) के द्वारा शासन कार्य चलाया जाता है। ये कुशल प्रशासक आंकड़े एकत्र करते हैं, अनुसंधान करते हैं और जनता की आवश्यकता को संतुष्ट करने के लिए योजनाएँ बनाते हैं।

यदि सच पूछा जाए तो आधुनिक राज्यों में प्रशासन की शक्तियाँ लोक सेवा (Civil Service) के हाथों में ही केन्द्रित हैं। जनसाधारण अथवा उनके निर्वाचित प्रतिनिधि प्रशासनिक शक्तियों के प्रयोग पर नियंत्रण तो रख सकते हैं, पर वे स्वयं इसका प्रयोग कदापि नहीं कर सकते। जनसाधारण अथवा उनके प्रतिनिधियों में प्रशासनिक क्षमता नहीं होती। वर्तमान युग में प्रशासनिक कार्य इतने अधिक जटिल तथा तकनीकी हो गए हैं कि उनको अच्छी तरह संभालने के लिए प्रशिक्षित कार्मिकों की आवश्यकता होती है। लोक सेवा ही वह वर्ग है जिसके पास प्रशासनिक समस्याओं के निदान के लिए आवश्यक तकनीकी ज्ञान उपलब्ध है।

आधुनिक लोक सेवा की निम्नलिखित विशेषताएँ विशेष रूप से उल्लेखनीय हैं :

1. **कुशल कार्यकर्ता (Skilled Workers):** लोक सेवा ऐसे अधिकारियों का एक व्यावसायिक वर्ग है जोकि प्रशिक्षण प्राप्त कुशल, स्थायी तथा वैतनिक होते हैं। उन अन्य व्यक्तियों के समान ही है जो कि भिन्न-भिन्न व्यवसायों में व्यस्त रहते हैं, लोक सेवकों का व्यवसाय भी प्रशासन का संचालन करना होता है। उन्हें इस कार्य के लिए वेतन दिया जाता है। प्रशासन का कार्य करना ही सिविल सेवकों का पूर्णकालिक व्यवसाय है।
2. **पदसोपान का सिद्धान्त (Principle of Hierarchy):** लोक सेवा का संगठन पदसोपान के आधार पर किया जाता है जिसका अर्थ होता है उच्च (Superior) एवं अधीनस्थ (Subordinate) अधिकारियों की एक ऐसी सुदृढ़ एवं अनुशासित व्यवस्था, जिसमें उच्च अधिकारियों द्वारा निम्न अधिकारियों का पर्यवेक्षण (Supervision) किया जाता है। प्रत्येक अधिकारी को अपने उच्च अधिकारियों की आज्ञाओं का पालन करना होता है।
3. **वेतनभोगी कार्मिक (Paid Workers):** लोक सेवा अवैतनिक कार्य करने वाले लोगों का संगठन नहीं होता वरन् इनके सभी सदस्यों को नियमानुसार निर्धारित वेतन प्राप्त होता है। वेतन की मात्रा पद के दायित्व, योग्यता, जोखिम, श्रम आदि के आधार पर निश्चित की जाती हैं।
4. **अनामता का सिद्धान्त (Principle of Anonymity):** लोक सेवक जो भी कार्य करते हैं, बिना नाम के करते हैं, उन्हें अनाम ही रहना पड़ता है। वे परदे के पीछे रहकर बिना अपना नाम सामने लाए ही सारे कार्य सम्पन्न करते हैं। कार्यों का सारा श्रेय जन-प्रतिनिधियों को प्राप्त होता है।
5. **स्थायी कार्यकाल (Permanent Tenure):** लोक सेवक निश्चित समय एवं उम्र तक अपने पद पर कार्य करते हैं। यही कारण है कि लोक सेवाएँ जीवन वृत्ति (Career) के रूप में अपना ली जाती हैं। राजनीतिक दलों के दांव-पेंचों तथा राजनीतिक नेतृत्व बदलने का इनके ऊपर कम असर होता है।
6. **तटस्थ दृष्टिकोण (Neutral Attitude):** राजनीति में तटस्थता (Neutrality) लोक सेवा की अन्य महत्वपूर्ण विशेषता है। वे तो राज्य के सेवक होते हैं और उन्हें उसी दल की सेवा करनी होती है जो कि सत्तारूढ़ होता है।
7. **जनता के प्रति उत्तरदायी (Responsiveness):** लोक कर्मचारियों का जनता के प्रति–जिसकी वे सेवा करते हैं–उत्तरदायित्व होता है। वर्तमान युग में कोई भी समझदार लोक सेवक जनता की अवहेलना करने का दुःसाहस नहीं करेगा क्योंकि प्रजातन्त्र में जनता ही वास्तविक सम्प्रभु होती है। वस्तुतः लोक सेवक देश की संसद, न्यायपालिका और कार्यपालिका के नियंत्रण तथा निर्देशन में उसे सौंपे गए कार्य सम्पन्न करता है।
8. **सेवा भाव (Missionary Spirit):** लोक सेवक सेवा की भावना से जनता की सेवा करते हैं। लोक सेवकों को, जो कि राज्य के सेवक होते हैं, सम्पूर्ण समाज के कल्याण के लिए कार्य करना होता है। उन्हें व्यक्तिगत लाभ से पहले सार्वजनिक हित को दृष्टिगत रखना होता है।
9. **प्रशिक्षित कार्यकर्ता (Trained Workers):** लोक सेवकों को उनके कार्यों तथा दायित्वों का समुचित प्रशिक्षण दिया जाता है, वे गैर-अनुभवी नहीं होते। उन्हें दिए गए प्रशिक्षण का सम्बन्ध केवल उनके पद के दायित्वों से ही नहीं रहता वरन् उनके दृष्टिकोण को व्यापक बनाने तथा उन्हें सम्पूर्ण प्रशासनिक संगठन के लक्ष्य और आदर्शों को समझाने से भी रहता है।

आधुनिक सिविल सेवा की विशेषताओं का उल्लेख करते हुए एस. ई. फाइनर ने अपनी पुस्तक 'A Primer of Public Administration' में लिखा है कि "लोक सेवा का अस्तित्व लाभोपार्जन के लिए नहीं होता। अतः इसके सदस्यों की प्रेरणा अन्तिम आश्रय के रूप में, वेतन प्राप्त करने की ही होती है, जोखिम उठाकर अधिक धन कमाने की नहीं। दूसरे, लोक सेवा सार्वजनिक होती है। अतः उसके कार्यों की दृढ़ एवं सूक्ष्म जांच की जाती है और वे अस्वीकृत भी किए जा सकते हैं। इससे पुनः उसकी लोचशीलता तथा तत्परता सीमित हो जाती है। तीसरे, लोक सेवकों तथा उसके मंत्रियों को निरन्तर संसद की आलोचनाओं का सामना करना होता है। इससे उन्हें अवसरों के प्रति सतर्क एवं सम्बद्ध रहने के लिए प्रोत्साहन मिलता है। अन्ततः इसकी सेवाएं व्यापक होती हैं।"

लोक सेवा के कार्य

आधुनिक समय में लोक सेवा को अनेक प्रकार के कार्य करने होते हैं। इनमें से कुछ प्रशासनिक प्रकृति के होते हैं, कुछ विधायी ढंग के और कुछ न्यायिक प्रकार के। जहाँ नीति निर्धारण का प्रश्न है, राजनीतिक कार्यपालिका (मंत्रीगण) तथा स्थायी कार्यपालिका (सिविल सेवा) के बीच कोई स्पष्ट विभाजन रेखा खींचना आसान कार्य नहीं है। सिद्धान्ततः नीति निर्माण केवल मंत्रियों का ही काम है, परन्तु व्यवहार में नीति निर्धारण में लोक सेवक महत्वपूर्ण भूमिका अदा करते हैं क्योंकि उनके द्वारा दी गई सलाह एवं सूचना के आधार पर ही मंत्री नीति बनाते हैं।

लोक सेवा के कार्य इतने अधिक हैं कि इनकी विस्तृत सूची बनाना यहाँ पर संभव नहीं है, परन्तु उसके प्रमुख कार्यों का विवेचन किया जा सकता है, जो इस प्रकार है:

1. **नीति निर्माण :** यद्यपि नीति निर्माण करना मंत्रियों व संसद का कार्य है किन्तु व्यवहार में यह कार्य लोक सेवकों के हाथ में आ गया है। वे न केवल मंत्रियों के सलाहकार हैं अपितु अपने कार्यों में निपुण होने के कारण नीति निर्माता भी बन गए हैं।
2. **सलाह देना :** लोक सेवा का सबसे महत्वपूर्ण कार्य राजनीतिक कार्यपालिका के सदस्यों अर्थात् मंत्रियों को परामर्श देना है। यद्यपि शासन की बागडोर मंत्रियों के हाथ में रहती है, तथापि

उन्हें सही सलाह देने का उत्तरदायित्व लोक सेवकों पर रहता है। चूँकि मंत्री अनाड़ी होते हैं, इसलिए वे नीति निर्धारण के मामले में अपने विश्वस्त अधिकारियों पर अत्यधिक निर्भर करते हैं। इतना अधिक कि रैम्जे म्योर के मतानुसार, "सौ में से निन्यानवे मामलों में (मंत्री) लोक सेवकों की राय मान लेता है और नियत स्थान पर हस्ताक्षर कर देता है।" चैम्बरलेन ने तो एक बार यहाँ तक कहा था, "मुझे सन्देह है कि आप लोग (अर्थात् लोक सेवक) हमारे बिना काम चला सकते हैं, परन्तु मेरा पक्का विश्वास है कि हम लोग (अर्थात् मंत्रीगण) आपके बिना काम नहीं चला सकते।"

3. **नीति को कार्यान्वित करना :** सरकार की नीतियों को कार्यान्वित करना लोक प्रशासकों का कार्य है। नीतियाँ कितनी ही अच्छी हों, यदि उन्हें कार्यान्वित करने वाले कर्मचारी अच्छे और प्रतिबद्ध नहीं हैं तो नीतियाँ महत्वशून्य रह जाएंगी।

4. **प्रत्यायोजित विधि निर्माण :** आधुनिक काल में लोक सेवकों को प्रत्यायोजित विधि निर्माण (Delegated Legislation) का कार्य भी करना पड़ता है। अत्यधिक कार्यभार होने से तथा समय की कमी के कारण संसद आजकल अनेक जटिल विषयों के सम्बन्ध में विधि का केवल ढांचा ही बनाती है तथा उन विधियों की सूक्ष्म एवं व्यापक रूपरेखा बनाने की शक्ति लोक सेवकों को प्रदान कर देती है। प्रदत्त व्यवस्थापन के अन्तर्गत बनने वाले समस्त नियमों, उपनियमों का निर्माण प्रशासनिक अधिकारी ही करते हैं। कानूनों का प्रारूप प्रशासनिक सचिवों द्वारा ही बनाया जाता है और उनके बताए तर्कों के आधार पर ही मंत्रीगण संसद में विधेयक का संचालन करते हैं।

5. **अर्ध-न्यायिक कार्य :** आजकल लोक सेवकों को अर्ध-न्यायिक प्रकृति के कार्य भी करने पड़ते हैं। इसका कारण है प्रशासनिक अधिनिर्णय अथवा न्यायिक निर्णय (Administrative Adjudication) प्रथा की शुरूआत। वस्तुतः प्रशासनिक कानून तथा प्रशासनिक अधिनिर्णय के फलस्वरूप प्रशासक न केवल शासन करते हैं अपितु न्याय भी करते हैं। प्रशासनिक अधिनिर्णय प्रारम्भ होने के वही कारण हैं जो प्रत्यायोजित विधि निर्णय प्रारम्भ होने के हैं। जैसे-जैसे राज्य का कार्यक्षेत्र बढ़ता जा रहा है, प्रशासनिक अधिनिर्णय की मात्रा भी बढ़ती जा रही है।

6. **विकास एवं परिवर्तन के अभिकरण के रूप में :** लोक सेवाएँ परिवर्तन की उत्प्रेरक मानी जाती हैं। विकासशील देशों में वे प्रायः नीचे के स्तर से उठे सर्वाधिक शिक्षित और अच्छी योग्यता वाले व्यक्तियों का समूह होती हैं। उनसे यह अपेक्षा किया जाना स्वाभाविक है कि वे आर्थिक विकास में एक नए प्रकार के प्रशासन तंत्र को विकसित करें।

7. **नियोजन करना :** विकासशील देशों में नियोजन की बड़ी भारी आवश्यकता होती है, क्योंकि इसके बिना देश प्रगति के मार्ग पर अग्रसर नहीं हो सकते हैं। मंत्री जनता के प्रतिनिधि होते हैं, उन्हें जनाकांक्षाओं की पूर्ति करनी होती है। इस हेतु लोक सेवकों को मंत्रियों के निर्देशों के अनुसार देश के विकास के लिए, अच्छी से अच्छी योजना बनानी होती है और उसे क्रियान्वित करना होता है।

8. **उत्पादन बढ़ाना :** आजकल प्रगतिशील देशों में प्रशासन का मुख्य लक्ष्य उत्पादन बढ़ाना है ताकि अपनी बढ़ती हुई आबादी का गुजारा ठीक तरह से किया जा सके और विदेशों से अन्न न मांगना पड़े।

9. **सार्वजनिक सेवाओं को निष्ठापूर्वक सम्पन्न करना :** वर्तमान युग में बदलती हुई परिस्थितियों ने सामाजिक सेवा के आदर्शों का क्षेत्र और अधिक व्यापक बना दिया है। लोक सेवकों का यह परम कर्तव्य है कि जन कल्याण के लिए प्रशासन का पूर्ण निष्ठा के साथ संचालन करें। आजकल के युग में राज्य कल्याणकारी बन गए हैं। इसीलिए सर जोशिया स्टाम्प ने ठीक ही कहा है कि "लोक सेवकों को नए समाज की रचना का मूल स्रोत होना चाहिए और उन्हें प्रत्येक स्तर पर सलाह तथा उन्नति की बात करनी चाहिए।"

10. **लोक सेवक के रूप में :** लोकतंत्र में 'लोक सेवक' शब्द केवल अप्रत्यक्ष सेवा करने का नाम नहीं है। राजनीतिज्ञों के आदर्शों के अनुपालन मात्र से ही एक सच्चे लोक सेवक का चित्र नहीं उभरता। विकासशील जनतन्त्र उनसे यह अपेक्षा करता है कि लोक सेवाएँ अपनी भूमिका निभाने के लिए जनसाधारण के साथ तादात्म्य स्थापित करें। ये प्रतिनिधि सेवाएँ बन सकें, जनसाधारण को सरकारी नीतियाँ समझा सकें, उनका सहयोग प्राप्त कर सकें और उन्हें प्रशिक्षित कर सरकार के साथ नए समाज की संरचना में भागीदार बना सकें। शासक को शासित बनाकर नागरिक के साथ निर्माण का कार्य करना साम्यवादी देशों में तो हुआ है, परन्तु लोकतन्त्रात्मक व्यवस्था में यह नया प्रयोग है। भारतीय लोक सेवाएँ यदि इस कार्य के लिए अपने को नहीं ढाल सकीं तो उनकी अन्य भूमिकाएँ भी अपूर्ण रह जाएंगी।

लोक सेवाएँ : नवीन प्रवृत्तियाँ

लोक सेवाएँ एक गत्यात्मक संस्था है। इसकी विशेषताएँ सदैव एक जैसी नहीं रहतीं वरन् राजनीतिक परिवर्तनों, वैज्ञानिक एवं तकनीकी आविष्कारों, मानव मूल्य के नए संदर्भों और परिवर्तित समस्याओं की चुनौती द्वारा इसके लक्ष्य, संगठन प्रक्रिया, औचित्य, आदि को पर्याप्त बदला जाता है। वर्तमान में लोक सेवाओं में जो नवीन प्रवृत्तियाँ दिखाई देती हैं, वे संक्षेप में निम्नलिखित हैं :

1. विशेषज्ञों तथा तकनीकी योग्यता रखने वाले कर्मचारियों की सेवा में अभिवृद्धि के कारण लोक सेवा में अनेकरूपता देखने में आ रही है।

2. लोक सेवा की संख्या में तेजी से वृद्धि हो रही है।
3. लोक सेवा का चरित्र नकारात्मक न रहकर सकारात्मक स्वरूप लेता जा रहा है।
4. लोक सेवा की शक्तियों तथा कार्यों में निरन्तर वृद्धि हो रही है।
5. लोक सेवा की तटस्थता की परम्परागत अवधारणा में परिवर्तन हो रहा है।
6. लोक सेवा के लिए नैतिक और व्यावसायिक मानदंडों पर अधिक बल दिया जा रहा है।
7. लोक सेवा की 'विकास प्रशासन' (Development Administration) की भूमिका अधिक उजागर होती जा रही है।

उत्तर आधुनिकतावाद (Post Modernism)

उत्तर-आधुनिकतावाद की अधिकांश सैद्धांतिक प्रेरणा समकालीन यूरोपियन दर्शनशास्त्रियों जैसे–फाउकोल्ट, डेरिडा एवं लेवलो से मिलती है। फाउकोल्ट की सत्ता और शासन की धारणा ने आधुनिकतावादियों की सत्ता के एक संस्थानिक स्थायीकरण होने के मत को तोड़ा है। उत्तर-आधुनिकतावाद के अनुसार विज्ञान, तथ्यों के आधार पर सत्य का पता लगाने का प्रयास करता है। उनके विचार में विज्ञान इस दुनिया में अर्थ का पता लगाने वाले बेहतर ढगों में से एक है तथा अनेक समान रूप से योग्य तथा सुपात्र प्रबंधों में से एक है।

उत्तर-आधुनिकतावाद विचारों को पुनर्जीवित करने वाले और दूसरे विचारों की अपेक्षा एक नए दर्शन के रूप में उभरा है। आधुनिकतावाद में औद्योगिकरण तथा यांत्रिकीकरण के विकास पर ध्यान दिया गया था जिससे पर्यावरण समस्या, सामाजिक और सांस्कृतिक मूल्यों के क्षरण जैसे तत्व उत्पन्न हुए हैं। आधुनिकीकरण के साथ वैश्वीकरण का भी विकास हुआ है, जिससे इन विघटनकारी तत्वों का भी वैश्वीकरण हुआ है।

उत्तर आधुनिकतावाद आधुनिकतावाद से उत्पन्न समस्याओं का उपाय ढूँढने की विचारधारा है जिससे राष्ट्र-राज्य अपने दक्ष प्रशासन के माध्यम से निपटना चाहते हैं। उत्तर-आधुनिकतावाद प्रशासन की जगह नव प्रशासन या निकाय प्रशासन का इस्तेमाल करते हैं। उत्तर-आधुनिकतावाद प्रशासन को संवेदनशील, उत्तरदायी, मूल्यमुक्त की जगह मूल्ययुक्त बनाना चाहते हैं।

उत्तर आधुनिकतावाद की चुनौतियाँ

उत्तर आधुनिकतावाद के समक्ष निम्नलिखित चुनौतियाँ हैं–

1. लोक प्रशासन की परम्परागत नौकरशाही की कठोर कार्य-प्रणाली के स्थान पर लचीली, खुलेपन, संवेदनशील, सुशासन, जवाबदेह व्यवस्था की माँग की जा रही है।
2. बदले समयानुसार कार्य-प्रणाली में सुधार, नवीन तकनीक, प्रभावशीलता, कार्यकुशलता, मितव्ययिता, आपसी सहमति अपनाने की चुनौती है।
3. राज्य की लोक-कल्याणकारी अवधारणा पर गहराता संकट भी एक चुनौती है।
4. जनता को निजी क्षेत्रों के शोषण से बचाने की गंभीर चुनौती है। इस समस्या से निपटना एक गंभीर चुनौती है।
5. इसके साथ-साथ बौद्धिक सम्पदा अधिकारों की रक्षा गंभीर चुनौती है।
6. व्यापारिक कुचक्रों की समस्या, पर्यावरण की रक्षा, सतत् विकास, नक्सलवाद आदि मुद्दे भविष्य में उत्तर-आधुनिकतावाद के समक्ष गंभीर मुद्दे हैं।

उत्तर–आधुनिकतावाद की चुनौतियों के उपाय

1. उत्तर आधुनिकतावाद में सरकार (प्रशासन) की भूमिका बढ़ाना होगा।
2. उत्तर-आधुनिक समाज में सरकार की गतिविधियाँ जटिल और अधिक विशेषीकृत हो जाएंगी।
3. उत्तर-आधुनिकतावाद में विकास प्रक्रिया में उच्च तकनीक और प्रबन्ध का न केवल महत्व बढ़ेगा अपितु उसकी भूमिका निर्णायक होगी।
4. उत्तर-आधुनिकतावाद में प्रशासन का केन्द्र-बिन्दु मानव ही रहेगा जिससे सहभागिता एवं विकेन्द्रीकरण का महत्व बढ़ेगा।
5. उत्तर आधुनिकतावाद में संगठनात्मक, प्रक्रियात्मक एवं व्यवहारात्मक समस्याओं को ध्यान में रखकर सामयिक आवश्यक सुधार एवं परिवर्तन करने की आवश्यकता होगी।
6. आने वाले समय में तकनीक एवं मानवीय सम्बन्धों के बीच अधिक सामंजस्य बढ़ाना होगा जिससे संगठन और अभिकरण अपने उद्देश्यों को प्राप्त कर सकेंगे।
7. भविष्य में अधिक महत्वपूर्ण और साहसिक प्रशासनिक सुधारों की आवश्यकता होगी। सुधार का लक्ष्य नीतियों, कार्यक्रमों को शीघ्र लागू करना होगा। विलम्ब को रोकना, प्रशासनिक कुशलता को बढ़ाना, भ्रष्टाचार एवं नौकरशाही के प्रभाव को कम करना, अनुशासन एवं कार्य को प्राथमिकता देना होगा।
8. उत्तर आधुनिकतावाद में प्रशासनिक सुधार के लिए लोक सेवा में साहसिक सुधारों की आवश्यकता होगी। कुशल, ईमानदार, विशेषज्ञ एवं तकनीकी कार्यों में पारंगत लोक-सेवकों की आवश्यकता होगी।

स्पष्ट है उत्तर-आधुनिकतावाद में प्रशासन का महत्व कम नहीं होने वाला है। फाइनर के शब्दों में "कुशल प्रशासन सरकार का एकमात्र वह अवलम्ब है जिसकी अनुपस्थिति में राज्य क्षत-विक्षत हो जाएगा। कहा गया है प्रशासन सभ्य समाज की प्रथम आवश्यकता है।"

बहुविकल्पीय प्रश्नोत्तर

1. निम्नलिखित में से कौन-सा कथन समूह सिद्धांत के बारे में सही नहीं है?
A. समूह की अपनी शक्ति का प्रभाव
B. समूह को संगठनात्मक शक्ति से निर्धारित किया जाता है
C. वैयक्तिक केंद्र समूह की तुलना में शक्तिशाली होता है
D. समूह में अंतर-कार्यकलाप राजनीति का केन्द्रीय तथ्य है

2. फेरेल हेडी ने निम्नलिखित में से किस सिद्धांत का प्रतिपादन नहीं किया था?
A. अशोधित परम्पराएँ
B. विकास उन्मुखी
C. सामान्य प्रणाली निदर्श निर्माण
D. संस्थागत कुशलता सुधार निदर्श

3. "प्रशासन का क्षेत्र अब इतना विशाल हो गया है कि प्रशासन का दर्शनशास्त्र जीवनदर्शन बन गया है" किसका कथन है?
A. एच.ए. साइमन B. मार्शल ई. डिमॉक
C. पिफ्फनर D. एल.डी. व्हाइट

4. निम्नलिखित में से किसने आज्ञापालन और सत्ता की स्वीकृति के बीच भेद किया?
A. चेस्टर आई. बर्नार्ड B. हर्बर्ट. ए. साइमन
C. मैक्स वेबर D. जे.डी. मूने

5. लोक अभीष्ट विचारधारा कौन-सी संकल्पना स्थापित करता है?
A. नौकरशाही प्रशासन B. पद्सोपानी प्रशासन
C. प्रजातांत्रिक प्रशासन D. अल्पतांत्रिक प्रशासन

6. माइकल क्रोजियर की 'द ब्यूरोक्रेटिक फेनॉमिना' कहाँ की नौकरशाही का अध्ययन था?
A. इंग्लैंड B. जर्मनी
C. इटली D. फ्रांस

7. "उदासीनता का क्षेत्र" संकल्पना का संबंध है :
A. हर्बर्ट साइमन से B. रेंसिस लिकर्ट से
C. चेस्टर बर्नार्ड से D. एम.पी. फॉलेट से

8. निम्नलिखित में से किस विचारक ने व्यक्ति और समूह के बीच वैधता अथवा द्विभाजन को स्वीकार नहीं किया?
A. लूथर गुलिक B. हेनरी फेयोल
C. मैक्स वेबर D. मेरी पार्कर फॉलेट

9. गेराल्ड काइडेन के अनुसार लोक प्रशासन की भूमिका है :
(*a*) राज्य का परिरक्षण
(*b*) सामाजिक-आर्थिक परिवर्तन का संस्थानीकरण
(*c*) लूट-खसोट व्यवस्था का प्रोत्साहन
(*d*) समाज के कमजोर वर्गों का संरक्षण
नीचे दिए गए विकल्पों में से सही उत्तर का चयन कीजिए :
A. केवल (*a*), (*b*) और (*d*) B. केवल (*a*), (*c*) और (*d*)
C. केवल (*b*), (*c*) और (*d*) D. केवल (*a*), (*b*) और (*c*)

10. निम्नलिखित में से कौन-से तत्व वेबर के नौकरशाही के प्रतिदर्श में उपस्थित हैं?
(*a*) कार्यालयों की पदानुक्रम व्यवस्था
(*b*) कार्य का बंटवारा
(*c*) आवंटित कार्यों के कार्यान्वयन हेतु लिखित नियम
(*d*) लोक नियोजन के निर्धारण में सामाजिक स्तर
नीचे दिए गए विकल्पों में से सही उत्तर का चयन कीजिए :
A. (*a*), (*b*), (*c*) और (*d*) B. केवल (*b*) और (*d*)
C. केवल (*a*) और (*c*) D. केवल (*a*), (*b*) और (*c*)

11. निम्नलिखित में से किन जोड़ों का मेल सही है?
(*a*) द थियरी ऑफ रैशनैलिटी – मैक्सिमाइजिंग सॉल्यूशन्स
(*b*) द साइंस ऑफ मॉडलिंग थ्रू – नॉनइंक्रीमेंटल सॉल्यूशन्स
(*c*) द थियरी ऑफ कांप्रेहेंसिव रैशनैलिटी – सैटिस्फाइंग सॉल्यूशन्स
(*d*) कांसेप्ट ऑफ जोन ऑफ इनडिफरेंस – ऑप्टीमाइसिंग द रेजल्ट्स
नीचे दिए गए विकल्पों में से सही उत्तर का चयन कीजिए :
A. केवल (*a*) और (*c*) B. केवल (*b*) और (*d*)
C. केवल (*a*) और (*b*) D. केवल (*a*) और (*d*)

12. निम्नलिखित में से कौन नीति विश्लेषण में हेरॉल्ड लॉसवेल के विचार का मुख्य बिन्दू है?
(*a*) सामाजिक प्रक्रिया प्रतिमान
(*b*) व्यावसायिक पहचान
(*c*) संदर्भित अधिविन्यास
(*d*) अंतर-विषयात्मक दृष्टिकोण
नीचे दिए गए विकल्पों में से सही उत्तर का चयन कीजिए :
A. केवल (*a*), (*b*) और (*c*)
B. (*a*), (*b*), (*c*) और (*d*)
C. केवल (*b*), (*c*) और (*d*)
D. केवल (*a*), (*b*) और (*d*)

13. सूची-I के साथ सूची-II का मिलान कीजिए :

सूची-I (संकल्पना)	सूची-II (लेखक)
(*a*) मुक्त और उत्तरदायी समाज	(*i*) एलीनोर ऑस्ट्रम
(*b*) साधारण का शासन	(*ii*) मेरी पार्कर फॉलेट
(*c*) एकीकरण और स्थिति का कानून	(*iii*) कार्ल वेइक
(*d*) बोध निर्माण गतिविधि के रूप में संगठन	(*iv*) जुर्गेन हेबरमास

नीचे दिए विकल्पों में से सही उत्तर का चयन कीजिए :

	(a)	(b)	(c)	(d)
A.	(iv)	(ii)	(i)	(iii)
B.	(ii)	(iv)	(iii)	(i)
C.	(iv)	(i)	(ii)	(iii)
D.	(ii)	(iii)	(i)	(iv)

14. लूथर गुलिक द्वारा कथित विभागीकरण के आधार को क्रमबद्ध करें :

(a) उद्देश्य (b) प्रक्रिया

(c) व्यक्ति (d) स्थान

नीचे दिए गए विकल्पों में से सही उत्तर का चयन कीजिए :

A. (d), (a), (c), (b) B. (c), (a), (b), (d)

C. (a), (b), (c), (d) D. (b), (c), (a), (d)

15. 'लोकतांत्रिक प्रबंधन' के अपने सिद्धांत के संकल्पनात्मक आधार को स्थापित करने में विन्सेंट ऑस्ट्रम ने प्रबंधन सिद्धांत के प्रधान योगदानकर्ताओं की आलोचना की। ऑस्ट्रम की आलोचना के क्रम की पहचान कीजिए।

(a) हर्बर्ट साइमन और आन्तरिक संरचना

(b) मैक्स वेबर और पद-सोपान

(c) लूथर गुलिक और संगाठनिक सिद्धांत

(d) वुडरो विल्सन और ऐकिक शक्ति

नीचे दिए गए विकल्पों में से सही उत्तर का चयन कीजिए :

A. (c), (d), (b) (a) B. (d), (b), (c), (a)

C. (d), (b), (a), (c) D. (b), (d), (a), (c)

16. प्रशासन का "हरेक स्थान पर वास्तविक यथार्थ के साथ-साथ, एक नौकरशाही यथार्थ होता है जो, भले ही समय कितना ही न बदल जाए, अपना प्राधिकार सुरक्षित रखता है।"

उपर्युक्त टिप्पणी के लेखक को पहचानिए :

A. मैक्स वेबर B. कार्ल मार्क्स

C. एफ.एम. मार्क्स D. जे.एस. मिल

17. लोक प्रशासन में 'मनोवैज्ञानिक' उपागम के प्रारंभ का श्रेय किसे दिया जा सकता है?

A. मैरी पार्कर फॉलेट B. हर्बर्ट साइमन

C. रॉबर्ट प्रेस्थस D. लुईस ब्राउनलॉ

18. "लीडरशिप एंड एडमिनिस्ट्रेशन" पुस्तक किसने लिखी थी?

A. हर्बर्ट ए. साइमन B. पीटर ब्लॉऊ

C. विक्टर ब्रूम D. पी. सेल्जनिक

19. हर्बर्ट साइमन द्वारा अपनी पुस्तक 'एडमिनिस्ट्रेटिव बिहेवियर' में अपनाया गया ज्ञानमीमांसीय दृष्टिकोण है :

A. प्रत्यक्षवाद

B, अनुभववाद

C. तार्किक प्रत्यक्षवाद

D. संरचनात्मक प्रकार्यवाद

20. मैक्स वेबर द्वारा प्रतिपादित आदर्श प्रकार की नौकरशाही की निम्नलिखित में से कौन-सी विशेषताएं हैं?

(a) अधिकारियों को पदानुक्रम में संगठित किया जाता है।

(b) विधिक सत्ता।

(c) वर्ग के आधार पर कार्मिकों का चयन किया जाता है।

(d) व्यक्तिगत दायित्व के आधार पर प्रशासन कार्य करता है।

नीचे दिए गए विकल्पों में से सही उत्तर चुनिए :

A. केवल (a) और (b) B. केवल (a) और (c)

C. केवल (a) और (d) D. केवल (c) और (d)

21. एच.ए. साइमन द्वारा अपनी पुस्तक 'एडमिनिस्ट्रेटिव बिहेवियर' में अपनाए गए उपागमों के संबंध में निम्नलिखित में से क्या सही है?

(a) तार्किक और मानकीय उपागम

(b) आलोचनात्मक उपागम

(c) तार्किक प्रत्यक्षवादी उपागम

(d) प्रत्यक्षवादी-अनुभववादी उपागम

नीचे दिए गए विकल्पों में से सर्वाधिक उपयुक्त उत्तर चुनिए :

A. केवल (a) और (b) B. केवल (a) और (c)

C. केवल (b) और (d) D. केवल (a), (b) और (d)

22. सूची-I को सूची-II के साथ सुमेलित कीजिए :

सूची-I (लेखक)	सूची-II (विचार)
(a) जेम्स मार्च और हर्बर्ट साइमन	(i) वार्धिकतावाद (इन्क्रीमेंटलिज्म)
(b) विलियम निस्कानेन	(ii) बाधित तार्किकता
(c) चार्ल्स लिंडब्लोम	(iii) तार्किक विस्तृत निर्णय
(d) येजेकल ड्रोर	(iv) लोक चयन सिद्धांत

नीचे दिए गए विकल्पों में से सही उत्तर चुनिए :

	(a)	(b)	(c)	(d)
A.	(iv)	(iii)	(i)	(ii)
B.	(iii)	(ii)	(iv)	(i)
C.	(iii)	(i)	(ii)	(iv)
D.	(ii)	(iv)	(i)	(iii)

23. अब्राहम मैस्लो के 'आवश्यकता उत्क्रम' के आरोही क्रम की पहचान करें :

(a) सम्मान संबंधी आवश्यकताएँ

(b) शारीरिक आवश्यकताएँ

(c) अपनत्व भाव संबंधी आवश्यकताएँ

(d) आत्म-सिद्धि

नीचे दिए गए विकल्पों में से सही उत्तर चुनिए :

A. (a), (b), (c), (d) B. (a), (d), (b), (c)

C. (b), (c), (a), (d) D. (b), (a), (c), (d)

24. निम्नलिखित को काल-क्रमानुसार बताएँ :

(a) भारत में लोक प्रशासन पर सर्वेक्षण संबंधी रिपोर्ट

(b) भारत सरकार के पुनर्गठन समिति रिपोर्ट

(c) आर्थिक सुधार आयोग की रिपोर्ट

(*d*) उच्च सिविल सेवा की भर्ती प्रक्रिया से संबंधित संतीश चंद्रा समिति की रिपोर्ट

(*e*) भ्रष्टाचार निवारण संबंधी समिति की रिपोर्ट

नीचे दिए गए विकल्पों में से सही उत्तर चुनिए :

A. (*b*), (*a*), (*e*), (*c*), (*d*) B. (*e*), (*c*), (*b*), (*d*), (*a*)
C. (*d*), (*c*), (*e*), (*a*), (*b*) D. (*b*), (*c*), (*a*), (*e*), (*d*)

25. 'पेपर ऑन द साइंस ऑफ एडमिनिस्ट्रिेशन' पुस्तक किसने संपादित की है?

(*a*) हेनरी फेयोल
(*b*) लूथर गुलिक
(*c*) जे.डी. मूने
(*d*) लिंडाल उर्विक

सही विकल्प चुनें:

A. (*a*) और (*d*) B. (*c*) और (*a*)
C. (*b*) और (*d*) D. (*c*) और (*b*)

26. निम्नलिखित में से कौन-सा युग्म सुमेलित नहीं है?

A. कार्यपालिका के कार्य : चेरटर बर्नार्ड
B. लोकस एंड फोकस : रॉबर्ट गोलेम्बिवेस्की
C. रेंट सीकिंग : गॉर्डन ट्यूलॉक
D. मिन्नोब्रुक II : रोजमेरी ओलैरी

27. क्रिस आर्गिरिस किस अवधारणा से संबंधित हैं?

A. 'गैंग प्लांक' B. 'अपरिपक्वता-परिपक्वता'
C. 'उदासीनता का क्षेत्र' D. 'कंस्ट्रक्टिव कंफ्लिक्ट'

28. निम्नलिखित में से किसने कहा कि "विज्ञान अवलोकन से शुरू होता है और अपने अंतिम सत्यापन के लिए अंततः अवलोकन पर ही अवश्य वापस लौटता है"?

(*a*) रॉबर्ट के. मर्टन
(*b*) नेल्स एंडरसन
(*c*) विलियम जे. गुडे
(*d*) पॉल के. हाट

सही विकल्प चुनें:

A. (*a*) और (*b*) B. (*b*) और (*c*)
C. (*c*) और (*d*) D. (*d*) और (*a*)

29. निम्नलिखित में से वैज्ञानिक प्रबंधन के सिद्धांत कौन हैं?

(*a*) सद्‌भाव
(*b*) व्यक्तिवाद
(*c*) अधिकतम उत्पादन
(*d*) विज्ञान, अंगूठे का नियम नहीं

सही विकल्प चुनें:

A. केवल (*a*) और (*b*) B. केवल (*b*) और (*c*)
C. (*a*), (*c*) और (*d*) D. (*a*), (*b*) और (*d*)

30. निम्नलिखित में से किस पर पीटर ड्रकर अत्यधिक महत्व देते हैं?

(*a*) 'स्मार्ट' नामक प्रक्रिया
(*b*) उद्देश्यों द्वारा प्रबंधन (एमबीओ)
(*c*) ज्ञान कार्यकर्त्ता
(*d*) विकेंद्रीकरण

सही विकल्प चुनें:

A. केवल (*b*) B. केवल (*b*) और (*c*)
C. (*a*), (*b*) और (*c*) D. (*a*), (*b*), (*c*) और (*d*)

31. निम्नलिखित में से किस विचारक ने संक्षिप्त नाम- "POSDCORB" दिया?

A. हेनरी फेयोल B. लिंडाल उर्विक
C. लूथर गुलिक D. एल.डी. व्हाइट

32. कौटिल्य के अनुसार, निम्नलिखित में से कौन-सा एक प्रकार की पदानुक्रमित ग्राम प्रशासन नहीं है?

A. ग्रामिणी B. ग्राम
C. स्थानिक D. दुर्ग

33. निम्नलिखित में से किस सिद्धांत से पैट्रिक डनलॉवी संबंद्ध नहीं हैं?

A. नौकरशाही का ब्यूरो-शेपिंग मॉडल
B. शासन के डिजिटल युग की समझ
C. राजनीति के तार्किक चयन सिद्धांत
D. लोक सेवा सिद्धांत

34. विचारकों को उनके संबंधित विचारों के साथ मिलान करें:

(विचारक)	(विचार)
(*a*) अब्राहम मैस्लो	(*i*) सेल्फ-एक्चुलाइजेशन नीड्स
(*b*) डगलस मैकग्रेगर	(*ii*) स्कैनलॉन प्लान
(*c*) क्रिस आर्गिरिस	(*iii*) परिपक्वता-अपरिपक्वता सिद्धांत
(*d*) फ्रेडरिक हर्जबर्ग	(*iv*) सैटिसफायर एण्ड डिसैटिसफायर

सही विकल्प चुनें:

	(*a*)	(*b*)	(*c*)	(*d*)
A.	(*i*)	(*ii*)	(*iii*)	(*iv*)
B.	(*ii*)	(*iii*)	(*iv*)	(*i*)
C.	(*iii*)	(*iv*)	(*i*)	(*ii*)
D.	(*iv*)	(*i*)	(*ii*)	(*iii*)

35. निम्नलिखित विचारकों को उनके द्वारा प्रस्तावित सिद्धांतों से मिलाएँ:

(*a*) हेनरी फेयोल	(*i*) श्रमिकों का वैज्ञानिक चयन
(*b*) लूथर गुलिक	(*ii*) सीमित समझदारी
(*c*) फ्रेडरिक टेलर	(*iii*) स्टाफ और लाइन
(*d*) हर्बर्ट साइमन	(*iv*) एस्प्रिट डी कॉर्प्स

सही विकल्प चुनें:

	(*a*)	(*b*)	(*c*)	(*d*)
A.	(*iv*)	(*iii*)	(*ii*)	(*i*)
B.	(*iv*)	(*iii*)	(*i*)	(*ii*)
C.	(*iv*)	(*ii*)	(*i*)	(*iii*)
D.	(*ii*)	(*iii*)	(*iv*)	(*i*)

36. 'पब्लिक वैल्यू' शब्द सबसे पहले किस विचारक द्वारा प्रयुक्त किया गया था?

A. टी. मेह्न्हार्ट B. बी. बोजमेन
C. मार्क. एच. मूर D. सी. टैलबोट

37. निम्नलिखित में से किस पर लोक चयन उपागम जोर देता है?

(*a*) नौकरशाही विरोधी दृष्टिकोण
(*b*) संस्थागत बहुलवाद
(*c*) प्रशासन से राजनीति का अलग होना
(*d*) विकेंद्रीकरण

नीचे दिए गए कूट से **सही** उत्तर का चयन कीजिए :

A. (*a*), (*b*), (*c*) और (*d*)
B. (*b*), (*c*) और (*d*)
C. (*a*), (*b*) और (*c*)
D. (*a*), (*b*) और (*d*)

38. निम्नलिखित में से किस लेखक ने कहा कि "यदि हमारी सभ्यता विफल होती है तो मुख्य रूप से प्रशासन के विफल होने के कारण होगा?"

A. एल.डी. ह्वाइट B. हेनरी फेयोल
C. अलेक्जेंडर पोप D. डब्ल्यू. बी. डॉनहम

39. नीचे दो सूचियाँ दी गई हैं। सूची-I में पुस्तकें, तथा सूची-II में लेखक हैं। इन दोनों सूचियों को सुमेलित कीजिए और नीचे दिए गए कूट का प्रयोग करते हुए सही उत्तर को चुनिए:

सूची-I (पुस्तकें)	**सूची-II (लेखक)**
(*a*) पॉलिसी चेंज एंड लर्निंग : एन एडवोकेसी कोएलिशन एप्रोच	(*i*) फ्रैंक बॉमगार्टनर एवं ब्रायन जोन्स
(*b*) ऐजेन्डास एंड इंस्टैबिलिटी इन अमेरिकन पॉलिटिक्स	(*ii*) सेबएटियर एंड जेंकिन्स स्मिथ
(*c*) इंस्टीट्यूशनल एनालिसिस एंड डेवलपमेंट	(*iii*) थॉमस आर. डाई
(*d*) अंडरस्टैंडिंग पब्लिक पॉलिसी	(*iv*) एलिनोर ओस्ट्रॉम

कूट :

	(*a*)	(*b*)	(*c*)	(*d*)
A.	(*i*)	(*ii*)	(*iii*)	(*iv*)
B.	(*ii*)	(*i*)	(*iii*)	(*iv*)
C.	(*ii*)	(*i*)	(*iv*)	(*iii*)
D.	(*iii*)	(*i*)	(*iv*)	(*ii*)

40. निम्नलिखित में से वैज्ञानिक पद्धति की कौन-सी विशेषताएं कार्ल पियर्सन के "क्रिटिसिज्म इज द लाइफ ब्लड ऑफ साइंस" के विवरण में प्रस्तुत की गई है?

A. नैतिक तटस्थता
B. व्यापकता
C. संभावना के आधार पर भविष्यवाणियाँ
D. सार्वजनिक कार्यप्रणाली के निष्कर्ष की जाँच करना

41. किसने नियंत्रण के दायरा को एक उद्यम के मुख्य कार्यकारी और उसके प्रमुख भागीदार के बीच प्रत्यक्ष अभ्यस्त संचार संपर्को की संख्या और सीमा के रूप में परिभाषित किया?

A. डिमॉक और डिमॉक
B. एल. डी. ह्वाइट
C. विलोबी
D. फिफनर

42. निम्नलिखित में से कौन-सी अवधारणा लूथर गुलिक द्वारा प्रतिपादित नहीं की गई थी?

A. विभागीयकरण के मामले
B. संगठनों में एक महत्वपूर्ण कारक के रूप में समय
C. लोक प्रशासन के आंतरिक अध्ययन में मानव एक गतिशील कारक के रूप में
D. प्राधिकरण की कल्पना

43. निम्नलिखित में से किस विचारक ने पेशेवर प्रबंधकों को 'ज्ञान उद्यमी' कहा है?

A. ड्वाइट वाल्डो B. फेरेल हेडी
C. पीटर ड्रकर D. रॉबर्ट गोलेम्बिवेस्की

44. नीचे दो सूचियाँ दी गई हैं। सूची-I में विचारक तथा सूची-II में कृति हैं। इन दोनों सूचियों को सुमेलित कीजिए और नीचे दिए गए कूट का प्रयोग करते हुए सही उत्तर को चुनिए:

सूची-I (विचारक)	**सूची-II (कृति)**
(*a*) फ्रेडरिक हर्जबर्ग	(*i*) सिद्धांत 'X' और सिद्धांत 'Y'
(*b*) अब्राहम मैस्लो	(*ii*) नौकरशाही
(*c*) मैक्स वेबर	(*iii*) आवश्यकताओं का पदानुक्रम
(*d*) डगलस मैकग्रेगर	(*iv*) प्रेरणा का दो-कारक सिद्धांत

कूट :

	(*a*)	(*b*)	(*c*)	(*d*)
A.	(*iv*)	(*iii*)	(*ii*)	(*i*)
B.	(*iii*)	(*iv*)	(*i*)	(*ii*)
C.	(*i*)	(*ii*)	(*iii*)	(*iv*)
D.	(*ii*)	(*i*)	(*iv*)	(*iii*)

45. निम्नलिखित में से कौन मिशेल द्वारा प्रतिपादित व्यावहारिक नैतिक सिद्धांत नहीं है जो लोक प्रशासन अनुसंधान में नैतिकता को आकार देता है?

A. सच्चाई B. विचारों की स्वतंत्रता
C. सूक्ष्मता D. वस्तुनिष्ठता

46. नीचे दो सूचियाँ दी गई हैं। सूची-I में पुस्तक, तथा सूची-II में लेखक हैं। इन दोनों सूचियों को सुमेलित कीजिए और नीचे दिए गए कूट का प्रयोग करते हुए सही उत्तर को चुनिए:

सूची-I (पुस्तक)	सूची-II (लेखक)
(*a*) डेवलपमेंट एज फ्रीडम	(*i*) एंथोनी फॉर्डर
(*b*) एसेज ऑन द वेलफेयर स्टेट	(*ii*) हेरॉल्ड जे विलेन्स्की और चार्ल्स एन. लेबेक्स
(*c*) इंडस्ट्रियल सोसाइटी एंड सोशल वेलफेयर	(*iii*) अमर्त्य सेन
(*d*) कॉन्सेप्ट्स इन सोशल एडमिनिस्ट्रेशन	(*iv*) रिचर्ड एम. टिटमस

कूट :

	(*a*)	(*b*)	(*c*)	(*d*)
A.	(*i*)	(*ii*)	(*iii*)	(*iv*)
B.	(*ii*)	(*i*)	(*iv*)	(*iii*)
C.	(*iii*)	(*iv*)	(*ii*)	(*i*)
D.	(*iii*)	(*ii*)	(*iv*)	(*i*)

47. कौटिल्य के अर्थशास्त्र के बारे में निम्नलिखित में से क्या एक सही नहीं है?

A. यह राजा की सीमित शक्तियों को न्यायोचित ठहराता है।
B. यह एक विज्ञान है जिसका संबंध आंतरिक और बाहरी क्षेत्र में शासन कला से है।
C. भूमि को प्राप्त करने और बनाए रखने की शाश्वत समस्या।
D. यह व्यापक रूप से शासन की कला है।

48. निम्नलिखित में से कौन-सी नौकरशाही के वेबर प्रतिमान की व्यवहारवादी विशेषता है?

A. बौद्धिकता
B. नियमों की प्रणाली
C. नियम विशिष्टता
D. पदसोपान

49. नीचे दो सूचियाँ दी गई हैं। सूची-I में विचारक, तथा सूची-II में गतिविधि हैं। इन दोनों सूचियों को सुमेलित कीजिए और नीचे दिए गए कूट का प्रयोग करते हुए सही उत्तर को चुनिए:

सूची-I (विचारक)	सूची-II (गतिविधि)
(*a*) एम.पी. फॉलेट	(*i*) प्रशासन और राजनीति
(*b*) लूथर गुलिक	(*ii*) रचनात्मक संघर्ष
(*c*) हेनरी फेयोल	(*iii*) प्रबंधन के तत्व
(*d*) वुडरो विल्सन	(*iv*) कार्यकारी कार्य

कूट :

	(*a*)	(*b*)	(*c*)	(*d*)
A.	(*ii*)	(*iii*)	(*iv*)	(*i*)
B.	(*i*)	(*ii*)	(*iii*)	(*iv*)
C.	(*iv*)	(*i*)	(*ii*)	(*iii*)
D.	(*ii*)	(*iv*)	(*iii*)	(*i*)

50. इनमें से कौन-सा हर्बर्ट साइमन के नन-प्रोग्राम्ड निर्णय के अनुरूप है?

A. गंगा नदी पर एक पुल निर्माण के लिए निविदा जारी करने का निर्णय
B. स्पेस लैब को मंगल पर भेजने का निर्णय
C. सरकारी नियमों के अनुसार किसी कर्मचारी को ग्रेच्युटी का भुगतान करने का निर्णय
D. केंद्र सरकार के कर्मचारी को अर्जित अवकाश देने का निर्णय

51. क्लेटन पी. अलडरफर के ERG के सिद्धांत में 'R' का अर्थ है?

A. Resolving
B. Relatedness
C. Responsive
D. Refinement

52. "प्रशासन न कि तलवार महान समाज में स्थायी शक्ति की कुंजी है।" यह किसने कहा था?

A. वालेस बी. डोनहाम
B. एडम्स ब्रुक
C. चार्ल्स ए. बीयर्ड
D. पॉल पिगर्स

53. निम्नलिखित में से कौन थॉमस कार्लाइल के नेतृत्व संबंधी 'ग्रेट मैन थ्योरी' (महान व्यक्ति सिद्धांत) का आलोचक है?

A. हर्बर्ट स्पेन्सर
B. मैक्स वेबर
C. फ्रेडरिक एडम्स वुड्स
D. बी.ए. ग्रेकुनास

54. नीचे दो सूचियाँ दी गई हैं, सूची-I में लेखक, तथा सूची-II में पुस्तक हैं। इन दोनों सूचियों को सुमेलित कीजिए और नीचे दिए गए कूट में से सही उत्तर को चुनिए:

सूची-I (लेखक)	सूची-II (पुस्तक)
(*a*) क्रिरा आर्गिरिरा	(*i*) ऑर्गेनाइजेशन एण्ड गैनेजगेंट
(*b*) रेन्सिस लिकर्ट	(*ii*) दी न्यू स्टेट
(*c*) चेस्टर बर्नार्ड	(*iii*) दी ह्यूमन ऑर्गेनाइजेशन
(*d*) एम.पी. फॉलेट	(*iv*) अण्डरस्टैंडिंग ऑर्गेनाइजेशनल बिहेवियर

कूट :

	(*a*)	(*b*)	(*c*)	(*d*)
A.	(*iv*)	(*i*)	(*ii*)	(*iii*)
B.	(*i*)	(*ii*)	(*iii*)	(*iv*)
C.	(*ii*)	(*i*)	(*iv*)	(*iii*)
D.	(*iv*)	(*iii*)	(*i*)	(*ii*)

55. टेलर के "पीस-रेट सिस्टम" की अवधारणा के बारे में निम्नलिखित पर विचार करें:

(*a*) कार्य का अवलोकन और विश्लेषण
(*b*) कार्य की विभेदक दर प्रणाली
(*c*) पुरुषों को वेतन न कि पद
(*d*) औपचारिक प्रशिक्षण देना

नीचे दिए गए कोड में से सही उत्तर चुनें:

कूट :

A. (*b*), (*c*) और (*d*)
B. (*a*), (*b*) और (*c*)
C. (*a*) और (*b*)
D. (*a*), (*b*), (*c*) और (*d*)

56. एफ.डब्ल्यू. रिग्स के कथनानुसार निम्नलिखित में से कौन-सी समपार्श्वीय समाजों में अतिव्यापन विशेषता नहीं है?

A. भाई-भतीजावाद B. बाजार-केन्टीन मॉडल
C. औपचारिकतावाद D. बहुमानकवाद

57. निम्न में से क्या मेक्लेलैंड के आवश्यकता के सिद्धांत में सम्मिलित नहीं है?

A. उपलब्धि B. पुरस्कार
C. शक्ति D. संबंधन

58. 'आत्मसिद्धि' शब्द को निम्न में से किसने गढ़ा था?

A. अब्राहम मास्लो B. फ्रेडरिख हर्जबर्ग
C. कर्ट गोल्डस्टेन D. कर्ट लेविन

59. हर्बर्ट साइमन का 'प्रशासनिक व्यक्ति' (एडमिनिस्ट्रेटिव मेन) निम्नलिखित में से किसके बीच का सेतु है?

A. मनोवैज्ञानिक व आर्थिक व्यक्ति
B. मनोवैज्ञानिक व मानक व्यक्ति
C. मनोवैज्ञानिक व विवेकी व्यक्ति
D. आर्थिक व मानक व्यक्ति

60. रिग्स के अनुसार, निम्नलिखित में से कौन-सी समाज के लिए प्रकार्यात्मक आवश्यकताएं है?

(*a*) आर्थिक (*b*) सामाजिक
(*c*) धार्मिक (*d*) सम्प्रेषणात्मक

नीचे दिए गए विकल्पों में से **सही** उत्तर का चयन कीजिए।

A. (*a*), (*b*), (*c*) और (*d*)
B. केवल (*a*), (*b*) और (*c*)
C. केवल (*a*), (*b*) और (*d*)
D. केवल (*a*), (*c*) और (*d*)

61. निम्न में से किन पुस्तकों का लेखन राबर्ट टी. गोलेम्बिवस्की ने किया है?

(*a*) आर्गेनाइजेशन डेवलपमेंट इन पब्लिक एडमिनिस्ट्रेशन
(*b*) बिहेवियरल एप्रोच टू पब्लिक एडमिनिस्ट्रेशन
(*c*) पर्सपेक्टिव्स ऑन पब्लिक मैनेजमेंट
(*d*) मैनेजमेंट डाइवर्सिटी इन आर्गेनाइजेशन

नीचे दिए गए विकल्पों में से **सही** उत्तर का चयन कीजिए।

A. केवल (*a*), (*b*), (*c*) B. केवल (*b*), (*c*), (*d*)
C. केवल (*a*), (*b*), (*d*) D. केवल (*a*), (*c*), (*d*)

62. सूची-I के साथ सूची-II का मिलान कीजिए।

सूची-I (लेखक)	सूची-II (पुस्तक)
(*a*) रिचर्ड बेन्डिक्स	(*i*) द ब्यूरोक्रेटिक फेनोमिनन
(*b*) इरविन स्वेर्डलो	(*ii*) रीडर इन ब्यूरोक्रेसी
(*c*) माइकल क्रॉजियर	(*iii*) मैक्स वेबरः एन इन्टेलेक्चुअल पोर्ट्रेट
(*d*) रॉबर्ट मर्टन	(*iv*) डेवलपमेंट एडमिनिस्ट्रेशनः कॉन्सेप्ट्स एंड प्रोबलम्स

नीचे दिए गए विकल्पों में से **सही** उत्तर का चयन कीजिए :

	(*a*)	(*b*)	(*c*)	(*d*)
A.	(*iii*)	(*iv*)	(*i*)	(*ii*)
B.	(*iii*)	(*i*)	(*ii*)	(*iv*)
C.	(*ii*)	(*iv*)	(*i*)	(*iii*)
D.	(*ii*)	(*iii*)	(*i*)	(*iv*)

63. सूची-I के साथ सूची-II का मिलान कीजिए।

सूची-I (प्रशासन का महत्व)	सूची-II (विचारक)
(*a*) प्रशासन के स्थिरीकारी और परम्परा के अभिरक्षक हैं।	(*i*) चार्ल्स ए. बेयर्ड
(*b*) प्रशासकों का मुख्य कार्य सामाजिक परिवर्तनों को सुगम बनाना होना चाहिए।	(*ii*) वालेन्स डोन्हम
(*c*) प्रशासन के विघटन की परिणति सभ्यता का विघटन है।	(*iii*) पॉल पिगोर्स
(*d*) प्रशासन महान समाज में शक्ति को स्थायी बनाने का मूल मंत्र है।	(*iv*) एड्म्स ब्रुक्स

नीचे दिए गए विकल्पों में से **सही** उत्तर का चयन कीजिए:

	(*a*)	(*b*)	(*c*)	(*d*)
A.	(*ii*)	(*iii*)	(*iv*)	(*i*)
B.	(*iii*)	(*iv*)	(*ii*)	(*i*)
C.	(*i*)	(*ii*)	(*iii*)	(*iv*)
D.	(*iv*)	(*i*)	(*ii*)	(*iii*)

64. सूची-I के साथ सूची-II का मिलान कीजिए।

सूची-I (हेनरी फायल की अवधारणाएं)	सूची-II (स्पष्टीकरण)
(*a*) प्राधिकार (अथोरिटी)	(*i*) निष्पादन की बाध्यता
(*b*) उत्तरदायित्व	(*ii*) अधीनस्थ को आदेश देने का वरिष्ठ का अधिकार
(*c*) केन्द्रीकरण	(*iii*) सभी स्तरों पर जोड़ते हुए शीर्ष से सबसे निचले स्तर तक प्राधिकार की स्पष्ट रेखा
(*d*) स्केलर चैन	(*iv*) प्रबंधन के शीर्ष पर निर्णयन प्राधिकार

नीचे दिए गए विकल्पों में से **सही** उत्तर का चयन कीजिए:

	(*a*)	(*b*)	(*c*)	(*d*)
A.	(*ii*)	(*i*)	(*iv*)	(*iii*)
B.	(*i*)	(*ii*)	(*iii*)	(*iv*)
C.	(*iii*)	(*iv*)	(*ii*)	(*i*)
D.	(*iv*)	(*iii*)	(*i*)	(*ii*)

65. सूची-I के साथ सूची-II का मिलान कीजिए।

सूची-I (प्रशासन का अर्थ)	सूची-II (विचारक)
(*a*) प्रयोजन को निष्पादित करने के लिए व्यक्ति और सामग्री का संगठन	(*i*) लूथर गुलिक
(*b*) वांछित साध्य की प्राप्ति के लिए मानव और सामग्री के संसाधनों का संगठन एक दिशा-निर्देश	(*ii*) फेलिक्स ए नीग्रो
(*c*) कतिपय प्रयोजन और उद्देश्यों की प्राप्ति के लिए अनेक व्यक्तियों को निर्देशन, समन्वयन एवं नियंत्रण	(*iii*) पिफ्नर
(*d*) प्रशासन को वांछित उद्देश्यों की प्राप्ति के साथ कार्य करने पड़ते हैं।	(*iv*) एल.डी. व्हाइट

नीचे दिए गए विकल्पों में से **सही** उत्तर का चयन कीजिए:

	(*a*)	(*b*)	(*c*)	(*d*)
A.	(*i*)	(*iii*)	(*iv*)	(*ii*)
B.	(*iii*)	(*i*)	(*ii*)	(*iv*)
C.	(*iv*)	(*ii*)	(*iii*)	(*i*)
D.	(*ii*)	(*iii*)	(*iv*)	(*i*)

66. रेंसिस लिकर्ट द्वारा प्रदत्त निम्न प्रबंधन प्रणालियों को सही क्रम में व्यवस्थित कीजिए :

(*a*) हितकारी-सत्तावादी प्रणाली
(*b*) परामर्शी प्रणाली
(*c*) प्रतिभागी प्रणाली
(*d*) शोषक-सत्तावादी प्रणाली

नीचे दिए गए विकल्पों में से **सही** उत्तर का चयन कीजिए।

A. (*b*), (*c*), (*d*), (*a*) B. (*c*), (*a*), (*b*), (*d*)
C. (*d*), (*a*), (*b*), (*c*) D. (*a*), (*b*), (*c*), (*d*)

67. हेनरी फेयोल द्वारा प्रदत्त प्रबंधन तत्वों को सही क्रम में व्यवस्थित कीजिए:

(*a*) संगठन (*b*) नियोजन
(*c*) समन्वय (*d*) कमान
(*e*) नियंत्रण

नीचें दिए गए विकल्पों में से **सही** उत्तर का चयन कीजिए।

A. (*b*), (*a*), (*d*), (*c*), (*e*) B. (*b*), (*a*), (*c*), (*e*), (*d*)
C. (*c*), (*b*), (*a*), (*d*), (*e*) D. (*a*), (*d*), (*c*), (*b*), (*e*)

68. हेनरी फेयोल के 'टीम भावना व एकता का संवर्धन' के प्रशासनिक सिद्धांत को निम्न के रूप में जाना जाता है:

A. गैंग प्लैंक B. यूनिटी ऑफ डाइरेक्शन
C. आर्डर D. एस्प्रिट द कार्प्स

69. निम्नलिखित में से कौन-सा युग्म सुमेलित नहीं हैं?

A. पब्लिक एडमिनिस्ट्रेशन – हर्बर्ट साईमन
B. डेवलपमेंट एडमिनिस्ट्रेशन – एडवर्ड वीडनर
C. पब्लिक एडमिनिस्ट्रेशन-ए कम्परेटिव पर्सपेक्टिव – फैरल हेडी
D. इकोलॉजी ऑफ एडमिनिस्ट्रेशन – जॉन डी. मोंटगोमरी

70. थॉमस एच डेवेनपोर्ट ने निम्नलिखित में से किसकी अवधारणा दी?

A. बिजनेस प्रोसेस री-इंजीनियरिंग
B. सार्वजनिक मूल्य
C. सार्वजनिक चयन
D. सार्वजनिक सेवा प्रोत्साहन

71. मिन्नोब्रूक III के मुख्य पात्र कौन-कौन हैं?

(*a*) रोजमेरी ओ लियरी
(*b*) ड्वाइट वाल्डो
(*c*) जार्ज फ्रेडरिक्शन
(*d*) डेविड वान स्लाइक

नीचे दिए गए विकल्पों में से सही उत्तर का चयन कीजिए:

A. केवल (*b*) और (*c*) B. केवल (*a*) और (*c*)
C. केवल (*a*) और (*d*) D. केवल (*b*) औरं (*d*)

72. मिन्नोब्रूक I के निम्न में से कौन-कौन से प्रमुख कथानक मिन्नोब्रूक II में जारी रहते हैं?

(*a*) सामाजिक साम्य के प्रति सरोकार
(*b*) विपणनीकरण
(*c*) लोकतांत्रिक मूल्यों के प्रति सरोकार
(*d*) व्यावसायिकता

नीचे दिए गए विकल्पों में से सही उत्तर का चयन कीजिए:

A. केवल (*a*) और (*b*) B. केवल (*b*) और (*c*)
C. केवल (*c*) और (*d*) D. केवल (*a*) और (*c*)

73. हर्बर्ट साईमन के गैर-कार्यक्रमिक निर्णयों के संबंध में निम्न में से कौन-कौन सही हैं?

(*a*) नव्य निर्णय
(*b*) असंरचित प्रकृति
(*c*) प्रकृति में दोहराव
(*d*) संतोष जनक व विकल्पों का इष्टतमीकरण नहीं करना

नीचे दिए गए विकल्पों में से सही उत्तर का चयन कीजिए:

A. (*a*), (*b*), (*c*) और (*d*)
B. केवल (*a*), (*b*) और (*c*)
C. केवल (*b*), (*c*) और (*d*)
D. केवल (*a*), (*b*) और (*d*)

74. एफ.डब्ल्यू. टेलर ने अपने वैज्ञानिक प्रबंधन के सिद्धांतों को क्रियान्वित करने के लिए निम्न में से किन-किन तंत्रों को विकसित किया था?

(*a*) समय अध्ययन

(*b*) उपकरणों का मानकीकरण
(*c*) दर प्रणाली में एकरूपता
(*d*) आधुनिक लागत विधियाँ

नीचे दिए गए विकल्पों में से सही उत्तर का चयन कीजिए:

A. केवल (*a*), (*b*), (*c*)
B. केवल (*a*), (*b*), (*d*)
C. केवल (*b*), (*c*), (*d*)
D. केवल (*a*), (*c*), (*d*)

75. निम्न में से कौन-कौन एल्टन मेयो के आलोचक हैं?

(*a*) रेन्हार्ड बैंडिक्स
(*b*) डेनियल बेल
(*c*) लॉयड एच. फिशर
(*d*) फेरिट्ज रोश्लिसबर्गर

नीचे दिए गए विकल्पों में से **सही** उत्तर का चयन कीजिए:

A. केवल (*a*), (*b*) और (*c*)
B. केवल (*b*), (*c*) और (*d*)
C. केवल (*a*), (*c*) और (*d*)
D. केवल (*a*), (*b*) और (*d*)

76. सूची-I के साथ सूची-II का मिलान कीजिए:

सूची-I (पुस्तक)	सूची-II (लेखक)
(*a*) ऐक्जीक्यूटिव इन एक्सन	(*i*) ड्वाइट वाल्डो
(*b*) इन्ट्रोडक्शन टु द स्टडी ऑफ पब्लिक एडमिनिस्ट्रेशन	(*ii*) एल.डी. व्हाइट
(*c*) पब्लिक एडमिनिस्ट्रेशन इन टरबूलेंस	(*iii*) एफ.एम. मार्क्स
(*d*) एलिमेंट्स ऑफ पब्लिक एडमिनिस्ट्रेशन	(*iv*) मार्शल-डीमॉक

नीचे दिए गए विकल्पों में से **सही** उत्तर का चयन कीजिए:

	(*a*)	(*b*)	(*c*)	(*d*)
A.	(*i*)	(*ii*)	(*iii*)	(*iv*)
B.	(*ii*)	(*i*)	(*iii*)	(*iv*)
C.	(*ii*)	(*i*)	(*iv*)	(*iii*)
D.	(*iv*)	(*ii*)	(*i*)	(*iii*)

77. सूची-I के साथ सूची-II का मिलान कीजिए:

सूची-I (पुस्तक)	सूची-II (लेखक)
(*a*) डिजाइन फॉर पालिसी साइंसेज	(*i*) क्रिस अर्गाइरिस
(*b*) मैनेजमेंट चैलेन्जेज फॉर द 21st सेंचुरी	(*ii*) येहेज्केल ड्रोर
(*c*) मोटिवेशन एंड पर्सनेलिटी	(*iii*) पीटर एफ. ड्रकर
(*d*) आर्गनाइजेशनल लर्निंग	(*iv*) अब्राहम मैस्लो

नीचे दिए गए विकल्पों में से सही उत्तर का चयन कीजिए:

	(*a*)	(*b*)	(*c*)	(*d*)
A.	(*ii*)	(*iv*)	(*iii*)	(*i*)
B.	(*i*)	(*ii*)	(*iv*)	(*iii*)
C.	(*i*)	(*iii*)	(*iv*)	(*ii*)
D.	(*ii*)	(*iii*)	(*iv*)	(*i*)

78. सूची-I के साथ सूची-II का मिलान कीजिए:

सूची-I (लेखक)	सूची-II (पुस्तक)
(*a*) थामस आर. डाई	(*i*) पब्लिक पॉलिसी एनालिसिस : एन इंटेग्रेटिड एप्रोच
(*b*) विलियम एन. डून	(*ii*) डिजाइन फार पॉलिसी साइंसिज
(*c*) येहेज्केल ड्रोर	(*iii*) मैनेजिंग द पब्लिक सेक्टर
(*d*) एन्ड्रयू मैसी	(*iv*) अंडरस्टैंडिग पब्लिक पॉलिसी

नीचे दिए गए विकल्पों में से **सही** उत्तर का चयन कीजिए:

	(*a*)	(*b*)	(*c*)	(*d*)
A.	(*iv*)	(*i*)	(*ii*)	(*iii*)
B.	(*i*)	(*iv*)	(*ii*)	(*iii*)
C.	(*i*)	(*iii*)	(*ii*)	(*iv*)
D.	(*i*)	(*ii*)	(*iii*)	(*iv*)

79. निम्न प्रशासनिक थ्योरियों/सिद्धांतों की उनके विकास के सही क्रमानुसार पहचान कीजिए:

(*a*) प्रशासन के सामान्य सिद्धांत
(*b*) वैज्ञानिक प्रबंधन
(*c*) प्रशासन का अध्ययन
(*d*) मानव संबंध सिद्धांत

नीचे दिए गए विकल्पों में से सही उत्तर का चयन कीजिए:

A. (*a*), (*b*), (*c*), (*d*)
B. (*c*), (*a*), (*b*), (*d*)
C. (*c*), (*b*), (*a*), (*d*)
D. (*b*), (*a*), (*c*), (*d*)

80. किसने कहा था–"समाकलन के लिए उच्च बुद्धिमत्ता, गहन प्रत्यक्षण, विभेदीकरण और उत्प्रेरकपन आवश्यक है?"

A. रेन्सिस लिकर्ट
B. पीटर ड्रकर
C. एल्टन मेयो
D. मैरी पार्कर फॉलेट

81. फ्रेड रिग्स के अनुसार प्रशासनिक उपव्यवस्था 'चैम्बर' निम्नलिखित में से किस समाज में पायी जाती है?

A. समपार्श्वीय (Prismatic)
B. समकित (Fused)
C. विवर्तित (Diffracted)
D. औद्योगिक (Industrial)

82. एंटोनियो ग्राम्शी द्वारा प्रदत्त 'टेलरिज्म' की आलोचना पर विचार कीजिए और सही उत्तर का चयन कीजिए।

(*a*) यह कार्मिकों को प्रबंधन के अधीनस्थ रखता है
(*b*) बारम्बारी कार्य कार्मिक के मानस में क्रांतिकारी विचार उत्पन्न करता है
(*c*) यह केवल मेकेनिकल पहलुओं से संबंधित है
(*d*) यह कार्मिकों की पहल की बलि देता है

नीचे दिए गए विकल्पों में से सही उत्तर का चयन कीजिए :

A. केवल (*a*) और (*b*)
B. केवल (*a*), (*b*) और (*c*)
C. केवल (*b*), (*c*) और (*d*)
D. (*a*), (*b*), (*c*) और (*d*)

83. क्रिस आर्गिरिस के निम्नलिखित में से कौन-से विचार हैं?

(*a*) उदासीनता क्षेत्र

(*b*) परिपक्वता-अपरिपक्वता

(*c*) T-समूह तकनीकें

(*d*) रचनात्मक संघर्ष

नीचे दिए गए विकल्पों में से **सही** उत्तर का चयन कीजिए :

A. केवल (*a*) और (*b*)

B. केवल (*b*) और (*c*)

C. केवल (*c*) और (*d*)

D. केवल (*a*) और (*d*)

84. डगलस मैकग्रेगर द्वारा निम्नलिखित में से किन संकल्पनाओं की व्याख्या की गई है?

(*a*) सिद्धांत 'X'

(*b*) ERG सिद्धांत

(*c*) सिद्धांत 'Z'

(*d*) सिद्धांत 'Y'

नीचे दिए गए विकल्पों में से **सही** उत्तर का चयन कीजिए :

A. केवल (*a*) और (*c*)

B. केवल (*a*) और (*b*)

C. केवल (*a*) और (*d*)

D. (*a*), (*b*), (*c*) और (*d*)

85. निम्नलिखित में से कौन-से विचारक सार्वजनिक एवं निजी प्रशासन के मध्य प्रभेद नहीं करते हैं?

(*a*) हेनरी फेयोल (*b*) मैरी पी. फोलेट

(*c*) एल. उर्विक (*d*) पॉल एच. एप्पलबी

नीचे दिए गए विकल्पों में से **सही** उत्तर का चयन कीजिए :

A. केवल (*a*) और (*b*)

B. केवल (*b*) और (*c*)

C. केवल (*a*), (*b*) और (*c*)

D. केवल (*a*), (*c*) और (*d*)

86. सूची-I के साथ सूची-II का मिलान कीजिए :

सूची-I (विचार)	सूची-II (लेखक)
(*a*) परिबद्ध तार्किकता	(*i*) अब्राहम मैस्लो
(*b*) हॉथोर्न अध्ययन	(*ii*) हर्बर्ट साइमन
(*c*) आदेश का सिद्धांत	(*iii*) एल्टन मेयो
(*d*) आत्मबोध आवश्यकताएँ	(*iv*) हेनरी फेयोल

नीचे दिए गए विकल्पों में से **सही** उत्तर का चयन कीजिए :

	(*a*)	(*b*)	(*c*)	(*d*)
A.	(*i*)	(*ii*)	(*iv*)	(*iii*)
B.	(*ii*)	(*iv*)	(*iii*)	(*i*)
C.	(*ii*)	(*iii*)	(*iv*)	(*i*)
D.	(*iii*)	(*iv*)	(*i*)	(*ii*)

87. सूची-I के साथ सूची-II का मिलान कीजिए :

सूची-I (लेखक)	सूची-II (पुस्तक)
(*a*) पी.एच. एप्पलबी	(*i*) पॉलिसी एंड एडमिनिस्ट्रेशन
(*b*) डब्ल्यू.एफ. विलोबी	(*ii*) प्रिंसिपल्स ऑफ पब्लिक एडमिनिस्ट्रेशन
(*c*) ड्वाइट वाल्डो	(*iii*) द फंक्शन्स ऑफ द एक्जीक्यूटिव
(*d*) चेस्टर आई. बर्नार्ड	(*iv*) द एडमिनिस्ट्रेटिव स्टेट

नीचे दिए गए विकल्पों में से **सही** उत्तर का चयन कीजिए :

	(*a*)	(*b*)	(*c*)	(*d*)
A.	(*i*)	(*ii*)	(*iv*)	(*iii*)
B.	(*i*)	(*iv*)	(*iii*)	(*ii*)
C.	(*ii*)	(*iv*)	(*iii*)	(*i*)
D.	(*ii*)	(*iii*)	(*i*)	(*iv*)

88. सूची-I के साथ सूची-II का मिलान कीजिए :

सूची-I (विचारक)	सूची-II (संकल्पना/पद)
(*a*) रेन्सिस लिकर्ट	(*i*) प्रबंधन 1-4
(*b*) क्रिस आर्गिरिस	(*ii*) नव रोमानियत
(*c*) पीटर ड्रकर	(*iii*) संवेदिता प्रशिक्षण
(*d*) ड्वाइट वाल्डो	(*iv*) जेनरिक (जातीय) प्रबंधन

नीचे दिए गए विकल्पों में से **सही** उत्तर का चयन कीजिए :

	(*a*)	(*b*)	(*c*)	(*d*)
A.	(*i*)	(*iii*)	(*iv*)	(*ii*)
B.	(*ii*)	(*iv*)	(*iii*)	(*i*)
C.	(*iii*)	(*i*)	(*ii*)	(*iv*)
D.	(*iv*)	(*ii*)	(*i*)	(*iii*)

89. सूची-I के साथ सूची-II का मिलान कीजिए :

सूची-I (आलोचक)	सूची-II (आलोचना)
(*a*) हैन-बिन ली	(*i*) रिग्स ने अपने लोक प्रशासन के सिद्धांत के परिणाम पर पूर्णरूपेण कार्य नहीं किया है
(*b*) रिचर्ड ए. चैपमैन	(*ii*) समपार्श्वीय समाज और साला प्रतिरूप (मॉडल) की उपयोगिता संदिग्ध है
(*c*) टिलमैन	(*iii*) भौतिक विज्ञान से लिए गए अनुचित विश्लेषणात्मक उपकरण को अपनाना
(*d*) दया कृष्ण	(*iv*) रिग्स का विकर्षित तरीका अव्यावहारिक है

नीचे दिए गए विकल्पों में से **सही** उत्तर का चयन कीजिए :

	(*a*)	(*b*)	(*c*)	(*d*)
A.	(*i*)	(*ii*)	(*iv*)	(*iii*)
B.	(*ii*)	(*i*)	(*iii*)	(*iv*)
C.	(*iii*)	(*iv*)	(*i*)	(*ii*)
D.	(*iv*)	(*iii*)	(*ii*)	(*i*)

90. निम्नलिखित को कालक्रमानुसार क्रम में व्यवस्थित कीजिए :

(*a*) एल्टन मेयो द्वारा प्रस्तुत की गई औद्योगीकरण से संबद्ध मानवीय समस्याएँ

(*b*) अबाहम मैस्लो द्वारा प्रस्तुत किया गया मानव अभिप्रेरण सिद्धांत

(*c*) एफ.डब्ल्यू. टेलर द्वारा प्रस्तुत किये गए वैज्ञानिक प्रबंधन के सिद्धांत

(*d*) हेनरी फेयोल द्वारा प्रस्तुत प्रशासन के सामान्य सिद्धांत

नीचे दिए गए विकल्पों में से **सही** उत्तर का चयन कीजिए :

A. (*d*), (*a*), (*c*), (*b*)
B. (*c*), (*d*), (*a*), (*b*)
C. (*c*), (*a*), (*b*), (*d*)
D. (*d*), (*c*), (*a*), (*b*)

91. निम्नलिखित पुस्तकों को उनके प्रकाशन-वर्ष के अनुसार कालानुक्रम में व्यवस्थित कीजिए :

(*a*) द ह्यूमन साइड ऑफ एन्टरप्राइज

(*b*) द फंक्शन्स ऑफ द एक्जीक्यूटिव

(*c*) एडमिनिस्ट्रेटिव बिहेवियर

(*d*) रीइन्वेन्टिंग गवर्नमेंट

नीचे दिए गए विकल्पों में से **सही** उत्तर का चयन कीजिए :

A. (*b*), (*c*), (*a*), (*d*) B. (*b*), (*a*), (*c*), (*d*)
C. (*a*), (*b*), (*d*), (*c*) D. (*a*), (*b*), (*c*), (*d*)

92. नीचे दो कथन दिए गए हैं : एक अभिकथन (A) के रूप में लिखित है तो दूसरा उसके कारण (R) के रूप में :

अभिकथन (A): कौटिल्य के अनुसार, प्राधिकार का प्रतीक 'दंड' नीतिपरायणता के लिए लोगों को समर्पित बनाने हेतु होता है।

कारण (R): आदेशों और उन अधिकारियों के पदों में सन्निहित अनुशास्तियों के कारण लोगों को उस प्राधिकार का पालन करना चाहिए, जो ये आदेश जारी करते हैं।

उपरोक्त कथन के आलोक में, नीचे दिए गए विकल्पों में से सबसे उपयुक्त उत्तर का चयन कीजिए :

A. (A) और (R) दोनों सही हैं और (R), (A) की सही व्याख्या है
B. (A) और (R) दोनों सही हैं, लेकिन (R), (A) की सही व्याख्या नहीं है
C. (A) सही है, लेकिन (R) सही नहीं है
D. (A) सही नहीं है, लेकिन (R) सही है

93. वुड्रो विल्सन के लेख 'द स्टडी ऑफ एडमिनिस्ट्रेशन' का प्रकाशन 1887 में निम्नलिखित में से किस जर्नल में हुआ था?

A. पॉलिटिकल साइंस
B. पब्लिक एडमिनिस्ट्रेशन
C. पॉलिटिकल साइंस क्वार्टरली
D. पब्लिक एडमिनिस्ट्रेशन रिव्यू

94. निम्नलिखित में से किसने प्रशासन के सिद्धांत के रूप में 'पहल' की वकालत की है?

A. वुड्रो विल्सन B. आर.बी. डेनहार्ट
C. हेनरी फेयोल D. लिण्डल उर्विक

95. एफ.डब्ल्यू. टेलर के अनुसार निम्नलिखित में से कौन-सा एक अच्छे 'फोरमैन' का गुण **नहीं** है?

A. शारीरिक निपुणता एवं बल
B. व्यवहार कुशलता
C. निर्णय
D. सक्षमता

96. सूची-I को सूची-II से सुमेलित कीजिए। नीचे दिए गए कूट से **सही** उत्तर का चयन कीजिए।

सूची-I (लेखक)	**सूची-II (पुस्तक)**
(*a*) जार्ज एच. फ्रेडरिकसन	(*i*) मॉडर्न ऑर्गेनाइजेशन
(*b*) एफ.ए. निग्रो एवं एल.जी. निग्रो	(*ii*) न्यू पब्लिक एडमिनिस्ट्रेशन
(*c*) विक्टर ए. थाम्पसन	(*iii*) मॉर्डन पब्लिक एडमिनिस्ट्रेशन
(*d*) पीटर एम. ब्लाऊ	(*iv*) ब्यूरोक्रेसी इन मॉडर्न सोसाइटी

कूट :

	(*a*)	(*b*)	(*c*)	(*d*)
A.	(*i*)	(*ii*)	(*iii*)	(*iv*)
B.	(*ii*)	(*i*)	(*iv*)	(*iii*)
C.	(*ii*)	(*iii*)	(*i*)	(*iv*)
D.	(*i*)	(*iii*)	(*iv*)	(*ii*)

97. एल्टन मेयो के अध्ययनों को आरोही क्रम में कालक्रमानुसार व्यवस्थित कीजिए।

(*a*) महान प्रकाश

(*b*) प्रथम जाँच

(*c*) सामाजिक संगठन

(*d*) मानव मनोभाव

(*e*) अनुपस्थिति-प्रवृत्ति

नीचे दिए गए कूट से **सही** उत्तर का चयन कीजिए :

A. (*c*), (*d*), (*e*), (*b*) और (*a*)
B. (*c*), (*b*), (*e*), (*a*) और (*d*)
C. (*b*), (*a*), (*d*), (*c*) और (*e*)
D. (*a*), (*b*), (*c*), (*d*) और (*e*)

98. ब्लेक एवं म्यूटन द्वारा दी गई मैनेजिरिल ग्रिड में अशक्त प्रबन्ध शैली का अभिप्राय निम्नांकित में से किससे है?

A. परिणामों पर कम ध्यान (चिन्ता) तथा लोगों के प्रति भी कम ध्यान (चिन्ता)
B. परिणामों पर कम ध्यान (चिन्ता) व लोगों के प्रति उच्च ध्यान (चिन्ता)
C. परिणामों पर अधिक ध्यान (चिन्ता) व लोगों के प्रति कम ध्यान (चिन्ता)
D. लोगों के प्रति अधिक ध्यान (चिन्ता) व परिणामों के प्रति अधिक ध्यान (चिन्ता)

99. डगलस मैकग्रेगर के अनुसार प्रबन्धन में सार्वकालिक प्रश्न निम्न में से कौन-सा है?
A. सफल प्रबन्धक परिस्थिति के उत्पाद हैं।
B. सफल प्रबन्धक पैदा होते हैं या बनाये जाते हैं।
C. सफल प्रबन्धक पैदा नहीं होते हैं अपितु बनाये जाते हैं।
D. सफल प्रबन्धक पैदा होते हैं, बनाये नहीं जाते हैं।

100. सूची-I को सूची-II से सुमेलित कीजिए। नीचे दिए गए कूट से **सही** उत्तर का चयन कीजिए।

सूची-I (लेखक)	**सूची-II (पुस्तक)**
(*a*) ड्वाइट वॉल्डो	(*i*) डेवलपमेंट एडमिनिस्ट्रेशन
(*b*) डगलस मैकग्रेगर	(*ii*) दी एडमिनिस्ट्रेटीव स्टेट
(*c*) जॉर्ज गांट	(*iii*) लीडरशीप एण्ड मोटीवेशन
(*d*) निकोलस हेनरी	(*iv*) पब्लिक एडमिनिस्ट्रेशन एण्ड पब्लिक अफेयर्स

कूट :

	(*a*)	(*b*)	(*c*)	(*d*)
A.	(*i*)	(*ii*)	(*iii*)	(*iv*)
B.	(*ii*)	(*iii*)	(*i*)	(*iv*)
C.	(*ii*)	(*iv*)	(*i*)	(*iii*)
D.	(*iv*)	(*iii*)	(*ii*)	(*i*)

उत्तरमाला

1	2	3	4	5	6	7	8	9	10
C	D	B	A	C	D	C	D	A	D
11	**12**	**13**	**14**	**15**	**16**	**17**	**18**	**19**	**20**
A	B	C	C	B	B	A	D	C	A
21	**22**	**23**	**24**	**25**	**26**	**27**	**28**	**29**	**30**
B	D	C	A	C	D	B	C	C	D
31	**32**	**33**	**34**	**35**	**36**	**37**	**38**	**39**	**40**
C	D	D	A	B	C	D	D	C	D
41	**42**	**43**	**44**	**45**	**46**	**47**	**48**	**49**	**50**
A	D	C	A	B	C	A	A	D	B
51	**52**	**53**	**54**	**55**	**56**	**57**	**58**	**59**	**60**
B	C	A	D	B	C	B	C	C	C
61	**62**	**63**	**64**	**65**	**66**	**67**	**68**	**69**	**70**
D	A	B	A	D	C	A	D	D	A
71	**72**	**73**	**74**	**75**	**76**	**77**	**78**	**79**	**80**
C	D	D	B	A	D	D	A	C	D
81	**82**	**83**	**84**	**85**	**86**	**87**	**88**	**89**	**90**
B	A	B	C	C	C	A	A	B	D
91	**92**	**93**	**94**	**95**	**96**	**97**	**98**	**99**	**100**
A	B	C	C	D	C	C	A	B	B

★★★

UNIT–III

भारतीय प्रशासन

(INDIAN ADMINISTRATION)

उद्भव : प्राचीन

प्राचीनकालीन प्रशासन
(Administration in the ancient time)

भारत का वर्तमान प्रशासन अपने अतीत की प्रशासनिक व्यवस्थाओं का विकसित रूप है। प्राचीन भारत की शासन-पद्धति का इतिहास वैदिक काल से प्रारम्भ होकर मुगल-शासन के पहले तक का है। वैदिक साहित्य, बौद्ध ग्रन्थ, जैन साहित्य, धर्मशास्त्र, पुराण, रामायण, महाभारत, मनुस्मृति, शुक्रनीति एवं अर्थशास्त्र में प्रशासन के संगठन, कार्य आदि की झलक देखते हैं। प्राचीनकालीन प्रशासन में निम्न कालक्रम में प्रशासनिक व्यवस्था का अध्ययन करते हैं।

सिन्धुघाटी सभ्यता प्रशासन

खुदाई से प्राप्त अवशेषों के आधार पर पता चलता है कि मोहनजोदड़ो-हड़प्पा साम्राज्य व्यवस्थित और सुशासित थे। सिन्धुघाटी सभ्यता की सड़कें तथा नालियाँ सुनियोजित थीं। इससे पता चलता है कि नगरों में नगरपालिकाएँ थीं, जो नगरों का प्रबंधन करती थीं। सिंधु घाटी सभ्यता के सम्पूर्ण क्षेत्र में एक ही प्रकार के भवन का निर्माण होता था, एक ही माप-तौल प्रचलित थी, एक ही लिपि का प्रचलन था। इससे पता लगता है कि सम्पूर्ण सिन्धु प्रदेश एक विशाल संगठित तथा एक प्रशासन की सत्ता थी। खुदाई से ज्ञात होता है कि ई.पू. 2500 से 1750 तक नगर-सभ्यता पूर्ण रूप से विकसित रही होगी।

वैदिक काल प्रशासन

आर्यों के इतिहास के प्राचीनतम युग को 'वैदिक युग' कहा जाता है। सर्वप्रथम ऋग्वेद की रचना हुई, बाद में सामवेद, यजुर्वेद और अथर्ववेद, ब्राह्मण, उपनिषद की रचना हुई है। वैदिक युग की विशेषता आदर्श राज्य की स्थापना है। राजनीति, सुरक्षा और आर्थिक समृद्धि के साथ सदाचार एवं ज्ञान आदर्श राज्य के उद्देश्य थे। वैदिक काल के दो भाग हैं, प्रथम ऋग्वैदिक काल, द्वितीय उत्तर वैदिक काल।

ऋग्वैदिक काल प्रशासन

ऋग्वैदिक काल में राजनीतिक व्यवस्था की छोटी इकाई 'कुटुम्ब' थी। परिवार का सबसे वृद्ध पुरुष कुटुम्ब का 'प्रधान' होता था। अनेक कुटुम्बों के समूह को 'ग्राम' कहा जाता था। ग्राम के अधिकारी को ग्रामिणी कहते थे। अनेक ग्रामों के समूह को 'विश' तथा अधिकारी को 'विशपति' कहा जाता था। अनेक विश के समूह को 'जन' तथा अधिकारी को 'गोप' कहते थे। राजा शासन का सर्वेसर्वा होने पर भी निरंकुश अधिकार-सम्पन्न नहीं था। ऋग्वेद में 'सभा' और 'समिति' नामक संस्थाएँ राजा पर नियंत्रण रखती थीं। 'सभा' अग्र-पुरुषों की संस्था थी और 'समिति' सार्वजनिक संस्था थी। इस काल में कानून के लिए धर्मन शब्द मिलता है।

उत्तर–वैदिक काल

इस युग में शक्तिशाली राजाओं का उदय हुआ। मंत्रियों को उस समय 'रत्निन' कहा जाता था। प्रधानमंत्री को 'मुख्यमात' कहा जाता था। इस समय 'सभा' और 'समिति' संस्थाओं का प्रभाव कम हो गया था। न्याय-व्यवस्था का उच्च अधिकारी राजा होता था। उसके सहायतार्थ अन्य अधिकारी थे।

जैन तथा बौद्ध काल प्रशासन

जैन धर्म का उद्भव ईसा पूर्व छठी शताब्दी से पहले हो चुका था। जैन साहित्य से पता चलता है कि जैन धर्म में 24 तीर्थंकर थे जिन्होंने जैन धर्म के सिद्धान्तों को विकसित कर समृद्ध किया। आचार-सूत्र तथा उत्तराध्याय सूत्र में राजनीति और आचार-शास्त्र के परस्पर सम्बन्धों का उल्लेख है।

बौद्ध साहित्य के तीन ग्रन्थ सुत्तपिटक, विनयपिटक तथा अभिधम्मपिटक जिन्हें 'त्रिपिटक' कहा जाता है। जातक कथाओं से बुद्ध पूर्व एवं बुद्धकालीन राजनीतिक परिस्थितियों का पता चलता है। उस समय

राजा स्वेच्छाचारी होते थे। साथ ही दानशील, नैतिक, त्याग, सत्य, क्षमा के भी गुण पाए जाते थे। बौद्ध साहित्य से बुद्ध के पूर्व एवं समकालीन 'महाजनपदों' के होने का पता चलता है। बुद्ध के समय गणतंत्रात्मक एवं चार राजतंत्रात्मक राज्य थे। बौद्धकालीन गणराज्यों में प्रशासन की वास्तविक शक्ति 'सभा' में निहित थी।

मौर्य कालीन प्रशासन

सर्वप्रथम विस्तृत साम्राज्य की स्थापना मौर्य काल में हुई। डॉ. राधाकुमुद मुखर्जी ने मौर्यकालीन राज्य को संसार का सर्वप्रथम धर्मनिरपेक्ष लोक-कल्याणकारी राज्य कहा है। इसी समय आचार्य कौटिल्य राज्य दर्शन के विद्वान प्रधानमंत्री के रूप में व्यवहारिक राजनीतिक ज्ञान का परिचय दे रहे थे। इस समय कौटिल्य द्वारा लिखी गई 'अर्थशास्त्र' राजनीति विज्ञान का महान ग्रन्थ है। आधुनिक युग में राज्य के चार तत्वों का होना आवश्यक माना गया है। उसी प्रकार कौटिल्य द्वारा राज्य के सात अंगों की कल्पना की गई है जिसमें 1. राजा, 2. अमात्य (मंत्रिपरिषद्), 3. जनपद, 4. दुर्ग, 5. कोष, 6. सेना या दण्ड, 7. मित्र शामिल हैं।

गुप्तकालीन प्रशासन

भारतीय प्रशासन के विकास में गुप्तकाल का विशेष महत्व है। चौथी शताब्दी में गुप्त साम्राज्य के अन्तर्गत उत्तरी भारत में राजनीतिक एकता स्थापित हुई थी। डॉ. राधाकुमुद मुखर्जी के अनुसार, "देश की भौतिक एवं नैतिक प्रगति का मुख्य कारण स्थिर राजनीतिक स्थिति थी। विशाल साम्राज्य तथा एक-सी शासन पद्धति ने संस्कृति तथा सभ्यता की उत्पत्ति को उपयुक्त वातावरण प्रदान किया। गुप्त राजाओं के विशाल साम्राज्य में कला, साहित्य, संस्कृति, आर्थिक और सामाजिक प्रगति कुशल प्रशासनिक व्यवस्था को दर्शाता है। गुप्त साम्राज्य सुविधा के लिए अनेक इकाइयों में बँटा हुआ था। सबसे बड़ा विभाग प्रान्त था जिसे 'भुक्ति' भी कहते थे। प्रान्तीय शासक को भोगपति कहते थे। प्रशासन की सबसे छोटी इकाई 'ग्राम' था जिसका अधिकारी 'ग्रामिक' होता था।

राजपूतकालीन प्रशासन (Administration in the Rajput Period)

राजा का पद वंश-परम्परा के अनुसार होता था। राजा को परामर्श देने के लिए मंत्रिमंडल होता था। मंत्री अपने-अपने विभागों का प्रबंध देखते थे। प्रान्तीय प्रशासन अनेक विभागों में बँटा हुआ था। ग्राम शासन की सबसे छोटी इकाई थी। ग्राम-पंचायतों पर सामन्तों का अधिकार होने से इसका महत्व कम हो गया था। शासन का मुख्य ढाँचा गुप्तकालीन ही बना रहा था, लेकिन उसमें अव्यवस्था आ गई थी।

सल्तनतकालीन प्रशासन (Administration in the Sultanate Period)

13वीं शताब्दी में तुर्क विजय के परिणामस्वरूप विदेशियों का भारत में व्यापक अधिवास हुआ। इस प्रकार भारत में हिन्दू समाज के अतिरिक्त नवीन इस्लामी समाज का जन्म हुआ। तुर्क राज्य मजहबी राज्य था जिसमें अल्लाह को एकमात्र सत्ताधीश माना जाता था। मानवीय शासक को खुदा का प्रतिनिधि माना जाता था। खुदा के नियमों को जानने वाले पुरोहित वर्ग का शासन में अत्यधिक प्रभाव था। शासक कुरान के सिद्धान्तों का पालन करते थे। इस्लामी राज्य के सिद्धान्त के अनुसार इस्लाम के अतिरिक्त अन्य धर्म के महत्व को स्वीकार करने की अनुमति न थी। सल्तनत काल में सुल्तान का पद सर्वोच्च था। उसे राजनीतिक, कानूनी, सैनिक अधिकार प्राप्त थे। प्रशासनिक सुविधा के लिए केन्द्र प्रान्तों में विभक्त था। प्रान्तीय शासक को 'सूबेदार' कहते थे। प्रत्येक प्रान्त में केन्द्र के समान विभिन्न विभाग थे। प्रान्त 'शिकों' में बँटे हुए थे जिसका प्रधान 'शिकदार' कहलाता था। शिकों को सरकारों में, सरकारों को परगना में और परगना को गाँवों में बाँटा गया था। नगर प्रशासन केन्द्रीकृत नौकरशाही द्वारा संचालित था। इस समय गाँव अधिक स्वतंत्र थे।

मुगलकालीन प्रशासन (Administration in the Mughal Period)

1526 ई. में पानीपत के प्रथम युद्ध के विजय के पश्चात बाबर ने मुगल शासन प्रारंभ किया। मुगल राजवंश में कुल 19 शासक हुए। मुगल-साम्राज्य का वास्तविक संस्थापक 'जलालुद्दीन मुहम्मद अकबर' बादशाह की गद्दी पर बैठा। अकबर बहादुर के साथ-साथ चतुर और दूरदर्शी भी था। इसने राजपूतों की बहादुरी तथा शौर्य के महत्व को समझा और अपनी उदारवादी नीति से अधिकांश राजपूतों का विश्वास और सहयोग प्राप्त किया। अकबर 1595 तक उत्तर-भारत का निर्विवाद शासक बना एवं दक्षिण में साम्राज्य का विस्तार किया। इस्लामी शासन की प्रकृति के कारण सल्तनत काल में हिन्दुओं की स्थिति निम्न श्रेणी की थी। उनको कम अधिकार प्रदान किए गए थे। अकबर धर्मान्ध न था बल्कि वह उदारवादी और सहनशील राजा था। उसने स्वीकार किया कि देश में जहाँ हिन्दू बहुमत में हैं, हिन्दुओं को मित्र बनाकर ही शान्ति स्थापित की जा सकती है। उसने स्वयं को 'मुजाहिद' अर्थात् 'धार्मिक मामलों का अन्तिम निर्णायक' घोषित किया। मुगल साम्राज्य 'प्रान्तों' में विभाजित था, 'प्रान्त सरकारों में विभाजित थे। सरकार आज के जिले के समान थे। जैसे प्रान्तों में केन्द्र व प्रान्त का दोहरा शासन होता था, उसी प्रकार सरकारों में भी दोहरा शासन था। मुगल काल में स्थानीय स्वशासन का अभाव था। आज की तरह नगर-प्रशासन नहीं था।

मुगल काल में प्रशासन सैन्य प्रकृति का था। अर्थात् प्रत्येक सरकारी अधिकारी को सेना में भर्ती होना पड़ता था। लोक सेवा में मनसबदारी व्यवस्था प्रारम्भ की गई। मनसब से अपेक्षा की जाती थी कि वह एक निश्चित संख्या में सेना हेतु सैनिक देगा। सेना में दिया गया पद पैतृक नहीं होता था। शासकीय अधिकारी के रूप में कभी भी नया उत्तरदायित्व सौंपा जा सकता था।

मुगल काल में अधिकारियों को वेतन और सुख-सुविधाएँ प्राप्त होती थीं। अधिकारियों को नकद या जागीर के रूप में भुगतान किया जाता था। व्यवस्था के तहत शासकीय अधिकारी को एक 'मनसब' या सरकारी पद मिल जाता था। मनसबदारी व्यवस्था में नागरिक व सैनिक अधिकारी दोनों शामिल थे। सरकार का प्रशासन दो भागों में विभाजित था—कार्यपालिका तथा भू-राजस्व का विभाग। कार्यपालिका का प्रमुख फौजदार था, जिसकी

स्थिति आज के जिला कलेक्टर के समान थी। वह मनसबदार होता था और बादशाह द्वारा नियुक्त किया जाता था। भू-राजस्व विभाग का अधिकारी अमलगुजार होता था, जो प्रान्त के दीवान के नियंत्रण में कार्य करता था।

मुगलकालीन केन्द्रीय प्रशासन

बादशाह

- वकील अथवा वजीर अकबर के समय वरिष्ठ अमीर को सम्मानित पद दिया गया
- दीवान–ए–कूल अथवा दीवान–ए–आला (दीवानों का समूह)
- मीरबक्शी अमीरों का नेता
- सद्र–उस–सद्र
- मीर–ए–समाँ या खान–ए–समाँ (विश्वसनीय अमीर को दिया गया पद)

- **वकील अथवा वजीर :** बैरम खाँ के विद्रोह के पश्चात इस पद की शक्ति को कम कर दिया गया। यह सम्मानजक पद वरिष्ठ मनसबदार को दिया जाने लगा।
- **दीवान-ए-आला :** वजीर की अधिकांश शक्ति दीवान-ए-आला के विभाग में निहित कर दिया गया। यह विभाग राजस्व के वसूली एवं आय-व्यय के ब्यौरे से विभिन्न अधिकारियों का तनख्वाह इसी विभाग से दिया जाता था।
- **मीर बख्शी :** ये मनसबदारों की नियुक्ति की अनुशंसा करता था साथ ही सैनिक रख-रखाव, सबसे बड़ा भुगतान अधिकारी, राजमहल की सुरक्षा, दरबारी अनुशासन एवं दरबार में स्थान का निर्धारण का कार्य करता था।
- **खान-ए-समाँ :** सभी प्रकार के राजकीय आपूर्ति के लिए उत्तरदायी अधिकारी था। इसे राजमहल से निकटता प्राप्त थी।
- **सद्र-उस-सद्र :** दीवानी न्याय के साथ ही धर्म एवं शिक्षा के विकास के लिए मदद-ए-माश का आवंटन करता था।

मुगलकालीन प्रांतीय प्रशासन

- **सूबेदार :** यह सामान्य प्रशासन एवं कानून व्यवस्था की स्थापना के लिए उत्तरदायी होता था। राज्य इस बात से सावधान रहता था कि ये अधिक ताकतवर नहीं बने।
- **प्रांतीय दीवान :** यह भू-राजस्व के आकलन, वसूली तथा आय-व्यय के ब्यौरे के लिए उत्तरदायी होता था।
- **प्रान्तीय बख्शी :** सैनिक कार्यों के लिए उत्तरदायी होता था तथा यह गुप्तचर व्यवस्था का भी प्रधान होता था।
- **प्रांतीय सद्र :** यह दीवानी न्याय के साथ-साथ धार्मिक एवं शैक्षिक अनुदान आवंटन के लिए उत्तरदायी था।

मुगलकालीन स्थानीय प्रशासन

सरकार

(*i*) **फौजदार :** सामान्य प्रशासन एवं मनसबदारों को राजस्व वसूली में सहायता करना था।

(*ii*) **अमलगुजार :** राजस्व का आकलन एवं वसूली का कार्य था।

(*iii*) **खजानदार (कोषाध्यक्ष)**

(*iv*) **वितिवची (फारसी लिपिक)**

परगना

(*i*) **शिकदार :** यह सामान्य प्रशासन का कार्य करता था।

(*ii*) **आमिल :** यह राजस्व प्रशासन का कार्य देखता था।

(*iii*) **पोतदार :** यह परगना का कोषाध्यक्ष होता था।

(*iv*) **कानूनगो :** यह गाँव में पटवारी के ऊपर का अधिकारी होता था।

गाँव

- **मुकद्दम :** यह गाँव का प्रधान अधिकारी होता था। इसका मुख्य कार्य लगान वसूलना एवं व्यवस्था बनाए रखना होता था।
- **पटवारी :** गाँव का दूसरा प्रमुख अधिकारी 'पटवारी' कहलाता था। यह भूमि के लगान से सम्बन्धित बातों का ध्यान रखता था।

ब्रिटिशकालीन प्रशासन (Administration in the British Period)

ब्रिटिश प्रशासन का प्रारंभ ईस्ट इंडिया कंपनी की सन् 1600 ई. में स्थापना के साथ हुआ। 1773 से 1858 ई. तक के काल को 'दोहरी सरकार' का काल कहते हैं। इस समय कम्पनी के साथ-साथ ब्रिटिश संसद भी भारतीय प्रशासनिक विषयों में रुचि लेती थी। 1858 में 1947 तक क्राउन की सरकार ने संसदीय संस्थाओं को विकसित करने का प्रयत्न किया। ब्रिटिश प्रशासन ने 1813, 1833, 1853, 1858, 1861, 1892, 1909, 1919, 1935 जैसे महत्वपूर्ण रेगूलेटिंग एक्ट जारी किया। जिससे भारत में संसदीय संस्थाओं का विकास हुआ। जैसे भारतीय परिषद् अधिनियम 1861 ने भारत की प्रान्तीय और केन्द्रीय कार्यकारिणी को संगठित बनाया तथा इसके द्वारा आधुनिक प्रान्तीय विधानमंडलों की नींव पड़ी। मॉण्टफोर्ड योजना 1919 के अधीन द्वैध-शासन मिला और प्रान्तों में अर्द्ध-उत्तरदायित्वपूर्ण शासन की स्थापना हुई।

कंपनी का शासन (1773 से 1858 तक)

1773 का रेगुलेटिंग एक्ट

1. इस अधिनियम के द्वारा, ब्रिटिश सरकार का 'कोर्ट ऑफ डायरेक्टर्स' (कंपनी की गवर्निंग बॉडी) के माध्यम से कंपनी पर नियंत्रण सशक्त हो गया। इसने भारत में इसके राजस्व, नागरिक और सैन्य मामलों की जानकारी ब्रिटिश सरकार को देना आवश्यक कर दिया गया।
2. इसके तहत कंपनी के कर्मचारियों को निजी व्यापार करने और भारतीय लोगों से उपहार व रिश्वत लेना प्रतिबंधित कर दिया गया।

3. अधिनियम के अंतर्गत कलकत्ता में 1774 में एक उच्चतम न्यायालय की स्थापना की गई, जिसमें मुख्य न्यायाधीश और तीन अन्य न्यायाधीश थे।
4. इसके द्वारा मद्रास एवं बंबई के गवर्नर, बंगाल के गवर्नर जनरल के अधीन हो गए, जबकि पहले सभी प्रेसिडेंसियों के गवर्नर एक-दूसरे से अलग थे।
5. इस अधिनियम द्वारा बंगाल के गवर्नर को 'बंगाल का गवर्नर जनरल' पद नाम दिया गया एवं उसकी सहायता के लिए एक चार सदस्यीय कार्यकारी परिषद का गठन किया गया। उल्लेखनीय है कि ऐसे पहले गवर्नर जनरल लॉर्ड वारेन हेस्टिंग्स थे।

1784 का पिट्स इंडिया एक्ट

1. नियंत्रण बोर्ड को यह शक्ति थी कि वह ब्रिटिश नियंत्रित भारत में सभी नागरिक, सैन्य सरकार व राजस्व गतिविधियों का अधीक्षण एवं नियंत्रण करे।
2. इसने निदेशक मंडल को कंपनी के व्यापारिक मामलों के अधीक्षण की अनुमति तो दे दी लेकिन राजनैतिक मामलों के प्रबंधन के लिए नियंत्रण बोर्ड (बोर्ड ऑफ कंट्रोल) नाम से एक नए निकाय का गठन कर दिया। इस प्रकार, द्वैध शासन की व्यवस्था का शुभारंभ किया गया।
3. इसने कंपनी के राजनैतिक और वाणिज्यिक कार्यों को पृथक्-पृथक् कर दिया।

1833 का चार्टर अधिनियम

1. चार्टर एक्ट 1833 ने सिविल सेवकों के चयन के लिए खुली प्रतियोगिता का आयोजन शुरू करने का प्रयास किया। इसमें कहा गया कि कंपनी में भारतीयों को किसी पद, कार्यालय और रोजगार को हासिल करने से वंचित नहीं किया जाएगा। हालांकि कोर्ट ऑफ डायरेक्टर्स के विरोध के कारण इस प्रावधान को समाप्त कर दिया गया।
2. ईस्ट इंडिया कंपनी की एक व्यापारिक निकाय के रूप में की जाने वाली गतिविधियों को समाप्त कर दिया गया। अब यह विशुद्ध रूप से प्रशासनिक निकाय बन गया। इसके तहत कंपनी के अधिकार वाले क्षेत्र ब्रिटिश राजशाही और उसके उत्तराधिकारियों के कब्जे में रह गए।
3. इसने मद्रास और बंबई के गवर्नरों को विधायिका संबंधी शक्ति से वंचित कर दिया। भारत के गवर्नर जनरल को पूरे ब्रिटिश भारत में विधायिका के असीमित अधिकार प्रदान कर दिए गए। इसके अंतर्गत पहले बनाए गए कानूनों को नियामक कानून कहा गया और नए कानूनों को एक्ट या अधिनियम कहा गया।
4. इसने बंगाल के गवर्नर जनरल को भारत का गवर्नर जनरल बना दिया, जिसमें सभी नागरिक और सैन्य शक्तियाँ निहित थीं। इस प्रकार, इस अधिनियम ने पहली बार एक ऐसी सरकार का निर्माण किया, जिसका ब्रिटिश कब्जे वाले संपूर्ण भारतीय क्षेत्र पर पूर्ण नियंत्रण था। लॉर्ड विलियम बैंटिक भारत के प्रथम गवर्नर जनरल थे।

1853 का चार्टर अधिनियम

1. इसने प्रथम बार भारतीय केंद्रीय विधान परिषद् में स्थानीय प्रतिनिधित्व प्रारंभ किया। गवर्नर-जनरल की परिषद में छह नए सदस्यों में से, चार का चुनाव बंगाल, मद्रास, बंबई और आगरा की स्थानीय प्रांतीय सरकारों द्वारा किया जाना था।
2. इसने कंपनी के शासन को विस्तारित कर दिया और भारतीय क्षेत्र को इंग्लैंड राजशाही के विश्वास के तहत कब्जे में रखने का अधिकार दिया। लेकिन पूर्व अधिनियमों के विपरीत इसमें किसी निश्चित समय का निर्धारण नहीं किया गया था। इससे स्पष्ट था कि संसद द्वारा कंपनी का शासन किसी भी समय समाप्त किया जा सकता था।
3. इसने सिविल सेवकों की भर्ती एवं चयन हेतु खुली प्रतियोगिता व्यवस्था का शुभारंभ किया, इस प्रकार विशिष्ट सिविल सेवा भारतीय नागरिकों के लिए भी खोल दी गईं और इसके लिए 1854 में (भारतीय सिविल सेवा के संबंध में) मैकाले समिति की नियुक्ति की गई।
4. इसने पहली बार गवर्नर जनर की परिषद् के विधायी एवं प्रशासनिक कार्यों को अलग कर दिया। इसके तहत परिषद् में छह नए पार्षद और जोड़े गए, इन्हें विधान पार्षद कहा गया। दूसरे शब्दों में, इसने गवर्नर जनरल के लिए नई विधान परिषद् का गठन किया, जिसे भारतीय (केंद्रीय) विधान परिषद् कहा गया। परिषद् की इस शाखा ने छोटी संसद की तरह कार्य किया। इसमें वही प्रक्रियाएँ अपनाई गईं, जो ब्रिटिश संसद में अपनाई जाती थीं। इस प्रकार, विधायिका को पहली बार सरकार के विशेष कार्य के रूप में जाना गया, जिसके लिए विशेष मशीनरी और प्रक्रिया की जरूरत थी।

ब्रिटिश ताज का शासन (1858 से 1947 तक)

1858 का भारत शासन अधिनियम

1. इस कानून के तहत भारत सचिव की परिषद का गठन किया गया, जो एक निगमित निकाय थी और जिसे भारत और इंग्लैंड में मुकदमा करने का अधिकार था। इस पर भी मुकदमा किया जा सकता था।
2. भारत सचिव की सहायता के लिए 15 सदस्यीय परिषद् का गठन किया गया, जो एक सलाहकार समिति थी। परिषद् का अध्यक्ष भारत सचिव को बनाया गया।
3. एक नए पद, भारत के राज्य सचिव का सृजन किया गया; जिसमें भारतीय प्रशासन पर संपूर्ण नियंत्रण की शक्ति निहित थी। यह सचिव ब्रिटिश कैबिनेट का सदस्य था और ब्रिटिश संसद के प्रति उत्तरदायी था।

4. इस अधिनियम ने नियंत्रण बोर्ड और निदेशक कोर्ट समाप्त कर भारत में शासन की द्वैध प्रणाली समाप्त कर दी।
5. इसके तहत भारत का शासन सीधे महारानी विक्टोरिया के अधीन चला गया। गवर्नर जनरल का पदनाम बदलकर भारत का वायसराय कर दिया गया। वह (वायसराय) भारत में ब्रिटिश ताज का प्रत्यक्ष प्रतिनिधि बन गया। लॉर्ड कैनिंग भारत के प्रथम वायसराय बने।

1861 के भारत परिषद अधिनियम की विशेषताएँ

1. इसने वायसराय को आपातकाल में बिना काउंसिल की संस्तुति के अध्यादेश जारी करने के लिए अधिकृत किया। ऐसे अध्यादेश की अवधि मात्र छह माह होती थी।
2. इसने वायसराय को परिषद में कार्य संचालन के लिए अधिक नियम और आदेश बनाने की शक्तियाँ प्रदान की। इसने लॉर्ड कैनिंग द्वारा 1859 में प्रारंभ की गई पोर्टफोलियो प्रणाली को भी मान्यता दी। इसके अंतर्गत वायसराय की परिषद् का एक सदस्य एक या अधिक सरकारी विभागों का प्रभारी बनाया जा सकता था तथा उसे इस विभाग में काउंसिल की ओर से अंतिम आदेश पारित करने का अधिकार था।
3. बंगाल, उत्तर पश्चिम सीमा प्रांत और पंजाब में क्रमशः 1862, 1866 और 1897 में विधानपरिषदों का गठन हुआ।
4. इस अधिनियम ने मद्रास और बंबई प्रेसिडेंसियों को विधायी शक्तियां पुनः देकर विकेंद्रीकरण की प्रक्रिया की शुरूआत की। इस प्रकार इस अधिनियम ने रेगुलेटिंग एक्ट, 1773 द्वारा शुरू हुई केंद्रीकरण की प्रवृत्ति को उलट दिया और 1833 के चार्टर अधिनियम के साथ ही अपने चरम पर पहुँच गया। इस विधायी विकास की नीति के कारण 1937 तक प्रांतों को संपूर्ण आंतरिक स्वायत्ता हासिल हो गई।
5. इसके द्वारा कानून बनाने की प्रक्रिया में भारतीय प्रतिनिधियों को शामिल करने की शुरूआत हुई। इस प्रकार वायसराय कुछ भारतीयों को विस्तारित परिषद में गैर-सरकारी सदस्यों के रूप में नामांकित कर सकता था। 1862 में लॉर्ड कैनिंग ने तीन भारतीयों—बनारस के राजा, पटियाला के महाराजा और सर दिनकर राव को विधान परिषद में मनोनीत किया।

1892 के अधिनियम की विशेषताएँ

1. इसमें केंद्रीय विधान परिषद और बंगाल चैंबर्स ऑफ कॉमर्स में गैर-सरकारी सदस्यों के नामांकन के लिए वायसराय की शक्तियों का प्रावधान था। इसके अलावा प्रांतीय विधान परिषदों में गवर्नर को जिला परिषद, नगरपालिका, विश्वविद्यालय, व्यापार संघ, जमींदारों और चैम्बर ऑफ कॉमर्स की सिफारिशों पर गैर-सरकारी सदस्यों को नियुक्त करने की शक्ति थी।
2. इसने विधान परिषदों के कार्यों में वृद्धि कर उन्हें बजट पर बहस करने और कार्यपालिका के प्रश्नों का उत्तर देने के लिए अधिकृत किया।
3. इसके माध्यम से केंद्रीय और प्रांतीय विधान परिषदों में अतिरिक्त (गैर-सरकारी) सदस्यों की संख्या बढ़ाई गई, हालांकि बहुमत सरकारी सदस्यों का ही रहता था।

1909 के अधिनियम की विशेषताएँ

1. इसने प्रेसिडेंसी कॉरपोरेशन, चैंबर्स ऑफ कॉमर्स, विश्वविद्यालयों और जमींदारों के लिए अलग प्रतिनिधित्व का प्रावधान भी किया।
2. इस अधिनियम ने पृथक् निर्वाचन के आधार पर मुस्लिमों के लिए सांप्रदायिक प्रतिनिधित्व का प्रावधान किया। इसके अंतर्गत मुस्लिम सदस्यों का चुनाव मुस्लिम मतदाता ही कर सकते थे। इस प्रकार इस अधिनियम ने सांप्रदायिकता को वैधानिकता प्रदान की और लॉर्ड मिंटो को सांप्रदायिक निर्वाचन के जनक के रूप में जाना गया।
3. इस अधिनियम के अंतर्गत पहली बार किसी भारतीय को वायसराय और गवर्नर की कार्यपरिषद के साथ एसोसिएशन बनाने का प्रावधान किया गया। सत्येंद्र प्रसाद सिन्हा वायसराय की कार्यपालिका परिषद के प्रथम भारतीय सदस्य बने। उन्हें विधि सदस्य बनाया गया था।
4. इसने दोनों स्तरों पर विधान परिषदों के चर्चा कार्यों का दायरा बढ़ाया। उदाहरण के तौर पर अनुपूरक प्रश्न पूछना, बजट पर संकल्प रखना आदि।
5. इसने केंद्रीय परिषद् में सरकारी बहुमत को बनाए रखा लेकिन प्रांतीय परिषदों में गैर-सरकारी सदस्यों के बहुमत की अनुमति थी।
6. इसने केंद्रीय और प्रांतीय विधानपरिषदों के आकार में काफी वृद्धि की। केंद्रीय परिषद में इनकी संख्या 16 से 60 हो गई। प्रांतीय विधानपरिषदों में इनकी संख्या एक समान नहीं थी।

भारत शासन अधिनियम, 1919

1. इसने प्रांतीय विषयों को पुनः दो भागों में विभक्त किया—हस्तांतरित और आरक्षित। हस्तांतरित विषयों पर गवर्नर का शासन होता था और इस कार्य में वह उन मंत्रियों की सहायता लेता था, जो विधान परिषद के प्रति उत्तरदायी थे। दूसरी ओर आरक्षित विषयों पर गवर्नर कार्यपालिका परिषद की सहायता से शासन करता था, जो विधान परिषद के प्रति उत्तरदायी नहीं थी। शासन की इस दोहरी व्यवस्था को द्वैध (यूनानी शब्द डाई-आर्की से व्युत्पन्न) शासन व्यवस्था कहा गया। हालांकि यह व्यवस्था काफी हद तक असफल ही रही।
2. केंद्रीय और प्रांतीय विषयों की सूची की पहचान कर एवं उन्हें पृथक् कर राज्यों पर केंद्रीय नियंत्रण कम किया गया। केंद्रीय और प्रांतीय विधान परिषदों को, अपनी सूचियों के विषयों पर विधान बनाने का अधिकार प्रदान किया गया। लेकिन सरकार का ढांचा केंद्रीय और एकात्मक ही बना रहा।

3. इस अधिनियम ने पहली बार देश में द्विसदनीय व्यवस्था और प्रत्यक्ष निर्वाचन की व्यवस्था प्रारंभ की। इस प्रकार भारतीय विधान परिषद के स्थान पर द्विसदनीय व्यवस्था यानी राज्य परिषद् और केन्द्रीय विधानसभा का गठन किया गया। दोनों सदनों के बहुसंख्यक सदस्यों को प्रत्यक्ष निर्वाचन के माध्यम से निर्वाचित किया जाता था।
4. इसके अनुसार, वायसराय की कार्यकारी परिषद के छह सदस्यों में से (कमांडर-इन-चीफ को छोड़कर) तीन सदस्यों का भारतीय होना आवश्यक था।
5. इसने सांप्रदायिक आधार पर सिखों, भारतीय ईसाईयों, आंग्ल-भारतीयों और यूरोपियों के लिए भी पृथक् निर्वाचन के सिद्धान्त को विस्तारित कर दिया।

भारत शासन अधिनियम, 1935

1. इसने अखिल भारतीय संघ की स्थापना की, जिसमें राज्य और रियासतों को एक इकाई की तरह माना गया। अधिनियम ने केंद्र और इकाइयों के बीच तीन सूचियों–संघीय सूची (59 विषय), राज्य सूची (54 विषय) और समवर्ती सूची (दोनों के लिए, 36 विषय) के आधार पर शक्तियों का बंटवारा कर दिया। अवशिष्ट शक्तियां वायसराय को दे दी गईं।
2. इसने भारत शासन अधिनियम, 1858 द्वारा स्थापित भारत परिषद को समाप्त कर दिया। इंग्लैंड में भारत सचिव को सलाहकारों की टीम मिल गई।
3. इसने मताधिकार का विस्तार किया। लगभग दस प्रतिशत जनसंख्या को मत का अधिकार मिल गया।
4. इसके अंतर्गत देश की मुद्रा और साख पर नियंत्रण के लिए भारतीय रिजर्व बैंक की स्थापना की गई।
5. इसने न केवल संघीय लोक सेवा आयोग की स्थापना की बल्कि प्रांतीय सेवा आयोग और दो या अधिक राज्यों के लिए संयुक्त सेवा आयोग की स्थापना भी की।
6. इसके तहत 1937 में संघीय न्यायालय की स्थापना हुई।

भारतीय स्वतंत्रता अधिनियम, 1947

1. इसने भारत में ब्रिटिश राज समाप्त कर 15 अगस्त, 1947 को इसे स्वतंत्र और संप्रभु राष्ट्र घोषित कर दिया।
2. इसने वायसराय का पद समाप्त कर दिया और उसके स्थान पर दोनों डोमिनियन राज्यों में गवर्नर-जनरल पद का सृजन किया, जिसकी नियुक्ति नए राष्ट्र की कैबिनेट की सिफारिश पर ब्रिटेन के ताज को करनी थी। इन पर ब्रिटेन की सरकार का कोई नियंत्रण नहीं होना था।
3. इस कानून ने ब्रिटेन में भारत सचिव का पद समाप्त कर दिया। इसकी सभी शक्तियाँ राष्ट्रमंडल मामलों के राज्य सचिव को स्थानांतरित कर दी गईं।
4. इसने 15 अगस्त, 1947 से भारतीय रियासतों पर ब्रिटिश संप्रभुता की समाप्ति की भी घोषणा की।

संवैधानिक रूपरेखा : संसदीय तथा संघीय विशेषताएँ

संसदीय विशेषताएँ

हमारे संविधान निर्माताओं ने ब्रिटिश प्रणाली के अनुरूप उत्तरदायी तथा संसदीय प्रणाली को अपनाया है। संसदीय सरकार में राष्ट्रपति 'संवैधानिक अध्यक्ष' होता है। लेकिन वास्तविक शक्ति 'मंत्रिपरिषद्' में निहित होती है जिसका प्रधान 'प्रधानमंत्री' होता है। हमारे संविधान-निर्माताओं ने ब्रिटेन की संसदीय व्यवस्था वाला 'वेस्टमिन्स्टर मॉडल' को अपनाया है। इससे संसदीय प्रणाली में गतिशीलता के तत्व अधिक मात्रा में देखने को मिलते हैं, इसलिए ब्रिटेन में सत्ता का केन्द्र समय के साथ बदलता रहा है।

भारतीय संविधान ने न केवल केन्द्र में वरन् राज्य प्रशासन में भी संसदीय प्रणाली को अपनाया है। इस प्रणाली में :

1. वास्तविक कार्यपालिका मंत्रिपरिषद् होती है जिसका अध्यक्ष केन्द्र में प्रधानमंत्री व राज्य में मुख्यमंत्री होता है।
2. राष्ट्र का प्रधान (राष्ट्रपति) व राज्यों का प्रधान (राज्यपाल) केवल संवैधानिक या नाममात्र का प्रधान होता है।
3. मंत्रिपरिषद् अपने पद पर तभी तक रहता है जब तक उसे संसद (राज्यों में विधानमंडल) के निम्न सदन में बहुमत का समर्थन प्राप्त होता है।
4. संसदीय शासन में व्यवस्थापिका एवं कार्यपालिका में घनिष्ठ संबंध होता है। दोनों के कार्यों में कोई विभाजन रेखा नहीं है। मंत्री लोग आवश्यक रूप से संसद (राज्यों में विधानमंडल) के सदस्य होते हैं।
5. संसद या विधानमंडल के सदस्य मंत्रियों से प्रशासन से संबंधित प्रश्न एवं पूरक प्रश्न पूछते हैं, काम रोको प्रस्ताव रखते हैं तथा निचले सदन में अविश्वास प्रस्ताव पारित करके मंत्रिपरिषद् को पदच्युत भी कर सकते हैं। डॉ. अम्बेडकर ने संविधान सभा में संसदीय प्रणाली का पक्ष लेते हुए कहा था कि 'इस प्रणाली में उत्तरदायित्व का मूल्यांकन एक निश्चित समय के बाद होता है तथा साथ ही दिन-प्रतिदिन भी होता है।'
6. स्वतंत्र न्याय प्रणाली भी संसदीय प्रणाली की प्रमुख विशेषताएँ हैं। हमारी प्रशासनिक प्रणाली और ढाँचा बहुत हद तक इन्हीं विशेषताओं पर आधारित है।

संघीय विशेषताएँ

ब्रिटिश शासन से मुक्ति पाने पर भारतीय खुश थे, उन्होंने शीघ्र ही यह अनुभव कर लिया कि उन दिनों की प्रशासनिक व्यवस्था और ढाँचा उनकी

आकांक्षाओं को पूरा करने में सक्षम था। स्वतंत्रता के बाद भी इन्हीं संस्थाओं को आवश्यकताओं के अनुरूप कुछ परिवर्तनों के साथ जारी रखा गया। संसदीय प्रजातंत्र, संघीय ढाँचा, अखिल भारतीय सेवाएँ आज भी भारतीय प्रशासन में उसी रूप में विद्यमान हैं।

भारतीय संविधान ने ब्रिटिश प्रशासन से निम्नलिखित संघीय विशेषताओं को अपनाया है। 1935 के भारत सरकार अधिनियम का राजनीतिक विकास में तीन प्रमुख योगदान है:

1. प्रान्तों में पूर्ण उत्तरदायी सरकारों का गठन।
2. केन्द्र और राज्यों के बीच अधिकारों का बँटवारा।
3. संघीय न्यायालय का गठन महासंघ बनाने की दिशा में एक आश्वासन थी।

स्वतंत्र भारत के भारतीय संविधान में संघात्मक शासन के लक्षण इस प्रकार हैं :

(*i*) लिखित व कठोर संविधान

(*ii*) केन्द्र व राज्यों में शक्तियों का संविधान द्वारा विभाजन

(*iii*) एक स्वतंत्र व निष्पक्ष न्यायपालिका, जो संविधान के संरक्षक के रूप में कार्य करे।

भारतीय संघात्मक व्यवस्था अमरीकन या स्विस संघीय व्यवस्था से भिन्न है। भारत में केन्द्रीय सरकार को अधिक शक्तिशाली बनाया गया है।

संघीय सरकार

राष्ट्रपति (President)

भारतीय संविधान में राष्ट्रपति को कार्यकारी प्रधान के रूप में अपनाया गया है। जबकि संसदीय व्यवस्था में मुख्य शक्तियाँ मंत्रिमंडल में निहित होती हैं। भारतीय संविधान में राष्ट्रपति की स्थिति वही है जो ब्रिटिश संविधान के अंतर्गत राजा की स्थिति है। वह राष्ट्र का प्रधान होता है, पर सरकार का नहीं। वह राष्ट्र का प्रतिनिधित्व करता है, पर उस पर शासन नहीं करता है। वह राष्ट्र का प्रतीक है जिसके नाम पर राष्ट्र के निर्णय लिए जाते हैं। यद्यपि राष्ट्रपति के पास संवैधानिक विवेकाधीन शक्तियाँ नहीं हैं, परंतु कुछ परिस्थितियों में विवेकाधीन स्वतंत्रताएँ हैं।

1. वह लोकसभा को विघटित कर सकता है यदि मंत्रिमंडल ने अपना बहुमत खो दिया है।
2. वह मंत्रिमंडल को बर्खास्त कर सकता है, यदि वह सदन में विश्वासमत सिद्ध न कर सके।
3. लोकसभा में किसी भी दल को स्पष्ट बहुमत न होने पर अथवा जब प्रधानमंत्री की अचानक मृत्यु हो जाए तथा उसका कोई स्पष्ट उत्तराधिकारी न हो तब वह प्रधानमंत्री की नियुक्ति करता है।

राष्ट्रपति भारत का प्रथम नागरिक होता है और राष्ट्र की एकता, अखंडता, सुदृढ़ता का प्रतीक है।

राष्ट्रपति का निर्वाचन

राष्ट्रपति का निर्वाचन जनता प्रत्यक्ष रूप से नहीं करती बल्कि एक निर्वाचन मंडल के सदस्यों द्वारा उसका निर्वाचन किया जाता है। इसमें निम्न लोग शामिल होते हैं :

1. संसद के दोनों सदनों के निर्वाचित सदस्य,
2. राज्य विधानसभा के निर्वाचित सदस्य, तथा
3. केंद्रशासित प्रदेशों दिल्ली व पुडुचेरी विधानसभाओं के निर्वाचित सदस्य।

इस प्रकार संसद के दोनों सदनों के मनोनीत सदस्य, राज्य विधानसभाओं के मनोनीत सदस्य, राज्य विधानपरिषदों (द्विसदनीय विधायिका के मामलों में) के सदस्य (निर्वाचित व मनोनीत) और दिल्ली तथा पुदुचेरी विधानसभा के मनोनीत सदस्य राष्ट्रपति के निर्वाचन में भाग नहीं लेते हैं। जब कोई सभा विघटित हो गई हो तो उसके सदस्य राष्ट्रपति के निर्वाचन में मतदान नहीं कर सकते।

अर्हताएँ, शपथ एवं शर्तें

राष्ट्रपति पद के चुनाव के लिए व्यक्ति को निम्न अर्हताओं को पूर्ण करना आवश्यक है :

1. वह भारत का नागरिक हो।
2. वह 35 वर्ष की आयु पूर्ण कर चुका हो।
3. वह लोकसभा का सदस्य निर्वाचित होने के लिए अर्हित है।
4. वह संघ सरकार में अथवा किसी राज्य सरकार में अथवा किसी स्थानीय प्राधिकरण में अथवा किसी सार्वजनिक प्राधिकरण में लाभ के पद पर न हो। एक वर्तमान राष्ट्रपति अथवा उप-राष्ट्रपति, किसी राज्य का राज्यपाल और संघ अथवा राज्य का मंत्री किसी लाभ के पद पर नहीं माना जाता है। इस प्रकार वह राष्ट्रपति पद के लिए अर्हक उम्मीदवार होता है।

राष्ट्रपति द्वारा शपथ या प्रतिज्ञान

राष्ट्रपति पद ग्रहण करने से पूर्व शपथ या प्रतिज्ञान लेता है। अपनी शपथ में राष्ट्रपति शपथ लेता है, मैं–

1. श्रद्धापूर्वक राष्ट्रपति पद का कार्यपालन करूँगा;
2. संविधान और विधि का परिरक्षण, संरक्षण और प्रतिरक्षण करूंगा, और
3. भारत की जनता की सेवा और कल्याण में निरत रहूंगा।

उच्चतम न्यायालय के मुख्य न्यायाधीश और उसकी अनुपस्थिति में वरिष्ठतम न्यायाधीश द्वारा राष्ट्रपति को पद की शपथ दिलाई जाती है।

अन्य किसी भी व्यक्ति को जो राष्ट्रपति के रूप में कार्य करता है अथवा राष्ट्रपति के कर्तव्यों का निर्वाह करता है, इसी प्रकार शपथ लेनी होती है।

राष्ट्रपति पद के लिए शर्तें

संविधान द्वारा राष्ट्रपति के पद के लिए निम्नलिखित शर्तें निर्धारित की गई हैं :

1. वह संसद के किसी भी सदन अथवा राज्य विधायिका का सदस्य नहीं होना चाहिए। यदि कोई ऐसा व्यक्ति राष्ट्रपति निर्वाचित होता है तो उसे पद ग्रहण करने से पूर्व उस सदन से त्यागपत्र देना होगा।
2. वह कोई अन्य लाभ का पद धारण नहीं करेगा।
3. उसे बिना कोई किराया चुकाए आधिकारिक निवास (राष्ट्रपति भवन) आवंटित होगा।
4. उसे संसद द्वारा निर्धारित परिलब्धियाँ, भत्ते व विशेषाधिकार प्राप्त होंगे।
5. उसकी परिलब्धियाँ और भत्ते उसकी पदावधि के दौरान कम नहीं किए जाएंगे।

पदावधि, महाभियोग व पदरिक्तता

राष्ट्रपति की पदावधि

राष्ट्रपति की पदावधि उसके पद धारण करने की तिथि से पाँच वर्ष तक होती है। हालांकि वह अपनी पदावधि में किसी भी समय अपना त्यागपत्र उप-राष्ट्रपति को दे सकता है। इसके अतिरिक्त, उसे कार्यकाल पूरा होने के पूर्व महाभियोग चलाकर भी उसके पद से हटाया जा सकता है।

जब तक उसका उत्तराधिकारी पद ग्रहण न कर ले राष्ट्रपति अपने पाँच वर्ष के कार्यकाल के उपरांत भी पद पर बना रह सकता है। वह इस पद पर पुनः निर्वाचित हो सकता है। वह कितनी ही बार पुनः निर्वाचित हो सकता है हालांकि अमेरिका में एक व्यक्ति दो बार से अधिक राष्ट्रपति नहीं बन सकता।

राष्ट्रपति पर महाभियोग

राष्ट्रपति पर 'संविधान का उल्लंघन' करने पर महाभियोग चलाकर उसे पद से हटाया जा सकता है। हालांकि संविधान ने 'संविधान का उल्लंघन' वाक्य को परिभाषित नहीं किया है।

महाभियोग के आरोप संसद के किसी भी सदन में प्रारंभ किए जा सकते हैं। इन आरोपों पर सदन के एक-चौथाई सदस्यों (जिस सदन में आरोप लगाए गए हैं) के हस्ताक्षर होने चाहिए और राष्ट्रपति को 14 दिन का नोटिस देना चाहिए। महाभियोग का प्रस्ताव दो-तिहाई बहुमत से पारित होने के पश्चात् यह दूसरे सदन में भेजा जाता है, जिसे इन आरोपों की जांच करनी चाहिए। राष्ट्रपति को इसमें उपस्थित होने तथा अपना प्रतिनिधित्व कराने का अधिकार होगा। यदि दूसरा सदन इन आरोपों को सही पाता है और महाभियोग प्रस्ताव को दो-तिहाई बहुमत से पारित करता है तो राष्ट्रपति को विधेयक पारित होने की तिथि से अपने पद से हटना होगा।

इस प्रकार महाभियोग संसद की एक अर्द्ध-न्यायिक प्रक्रिया है। इस संदर्भ में दो बातें ध्यान देने योग्य हैं–

(अ) संसद के दोनों सदनों के मनोनीत सदस्य जिन्होंने राष्ट्रपति के चुनाव में भाग नहीं लिया था, इस महाभियोग में भाग ले सकते हैं।

(ब) राज्य विधानसभाओं के निर्वाचित सदस्य तथा दिल्ली व पुदुचेरी केंद्रशासित राज्य विधानसभाओं के सदस्य इस महाभियोग प्रस्ताव में भाग नहीं लेते हैं, जिन्होंने राष्ट्रपति के चुनाव में भाग लिया था।

अभी तक किसी भी राष्ट्रपति पर महाभियोग नहीं चलाया गया है।

राष्ट्रपति के पद की रिक्तता

राष्ट्रपति का पद निम्न प्रकार से रिक्त हो सकता है :

1. पाँच वर्षीय कार्यकाल समाप्त होने पर,
2. उसके त्यागपत्र देने पर,
3. महाभियोग प्रक्रिया द्वारा उसे पद से हटाने पर,
4. उसकी मृत्यु पर,
5. अन्यथा, जैसे यदि वह पद ग्रहण करने के लिए अर्हक न हो अथवा निर्वाचन अवैध घोषित हो।

राष्ट्रपति की शक्तियाँ व कर्तव्य

राष्ट्रपति द्वारा प्रयोग की जाने वाली शक्तियाँ व किए जाने वाले कार्य निम्नलिखित हैं :

1. कार्यकारी शक्तियाँ
2. विधायी शक्तियाँ
3. वित्तीय शक्तियाँ
4. न्यायिक शक्तियाँ
5. कूटनीतिक शक्तियाँ
6. सैन्य शक्तियाँ
7. आपातकालीन शक्तियाँ

राष्ट्रपति की वीटो शक्ति

संसद द्वारा पारित कोई विधेयक तभी अधिनियम बनता है जब राष्ट्रपति उसे अपनी सहमति देता है। जब ऐसा विधेयक राष्ट्रपति की सहमति के लिए प्रस्तुत होता है तो उसके पास तीन विकल्प होते हैं (संविधान के अनुच्छेद 111 के अंतर्गत) :

1. वह विधेयक पर अपनी स्वीकृति दे सकता है, अथवा
2. विधेयक पर अपनी स्वीकृति को सुरक्षित रख सकता है; अथवा
3. वह विधेयक (यदि विधेयक धन विधेयक नहीं है) को संसद के पुनर्विचार हेतु लौटा सकता है। हालांकि यदि संसद इस विधेयक को पुनः बिना किसी संशोधन के अथवा संशोधन करके, राष्ट्रपति के सामने प्रस्तुत करे तो राष्ट्रपति को अपनी स्वीकृति देनी ही होगी।

इस प्रकार, राष्ट्रपति के पास संसद द्वारा पारित विधेयकों के संबंध में वीटो शक्ति होती है, अर्थात् वह विधेयक को अपनी स्वीकृति के लिए सुरक्षित रख सकता है। राष्ट्रपति को ये शक्ति देने के दो कारण हैं–

(अ) संसद को जल्दबाजी और सही ढंग से विचारित न किए गए विधान बनाने से रोकना, और

(ब) किसी असंवैधानिक विधान को रोकने के लिए।

वर्तमान राज्यों के कार्यकारी प्रमुखों की वीटो शक्तियों को चार प्रकार से वर्गीकृत किया जा सकता है :

1. आत्यंतिक वीटो, अर्थात् विधायिका द्वारा पारित विधेयक पर अपनी राय सुरक्षित रखना।
2. विशेषित वीटो, जो विधायिका द्वारा उच्च बहुमत द्वारा निरस्त की जा सके।
3. निलंबनकारी वीटो, जो विधायिका द्वारा साधारण बहुमत द्वारा निरस्त की जा सके।
4. पॉकेट वीटो, विधायिका द्वारा पारित विधेयक पर कोई निर्णय नहीं करना।

उपरोक्त चार में से, भारत के राष्ट्रपति में तीन शक्तियाँ आत्यंतिक वीटो, निलंबनकारी वीटो और पॉकेट वीटो निहित हैं। भारत के राष्ट्रपति के संदर्भ में विशेषित वीटो महत्वहीन है तथा यह अमेरिका के राष्ट्रपति द्वारा प्रयोग किया जाता है।

राष्ट्रपति की अध्यादेश जारी करने की शक्ति

संविधान के अनुच्छेद 123 के तहत राष्ट्रपति को संसद के सत्रावसान की अवधि में अध्यादेश जारी करने की शक्ति प्रदान की गई है। इन अध्यादेशों का प्रभाव व शक्तियाँ, संसद द्वारा बनाए गए कानून की तरह ही होती हैं परंतु ये प्रकृति से अल्पकालीन होते हैं।

राष्ट्रपति की अध्यादेश जारी करने की शक्ति सर्वाधिक महत्वपूर्ण विधायी शक्ति है। यह शक्ति उसे अप्रत्याशित अथवा अविलंबनीय मामलों से निपटने हेतु दी गई है।

राष्ट्रपति की क्षमादान करने की शक्ति

संविधान के अनुच्छेद 72 में राष्ट्रपति को उन व्यक्तियों को क्षमा करने की शक्ति प्रदान की गई है, जो निम्नलिखित मामलों में किसी अपराध के लिए दोषी करार दिए गए हैं :

1. संघीय विधि के विरुद्ध किसी अपराध में दिए गए दंड में;
2. सैन्य न्यायालय द्वारा दिए गए दंड में, और;
3. यदि दंड का स्वरूप मृत्युदंड हो।

राष्ट्रपति की क्षमादान शक्ति न्यायपालिका से स्वतंत्र है। वह एक कार्यकारी शक्ति है परन्तु राष्ट्रपति इस शक्ति का प्रयोग करने के लिए किसी न्यायालय की तरह पेश नहीं आता। राष्ट्रपति की इस शक्ति के दो रूप हैं–

(अ) विधि के प्रयोग में होने वाली न्यायिक गलती को सुधारने के लिए,

(ब) यदि राष्ट्रपति दंड का स्वरूप अधिक कड़ा समझता है तो उसका बचाव प्रदान करने के लिए।

राष्ट्रपति की क्षमादान शक्ति में निम्नलिखित बातें सम्मिलित हैं–

1. **क्षमा :** इसमें दंड और बंदीकरण दोनों को हटा दिया जाता है तथा दोषी की सभी दण्ड, दण्डादेशों और निरर्हताओं से पूर्णतः मुक्त कर दिया जाता है।
2. **लघुकरण :** इसका अर्थ है कि दंड के स्वरूप को बदलकर कम करना। उदाहरणार्थ मृत्युदंड का लघुकरण कर कठोर कारावास में परिवर्तित करना, जिसे साधारण कारावास में परिवर्तित किया जा सकता है।
3. **परिहार :** इसका अर्थ है, दंड के प्रकृति में परिवर्तन किए बिना उसकी अवधि कम करना। उदाहरण के लिए दो वर्ष के कठोर कारावास को एक वर्ष के कठोर कारावास में परिहार करना।
4. **विराम :** इसका अर्थ है किसी दोषी को मूल रूप में दी गई सजा को किन्हीं विशेष परिस्थिति में कम करना, जैसे–शारीरिक अपंगता अथवा महिलाओं को गर्भावस्था की अवधि के कारण।
5. **प्रविलंबन :** इसका अर्थ है किसी दंड (विशेषकर मृत्युदंड) पर अस्थायी रोक लगाना। इसका उद्देश्य है कि दोषी व्यक्ति का क्षमा याचना अथवा दंड के स्वरूप परिवर्तन की याचना के लिए समय देना।

संविधान के अनुच्छेद 161 के अंतर्गत राज्य का राज्यपाल भी क्षमादान की शक्तियाँ रखता है। अतः राज्यपाल भी किसी दंड को क्षमा कर सकता है, अस्थायी रूप से रोक सकता है, सजा को या सजा की अवधि को कम कर सकता है। वह राज्य विधि के विरुद्ध अपराध में दोषी व्यक्ति की सजा को निलंबित कर सकता है। दंड का स्वरूप बदल सकता है और दंड की अवधि को कम कर सकता है।

प्रधानमंत्री (Prime Minister)

संविधान द्वारा प्रदत्त सरकार की संसदीय व्यवस्था में वास्तविक कार्यकारी शक्तियाँ प्रधानमंत्री में (de facto executive) निहित होती हैं। दूसरे शब्दों में, राष्ट्रपति राज्य का प्रमुख होता है, जबकि प्रधानमंत्री सरकार का प्रमुख होता है।

प्रधानमंत्री की नियुक्ति

अनुच्छेद 75 केवल इतना कहता है कि राष्ट्रपति, प्रधानमंत्री की नियुक्ति करेगा। हालांकि इसका अभिप्राय यह नहीं है कि राष्ट्रपति किसी भी व्यक्ति को प्रधानमंत्री नियुक्त करने हेतु स्वतंत्र है। सरकार की संसदीय व्यवस्था के अनुसार, राष्ट्रपति लोकसभा में बहुमत प्राप्त दल के नेता को प्रधानमंत्री नियुक्त करता है परंतु यदि लोकसभा में कोई भी दल स्पष्ट बहुमत में न हो तो राष्ट्रपति प्रधानमंत्री की नियुक्ति में अपनी वैयक्तिक विवेक स्वतंत्रता का प्रयोग कर सकता है। इस स्थिति में राष्ट्रपति सामान्यतः सबसे बड़े

दल अथवा गठबंधन के नेता को प्रधानमंत्री नियुक्त करता है और उससे 1 माह के भीतर सदन में विश्वास मत हासिल करने के लिए कहता है।

सन् 1980 में दिल्ली उच्च न्यायालय ने कहा कि संविधान में यह आवश्यक नहीं है कि एक व्यक्ति प्रधानमंत्री नियुक्त होने से पूर्व लोकसभा में अपना बहुमत सिद्ध करे। राष्ट्रपति को पहले प्रधानमंत्री की नियुक्ति करनी चाहिए और तब एक यथोचित समय सीमा के भीतर उसे लोकसभा में अपना बहुमत सिद्ध करने के लिए कहना चाहिए।

शपथ, शर्तें एवं वेतन

प्रधानमंत्री का पद ग्रहण करने से पूर्व राष्ट्रपति उसे पद एवं गोपनीयता की शपथ दिलवाता है। पद एवं गोपनीयता की शपथ लेते हुए प्रधानमंत्री कहता है कि :

1. मैं भारत के संविधान के प्रति सच्ची श्रद्धा और निष्ठा रखूंगा।
2. मैं भारत की प्रभुता एवं अखंडता अक्षुण्ण रखूंगा।
3. मैं श्रद्धापूर्वक एवं शुद्ध अंतःकरण से अपने पद के दायित्वों का निर्वहन करूंगा।
4. मैं भय या पक्षपात, अनुराग या द्वेष के बिना सभी प्रकार के लोगों के प्रति संविधान और विधि के अनुसार न्याय करूंगा।

प्रधानमंत्री गोपनीयता की शपथ के रूप में कहता है कि मैं ईश्वर की शपथ लेता हूँ कि जो विषय मेरे विचार के लिए लाया जाएगा अथवा मुझे ज्ञात होगा, उसे किसी व्यक्ति या व्यक्तियों को तब तक के सिवाय जबकि ऐसे मंत्री के रूप में अपने कर्तव्यों के सम्यक निर्वहन के लिए ऐसा अपेक्षित हो, मैं प्रत्यक्ष अथवा अप्रत्यक्ष रूप से संसूचित या प्रकट नहीं करूंगा।

प्रधानमंत्री का कार्यकाल निश्चित नहीं है तथा वह राष्ट्रपति के प्रसादपर्यंत अपने पद पर बना रहता है। हालांकि इसका अर्थ यह नहीं है कि राष्ट्रपति किसी भी समय प्रधानमंत्री को उसके पद से हटा सकता है। प्रधानमंत्री को जब तक लोकसभा में बहुमत हासिल है, राष्ट्रपति उसे बर्खास्त नहीं कर सकता है। लोकसभा में अपना विश्वास मत खो देने पर उसे अपने पद से त्यागपत्र देना होगा अथवा त्यागपत्र न देने पर राष्ट्रपति उसे बर्खास्त कर सकता है।

प्रधानमंत्री के वेतन व भत्ते संसद द्वारा समय-समय पर निर्धारित किए जाते हैं। वह संसद सदस्य को प्राप्त होने वाले वेतन एवं भत्ते प्राप्त करता है। इसके अतिरिक्त वह व्यय विषयक भत्ते, मुफ्त आवास, यात्रा भत्ते, स्वास्थ्य सुविधाएँ आदि प्राप्त करता है।

प्रधानमंत्री के कार्य व शक्तियाँ

प्रधानमंत्री के कार्य व शक्तियाँ निम्नलिखित हैं :

मंत्रिपरिषद् के संबंध में

केंद्रीय मंत्रिपरिषद् के प्रमुख के रूप में प्रधानमंत्री की शक्तियाँ निम्न हैं :

1. वह मंत्रियों को विभिन्न मंत्रालय आवंटित करता है और उनमें फेरबदल करता है।
2. वह मंत्री नियुक्त करने हेतु अपने दल के व्यक्तियों की राष्ट्रपति को सिफारिश करता है। राष्ट्रपति उन्हीं व्यक्तियों के मंत्री नियुक्त कर सकता है जिनकी सिफारिश प्रधानमंत्री द्वारा की जाती है।
3. वह मंत्रिपरिषद् की बैठक की अध्यक्षता करता है तथा उसके निर्णयों को प्रभावित करता है।
4. वह किसी मंत्री को त्यागपत्र देने अथवा राष्ट्रपति को उसे बर्खास्त करने की सलाह दे सकता है।
5. वह पद से त्यागपत्र देकर मंत्रिमंडल को बर्खास्त कर सकता है।
6. वह सभी मंत्रियों की गतिविधियों को नियंत्रित, निर्देशित करता है और उनमें समन्वय रखता है।

चूंकि प्रधानमंत्री मंत्रिपरिषद् का प्रमुख होता है, अतः जब प्रधानमंत्री त्यागपत्र देता है अथवा उसकी मृत्यु हो जाती है तो अन्य मंत्री कोई भी कार्य नहीं कर सकते। अन्य शब्दों में, प्रधानमंत्री की मृत्यु अथवा त्यागपत्र से मंत्रिपरिषद् स्वयं ही विघटित हो जाती है और एक शून्यता उत्पन्न हो जाती है। दूसरी ओर किसी अन्य मंत्री की मृत्यु या त्यागपत्र पर केवल रिक्तता उत्पन्न होती है, जिसे भरने के लिए प्रधानमंत्री स्वतंत्र होता है।

संसद के संबंध में

प्रधानमंत्री निचले सदन का नेता होता है। इस संबंध में वह निम्नलिखित शक्तियों का प्रयोग करता है :

1. वह राष्ट्रपति को संसद का सत्र आहूत करने एवं सत्रावसान करने संबंधी परामर्श देता है।
2. वह किसी भी समय लोकसभा विघटित करने की सिफारिश राष्ट्रपति से कर सकता है।
3. वह सभा पटल पर सरकार की नीतियों की घोषणा करता है।

भूमिका का वर्णन

राजनीतिशास्त्रियों एवं संविधान विशेषज्ञों ने प्रधानमंत्री की भूमिका को, विशेष रूप से ब्रिटिश प्रधानमंत्री की भूमिका के संदर्भ में व्याख्या की है। इनमें से प्रमुख इस प्रकार हैं :

लॉर्ड मार्ले : उन्होंने प्रधानमंत्री का वर्णन 'समान के बीच प्रथम' तथा 'कैबिनेट रूपी चाप के मुख्य प्रस्तर' के रूप में किया है। वे कहते हैं, ''कैबिनेट का प्रमुख समान लोगों के बीच श्रेष्ठ होता है तथा वह उस पद को धारित करता है, जो काफी दायित्वपूर्ण होता है, वह देश का सबसे प्रमुख प्राधिकारी होता है।''

हर्बर्ट मौरिसन : 'सरकार के मुखिया के रूप में वह सबसे प्रमुख है' लेकिन आज उसके दायित्वों में काफी परिवर्तन आया है।

सर विलियम वर्नर हार्टकोर्ट : उन्होंने प्रधानमंत्री को 'तारों के बीच चंद्रमा' की संज्ञा दी है।

जेनिंग्स : ''वह सूर्य के समान है, जिसके चारों ओर ग्रह परिभ्रमण करते हैं।'' वह संविधान का सबसे मुख्य आधार है। संविधान के सभी मार्ग प्रधानमंत्री की ओर ही जाते हैं।

राष्ट्रपति के साथ संबंध

संविधान में राष्ट्रपति-प्रधानमंत्री के संबंध में निम्नलिखित उपबंध हैं :

1. अनुच्छेद 74 : राष्ट्रपति को सहायता एवं सलाह देने के लिए एक मंत्रिपरिषद होगी जिसका प्रमुख प्रधानमंत्री होगा। राष्ट्रपति इसकी सलाह के अनुसार कार्य करेगा हालांकि राष्ट्रपति मंत्रिमंडल से उसकी सलाह पर पुनर्विचार करने के लिए कह सकता है। राष्ट्रपति इस पुनर्विचार के बाद दी गई सलाह के अनुसार कार्य करेगा।
2. अनुच्छेद 75 : (अ) प्रधानमंत्री की नियुक्ति राष्ट्रपति करेगा और प्रधानमंत्री की सलाह पर अन्य मंत्रियों की नियुक्ति करेगा, (ब) मंत्री राष्ट्रपति के प्रसादपर्यंत अपने पद पर बने रहेंगे, और (स) मंत्रिपरिषद लोकसभा के प्रति सामूहिक रूप से उत्तरदायी होगी।
3. अनुच्छेद 78 : प्रधानमंत्री के कर्तव्य हैं—
   (क) संघ के कार्यकलाप के प्रशासन संबंधी और विधान विषयक प्रस्थापनाओं संबंधी मंत्रिपरिषद के सभी विनिश्चय राष्ट्रपति को संसूचित करे।
   (ख) संघ के कार्यकलाप के प्रशासन संबंधी और विधान विषयक प्रस्थापनाओं संबंधी, जो जानकारी राष्ट्रपति मांगे वह दे, और;
   (ग) किसी विषय को जिस पर किसी मंत्री ने विनिश्चय कर दिय है, किन्तु मंत्रि-परिषद् ने विचार नहीं किया है, राष्ट्रपति द्वारा अपेक्षा, किए जाने पर परिषद् के समक्ष विचार के लिए रखे।

केंद्रीय मंत्रिपरिषद् (Central Council of Ministers)

हमारी राजनैतिक और प्रशासनिक व्यवस्था की मुख्य कार्यकारी अधिकारी मंत्रिपरिषद होती है, जिसका नेतृत्व प्रधानमंत्री करता है। संविधान में संसदीय व्यवस्था के सिद्धांत विस्तार से नहीं लिए गए हैं परंतु दो अनुच्छेदों (74 एवं 75) में इसके बारे में संक्षिप्त और सामान्य वर्णन है।

संवैधानिक प्रावधान

अनुच्छेद-74 राष्ट्रपति को सहायता एवं परामर्श और सलाह देने के लिए मंत्रिपरिषद

1. राष्ट्रपति को सहायता और सलाह देने हेतु एक मंत्रिपरिषद होगी, जिसका प्रधान प्रधानमंत्री होगा। राष्ट्रपति, मंत्रिपरिषद के परामर्श के अनुसार ही कार्य करेगा। तथापि यदि राष्ट्रपति चाहे तो वह एक बार मंत्रिपरिषद से पुनर्विचार के लिए कह सकता है लेकिन मंत्रिपरिषद द्वारा दोबारा भेजने पर राष्ट्रपति उसकी सलाह के अनुसार कार्य करेगा।
2. मंत्रियों द्वारा राष्ट्रपति को दी गई सलाह की जांच किसी न्यायालय द्वारा नहीं की जा सकती।

अनुच्छेद-75 मंत्रियों के बारे में अन्य उपबंध

1. प्रधानमंत्री की नियुक्ति राष्ट्रपति करेगा तथा अन्य मंत्रियों की नियुक्ति में राष्ट्रपति, प्रधानमंत्री की सलाह पर करेगा।
2. मंत्री, राष्ट्रपति के प्रसादपर्यन्त पद धारण करेंगें
3. मंत्रिपरिषद, लोकसभा के प्रति सामूहिक रूप से उत्तरदायी होगी।
4. राष्ट्रपति, मंत्रियों को पद एवं गोपनीयता की शपथ दिलाएगा।
5. मंत्रियों के वेतन एवं भत्ते, संसद द्वारा निर्धारित किए जाएंगे।

अनुच्छेद 78 : प्रधानमंत्री के कर्तव्य

प्रधानमंत्री का यह कर्तव्य होगा :

1. कि वह राष्ट्रपति को संघ के प्रशासन से संबंधित मामलों के बारे में मंत्रिपरिषद द्वारा लिए गए निर्णयों तथा विधायन के प्रस्तावों के बारे में सूचित करें।
2. कि संघ के प्रशासन आदि के संबंधित मामलों तथा प्रस्तावित विधायनों के बारे में राष्ट्रपति द्वारा माँगी गई सूचनाएँ प्रेषित करें, तथा यदि राष्ट्रपति चाहें तो किसी ऐसे मामले पर जिसमें कि किसी मंत्री द्वारा निर्णय लिया जा चुका है लेकिन जिस पर मंत्रिपरिषद ने विचार नहीं किया है, उसे मंत्रिपरिषद् के विचारार्थ भेज दे।

मंत्रियों की नियुक्ति

कोई व्यक्ति संसद की सदस्यता के बिना मंत्रिपद पर सुशोभित होता है तो उसे छह माह के भीतर संसद के किसी भी सदन की सदस्यता लेनी होगी। (निर्वाचन से अथवा नामांकन से) नहीं तो उसका मंत्रिपद रद्द कर दिया जाता है। एक मंत्री को जो संसद के किसी एक सदन का सदस्य है, दूसरे सदन की कार्यवाही में भाग लेने और बोलने का अधिकार है परंतु वह उसी सदन में मत दे सकता है जिसका कि वह सदस्य है।

मंत्रियों के उत्तरदायित्व

सामूहिक उत्तरदायित्व

अनुच्छेद 75 स्पष्ट रूप से कहता है कि मंत्रिपरिषद लोकसभा के प्रति सामूहिक रूप से उत्तरदायी होगी। इसका अर्थ है कि सभी मंत्रियों की उनके सभी कार्यों के लिए लोकसभा के प्रति संयुक्त जिम्मेदारी होगी। वे एक दल की तरह कार्य करेंगे और समान रूप से उत्तरदायी होंगे। जब लोकसभा मंत्रिपरिषद के विरुद्ध एक अविश्वास प्रस्ताव पारित करती है तो सभी मंत्रियों को जिसमें कि राज्यसभा के मंत्री भी शामिल हों, त्यागपत्र देना पड़ता है। इसके अतिरिक्त मंत्रिपरिषद राष्ट्रपति को इस आधार पर लोकसभा को विघटित करने की सलाह दे सकती है कि सदन जनमत का निष्ठापूर्ण प्रतिनिधित्व नहीं करता है और नए चुनाव की मांग करता है। राष्ट्रपति, लोकसभा में विश्वास मत खोए हुए मंत्रिपरिषद की सलाह मानने हेतु बाध्य नहीं है।

सामूहिक उत्तरदायित्व का सिद्धांत यह भी है कि मंत्रिमंडल के निर्णय सभी केंद्रीय मंत्रियों (अन्य मंत्रियों) के लिए बाध्यकारी हैं। यहाँ तक कि यदि मंत्रिमण्डल की बैठक में उनके विचार इसके विरुद्ध हों। सभी मंत्रियों का यह कर्तव्य है कि वो मंत्रिमंडल के निर्णयों को माने तथा संसद के बाहर और भीतर उसका समर्थन करें। यदि कोई मंत्री मंत्रिमंडल के किसी निर्णय से असहमत है और उसके लिए तैयार नहीं है, तो उसे त्यागपत्र देना होगा।

व्यक्तिगत उत्तरदायित्व

अनुच्छेद 75 में व्यक्तिगत उत्तरदायित्व का सिद्धांत भी वर्णित है। यह कहता है कि मंत्री राष्ट्रपति के प्रसादपर्यंत अपने पद पर बने रहेंगे जिसका अर्थ है कि राष्ट्रपति किसी मंत्री को उस समय भी हटा सकता है जब मंत्रिपरिषद को लोकसभा में विश्वास मत प्राप्त है। हालांकि राष्ट्रपति किसी मंत्री को केवल प्रधानमंत्री की सलाह पर ही हटा सकता है। विचारों में मतभेद के कारण अथवा किसी मंत्री के कार्यों से संतुष्ट न होने के कारण प्रधानमंत्री उसे त्यागपत्र देने के लिए कह सकता है अथवा राष्ट्रपति को उसे बर्खास्त करने की सलाह दे सकता है।

मंत्रिपरिषद की संरचना

मंत्रिपरिषद में मंत्रियों की तीन श्रेणियाँ होती हैं—कैबिनेट मंत्री, राज्य मंत्री व उपमंत्री। उनके बीच का अंतर है—उनका पदक्रम, वेतन तथा राजनैतिक महत्व। इन सभी मंत्रियों का प्रमुख प्रधानमंत्री है, जो सरकार का उच्चतम कार्यकारी है।

कैबिनेट मंत्रियों के पास केंद्र सरकार के महत्वपूर्ण मंत्रालय जैसे गृह, रक्षा, वित्त, विदेश व अन्य मंत्रालय होते हैं। वे कैबिनेट के सदस्य होते हैं और इसकी बैठकों में भाग लेते हैं तथा नीति निर्धारण में महत्वपूर्ण भूमिका निभाते हैं। अतः इनके उत्तरदायित्व की परिधि संपूर्ण केन्द्र सरकार पर है।

राज्य मंत्रियों को मंत्रालय/विभागों का स्वतंत्र प्रभार दिया जा सकता है अथवा उन्हें कैबिनेट मंत्री के साथ सहयोगी बनाया जा सकता है। सहयोग के मामलों में, उन्हें कैबिनेट मंत्री के मंत्रालय के विभागों का प्रभार दिया जा सकता है अथवा मंत्रालय से संबंधित कोई विशेष कार्य सौंपा जा सकता है। दोनों ही मामलों में वे कैबिनेट मंत्री की देखरेख, सलाह तथा उसकी जिम्मेदारी पर कार्य करते हैं। स्वतंत्र प्रभार के मामले में वे अपने मंत्रालय का कार्य, कैबिनेट मंत्री की तरह ही पूरी शक्ति व स्वतंत्रता से करते हैं। हालांकि वे कैबिनेट के सदस्य नहीं होते हैं तथा उनकी बैठकों में भाग नहीं लेते। वे तब तक बैठक में भाग नहीं लेते, जब तक उन्हें उनके मंत्रालय से संबंधित किसी कार्य हेतु विशेष रूप से आमंत्रित नहीं किया जाए।

मंत्रिमंडलीय समितियाँ (Cabinet Committees)

मंत्रिमंडलीय समितियों की विशेषताएँ

मंत्रिमंडलीय समितियों की निम्न विशेषताएँ हैं :

1. इनकी सदस्य संख्या तीन से आठ तक हो सकती है। सामान्यतः इनके सदस्य केवल कैबिनेट मंत्री होते हैं, तथापि गैर-कैबिनेट मंत्री इनकी सदस्यता से प्रतिबंधित नहीं होते।
2. ये समितियाँ प्रधानमंत्री द्वारा समय की अनिवार्यता तथा परिस्थिति की माँग के अनुसार गठित की जाती हैं। इसलिए इनकी संख्या, संज्ञा तथा गठन समय के साथ बदलता रहता है।
3. ये समितियाँ दो प्रकार की होती हैं—स्थायी तथा तदर्थ। स्थायी समितियाँ स्थायी प्रकृति की होती हैं जबकि तदर्थ अस्थायी प्रकृति की। तदर्थ समितियों का गठन समय-समय पर विशेष समस्याओं को सुलझाने के लिए किया जाता है। प्रयोजन पूरा होते ही इन्हें विघटित कर दिया जाता है।
4. अपने प्रादुर्भाव में ये समितियाँ गैर-सवैधानिक अथवा संविधानोत्तर हैं। दूसरे शब्दों में इनका उल्लेख संविधान में नहीं है। तथापि कार्य नियमों (Rules of Business) में इनकी स्थापना के लिए कहा गया है।
5. समितियाँ मंत्रिमंडल के कार्य की अधिकता को कम करने के लिए सांगठनिक युक्ति की तरह हैं। ये नीतिगत मुद्दों का गहन अध्ययन करती हैं तथा प्रभावकारी समन्वय स्थापित करती हैं। ये श्रम और प्रतिनिधिमंडल के विभाजन के सिद्धांतों पर आधारित हैं।
6. समितियाँ न सिर्फ मुद्दों का हल तलाशती हैं और मंत्रिमंडल के विचार के लिए प्रस्ताव बनाती हैं, बल्कि निर्णय भी लेती हैं। हालांकि मंत्रिमंडल इनके निर्णयों की समीक्षा कर सकता है।
7. समितियों के प्रमुख प्रायः प्रधानमंत्री होते हैं। कभी-कभी गृहमंत्री या वित्त मंत्री भी इनकी अध्यक्षता करते हैं। लेकिन यदि किसी समिति में प्रधानमंत्री सदस्य हों तो अध्यक्षता नहीं करते हैं।
8. इन समितियों में मामले से जुड़े मंत्री ही नहीं, बल्कि वरिष्ठ मंत्री भी हो सकते हैं।

भारत में कैबिनेट समितियों की सूची

कैबिनेट समितियों का प्रयोग मंत्रिमंडल के अत्यधिक कार्यभार को कम करने के लिये एक संगठनात्मक उपकरण के रूप में किया जाता है। ये समितियां नीतिगत मुद्दों की गहन जाँच और प्रभावी समन्वय की सुविधा प्रदान करती हैं। साथ ही ये श्रम विभाजन एवं प्रभावी प्रतिनिधित्व के सिद्धांतों पर भी आधारित हैं। विभिन्न श्रम विभाजन मुद्दों के आधार पर भारत में मुख्य कैबिनेट समितियाँ निम्नलिखित हैं:

आर्थिक मामलों की कैबिनेट समितिः यह सबसे महत्वपूर्ण समिति है जो बुनियादी ढांचा परियोजनाओं की निगरानी, आयात-निर्यात नीति की समीक्षा, प्रत्यक्ष विदेशी निवेश और औद्योगिक नीति जैसे आर्थिक मुद्दों से निपटती है।

संसदीय मामलों पर कैबिनेट समितिः यह समिति सरकार के विधायी एजेंडे पर निर्णय लेती है, विभिन्न मंत्रियों को कार्य आवंटित करती है तथा संसद में विपक्ष का मुकाबला करने की रणनीतियों पर चर्चा करती है।

सुरक्षा पर कैबिनेट समितिः यह समिति भारत की आंतरिक और बाह्य सुरक्षा, खुफिया जानकारी और रक्षा से संबंधित नीतिगत मामलों से संबंधित मुद्दों पर विचार करती है। गृह मंत्री, रक्षा मंत्री और विदेश मंत्री इसके स्थायी सदस्य हैं।

कैबिनेट की नियुक्ति समितिः यह समिति उच्च पदों पर नियुक्तियां करती है जैसे नियंत्रक एवं महालेखा परीक्षक, लोकपाल, चुनाव आयुक्त आदि। प्रधानमंत्री और गृह मंत्री इसके सदस्य हैं।

आवास पर कैबिनेट समितिः यह समिति पात्र पदाधिकारियों को सरकारी आवास आवंटित करती है। सरकारी आवासों और बंगलों के आवंटन, किराए और रखरखाव के संबंध में नीतियां बनाती है।

निवेश और विकास पर कैबिनेट समितिः निवेश और विकास से संबंधित मुद्दों की समीक्षा करती है। बुनियादी ढांचा परियोजनाओं और सार्वजनिक निजी भागीदारी की निगरानी करती है। निवेश, उद्योग और आर्थिक विकास को बढ़ावा देने के उपायों की जांच करती है।

रोजगार एवं कौशल विकास पर कैबिनेट समितिः रोजगार सृजन और कौशल विकास से संबंधित मुद्दों की समीक्षा करती है। आजीविका के अवसरों और व्यावसायिक प्रशिक्षण को बढ़ाने के उद्देश्य से नीतियों और कार्यक्रमों की जांच करती है।

राजनीतिक मामलों पर कैबिनेट समितिः यह समिति राजनीतिक परिस्थितियों से संबंधित सभी मामलों को देखती है।

केन्द्रीय सचिवालय (Central Secretariat)

सरकारी कार्य-विभाजन संविधान के *अनुच्छेद 77(3)* के तहत निर्मित कार्य सम्बन्धी नियमों के अन्तर्गत किया जाता है। यह प्रधानमंत्री के परामर्श पर राष्ट्रपति के द्वारा किया जाता है। मंत्रिमण्डल नीति-निर्धारण करने वाली *सर्वोच्च संस्था* है। जिसको परामर्श देने के लिए दो प्रकार के स्टाफ अभिकरण हैं– मंत्रिमण्डल समितियाँ और सचिवालय। सचिवालय के तीन प्रमुख रूप हैं–केन्द्रीय सचिवालय, मंत्रिमण्डलीय सचिवालय और प्रधानमंत्री सचिवालय। भारत में मंत्रालयों की संरचना त्रिस्तरीय है। इसमें राजनीतिक शीर्ष पर कैबिनेट मंत्री होता है जिसकी सहायता के लिए एक या अधिक राजमंत्री, उपमंत्री या संसदीय सचिव होते हैं।

भारत में कार्यपालिका की शक्ति राष्ट्रपति में निहित है और समस्त कार्य उसके नाम से किये जाते हैं; किन्तु व्यवहार में मंत्रिमण्डल वास्तविक कार्यपालिका है जिसका प्रमुख प्रधानमंत्री होता है। मंत्री स्वयं समस्त कार्यों को नहीं कर सकता, इसे लिए उसे सहायता की आवश्यकता होती है, इसलिए भारतीय प्रशासन को विभिन्न मंत्रालयों और विभागों में विभाजित किया गया है जो मिलकर केन्द्रीय सचिवालय कहलाता है।

उद्भव तथा विकास (Origin and Development)

अन्य प्रशासनिक संस्थाओं की तरह सचिवालय भी ब्रिटिश शासनकाल की देन है। ब्रिटिश साम्राज्य के समय भारत में प्रशासनिक एकता स्थापित करने में केन्द्रीय सचिवालय की एक विशेष भूमिका थी। कम्पनी शासन में बंगाल के गवर्नर-जनरल के अधीन केन्द्रीय सरकार का सचिवालय गठित किया गया, जिसमें *चार्टर अधिनियम 1833* के तहत प्रशासनिक मितव्ययता की दृष्टि से कुछ परिवर्तन किये गये। सबसे महत्वपूर्ण परिवर्तन था राजस्व एवं वित्त विभागों को मिलाकर एक विभाग बना दिया जाना। 1843, 1855 और 1862 से 1919 तक सचिवालय में विभागों का गठन-पुनर्गठन होता रहा और अनेक नये विभागों का निर्माण हुआ। 1919 से 1947 तक का युग केन्द्रीय सचिवालय में विभिन्न सुधारों के लिए सर्वाधिक महत्वपूर्ण है।

लॉर्ड कार्नवालिस ने सचिवालय के पुनर्गठन और शक्तिशाली बनाने की दिशा में कुछ पहल की। उसका प्रमुख योगदान महामंत्री के पद का सृजन था। इस पदाधिकारी को बाद में प्रमुख सचिव की संज्ञा दी गयी। इसके हाथ में समस्त शक्तियाँ तथा उत्तरदायित्व थे। लॉर्ड वैजेजली ने भी सचिवालय के पुनर्गठन में काफी रुचि ली। केन्द्रीय सचिवालय के विकास में उसके सुधारों का काफी योगदान रहा। बी.बी.मिश्र के अनुसार, "वैलेजली का प्रमुख योगदान था सरकार के सचिवों की गरिमा को बढ़ाना। यह कार्य उसने उनके वेतन को बढ़ाकर तथा उत्तरदायित्व में वृद्धि करके किया। मॉण्टफोर्ड सुधार, 1919 के पूर्व भारत सरकार में गवर्नर-जनरल और सात सदस्य तथा नौ सचिवालयीय विभाग थे। 1919 की लिविलियन स्मिथ कमेटी के सुझाव के आधार पर (i) विभागीय विषयों को पुनर्गठित किया गया, (ii) लिखित आलेखों की प्रथा शुरू की गयी, (iii) केन्द्रीकृत भर्ती की व्यवस्था प्रारम्भ हुई, तथा (iv) सचिवालय में प्रतिनियुक्ति व्यवस्था को सुदृढ़ किया गया। 1919 में पुनर्गठित सचिवालय में 11 विभाग थे।

सचिवालय का व्यापक और द्रुतगामी विस्तार युद्धकाल में हुआ। सचिवालय के पुनर्गठन की आवश्यकता 1947 के सत्ता-हस्तान्तरण से पूर्व अनुभव की जा रही थी। कार्मिक व्यवस्था हेतु 'व्हाइट हाल प्रणाली' पर काफी विचार हुआ और वित्त मंत्रालय में इसका प्रयोग आरम्भ हुआ। कनिष्ठ अधिकारियों को, सहायक मध्यस्थों के बिना, प्रत्यक्षतः प्रकरण निपटाने के लिए नियुक्त किया गया। भारतीय परिस्थितियों के लिए अनुपयुक्त होने के कारण इस प्रयोग का परित्याग किया गया। लेकिन इस व्यवस्था की कुछ विशेषताएँ 1948 में भारत शासन द्वारा अनुमोदित तथा संशोधित पुनर्गठन योजना में समाविष्ट की गयीं। इस योजना को केन्द्रीय सचिवालय पुनर्गठन और प्रबलीकरण नाम दिया गया।

15 अगस्त, 1947 को सत्ता-हस्तान्तरण के समय केन्द्रीय सचिवालय में 18 विभाग थे जबकि वर्तमान में 90 विभाग हैं।

सचिवालय की भूमिका (Role of Secretariat)

सचिवालय की कुशल प्रशासन में महत्वपूर्ण भूमिका होता है। **प्रथम,** यह मंत्रियों को सरकारी नीति-निर्माण में सहायता प्रदान करता है। **द्वितीय,** सरकारें एक व्यापक कार्यक्रम के आधार पर सत्ता में आती हैं, जिनका वचन उन्होंने जनता को चुनाव के समय दिया होता है। इन व्यापक कार्यक्रमों को कार्य योग्य बनाने के लिए, इन्हें सार और रूप देना पड़ता है। इसके अतिरिक्त मंत्रियों को ऐसे विषयों व ऐसी समस्याओं के सम्बन्ध में वे नीतियाँ भी बनानी पड़ती हैं जिनका घोषणा-पत्र में कहीं भी आभास नहीं था। नीति-निर्माण के पूर्व पर्याप्त आँकड़े तथा अन्य सूचना आवश्यक होती हैं, सचिवालय इन्हें उपलब्ध कराता है तथा मंत्रियों को उनके व्यवस्थापन कार्य में सहायता भी प्रदान करता है। साथ ही सचिवालय विधेयकों के मसौदे तैयार करता है। संसदीय प्रश्नों के लिये आवश्यक सूचना एकत्रित

करता है। **तृतीय,** सचिवालय एक संसीगत स्मृति भण्डार की तरह कार्य करता है जिसकी सहायता से सरकार उभरती हुई समस्याओं का विश्लेषण पूर्व दृष्टान्त और भूतकालीन प्रथाओं के प्रकाश में करती है। इस प्रकार का परीक्षण आत्मनिष्ठा, निरन्तरता और समरसता के लिए आवश्यक होता है। **चतुर्थ,** यह एक समस्या का विस्तारपूर्वक जाँच करने के लिए इस पर एक सर्वग्राही व पूर्ण दृष्टिकोण उपलब्ध कराता है। **पंचम्,** यह राज्यों के बीच विभिन्न अभिकरणों; जैसे—योजना आयोग, वित्त आयोग के नीति संचार का माध्यम है।

केन्द्रीय सचिवालय : संगठन
(Central Secretariat : Organisation)

केन्द्रीय सचिवालय में अनेक मंत्रालय और विभाग हैं जिनकी संख्या घटती-बढ़ती रहती है। मंत्रालय विभाग में, विभाग प्रभाग में, प्रभाग शाखा में और शाखा अनुभागों में विभगत हैं। मंत्रालय विभाग का प्रशासकीय अध्यक्ष सचिव होता है। प्रत्येक उपविभाग का प्रमुख अधिकारी संयुक्त अथवा अतिरिक्त सचिव होता है। उपविभाग सामान्यतः दो प्रभागों विभक्त होता है जिसके अधिकारी उपसचिव होते हैं। प्रत्येक उपविभाग में सामान्यतः दो शाखाएँ होती हैं। शाखा का अधिकारी अवसर सचिव कहलाता है एक शाखा में सामान्यतः दो अनुभाग होते हैं। अनुभाग का प्रमुख अनुभाग अधिकारी कहलाता है। प्रत्येक अनुभाग में सहायक लिपिक, टंकणकर्ता आदि कर्मचारी होते हैं। मंत्रालय का आन्तरिक संगठन निम्न प्रकार होता हैः

विभाग	:	सचिव/अतिरिक्त/विशेष सचिव
उपविभाग	:	संयुक्त/अतिरिक्त सचिव
प्रभाग	:	निदेशक/उपसचिव
शाखा	:	अवर सचिव
सेक्शन	:	अनुभाग अधिकारी

केन्दीय सचिवालय में दो प्रकार के कर्मचारी कार्य करते हैं—(1) अधिकारी वर्ग, (2) अधीनस्थ वर्ग।

(1) केन्द्रीय सचिवालय का अधिकारी वर्ग

इन्हें विभाग का किसी भी अंग का कार्य सौंपा जाता है। इसमें सचिव, उपसचिव तथा अवर सचिव आते हैं। यदि विभाग बड़ा है तो संयुक्त सचिव या अतिरिक्त सचिव भी होते हैं, वे अपने क्षेत्र में आने वाले सभी विषयों के सम्बन्ध में मंत्री से सीधा सम्पर्क रखते हैं। संयुक्त या अतिरिक्त सचिव का स्तर लगभग सचिव के स्तर के समान होता है। वे कार्यभार से बोझिल सचिव का बोझ हल्का करते हैं। संयुक्त तथा अतिरिक्त सचिव से आशा की जाती है कि वे महत्वपूर्ण मामलों पर मुख्य सचिव से परामर्श लेते रहें। अधिकारी वर्ग में प्रायः भारतीय प्रशासनिक सेवा के सदस्य होते हैं। इस अधिकरियों की भर्ती केन्द्रीय सरकार द्वारा विभिन्न राज्यों की भारतीय प्रशासनिक सेवा श्रेणियों में से 'कार्यकाल पद्धति' (Tenure System) के अन्तर्गत की जाती है। इस प्रणाली का प्रारम्भ लॉर्ड कर्जन ने 1905 में किया था। कार्यकाल पद्धति के मुख्य लक्षण हैं—*प्रथम,* भारत सरकार के सचिवालय में कर्मचारियों की भर्ती सीधे न होकर प्रान्तों में सेवारत अधिकारियों में से होनी चाहिए। *दूसरे,* केन्द्रीय सचिवालय के कार्यकाल तथा राज्यों में उस पद के कार्यकाल के बीच एक नियमित अन्तर बना रहना चाहिए। इस प्रणाली के अन्तर्गत नीति-निर्धारण में संलग्न अधिकारियों को उन परिस्थितियों का सर्वोत्तम ज्ञान होता है जिनके अधीन नीतियाँ लागू की जाती हैं। परिणामतः नीति-निर्धारण यर्थाथ के अधिक निकट रहता है, फिर भी कार्य काल पद्धति का क्षेत्र सीमित हैं, क्योंकि कुछ विभागों की अपनी पृथक् सेवाएँ होती हैं। इस वर्ग में भर्ती के दूसरे स्रोत केन्द्रीय सचिवालयीय सेवा के अधिकारियों को मंत्रालयों/विभागों से इसलिए सम्बद्ध किया जाता है ताकि सचिवालयीय कार्यों में निरन्तरता बनी रहे।

1957 से केन्द्रीय सचिवालय के उच्चस्थ अधिकारियों की नियुय्कत हेतु केन्द्रीय स्टाफिक योजना प्रारम्भ की गयी है। इस गोजना के अन्तर्गत उपसचिव एवं उसके ऊपर के पदों को भरने का तरीका शामिल है।

1. राज्यों के अखिल भारतीय सेवा संवर्ग एवं राज्य सिविल सेवा के प्रथम श्रेणी अधिकरियों को 'कार्यकाल पद्धति' के आधार पर लेना।
2. केन्द्रीय सेवा वर्ग 'क' से तथा सार्वजनिक उद्यमों में कार्य करने वाले उच्च श्रेणी अधिकारियों को प्रतिनियुक्ति पर कार्यकाल पद्धति के आधार पर लेना।
3. केन्द्रीय सचिवालयीय सेवा के अधिकारी।
4. राज सिविल सेवा के वे अधिकारी जिनका नाम विशेष चयन सूची में उल्लेखित हो, तथा
5. राज सिविल सेवा के कतिपाय अधिकारियों को संघ ।लेक-सेवा आयोग के परामर्श से लेना।

सचिव प्रशासनिक सुधार आयोग ने सचिव की भूमिका के सम्बन्ध में लिखा है कि ''वह समन्वयकर्ता, नीति-परामर्शदाता, समीक्षाकर्ता और मूल्यांकनकर्ता'' है। सचिव विभाग के समस्त प्रशासनिक क्रियाकलापों तथा नीतियों पर परामर्श देने के लिए मंत्री का प्रधान परामर्शदाता होता है। उसका कर्तव्य है कि वह विषय के सभी सम्बद्ध तथ्यों को मंत्री के समक्ष प्रस्तुत करे ताकि मंत्री उस पर उचित निर्णय ले सके। यह आवश्यक है कि वह अपने मंत्रीको पूर्ण सूचना देता रहे। सचिव को निर्भय होकर अपने विचार प्रस्तुत करने चाहिए। परामर्श, संकेत एवं प्रोत्साहन देना तथा समझाना उसका कार्तव्य तथा अधिकार दोनों है। सचिव का यह भी उत्तरदायित्व है कि वह अपने विभाग का प्रशासन कुशलता से तथा मितव्ययितापूर्वक चलाये। सचिव ही संसद की सार्वजनिक लेखा समिति के समक्ष अपने विभाग का प्रतिनिधित्व करता है। वह विचाग के कार्यकलापों में अपने विभाग का प्रतिनिधित्व करता है। वह विभाग के कार्यकलापों से अपने आपको परिचित रखता है। वह अपने अधीनस्थ कर्मचारियों द्वारा निपटाये गये मामलों की संख्या एवं प्रकृति के सम्बन्ध में साप्ताहिक प्रतिवेदन प्राप्त करता है। श्री आयंगर ने लिखा है—''सचिव को फाइलों में छूबा हुआ नहीं रहना चाहिए और न ही सामान्य कार्यों में व्यस्त रहना चाहिए। उसे सौंपे गये उत्तरदायित्व के क्षेत्र में समस्याओं का निदान खेजने और आगामी योजना बनाने तथा समस्याओं के निराकरण के साधनों पर विचार करना चाहिए, ताकि प्रशासनिक कुशलता बनी रहै। इस दिशा में

कार्य न करने की असफलता की पूर्ति करने अन्तर्गत कर्मचारियों की संख्या बढ़ाकर सम्भव नहीं है।''

विशेष सचिवः 1951 में सर्वप्रथम कृषि-मंत्रालय में विशेष सचिव की नियुक्ति की गयी थी। वह वेतन, पद तथा सत्ता में सचिव के समकक्ष था। यह पद अपने आप में अद्वितीय था जिसकी स्थापना के न तो कोई सिद्धान्त थे और न ही सचिव के साथ उसके सम्बन्धों का वर्णन। आगे चलकर अन्य मंत्रालयों में भी विशेष सचिव के पद की स्थापना की गयी। इससे यह स्पष्ट हो जाता है कि इस पद की स्थापना के निश्चित नियम नहीं हैं। आज केन्द्रीय सरकार के साथ-साथ राज्य सचिवालय में भी विशेष सचिव के पद विद्यामान हैं।

अतिरिक्त सचिवः इस पद की स्थाना का प्रारम्भिक उद्देश्य सचिव के कार्यभार में सहायता प्रदान कना था। किन्तु आगे चलकर संयुक्त सचिव का पदोन्नति के रूप में उपयोग होने लगा और उसके पद तथा वेतन में वृद्धि भी हुई। अतिरिक्त सचिव किस प्रशासनिक इकाई में कार्य करेंगे, यह निश्चित नहीं है। कभी-कभी वह विभाग के प्रभारी के रूप में सचिव के कार्यों को करता है, तो कभी विभाग की एक शाखा में संयुक्त सचिव के रूप में कार्य करता है, तो कभी विशिष्ट कार्यों में सचिव के सहायक के रूप में कार्य करता है। आज स्थिति यह है कि सचिवालय के पद-सोपान में उसका स्थान सुनिश्चित हैं बड़े मंत्रालयों में अतिरिक्त सचिव, सचिव के कार्यों में महत्वपूर्ण परामर्श एवं सहायता प्रदान करता है।

संयुक्त सचिवः जब किसी मंत्रालय का कार्य अधिक बढ़ जाता है और सचिव कार्य के बोझ से दबा रहता है, तब उसके कार्यों में सहायता के लिए एक या अधिक शाखाओं की स्थापना की जाती है। संयुक्त सचिव स्वतंत्र रूप से शाखा का प्रमुख होता है और वह सोंपे गये कार्यों को करने में सक्षम होता है। प्रशासनिक सुविधा की दृष्टि से यह उचित प्रतीत होता है। इस पद की स्थापना 1920 के प्रारम्भिक वर्षों में तीन कारणों से की गयी थी–(i) विभाग के कार्यों में वृद्धि के कारण सचिव द्वारा बढ़े हुए कार्यों को करने में कठिनाई का होना, (ii) विभिन्न कार्यों को एक सचिव के अधीन करने में कठिनाई, तथा (iii) 1920 में केन्द्र में संसद में दो सदनों की स्थापना के कारण, दोनों सदनों में विधायिका के कार्यों में सदस्यों की सहायता के लिए वरिष्ठ अधिकारी की उपस्थिति की अनिवार्यता के कारण। वास्तविकता यह है कि प्रशासनिक संगठन में यह पद भी निश्चित हो गया है।

निदेशकः यह पद अपेक्षाकृत नवीन है और इसकी स्थापना 1960 में हुई। यह पद कुछ अधिकारियों के अहम् की सन्तुष्टि के लिए सृजित किया गया है। जहाँ तक उत्तरदायित्व का प्रशन है, यह उपसचिव के समकक्ष होता है।

उपसचिवः यह सचिव की ओर से कार्य करता है। सचिवालय में उपसचिव का महत्व होता है और वह एक डिवीजन का प्रभारी होता है। इससे सम्बन्धित कार्यों के प्रति वह उत्तरदायी होता है। संयुक्त सचिव तथा अतिरिक्त सचिवों के कारण इस पद की गरिमा में कमी हुई है।

अवर सचिवः यह मंत्रालय की एक शाखा का प्रभारी होता है और अपने कार्यक्षेत्र में अनुशासन बनाये रखने के लिए उत्तरदायी होता है। छोटे-छोटे मामलों को यह स्वयं निपटाता है। उपसचिव के कार्य को हल्का करना इसका एक प्रमुख कार्य है।

विशेष कार्य अधिकारी (ओ.एस.डी.): प्रशासनिक कार्यो अथवा अप्रत्याशित आपात-स्थिति में व्यक्ति विशेष को स्थान देने के लिए प्राचीन काल से ही ओ.एस.डी. की व्यवस्था प्रचलित है। व्यावहारिक प्रशासन में उपयोगिता के आधार पर इन्हें बनाये रखा जाता है।

(2) केन्द्रीय सचिवालय का अधीनस्थ वर्ग

कार्यालय स्टाफ की योग्यता पर ही बहुत कुछ अधिकारी वर्ग की कार्यकुशलता निर्भर करती है। आजकल केन्द्रीय सचिवालय में तीन प्रकार की सेवाएँ विद्यमान हैं–

1. केन्द्रीय सचिवालय सेवा,
2. केन्द्रीय सचिवालय लिपिक सेवा, तथा
3. केन्द्रीय सचिवालय स्टेनोग्राफर सेवा।

अनुभाग अधिकारीः वर्ग, खण्ड, प्रकोष्ठ या अनुभाग प्रभारी/अधीक्षक अनुभाग अधिकारी कहलाते हैं। वे अपने खण्ड में कार्यरत स्टाफ के कार्यों का निरीक्षण करते हैं। इसके अतिरिक्त महत्वपूर्ण और जटिल प्रकरणों के निराकरण के लिए वे स्वयं उत्तरायी हैं। उनके निरीक्षण कर्तव्य के अन्तर्गत अधीनस्थ स्टाफ में कार्य-विभाजन, प्रशिक्षण, सहायता एवं परामर्श प्रदान करना; खण्ड के अन्तर्गत कार्य समन्वय, तत्परता एवं कुशलता के कार्य-निष्पादन सुनिश्चित करना; प्रकरणों की प्रगति के लिए उचित तरीके अपनाना; समयान्तर्गत विगत विवरण तथा अन्य विवरण (रिटन) प्रस्तुत करना शामिल है।

सहायक और उच्च श्रेणी लिपिकः सहायक खण्ड अधिकारी के आदेशों के अधीन कार्य करता है और सौंपे गये कार्यों के लिए उत्तरदायी होता है। प्रत्येक सहायक को कार्य करने के लिए कुछ शीर्षक आवंटित किये जाते हैं। मुख्यतः उसके कर्तव्य इस प्रकार हैंः प्रस्तुत प्रकरणों का परीक्षण, उपयुक्त टिप्पणी, पृष्ठांकन और सन्दर्भ सहित, तत्परतापूर्वक अपने खण्ड अधिकारी के समक्ष प्रस्तुत करना, सहायक की डायरी उचित और व्यवस्थित रूप में तैयार रखना, स्तरोचित फाइल और पंजी सुरक्षा एवं फाइल व प्रपत्रों को सुव्यवस्थित रखना। चयनित सहायकों को प्रत्यक्षतः स्वयं ही शाखा प्रभारी के समक्ष प्रकरण प्रस्तुत करने के लिए अधिकृत किया जा सकता है। उच्च श्रेणी लिपिक सामान्यतः महत्वपूर्ण प्रकरणों को छोड़ कर सहायकों जैसे ही कार्य करता है।

निम्न श्रेणी लिपिक और टाइपिस्टः इन कार्मिकों को सामान्यतः दिन-प्रतिदिन के कार्य सौंपे जाते हैं, जैसे–प्रपत्रों का पंजीयन, परिसंचरण तथा अन्य पंजियों को व्यवस्थित रखना, अनुक्रमणिका बनाना, अभिलेख, प्रूफ-शुद्धि, बकाया कार्यों के पत्रक तैयार करना, सन्दर्भ ग्रन्थें में संशोधनों का निरीक्षण, टाइप करना, मिलाना, दैनिक और साधारण प्रलेख प्रस्तुत करना आदि।

केन्द्रीय सचिवालय के कार्य
(Functions of Central Secretariat)

डॉ. एम.पी. शर्मा के शब्दों में, ''सचिवालय का कार्य यह है कि वह नीतियों के निर्धारण के बारे में आवश्यक सामग्री तथा अपने विशिष्ट ज्ञान के आधार पर मंत्री को परामर्श दे। उसका यह भी कार्य है कि वह नीतियों

को क्रियान्वित करे। सचिवालय को प्रशासकी निकाय का मस्तिष्क कहा जा सकता है। यह समस्त प्रशासकीय क्रिया का निर्देशन और नियन्त्रण करता है।''

सचिवालय के प्रमुख कार्य निम्नवत् हैं:

1. समय-समय पर नीति-निर्माण तथा नीति में संशोधन हेतु मंत्री की सहायता करना।
2. नियम, विधान तथा विनियम तैयार करना।
3. क्षेत्रीय कार्यक्रम और योजना तैयार करना।
4. (*i*) मंत्रालय या विभाग के कार्यों के सम्बन्ध में विवरणिका तैयार करना और व्यय पर नियन्त्रण करना।

   (*ii*) कार्यक्रमों और योजनाओं को वित्तीय तथा प्रशासनिक अनुमति देना और उसमें आवश्यक संशोधन करना।
5. कार्यपालिका- विभागों एवं अर्द्ध-स्वायत्त क्षेत्रीय अभिकरणों द्वारा निर्मित नीतियों एवं कार्यक्रमों के क्रियान्वयन का पर्यवेक्षण करना और उन पर अमल करना तथा उनके परिणामों का मूल्यांकन करना।
6. नीतियों की व्याख्या करना, नीतियों में समन्वय लाना, सरकार की दूसरी शाखाओं की सहायता करना तथा प्रशासन से सम्पर्क करना।
7. मंत्रालय/विभाग तथा इसके कार्यपालक अभिकरणों में कर्मचारियों एवं संगठन की क्षमता विकसित करने के उपाय प्रारम्भ करना।
8. मंत्री को उसकी संसदी जिम्मेदारियों को पूर्ण करने में सहायता देना।

अशोक चन्दा के शब्दों में, ''केन्द्रीय सचिवालय संघीय सरकार का प्रमुख कार्यपालक यन्त्र है और केन्द्रीय विषयों के प्रशासन के प्रति उत्तरदायी होता है। राष्ट्रीय महत्व के विषय में समन्वय तथा विदेश, आर्थिक और वित्तीय नीतियों में सहायता प्रदान करता है।'' संक्षेप में, एक ओर सचिवालय नीति-निर्धारक, समन्वयकर्ता और नियन्त्रक निकाय है, तो दूसरी ओर वह सरकार का प्रमुख कार्यपालिका निकाय भी है। **प्रथम,** भारत में संसदीय प्रणाली होने के कारण सचिवालय मंत्री को परामर्श देने के साथ-साथ संसद में की गयी आलोचनाओं और प्रश्नों की बौछार से रक्षा में उसकी सहायता के लिए आवश्यक आँकड़े, तथ्य एवं जानकारी उपलब्ध कराता है, जिसके आधार पर मंत्री अपने आलोचकों को उत्तर देता है। **द्वितीय,** जनता अपनी शिकायतों को मंत्री के समक्ष प्रस्तुत करती है और मंत्री उनके समाधान हेतु प्रयास करता है। **तीसरे,** सचिवालय विरोधी दल, दबाव-समूह और समाचार-पत्रों की आलोचना के संदर्भ में नीतियों की रक्षा करता है और न्यायोचित पक्ष प्रस्तुत करता है। **चौथे,** संघीय व्यवस्था के कारण राज्य सरकारों के कार्यों में समन्वय स्थापित करने का कार्य भी केन्द्रीय सचिवालय द्वारा किया जाता है। **पाँचवें,** जो अधिक महत्वपूर्ण है, राष्ट्रीय घोषित ध्येयों और संविधान को निष्ठापूर्वक लागू करने का दायित्व विशेषतः केन्द्रीय सरकार का होता है। इन कारणों से सचिवालय के कार्यों तथा उत्तरदायित्वों में अपार वृद्धि हुई है और वह सत्ता का केन्द्र बन गया है।

सचिवालय कार्यप्रणाली की आलोचना
(Criticism of Secretariat Working System)

भारत में सचिवालय प्रशासन की रीढ़ है, फिर भी सचिवालय की कार्य-प्रणाली की आलोचना निम्न आधारों पर की जाती है–

1. सचिवालय साम्राज्य निर्माण भावना का शिकार बन गया हैं सचिवालय निरन्तर अपने अधिकार क्षेत्र की वृद्धि में लगा रहता है। अनेक मंत्रालय और विभाग उन कार्यों में संलग्न हो जाते हैं जो उनके सम्बन्धित नहीं होते हैं।
2. सचिवालय व्यवस्था की कार्य-प्रणाली विलम्बकारी एवं खर्चीली है। खर्चीली व्यवस्था के कारण सरकार के बचत पर अधिक वित्तीय भार बढ़ता है। विलम्बकारी प्रक्रिया के फलस्वरूप जनता के असन्तोष का सामना सरकार को भुगतना पड़ता है। इन दोषों के कारण जनता के सामने सरकार की छवि धूमिल होती है।
3. सचिवालय के लिए अच्छे और कुशल अधिकारियों को प्रश्रय देने के फलस्वरूप क्षेत्र में अच्छे अधिकारियों का अभाव हो जाता है।
4. सचिवालय कर्मी अपने आपको क्षेत्रों में कार्यरत कर्मचारियों से श्रेष्ठ समझते हैं। सचिवालय कर्मचारियों का क्षेत्रीय संगठनों में कार्यरत कर्मचारियों के साथ व्यवहार अच्छा नहीं रहता है। वे उन पर हावी होने की कोशिश करते हैं, जबकि उनका काम सिर्फ क्षेत्रीय कर्मचारियों के लिए नीति-निर्धारण करके उन्हें आवश्यक सहायोग देना होता है।

सचिवालय सुधार के लिए सुझाव
(Suggestions for Improvement of Secretariat)

प्रशासनिक सुधार आयोग ने भारत सरकार की मशीनरी के सुधार हेतु निम्न अनुशंसाएँ की हैं:

1. सचिवालय में विलीन गैर-सचिवालय संस्था के प्रधान को अपने क्षेत्र में सरकार के मुख सलाहकार के रूप में कार्य करना चाहिए और उसका पद, उसके कर्तव्य और उत्तरदायित्व के अनुसार होना चाहिए।
2. वैज्ञानिक, तकनीकी ओर अति विशिष्ट कार्यों वाले मंत्रालय या विभाग के अधिकारियों को सम्बन्धित क्षेत्र में अनुभव और कुशलता प्राप्त होना चाहिए।
3. ऐसे प्रशासनिक विभाग जिस पर अत्यधिक कार्यभार है और जिसके कार्यो का दूसरे विभाग के कार्यों से कोई गहरा सम्बन्ध नहीं है, उसके लिए एक अलग योजना और नीति कार्यालय की स्थापना की जा सकती है।
4. योजना और नीति कार्यालय के अन्तर्गत योजना की मशीनरी के रूप में एक योजना प्रकोष्ठ भी होना चाहिए, जैसा कि प्रशासनिक सुधार आयोग ने सुझाव दिया है।
5. समेकित कार्मिक नीतियों के निर्माण और उनमें समन्वय, सेवा नियमों के निर्धारण और कार्मिक विकास जैसी गतिविधियों के

लिए मुख्य कार्मिक कार्यालय को केन्द्र-बिन्दु के रूप में कार्य करना चाहिए।

6. तीन 'स्टाफ' कार्यालयों के अतिरिक्त प्रत्येक मंत्रालय में एक जन सम्पर्क कार्यालय या इकाई भी होनी चाहिए।

मंत्रिमण्डल सचिवालय (Cabinet Secretariat)

भारत में मंत्रिमण्डल सचिवालय का प्रारम्भ उस समय से होता है जब भारत सरकार द्वारा गवर्नर-जनरल की कार्यकारिणी में 'विभागीय व्यवस्था' की नींव रखी गयी। यह व्यवस्था पहले से चली आ रही थी, किन्तु इसे कानूनी रूप लॉर्ड केनिंग के शासनकाल (1861) में दिया गया। प्रारम्भ में गवर्नर-जनरल की परिषद् ही परामर्शदाता-मण्डल का कार्य करती थी। किन्तु जैसे-जैसे कार्य का भारत और कार्य की जटिलता बढ़ती गयी वैसे-वेसे विभिन्न विभागों का कार्य परिषद् के सदस्यों को सौंपा जाने लगा। केवल महत्वपूर्ण विषय गवर्नर-जनरल या परिषद् द्वारा संयुक्त रूप से सम्पादित किये जाते थे। कार्यकारिणी परिषद् के सचिवालय का अध्यक्ष गवर्नर-जनरल का निजी सचिव होता था किन्तु वह परिषदों की बैठकों में उपस्थित नहीं होता था। लॉर्ड विलिंगडन (1931-36) ने परिषद् की बैठकों में अपने निजी सचिव को सम्मिलित करने की परम्परा डाली जो बाद के वर्षों में चालू रही। नवम्बर 1935 में उसे कार्यकारिणी परिषद् के सचिव का अतिरिक्त दर्जा प्रदान किया गया। आगे चलकर गवर्नर-जनरल के सचिव के साथ-साथ कार्यकारिणी परिषद् के कार्यों का विभाजन करके उन्हें दो अलग-अलग व्यक्तियों को सौंप दिया गया। भारत में 'मंत्रिमण्डल सचिवालय' अक्टूबर 1945 में प्रारम्भ हुआ था। पं. नेहरू 'प्रधानमंत्री सूचिवालय' को 'मंत्रिमण्डल सचिवालय' से अधिक शक्तिशाली बनाना चाहते थें। किन्तु सरदार पटेल, वी.पी. मेनन तथा अन्य वरिष्ठ सहयोगियों के विरोध और लॉर्ड माउण्टबेटन की सलाह पर नेहरू ने यह विचार त्याग दिया ओर अपने पूर्ण कार्यकाल में उन्होंने 'मंत्रिमण्डल सचिवालय' तथा 'विभागीय मंत्रियों' के माध्यम से ही कार्य किया।

1947 में इसके कार्य के स्वरूप में महत्वपूर्ण वृद्धि तब हुई जब मंत्रिमण्डल 'रक्षा-समिति' गठित हुई। इस रक्षा-समिति को सचिवालयीय सहायता प्रदान करने के लिए मंत्रिमण्डल सचिवालय में एक अलग सैनिक शाखा स्थापित की गयी। 1949 में इस सचिवालय के कार्यक्षेत्र में और अधिक वृद्धि तब हुई जब मंत्रिमण्डल आर्थिक समिति की स्थापना की गयी। यह परिषद् आर्थिक क्षेत्र से सम्बन्धित महत्वपूर्ण मामलों पर शीघ्रता से उच्चस्तरीय विचार-विमर्श करने के लिए निर्मित की गयी थी। जून 1950 तक इस समिति का सचिवालय वित्त-मंत्रालय से सम्बद्ध रहा, किन्तु प्रशासनिक सुविधा के कारण इसे मंत्रिमण्डल सचिवालय में समाविष्ट कर लिया गया तथा इस संस्था को 'आर्थिक कक्ष' का नाम दिया गया। तदुपरान्त अनावश्यक दोहरेपन को रोकने के लिए 'आर्थिक कक्ष' को अक्टूबर 1955 में मुख्य सचिवालय में मिला दिया गया।

मंत्रिमण्डल सचिवालय : संगठन (Cabinet Secretariat : Organisation)

मंत्रिमण्डल सचिवालय का सचिव 'कैबिनेट सचिव' कहलाता है जो प्रशासनिक सेवा का वरिष्ठतम तथा योग्यतम लोक सेवक होने के कारण देश का सर्वोच्च प्रशासनिक पद धारण करता है। कैबिनेट सचिव, केन्द्रीय सचिवालय के अन्तर्गत समस्त मंत्रालय तथा विभागों के सेवीवर्ग तंत्र को निर्देशित करता है। प्रधानमंत्री का प्रमुख प्रशासनिक सलाहकार होने के कारण वह मंत्रिमण्डल की बैठकों, कार्य सूची तथा निर्णयों के क्रियान्वयन में महत्वपूर्ण भूमिका निभाता है।

मंत्रिमण्डल सचिवालय में कैबिनेट सचिव के अधीन तीन सचिव सुरक्षा, समन्वय तथा अनुसंधान एवं विश्लेषण खण्ड (RAW) तथा एक निदेशक, लोक शिकायत निदेशालय के लिये कार्य सम्पादित करता है।

सचिवालय में निम्न खण्ड होते हैं–

1. **सुरक्षा खण्डः** इसका 'प्रभारी सचिव' मुख्यतः प्रधानमंत्री की सुरक्षा, विशेष कमाण्डो की व्यवस्था, पूर्व प्रधानमंत्रियों तथा अति विशिष्ट सुरक्षा श्रेणी प्राप्त व्यक्तियों की सुरक्षा से सम्बन्धित कार्य करता है। यह पद आई.पी.एस. अधिकारी द्वारा धारण किया जाता है जिसके अधीन निदेशक तथा एक संयुक्त सचिव कार्यरत होता है। विशिष्ट सुरक्षा समूहः एस.पी.जी. (Special Protection Group) की स्थापना 1985 में की गई थी। इस खण्ड में रक्षा सेवाओं के अधिकारी भी कार्यरत रहते हैं।

2. **समन्वय खण्डः** इसका प्रमुख 'सचिव' होता है। उसके अधीन एक अतिरिक्त सचिव तथा दो संयुक्त सचिव होते हैं। इस खण्ड में आई.ए.एस. तथा आई.पी.एस. दोनों के अधिकारी होते हैं। इसका प्रमुख कार्य मंत्रिमण्डल की बैठकों की कार्यसूची बनाना, मंत्रियों को सूचना देना, बैठक की आवश्यक व्यवस्थाएँ करना तथा महत्वपूर्ण फाइलों के रख-रखाव आदि कार्य हैं।

3. **अनुसन्धान एवं विश्लेषण खण्ड (रॉ):** इसमें रक्षा एवं पुलिस अधिकारी होते हैं। इस खण्ड का प्रमुख एक सचिव होता है। जिसे अधीन विशेष सचिव, संयुक्त सचिव, निदेशक, महानिरीक्षक तथा अन्य अधिकारी कार्यरत होते हैं। यह खण्ड आन्तरिक तथा बाह्य सुरक्षा एवं गुप्तचर एजेन्सी का कार्य करता है। इस कार्य में इसे रक्षा एवं गृह मंत्रालयों से समन्वय एवं सहायता प्राप्त होती है। रॉ की स्थापना 1968 में हुई थी। भारत सरकार ने यह अनुभव किया कि गुप्तचर ब्यूरो (IB) का जासूसी कार्य बहुत बढ़ गया है, अतः विदेशों में गुप्तचरों का कार्य करने के लिये अलग से 'रॉ' की स्थापना की। अमरीकी खुफिया एजेन्सी (C.I.A.) की तरह 'रॉ' भी एक निरंकुश तथा स्वतन्त्र संस्था है।

4. **लोक शिकायत निदेशालयः** एक निदेशक, कुछ उपसचिव, अवर सचिव तथा कर्मचारियों से युक्त 'लोक शिकायत निदेशालय' की स्थापना 1988 में राजीव गांधी सरकार द्वारा की गयी थी। यह निदेशालय केन्द्रीय मंत्रालयों, विभागों तथा केन्द्रीय लोक उपक्रमों

आदि के विरुद्ध जनसाधारण की शिकायतें प्राप्त करता है तथा सम्बन्धित विभागों को उचित कार्यवाही हेतु प्रेषित करता है। पाँचवें वेतन आयोग की अनुशंसा पर मंत्रिमण्डल सचिवालय के एक भाग के रूप में 'कार्यकुशल इकाई' बनायी गयी है जो समस्त केन्द्रीय मंत्रालयों के कामकाज पर निगरानी रखती है।

मंत्रिमण्डल सचिवालय के कार्य (Functions of the Cabinet Secretariat)

कैबिनेट सचिवालय केन्द्रीय प्रशासन का केन्द्रबिन्दु है। इसके कार्यों का विवरण निम्नलिखित शीर्षकों के अन्तर्गत किया जा सकता है:

1. **कैबिनेट सचिवालय के रूप में:** यह केन्द्रीय मंत्रिमण्डल और उसकी समितियों को दैनिक कार्य से सम्बन्धित सचिवालयीय सहायता प्रदान करता है। यह सचिवालय कैबिनेट की बैठकों के लिए कार्य-सूची तैयार करता है, इसके वाद-विवादों तथा निर्णयों का अभिलेख रखता है तथा इसके सम्मुख आने वाले विषयों पर ज्ञापन तैयार करता है। सचिवालय सूचना-केन्द्र के रूप में विभिन्न सरकारी संस्थाओं से सम्बन्धित आवश्यक सूचनाएँ केन्द्रीय मंत्रिमण्डल, उसकी समितियों तथा राष्ट्रपति एवं उपराष्ट्रपति को प्रेषित करता है। कैबिनेट सचिवालय मंत्रिमण्डल की बैठकों के निर्णयों की सूचना भी सम्बन्धित विभागों को पहुँचाता है। प्रमुख विषयों पर लिये गये निर्णयों का मासिक प्रतिविदेन तैयार करके यह विभिन्न सम्बन्धित संस्थाओं को प्रेषित करता है। इसके अतिरिक्त प्रधानमंत्री अभिलेखों को अपनी इच्छानुसार तैयार कराकर मंत्रियों एवं अधिकारियों के पास भेजने का कार्य भी करता है।

2. **प्रारम्भकर्ता विभाग के रूप में:** इस रूप में कैबिनेट सचिवालय तीन प्रकार के प्रारम्भिक कार्य करता है। प्रथम, मंत्रिपरिषद् में मंत्रियों, राज्यमन्त्रियों, उपमंत्रियों तथा संसदीय सचिवों की नियुक्तियाँ, उनके विभागों के वितरण, शपथ-ग्रहण समारोह, पदग्रहण, त्यागपत्र आदि मामलों से सम्बन्धित समस्त कार्य इसके अधीन आते हैं। द्वितीय, संविधान के अनुच्छेद 77(3) के प्रावधानों के अन्तर्गत ऐसे कानूनों का निर्माण करना जो सरकार के कार्यों को सुविधापूर्वक सम्पन्न करने में सहायता करते हों। तीसरे, सरकार की नीतियों को लागू करने तथा उनमें समन्वय लाने से सम्बन्धित विभागों की देखरेख रखना इसका महत्वपूर्ण प्रारम्भिक कार्य है। इस कार्य को करने में अन्य मंत्रालयों तथा विभागों के अधिकारों को न तो यह कम करता है और न ही छीनता है, अपितु विभिन्न विभागों के बीच समन्वय स्थापित करता है, उन्हें उचित परामर्श देता है तथा सरकारी नीतियों को सुचारु रूप से लागू करता है।

3. **समन्वयकर्ता विभाग के रूप में:** किसी भी प्रशासनिक व्यवस्था में सरकारी नीतियों को कुशलतापूर्वक लागू करने के लिए विभागों के बीच समन्वय का होना अत्यन्त आवश्यक है। इसके लिए अनेक तरीकों को अपनाया गया है। कैबिनेट विषयों से सम्बन्धित विभाग एक ऐसा ही अभिकरण है जो प्रभावशाली समन्वय के लिए कार्यरत है। भारत सरकार में अनेक प्रकार की इकाइयाँ कार्य करती हैं; जैसे—मंत्रालय, विभाग, निगम बोर्ड, कम्पनियाँ, नयी-नयी समितियाँ आदि। इस समय स्थिति यह है कि शायद ही कोई व्यक्ति इन विभिन्न इकाइयों की पूर्ण सूची तैयार कर सके। नित्य नवीन संगठन स्थापित हो रहे हैं। इन विभिन्न इकाइयों में समन्वय स्थापित करना कठिन कार्य है। कैबिनेट सचिवालय का प्रमुख कार्य विभिन्न विभागों में समन्वय स्थापित करना है। केन्द्रीय प्रशासनिक स्तर पर यह सचिवालय एक प्रमुख समन्वय संस्था है। कैबिनेट सचिव विभिन्न समितियों का अध्यक्ष होने के नाते विभिन्न विभागों में समन्वय स्थापित करने में महत्वपूर्ण भूमिका निभाता है।

4. **मंत्रिमण्डल के निर्णयों को क्रियान्वित करने के रूप में:** यह सचिवालय मुख्यतः कैबिनेट सचिव के माध्यम से प्रधानमंत्री तथा आवश्यक होने पर अन्य मंत्रियों को (यदि वे चाहें) समय-समय पर महत्वपूर्ण विषयों से सम्बन्धित नीतियों के निरूपण एवं निष्पादन के विषय में परामर्श देता है। इसे मंत्रिमण्डल के समक्ष प्रस्तुत सभी विषयों के सम्बन्ध में मंत्रिमण्डल की सहायता और आवश्यक कार्यवाई करनी पड़ती है; जैसे--संसद में व्यवस्थापन के लिए प्रस्तुत किये जाने वाले प्रस्ताव तैयार करना, विदेशों के साथ सन्धियों एवं समझौतों आदि से सम्बन्धित मामले, संसद के अधिवेशनों को प्रारम्भ करने, स्थगित करने और लोकसभा को भंग करने सम्बन्धी प्रस्तावों पर विचार करना, सार्वजनिक जाँच समितियों की नियुक्ति और ऐसी समितियों की रिपोर्ट पर विचार, मंत्रिपरिषद् द्वारा लिये गये किसी भी पूर्व-निर्णय पर पुनर्विचार, आदि।

कैबिनेट सचिवालय का एक महत्वपूर्ण कार्य यह देखना भी है कि मंत्रिमण्डल या उसकी समितियों द्वारा लिये गये निर्णय लागू हो रहे हैं अथवा नहीं। इस कार्य हेतु यह सचिवालय मासिक प्रतिवेदन तैयार करता है जिसमें प्रत्येक मंत्रालय के कार्यों की समीक्षा रहती है कि किस सीमा तक निर्णयों पर अमल हुआ है। यदि यह पाया जाता है कि कैबिनेट के निर्णयों को अमल में लाने के लिए कोई मंत्रालय प्रगति नहीं कर रहा है तो यह विषय उच्चतर स्तर पर तय किया जाता है ताकि निर्णयों को लागू करने में तेजी लायी जा सके।

प्रशासनिक सुधार आयोग के सुझाव (Suggestions of Administrative Reforms Commission)

प्रशासनिक सुधार आयोग के अनुसार मंत्रिमण्डल सचिवालय एक महत्वपूर्ण और प्रभावशाली संस्था है। आयोग ने इसके पुनर्गठन और कार्यक्षमता के विकास के लिए निम्नलिखित सुझाव दिये:

1. सांख्यिकी विभाग को वित्तीय विभाग में मिला दिया जाना चाहिए। ऐसा करने से इस सचिवालय के पास ऐसे कार्य बचे रहेंगे, जिनका सम्बन्ध मंत्रिमण्डल मामलों से है। साथ में सैन्य शाखा को रक्षा-मंत्रालय को सौंप दिया जाना चाहिए। सेनाध्यक्षों की समिति केवल रक्षा-कार्य से ही सम्बन्धित होनी चाहिए।

2. उपर्युक्त विभागों को हटाकर सचिवालय का इस प्रकार से पुनर्गठन किया जाये कि इसमें सरकारी कार्यों के सम्पादन हेतु विशेषीकृत इकाइयों की व्यवस्था हो जिनके कार्य निम्न होंगे:
   (*i*) कैबिनेट सचिव को समय-समय पर अन्य सचिवों से सम्पर्क रखना चाहिए।
   (*ii*) प्रधानमंत्री के विचारों से मंत्रिमण्डल तथा मंत्रिमण्डल समितियों को समय-समय पर अवगत कराते रहना।
   (*iii*) कैबिनेट समितियों से सम्बन्धित ऐसे कार्य जो मंत्रालयों के समूह से सम्बन्धित हैं, कैबिनेट सचिवालय को सौंपते रहना।
   (*iv*) मंत्रियों के प्रमुख निर्णयों का स्मरण-लेख प्रापत कर प्रधानमंत्री के समक्ष रखना।
   (*v*) मंत्रालयों में होने वाली गतिविधियों से प्रधानमंत्री को अवगत कराते रहना।

कैबिनेट सचिव (Cabinet Secretary)

कैबिनेट सचिवालय की अध्यक्षता कैबिनेट सचिव द्वारा की जाती है। वह इस सचिवालय का प्रशासनिक प्रमुख होता है। कैबिनेट सचिव केन्द्रीय संस्थापन मण्डल का पदेन अध्यक्ष भी होता है। वह भारतीय प्रशासनिक सेवा का वरिष्ठतम सदस्य होता है। मंत्रिमण्डल सचिव होने के नाते वह मंत्रिमण्डल तथा इसकी समितियों की बैठकों में भाग लेता है। प्रशासनिक सुधार आयोग के प्रतिवेदन के अनुसार "योग्यतम एवं वरिष्ठतम अधिकारी को ही कैबिनेट सचिव बनाया जाना चाहिए।" यह सचिवों के सम्मेलन की अध्यक्षता भी करता है। भारत में इस पर का प्रारम्भ 1950 में हुआ और एन.आर. पिल्लई प्रथम 'कैबिनेट सचिव' बने।

इस पद की महत्ता के विषय में आयंगर प्रतिवेदन (1949) में लिखा है कि "कैबिनेट सचिव प्रशासनिक अधिकारियों में सबसे उच्च श्रेणी का व्यक्ति होता है, जो अपने गुणों, पहल करने की क्षमता तथा प्रभावशीलता के कारण इस पद पर नियुक्त किया जाता है। वह कैबिनेट सचिवालय में समन्वयात्मक कार्यों को देख सकता है, विशेषतः उन कार्यों को जिनमें मंत्रिमण्डल और प्रधानमंत्री रुचि रखते हों।" भारतीय प्रशासन का यह सर्वाधिक शक्तिसम्पन्न एवं प्रतिष्ठित पद माना जाता है। इस पृष्ठभूमि में भारतीय प्रशासनिक सुधार आयोग ने अनुशंसा की थी कि इस पद को अधिक प्रभावी बनाने के लिय यह आवश्यक है कि इसकी अवधि 3 या 4 वर्ष की रहे।

मन्त्रिमण्डल सचिव के कार्य

इसके प्रमुख कार्य इस प्रकार हैं:

1. वह प्रधानमंत्री का मुख्य परामर्शदाता होता है।
2. मंत्रिमण्ड तथा मन्त्रिमण्डल समितियों का प्रमुख परामर्शदाता होता है।
3. लोक सेवा का प्रमुख होता है।
4. विभिन्न मंत्रालयों और विभागों की गतिविधियों में समन्वय स्थापित करता है।
5. विभिन्न मंत्रालयों और प्रधानमंत्री कार्यालय के मध्य एक कड़ी का कार्य करता है।
6. वह सबसे अधिक, राजनीतिक व्यवस्था और लोक सेवा के बीच एक कड़ी है।

इस प्रकार हम देखते हैं कि कैबिनेट सचिव एक अत्यन्त महत्वपूर्ण अधिकारी है। वह सभी स्थायी सेवकों के लिए परामर्शदाता का कार्य करता है।

प्रधानमंत्री कार्यालय
(Prime Minister's Office)

प्रधानमंत्री को शासकीय कार्यों में कार्यालयीय सहायता प्रदान करने के लिए प्रधानमंत्री कार्यालय की स्थापना की गयी जो आगे चलकर प्रधानमंत्री सचिवालय में परिवर्तित हो गया। आज भारतीय प्रशासन एवं राजनीति के क्षेत्र में प्रधानमंत्री सचिवालय का न केवल महत्व बढ़ा है अपितु उसकी अहम भूमिका भी है।

उद्भव तथा विकास (Origin and Development)

15 अगस्त, 1947 को भारत के स्वतन्त्र होने पर प्रधानमंत्री के कार्यालय की स्थापना हुई। इस सचिवालय का निर्माण उन समस्त कार्यों का सम्पादन करने के उद्देश्य से किया गया, जिन्हें 15 अगस्त, 1947 से पूर्व गवर्नर-जनरल के सचिव (व्यक्तिगत) द्वारा किया जाता था। स्मरणीय है कि भारत के प्रधानमंत्री ने भी 15 अगस्त से वे सभी कार्य अपने हाथों में ले लिये जो 15 अगस्त, 1947 से पूर्व गवर्नर-जनरल सरकार की कार्यपालिका के प्रमुख के रूप में किया करता था। आज यह असाधारण रूप से शक्तिशाली संगठन है जिससे अनेक विशेषज्ञ सम्बद्ध हैं।

नेहरू के कार्यकाल में यह सचिवालय छोटा था तथा इसे निर्णयकारी भूमिका नहीं थी। परन्तु शास्त्री जी के संक्षिप्त कार्यकाल में इस कार्यालय का प्रभाव और महत्व बढ़ गया। श्रीमती इन्दिरा गाँधी के 1977 तक के प्रधानमंत्रित्व में इसने शासन के शीर्षस्थ निर्णय-केन्द्र का स्थान प्राप्त कर लिया था। इसके दुष्परिणाम आन्तरिक आपातकाल (26 जून, 1975 से 23 मार्च, 1977) में भली प्रकार स्पष्ट हो गये थे। इस काल में भारत सरकार के सभी शासकीय विभागों की स्थिति इस सचिवालय के समक्ष नगण्य हो गयी थी। परन्तु मोरारजी देसाई के नेतृत्व में जनता दल के शासन काल में इसके अत्यधिक बढ़े हुए महत्वपा को कम करने के लिए कार्यवाही की गयी, तथा 1977 में इसका नाम बदलकर प्रधानमंत्री कार्यालय कर दिया गया।

प्रधानमंत्री कार्यालय का संगठन
(Organisation of Prime Minister's Office)

प्रधानमंत्री कार्यालय प्रधानमंत्री को सचिवालयीय सहायता प्रदान करता है। इसका प्रधान सचिव होता है जो पी.एम.ओ. का 'सर्वोच्च अधिकारी' होता है। उसे सहायता देने के लिए सचिव, अतिरिक्त/संयुक्त सचिव, निदेशक,

लिपिक तथा चतुर्थ श्रेणी के कर्मचारी कार्यरत होते हैं। पी.एम.ओ. का गठनात्मक ढाँचा निम्न प्रकार है—

1. **प्रधान सचिवः** प्रधानमंत्री कार्यालय में प्रधान सचिव (Principal Secretary) का विशेष महत्व होता है। प्रधानमंत्री अपनी पसन्द के किसी भी व्यक्ति को इस पद पर नियुक्त कर सकते हैं और यह पद कार्यकाल पदावधि से मुक्त होता है।
2. **अतिरिक्त सचिवः** प्रधानमंत्री के आदेश पर विभिन्न मंत्रालयों के व्यक्तिगत और नीति सम्बन्धी विषयों को देखता है।
3. **संयुक्त सचिव I:** गृह, कानून और न्याय मामलों को देखता है।
4. **संयुक्त सचिव II:** प्रधानमंत्री कार्यालय के प्रशासन के साथ-साथ रेलवे, नागरिक उड्डयन और संचार मामलों को देखता है।
5. **संयुक्त सचिव III:** यह विदेश मंत्रालय, रक्षा तथा अणु ऊर्जा के कार्यों को देखता है।
6. **निदेशक I:** ग्रामीण विकास तथा नागरिक आपूर्ति कार्यों को देखता है।
7. **निदेशक II:** गृह मामलों को देखता है।
8. **निदेशक III:** कोई निश्चित कार्य नहीं करता।
9. **निदेशक IV:** विभिन्न राज्यों के कार्यों को विशेषकर उत्तर-पूर्वी राज्यों के कार्यों को देखता है।

निम्न महत्वपूर्ण विषयों को जिनके बारे में प्रधानमंत्री को विशिष्ट जानकारी की आवश्यकता होती है, पी.एम.ओ. द्वारा उपलब्ध करायी जाती है:

1. महत्वपूर्ण रक्षा सम्बन्धी विषय।
2. नागरिक और सैनिक अलंकरण, जिनमें राष्ट्रपति की स्वीकृति की आवश्यकता हो;
3. समस्त महत्वपूर्ण नीति सम्बन्धी विषय;
4. विदेशों में भारतीय शिष्टमण्डल की नियुक्ति सम्बन्धी प्रस्ताव;
5. मंत्रिमण्डल सचिवालय से सम्बन्धित महत्वपूर्ण निर्णय;
6. केन्द्रीय प्रशासनिक न्यायाधिकरण, संघ लोक सेवा आयोग, निर्वाचन आयोग, अन्य सवैधानिक समितियों के सदस्यों की नियुक्ति सम्बन्धी जानकारी;
7. प्रशासनिक सुधार एवं लोक सेवा से सम्बन्धित नीतिगत विषयों की जानकारी;
8. राज्यों के लिये प्रधानमंत्री द्वारा विशेष राहत या मद सम्बन्धी घोषणा; और
9. समस्त न्यायिक नियुक्तियाँ जिनके लिए राष्ट्रपति की स्वीकृति आवश्यक होती है।

प्रधानमंत्री कार्यालय के कार्य
(Functions of Prime Minister's Office)

जनता द्वारा प्राप्त शिकायतों के निराकरण में पी.एम.ओ. प्रधानमंत्री की सहायता करता है। प्रधानमंत्री का आवश्यक रिकॉर्ड रखना, उसके अतिथियों का स्वागत-सत्कार करने की व्यवस्था करना तथा प्रधानमंत्री द्वारा माँगी गयी सूचना उपलब्ध कराना इस सचिवालय का उत्तरदायित्व है।

प्रधानमंत्री के आदेश तथा सूचना को मंत्रिमण्डल सचिवालय को सूचित करना इसी सचिवालय का कार्य है। वर्तमान में यह सचिवालय प्रधानमंत्री के महत्वपूर्ण भाषण तैयार करने, राज्यों की प्रशासनिक व्यवस्था की देखभाल करने, प्रधानमंत्री की विदेश यात्रा के कार्यक्रम बनाने आदि का भी कार्य करने लगा है। साधारणतः प्रधानमंत्री सचिवालय के क्षेत्राधिकार में वे सभी विषय आते हैं जो किसी व्यक्तिगत विभाग/मन्त्रालय को नहीं सौंपे गये हैं। इस सचिवालय के लिए यह सुविधाजनक है कि संसद में पूछे गये सामान्य विषयों से सम्बन्धित उन प्रश्नों के उत्तर तैयार करे, जिन्हें किसी मंत्रालय को नहीं सौंपा गया है अथवा उनका स्पष्ट वर्गीकरण नहीं किया गया है। प्रधानमंत्री कार्यालय के प्रमुख कार्य निम्नलिखित हैं:

1. भारत एक विशाल देश है। देश में आये दिन किसी न किसी क्षेत्र में बाढ़, सूखा, भूकम्प, महामारी आदि अनेक प्रकार की विपदाओं का सामना करना पड़ता है। विपत्ति की घड़ी में राज्य या नागरिकों को आर्थिक सहायता पहुँचाने के लिये प्रधानमंत्री कोष की स्थापना की गयी है। इस कोष का संचालन पी.एम.ओ. द्वारा ही किया जाता है और यह कार्यालय सहायता देने की राशि का पूरा हिसाब रखता है।
2. 'कार्य व्यापार नियमों' के तहत प्रधानमंत्री के अधीन केन्द्रीय सरकार के कुछ विभाग और मंत्रालयों का प्रत्यक्ष दायित्व होता है। ऐसे विभागों के कुशल संचालन का दायित्व प्रधानमंत्री के कन्धों पर होता है। इस कार्य में यह कार्यालय प्रधानमंत्री को सचिवालयीय सहायता प्रदान करता है।
3. प्रधानमंत्री को भेजे गये प्रकरणों के परीक्षण में सहायता देना।
4. प्रधानमंत्री के जन-सम्पर्क के कार्यों में सहयोग प्रदान करना। साथ में प्रेस एवं जनता से सम्पर्क करना इसी का कार्य है।
5. प्रधानमंत्री को नीति आयोग के अध्यक्ष के रूप में उत्तरदायित्व निभाने में सहायता करना।
6. मुख्य कार्यपालिका के रूप में प्रधानमंत्री के समस्त उत्तरदायित्वों को पूर्ण करने में सहायता प्रदान करना।

निर्वाचन आयोग तथा चुनावी सुधार
(Election Commission and Electoral Reforms)

लोकतंत्र में यह महत्वपूर्ण नहीं है कि चुनाव होते हैं, अपितु इससे भी ज्यादा महत्वपूर्ण यह है कि चुनाव किस भांति होते हैं, चुनाव कितने निष्पक्ष होते हैं और आम मतदाता का निर्वाचन व्यवस्था का संचालन करने वाले अभिकरण की निष्पक्षता और ईमानदारी पर कितना विश्वास होता है?

भारत एक लोकतन्त्रात्मक शासन प्रणाली वाला देश है, जहाँ केन्द्र, प्रदेश तथा स्थानीय स्तर पर आए दिन चुनाव होते रहते हैं। इन चुनावों के माध्यम से जनता अपने शासकों (जन-प्रतिनिधियों) का चयन करती है, जनता शासकों पर नियंत्रण रखती है और सरकार को वैधता (Legitimacy)

प्रदान करती है। वस्तुतः भारत जैसे देश में निर्वाचन अप्रत्यक्ष रूप से लोकमत की अभिव्यक्ति है।

भारतीय संविधान में एक ऐसे सवैधानिक आयोग की स्थापना की गई है जिसका प्रमुख कार्य सम्पूर्ण देश में राष्ट्रपति, उपराष्ट्रपति, लोकसभा, राज्यसभा के सदस्य एवं राज्य विधानमंडलों के सदस्यों का निर्वाचन सम्पन्न कराना है। इस संवैधानिक आयोग को 'चुनाव आयोग' (Election Commission) के नाम से जाना जाता है। भारतीय संविधान निर्माताओं ने निर्वाचन सम्बन्धी सम्पूर्ण व्यवस्था के संचालन का प्रावधान संविधान के अन्तर्गत ही कर दिया है। चुनाव के पहले राजनीतिक दलों के आचरण और सरकार के कामकाज पर कड़ी नजर रखता है। स्वतन्त्र निर्वाचन तंत्र के महत्व को स्वीकार करते हुए भारतीय संविधान के एक पृथक् अध्याय–अनुच्छेद 324 से 329 में निर्वाचन तंत्र से संबंधित सम्पूर्ण व्यवस्था दी गई है।

भारत में निर्वाचन आयोग : संरचना एवं संगठन (Election Commission in India : Structure and Organization)

संवैधानिक प्रावधान

संविधान के अनुच्छेद 324 के अन्तर्गत निर्वाचनों का निरीक्षण, निर्देशन और नियंत्रण करने के लिए निर्वाचन आयोग की स्थापना की गई है। निर्वाचन आयोग में एक मुख्य निर्वाचन आयुक्त तथा अन्य उतने निर्वाचन आयुक्त होंगे जितने कि राष्ट्रपति समय-समय पर मनोनीत करें। वर्तमान में निर्वाचन आयोग तीन सदस्यीय है। मुख्य निर्वाचन आयुक्त तथा अन्य निर्वाचन आयुक्तों की नियुक्ति संसद द्वारा निर्मित किसी विधि के अधीन रहते हुए राष्ट्रपति द्वारा की जाती है। राष्ट्रपति निर्वाचन आयोग से परामर्श करके आयोग की सहायता के लिए ऐसे प्रादेशिक आयुक्तों की नियुक्ति कर सकता है जैसा कि आवश्यक समझे। निर्वाचन आयुक्तों और प्रादेशिक आयुक्तों की सेवा की शर्तें और पदावधियां ऐसी होंगी जो कि राष्ट्रपति नियम द्वारा निर्धारित करे। मुख्य निर्वाचन आयुक्त अपने पद से उन्हीं कारणों पर और उन्हीं रीतियों से हटाया जाएगा जिन कारणों और रीति से सर्वोच्च न्यायालय का न्यायाधीश हटाया जा सकता है। अर्थात् सिद्ध कदाचार या असमर्थता के आधार पर राष्ट्रपति के आदेश द्वारा मुख्य निर्वाचन आयुक्त को अपने पद से हटाया जा सकता है।

चुनाव आयोग के कार्य (Functions of The Election Commission)

चुनावों से संबंधित समस्त व्यवस्था करना चुनाव आयोग का कार्य है। इस संबंध में प्रमुख रूप से उसके निम्नलिखित कार्यों का उल्लेख किया जा सकता है :

1. अर्द्ध-न्यायिक कार्य (Quasi-Judicial Functions): संविधान के द्वारा आयोग को कुछ अर्द्ध-न्यायिक कार्य भी सौंपे गए हैं, जिसमें दो उल्लेखनीय हैं : अनुच्छेद 103 के अन्तर्गत राष्ट्रपति संसद के सदस्यों की निर्योग्यताओं (Disqualifications) के संबंध में परामर्श कर सकता है तथा 192वें अनुच्छेद के अन्तर्गत राज्य विधानमंडल के सदस्यों के सम्बन्ध में यह अधिकार राज्यों के राज्यपालों को दिया गया है, लेकिन संविधान अथवा जन प्रतिनिधित्व अधिनियम में कार्य को करने की कोई प्रक्रिया निश्चित नहीं की गई है और इसलिए इस कार्य को करने में आयोग ने कठिनाइयाँ अनुभव की हैं।
2. राजनीतिक दलों का पंजीकरण : जन प्रतिनिधित्व अधिनियम, 1951 की धारा 29ए में निर्वाचन आयोग द्वारा राजनीतिक दलों के पंजीकरण की व्यवस्था है। निर्वाचन आयोग द्वारा पंजीकृत दल को चुनाव में उसके प्रदर्शन को देखते हुए कुछ शर्तों के आधार पर राष्ट्रीय अथवा राज्य-स्तर के दल के रूप में मान्यता प्रदान की जा सकती है।
3. चुनाव क्षेत्रों का परिसीमन या सीमांकन (Delimitation of Constituencies): संसद ने 'परिसीमन आयोग अधिनियम, 1952' पारित किया। इस अधिनियम में यह प्रावधान है कि दस वर्ष बाद होने वाली प्रत्येक जनगणना के उपरान्त निर्वाचन क्षेत्रों का सीमांकन किया जाना चाहिए। आयोग 'सीमांकन आदेश' की घोषणा करता है जो अन्तिम होता है तथा जिसके विरुद्ध किसी भी न्यायालय में अपील नहीं की जा सकती है। परिसीमन आयोग की यह समस्त व्यवस्था 'गैरीमेण्डरिंग' (Gerrymendering) जैसी बुराइयों को सीमित करने के लिए की गई हैं।
4. मतदाता सूचियाँ तैयार करना (To Prepare Electoral Rolls): चुनाव आयोग के द्वारा लोकसभा या विधानसभा के प्रत्येक चुनाव या मध्यावधि चुनाव से पूर्व मतदाता सूचियाँ तैयार करवाई जाती हैं और इस कार्य के सम्पन्न होने पर ही चुनाव होते हैं। मतदाता सूची तैयार करने का कार्य इस उद्देश्य से किया जाता है कि कोई भी ऐसा व्यक्ति मताधिकार से वंचित न रहे जो मताधिकार की योग्यता रखता है।
5. चुनाव तिथियों का निर्धारण (To decide election schedule): संविधान के अनुच्छेद 324 के तहत चुनाव कराने सम्बन्धी फैसला करने का चुनाव आयोग का अधिकार संविधान के किसी अन्य अनुच्छेद से बंधा हुआ नहीं है। संविधान पीठ के अनुसार चुनाव कराना चुनाव आयोग का विशेषाधिकार है। चुनाव आयोग ही चुनाव तिथियों का निर्धारण करने वाली सर्वोच्च संस्था है।
6. अन्य कार्य (Other Functions): आयोग को उपर्युक्त के अतिरिक्त कुछ अन्य कार्य सौंपे गए हैं, जो इस प्रकार हैं–
   - (*i*) राजनीतिक दलों के लिए आचार संहिता (Code of Conduct) तैयार करना
   - (*ii*) राजनीतिक दलों को आकाशवाणी पर चुनाव प्रचार की सुविधाएँ दिलवाना
   - (*iii*) उम्मीदवारों द्वारा किए जाने वाले कुछ व्यय की राशि निश्चित करना
   - (*iv*) मतदाताओं को राजनीतिक प्रशिक्षण देना
   - (*v*) चुनाव याचिकाओं, आदि के सम्बन्ध में सरकार को आवश्यक परामर्श देना।

इन सबके अतिरिक्त आयोग से यह अपेक्षा की जाती है कि वह समय-समय पर सरकार को अपने कार्यों के सम्बन्ध में प्रतिवेदन देता रहेगा और चुनाव प्रक्रिया में सुधार के लिए सुझाव देता रहेगा।

निर्वाचन आयोग की स्वतन्त्रता के लिए संवैधानिक प्रावधान

भारत में निर्वाचन आयोग एक स्वतंत्र संवैधानिक निकाय है और संविधान इस बात को सुनिश्चित करता है कि वह उच्चतम और उच्च न्यायालयों की भांति कार्यपालिका के किसी हस्तक्षेप के बिना स्वतन्त्र और निष्पक्ष रूप से अपने कार्यों को सम्पादित कर सके। इसकी स्वतन्त्रता को बनाए रखने के प्रावधान बड़े महत्वपूर्ण हैं–

1. नियुक्ति के पश्चात मुख्य चुनाय आयुक्त एवं अन्य चुनाव आयुक्तों की सेवा शर्तों में कोई अलाभकारी परिवर्तन नहीं किया जा सकता है।
2. मुख्य चुनाव आयुक्त का दर्जा सर्वोच्च न्यायालय के न्यायाधीश के बराबर है।
3. मुख्य चुनाव आयुक्त को महाभियोग जैसी प्रक्रिया से ही हटाया जा सकता है।
4. मुख्य चुनाव आयुक्त तथा अन्य चुनाव आयुक्तों की नियुक्ति राष्ट्रपति करते हैं।
5. निर्वाचन आयोग एक संवैधानिक संस्था है अर्थात् इसका निर्माण संविधान ने किया है न कि कार्यपालिका या संसद ने।
6. मुख्य निर्वाचन आयुक्त तथा अन्य चुनाव आयुक्तों का वेतन भारत की संचित निधि में से दिया जाता है।

तारकुंडे समिति की सिफारिशें

'तारकुंडे समिति' का मूल लक्ष्य था स्वतन्त्र और निष्पक्ष चुनावों में बाधक धन की सत्ता और सत्ताधारी दल द्वारा सरकारी साधनों एवं प्रशासनिक व्यवस्था के दुरुपयोग पर प्रतिबन्ध लगाने, निर्वाचन आयोग की निष्पक्षता की व्यवस्था करने और चुनाव याचिकाओं की सुनवाई में होने वाले असाधारण विलम्ब को रोकने के लिए रीति-नीति की खोज करना। उसकी सिफारिशें हैं:

1. लोकसभा अथवा विधानसभा के विघटन और नए चुनावों की घोषणा के बाद से सरकार कामचलाऊ सरकार की तरह काम करे। वह न नयी नीतियों की घोषणा करे, न उन्हें लागू करे, न नयी परियोजनाएँ चालू करे, न उनका वायदा करे, न नये ऋण अथवा भत्ते दे और न वेतन वृद्धि की घोषणा करे तथा ऐसे सरकारी समारोह आयोजित न करे, जिनमें मंत्री, राज्यमंत्री, उपमंत्री अथवा संसदीय सचिव भाग लें।
2. जो लोग राजनीतिक दलों को वर्ष में एक हजार रुपया दान दें, उन्हें इस राशि पर आय-कर की छूट दी जाए तथा कम्पनियों पर यह प्रतिबन्ध जारी रखा जाए कि वे राजनीतिक दलों को दान नहीं दे सकतीं। कम्पनियों द्वारा विज्ञापनों के रूप में राजनीतिक दलों को दी जाने वाली सहायता पर भी पाबन्दी लगायी जाए।
3. प्रत्येक उम्मीदवार को सरकार की ओर से छपे हुए मतदान-कार्ड निःशुल्क दिए जाएं।
4. आय के स्रोतों का उल्लेख तथा आय-व्यय का पूरा हिसाब लिखना समस्त राजनीतिक दलों के लिए अनिवार्य कर दिया जाए और निर्वाचन आयोग इसकी जांच कराए। उम्मीदवारों के चुनाव-खर्च के हिसाब की जांच करायी जाए। राजनीतिक दलों द्वारा उम्मीदवारों पर किया जाने वाला खर्च उम्मीदवारों के हिसाब में जोड़ा जाए तथा चुनाव खर्च की वर्तमान सीमा को दोगुना कर दिया जाए।
5. मताधिकार 21 वर्ष की बजाय 18 वर्ष की आयु में ही दे दिया जाए।

संयुक्त संसदीय समिति के सुझाव

सन् 1972 में संसद की एक संयुक्त समिति ने तीन प्रमुख सुझाव दिए थे–

(*i*) निर्वाचन-प्रणाली में बुनियादी परिवर्तनों के बारे में सुझाव देने के लिए एक विशेष समिति का गठन हो,

(*ii*) बहु-सदस्यीय निर्वाचन आयोग की स्थापना हो, तथा

(*iii*) आकाशवाणी पर चुनाव प्रचार के लिए समस्त राजनीतिक दलों को समान मात्रा में समय दिया जाए।

दिनेश गोस्वामी समिति के सुझाव

मई 1990 में दिनेश गोस्वामी समिति ने निम्नलिखित सुझाव दिए :

1. बहुद्देशीय फोटो पहचान-पत्र प्रदान करना।
2. 1981 की जनगणना के आधार पर नया परिसीमन करना। अनुसूचित जातियों के लिए आरक्षित सीटों में क्रमावर्तन करना।
3. मुख्य निर्वाचन आयुक्त और निर्वाचन आयुक्तों को न केवल सरकार के अन्तर्गत किसी नियुक्ति बल्कि राज्यपाल के पद सहित किसी अन्य पद के लिए अयोग्य घोषित किया जाना चाहिए।
4. मुख्य निर्वाचन आयुक्त और अन्य निर्वाचन आयुक्तों का कार्यकाल 5 वर्ष या 65 वर्ष की आयु तक, जो भी बाद में हो, होना चाहिए।
5. मुख्य निर्वाचन आयुक्त की नियुक्ति भारत के मुख्य न्यायाधीश और विपक्ष के नेता के साथ विचार-विमर्श करके की जानी चाहिए। अन्य सदस्यों की नियुक्ति के लिए मुख्य निर्वाचन आयुक्त से विचार-विमर्श किया जाना चाहिए।
6. निर्वाचन आयोग तीन सदस्यीय निकाय होना चाहिए।
7. मतदान केन्द्रों पर कब्जा करने और मतदाताओं को प्रभावित करने और डराने-धमकाने को समाप्त करने के लिए विधायी उपाय करना।
8. भविष्य में होने वाले सभी चुनावों में इलेक्ट्रॉनिक मतदान मशीन का प्रयोग करना।

9. आदर्श आचार संहिता के महत्वपूर्ण प्रावधानों के लिए सांविधिक समर्थन देना।
10. डाले गए कुल मतों के 1/4 से कम मत प्राप्त करने पर जमा राशि जब्त करना।
11. अगम्भीर उम्मीदवारों को हतोत्साहित करना। स्वतंत्र उम्मीदवारों की जमा राशि को बढ़ाया जाए।
12. किसी भी व्यक्ति को दो से अधिक निर्वाचन क्षेत्रों पर चुनाव लड़ने की अनुमति न देना।

भारतीय संघ में केन्द्र–राज्य विधायी सम्बन्ध

संविधान द्वारा विधायी सम्बन्धों का संचालन उन तीन सूचियों के आधार पर होता है, जिन्हें संघ सूची (Union List), राज्य सूची (State list) व समवर्ती सूची (Concurrent list) का नाम दिया गया है। इन सूचियों को सातवीं अनुसूची में रखा गया है।

- **संघ सूची** (Union List): इस सूची में ऐसे विषयों को रखा गया है जिनके सम्बन्ध में सम्पूर्ण देश में एक ही प्रकार की नीति का अनुकरण आवश्यक कहा जा सकता है। इस सूची के सभी विषयों पर विधि निर्माण का अधिकार संघीय संसद को प्राप्त है। इस सूची में कुल 100 विषय हैं जिनमें कुछ प्रमुख ये हैं–रक्षा, वैदेशिक मामले, युद्ध व संधि, देशीयकरण व नागरिकता, विदेशियों का आना-जाना, रेलें, बन्दरगाह, हवाई मार्ग, डाक, तार, टेलीफोन व बेतार, मुद्रा निर्माण, बैंक, बीमा, खानें व खनिज आदि।
- **राज्य सूची** (State List): इस सूची में वे विषय रखे गए हैं जो क्षेत्रीय महत्व के हैं। इस सूची के विषयों पर कानून निर्माण का अधिकार सामान्यतया राज्यों की व्यवस्थापिकाओं को ही प्राप्त है। मूल संविधान के अनुसार इस सूची में 66 विषय थे, लेकिन 42वें संवैधानिक संशोधन (1976) के उपरांत इसमें 61 विषय रह गए हैं। राज्य सूची के कुछ प्रमुख वषय हैं : पुलिस, जेल, स्थानीय स्वशासन, सार्वजनिक स्वास्थ्य, कृषि, सिंचाई और सड़कें आदि।
- **समवर्ती सूची** (Concurrent List): इस सूची में साधारणतया वे विषय रखे गए हैं जिनका महत्व स्थानीय व संघीय दोनों ही दृष्टियों से है। मूल संविधान के अनुसार इस सूची में 47 विषय थे, लेकिन 42वें संविधान संशोधन द्वारा राज्य सूची के चार विषय समवर्ती सूची में शामिल कर दिए गए और एक नवीन विषय 'जनसंख्या नियंत्रण और परिवार नियोजन' समवर्ती सूची में जोड़ा गया जिसके फलस्वरूप विषयों की संख्या 52 हो गया है। इस सूची के विषयों पर संघ तथा राज्य दोनों को ही विधियां बनाने का अधिकार प्राप्त है। यदि इस सूची के विषय पर संघ तथा राज्य व्यवस्थापिका द्वारा निर्मित कानून परस्पर विरोधी हो, तो सामान्यतः संघ का कानून मान्य होगा।
- **अवशिष्ट विषय** (Residuary Subjects): संयुक्त राज्य अमरीका, स्विट्ज़रलैंड और ऑस्ट्रेलिया में अवशेष विषयों के संबंध में कानून निर्माण का अधिकार इकाइयों को प्रदान किया गया है, लेकिन भारतीय संघ में कनाडा के संघ की तरह अवशेष विषयों के संबंध में कानून निर्माण की शक्ति संघीय संसद को प्रदान की गई है।

राज्य सूची के विषयों पर संसद की व्यवस्थापन शक्ति

सामान्यतया संविधान द्वारा किए गए इस शक्ति विभाजन का उल्लंघन किसी भी सत्ता द्वारा नहीं किया जा सकता। संसद द्वारा राज्य सूची के किसी विषय पर और किसी राज्य की व्यवस्थापिका द्वारा संघीय सूची के किसी विषय पर निर्मित कानून अवैध होगा, लेकिन संसद के द्वारा कुछ विशेष परिस्थितियों के अन्तर्गत राष्ट्रीय हित तथा राष्ट्रीय एकता हेतु राज्य सूची के विषयों पर भी कानूनों का निर्माण किया जा सकता है। संसद को इस प्रकार की शक्ति प्रदान करने वाले संविधान के कुछ प्रमुख प्रावधान निम्नलिखित हैं :

1. **राज्य सूची का विषय राष्ट्रीय महत्व का होने पर :** संविधान के अनुच्छेद 249 के अनुसार, यदि राज्य सभा अपने दो-तिहाई बहुमत से यह प्रस्ताव स्वीकार कर लेती है कि राज्य सूची में निहित कोई विषय राष्ट्रीय महत्व का हो गया है, तो संसद को उस विषय पर विधि निर्माण का अधिकार प्राप्त हो जाता है। इसकी मान्यता केवल एक वर्ष तक रहती है। राज्यसभा द्वारा प्रस्ताव पुनः स्वीकृत करने पर इसकी अवधि में एक वर्ष की वृद्धि और हो जाएगी। इसकी अवधि समाप्त हो जाने के उपरान्त यह 6 माह तक प्रयोग में आ सकता है।
2. **राज्यों के विधानमंडलों द्वारा इच्छा प्रकट करने पर :** अनुच्छेद 252 के अनुसार, यदि दो या दो से अधिक राज्यों के विधानमंडल प्रस्ताव पास कर यह इच्छा व्यक्त करते हैं कि राज्य सूची के किन्हीं विषयों पर संसद द्वारा कानून निर्माण किया जाए, तो उन राज्यों के लिए उन विषयों पर अधिनियम बनाने का अधिकार संसद को प्राप्त हो जाता है।
3. **संकटकालीन घोषणा होने पर (अनुच्छेद 250) :** संकटकालीन घोषणा की स्थिति में राज्य की समस्त विधायिनी शक्ति पर भारतीय संसद का अधिकार हो जाता है। इस घोषणा की समाप्ति के 6 माह बाद तक संसद द्वारा निर्मित कानून पूर्ववत् चलते रहेंगे।
4. **विदेशी राज्यों से हुई सन्धियों के पालन हेतु (अनुच्छेद 253) :** यदि संघ सरकार ने विदेशी राज्यों से किसी प्रकार की संधि की है अथवा उनके सहयोग के आधार पर किसी नवीन योजना का निर्माण किया है, तो इस संधि के पालन हेतु संघ सरकार को सम्पूर्ण भारत के सीमा क्षेत्र के अन्तर्गत पूर्णतया हस्तक्षेप और व्यवस्था करने का अधिकार होगा।
5. **राज्य में संवैधानिक व्यवस्था भंग होने पर (अनुच्छेद 356) :** यदि किसी राज्य में संवैधानिक संकट उत्पन्न हो जाए या संवैधानिक तंत्र विफल हो जाए तो राष्ट्रपति राज्य विधानमंडल के समस्त अधिकार भारतीय संसद को प्रदान कर सकता है।

6. **कुछ विधेयकों को प्रस्तावित करने और कुछ की अन्तिम स्वीकृति के लिए केन्द्र का अनुमोदन आवश्यक :** अनुच्छेद 304(ख) के अनुसार कुछ विधेयक ऐसे होते हैं, जिनके राज्य विधानमंडल में प्रस्तावित किए जाने से पूर्व राष्ट्रपति की पूर्व-स्वीकृति की आवश्यकता होती है। उदाहरण के लिए, वे विधेयक, जिनके द्वारा सार्वजनिक हित की दृष्टि से उस राज्य के अन्दर या उसके बाहर, वाणिज्य या मेल-जोल पर कोई प्रतिबन्ध लगाए जाने हों।

अनुच्छेद 31(ग) के अनुसार, राज्य सूची के ही कुछ विषयों पर राज्यों की व्यवस्थापिकाओं द्वारा पारित विधेयक उस दशा में अमान्य होंगे, यदि उन्हें राष्ट्रपति ने विचारार्थ रोक रखा हो और उन पर राष्ट्रपति की स्वीकृति न प्राप्त कर ली गई हो।

अनुच्छेद 200 के अन्तर्गत राज्यपाल किसी भी विधेयक के बारे में अपनी सहमति देने से इंकार कर सकता है और उसे राष्ट्रपति के विचारार्थ आरक्षित रख सकता है। राष्ट्रपति बिना कोई कारण बताए विधेयकों को अस्वीकृत कर सकता है।

भारत में साधारणतया संघीय संसद तथा राज्यों की व्यवस्थापिकाओं के कार्यक्षेत्र संविधान द्वारा विभाजित हैं, लेकिन विशेष परिस्थितियों में संघ सरकार द्वारा राज्य सरकार के कार्यक्षेत्र का अतिक्रमण किया जा सकता है। के.वी. राव ने ठीक ही कहा है कि "राज्य सूची में दिए गए विषय कितने महत्वहीन, कितने संदिग्ध और अस्पष्ट हैं।" पायली के अनुसार, "विधायी सत्ता के वितरण की सूची योजना से निःसन्देह केन्द्रीकरण की एक प्रबल प्रवृत्ति प्रकट होती है।" डॉ. महादेव प्रसाद शर्मा ने लिखा है कि "जब राज्यों के सिर पर संघ का भय सर्वदा विद्यमान रहता है तो उनसे यह अपेक्षा नहीं की जा सकती है कि वे पूर्ण विश्वास के साथ अपने अधिकारों की मांग दृढ़तापूर्वक करेंगे।"

भारतीय संघ में केन्द्र-राज्य संबंध

प्रशासनिक संबंध : संवेधानिक परिप्रेक्ष्य में

भारतीय संविधान में ग्यारहवें भाग के दूसरे अध्याय में केन्द्र तथा राज्यों के बीच प्रशासनिक संबंधों की चर्चा की गई है। संविधान के अनुच्छेद 73 के अनुसार, केन्द्र की प्रशासनिक शक्ति उन विषयों तक सीमित है जिन पर संसद को विधि निर्माण का अधिकार प्राप्त है। इसी प्रकार संविधान के अनुच्छेद 162 के अनुसार, राज्यों की प्रशासनिक शक्तियां उन विषयों तक सीमित हैं जिन पर राज्य विधानसभाओं को कानून बनाने का अधिकार है।

राज्यों के ऊपर संघीय नियंत्रण की विधियां : संविधान के अन्तर्गत केन्द्र-राज्य प्रशासनिक संबंधों का विश्लेषण करने पर यह स्पष्ट हो जाता है कि राष्ट्रीय एकता की दृष्टि से संघीय सरकार को राज्यों के संबंध में कतिपय प्रशासनिक शक्तियां प्राप्त हैं जो निम्नवत् हैं :

1. **दो या अधिक राज्यों में बहने वाले जलाशयों व नदियों के जल का बंटवारा :** संसद को यह अधिकार है कि अन्तर्राज्यीय नदियों के बंटवारे से उत्पन्न विवाद को निपटाने के लिए वह उचित कानून बनाए। संसद किसी भी नदी या नदी-घाटी परियोजना के पानी के इस्तेमाल, वितरण या नियंत्रण संबंधी विवाद के सिलसिले में मध्यस्थता की व्यवस्था कर सकती है।
2. **सरकारी कृत्यों, अभिलेखों और न्यायिक कार्यवाही को पूरी मान्यता दी जाएगी :** केन्द्रीय सरकार और राज्य सरकार दोनों का यह कर्तव्य है कि वे सभी सरकारी कृत्यों का आदर करें और देश के सभी न्यायालयों द्वारा दिए गए अन्तिम निर्णयों को लागू करें।
3. **केन्द्र राज्यों की सरकारों का उपयोग अपने एजेंट के रूप में कर सकता है :** राष्ट्रपति राज्यों की सरकारों अथवा उसके पदाधिकारियों को अपने एजेंट के रूप में कोई भी कार्य करने की जिम्मेदारी सौंप सकता है। इसका अभिप्राय यह है कि संघ सूची में दिए गए किसी भी विषय से संबंधित कोई भी कार्य राज्यों के पदाधिकारियों को सौंपा जा सकता है।
4. **केन्द्र सरकार राज्यों को निर्देश दे सकती है :** केन्द्र को यह अधिकार दिया गया है कि वह राज्यों को यह निर्देश दे सके कि उन्हें अपनी कार्यकारी शक्ति का उपयोग किस प्रकार करना चाहिए। राष्ट्रीय व सैनिक महत्व के मार्गों व पुलों आदि का निर्माण साधारणतया केन्द्रीय सरकार ही करती है।
5. **राज्यों का दायित्व :** संविधान के अनुसार राज्यों को अपनी कार्यपालिका शक्ति का उपयोग इस प्रकार करना चाहिएं जिससे संसद द्वारा निर्मित कानूनों का पालन होता रहे। राज्यों का यह भी दायित्व है कि वे केन्द्रीय प्रशासन में कोई बाधा उत्पन्न न होने दें।
6. **अखिल भारतीय सेवाएं :** संघ द्वारा राज्यों को नियंत्रित करने का महत्वपूर्ण तरीका है। संविधान संघ को अखिल भारतीय सेवाओं की स्थापना का अधिकार देता है।

भारतीय संघ में केन्द्र–राज्य वित्तीय संबंध

केन्द्र और राज्यों की सरकारों के बीच केवल विधायी और प्रशासनिक शक्तियों का ही विभाजन नहीं होता अपितु वित्तीय स्रोतों का भी बंटवारा होता है। वित्तीय स्रोतों के विभाजन को लेकर राज्यों के बीच मतभेद और तनाव उत्पन्न हो जाना स्वाभाविक है।

केन्द्र–राज्य वित्तीय संबंध : संवैधानिक प्रावधान

कार्यक्षमता, पर्याप्तता तथा उपयुक्तता के आधार पर भारतीय संविधान में समझौते की चेष्टा की गई है। संविधान द्वारा केन्द्र तथा राज्यों के मध्य वित्तीय संबंधों का निरूपण निम्न प्रकार किया गया है :

1. **कर निर्धारण, शक्ति का वितरण और करों से प्राप्त आय का विभाजन :** भारतीय संविधान में वित्तीय प्रावधानों की दो विशेषताएँ हैं। प्रथम, संघ तथा राज्यों के मध्य कर निर्धारण की शक्ति का पूर्ण विभाजन कर दिया गया है और करों से प्राप्त आय का बंटवारा होता है।

संघ के प्रमुख राजस्व स्रोत इस प्रकार हैं : निगम कर, सीमा शुल्क, निर्यात शुल्क, कृषि भूमि को छोड़कर अन्य सम्पत्ति पर सम्पदा शुल्क, विदेशी ऋण, रेलें, रिजर्व बैंक, शेयर बाजार, आदि। राज्यों के राजस्व स्रोत हैं–प्रति व्यक्ति कर, कृषि भूमि पर कर, सम्पदा शुल्क, भूमि और भवनों पर कर, पशुओं तथा नौकाओं पर कर, बिजली के उपयोग तथा विक्रय पर कर, वाहनों पर चुंगी कर, आदि।

संघ द्वारा आरोपित तथा संगृहीत और विनियोजित किए जाने वाले शुल्कों के उदाहरण हैं : बिल, विनियमों, प्रोमिसरी नोटों, हुण्डियों, चैकों, आदि पर मुद्रांक शुल्क और दवा तथा मादक द्रव्य पर कर, शौक-शृंगार की चीजों पर कर तथा उत्पादन शुल्क।

संघ द्वारा आरोपित तथा संगृहीत, किन्तु राज्यों को सौंपे जाने वाले करों के उदाहरण हैं: कृषि भूमि के अतिरिक्त अन्य सम्पत्ति के उत्तराधिकार पर कर, कृषि भूमि के अतिरिक्त अन्य सम्पत्ति पर सम्पदा शुल्क, रेल, समुद्र, वायु द्वारा ले जाने वाले माल तथा यात्रियों पर सीमान्त कर, रेल भाड़ों तथा वस्तु भाड़ों पर कर, शेयर बाजार तथा सट्टा बाजार के आदान-प्रदान पर कर, मुद्रांक शुल्क के अतिरिक्त कर, समाचार-पत्रों के क्रय-विक्रय तथा उनमें प्रकाशित किए गए विज्ञापनों पर और समाचार-पत्रों से अन्य अन्तर्राष्ट्रीय व्यापार तथा वाणिज्य के माल के क्रय-विक्रय पर कर।

2. **सहायक अनुदान तथा अन्य सार्वजनिक उद्देश्यों के लिए दिया जाने वाला अनुदान :** संविधान के अन्तर्गत केन्द्र द्वारा राज्यों को चार तरह के सहायता अनुदान प्रदान करने की व्यवस्था की गई है। प्रथम, पटसन व उससे बनी वस्तुओं के निर्यात से जो शुल्क प्राप्त होता है उसमें से कुछ भाग अनुदान के रूप में जूट पैदा करने वाले राज्यों–बिहार, पश्चिम बंगाल, असम व उड़ीसा को दे दिया जाता है। द्वितीय, बाढ़, भूकम्प व सूखाग्रस्त क्षेत्रों में पीड़ितों की सहायता के लिए भी केन्द्रीय सरकार राज्यों को अनुदान दे सकती है। तृतीय, आदिम जातियों व कबीलों की उन्नति व उनके कल्याण की योजनाओं के लिए भी सहायक अनुदान दिया जाता है। चतुर्थ, राज्य को आर्थिक कठिनाइयों से उबारने के लिए केन्द्र राज्यों की वित्तीय सहायता कर सकता है।
3. **ऋण लेने संबंधी उपबन्ध :** केन्द्र को यह अधिकार है कि वह अपनी संचित निधि की साख पर देशवासियों व विदेशी सरकारों से ऋण ले सके। ऋण लेने का अधिकार राज्यों को प्राप्त होता है, परन्तु वे विदेशों से धन उधार नहीं ले सकते। यदि किसी राज्य सरकार पर संघ सरकार का कोई कर्ज बाकी है तो राज्य सरकार अन्य कर्ज संघ सरकार की अनुमति से ही ले सकती है।
4. **करों से विमुक्ति :** राज्यों द्वारा संघ की सम्पत्ति पर कोई कर नहीं लगाया जा सकता जब तक संसद विधि द्वारा प्रावधान न कर दे। भारत सरकार या रेलवे द्वारा प्रयोग में आने वाली बिजली पर संसद की अनुमति के अभाव में राज्य किसी प्रकार का शुल्क नहीं लगा सकते। इसी प्रकार संघ सरकार भी राज्य सम्पत्ति और आय पर कर नहीं लगा सकती।
5. **भारत के नियंत्रक एवं महालेखा परीक्षक द्वारा नियंत्रण :** यह भारत सरकार तथा राज्य सरकारों के हिसाब का लेखा रखने के ढंग और उनकी निष्पक्ष रूप से जांच करता है। नियंत्रक तथा महालेखा परीक्षक के माध्यम से ही भारतीय संघ राज्य की आय पर अपना नियंत्रण करती है।
6. **वित्तीय संकटकाल :** वित्तीय संकटकालीन घोषणा की स्थिति में राज्यों की आय सीमा राज्य सूची में चर्चित करों तक ही सीमित रहती है। वित्तीय संकट के प्रवर्तन काल में राष्ट्रपति को संविधान के उन सभी प्रावधानों को स्थगित करने का अधिकार है जो सहायता अनुदान, आदि संघ के करों की आय में भाग बंटाने से संबंधित हो। केन्द्रीय सरकार वित्तीय मामलों में राज्यों को निर्देश भी दे सकती है।

निष्कर्षतः प्रो. एम.वी. पायली के शब्दों में, ''वर्तमान स्थिति में राज्यों के पास सीमित साधन हैं और अपनी अधिकांश विकास योजनाओं के लिए उन्हें केन्द्र की सहायता की आवश्यकता रहती है इसलिए उन्हें केन्द्र का नेतृत्व स्वीकार करना पड़ता है। कभी-कभी केन्द्र के आदेशों के आगे भी झुकना पड़ता है।''

केन्द्र–राज्य संबंधों की विशेषताएं

संविधान द्वारा प्रस्तुत केन्द्र-राज्य संबंधों का विश्लेषण करने से निम्न तथ्य उभरते हैं :

1. **राज्यों की स्थिति नगरपालिकाओं के समतुल्य :** संघ एवं राज्यों के बीच शक्तियों का वितरण इस प्रकार किया गया है कि राज्यों की स्थिति नगरपालिकाओं के समतुल्य हो गई है। जिस प्रकार नगरपालिकाएं राज्य सरकारों पर पूर्णतः निर्भर हैं, उसी प्रकार राज्य सरकारें भी सभी क्षेत्रों में संघ सरकार पर निर्भर हैं।
2. **शक्तिशाली केन्द्रीय सरकार :** संविधान निर्माताओं ने केन्द्रीय सरकार को अत्यन्त शक्तिशाली बनाया है। वह किसी भी सूची के विषयों पर कानून बना सकती है। वह अवशिष्ट शक्तियों का उपभोग कर सकती है और राज्यपालों द्वारा राज्यों पर पूर्ण नियंत्रण रखती है। उसकी आय के साधन अधिक हैं और वह राज्यों को ऋण भी दे सकती है।
3. **भारतीय संघ की आत्मा एकात्मक :** राष्ट्रपति द्वारा आपातकाल की उद्घोषणा किए जाने पर राज्यों की स्वायत्तता को स्थगित किया जा सकता है और इस दशा में राष्ट्रपति राज्य का सारा कामकाज अपने प्रतिनिधि राज्यपाल के माध्यम से चला सकता है। केन्द्र की शक्तियाँ आपातकाल में ही नहीं अपितु सामान्यकाल में भी बढ़ाई जा सकती हैं, अतः भारतीय संघ की आत्मा एकात्मक कही जा सकती है।
4. **सहयोगी संघवाद :** ग्रेनविल ऑस्टिन के अनुसार, ''भारत की विशिष्ट आवश्यकताओं की पूर्ति के लिए संविधान सभा ने एक

विशिष्ट प्रकार के संघवाद को जन्म दिया है।'' जिसे ए.एच. बर्च ने 'सहयोगी संघवाद' की संज्ञा दी है। इस व्यवस्था में संघीय सरकार शक्तिशाली होती है, किन्तु राज्य सरकारें भी अपने क्षेत्रों में कमजोर नहीं होतीं, साथ ही दोनों ही सरकारों की एक-दूसरे पर निर्भरता इस व्यवस्था का मुख्य लक्षण होता है।

जवाबदेयता (Accountability)

जवाबदेयता का अर्थ (Meaning of Accountability)

जवाबदेयता की उत्पत्ति लैटिन शब्द 'Accomptone' अर्थात् हिसाब रखने से हुई है। इसका प्रयोग प्राचीन समय में शासन और मुद्रा के लेन-देन से जुड़े रिकॉर्ड रखने की गतिविधि के रूप में हुई है। जवाबदेयता का स्रोत कानूनी होता है। अधीनस्थ स्तर की उच्च स्तर के प्रति कार्यों को लेकर जवाबदेयता होती है। शासन में नेतृत्व की भूमिका में जवाबदेयता के अन्तर्गत कार्यों, उत्पादों, फैसलों को स्वीकार करना और जिम्मेदारी लेने के साथ-साथ शासन में अपनी भूमिका निभाने से है। ब्रूस स्टोन, ओमप्रकाश द्विवेदी और जोसेफ जी. जावरा ने जवाबदेयता को आठ प्रकारों में विभाजित किया है, जिसमें नैतिक, प्रशासनिक, राजनैतिक, प्रबन्धकीय, बाजार, न्यायिक, निर्वाचन क्षेत्र और पेशेवर जवाबदेही शामिल हैं, लेकिन मुख्य रूप से जवाबदेयता के सन्दर्भ में कार्यपालिका, विधायी तथा न्यायिक जवाबदेयता का अध्ययन किया जाता है।

विधायी जवाबदेयता (Legislative Accontability)

संसदीय व्यवस्था में शासन जनता के प्रति जवाबदेह होती है। संसदीय व्यवस्था में जनता सम्प्रभु इकाई होती है तथा संविधान के द्वारा शक्तियों का विधायिका, कार्यपालिका तथा न्यायपालिका में पृथक्करण होता है। लेकिन कार्यपालिका विधायिका के द्वारा जनता के प्रति जवाबदेह बनाया गया है तथा विधायिका भी जनता के प्रति जवाबदेह होती है। विधायिका को जनता के प्रति जवाबदेह बनाने के लिए निम्नलिखित प्रावधान किए गए हैं।

1. **बजट पर वाद-विवाद (Debates on the Budget):** जब से बजट ऑन एकाउंट प्रथा का श्रीगणेश हुआ है। संसद को बजट प्रस्ताव पर चर्चा के अधिक अवसर प्राप्त हो गए हैं। इसे मीडिया में प्रकाशित होने से जन जागरूकता का विकास होता है तथा जन साधारण लोग नीतियों पर चर्चा कर अपने लिए नीतियों की मांग करते हैं।

2. **प्रश्न काल (Question Hour):** सत्रकाल में प्रत्येक दिवस का पहला घंटा प्रश्नों के लिए निश्चित रहता है। जनता देखती है कि हमारी समस्याओं से संबंधित प्रश्न पूछे जा रहे हैं या नहीं। जनसाधारण का ध्यान आकर्षित करने के लिए प्रश्न पूछना एक प्रभावपूर्ण युक्ति है।

3. **काम रोको प्रस्ताव (Adjournment Motion):** काम रोको प्रस्ताव दैनिक नियंत्रण का साधन है। इसका प्रयोग सार्वजनिक महत्व के अति आवश्यक किसी विशिष्ट प्रश्न पर सदन में बहस आरम्भ करने के लिए किया जाता है। अध्यक्ष द्वारा अनुमति दिए जाने पर तुरन्त वाद-विवाद प्रारंभ हो जाता है। काम रोको प्रस्ताव की विशेषता यह है कि इसमें बहस के अन्त में मतदान होता है।

4. **अविश्वास प्रस्ताव (No Confidence Motion):** संविधान में व्यवस्था की गई है। जब सरकार की पूरी या आंशिक नीति दोषपूर्ण तथा आपत्तिजनक हो तो निन्दा प्रस्ताव के माध्यम से सुधारा जा सकता है। ऐसे अवसरों पर विरोध पक्ष को बहुमत प्राप्त होने पर सरकार को त्यागपत्र देना पड़ता है।

5. **ध्यानाकर्षण प्रस्ताव (Calling Attention Motion):** संसद सदस्य महत्वपूर्ण मामलों और प्रशासन से संबंधित किसी गंभीर समस्या की ओर ध्यान आकृष्ट करने के लिए 'ध्यानाकर्षण' प्रस्ताव पेश कर सकते हैं।

6. **विधेयक पर बहस (Debates on Bill):** विधेयक के विभिन्न वाचन होते हैं। इन वाचनों में ये अवसर विधेयक में निहित सम्पूर्ण नीति की आलोचना करने का असीम अवसर प्रदान करते हैं। इसे जनता देखती है और चुनाव में अपना मूल्यांकन मत देती है।

जवाबदेयता : कार्यपालिका (Accountability : Executive)

लोकतांत्रिक सरकार में उत्तरदायित्व लोक प्रशासन का आवश्यक पहलू है। एक सवैधानिक लोकतांत्रिक शासन में प्रशासनिक उत्तरदायित्व को सरकारी कर्मचारियों के कर्तव्य और जिम्मेदारी को व्यक्तिगत विवेक पर नहीं छोड़ा जा सकता है। प्रशासन पर सूक्ष्म दृष्टि और रोक के लिए विभिन्न प्रकार के तरीके का प्रयोग किया जाता है। इसलिए लोक सेवक को विभिन्न इकाइयों के प्रति उत्तरदायी बनाया जाता है, जो उन पर नियंत्रण रखती है। नियंत्रण का उद्देश्य यह है कि लोक सेवक अपनी शक्तियों का उपयोग निर्धारित प्रक्रिया, नियमों एवं औपचारिक रीतियों से करें। इसमें एल.डी. व्हाइट के अनुसार, ''एक लोकतांत्रिक समाज में शक्ति पर नियंत्रण रखना आवश्यक है। शक्ति जितनी ही बड़ी होगी उन पर नियंत्रण की आवश्यकता उतनी ही अधिक होगी। स्पष्ट उद्देश्यों के लिए पर्याप्त अधिकार कैसे समाहित किए जाएं और सत्ता को पंगु किए बिना कैसे समुचित नियंत्रण बनाए रखा जाए, यह लोकप्रिय सरकार के सामने एक ऐतिहासिक उलझन है।''

संसदीय शासन पद्धति में शक्तियों के समन्वय का सिद्धान्त अपनाया जाता है। इसलिए यहाँ की कार्यपालिका संसद के प्रति पूर्णतया उत्तरदायी होती है और संसद अविश्वास प्रस्ताव द्वारा सरकार को पदच्युत भी कर सकती है। वहीं अध्यक्षात्मक शासन पद्धति वाले देशों जैसे अमेरिका में शक्तियों के पृथक्करण के सिद्धान्त को अपनाया जाता है।

डॉ. विष्णु भगवान एवं विद्याभूषण के अनुसार, अध्यक्षात्मक प्रणाली में विधायिका निम्नलिखित प्रकार से प्रशासन पर नियंत्रण रखती है।

1. विधायिका प्रशासकीय प्राधिकारियों के संगठन उनके कार्यों एवं व्यक्तियों को निर्धारित करती है।
2. विधायिका प्रशासन की जाँच-पड़ताल के लिए समितियों का गठन करती है।
3. विधायिका 'कर विधेयक' पारित करती है तथा लेखा-परीक्षण कार्य करती है।
4. अध्यक्षीय व्यवस्था में विधायिका राष्ट्रपति पर महाभियोग लगा सकती है।
5. विधायिका 'राष्ट्रीय कोष' पर नियंत्रण रखती है। 'विनियोग विधेयकों' के द्वारा व्यय को स्वीकृति प्रदान करती है। व्यय के उद्देश्यों एवं व्यय की राशि को निश्चित करती है।

संसदीय शासन प्रणाली वाले देशों जैसे—इंग्लैंड, कनाडा, भारत आदि में विधायी नियंत्रण के निम्नलिखित साधन अपनाए जाते हैं, जैसे—प्रश्न पूछना, प्रस्ताव पेश करना, काम रोको प्रस्ताव, निंदा प्रस्ताव, बजट तथा संसदीय समितियाँ लोक लेखा समिति तथा अनुमान समिति।

जवाबदेयता : न्यायिक (Accountability : Judiciary)

एल.ए. ऐलन (L.A. Allen) के शब्दों में, "जवाबदेयता उत्तरदायित्व को पूर्ण करने का बंधन है तथा स्थापित प्रमाण के संदर्भ में अधिकार के प्रयोग का एक दायित्व है। जवाबदेयता की उत्पत्ति अधिकार से होती है। अर्थात् जब कोई संस्थान या व्यक्ति अधिकार प्राप्त करता है तो अपने से उच्चतर संस्था के प्रति जवाबदेयता को उत्पन्न करता है।

जवाबदेयता प्राप्त अधिकार पर नियंत्रण की बात करती है, कोई भी अधिकार निरपेक्ष नहीं होता है। उसी प्रकार जवाबदेयता न्यायपालिका के अधिकार पर भी नियंत्रण की सीमा को बताता है। इसी बात को सुप्रीम कोर्ट (सर्वोच्च न्यायालय) ने निचली अदालतों को कड़े शब्दों में 'हद' बताते हुए चेतावनी दी कि अधीनस्थ अदालतें अपनी लक्ष्मण रेखा नहीं लांघे। वे निर्वाचित निकाय की तरह कार्य करने की कोशिश न करें, कानून न बनाएं, बल्कि उनका पालन करवाएं। अदालतों को कहा, न्यायाधीशों को विनम्रता से काम लेना चाहिए और राजाओं की तरह व्यवहार नहीं करना चाहिए।

नागरिक शिकायत निवारण तंत्र (Redressal System of Public Grievances)

किसी समाज में सरकार का मुख्य उद्देश्य जनता की प्रसन्नता, संतोष तथा कल्याण होता है क्योंकि सरकार की शक्ति जनता की समृद्धि पर निर्भर करती है। जन-सन्तोष पर ही लोकतंत्र की सुरक्षा भी निर्भर करती है। लेकिन साधारण नागरिक को वह सेवा तथा व्यवहार नहीं मिलता है जिसका वह हकदार होता है। समय-समय पर जनता की शिकायतें अनेक रूपों में व्यक्त होती है।

सरकार के विरुद्ध जन-शिकायत का मुख्य कारण भ्रष्टाचार रहा है जो कि असंतोष का अंश मात्र है। भ्रष्टाचार के अतिरिक्त शासकीय कर्मचारियों की उदासीनता एवं अक्षमता नागरिकों को हानि ही नहीं बल्कि उन्हें कठिनाइयाँ भी पहुँचाते हैं।

राज्य के उद्देश्यों के स्वरूप में परिवर्तन आने से तथा सरकार के कार्यों में वृद्धि के कारण नागरिकों के दैनिक जीवन में प्रशासन का हस्तक्षेप बढ़ गया है। प्रशासन की परिधि के अन्तर्गत विभिन्न प्रकार के कार्य आते हैं। जैसे—परमिट जारी करना, सामग्रियों का वितरण करना, जनकल्याण सेवा, शिक्षा, स्वास्थ्य, आदि की व्यवस्था करना।

स्वतंत्रता के पश्चात भारत में मौलिक समस्याओं के प्रति पर्याप्त ध्यान दिया जा रहा है। अन्य देशों में भी समस्या के प्रति जागरूकता उत्पन्न हुई और उनमें शासकीय कर्मचारियों की मनमानी, अक्षमता, उदासीनता तथा उनके अविवेक और भ्रष्टाचार के विरुद्ध नागरिकों को संरक्षण देने के लिए संस्थागत व्यवस्थाओं की संरचना की गई है। जैसे स्वीडन का अनुकरण कर डेनमार्क ने 1955 में ओम्बुड्समैन नामक पद की रचना की है। नॉर्वे ने 1962 में ही इस संस्था की स्थापना की है, न्यूजीलैंड ने 1962 में संसदीय आयुक्त और ब्रिटेन ने 1967 में संसदीय आयुक्त (प्रशासन) की स्थापना की है। फ्रांस तथा कुछ देशों में ऐसी व्यवस्था प्रचलित है जिसमें न्यायालयों को व्यक्तियों तथा प्रशासन के बीच उठने वाले मतभेदों को तय करने का अधिकार प्राप्त है। सोवियत संघ और पूर्वी यूरोप के देशों में प्रभावशाली प्राधिकर्ता (प्रोक्यूरेट) व्यवस्था प्रचलित है।

अन्य देशों की भांति भारत में भी लोक प्रशासन पर प्रशासकीय, विधायी तथा न्यायिक नियंत्रण है। हमारे यहाँ नागरिक सेवा से भ्रष्टाचार को समाप्त करने के लिए केन्द्रीय सतर्कता आयोग की स्थापना की गई है। भारत में कमजोर वर्गों के हितों की रक्षा के लिए संविधान द्वारा अनुसूचित जाति एवं अनुसूचति जनजाति आयुक्त की स्थापना की गई है। भारत ने इस दिशा में अनेक कदम उठाए हैं और लोकपाल तथा लोकायुक्त की स्थापना कर दी है।

लोकपाल

विश्व के विभिन्न देशों में नागरिकों की शिकायतों के निवारणार्थ भिन्न तरीकों का प्रयोग किया जाता है। फ्रांस में प्रशासनिक कानून तथा प्रशासनिक न्यायालय प्रचलित है इसके द्वारा नागरिकों की शिकायतों का निराकरण किया जाता है। सोवियत संघ और पूर्वी यूरोप के देशों में प्रभावशाली प्रधिकर्त्ता (प्रोक्यूरेटर) व्यवस्था प्रचलित है जो नागरिकों की शिकायतों को दूर करने में महत्वपूर्ण भूमिका निभाती है। इस सम्बन्ध में सबसे अधिक चर्चित तथा प्रचलित संस्था ओम्बुड्समेन है। यह संस्था उत्तरी यूरोप के देशों, फिनलैण्ड तथा नार्वे में प्रचलित है।

अन्य देशों की भाँति भारत में भी लोक प्रशासन पर प्रशासकीय, विधायी तथा न्यायिक नियन्त्रण है। भारत में नागरिक सेवा से भ्रष्टाचार को मिटाने के लिए केन्द्रीय सतर्कता आयोग की स्थापना की गयी है भारत में इस दिशा में अनेक कदम उठाये गये हैं। लोकपाल एवं लोकायुक्त की स्थापना इसी दिशा में उठाये गये कदम हैं।

भारतीय प्रशासनिक सुधार आयोग की सिफारिश पर नागरिकों की समस्याओं के समाधान हेतु विशेष प्राधिकारी लोकपाल की नियुक्ति की गई है। प्रशासनिक सुधार आयोग के अनुसार राष्ट्रपति भारत के मुख्य न्यायाधीश, लोकसभा अध्यक्ष व राज्यसभा के सभापति की सलाह पर लोकपाल की नियुक्ति करता है।

लोकपाल का क्षेत्राधिकार

1. प्रधानमंत्री भी लोकपाल के दायरे में होंगे, जबकि प्रधानमंत्री को लेकर होने वाली शिकायत को निपटाने की विशेष प्रक्रिया होगी।
2. पूर्व प्रधानमंत्री, केंद्रीय मंत्री, संसद तथा अवर सचिव से ऊपर के अफसरों पर लोकपाल जाँच कर सकता है।
3. सरकारी कर्मचारी भी दायरे में आते हैं तथा धार्मिक संस्था को छोड़कर अन्य स्वयंसेवी संस्थान भी शामिल किए गए हैं।
4. इसकी पूछताछ 60 दिनों के अंदर होगी तथा पूरी जाँच छह माह में सम्पन्न होगी।
5. लोकपाल से जुड़े मामले में सी.बी.आई. लोकपाल के अधीन होगी। जाँच से जुड़े सी.बी.आई. अधिकारियों का ट्रांसफर नहीं होगा। सुनवाई बंद कमरे में होगी।
6. फर्जी शिकायतकर्ता को एक वर्ष सजा का प्रावधान है। आपराधिक कदाचार को बढ़ावा देने वाले को 10 वर्ष सजा का प्रावधान है।

लोकपाल का महत्व

1. जनता भ्रष्टाचार के विरुद्ध शिकायत लोकपाल से कर सकेगी।
2. लोकपाल भ्रष्टाचार के खिलाफ स्वयं संज्ञान ले सकेंगे।
3. किसी भी अधिकारी पर (भ्रष्टाचार में) छापे मार सकता है।
4. प्रशासकों एवं नेताओं के भ्रष्ट कृत्यों पर रोक लगाने में मदद मिलेगी।
5. झूठी शिकायतों के विरुद्ध कार्यवाही कर सकता है।

लोकायुक्त

प्रशासनिक सुधार आयोग के प्रतिवेदन के अनुरूप तथा शासन में भ्रष्टाचार और भाई-भतीजावाद से निपटने के लिए राज्यों में लोकायुक्त नामक संस्था की स्थापना की गयी है। भारत में सभी राज्यों में लोकायुक्त गठित किए जा चुके हैं। राज्यों के लोकायुक्त अधिनियम का एक पहलू यह है कि उन्होंने अलग-अलग प्रकार के अधिनियम बनाये हैं तथा उसके अधिकार-क्षेत्र भी अलग-अलग है। जैसे कुछ राज्यों में लोकयुक्त के अधिकारों में मुख्यमंत्री सहित अन्य मंत्रियों के विरूद्ध आरोप की जाँच का उपबन्ध है, वहीं कुछ राज्यों ने मुख्यमंत्री को लोकायुक्त अधिनियम में जाँच के क्षेत्राधिकार से बाहर रखा गया है।

प्रशासनिक सुधार आयोग के प्रतिवेदन के अनुरूप तथा शासन में भ्रष्टाचार और भाई-भतीजावाद से निपटने के लिए राज्यों में लोकायुक्त की स्थापना की गई है। भारत में 28 राज्यों में लोकायुक्त गठित किए जा चुके हैं।

लोकायुक्त का गठन

लोकायुक्त कानून 2013 के अनुसार लोकायुक्त का 'एक अध्यक्ष' तथा अधिकतम आठ सदस्य होंगे। लोकायुक्त के सदस्यों में आधे से अधिक न्यायिक पृष्ठभूमि से होने चाहिए। इसके अलावा आधे सदस्य अनुसूचित जाति, अनुसूचित जनजाति, पिछड़ी जाति, अल्पसंख्यकों और महिलाओं में से होने चाहिए। इसका अध्यक्ष उच्च न्यायालय का सेवानिवृत्त मुख्य न्यायाधीश या सेवानिवृत्त न्यायाधीश या कोई अन्य महत्वपूर्ण व्यक्ति हो सकता है।

लोकायुक्त अधिनियम की सामान्य विशेषताएँ

लोकायुक्त पद के लिए अलग-अलग राज्यों में अलग-अलग अधिनियम बनाए गए हैं। किन्तु उनमें निम्नलिखित विशेषताएँ पाई जाती हैं :

1. लोकायुक्त की नियुक्ति राज्यपाल के द्वारा मुख्यमंत्री, उच्च न्यायालय का मुख्य न्यायाधीश एवं विपक्षी दल के नेता के परामर्श से की जाती है।
2. लोकायुक्त का वेतन, भत्ता तथा सेवा शर्त लगभग वही होती हैं जो राज्य के उच्च न्यायालय के मुख्य न्यायाधीश की होती हैं।
3. राज्यों के लोकायुक्त के लिए अलग सचिवालय एवं प्रशासन की व्यवस्था की गई है।
4. ये अपने निर्णयों में पूर्णतः स्वतंत्र और निष्पक्ष होते हैं। इन पर कोई आन्तरिक या बाह्य नियंत्रण नहीं होता है।
5. इनका कार्यकाल 5 वर्ष का होता है।
6. लोकायुक्त प्रतिवर्ष राज्यपाल को कार्यों के सम्बन्ध में प्रतिवेदन देता है। जिसे राज्यपाल विधानमंडल के समक्ष प्रस्तुत करता है।

केन्द्रीय सतर्कता आयोग (Central Vigilance Commission)

सन् 1964 में केंद्र सरकार द्वारा पारित एक प्रस्ताव के अंतर्गत इसका गठन हुआ था। भ्रष्टाचार को रोकने पर बनाई गई संथानम समिति (1962-64) की सिफारिश पर इसका गठन हुआ था।

संरचना

केन्द्रीय सतर्कता आयोग एक बहुसदस्यीय संस्था है, जिसमें एक केंद्रीय सतर्कता आयुक्त (अध्यक्ष) व दो या दो से कम सतर्कता आयुक्त होते हैं। इनकी नियुक्ति राष्ट्रपति द्वारा एक तीन सदस्यीय समिति की सिफारिश पर होती है। समिति के प्रमुख प्रधानमंत्री व अन्य सदस्य लोकसभा में विपक्ष के नेता व केंद्रीय गृहमंत्री होते हैं। इनका कार्यकाल 4 वर्ष अथवा 65 वर्ष तक, जो भी पहले हो, तक होता है। अपने कार्यकाल के पश्चात् वे केंद्र अथवा राज्य सरकार के किसी भी पद के योग्य नहीं होते हैं।

राष्ट्रपति केंद्रीय सतर्कता आयुक्त या अन्य किसी भी सतर्कता आयुक्त को, उनके पद से किसी भी समय निम्नलिखित परिस्थितियों में हटा सकते हैं :

1. यदि वह अपने कार्यकाल में, अपने कार्यक्षेत्र से बाहर से किसी प्रकार के लाभ के पद को ग्रहण करता है, अथवा
2. यदि वह दिवालिया घोषित हो, अथवा

3. यदि वह नैतिक चरित्रहीनता के आधार पर किसी अपराध में दोषी (केंद्र सरकार की निगाह में) पाया गया हो, अथवा
4. यदि वह मानसिक अथवा शारीरिक कारणों से कार्य करने में असमर्थ हो (राष्ट्रपति के अनुसार) अथवा
5. यदि वह कोई आर्थिक या इस प्रकार के अन्य लाभ प्राप्त करता हो, जिससे कि आयोग के कार्य में वह पूर्वाग्रह युक्त हो।

इसके अतिरिक्त राष्ट्रपति, केंद्रीय सतर्कता आयुक्त तथा अन्य आयुक्तों को उनके दुराचरण व अक्षमता के आधार पर भी उनके पद से हटा सकता है, इस स्थिति में राष्ट्रपति को इस विषय को उच्चतम न्यायालय को भेजना होगा। यदि जांच के उपरांत उच्चतम न्यायालय इन आरोपों को सही पाता है तो उसकी सलाह पर राष्ट्रपति उन्हें पद से हटा सकता है। वह दुराचरण का दोषी माना जाता है यदि वह (अ) केंद्रीय सरकार के किसी भी अनुबंध अथवा कार्य में सम्मिलित हो, अथवा वह (ब) ऐसे किसी भी अनुबंध अथवा कार्य से प्राप्त लाभ में भाग लेता हो अथवा जिसके उपरांत प्रकट होने वाले लाभ व सुविधाएँ, किसी निजी कंपनियों के सदस्यों के समान ही प्राप्त करता हो।

केंद्रीय सतर्कता आयुक्त के वेतन, भत्ते व अन्य सेवा शर्तों संघ लोक सेवा आयोग के अध्यक्ष के समान ही होती हैं और सतर्कता आयुक्त की संघ लोक सेवा आयोग के सदस्यों के समान। परंतु नियुक्ति के उपरांत उनमें किसी प्रकार का अलाभकारी परिवर्तन नहीं किया जा सकता है।

संगठन

CVC का अपना सचिवालय, मुख्य तकनीकी परीक्षक शाखा (CTE) तथा विभागीय जाँचों के लिए आयुक्तों (CBIs) की एक शाखा होगी।

सचिवालय में एक सचिव, संयुक्त सचिवगण, उपसचिवगण, अवर सचिवगण तथा कार्यालय कर्मचारी होंगे।

मुख्य तकनीकी परीक्षक शाखा : मुख्य तकनीकी परीक्षक शाखा संगठन सी.वी.सी. की तकनीक शाखा है जिसमें मुख्य अभियंता जिनका पदनाम मुख्य तकनीकी परीक्षण होता है तथा सहायक इंजीनियरी स्टॉफ होते हैं। इस संगठन को दिए गए कार्य निम्नवत् हैं :

1. सी.वी.सी. तथा मुख्य सतर्कता अधिकारियों को तकनीकी मामलों से जुड़े सतर्कता विषयों पर सलाह/सहायता प्रदान करना।
2. सी.बी.आई. को उसके ऐसे अनुसंधानों में मदद करना जो तकनीकी मामलों से संबंधित हैं तथा दिल्ली स्थित संपत्तियों के मूल्यांकन से संबंधित है, तथा
3. निर्माण कार्यों से संबंधित शिकायतों को विशिष्ट मामलों का अनुसंधान।
4. सरकारी संगठनों के निर्माण कार्यों का सतकर्ता दृष्टिकोण से तकनीकी अंकेक्षण।

विभागीय जाँचों के लिए आयुक्त (CBI): सी.बी.आई. जाँच अधिकारियों के रूप में कार्य करते है और लोक सेवकों के विरुद्ध विभागीय कार्रवाईयों की मौखिक जाँच-पड़ताल करते हैं।

कार्य

केन्द्रीय सतर्कता आयोग के प्रमुख कार्य इस प्रकार हैं :

1. भ्रष्टाचार निवारण अधिनियम, 1988 के अन्तर्गत किए गए अपराधों की जाँच में संलग्न विशेष दिल्ली पुलिस बल (यह केंद्र जांच ब्यूरों का एक अंग है) की कार्यप्रणाली पर नजर रखना। केंद्रीय सरकार अथवा इनके कार्यक्षेत्र में संयुक्त सचिव व इससे ऊपर के पदों पर आसीन अधिकारियों के विरुद्ध किसी मामले में जाँच करने से पूर्व विशेष दिल्ली पुलिस बल को केन्द्र सरकार से अनुमति लेनी पड़ती है।
2. निम्नलिखित श्रेणियों से संबंधित अधिकारियों के विरुद्ध किसी भी शिकायत की जांच करना जिसमें उस पर भ्रष्टाचार निवारण अधिनियम, 1988 के तहत किसी अपराध का आरोप हो—(अ) भारत सरकार के ग्रुप 'ए' के कर्मचारी एवं अखिल भारतीय सेवा के अधिकारी तथा (ब) केन्द्र सरकार के प्राधिकरणों के निर्दिष्ट स्तर के अधिकारी।
3. केंद्र सरकार के निर्देश पर ऐसे किसी विषय की जांच करना जिसमें केंद्र सरकार या इसके प्राधिकरण के किसी कर्मचारी द्वारा भ्रष्टाचार निवारण अधिनियम 1988 के तहत कोई अपराध किया गया हो।

नियामकीय प्राधिकरण (Regulatory Authority)

स्वतंत्र नियामकीय प्राधिकरण नवीन प्रशासनिक खोज है जिसकी प्रथम स्थापना अमेरिका में किया गया। इसकी स्थापना का उद्देश्य शक्तिशाली आर्थिक वर्गों की क्रियाओं के नियंत्रण एवं निगमन द्वारा सार्वजनिक हित की रक्षा की जा सके। दूसरी ओर आधुनिक प्रशासनिक की आवश्यकताओं और समस्याओं में इतनी व्यापक वृद्धि हुई कि सरकारी विभागों के द्वारा उनका नियमन और संचालन संभव नहीं था।

नियामकीय प्राधिकरण के लाभ

डिमॉक और कोइंग के अनुसार, "नियमन से प्रभावित होने वाले उद्योगों प्रायः शक्तिशाली तथा राजनीतिक रूप में प्रभावशाली होते हैं, नियमन द्वारा उसके लाभ, सेवाओं तथा वित्त पर नियंत्रण बने रहते हैं। एक ओर विस्तृत प्रशासकीय, स्वविवेक दूसरी ओर निजी प्रभाव, इन दोनों में निकट संबंध के कारण भ्रष्टाचार तथा अन्याय के गंभीर संकट उत्पन्न हो जाते हैं। ऐसे में स्वतंत्र नियामकीय आयोग इस अभाव का अधिकतम पूर्ति करता प्रतीत होता है।

आलोचना : स्वतंत्र नियामकीय आयोगों की निम्नलिखित आधारों पर आलोचना की जाती है :

1. संवैधानिक कठिनाई
2. सामंजस्य की समस्या
3. नागरिक अधिकार एवं स्वतंत्रताओं की उपेक्षा
4. अनुचित छूट देना

5. दुर्बल संगठन
6. समन्वय की समस्या

सुरक्षा के उपाय

स्वतंत्र नियामकीय संगठन के व्यक्तियों और आयोगों का पृथक्-पृथक् अध्ययन अनुसंधान का विषय रहा है। द्वितीय हूवर आयोग (1949) ने नियामकीय आयोगों को अमरीकी संघ सरकार में 'असाधारण विकास' बताया है। यद्यपि इस आयोग ने शासन की तात्कालिक आवश्यकताओं के प्रत्युत्तर में इसके आकस्मिक तथा असमन्वित विकास की ओर भी ध्यान आकर्षित किया है। रॉबर्ट ई. कुशमैन के शब्दों में, "वे राष्ट्रपति के संचलन तथा उत्तरदायित्व के क्षेत्र के बाहर अनुत्तरदायी क्षेत्र हैं। इससे निपटने के चार विकल्प निम्नलिखित हैं :

1. सरकार की कार्यपालिका शाखा और नियामकीय आयोग को एकीकृत करके उन्हें राष्ट्रपति के अधीन बना दिया जाए।
2. आयोग पर कांग्रेस के नियंत्रण को दृढ़ किया जाए।
3. प्राधिकरण के क्रियाकलापों की दृढ़ न्यायिक समीक्षा की व्यवस्था की जाए।
4. प्राधिकरण के विधायी, प्रशासकीय तथा न्यायिक कार्यों को पृथक किया जाए और इन कार्यों के प्रत्येक चरण को समुचित रीति से सम्पन्न किया जाए।

संयुक्त राज्य अमेरिका की नियामकीय आयोग : संयुक्त राज्य अमेरिका में कुल निम्नलिखित 9 नियामकीय आयोग हैं :

1. अन्तर्राज्यीय वाणिज्य आयोग
2. संघीय संरक्षित मंडल
3. संघीय व्यापार आयोग
4. संघीय शक्ति आयोग
5. संघीय संचार आयोग
6. प्रतिपूर्ति तथा विनिमय आयोग
7. राष्ट्रीय श्रमिक संबंध बोर्ड
8. असैनिक वैमानिक मंडल
9. संघीय समुद्री आयोग।

बहस के मुद्दे (क्षेत्र)

राजनीतिज्ञ तथा सिविल सेवक संबंध

शासन को लोक सेवा (सचिव) के माध्यम से ही संचालित करना पड़ता है। राजनीतिज्ञ मंत्री आते-जाते रहते हैं, किन्तु लोक सेवा निरन्तर बनी रहती है। वस्तुतः संसदीय शासन प्रणाली की सफलता तथा लोक प्रशासन का कुशलतापूर्वक संचालन मंत्री-सचिव संबंधों के संतुलित स्वरूप पर ही निर्भर है।

हमारी संसदीय शासन प्रणाली एवं प्रशासनिक व्यवस्था दोनों ही ब्रिटिश शासन की देन हैं। इस व्यवस्था में शक्ति, मुख्य रूप से मंत्री में निहित रहती है। मंत्री पर संसद का नियंत्रण रहता है। मंत्री अपने प्रशासनिक कार्यों के लिए प्रत्यक्ष रूप से संसद के प्रति उत्तरदायी रहते हैं। मंत्री द्वारा अपने दल के उद्देश्यों तथा व्यापक सामाजिक परिप्रेक्ष्य में नीति का निर्माण संसद की स्वीकृति से किया जाता है तथा उसका क्रियान्वयन लोक सेवकों (सचिव) को सौंप दिया जाता है। प्रेस्थस के अनुसार, "लोकतंत्र में नौकरशाही निर्वाचित व्यवस्थापकों के वृहत् निदेशन में कार्य करती है, जिसके लिए कि मुख्य कार्यकारी प्रमुख रूप से विधायिका के प्रति उत्तरदायी होता है, परन्तु नीति-निर्माण के विशिष्ट कार्य में लोक सेवक महत्वपूर्ण भूमिका निभाते हैं।"

मंत्री–लोक सेवक संबंध : सैद्धान्तिक मान्यताएँ

हर्बर्ट मौरिसन के अनुसार, "नौकरशाही संसदीय लोकतंत्र की कीमत है। मंत्रिमंडल राजनीतिक कार्यपालिका है और मंत्री लोग विभिन्न विभागों के प्रशासन के प्रधान हैं। तथ्य यह है कि "मंत्री लोग अपने-अपने विभागों की साधारण नीति निर्धारित करते हैं और विभाग के प्रशासक वास्तविक उच्च प्रबंधक होते हैं।"

1. **मंत्रियों और स्थायी अधिकारियों के संबंध :** स्थायी अधिकारी जो उसके नीचे कार्य करते हैं, अपने-अपने विभाग के विशेषज्ञ होते हैं। सर लेविस का यह कहना सही है कि "मंत्री का काम यह नहीं कि वह विभाग को चलाए। उसका काम तो यह देखना है कि वह ठीक से चल रहा है या नहीं।" मंत्री नीति की मोटी रूपरेखा निश्चित कर देता है। इस नीति को लागू करना उसके स्थायी अधिकारियों के हाथों में रहता है। नीति के निर्माण में भी मंत्रियों को अपने स्थायी अधिकारियों से काफी सहायता मिलती है। लॉस्की के अनुसार, "दोनों का संबंध वस्तुतः उनके व्यक्तित्व पर आधारित है। यदि मंत्री का व्यक्तित्व शक्तिशाली है तो वह लोक सेवा के सदस्यों पर हावी रहेगा, पर यदि मंत्री ढीला-ढाला व्यक्ति है, तो उसे लोक सेवा के इशारों पर चलना पड़ेगा।"
2. **मंत्रियों का व्यावसायिक न होना क्या उपयोगी है :** यदि मंत्री विशेषज्ञ हुए तो व्यापक दृष्टिकोण के साथ न तो वे नीतियों का निर्धारण ही कर सकेंगे, न प्रशासन का संचालन ही कर सकेंगे। मैकडोनॉल्ड ने कहा है कि "मंत्रीगण जनता व विशेषज्ञ तथा सिद्धान्त व व्यवहार को जोड़ने वाला पुल है।" मंत्री प्रशासन की बारीकियों में फंसा हुआ संकुचित दृष्टिकोण का व्यक्ति न होकर सुलझे हुए व्यापक दृष्टिकोण का व्यक्ति होता है। उसे अपने विभाग के साथ-साथ दूसरे विभाग की स्थिति भी देखनी पड़ती है, लोकमत के अनुसार लचीला होना पड़ता है, व्यवहारकुशल होने के साथ-साथ लालफीताशाही से पृथक् रहना पड़ता है। यदि मंत्री विशेषज्ञ हुए तो ये सब लाभ प्राप्त न हो सकेंगे।
3. **मंत्रियों की स्थिति राजनीतिक किन्तु लोक सेवकों की स्थिति अराजनीतिक :** मंत्री राजनीतिक दल का सदस्य होता है। उसका पद राजनीतिक होता है। वह अपने पद पर उसी समय तक

रहता है जब तक कि संसद में उसके दल का बहुमत रहता है। उसका पद अस्थायी होता है। लोक सेवक दलगत राजनीति से दूर रहते हैं। दलगत राजनीति से अलग रहने का उन्हें यह इनाम मिलता है कि उनका सेवाकाल स्थायी होता है। मुनरो के शब्दों में, "मंत्रिमंडल और संसद आते हैं और चले जाते हैं, लेकिन टेनिसन की सरिता की तरह स्थायी कर्मचारी अपने मार्ग पर शान्तिपूर्वक चलते जाते हैं।"

4. **मंत्रियों की प्रशासनिक अनभिज्ञता-लोक सेवकों के प्रशासनिक ज्ञान की विशिष्टता :** मंत्रीगण प्रशासनिक मामलों के विशेषज्ञ नहीं होते और उन्हें प्रशासन सबंधी बारीकियों का ज्ञान नहीं होता। यही कारण है कि उन्हें अदक्ष (Amateurs) कहा जाता है। इससे तात्पर्य है कि वे लोग ऐसे पेशेवर प्रशासक नहीं होते हैं जिन्हें प्रशासन संबंधी कोई प्रशिक्षण दिया गया हो अथवा जिन्हें प्रशासन का पर्याप्त अनुभव हो, बल्कि वे केवल राजनीतिक प्रशासक होते हैं।
5. **लोक सेवक मंत्रियों को अंकुश में रखते हैं :** मंत्रियों को लोक सेवा के विशेषज्ञों से अनेक मामलों में परामर्श लेना पड़ता है। प्रशासन का तकनीकी पक्ष मंत्रियों के समक्ष लोक सेवा के लोग ही प्रस्तुत करते हैं। मंत्रीगण प्रत्येक कार्य को लोक सेवा के विशेषज्ञों से परामर्श लेकर करना ही अधिक अच्छा समझते हैं। समस्त आँकड़ें और सूचनाएँ मंत्रियों को लोक सेवा से ही मिलते हैं। अपनी आगामी योजनाओं को भूत से सम्बद्ध करने के लिए और उन्हें असफलता से बचाने के लिए मंत्रियों को लोक सेवा के लोगों के परामर्श पर निर्भर रहना पड़ता है।
6. **निपुण तथा अनिपुण का समन्वय :** निपुण तथा अनिपुण व्यक्तियों का समन्वय संसदीय प्रणाली की विशेषता है। एक प्रशासन में लोकतंत्रात्मक तत्व का संचार करता है तो दूसरा नौकरशाही का। एक शासन को लोकप्रिय बनाने के लिए आवश्यक है तो दूसरा निपुण बनाने के लिए। मंत्री लोकमत के माध्यम हैं। उनसे यह आशा की जाती है कि लोक सेवा के द्वारा दिए हुए परामर्श पर आधारित प्रशासन का लोकतंत्रीकरण करते रहे।
7. **मंत्री अशक्त तथा कठपुतली होते हैं :** जॉर्ज बर्नार्ड शॉ ने लिखा है, "हमारी राजनीतिक प्रणाली में मंत्री जो एक उच्च राजनीतिक पद का अध्यक्ष होता है, केवल काठ की गुड़िया के समान है।" यह बात सही है कि यथार्थ में मंत्रियों के क्रियाकलापों पर सेवा के लोगों की छाप रहती है। लेकिन यह अतिशयोक्तिपूर्ण ही है कि मंत्री कठपुतली या खिलौना होते हैं।
8. **मंत्रमंडलीय उत्तरदायित्व :** संसदीय शासन प्रणाली में मंत्रिमंडलीय उत्तरदायित्व का सिद्धान्त कार्य करता है। मंत्री संसद तथा जनमत के प्रति उत्तरदायी होते हैं। समस्त कार्य लोक सेवक करते हैं, किन्तु वे मंत्रियों के उत्तरदायित्व की आड़ में करते हैं। यदि विभाग का काम ठीक चलता है, तो इसका श्रेय मंत्री को मिलता है। यदि विभाग का कार्य ठीक नहीं चलता तो इसका दोष भी मंत्री को ही मिलता है। मंत्रीमंडलीय उत्तरदायित्व के कारण लोक सेवा के सदस्य संसद और जनता की आलोचना से बच जाते हैं। नौकरशाही मंत्रिमंडलीय उत्तरदायित्व के पर्दे के पीछे पल्लवित होती हैं।

मंत्री–लोक सेवकों के संबंध को निर्धारित करने वाले तत्व

मंत्री तथा लोक सेवक किन परिस्थितियों में शक्तिशाली हैं, किन परिस्थितियों में शक्तिहीन हैं तथा किन परिस्थितियों में एक-दूसरे पर निर्भर करते हैं, इन संबंधों को प्रभावित करने वाले तत्व निम्नलिखित हैं :

1. **राजनीतिक दल की प्रकृति :** मंत्री अपने राजनीतिक दल का एक प्रभावशाली नेता होता है, उसका नौकरशाही पर बहुत कुछ प्रभाव इस बात पर निर्भर होता है कि वह कहाँ तक सुगठित है तथा उसकी विचारधारा विभिन्न विषयों पर कहाँ तक सुस्पष्ट तथा उसकी जनता के मध्य कितनी मान्यता है? वह विभिन्न दलों के सहयोग से सत्तारूढ़ हुआ है अथवा उसका विधानमंडल में स्पष्ट बहुमत है।
2. **मन्त्रिमंडल में स्थिति :** यदि मंत्रिमंडल में सम्बद्ध मंत्री की स्थिति प्रभावपूर्ण है तथा उसके पीछे राजनीतिक समर्थन विद्यमान है तो वह अपने सचिव तथा अन्य विभागीय अधिकारियों के समक्ष प्रभावशाली सिद्ध होगा, किन्तु इन सबसे पहले स्वयं प्रधानमंत्री की स्थिति का शक्तिशाली होना आवश्यक है।
3. **सामाजिक तथा राजनीतिक संस्कृति :** प्रायः मंत्री तथा लोक सेवकों के मध्य भेद उनकी विभिन्न सामाजिक संस्कृतियों के कारण होते हैं। लोक सेवक औपनिवेशिक काल से ही समाज के उच्च वर्गों से सम्बद्ध रहते हैं। मंत्रियों तथा उनके दलीय साथियों का निर्वाचन जीतने संबंधी आवश्यकताएं, निर्वाचन प्रणाली, मतदाताओं की प्रकृति, आदि घटक भी उक्त संबंधों को सीमित करते हैं।
4. **लोक सेवकों के विश्वास, दृष्टिकोण व प्रस्थिति :** राजनेताओं तथा नौकरशाही के मध्य न तो लक्ष्यों संबंधी समरूपता होती है और न ही एक-दूसरे के प्रति सद्भाव रखते हैं। नौकरशाही अभी भी पुरानी मान्यताओं पर आधारित है। प्रशासक समझते हैं कि वे एक उच्च शिक्षा प्राप्त वर्ग के प्रतिनिधि हैं तथा वे ही समग्र राष्ट्रीय दृष्टिकोण तथा जनहित को समझते हैं। उनका सामाजिक, आर्थिक, सांस्कृतिक एवं राजनीतिक स्तर पर उनके मंत्री के साथ संबंधों को प्रभावित करता है।
5. **वैयक्तिक विशेषताएँ एवं लक्ष्य :** मंत्री एवं लोक सेवक के मध्य जाति, धर्म, भाषा, विचार व पृष्ठभूमि संबंधी एकता उनके मंत्री के साथ संबंधों को बड़ा प्रभावित करती है। भारतीय मंत्री यह प्रयास करते रहते हैं कि किसी तरह अपने परिचित प्रशासकों को लाया जाए ताकि उन पर भरोसा किया जा सके।
6. **नीति-निर्माण का स्तर तथा अभिकरणों का प्रकार :** मंत्री एवं लोक सेवकों के संबंध विभागीय नीति या निर्णय-निर्माण के स्तरों

पर भी निर्भर करते हैं। उच्च स्तर पर उनके संबंध बराबरी और सहयोग, मध्य स्तर पर आदेश-अनुपालन तथा निम्न स्तर पर स्वामी-सेवक जैसे होते हैं।

राजनीतिक कार्यपालिका एवं लोकसेवकों के बीच मनमुटाव के क्षेत्र

राजनीतिक कार्यपालिका और स्थायी सिविल सेवा के बीच संबंध में संभावित विवाद के क्षेत्रों को निम्न प्रकार वर्गीकृत किया जा सकता है :

1. तटस्थता की अवधारणा;
2. नीति निर्माण में सिविल सेवकों की सलाहकार भूमिका;
3. सिविल सेवकों की सांविधिक भूमिका;
4. सिविल सेवकों में नियुक्तियाँ/भर्तियाँ;
5. सिविल सेवकों का स्थानांतरण और तैनातियाँ।

भारतीय प्रशासन में सामान्यज्ञों एवं विशेषज्ञों की भूमिका

ब्रिटेन को छोड़कर संसार के किसी भी देश में 'सामान्यज्ञ प्रशासक' (Generalist Administrator) नाम का कोई वर्ग नहीं है। यहाँ तक कि ब्रिटेन में भी फुल्टन काल के पश्चात् प्रशासन पद्धति में काफी प्रगतिशीलता आयी है।

स्वतन्त्रता प्राप्ति के पश्चात् देश के सामाजिक-आर्थिक उद्देश्यों में आमूलचूल परिवर्तन हो गया है और प्रौद्योगिकीय विकास ने हमारे समक्ष अनेक नयी चुनौतियाँ और जटिल समस्याएँ उत्पन्न कर दी हैं। इसी परिप्रेक्ष्य में हमारे देश का प्रशासनिक ढांचा विवाद और चर्चा का विषय बना हुआ है। खास तौर से विचारणीय प्रश्न यह रहा है कि हमारी विकासोन्मुखी व्यवस्था में 'सामान्यज्ञ प्रशासक' (Generalist Administrator) तथा 'विशेषज्ञ परामर्शदाता' (Specialist or Technocrat) की क्या भूमिका और स्थान हो? सामान्यज्ञ प्रशासकों की सर्वोपरिता बनी रहे अथवा विशेषज्ञों की ज्ञानपटुता का आदर किया जाए? प्रशासन की रूढ़िवादी ब्रिटिश विरासत को यथावत् बनाए रखा जाए अथवा वैज्ञानिक परिवर्तनों के परिप्रेक्ष्य में सम्पूर्ण शासनतंत्र का पुनर्गठन किया जाए? वस्तुतः वास्तविक समस्या तो यही है कि विज्ञान एवं प्रशासन में कैसे तारतम्य स्थापित किया जाए? विशेषज्ञों के ज्ञान गौरव और प्रशासकों के सामान्य दृष्टिकोण में कैसे सामंजस्य स्थापित किया जाए? तकनीकी और वैज्ञानिक उन्नति के इस युग में यदि भारतीय प्रशासन में विशेषज्ञों के परामर्श और ज्ञान की उपेक्षा की गयी, यदि शासनतन्त्र में विशेषज्ञों को समुचित स्थान और गरिमा प्रदान नहीं की गई तो क्या हम तकनीकी और वैज्ञानिक उपायों से प्रगति के महत्वपूर्ण कीर्तिमान स्थापित करने में असफल नहीं हो जाएंगे? यदि पूर्वाग्रहों से ग्रसित होकर हम प्रशासनिक निर्णय प्रक्रिया में तकनीकी विशेषज्ञों को भागीदार नहीं बनाते तो क्या उनका मनोबल नहीं गिरेगा?

प्रशासन में विशेषज्ञों की भूमिका के समर्थन में तर्क

विशेषज्ञों तथा वैज्ञानिकों ने अनेक ठोस तर्कों द्वारा अपना अभिमत प्रस्तुत किया है :

1. आर्थिक नियोजन, सांख्यिकी, रोजगार, औद्योगिक निगम, सहकारिता, कृषि, स्थानीय स्वशासन, सुरक्षा, चिकित्सा, शिक्षा, विधि, यांत्रिकी जैसे तकनीकी विभागों की बागडोर सामान्यज्ञों के हाथों में कदापि नहीं होनी चाहिए। इन विभागों में शोध एवं अनुसंधान की काफी गुंजाइश रहती है जिसे विशेषज्ञ ही पूरा कर सकते हैं। यह कैसी विडम्बना है कि मामूली से क्लर्क के लिए भी टाइपिंग, स्टेनो एवं लेखांकन की जानकारी आवश्यक मानी जाती है जबकि विभागीय सचिव जैसे प्रधान पद के लिए विभाग से संबंधित ज्ञान की कोई अपेक्षा ही नहीं की जाती।
2. सामान्यज्ञ प्रशासक को शान्ति और व्यवस्था बनाए रखने की रूढ़िवादी कार्य-शैली का प्रशिक्षण दिया जाता है जबकि हमारा राज्य मात्र पुलिस राज्य नहीं रह गया है। भारत एक लोककल्याणकारी समाजवादी सकारात्मक राज्य है। विभिन्न पंचवर्षीय योजनाओं द्वारा जन-विकास के उत्थानकारी कार्य करना ही हमारी सरकार का प्रधान लक्ष्य है। विकास-मूलक कार्यों को प्रशिक्षित तकनीकी विशेषज्ञ ही समुचित ढंग से करा सकते हैं। देश की प्रगति कृषि कार्यक्रम, कृषि के सुधार एवं विकास, पशुपालन, सिंचाई की व्यवस्था, दुग्ध व्यवसाय, लघु उद्योग, उर्वरक प्रदाय, इत्यादि कार्यों को पूरा करने पर निर्भर है, जिसे विशेषज्ञ ही ठीक तरह से कर सकते हैं। आज सिंचाई, बिजली, पेट्रोलियम, वाणिज्य एवं उद्योग, सार्वजनिक उद्यमों जैसे महत्वपूर्ण विभागों का संचालन सामान्यज्ञों द्वारा ही किया जा रहा है, जिससे इन विभागों में द्रुतगति से नए कीर्तिमान स्थापित नहीं किए जा सके।
3. उनका कहना है कि भारत जैसे विकासशील राष्ट्र की समस्याओं का समाधान वैज्ञानिक दृष्टिकोण से ही किया जा सकता है न कि प्रशासनिक उपायों से। सामान्यज्ञ प्रशासक तो शासन में प्रक्रिया और खानापूर्ति को ही महत्व देते हैं और वैज्ञानिक शैली से कार्य करने में अपनी असमर्थता प्रकट करते हैं जबकि नियोजित आर्थिक विकास, औद्योगीकरण, सहकारिता और उत्पादन वृद्धि के लिए प्रशासकों में कार्यमूलक श्रेष्ठता और वैज्ञानिक अभिरुचि होना अपरिहार्य है।
4. विशेषज्ञ और तकनीकी लोग सामान्यज्ञ अफसरों की तुलना में आर्थिक अर्हताएं रखते हैं, अधिक प्रशिक्षित होते हैं और अपने कार्यक्षेत्र में अधिक अनुभव रखते हैं। उदाहरणार्थ, डॉक्टरों, इंजीनियरों, वैज्ञानिकों और प्राध्यापकों में से अधिकांश प्रथम श्रेणी के स्नातकोत्तर उपाधिधारी होते हैं, शोध एवं प्रशिक्षण से परिमार्जित होते हैं। इसके विपरीत, अखिल भारतीय सेवा के अफसरों की मूलभूत योग्यता मात्र स्नातक उपाधि है और प्रायः द्वितीय श्रेणी के उपाधिकारी ही इस सेवा की ओर आकर्षित हो रहे हैं। फिर जिस कार्य का उन्हें अनुभव नहीं होता, जिस कार्य का प्रशिक्षण उन्हें नहीं दिया जाता, उसी विभाग में वे प्रधान

कार्यकारी अधिकारी बना दिए जाते हैं। वस्तुतः आज हमारे देश में नीति निर्माण और निर्माण प्रक्रिया में अविशेषज्ञों को महत्वपूर्ण दर्जा प्रदान किया गया है और यही देश की असफलताओं का राज है।

राष्ट्र निर्माण में विशेषज्ञ के महत्व को स्वीकार करते हुए सन् 1956 में डॉ. राजेन्द्रप्रसाद ने कहा था कि ''विशेषज्ञों को सामान्यज्ञ प्रशासकों के समतुल्य वेतन-भत्ते एवं दर्जा मिलना चाहिए। सन् 1960 में पं. जवाहरलाल नेहरू ने स्पष्ट स्वीकार किया कि ''यह धारणा गलत है कि प्रशासनिक सेवा सब सेवाओं से उच्च है। एक यांत्रिक प्रशासक के रूप में कार्य कर सकता है, परन्तु एक प्रशासक यांत्रिक के बिना कार्य नहीं कर सकता।'' सन् 1967 में प्रधानमंत्री इंदिरा गांधी ने भी कहा है कि ''यह कितना विचित्र है कि हमारे डॉक्टरों और इंजीनियरों को सचिवों के समतुल्य वेतन और दर्जा नहीं मिला है जबकि अपने पेशे में वे पारंगत होते हैं। हमारे मेधावी नौजवान यांत्रिक और डॉक्टरी के व्यवसाय में जाते हैं और आर्थिक विकास व मानवीय कल्याण में उनका उत्कृष्ट योगदान होता है फिर भी उन्हें सामान्यज्ञों के सहायक के रूप में ही कार्य करना होता है।'' श्री यशवन्तराव चव्हाण ने कहा कि ''जनता की निगाह में सामान्यज्ञ प्रशासक सर्वशक्तिमान बन गए और बाकी सभी की स्थिति गौण हो गई। प्रशासक की यह भूमिका तो ब्रिटिश विरासत है जिसे तुरंत बदलना होगा और विशेषज्ञों एवं रचनात्मक कार्य करने वाले राष्ट्रनिर्माताओं को यथोचित सामाजिक दर्जा उपलब्ध कराना होगा।'' प्रशासनिक सुधार आयोग (Administrative Reforms Commission) के अध्यक्ष के. हनुमन्तैया ने भी इस बात को अस्वीकार कर दिया कि प्रबंध के उच्च पदों को आई. ए.एस. वर्ग के अधिकारियों हेतु ही सुरक्षित रखा जाए। उनके अनुसार, ''सामाजिक और आर्थिक परिवर्तन के इस युग में नीति-निर्माण और प्रशासन के उच्च स्तरों पर विशिष्टता से विभूषित विशेषज्ञों के परामर्श को सबसे ज्यादा महत्व दिया जाना चाहिए। साथ ही प्रशासन में व्याप्त समान कार्य के लिए असमान वेतन की असंगति की दूर करना अपरिहार्य है ताकि लोक सेवा में पायी जाने वाली ईर्ष्या और तुच्छ मनोवृत्ति को दूर किया जा सके।''

प्रशासन में सामान्यज्ञों की भूमिका के समर्थन में तर्क

एक विद्वान ने सही लिखा है : ''आधुनिक लोक प्रशासन की प्रमुख आवश्यकताओं में से एक सामान्यज्ञ प्रशासक अर्थात् समायोजक की है जो व्यक्तिगत कार्यकारियों के माध्यम से किसी सार्थक तत्व का सृजन करते हैं।''

सामान्यज्ञ प्रशासकों के समर्थकों ने भी वर्तमान प्रशासनिक ढांचे को यथावत् बनाए रखने के लिए अनेक तर्क प्रस्तुत किए हैं, जो इस प्रकार हैं :

1. किसी भी शासकीय विभाग में अनेक तरह के विशेषज्ञ कार्य करते हैं और उनके कार्यों में सामंजस्य उत्पन्न करके विवेकसम्मत निर्णय लेने का कार्य अत्यन्त जिम्मेदारी का होता है। इसे विशेषज्ञों के बजाय प्रशासक ही उत्तम ढंग से कर सकता है क्योंकि वह शासन में सर्वत्र निर्णय लेने के कार्य करता है; अतः इस प्रकार के उत्तरदायित्व के निर्वाह का अभ्यस्त हो जाता है।
2. अन्य कलाओं की भांति प्रशासन भी एक कला है और सामान्यज्ञों को प्रशासनिक कला में ही प्रशिक्षित किया जाता है। वे किसी भी विभाग में किसी भी पद को धारण करते हुए प्रशासनिक कुशलता का परिचय देते हैं।
3. सामान्यज्ञ प्रशासक सूझ-बूझ और दूर दृष्टि से कार्य करने के आदी होते हैं। वे विषय-वस्तु से संबंधित सूचनाएं और आंकड़ें इकट्ठे करते हैं और नीति-निर्माण में उनका बुद्धिसंगत उपयोग करते हैं जबकि विशेषज्ञ प्रशासक तो केवल उसी मार्ग पर चलना पसन्द करते हैं जिनका उन्हें ज्ञान होता है। इसका परिणाम होगा कि एकांगी दृष्टिकोण वाली गलत नीतियां राष्ट्रहित के प्रतिकूल होंगी। रॉबर्ट डूबिन ने तो यहाँ तक कहा है कि ''नीति संबंधी निर्णय लेने में विशेषज्ञ तो एकदम अनुपयुक्त होते हैं'' जेम्स मेकेमी के अनुसार, ''विशेषज्ञ प्रशासक दूसरों के दृष्टिकोणों की उपेक्षा कर देते हैं जबकि प्रशासन में सही निर्णय तो सभी के दृष्टिकोणों में सामंजस्य स्थापित करके ही लिया जा सकता है।''
4. प्रशासक सामान्य अनुभव, उदार दृष्टिकोण और बिना किसी लगाव के निर्णय लेने का आदी होता है, जबकि विशेषज्ञ का झुकाव अपने व्यवसाय की ही तरफ अधिक होता है। फलतः उसके निर्णय स्वतन्त्र दृष्टि से होने के बजाय लगावपूर्ण अधिक होंगे।

सामान्यज्ञों तथा विशेषज्ञों की भूमिका : मध्यम मार्ग ही सर्वोत्तम

नौकरशाही ने विगत 75 वर्षों तक शासन सत्ता का स्वाद चखा, शासकीय पदों को गौरवान्वित किया और विशेषज्ञों की उपेक्षा की। शीघ्र प्रशासनिक निर्णय नहीं लिए गए, निर्णयों के क्रियान्वयन में देरी हुई, प्रशासनिक अराजकता और अनिश्चितता में वृद्धि हुई। दूसरी तरफ विशेषज्ञों की भूमिका भी चमत्कारिक नहीं रही है। जिन क्षेत्रों में विशेषज्ञ ही छाए हुए हैं, उनमें भी ठोस परिणाम सामने नहीं आए। इसी भांति योजना आयोग के सदस्य आर्थिक और तकनीकी विशेषज्ञ ही रहे हैं, विश्वविद्यालय अनुदान आयोग का नेतृत्व शिक्षाविदों के हाथों में रहा है फिर भी हमारा आर्थिक नियोजन और शिक्षा नीति लड़खड़ाते ही रहे हैं।

प्रशासनिक सुधार आयोग ने भी इस समस्या पर गंभीरता से विचार किया है। आयोग ने मैकाले दर्शन को स्पष्टतया अस्वीकार कर दिया है कि सामान्यज्ञ सुयोग्य प्रशासक होते हैं। आयोग के अनुसार प्रशासन का ऐसा ढांचा होना चाहिए जिसमें सामान्यज्ञ और विशेषज्ञ मिल-जुल कर आपसी सहयोग से कार्य करें। आयोग फुल्टन तथा हूवर दस्तावेजों से प्रभावित हुआ है तथा प्रशासन में विशेषज्ञों की भूमिका को खुले मस्तिष्क से स्वीकार करता है। आयोग ने तो आठ अखिल भारतीय विशेषज्ञ सेवा गठित करने की सिफारिश भी की है। इस सिफारिश के अनुसार आर्थिक प्रशासन, औद्योगिक प्रशासन, कृषि एवं ग्रामीण विकास, सामाजिक एवं शैक्षणिक प्रशासन, कार्मिक प्रशासन, वित्त प्रशासन, रक्षा प्रशासन और नियोजन प्रशासन के क्षेत्रों में विशिष्ट प्रशिक्षित व्यक्तियों की विशेषज्ञ सेवाएं गठित की जानी चाहिए।

हमारे प्रशासकों और विशेषज्ञों में अधिक उपयोगी तालमेल स्थापित करने के लिए निम्नलिखित सुझाव दिए जा सकते हैं :

1. जिस प्रकार सन् 1963 में तीन नयी अखिल भारतीय सेवाओं की सृष्टि का प्रस्ताव था—भारतीय वन सेवा, भारतीय अभियांत्रिकी सेवा एवं भारतीय चिकित्सा एवं स्वास्थ्य सेवा, इसी प्रकार भारतीय कृषि सेवा, भारतीय शिक्षा सेवा, भारतीय नियोजन सेवा आदि विशेषीकृत सेवाओं की शीघ्र स्थापना की जानी चाहिए। इन विशेषीकृत सेवाओं के व्यक्तियों को भारतीय प्रशासनिक सेवा के सदस्यों के समकक्ष ही दर्जा एवं सुविधाएँ प्रदान की जानी चाहिए ताकि विशेषज्ञों के मन में हीनता की भावना समाप्त हो जाए और राष्ट्र सेवा के पुनीत कार्य में वे उत्साह के साथ सम्मिलित हो सकें।
2. प्रशासन में हमें विदेशी प्रणाली अवश्य त्याग देनी चाहिए। हमारे लिए तो अपनी ही राष्ट्रीय प्रतिभा से उद्भूत, स्वदेशी प्रशासनिक संस्कृति अभीष्ट है। हमारा उद्देश्य तो अपनी आवश्यकताओं के अनुरूप एक ऐसे मिश्रित प्रशासक वर्ग का सृजन होना चाहिए जिसमें 'प्रशासनिक प्रौद्योगिकी' अथवा 'इंजीनियर प्रशासक', आदि सम्मिलित हों। इसके लिए इन सेवाओं की वर्तमान प्रशिक्षण प्रक्रिया, वृत्तिक आयोजन एवं वृत्तिक विकास में आमूल परिवर्तन करना पड़ेगा ताकि शीर्ष प्रबन्धकीय दायित्व निर्वाह के लिए यथोपेक्षित प्रतिभासम्पन्न व्यक्तियों का चयन किया जा सके और प्रतिभाशाली व्यक्तियों का विकास किया जा सके।
3. ऐसे 'प्रशिक्षण संस्थान' की अविलम्ब स्थापना की जाये जहाँ सामान्यज्ञों एवं विशेषज्ञों को एक साथ रखने, अध्ययन करने, विचारों एवं दृष्टिकोणां का खुला आदान-प्रदान करने का अवसर मिलेगा। वे एक-दूसरे का समझेंगे और भविष्य में अपने दृष्टिकोंणों को बदलेंगे।
4. यदि हम विशेषज्ञों की सेवाओं से पूरा-पूरा लाभ प्राप्त करना चाहते हैं तो हमें उन्हें समुचित अभिप्रेरणा देनी होगी। यह अभिप्रेरणा केवल आर्थिक प्रोत्साहन से ही नहीं मिलती अपितु यह अन्य सेवाओं के साथ समानता की भावना, अपने व्यवसाय में उचित समान और गौरवानुभूति तथा साथ ही अपने देश की भावी निर्माण, जिसमें हम सभी जुटे हैं, में योगदान की भावना से प्राप्त होती है। इस मत की सरकार द्वारा मान्यता सरकारी उद्यमों में तो पहले स्पष्ट रूप से दृष्टव्य है, किन्तु केन्द्रीय सचिवालय ने, जो देश की निस्सन्देह धारक कम्पनी है, अभी इस तथ्य को हृदयंगम नहीं किया है।

निष्कर्ष–हमारी लोक सेवा में सुधार करने की आवश्यकता है। समूचे प्रशासनिक ढांचे का ही पुनर्निर्माण करना होगा। जितने शासकीय क्रियाकलाप जरूरी है उतनी ही केन्द्रीय और राज्य सेवाओं में तकनीकी सेवाओं की व्यवस्था करनी होगी। यह धारणा बदलनी होगी कि ''सामान्यज्ञ प्रशासक सब मर्ज की एकमात्र दवा है।'' यह राष्ट्रहित में है कि विशेषज्ञों को यशाशीर्घ समुचित दर्जा प्रदान किया जाये एवं राष्ट्र के विकास में उनका योगदान स्वीकार किया जाये।

भ्रष्टाचार प्रतिरोधन
(Combating Corruption)

भ्रष्टाचार समाज को खोखला कर देता हैं, विकास के लिए जिन योजनाओं को पैसा आवण्टित किया जाता है, उसमें से आधे से अधिक भ्रष्टचार की भेंट चढ़ जाते हैं। प्रतिदिन नौकरशाही का भ्रष्टाचार में लिप्त होना पाया जाता है। भ्रष्टाचार ने नौकरशाही व्यवहार को लोगों के प्रति एकदम उदासीन बना दिया है और पश्चिमी सभ्यता की चमक ने नौकरशाही में अधिक पैसा पाने की ललक पैदा कर दी है, ताकि नौकरशाह सुविधासम्पन्न जिन्दगी बिता सकें।

नए पदों की भर्तियों में भ्रष्टाचार अपनी चरम सीमा पर है, जब भी सरकारें बदलती हैं, तब वे अपने रिश्तेदारों, जान-पहचान वालो और अपनी जातियों के उम्मीदवारों की भर्तियाँ करती हैं और ऐसा करके कानून का उल्लंघन करती है, इसलिए असन्तुष्ट उम्मीदवारों को विवश होकर न्यायालयों की शरण लेनी पड़ती है। इस प्रकार के बहुत से मामले विभिन्न उच्च न्यायालयों में चल रहें हैं। अभी मध्य प्रदेश लोक सेवा आयोग का ज्वलन्त उदाहरण है, जिसमें डॉक्टर की भर्तियों में भ्रष्टाचार उजागर हुआ है। इसी तरह का मामला राजस्थान लोक सेवा आयोग द्वारा ली गई आर.ए.एस. (RAS) वर्ष 2013 की परीक्षा में सामने आया है। यहाँ भ्रष्टाचार के कारण आयोग ने इस परीक्षा के प्रारम्भिक चरण के परिणामों को रद्द कर दिया है। जब इन भ्रष्ट तरीकों को प्रयोग करके भर्तियाँ की जाएंगी, तो उत्तरदायी व जिम्मेदार प्रशासन कहाँ से लाएंगे?

भ्रष्टाचार से देश में प्रशासन का एवं सरकारी मशीनरी में नैतिक मूल्यों का बहुत तेजी से पतन हो रहा है। रोजना भष्टाचार के बहुत सारे मामले समाने आ रहे हैं, लेकिन भष्ट राजनेताओं की वजह से ऐसे अधिकारियों को संरक्षण मिल रहा है, लेकिन उन अधिकारियों को सजा मिलती है, जो ईमानदार हैं और जो राजनेताओं के निजी स्वार्थ की पूर्ति नहीं करते हैं। इस तरह की बहुत-सी घटनाएँ घटती हैं, जिससे सिविल सेवकों के मनोबल पर बुरा प्रभाव पड़ता है। सरकार को ऐसे ईमानदार अधिकारियों के लिए कोई मजबूत रणनीति बनानी चाहिए तथा संरक्षण प्रदान करना चाहिए और इसके साथ-साथ भ्रष्टाचार को बढ़ावा देने वालों पर कड़ी कार्यवाही होनी चाहिए।

सिविल सेवाएँ: वर्गीकरण

सिविल सेवाएँ

स्वतंत्रता पश्चात 1950 में संविधान लागू हुआ एवं भारतीय संविधान के अनुच्छेद-16 के द्वारा स्थापित खुली प्रतियोगिता सिद्धान्त ने लोक सेवा के महत्व को बढ़ा दिया है। भारतीय संविधान में संघ लोक सेवा आयोग तथा राज्यों के लोक सेवा आयोग के संगठन, कार्य और कार्यप्रणाली की भी व्यवस्था दी गयी है। भारतीय सिविल सेवा का वर्गीकरणः

I. अखिल भारतीय सेवाः (1) भारतीय प्रशासनिक सेवा (2) भारतीय पुलिस सेवा (3) भारतीय वन सेवा।

II. केन्द्रीय सेवाएँः केन्द्रीय सेवाओं की चार श्रेणीयाँ हैं–(1) केन्द्रीय सेवा श्रेणी 'क' (2) केन्द्रीय सेवा श्रेणी 'ख' (3) केन्द्रीय सेवा श्रेणी 'ग' (4) केन्द्रीय सेवा श्रेणी 'घ'।

III. राज्य सेवाएँः अधिकांश राज्यों में राज्य सेवाएँ दो भागों में विभक्त हैं (1) राज्य सेवाएँ (2) अधीनस्थ सेवाएँ।

अखिल भारतीय सेवाएँ (All India Services)

अखिल भारतीय सेवाएं गठित करने का प्रमुख उद्देश्य देश भर में प्रशासन के स्तर में एकरूपता लाने तथा उच्च स्तरीय पदों पर काम करने के वास्ते अनुभवी तथा प्रशिक्षित अधिकारियों का एक संवर्ग (Cadre) गठित करने के लिए संघ लोक सेवा आयोग द्वारा आयोजित प्रतियोगी परीक्षाओं के माध्यम से अखिल भारतीय आधार पर सीधी भर्ती करना था।

भारतीय संविधान के अन्तर्गत केन्द्रीय सरकार तथा घटक राज्यों के प्रशासन के लिए पृथक्-पृथक् लोक सेवाओं के प्रावधान किए गए हैं। केन्द्रीय सेवाओं के कर्मचारी प्रतिरक्षा, आय-कर, सीमा-शुल्क, डाक-तार, रेलवे, आदि संघीय विषयों के प्रशासन का कार्य करते हैं। इसी प्रकार राज्यों की अपनी पृथक् तथा स्वतन्त्र सेवाएं हैं जो भू-राजस्व, कृषि, शिक्षा, स्वास्थ्य, वन, इत्यादि राज्य सूची सम्बन्धी विषयों का प्रशासन करती हैं। केन्द्रीय सेवाओं के पदाधिकारी पृथक् रूप से केन्द्रीय सरकार के कर्मचारी होते हैं और राज्य सेवाओं के अधिकारी पृथक् रूप से विभिन्न राज्य सरकारों की सेवा में कार्य करते हैं। भारतीय प्रशासनिक प्रणाली की एक अन्य विशेषता यह है कि कुछ सेवाएं संघ तथा राज्य दोनों के लिए सामान्य रूप से संगठित की गयी हैं, जैसे, अखिल भारतीय सेवाएं। ये अधिकारी पूर्णतः केन्द्रीय अथवा राज्यों की सेवाओं में नहीं होते, अपितु दोनों में से किसी एक के अन्तर्गत विभिन्न समयों पर कार्य करते हैं। चौथे वेतन आयोग के अनुसार, ''अखिल भारतीय सेवाओं के अधिकारी केन्द्रीय सरकार और राज्य सरकारों में जहाँ उन्हें नियत किया जाता है दोनों के ही अधीन कार्य करते हैं।'' इन सेवाओं की भर्ती समान अर्हताओं तथा वेतनमान और अखिल भारतीय आधार पर ही की जाती है। यद्यपि राज्यों में उनको विभाजित किया जाता है, लेकिन हर सेवा अपने में एक सेवा होती है। इनकी एकसमान प्रतिष्ठा होती है और अधिकार तथा पारिश्रमिक स्तर भी एक समान होता है।

संविधान के भीतर अखिल भारतीय सेवाओं का प्रावधान किया गया है। विशेष रूप से भारतीय प्रशासनिक सेवा तथा भारतीय पुलिस सेवा का संविधान में उल्लेख किया गया है और उन्हें जारी रखा गया है, तथा संसद को नई अखिल भारतीय सेवा के गठन का अधिकार दिया गया है। अनुच्छेद 312 में प्रावधान किया गया है कि ''यदि राज्य सभा में उपस्थित और मत देने वाले सदस्यों में से कम-से-कम दो-तिहाई सदस्यों ने समर्थित संकल्प द्वारा यह घोषित किया है कि राष्ट्रीय हित में ऐसा करना आवश्यक या समीचीन है तो संसद विधि द्वारा संघ और राज्यों के लिए सम्मिलित एक या अधिक अखिल भारतीय सेवाओं के (जिनके अन्तर्गत अखिल भारतीय न्यायिक सेवा है) सृजन के लिए उपबन्ध कर सकेगी।'' इस विषय में राज्यों से भी परामर्श किया जा सकता है। सन् 1951 के अखिल भारतीय सेवा अधिनियम में यह व्यवस्था की गयी है कि भारत सरकार को यह वैधानिक अधिकार होगा कि वह राज्य सरकारों से परामर्श करके उन व्यक्तियों की भर्ती तथा वेवा की दशाओं का नियमन करे जो अखिल भारतीय सेवाओं में नियुक्त किए जाते हैं।

भारतीय प्रशासनिक सेवा (IAS) और भारतीय पुलिस सेवा (IPS) के अतिरिक्त भारतीय वन सेवा (IFS) अखिल भारतीय सेवा है। सन् 1963 में तीन नयी अखिल भारतीय सेवाओं के गठन का प्रस्ताव पारित किया गया था–भारतीय वन सेवा, भारतीय इंजीनियर सेवा तथा भारतीय चिकित्सा एवं स्वास्थ्य सेवा, परन्तु एक ही सेवा–भारतीय वन सेवा (Indian Forest Service) की सन् 1966 में स्थापना की गयी। इनके अतिरिक्त कतिपय, अन्य सेवाओं जैसे–भारतीय शिक्षा सेवा, भारतीय कृषि सेवा, आदि की स्थापना के बारे में प्रस्ताव रखे जाते रहे हैं, किन्तु उनका गठन अभी तक नहीं हुआ है। हाल ही में सर्वोच्च न्यायालय ने 'भारतीय न्यायिक सेवा' की स्थापना हेतु कदम उठाने का निर्देश संघ सरका को दिया है।

केन्द्रीय लोक सेवाएँ (Central Civil Services)

केन्द्रीय सिविल सेवाओं को मोटे तौर पर (*i*) गैर-तकनीकी सेवाओं, तथा (*ii*) तकनीकी सेवाओं (जिसमें इंजीनियरी तथा वैज्ञानिक सेवाएं शामिल हैं) में वर्गीकृत किया गया है। गैर-तकनीकी सेवाओं का कार्य केन्द्र में गैर-तकनीकी कार्यों का प्रशासन संभालना है; जैसे–लेखा परीक्षा, आय कर, डाक और तार, रेलवे आदि। तकनीकी सेवाएं केन्द्र सरकार के तकनीकी कार्यों के सम्बन्ध में समान कार्य करती हैं। समूह 'क' श्रेणी में वैज्ञानिक तथा प्रौद्योगिकी के क्षेत्रों में अनुसन्धान के कार्यों में लगे अधिकारी भी शामिल हैं।

'अखिल भारतीय सेवाओं' के विपरीत **'केन्दीय लोक सेवाएं'** भारत की केन्द्रीय (संघीय) सरकार के पूरी तरह से नियन्त्रण में होती हैं और इसके सदस्य केन्द्रीय सरकार द्वारा संचालित विभिन्न विभागों में कार्य करते हैं। भारत सरकार के अधीन केन्द्रीय सेवा ग्रुप 'ए' के पदाधिकारियों को अपने-अपने विभाग में वरिष्ठ पदों (Senior Posts) पर रखा जाता है। भारत सरकार के अधीन केन्द्रीय सचिवालय के तथा अन्य प्रशासनिक पदों पर उन्हें नियुक्त किया जाता है। उनकी भर्ती एक ऐसी संयुक्त सिविल सर्विस परीक्षा (Civil Services Examination) के परिणाम के आधार पर की जाती है जो संघ लोक सेवा आयोग अखिल भारतीय सेवाओं तथा केन्द्रीय सेवा वर्ग 'क' एवं 'ख' के लिए प्रत्याशियों का चयन करने हेतु आयोजित करता है।

राज्य सेवाएँ (State Services)

संघ के समान राज्य की अपनी सेवाएँ होती हैं। राज्य की सेवाएं भी श्रेणी एवं ग्रेड्स में बंटी होती है। राज्य सरकार इन्हीं विषयों या विभागों पर सेवा नियम बनाती है। जो राज्य सुची के अन्तर्गत समाविष्ट है। राज्यों की लोक सेवाओं में पदों तथा सेवा सर्त्तों में भिन्नता देखने की मिलती है। प्रत्येक राज्य अपनी ऐतिहासिकता, पर्यावरण आवश्यकता तथा स्थानीय परिस्थितियों

के अनुसार प्रशासन संचालित करता है। सामान्य राज्यों में लोक सेवाओं का वर्गीकरण निम्न प्रकार होता है–

1. राज्य प्रशासनिक सेवाएं
2. राज्य लेखा सेवा
3. राज्य लेखा अधीनस्थ सेवाएं
4. राज्य सचिवालय सेवाएं
5. विभागीय सेवाएं

भर्ती अभिकरण (Recruitment Agencies)

प्रशासन की स्थिरता और कार्यकुशलता कर्मचारियों की योग्यता, ईमानदारी और लगन पर निर्भर करता है। शासन की सफलता के लिए योग्य कुशल और ईमानदार कर्मचारी प्राप्त करना कठिन समस्या है। अर्थात् भर्ती ही शक्तिशाली लोक सेवा की कुंजी है। प्रो. जिंक ने भर्ती के सम्बन्ध में लिखा है, "भर्ती के अतिरिक्त लोक प्रशासन का कोई भाग अधिक महत्वपूर्ण नहीं है, क्योंकि जिस समय तक आधारभूत सामग्री उपयुक्त नहीं होगी, उस समय तक प्रशिक्षण, निरीक्षण, सेवायापन वर्गीकरण, कितनी ही व्यापक क्यों न हो, सार्वजनिक कर्मचारियों की पूर्ति नहीं हो सकेगी।" किंग्सले के अनुसार, "सार्वजनिक भर्ती को इस प्रकार परिभाषित किया जा सकता है कि यह वह प्रक्रिया है जिसके द्वारा लोक सेवा में नियुक्ति के लिए उचित प्रत्याशियों को प्रतियोगिता के लिए प्रवृत्त किया जाता है। इस तरह यह अत्यधिक व्यापक प्रक्रिया का अभिन्न अंग है जिसमें परीक्षा एवं प्रमाणीकरण की प्रक्रियाएं भी सम्मिलित है।"

संघ लोक सेवा आयोग (Union Public Service Commission)

संघ लोक सेवा आयोग, भारत का केंद्रीय भर्ती अभिकरण (संस्था) है। इसका गठन संवैधानिक प्रावधानों के माध्यम से किया गया है। संविधान के 14वें भाग में अनुच्छेद 315 से 323 तक में संघ लोक सेवा आयोग (यूपीएससी) का विस्तार से वर्णन किया गया है।

संरचना

आयोग में अध्यक्ष समेत नौ से ग्यारह सदस्य होते हैं। इसके अलावा, आयोग के सदस्यों के लिए भी योग्यता का उल्लेख नहीं है। हालांकि यह आवश्यक है कि आयोग के आधे सदस्यों को भारत सरकार या राज्य सरकार के अधीन कम-से-कम 10 वर्ष काम करने का अनुभव हो। संविधान के राष्ट्रपति को अध्यक्ष तथा सदस्यों की सेवा की शर्तें निर्धारित करने का अधिकार दिया है।

आयोग के अध्यक्ष व सदस्य पद ग्रहण करने की तारीख से छह वर्ष की अवधि तक या 65 वर्ष की आयु तक, इनमें से जो भी पहले हो, अपना पद धारण करते हैं। वे कभी भी राष्ट्रपति को संबोधित कर त्यागपत्र दे सकते हैं। उन्हें कार्यकाल के पहले भी राष्ट्रपति द्वारा संविधान में वर्णित प्रक्रिया के माध्यम से हटाया जा सकता है।

राष्ट्रपति दो परिस्थितियों में संघ लोक सेवा आयोग के किसी सदस्य को कार्यवाहक अध्यक्ष नियुक्त कर सकता है:

(क) जब अध्यक्ष का पद रिक्त हो, या

(ख) जब अध्यक्ष अपना काम अनुपस्थिति या अन्य दूसरे कारणों से नहीं कर पा रहा हो।

कार्यवाहक अध्यक्ष तब तक कार्य करता है, जब तक अध्यक्ष पुनः अपना काम नहीं संभाल लेता या अध्यक्ष फिर से नियुक्त न हो जाए।

सदस्यों को पद से हटाना

राष्ट्रपति संघ लोक सेवा आयोग के अध्यक्ष या दूसरे सदस्यों को निम्नलिखित परिस्थितियों में हटा सकता है:

(क) अगर उसे दिवालिया घोषित कर दिया जाता है, या

(ख) अपनी पदावधि के दौरान अपने पद के कर्तव्यों के बाहर किसी से वेतन नियोजन में लगा हो, या

(ग) अगर राष्ट्रपति ऐसा समझता है कि वह मानसिक या शारीरिक असक्षमता के कारण पद पर बने रहने योग्य नहीं है।

कार्य

संघ लोक सेवा आयोग के कार्यों का वर्णन निम्नानुसार है:

(क) यह अखिल भारतीय सेवाओं, केंद्रीय सेवाओं व केंद्र प्रशासित क्षेत्रों की लोक सेनाओं में नियुक्ति के लिए परीक्षाओं का आयोजन करता है।

(ख) संघ लोक सेवा आयोग राज्य (दो या अधिक राज्य द्वारा अनुरोध करने) को किसी ऐसी सेवाओं के लिए जिसके लिए विशेष अर्हता वाले अभ्यर्थी अपेक्षित हैं, उनके लिए संयुक्त भर्ती की योजना व प्रवर्तन करने में सहायता करता है।

(ग) यह किसी राज्यपाल के अनुरोध पर राष्ट्रपति की स्वीकृति के उपरांत सभी या किन्हीं मामलों पर राज्यों को सलाह प्रदान करता है।

(घ) निजी प्रबंधन से संबंधित निम्नलिखित विषयों में परामर्श देता है:

1. सिविल सेवाओं और सिविल पदों के लिए भर्ती की पद्धतियों से संबंधित सभी विषयों पर।
2. सिविल सेवाओं और पदों पर नियुक्ति करने में तथा प्रोन्नति व एक सेवा से दूसरी सेवा में स्थानांतरण के लिए अनुसरण किए जाने वाले सिद्धांतों के संबंध में।
3. सिविल सेवाओं और पदों पर नियुक्ति करने में, प्रोन्नति तथा एक सेवा से दूसरी सेवा में तबादला या प्रतिनियुक्ति के लिए अभ्यर्थियों की उपयुक्तता पर। संबंधित विभाग प्रोन्नति की सिफारिश करता है और संघ लोक सेवा आयोग से अनुमोदित करने का आग्रह करता है।

4. भारत सरकार में सिविल सेवक की हैसियत में काम करते सभी अनुशासनिक विषय (ज्ञापन या अर्जी सहित) इसमें सम्मिलित हैं:
   - निंदा (कड़ाई से निरामुमोदन)
   - वेतन वृद्धि देने से इंकार।
   - पदोन्नति देने से इंकार।
   - धन हानि की पुनःप्राप्ति।
   - निम्न सेवाओं या रैंक में कमी (पदावनति)।
   - अनिवार्य सेवानिवुत्त।
   - सेवा से हटा देना।
   - सेवा से बर्खास्त कर देना।
5. सिविल सबक द्वारा अपने कर्तव्यों के निष्पादन के अंतर्गत उसके विरुद्ध विधिक कार्यवाहियों की प्रतिरक्षा में उसके द्वारा खर्च की अदायगी का दावा करना।
6. भारत सरकार के अधीन काम करने के दौरान किसी व्यक्ति को हुई क्षति को लेकर पेंशन का दावा करना और पेंशन की राशि का निर्धारण करना।
7. अल्पकालीन नियुक्ति, एक वर्ष से अधिक तक व नियुक्तियों की नियमितकरण से संबंधित विषय।
8. सेवा के विस्तार व कुछ सेवानिवृत्त नौकरशाहों की पुनर्नियुक्ति से संबंधित मामले।
9. निजी प्रबंधन से संबंधित अन्य विषय।

भूमिका

संघ लोक सेवा आयोगों की भूमिका अखिल भारतीय सेवाओं वे केंद्रीय सेवाओं (ग्रुप 'ए' व ग्रुप 'बी') में भर्ती व सरकार को सलाह देने से संबंधित है। सेवाओं में वर्गीकरण, वेतन या सेवाओं की स्थिति, कैडर प्रबंधन, प्रशिक्षण आरि से इसका कोई संबंध नहीं है। इस तरह के मुद्दे को कार्मिक व प्रशिक्षण विभाग (कार्मिक, जन-लोक शिकायत व पेंशन मंत्रालय के तीन विभागों में से एक) देखता है। अतः यूपीएससी भारत में मात्र केंद्रीय भर्ती अधिकरण है, जबकि कार्मिक व प्रशिक्षण विभाग भारत का केंद्रीय कार्मिक अधिकरण है।

संघ लोक सेवा आयोग की भूमिका न केवल सीमित है बल्कि उसके द्वारा दिए गए सुझाव भी सलाहकारी प्रवृत्ति के होते हैं। यह केंद्र सरकार पर निर्भर है। कि वह सुझावों पर अमल करे या खारिज करे। सरकार की एकमात्र जवाबदेही है कि वह संसद को आयोग के सुझावों से विचलन का करण बताए। इसके अलावा सरकार ऐसे नियम बना सकती है, जिससे संघ लोक सेवा आयोग के सलाहकारी कार्य को नियंत्रित किया जा सकता है।

अंन्य आयोग तथा मण्डल

कर्मचारी चयन आयोग

केन्द्रीय शासन के अधीन संघ लोक सेवा आयोग उच्च लोक सेवाओं (अर्थात् वर्ग 1 और 2) में भर्ती करने वाला उपकरण है। 1975 तक तृतीय श्रेणी के केन्द्रीय कर्मचारियों की भर्ती के लिए कोई सरकारी अभिकरण नहीं था। स्मरणीय है कि सरकारी कर्मचारियों में तृतीय श्रेणी के कर्मचारियों की संख्या 50% से अधिक होती है और इनकी भर्ती करने वाले अभिकरण का अभाव देश की सेविवर्ग प्रणाली का एक गम्भीर दोष था। फलस्वरूप, 4 नवम्बर, 1975 को कार्यकारी प्रस्ताव के द्वारा केन्द्रीय सरकार ने कर्मचारी सेवा आयोग (Subordinate Service Commission) की स्थापना की। बाद में इसका नाम कर्मचारी चयन आयोग (Staff Selection Commission) कर दिया गया।

यह आयोग केन्द्रीय शासन के सचिवालय, संलग्न कार्यालयों और अधीनस्थ कार्यालयों में कार्य करने वाले गैर-तकनीकी तृतीय श्रेणी के पदों के लिए कर्मचारियों की भर्ती करने के लिए उत्तरदायी है। अर्थात् स्टाफ चयन आयोग भारत सरकार में लिपिक कर्मचारियों की भर्ती करता है। रेलवे, लेखाकार एवं महालेखापरीक्षक तथा महालेखाकारों के कार्यालयों तथा औद्योगिक प्रतिष्ठानों को इस केन्द्रीय भर्ती योजना से बाहर रखा गया है। स्मरणीय है कि रेवले में निम्न स्तंर के कर्मचारियों की भर्ती के लिए एक पृथक् रेलवे सेवा आयोग है। स्टाफ चयन आयोग के द्वारा तृतीय श्रेणी के पदों के लिए प्रतियोगी परीक्षाएँ आयोजित की जाती हैं।

कार्य

विशेष रूप से इस आयोग के निम्नलिखित कार्य हैं:

(1) केन्द्रीय शासन में निम्न श्रेणी के लिपिकों की भर्ती के लिए प्रतियोगी परीक्षाओं का आयोजन। स्मरणीय है कि पूर्व उल्लेखानुसार रेलवे, लेखाकार और महालेखा नियन्त्रक तथा महालेखाकारों के कार्यालय इसके अपवाद हैं; (2) केन्द्रीय सचिवालीय आशुलिपिक सेवा वर्ग तृतीय की भर्ती के लिए प्रतियोगी परीक्षाओं का आयोजन; (3) केन्द्रीय सचिवालीय लिपिक श्रेणी वर्ग चतुर्थ से वर्ग तृतीय में पदोन्नति के लिए विभागीय परीक्षाओं का आयोजन; तथा (4) अंग्रेजी एवं हिन्दी की टंकण (टाइपिंग) परीक्षा का आयोजन।

संघ लोक सेवा आयोग की भाँति यह भी संस्तुतिकर्ता आयोग है और इसकी संस्तुतियों को स्वीकार करना कार्यपालिका पर निर्भर है। सामान्यतः इसकी संस्तुतियों पर मन्त्रालयों द्वारा अमल किया जाता है।

आयोग का एक अध्यक्ष, दो सदस्य और एक सचिव होता है। सचिव ही परीक्षाओं का नियन्त्रक होता है। सभी की नियुक्ति शासन के द्वारा की जाती है। आयोग की स्थापना करने वाले शासकीय आदेश में सदस्यों के कार्यकाल के सम्बन्ध में कोई उल्लेख नहीं है। इसका यह अर्थ है कि वे कार्यपालिका की सदिच्छा पर पदारूढ़ रहते हैं।

राज्य लोक सेवा आयोग
(State Public Service Commission)

गठन

राज्य लोग सेवा आयोग में एक अध्यक्ष व अन्य सदस्य होते हैं। जिन्हें राज्य का राज्यपाल नियुक्त करता है। संविधान में आयोग की संख्या का उल्लेख नहीं किया गया है। यह राज्यपाल के विवेक पर छोड़ दिया गया है। इसके अतिरिक्त, आयोग के सदस्यों की वांछित योग्यता का भी जिक्र नहीं किया गया है परंतु यह आवश्यक है कि आयोग के आधे सदस्यों को भारत सरकार या राज्य सरकार के अधीन कम-से-कम 10 वर्ष काम करने का अनुभव हो। संविधान ने राज्यपाल को अध्यक्ष व सदस्यों की सेवा की शर्तें निर्धारित करने का अधिकार दिया है।

आयोग के अध्यक्ष व सदस्य पद ग्रहण करने की तारीख से छह वर्ष की अवधि तक या 62 वर्ष की आयु तक, इनमें जो भी पहले हो, अपना पद धारण कर सकते हैं (संघ लोक सेवा आयोग के मामले में 65 वर्ष)। हालांकि वे कभी भी राज्यपाल को अपना त्यागपत्र सौंप सकते हैं।

राज्यपाल दो परिस्थितियों में राज्य लोक सेवा आयोग के किसी एक सदस्य को कार्यवाहक अध्यक्ष नियुक्त कर सकते हैं:

1. जब अध्यक्ष का पद रिक्त हो, या
2. जब अध्यक्ष अपना कार्य अनुपस्थिति या अन्य दूारे कारणों की वजह से नहीं कर पा रहा हो।

कार्यवाहक अध्यक्ष तब तक कार्य संभालेगा जब तक कि अध्यक्ष पुनः अपना काम नहीं संभाल लेता या अध्यक्ष नियुक्त किया गया व्यक्ति काम पर नहीं आता।

सदस्यों को पद से हटाया जाना

भले ही राज्य लोक सेवा आयोग के अध्यक्ष व सदस्य की नियुक्ति राज्यपाल करते हैं लेकिन इन्हें केवल राष्ट्रपति ही हटा सकता है (राज्यपाल नहीं)। राष्ट्रपति उन्हें उसी आधार पर हटा सकते हैं जिन आधारों पर यूपीएससी के अध्यक्ष व सदस्यों को हटाया जाता है। अतः उन्हें निम्नलिखित आधारों पर हटाया जा सकता है:

1. अगर उसे दिवालिया घोषित कर दिया जाता है, या
2. अपनी पदावधि के दौरान अपने पद के कर्त्तव्यों के बाहर किसी सवेतन नियोजन में लगा हो, या
3. अगर राष्ट्रपति यह समझता है कि वह मानसिक या शारीरिक शैथिल्य के कारण पद पर बने रहने के योग्य नहीं है।

कार्य

राज्य लोक सेवा आयोग राज्य सेवाओं के लिए वही काम करता है जो संघ लोक सेवा आयोग केंद्रीय सेवाओं के लिए करता है:

(क) यह राज्य की सेवाओं में नियुक्ति के लिए परीक्षाओं का आयोजन करता है।

(ख) कार्मिक प्रबंधन से संबंधित निम्नलिखित विषयों पर परामर्श देता है:

1. सिविल सेवाओं और सिविल पदों के लिए भर्ती की पद्धतियों से संबंधित सभी विषयों पर।
2. सिविल सेवाओं और पदों पर नियुक्ति करने में तथा सेवा प्रोन्नति व एक सेवा से दूसरे सेवा में तबादले के लिए अनुसरण किए जाने वाले सिद्धांत के संबंध में।
3. सिविल सेवाओं और पदों पर स्थानांतरण करने में, प्रोन्नति, या एक सेवा से दूसरी सेवा में तबादला या प्रतिनियुक्ति के लिए अभ्यर्थियों की उपयुक्तता पर। संबंधित विभाग प्रोन्नति की अनुशंसा करता है और राज्य लोक सेवा आयोग से अनुमोदित करने का आग्रह करता है।
4. राज्य सरकार में सिविल हैसियत में कार्य करते हुए सभी अनुशासनिक विषय (ज्ञापन या अर्जी सहित):
   - निंदा (प्रस्ताव रोकना अस्वीकृति)
   - वेतन वृद्धि रोकना
   - पदोन्नति रोकना
   - धन हानि की पुनः प्राप्ति
   - निम्न सेवाओं या पद में कर देना (पदावनति)
   - अनिवार्य
   - सेवा से हटा देना
   - सेवा से बर्खास्त कर देना
5. अपने कर्तव्य के निष्पादन के लिए उसके विरुद्ध विधिक कार्यवाहियों की प्रतिरक्षा में उसके द्वारा खर्च की अदायगी का दावा करना।
6. राज्य सरकार के अधीन काम करने के दौरान किसी व्यक्ति को हुई हानि को लेकर पेंशन का दावा और उसी राशि का निर्धारण।
7. कार्मिक प्रबंधन से संबंधित अन्य मसले।

संयुक्त राज्य लोक सेवा आयोग

दो या इससे अधिक राज्यों के लिए संविधान में संयुक्त राज्य लोक सेवा आयोग की व्यवस्था की गई है। संघ लोक सेवा अयोग और राज्य लोक सेवा आयोग का गठन जहाँ सीधे संविधान द्वारा किया गया हैं वहीं संयुक्त राज्य लोक सेवा आयोग का गठन राज्य विधान मण्डल की आग्रह से संसद द्वारा किया जाता है। 1966 में पंजाब से पृथक हुए हरियाणा और पंजाब के लिए अल्पकालीन संयुक्त राज्य लोक सेवा आयोग गठित किया गया।

संयुक्त राज्य लोक सेवा आयोग के अध्यक्ष व सदस्यों की नियुक्ति राष्ट्रपति द्वारा की जाती है। उनका कार्यकाल छह वर्ष अथवा 62 वर्ष की

आयु, जो पहले हो, तक होता है। उन्हें राष्ट्रपति द्वारा बर्खास्त किया या हटाया जा सकता है। वे किसी भी समय राष्ट्रपति को त्यागपत्र देकर पदमुक्त हो सकते हैं।

संयुक्त राज्य लोक सेवा आयोग के सदस्यों की संख्या और सेवा शर्तों को राष्ट्रपति निर्धारित करता है।

संयुक्त राज्य लोक सेवा आयोग वार्षिक प्रगति रिपोर्ट संबंधित राज्यपालों को सौंपता है। प्रत्येक राज्यपाल इसे राज्य विधानमंडल के समक्ष प्रस्तुत करता है।

संघ लोक सेवा आयोग, राज्यपाल के अनुरोध व राष्ट्रपति की संस्तुति के बाद राज्य की आवश्यकतानुसार भी कार्य कर सकता है।

सिविल सेवकों का सामर्थ्य निर्माण तथा सिविल सेवा सुधार

लोक सेवा तथा क्षमता–निर्माण

वर्तमान युग में प्रशासन की विविध कसौटियों एवं समस्याओं के समाधान के लिये पहले की अपेक्षा क्षमता-निर्माण का महत्व बढ़ गया है। निरन्तर विकास के लक्ष्यों को प्राप्त करने तथा समसामयिक वैश्विक सन्दर्भ में सभ्यता एवं संस्कृति की रक्षा के लिये यह आवश्यक हो गया है कि व्यक्ति में प्राकृतिक रूप से विद्यमान मानवीय क्षमताओं में वृद्धि की जाए।

क्षमता निर्माण की विशेषताएँ

क्षमता-निर्माण की निम्नलिखित विशेषताएं हैं–

1. किसी राष्ट्र के समस्त मानवीय संसाधन, ज्ञान, कौशल में समयानुसार परिवर्तन क्षमता निर्माण है। इसमें कार्यकुशलता तथा प्रभावशीलता में वृद्धि की जाती है।
2. यह विद्यमान बाधाओं, चुनौतियों, समस्याओं के समाधान के लिये संसाधन की पहचान, सृजन तथा उनके अधिकतम सदुपयोग पर केन्द्रित है।
3. इसमें प्रचलित कानूनों, नीतियों, शासकीय प्रक्रियाओं में समयानुसार परिवर्तन तथा सुधार किये जाते हैं।
4. यह निरन्तर चलने वाली प्रक्रिया है जिसमें केन्द्र सरकार, राज्य सरकार, स्थानीय सरकार, निजी क्षेत्र स्वैच्छिक संगठन, आदि भूमिका निभाते हैं।
5. इसके अन्तर्गत सेवी वर्गों की कार्यक्षमता में वृद्धि के प्रयास किये जाते हैं।
6. इसमें देश के मानवीय, वैज्ञानिक, शैक्षणिक, तकनीकी, संगठनात्मक, आर्थिक, अन्य संसाधन सम्मिलित हैं।

क्षमता निर्माण के प्रकार

समाज में निम्न प्रकार की क्षमताएं हो सकती हैं–

1. बौद्धिक क्षमता
2. राजनीतिक क्षमता
3. प्रशासनिक क्षमता
4. वित्तीय क्षमता
5. तकनीकी क्षमता
6. भौतिक क्षमता
7. संगठनात्मक क्षमता आदि।

क्षमता–निर्माण की विधियाँ

क्षमता-निर्माण की प्रमुख पद्धतियाँ निम्न हैं–

1. प्रशिक्षण
2. प्रशासनिक, सामाजिक, आर्थिक आदि सुधार।
3. प्रौद्योगिकी।

सिविल सेवा सुधार

सिविल सेवा सुधार हेतु अनेक समितियों का गठन किया गया, जिनका विवरण निम्न प्रकार हैं–

श्री पी.सी. होता समिति

अखिल भारतीय सेवाओं और संगठित वर्ग (क) केन्द्रीय सेवाओं को शामिल करके सिविल सेवा सुधारों की सम्पूर्ण प्रक्रिया की जाँच करने और सरकार के विचारार्थ सिफारिशें करने हेतु माननीय प्रधानमन्त्री के अनुमोदन से संघ लोक सेवा आयोग के पूर्व अध्यक्ष तथा पूर्व सचिव श्री पी.सी. होता की अध्यक्षता में वर्ष 2004 में एक समिति का गठन किया गया। इस समिति की प्रमुख सिफारिशें निम्न हैं–

1. संविधान में यथावश्यक संशोधन कर राष्ट्रपति और राज्यपाल को भ्रष्ट अधिकारियों के निलम्बन और सेवा-मुक्ति का अधिकार दिया जाना चाहिए।
2. सभी प्रशासनिक अधिकारियों को अपनी वार्षिक चल-अचल सम्पत्ति की बेवसाइट पर घोषणा करना अनिवार्य होना चाहिए।
3. प्रशासनिक अधिकारियों के कार्य की समीक्षा के बाद भ्रष्ट, अक्षम, गैर जबावदेह पाए जाने पर उन्हें 15 वर्ष की सेवा के बाद अनिवार्यतः सेवानिवृत्ति दे देनी चाहिए।
4. सिविल सेवाओं में प्रवेश हेतु सामान्य श्रेणी के उम्मीदवार की आयु सीमा 21 से 24 वर्ष होनी चाहिए।
5. ऑफिसियल सीक्रेट एक्ट में संशोधन कर इसे सरल बनाया जाए और इसे केवल राष्ट्रीय सुरक्षा तथा आवश्यक मामलों में व्यक्तिगत गोपनीयता तक ही सीमित किया जाए आदि।

सुरेन्द्रनाथ समिति रिपोर्ट

मन्त्रिमण्डल सचिवालय के निर्देश के अन्तर्गत भारत सरकार के कार्मिक एवं प्रशिक्षण विभाग ने ले. जनरल सुरेन्द्रनाथ की अध्यक्षता में दिसम्बर 2002

में एक अध्ययन दल नियुक्त किया जिसे भारतीय प्रशासनिक सेवा सहित अखिल भारतीय सेवाओं एवं समूह (क) सेवाओं से सम्बन्धित वर्तमान में प्रचलित कार्य मूल्यांकन, पदोन्नति, वरिष्ठ पदों पर तैनाती के लिए चयन हेतु सूची बनाने की प्रक्रिया का अध्ययन कर बदलती परिस्थितियों को ध्यान में रखते हुए ऐसे रचनात्मक सुझाव देने को कहा गया, जिनसे उच्च लोक सेवाओं को अधिक कार्योन्मुखी बनाया जा सके।

समूह ने वर्तमान में प्रचलित वार्षिक गोपनीय मूल्यांकन रिपोर्ट को तैयार करने हेतु ऐसी पारदर्शिता अपनाने का सुझाव दिया, जिससे लोक सेवाओं में दक्षता बढ़ने के साथ-साथ अच्छ कार्य के लिए उन्हें प्रोत्साहित किया जा सके।

बसवान समिति रिपोर्ट

अगस्त 2015 में संघ लोक सेवा आयोग ने सिविल सेवा परीक्षा पैटर्न में सुधार के लिए अनुशंसा हेतु बी.एस. बसवान की अध्यक्षता में एक समिति नियुक्त की। समिति ने अगस्त 2016 में अपनी अनुशंसाएँ संघ लोक सेवा आयोग को प्रस्तुत की। समिति ने आईएएस अधिकारियों की कमी को दूर करने के लिए प्रतिवर्ष परीक्षा द्वारा 180 अधिकारियों की भर्ती का सुझाव दिया।

■| प्रशासनिक सुधार

प्रशासनिक कानूनों की समीक्षा कर मौजूदा कानूनों, विनियमों और प्रक्रिया विधियों के संशोधन हेतु प्रस्ताव को चिह्नित करने के विचार से 8 मई, 1998 को प्रशासनिक सुधार एवं लोक शिकायत विभाग द्वारा एक आयोग का गठन किया गया, जिसका अन्तर्क्षेत्रीय प्रभाय है और जो सभी अप्रभावी कानूनों के निरसन के लिए भी कार्य करता है। विभाग ने वर्ष 2005 में द्वितीय प्रशासनिक आयोग का गठन श्री वीरप्पा मोइली की अध्यक्षता में लोक प्रशासन प्रणाली को नया रूप देने के लिए अर्थात् एक विस्तृत रूपरेखा तैयार करने के लिए किया। आयोग का कार्यकाल 30 अप्रैल, 2009 को समाप्त हो चुका है।

नियोजन (Planning)

बीसवीं शताब्दी 'लोक कल्याणकारी राज्य' का युग है। प्रायः सभी देशों में लोक कल्याणकारी राज्य की स्थापना की गई है जिसका उद्देश्य राज्य के नागरिकों का अधिकतम कल्याण करना है। इस उद्देश्य की पूर्ति के लिए लोक कल्याणकारी राज्य में बहुत-से तरीके अपनाए जाते हैं। 'नियोजन' भी उन्हीं तरीकों में से एक है। साधारण भाषा में नियोजन का अर्थ है किसी काम के लिए तैयारी करना। नियोजन को प्रबंध द्वारा संपादित किए जानेवाले कार्यों में सबसे महत्त्वपूर्ण माना जाता है। अन्य देशों की तरह भारतीय प्रशासन में भी नियोजन को महत्त्वपूर्ण स्थान दिया गया है। अब तक भारत में 12 पंचवर्षीय योजनाएं लागू हो चुकी हैं। नियोजन के कार्य को पूरा करने के लिए भारत में योजना आयोग (Planning Commission) के गठन की भी व्यवस्था की गई है।

भारत में योजना आयोग (Planning Commission in India)

आधुनिक युग में प्रायः सभी देशों में लोक-कल्याणकारी राज्य की स्थापना की गई है। जिसको मूर्त रूप देने के लिए योजना-पद्धति अपनाई गई है। भारत में भी योजना-पद्धति लोकप्रिय होती जा रही है। यहां इस तरह के विचार का जन्म 1931 ई. में हुआ था, जब राष्ट्रीय कांग्रेस के कराची प्रस्ताव में इस बात की मांग की गई थी कि बुनियादी उद्योग-धंधों का राष्ट्रीयकरण होना चाहिए। 1937 ई. में जब विभिन्न प्रांतों में कांग्रेसी मंत्रिमंडल बने, तब राष्ट्रीय कांग्रेस ने पं. जवाहरलाल नेहरू की अध्यक्षता में एक राष्ट्रीय योजना-समिति की नियुक्ति की परंतु, द्वितीय विश्वयुद्ध के शुरू हो जाने के बाद कांग्रेसी मंत्रिमंडलों ने त्यागपत्र दे दिया और योजना-समिति को कार्य करने का अवसर प्राप्त नहीं हो सका। स्वतंत्रता-प्राप्ति के बाद इस ओर ठोस कदम उठाया गया। देश के प्रशासकों ने इस बात का अनुभव किया कि देश से दरिद्रता तथा विपन्नता को दूर भगाने के लिए आर्थिक विकास आवश्यक है और यह योजना-पद्धति के प्रयोग से ही संभव है। भारत सरकार द्वारा योजना की ओर उचित कदम उठाया गया। 1950 ई. में राष्ट्रीय योजना आयोग की स्थापना इसी का परिणाम है।

संगठन

15 मार्च, 1950 को भारतीय केंद्रीय मंत्रिपरिषद् ने एक प्रस्ताव पास किया कि "आवश्यक आर्थिक तत्त्वों के निष्पक्ष विश्लेषण तथा स्रोतों की सावधानीपूर्वक जांच पर आधारित व्यापक योजना अब जरूरी हो गया है।" इसी प्रस्ताव के अंतर्गत भारत में एक योजना आयोग की स्थापना की गई जिस पर भारत के साधनों के सबसे अधिक प्रभावशाली तथा संतुलित उपयोग के लिए योजना बनाने और क्रियान्वयन की देख-रेख का दायित्व सौंपा गया। नवगठित आयोग का एक अध्यक्ष होगा जो स्वयं भारत का प्रधानमंत्री होगा। इसके अतिरिक्त गृहमंत्री, वित्तमंत्री, रेलमंत्री तथा कृषिमंत्री इसके पदेन सदस्य होंगे। नवगठित आयोग में एक गवर्निंग काउन्सिल होगी जिसमें सभी राज्यों एवं केन्द्र शासित प्रदेशों के मुख्यमंत्री एवं प्रशासक शामिल होंगे।

आयोग के सभी सदस्य एक संस्था के रूप में काम करते हैं फिर भी प्रशासन की सुविधा को ध्यान में रखकर प्रत्येक सदस्य को एक अथवा उससे अधिक विषयों का कर्ता-धर्ता बना दिया जाता है। ये सदस्य अपने-अपने विषयों की समस्याओं तथा अनुसंधान को निर्देशित करते हैं। योजना आयोग के सदस्य कुछ विषयों के सम्बन्ध में सामूहिक रूप से विचार करते हैं। ये विषय निम्नलिखित हैं–

1. पंचवर्षीय तथा वार्षिक योजनाओं का निर्माण और उसकी प्रगति।
2. योजना के अंतर्गत समायोजन।
3. योजना में सन्निहित नीति से विचलन।
4. मंत्रिपरिषद् को दिए जानेवाले परामर्श।

5. योजना-सम्बन्धी उन सभी बातों पर विचार करना जिनके सम्बन्ध में राज्य तथा केंद्र अथवा आयोग के सदस्यों के बीच मतभेद हो।
6. आंतरिक संगठन अथवा कार्य के तरीकों से संबद्ध विषय।

आयोग के कार्यों के संचालन के लिए आन्तरिक संगठन की दृष्टि से आयोग चार भागों में विभाजित है–

1. **समन्वय विभाग (Co-ordination Department)**– इसके दो उप-विभाग हैं–योजना समन्वय विभाग (Plan Co-ordination Department) तथा कार्यक्रम प्रशासन विभाग (Programme Administration Department)। जब योजना आयोग (नीति आयोग) को विभिन्न विभागों में सहयोग की जरूरत होती है तो समन्वय विभाग अपनी भूमिका निभाता है। प्रशासन विभाग के कार्य वार्षिक और पंचवर्षीय योजनाओं में समन्वय, अविकसित क्षेत्रों का पता लगाना, प्रदेशों को केंद्रीय सहायता के तरीकों तथा योजना को कुशलतापूर्वक प्रभावपूर्ण ढंग से कार्यान्वित करने के सम्बन्ध में परामर्श देना आदि है।
2. **साधारण विभाग (General Department)**– योजना से संबंधित विभिन्न कार्यों के लिए अनेक साधारण विभाग हैं। प्रत्येक विभाग का अध्यक्ष एक निदेशक होता है। मुख्य साधारण विभाग ये हैं–दीर्घकालीन योजना विभाग, आर्थिक विभाग, श्रम एवं रोजगार विभाग, प्राकृतिक एवं वैज्ञानिक अनुसंधान विभाग, सांख्यिकीय तथा सर्वेक्षण विभाग, प्रबंध एवं प्रशासन विभाग।
3. **विषय विभाग (Subject Division)**– आर्थिक गतिविधि के विभिन्न क्षेत्रों के लिए अलग-अलग विषय विभाग हैं जो अपने-अपने विषय से संबंधित योजना के लिए कार्य और शोध करते हैं।
4. **विशिष्ट विकास कार्यक्रम विभाग (Special Development Programme Division)**– कतिपय विशेष कार्यक्रम पर जोर देने की दृष्टि से विशेष कार्यक्रम विभाग बनाए गए हैं। ये दो हैं–ग्रामीण विभाग एवं सहकारिता विभाग।

योजना आयोग के प्रमुख कार्य

योजना आयोग के मुख्य कार्यों को निम्नलिखित रूप में विश्लेषित किया जा सकता है–

1. प्रथम महत्त्वपूर्ण कार्य देश के संसाधनों का अनुमान लगाना है। योजना आयोग देश के भौतिक, पूंजी-सम्बन्धी और मानवीय संसाधनों का अनुमान लगाता है। वह ऐसे संसाधनों के विकास की संभावना का पता लगाता है जिसका देश में अभाव होता है। संसाधनों का अनुमान और उनमें अभिवृद्धि का प्रयत्न अत्यंत महत्त्वपूर्ण कार्य है क्योंकि इसके अभाव में कोई योजना संभव नहीं है।
2. योजना आयोग का कार्य है, योजना-निर्माण। योजना आयोग देश के संसाधनों के सर्वाधिक प्रभावशाली और सन्तुलित उपयोग के लिए योजना का निर्माण करता है।
3. योजना आयोग का कार्य है–योजना के पूरा किए जाने की अवस्थाओं को परिभाषित करना तथा योजना की प्राथमिकताओं का निर्धारण करना।
4. इसके पश्चात् योजना आयोग इनके आधार पर देश के साधनों का समुचित आवंटन करता है।
5. योजना आयोग का कार्य है योजना-तंत्र का निर्धारण। आयोग योजना की प्रत्येक अवस्था के सभी पहलुओं में सफल क्रियान्विति के लिए योजनातंत्र की प्रवृत्ति निधारित करता है।
6. योजना आयोग समय-समय पर योजना की प्रत्येक अवस्था के क्रियान्वयन में की गई प्रकृति का मूल्यांकन करता है। इस मूल्यांकन के आधार पर यह नीतियों और प्रयत्नों में परिवर्तन या समायोजन की सिफारिश करता है।
7. योजना आयोग का कार्य सुझाव और दिशा-निर्देश देने सम्बन्धी है। योजना आयोग आर्थिक विकास की गति अवरुद्ध करने वाले घटकों को इंगित करता है और योजना की सफलता के लिए आवश्यक स्थितियों का निर्धारण करता है। योजना निर्माण कार्य को पूर्ण करने हेतु आर्थिक परिस्थितियों, नीतियों, विकास-कार्यक्रमों आदि पर योजना आयोग सरकार को सुझाव देता है। यदि राज्य या केंद्रीय सरकार किसी समस्या विशेष पर सुझाव मांगे तो आयोग उस समस्या विशेष के समाधान के लिए अपने सुझाव देता है।

अपने कार्य के सफल सम्पादन की दृष्टि से योजना आयोग को कतिपय निम्नलिखित कार्य भी सौंपे गए हैं–

1. सामग्री और पूंजी साधनों का मूल्यांकन, संरक्षण तथा उनमें वृद्धि की संभावनाओं आदि को ज्ञात करना। इस सम्बन्ध में योजना आयोग का कर्तव्य है कि वह वित्तीय साधनों, मूल्य-स्तर, उपयोग प्रतिमान आदि का निरंतर अध्ययन करता रहे।
2. साधनों के सन्तुलित प्रयोग की दिशा में योजना आयोग को इस प्रकार की विधि अपनानी चाहिए जिससे एक ओर तो विकास की अधिकतम दर प्राप्त की जा सके तथा दूसरी ओर सामाजिक न्याय की स्थापना हो सके।
3. योजना आयोग, योजनाओं की सफलता के लिए सामाजिक परिवर्तन का अध्ययन करता रहे।
4. योजना आयोग आर्थिक एवं अन्य नीतियों का सामयिक मूल्यांकन करे और यदि नीतियों में किसी तरह के परिवर्तनों की आवश्यकता हो तो इसके लिए मंत्रिमंडल को सिफारिश करे।
5. नियोजन की तकनीक का आवश्यक अध्ययन करते हुए उसमें सुधार का प्रयत्न करे।
6. योजना के सफल क्रियान्वयन के लिए जन-सहयोग प्राप्त करे ताकि प्रत्येक व्यक्ति अपना दायित्व महसूस करते हुए योजना आयोग के कार्यों में भागीदार बन सके।

उपर्युक्त कार्यों का विवेचन करने से यह स्पष्ट हो जाता है कि योजना आयोग की योजना-निर्माण प्रक्रिया में बहु-आयामी भूमिका है और इसे इस दिशा में विविध प्रकार के कार्यों का सम्पादन करना पड़ता है।

योजना आयोग और सरकार का सम्बन्ध

योजना आयोग और सरकार के बीच घनिष्ठ सम्बन्ध है। प्रधानमंत्री इसका पदेन अध्यक्ष होता है। प्रधानमंत्री और वित्तमंत्री की उपस्थिति आयोग के स्वतंत्र अस्तित्व को किसी न किसी रूप से प्रभावहीन बनाती है। आयोग और सरकार में इस सम्बन्ध को देखते हुए आलोचकों ने आयोग को 'समानान्तर सरकार' (Parallel Government), 'सुपर कैबिनेट' (Super Cabinet) आदि की संज्ञाएं दी हैं।

आयोग के स्वतंत्र अस्तित्व का समर्थन करते हुए हमें यह स्वीकार करना होगा कि सरकार और आयोग में निकट संपर्क रहना आवश्यक है क्योंकि आयोग योजनाओं का निर्माण और मूल्यांकन करता है तथा सरकार द्वारा योजनाओं का क्रियान्वयन होता है। प्रधानमंत्री का आयोग के अध्यक्ष पद पर बने रहना उचित है क्योंकि योजना-कार्य केंद्र से लेकर राज्यों तक फैला हुआ है और राज्य सरकारों तथा केंद्रीय सरकार में समन्वयन लाने की दृष्टि से प्रधानमंत्री ही सबसे उपयुक्त व्यक्ति हो सकता है। इसके अतिरिक्त प्रधानमंत्री आयोग और मंत्रिमंडल के बीच समन्वय कड़ी का कार्य करता है। आयोग पर 'समानान्तर सरकार' का आरोप इस दृष्टि से उचित नहीं है क्योंकि कोई भी मंत्री आयोग का पूर्णकालिक सदस्य नहीं होता है। इसके अतिरिक्त व्यवहार में आयोग के अन्य सदस्यों के महत्त्व को पूरा-पूरा सम्मान मिलता रहा है। योजना का निर्माण, क्रियान्वयन, मूल्यांकन आदि कार्य परस्पर घनिष्ठ रूप से आबद्ध हैं। इन्हें एक-दूसरे से पृथक् करके नहीं देखा जा सकता। अतः स्वाभाविक है कि सरकार और आयोग के बीच घनिष्ठ सम्बन्ध रहे। आयोग को यथासंभव राजनीतिक प्रभाव से दूर रखने का प्रयत्न किया गया है। आयोग का दर्जा एक सलाहकारी संस्था का है जिसका मुख्य कार्य योजना के उद्देश्यों की रचना, प्राथमिकता का निर्धारण और योजना का मूल्यांकन आदि है। योजना के क्रियान्वयन और संचालन का भार सरकार पर है।

व्यवहार में भारत सरकार की शासन-व्यवस्था का उत्तरदायित्व मंत्रिपरिषद् पर होता है। वह संसद के प्रति उत्तरदायी है किन्तु उसका निर्णय योजना आयोग के निर्णयों से प्रभावित होता है। कोई मंत्रालय स्वेच्छा से कोई नवीन कार्यक्रम लागू नहीं कर सकता, उसे पहले आयोग की स्वीकृति लेनी पड़ती है। यह आवश्यक नहीं है कि योजना आयोग उसे स्वीकृति प्रदान कर ही दे। ऐसी स्थिति में कुंठा ही उत्पन्न होती है क्योंकि उनके पास साधन नहीं हैं। यह तर्क कि योजना आयोग में मंत्री निर्णय लेने में सहगामी होते हैं, उचित नहीं है। मंत्री को अपनी सूझ-बूझ प्रदर्शित करने का अवसर नहीं मिलता। इससे नेतृत्व के विकास में बाधा उत्पन्न होती है।

मंत्रिपरिषद् तो संसद के प्रति उत्तरदायी है किन्तु योजना आयोग का संसद के प्रति कोई उत्तरदायित्व नहीं है। योजना आयोग के अधिकार व्यापक और शक्तियां सर्वोपरि हैं। उसका जन-प्रतिनिधियों के प्रति उत्तरदायित्व भी नहीं है। यह स्थिति किसी दृष्टि से उचित नहीं है। मंत्रियों को यह कहने का अवसर है कि उनके अधिकार, शक्तियां व साधन सीमित हैं और इससे वे कमियों को छिपा जाते हैं। इससे संसद की गरिमा कम होती है। यह तर्क कि आयोग के निर्णय में प्रधानमंत्री व प्रमुख मंत्री सहभागी होते हैं, इस स्थिति में कोई परिवर्तन नहीं करते कि संसद केवल आयोग के निर्णयों को मात्र पंजीकृत कर लेती है।

राष्ट्रीय विकास परिषद्
(National Development Council)

राष्ट्रीय विकास परिषद् का संगठन

योजना सम्बन्धी मामलों में केंद्र और राज्यों के मध्य समायोजन (Co-ordination) के लिए योजना आयोग की सिफारिश पर अगस्त, 1952 में राष्ट्रीय विकास परिषद् की स्थापना की गई। इस परिषद् में प्रधानमंत्री, केंद्रीय सरकार के कतिपय मंत्री, सभी राज्यों के मुख्यमंत्री और योजना आयोग के सदस्य सम्मिलित होते हैं। यदि किसी राज्य का कोई मुख्यमंत्री परिषद् की बैठक में उपस्थित न हो सके तो उसे अपना प्रतिनिधि भेजने का अधिकार होता है। परिषद् में राज्यों के मुख्यमंत्री की सदस्यता और योजना आयोग द्वारा निर्धारित कार्यक्रमों पर उनकी स्वीकृति के कारण योजना को राज्यों की ओर से एक प्रकार की पूर्व स्वीकृति प्राप्त हो जाती है। योजना के निर्माण में राष्ट्रीय विकास परिषद् से अनिवार्यतः परामर्श लिया जाता है। योजना आयोग द्वारा केंद्रीय मंत्रियों व राज्य सरकारों से सलाह-मशविरा करने के बाद योजना का जो प्रारूप तैयार किया जाता है वह केंद्रीय मंत्रिमंडल की स्वीकृति पाने के बाद राष्ट्रीय विकास परिषद् के समक्ष जो कि सहयोगी संघवाद (Co-operative Federalism) के सिद्धांत का प्रतिनिधित्व करती है, आवश्यक सुझाव हेतु प्रस्तुत किया जाता है। बाद में परिषद् की सिफारिशों के आधार पर योजनाओं में तथा कार्यक्रमों में आवश्यक सुधार किया जाता है। इसके बाद मंत्रालयों तथा राज्य सरकारों के पास प्रारंभिक निर्देशों सहित भेज दिया जाता है और उन्हें केंद्रीय योजना-निर्माण की सभी प्रक्रियाएं पूरी कराई जाती हैं। योजना-निर्माण को अंतिम रूप देने से पूर्व पुनः परिषद् की सिफारिशें ली जाती हैं और तब योजना अपना स्वरूप और आकार ग्रहण कर लेती है जिसके बाद में संसद द्वारा स्वीकृति मिलने पर प्रकाशित कर दिया जाता है। इसका अभिप्रायः यह हुआ कि राष्ट्रीय विकास परिषद् की योजना-निर्माण के संदर्भ में बहुत कुछ निर्णायक भूमिका होती है इसलिए उसे 'सुपर कैबिनेट' (Super Cabinet) तक कहा जाता है। इसके उच्च स्वरूप के कारण ही इसके परामर्श को केंद्रीय और राज्य सरकारें महत्त्व प्रदान करती हैं। परिषद् के सदस्य शासकीय नीति के निर्माणकर्त्ता होते हैं। अतः योजना आयोग व मंत्रिमंडल द्वारा परिषद् के दृष्टिकोण की प्रायः अवहेलना नहीं की जाती। राष्ट्रीय विकास परिषद् का इतना दबदबा होता है कि राज्यों के मुख्यमंत्री उसके निर्णय को स्वीकार कर लेते हैं लेकिन अनेक अवसरों पर असहमति के मुद्दे भी उठते हैं जिन्हें आपसी सहयोग से सुलझाया जाता रहा है।

राष्ट्रीय विकास परिषद् के कार्य

राष्ट्रीय विकास परिषद् योजना की सर्वोच्च नीति-निर्धारक संस्था है। इसके मुख्य कार्य निम्नलिखित हैं—

1. समय-समय पर राष्ट्रीय योजना के कार्य-संचालन का पर्यावलोकन करना।
2. राष्ट्रीय विकास को प्रभावित करने वाले सामाजिक और आर्थिक नीति-सम्बन्धी महत्त्वपूर्ण प्रश्नों पर विचार करना।
3. राष्ट्रीय योजना में निर्धारित उद्देश्यों और लक्ष्यों की प्राप्ति हेतु उपाय सुझाना।
4. जनता का सक्रिय सहयोग प्राप्त करना।
5. प्रशासनिक सेवाओं की कुशलता में वृद्धि करना।
6. समाज के अल्प-विकसित वर्गों और प्रदेशों के पूर्ण विकास के लिए संसाधनों का निर्माण करना।
7. समस्त नागरिकों के समान त्याग के द्वारा राष्ट्रीय विकास के लिए संसाधनों का निर्माण करना।

योजना आयोग की तरह राष्ट्रीय विकास परिषद् के पीछे सांविधानिक या कानूनी सत्ता नहीं होती किन्तु इसकी सिफारिशों का केंद्रीय और राज्य सरकारों द्वारा पालन अवश्य किया जाता है। इसके कार्यों की प्रकृति का विश्लेषण करने से यह स्पष्ट हो जाता है कि यह उन बहुमुखी कार्यों का निष्पादन करती है जिन्हें योजनाओं के निर्माण तथा उनकी सफल क्रियान्विति के लिए आवश्यक समझा जाता है।

नीति आयोग (Niti Aayog)

केन्द्रीय मन्त्रिमण्डल ने 1 जनवरी, 2015 को एक प्रस्ताव पारित कर योजना आयोग के स्थान पर एक नई संस्था नीति (NITI—National Institution for Trnasforming India) आयोग की स्थापना का मार्ग प्रशस्त किया तथा 5 जनवरी, 2015 को इसकी नियुक्ति कर दी गई।

प्रथम नीति आयोग में प्रधानमंत्री अध्यक्ष, एक उपाध्यक्ष, दो पूर्णकालिक सदस्य, गृहमंत्री, वित्त मंत्री, रेलवे मंत्री और कृषि मंत्री पदेन सदस्य तथा तीन विशिष्ट आमन्त्रित सदस्य सम्मिलित हैं।

इसके अतिरिक्त नीति आयोग में एक प्रशासनिक/संरक्षक परिषद् (Governing Council) के गठन का प्रावधान है, जिसमें सभी राज्यों के मुख्यमंत्री और केन्द्रशासित प्रदेशों के उपराज्यपाल/प्रशासक सम्मिलित होंगे। इस प्रशासनिक परिषद् के साथ-साथ विशिष्ट क्षेत्रीय परिषदों (Regional Councils) का गठन भी किया जाएगा।

प्रधानमंत्री समय-समय पर विशेष क्षेत्रों से सम्बन्धित विद्वानों को नीति आयोग में विशिष्ट आमन्त्रित सदस्यों के रूप में मनोनीत करते रहेंगे।

नीति आयोग केन्द्र सरकार एवं राज्य सरकारों के लिए योजनाएं बनाने तथा नियोजन के क्षेत्र में एक दिशा-निर्देश एवं नीति प्रदान करने वाले 'थिंक टैंक' के रूप में कार्य करेगा। नीति आयोग केन्द्र एवं राज्य सरकारों को प्रमुख राष्ट्रीय-अन्तर्राष्ट्रीय एवं आर्थिक नीतियों के सम्बन्ध में रणनीतिक तथा तकनीकी सलाह प्रदान करेगा। नीति आयोग इसके लिए विशेष क्षेत्रों से सम्बन्धित राष्ट्रीय एवं अन्तर्राष्ट्रीय 'थिंक टैंकों', शैक्षणिक एवं नीति शोध संस्थानों से समय-समय पर विचार-विमर्श करेगा।

नीति आयोग स्वयं ही कार्यान्वित योजनाओं कार्यक्रमों का मूल्यांकन एवं पर्यवेक्षण करेगा।

योजना आयोग एवं नीति आयोगः संरचना

योजना आयोग	नीति आयोग
अध्यक्षः प्रधानमंत्री	**अध्यक्षः** प्रधानमंत्री
उपाध्यक्षः प्रधानमंत्री द्वारा नियुक्त	**उपाध्यक्षः** प्रधानमंत्री द्वारा नियुक्त
पदेन सदस्यः केन्द्र सरकार के मंत्री	**पदेन सदस्यः** केन्द्र सरकार के मंत्री
सदस्यः प्रधानमंत्री द्वारा नियुक्त (पूर्णकालिक)	**सदस्यः** प्रधानमंत्री द्वारा नियुक्त (पूर्णकालिक)
	विशिष्ट आमंत्रित सदस्यः प्रधानमंत्री द्वारा नियुक्त
सदस्य सचिवः	**मुख्य कार्यकारी अधिकारीः** (CEO)
राष्ट्रीय विकास परिषद्ः राज्यों के मुख्यमंत्री सदस्य	**गवर्निंग काउंसिलः** राज्यों के मुख्यमंत्री व संघीय क्षेत्रों के उपराज्यपाल सदस्य
	रीजनल गवर्निंग काउंसिलः (क्षेत्रों में समय-समय पर नियुक्त)—सम्बन्धित राज्यों के मुख्यमंत्री एवं संघीय क्षेत्रों के राज्यपाल
	समय-समय पर विषय विशेषज्ञों, शोध संस्थानों से परामर्श

नीति आयोग में गवर्निंग काउसिंल तथा रीजनल काउंसिल का उल्लेख है। गवर्निंग काउसिंल में सभी राज्यों के मुख्यमंत्री एवं संघीय क्षेत्रों के उपराज्यपाल/प्रशासक सदस्य होंगे। रीजनल काउंसिल का गठन समय-समय पर निश्चित कार्यकाल के लिए किसी विशेष क्षेत्र के लिए प्रधानमंत्री द्वारा किया जाएगा जिसमें सम्बन्धित राज्यों के मुख्यमंत्री एवं संघीय क्षेत्रों के राज्यपाल सम्मिलित होंगे। गवर्निंग कांउसिल की अध्यक्षता प्रधानमंत्री करेंगे। यह गवर्निंग काउंसिल पूर्व की राष्ट्रीय विकास परिषद् का स्थान लेगी।

राज्य योजना आयोग/मण्डल (State Planning Commission)

प्रशासनिक सुधार आयोग (1967) की रिपोर्ट से भी पहले विभिन्न राज्यों की प्रशासनिक सुधार समितियों ने राज्यों में योजना मण्डल स्थापित करने की सिफारिश की थी। 1962 में योजना आयोग ने प्रत्येक राज्य में योजना बोर्ड की स्थापना की अनुशंसा की। वर्तमान में समस्त राज्यों में योजना बोर्ड स्थापित है परन्तु बोर्ड की स्थिति और योजन प्रक्रिया की प्रभावशीलता विभिन्न राज्यों में अलग-अलग है।

योजना बोर्ड के कार्य निम्नलिखित हैं—

- राज्य की प्राथमिकता के अनुकूल योजना का निर्माण किया जाना चाहिए।

- राज्य के आर्थिक और सामाजिक विकास में बाधा उत्पन्न करने वाले तत्वों का पता लगाकर सफल क्रियान्वयन हेतु उपाय करना।
- योजना निर्माण के विभिन्न स्तरों पर समन्वय स्थापित करना।
- राज्य के स्रोतों का निर्धारण करना और प्रभावी तरीके से योजनाओं का निर्माण करना जिससे सन्तुलित तरीके से स्रोतों का उपयोग किया जा सके।

योजना विभाग (Planning Department)

योजना विभाग, सरकार द्वारा स्थापित एक इकाई है जिसके माध्यम से सामाजिक और आर्थिक नीतियाँ क्रियान्वित की जाती है। योजना विभाग द्वारा क्रियान्वित की जाने वाली प्रमुख गतिविधियाँ निम्नलिखित हैं—

- पंचवर्षीय योजनाओं की देख-रेख करना।
- पंचवर्षीय योजनाओं एवं वार्षिक योजनाओं का सूत्रीकरण करना।
- जनजातीय उप-योजना, अनुसूचित जाति उप-योजना की सूत्रीकरण करना।
- पूर्वोत्तर राज्यों एवं सिविल निर्माण कार्यो के लिए धनराशि का आवण्टन करना।
- शहरी विकास मंत्रालय की सिविल निर्माण कार्य की धनराशि का हस्तान्तरण करना।

न्यायपालिका

संघ और राज्य के बीच शक्तियों का विभाजन संघात्मक संविधान का मूल तत्व है। यह विभाजन प्रायः एक संविधान द्वारा किया जाता है जो देश की सर्वोच्च विधि है। इस शक्ति-विभाजन को बनाये रखने के लिए, जिससे कि विभिन्न सरकारें एक-दूसरे के कार्य में हस्तक्षेप न करें, संवधिान के उपबन्धों की सही व्याख्या आवश्यक है। इसके लिए ऐसी संस्था की आवश्यकता होती है जो स्वतंत्र और निष्पक्ष हो और केन्द्रीय तथा राज्य-सरकारों के बीच विवादों को निष्पक्षता से निपटा सके। संघीय व्यवस्था में यह कार्य न्यायपालिका को सौंपा गया है। भारतीय संविधान में यह कार्य उच्चतम न्यायालय को सौंपा गया है।

भारतीय संविधान और न्यायपालिका की स्वतंत्रता

स्वतंत्र और निष्पक्ष न्यायपालिका नागरिक अधिकार का संरक्षक होती है तथा बिना भय तथा पक्षपात के सबको समान न्याय प्रदान करती है। उच्चतम न्यायालय अपने कर्त्तव्यों का पालन करे इसके लिए स्वतंत्र और राजनीतिक दबावों से मुक्त होना चाहिए। उच्चतम न्यायालय ने न्यायपालिका की स्वतंत्रता को संविधान का "आधारभूत ढाँचा" बताया है। भारतीय संविधान में न्यायपालिका की स्वतंत्रता कायम रखने के लिए निम्नलिखित उपबन्धों का समावेश किया गया है।

1. न्यायधीशों की पदावधि की सुरक्षा।
2. कार्यपालिका से न्यायपालिका का पृथक्करण।
3. न्यायधीशों के वेतन, भत्ते आदि विधायिंका के मतदान से परे हैं।
4. संसद उच्चतम न्यायालय की अधिकारिता को बढ़ा सकती है, लेकिन कम नहीं कर सकती है।
5. किसी न्यायधीश के अपने कर्त्तव्य-पालन में किए गये आचरण पर संसद में चर्चा का प्रतिषेध है।
6. अवमानना के लिए दण्ड देने की शक्ति है।

न्यायपालिका की स्वतंत्रता व निष्पक्षता को प्रशासनिक हस्तक्षेप से बचाने हेतु उपाय—

1. न्यायधीशों को जन सम्पर्क से बचना चाहिए। उन्हें ऐसा आचरण करना चाहिए कि कोई उनपर संदेह न करे।
2. सेवानिवृति के बाद अन्य नियुक्ति स्वीकार करने पर प्रतिबन्ध का प्रावधान होना चाहिए।
3. सर्वोच्च न्यायालय व उच्च न्यायालयों में सेवानिवृत्ति आयु 70 वर्ष होनी चाहिए।
4. न्यायधीशों की नियुक्ति देश के विख्यात न्यायविदों तथा विधिवेत्ताओं द्वारा निर्मित सूची से होनी चाहिए।

न्यायपालिका : सर्वोच्च न्यायालय (Judiciary : Supreme Court)

भारतीय संविधान द्वारा एकीकृत न्यायपालिका की व्यवस्था की गई है जिसमें शीर्ष स्थान पर उच्चतम न्यायालय व उसके अधीन उच्च न्यायालय हैं। एक उच्च न्यायालय के अधीन अधीनस्थ न्यायालयों की श्रेणियाँ हैं। न्यायालय की एकल व्यवस्था भारत सरकार अधिनियम, 1935 से ग्रहण की गई है। यह केन्द्रीय एवं राज्य विधियों को लागू करती है।

भारत में उच्चतम न्यायालय का उद्‌घाटन 28 फरवरी 1950 को किया गया था। उच्चतम न्यायालय स्वतंत्रता पश्चात् ब्रिटेन के 'प्रिवी काउंसिल' का स्थान ग्रहण किया था, जो अब तक अपील का सर्वोच्च न्यायालय था।

भारतीय संविधान के भाग V में अनुच्छेद 124 से 147 तक, उच्चतम न्यायालय के गठन, स्वतंत्रता, न्याय क्षेत्र, शक्तियाँ, प्रक्रिया आदि का उल्लेख किया गया है।

सर्वोच्च न्यायालय की संरचना

भारत के उच्चतम न्यायालय में 34 न्यायाधीश हैं। जिसमें एक मुख्य न्यायाधीश एवं 33 अन्य न्यायाधीश हैं। उच्चतम न्यायालय के न्यायाधीशों की नियुक्ति राष्ट्रपति करता है। मुख्य न्यायाधीश की नियुक्ति राष्ट्रपति अन्य न्यायाधीशों एवं उच्च न्यायालयों के न्यायाधीशों की सलाह के बाद करता है। मुख्य न्यायाधीश के अतिरिक्त अन्य न्यायाधीशों की नियुक्ति में मुख्य न्यायाधीश का परामर्श आवश्यक है।

न्यायाधीशों की अर्हताएँ

1. उसे भारत का नागरिक होना चाहिए।
2. उसे उच्च न्यायालय का कम-से-कम 5 वर्ष के लिए न्यायाधीश का अनुभव होना चाहिए।
3. उसे उच्च न्यायालय या विभिन्न न्यायालयों में मिलाकर 10 वर्ष का वकालत का अनुभव हो।
4. राष्ट्रपति के मत में सम्मानित न्यायविद हो।

शपथ या प्रतिज्ञान

उच्चतम न्यायालय के लिए नियुक्त न्यायाधीश को अपना कार्यकाल संभालने से पूर्व राष्ट्रपति या इस कार्य के लिए उसके द्वारा नियुक्त व्यक्ति के सामने निम्नलिखित शपथ लेनी चाहिए।

1. भारत के संविधान के प्रति सच्ची श्रद्धा और निष्ठा रखूँगा।
2. भारत की प्रभुता एवं अखण्डता को अक्षुण्ण रखूँगा।
3. अपनी योग्यता, ज्ञान और विवेक से अपने पद के कर्त्तव्यों का भय या पक्षपात, अनुराग रहित होकर पालन करूँगा।
4. संविधान और विधियों की मर्यादा को बनाए रखूँगा।

न्यायाधीशों का कार्यकाल

संविधान में उच्चतम न्यायालय के न्यायाधीशों का कार्यकाल निश्चित नहीं किया गया है, लेकिन इसमें कुछ उपबंध हैं।

1. वह 65 वर्ष की आयु तक पद पर बना रह सकता है। इस मामले में किसी प्रश्न के उठने पर संसद द्वारा स्थापित संस्था इसका निर्धारण करेगी।
2. वह राष्ट्रपति को लिखित त्यागपत्र दे सकता है।
3. संसद की सिफारिश पर राष्ट्रपति द्वारा उसे पद से हटाया जा सकता है।

उच्चतम न्यायालय की स्वतंत्रता

भारतीय संविधान में उच्चतम न्यायालय की स्वतंत्रता और निष्पक्षता सुनिश्चित करने के लिए निम्नलिखित उपबंध किए गय हैं।

1. न्यायाधीशों को कार्यकाल की सुरक्षा
2. न्यायाधीशों की नियुक्ति का तरीका
3. न्यायाधीशों की सेवा-शर्तें
4. न्यायाधीशों के वेतन, भत्ते, पेंशन की व्यवस्था
5. सेवानिवृत्ति के बाद वकालत पर रोक
6. न्यायाधीशों की अवमानना पर दण्ड देने की शक्ति
7. न्यायालय को अपना स्टाफ नियुक्त करने की स्वतंत्रता
8. इसके न्यायक्षेत्र में कटौती नहीं की जा सकती है।
9. कार्यपालिका का न्यायपालिका से पृथक्करण

उच्चतम न्यायालय की शक्तियाँ एवं क्षेत्राधिकार

संविधान में उच्चतम न्यायालय को व्यापक अधिकार और शक्तियाँ दिया गया है। भारत का उच्चतम न्यायालय न केवल संघीय न्यायालय है वल्कि ब्रिटिश हाउस ऑफ लॉर्ड्स की तरह अपील का अन्तिम न्यायालय है। यह संविधान और नागरिकों के अधिकारों का व्याख्याता एवं गारंटर भी है। भारत का उच्चतम न्यायालय परामर्शदात्री एवं सर्वोच्च संस्था है। उच्चतम न्यायालय का क्षेत्राधिकार निम्नलिखित है।

1. मूल क्षेत्राधिकार
2. न्यायादेश क्षेत्राधिकार
3. अपीलीय क्षेत्राधिकार
4. सलाहकार क्षेत्राधिकार
5. अभिलेखों का न्यायालय
6. न्यायिक समीक्षा की शक्ति

उच्च न्यायालय (High Court)

उच्च न्यायालय का संगठन

प्रत्येक उच्च न्यायालय (चाहे वह अनन्य हो या साझा) में एक मुख्य न्यायाधीश और उतने अन्य न्यायाधीश, जितने आवश्यकतानुसार समय-समय पर राष्ट्रपति नियुक्त करते हैं, इस तरह संविधान में उच्च न्यायालय के न्यायाधीशों की संख्या के बारे में विशेष तौर पर कुछ नहीं बताया गया है। इसे राष्ट्रपति के विवेक पर छोड़ दिया गया है। तदनुसार, राष्ट्रपति कार्य की आवश्यकतानुसार समय-समय पर इनकी संख्या निर्धारित करते हैं।

न्यायाधीशों की नियुक्ति

उच्च न्यायालयों के न्यायाधीशों की नियुक्ति राष्ट्रपति द्वारा की जाती है। मुख्य न्यायाधीश की नियुक्ति राष्ट्रपति द्वारा, भारत के मुख्य न्यायाधीश और संबंधित राज्य के राज्यपाल से परामर्श के बाद की जाती है। अन्य न्यायाधीशों की नियुक्ति में संबंधित उच्च न्यायालय के मुख्य न्यायाधीश से भी परामर्श किया जाता है। दो या अधिक राज्यों के साझा उच्च न्यायालय में नियुक्ति में राष्ट्रपति सभी संबंधित राज्यों के राज्यपालों से भी परामर्श करता है।

न्यायाधीशों की योग्यताएं

उच्च न्यायालय के न्यायाधीश के रूप में नियुक्ति के लिए व्यक्ति के पास निम्न योग्यताएं होनी चाहिए:

1. वह भारत का नागरिक हो।
2. (अ) उसे भारत के न्यायिक कार्य में 10 वर्ष का अनुभव हो, अथवा

   (ब) वह उच्च न्यायालय (या न्यायालयों) में लगातार 10 वर्ष तक अधिवक्ता रह चुका हो।

उपर्युक्त से यह स्पष्ट है कि संविधान में उच्च न्यायालय के न्यायाधीश की नियुक्ति के लिए कोई न्यूनतम आयु सीमा निर्धारित नहीं की गई है। इसके अतिरिक्त संविधान में उच्चतम न्यायालय के विपरीत प्रख्यात न्यायविदों को उच्च न्यायालय का न्यायाधीश नियुक्त करने का कोई प्रावधान नहीं है।

शपथ अथवा प्रतिज्ञान

जिस व्यक्ति को उच्च न्यायालय का न्यायाधीश नियुक्त किया गया है, पद संभालने से पूर्व उसे इस राज्य के राज्यपाल या इस कार्य के लिए उसके द्वारा नियुक्त किसी अन्य व्यक्ति के सामने शपथ/निम्नलिखित प्रतिज्ञान करना होता है। अपनी शपथ में उच्च न्यायालय का न्यायाधीश शपथ लेता है:

1. संविधान और विधि की मर्यादा बनाए रखेगा।
2. सम्यक प्रकार और श्रद्धापूर्वक तथा अपनी पूरी योग्यता, ज्ञान और विवेक से अपने पद के कर्तव्यों का भय या पक्षपात, अनुराग या द्वेष के बिना पालन करेगा।
3. भारत की प्रभुता और अखंडता को अक्षुण्ण रखेगा।
4. भारत के संविधान के प्रति सच्ची श्रद्धा और निष्ठा का पालन करेगा।

न्यायाधीशों का कार्यकाल

संविधान में उच्च-न्यायालय के न्यायाधीशों का कार्यकाल निर्धारित नहीं किया गया है। तथापि, इस संबंध में चार प्रावधान किये गये हैं:

1. उसकी नियुक्ति उच्चतम न्यायालय में न्यायाधीश के रूप में हो जाने पर या उसका किसी दूसरे उच्च न्यायालय में स्थानांतरण हो जाने पर वह पद छोड़ देता है।
2. संसद की सिफारिश से राष्ट्रपति उसे पद से हटा सकता है।
3. वह, राष्ट्रपति को त्यागपत्र भेज सकता है।
4. 62 वर्ष की आयु तक पद पर रहता है। उसकी आयु के संबंध में किसी भी प्रश्न का निर्णय राष्ट्रपति, भारत के मुख्य न्यायाधीश से परामर्श करके करता है। इस संबंध में राष्ट्रपति का निर्णय अंतिम होता है।

न्यायाधीशों को हटाना

उच्च न्यायालय के न्यायाधीश को राष्ट्रपति के आदेश से पद से हटाया जा सकता है। राष्ट्रपति न्यायधीश को हटाने का आदेश संसद द्वारा उसी सत्र में पारित प्रस्ताव के आधार पर ही जारी कर सकता है। प्रस्ताव को विशेष बहुमत के साथ संसद के प्रत्येक सदन का समर्थन (इस प्रस्ताव को उस सदन के कुल सदस्यों के बहुमत का समर्थन और उस सदन में मौजूद और मतदान करने वाले सदस्यों के दो-तिहाई का समर्थन) मिलना आवश्यक है। हटाने के दो आधार सिद्ध कदाचार और अक्षमता। इस तरह, उच्चतम न्यायालय के न्यायाधीश की तरह ही उच्च न्यायालय के न्यायाधी को उसी प्रक्रिया और आधारों पर हटाया जा सकता है।

न्यायाधीश जांच अधिनियम (1968) में उच्च न्यायालय के न्यायाधीश को महाभियोग की प्रक्रिया द्वारा हटाने के निम्नलिखित नियम हैं:

1. 100 सदस्यों (लोकसभा), अथवा 50 सदस्यों (राज्यसभा) के हस्ताक्षरित युक्त प्रस्ताव अध्यक्ष/सभापति को सौंपना होगा।
2. अध्यक्ष/सभापति प्रस्ताव को स्वीकृत या अस्वीकृत कर सकता है।
3. यदि प्रस्ताव स्वीकृत हो जाता है तो अध्यक्ष/सभापति आरोपों की जांच के लिए तीन सदस्यीय समिति गठित करेगा।
4. समिति में (अ) उच्चतम न्यायालय के मुख्य न्यायाधीश या कोई न्यायाधीश (ब) उच्च न्यायालय के मुख्य न्यायाधीश और (स) एक प्रख्यात न्यायविद् होने चाहिए।
5. यदि समिति यह पाती है कि न्यायाधीश कदाचार का दोषी है या अयोग्य है तो सदन प्रस्ताव पर विचार कर सकता है।
6. संसद के दोनों सदनों द्वारा विशेष बहुमत से प्रस्ताव पास होने के बाद न्यायाधीश को हटाने के लिए इसे राष्ट्रपति के पास भेजा जाता है।
7. अंततः न्यायाधीश को हटाने के लिए राष्ट्रपति आदेश पारित कर देते हैं।

उपर्युक्त से यह स्पष्ट है कि उच्च न्यायालय के न्यायाधीश पर महाभियोग की प्रक्रिया उच्चतम न्यायालय के न्यायाधीश के समान ही है।

उच्च न्यायालय की स्वतंत्रता

उच्च न्यायालय को सौंपे गए कार्यों के प्रभावी निष्पादन हेतु उच्च न्यायालय की स्वतंत्रता अत्यंत आवश्यक है। इसे (कार्यपालिका मंत्रिपरिषद के) अतिक्रमण, दबाव, हस्तक्षेप से मुक्त होना चाहिए। उसे बिना डर व पक्षपात के न्याय करने की छूट होनी चाहिए।

संविधान में उच्च न्यायालय के निष्पक्ष और स्वतंत्र रूप से कार्य करने के लिए निम्नलिखित उपबंध किए गए हैं:

1. **न्यायाधीशों के कार्य पर चर्चा नहीं की जा सकती:** संविधान एक उच्च न्यायालय के न्यायधीश के आचरण पर संसद अथवा राज्य विधानमंडल में चर्चा पर प्रतिबंध लगाता है सिवाय उस स्थिति के जब संसद में महाभियोग प्रस्ताव विचाराधीन हो।
2. **संचित निधि पर भारित व्ययः** न्यायाधीश एंव स्टाफ के वेतन एवं भत्ते, और उच्च न्यायालय का प्रशासनिक खर्चा संबंधित राज्य की संचित निधि पर भारित होते हैं। इस तरह राज्य विधानमंडल में इस पर कोई मतदान नहीं हो सकता है। ध्यान देने योग्य बात है कि उच्च न्यायालय के न्यायाधीश की पेंशन भारत की संचित निधि से दी जाती है, न कि राज्य की संचित निधि से।
3. **निश्चित सेवा शर्तें:** उच्च न्यायालय के न्यायाधीशों का वेतन, भत्ते, विशेषाधिकारों, अवकाश एवं पेन्शन का निर्धारण समय-समय पर संसद द्वारा किया जाता है। लेकिन उसकी नियुक्ति के बाद सिवा वित्तीय आपातकाल इनमें कमी नहीं की जा सकती। इस

तरह उच्च न्यायालय के न्यायाधीशों की सेवा-शर्तें उसके कार्यकाल तक यथावत रहती हैं।

4. **कार्यकाल की सुरक्षाः** उच्च न्यायालय के न्यायाधीश को कार्यकाल की सुरक्षा प्रदान की जाती है। उनको संविधान में उल्लिखित विधि और आधारों पर सिर्फ राष्ट्रपति द्वारा हटाया जा सकता है। इसका तात्पर्य है कि वे केवल राष्ट्रपति के प्रसाद-पर्यन्त पर नहीं रहते, यद्यपि उनकी नियुक्ति राष्ट्रपति द्वारा की जाती है।
5. **नियुक्ति की विधिः** उच्च न्यायालय के न्यायाधीशों की नियुक्ति राष्ट्रपति द्वारा स्वयं न्यायपालिका के सदस्यों (अर्थात् भारत के मुख्य न्यायाधीश और उच्च न्यायालय के मुख्य न्यायाधीश) के परामर्श से की जाती है। यह उपबंध कार्यपालिका के पूर्णतः विवेकाधीन में कमी करने और यह सुनिश्चित करने के लिए किया गया है कि न्यायिक नियुक्यिों में राजनैतिक अथवा व्यावहारिक पक्षपात न हो।

उच्च न्यायालय का न्याय क्षेत्र एवं शक्तियाँ

वर्तमान में उच्च न्यायालयों को निम्नलिखित न्यायिक क्षेत्र और शक्तियाँ प्राप्त हैं:

1. प्रारंभिक क्षेत्राधिकार
2. न्यायादेश (रिट) क्षेत्राधिकार
3. अपीलीय क्षेत्राधिकार
4. पर्यवेक्षीय क्षेत्राधिकार
5. अधीनस्थ न्यायालयों पर नियंत्रण
6. अभिलेख का न्यायालय
7. न्यायिक समीक्षा की शक्ति।

न्यायिक पुनर्विलोकन (Judicial Review)

भारत में सर्वोच्च न्यायालय ने पिछले कई वर्षों में कई अभियोगों के सिलसिले में कुछ ऐसे फैसले दिये हैं, जिनमें न्यायिक पुनर्विलोकन के सिद्धान्त का प्रयोग किया गया है। 'गोपालन बनाम मद्रास राज्य' के मुकदमे में 'निवारक निरोध अधिनियम' के 14वें खण्ड को असंवैधानिक घोषित किया गया। 'स्वर्ण नियन्त्रण अधिनियम' के कतिपय अंशों को सर्वोच्च न्यायालय ने संविधान के प्रतिकूल घोषित किया। 'इब्राहिम बजीर बनाम बम्बई राज्य' के मुकदमे में सर्वोच्च न्यायालय ने पाकिस्तानी शरणार्थियों के आगमन पर नियन्त्रण लगाने के लिए 1949 में जो कानून बनाया था उसके खण्ड 7 को इसलिए अवैध घोषित कर दिया क्योंकि यह भारत के किसी भी भाग में निवास के अधिकार पर प्रतिबन्ध लगाता था। 'गोलकनाथ बनाम पंजाब राज्य' के मामले में सर्वोच्च न्यायालय ने अपने पूर्व-निर्णयों को बदल डाला तथा मूल अधिकारों को अक्षुण्ण घोषित किया। 'बैंक राष्ट्रीयकरण अधिनियम' को सर्वोच्च न्यायालय ने इसलिए अवैध घोषित कर दिया कि उसमें निहित क्षतिपूर्ति का सिद्धान्त अप्रासंगिक है। राजाओं के प्रिवीपर्स तथा विशेषाधिकारों को राष्ट्रपति के अध्यादेश द्वारा समाप्ति को भी सर्वोच्च न्यायालय ने अवैध करार दिया। अप्रैल 1973 में शासन की अखबारी कागज सम्बन्धी नीति के सिलसिले में समाचारपत्रों के लिए दस पृष्ठों की सीमा बांधने की नीति को न्यायालय ने अवैध घोषित किया। इससे पूर्व 'बम्बई पुलिस कानून' को सर्वोच्च न्यायालय ने अवैध घोषित किया। इसी प्रकार केशवानन्द भारती की याचिका पर विचार करते हुए सर्वोच्च न्यायालय ने 22 अप्रैल, 1973 को 25वें संविधान संशोधन अधिनियम की धारा 3 का दूसरा खण्ड अवैध घोषित किया। सर्वोच्च न्यायालय ने यह भी विचार प्रकट किया कि संसद मूल अधिकारों में संशोधन कर सकती है, परन्तु यदि किसी संशोधन से संविधान का बुनियादी ढांचा प्रभावित होता है तो सर्वोच्च न्यायालय ऐसे संशोधन को असंवैधानिक घोषित कर सकता है। इस प्रकार भारत में न्यायिक पुनर्विलोकन का स्पष्ट चलन हो गया है।

भारत में न्यायिक पुनर्विलोकन : प्रकृति और सीमाएं

यद्यपि भारतीय संविधान द्वारा सर्वोच्च न्यायालय को न्यायिक पुनर्विलोकन की शक्ति प्रदान की गयी है, फिर भी भारत में न्यायिक पुनर्विलोकन का क्षेत्र इतना व्यापक नहीं है, जितना कि वह संयुक्त राज्य अमरीका में है। वस्तुतः ऐसे कुछ कारण हैं, जिन्होंने भारत में न्यायिक पुनर्विलोकन की व्यवस्था को संयुक्त राज्य अमरीका की तुलना में सीमित कर दिया है। सर्वप्रथम, अमरीकी संविधान अत्यधिक संक्षिप्त है और संविधान की इस संक्षिप्तता के कारण संघीय शासन और इकाइयों के बीच विभिन्न प्रकार के विवाद उत्पन्न होते रहते हैं और इसके परिणामस्वरूप सर्वोच्च न्यायालय की न्यायिक पुनर्विलोकन की शक्ति का क्षेत्र बहुत विस्तृत हो गया है। भारत में न्यायिक पुनर्विलोकन का क्षेत्र इस बात के कारण अपेक्षाकृत सीमित है कि भारत के संविधान में संघ और राज्यों के मध्य कानून निर्माण की शक्तियों का विभाजन पर्याप्त विस्तार के साथ कर दिया गया है। संघ और राज्यों के मध्य संघर्ष की स्थिति को कम-से-कम करने के लिए एक समवर्ती सूची की भी व्यवस्था की गयी है, जिसके सम्बन्ध में अन्तिम शक्ति केन्द्र को प्राप्त है। इन विस्तृत उपबन्धों के कारण मुकदमेबाजी और दूसरे शब्दों में न्यायिक पुनर्विलोकन का क्षेत्र सीमित हो गया है।

द्वितीय, अमरीका का अधिकार-पत्र निरपेक्ष (Absolute) शब्दावली में लिखा गया है, लेकिन मानवीय अधिकारों की प्रकृति ही ऐसी है कि वे निरपेक्ष नहीं हो सकते। अतः इन अधिकारों के क्षेत्र की व्याख्या करते हुए, 'पुलिस शक्ति' (Police Power) और 'सामान्य कल्याण' (General Welfare) जैसे शब्दों का आश्रय लिया गया। कार्यपालिका 'पुलिस शक्ति' और 'सामान्य कल्याण' के आधार पर अधिकारों की सीमा निश्चित कर सकती है और सर्वोच्च न्यायालय इस बात की जांच करता है कि कार्यपालिका ने अपनी शक्ति का प्रयोग उचित रूप में किया है अथवा नहीं। इस प्रकार अमेरिकी संविधान के 'पुलिस शक्ति' और 'सामान्य कल्याण' जैसे शब्दों ने सर्वोच्च न्यायालय के क्षेत्राधिकार को बहुत व्यापक कर दिया है, लेकिन भारतीय संविधान-निर्माता भारत में ऐसी स्थिति उत्पन्न नहीं होने देना चाहते थे। इसलिए भारत में प्रत्येक मौलिक अधिकार के साथ-साथ उनकी सीमाएं भी संविधान में ही निश्चित कर दी गयी हैं और इससे न्यायिक पुनर्विलोकन का क्षेत्र सीमित हो गया है।

भारत में सर्वोच्च न्यायालय की स्थिति और न्यायिक पुनर्विलोकन की प्रकृति के सम्बन्ध में दुर्गादास बसु लिखते हैं, "न्यायिक सर्वोच्चता के स्थान पर हमारे संविधान में संवैधानिक सीमाओं के अन्तर्गत विधायी सर्वोच्चता को स्वीकार किया गया है। यद्यपि सर्वोच्च न्यायालय ऐसे नियम को रद्द कर देगा, जो संवैधानिक सीमाओं के प्रतिकूल है, लेकिन इसके द्वारा प्राकृतिक न्याय की धारणा या संविधान के आदर्शों के आधार पर व्यवस्थापिका द्वारा पारित अधिनियमों को रद्द या संशोधित नहीं किया जा सकता। भारत में न्यायपालिका की स्थिति इंग्लैण्ड और अमरीका के बीच में ही है।"

भारत में न्यायिक पुनर्विलोकन की जो सीमाएं हैं, उनका उल्लेख सीरवाई के द्वारा अधिक अच्छे प्रकार से किया गया हैः "भारत में किसी कानून को केवल इस आधार पर अवैध घोषित नहीं किया जा सकता कि वह न्यायालय की सम्मति में स्वतन्त्रता या संविधान की भावना के किसी सिद्धान्त का अतिक्रमण करता है, जब तक कि वे सिद्धान्त संविधान में समाविष्ट न हों। किसी संविधि की सवैधानिकता पर निर्णय देते हुए न्यायालय को कानून की बुद्धिमता या बुद्धिहीनता, उसके न्याय या अन्याय से कोई सम्बन्ध नहीं है।"

अमेरीका का सर्वोच्च न्यायालय उसकी कानून की उचित प्रक्रिया वाली धारा के आधार पर लगभग 'एक तीसरा सदन या उच्च विधानमण्डल' (Super Legislature) बन गया है और न्यायाधीश हूज (Hughes) ठीक ही कहते हैं कि "हम एक संविधान के अन्तर्गत तो रहते हैं, लेकिन संविधान वैसा ही है, जैसा कि सर्वोच्च न्यायालय कहता है।" लेकिन हमारे देश में सर्वोच्च न्यायालय को निश्चित रूप से ऐसी स्थिति प्राप्त नहीं है। अमरीका में जहाँ न्यायिक सर्वोच्चता को अपनाया गया है, भारत में न्यायिक सर्वोच्चता और विधायी सर्वोच्चता के बीच समन्वय स्थापित किया गया है।

भारत में न्यायिक पुनर्विलोकन या संविधान के संरक्षक के रूप में सर्वोच्च न्यायालय

न्यायिक पुनर्विलोकन से तात्पर्य है—न्यायालय द्वारा कार्यपालिका और व्यवस्थापिका के कार्यों की वैधता की जाँच करना अर्थात् न्यायालय द्वारा कानूनों तथा प्रशासनिक नीतियों की सवैधानिकता की जाँच तथा ऐसे कानूनों एवं नीतियों को असवैधानिक घोषित करना जो संविधान के किसी अनुच्छेद का अतिक्रमण करती हैं।

अनुच्छेद 13 में यह प्रावधान किया गया है कि यदि किसी कानून द्वारा राज्य मूल अधिकारों का उल्लंघन करता है तो उस कानून को अवैध घोषित किया जा सकता है। संविधान के अनुच्छेद 32 द्वारा अपने मौलिक अधिकारों का उल्लंघन होने पर कोई भी नागरिक सवैधानिक उपचार प्राप्त करने के लिए सर्वोच्च न्यायालय की शरण ले सकता है। इस प्रकार सर्वोच्च न्यायालय मौलिक अधिकारों के संरक्षण के लिए कार्यपालिका और संसद के द्वारा निर्मित कानूनों का पुनर्विलोकन कर सकता है।

संविधान के अनुच्छेद 246 के अन्तर्गत संघ और राज्यों की विधायी सीमा का उल्लेख किया गया है। सर्वोच्च न्यायालय ऐसे किसी भी कानून को अवैध घोषित कर सकता है जिससे संघ अथवा राज्यों ने अपने क्षेत्राधिकार का अतिक्रमण किया हो।

संविधान के अनुच्छेद 368 के अनुसार संविधान में संशोधन का अधिकार एकमात्र केन्द्रीय संसद को ही प्रदान नहीं किया गया है अपितु उसमें राज्य-विधानसभाओं की भी निश्चित भूमिका का उल्लेख है। यदि कोई संशोधन विधान की प्रक्रिया के अनुसार नहीं होता तो न्यायालय उसे अवैध घोषित कर सकता है।

संविधान के अनुच्छेद 132 के अनुसार ऐसे मामलों में जहां संविधान की व्याख्या का प्रश्न नहित है, सर्वोच्च न्यायालय में अपील की जा सकती है। अतः यह स्पष्ट है कि सर्वोच्च न्यायाल को सवैधानिक मामलों पर निर्णय देने का अन्तिम अधिकार है।

न्यायमूर्ति मुखर्जी के अनुसार, "भारत में संसदीय सम्प्रभुता के बजाय सवैधानिक सर्वोच्चता के सिद्धान्त को मान्यता दी गयी है। इस दृटि से भारत का संविधान अंग्रेजी संविधान के बजाय अमरीकी संविधान से मिलता-जुलता है। शासन के समस्त उपकरण संविधान के अधीन है और न्यायालय को उनके कार्यों की वैधता की जाँच करने की शक्ति प्राप्त है।" डी.डी. बसु के अनुसार, "यह अधिकार सैद्धान्तिक दृष्टिकोण से हमारे संविधान का आधारभूत सिद्धान्त है। यह सर्वोच्च न्यायालय द्वारा गोपालन के प्रकरण में स्वीकृत किया गया है।"

सार्वजनिक हित (जन-हित) याचिकाएं
(Public Interest Litigation)

सर्वोच्च न्यायालय अनुच्छेद 32 के क्षेत्र को बहुत विस्तृत कर दिया है। न्यायालय ने यह निर्णय दिया है कि अनुच्छेद 32 के अधीन कोई संस्था या सार्वजनिक हित से उत्प्रेरित कोई नागरिक किसी ऐसे व्यक्ति के सवैधानिक या विधिक अधिकारों के प्रवर्तन के लिए रिट फाइल कर सकता है, जो निर्धनता अथवा किसी अन्य कारण से न्यायालय में रिट फाइल करने में सक्षम नहीं है। न्यायाधीश श्रीकृष्ण अय्यर के अनुसार 'वाद-कारण' और 'पीड़ित व्यक्ति' की संकुचित धारणा का स्थान 'वर्ग कार्यवाही', 'लोकहित में कार्यवाही' की विस्तृत धारणा ले रही है। ऐसे मामले व्यक्तिगत मामलों से भिन्न होते हैं। वैयक्तिक मामलों में वादी और प्रतिवादी होते हैं जबकि सार्वजनिक हित संरक्षण से सम्बन्धित मामले किसी एक व्यक्ति के बाजय ऐसे 'समूह' के हितों के संरक्षण पर बल देते हैं जो कि शोषण और अत्याचार का शिकार होता है और जिसे सवैधानिक और मानवीय अधिकारों से वंचित कर दिया जाता है। हाल ही में सर्वोच्च न्यायालय ने ऐसे कई मामलों पर विचार किया है।

लोकतन्त्र में 'लोक हितवाद' विधि शासन का एक आवश्यक तत्व है। विधि शासन केवल धनी और सुविधासम्पन्न वर्ग के अधिकारों की नहीं वरन् निर्बलतम वर्ग के लोगों के अधिकारों का संरक्षण करता है और उन्हें न्याय प्रदान करता है। 'लोक हितवाद' की अवधारणा सर्वोच्च न्यायालय को देश के निर्धन और कमजोर वर्ग के लोगों के अधिकारों के सजग प्रहरी के रूप में प्रतिष्ठित करता है और उस पुरानी संकीर्ण विचारधारा को छोड़ देता है जिसके अनुसार केवल वही व्यक्ति न्यायालय में आवेदन दे सकता था जिसके स्वयं के मूल अधिकारों का राज्य द्वारा अतिक्रमण हुआ हो। अब जनहित के मामले में समाज का कोई भी व्यक्ति या संस्था न्यायालय

में आवेदन दे सकता है। न्यायालय का दरवाजा केवल उद्योगपतियों, ठेकेदारों, तस्करों, सम्राटों और धनी लोगों के लिए नहीं वरन् देश के करोड़ों शोषित गरीब जनता के लिए भी खुला है। जनहित निर्णयों ने न्याय को जनता के दरवाजे तक पहुँचा दिया है जिसका आह्वान हमारे संविधान के अनुच्छेद 39 (क) में किया गया है।

पीपुल्स यूनियन फॉर डेमोक्रेटिक राइट्स बनाम भारत संघ के अपने ऐतिहासिक निर्णय में सर्वोच्च न्यायालय ने इस तर्क को अस्वीकार कर दिया कि लोक हितवाद को बढ़ावा देने से न्यायालय में मुकदमों की संख्या में वृद्धि होगी और उनके निपटारे में विलम्ब होगा।

जनहित याचिकाओं की बाढ़ को रोकने के लिए अंकुश लगाने पर विचार किया जा रहा है। मसलन, सर्वोच्च न्यायालय में याचिका दायर करने के लिए 1 लाख रुपया जमा करने का प्रस्ताव है; इसके अलावा याचिकाकर्ता का मामले से जुड़ा होना अनिवार्य बनाने की भी बात है। करीब दो दर्जन जनहित याचिकाएं दायर करने वाले संगठन कॉमन कौज के एच.डी. शौरी कहते हैं "जनहित याचिकाओं पर पाबन्दी लगाना ज्यादती है। यदि सर्वोच्च न्यायालय के दरवाजे बन्द हो जाएं तो मध्यमवर्गीय लोग न्याय हासिल करने के लिए कहाँ जाएंगे?"

न्यायिक सुधार (Judicial Reforms)

आज अदालतों की सबसे बड़ी समस्या भ्रष्टाचार के अतिरिक्त लम्बी, खर्चीली न्यायिक प्रक्रिया और फैसलों में होने वाली देरी है। इससे सबसे ज्यादा गरीब और किसान प्रभावित होते हैं। स्वाधीनता के बाद भी आज की अदालतें ज्यादा नहीं बदली हैं। जनता में तारीख पे तारीख लगने का भय एवं शोषण बना रहता है। जहाँ वादी, प्रतिवादी दोनों न्याय पाने के लिए अदालतों की ओर हसरत भरी निगाओं से देखते हैं। लगभग 3 करोड़ मुकदमों से अधिक न्यायालयों में लम्बित हैं, जिसमें 65 हजार सर्वोच्च न्यायालय, 45 लाख उच्च न्यायालय और 2.50 करोड़ जिला और अधीनस्थ न्यायालयों में विचाराधीन हैं। इसके लिए न्यायालयों में रिक्त स्थानों को भरने तथा न्यायाधीशों की संख्या बढ़ाए जाने की आवश्यकता है। अभी भी न्यायालयों में न्यायधीशों के पद रिक्त हैं। जेल में अभियुक्तों को रखने की जगह कम पड़ रही है। केवल इलाहाबाद उच्च न्यायालय में ही 10 लाख मुकदमें लम्बित पड़ी है। इससे अदालतों का बोझ पहले से ज्यादा बढ़ा है। सरकार और न्यायपालिका को मिलकर इसे ठीक करना होगा। अधीनस्थ न्यायालयों में रिक्त पदों पर भर्ती की जिम्मेदारी तो उच्च न्यायालय की है, जिनके प्रतिवेदन पर राज्यपाल किसी राज्य में जिला-न्यायालय और अधीनस्थ न्यायालयों में नियुक्तिया करते हैं। न्यायिक सुधार आयोग के सुझाव के अनुसार निम्नलिखित न्यायिक सुधार की आवश्यकता है।

1. दीवानी और फौजदारी मुकदमों की प्रक्रिया में भी सुधार जरूरी हो गया है। अनेक ऐसे मुकदमे हैं, जहाँ न्याय तब मिलता है जब अभियुक्त सजा की अवधि लगभग काट चुका होता है या दीवानी मामलों में जब निर्णय अप्रासंगिक हो जाता है।
2. न्यायालयों के रख-रखाव, उसके संसाधन, वादी-प्रतिवादी को न्यायालय में वांछित सुविधायें और अधिवक्ताओं पर नियंत्रण आदि ऐसी जरूरी चीजें हैं जिनके लिए प्रत्येक जिले में एक अभिकरण होना चाहिए जिससे अदालतों को मूलभूत सुविधायें उपलब्ध करायी जा सके और न्यायालय परिसर और आस-पास की जगह को अराजकता से बचाया जा सके।
3. कोड ऑफ सिविल प्रोसीजर में वर्ष 1999 में संशोधन करके केवल तीन बार तारीख देने की व्यवस्था की गई, लेकिन 2005 में सर्वोच्च न्यायालय ने सलेम-अधिवक्ता बार-एसोसिएशन मामले में निर्णय दिया कि इससे न्यायालय द्वारा तीन से अधिक तारीख देने की अनुशंसा पर अंकुश नहीं लगता। अधिक तारीख के कारण गरीब वादी और प्रतिवादी को असुविधा होती है। भारत में भी सिंगापुर जैसे नियम अपनाया जाना चाहिए जहाँ न्यायालय में लगने वाले दिनों के हिसाब से वादी या प्रतिवादी से टैक्स लिया जाता है।

पुलिस प्रशासन तथा सुधार (Police Administration and Reform)

अवधारणा

सदियों से राज्य का सर्वप्रमुख कार्य नागरिकों की सुरक्षा, शान्ति एवं व्यवस्था तथा न्याय को सुनिश्चित करना रहा है। इन कार्यों को सम्पन्न करने हेतु 'पुलिस' प्रत्येक शासन व्यवस्था में विद्यमान रही है। प्राचीन भारतीय धर्मग्रन्थों यथा–*मनुस्मृति* तथा *शुक्रनीति सार* आदि में पुलिस प्रशासन के सुसंगठित स्वरूप का वर्णन मिलता है। मौर्यकाल की शासन व्यवस्था का स्पष्ट चित्रण कौटिल्य द्वारा रचित *अर्थशास्त्र* में देखने को मिलता है जिसमें 'नायक' को नगररक्षक अधिकारी बतलाया गया है। आगे चलकर राजाओं की नगरी में 'कोतवाल' को पुलिस प्रशासन का प्रमुख तथा नगर सैनिकों एवं चौकीदारों को सिपाही के रूप में पदस्थापित किया जाने लगा। भारत में ईस्ट इण्डिया कम्पनी ने सन् 1765 में बंगाल में दीवानी अधिकार प्राप्त कर *दरोगा सिस्टम* की नींव रखी तथा सन् 1781 में जिला दण्डनायक पद का सृजन किया। सन् 1808 में सर्वप्रथम पुलिस अधीक्षक (एस.पी.) का पद निर्मित किया गया लेकिन 1829 में यह पद समाप्त कर राजस्व आयुक्त को पुलिस का कार्य दे दिया गया।

भारत का वर्तमान पुलिस प्रशासन 1860 के *पुलिस आयोग* की सिफारिशों पर आधारित है, जिसकी अनुशंसा पर *पुलिस अधिनियम, 1861* पारित किया गया तथा पुलिस अधीक्षक को जिला दण्डनायक के सहयोगी के रूप में नियुक्त किया गया और प्रान्तों का मुख्य पुलिस अधिकारी महानिरीक्षक कहलाया। इस अधिनियम द्वारा पुलिस को सेना से पृथक् कर दिया गया। 1902 में स्थापित *पुलिस सुधार आयोग* की अनुशंसा पर पुलिस उप-अधीक्षक का पद निर्मित किया गया।

भारत में पुलिस प्रशासन में निम्नलिखित विशेषताएं देखने को मिलती हैं–

1. पुलिस का मुख्य कार्य शान्ति व्यवस्था बनाये रखना है तथा कानून का सुव्यवस्थित संचालन सुनिश्चित करना होता है।

2. आन्तरिक शान्ति, सुरक्षा, व्यवस्था, एकता के लिए पुलिस प्रशासन आवश्यक है।
3. पुलिस प्रशासन का बढ़ता आकार तथा कार्य क्षेत्र।
4. न्याय प्रणाली की कुशलता एवं सफलता के लिए पुलिस प्रशासन आवश्यक है।
5. पुलिस का स्वरुप अत्याचारी एवं कल्याणकारी दोनों प्रकार के रहे हैं।
6. पुलिस, आम नागरिकों में भय उत्पन्न करता है।
7. जन सहयोग कम मात्रा में प्राप्त होता है।
8. मानवाधिकार की बढ़ती माँग ने पुलिस प्रशासन को प्रभावित किया है।
9. सामाजिक न्याय, समानता, विधि का शासन, स्वतंत्रता के मूल्य, आदि संवैधानिक लक्ष्यों की प्राप्ति में पुलिस सफल नहीं रहा है।

भारत में पुलिस प्रशासन सुधार

पुलिस सुधारों से तात्पर्य "पुलिस तन्त्र की संरचना, कार्यप्रणाली एवं व्यवहार में सुनियोजित पद्धतियों से ऐसे परिवर्तन लाने से है जिनसे पुलिस की छवि, कार्यकुशलता एवं प्रभावशीलता में वांछित सुधार हो सके।" पुलिस सुधारों में—पुलिस आधुनिकीकरण, अपराध रोकथाम एवं अन्वेषण पद्धति में परिवर्तन, पुलिस का जनता के साथ व्यवहार, प्रशासनिक ढाँचे में परिवर्तन, प्रशासनिक प्रक्रियाओं में परिवर्तन, पुलिस कानूनों तथा नियमों में परिवर्तन, पुलिस प्रशिक्षण, नवाचारों का प्रयोग आदि विषय आते हैं।

प्रशासनिक सुधारों के साथ-साथ पुलिस सुधारों पर विशेष ध्यान देने की आवश्यकता है। पुलिस सुधार लोक प्रशासन के अन्तर्गत होने वाले प्रशासनिक सुधारों का एक हिस्सा है। विकास के युग में भूमण्डलीकरण, उदारवाद के फलस्वरूप वैश्विक गाँव की लोकप्रिय होती अवधारणा, बहुराष्ट्रीय कम्पनियों के आगमन से विकसित हो रही नवीन बाजार संस्कृति तथा आतंकवाद से निपटने के लिये कुशल, प्रशिक्षित और विश्वसनीय पुलिस समय की माँग है। अब समय की माँग है कि पुलिस सुधारों की न तो उपेक्षा की जाए और न ही देरी।

ब्रिटिश भारत में पुलिस सुधार

वर्तमान पुलिस व्यवस्था हमें ब्रिटिश शासन से विरासत में ही प्राप्त हुई है। 1857 के प्रथम स्वतन्त्रता संग्राम के बाद भारत की बागडोर ब्रिटिश सरकार के हाथों में आ गई। शासन की बागडोर आने के बाद ब्रिटिश सरकार ने पुलिस व्यवस्था में सुधार के प्रयास आरम्भ किये। इन प्रयासों में 1860 में एक *पुलिस आयोग* की स्थापना हुई जिसने पुलिस प्रशासन में सुधार और परिवर्तन प्रस्तावित किये। आयोग ने 'पुलिस' विषय पूर्णतया राज्यों को सौंपने, सिपाही का वेतन बढ़ाने, प्रान्तों में महानिरीक्षक (I.G.) का पद बनाने, जिला स्तर पर पुलिस अधीक्षक बनाने जिसकी सहायता के लिये सहायक पुलिस अधीक्षक की नियुक्ति की अनुशंसा की थी। साथ में उप-पुलिस अधीक्षक, निरीक्षक, सार्जेन्ट और सिपाही के पद भी प्रस्तावित किये थे। आयोग के प्रस्तावों का ठोस परिणाम शीघ्र सामने आया और इसके फलस्वरूप, 1861 में *पुलिस अधिनियम* बनाया गया। उस समय देश में बहुत-सी देशी रियासतें मौजूद थीं, जिनकी अलग पुलिस व्यवस्था थी। आगे चलकर देशी रियासतों ने भी इसी व्यवस्था को आधार मानते हुए इस प्रणाली को अपना लिया। इस व्यवस्था में 1902-03 के *पुलिस आयोग* द्वारा और सुधार किये गये और धीरे-धीरे वर्तमान व्यवस्था अस्तित्व में आई। बदलती हुई परिस्थितियों में रेलवे पुलिस, अपराध शाखा और नागरिक पुलिस तथा अपराध अनुसन्धान विभाग अस्तित्व में आया।

इस प्रकार देश में तत्कालीन आवश्यकता के अनुरूप पुलिस सुधार किये गये थे और आज भी हमारे देश में वर्तमान पुलिस प्रणाली इसके विकसित रूप में कार्यरत है। इसमें समयानुसार महत्वपूर्ण परिवर्तन की आवश्यकता है क्योंकि अब वर्तमान पुलिस एक स्वतन्त्र राज्य की पुलिस है।

स्वतन्त्रता के बाद के पुलिस सुधार

स्वतन्त्रता के पश्चात् पुलिस सुधारों की दिशा में पुलिस एवं कारागार विषयक राष्ट्रीय एवं प्रान्तीय आयोगों की स्थापना; पुलिस आधुनिकीकरण; महिला पुलिस सुधार; पुलिस आयुक्त प्रणाली; नवीन पुलिस कानूनों का निर्माण; पुलिस जनता सम्बन्ध आदि क्षेत्रों में सुधार के प्रयास होते रहे हैं। इसके लिये समय-समय पर आयोगों एवं समितियों का निर्माण सरकार द्वारा होता रहा है। केन्द्र एवं राज्य सरकारों द्वारा पुलिस सुधार की दिशा में अभी तक आशाजनक परिणाम सामने नहीं आ पाये हैं।

स्वतन्त्रता के पश्चात् पुलिस सुधार की दिशा में केन्द्र सरकार द्वारा उठाये गये प्रयासों का संक्षिप्त वर्णन निम्न प्रकार है—

1. भारतीय पुलिस सेवा के अधिकारियों को प्रशिक्षण देने के लिए 1956 में *ग्रोवर समिति* की स्थापना की गई। समिति ने माउण्ट आबू में स्थित अकादमी को हैदराबाद स्थानान्तरित करने की अनुशंसा की थी जिसके फलस्वरूप आज *सरदार वल्लभभाई पटेल राष्ट्रीय पुलिस अकादमी* हैदराबाद में स्थित है।
2. वर्ष 1966 में *कोहली समिति* की सिफारिशों पर पुलिस प्रशिक्षण प्रणालियों में सुधार किये गये तथा राज्यों की पुलिस अकादमियों को सशक्त बनाया गया।
3. पुलिस थाने में सुधार के लिये *सी.बी. पटेल पैनल,* 1967 की सिफारिश पर केन्द्र एवं राज्यों के पुलिस तन्त्र विशेष रूप से वायरलेस एवं वाहन सुविधा को सुदृढ़ किया गया।
4. 1974 में गठित *गोरे समिति* ने प्रस्ताव दिया कि पुलिस सेवा प्रशिक्षण के दौरान ही फील्ड में नियुक्ति देकर इसे सैण्डविच प्रशिक्षण का रूप दे दिया जाये। इसे 1986 में स्वीकार किया गया।
5. 15 नवम्बर, 1977 को एक राष्ट्रीय पुलिस आयोग का गठन किया गया।
6. वर्ष 1994 में *त्रिखा समिति* गठित हुई। इस समिति ने 6 वर्ष बाद अपनी रिपोर्ट में पुलिस प्रशासन में नियमबद्धता अधिनियम बनाने की सलाह दी थी तथा वैज्ञानिक प्रगति के साथ चलने का सुझाव दिया था।

7. 1996 में उच्चतम न्यायालय ने दायर याचिका के सम्बन्ध में 1997 में सरकार को निर्देश दिये थे कि वह राष्ट्रीय पुलिस आयोग, वोहरा समिति तथा राष्ट्रीय मानवाधिकार आयोग की सिफारिशों पर वर्तमान सन्दर्भ में समीक्षा कराए।
8. 1998 में गठित *रिबैरो समिति* की सिफारिशें भी ठण्डे बस्ते में पड़ी रही।
9. 2000 में के. पद्मनाभैया की अध्यक्षता में एक समिति गठित की गई। समिति ने समयानुसार पुलिस में सुधार हेतु काफी महत्वपूर्ण सिफारिशें की थीं जिन्हें आज तक स्वीकार नहीं किया गया है।
10. आपराधिक न्यायिक प्रक्रिया में सुधार के लिये 2000 में न्यायमूर्ति वी.एस. मलिथम की अध्यक्षता में *एक समिति* गठित की गई। समिति ने 2003 में लगभग 125 सिफारिशें दीं, जो काफी प्रासंगिक तथा क्रान्तिकारी प्रकृति की हैं। जैसे झूठ बोलेन वाले गवाह को अनिवार्यतः सजा मिले, गवाह को सुरक्षा मिले, पीड़ित को उचित मुआवजा मिले, न्यायिक प्रक्रिया सरल बने आदि।
11. आगे चलकर आपराधिक न्याय प्रणाली पर राष्ट्रीय नीति का प्रारूप निर्मित करने के विषय में भारत सरकार ने 2006 में *एन. आर. माधव समिति* गठित की। समिति ने 2007 में अपनी रिपोर्ट गृहमन्त्री शिवराज पाटिल को सौंपी। अभी तक इस रिपोर्ट पर कोई कार्यवाही नहीं हुई है।
12. **नवीन पुलिस कानून (New Police Act)**—स्वतन्त्रता के पश्चात् पुलिस में सुधार हेतु अनेक आयोगों एवं समितियों का गठन हुआ जिन्होंने महत्वपूर्ण सिफारिशें की। किन्तु अभी भी 1861 का कानून क्रियान्वित है। अतः एक बार पुनः केन्द्र सरकार ने 1861 के कानून को समाप्त कर नया कानून बनाने के लिये 2005 में पूर्व महान्यायवादी सोली सोराबजी की अध्यक्षता में *एक समिति* गठित की।

इस समिति की प्रमुख सिफारिशें निम्नलिखित थीं–

गाँव में एक गार्ड तैनात करना; दस लाख से अधिक जनसंख्या वाले शहरों में आयुक्त प्रणाली लागू करना; पुलिसकर्मियों से केवल 8 घण्टे कार्य कराना; साप्ताहिक अवकाश देना; राज्यों में अलग से पुलिस अस्पताल खोलना; पुलिस को आधुनिक हथियार देना; महानिदेशक, महानिरीक्षक, अधीक्षक तथा थानाधिकारी का पदस्थापन कम-से-कम 2 वर्ष निश्चित करना; आदि।

इस नये पुलिस कानून की दिशा में गोवा, सिक्किम तथा मिजोरम जैसे छोटे राज्यों ने पहल करते हुए राज्य पुलिस कानून बनाये। बड़े राज्यों में राजस्थान ने प्रारम्भिक पहल की। 19 मई, 2008 को 'राजस्थान पुलिस अधिनियम' लागू हुआ। पुराने पुलिस अधिनियम, 1861 का अन्त हुआ।

कारागार पुलिस सुधार

स्वतन्त्रता के बाद भारत सरकार ने कारागार सुधारों के लिये *पकवासा समिति* (1949), न्यायमूर्ति ए.एन. मूल्ला समिति (1980-83), 1987-88 में महिला कैदियों की स्थिति में सुधार हेतु न्यायमूर्ति *कृष्णा अय्यर समिति, 2005* में *किरण बेदी समिति, 1993* में गठित *राष्ट्रीय मानवाधिकार आयोग* आदि महत्वपूर्ण हैं। विभिन्न समितियों की सिफारिशों पर धीमी कार्यवाही होती रही है। इसी के साथ-साथ महिला पुलिस सुधार की दिशा में भी प्रयास किये गये हैं जिसके फलस्वरूप महिला पुलिस थाना खोलने तथा पुलिस में महिलाओं की भर्ती की संख्या में वृद्धि किये गये हैं।

इस दिशा में आधुनिक हथियार, संचार एवं वाहन व्यवस्था, थानों का कम्प्यूटरीकरण, पुलिस प्रशिक्षण, पुलिस-जनता सम्बन्ध आदि क्षेत्रों को महत्व दिया गया है परंतु इस दिशा में और सक्रिय होने की आवश्यकता है।

इस सम्बन्ध में *पूर्व पुलिस महानिदेशक* प्रकाश सिंह के अनुसार, "भारत में पुलिस सुधार एक कठिन लक्ष्य है क्योकि जो लोग सत्ता में आते हैं उन्हें अकर्मण्य व्यवस्था ही अनुकूल लगती है।" यह कथन सत्य है किन्तु पुलिस सुधार की दिशा में सरकारी प्रयासों का नकारात्मक चित्र प्रस्तुत करता है। इसके अतिरिक्त राजनीतिक स्तर पर पुलिस सुधार कभी भी किसी दल की प्राथमिकताओं में सम्मिलित नहीं रहे हैं। वास्तव में पुलिस सुधारों की मुख्य बाधा राजनीतिक इच्छाशक्ति की कमी होना है। इसके साथ जवाबदेयता तथा पारदर्शिता का अभाव एवं क्रियान्वयन की धीमी गति है। इस दिशा में गम्भीरता से न केवल ध्यान देना बल्कि प्रयास आवश्यक हैं। समय की माँग एवं राष्ट्रीय हित में पुलिस सुधार में बड़े पैमाने पर शीघ्र कठोर कदम उठाने की आवश्यकता है।

भारतीय प्रशासन में ई-शासन
(E-Governance in Indian Administration)

ई-शासन का अर्थ

आजकल सर्वत्र एक नई अवधारणा गुंजायमान हो रही है और वह है "ई-प्रशासन" (E-Governance), "इलेक्ट्रॉनिक प्रशासन" अथवा "आई टी एडमिनिस्ट्रेशन" (IT Administration)। ई-गवर्नेंस वैकल्पिक प्रशासन (E-Governance is the alternative government) है। ई-प्रशासन ऐसा शासन है जो कहीं भी किसी भी समय उपलब्ध है (E-Government is a government really enabled government, Exellent-Government and Effective government)।

ई-शासन और कुछ नहीं, बस अच्छा प्रशासन है, यह 'ई' तो एक औजार मात्र है।

नैस्कॉम के अध्यक्ष स्व. देवांग मेहता के अनुसार ई-प्रशासन से तात्पर्य स्मार्ट गवर्नमेण्ट से है। स्मार्ट (SMART) अर्थात् एस से सिम्पल, एम से मॉडल, ए से एकाउन्टेबल, आर से रिस्पॉन्सिबल तथा टी से ट्रान्सपेरेन्ट। तात्पर्य यह है कि सूचना तकनीकी के प्रयोग से सरकार स्मार्ट हो जाएगी।

ई-अधिशासन अथवा 'इलेक्ट्रॉनिक अधिशासन' मूलतः साधारण, नैतिक, जिम्मेवार, प्रत्युत्तरदायी और पारदर्शी (स्मार्ट) अधिशासन लाने के लिए सरकारी कार्यरण की प्रक्रियाओं में सूचना और संचार प्रौद्योगिकी का अनुप्रयोग है। इसमें साधारणतया निम्नलिखित किसी अथवा सभी कारणों: (क) नागरिकों, व्यवसायों अथवा अन्य सरकारी विभागों के साथ सूचना

का आदान-प्रदान, (ख) सार्वजनिक सेवाओं की तीव्रतर और अधिक सक्षम सुपुर्दगी, (ग) आन्तरिक क्षमता सुधारने, (घ) लागत कम करने/राजस्व बढ़ाने, (ङ) प्रशासनिक प्रक्रियाओं का पुनर्गठन और (च) सेवाओं की गुणवत्ता सुधारने से सरकारी एजेंसियों द्वारा आईसीटी का प्रयोग शामिल है।

ई–शासन की परिभाषा

यूरोपी परिषद ने ई-शासन का अर्थ इस प्रकार लिया है: सार्वजनिक कार्यवाही के तीन क्षेत्रों में इलेक्ट्रॉनिक प्रौद्योगिकियों का प्रयोग:

- सरकारी प्राधिकारियों और नागरिक समाज के बीच सम्बन्ध
- प्रजातांत्रिक प्रक्रिया के सभी चरणों पर सरकारी प्राधिकारियों का कार्यकरण (इलेक्ट्रॉनिक प्रजातंत्र)
- सार्वजनिक सेवाओं का प्रावधान (इलेक्ट्रॉनिक सार्वजनिक सेवाएं)

इस मामले में ध्यान-केन्द्रण, सरकार और नागरिकों के बीच बेहतर परस्पर क्रिया प्रोत्साहित करने, प्रजातंत्र के संवर्धन और सार्वजनिक सेवाएं प्रदान करने की दृष्टि से इलेक्ट्रॉनिक प्रौद्योगिकियों के प्रयोग करने पर है।

यूनेस्को के अनुसार, ''शासन का संदर्भ नागरिकों के हितों के लिए उनके प्रयत्न और कानूनी अधिकारों और दायित्वों के प्रयोग सहित किसी देश के कार्य के प्रबन्धन में राजनीतिक, आर्थिक और प्रशासनिक प्राधिकार के प्रयोग से है। ई-शासन को जनता तथा अन्य एजेंसियों को सूचना के प्रसार की सक्षम, तीव्र और पारदर्शी प्रक्रिया और सरकार के प्रशासन, कार्यकलापों का कार्यनिष्पादन सुविधाजनक बनाने के लिए इलेक्ट्रॉनिक माध्यम से होकर इस अधिशासन के कार्यनिष्पादन के रूप में समझा जा सकता है।''

विश्व बैंक के अनुसार, ''ई-सरकार का संदर्भ सरकारी एजेंसियों द्वारा सूचना प्रौद्योगिकी (जैसे व्यापक क्षेत्र नेटवर्क, इंटरनेट और मोबाइल संगठन) के प्रयोग से है जिनमें नागरिकों, व्यवसाय और सरकार के अन्य अंगों के साथ सम्बन्ध परिवर्तित करने का सामर्थ्य है। ये प्रौद्योगिकियां विभिन्न लक्ष्यों की पूर्ति कर सकती हैं: नागरिकों को सरकारी सेवाओं की बेहतर सुपुर्दगी, व्यवसाय और उद्योग के साथ सुधरी हुई परस्पर क्रिया, सूचना तक पहुँच के माध्यम से नागरिकों की अधिकारिता अथवा अधिक सक्षम सरकारी प्रबन्धन। परिणामी लाभ, कम भ्रष्टाचार, वर्धित पारदर्शिता, अत्यधिक सुविधा, राजस्व वृद्धि और/अथवा लागत की कमी हो सकती है।''

इस प्रकार, यहाँ बल नागरिक-सरकार परस्पर क्रिया सुधारने, लागत घटाने और राजस्व सृजन तथा पारदर्शिता में सूचना प्रौद्योगिकियों के प्रयोग पर दिया गया है।

सं.रा. ई-शासन अधिनियम निम्नलिखित अर्थ के रूप में 'इलेक्ट्रॉनिक सरकार' को परिभाषित करता है: ''सरकार द्वारा इन प्रौद्योगिकियों को कार्यान्वित करने की प्रक्रियाओं के साथ वेब-आधारित इंटरनेट अनुप्रयोग और अन्य सूचना प्रौद्योगिकियों के लिए प्रयोग बढ़ाना है।

शब्दावली का अर्थ

जी2बी (सरकार से व्यवसाय): यहाँ ई-अधिशासन साधनों का प्रयोग सरकार के साथ सीमाविहीन रूप से व्यवसाय समुदाय-सामग्री और सेवाओं के प्रदायकों को परस्पर क्रिया करने में सहायता देने के लिए किया जाता है। इसका उद्देश्य, लालफीताशही कम करना, समय की बचत करना, प्रचालनात्मक लागत कम करना और सरकार के साथ कार्यवाही करते समय अधिक पारदर्शी व्यावसायिक वातावरण सृजित करना है। जी2बी की पहलें लेन-देन सम्बन्धी हो सकती हैं; जैसे—लाइसेंसीकरण, परमिट, अधिप्राप्ति और राजस्व संग्रहण में। ये संवर्धनात्मक और सुविधात्मक भी हो सकती हैं, जैसे—व्यापार, पर्यटन और निवेश में। ये उपाय व्यवसायों को अधिक क्षमतापूर्वक कार्य करने में समर्थ बनाने के लिए एक अनुकूल वातावरण प्रदान करने में सहायक होते हैं।

जी2ई (सरकार से कर्मचारी): सरकार मोटे तौर पर सबसे बड़ा नियोक्ता है और अन्य किसी संगठन के समान इसे नियमित आधार पर अपने कर्मचारियों के साथ परस्पर क्रिया करनी होती है। यह परस्पर क्रिया संगठन और कर्मचारी के बीच द्विमार्गी प्रक्रिया है। आईसीटी साधनों का प्रयोग एक ओर इन परस्पर क्रियाओं को तीव्र और सक्षम बनाने और दूसरी ओर कर्मचारियों का सन्तुष्टि स्तर बढ़ाने में सहायता करता है।

पारम्परिक शासन की ई-शासन से तुलना –

पारम्परिक शासन	ई-शासन
1. भारी-भरकम विकृत कागजी फाइलों पर आधारित	कम्प्यूटर आधारित फाइल
2. पदसोपान आधारित अधिकार सत्ता	समतलीय संगठन—पदसोपान के कम-से-कम स्तर
3. सूचनाओं को गोपनीय रखकर अपनी शक्ति का प्रदर्शन	सूचनाओं को बांटकर, सहभागिता को प्रोत्साहित कर सशक्त होना
4. व्यय उन्मुखी	उपलब्धि उन्मुखी
5. व्यक्ति उन्मुखी	संगठन उन्मुखी
6. निरीक्षण उन्मुखी	लक्ष्य उन्मुखी
7. विलम्ब होना स्वाभाविक	शीघ्रगामी-त्वरित
8. देरी से जवाब देना	तत्काल जवाबदेयता
9. मानव द्वारा आंकड़े तैयार करना	इलेक्ट्रॉनिक डाटा इन्टरचेन्ज (EDI)
10. सामान्य दोहराव वाले कार्यों को अधिक समय देना	सृजनात्मक कार्यों के लिए अधिक समय
11. यथास्थितिवादी	निरन्तर सुधार पर जोर

ई–शासन के लाभ

ई-शासन से निम्नांकित लाभ हैं:

1. ई-शासन सरकार और लोगों के बीच सहज संवाद का प्रतीक है। इन्टरनेट, ई-मेल, आदि के माध्यम से सरकार अपने नागरिकों से सीधा संवाद स्थापित करने में सक्षम है।
2. ई-शासन से पुरानी दुष्क्रियात्मक प्रक्रिया से सरकार को छुटकारा मिल रहा है और काम करने के तरीकों में अनवरत सुधार हो रहा है।

3. दूरदराज के गांवों को शहरों में स्थित सरकारी दफ्तरों से जोड़कर दूरी को अर्थहीन किया जा रहा है।
4. इससे आम लोगों का पैसा और समय बच रहा है।
5. प्रशासन पारदर्शी होगा, लोगों के सूचना के अधिकार को अमली जामा पहनाना आसान हो जाएगा।
6. प्रशासन में शीघ्र निर्णय लिए जा सकेंगे, चुस्त और सही आंकड़े एवं सूचनाएं सदैव उपलब्ध रहेंगी।
7. ई-प्रशासन से नौकरशाही का बोझ कम होगा, कर्मचारियों एवं लागत में कटौती सम्भव होगी।
8. कम्प्यूटरों के माध्यम से समन्वय आसान एवं उत्तम होने लगा है।
9. सरकारी राजस्व वसूली पर्याप्त ढंग से हो सकेगी और भ्रष्टाचार में कमी आएगी।

ई–शासन: चुनौतियां

सूचना प्रौद्योगिकी विशेषज्ञों का कहना है कि जिस तेजी से सूचना प्रौद्योगिकी का विस्तार हो रहा है और जिस तेजी से उसका व्यापारिक कामकाज में इस्तेमाल बढ़ रहा है, उसे देखते हुए ई-शासन के मामले में गति बहुत धीमी है।

ई-शासन के लिए राजनेताओं का समर्थन एवं इच्छा शक्ति और तत्पर नौकरशाही चाहिए। नौकरशाही के रवैये में परिवर्तन लाना सबसे कठिन काम है। महज कम्प्यूटर खरीद लेना और नेटवर्किंग कायम कर लेना ई-शासन की कोई पहचान नहीं। अनेक सरकारी कार्यालय ऐसे हैं जहाँ ये सुविधाएं काफी समय से हैं, लेकिन वहाँ काम फिर भी कागज पर ही होता है। कम्प्यूटर का इस्तेमाल प्रिन्टआउट निकालने तक ही रह गया है।

ई-शासन परियोजनाओं की सबसे बड़ी कमी यह है कि इनमें आम जनता को सूचनाएं उसकी स्थानीय भाषा में मुहैया नहीं करवाई जाती। दूसरी बड़ी समस्या ग्रामीण क्षेत्रों में बिजली की उपलब्धता आसान नहीं होना है, जिससे इस योजना की रफ्तार कम होने की आशंका है। तीसरी बड़ी समस्या यह है कि सरकारें अब भी मौजूदा प्रक्रियाओं एवं नियम-कायदों को बदलने से बच रही हैं जबकि इनके बदलाव से सूचनाओं के संप्रेषण की गति में सहायता ही मिलेगी। चौथी समस्या यह है कि इन परियोजनाओं के बारे में न तो प्रिंट और न ही इलेक्ट्रॉनिक मीडिया के माध्यम से जनता में पर्याप्त जागरूकता फैलाई जा रही है। इसके अलावा ई-शासन परियोजनाएं मोबाईल फोन के व्यापक दायरे में होने के बावजूद इसकी ताकत का पूरी तरह उपयोग नहीं कर पा रही है।

कार्यकुशलता बढ़ाने के लिए प्रशिक्षण कार्यक्रम का अनुभव भी अच्छा नहीं रहा है। यह अनुभव बताता है कि कर्मचारियों को केवल प्रशिक्षण देने भर से काम नहीं बनता। सूचनाओं के आसान संप्रेषण के लिए कर्मचारियों को हर स्तर पर प्रोत्साहित करना भी जरूरी है। 'सूचना ही शक्ति है' और सरकारी कर्मचारी बिल्कुल नहीं चाहेंगे कि आम जनता को इस शक्ति से लैस किया जाए।

नागरिकों को लाभ

शासन का प्राथमिक प्रयोजन नागरिकों का कल्याण है। शासन का एक पहलू सभी नागरिकों के कानूनी अधिकारों को सुरक्षित रखने से सम्बद्ध है वहीं समान रूप से महत्वपूर्ण पहलू सार्वजनिक सेवाओं और सभी को आर्थिक विकास के लाभों तक समान पहुँच सुनिश्चित करने से सम्बन्धित है। यह प्रत्याशा है कि ई-शासन सरकार को अपने कार्य का अधिक प्रभावी रूप से निर्वहन करने में समर्थ बनाएगा। इसके लिए सरकार में क्षमता निर्माण और नागरिकों में ई-शासन के बारे में सामान्य जागरूकता उत्पन्न करने की भी अपेक्षा होगी।

शासन में आईसीटी की शुरुआत के प्रारम्भिक चरण के दौरान कुछ लोगों से प्रतिरोध मिला था। कुछ ने महसूस किया कि कम्प्यूटरीकरण जटिल सरकारी प्रणाली में कार्य नहीं कर सकता और कम्प्यूटरों की शुरुआत से बेरोजगारी उत्पन्न होगी। इस सम्बन्ध में भी गम्भीर सन्देह थे कि क्या सभी स्तरों पर सरकारी कर्मचारी कम्प्यूटर पर कार्य करने में समर्थ होंगे या नहीं। भाग्यवश, ये सभी आशंकाएं गलत सिद्ध हुई। आज, सर्वाधिक जटिल स्थितियों को आत्मसात करने के लिए नए सॉफ्टवेयर साधनों में काफी नमनीयता है। नई प्रौद्योगिकी मशीन-मानव का अन्तरापृष्ठ बहुत प्रयोक्ता अनुकूल बनाती है।

बहुविकल्पीय प्रश्नोत्तर

1. संयुक्त राज्य अमेरिका में शामिल होने वाले अंतिम दो राज्य .... हैं।

A. अलास्का और हवाई B. अटलांटा और हवाई
C. व्योमिंग और अटलांटा D. व्योमिंग और अलास्का

2. सूची-I के साथ सूची-II का मिलान कीजिए :

सूची-I (सूची)	सूची-II (विषयों की संख्या)
(*a*) संघ सूची	(*i*) मूलतः 66 विषय
(*b*) राज्य सूची (मूलतः)	(*ii*) वर्तमान में 100 विषय
(*c*) राज्य सूची (वर्तमान में)	(*iii*) वर्तमान में 61 विषय
(*d*) समवर्ती सूची	(*iv*) वर्तमान में 52 विषय

नीचे दिए गए विकल्पों में से सही उत्तर का चयन कीजिए :

	(*a*)	(*b*)	(*c*)	(*d*)
A.	(*i*)	(*ii*)	(*iii*)	(*iv*)
B.	(*ii*)	(*i*)	(*iii*)	(*iv*)
C.	(*iii*)	(*iv*)	(*ii*)	(*i*)
D.	(*iv*)	(*iii*)	(*ii*)	(*i*)

3. निम्नलिखित पदों को पदसोपान के आरोही क्रम में लिखिए :

(*a*) संयुक्त सचिव
(*b*) अतिरिक्त सचिव
(*c*) निदेशक
(*d*) अवर सचिव

नीचे दिए गए विकल्पों में से सही उत्तर का चयन कीजिए :

A. (*d*), (*c*), (*a*), (*b*) B. (*d*), (*b*), (*a*), (*c*)
C. (*a*), (*c*), (*b*), (*d*) D. (*a*), (*b*), (*c*), (*d*)

4. संघीय सरकार के राज्यों पर नियंत्रण की निम्नलिखित युक्तियों/कार्य प्रणाली पर विचार कीजिए :

(*a*) राज्यपालों की नियुक्ति और बर्खास्तगी का अधिकार
(*b*) राज्य विधान सभा में कुछ विधेयकों को पेश करने के लिए पूर्व स्वीकृति
(*c*) संघ सरकार द्वारा राज्य सरकारों को निर्देश
(*d*) अंतरराज्य परिषद का गठन

नीचे दिए गए विकल्पों में से सही उत्तर का चयन कीजिए :

A. (*a*), (*b*), (*c*) और (*d*)
B. केवल (*a*), (*b*) और (*c*)
C. केवल (*b*), (*c*) और (*d*)
D. केवल (*a*), (*c*) और (*d*)

5. निम्नलिखित में से कौन-से कथन याचिकाओं (Writs) के बारे में सही हैं?

(*a*) जहाँ किसी विधायिका या न्यागालय की अवमानना की सुनवाई हो, उसमें बंदी प्रत्यक्षीकरण (Habeas Corpus) को जारी नहीं किया जा सकता है
(*b*) किसी निजी व्यक्ति या निकाय के विरुद्ध परमादेश (Mandamus) याचिका जारी नहीं की जा सकती है
(*c*) सर्वोच्च न्यायालय ने निर्णय में कहा है कि उत्प्रेषण (Certiorari) प्रशासनिक प्राधिकारियों के विरुद्ध भी जारी किया जा सकता है
(*d*) किसी भी इच्छुक व्यक्ति और आवश्यक रूप से केवल पीड़ित व्यक्ति द्वारा 'अधिकार-पृच्छा' (Quo Warranto) की माँग नहीं की जा सकती है

नीचे दिए गए विकल्पों में से सबसे उपयुक्त उत्तर का चयन कीजिए :

A. (*a*), (*b*), (*c*) और (*d*)
B. केवल (*b*), (*c*) और (*d*)
C. केवल (*a*), (*b*) और (*c*)
D. केवल (*a*), (*b*) और (d)

6. निम्नलिखित में से कौन-सा कथन आई.एस.ओ. प्रमाणन 'सर्वोत्तम निदर्श' की विशेषता से संबंधित नहीं है?

A. यह शिकायत निवारण तंत्र के नेटवर्क को मजबूत बनाने के लिए है
B. यह 'सिटिजन चार्टर' की एक प्रभावी प्रणाली है
C. द्वितीय प्रशासनिक आयोग ने इसकी अनुशंसा की थी
D. यह भारत में सार्वजनिक क्षेत्र से संबंधित है

7. भारत में पहली बार वर्ष .... वर्ष में लोक सेवा गारंटी अधिनियम के अंदर समय-बद्ध वितरण सेवा प्रारंभ की गई।

A. 2005 B. 2010
C. 2012 D. 2014

8. संघ सरकार द्वारा संविधान के अनुच्छेद .... के अंतर्गत राज्यों को विकास के प्रयोजन से स्वविवेकीय अनुदान प्रदान किया जाता है।

A. 275 B. 280
C. 282 D. 268

9. निम्नलिखित में किसने सचिवालय कार्यकारी परिषद को प्रतिस्थापित किया?

A. प्रधानमंत्री का कार्यालय
B. केन्द्रीय सचिवालय
C. मंत्रिमंडल (Cabinet) सचिवालय
D. आंतरिक कार्यों का कार्यालय

10. निम्नलिखित में से कौन-से अभिकरण कैबिनेट सचिवालय के अंतर्गत कार्य करते हैं?

(*a*) रिसर्च एंड एनालिसिस विंग
(*b*) राष्ट्रीय रासायनिक शस्त्रास्त्र प्राधिकरण
(*c*) स्पेशल फ्रंटियर फोर्स
(*d*) केन्द्रीय जाँच ब्यूरो

नीचे दिए गए विकल्पों में से सही उत्तर का चयन कीजिए :

A. केवल (*a*), (*b*) और (*c*)
B. केवल (*a*), (*c*) और (*d*)
C. केवल (*b*), (*c*) और (*d*)
D. (*a*), (*b*), (*c*) और (*d*)

11. निम्नलिखित में से कौन राष्ट्रीय राजधानी क्षेत्र दिल्ली के मुख्यमंत्री को नियुक्त करता है?

A. राष्ट्रपति
B. दिल्ली का लेफ्टिनेंट गवर्नर
C. दिल्ली उच्च न्यायालय का मुख्य न्यायाधीश
D. प्रधानमंत्री

12. निम्नलिखित में से कौन-से राज्य सचिवालय के कार्य हैं?

(*a*) नीति निर्णयों में मंत्रियों की सहायता करना
(*b*) प्रतिदिन के आधार पर नीतियों और कार्यक्रमों का कार्यान्वयन करना
(*c*) बजट के व्यय पर नियंत्रण
(*d*) विधायी समिति को सूचना प्रदान करना

नीचे दिए गए विकल्पों में से सबसे उपयुक्त उत्तर का चयन कीजिए :

A. केवल (*a*), (*b*) और (*c*)
B. केवल (*a*), (*b*) और (*d*)
C. केवल (*a*), (*c*) और (*d*)
D. (*a*), (*b*), (*c*) और (*d*)

13. भारतीय संविधान में न्यायिक समीक्षा की संकल्पना ली गई है :
A. यूनाइटेड किंगडम से
B. कनाडा से
C. दक्षिण अफ्रीका से
D. संयुक्त राज्य अमेरिका से

14. किस वर्ष में संविधान के अनुच्छेद 350-B के प्रावधान के अन्तर्गत भाषायी अल्पसंख्यकों के लिए विशेष अधिकारी के कार्यालय को स्थापित किया गया था?
A. 1955 B. 1956
C. 1957 D. 1958

15. फ्रांस की नागरिक सेवा के विषय में निम्नलिखित में से कौन-से कथन सत्य हैं?
(*a*) राज्य और लोक संस्थानों या निगमों के सभी सदस्य नागरिक सेवक नहीं होते हैं।
(*b*) फ्रांसीसी नागरिक सेवा के अधिकांश रोजगार पद यूरोपीय संघ के नागरिकों के लिए खुले होते हैं।
(*c*) कुछ दुर्लभ पद, जैसे विश्वविद्यालय प्रोफेसर और शोधकर्ता, केवल फ्रांसीसी नागरिकों के लिए खुले होते हैं।
(*d*) कोर को पाँच कोटियों में समूहित किया जाता है।
नीचे दिए गए विकल्पों में से सही उत्तर का चयन कीजिए :
A. केवल (*a*) और (*b*) B. केवल (*b*) और (*c*)
C. केवल (*c*) और (*d*) D. केवल (*a*) और (*d*)

16. केंद्रीय प्रशासनिक न्यायाधिकरण का न्यायक्षेत्र निम्नलिखित किन सेवाओं पर है?
(*a*) केन्द्रीय प्रशासनिक सेवाएँ
(*b*) भारत के उच्चतम न्यायालय के कर्मचारी
(*c*) सैन्य सेवाओं के नागरिक कर्मचारी
(*d*) अखिल भारतीय सेवाएँ
नीचे दिए गए विकल्पों में से सही उत्तर का चयन कीजिए :
A. केवल (*a*), (*b*) और (*c*)
B. केवल (*a*), (*b*) और (*d*)
C. केवल (*a*), (*c*) और (*d*)
D. केवल (*b*), (*c*) और (*d*)

17. उन अभिकरणों की पहचान करें जिन्हें सूचना का अधिकार अधिनियम से छूट दी गई है :
(*a*) केन्द्रीय अन्वेषण ब्यूरो (सीबीआई)
(*b*) प्रधानमंत्री कार्यालय (पीएमओ)
(*c*) चिकित्सकीय और व्यावसायिक संस्थाएं
(*d*) रिसर्च एंड एनालिसिस विंग (रॉ)
नीचे दिए गए विकल्पों में से सही उत्तर का चयन कीजिए :
A. केवल (*a*) और (*c*)
B. केवल (*a*) और (*d*)
C. केवल (*a*) और (*b*)
D. केवल (*a*), (*b*) और (*c*)

18. यूएसए में 1883 का/के पेंडलटन अधिनियम (ने)
(*a*) राष्ट्रीय सरकार की कार्मिक नीतियों को नियंत्रित करता है।
(*b*) 'लूट-खसोट व्यवस्था' पूर्णतया समाप्त कर दी।
(*c*) नागरिक सेवा आयोग की स्थापना की।
(*d*) पूरे संघीय प्रशासन में 'योग्यता प्रणाली' लेकर आया।
(*e*) राष्ट्रपति गारफील्ड की हत्या का परिणाम था।
नीचे दिए गए विकल्पों में से सही उत्तर का चयन कीजिए :
A. केवल (*a*), (*c*) और (*e*)
B. केवल (*b*), (*c*) और (*e*)
C. केवल (*b*), (*c*), (*d*) और (*e*)
D. केवल (*a*), (*c*) और (*d*)

19. सचिवालय के पदाधिकारियों के उचित पदानुक्रम की पहचान कीजिए।
(*a*) निदेशक
(*b*) संयुक्त सचिव
(*c*) अतिरिक्त सचिव
(*d*) उप सचिव
(*e*) सचिव
नीचे दिए गए विकल्पों में से सही उत्तर का चयन कीजिए :
A. (*a*), (*b*), (*d*), (*c*), (*e*)
B. (*d*), (*a*), (*b*), (*c*), (*e*)
C. (*d*), (*b*), (*c*), (*a*), (*e*)
D. (*b*), (*c*), (*d*), (*e*), (*a*)

20. भर्ती के बाद भारतीय प्रशासनिक सेवा काडर के प्रशिक्षण के सही क्रम की पहचान कीजिए :
(*a*) वृत्तिक (*b*) आधारभूत
(*c*) संस्थानिक (*d*) फील्ड
नीचे दिए गए विकल्पों में से सही उत्तर का चयन कीजिए :
A. (*b*), (*a*), (*d*), (*c*) B. (*b*), (*d*), (*c*), (*a*)
C. (*b*), (*a*), (*c*), (*d*) D. (*b*), (*c*), (*d*), (*a*)

21. भारत के राष्ट्रपति को किस अवसर पर संसद के दोनों सदनों को संबोधित करने की शक्ति प्राप्त है?
(*a*) आम चुनावों के बाद का पहला सत्र
(*b*) संसद का प्रत्येक सत्र
(*c*) प्रति वर्ष का बजट सत्र
(*d*) प्रति वर्ष का मानसून सत्र
नीचे दिए गए विकल्पों में से सही उत्तर का चयन कीजिए :
A. (*b*) और (*c*) B. (*a*) और (*d*)
C. (*a*) और (*c*) D. (*b*) और (*d*)

22. नीचे दो कथन दिए गए हैं। एक अभिकथन (A) के रूप में लिखित है तो दूसरा उसके तर्क (R) के रूप में :
अभिकथन (A) : समवर्ती सूची के विषय पर कानून-निर्माण के समय केन्द्र सरकार द्वारा राज्य सरकारों से परामर्श की आवश्यकता नहीं है।

तर्क (R) : केन्द्र सरकार को समवर्ती सूची में केवल उन विषयों पर कानून बनाने चाहिए जहाँ एकरूपता की नीति अनिवार्य है।
उपरोक्त कथन के आलोक में, नीचे दिए गए विकल्पों में से सही उत्तर का चयन कीजिए :
A. (A) और (R) दोनों सत्य हैं और (R), (A) की सही व्याख्या है।
B. (A) और (R) दोनों सत्य हैं, परन्तु (R), (A) की सही व्याख्या नहीं है।
C. (A) सत्य है, परन्तु (R) असत्य है।
D. (A) असत्य है, परन्तु (R) सत्य है।

23. निम्नलिखित में से कौन-सा एक अर्द्ध-न्यायिक निकाय है?
A. भारतीय प्रेस परिषद्
B. केन्द्रीय प्रदूषण नियंत्रण बोर्ड
C. इलेक्ट्रिसिटी ऑम्बड्समैन
D. भारतीय जैव विविधता प्राधिकरण

24. भ्रष्टाचार निवारण (संशोधन) अधिनियम, 2018 द्वारा निम्नलिखित में से कौन-से बदलाव कर भ्रष्टाचार निवारण अधिनियम, 1988 के विद्यमान प्रावधानों को सख्त बनाए जाने का प्रयोजन है?
(*a*) 'अनुचित लाभ' को परिभाषित कर वैध पारिश्रमिक से इतर अन्य परितोषण को शामिल करना
(*b*) विवशतापूर्वक किए गए भ्रष्टाचार संबंधी कृत्य, जो विधिवत रूप से प्रतिवेदित हो, को छूट दिया जाना
(*c*) इस अधिनियम के अंतर्गत किसी लोक सेवक को दंडित अभियोजन हेतु सक्षम प्राधिकारी की मंजूरी का प्रावधान
(*d*) व्यावसायिक संगठन शब्द को स्पष्ट कर उसमें सभी प्रकार के व्यावसायिक ढांचों को शामिल करना
नीचे दिए गए विकल्पों में से सही उत्तर चुनिए :
A. केवल (*a*), (*b*) और (*c*)
B. केवल (*b*), (*c*) और (*d*)
C. केवल (*a*), (*b*) और (*d*)
D. केवल (*a*), (*c*) और (*d*)

25. निम्नलिखित में से किन राज्यों में, जन प्रतिनिधित्व अधिनियम, 1951 के अनुसार यदि कोई व्यक्ति उस राज्य विशेष में मतदाता के रूप में पंजीकृत नहीं है, तो उसे लोकसभा के निर्वाचन में प्रत्याशी होने की अनुमति नहीं है?
(*a*) दिल्ली (*b*) असम
(*c*) लक्षद्वीप (*d*) सिक्किम
(*e*) उत्तराखंड
नीचे दिए गए विकल्पों में से सही उत्तर चुनिए :
A. केवल (*a*) और (*e*)
B. केवल (*b*) और (*d*)
C. केवल (*a*), (*c*) और (*e*)
D. केवल (*b*), (*c*) और (*d*)

26. भारतीय संविधान में उल्लिखित सिविल सेवकों की बर्खास्तगी से संबंधित प्रसादपर्यन्त के सिद्धान्त (डॉक्ट्रिन ऑफ प्लेजर) की उत्पत्ति का मूल है :
(*a*) कॉमन लॉ
(*b*) इंग्लिश सिविल सेवा में नियम
(*c*) यू.एस.ए. की लूट-खसोट (स्पाइल) पद्धति
(*d*) प्रशिया की नौकरशाही
नीचे दिए गए विकल्पों में से सही उत्तर चुनिए :
A. केवल (*a*) और (*b*) B. केवल (*c*) और (*d*)
C. केवल (*a*), (*c*), (*d*) D. केवल (*b*), (*c*), (*d*)

27. भारत में लोकपाल की स्थापना के बारे में कौन-से कथन सही हैं?
(*a*) लोकपाल में एक अध्यक्ष और छह से अनधिक सदस्यों का होना प्रत्याशित है।
(*b*) कोई व्यक्ति जो भारत का मुख्य न्यायाधीश या उच्चतम न्यायालय का न्यायाधीश रहा है, अध्यक्ष रूप में नियुक्त किए जाने का पात्र है।
(*c*) कुल सदस्यों में से पचास प्रतिशत न्यायिक सदस्य होने चाहिए।
(*d*) लोकपाल के कुल सदस्यों में से आधे सदस्यों के पद अनुसूचित जातियों, अनुसूचित जनजातियों, अन्य पिछड़े वर्गों, अल्पसंख्यकों और महिलाओं के लिए आरक्षित हैं।
नीचे दिए गए विकल्पों में से सही उत्तर चुनिए :
A. केवल (*a*), (*b*) और (*c*)
B. केवल (*b*), (*c*) और (*d*)
C. केवल (*c*), (*d*) और (*a*)
D. केवल (*b*) और (*c*)

28. भारतीय प्रतिस्पर्द्धा आयोग के संबंध में निम्नलिखित में से कौन-से कथन सही हैं?
(*a*) इसकी स्थापना 15 अगस्त, 2003 को हुई थी।
(*b*) धर्मेन्द्र कुमार इसके प्रथम अध्यक्ष थे।
(*c*) यह भारत सरकार का एक सांविधिक निकाय है।
(*d*) यह उन क्रियाकलापों के निवारण के लिए उत्तरदायी है जिनका भारत में प्रतिस्पर्द्धा पर पर्याप्त प्रतिकूल प्रभाव होता है।
नीचे दिए गए विकल्पों में से सर्वाधिक उपयुक्त उत्तर चुनिए :
A. केवल (*a*) और (*b*)
B. केवल (*b*) और (*c*)
C. केवल (*c*) और (*d*)
D. केवल (*a*), (*b*) और (*d*)

29. निम्नलिखित में से कौन-सा सामान्य रूप से भारत में मंत्री और सिविल सेवक के बीच अंतर का कारण नहीं है?
A. नीति और प्रशासन के कार्यान्वयन में राजनीतिक प्रभाव
B. सिविल सेवकों की लालफीताशाही से अधिक से अधिक बंधे होने की प्रवृत्ति
C. सिविल सेवकों का नए विचारों के प्रति असंवेदनशीलता की कमी
D. सिविल सेवकों का काम की तकनीकों के बारे में ज्ञान की श्रेष्ठता का दावा

30. लोकपाल संस्था की स्थापना सर्वप्रथम निम्नलिखित में से किसके द्वारा अनुशंसित की गई थी?

A. के. संथानम समिति
B. प्रथम प्रशासनिक सुधार आयोग
C. वेंकटचलैया आयोग
D. सरकारिया आयोग

31. निम्नलिखित में से किस आयोग ने मंत्रियों की 'गोपनीयता की शपथ' को समाप्त करने की सिफारिश की थी?
A. एम.एम. पुंछी आयोग
B. सरकारिया आयोग
C. संविधान के कार्यकरण की समीक्षा के लिए राष्ट्रीय आयोग
D. दूसरा प्रशासनिक सुधार आयोग

32. निम्नलिखित में से कौन-सी समिति भारत में पुलिस सुधार से संबंधित नहीं है?
A. ए.आर. दवे समिति B. रिबेरो समिति
C. पद्मनाभैया समिति D. सोली सोराबजी समिति

33. मुख्य सतर्कता आयुक्त या सतर्कता आयुक्त को नियुक्त करते समय निम्नलिखित में से किस तरह के अनुभव पर विचार नहीं किया जाता है?
A. सतर्कता से संबंधित मामले
B. नीति-निर्माण और प्रशासन
C. न्यायिक मामले
D. वित्त जिसमें बीमा और बैंकिंग शामिल हैं

34. सूचना के अधिकार विधेयक, 2019 के तहत मुख्य सूचना आयुक्त का प्रस्तावित पदावधि क्या है?
A. 4 वर्ष
B. 5 वर्ष
C. केंद्र सरकार के अधिसूचना द्वारा तय किया जाना
D. 6 वर्ष

35. प्राक्कलन समिति के क्या कार्य हैं?
(*a*) यह अनुमान लगाने के लिए कि क्या अर्थव्यवस्थाएँ, संगठन दक्षता और प्रशासनिक सुधार अनुमानों से प्रभावित नीति के अनुरूप हैं
(*b*) प्रशासन में दक्षता और मितव्ययिता लाने के लिए वैकल्पिक नीतियों का सुझाव देना
(*c*) विनियोग लेखाओं और वित्त लेखाओं की जांच करना
(*d*) किसी सेवा पर वित्तीय वर्ष के दौरान खर्च की गई स्वीकृत राशि से अधिक धन की जांच करना

सही विकल्प चुनें:
A. (*a*) और (*d*) B. (*c*) और (*d*)
C. (*a*) और (*b*) D. (*b*) और (*c*)

36. निम्नलिखित में से कौन कर राजस्व के वितरण के संबंध में सही नहीं है?
A. केंद्र द्वारा लगाया गया कर, लेकिन राज्य द्वारा एकत्रित और विनियोजित : अनुच्छेद 268
B. केंद्र द्वारा लगाया और एकत्र किया गया कर लेकिन राज्यों को निर्दिष्ट किया गया : अनुच्छेद 269
C. केंद्र के उद्देश्य के लिए कुछ करों और शुल्कों पर अधिभार : अनुच्छेद 271
D. राज्यों द्वारा लगाया और वसूला जाने वाला कर : अनुच्छेद 275

37. संघ लोक सेवा आयोग के संबंध में निम्नलिखित में से कौन-सा कथन सही **नहीं** है?
A. आयोग परामर्शदात्री निकाय के रूप में कार्य करता है।
B. भारतीय संविधान के अनुच्छेद 320 द्वारा आयोग को इसके कार्य सौंपे गए हैं।
C. अनुच्छेद 321 उपबंध करता है कि आयोग को अतिरिक्त कार्य भी सौंपा जा सकता है।
D. अनुच्छेद 311 उपबंध करता है कि आयोग को अतिरिक्त कार्य सौंपे जा सकते हैं।

38. निम्नलिखित में से किस प्रकार का ऑडिट भारत के नियंत्रक और महालेखा परीक्षक द्वारा किया जाता है?
(*a*) वित्तीय लेखा परीक्षण
(*b*) सामाजिक लेखा परीक्षण
(*c*) अनुपालन लेखा परीक्षण
(*d*) प्रदर्शन लेखा परीक्षण

नीचे दिए गए कूट से **सही** उत्तर का चयन कीजिए :
A. (*a*), (*b*), (*c*) और (*d*)
B. केवल (*a*), (*c*) और (*d*)
C. केवल (*b*), (*c*) और (*d*)
D. केवल (*a*), (*b*) और (*c*)

39. निम्नलिखित में से कौन-सा कथन नीति आयोग के बारे में सही नहीं है?
A. इसे 1 जनवरी, 2015 के मंत्रिमंडल के प्रस्ताव द्वारा गठित किया गया था।
B. इसकी वैचारिक जड़ें महात्मा गांधी के 'स्थायी विकास' की प्रेरणा में पाई जा सकती है।
C. यह मुक्त बाजार की रणनीति के लिए भारत की प्राथमिकता का परिणाम था।
D. यह उपनिवेशवाद के बाद के राज्य का समर्थन करता है।

40. नीचे दो कथन दिए गए हैं, जिनमें से एक अभिकथन (A) और दूसरा कारण (R) है। कथनों को पढ़िए और नीचे दिए गए कूट का प्रयोग कर सही उत्तर चुनिए।

अभिकथन (A) : केंद्रीय प्रत्यक्ष कर बोर्ड को नीति और प्रत्यक्ष करों की योजना का कार्य सौंपा गया है।

कारण (R) : यह आयकर विभाग के माध्यम से प्रत्यक्ष कर कानून का प्रबंधन करता है।

कूट :

A. (A) और (R) दोनों सही हैं और (R), (A) की सही व्याख्या है।
B. (A) और (R) दोनों सही हैं तथा (R), (A) का सही स्पष्टीकरण नहीं है।
C. (A) सही है, परन्तु (R) गलत है।
D. (A) गलत है, परन्तु (R) सही है।

41. नीचे दो सूचियाँ दी गई हैं। इन दोनों सूचियों को सुमेलित कीजिए और नीचे दिए गए कूट का प्रयोग करते हुए सही उत्तर को चुनिए:

सूची-I (अनुच्छेद)	सूची-II (प्रावधान)
(*a*) अनुच्छेद 75(1A)	(*i*) जो व्यक्ति सदन का सदस्य बनने के योग्य नहीं है, उसे मंत्री नहीं बनाया जा सकता है।
(*b*) अनुच्छेद 75(2)	(*ii*) मंत्री राष्ट्रपति की इच्छा तक पद धारण करेंगे।
(*c*) अनुच्छेद 75(3)	(*iii*) मंत्रिपरिषद् सामूहिक रूप से लोकसभा के प्रति उत्तरदायी होगी।
(*d*) अनुच्छेद 75(5)	(*iv*) मंत्रियों की कुल संख्या, लोकसभा के सदस्यों की कुल संख्या के 15% से अधिक नहीं होगी।

कूट :

	(*a*)	(*b*)	(*c*)	(*d*)
A.	(*iii*)	(*iv*)	(*ii*)	(*i*)
B.	(*iv*)	(*ii*)	(*iii*)	(*i*)
C.	(*ii*)	(*iii*)	(*i*)	(*iv*)
D.	(*iii*)	(*i*)	(*ii*)	(*iv*)

42. निम्नलिखित में से किस संवैधानिक संशोधन ने राष्ट्रपति के चुनाव के लिए केंद्रशासित प्रदेश पुडुचेरी की विधानसभा के सदस्यों को मतदान का अधिकार दिया है?

A. 68वां संशोधन B. 69वां संशोधन
C. 70वां संशोधन D. 71वां संशोधन

43. संविधान (99वें) संशोधन अधिनियम, 2014 के प्रावधानों के अनुसार, निम्नलिखित में से कौन-सा प्रस्तावित राष्ट्रीय न्यायिक नियुक्ति आयोग का सदस्य नहीं था/है?

A. भारत के मुख्य न्यायाधीश
B. राज्य के उच्च न्यायालयों के दो वरिष्ठतम मुख्य न्यायाधीश
C. केंद्रीय कानून और न्याय मंत्री
D. दो प्रतिष्ठित व्यक्तियों को एक समिति द्वारा नामित किया जाना

44. निम्नलिखित में से किसके पास राज्य की आकस्मिकता निधि से व्यय को मंजूरी देने का अधिकार है?

A. वित्त मंत्री B. महालेखाकार
C. वित्त सचिव D. राज्यपाल

45. सार्वजनिक उपक्रमों की समिति के बारे में निम्नलिखित में से कौन-सा कथन सही नहीं है?

A. सार्वजनिक उपक्रमों पर समिति 1964 में बनाई गई थी।
B. इसका अध्यक्ष लोकसभा से ही होता है।
C. यह सदन में मंत्री द्वारा दिए गए आश्वासनों और वादों की जांच करता है और आश्वासनों और वादों पर वापस रिपोर्ट भेजता है।
D. इसका मुख्य कार्य सार्वजनिक उपक्रमों के खातों का विश्लेषण करना और सार्वजनिक उपक्रमों पर सीएजी को रिपोर्ट भेजता है।

46. निम्नलिखित में से कौन राष्ट्रपति द्वारा नियुक्त नहीं किया जाता है, विशेष रूप से, उनके हस्ताक्षर और मुहर द्वारा?

A. भारत के नियंत्रक और महालेखा परीक्षक
B. मुख्य चुनाव आयुक्त
C. भारत के मुख्य न्यायाधीश
D. सर्वोच्च न्यायालय के न्यायाधीश

47. भारत सरकार ने केंद्रीय सतर्कता आयोग को कार्यालय के दुरुपयोग के किसी भी आरोप पर प्रकटीकरण के लिए लिखित शिकायतें प्राप्त करने के लिए 'नामित एजेंसी' के रूप में अधिकृत किया:

A. एक अध्यादेश द्वारा
B. संसद के एक अधिनियम द्वारा
C. भारत सरकार के एक प्रस्ताव द्वारा
D. नीति आयोग के एक संकल्प द्वारा

48. निम्नलिखित में से कौन-सा अधिकार सूचना के अधिकार अधिनियम, 2005 के अंतर्गत आता है?

(*a*) दस्तावेजों और अभिलेखों का निरीक्षण करने का अधिकार
(*b*) सामग्री के प्रमाणित नमूने लेने का अधिकार
(*c*) प्रिंटआउट, टेप, विडियो या किसी अन्य इलेक्ट्रॉनिक मोड में जानकारी प्राप्त करने का अधिकार
(*d*) अवगत निर्णय लेने का अधिकार।

नीचे दिए गए कूट से सही उत्तर का चयन कीजिए :

A. (*a*), (*b*), (*c*) और (*d*) B. (*b*), (*c*) और (*d*)
C. (*a*), (*c*) और (*d*) D. (*a*), (*b*) और (*c*)

49. निम्नलिखित में से कौन ब्रिटेन में हाउस ऑफ लॉर्ड्स का हिस्सा नहीं बनता है?

A. स्कॉटिश पीयर
B. बिशप और आर्कबिशप जैसे आध्यात्मिक नेतागण
C. लॉ लॉर्ड्स
D. आयरिश पीयर

50. निम्नलिखित में से 'उत्प्रेषण-लेख' के उपयोग के संबंध में कौन-सा कथन सही नहीं है?

A. यह कानूनी प्राधिकरण के साथ निहित निकाय के खिलाफ जारी किया जाता है।
B. यह एक निजी व्यक्ति के खिलाफ जारी किया जाता है।

C. यह एक घरेलू न्यायाधिकरण के खिलाफ जारी नहीं किया जाता है जिसमें कोई वैधानिक शक्ति नहीं है।
D. प्राकृतिक न्याय के सिद्धांतों का पालन किया जाना चाहिए।

51. निम्नलिखित में से किसने ब्रिटिश शासनकाल में भारत में सचिवालय को संगठित एवं सुदृढ़ करने के लिए महत्वपूर्ण कदम उठाया?
A. सर रॉबिन्स B. सर रॉल्फ एसहेटन
C. लॉर्ड जॉर्ज D. लॉर्ड कॉर्नवालिस

52. निम्नलिखित में से कौन-सा भारत में एक नियामक प्राधिकरण नहीं है?
A. भारतीय संचार नियामक प्राधिकरण
B. भारतीय राष्ट्रीय राजमार्ग प्राधिकरण
C. बीमा नियामक एवं विकास प्राधिकरण
D. भारतीय प्रेस परिषद्

53. भारत के संविधान के भाग V में कौन-से अनुच्छेद में भारत के नियंत्रक और महालेखा परीक्षक संस्था की आधारभूत संरचना वर्णित है?
A. अनुच्छेद 148 से 151
B. अनुच्छेद 150 से 151
C. केवल अनुच्छेद 151
D. अनुच्छेद 149 से 152

54. निम्नलिखित में से किस समिति को प्रायः 'सुपर कैबिनेट' कहा जाता है?
A. राजनैतिक मामलों की मंत्रिमंडलीय समिति
B. आर्थिक मामलों की मंत्रिमंडलीय समिति
C. सुरक्षा पर मंत्रिमंडलीय समिति
D. संसदीय मामलों की मंत्रिमंडलीय समिति

55. भारतीय संविधान के निम्नलिखित में से किस अनुच्छेद में संपरीक्षा प्रतिवेदन का उल्लेख है?
A. अनुच्छेद 151 B. अनुच्छेद 150
C. अनुच्छेद 149 D. अनुच्छेद 148

56. "लोक सेवकों के उत्कृष्ट कार्य और कार्य-निष्पादन को राष्ट्रीय पुरस्कारों द्वारा मान्यता प्रदान करने की जरूरत है।" किस आयोग/समिति ने यह सिफारिश की?
A. पी.सी. होता समिति
B. प्रथम प्रशासनिक सुधार आयोग
C. द्वितीय प्रशासनिक सुधार आयोग
D. वाई.के. अलघ समिति

57. निम्नलिखित में से किस समिति की सिफारिश पर यू.के. में प्रशासन के लिए संसदीय आयुक्त का गठन किया गया?
A. मास्टरमैन समिति
B. लॉर्ड नोलन समिति
C. सर जॉन व्हाइट समिति
D. ग्लैडस्टोन समिति

58. 'अंकल सिंड्रोम' निम्नलिखित में से किससे संबंधित है?
A. प्रत्यायोजित विधायन
B. उच्चतर न्यायपालिका में नियुक्ति
C. सतर्कता आयोग द्वारा अन्वेषण
D. नौकरशाही में भाई-भतीजावाद

59. केन्द्र स्तर पर मंत्रिमंडल की बैठक के कार्यवृत्तों के अभिलेखन के लिए कौन उत्तरदायी है?
A. मंत्रिमंडल सचिव
B. सचिव
C. विशेष सचिव
D. प्रधानमंत्री का प्रधान सचिव

60. भारत में निम्नलिखित में से कौन-सा समवर्ती सूची का विषय है?
A. आर्थिक और सामाजिक योजना
B. उद्योग
C. निगम कर
D. पथकर

61. निम्नलिखित में से कौन स्थानीय स्तर पर मुगल सरकार का प्रत्यक्ष प्रतिनिधि था?
A. शिग्दार B. जमींदार
C. फौजदार D. खजानदार

62. निम्न में से किस राज्य में सर्वप्रथम राष्ट्रपति शासन अधिरोपित किया गया था?
A. केरल B. पंजाब
C. मद्रास D. मैसूर

63. मार्बल-केक संघवाद पद किसके लिए प्रयुक्त किया जाता है?
A. अर्द्ध-संघवाद B. सहयोगात्मक संघवाद
C. एकात्मक संघवाद D. तुलनात्मक संघवाद

64. निम्नलिखित में से किसके माध्यम से द्वैध शासन का उन्मूलन और प्रांतीय स्वायत्ता को प्रभावित किया गया था?
A. भारतीय परिषद् अधिनियम, 1909
B. भारतीय सरकार अधिनियम, 1919
C. भारत सरकार अधिनियम, 1935
D. भारत स्वतंत्रता अधिनियम, 1947

65. यह निम्न में से किसने कहा था कि नौकरशाही के सदस्यों को राजमर्मज्ञता की आवश्यकता होती है जिसकी किसी परीक्षा के माध्यम से जाँच नहीं की जा सकती है?
A. हीगेल B. कार्ल मार्क्स
C. मार्क्स वेबर D. राबर्ट मर्टन

66. निम्नलिखित में से किसने विशेषज्ञों के पास ज्ञान की शक्ति होने के संदर्भ में 'टेक्नोस्ट्रक्चर' (प्रौद्यो-संरचना) शब्द की रचना की थी?
A. गिलब्रैथ B. ए. डाउन्स
C. एम.एन. जाल्ड D. बी.ई. विलियमसन

67. नीति प्रक्रिया में नीति आयोग की भूमिका है:
A. नीति संबंधी लक्ष्य निर्धारित करना
B. नीति संबंधी सलाह प्रदान करना
C. नीति का आकलन
D. नीति संबंधी अनुवीक्षण

68. अंतर-क्षेत्रीय (इंटर-सेक्टोरल) प्रशासन किससे संबंधित है?
A. यह सार्वजनिक-निजी साझेदारियों को नकाराता है।
B. लोक प्राधिकारियों को मजबूत करने का प्रयोजन।
C. यह विशुद्ध सरकारी संस्थानों को समर्थन करता है।
D. विशिष्ट नीतिगत लक्ष्यों को प्राप्त करने का प्रयोजन।

69. निम्नलिखित में से किसके द्वारा राष्ट्रीय बाल अधिकार संरक्षण आयोग की स्थापना की गई थी?
A. मंत्रिमंडल का कार्यपालक आदेश
B. संसद का अधिनियम
C. संसद का प्रस्ताव
D. मंत्रिपरिषद का निर्णय

70. सूची-I के साथ सूची-II का मिलान कीजिए।

सूची-I (अधिकारी)	**सूची-II (उत्तरदायित्व)**
(*a*) वजीर	(*i*) आसूचना
(*b*) मुकद्दम	(*ii*) राजस्व और वित्त
(*c*) काजी-उल-कुजात	(*iii*) न्याय
(*d*) मीर बशीर	(*iv*) ग्राम प्रधान

नीचे दिए गए विकल्पों में से **सही** उत्तर का चयन कीजिए:

	(*a*)	(*b*)	(*c*)	(*d*)
A.	(*ii*)	(*i*)	(*iii*)	(*iv*)
B.	(*iii*)	(*iv*)	(*i*)	(*ii*)
C.	(*iii*)	(*i*)	(*iv*)	(*ii*)
D.	(*ii*)	(*iv*)	(*iii*)	(*i*)

71. सूची-I के साथ सूची-II का मिलान कीजिए।

सूची-I (समिति का अध्यक्ष)	**सूची-II (उद्देश्य/प्रयोजन)**
(*a*) कस्तुरीरंगन समिति	(*i*) क्रिकेट बोर्ड में सुधार
(*b*) न्यायमूर्ति लोढ़ा समिति	(*ii*) केन्द्रीय सतर्कता आयोग की स्थापना
(*c*) के. संथानम समिति	(*iii*) राष्ट्रीय शिक्षा नीति
(*d*) जे.जे. ईरानी समिति	(*iv*) नए कंपनी अधिनियम का निर्माण

नीचे दिए गए विकल्पों में से **सही** उत्तर का चयन कीजिए:

	(*a*)	(*b*)	(*c*)	(*d*)
A.	(*iii*)	(*ii*)	(*i*)	(*iv*)
B.	(*ii*)	(*i*)	(*iii*)	(*iv*)
C.	(*ii*)	(*iii*)	(*i*)	(*iv*)
D.	(*iii*)	(*i*)	(*ii*)	(*iv*)

72. निम्नलिखित केन्द्रीय सचिवालय सेवा वर्ग को उनके पदानुक्रम के अनुसार व्यवस्थित कीजिए:
(*a*) अवर सचिव
(*b*) सहायक सचिव/अनुभाग अधिकारी
(*c*) संयुक्त सचिव
(*d*) निर्देशक

नीचे दिए गए विकल्पों में से सही उत्तर का चयन कीजिए।
A. (*b*), (*a*), (*d*), (*c*)
B. (*c*), (*d*), (*a*), (*b*)
C. (*b*), (*d*), (*a*), (*c*)
D. (*c*), (*a*), (*b*), (*d*)

73. द्वितीय प्रशासनिक सुधार आयोग की निम्नलिखित रिपोर्टों का सही अनुक्रम में व्यवस्थित कीजिए:
(*a*) संकट प्रबंधन
(*b*) शासन में आचार नीति
(*c*) सूचना का अधिकार: सुशासन का मूल मंत्र
(*d*) मानव पूंजी को निर्बंध करना: हकदारियां और शासन
(*e*) सार्वजनिक व्यवस्था

नीचे दिए गए विकल्पों में से **सही** उत्तर का चयन कीजिए।
A. (*b*), (*d*), (*c*), (*a*), (*e*)
B. (*c*), (*d*), (*a*), (*b*), (*e*)
C. (*a*), (*b*), (*d*), (*e*), (*c*)
D. (*d*), (*b*), (*a*), (*c*), (*e*)

74. निम्न में से कौन-सा युग्म सुमेलित नहीं है?
A. वोहरा समिति – राजनीति का अपराधीकरण
B. सोली सोराबजी – पुलिस सुधार
C. दिनेश गोस्वामी – निर्वाचन सुधार समिति
D. गाडगिल समिति – पंचायती राज सुधार

75. 42वें संविधान संशोधन अधिनियम, 1976 द्वारा निम्न में से किस विषय को राज्य सूची से समवर्ती सूची में स्थानांतरित नहीं किया गया था?
A. उच्च शिक्षा
B. वन
C. बाट और माप
D. पुलिस

76. निम्न में से कौन से विधायी अधिनियम को पारित कराने के लिए संसद की संयुक्त बैठक बुलायी गयी थी?
A. मुस्लिम महिला विवाह संबंधी अधिकारों का संरक्षण अधिनियम 2019
B. आतंकवाद निवारण अधिनियम, 2002
C. भगोड़ा आर्थिक अपराधी अधिनियम, 2019
D. सूचना प्रौद्योगिकी अधिनियम, 2000

77. निपुण (NIPUN) भारत मिशन निम्न में से कौन से मंत्रालय के अधीन कार्य कर रहा है?
A. सूक्ष्म, लघु व मध्यम उपक्रम मंत्रालय (एम.एस.एम.ई.)
B. शिक्षा मंत्रालय
C. ग्रामीण विकास मंत्रालय
D. कौशल विकास व उद्यमिता मंत्रालय

78. निम्न में से किस स्थिति में संसद अनुच्छेद 249 के प्रावधानों के अंतर्गत राज्य सूची में उल्लिखित विषयों पर कानून बना सकती है?

A. राष्ट्रपति शासन
B. राष्ट्रीय आपात काल
C. राष्ट्रीय हित
D. अंतर्राष्ट्रीय करारों को क्रियान्वित करने हेतु

79. निम्न में से मिशन कर्मयोगी का प्रयोजन कौन-सा है?

A. मानव संसाधन प्रबंधन प्रणाली को नियम आधारित से भूमिका आधारित बनाना
B. सही व्यक्ति को सही समय पर सही भूमिका सौंपना
C. सिविल सेवकों हेतु जीवन पर्यंत अधिगम
D. ज्ञान के विनिमय का संवर्धन

80. सिविल सेवकों के लिए राष्ट्रीय प्रशिक्षण कार्यक्रम पर केन्द्रित द्वितीय ए.आर.सी. के 10वें रिपोर्ट में निम्नलिखित में से किन-किन मानदंडों का उल्लेख है:

(*a*) प्रतिक्रियाशीलता
(*b*) प्रतिबद्धता
(*c*) जवाबदेही
(*d*) जागरूकता

नीचे दिए गए विकल्पों में से सही उत्तर का चयन कीजिए:

A. (*a*), (*b*), (*c*) और (*d*)
B. केवल (*a*), (*c*) और (*d*)
C. केवल (*a*), (*b*) और (*d*)
D. केवल (*b*), (*c*) और (*d*)

81. सूची-I के साथ सूची-II का मिलान कीजिए:

सूची-I (घटनाएं)	सूची-II (वर्ष)
(*a*) पोर्टफोलियो प्रणाली का आरंभ	(*i*) 1687
(*b*) पिट्स इंडिया अधिनियम	(*ii*) 1859
(*c*) केन्द्रीय व प्रांतीय विषयों का सीमांकन	(*iii*) 1784
(*d*) मद्रास में निगम की स्थापना	(*iv*) 1919

नीचे दिए गए विकल्पों में से सही उत्तर का चयन कीजिए:

	(*a*)	(*b*)	(*c*)	(*d*)
A.	(*ii*)	(*iv*)	(*i*)	(*iii*)
B.	(*ii*)	(*iii*)	(*iv*)	(*i*)
C.	(*ii*)	(*i*)	(*iii*)	(*iv*)
D.	(*iii*)	(*i*)	(*ii*)	(*iv*)

82. नीचे दो कथन दिए गए हैं: एक अभिकथन (A) के रूप में लिखित है तो दूसरा उसके कारण (R) के रूप में:

अभिकथन (A): आदर्श रूप में सचिवालय के विभागों को अंतर्संबंधित क्रियाकलापों के खंड विशेष से व्यवहार करना चाहिए।

कारण (R): विभागों में प्रकार्यात्मक स्पष्टता व विकेन्द्रीकरण नीतियों व कार्यक्रमों में बेहतर समन्वय का संवर्धन करता है।

उपरोक्त कथन के आलोक में नीचे दिए गए विकल्पों में से सही उत्तर का चयन कीजिए:

A. (A) और (R) दोनों सत्य हैं और (R), (A) की सही व्याख्या है
B. (A) और (R) दोनों सत्य हैं, लेकिन (R), (A) की सही व्याख्या नहीं है
C. (A) सत्य है, लेकिन (R) असत्य है
D. (A) असत्य है, लेकिन (R) सत्य है

83. नीचे दो कथन दिए गए हैं: एक अभिकथन (A) के रूप में लिखित है तो दूसरा उसके कारण (R) के रूप में:

अभिकथन (A): सिविल सोसायटी संगठनों द्वारा सहभागी लोकतांत्रिक व्यवहारों को बढ़ावा दिया जाता है।

कारण (R): सहभागी लोकतंत्र की विशेषता है कि इसमें बहुत संख्या में स्वयंसेवी एजेन्सियाँ विद्यमान होती हैं।

उपरोक्त कथन के आलोक में नीचे दिए गए विकल्पों में से सही उत्तर का चयन कीजिए:

A. (A) और (R) दोनों सत्य हैं और (R), (A) की सही व्याख्या है
B. (A) और (R) दोनों सत्य हैं, लेकिन (R), (A) की सही व्याख्या नहीं है
C. (A) सत्य है, लेकिन (R) असत्य है
D. (A) असत्य है, लेकिन (R) सत्य है

84. निम्नलिखित में से किसका विचार था कि नौकरशाही, अधिकारियों के शासन से कम के रूप में नहीं है, जो प्रतिनिधिक सरकार के साथ टकराती है?

A. जे.एस. मिल
B. हीगल
C. कार्ल मार्क्स
D. गैटानो मोस्को

85. किस समिति ने आई.ए.एस. अधिकारियों के लिए सेवा के 12वें, 20वें और 28वें वर्ष में मध्य वृतिक (Mid career) प्रशिक्षण की अनुशंसा की थी?

A. योगेन्द्र के. अलघ समिति
B. सतीश चंद्र समिति
C. सुरिन्दर नाथ समिति
D. युगांधर समिति

86. निम्नलिखित में से किसके द्वारा नयी-अखिल भारतीय सेवाओं की रचना की पहल की जा सकती है?

A. संघ लोक सेवा आयोग
B. प्रधानमंत्री कार्यालय
C. राज्य सभा
D. लोक सभा

87. लोकसभा के सत्र के आयोजन के लिए कितनी संख्या का गणपूर्ति (कोरम) आवश्यक है?

A. संख्या बल का 20 प्रतिशत
B. संख्या बल का 15 प्रतिशत
C. संख्या बल का $12\frac{1}{2}$ प्रतिशत
D. संख्या बल का 10 प्रतिशत

88. निम्नलिखित में से कौन भारत के संविधान के अंतर्गत एक 'रिट' (आदेश) नहीं है?

A. क्वो-वारन्टो B. उत्प्रेषण (Certiorari)
C. प्रतिषेध D. व्यादेश (Injunction)

89. नीति आयोग मात्रापरक उद्देश्य के मापदंडों पर आधारित विभिन्न सामाजिक क्षेत्रों में राज्यों की रैंकिंग के आधार पर निम्नलिखित में से किस प्रकार के संघवाद को प्रोत्साहित करता है?

A. सहयोगात्मक संघवाद B. प्रतिस्पर्धात्मक संघवाद
C. अर्ध-संघवाद D. केन्द्रीकृत संघवाद

90. महिला उद्यमिता प्लेटफार्म (WEP) को निम्नलिखित में से किसके द्वारा आरंभ किया गया था?

A. महिला एवं बाल विकास मंत्रालय
B. नीति आयोग
C. राष्ट्रीय महिला आयोग
D. ग्रामीण विकास मंत्रालय

91. निम्नलिखित में से कौन नीति आयोग द्वारा प्रस्तुत किए गए प्रभावी शासन के सात स्तम्भों के भाग नहीं हैं?

(*a*) सहभागी
(*b*) उत्तरदायी
(*c*) पारदर्शिता
(*d*) अनुक्रियाशील

नीचे दिए गए विकल्पों में से सही उत्तर का चयन कीजिए:

A. केवल (*a*), (*b*) B. केवल (*b*), (*d*)
C. केवल (*a*), (*d*) D. केवल (*b*), (*c*)

92. सूची-I के साथ सूची-II का मिलान कीजिए:

सूची-I (आयोग/समिति)	सूची-II (वर्ष)
(*a*) विश्वविद्यालय शिक्षा आयोग (एस. राधाकृष्णन)	(*i*) 1952-53
(*b*) राष्ट्रीय ज्ञान आयोग (सैम पित्रोदा)	(*ii*) 1964-66
(*c*) माध्यमिक शिक्षा आयोग (ए.एल. मुदलियार)	(*iii*) 1948-49
(*d*) शिक्षा आयोग (डी.एस. कोठारी)	(*iv*) 2005-09

नीचे दिए गए विकल्पों में से सही उत्तर का चयन कीजिए:

	(*a*)	(*b*)	(*c*)	(*d*)
A.	(*iii*)	(*iv*)	(*i*)	(*ii*)
B.	(*iii*)	(*i*)	(*ii*)	(*iv*)
C.	(*iv*)	(*iii*)	(*i*)	(*ii*)
D.	(*iv*)	(*iii*)	(*ii*)	(*i*)

93. भारत के उच्चतम न्यायालय के ऐतिहासिक निर्णयों को कालानुक्रम में व्यवस्थित कीजिए:

(*a*) गोलकनाथ बनाम पंजाब राज्य
(*b*) एस.आर. बोम्मई बनाम भारत संघ
(*c*) मिनर्वा मिल्स बनाम भारत संघ
(*d*) केशवानंद भारती बनाम केरल राज्य

नीचे दिए गए विकल्पों में से सही उत्तर का चयन कीजिए:

A. (*a*), (*b*), (*c*), (*d*)
B. (*a*), (*d*), (*c*), (*b*)
C. (*a*), (*b*), (*d*), (*c*)
D. (*a*), (*c*), (*b*), (*d*)

94. भारत सरकार की द्वितीय ARC की विभिन्न रिपोर्टों को उनके प्रस्तुतीकरण वर्ष के अनुसार कालानुक्रम में व्यवस्थित कीजिए:

(*a*) सामाजिक पूँजी
(*b*) सूचना का अधिकार
(*c*) नागरिक केन्द्रित प्रशासन
(*d*) स्थानीय शासन

नीचे दिए गए विकल्पों में से सही उत्तर का चयन कीजिए:

A. (*b*), (*c*), (*a*), (*d*)
B. (*b*), (*d*), (*a*), (*c*)
C. (*b*), (*a*), (*d*), (*c*)
D. (*a*), (*d*), (*b*), (*c*)

95. निम्नलिखित विषयों से संबंधित भारतीय संविधान के पारित संशोधनों को कालक्रमानुसार व्यवस्थित कीजिए:

(*a*) राष्ट्रीय पिछड़ा वर्ग आयोग को संवैधानिक दर्जा
(*b*) मंत्री परिषद के आकार को विधान मंडल के 15 प्रतिशत तक सीमित करना
(*c*) आर्थिक रूप से कमजोर वर्गों को 10 प्रतिशत आरक्षण
(*d*) सहकारी समितियों को प्रोत्साहन

नीचे दिए गए विकल्पों में से सही उत्तर का चयन कीजिए:

A. (*b*), (*a*), (*c*), (*d*)
B. (*b*), (*d*), (*a*), (*c*)
C. (*d*), (*b*), (*a*), (*c*)
D. (*d*), (*b*), (*c*), (*a*)

96. नीचे दो कथन दिए गए हैं:

कथन I: संविधान संशोधन बिल पारित करने के लिए संसद की संयुक्त बैठक नहीं बुलाई जा सकती है।

कथन II: संयुक्त बैठक की अध्यक्षता लोकसभा अध्यक्ष करेगा।

उपरोक्त कथन के आलोक में, नीचे दिए गए विकल्पों में से सबसे उपयुक्त उत्तर का चयन कीजिए :

A. कथन I और II दोनों सही हैं
B. कथन I और II दोनों गलत हैं
C. कथन I सही है, लेकिन कथन II गलत है
D. कथन I गलत है, लेकिन कथन II सही है

97. भारत के संविधान के निम्नांकित में से किस अनुच्छेद के अन्तर्गत संघ लोक सेवा आयोग राष्ट्रपति को अपना वार्षिक प्रतिवेदन प्रस्तुत करता है?

A. 317 B. 320
C. 323 D. 323 A

98. सिविल सेवाओं के विभिन्न पहलुओं पर भारत सरकार की समितियों की रिपोर्टों के प्रस्तुत करने के कालक्रमानुसार व्यवस्थित कीजिए।

(*a*) योगिन्दर के. अलघ समिति
(*b*) ए. रामास्वामी मुदालियर समिति
(*c*) सतीश चन्द्र समिति
(*d*) सुरिन्दरनाथ समिति

कूट :

A. (*a*), (*b*), (*c*), (*d*) B. (*b*), (*c*), (*d*), (*a*)
C. (*b*), (*c*), (*a*), (*d*) D. (*b*), (*a*), (*d*), (*c*)

99. निम्नलिखित में से कौन-से सवैधानिक अनुच्छेद/प्रावधान 'लाभ के पद' से संबंधित हैं?

A. 102(1) और 312 B. 191(1) और 197
C. 102(1) और 191(1) D. 312 एवं 197

100. भारत में प्रधानमंत्री कार्यालय (P.M.O.) के बारे में निम्नांकित पर विचार कीजिए और नीचे दिए गए कूट की सहायता से **सही** उत्तर का चयन कीजिए।

(*a*) इसे विभाग का स्तर प्राप्त है।
(*b*) इसने प्रधानमंत्री सचिवालय (P.M.S.) को प्रतिस्थापित किया है।
(*c*) इसके अधीन कतिपय संलग्न और अधीनस्थ कार्यालय हैं।
(*d*) यह एक सूत्र अभिकरण है।

कूट :

A. (*a*), (*b*) B. (*a*), (*b*), (*c*)
C. (*a*), (*c*), (*d*) D. (*a*), (*b*), (*c*), (*d*)

उत्तरमाला

1	2	3	4	5	6	7	8	9	10
A	B	A	A	C	D	B	C	C	A
11	**12**	**13**	**14**	**15**	**16**	**17**	**18**	**19**	**20**
A	C	D	C	A	C	B	A	B	A
21	**22**	**23**	**24**	**25**	**26**	**27**	**28**	**29**	**30**
C	B	A, C	C	D	A	B	C	D	B
31	**32**	**33**	**34**	**35**	**36**	**37**	**38**	**39**	**40**
D	A	C	C	C	D	D	B	D	B
41	**42**	**43**	**44**	**45**	**46**	**47**	**48**	**49**	**50**
B	C	B	D	C	B	C	D	D	B
51	**52**	**53**	**54**	**55**	**56**	**57**	**58**	**59**	**60**
D	B	A	A	A	C	C	B	A	A
61	**62**	**63**	**64**	**65**	**66**	**67**	**68**	**69**	**70**
C	B	B	C	B	A	B	D	B	D
71	**72**	**73**	**74**	**75**	**76**	**77**	**78**	**79**	**80**
D	B	B	D	D	B	B	C	B	A
81	**82**	**83**	**84**	**85**	**86**	**87**	**88**	**89**	**90**
B	A	B	A	D	C	D	D	B	B
91	**92**	**93**	**94**	**95**	**96**	**97**	**98**	**99**	**100**
B	A	B	B	B	A	C	C	C	A

★ ★ ★

UNIT–IV

राज्य एवं स्थानीय प्रशासन

(STATE AND LOCAL GOVERNMENT)

संविधान की सातवीं अनुसूची में वर्णित 'राज्य सूची' की पाँचवीं प्रविष्टि 'स्थानीय शासन' से सम्बन्धित है। भारत में पंचायतीराज ग्रामीण स्थानीय स्वशासन प्रणाली का सूचक है। भारत के प्रत्येक राज्य में इसका गठन राज्य विधान मण्डल के अधिनियम द्वारा सबसे निचले स्तर पर लोकतंत्र स्थापित करने के उद्देश्य रो क्रिया गया है। इसे ग्रामीण विकास से सम्बन्धित कार्य और उत्तरदायित्व सौंपे गये हैं। संविधान के 73वें संशोधन अधिनियम 1993 के द्वारा इसे स्रवैधानिक दर्जा दिया गया है। स्थानीय स्वशासन का मूल उद्देश्य शासन के कार्यों में लोगों की अधिकतम सहभागिता और स्वायत्तता सुनिश्चित करना होता है। जहाँ लोकतांत्रिक विकेन्द्रीकरण एक राजनीतिक अवधारणा है, वहीं स्थानीय शासन उसका संस्थागत रूप होता है। जहाँ हम लोकतांत्रिक विकेन्द्रीकरण को अपनाकर सहभागिता पर बल देते हैं, वहीं स्थानीय शासन के माध्यम से प्रशासनिक विकेन्द्रीकरण अपना कर कुशलता को बढ़ावा देते हैं। सभ्यता के प्रारंभ में परिवार और समुदाय छोटे होते थे तथा जनसंख्या कम होती थी। प्रशासनिक केन्द्रीकरण क रूप कम दिखायी देते थे। ग्राम स्तर पर ही झगड़े आदि समस्यायें सुलझा लिए जाते थे। प्रशासन के सबसे छोटे इकाई के रूप में गाँव की उपयोगिता हमेशा आधुनिक काल में भी बनी रही है। आज जबकि राज्य की जनसंख्या बढ़ गयी है और स्वातंत्र्योत्तर भारत में प्रशासन के केन्द्रीकृत रूप को अपनाया गया है जिससे भारत में औद्योगीकरण के कारण नगरों का विस्तार न केवल तेजी से हुआ है अपितु नगरों की जनसंख्या में तीव्र गति से वृद्धि हो रही है। नगर-संस्थाओं को अधिक लोकतान्त्रिक बनाने का प्रयास किया गया है ताकि नगरों में भी स्थानीय शासन का विकास हो सके।

नगरीय समस्याओं में निरन्तर वृद्धि तथा कार्यों में अप्रत्याशित बढ़ोतरी के कारण नगरीय शासन जटिल और कठिन हो गया है। स्वतंत्रता पश्चात् नगरीय सरकार से कल्याणकारी कार्यक्रमों के क्रियान्वयन में स्थानीय सहयोग प्राप्त करने की आशा की जाती है। इस प्रकार आजकल दैनिक जीवन में नगर शासन (स्थानीय शासन) का प्रान्तीय अथवा केन्द्रीय शासन से भी अधिक महत्व है। विलियम ए. रॉब्सन ने उचित ही कहा है, "आज स्थानीय प्राधिकरणों को काम करने का पहले से अधिक सुअवसर उपलब्ध है।"

राज्य प्रशासन की संवैधानिक रूप रेखा (Constitutional Frame Work of State Administration)

भारत का संविधान संघात्मक है, यद्यपि संविधान के अनुच्छेद 1 में इसे 'राज्यों का संघ' (Union of states) कहा गया है। संघात्मक शासन में राष्ट्रीय तथा इकाई राज्यों में शासन की दो पृथक व्यवस्थाएँ होती हैं। इसमें दुहरी नीतियाँ पायी जाती हैं। एक ही राज्य के ढाँचे के अन्तर्गत राष्ट्रीय तथा क्षेत्रीय शासन में सह-अस्तित्व रहता है। दोनों ही शासन संविधान द्वारा प्रदत्त शक्तियों का प्रयोग करते हैं तथा संविधान द्वारा सुनिश्चित सीमाओं के अन्तर्गत दोनों ही सर्वोच्च होते हैं। संघवाद दोनों ही शासन-व्यवस्थाओं में समान स्तर की मान्यता पर आधारित है। उनमें से कोई एक अन्य दूसरे की कृति नहीं है। न्यायिक स्तर तथा वैधानिक व्यक्तित्व दोनों के लक्षण हैं। राज्य के राजनीतिक और प्रशासनिक संगठन केन्द्र के सगकक्ष हैं। केन्द्र में राष्ट्रपति, मंत्रिपरिषद्, संसद, सर्वोच्च न्यायालय की स्थिति– राज्य में राज्यपाल, मंत्रिपरिषद्, विधायिका तथा उच्च न्यायालय के समकक्ष है। निर्वाचन आयोग, राष्ट्रपति शासन, राज्य सचिवालय, जिला प्रशासन, पंचायती राज और स्थानीय स्वशासन राज्य के संवैधानिक दायित्व के अन्तर्गत हैं।

राज्य में मुख्य कार्यपालिका को सहायता एवं परामर्श देने के लिए प्रत्येक राज्य में प्रशासन की भाँति दो प्रकार के स्टाफ अभिकरण हैं। *प्रथम, मन्त्रिमण्डलीय समितियाँ;* और *द्वितीय,* मन्त्रिमण्डल सचिवालय। आवश्यकतानुसार 'अस्थायी समितियों' का भी गठन किया जाता है। राज्य में प्रशासन का कार्य निम्नलिखित सूत्र अभिकरणों के द्वारा किया जाता है:

(1) विभाग
(2) नियामकीय आयोग
(3) लोक निगम।

भारत में राज्य प्रशासन की विशेषताएँ

संविधान में भारत के लिए 'राज्यों का संघ' शब्दों का प्रयोग किया गया है। डॉ. अम्बेडकर ने 'राज्यों के संघ' शब्दावली के महत्व को स्पष्ट करते

हुए कहा था, "यद्यपि भारत एक संघ है, परन्तु वह संघ-राज्यों के किसी प्रकार के पारस्परिक समझौते का परिणाम नहीं है और संघ-राज्य समझौते का परिणाम न होने के कारण किसी भी राज्य को संघ से अलग होने का अधिकार नहीं है।" संक्षेप में, राज्य प्रशासन की मूलभूत विशेषताएँ हैं–राज्य प्रशासन का अपना स्वतन्त्र अस्तित्व, राज्यों के लिए पृथक् संविधान का अभाव, राज्य प्रशासन वित्तीय दृष्टि से केन्द्र पर अधिक आत्मनिर्भर, संकटकाल में राज्य प्रशासन केन्द्रीय प्रशासन के अधीन, एकीकृत न्याय व्यवस्था, राज्यपालों की नियुक्ति राष्ट्रपति द्वारा, राज्य प्रशासन में अखिल भारतीय सेवा का प्रवेश, राज्य सचिवालय राज्य प्रशासन का हृदय, स्थानीय प्रशासन राज्य के अधीन, राज्य द्वारा नीतियों को लागू करना, आदि। आज राज्य प्रशासन विकास प्रशासन का रूप लेता जा रहा है। संक्षेप में, भारत में राज्यों की स्थिति वैसी स्वतन्त्र और शक्तिसम्पन्न नहीं है जैसी अमरीकी राज्यों की है। हमारा संविधान संघात्मक और एकात्मक का सम्मिश्रण है। हमने सहकारी संघवाद (Co-operative Federalism) की स्थापना की है जिसमें दोनों सरकारें अपने-अपने क्षेत्रों में शक्तिसम्पन्न हैं और एक-दूसरे की पूरक हैं।

राज्य विधायिका (State Legislature)

राज्य विधानमंडल का गठन

अनेक राज्यों में एक सदनीय व्यवस्था है, जबकि कुछ में द्विसदनीय है। वर्तमान में (2025) केवल छह राज्यों में दो सदन हैं, ये हैं–आंध्र प्रदेश, तेलंगाना, उत्तर प्रदेश, बिहार, महाराष्ट्र और कर्नाटक।

22 राज्यों में एक सदनीय व्यवस्था है। राज्य विधानमंडल में राज्यपाल एवं विधानसभा शामिल होते हैं, जिन राज्यों में द्विसदनीय व्यवस्था है, वहाँ विधानमंडल में राज्यपाल, विधानपरिषद् और विधानसभा होते हैं। विधान परिषद उच्च सदन (द्वितीय सदन या वरिष्ठों का सदन) है, जबकि विधानसभा निचला सदन (पहला सदन या लोकप्रिय सदन) होता है।

संविधान में राज्य में विधानपरिषद के गठन एवं विघटन करने की व्यवस्था है। संसद एक विधानपरिषद को (यदि यह पहले से है) विघटित कर सकती है और (यदि पहले से नहीं है) इसका गठन कर सकती है यदि संबंधित राज्य की विधानसभा इस संबंध में संकल्प पारित करे। इस तरह का कोई विशेष प्रस्ताव राज्य विधानसभा द्वारा पूर्ण बहुमत से पारित होना जरूरी है। यह बहुमत कुल मतों एवं उपस्थित सदस्यों के दो-तिहाई से कम नहीं होना चाहिए। संसद का यह अधिनियम अनुच्छेद 368 के प्रयोजनों हेतु संविधान का संशोधन नहीं माना जाएगा और सामान्य विधान की तरह (अर्थात् साधारण बहुमत से) पारित किया जायेगा।

दो सदनों का गठन

विधानसभा का गठन

संख्याः विधानसभा के प्रतिनिधियों को प्रत्यक्ष मतदान से वयस्क मताधिकार के द्वारा निर्वाचित किया जाता है। इसकी अधिकतम संख्या 500 और निम्नतम 60 तय की गई है। इसका अर्थ है कि 60 से 500 के बीच की यह संख्या राज्य की जनसंख्या एवं इसके आकार पर निर्भर है। हालांकि अरुणाचल प्रदेश, सिक्किम एवं गोवा के मामले में यह संख्या 30 तय की गई है एवं मिजोरम व नागालैंड के मामले में क्रमशः 40 एवं 46। इसके अलावा सिक्किम और नागालैंड विधानसभा के कुछ सदस्य अप्रत्यक्ष रूप से भी चुने जाते हैं।

नामित सदस्यः राज्यपाल, आंग्ल-भारतीय समुदाय से एक सदस्य को नामित कर सकता है। यदि इस समुदाय का प्रतिनिधि विधानसभा में पर्याप्त नहीं हो। मूलतः यह उपबंध दस वर्षों (1960 तक) के लिए था, लेकिन इसे हर बार 10 वर्षों के लिए बढ़ा दिया गया। 104वें संविधान संशोधन 2019 द्वारा इस प्रावधान को समाप्त कर दिया गया है।

परिषद का गठन

संख्याः विधानसभा सदस्यों के विपरीत विधानपरिषद के सदस्य अप्रत्यक्ष रूप से निर्वाचित होते हैं। परिषद में अधिकतम संख्या विधानसभा की एक-तिहाई और न्यूनतम 40 निश्चित है। इसका मतलब संबंधित राज्य में परिषद सदस्य की संख्या, विधानसभा के आकार पर निर्भर है। ऐसा यह सुनिश्चित करने के लिए किया गया कि प्रत्यक्ष निर्वाचित सदन (सभा) का प्रभुत्व राज्य के मामलों में बना रहे। यद्यपि संविधान ने परिषद की अधिकतम एवं न्यूनतम संख्या तय कर दी है। इसकी वास्तविक संख्या का निर्धारण संसद द्वारा किया जाता है।

निर्वाचन पद्धतिः विधानपरिषद के कुल सदस्यों में से–

- 1/3 सदस्यों का चुनाव विधानसभा के सदस्यों द्वारा किया जाता है।
- 1/12 सदस्यों का निर्वाचन 3 वर्ष से अध्यापन कर रहे लोग करते हैं लेकिन ये अध्यापक माध्यमिक स्कूलों से कम के नहीं होने चाहिये।
- 1/12 सदस्यों को राज्य में रह रहे 3 वर्ष से स्नातक निर्वाचित करते हैं।
- 1/3 सदस्य स्थानीय निकायों, जैसें-नगरपालिका, जिला बोर्ड आदि के द्वारा चुने जाते हैं।
- बाकी बचे हुए सदस्यों का नामांकन राज्यपाल द्वारा उन लोगों के बीच से किया जाता है, जिन्हें साहित्य, ज्ञान, कला, सहकारिता आंदोलन और समाज सेवा का विशेष ज्ञान व व्यावहारिक अनुभव हो।

इस तरह विधानपरिषद के कुल सदस्यों में से 5/6 सदस्यों का अप्रत्यक्ष रूप से चुनाव होता है और 1/6 को राज्यपाल नामित करता है। सदस्य, एकल संक्रमणीय मत के द्वारा समानुपातिक प्रतिनिधित्व प्रणाली के माध्यम से चुने जाते हैं। राज्यपाल द्वारा नामित सदस्यों को किसी भी स्थिति में अदालत में चुनौती नहीं दी जा सकती है। विधानपरिषद के गठन की यह प्रक्रिया संविधान में अस्थायी है, न कि अंतिम। संसद इसको बदलने और सुधारने के लिए अधिकृत है, हालांकि अभी तक संसद ने ऐसी कोई विधि नहीं बनाई है।

दोनों सदनों का कार्यकाल

विधानसभा का कार्यकाल

लोकसभा की तरह विधानसभा भी निरंतर चलने वाला सदन नहीं है। आम चुनाव के बाद पहली बैठक से लेकर इसका सामान्य कार्यकाल पाँच वर्ष का होता है। इस काल के समाप्त होने पर विधानसभा स्वतः ही विघटित हो जाती है, हालांकि इसे किसी भी समय विघटित करने के लिए राज्यपाल अधिकृत है (इसके पाँच वर्ष पूरे होने के पहले भी) ताकि नये चुनाव हो सकें।

राष्ट्रीय आपातकाल के समय में संसद द्वारा विधानसभा का कार्यकाल एक समय में एक वर्ष तक के लिए बढ़ाया जा सकता है, हालांकि यह विस्तार आपातकाल खत्म होने के बाद छह महीने से अधिक का नहीं हो सकता है। अर्थात आपातकाल खत्म होने के छह महीने के भीतर विधानसभा का दोबारा निर्वाचन हो जाना चाहिए।

विधानपरिषद का कार्यकाल

राज्यसभा की तरह विधानपरिषद एक सतत सदन है, यानी कि स्थायी अंग जो विघटित नहीं होता। लेकिन इसके एक-तिहाई सदस्य, प्रत्येक दूसरे वर्ष में सेवानिवृत्त होते रहते हैं। इस तरह एक सदस्य का कार्यकाल छह वर्ष के लिए होता है। खाली पदों को नये चुनाव और नामांकन (राज्यपाल द्वारा) द्वारा हर तीसरे वर्ष के प्रारंभ में भरा जाता है। सेवानिवृत्त सदस्य भी पुनर्चुनाव और दोबारा नामांकन हेतु योग्य होते हैं।

राज्य विधानमंडल की सदस्यता

अर्हताएं

विधानमंडल का सदस्य चुने जाने के लिए संविधान में उल्लिखित किसी व्यक्ति की अर्हताएं निम्नलिखित हैं:

(*a*) उसे भारत का नागरिक होना चाहिए।

(*b*) उसे चुनाव आयोग द्वारा अधिकृत किसी व्यक्ति के समक्ष शपथ लेनी पड़ती है, जिसमें वह संकल्प करता है कि,

- (*i*) वह भारत के संविधान के प्रति सच्ची निष्ठा रखेगा, तथा;
- (*ii*) भारत की संप्रभुता एवं अखंडता को अक्षुण्ण रखेगा।

(*c*) उसकी आयु विधानसभा के लिए कम-से-कम 25 वर्ष और विधानपरिषद के लिए कम-से-कम 30 वर्ष होनी चाहिए।

(*d*) उसमें संसद द्वारा निर्धारित अन्य अर्हताएं भी होनी चाहिये। जन-प्रतिनिधित्व अधिनियम (1951) के तहत संसद ने निम्नलिखित अतिरिक्त अर्हताओं का निर्धारण किया है:

1. विधानपरिषद में निर्वाचित होने वाला व्यक्ति विधानसभा का निर्वाचक होने की अर्हता रखता हो और उसे राज्यपाल द्वारा नामित होने के लिए संबंधित राज्य का निवासी होना चाहिए।
2. विधानसभा सदस्य बनने वाला व्यक्ति संबंधित राज्य के निर्वाचन क्षेत्र में मतदाता भी होना चाहिए।
3. अनुसूचित जाति/जनजाति का सदस्य होना चाहिए यदि वह अनुसूचित जाति/जनजाति की सीट के लिए चुनाव लड़ता है। यद्यपि अनुसूचित जाति या जनजाति का सदस्य उस सीट के लिए भी चुनाव लड़ सकता है, जो उसके लिए आरक्षित न हो।

निरर्हताएं

संविधान के अनुसार, कोई व्यक्ति राज्य विधानपरिषद या विधानसभा के लिए चुने जाने और इसकी सदस्यता से निरर्ह होगा:

- (*i*) यदि वह केंद्र या राज्य सरकार के (मंत्री या राज्य विधानमंडल से छूट प्राप्त कोई अन्य कार्यालय) तहत किसी लाभ के पद पर है।
- (*ii*) यदि वह विकृतिचित्त है और सक्षम न्यायालय की ऐसी घोषणा विद्यमान है।
- (*iii*) यदि वह अनुन्मोचित दिवालिया हो।
- (*iv*) यदि वह भारत का नागरिक न हो या उसने विदेश में कहीं नागरिकता स्वेच्छा से अर्जित कर ली हो या वह किसी विदेशी राज्य के प्रति निष्ठा या अनुषक्ति को अभिस्वीकार किए हुए है।

जन-प्रतिनिधित्व अधिनियम (1951) के तहत संसद ने कुछ अतिरिक्त निरर्हताएं निर्धारित की हैं, ये संसद के समान ही हैं।

उपरोक्त निरर्हताओं के संबंध में किसी सदस्य के प्रति यदि प्रश्न उठे तो राज्यपाल का निर्णय अंतिम होगा। हालांकि इस मामले में वह चुनाव आयोग की सलाह लेकर काम करता है।

दल-बदल के आधार पर निरर्हता: संविधान में यह प्रख्यापित है कि यदि कोई व्यक्ति दसवीं अनुसूची के उपबंधों के अंतर्गत दल-परिवर्तन के आधार पर निरर्ह होता है तो वह राज्य विधानमण्डल के किसी भी सदन की सदस्यता के लिए निरर्ह रहेगा।

10वीं अनुसूची के तहत यदि निरर्हता का मामला उठे तो विधान परिषद के मामले में सभापति एवं विधानसभा के मामले में अध्यक्ष (राज्यपाल नहीं) फैसला करेगा। 1992 में उच्चतम न्यायालय ने व्यवस्था दी है कि सभापति/अध्यक्ष का फैसला न्यायिक समीक्षा की परिधि में आता है।

स्थानों का रिक्त होना

निम्नलिखित मामलों में विधानमंडल का सदस्य पद छोड़ता है:

1. **दोहरी सदस्यता:** एक व्यक्ति एक समय में विधानमंडल के दोनों सदनों का सदस्य नहीं हो सकता। यदि कोई व्यक्ति दोनों सदनों के लिए निर्वाचित होता है तो राज्य विधानमंडल द्वारा निर्मित विधि के उपबंधों के तहत एक सदन से उसकी सीट रिक्त हो जाएगी।
2. **निरर्हता:** राज्य विधानमंडल का कोई सदस्य यदि निरर्ह पाया जाता है, तो उसका पद रिक्त हो जाएगा।

3. **त्यागपत्रः** कोई सदस्य अपना लिखित इस्तीफा विधान परिषद के मामले में सभापति और विधानसभा के मामले में अध्यक्ष को दे सकता है। त्यागपत्र स्वीकार होने पर उसका पद रिक्त हो जाएगा।
4. **अनुपस्थितिः** यदि कोई सदस्य बिना पूर्व अनुमति के 60 दिन तक बैठकों से अनुपस्थित रहता है तो सदन उसके पद को रिक्त घोषित कर सकता है।
5. **अन्य मामलेः** किसी सदस्य का पद रिक्त हो सकता है।
   - यदि न्यायालय द्वारा उसके निर्वाचन को अमान्य ठहरा दिया जाए,
   - यदि उसे सदन से निष्काषित कर दिया जाए,
   - यदि वह राष्ट्रपति या उपराष्ट्रपति के पद पर निर्वाचित हो जाए और
   - यदि वह किसी राज्य का राज्यपाल निर्वाचित हो जाए।

राज्य विधामंडल सत्र

आहूत करना

राज्य विधानमंडल के प्रत्येक सदन को राज्यपाल समय-समय पर बैठक का बुलावा भेजता है। दोनों सत्रों के बीच छह माह से अधिक का समय नहीं होना चाहिए। एक सत्र में विधानमंडल की कई बैठकें हो सकती हैं।

स्थगन

बैठक को किसी समय विशेष के लिए स्थगित भी किया जा सकता है। यह समय घंटों, दिनों या हफ्तों का भी हो सकता है।

अनिश्चित काल स्थगन का मतलब है कि चालू सत्र को अनिश्चित काल तक के लिए समाप्त कर देना। इन दोनों तरह के स्थगन का अधिकार सदन के पीठासीन अधिकारी को है।

सत्रावसान

पीठासीन अधिकारी (अध्यक्ष या सभापति) कार्य संपन्न होने पर सत्र को अनिश्चित काल के लिए स्थगन की घोषणा करते हैं। इसके कुछ दिन बाद राज्यपाल सत्रावसान की अधिसूचना जारी करता है।

हालांकि सत्र के बीच में भी राज्यपाल सत्रावसान की घोषणा कर सकता है। स्थगन के विपरीत सत्रावसान सदन के सत्र को समाप्त करता है।

विघटन

एक स्थायी सदन के होने के नाते विधानपरिषद कभी विघटित नहीं हो सकती। सिर्फ विधानसभा ही विघटित हो सकती है। सत्रावसान के विपरीत विघटन से वर्तमान सदन का कार्यकाल समाप्त हो जाता है और आम चुनाव के बाद नए सदन का गठन होता है।

विधानसभा के विघटित होने पर विधेयकों के खारिज होने को हम इस प्रकार समझ सकते हैं:

1. विधानसभा में लंबित विधेयक समाप्त हो जाता है। (चाहे मूल रूप से यह विधानसभा द्वारा प्रारंभ किया गया हो या फिर इसे विधान परिषद द्वारा भेजा गया हो)।
2. विधानसभा द्वारा पारित विधेयक लेकिन विधानपरिषद में लंबित, समाप्त हो जाता है।
3. ऐसा विधेयक जो विधानपरिषद में लंबित हो लेकिन विधानसभा द्वारा पारित न हो, को खारिज नहीं किया जा सकता।
4. ऐसा विधेयक जो विधानसभा द्वारा पारित हो (एक सदनीय विधानमंडल वाले राज्य में) या दोनों सदनों द्वारा पारित हो (द्वि-सदनीय व्यवस्था वाले राज्य में) लेकिन राज्यपाल या राष्ट्रपति की स्वीकृति के कारण रुका हुआ हो, को खारिज नहीं किया जा सकता।
5. ऐसा विधेयक जो विधानसभा द्वारा पारित हो (एक सदनीय विधानमंडल वाले राज्य में) लेकिन राष्ट्रपति द्वारा सदन के पास पुनर्विचार हेतु लौटाया गया हो को समाप्त नहीं किया जा सकता।

विधायी प्रक्रिया

साधारण विधेयक

विधेयक का प्रारंभिक सदनः एक साधारण विधेयक विधानमंडल के किसी भी सदन में प्रारंभ हो सकता है (द्विसदनीय विधानमंडल व्यवस्था के अंतर्गत)। ऐसा कोई भी विधेयक या तो मंत्री द्वारा या किसी अन्य सदस्य द्वारा पुरः स्थापित किया जाएगा। विधेयक प्रारंभिक सदन में तीन स्तरों से गुजरता है:

1. प्रथम पाठन
2. द्वितीय पाठन
3. तृतीय पाठन

प्रारंभिक सदन से विधेयक के पारित होने के बाद इसे दूसरे सदन में विचारार्थ और पारित करने हेतु भेजा जाता है, जब विधानमंडल के दोनों सदन इसे इसके मूल रूप में या संशोधित कर पारित करते हैं तो इसे पारित माना जाता है। एक सदनीय व्यवस्था वाले विधानमंडल में इसे पारित कर सीधे राज्यपाल की स्वीकृति के लिए भेजा जाता है।

दूसरे सदन में विधेयक

दूसरे सदन में भी विधेयक उन तीनों स्तरों के बाद पारित होता है, जिन्हें प्रथम पाठन, द्वितीय पाठन एवं तृतीय पाठन कहा जाता है।

जब कोई विधेयक विधानसभा से पारित होने के बाद विधानपरिषद में भेजा जाता है, तो वहाँ तीन विकल्प होते हैं:

1. इसे उसी रूप में (बिना संशोधन के) पारित कर दिया जाए।

2. कुछ संशोधनों के बाद पारित कर विचारार्थ इसे विधानसभा को भेज दिया जाए।
3. विधेयक को अस्वीकृत कर दिया जाए।
4. इस पर कोई कार्यवाही न की जाए और विधेयक को लंबित रखा जाए।

यदि परिषद बिना संशोधन के विधेयक को पारित कर दे या विधानसभा उसके संशोधनों को मान ले तो विधेयक दोनों सदनों द्वारा पारित माना जाता है जिसे राज्यपाल के पास स्वीकृति के लिए भेजा जाता है। इसके अतिरिक्त यदि विधानसभा परिषद के सुझावों को अस्वीकृत कर दे या परिषद ही विधेयक को अस्वीकृत कर दे या परिषद तीन महीने तक कोई कार्यवाही न करे, तब विधानसभा फिर से इसे पारित कर परिषद को भेज सकती है। यदि परिषद दोबारा विधेयक को अस्वीकृत कर दे या उसे उन संशोधनों के साथ पारित कर दे जो विधानसभा को अस्वीकार हो या एक माह के भीतर पास न करे तब इसे दोनों सदनों द्वारा पारित माना जाता है क्योंकि विधानसभा ने इसे दूसरी बार पारित कर दिया।

इस तरह साधारण विधेयक पारित करने के संदर्भ में विधानसभा को विशेष शक्ति प्राप्त है। ज्यादा से ज्यादा परिषद एक विधेयक को चार माह के लिए रोक सकती है। पहली बार में तीन माह के लिए और दूसरी बार में एक माह के लिए। संविधान में किसी विधेयक पर असहमति होने के मामले में दोनों सदनों की संयुक्त बैठक का प्रावधान नहीं रखा गया है। दूसरी ओर, किसी साधारण विधेयक को पास कराने के लिए लोकसभा एवं राज्यसभा की संयुक्त बैठक का प्रावधान है। इसके अतिरिक्त यदि कोई विधेयक विधानपरिषद में निर्मित हो और उसे विधासभा अस्वीकृत कर दे तो विधेयक समाप्त हो जाता है।

इस प्रकार, विधानपरिषद को राज्यसभा की तुलना में कम अधिकार और महत्व दिया गया है।

राज्यपाल की स्वीकृतिः विधानसभा या द्विसदनीय व्यवस्था में दोनों सदनों द्वारा पारित होने के बाद प्रत्येक विधियेक राज्यपाल के समक्ष स्वीकृति के लिए भेजा जाता है। राज्यपाल के पास चार विकल्प होते हैं:

1. वह विधेयक को स्वीकृति प्रदान कर दे,
2. वह विधेयक को अपनी स्वीकृति देने से रोके रखे,
3. वह सदन या सदनों के पास विधेयक को पुनर्विचार के लिए भेज दे, और
4. वह राष्ट्रपति के विचारार्थ विधेयक को सुरक्षित रख ले।

यदि राज्यपाल विधेयक को स्वीकृति प्रदान कर दे तो विधेयक फिर अधिनियम बन जाएगा और वह संविधि की पुस्तक में दर्ज हो जाता है। यदि राज्यपाल विधेयक को रोक लेता है तो विधेयक समाप्त हो जाता है और अधिनियम नहीं बनता। 'यदि राज्यपाल विधेयक को पुनर्विचार के लिए भेजता है और दोबारा सदन या सदनों द्वारा इसे पारित कर दिया जाता है एवं पुनः राज्यपाल के पास स्वीकृति के लिए भेजा जाता है तो राज्यपाल को उसे मंजूरी देना अनिवार्य हो जाता है। इस तरह राज्यपाल के पास वैकल्पिक वीटो होता है। यही स्थिति केंद्रीय स्तर पर भी है।

राष्ट्रपति की स्वीकृतिः यदि कोई विधेयक राज्यपाल द्वारा राष्ट्रपति की स्वीकृति के लिए सुरक्षित रखा जाता है तो राष्ट्रपति या तो अपनी स्वीकृति दे देते हैं, उसे रोक सकते हैं या विधानमंडल के सदन या सदनों को पुनर्विचार हेतु भेज सकते हैं। 6 माह के भीतर इस विधेयक पर पुनर्विचार आवश्यक है। यदि विधेयक को उसके मूल रूप में या संशोधित कर दोबारा राष्ट्रपति के पास भेजा जाता है तो संविधान में इस बात का उल्लेख नहीं है कि राष्ट्रपति इस विधेयक को मंजूरी दे या नहीं।

वित्त विधेयक

संविधान में राज्य विधानमंडल द्वारा वित्त विधेयक को पारित करने में विशेष प्रक्रिया निहित है। यह निम्नलिखित है:

वित्त विधेयक विधानपरिषद में पेश नहीं किया जा सकता। यह केवल विधानसभा में ही राज्यपाल की सिफारिश के बाद पुरः स्थापित किया जा सकता है। इस तरह का कोई भी विधेयक सरकारी विधेयक होता है और सिर्फ एक मंत्री द्वारा ही पुरःस्थापित किया जा सकता है।

विधानसभा द्वारा पारित होने के बाद एक वित्त विधेयक को विधानपरिषद के विचारार्थ भेजा जाता है। विधानपरिषद के पास वित्त विधेयक के संबंध में प्रतिबंधित शक्तियां हैं। वह न तो इसे अस्वीकार कर सकती है, न ही इसमें संशोधन कर सकती है। वह केवल सिफारिश कर सकती है और 14 दिनों में विधेयक को लौटाना भी होता है। विधानसभा इसके सुझावों को स्वीकार भी कर सकती है और अस्वीकार भी।

यदि विधानसभा किसी सिफारिश को मान लेती है तो विधेयक पारित मान लिया जाता है। यदि वह कोई सिफारिश नहीं मानती है तब भी इसे मूल रूप में दोनों सदनों द्वारा पारित मान लिया जाता है।

यदि विधान परिषद 14 दिनों के भीतर विधानसभा को विधेयक न लौटाए तो इसे दोनों सदनों द्वारा पारित मान लिया जाता है। इस तरह एक वित्त विधेयक के मामले में विधान परिषद के मुकाबले विधानसभा को ज्यादा अधिकार प्राप्त है। विधान परिषद इस विधेयक को अधिकतम 14 दिन तक रोक सकती है।

अंततः जब एक वित्त विधेयक राज्यपाल के समक्ष पेश किया जाता है तब वह इस पर अपनी स्वीकृति दे सकता है, इसे रोक सकता है या राष्ट्रपति की स्वीकृति के लिए सुरक्षित रख सकता है लेकिन राज्य विधानमंडल के पास पुनर्विचार के लिए नहीं भेज सकता। सामान्यतः राज्यपाल उस विधेयक को स्वीकृति दे ही देता है, क्योंकि यह उसकी पूर्व अनुमति के बाद लाया जाता है।

जब कोई वित्त विधेयक राष्ट्रपति के विचारार्थ के लिए सुरक्षित रखा जाता है तो राष्ट्रपति या तो इसे स्वीकृति दे देता है या इसे रोक सकता है लेकिन इसे राज्य विधानमंडल के पास पुनर्विचार के लिए नहीं भेज सकता है।

विधानपरिषद की स्थिति

संविधान में उल्लिखित परिषद की स्थिति (विधानसभा की तुलना में) का दो कोणों से अध्ययन किया जा सकता है:

1. जहाँ परिषद सभा के बराबर हो।
2. जहाँ परिषद सभा के बराबर न हो।

विधानसभा से समानता

निम्नलिखित मामलों में परिषद की शक्तियों एवं स्थिति को विधानसभा के बराबर माना जा सकता है:

1. साधारण विधेयकों को पुरःस्थापित और पारित करना। यद्यपि दोनों सदनों के बीच असहमति की स्थिति में विधानसभा ज्यादा प्रभावी होती है।
2. राज्यपाल द्वारा जारी अध्यादेश को स्वीकृति
3. मुख्यमंत्री सहित मंत्रियों का चयनः संविधान के अंतर्गत मुख्यमंत्री सहित अन्य सभी मंत्रियों को विधानमंडल के किसी एक सदन का सदस्य होना चाहिए। तथापि अपनी सदस्यता के बावजूद वे केवल विधानसभा के प्रति उत्तरदायी होते हैं।
4. संवैधानिक निकायों, जैसे—राज्य वित्त आयोग, राज्य लोक सेवा आयोग एवं भारत के नियंत्रक एवं महालेखा परीक्षक की रिपोर्टों पर विचार करना।
5. राज्य लोक सेवा आयोग के न्याय क्षेत्र में वृद्धि।

विधानसभा से असमानता

निम्नलिखित मामलों में परिषद की शक्ति एवं स्थिति सभा से अलग है:

1. वित्त विधेयक सिर्फ विधानसभा में पुरः स्थापित किया जा सकता है।
2. विधानपरिषद वित्त विधेयक में न संशोधन और न ही इसे अस्वीकृत कर सकती है। इसे विधानसभा को 14 दिन के अंदर सिफारिश के साथ या बिना सिफारिश के भेजना होता है।
3. विधानसभा परिषद की सिफारिशों को स्वीकार या अस्वीकार कर सकती है। दोनों मामलों में वित्त विधेयक दोनों सदनों द्वारा पास माना जाता है।
4. कोई विधेयक वित्त विधेयक है या नहीं, यह तय करने का अधिकार विधानसभा के अध्यक्ष को है।
5. एक साधारण विधेयक को पास करने का अंतिम अधिकार विधानसभा को ही है। कुछ मामलों में परिषद इसे अधिकतम चार माह के लिए रोक सकती है। पहली बार में विधेयक को तीन माह और दूसरी बार में एक माह के लिए रोका जा सकता है। दूसरे शब्दों में परिषद राज्यसभा की तरह पुनरीक्षण निकाय भी नहीं है। यह एक विलंबकारी चैम्बर या परामर्शी निकाय मात्र है।
6. अंततः परिषद का अस्तित्व ही विधानसभा पर निर्भर करता है। विधानसभा की सिफारिश के बाद संसद विधान परिषद को समाप्त कर सकती है।
7. संविधान संशोधन विधेयक में परिषद प्रभावी रूप में कुछ नहीं कर सकती। इस मामले में भी विधानसभा ही अभिभावी रहती है।
8. परिषद भारत के राष्ट्रपति और राज्यसभा में राज्य के प्रतिनिधि के चुनाव में भाग नहीं ले सकती।
9. जब एक साधारण विधेयक परिषद से आया हो और सभा में भेजा गया हो, यदि सभा अस्वीकृत कर दे तो विधेयक खत्म हो जाता है।
10. परिषद अविश्वास प्रस्ताव पारित कर मंत्रिपरिषद को नहीं हटा सकती। ऐसा इसलिए है क्योंकि मंत्रिपरिषद की सामूहिक जिम्मेदारी विधानसभा के प्रति है। लेकिन परिषद राज्यपाल के क्रियाकलापों और नीतियों पर बहस और आलोचना कर सकती है।
11. परिषद बजट पर सिर्फ बहस कर सकती है लेकिन अनुदान की मांग पर मत नहीं कर सकती (यह विधानसभा का विशेष अधिकार है)।

उपरोक्त आधार पर यह स्पष्ट है कि सभा की तुलना में परिषद की शक्तियां लोकसभा की तुलना में राज्यसभा की शक्तियों के मुकाबले काफी कमजोर है। राज्यसभा को केवल वित्तीय मामलों को छोड़कर लोकसभा के समान अधिकार प्राप्त हैं। दूसरी तरफ परिषद हर मामले में विधानसभा के अधीनस्थ ही होती है। इस तरह विधानसभा का पूरी तरह परिषद पर प्रभुत्व रहता है।

राज्यपाल—भूमिका तथा कार्य
(The Governor—Role and Functions)

राज्यपाल का पद संवैधानिक एवं गरिमामय है। नेहरू युग में राज्यपाल का पद 'गाड़ी के पाँच पहिये' के समान माना जाता था। इसलिए **पद्मा नायडू** ने लिखा था कि "राज्यपाल सोने के पिंजरे में निवास करने वाली चिड़िया के समान है।" **पट्टाभि सीतारमैया** के शब्दों में, "राज्यपाल का कार्य मेहमानों की इज्जत करने, उनको चाय, भोजन और दावत देने के अलावा कुछ नहीं।" भारत के संविधान के अन्तर्गत जिस संघीय ढाँचे की संरचना की गयी है उसमें राज्यपाल केन्द्र तथा राज्यों के बीच एक सुदृढ़ पुल के समान है। राज्य और केन्द्र के बीच अन्तर्सम्बन्ध बहुत कुछ राज्यपाल के व्यक्तित्व के ऊपर निर्भर करते हैं। यह पद मात्र शोभा का पद नहीं है। एक ओर जहाँ वह केन्द्र सरकार के प्रतिनिधि के रूप में कार्य करता है वहीं दूसरी ओर वह राज्य का संवैधानिक प्रमुख भी है और इस नाते राज्य के हितों तथा कल्याण के संरक्षण का परम तथा महत् दायित्व उसके कन्धों पर है। राज्य की समस्त कार्यपालिका की शक्तियाँ राज्यपाल में निहित होती हैं तथा राज्य का पूरा प्रशासन भी राज्यपाल के नाम से ही चलाया जाता है। भारत के संविधान के अनुच्छेद 153 के अनुसार प्रत्येक राज्य के लिए एक राज्यपाल होता है किन्तु 1956 में संशोधन द्वारा यह व्यवस्था की गई कि किसी एक राज्यपाल को एक से अधिक राज्य के लिए राज्यपाल नियुक्त किया जा सकता है।

राज्यपाल की नियुक्ति

राष्ट्रपति द्वारा 5 वर्षों की अवधि के लिए राज्यपाल की नियुक्ति की जाती है। वह अपने उत्तराधिकारी के पद-ग्रहण करने तक पद पर बना रहता है।

संविधान लागू किये जाने के बाद से लेकर अब तक राज्यपाल की नियुक्ति के सम्बन्ध में कुछ परम्पराएँ बन गयी हैं, जो इस प्रकार हैं:

1. राज्यपाल नियुक्त हेतु वह उस राज्य का निवासी न हो जिस राज्य में वह नियुक्त किया गया है।
2. राज्यपाल की नियुक्ति के पूर्व सम्बन्धित राज्य के मुख्यमन्त्री से परामर्श अवश्य लेना चाहिए, लेकिन इस परम्परा का सदैव पालन नहीं किया गया।
3. एक अस्वस्थ परम्परा यह बन रही है कि निर्वाचन में पराजित और अन्य प्रकार से अस्वीकार्य सत्तारूढ़ दल के राजनीतिज्ञों को राज्यपाल के पद पर नियुक्त कर दिया जाता है।
4. प्रशासनिक सुधार आयोग ने अपनी रिपोर्ट में सुझाव दिया था कि "किसी व्यक्ति को एक ही बार राज्यपाल के पद पर नियुक्त किया जाना चाहिए।" मार्च 1976 के राज्यपाल सम्मेलन में तत्कालीन प्रधानमन्त्री श्रीमती गांधी ने कहा था कि "किसी राज्यपाल को उसका कार्यकाल समाप्त हो जाने के बाद सामान्यतः फिर से नियुक्त नहीं किया जायेगा।" अब ऐसी कोई परम्परा नहीं रही है।

राज्यपाल की नियुक्ति के सम्बन्ध में सरकारिया आयोग के सुझाव

सरकारिया आयोग ने अपने प्रतिवेदन में निम्नलिखित सुझाव दिये हैं:

आयोग का सुझाव है कि केन्द्र में सत्तारूढ़ पार्टी के अलावा किसी दूसरी पार्टी के द्वारा शासित राज्य में केन्द्र में सत्तारूढ़ पार्टी के किसी व्यक्ति को राज्यपाल नियुक्त नहीं करना चाहिए। राज्यपाल पद से निवृत्त होने के बाद किसी व्यक्ति को लाभ का कोई पद नहीं देना चाहिए। वह राष्ट्रपति या उपराष्ट्रपति का चुनाव तो लड़ सकता है किन्तु राजनीति में सक्रिय भाग नहीं ले सकता।

सरकारिया आयोग का सुझाव है कि संविधान के अनुच्छेद 155 में संशोधन कर राज्यपाल की नियुक्ति के बारे में राज्य के मुख्यमंत्री से विचार-विमर्श की व्यवस्था करनी चाहिए।

राज्यपाल के पद पर नियुक्त होने वाले व्यक्ति की योग्यता के बारे में आयोग ने कहा है कि उसे किसी क्षेत्र में जानी-मानी हस्ती होना चाहिए। राज्य की राजनीति में उसे सक्रिय भाग नहीं लेना चाहिए और उसे तटस्थ होना चाहिए।

राज्यपाल के पद के लिए अर्हताएँ

संविधान के अनुच्छेद 157 के अनुसार, कोई व्यक्ति राज्यपाल नियुक्त होने का पात्र नहीं होगा जब तक

1. वह भारत का नागरिक न हो
2. 35 वर्ष की आयु पूरी न कर चुका हो।
3. राज्यपाल संसद अथवा किसी राज्य के विधानमण्डल के किसी सदन का सदस्य नहीं हो सकता। यदि कोई ऐसा व्यक्ति जो संसद अथवा राज्य विधानमण्डल का सदस्य हो तो उसके राज्यपाल नियुक्त हो जाने पर यह समझा जायेगा कि जिस दिन से उसने राज्यपाल का पद ग्रहण किया, उस दिन से संसद अथवा राज्य के विधानमण्डल में उसका पद रिक्त हो गया है।
4. वह किसी अन्य लाभ के पद पर न हो।

राज्यपाल की पदावधि

संविधान के अनुच्छेद 156 में राज्यपाल के कार्यकाल के सम्बन्ध में लिखा है कि राज्यपाल सामान्यतः 5 वर्ष के लिए नियुक्त होता है। अनुच्छेद 156(1) में यह भी व्यवस्था है कि राज्यपाल तब तक अपने पद पर बना रह सकता है जब तक राष्ट्रपति की इच्छा है।

पाँच वर्ष की पदावधि से पूर्व भी वह राष्ट्रपति को स्वयं अपना त्याग-पत्र देकर पदमुक्त हो सकता है अथवा "राष्ट्रपति द्वारा पद से हटाया जा सकता है क्योंकि वह राष्ट्रपति के प्रसादपर्यन्त ही पद धारण कर सकता है।"

राज्यपाल की परिलब्धियाँ

राज्यपाल को ₹ 3.50 लाख मासिक वेतन मिलता है तथा बिना किराए का आवास एवं अन्य परिलब्धियाँ, भत्ते, विशेषाधिकार प्राप्त होते हैं। राज्यपाल के वेतन और भत्तों में उसके कार्यकाल के दौरान कोई कमी नहीं की जा सकती है।

अपना पद ग्रहण करने से पूर्व राज्यपाल को उस राज्य के उच्च न्यायालय के मुख्य न्यायाधीश के सामने शपथ लेनी होती है जिसमें वह प्रतिज्ञा करता है कि वह राज्यपाल के पद का कार्यपालन श्रद्धापूर्वक करेगा तथा अपनी पूरी योग्यता से संविधान तथा विधि का परीक्षण, संरक्षण एवं प्रतिरक्षण करेगा तथा राज्य की जनता की सेवा और कल्याण में लगा रहेगा।

राज्यपाल की शक्तियाँ

संविधान के द्वारा राज्यपाल को व्यापक शक्तियाँ प्रदान की गयी हैं। डॉ. दुर्गादास बसु के शब्दों में, "राज्यपाल की शक्तियाँ राष्ट्रपति के समान हैं।" राज्यपाल की निम्नांकित शक्तियाँ हैं:

कार्यपालिका शक्तियाँ

राज्यपाल की कार्यपालिका शक्तियाँ निम्न प्रकार हैं:

1. राज्य के मुख्यमन्त्री तथा उसके परामर्श से अन्य मन्त्रियों की नियुक्ति करता है।
2. राज्य लोक सेवा आयोग के अध्यक्ष और सदस्यों की नियुक्ति करता है किन्तु उन्हें पदच्युत नहीं कर सकता है।
3. राज्य के महाधिवक्ता की नियुक्ति राज्यपाल करता है।
4. लोकायुक्त और सदस्यों की नियुक्ति तथा शपथ ग्रहण राज्यपाल ही कराता है।

5. मुख्यमंत्री से किसी भी प्रकार की प्रशासन और विधान सम्बन्धी सूचना माँगने का अधिकार राज्यपाल को प्राप्त है।
6. राज्य प्रशासन से सम्बन्धित महत्वपूर्ण नियम, विनियम तथा अध्यादेश जारी करता है।
7. राज्य के उच्च न्यायालय के न्यायाधीशों की नियुक्ति के विषय में राष्ट्रपति को परामर्श देता है।

विधायी शक्तियाँ

राज्यपाल राज्य की व्यवस्थापिका का अभिन्न अंग होता है तथा उसकी विधायी शक्तियाँ निम्न हैं:

1. राज्य विधानमण्डल के सत्र को आहूत करने, सत्रावसान करने और विधानसभा को विघटित करने का अधिकार है।
2. वह विधानमण्डल के प्रथम सत्र तथा नई विधान सभा के प्रथम सत्र को सम्बोधित करता है।
3. राज्यपाल विधानमण्डल के पास विचार के लिए सन्देश भेज सकता है।
4. जिन राज्यों में द्विसदनीय विधानमण्डल की व्यवस्था है वहाँ पर राज्यपाल कुल सदस्यों के 1/6 सदस्यों को मनोनीत करता है। वे सदस्य कला, साहित्य, विज्ञान, सहकारी आन्दोलन और सामाजिक सेवा के सम्बन्ध में विशेष ज्ञान या व्यावहारिक अनुभव रखते हों।
5. राज्यपाल संविधान के अनुच्छेद 213 के अन्तर्गत आवश्यकता पड़ने पर विधानमण्डल की बैठकों के अन्तराल की अवधि में अध्यादेश जारी कर सकता है। इन अध्यादेशों का वही महत्व तथा प्रभाव होता है जो राज्य विधानमण्डल द्वारा पारित अधिनियमों का होता है। ये अध्यादेश विधानमण्डल की बैठक प्रारम्भ होने के अधिकतम छह सप्ताह तक प्रभावी रहते हैं।
6. विधानमण्डल के विधेयकों का अनुमोदन तथा स्वीकृति प्रदान करता है। राज्यपाल की स्वीकृति के बाद ही कोई विधेयक अधिनियम बनता है।

वित्तीय शक्तियाँ

राज्य विधानसभा में राज्यपाल की पूर्व-स्वीकृति के बिना कोई भी धन विधेयक प्रस्तुत नहीं किया जा सकता है। राज्य की संचित निधि राज्यपाल के ही अधिकार में रहती है तथा विधानमण्डल से स्वीकृति की अपेक्षा में वह इस निधि में से किसी भी प्रकार के व्यय की अनुमति दे सकता है।

न्यायिक शक्तियाँ

संविधान के अनुच्छेद 161 के अनुसार जिन विषयों पर राज्य की कार्यपालिका शक्ति का विस्तार होता है उन विषयों से सम्बन्धित किसी विधि के विरुद्ध अपराध करने वाले व्यक्तियों के दण्ड को राज्यपाल कम कर सकता है, स्थगित कर सकता है, बदल सकता है तथा क्षमा भी कर सकता है।

विविध शक्तियाँ

उपर्युक्त के अतिरिक्त राज्यपाल को अन्य अनेक शक्तियाँ प्राप्त हैं:

1. अगर वह देखता है कि राज्य का प्रशासन संविधान के अनुसार चलना सम्भव नहीं है तो वह राष्ट्रपति को राज्य में सांविधानिक तन्त्र की विफलता के सम्बन्ध में सूचना देता है और उसके प्रतिवेदन पर राज्य में राष्ट्रपति शासन लागू होता है। संकटकालीन स्थिति में वह राज्य में राष्ट्रपति के अभिकर्ता के रूप में कार्य करता है।
2. वह राज्य लोक सेवा आयोग का वार्षिक प्रतिवेदन तथा राज्य की आय-व्यय के सम्बन्ध में महालेखा परीक्षक का प्रतिवेदन प्राप्त करता है और उन्हें विधानमण्डल के समक्ष रखता है।

राज्यपाल के पद का महत्व

राज्यपाल केवल राज्य का संवैधानिक अध्यक्ष ही नहीं अपितु संविधान और विधि के संरक्षण, प्रतिरक्षण और जनता की सेवा और कल्याण का महत्वपूर्ण दायित्व भी उसी का है। इन दायित्वों को सम्पन्न करने के लिए संविधान द्वारा उसे मंत्रिपरिषद् की सलाह के बिना स्वविवेकीय शक्तियाँ प्रदान की गयी हैं।

राज्यपाल के कार्यों को दो वर्गों में विभाजित किया जा सकता है—*प्रथम वर्ग* में वे कार्य आते हैं जिनका पालन मंत्रिपरिषद् की सलाह पर किया जाता है। *दूसरा वर्ग* परमाधिकारों से सम्बन्धित है। इन कार्यों के पालन में राज्यपाल की वैयक्तिक रूप से सक्रिय भूमिका होती है। यही वे कार्य हैं, जिनके कारण राज्यपाल पद के बनाये रखने का औचित्य है।

सरकारिया आयोग के अनुसार, "राज्यपाल का पद अपरिहार्य है।" आयोग ने आगे कहा था—"संविधान द्वारा राज्य स्तर पर जो संसदीय पद्धति स्वीकार की गयी है वह इंग्लैण्ड की पद्धति से सभी मामलों में एकदम समान नहीं है। यह अपने प्रकार की अनोखी पद्धति है। राज्यपाल इस पद्धति के अन्तर्गत अपने दायित्वों के सम्पूर्ण क्षेत्र में संवैधानिक प्रमुख के रूप में ही कार्य नहीं करता। कुछ ऐसे महत्वपूर्ण क्षेत्र भी हैं जिसमें वह विवेक का प्रयोग करता है। यद्यपि ये क्षेत्र सीमित हैं फिर भी यह कहा जाता है कि राज्यपाल की भूमिका के एक से अधिक पहलू हैं। संघ तथा राज्य के बीच एक पुल के रूप में वह उनमें अच्छी समझ उत्पन्न कर सकता है। वह संविधान का प्रहरी है, वह संघ तथा राज्यों के बीच एक जीवित सम्पूर्ण सूत्र है।"

राज्यपाल का कार्यकाल मुख्यमंत्री के समान सदन में बहुमत पर निर्भर नहीं करता है। सरकार के न रहने या विधानसभा के विघटन के बाद भी राज्यपाल अपने पद पर बना रहता है। इस प्रकार राज्यपाल स्थायी पद है जो सरकार की सांतत्यता को सुनिश्चित करता है। राज्य में संवैधानिक तन्त्र विफल होने की स्थिति में वह राजनीतिक शून्य को भरता है। अनुच्छेद 356 के अन्तर्गत, केन्द्र का प्रतिनिधि होता है तथा सरकार की निरन्तरता का प्रतीक है।

संक्षेप में, यह कहा जा सकता है कि राज्यपाल का पद आवश्यक ही नहीं वरन् अपरिहार्य भी है। आवश्यकता है तो बस इस बात की कि

राज्यपाल के पद पर जिस व्यक्ति को नियुक्त किया जाये उसका आचरण और व्यवहार संयमित हो। वह संवैधानिक सीमा में राज्य और राष्ट्र के हित के लिए कार्य करे और प्रत्येक समस्या का राजनीति से ऊपर उठकर निरपेक्ष ढंग से समाधान करने का प्रयत्न करे।

मुख्यमन्त्री के कार्य एवं शक्तियाँ (Function and Power of the Chief Minister)

अनुच्छेद 164(1) के अनुसार मुख्यमन्त्री की नियुक्ति राज्यपाल द्वारा की जायेगी तथा अन्य मन्त्रियों की नियुक्ति राज्यपाल मुख्यमन्त्री के परामर्श से करेगा तथा मन्त्री राज्यपाल के प्रसादपर्यन्त अपने पद पर रहेंगे। यहाँ यह स्मरणीय है कि मुख्यमन्त्री की नियुक्ति के लिए व्यक्ति को विधानसभा का सदस्य होना आवश्यक नहीं है।

छह माह के लिए किसी भी व्यक्ति को मुख्यमन्त्री बनाया जा सकता है चाहे वह विधानसभा का सदस्य ही न हो। किन्तु ऐसे मुख्यमन्त्री को छह माह के भीतर विधानमण्डल की सदस्यता प्राप्त करना आवश्यक है। अतः संवैधानिक दृष्टि से मुख्यमंत्री की नियुक्ति सम्बन्धित राज्य के राज्यपाल द्वारा ही की जाती है।

यह भी सत्य है कि मुख्यमन्त्री के चयन में संवैधानिक, व्यावहारिक एवं निर्णायक भूमिका निभाने वाले निम्न तत्व होते हैं—राज्यपाल की भूमिका, विधायक दल की भूमिका, प्रदेशाध्यक्ष का प्रभाव, दल की कार्य-समिति की भूमिका, प्रधानमन्त्री और केन्द्रीय नेताओं का दबाव, जातीयता एवं क्षेत्रीयता का प्रभाव, आदि।

मुख्यमन्त्री के कार्य

भारतीय संविधान में मुख्यमंत्री के कार्य एवं शक्तियों का सीमित उल्लेख मिलता है। संविधान के अनुच्छेद 167 में केवल तीन प्रकार के कार्यों का वर्णन मिलता है, जो निम्न प्रकार हैं:

1. राज्य प्रशासन तथा विधान के प्रस्तावों से सम्बन्धित जो निर्णय मंत्रिपरिषद् द्वारा लिये गये हैं, की सूचना राज्यपाल को पहुँचाना।
2. राज्य प्रशासन तथा विधान के प्रस्तावों के क्रम में जो भी जानकारी राज्यपाल द्वारा माँगी जाये, उसे राज्यपाल तक पहुँचाना।
3. किसी ऐसे विषय पर राज्यपाल के निर्देशों पर मंत्रिपरिषद् में विचार करना, जिस विषय पर मंत्री ने निर्णय ले लिया हो, किन्तु मंत्रिपरिषद् ने सामूहिक निर्णय न किया हो।

वस्तुतः मुख्यमंत्री राज्य का सर्वाधिक शक्तिशाली व्यक्ति है तथा वास्तविक कार्यपालिका के रूप में उसका कार्य निम्नलिखित हैः

1. राज्य विधानसभा का सत्र बुलवाना, राज्यपाल का भाषण तैयार करवाना;
2. जन शिकायतों को सुनना एवं निराकरण करना;
3. राज्य की जनता से सम्पर्क रखना;
4. कमजोर, पिछड़े तथा जनजाति के कल्याण एवं विकास के कार्यों पर विशेष ध्यान देना;
5. राज्य कर्मचारियों के लिए कार्मिक नीतियाँ तैयार करना;
6. राज्य के प्रशासन से सम्पर्क तथा नेतृत्व करना;
7. विभिन्न मंचों पर राज्य का हित तथा पक्ष स्पष्ट करना;
8. मंत्रिपरिषद् तथा राज्यपाल के बीच सम्पर्क सूत्र का कार्य करना;
9. केन्द्र तथा विभिन्न अभिकरणों से सन्धियाँ एवं समझौते करना;
10. राजस्व एकत्रण तथा राज्य की वित्तीय स्थिति को सुदृढ़ करना;
11. बजट-निर्माण, स्वीकृति तथा उसकी क्रियान्विति सुनिश्चित करना;
12. मंत्रिपरिषद् की बैठकों के माध्यम से राज्य के चहुँमुखी विकास के लिए नीतियाँ बनाना;
13. राज्य के विकास के लिए समस्त प्रकार के संसाधनों का समुचित उपयोग करना;
14. राज्य के विकास के लिए नीति एवं योजनाएँ बनाना;
15. राज्य में कुशल प्रशासन की व्यवस्था करना;
16. केन्द्र, विदेश तथा अन्य राज्य सरकारों से सम्पर्क एवं समन्वय करना;

मुख्यमंत्री की भूमिका

राज्य प्रशासन के शीर्ष पद पर कार्यरत मुख्यमंत्री को निम्न प्रकार की भूमिका निभानी पड़ती है:

1. **मन्त्रिमण्डल के निर्माण, जीवन और मरण का केन्द्रस्थलः** मुख्यमंत्री राज्य का नेता होने के साथ मन्त्रिमण्डल का पथ-प्रदर्शक भी होता है। सभी मन्त्रालयों में समन्वय स्थापित करना उसका अन्य महत्वपूर्ण कार्य है। संक्षेप में, मुख्यमन्त्री का यह कर्तव्य है कि वह देखे कि प्रत्येक विभाग सुचारु रूप से कार्य कर रहा है और राज्य निरन्तर प्रगति कर रहा है।

   मुख्यमन्त्री मन्त्रिमण्डल का जीवनदाता ही नहीं बल्कि उसका संहारकर्ता भी है। मुख्यमंत्री के साथ अन्य मंत्री भी तैरते और डूबते हैं। मुख्यमंत्री के त्यागपत्र देने का अर्थ है सम्पूर्ण मंत्रिपरिषद् का त्यागपत्र। मुख्यमंत्री किसी भी मंत्री के विभाग में परिवर्तन कर सकता है और उसे बर्खास्त कर सकता है। संक्षेप में, मुख्यमंत्री की स्थिति विशिष्ट होती है। संविधान द्वारा प्रदत्त मुख्यमंत्री की विशिष्ट स्थिति के साथ-साथ उसे विशेषाधिकार भी प्रदान किये गये हैं। इस कारण मुख्यमंत्री "नक्षत्रों में चन्द्रमा ही नहीं अपितु सूर्य है, जिसके चारों ओर ग्रह (मंत्री) घूमते हैं।"
2. **नियुक्ति का अधिकारः** शासन का प्रमुख होने के नाते उसे प्रदेश के उच्च प्रशासनिक अधिकारियों की नियुक्ति का अधिकार प्राप्त होता है। राज्य के महाधिवक्ता, राज्य लोक-सेवा आयोग के सदस्यों आदि की नियुक्ति राज्यपाल मुख्यमन्त्री की सलाह पर ही करता है।
3. **राज्यपाल एवं मन्त्रिमण्डल के बीच कड़ीः** अनुच्छेद 167 के अनुसार मुख्यमंत्री राज्यपाल और मंत्रिपरिषद् के मध्य महत्वपूर्ण कड़ी है।

इस प्रकार वह जनसाधारण की मुख्य बातों को राज्यपाल तक पहुँचाने का माध्यम है। मुख्यमंत्री शासन को सुचारु रूप से चलाने में राज्यपाल का परामर्शदाता है। राज्यपाल मुख्यमंत्री से किसी भी प्रकार की जानकारी मांग सकता है। तात्पर्य यह कि राज्यपाल एक संवैधानिक प्रमुख होता है और उसकी शक्तियों का व्यवहार में मुख्यमंत्री ही प्रयोग करता है।

4. **दल का नेताः** दल का सर्वमान्य नेता होने के कारण उसे दलीय समर्थन प्राप्त रहता है। इस कारण वह पूर्ण विश्वास के साथ राज्य का नेतृत्व करता है। वह विधानसभा का भी नेता होता है। सरकारी विधेयक उसके निरीक्षण में तथा उसके परामर्श से तैयार किये जाते हैं। बजट तैयार करने में मुख्यमंत्री का बहुत बड़ा हाथ होता है। विधानसभा में व्यवस्था तथा गरिमा बनाये रखने में वह अध्यक्ष की सहायता करता है।
5. **विधानसभा भंग कराने का अधिकारः** राज्यपाल को संविधान के अनुच्छेद 174(2) (बी) के अन्तर्गत विधानसभा को भंग करने का भी अधिकार है परन्तु व्यवहार में राज्यपाल मुख्यमंत्री के परामर्श पर ही विधानसभा को भंग करता है।
6. **राज्य के प्रशासक के रूप में:** वास्तव में वह राज्य के प्रशासन का केन्द्र-बिन्दु होता है। राज्य में कानून, शान्ति और व्यवस्था को बनाये रखने, विकास कार्यों को गति प्रदान करने, जनसाधारण की कठिनाइयों का निवारण करने तथा नौकरशाही को राज्य के सामाजिक-आर्थिक विकास के प्रति प्रतिबद्ध करने के लिए मुख्यमंत्री में प्रशासकीय कौशल तथा नेतृत्व करने की क्षमताएँ होना आवश्यक है। साथ में राज्य के वार्षिक बजट का निर्माण, पंचवर्षीय योजनाओं का निर्माण तथा केन्द्र से उनकी स्वीकृति करवाना और राजकोषीय सन्तुलन को बनाये रखने के लिए कर, शुल्क तथा अन्य विधियों से जनता से राजस्व एकत्र करने में मुख्यमंत्री की कार्य-शैली प्रशासन-तन्त्र को प्रत्यक्ष रूप से प्रभावित करता है। इस प्रकार मुख्यमंत्री राज्य का न केवल मुख्य प्रशासक बल्कि मार्गदर्शक भी होता है।
7. **राज्य के प्रतिनिधि के रूप में:** मुख्यमंत्री का यह नैतिक दायित्व बनता है कि वह देश के राष्ट्रपति, उपराष्ट्रपति, प्रधानमंत्री तथा अन्य मन्त्रियों से सीधे एवं व्यावहारिक सम्बन्ध स्थापित करे। हमारे यहाँ राज्य सरकारों को निरन्तर प्रधानमंत्री कार्यालय, योजना आयोग, केन्द्रीय सचिवालय तथा राष्ट्रीय प्रशासनिक अभिकरणों से दिशा-निर्देश प्राप्त होते रहते हैं। मुख्यमंत्री को सीधे सम्बोधित इन पत्रों या दिशा-निर्देशों के अनुरूप कार्रवाई करना अथवा राज्य के पक्ष को प्रतिनिधि के रूप में मुख्यमंत्री, राष्ट्रीय विकास परिषद्, अन्तर्राज्यीय परिषद्, क्षेत्रीय परिषद् तथा अन्य मंचों पर राज्य की सामाजिक, आर्थिक, सांस्कृतिक, प्रशासनिक समस्याओं और जनाकांक्षाओं को स्पष्ट करता है।
8. **राज्यपाल के परामर्शदाता के रूप में:** राज्यपाल को परामर्श देने या अपनी सरकार की मंशा बताने वाला मुख्यमंत्री ही होता है। मन्त्रिमण्डल के विभिन्न निर्णयों से राज्यपाल को अवगत कराने, विधानसभा का सत्र बुलवाने, विधेयकों को राज्यपाल से स्वीकृति करवाने तथा राज्यपाल द्वारा चाही गयी कोई सूचना उपलब्ध करवाने आदि में मुख्यमंत्री अपनी कुशलता तथा दृढ़ता का परिचय देता है। मुख्यमंत्री राज्य प्रशासन की धुरी है।

मंत्रिपरिषद्
(Council of Ministers)

भारतीय संविधान में 'मंत्रिपरिषद' शब्द का प्रयोग किया गया है मंत्रिमण्डल शब्द का प्रयोग नहीं किया गया है। लेकिन भारत में संघीय तथा प्रांतीय दोनों ही सरकारों में मंत्रिमण्डल ही मंत्रिपरिषद् का पर्याय बन चुका है। संविधान के अनुच्छेद 163 के अनुसार राज्य स्तर पर राज्यपाल को उसके कार्यों में सहायता देने के लिए मंत्रिपरिषद् होगी जिसका प्रमुख मुख्यमंत्री होगा। राज्यपाल को स्वविवेक से किए गये कार्यों के अतिरिक्त कार्यों में मंत्रिपरिषद् उसे मन्त्रणा देगी।

मंत्रिपरिषद् का संगठन

संवैधानिक दृष्टि से मुख्यमंत्री और मंत्रिपरिषद् के सदस्य राज्यपाल के प्रसादपर्यन्त ही अपने पद पर पदासीन रहते हैं। वास्तव में मंत्रिपरिषद् उस समय तक पदारूढ़ रहती है जब तक कि राज्य विधानसभा का उसमें विश्वास रहता है। मंत्रिपरिषद् विधानसभा के प्रति सामूहिक रूप से उत्तरदायी होती है। प्रायः राज्यपाल विधानसभा में बहुमत दल के नेता को मंत्रिपरिषद् के निर्माण हेतु आमन्त्रित करता है। यदि किन्हीं परिस्थितियों में किसी दल का विधानसभा में स्पष्ट बहुमत नहीं होता तो इस सम्बन्ध में राज्यपाल अपने स्वविवेक से कार्य करता है। संघीय मंत्रिपरिषद् के समान ही राज्य मंत्रिपरिषद् में भी चार प्रकार के मंत्री होते हैं–

1. कैबिनेट स्तर के मंत्री, 2. राज्यमंत्री, 3. उपमंत्री, तथा 4. संसदीय सचिव।

मुख्यमंत्री की अध्यक्षता में मंत्रीगण जो समूह बनाते हैं वह *मंत्रिमण्डल* कहलाता है। मंत्रिपरिषद् की तुलना में मंत्रिमण्डल का आकार छोटा होता है। मंत्रिमण्डल का प्रत्येक सदस्य मंत्रिपरिषद् का सदस्य होता है।

मंत्रिपरिषद् की योग्यताएँ तथा नियुक्ति

मंत्री के लिए वही योग्यताएँ हैं जो विधायक बनने के लिए आवश्यक हैं। मुख्यमंत्री अपने मंत्रिपरिषद् के परामर्श पर राज्यपाल द्वारा मंत्रियों में शासन के विभागों का वितरण करता है।

राज्यपाल मंत्रियों को पद ग्रहण करने के पूर्व मंत्री-पद और गोपनीयता की शपथ दिलाता है। संविधान के अनुच्छेद 164(1) के अनुसार राज्य का मुख्यमंत्री तथा मंत्रिपरिषद् राज्यपाल के प्रसाद पर्यन्त कार्यरत रहते हैं परन्तु राज्यपाल अपनी इच्छा से किसी मंत्रिपरिषद् की बर्खास्तगी नहीं कर सकता है। क्योंकि अनुच्छेद 164(2) में यह प्रावधान है कि मंत्रिपरिषद् मुख्यमंत्री सहित विधानसभा के प्रति उत्तरदायी है। इस प्रकार जब तक विधानसभा का समर्थन मंत्रिपरिषद् को प्राप्त है, उसे बर्खास्त नहीं किया जा सकता है।

वस्तुतः मुख्यमंत्री मंत्रियों से त्याग-पत्र माँग सकता है और राज्यपाल से कहकर उसे बर्खास्त करा सकता है।

मन्त्रिपरिषद् के कार्य

मंत्रिपरिषद् के मुख्य कार्य निम्नलिखित हैं:

1. **बजट सम्बन्धी कार्यः** राज्य में व्यय के लिए वित्त की व्यवस्था करना राज्य सरकार का प्राथमिक कार्य है। इस कार्य हेतु मंत्रिपरिषद्, बजट तैयार करके स्वीकृति के लिए विधानमण्डल के समक्ष प्रस्तुत करती है। बजट प्रस्तुत करने के बाद भी मंत्रिपरिषद् बजट में संशोधन कर सकती है। विधानमण्डल में बजट पास करने की लम्बी प्रक्रिया है। विधानमण्डल से बजट पारित करवाना मंत्रिपरिषद् का महत्वपूर्ण कार्य है। स्वीकृति के बाद भी बजट का कुशल क्रियान्वयन भी मंत्रिपरिषद् का ही दायित्व है।
2. **समन्वयकारी कार्यः** एक विभाग में कैबिनेट, राज्य तथा उपमंत्री के बीच मतभेद उत्पन्न हो जाते हैं। आज के भीमकाय मंत्रिपरिषद् में मंत्रियों के आवास, वाहन, कार्यालय आदि को लेकर मतभेद उत्पन्न हो जाते हैं। इन विवादों या बाधाओं का आपसी बातचीत द्वारा ही समाधान सम्भव है। प्रशासन के बढ़ते हुए कार्य क्षेत्र के कारण मंत्रिपरिषद् के लिए प्रशासन में समुचित सहायता के बिना समन्वय स्थापित करना सम्भव नहीं रहा है।
3. **नियम तथा विधि-निर्माण सम्बन्धी कार्यः** सरकारी विधेयक मंत्रियों द्वारा विधान मण्डल में प्रस्तुत किए जाते हैं। विधेयक प्रस्तुत करने के पूर्व मंत्रिपरिषद् में उस विधेयक पर व्यापक विचार-विमर्श होता है। इस प्रकार नवीन नियम तथा प्रचलित नियमों में संशोधन करने का अधिकार मंत्रिपरिषद् को प्राप्त है। राज्यपाल द्वारा जारी किया जाने वाला अध्यादेश भी मंत्रिपरिषद् द्वारा ही तैयार होता है।
4. **नीति-निर्धारण कार्यः** विभाग का राजनीतिक प्रमुख मंत्री होता है। इस रूप में मंत्री को सम्बन्धित नीतिगत निर्णय को सम्पादित करने के लिए आवश्यक तथ्य, सूचनाएँ तथा तार्किक आधार तैयार करना होता है। मंत्री के इस कार्य में उसका कार्यालय सहायता प्रदान करता है। कार्यालय का प्रमुख सचिव होता है। इस प्रकार सचिव अपने सहयोगियों के माध्यम से मंत्री को सहायता प्रदान करता है। विधानसभा में राज्यपाल द्वारा पढ़ा जाने वाला अभिभाषण भी मंत्रिपरिषद् द्वारा ही तैयार किया जाता है जो सरकार की नीतियों को उजागर करता है।
5. **सेविवर्ग प्रशासन का नियंत्रणः** राज्य प्रशासन की सेविवर्ग नीतियाँ मंत्रिपरिषद् निश्चित करती है। मंत्रिपरिषद् कर्मचारियों की भर्ती, प्रशिक्षण, पदोन्नति तथा अनुशासनात्मक कार्यवाही आदि से सम्बन्धित नीतियाँ और नियम बनाती है। इस महत्वपूर्ण कार्य के अतिरिक्त, मंत्रिपरिषद्, सेविवर्गों की छँटनी, नये पदों के निर्माण, महँगाई भत्ता बढ़ाने, वेतनों में संशोधन आदि से सम्बन्धित निर्णय भी लेती है। लोक-सेवकों द्वारा प्रशासन का कुशलतापूर्वक संचालन करना मंत्रिपरिषद् का ही दायित्व है।
6. **अन्य कार्यः** उपर्युक्त कार्यों के अतिरिक्त मंत्रिपरिषद् निम्नलिखित कार्य भी करती है:
   (*i*) राजस्व, भूमि, कर, अनुदान तथा सहायता सम्बन्धी निर्णय करना,
   (*ii*) प्राकृतिक आपदाओं के समय तात्कालिक सहायता एवं निर्णय,
   (*iii*) दूसरे राज्यों, केन्द्र सरकार या विदेशी अभिकरणों से वार्ता एवं समझौते,
   (*iv*) किसी कार्य को क्षेत्रीय परिषद में ले जाने हेतु प्रस्ताव,
   (*v*) भू-भाग प्रदान करने से सम्बन्धित प्रस्ताव पारित करना,
   (*vi*) लोक सेवा आयोग के अध्यक्ष एवं सदस्यों, राजस्व मण्डल के सदस्यों, आयुक्त, सचिव, विभागाध्यक्ष, जिला एवं सत्र न्यायाधीशों आदि की नियुक्ति की सिफारिश करना,
   (*vii*) राज्य की योजनाओं का निर्माण एवं कार्यान्वयन,
   (*viii*) पूर्ववर्ती सरकारों और मंत्रिपरिषद् के निर्णयों को परिवर्तित करना।

मुख्य सचिव
(Chief Secretary)

मुख्य सचिव राज्य सचिवालय का कार्यकारी प्रमुख होता है। वह राज्य प्रशासन का प्रशासनिक प्रमुख होता है तथा राज्य स्तर पर प्रशासनिक पदानुक्रम में शीर्ष पर पदस्थ होता है। अन्य सचिवों की तुलना में उसका पद अधिक महत्वपूर्ण होता है। उसका नियंत्रण सचिवालय के सभी विभागों तक होता है। वह पूरे राज्य प्रशासन का नेतृत्व, मार्गदर्शन और नियंत्रण करता है। सामान्यतः वह राज्य के लोक-सेवकों का प्रमुख है। अधिकारियों के स्तर पर वह अन्तर्विभागीय समन्वय के केन्द्र-बिन्दु का कार्य करता है। अपने अनुभव और पदावधि के आधार पर वह राज्य के सबसे बड़े प्रशासनिक संगठन में अधिकारियों की कठिनाइयाँ और मतभेद दूर करता है तथा अन्य अधिकारियों का मार्गदर्शन करता है। इस प्रकार वह राज्य प्रशासन व्यवस्था का नेतृत्व करता है। वह केन्द्र प्रशासन या अन्य राज्यों के प्रशासन के बीच संचार की मुख्य कड़ी है। यह सचिवों का प्रमुख भी है।

मुख्य सचिव का चयन

मुख्य सचिव का चयन करते समय निम्न तथ्य ध्यान में रखे जाते हैं:

1. वरीयता;
2. प्रशासनिक पदों पर कार्य का विशद अनुभव हो;
3. असाधारण प्रशासनिक प्रतिष्ठा, आकर्षक व्यक्तित्व तथा उपलब्धियों से भरा सेवाकाल हो;
4. मुख्यमंत्री का विश्वासपात्र अधिकारी हो।

मुख्यमंत्री यद्यपि मुख्य सचिव का चयन करते समय वरिष्ठ सचिवों की योग्यता, ज्येष्ठता, अनुभव तथा सेवा रिकॉर्ड को गम्भीरतापूर्वक देखता

है फिर भी सर्वाधिक वैचारिक तथ्य उस अधिकारी तथा मुख्यमन्त्री के बीच वैचारिक सामंजस्य होता है। मुख्यमंत्री ऐसा मुख्य सचिव चाहता है जो उसकी नीतियों, विचारों तथा कार्यक्रमों को सही परिप्रेक्ष्य में समझते हुए लागू कर सके। आजकल यह देखने को मिलता है कि सामान्यतः मुख्यमंत्री और सरकार बदलते ही मुख्य सचिव भी बदल दिया जाता है।

मुख्य सचिव की कार्यावधि

सामान्य रूप से मुख्य सचिव 2-3 वर्ष तक कार्यरत रहते हैं। सेवानिवृत्ति की आयु पूर्ण होने पर वह सेवानिवृत्त हो जाता है। कुछ मामलों में मुख्यमंत्री उसका सेवाकाल बढ़ा देते हैं। वर्तमान प्रवृत्ति तो यह देखी जा रही है कि मुख्य सचिव का कार्यकाल उसके मुख्यमंत्री के साथ सम्बन्धों पर निर्भर करता है।

मुख्य सचिव के कार्य

मुख्य सचिव निम्नलिखित कार्य करता है:

1. वह भारत सरकार से समस्त महत्वपूर्ण एवं गोपनीय सूचनाएँ प्राप्त करता है और उन्हें मुख्यमंत्री के समक्ष प्रस्तुत करता है।
2. वह अपने शासन और केन्द्र तथा अन्य राज्यों के शासन के मध्य मुख्य संचार-सूत्र है।
3. मन्त्रियों के स्टाफ पर वह नियन्त्रण रखता है।
4. राज्य जिस क्षेत्रीय परिषद् का सदस्य है, वह क्रमानुसार उसका सचिव होता है।
5. सभी सचिवों का प्रमुख होने के आधार पर वह अनेकानेक समितियों की अध्यक्षता करता है तथा अन्य अनेक समितियों का सदस्य होता है।
6. वह अन्य सचिवों के क्षेत्राधिकार से बाहर प्रकरणों की देखभाल करता है।
7. वह सम्पूर्ण सचिवालय का सामान्य निरीक्षण एवं नियन्त्रण करता है।
8. वह मुख्यमंत्री का प्रमुख परामर्शदाता है।
9. राज्य में राष्ट्रपति शासन लागू होने की स्थिति में वह सम्पूर्ण राज्य प्रशासन के संचालन के लिए उत्तरदायी होता है।
10. संकटकाल के समय वह राज्य में 'नर्व सिस्टम' की भाँति कार्य करता है।
11. वह सचिवालय भवनों व उनके कक्षों पर प्रशासनिक नियन्त्रण रखता है।
12. वह लोक सेवाओं का अध्यक्ष होता है और सरकारी सेविवर्ग की नियुक्ति, स्थानान्तरण तथा पद विमुक्ति आदि की शक्तियाँ उसमें निहित हैं।
13. राज्य में शांति व व्यवस्था बनाये रखने में आवश्यक कार्यवाही करता है।
14. वह आधिकारिक संयन्त्र का प्रमुख, मंत्रिपरिषद् का परामर्शदाता, नागरिक सेवाओं का प्रमुख, उनका विश्वसनीय परामर्शदाता है तथा उन्हें सद्बुद्धि प्रदान करता है। इस प्रकार राज्य-प्रशासन में मुख्य सचिव महत्वपूर्ण भूमिका सम्पन्न करता है।

राज्य सचिवालय
(State Secretariat)

लोक सेवकों के सर्वोच्च प्रशासनिक अधिकारी सचिव कहलाते हैं। इन सचिवों के कार्य करने वाले आलय (घर) को सचिवालय कहते हैं। सचिवों के अधीन अन्य अधिकारी एवं कर्मचारी भी कार्यरत होते हैं। शीर्षस्थ नीति-निर्माण निकाय होने के कारण राज्य प्रशासन में सचिवालय की अत्यन्त महत्वपूर्ण भूमिका होती है।

भारत में आधुनिक *सचिवालयीय व्यवस्था* की शुरुआत ब्रिटिश शासन के समय इम्पीरियल सेक्रेटेरियट के रूप में हुई थी जो अब केन्द्रीय सचिवालय कहलाता है। जिस प्रकार केन्द्रीय सचिवालय, भारत सरकार के विभिन्न मंत्रालयों का सामूहिक रूप है, उसी प्रकार राज्य सरकार के समस्त मंत्रालय/विभाग सम्मिलित रूप से राज्य शासन सचिवालय के नाम से जाने जाते हैं। राज्य सचिवालय, राज्य की राजधानी में स्थित होते हैं।

राज्य प्रशासन के पिरामिड के शीर्ष पर राज्यपाल और मंत्रिपरिषद् होते हैं। राज्य सचिवालय विभिन्न विभागों में विभाजित होता है जिसके शीर्ष पदसोपान पर मुख्य सचिव होता है। राज्य का समस्त शासकीय कार्य राज्य सचिवालय द्वारा होता है। प्रशासन की सुविधा की दृष्टि से राज्य प्रशासन का प्रशासनिक ढाँचा अनेक विभागों में विभाजित होता है। एक मंत्रालय दो या अधिक विभागों को मिलाकर बनाया जा सकता है तथा एक मंत्री को सौंपा जा सकता है। सचिवालय विविध विभागों की वह संरचना है जिसका राजनीतिक प्रमुख एक मंत्री तथा प्रशासनिक प्रमुख सचिव होता है।

राज्य की राजधानी में मंत्रियों के कार्यालय सचिवालय में स्थित होते हैं। 'सचिवालय' राज्य में शासन का सर्वोच्च कार्यालय है। राज्य की प्रशासनिक इकाई के वरीयता क्रम में उसे प्रथम स्थान प्राप्त है। सचिवालय शासन का वह संगठन है, "जो प्रशासनिक वस्तुनिष्ठता, निरन्तरता तथा गति" को सुनिश्चित करता है। वह नियम तथा शासन के कार्यों की प्रक्रिया के सिद्धान्तों को निर्माण करने वाली प्रमुख शक्ति है। यह सर्वविदित तथ्य है कि राज्य शासन के तीन प्रमुख अंग—मंत्री, सचिव और कार्यपालिका हैं। मंत्री का सर्वाधिक महत्वपूर्ण कार्य नीति-निर्धारण करना है; सचिवालय का कार्य निर्णय पर पहुँचने हेतु सम्बन्धित सामग्री उपलब्ध कराना तथा निर्णयों का क्रियान्वयन देखना है।

सचिवालय का संगठन

समस्त विभागीय प्रमुख प्रशासनिक कार्यालय राज्य सचिवालय होता है। एक सचिवालय का सामान्यतया गठन निम्न प्रकार होता है—

मंत्रिमण्डल (मुख्यमंत्री)
↓
मुख्य सचिव
↓
अतिरिक्त मुख्य सचिव
↓
विभागीय सचिव
↓
उप सचिव
↓
अवर सचिव
↓
अनुभागी अधिकारी
↓
सहायक अधिकारी
↓
उच्च श्रेणी लिपिक
↓
निम्न श्रेणी लिपिक
↓
चतुर्थ श्रेणी कर्मचारी

चित्र

राज्य सचिवालय के कार्य

'सचिवालय' राज्य में शासन का सर्वोच्च कार्यालय है। वह अनेक कार्यों को करता है। नीति-निर्धारण में सचिवालय की आवश्यक तथा महत्वपूर्ण भूमिका के परिणामस्वरूप कार्यों एवं शक्तियों का सचिवालय में केन्द्रीकरण हो रहा है। राज्य सचिवालय निम्नलिखित कार्य करता है—

1. **सचिवीय सहायता देनाः** राज्य सचिवालय राज्य मन्त्रिमण्डल तथा उसकी विभिन्न समितियों को उनके नित्य-प्रतिदिन के कार्यों से सम्बन्धित सभी विषयों पर सचिवीय सहायता प्रदान करने, उसकी बैठकों की कार्य-सूची (Agenda) बनाने तथा उनमें की गयी कार्यवाहियों का आलेख, आदि करने के लिए उत्तरदायी है।

2. **प्रमुख सूचना केन्द्रः** सचिवालय विभिन्न सरकारी संस्थाओं से सम्बन्धित आवश्यक सूचनाएँ मन्त्रिमण्डल तथा उसकी विभिन्न समितियों एवं राज्यपाल को प्रेषित करता रहता है। इसी प्रकार मन्त्रिमण्डल की बैठकों में लिए जाने वाले निर्णयों की सूचना भी यह सम्बन्धित विभागों तक पहुँचाता है। प्रमुख विषयों पर मन्त्रिमण्डल द्वारा लिये गये निर्णयों को यह मासिक प्रतिवेदन के रूप में तैयार करता है और विभिन्न विभागों एवं संस्थाओं को प्रेषित करता है।

3. **समन्वयात्मक कार्यः** राज्य स्तर पर सचिवालय राज्य प्रशासन की एक सम्न्वयकारी संस्था है। राज्य सरकार का मुख्य सचिव विभिन्न सचिव समितियों (Committees of Secretaries) का अध्यक्ष होने के कारण विभागों में समन्वय स्थापित करने में पर्याप्त रूप से प्रभावी रहता है।

4. **परामर्शदात्री कार्यः** मुख्य सचिव मुख्यमंत्री का प्रमुख परामर्शदाता और निकटतम सहयोगी होता है। इसी तरह अन्य शासन सचिव भी शासकीय मामलों में सभी आवश्यक सूचनाओं एवं तथ्यों के प्रकाश में मंत्रियों एवं मुख्यमंत्री को यदि वे चाहें, तो उपयुक्त परामर्श उपलब्ध कराते हैं। इस परामर्श से नीतियों के निरूपण एवं निष्पादन की प्रक्रिया में महत्वपूर्ण मदद मिलती है।

5. **नीति-निर्माण और नियोजन सम्बन्धी कार्यः** मंत्रियों सहित सचिवालय के सभी अधिकारी राज्य शासन और प्रशासन को चलाने के लिए नीतियों का निरूपण करते हैं। सभी पक्षों एवं विषयों के विविध आयामों पर विचार करने के बाद उस मामले में अन्तिम रूप से नीतिगत निर्णय लेने का कार्य सचिवालय ही करता है। सचिवालय निर्धारित नीतियों को सही रूप में क्षेत्रीय कार्यालयों को संप्रेषित करता है। राज्य के योजनाबद्ध विकास हेतु राष्ट्रीय योजना आयोग द्वारा योजनाओं को अन्तिम रूप देने के पूर्व राज्य सचिवालय राज्य की योजना का निर्माण करता है। राज्य के विकास हेतु प्राथमिकताओं का निर्धारण, साधन के स्रोतों का आकलन एवं एकत्रण तथा नीति आयोग में उसकी मंजूरी कराने तक की भूमिका राज्य के सचिवालय के अधिकारियों द्वारा ही निभायी जाती है।

6. **मंत्रिमंडल से संबंधित कार्यः** सचिवालय मंत्रिमंडल को विशिष्ट परामर्श पदान करता है। इसके मंत्रिमंडल से संबंधित कार्य निम्नांकित हैः
   (*i*) राज्यपाल द्वारा समय-समय पर विधानसभा में दिये जाने वाले अभिभाषणों तथा सन्देशों को तैयार करना;
   (*ii*) किन्हीं विशेष घटनाओं पर सार्वजनिक समितियों के गठन तथा इन समितियों द्वारा किये जाने वाले प्रतिवेदनों पर कार्यवाही किये जाने सम्बन्धी कार्य;
   (*iii*) व्यवस्थापन सम्बन्धी मामले, जिनमें अध्यादेश जारी करना भी सम्मिलित है;
   (*iv*) विधानसभा के अधिवेशनों को आरम्भ करने, स्थगित करने तथा भंग करने एवं विधानसभा को ही भंग करने सम्बन्धी प्रस्तावों पर विचार करना;
   (*v*) विभिन्न मंत्रियों द्वारा निर्णय हेतु प्रस्तुत प्रस्तावों अथवा निर्देशों को प्राप्त करने सम्बन्धी आवेदनों पर कार्यवाही;
   (*vi*) सरकार के समक्ष वित्तीय साधनों से सम्बन्धित कठिनाइयाँ तथा इन कठिनाइयों को दूर करने सम्बन्धी सुझाव;

(vii) मन्त्रिमण्डलों द्वारा लिये गये पूर्व-निर्णयों को परिवर्तित अथवा संश्लेषित करने हेतु प्रस्ताव;
(viii) मंत्रियों के पारस्परिक विवादों को सुलझाने सम्बन्धी प्रस्ताव;
(ix) किसी मंत्री अथवा प्रशासक के बीच उठने वाले विवाद;
(x) वे सभी मामले, जो राज्यपाल अथवा मुख्यमंत्री, मन्त्रिमण्डल के समक्ष विचार-विमर्श हेतु प्रस्तुत करना चाहें;
(xi) सरकार द्वारा चलाये गये किसी अभियोग को वापस लेने सम्बन्धी प्रस्ताव।

7. **वित्तीय तथा बजट सम्बन्धी कार्यः** राज्य की आर्थिक एवं वित्तीय दशा को सुदृढ़ बनाये रखने का अधिकार भी सचिवालय का ही है। सभी प्रशासनिक विभाग अपना बजट बनाकर वित्त विभाग को भेजते हैं और वित्त विभाग राज्य के व्यापक वित्तीय हितों में समन्वय एवं सन्तुलन स्थापित करते हुए राज्य के बजट को अन्तिम रूप देता है। बजट निर्माण के अनुसार खर्च की प्रगति का मूल्यांकन करने का कार्य सचिवालय द्वारा सम्पन्न किया जाता है।
8. **प्रशासनिक नेतृत्व प्रदान करनाः** मुख्य सचिव की क्षमता, प्रशासनिक दक्षता, कुशलता और प्रभावी प्रशासनिक नेतृत्व की क्षमता पर सम्पूर्ण राज्य प्रशासन की कुशलता निर्भर करती है। सभी शासकीय विभागों के शीर्षस्थ अधिकारी—शासन सचिव भी सचिवालय के अभिन्न अंग होते हैं और मंत्री के प्रमुख परामर्शदाता होने के नाते वे विभाग की नीतियों को अन्तिम रूप देने में प्रशासनिक नेतृत्व प्रदान करते हैं। विभाग के अध्यक्ष एवं अधीनस्थ अधिकारियों को जब कभी भी नीतियों के निष्पादन में कोई कठिनाई अनुभव होती है, दिशा-निर्देश और मार्गदर्शन के लिए वे सचिवालय के अधिकारियों की ओर ही देखते हैं।
9. **सांख्यिकीय प्रशासन देखनाः** राज्य सरकार की सांख्यिकी नीति बनाने तथा उसे निष्पादित करने एवं विभिन्न सांख्यिकीय संस्थाओं के मध्य समन्वय बनाये रखने की दृष्टि से सचिवालय की अपनी महत्वपूर्ण भूमिका है।
10. **कार्मिक प्रबन्धन सम्बन्धी कार्यः** राज्य की लोक सेवा की भर्ती, नियुक्ति, वर्गीकरण, पदोन्नति, वेतन, सेवा शर्तें, अनुशासनात्मक कार्यवाहियों, आदि के बारे में नीति और नियमों का निर्धारण करता है। यह सर्वविदित है कि राज्य के सभी प्रमुख प्रशासनिक पदों पर नियुक्तियों, पदोन्नतियों एवं स्थानान्तरण के मामले राज्य सचिवालय में सरकार द्वारा लिये जाते हैं।

राज्य सचिवालय की कार्यप्रणाली

सचिवालय की 'कार्य प्रक्रिया' सचिवालय मेनुअल में उल्लेखित है। किसी भी राज्य सचिवालय में अपनायी गयी फाइल व्यवस्था सरल होती है। इस मेनुअल में व्यवस्थित ढंग से कार्य करने की प्रणाली का उल्लेख होता है। इसका संगठनात्मक चित्रण इस प्रकार किया जा सकता है:

विभाग का सचिवालय
↓
सचिव (प्रमुख प्रशासनिक अधिकारी)
↓
संयुक्त या अतिरिक्त सचिव (8 सेक्शनों का मुखिया)
↓
उपसचिव (4 सेक्शनों का प्रमुख)
↓
अवर सचिव (2 सेक्शनों का प्रमुख)
↓
कर्तव्यस्थ अधिकारी (यदि हो तो)
↓
शाखा अधिकारी (शाखा प्रमुख)
↓
सहायकगण
↓
लिपिक वर्ग
↓
चतुर्थ श्रेणी कर्मचारी

चित्र

निदेशालय एवं आयुक्तालय (Directorate and Commissionerate)

मंत्रिमण्डल के कार्यों को सम्पन्न करने के लिए सचिवालय एवं निदेशालय स्थापित किये गये हैं जिससे प्रशासनिक कार्यों का सम्पादन लोक-सेवकों के माध्यम से कुशलतापूर्वक सम्पन्न होता रहे। मंत्रियों के पास समय, कुशलता का अभाव होता है, अतः उन्हें सचिवों द्वारा नियमसम्मत तथा कौशलयुक्त प्रशासनिक सहायता उपलब्ध करवायी जाती है। इस प्रकार सचिवालय में मंत्री तथा सचिव मिलकर अपने विभाग की नीतियाँ तथा कार्यक्रम बनाते हैं। इन नीतियों तथा कार्यक्रमों को व्यावहारिक स्तर पर विशेषज्ञ अधिकारियों द्वारा क्रियान्वित किया जाता है। नीति तथा कार्यक्रम क्रियान्वयन करने वाली इस व्यवस्था को कार्यकारी विभाग अथवा निदेशालयी व्यवस्था कहा जाता है। सचिवालय में कार्यरत विभागों में मंत्री, सचिव तथा अन्य मंत्रालयिक स्टॉफ कार्य करता है जबकि किसी विभाग के अधीन कई कार्यकारी विभाग या निदेशालय हो सकते हैं जो विशेषज्ञ होते हैं तथा इनकी शाखाएँ क्षेत्रीय स्तर तक फैली हुई होती हैं।

निदेशालय की आवश्यकता

सचिवालय को सहायता देने के लिए 'निदेशालय' कार्य करता है। इसके मूल में निम्न कारण हैं:

1. आज वृहद् से सूक्ष्मता तक, सामान्य से विशेषज्ञता की ओर झुकाव होने के कारण भी निदेशालयों की स्थापना होने लगी है।

2. आम जनता एवं क्षेत्रीय कर्मचारी की पहुँच सचिवालय तक कठिनाई से हो पाती है, जबकि निदेशालय तथा इसकी क्षेत्रीय शाखाओं में सरलता से पहुँचा जा सकता है।
3. सचिवालय के कुछ विभागों जैसे वित्त, शिक्षा, कृषि, स्वास्थ्य तथा गृह का कार्यक्षेत्र अत्यन्त विस्तृत होता है। इस कार्य को सचिवालय में बैठकर सम्पन्न करना सम्भव नहीं है। अतः इन कार्यों को एक विभाग के अधीन अनेक कार्यकारी विभाग या संस्थाएँ ही पूर्ण कर सकती हैं।
4. सचिवालय नीति-निर्माता तथा सरकार को महत्वपूर्ण विषयों पर परामर्श देता है। लोक नीतियों को लागू करने तथा जनता को सेवाएँ उपलब्ध कराने का कार्य अधीनस्थ कार्यकारी विभाग करता है।
5. सचिवालय में सामान्यज्ञ अधिकारी होते हैं, जिन्हें तकनीकी विषयों का ज्ञान नहीं होता है। यह कार्य निदेशालय में किया जाता है, जहाँ विशेषज्ञ अधिकारी होते हैं, जिन्हें निदेशक या संचालक कहा जाता है।

संचालनालय/निदेशालय की स्थापना कार्य की प्रकृति, क्षेत्र, गुणवत्ता तथा व्यावसायिकता को देखते हुए कार्यकारी विभाग के रूप में निगम, बोर्ड आदि अन्य स्थानीय संस्थाओं की स्थापना भी की जाती है। केवल सचिवालय के कार्यों को पूरा करने के लिए कार्यकारी विभाग स्थापित किये जायें, आवश्यक नहीं है।

निदेशालय की विशेषताएँ

सामान्य रूप से निदेशालय की निम्नलिखित विशेषताएँ होती हैं:

1. निदेशालय का मुख्यालय राज्य की राजधानी या किसी प्रमुख नगर में होता है। क्षेत्रीय तथा जिला कार्यालय भी होते हैं, जहाँ संयुक्त, अतिरिक्त, उपनिदेशक पद स्थापित होते हैं।
2. निदेशालयों के प्रमुख अधिकारी को निदेशक/संचालक कहते हैं, परन्तु कहीं निदेशालयों के प्रमुख अधिकारी को आयुक्त, नियन्त्रक, मुख्य अभियन्ता, महानिदेशक आदि नामों से भी सम्बोधित किया जाता है।
3. ये विशिष्ट प्रकार की गतिविधियों को संचालित करते हैं।
4. इसके अधिकारी विशेषज्ञ होते हैं।
5. निदेशालय निदेशकों का घर अर्थात् कार्य करने का स्थान होता है।
6. क्षेत्रीय स्तर पर कार्यरत समस्त स्टाफ या कर्मचारी वर्ग निदेशालय के अधीन होता है।
7. निदेशालयों के निदेशक ही विभागाध्यक्ष के नाम से जाने जाते हैं।
8. सचिवालय में निदेशालय का नियन्त्रक विभाग होता है, जहाँ से उसे निर्देश प्राप्त होते हैं।

सचिवालय तथा निदेशालय में अन्तर

सचिवालय और निदेशालय के मध्य निम्नलिखित अन्तर दिखाई देता है:

सचिवालय	निदेशालय
1. राज्य की शीर्षस्थ प्रशासनिक इकाई है।	1. निदेशालय, सचिवालय की अधीनस्थ संस्था है।
2. सचिवालय परामर्श, नीति-निर्माण और नियन्त्रक संस्था है। स्टाफ इकाई है।	2. निदेशालय, सचिवालय की नीतियों और कार्यक्रमों को लागू करता है। लाइन इकाई है।
3. इसके अधिकारी सचिव कहलाते हैं। इसमें सामान्यज्ञ आई.ए. एस. अधिकारियों का वर्चस्व होता है।	3. इसके अधिकारी निदेशक/संचालक कहलाते हैं और विशेषज्ञ अधिकारियों का वर्चस्व रहता है।
4. सचिवों का एक विभाग से दूसरे विभाग में स्थानान्तरण होता रहता है।	4. इसके अधिकारी अपने ही विभाग में बने रहते हैं।
5. सचिवालय में स्थित विभाग अपने निदेशालय तथा मंत्री के बीच कड़ी का कार्य करता है।	5. यह, अपने अधीनस्थ अभिकरणों एवं सचिवालय के मध्य कड़ी का कार्य करता है।
6. इसमें सामान्य प्रशासनिक सेवाएँ सम्पादित होती हैं। सचिवालय राजधानी में स्थित होता है।	6. विशेषज्ञ सेवाएँ भी सम्पादित होती हैं। ये राज्य के प्रमुख शहर में भी स्थित हो सकते हैं।
7. प्रशासनिक आकार छोटा होता है।	7. प्रशासनिक आकार बड़ा होता है।
8. सचिवालय का मंत्रियों से प्रत्यक्ष सम्पर्क रहता है।	8. अप्रत्यक्ष सम्पर्क रहता है।

सचिवालय तथा निदेशालय (संचालनालय) के मध्य सम्बन्ध

राज्य सरकार के विभाग में दो पृथक् संरचनाएं होती हैं; निदेशालय से आशय सरकार के अधीन कार्य करने वाली संस्था से है अर्थात् सचिवालय द्वारा निर्मित नीतियों को लागू करने वाली संस्थाएँ होती हैं, जिन्हें प्रशासन की शब्दावली में 'कार्यकारी संस्थाएँ' कहा जाता है। इस प्रकार ये संस्थाएँ वास्तव में कार्य करने वाली होती हैं। कार्यकारी प्रमुख को विभागाध्यक्ष, संचालक अथवा निदेशक नाम से सम्बोधित किया जाता है। सचिवालय का प्रशासनिक प्रमुख 'सामान्यज्ञ' जबकि निदेशालय का प्रमुख 'विशेषज्ञ' होता है। दोनों के बीच वाद-विवाद होता रहता है। निदेशालय यह महसूस करते हैं कि (*i*) सचिवालय ने सभी महत्वपूर्ण शक्तियों को केन्द्रीकृत कर दिया है। (*ii*) सचिवालय अपने वास्तविक कार्यों को भूल गये हैं और कार्यकारी विभागों से अधिक कार्य करवाते हैं। दोनों के बीच उत्पन्न होने वाले विवादों को निपटाने के लिए निम्न सुझाव हैं:

1. शक्ति का विकेन्द्रीकरण किया जाना चाहिए।
2. दोनों के बीच उच्च-अधीनस्थ का सम्बन्ध न होकर सामंजस्यपूर्ण एवं सौहार्दपूर्ण सम्बन्ध होना चाहिए।
3. जहाँ तक सम्भव हो दोनों को एक ही (सचिवालय) प्रांगण में स्थापित किया जाये।
4. कार्यकारी संस्था के प्रमुख को मंत्रालय या विभाग का विशिष्ट सचिव का पद प्रदान किया जाये।
5. सचिवालय का व्यवसायीकरण किया जाये।
6. सचिवालय एवं कार्यकारी संस्था के बीच अलग एवं स्पष्ट विभाजक रेखा होनी चाहिए।

आयुक्तालय

सचिवालय विभागों की तकनीकी आवश्यकताओं के मार्गदर्शन देने के लिए आयुक्तालय होती है। कार्यों को कुशल एवं गतिशील बनाने के लिए यह अनुभागों में विभक्त होता है। अनुभाग में अधीक्षक, सहायक, उच्च एवं निम्न श्रेणी लिपिक तथा चतुर्थ श्रेणी कर्मचारी होते हैं। रजिस्ट्रार चतुर्थ श्रेणी स्थापना प्रभारी होता है। अभिलेख अधिकारी सचिवालय के अभिलेख कक्ष का प्रभारी होता है।

विभाग के कार्यों के संचालन के लिए आयुक्त स्तर पर सम्भागीय मुख्यालय होते हैं। प्रत्येक सम्भाग का प्रभारी संयुक्त संचालक होता है। मुख्य कार्यालय प्रमुख के अधीन क्षेत्रीय या जिला स्तर पर प्रभारी अधिकारी होते हैं। प्रत्येक जिले में प्रायः सभी विभागों के प्रतिनिधि सदस्य रहते हैं। विभागीय गतिविधियों की सम्पूर्ण देखभाल विभागाध्यक्ष या मुख्य कार्यालय प्रमुख में निहित होती है। विभागीय जिला प्रतिनिधि गतिविधियों से जिला आयुक्त को अवगत रखते हैं। पद-सोपान या अधिकारी श्रेणी के अधीनस्थ अधिकारी अपने से वरिष्ठ के प्रति उत्तरदायी होते हैं। इस प्रकार ऊपर से नीचे तक सम्पूर्ण व्यवस्था केन्द्रीकृत है। शक्ति का प्रयोग आयुक्त के हाथों में होता है जिसे सम्पूर्ण राज्य में फैले अधिकारियों के जाल द्वारा प्रयुक्त किया जाता है।

विभागाध्यक्ष या आयुक्त

विभागाध्यक्ष विशिष्ट सेवा के वास्तविक प्रशासन और योजना क्रियान्वयन के लिए पूर्णतः प्रभारी अधिकारी हैं। अन्य विभागाध्यक्ष कर-संग्रह और कर सम्बन्धी विधि के प्रशासन के लिए उत्तरदायी होते हैं। राज्य शासन विभागाध्यक्षों की कार्यप्रणाली पर सचिवालय के 'प्रशासन विभाग' के माध्यम से नियन्त्रण करता है। विधायिका द्वारा स्वीकृत राशि को वित्त-विभाग और प्रशासन-विभाग द्वारा विभागाध्यक्ष को सौंप दिया जाता है। वह उस धनराशि के उचित उपयोग के लिए शासन के प्रति उत्तरदायी होता है जो महालेखाकार के समक्ष लेखा प्रस्तुत करता है और उसके माध्यम से लोक-लेखा समिति तथा विधायिका को भेजा जाता है। विभागाध्यक्ष चालू योजनाओं की प्रशासनिक व्यवस्था शासन द्वारा गत वर्ष की स्वीकृति के अनुसार ही करता है। नवीन योजनाओं पर शासन स्वयं ही या विभागाध्यक्ष द्वारा सन्दर्भ देने पर विचार करता है तथा बजट में आवश्यक प्रावधान करता है। बजट पारित होने के बाद, शासन द्वारा निर्धारित एवं विधायिका द्वारा अनुमोदित प्रक्रिया के अन्तर्गत योजनाओं के क्रियान्वयन के लिए, विभाग को निर्देशित किया जाता है। इस प्रकार विभागाध्यक्ष सुनिश्चित वित्तीय एवं प्रशासनिक प्रदत्त शक्तियों का उपयोग करता है। विभागाध्यक्ष लाइन अभिकरण का प्रमुख होता है जबकि सचिव स्टाफ अभिकरण का प्रमुख होता है।

शासन के सचिव एवं विभागाध्यक्ष के सम्बन्ध निम्न सामान्य सिद्धान्तों पर आधारित होते हैं:

1. नीति-निर्माण सचिवालय का प्रमुख उत्तरदायित्व है, नीति-क्रियान्वयन विभाग का कार्य है, और
2. सेवा-शर्तों के नियमों के अन्तर्गत विभागाध्यक्ष का अधीनस्थ कर्मियों पर पूर्ण नियन्त्रण होता है।

यह ध्यान रखने योग्य तथ्य है कि विभागाध्यक्ष विशेषज्ञ होता है और उसके कार्य का निरीक्षणकर्ता सचिव सामान्य लोक-सेवक होता है। सचिव मन्त्रियों के प्रशासनिक परामर्शदाता तथा सहायक हैं, विभागाध्यक्ष उनके कार्यपालन यन्त्र हैं। सचिव मन्त्रियों के आँख और कान हैं, जबकि विभागाध यक्ष उनके हाथ हैं।

आयुक्त के कार्य

विभागाध्यक्ष प्रायः संचालक अथवा आयुक्त कहलाते हैं। अतिरिक्त-संचालक, संयुक्त-संचालक, उप-संचालक तथा सहायक-संचालक उन्हें सहयोग प्रदान करते हैं। विभागाध्यक्ष निम्नलिखित कार्यों के लिए उत्तरदायी हैं:

1. विभागीय बजट की संरचना;
2. मंत्री के तकनीकी परामर्शदाता की हैसियत से कार्य;
3. विभागीय जिला स्टाफ के कार्य-क्रियान्वयन का निरीक्षण;
4. नियमानुसार अनुदान संवितरण, सीमान्तर्गत बजट विनियोजन बनाना;
5. अधीनस्थ अधिकारियों की समस्त नियुक्तियों, स्थायीकरण, पदांकन, स्थानान्तरण, पदोन्नति, अवकाश-स्वीकृति, अस्थायी व्यवस्था आदि की स्वीकृति नियमानुसार करना;

6. समस्त अधीनस्थ अधिकारियों के सम्बन्ध में नियमानुसार अनुशासनात्मक शक्तियों का प्रयोग करना;
7. लोक-सेवा को पदोन्नति एवं अनुशासनात्मक कार्रवाई हेतु परामर्श देना; और
8. अन्तर्राज्यीय अथवा भारत सरकार द्वारा आयोजित सम्मेलनों के अतिरिक्त सम्मेलन में अधिकारियों को सम्मिलित होने की स्वीकृति प्रदान करना।

जिला प्रशासन (District Administration)

अवधारणा

जिले में समस्त सार्वजनिक कार्यों का प्रबंध जिला प्रशासन में देखने को मिलता है। भारत में प्रशासन का आधार क्षेत्रीय इकाई जिला और जिला प्रशासन है। जिलाधीश जिला प्रशासन की धुरी है। सामान्यतः यह भारतीय प्रशासनिक सेवा का सदस्य होता है। जिलाधीश भारतीय प्रशासनिक सेवा में सीधी भर्ती तथा राज्य सेवाओं से पदोन्नत दोनों उपसमूहों से लिए जाते हैं। जिलाधीश सम्भाग आयुक्त के माध्यम से शासन के प्रति उत्तरदायी होता है।

'जिला' शब्द फ्रांसीसी शब्द डिस्ट्रिक्ट से लिया गया है जिसका अर्थ न्यायिक प्रशासन के उद्देश्य से बनाया गया प्रदेश है। ऑक्सफोर्ड शब्दकोष में "जिले को विशेष प्रशासनिक उद्देश्य के लिए निर्धारित प्रदेश" के रूप में परिभाषित किया गया है। हमारे संविधान में जिले को प्रशासनिक इकाई बनाने के विषय में कोई उल्लेख नहीं किया गया है। अनुच्छेद 233 में जिला न्यायाधीशों की नियुक्ति के प्रसंग में 'जिला' शब्द का प्रयोग किया गया है।

जिला प्रशासन : उद्भव

जिला हमारे देश के इतिहास में सदैव किसी न किसी रूप में प्रशासन की इकाई रहा है। हमारे इतिहास में प्रथम प्रमाणित मौर्य-साम्राज्य ने अपने सुव्यवस्थित विशाल राज्य को कुशल एवं प्रभावशाली प्रशासन के लिये प्रान्तों में तथा प्रान्तों को जिले में विभाजित किया था जिन्हें 'अहर' कहा जाता था। अशोक के शिलालेखों में जनपद, प्रदेश तथा जिलों के कल्याण के लिये 'राजुका', 'प्रादेशिका' अधिकारियों का उल्लेख देखने को मिलता है। गुप्त-काल में उनका विस्तृत साम्राज्य प्रान्तों में तथा प्रान्त 'विश' या 'मण्डल' में विभक्त होते थे। मुगल सम्राटों ने इस पद्धति का अनुसरण कर इसे निरन्तरता प्रदान की। प्रशासन तथा राजस्व-संग्रह के लिये, साम्राज्य को प्रान्त या 'सूबों' में और सूबों को 'सरकार' या जिलों में विभाजित किया। प्रत्येक सरकार (जिला) अनेक 'परगना' और प्रत्येक परगना अनेक 'गाँवों' को मिलाकर बनाया जाता था।

ब्रिटिश शासकों ने क्षेत्र-प्रशासन की इस सदियों पुरानी प्रणाली को अपरिवर्तित रखा और प्रशासन की इस मूल इकाई को गौरव प्रदान कर 'जिला' कहना आरम्भ किया।

1772 में ईस्ट इण्डिया कम्पनी ने 'राजस्व संग्राहक' कार्यालय स्थापित किया। यह कम्पनी को नियमित प्रशासनिक संगठन में परिवर्तित करने का भी प्रतीक था। जिलाधीश कार्यालय में 1787 में राजस्व-प्रबन्ध, दीवानी न्याय एवं दण्डाधिकारी सम्मिलित किये गये। इस प्रकार वह जिले में कार्यालय तन्त्र का अत्यन्त शक्तिशाली स्थानीय कर्मचारी था। ब्रिटिश इसे भारतीय प्रशासन एवं शासन की परम्परा के अनुरूप 'देशी मॉडल' मानते थे। 1857 के विद्रोह के उपरान्त बंगाल पद्धति को संशोधित कर समग्र क्षेत्रीय प्रशासन प्रणाली बंगाल और भारतवर्ष के सभी भागों में शुरू हुई। 19वीं सदी के उत्तरार्द्ध में यह प्रणाली पूर्ण हुई। जिलाधीश इस समय साम्राज्य के शासन का प्रमुख प्रतीक बन गया। यह गवर्नर जनरल और जनसामान्य के मध्य, ऊपर तथा नीचे की ओर सम्प्रेषण श्रृंखला की कड़ी के रूप में शासन की सम्पूर्ण शक्ति का प्रतिनिधित्व करता था। जिलाधीश शासन का प्रतिनिधि मात्र ही नहीं, अपितु वह सभी व्यावहारिक स्वरूपों में शासन या सरकार था। पितृत्व और निरंकुशतावाद इस पद्धति के प्रमुख लक्षण थे। द्वैध-शासन (1921-27) जिलाधीश के लिए परीक्षण का अवसर था। द्रुतगामी यातायात-साधनों के विकास, शिक्षा-प्रसार, प्रेस के विकास, स्थानीय स्वशासन-संस्थाओं के प्रादुर्भाव और तकनीकी विभागों के विकास ने जिलाधीश की सत्ता और सम्मान को प्रभावित किया। 1 अप्रैल, 1937 से प्रान्तीय स्वायत्तता प्रारम्भ होने पर जिलाधीश के कार्यक्षेत्र में वृद्धि हुई। 1937 तक उसका ध्यान मुख्यतः जनव्यवस्था, निष्पक्ष न्याय-प्रशासन, तत्परतापूर्वक राजस्व-संग्रह और भू-अभिलेख की उपयुक्त व्यवस्था की ओर रहता था। 1939 में उसके कार्यक्षेत्र में ग्रामीण विकास, सहकारिता आन्दोलन तथा ग्राम पंचायत भी सम्मिलित हो गये। द्वितीय विश्वयुद्ध (1939-45) की जटिल समस्याओं ने जिलाधीश के कार्यों एवं कर्तव्यों में नये आयाम जोड़े और अनेक बहुउद्देशीय अतिरिक्त उत्तरदायित्व जोड़े। 1947 में स्वतन्त्रता-प्राप्ति के फलस्वरूप देश के सम्मुख नयी समस्याएँ आयीं और उनका बोझ पूर्व से ही अति कार्यभारित जिलाधीश के कन्धों पर पड़ा। स्वाधीनता के बाद अनेक सामाजिक, राजनीतिक एवं प्रशासनिक शक्तियों के कारण जिलाधीश की भूमिका में क्रान्तिकारी परिवर्तन हुआ।

स्वतन्त्रता प्राप्त करने के उपरान्त सामुदायिक विकास कार्यक्रम शुरू करने, पंचायती राज के शुभारम्भ और लोककल्याणकारी राज्य की अवधारणा स्वीकार करने के फलस्वरूप इस कार्यालय के कर्तव्यों में आमूल परिवर्तन हुआ। कानून-व्यवस्था बनाये रखने और राजस्व-संग्रह के स्थान पर अब मानव और भौतिक संसाधनों के विकास तथा निर्धनता एवं अभाव-उन्मूलन की ओर अधिक जोर बढ़ा। इसलिए परिवर्तित परिस्थितियों में जिलाधीश से यह अपेक्षा की जाने लगी है कि वह लोगों के साथ मिलकर कार्य करे। अब वह लोगों से दूर नहीं रह सकता। जिलाधीश लोगों की समस्याओं एवं शिकायतों को सुनने पर अधिक समय देता है। वह जिले के सामाजिक एवं सांस्कृतिक जीवन में अत्यधिक सक्रिय भूमिका निभाता है। प्रजातान्त्रिक व्यवस्था में शासन और लोगों के मध्य सत्तारूढ़ दल शासन का अपना संवाद-माध्यम है। ब्रिटिश शासन की भाँति अब जिलाधीश शासन की एकमात्र 'आँख कान' नहीं रह गया है। अब वह सत्तारूढ़ राजनीतिक दल के शासन की नीतियों एवं कार्यक्रमों के कार्यपालन का यन्त्र हो गया है। लेकिन जिलाधीश के उत्तरदायित्व-विस्तार, स्वतन्त्र प्रजातान्त्रिक राजनीतिक व्यवस्था में पूर्णतः भिन्न स्थितियों में नियामक के स्थान पर विकासोन्मुख

कर्तव्य-निष्पादन ने उसे समस्त शासकीय सेवकों में सर्वाधिक चिन्तित एवं दबावग्रस्त बना दिया है। इस सबके बावजूद जिलाधीश आज भी जिला प्रशासन की रीढ़ है।

जिला प्रशासन का महत्व

एस.एस. खेरा ने अपनी पुस्तक डिस्ट्रिक्ट एडमिनिस्ट्रेशन इन इण्डिया (1979) में जिला प्रशासन के महत्व के सम्बन्ध में प्रकाश डालते हुए लिखा है किः

1. जिला प्रशासन तथा जिलाधीश पद की छवि, भारतीय जनसाधारण के मन में परम्परागत श्रेष्ठता के रूप में अंकित है;
2. प्रायः राज्य सरकार के समस्त कार्यालय जिला स्तर पर स्थापित होने के कारण राज्य की राजधानी से समन्वय स्थापित करने में सुविधा रहती है;
3. जिला मुख्यालय तक आम आदमी का आना-जाना आसानी से होता रहता है;
4. भौगोलिक दृष्टि से सन्तुलित क्षेत्र स्थिति के कारण प्रशासनिक दृष्टि से सुविधापूर्ण तथा क्षेत्रीय स्तर तक पहुँच बनाये रखता है;
5. ऐतिहासिक निरन्तरता के साथ-साथ जिला एक विशिष्ट सांस्कृतिक पहचान तथा अपनत्व का बोध कराता है।

जिला प्रशासन : कार्य

एस.एस. खेरा के अनुसार, "जिले में शासन के समस्त क्रियाकलाप, जिला प्रशासन, भौगोलिक आधार पर सुनिश्चित जिला क्षेत्र के अन्तर्गत पूर्ण तथा जटिल संगठन, लोक-कार्यों सम्बन्धी मामलों का स्थिर नहीं अपितु गतिशील प्रबन्ध करता है ..... जिला प्रशासन में शासन की समस्त इकाइयाँ सम्मिलित हैं, वैयक्तिक अधिकारी एवं कर्मचारी, लोक-सेवाएँ ..... लोक-कार्यों के प्रबन्ध में संलग्न समस्त संस्थाएँ, विविध प्रकार की पंचायत सदृश निगमात्मक संस्थाएँ ...... प्रशासन से सम्बन्धित सभी परामर्शदात्री संस्थाएँ आदि सम्मिलित हैं।"

जिला प्रशासन के विविध कार्यों को निम्न छः समूहों में वर्गीकृत किया जा सकता हैः

1. **निर्वाचन सम्बन्धी कार्यः** लोकसभा, विधानसभा, स्थानीय निकायों के चुनाव करवाना जिला प्रशासन का महत्वपूर्ण कार्य है।
2. **स्थानीय निकायों से सम्बन्धित कार्यः** स्थानीय संस्थाओं (शहरी एवं ग्रामीण) प्रशासन को सुचारु रूप से संचालित करने में सहयोग प्रदान करना।
3. **आपात स्थिति के कार्यः** प्राकृतिक तथा अन्य आपदाओं के समय राहत कार्य संचालित करना।
4. **विकास से सम्बन्धित कार्यः** विकास कार्य के अन्तर्गत कृषि उत्पादन, सहकारिता, पशुधन एवं मत्स्य, लोकहितकारी कार्य; जैसे—जन-स्वास्थ्य, शिक्षा, समाज-कल्याण, पिछड़े वर्गों, असहाय लोगों के कल्याण के लिए प्रयास, आदि कार्य आते हैं।
5. **नियामक कार्यः** नियामक कार्य अपेक्षाकृत महत्वपूर्ण होते हैं। नियामक कार्यों में कानून एवं व्यवस्था बनाये रखना, अपराध नियन्त्रण, न्याय प्रशासन, भूमि प्रशासन, भू-राजस्व तथा अन्य करों का निर्धारण एवं संग्रह, अन्य देय, भू-राजस्व बकाया, विक्रय कर, वन कर, चुंगी कर, आयकर, आदि एकत्र करना सम्मिलित हैं। साथ ही इसमें खाद्यान्न और नागरिक आपूर्ति, नियमन और वितरण, शासकीय नीतियों एवं कार्यक्रमों को लागू करना, सर्वेक्षण, कार्यक्रम मॉनीटरिंग, प्रचार तथा मूल्यांकन करना शामिल हैं।
6. **अवशिष्ट कार्यः** जिलाधीश शासन के मुख्य प्रतिनिधि के रूप में निम्न कार्यों को करता है—शस्त्र लाइसेन्स प्रदान करना; नवीनीकरण एवं निरस्तीकरण विशेष अधिनियम लागू करना, लघु बचत, प्रचार और जनसम्पर्क, शिष्टाचार कार्य, विभिन्न प्रकार की सामाजिक, शैक्षिक तथा सांस्कृतिक गतिविधियाँ आयोजित करना; सामुदायिक सहभागिता सुनिश्चित करना, जनता की शिकायतें सुनना और निराकरण करना, सरकारी सम्पत्ति तथा जान-माल की रक्षा करना, पर्यावरण सुरक्षा, शरणार्थी मामले, उपभोक्ता संरक्षण, मानवाधिकार रक्षा, भ्रष्टाचार नियन्त्रण, जनगणना सम्बन्धी कार्य करना, स्वयंसेवी संगठनों, केन्द्रीय सरकार के कार्यालयों, निजी संगठनों, अन्तर्राष्ट्रीय अभिकरणों तथा अन्य सम्बद्ध संस्थानों में समन्वय स्थापित करना।

जिला प्रशासन : संगठनात्मक ढाँचा

समय के साथ स्थानीय स्वशासन संस्थाओं का प्रादुर्भाव हुआ और तकनीकी विभागों की शुरुआत हुई। अतः आदेश की एकता के स्थान पर आदेश की बहुलता का विकास हुआ। 1919 के अधिनियम और तत्पश्चात् 1935 के अधिनियम के लागू होने के उपरान्त यह परिवर्तन और अधिक स्पष्ट हुआ। इसलिए केन्द्रीय प्रशासनिक सुधार आयोग ने सुझाव दिया कि नियामक कार्य जिलाधीश द्वारा सम्पन्न किये जायें और विकास कार्य पंचायती राज संस्थाओं को सौंप दिये जायें। जिला स्तर पर कार्यात्मक विभागों की स्थापना के कारण तकनीकी बिभागों की क्षेत्रीय इकाइयाँ स्थापित करने की आवश्यकता हुई। फलस्वरूप, जिले के क्षेत्र-प्रशासन में कार्यात्मक प्रशासन सम्मिलित किया गया और आज्ञा की बहुलता बढ़ी। यह दोहरी स्थिति आज तक प्रचलित है। उनके नाम तथा पदाधिकारियों के पदनाम एक राज्य से दूसरे राज्य में भिन्न हैं, फिर भी प्रस्तुत प्रतिनिधि-तालिका निम्नवत् हैः

विभाग का नाम	जिला प्रमुख का पदनाम
1. कृषि	जिला कृषि अधिकारी/सहायक संचालक कृषि
2. पिछड़ा वर्ग/हरिजन-कल्याण	पिछड़ा कल्याण अधिकारी/हरिजन कल्याण अधिकारी
3. सहकारिता	सहायक/उपपंजीयक सहकारी समितियाँ
4. शिक्षा	जिला शिक्षा अधिकारी/शाला निरीक्षक
5. रोजगार	जिला रोजगार अधिकारी

6. आबकारी	जिला आबकारी अधिकारी/आबकारी अधीक्षक
7. वन	संभाग/जिला वन अधिकारी
8. स्वास्थ्य एवं परिवार नियोजन	जिला स्वास्थ्य अधिकारी
9. उद्योग	जिला उद्योग अधिकारी/सहायक संचालक उद्योग
10. जेल	जेल अधीक्षक
11. न्याय	जिला एवं सत्र न्यायाधीश
12. श्रम	सहायक श्रमायुक्त/जिला श्रम अधिकारी
13. चिकित्सा	जिला चिकित्सा अधिकारी/सिविल सर्जन
14. पंचायत/पंचायत और समाज-सेवा	जिला पंचायत अधिकारी
15. योजना	जिला योजना अधिकारी
16. पुलिस	पुलिस अधीक्षक
17. सूचना/प्रसारण	जिला प्रसारण अधिकारी/सहायक संचालक प्रसारण
18. लोक-निर्माण	कार्यपालन मंत्री
19. रजिस्ट्रेशन (पंजीयन)	जिलाधीश
20. राजस्व एवं सामान्य प्रशासन	जिलाधीश
21. विक्रय-कर	जिला विक्रय-कर अधिकारी
22. सांख्यिकी	जिला सांख्यिकी अधिकारी
23. कोषालय एवं लेखा	जिला लेखा अधिकारी/कोषालय अधिकारी
24. पशु-चिकित्सा	जिला पशु-चिकित्सा अधिकारी/सहायक संचालक पशु-चिकित्सा सेवाएँ

जिलाधीश अथवा कलक्टर
(The Collector)

ईस्ट इण्डिया कम्पनी के दिनों में यह संस्था अस्तित्व में आयी और उस समय से यह जिले का गौरवमण्डित पद है तथा जिले में विविध एवं व्यापक शक्तियों का प्रयोग करता है। ब्रिटिश शासनकाल में जिला प्रशासन का आधार बनकर और जिलाधिकारी जिला प्रमुख के रूप में प्रादेशिक विशेषज्ञ प्रशासन-व्यवस्था का अत्यन्त महत्वूर्ण लक्षण बन गया। यह वह मौलिक इकाई थी जिसके ढाँचे पर दीवानी, फौजदारी और राजनैतिक क्षेत्राधिकार तथा शासकीय इकाइयों द्वारा कल्याणकारी व तकनीकी सेवाएँ प्रदान की जाती थीं। यह सर्वविदित है कि भारत में जिला प्रशासन की पद्धति प्राचीन भारतीय प्रादेशिक संगठन पद्धति पर आधारित थी। इसके अन्तर्गत क्षेत्र के आधार पर गठित अनेक प्रशासन स्तर, खण्ड-उपखण्ड आदि होते थे जिनका प्रभारी अधिकारी केन्द्र शासन का एजेण्ट होता था।

जिला कलक्टर के कर्त्तव्य तथा उत्तरदायित्व

उसके प्रमुख कर्त्तव्य इस प्रकार हैं:

1. शासन के अनेक नियामक एवं कन्ट्रोल कार्य, जैसे—खाद्यान्न का राशनिंग, कृषि-उपज का क्रय करना, वस्तुओं को भेजने की व्यवस्था करना, आदि;
2. विकास योजनाओं का निर्देशन और उन्हें पूर्ण कराना, जिन पर देश का भविष्य निर्भर है;
3. तत्परता तथा निष्पक्षतापूर्वक भू-राजस्व तथा अन्य करों का संग्रह करना;
4. जिले में कानून एवं व्यवस्था बनाये रखना;
5. जिले में पदस्थ शासकीय अधिकारियों-कर्मचारियों से मैत्री-सम्बन्ध रखना और अपने कार्यालय की कार्यकुशलता बनाये रखना;
6. प्रशासन तथा नागरिकों के मध्य प्रतिरोधी (buffer) की भूमिका, एक को दूसरे के द्वारा सम्भावित परेशानी करने से बचाना और शीघ्र न्याय दिलाना;
7. शासन के कार्यक्रमों एवं विकास कार्यों का क्रियान्वयन;
8. प्राकृतिक प्रकोप, दुर्घटनाओं आदि में तत्काल कार्रवाई करना।

जिलाधीश को सौंपे गये कार्यों की सूची तैयार करना लगभग असम्भव है। वह अत्यधिक व्यस्त अधिकारी है।

जिलाधीश की बदलती भूमिका
(Changing Role of the Collector)

1947 में स्वतन्त्रता प्राप्ति के फलस्वरूप देश के सम्मुख अनेक नवीन चुनौतीपूर्ण समस्याएँ आयीं और उनका बोझ पूर्व से ही कार्यभारित जिलाधीश के कन्धों पर पड़ा। स्वाधीनता के बाद अनेक सामाजिक, राजनीतिक, आर्थिक, विकास सम्बन्धी, सामुदायिक विकास कार्यक्रम प्रारम्भ करने, पंचायती राज के शुभारम्भ तथा लोक-कल्याणकारी राज्य की नवीन अवधारणा के फलस्वरूप इस कार्यालय के कर्त्तव्यों एवं कार्यों में आमूलचूल परिवर्तन हुए हैं। अतः स्वतन्त्रता के पश्चात् जिलाधीश की भूमिका में हुए परिवर्तनों का अध्ययन सामयिक एवं आवश्यक है। इस सम्बन्ध में निम्न बिन्दुओं पर चर्चा की जा रही है:

1. 1947 में स्वतन्त्रता के साथ ही जिलाधीश की परिवर्तित भूमिका की यात्रा प्रारम्भ होती है जो आज भी जारी है। यह विभाजन के फलस्वरूप उत्पन्न चुनौतीपूर्ण समस्याओं की दिशा में सन्तोषप्रद एवं सार्थक प्रयासों में देखने को मिलती है। संकट की घड़ी में उनके साहस, धैर्य, निष्ठा एवं ईमानदारी से किये गये प्रयास प्रशसनीय हैं।
2. विकास कार्यक्रमों और पंचायती राज संस्थाओं के रूप में स्वतन्त्रता के बाद नियामक कार्यों की तुलना में जिलाधीश के विकास कार्य अधिक महत्वपूर्ण बन गये हैं। जिलाधीश जिला स्तर पर सामुदायिक विकास कार्यक्रमों में समन्वय तथा सहयोग लाने के लिये योजनाओं

के निर्माण एवं उनकी सही रूप से क्रियान्विति के लिये उत्तरदायी है। विकास कार्य में आने वाली बाधाओं के निराकरण का प्रयास भी वही करता है। वह जिले के विकास तथा समाज कल्याण विभागों के अध्यक्षों को निर्देशन, परामर्श एवं सहयोग प्रदान करता है। जिले के विकास अधिकारियों के सम्बन्ध में जिलाधीश को प्रशासनिक और अनुशासनात्मक नियन्त्रण की शक्तियाँ प्राप्त हैं।

3. स्वतन्त्र भारत में 1952 में सामुदायिक विकास तथा 1953 में राष्ट्रीय विस्तार कार्यक्रम समस्त देश में प्रारम्भ हुए। इन कार्यक्रमों के सफलतापूर्वकक क्रियान्वयन के लिये जिलाधीश की सेवाएँ ली गई। इस परिवर्तन से जिलाधीश की परम्परागत प्रतिष्ठा और स्तर में महत्वपूर्ण वृद्धि हुई है। शान्ति व्यवस्था बनाये रखने और राजस्व एकत्र करने के मुकाबले विकास गतिविधियों पर अधिक जोर दिया जाने लगा। इससे जिलाधीश की भूमिका में आमूलचूल परिवर्तन हुआ।
4. लोकतान्त्रिक विकेन्द्रीकरण की दिशा में 1993 में पारित 73वें एवं 74वें संवैधानिक संशोधन अधिनियम के बाद जिलाधीश के 'पंचायती राज' एवं 'नगरपलिकाओं' से सम्बन्धित कार्यों एवं भूमिका में परिवर्तन आया है। इन संस्थाओं में जिलाधीश की शक्तियाँ सीमित कर दी गयी हैं। अब उसका सम्बन्ध विकास कार्यों में पहले की भाँति नहीं रह गया है। डी.आर.डी.ए. जैसी संस्था के गठन के बाद ग्रामीण विकास सम्बन्धी योजनाओं के निर्माण एवं क्रियान्वयन से भी उसे बाहर कर दिया गया है। राज्य सरकार के विभिन्न विभाग अपने जिला स्तरीय अभिकरणों, कार्यालयों एवं अधिकारियों के माध्यम से विकास सम्बन्धी कार्यों के क्रियान्वयन करने लगे हैं। ऐसी स्थिति में विकास सम्बन्धी कार्यक्षेत्र में जिलाधीश की भूमिका में कमी आयी है। फिर भी यह सत्य है कि संकटकाल में आज भी सरकार जिलाधीश की ओर देखती है।
5. इनके अतिरिक्त जिलाधीश जिले में संकटकालीन एवं आपदा प्रबन्धक की भी भूमिका निभाता है। उसे जिले में प्राकृतिक तथा मानव निर्मित विपदाओं से निपटना पड़ता है। प्राकृतिक विपदाओं की स्थिति में जिलाधीश की भूमिका एक 'मसीहा' की हो जाती है। इसके अतिरिक्त आम चुनाव तथा जनगणना के कार्यों में भी उसकी भूमिका जिले में सर्वोच्च होती है।

जिलाधीश के प्रभाव और भूमिका का ह्रास होना

विगत वर्षों में जिलाधीश की शक्तियों, भूमिका एवं स्थिति में कमी होने के निम्न कारण हैं–

1. 73वें और 74वें संवैधानिक संशोधन से स्थानीय निकायों की बढ़ती भूमिका,
2. अनेक गुमनाम शिकायतें,
3. स्थानीय नेताओं के दबाव,
4. बढ़ता राजनीतिक हस्तक्षेप एवं दबाव,
5. अल्प कार्यकाल।

समय के साथ परिवर्तन अपरिहार्य है। यद्यपि जिलाधीश के पद का गौरव कम हुआ है, वह अब पहले के समान न तो स्वतन्त्र रहा और न ही शक्तिशाली फिर भी जिलाधीश का काम अधिक चुनौतीपूर्ण एवं महत्वपूर्ण हो गया। यह एक ऐसा काम है जो जनता एवं देश के लिये कुछ करने का सुअवसर है। अब जिलाधीश की सृजनात्मक एवं व्यक्तिगत पहल की अपार सम्भावनाएं हैं।

स्वायत्त जिला परिषदें
(Autonomous District Councils)

जनजातीय क्षेत्रों में प्रशासन के लिए स्वायत्त जिला परिषदें गठित की गई हैं। संविधान के भाग 10 तथा अनुच्छेद 244 में कुछ ऐसे क्षेत्रों में जिन्हें अनुसूचित क्षेत्र और जनजातीय क्षेत्र नामित किया गया है, प्रशासन की विशेष व्यवस्था की परिकल्पना की गई है। भारत में किसी भी क्षेत्र को अनुसूचित क्षेत्र घोषित करने का अधिकार राष्ट्रपति के पास होता है। संविधान की 5वीं अनुसूची में राज्यों के अनुसूचित क्षेत्र व अनुसूचित जनजातियों के प्रशासन व नियन्त्रण के बारे में चर्चा की गई है।

छठी अनुसूची में चार उत्तर-पूर्वी राज्य असम, मेघालय, मिजोरम और त्रिपुरा के जनजातीय क्षेत्रों में विशेष प्रावधानों का उल्लेख किया गया है। इन राज्यों में विशेष प्रावधान के निम्नलिखित कारण हैं।

असम, मेघालय, त्रिपुरा और मिजोरम की जनजातियाँ इन राज्यों के अन्य लोगों के साथ उनकी जीवनचर्या में घुल नहीं पाई है, जबकि भारत के अन्य क्षेत्रों के जनजातीय लोग अपने बीच के बहुसंख्यकों की सभ्यता और संस्कृति को कम या अधिक स्वीकार कर लिया है। दूसरी ओर असम, मेघालय, मिजोरम और त्रिपुरा के लोग अभी भी अपनी संस्कृति, सभ्यता और रीति-रिवाज से जुड़े हैं, इसलिए संविधान में इन क्षेत्रों का अलग से प्रावधान किया गया है और स्वशासन के लिए यहाँ के लोगों को पर्याप्त स्वायत्तता दी गई है।

स्वायत्त जिला परिषद् के जनजातीय क्षेत्र

मिजोरमः चकमा जिला; मारा जिला; लाई जिला।

त्रिपुराः त्रिपुरा जनजातीय क्षेत्र जिला।

मेघालयः खासी पहाड़ी जिला; जयन्तिया पहाड़ी जिला; गारो पहाड़ी जिला।

असमः उत्तरी कछार पहाड़ी जिला; कार्बी आंगलांग जिला; बोडोलैण्ड प्रदेश क्षेत्र जिला।

स्वायत्त जिला परिषद् की संरचना

प्रत्येक स्वशासी जिले के लिए एक जिला परिषद होगी, जो तीस सदस्यों से मिलकर बनेगी। इन तीस सदस्यों में चार सदस्य को राज्यपाल नामित करेंगे और शेष 26 सदस्य वयस्क मताधिकार के आधार पर निर्वाचित

किए जाएंगे। स्वायत्त जिला परिषद् के निर्वाचित सदस्यों का कार्यकाल पाँच वर्ष का होता है। राज्यपाल द्वारा मनोनीत सदस्यों का कार्यकाल निर्धारित नहीं है, वे राज्यपाल के प्रसादपर्यंत पद पर रहेंगे। प्रत्येक स्वशासी क्षेत्रों में अलग प्रादेशिक परिषद् भी होती है। असम, मेघालय, त्रिपुरा और मिजोरम के जनजातीय क्षेत्रों में स्वशासी जिलों का गठन किया गया है।

स्वायत्त जिला परिषद् की शक्तियाँ

वे भूमि, वन, नहर व जलसरणी, गाँव प्रशासन, परिवर्तित खेती, सम्पत्ति की विरासत, विवाह व विवाह-विच्छेद, सामाजिक रूढ़ियाँ आदि विषयों पर विधि बना सकते हैं। इनके द्वारा बनाई गई विधियों को राज्यपाल से स्वीकृति लेनी आवश्यक है। जिला व प्रादेशिक परिषद् अपने अधीन क्षेत्रों में जनजातियों के आपसी मामले के निपटारे के लिए ग्राम परिषद् या ग्राम न्यायालयों का गठन कर सकती है। वे अपील सुन सकती हैं, निर्णय दे सकती हैं। इन मामलों में उच्च न्यायालय के क्षेत्राधिकार का निर्धारण राज्यपाल द्वारा किया जाएगा।

स्वायत्त जिला परिषद् के कार्य

1. राज्यपाल को स्वशासी जिलों को स्थापित करने या पुनर्स्थापित करने का अधिकार है। राज्यपाल इनके क्षेत्रों को घटा या बढ़ा सकता है। उनके नाम परिवर्तित कर सकता है या सीमाएँ निर्धारित कर सकता है।
2. अगर स्वायत्त जिले में विभिन्न जनजातियाँ हैं, तो राज्यपाल जिले को विभिन्न स्वशासी जिलों में बाँट सकता है।
3. स्वायत्त जिला परिषद् भू-राजस्व का आकलन तथा संग्रहण कर सकता है। वह कुछ अन्य कर भी लगा सकता है।
4. स्वायत्तशासी जिला परिषद् अपने जिले में राज्यपाल की स्वीकृति से प्राथमिक विद्यालयों, औषधालयों, बाजार, मत्स्य क्षेत्र, सड़क आदि को स्थापित कर सकती है। जिला परिषद् साहूकार पर नियन्त्रण और गैर-जनजातीय समुदाय के व्यापार पर विनियमन बना सकती है।
5. संसद या राज्य विधानमण्डल द्वारा बनाए गए अधिनियम स्वायत्त जिलों में लागू नहीं होते हैं। अगर कानून लागू होंगे तो कुछ फेर-बदल के साथ लागू होंगे।
6. राज्यपाल एक आयोग गठित करेगा जो स्वायत्त जिला परिषदों के प्रशासन की जाँच करेगा और रिपोर्ट देगा। राज्यपाल आयोग की सिफारिश पर प्रादेशिक परिषदों को विघटित कर सकता है।

जिला ग्रामीण विकास अभिकरण
(District Rural Development Agency)

जिला ग्रामीण विकास अभिकरण कार्यक्रम की शुरुआत वर्ष 1999 में की गई। जिला ग्रामीण विकास एजेन्सी का प्राथमिक उद्देश्य ग्रामीण विकास मंत्रालय के गरीबी उपशमन कार्यक्रमों को प्रभावी रूप से धरातल पर उतारना है। इस अभिकरण से यह अपेक्षा की जाती है कि वे लाइन विभागों, पंचायती राज संस्थाओं, बैंकों तथा अन्य गैर-सरकारी संगठनों के साथ समन्वय कर जिलों में गरीबी को कम करने के लिए आवश्यक सहायता और संसाधन जुटा सकें।

जिला ग्रामीण विकास अभिकरण के कार्य

जिला ग्रामीण विकास अभिकरण के निम्नांकित कार्य हैं, जो इस प्रकार हैं:

1. जिला ग्रामीण विकास अभिकरण गरीबी उन्मूलन कार्यक्रमों के कार्यान्वयन में पारदर्शिता को बढ़ावा देने के लिए प्रयास करेंगे।
2. जिला ग्रामीण विकास अभिकरण का यह कर्त्तव्य है कि वे निरीक्षण कर यह सुनिश्चित करें कि जो लाभ, कुछ खारा वर्गों के लिए निर्धारित किए गए हैं वे उनको मिलते रहें।
3. जिला ग्रामीण विकास अभिकरण निर्धारित समय पर जिला परिषद्, राज्य तथा केन्द्र सरकार के कार्यक्रम के कार्यान्वयन की प्रगति की रिपोर्ट भेजता रहता है।
4. जहाँ जिला परिषदें मौजूद नहीं हैं अथवा जहाँ वे कार्य नहीं कर रही हैं वहाँ जिला ग्रामीण अभिकरण कलेक्टर या जिला मजिस्ट्रेट के अधीन कार्य करता है।
5. जिला ग्रामीण विकास अभिकरण जिला परिषद् के अध्यक्ष के अधीन कार्य करता है। वह जिला परिषद् का सहायक संगठन है, जो गरीबी को कम करने में कार्यकारी तथा तकनीकी सहायता उपलब्ध कराता है।
6. जिले में गरीबी को कम करने के लिए अन्तर क्षेत्रीय तथा अन्तर-विभागीय समन्वय तथा सहयोग प्राप्त करना इन संस्थाओं का कार्य है।
7. ग्रामीण विकास तथा गरीबी उपशमन के सम्बन्ध में ग्रामीणों के बीच जागरूकता बढ़ाने का कार्य करेंगे।
8. जिला ग्रामीण विकास अभिकरण के कार्यकारी और वित्तीय अधिकार जिला परिषद् व जिला कलेक्टर के पास होते हैं।

जिला ग्रामीण विकास एजेन्सी का संगठन

जिला ग्रामीण विकास अभिकरण का शासी निकाय नीति-निर्देश, वार्षिक योजना के अनुमोदन तथा विभिन्न कार्यक्रमों सहित योजना के कार्यान्वयन की समीक्षा और निगरानी की व्यवस्था करता है। जिले के ग्रामीण विकास कार्यक्रमों के निर्माण, क्रियान्वयन, पर्यवेक्षण और मूल्यांकन के लिए जिला ग्रामीण विकास एजेन्सी को समग्र रूप से प्रभारी बनाया गया है। जिले के सांसद एवं विधायक सहित कई अधिकारी डी.आर.डी.ए. के सदस्य होते हैं। इसके अतिरिक्त शासी निकाय के निम्नलिखित सदस्य होते हैं—

1. जिला समाहर्ता, जिला मजिस्ट्रेट, उपायुक्त, मुख्य कार्यकारी अधिकारी, कार्यकारी निदेशक
2. जिला परिषद् की स्थायी समितियों के अध्यक्ष
3. डी.आर.डी.ए. का परियोजना निदेशक

4. जिला ग्रामीण जल-आपूर्ति तथा स्वच्छता अधिकारी,
5. नाबार्ड का जिला प्रतिनिधि
6. जिला उद्योग केन्द्र का महाप्रबन्धक
7. परिवार कल्याण का जिला प्रभारी
8. जिला पशुपालन अधिकारी
9. जिला नियोजन अधिकारी
10. एकीकृत ग्रामीण विकास कार्यक्रम का परियोजना अधिकारी
11. जिला वनाधिकारी
12. जिला सेण्ट्रल को-ऑपरेटिव बैंक का प्रमुख
13. जिला ग्रामीण विकास एजेन्सी के अध्यक्ष द्वारा मनोनीत एक महिला कार्यकर्ता संगठन जिसे ग्रामीणों के संगठित करने का अनुभव हो।
14. अनुसूचित जाति, जनजाति के वित्तीय निगम के क्षेत्रीय या जनपद स्तरीय अधिकारी
15. डी.आर.डी.ए. के अध्यक्ष द्वारा मनोनीत अल्पसंख्यक समुदाय का एक सदस्य।
16. कमजोर वर्ग के दो प्रतिनिधि जिनमें एक अनुसूचत जाति एवं अनुसूचित जनजाति से लिया जा सकता है। इन्हें भी डी.आर. डी.ए. के अध्यक्ष द्वारा मनोनीत किया जाता है और ये प्रतिनिधि कार्यक्रम के लाभार्थी हो सकते हैं।
17. डी.आर.डी.ए. के अध्यक्ष द्वारा मनोनीत ग्रामीण महिलाओं की एक प्रतिनिधि जो साधारणतः कार्यक्रम की लाभार्थी हो।
18. केन्द्रीय ग्रामीण क्षेत्र एवं रोजगार मंत्रालय द्वारा नामजद एक सदस्य
19. डी.आर.डी.ए. के अध्यक्ष द्वारा मनोनीत जिला दुग्ध उत्पादक संघ के प्रतिनिधि, जिसमें एक अनुसूचित जाति एवं जनजाति से हो, ये प्रतिनिधि कार्यक्रम के लाभार्थी हो सकते हैं।
20. भूमि विकास बैंक के जिलास्तर के अध्यक्ष
21. जिला मत्स्यपालन अधिकारी
22. जिला कृषि पदाधिकारी
23. क्षेत्रीय ग्रामीण बैंक के अध्यक्ष

स्थानीय शासन
(Local Governance)

भारत में पंचायती राज ग्रामीण स्थानीय स्वशासन का सूचक है। भारत के समस्त राज्यों में इसका गठन राज्य विधानमण्डल के अधिनियम द्वारा तृणमूल स्तर पर लोकतंत्र स्थापित करने के उद्देश्य से किया गया है। इसे ग्रामीण विकास के क्षेत्र से सम्बन्धित कार्य और उत्तरदायित्व सौंपे गये हैं। स्वतंत्रता के पश्चात ग्रामीण विकास की दिशा में यह महत्वपूर्ण प्रयास है। संविधान के 73वें संशोधन अधिनियम 1993 द्वारा इसे सवैधानिक दर्जा दिया गया है। संविधान के सातवीं अनुसूची में वर्णित 'राज्य सूची' में पाँचवीं प्रविष्टि 'स्थानीय शासन' से सम्बन्धित है।

भारत में स्थानीय शासन का उद्भव

भारत में स्थानीय स्वशासन का जनक लॉर्ड रिपन को माना जाता है। इन्होंने सर्वप्रथम भारतीय क्षेत्र में स्थानीय स्वशासन पद्धति को लागू किया। बाद में भारत शासन अधिनियम 1919 के द्वारा स्थानीय स्वशासन को एक हस्तान्तरित विषय में परिवर्तित कर दिया गया और इन संस्थाओं को भारत शासन अधिनियम 1935 के द्वारा और अधिक सुदृढ़ करने का प्रयास किया गया।

स्वतंत्रता प्राप्ति के पश्चात् संविधान सभा द्वारा राज्य के नीति निदेशक तत्व के तहत अनुच्छेद 40 में ग्राम पंचायत का प्रावधान किया गया। भारत में स्थानीय शासन को धरातल पर लाने के लिए पहली बार स्वतंत्र भारत में प्रयास किया गया जिसके तहत 2 अक्टूबर, 1952 को सामुदायिक विकास कार्यक्रम की शुरुआत की गई, परन्तु यह अपने उद्देश्यों को प्राप्त करने में असफल रहा। अतः पुनः 2 अक्टूबर, 1953 को राष्ट्रीय प्रसार सेवा कार्यक्रम प्रारम्भ किया गया, परन्तु यह कार्यक्रम भी सफल न हो सका।

पंचायती राज का विकास

भारत में पंचायती राज के विकास में निम्न समितियों ने महत्वपूर्ण योगदान दिया।

बलवन्त राय मेहता समिति

जनवरी 1957 में भारत सरकार ने सामुदायिक विकास कार्यक्रम तथा राष्ट्रीय प्रसार सेवा द्वारा किए गए कार्यों की जाँच और सुधार के लिए बलवन्त राय मेहता की अध्यक्षता में एक समिति का गठन किया। समिति ने वर्ष 1957 में अपनी रिपोर्ट सौंपी और लोकतान्त्रिक विकेन्द्रीकरण की योजना की सिफारिश की। इस समिति की महत्वपूर्ण सिफारिशें निम्नलिखित हैं:

1. त्रिस्तरीय पंचायती राज प्रणाली की स्थापना की जाएः
   (*i*) ग्राम पंचायत, (*ii*) पंचायत समिति, (*iii*) जिला पंचायत
   तीनों को एक-दूसरे से अप्रत्यक्ष चुनाव के माध्यम से जोड़ा जाए।
2. ग्राम पंचायत का चुनाव प्रत्यक्ष रूप से तथा पंचायत समिति और जिला पंचायत का चुनाव अप्रत्यक्ष रूप से हो।
3. विकास व नियोजन से जुड़े सभी कार्यों को इन संस्थाओं को हस्तान्तरित किया जाए।
4. पंचायत समिति को कार्यकारी निकाय तथा जिला पंचायत को पर्यवेक्षी, समन्वयात्मक तथा सलाहकारी निकाय बनाया जाए।
5. जिला कलेक्टर को जिला पंचायत का अध्यक्ष बनाया जाए।
6. विकास कार्य करने के लिए पर्याप्त वित्तीय संसाधन उपलब्ध कराए जाएं।

समिति की इन सिफारिशों को राष्ट्रीय विकास परिषद् द्वारा जनवरी 1958 में स्वीकार किया गया। राजस्थान देश का पहला राज्य था जहाँ पंचायती राज की स्थापना की गई। सर्वप्रथम राजस्थान के नागौर जिले में इसका शुभारम्भ जवाहरलाल नेहरू ने किया।

अशोक मेहता समिति

दिसम्बर 1977 में जनता पार्टी की सरकार ने अशोक मेहता की अध्यक्षता में पंचायती राज संस्था पर एक समिति का गठन किया। इसने अपनी रिपोर्ट 1978 में सरकार को सौंपी। इस समिति ने त्रिस्तरीय प्रणाली की जगह द्विस्तरीय प्रणाली को अपनाने की सिफारिश की। इन्होंने 15,000 से 20,000 की जनसंख्या पर मण्डल पंचायत के गठन का सुझाव दिया। इनकी अन्य सिफारिशें में निम्न हैं

- जिले को विकेन्द्रीकरण का प्रथम स्तर माना जाए
- विकास के कार्य जिला परिषद् को दिए जाएं
- अनुसूचित जाति और अनुसूचित जनजाति के लिए जनसंख्या के आधार पर सीटों का आरक्षण हो
- मुख्य चुनाव आयुक्त की सलाह पर राज्य के मुख्य चुनाव आयुक्त को चुनाव कराना चाहिए।

जी.वी.के. राव समिति

योजना आयोग द्वारा 1985 में जी.वी.के. राव की अध्यक्षता में ग्रामीण विकास और गरीबी उन्मूलन कार्यक्रमों के लिए प्रशासनिक विषय पर एक समिति का गठन किया गया। पंचायत व्यवस्था पर इनकी सिफारिशें निम्नलिखित हैं:

1. राज्य स्तर पर राज्य विकास परिषद्, जिला स्तर पर जिला विकास परिषद्, मण्डल स्तर पर मण्डल पंचायत, तथा ग्राम स्तर पर ग्रामसभा की सिफारिशें कीं।
2. नियमित चुनाव कराने चाहिए।
3. जिला विकास आयुक्त के पद का सृजन किया जाए तथा उसे जिले के विकास कार्यों का प्रभारी बनाया जाए।
4. विकास कार्यक्रमों का पर्यवेक्षण, नियोजन, कार्यान्वयन जिला या उसके निचले स्तर की पंचायती संस्थाओं द्वारा किया जाना चाहिए।
5. विकेन्द्रीकरण की प्रक्रिया में जिला परिषद् की सशक्त भूमिका होनी चाहिए, क्योंकि नियोजन एवं विकास कार्य के लिए जिला एक उपयुक्त स्तर है।

एल.एम. सिंघवी समिति

वर्ष 1986 में राजीव गाँधी सरकार द्वारा रीवाइटलाइजेशन ऑफ पंचायती राज इन्स्टीट्यूशन फॉर डेमोक्रेसी एण्ड डेवलपमेण्ट विषय पर एल.एम. सिंघवी की अध्यक्षता में एक समिति का गठन किया गया। इस समिति ने निम्न सिफारिशें सरकार को सौंपी:

1. पंचायती राज संस्थाओं को संवैधानिक दर्जा दिया जाए और संविधान में इसके लिए अलग अध्याय को जोड़ा जाए तथा इन संस्थाओं के नियमित चुनाव के लिए संविधान में प्रावधान किया जाए।
2. पंचायतों को वित्तीय संसाधन उपलब्ध कराए जाएं।
3. पंचायतों के लिए कई गाँवों का पुनर्गठन किया जाए।
4. कई गाँवों को मिलाकर न्याय पंचायतों का गठन किया जाए।
5. पंचायतों से जुड़े मामलों (जैसे—चुनाव, समय पूर्व पंचायतें भंग करने तथा कार्यप्रणाली) को हल करने के लिए राज्य में न्यायिक अधिकरण की स्थापना की जाए।

73वाँ संविधान संशोधन अधिनियम

संविधान के 73वें संविधान संशोधन अधिनियम ने पंचायती राज व्यवस्था को न केवल नई दिशा प्रदान की वरन् यह लोकतन्त्र की सफलता के लिए वरदान साबित हुआ। संविधान के 73वें संशोधन द्वारा संविधान में भाग-9 का उपबन्ध किया गया है एवं एक नई अनुसूची '11' को संविधान में जोड़ा गया। इस संशोधन द्वारा संविधान में पंचायत के लिए अनुच्छेद 243 से अनुच्छेद 243 'O' तक कई प्रावधान किए गए। ग्यारहवीं अनुसूची में पंचायतों से सम्बन्धित 29 विषयों का वर्णन किया गया है।

73वाँ संविधान संशोधन अधिनियम के पारित होने से देश के संघीय लोकतान्त्रिक ढाँचे में एक नए युग का सूत्रपात हुआ और पंचायत राज को संवैधानिक दर्जा प्राप्त हुआ। इस प्रकार अनुच्छेद 40 को इस संशोधन द्वारा व्यावहारिक रूप मिला और सत्ता के विकेन्द्रीकरण का मार्ग प्रशस्त हुआ। यह अधिनियम असम, त्रिपुरा, मेघालय और मिजोरम क्षेत्रों में प्रभावी नहीं है। यहाँ एक स्वायत्त जिला परिषद् की व्यवस्था की गई है। नागालैण्ड, मणिपुर राज्य के पहाड़ी क्षेत्र और पश्चिम बंगाल राज्य के दार्जिलिंग क्षेत्र में पंचायती राज व्यवस्था लागू नहीं है।

73वें संविधान संशोधन की विशेषताएँ

73वें सवैधानिक संशोधन के अनुसार पंचायती राज व्यवस्था की निम्नलिखित विशेषताएँ हैं:

- **ग्राम सभाः** ग्राम सभा गाँव के स्तर पर ऐसी शक्तियों का प्रयोग करेगी जो राज्य विधानमण्डल विधि बनाकर उपबन्ध करे।
- **पंचायतों का गठनः** अनुच्छेद 243 ख त्रिस्तरीय पंचायती राज का प्रावधान करता है अर्थात् ग्राम, माध्यमिक और जिला स्तर पर पंचायत। ऐसा राज्य जिसकी जनसंख्या 20 लाख से ऊपर न हो, को माध्यमिक स्तर पर पंचायत के गठन न करने की छूट देता है।
- **पंचायतों की संरचनाः** ग्रामीण, माध्यमिक तथा जिला स्तर पर पंचायतों के सभी सदस्य प्रत्यक्ष चुनाव द्वारा चुने जाएँगे। इसके अलावा इनके अध्यक्ष का चुनाव निर्वाचित सदस्यों द्वारा उन्हीं में से अप्रत्यक्ष रूप से होगा।

- **सीटों का आरक्षणः** पंचायत में जनसंख्या के अनुपात में अनुसूचित जाति और जनजाति के लिए स्थान आरक्षित होंगे। प्रत्येक पंचायत में चक्रानुक्रम में आवंटित होंगे। इसमें से 1/3 स्थान अनुसूचित जाति और जनजाति की महिलाओं के लिए आरक्षित होंगे। प्रत्येक पंचायत में 1/3 स्थान महिलाओं के लिए आरक्षित होंगे।
- **पंचायतों का कार्यकालः** पंचायती राज संस्थाओं का कार्यकाल 5 वर्ष का होगा। निर्वाचन 5 वर्ष की अवधि के पूर्व और विघटन की तिथि से 6 माह की अवधि के अवसान से पूर्व करा लिया जाएगा।
- **वित्त आयोगः** राज्य का राज्यपाल प्रत्येक 5 वर्ष के पश्चात पंचायतों की वित्तीय स्थिति की समीक्षा के लिए वित्त आयोग का गठन करेगा।
- **लेखा परीक्षणः** राज्य विधानमण्डल पंचायतों के खातों की देखरेख और उनके परीक्षण के लिए प्रावधान बना सकता है।
- **छूट प्राप्त राज्यः** यह कानून जम्मू-कश्मीर, नागालैण्ड, मेघालय मिजोरम और कुछ अन्य विशेष क्षेत्रों पर लागू नहीं होता।
- **न्यायालय के हस्तक्षेप पर रोकः** यह अधिनियम पंचायत के चुनावी मामलों में न्यायालय के हस्तक्षेप पर रोक लगाता है। कहा गया है कि निर्वाचन क्षेत्र और सीटों के आवंटन को न्यायालय के समक्ष पेश नहीं किया जा सकता।

73वें संशोधन के अन्तर्गत 11वीं अनुसूची के विषय

11वीं अनुसूची में पंचायतों के अधिकार क्षेत्र में 29 प्रकार्यात्मक विषय-वस्तु समाहित हैं:

1. कृषि, जिसके अन्तर्गत कृषि विस्तार
2. भूमि विकास, भूमि सुधार का कार्यान्वयन, चकबन्दी और भूमि संरक्षण
3. लघु सिंचाई, जल प्रबन्धन और जल विभाजक क्षेत्र का विकास
4. पशुपालन, डेयरी उद्योग और कुक्कुट-पालन
5. मत्स्य उद्योग
6. सामाजिक वानिकी और फार्म वानिकी
7. लघु वन उपज
8. लघु उद्योग (खाद्य प्रसंस्करण उद्योग सहित)
9. खादी ग्रामोद्योग और कुटीर उद्योग
10. ग्रामीण आवासन
11. पेयजल
12. ईंधन और चारा
13. सड़कें, पुलिया, पुल, फेरी, जलमार्ग और अन्य संचार साधन
14. ग्रामीण विद्युतीकरण
15. गैर-पारम्परिक ऊर्जा स्रोत
16. गरीबी उन्मूलन कार्यक्रम
17. शिक्षा जिसके अन्तर्गत, प्राथमिक और माध्यमिक विद्यालय भी हैं
18. तकनीकी प्रशिक्षण और व्यावसायिक शिक्षा
19. प्रौढ़ और अनौपचारिक शिक्षा
20. पुस्तकालय
21. सांस्कृतिक क्रियाकलाप
22. बाजार और मेले
23. स्वास्थ्य और स्वच्छता जिनके अन्तर्गत अस्पताल, प्राथमिक स्वास्थ्य केन्द्र और औषधालय भी हैं।
24. परिवार कल्याण
25. महिला और बाल विकास
26. समाज कल्याण जिसके अन्तर्गत विकलांगों और मानसिक रूप से मन्द व्यक्तियों का कल्याण भी है।
27. दुर्बल वर्गों का और विशिष्टतयां, अनुसूचित जातियों और जनजातियों का कल्याण
28. सार्वजनिक वितरण प्रणाली
29. सामुदायिक आस्तियों का अनुरक्षण।

पंचायत से सम्बन्धित अनुच्छेद

अनुच्छेद 243	**परिभाषाएँ**
अनुच्छेद 243(A)	ग्रामसभा
अनुच्छेद 243(B)	पंचायतों का गठन
अनुच्छेद 243(C)	पंचायतों की संरचना
अनुच्छेद 243(D)	स्थानों का आरक्षण
अनुच्छेद 243(E)	पंचायतों की अवधि
अनुच्छेद 243(F)	सदस्यता के लिए निरर्हताएँ
अनुच्छेद 243(G)	पंचायतों की शक्तियाँ, प्राधिकार और उत्तरदायित्व
अनुच्छेद 243(H)	पंचायतों द्वारा कर अधिरोपित करने की शक्तियाँ और उनकी निधियाँ
अनुच्छेद 243(I)	वित्तीय स्थिति के पुनर्विलोकन के लिए वित्त आयोग का गठन
अनुच्छेद 243(J)	पंचायतों के लेखाओं की संपरीक्षा
अनुच्छेद 243(K)	पंचायतों के लिए निर्वाचन
अनुच्छेद 243(L)	संघ राज्यक्षेत्रों का लागू न होना
अनुच्छेद 243(M)	इस भाग का कतिपय क्षेत्रों पर लागू न होना
अनुच्छेद 243(N)	विद्यमान विधियों और पंचायतों का बना रहना
अनुच्छेद 243(O)	निर्वाचन सम्बन्धी मामलों में न्यायालयों के हस्तक्षेप का वर्जन

74वाँ संविधान संशोधन अधिनियम

74वाँ संविधान संशोधन के द्वारा भारत के संविधान में नया भाग 9 (क) शामिल किया गया, जिसका नाम नगरपालिकाएँ रखा गया जोकि अनुच्छेद 243 (P) से 243 (ZG) में वर्णित है तथा उसके अलावा संविधान में उसके कार्यों से सम्बन्धित 12वीं अनुसूची को जोड़ा गया, जिसमें 18 विषयों का वर्णन है।

74वाँ संविधान संशोधन अधिनियम की विशेषताएँ

इस अधिनियम की प्रमुख विशेषताएँ निम्न हैं:

- **नगरपालिका की संरचनाः** प्रत्येक नगरपालिका क्षेत्र को वॉर्डों में विभाजित किया जाएगा और इनका चुनाव उस क्षेत्र की जनता द्वारा प्रत्यक्ष मतदान से किया जाएगा तथा नगरपालिकाओं के अध्यक्षों का चुनाव प्रत्यक्ष या अप्रत्यक्ष होगा। इसका निर्धारण राज्य के विधानमण्डल पर छोड़ा गया है। राज्य का विधानमण्डल विधि बनाकर निम्न लोगों को नगरपालिकाओं में प्रतिनिधित्व प्रदान कर सकेगा, जैसे–
  - नगरपालिका प्रशासन का विशेष ज्ञान और अनुभव रखने वाले व्यक्ति, उन्हें नगरपालिका के अधिवेशन में मत देने का अधिकार नहीं होगा।
  - लोकसभा और राज्य विधानसभा के सदस्य जो ऐसे निर्वाचन क्षेत्रों का प्रतिनिधित्व करते हों।
  - राज्यसभा और राज्य विधानपरिषद् के ऐसे सदस्य जो उन क्षेत्रों की मतदाता सूची में पंजीकृत हों।
  - वार्ड समितियों के अतिरिक्त अन्य समितियों के अध्यक्ष।
- **वार्ड समितियों का गठनः** तीन लाख या इससे अधिक जनसंख्या वाले क्षेत्रों के लिए वार्ड समितियों का गठन किया जा सकता है जो एक या एक से अधिक वार्डों से मिलकर बनती हैं और राज्य का विधानमण्डल उन वार्ड समितियों से सम्बन्धित (जैसे–गठन, प्रादेशिक क्षेत्र, स्थानों को भरने की प्रक्रिया आदि) विधि बना सकता है तथा अन्य समितियों के गठन का प्रावधान कर सकता है।
- **स्थानों का आरक्षणः** नगरपालिका क्षेत्र की कुल जनसंख्या में अनुसूचित जाति/जनजाति की जनसंख्या के अनुपात में आरक्षित स्थान होंगे और स्थानों की संख्या वही होगी जो उस क्षेत्र की जनसंख्या में इनका अनुपात या प्रतिशत होगा। ये स्थान वयस्क मताधिकार की पद्धति के द्वारा भरे जाएँगे जो चक्रानुक्रम में आवंटित होते हैं। सुरक्षित स्थानों की कुल संख्या में 1/3 स्थान अनुसूचित जाति/जनजाति की महिलाओं के लिए होंगे और वयस्क मताधिकार के आधार पर भरे जाने वाले स्थानों में 1/3 स्थान जिसमें सुरक्षित स्थान भी शामिल हैं, महिलाओं के लिए आरक्षित होंगे तथा जिनका आवंटन चक्रानुक्रम में किया जाएगा। राज्य विधि के माध्यम से अन्य पिछड़े वर्गों के लिए स्थान आरक्षित कर सकेगा। अध्यक्ष पद के लिए भी स्थानों को सुरक्षित करने का प्रावधान कर सकता है जिसका आवंटन भी चक्रानुक्रम में होगा।
- **नगरपालिकाओं का कार्यकालः** नगरपालिका अपनी प्रथम बैठक की तारीख से 5 वर्ष के लिए बनी रहेगी। इसे समय पूर्व भी भंग किया जा सकता है। ऐसी परिस्थिति में चुनाव 6 माह के अन्दर कराने अनिवार्य होंगे। अगर कार्यकाल 6 माह से अधिक बचा है तो शेष कार्यकाल के लिए नगरपालिका का गठन होगा और कार्यकाल 6 माह से कम बचा है तो चुनाव नहीं कराए जा सकते हैं।
- **निर्हताएँः** ऐसा कोई व्यक्ति जो राज्य विधानसभा का सदस्य होने की अर्हताएँ रखता हो और आयु के सम्बन्ध में अपेक्षाएँ नहीं करता हो, क्योंकि नगरपालिका की सदस्यता के लिए न्यूनतम आयु 21 वर्ष है (न कि 25 वर्ष)। सदस्यों की अयोग्यता सम्बन्धी सभी विवादों का निपटारा करने के लिए राज्य विधानमण्डल निर्धारित अधिकारी को नियुक्त करता है।
- **शक्तियाँ और कार्यः** राज्य का विधानमण्डल इन संस्थाओं को कार्य करने के लिए ऐसी शक्तियाँ और प्राधिकार सौंपेगा जो इन संस्थाओं के लिए आवश्यक हों। 12वीं अनुसूची में वर्णित कार्यों का उत्तरदायित्व इन संस्थाओं का होता है जिससे ये संस्थाएँ आर्थिक विकास और सामाजिक न्याय के लिए कार्य कर सकें।

  राज्य का विधानमण्डल विधि द्वारा नगरपालिकाओं को निम्न कार्य सौंप सकता है; जैसे
  - कर, शुल्क, पथ कर, फीसें, लगान वसूल करने तथा उनका उपयोग करने की शक्ति दे सकता है।
  - राज्य की नगरपालिका के मध्य करों का वितरण।
  - राज्य की संचित निधि से अनुदान और सभी धनराशियों के एकत्रीकरण के लिए एक कोष का गठन कर सकता है।

74वें संशोधन के अन्तर्गत 12वीं अनुसूची के विषय

1. गन्दी बस्ती सुधार और प्रोन्नयन।
2. समाज के दुर्बल वर्गों के जिनके अन्तर्गत विकलांग और मानसिक रूप से मन्द व्यक्ति भी हैं, हितों की रक्षा।
3. नगरीय वानिकी, पर्यावरण का संरक्षण और पारिस्थितिकी आयामों की अभिवृद्धि।
4. अग्निशमन सेवाएँ।
5. लोक स्वास्थ्य, स्वच्छता, सफाई और कूड़ा-करकट प्रबन्ध।
6. घरेलू, औद्योगिक और वाणिज्यिक प्रयोजनों के लिए जलप्रदाय।
7. सड़कें और पुल।
8. आर्थिक और सामाजिक विकास योजना।
9. भूमि उपयोग का विनियमन और भवनों का निर्माण।
10. नगरीय योजना जिसके अन्तर्गत नगर योजना भी है।

11. वेधशालाओं और चर्मशोधन शालाओं का विनियमन।
12. सार्वजनिक सुख-सुविधाओं जिसके अन्तर्गत सड़कों पर प्रकाश, पार्किंग स्थल, बस स्टॉप और जन सुविधाएँ भी हैं।
13. जन्म-मरण सांख्यिकी जिसके अन्तर्गत जन्म-मृत्यु रजिस्ट्रीकरण भी है।
14. काँजीहाउस, पशुओं के प्रति क्रूरता का निवारण।
15. शव गाड़ना, कब्रिस्तान, शवदाह, श्मशान और विद्युत शवदाह गृह।
16. सांस्कृतिक-शैक्षणिक और सौन्दर्यपरक आयामों की अभिवृद्धि।
17. नगरीय सुख-सुविधाओं; जैसे—पार्क, उद्यान, खेल के मैदानों की व्यवस्था।
18. नगरीय निर्धनता उन्मूलन।

राज्य निर्वाचन आयोग (State Election Commission)

संविधान के अनुच्छेद-324 के अनुसार संसद, राज्य विधानमण्डल, राष्ट्रपति, उपराष्ट्रपति के पदों के निर्वाचन के लिए चुनाव आयोग को जिम्मेदारी दी गयी है। उसी प्रकार राज्यों में होने वाले पंचायतों व निगमों के चुनाव की जिम्मेदारी के लिए राज्य निर्वाचन आयोग की व्यवस्था की गई है।

पंचायतीराज संस्थाओं के कार्यकाल को भी 5 बर्ष घोषित किया गया है। पंचायतीराज संस्थाओं के चुनावों के बारे में अधिनियम में निम्न बातें कही गयी हैं।

(*i*) इन संस्थाओं का चुनाव उनके निर्धारित कार्यकाल समाप्त होने से पूर्व कराए जाएंगे,

(*ii*) यदि ये संस्थाएँ समय से पूर्व भंग की जाती हैं तो भंग किये जाने की तिथि से 6 माह की अवधि में नये चुनाव कराये जाएंगे।

राज्य चुनाव आयोग का कार्य चुनावी प्रक्रियाओं की तैयारी की देख-रेख, निर्देशन, मतदाता सूची तैयार करने की होती है।

राज्य वित्त आयोग (State Finance Commission)

संविधान के अनुच्छेद 243(I) और 243(Y) पंचायतों व शहरी निकाय के लिए एक राज्य वित्त आयोग के गठन का प्रावधान करते हैं, जो इस अधिनियम के लागू होने के एक वर्ष के अन्दर तथा उसके बाद प्रति 5 वर्ष पर राज्य के राज्यपाल द्वारा गठित किया जाएगा। यह राज्य और स्थानीय संस्थाओं के मध्य राजस्व की हिस्सेदारी के लिए ही नहीं बल्कि करों तथा पंचायतों की वित्तीय स्थिति में सुधार सम्बन्धी विषय तथा ऐसे अन्य विषय जिन्हें राज्य का राज्यपाल निर्धारित करे, के लिए भी जिम्मेदार है। वित्त आयोग अपनी रिपोर्ट राज्यपाल को सौंपता है जिसे राज्यपाल विधानमण्डल के पटल पर प्रस्तुत करता है।

अतः हम राज्य वित्त आयोग की सिफारिशों को निम्न चार वर्गों में विभाजित कर सकते हैं:

1. **राज्य द्वारा स्थानीय संस्थाओं को अनुदानः** स्थानीय संस्थाओं को अपने आधारभूत कार्यों पर खर्च करने के लिए राज्य द्वारा इन संस्थाओं को अनुदान दिया जाता है जो राज्य वित्त आयोग द्वारा निर्धारित किया जाता है।
2. **स्थानीय संस्थाओं को करों का आवंटनः** कई राज्य वित्त आयोग ने स्थानीय संस्थाओं को शक्तियाँ सौंपने के अलावा करों के मूल्यांकन व प्रशासन के क्षेत्र में सुधारों का सुझाव देकर स्थानीय कर संरचना को तर्कसंगत बनाने का प्रयास किया है। इसी सन्दर्भ में कई राज्यों ने सम्पत्ति कर को स्थानीय संस्थाओं को हस्तान्तरित कर दिया जो इनकी आय का मुख्य स्रोत बना। इसके बाद अन्य कर; जैसे—वाहन कर, व्यापार व व्यवसाय कर, जल कर, प्रकाश कर, पथ कर, नौका कर आदि स्थानीय संस्थाओं को हस्तान्तरित कर दिए गए।
3. **राज्य के राजस्व में स्थानीय संस्थाओं की हिस्सेदारीः** राज्य द्वारा स्थानीय संस्थाओं को राजस्व में हिस्सेदारी और अनुदान सहायता के रूप में वित्तीय हस्तान्तरण का निर्धारण करना इस आयोग का महत्वपूर्ण कार्य है।
4. **राज्य वित्त आयोग के लिए अन्य उपायः**
   - स्थानीय संस्थाओं एवं राज्यों के मध्य स्पष्ट कार्य और शक्तियों का आवंटन होना चाहिए।
   - सभी सरकारी सम्पत्तियों पर सेवा कर लगाने व कर उगाही की अनुमति होनी चाहिए।
   - राष्ट्रीय वित्त आयोग से पहले राज्य वित्त आयोग का गठन होना चाहिए।
   - स्थानीय निकायों के कर्मचारियों के लिए प्रशिक्षण की व्यवस्था।
   - आवश्यक सेवाओं में सुधार हेतु लोक व निजी क्षेत्रों की भागीदारी होनी चाहिए।

जिला नियोजन समिति (District Planning Committee)

संविधान के अनुच्छेद 243(ZD) में जिला योजना समिति का प्रावधान है जिसका कार्य पंचायतों और नगरपालिकाओं की योजनाओं को सुमेलित करके जिले के लिए विकास योजना का प्रारूप तैयार करना है।

राज्य का विधानमण्डल इनसे सम्बन्धित निम्न प्रावधान कर सकता है; जैसे—

- समितियों की संरचना तथा ऐसी विधि जिससे समिति के स्थान भरे जाएंगे, समिति की कुल सदस्य संख्या में 4/5 स्थान पंचायत तथा नगरपालिका से (जिला स्तर पर) निर्वाचित सदस्यों द्वारा, जो ग्रामीण और शहरी जनसंख्या के आधार पर निर्वाचित किए जाएंगे।

- जिला नियोजन समिति के कार्यों से सम्बन्धित प्रावधान
- समितियों के अध्यक्ष के चुनाव के तरीके का प्रावधान।

जिला नियोजन समिति विकास का प्रारूप तैयार करते समय पंचायत तथा नगरपालिका के सामान्य हितों, जैसे—स्थानीय योजनाएँ, जल तथा अन्य भौतिक संसाधनों में हिस्सा बाँटना, संरचना का एकीकृत विकास तथा पर्यावरण का संरक्षण का ध्यान रखेगी तथा जिला योजना समिति का अध्यक्ष ऐसी विकास योजना का प्रारूप तैयार करके राज्य सरकार को भेजेगा।

ग्रामीण शासन (Rural Governance)

लोकतंत्र का अभिप्राय ऐसी राजनीतिक संरचना है जिसमें लोकतंत्र स्थानीय स्तर पर पहुँच सके। ग्रामीण शासन लोकतंत्र में लोगों की सहभागिता को सही अर्थों में सुनिश्चित करने का माध्यम है। ग्रामीण शासन के महत्व को देखते हुए देश के संविधान में निर्देश दिया गया कि "ग्राम-पंचायतों" के निर्माण में राज्य कदम उठाएगा। उसे इतनी शक्ति और अधिकार प्रदान करेगा कि वे स्वशासन की इकाई के रूप में कार्य कर सकें। इस प्रकार पंचायत का विषय नीति निदेशक तत्व के अन्तर्गत 40वें अनुच्छेद में समाविष्ट किया गया है। अतः स्थानीय सरकार (ग्रामीण शासन) को संवैधानिक महत्व प्रदान किया गया। लेकिन व्यवहारिक स्तर पर पंचायत-नेतृत्व के प्रशिक्षण की उपेक्षा की गयी। विभिन्न राज्यों में पंचायतें बनी तो उन पर राज्य का नियंत्रण बना रहा।

ग्रामसभा

संविधान के अनुच्छेद 243(A) में ग्रामसभा का प्रावधान है, जोकि 200 या उससे अधिक सदस्यों से मिलकर बनती है। यह एक ऐसा निकाय है, जिसके तहत गाँव की मतदाता सूची में पंजीकृत सभी मतदाता ग्रामसभा के सदस्य होते हैं। ग्रामसभा की बैठक वर्ष में कम-से-कम दो बार होनी आवश्यक है तथा कुछ विशेष परिस्थिति में भी बैठकें बुलाई जा सकती हैं। ग्रामसभा की गणपूर्ति न होने से बैठक का संचालन नहीं हो सकता है। अतः कुल पंजीकृत मतदाता के 5वें भाग की उपस्थिति पर ही ग्रामसभा की बैठक हो सकती है।

ग्रामसभा की भूमिका

ग्रामसभा की भूमिका को निम्न प्रकार से समझा जा सकता है:

1. ग्रामसभा यह सुनिश्चित करती है कि समाज के सभी वर्ग सामान्य, अनुसूचित जाति/जनजाति/अन्य पिछड़े वर्ग तथा महिलाओं को भागदारी का अवसर प्रदान हो।
2. ग्रामसभा यह निर्धारित करता है कि सामाजिक रूप से वंचित वर्ग भी निर्णयन प्रक्रिया में भागीदार बने।
3. विकेन्द्रीकरण की प्रणाली में ग्रामसभा आम लोगों की इच्छाओं को व्यक्त करने में महत्वपूर्ण भूमिका निभाता है।
4. ग्रामसभा ग्रामीण जनकेन्द्रित वितरण प्रणाली को स्थापित करने में सहयोग करता है।
5. पंचायती राज व्यवस्था में ग्रामसभा लोगों की शासन में सहभागिता को बढ़ाता है।
6. ग्रामसभा सामुदायिक एकता व उनके कार्यों में पारदर्शिता लाता है।

ग्रामसभा के कार्य

ग्रामसभा के निम्नलिखित कार्य हैं:

1. ग्रामसभा ग्रामीण विकास से सम्बन्धित सभी कार्यों को करती है।
2. ग्रामसभा ग्रामीण विकास कार्यक्रमों को गाँव की आवश्यकता के अनुसार प्राथमिकता से निर्धारित करता है।
3. पंचायती राज प्रणाली में ग्रामसभा ग्राम पंचायत के कार्यों में पारदर्शिता लाती है।
4. ग्रामसभा का एक महत्वपूर्ण कार्य है ग्रामीण समाज के लोगों के बीच सौहार्द एवं एकता की भावना को बढ़ाना।
5. ग्रामसभा सामुदायिक कल्याण के कार्यों को भी करती है।
6. ग्रामसभा ग्राम पंचायत के सदस्यों से आय-व्यय का ब्योरा माँगती है।
7. आगामी वित्तीय वर्ष के लिए बजट पर चर्चा करती है।

ग्राम पंचायत

संविधान का अनुच्छेद 243(D) पंचायतों के गठन के ग्राम स्तर, मध्यवर्ती तथा जिला स्तर का प्रावधान करता है तथा जिन राज्यों की जनसंख्या 20 लाख से कम है वहाँ मध्य स्तर की पंचायत का गठन नहीं किया जाएगा। पंचायतों का गठन निम्न प्रकार किया गया है:

- ग्राम स्तर पर ग्रामसभा और ग्राम पंचायत
- माध्यमिक या ब्लॉक स्तर पर क्षेत्र पंचायत
- जिला स्तर पर जिला पंचायत

ग्राम पंचायतों की संरचना

संविधान के अनुच्छेद 243(C) के अनुसार ग्राम पंचायत (जोकि ग्रामसभा की कार्यपालिका है) के अध्यक्ष का चुनाव ग्रामसभा में पंजीकृत मतदाता द्वारा प्रत्यक्ष रूप से होता है तथा मध्यवर्ती पंचायत व जिला पंचायत के अध्यक्षों का चुनाव अप्रत्यक्ष रूप से पंचायतों द्वारा चुने गए सदस्यों से होता है। ग्राम पंचायत के अध्यक्ष के चुनाव की प्रक्रिया राज्य द्वारा निर्धारित रीति के अनुसार की जाएगी, ग्राम पंचायत का अध्यक्ष मध्यवर्ती पंचायत का सदस्य होता है। जहाँ मध्यवर्ती पंचायत नहीं है, वहाँ जिला पंचायत का सदस्य होगा तथा मध्यवर्ती पंचायत का अध्यक्ष जिला पंचायत का सदस्य होगा तथा उस क्षेत्र के सांसद व विधायक अपने क्षेत्रों में मध्यवर्ती स्तर के सदस्य होते हैं तथा राज्यसभा और विधानपरिषद् के सदस्य जहाँ वे

पंजीकृत हैं, उस क्षेत्र की मध्यवर्ती पंचायत के सदस्य होंगे। पंचायत के अध्यक्ष, सांसद, विधायक को पंचायतों के अधिवेशन में मत देने का अधिकार होता है।

ग्राम पंचायतों में आरक्षण

संविधान के अनुच्छेद 243(D) के अनुसार प्रत्येक पंचायत में अनुसूचित जातियों/जनजातियों के लिए स्थान आरक्षित होंगे जोकि उनकी जनसंख्या के अनुपात में होगा (अगर जनजाति की जनसंख्या 20% है तो स्थान भी 20% आरक्षित होंगे) तथा ये स्थान चक्रानुक्रम के आधार पर आवंटित होंगे। इसी तरह 1/3 स्थान अनुसूचित जातियों/जनजातियों की महिलाओं के लिए आरक्षित होंगे तथा प्रत्येक पंचायत के प्रत्यक्ष निर्वाचन द्वारा भरे जाने वाले पद कुल संख्या के 1/3 भाग स्त्रियों के लिए आरक्षित होंगे। जिसमें अनुसूचित जाति/जनजाति की स्त्रियों के लिए भी आरक्षित होंगे। ये आरक्षण चक्रानुक्रम में मिलेगा तथा राज्य पिछड़े वर्ग के लिए किसी भी समय या पंचायतों के अध्यक्ष पद के लिए स्थान आरक्षित कर सकेगा और अनुसूचित जातियों के लिए आरक्षण की कोई बात अरुणाचल प्रदेश में लागू नहीं होगी।

कुछ राज्यों; जैसे—बिहार, मध्य प्रदेश, केरल, ओडिशा, हिमाचल प्रदेश, छत्तीसगढ़, मणिपुर, उत्तराखण्ड, राजस्थान में महिलाओं को पंचायती राज संस्था में 50% आरक्षण दिया गया है तथा बिहार में सर्वप्रथम 50% आरक्षण महिलाओं को दिया गया है।

ग्राम पंचायतों का कार्यकाल

संविधान के अनुच्छेद 243(E) में पंचायतों के कार्यकाल की अवधि निर्धारित की गई है। प्रत्येक पंचायत अपनी प्रथम बैठक की तारीख से पाँच वर्ष तक रहेंगी तथा उसे समय से पहले भी भंग किया जा सकता है। ऐसी स्थिति में चुनाव छः माह के अन्दर कराने अनिवार्य होंगे, अगर ग्रामसभा निर्धारित समय से पूर्व भंग होती है किन्तु कार्यकाल छः माह से अधिक हो तो शेष बचे कार्यकाल के लिए चुनाव कराए जाएँगे और यदि कार्यकाल 6 माह से कम बचा हो तो चुनाव नहीं कराए जा सकते हैं।

ग्राम पंचायत के सदस्यों की योग्यताएँ

कोई भी व्यक्ति सदस्य के रूप में चुना जा सकता है यदि वह राज्य विधानमण्डल के सदस्य के रूप में चुने जाने के लिए योग्य, परन्तु आयु की अपेक्षाएँ नहीं रखता हो, क्योंकि पंचायत का सदस्य बनने के लिए आयु 21 वर्ष है न कि 25 वर्ष।

ग्राम पंचायत प्रमुख को पदच्युत करने की प्रक्रिया

अविश्वास प्रस्ताव जिस पर ग्रामसभा के आधे सदस्यों के हस्ताक्षर तथा पद से हटाने के कारणों का उल्लेख कर आवेदन को जिला पंचायत अधिकारी के समक्ष प्रस्तुत करना होता है। सूचना मिलने की तारीख से जिला पंचायत अधिकारी 30 दिन के अन्दर ग्रामसभा की बैठक बुलाएगा जिसकी सूचना कम-से-कम 15 दिन पहले दी जाएगी।

अगर प्रस्ताव बैठक में उपस्थित और मत देने वाले सदस्यों के 2/3 बहुमत से पारित हो जाता है, तो ग्राम पंचायत प्रमुख को पद छोड़ना पड़ता है। अगर प्रस्ताव गणपूर्ति के अभाव में पारित नहीं हो पाता है तो एक वर्ष तक अविश्वास प्रस्ताव नहीं लाया जा सकता है और यदि वर्तमान पंचायत का कार्यकाल एक साल रह गया हो तब भी अविश्वास प्रस्ताव नहीं लाया जाएगा।

ग्राम पंचायत के कार्य

प्रत्येक पंचायत के कुछ अनिवार्य, स्वैच्छिक तथा विकासात्मक कार्य होते हैं। इनका विवरण निम्न हैः

अनिवार्य कार्य

पंचायत के अनिवार्य कार्य निम्नलिखित हैं:

1. ग्रामीण विकास के कार्य को सहयोग प्रदान करना
2. कृषि एवं भूमि का विकास
3. लोक व्यवस्था में सरकार को सहायता प्रदान करना
4. महिला एवं बाल कल्याण से जुड़े कार्यों का प्रबन्ध
5. सार्वजनिक स्थानों की व्यवस्था करना
6. हाट व बाजारों का प्रबन्ध करना
7. सड़कें व नालियों को बनवाना
8. चिकित्सा एवं स्वास्थ्य की रक्षा की व्यवस्था
9. प्राथमिक एवं माध्यमिक शिक्षा का प्रबन्ध करना
10. पेयजल की व्यवस्था करना

स्वैच्छिक कार्य

पंचायतों के स्वैच्छिक कार्य निम्नलिखित हैं:

1. रोजगारोन्मुख कार्यों का प्रबन्ध करना
2. प्राकृतिक आपदाओं के समय मदद पहुँचाना
3. मनोरंजन के साधनों का प्रबन्ध करना
4. सड़कों के किनारों पर वृक्षारोपण करना
5. पुस्तकालय एवं वाचनालयों की स्थापना करना

विकासात्मक कार्य

11वीं अनुसूची में वर्णित पंचायतों के आर्थिक विकास से जुड़े कार्य निम्न हैं:

1. तकनीकी प्रशिक्षण एवं व्यावसायिक शिक्षा का प्रबन्ध करना
2. लघु एवं कुटीर उद्योग का विकास करना
3. सार्वजनिक वितरण प्रणाली में सहायता करना
4. सिंचाई का प्रबन्ध करना
5. भूमि सुधार कानून का कार्यान्यन करना

ग्राम पंचायत निधि कोष

प्रत्येक ग्राम पंचायत के लिए एक कोष का गठन किया गया है, जो पंचायत के आय-व्यय का लेखा होता है। इसका संचालन ग्राम प्रधान तथा पंचायत विकास अधिकारी के माध्यम से होता है।

पंचायत समिति तथा जिला परिषदें

पंचायत समिति एवं जिला परिषदों का विवरण इस प्रकार हैं:

पंचायत समिति या क्षेत्र समिति

अनुच्छेद 243(B) पंचायतों के गठन को त्रिस्तरीय रूप देता है। त्रिस्तरीय पंचायती राज व्यवस्था में पंचायत समिति को मध्यवर्ती पंचायत स्तर का दर्जा दिया गया है परन्तु जिन राज्यों की जनसंख्या 20 लाख से कम है, वहाँ मध्य स्तर की पंचायत का गठन नहीं किया गया है।

पंचायती राजव्यवस्था में ग्राम और जिला स्तर के मध्य पंचायत समितियों के गठन का प्रावधान है जो ग्राम व जिला पंचायत के बीच समन्वय बना सके। ग्राम पंचायतों के सरपंच इन समितियों के सदस्य होते हैं तथा इसके अध्यक्ष का चुनाव इन सदस्यों द्वारा अप्रत्यक्ष रूप से किया जाता है। इन समितियों का कार्यकाल भी 5 वर्ष होता है तथा समय पूर्व भंग होने की स्थिति में चुनाव 6 माह के अन्दर कराना अनिवार्य है।

पंचायत समिति के कार्य

पंचायत समिति या क्षेत्र समिति के निम्नलिखित कार्य हैं:

1. ग्रामीण बिकारा के कार्यक्रमों का क्रियान्वयन तथा मूल्यांकन करना
2. गोबर गैस तथा धुआँ रहित चूल्हों का वितरण
3. शौचालयों का निर्माण
4. कुटीर तथा लघु ग्राम उद्योगों का विकास करना
5. कृषि के लिए ऋण की व्यवस्था
6. वितरण केन्द्र तथा गोदामों का निरीक्षण
7. प्राथमिक स्वास्थ्य केन्द्रों का संचालन
8. बीज केन्द्रों का संचालन
9. कीटनाशक दवाओं का वितरण

पंचायत समिति के आय के स्रोत

पंचायत समिति या क्षेत्र समिति के आय के निम्नलिखित स्रोत हैं:

1. सरकार द्वारा योजनाओं के क्रियान्वयन के लिए दी गई धनराशि
2. घाटों तथा मेलों से प्राप्त आय
3. क्षेत्र पंचायत द्वारा लगाए गए कर
4. जिला पंचायत द्वारा दिया गया तदर्थ अनुदान
5. मण्डियों से प्राप्त फीस
6. राज्य सरकार से प्राप्त अनुदान
7. स्थानीय कर
8. दान व चन्दे

जिला परिषद्

जिला परिषद्/जिला पंचायत अपने अधीन कार्य करने वाली पंचायती संस्थाओं तथा राज्य सरकार के मध्य एक कड़ी है। खण्ड स्तर की पंचायतों के प्रमुख जिला पंचायत के सदस्य होते हैं तथा अध्यक्ष का चुनाव इन सदस्यों द्वारा अप्रत्यक्ष पद्धति से किया जाता है तथा सांसद, विधायक (लोकसभा, विधानमण्डल) इस परिषद् के सदस्य होते हैं। जिला परिषद् का कार्यकाल 5 वर्ष होता है तथा इसे समय से पहले भंग करने पर चुनाव 6 माह के अन्दर कराना आवश्यक है।

जिला परिषद् के कार्य

जिला पंचायत या जिला परिषद् के निम्नलिखित कार्य हैं:

1. प्राकृतिक आपदाओं वाले क्षेत्रों के लिए विशेष कार्यक्रम बनाना।
2. ग्राम नियोजन, जन स्वास्थ्य तथा शिक्षा व्यवस्था के लिए कार्य करना।
3. आर्थिक व सामाजिक विकास के कार्य करना।
4. कृषि विकास के लिए कार्य करना।
5. पंचायत समितियों के बजट का पर्यवेक्षण करना।
6. राज्य सरकार द्वारा दिए गए अनुदान को पंचायत समितियों में वितरित करना।
7. जिले की सभी ग्राम पंचायत तथा पंचायत समितियों के बीच समन्वय बनाए रखना।

जिला परिषद् के आय के स्रोत

जिला परिषद् के आय के निम्नलिखित स्रोत हैं:

1. प्रशासनिक ट्रस्टों से प्राप्त आय।
2. अखिल भारतीय संस्थाओं द्वारा दिया गया अनुदान।
3. राजस्व का हिस्सा।
4. जिला पंचायत द्वारा क्षेत्रीय पंचायतों से की गई वसूली।
5. केन्द्र व राज्य सरकार द्वारा दिया गया अनुदान।

पंचायती राज संस्थाओं में वित्त

राज्य का विधानमण्डल विधि द्वारा पंचायतों को ऐसी शक्तियाँ प्रदान करेगा जो उन्हें स्वशासन के रूप में कार्य करने के लिए सक्षम बना सकें। इसके साथ ही वे आर्थिक विकास और सामाजिक न्याय के लिए योजनाएँ बनाएँ और उन्हें क्रियान्वित करें।

पंचायती राज संस्थाओं के वित्त के स्रोत

पंचायती राज संस्थाओं के वित्त के प्रमुख स्रोत निम्नलिखित हैं:

कर लगाने की शक्ति

राज्य के विधानमण्डल ने विधि द्वारा पंचायतों को शुल्क, पथकर, फीसें आदि उदग्रहीत संग्रहीत तथा विनियोजित करने का अधिकार दिया है। राज्यों के द्वारा अनुदान और केन्द्र व राज्य सरकार द्वारा विकास कार्यों के लिए आवंटित की गई राशि और ऐसी निधियों को जमा करने के लिए पंचायत निधि कोष के गठन करने का अधिकार भी दिया गया है।

पंचायतों के आय के स्रोत

पंचायतों के आय के स्रोत निम्नलिखित हैं:

1. भू-राजस्व की धनराशि के अनुसार 25% से 50% तक पंचायत कर
2. सड़कों, नालियों की सफाई तथा प्रकाश पर कर
3. कूड़ा-करकट तथा मृत पशुओं की बिक्री से आय
4. पशुओं, वाहन आदि पर कर
5. मछली, तालाब से प्राप्त आय
6. व्यापार तथा रोजगार कर
7. दुग्ध उत्पादन कर
8. मनोरंजन कर
9. राज्य सरकार द्वारा अनुदान
10. गाँव के मेले, बाजार आदि पर कर
11. सम्पत्ति के क्रय-विक्रय पर कर
12. पशुओं की पंजीकरण फीस
13. चूल्हा कर।

राज्य वित्त आयोग द्वारा दी गई सिफारिशों के आधार पर भी पंचायती राज प्रणाली के वित्त की व्यवस्था की जाती है। राज्य वित्त आयोग निम्न मामलों में अपनी सिफारिशें देगा।

- राज्य द्वारा लगाए गए कर, पथकरों एवं शुल्कों का पंचायत और राज्यों के मध्य वितरण।
- पंचायत को सौंपे जाने वाले कर के बारे में।
- वित्तीय स्थिति सुधारने से सम्बन्धित उपाय।
- अन्य ऐसे विषय जो राज्यपाल निर्धारित करें।

स्थानीय स्तर पर कार्मिक प्रशासन

पंचायतों को अपनी नीतियों को कार्यान्वित करने के लिए कुछ अधिकारी वर्ग की जरूरत पड़ती है। इन अधिकारी वर्ग को सेवी वर्ग भी कहते हैं। ग्रामीण प्रशासन की सफलता इन्हीं कुशल सेवी वर्गों पर निर्भर है।

सरकार की सफलता और प्रशासन की सफलता सेवी वर्ग यानि कार्मिक प्रशासन पर ही निर्भर करती है। सेवी वर्ग ही स्थानीय स्तर पर प्रशासनिक तन्त्र का संचालन करता है। कोई भी संगठन यदि कुशल कर्मचारियों के हाथों में नहीं है, तो वह न तो अपने उद्देश्य पूरा कर सकता है और न ही जनता के सम्मान व विश्वास का पात्र बन सकता है। यह बात भारत के स्थानीय प्रशासन में देखी जा सकती है। इस प्रकार स्थानीय स्तर पर विभिन्न प्रकार के अधिकारी हैं जो भारत में ग्रामीण प्रशासन के प्रभारी हैं। इनका विवरण निम्न है:

पटवारी

पटवारी भूमि के नक्शे, वहाँ उगाई जाने वाली फसलों, जमीन के मालिक का नाम आदि जैसे विवरणों का एक रिकॉर्ड बुक रखता है। यदि दो अलग-अलग भूखण्डों के बीच सीमा के बारे में भ्रम पैदा होता है तो गाँव के किसान पटवारी से सम्पर्क कर सकते हैं। पटवारी किसानों की समस्याओं का हल करता है।

उदाहरणतः यदि किसी गाँव के दो किसानों के बीच किसी प्लॉट को लेकर विवाद होता है, तो ये लोग इस समस्या को सुलझाने के लिए पटवारी के पास जाते हैं अर्थात् पटवारी जमीन के मापने और सीमा रेखा निर्धारित करने का काम करता है।

तहसीलदार

प्रत्येक जिले को तहसील या तालुका क्षेत्रों में विभाजित किया गया है। उन क्षेत्रों या तहसील के प्रमुख को क्रमशः तहसीलदार या तालुकदार के रूप में जाना जाता है। तहसीलदार पटवारियों जैसे छोटे अधिकारियों के काम का पर्यवेक्षण करते हैं। वे अपने क्षेत्रों के सामान्य कानून व्यवस्था को भी देखते हैं और विवादों को भी हल करते हैं। ये अधिकारी अनुसूचित जनजाति प्रमाण-पत्र की तरह हमारे सामुदायिक प्रमाण-पत्र ग्रामीणों को सौंपने के भी प्रभारी हैं।

ग्रामीण विकास की नीतियाँ तथा कार्यक्रम

ग्रामीण विकास कार्यक्रमों का मूल उद्देश्य समुदाय को अधिकार सम्पन्न बनाकर विकास कार्यक्रमों में लोगों की भागीदारी को बढ़ाना है। भारत की जनसंख्या का अधिकांश हिस्सा गाँवों में बसता है। अतः आर्थिक विकास का लाभ ग्रामीण स्तर तक पहुँचाने के लिए अनेक योजनाएँ व कार्यक्रमों का विकास किया गया है।

ग्रामीण विकास की अवधारणा

लगभग 68.84% आबादी गाँवों में निवास करती है। ब्रिटिशकाल के पूर्व भारत के ये गाँव अधिकतर आत्मनिर्भर एवं खुशहाल हुआ करते थे। ब्रिटिशकाल की कृषि नीतियों और ग्रामीण समाज की उपेक्षा के कारण भारतीय गाँव कई तरह की समस्याओं से ग्रसित हो गए। स्वतन्त्रता के बाद यहाँ के गाँव कृषि तथा ग्रामीण उद्योग के पिछड़ेपन, गरीबी तथा बेरोजगारी इत्यादि समस्याओं से ग्रसित हो गए।

स्वतन्त्र भारत के सामाजिक-आर्थिक विकास के लक्ष्य को स्वीकार कर ग्रामीण विकास की दशा की अवधारणा को ध्यान में रखते हुए इस दिशा में ग्रामीण विकास के लक्ष्य को प्राप्त करने और तत्कालीन ग्रामीण समस्याओं के समाधान हेतु तरह-तरह के विकास कार्यक्रम शुरू किए गए। सबसे पहले वर्ष 1952 में सामुदायिक विकास परियोजना शुरू की गई, जिसमें स्थानीय लोगों के सहयोग से पूर्ण समुदाय का बहुमुखी विकास करने पर जोर दिया गया। ग्रामीण विकास के अन्तर्गत कृषि विकास, पशु-प्रबन्धन, ग्रामीण एवं लघु उद्योगों, स्वास्थ्य और सफाई तथा सामाजिक शिक्षा इत्यादि को बेहतर बनाने के कार्यक्रम शामिल किए गए।

पंचायती राज एवं सामुदायिक विकास रणनीति के सहायतार्थ सहकारी संस्थाओं का निर्माण ग्रामीण विकास रणनीति का एक प्रमुख पक्ष रहा है। इसके अन्तर्गत अनेक सहकारी संरचनाओं का निर्माण किया गया, जिसमें ग्रामीणों द्वारा आपस में मिल-जुलकर एक-दूसरे के सहयोग से संगठित रूप से ग्रामीण विकास के लक्ष्यों को प्राप्त करने का प्रयास किया गया।

1970 के दशक में ग्रामीण विकास की रणनीति में परिवर्तन लाया गया तथा इसमें सामाजिक न्याय को शामिल करते हुए ग्रामीण विकास की अवधारणा को विस्तृत किया गया और इसके लक्ष्य समूहों जैसे-छोटे एवं सीमान्त किसान, कृषि मजदूर, महिलाएँ एवं दलित एवं पिछड़े वर्गों इत्यादि को उन्मुख करके उनके विकास हेतु अनेक कार्यक्रम शुरू किए गए।

ग्रामीण विकास कार्यक्रम

ग्रामीण विकास में तीव्रतर वृद्धि एवं उसके लक्ष्यों को प्राप्त करने के दृष्टिकोण से विभिन्न प्रकार के कार्यक्रम शुरू किए गए, जैसे–सीमान्त किसानों व कृषि मजदूरों की एजेन्सी, एकीकृत ग्रामीण विकास कार्यक्रम, राष्ट्रीय ग्रामीण विकास कार्यक्रम, राष्ट्रीय ग्रामीण भूमि रोजगार गारण्टी अधिनियम एवं स्वरोजगार प्रशिक्षण कार्यक्रम इत्यादि।

ग्रामीण विकास के अन्तर्गत ग्रामीणों को रोजगार प्राप्त कराना, खाद्य पदार्थ सुनिश्चित कराना तथा ग्रामीण क्षेत्रों में जनसेवा को मजबूत कराना इत्यादि कार्यों को प्राथमिकता दी गई। इसी सन्दर्भ में पहले से चले आ रहे ग्रामीण विकास कार्यक्रम; जैसे–IRDP, TRYSEM, DWCRA आदि की जगह पर वर्ष 1999 में स्वर्ण जयन्ती ग्राम स्वरोजगार कार्यक्रम की शुरुआत की गई।

इसके अतिरिक्त प्रधानमंत्री ग्राम सड़क योजना, प्रधानमंत्री ग्रामोदय योजना इत्यादि इन्हीं उद्देश्यों की प्राप्ति हेतु शुरूआत की गई। वर्तमान में कई कार्यक्रम ग्रामीण विकास हेतु क्रियाशील हैं; जैसे–राष्ट्रीय योजना के तहत ग्रामीण क्षेत्रों में रोजगार उपलब्ध करवाने हेतु राष्ट्रीय ग्रामीण रोजगार योजना, इन्दिरा आवास योजना (आवास हेतु), त्वरित ग्रामीण जलापूर्ति कार्यक्रम, गाँव में बंजर भूमि की उर्वरता ह्रास और प्राकृतिक संसाधनों की हानि को रोकने के लिए वाटरशेड योजना का कार्य चल रहा है।

काम के बदले अनाज कार्यक्रम को 'महात्मा गाँधी ग्रामीण राष्ट्रीय रोजगार गारण्टी अधिनियम' में समाहित कर दिया गया है। इसे पूरे देश में शुरू किया गया है। इन कार्यक्रमों के अतिरिक्त भूमि संसाधन विभाग के अन्तर्गत भूमि-सुधार प्रभाग द्वारा दो योजनाओं– भू-अभिलेखों का कम्प्यूटरीकरण एवं राजस्व प्रशासन का सुदृढ़ीकरण को क्रियान्वित किया जा रहा है।

महात्मा गाँधी राष्ट्रीय ग्रामीण रोजगार गारण्टी अधिनियम (मनरेगा)

मनरेगा भारत में लागू एक रोजगार गारण्टी योजना है, जिसे 2 अक्टूबर, 2005 को विधान द्वारा अधिनियमित किया गया है। यह योजना प्रत्येक वित्तीय वर्ष में किसी भी ग्रामीण परिवार के वयस्कों को 100 दिन का रोजगार उपलब्ध कराने की गारण्टी देता है। शुरू में इसे रोजगार गारण्टी अधिनियम कहा जाता था, लेकिन 2 अक्टूबर, 2009 को इसका नाम बदलकर महात्मा गाँधी राष्ट्रीय ग्रामीण रोजगार गारण्टी अधिनियम किया गया।

यह योजना 2 फरवरी, 2006 को 200 जिलों में शुरू की गई, जिसे 2007-08 में अन्य 130 जिलों में विस्तारित किया गया और 1 अप्रैल, 2008 तक भारत के सभी जिलों में इसे लागू कर दिया गया।

मनरेगा का उद्देश्य देश के ग्रामीण क्षेत्रों में उस प्रत्येक परिवार, जिसके वयस्क सदस्य अकुशल शारीरिक कार्य करते हैं उनको वित्तीय वर्ष में कम-से-कम 100 दिन का गारण्टीयुक्त रोजगार प्रदान करके ग्रामीण परिवारों की आय में बढ़ोतरी करना है।

मनरेगा की विशेषताएँ

मनरेगा की निम्नलिखित विशेषताएँ हैं:

1. **अधिकार आधारित ढाँचाः** किसी भी ग्रामीण परिवार के कुशल शारीरिक कार्य करने के इच्छुक वयस्क सदस्य पंजीकरण के लिए लिखित या मौखिक रूप से स्थानीय ग्राम पंचायत को आवेदन कर सकते हैं। ग्राम पंचायत सत्यापन के बाद परिवार को जॉब कार्ड जारी करेगी। जॉब कार्ड में परिवार के सभी वयस्क सदस्य के फोटो होंगे। फोटो सहित जॉब कार्ड निःशुल्क दिए जाएँगे। जॉब कार्ड धारक परिवार रोजगार हेतु लिखित आवेदन ग्राम पंचायत को प्रस्तुत करेगा, जिसमें वांछित कार्य का समय एवं उसकी अवधि का उल्लेख किया जाएगा।
2. **समयबद्ध गारण्टीः** ग्राम पंचायत द्वारा रोजगार के लिए लिखित आवेदन की दिनांकित पावती जारी की जाएगी जिसके आधार पर 15 दिन के भीतर रोजगार देने की गारण्टी विद्यमान है। 15 दिन में रोजगार न दिए जाने की अवस्था में नकद दैनिक बेरोजगारी भत्ता दिया जाएगा। बेरोजगारी भत्ते के भुगतान की जिम्मेदारी राज्यों की है। कार्य सामान्यतः गाँव के 5 किमी क्षेत्र के भीतर उपलब्ध कराया जाएगा अन्यथा 10% अतिरिक्त मजदूरी देय होगी। मजदूरी का भुगतान, न्यूनतम मजदूरी के आधार पर किया जाएगा। मजदूरी का वितरण साप्ताहिक आधार पर किया जाएगा और किसी भी हालत में 15 दिन से अधिक का समय नहीं लिया जाएगा।

3. **श्रम प्रधान कार्यः** मजदूरी एवं सामग्री के मध्य 60 : 40 का अनुपात रखा जाएगा। इस सम्बन्ध में ठेकेदारों का प्रवेश तथा मजदूरों को विस्थापित करने वाली मशीनरी का उपयोग प्रतिबन्धित है।
4. **केन्द्रीकृत नियोजनः** ग्रामसभा द्वारा निर्धारित प्राथमिकताओं के अनुसार, परियोजनाओं की सूची तैयार की जाएगी। कम-से-कम 50% कार्यों का कार्यान्वयन ग्राम पंचायतों को सौंपा जाएगा। इस सम्बन्ध में आयोजना तथा कार्यान्वयन में पंचायती राज संस्थाओं की मुख्य भूमिका होगी।
5. **कार्यस्थल पर सुविधाएँः** मनरेगा के अन्तर्गत कार्यस्थल पर क्रैच, पेयजल, शेड जैसी सुविधाएँ उपलब्ध करवाई जाएंगी।
6. **महिला सशक्तीकरणः** इस अधिनियम में यह सुनिश्चित किया गया है कि काम करने वाले व्यक्तियों में से एक तिहाई महिलाओं की होनी चाहिए।
7. **जन जवाबदेहीः** ग्रामसभा द्वारा सामाजिक लेखा-परीक्षा की जाएगी। जवाबदेह कार्यान्वयन प्रक्रिया सुनिश्चित करने के लिए शिकायत निवारण तन्त्र स्थापित किया जाएगा।
8. **पारदर्शिताः** किसी व्यक्ति द्वारा माँग किए जाने एवं निर्धारित शुल्क का भुगतान किए जाने पर सभी लेखों की प्रति उपलब्ध कराई जाएगी।

शहरीकरण की वृद्धि (Growth of Urbanization)

औद्योगीकरण के कारण शहरों का विस्तार तेजी से हुआ है। स्वतंत्रता प्राप्ति के बाद औद्योगीकरण में तीव्र विकास हुआ है जिससे शहरों का विस्तार हुआ है, साथ ही शहरी जनसंख्या में भी तीव्र गति से वृद्धि हुई है।

स्वतंत्रता पश्चात अर्थव्यवस्था ने अच्छी विकास दर को प्राप्त किया है लेकिन कृषि का विकास कम ही रहा है और उद्योगों का विकास दर में योगदान अधिक रहा है जिससे ग्रामीणों का शहरी क्षेत्र की ओर पलायन से शहरों की जनसंख्या में भी वृद्धि हुई है। कृषि क्षेत्र का कम विकास के कारण लोगों को गाँव में रोजगार उपलब्ध कराना मुश्किल रहा है। औद्योगिक केन्द्र विकास, एस.ई.जेड. का विकास, बन्दरगाहों की स्थापना, प्रशासनिक केन्द्र का विकास शहरीकरण की प्रमुख विशेषता रही है।

शहरीकरण की वृद्धि से उत्पन्न समस्याएँ

शहरों में बुनियादी ढाँचे के बारे में जानकारी से साफ पता चलता है कि अधिकांश शहर सड़क, बिजली, पानी और सार्वजनिक परिवहन की समस्या से जूझ रहे हैं, इसलिए शहरों की योजना में बिजली, पानी की बचत, पर्यावरण संरक्षण पर ध्यान देना और सड़कों के बेहतर और बड़े नेटवर्क द्वारा कनेक्टिविटी बढ़ाना जरूरी है।

दिल्ली सहित अधिकांश शहर अवैध बस्तियों की समस्या से जूझ रहे हैं। भारत सरकार ने झुग्गी बस्तियों से मुक्त शहरों के विकास के लिए 'राजीव आवास योजना' की शुरुआत की थी, लेकिन व्यावहारिक स्तर पर इसमें अब तक कोई विशेष सफलता नहीं मिली है।

शहरी स्थानीय निकायों के कामकाज के तौर-तरीके सवालों के घेरे में हैं। केन्द्र सरकार भी यह मानती है कि सभी राज्यों में नगरपालिका की कार्यशैली में सुधार की आवश्यकता है। शहरी आधारभूत संरचना पर आबादी के बढ़ते हुए दबाव, पेयजल आपूर्ति, मल व्ययन, कचरा प्रबन्धन तथा शहरी परिवहन में सुधार की जरूरत पर बल दिया गया है।

अनियोजित तरीके से विकास के कारण भारत में शहरीकरण की चुनौतियाँ खड़ी हुई हैं।

शहरी संस्थाओं की प्रमुख समस्याएँ इस प्रकार हैं:

1. लगभग शहरों की 21% जनसंख्या अवैध कालोनियों में निवास करती है जहाँ पीने का पानी, स्वस्थ वातावरण, स्वच्छ पर्यावरण तथा प्रारम्भिक शिक्षा जैसी आधारभूत सुविधाओं का अभाव है।
2. 46% घरों में पानी वाले शौचालय हैं, लेकिन 28% घर ही सीवेज से जुड़े हैं।
3. नगरपालिका वाले केवल 60% कचरा उठाते हैं, बाकि सड़कों एवं गलियों में फैला रहता है।
4. शहरों की सड़कों एवं गलियों की हालत बेहद खराब है।
5. शहरी सड़कों पर भीड़-भाड़ बहुत है और वाहनों के यातायात के दबाव के कारण उसकी गुणवत्ता खराब हो गई है।

नगर निगम

नगर निगम की स्थापना बड़े शहरों में की जाती है जहाँ नगरों की जनसंख्या 10 लाख या अधिक हो, या राज्यपाल द्वारा अधिसूचित क्षेत्र हो। नगर निगम सर्वोच्च नगरीय स्थानीय सरकार है। राज्यों में नगर निगमों की स्थापना राज्य विधानमण्डलों तथा केन्द्रशासित क्षेत्रों में संसद द्वारा निर्मित अधिनियम द्वारा होती है। निगम एक वैधानिक संस्था है, जिसके अधिनियम में नगर निगम की संरचना, शक्तियों, निगमों के अधिकारी एवं कर्मचारियों का विवरण, आदि बातों का उल्लेख होता है। नगर निगम के निम्नलिखित घटक होते हैं—परिषद महापौर, समितियाँ एवं आयुक्त।

नगर निगम का गठन

प्रत्येक नगर निगम तीन इकाइयों में विभक्त रहता है; जैसे—परिषद्, समितियाँ, आयुक्त। परिषद् जनता द्वारा चुने गए पार्षदों की सभा होती है, जिसका प्रधान महापौर होता है।

महापौर का चुनाव प्रत्यक्ष या अप्रत्यक्ष तरीके से होता है। इसका कार्यकाल कितना होगा यह विषय राज्यों पर छोड़ दिया गया है। महापौर की सहायता के लिए एक उप-महापौर होता है। महापौर महानगर का प्रथम नागरिक होता है, जो नगर निगमों की बैठकों की अध्यक्षता करता है तथा सदन को स्थगित कर सकता है। यह नगर में आने वाले गणमान्य व्यक्तियों का अभिनन्दन करता है। परिषद् नगर निगम की विधायिका होती है। इसमें अनुसूचित जाति/जनजाति तथा महिलाओं के लिए भी आरक्षण का प्रावधान है, जो चक्रानुक्रम में आवंटित होते हैं।

निगम के कार्यों को सहायता पहुँचाने के लिए कुछ स्थायी समितियों का गठन किया जाता है, जो सार्वजनिक कार्यों का संचालन करती हैं।

नगर निगम की संरचना

नगर निगम की प्रशासनिक शक्ति परिषद् में निहित होती है और उन शक्तियों का उपयोग परिषद् समितियों तथा मुख्य कार्यकारी अधिकारी के द्वारा करती है। परिषद् की बैठकें महीने में प्रायः एक या दो बार से अधिक नहीं हो पाती हैं। अतः कार्यों को उचित ढंग से सम्पन्न करने के लिए समितियों का गठन करती हैं। ये समितियाँ दो प्रकार की होती हैं—सवैधानिक समितियाँ एवं गैर-सवैधानिक समितियाँ।

निगम आयुक्त निगम का प्रमुख कार्यकारी अधिकारी होता है, जिसकी नियुक्ति राज्य सरकार द्वारा की जाती है। नगर आयुक्त भारतीय प्रशासनिक सेवा का वरिष्ठ सदस्य होता है।

निगम के अन्तर्गत समस्त प्रशासनिक कार्य आयुक्त के नियन्त्रण में होते हैं। आयुक्त परिषद् की बैठकों में भाग लेता है। वह बजट तैयार कर निगम के समक्ष रखता है तथा प्रशासनिक तन्त्र का प्रमुख होने के नाते सभी सरकारी कार्यों को विभिन्न विभागों के बीच बाँटता है।

नगर निगम के कार्य

नगर निगम दो प्रकार के कार्यों को सम्पन्न करता है—ऐच्छिक एवं अनिवार्य। अनिवार्य कार्यों में वे कार्य आते हैं, जो नगर निगम को अनिवार्य रूप से करने पड़ते हैं; जैसे—विद्युत प्रबन्ध, जल की व्यवस्था, यातायात सेवाओं का प्रबन्ध, गन्दगी तथा कूड़े-कचरे की सफाई तथा गलियों आदि की सफाई। ऐच्छिक कार्यों में वे कार्य आते हैं, जो आवश्यक नहीं हैं, किन्तु वित्तीय स्रोतों के आधार पर इन्हें किया जाता है।

अपने कार्यों को सम्पन्न करने के लिए नगर निगम को कर लगाने का अधिकार प्राप्त है। नगर निगम की आय के प्रमुख स्रोत हैं—कर लगाना, गैर-कर स्रोत, लाभकारी उद्यम और अनुदान।

नगर परिषद्

स्थानीय स्वशासन का विषय राज्य-सूची में होने के कारण भिन्न-भिन्न राज्यों की नगर पालिकाओं की रचना के नियम एक समान नहीं हैं। देश में नगर परिषद् को अलग-अलग नामों से जाना जाता है—नगरपालिका, नगर परिषद्, नगर समिति, नगरपालिका बोर्ड आदि। यह छोटे नगरों एवं शहरों में स्थानीय स्वशासन की महत्वपूर्ण एवं प्रभावशाली संस्था है। इनका शासन राज्यों के नगरपालिका अधिनियमों के अनुसार चलता है और केन्द्रशासित क्षेत्रों में संसद द्वारा पारित अधिनियमों द्वारा होता है।

नगर परिषद् की संरचना

नगर निगम के समान नगर परिषद् के भी तीन प्रमुख अंग हैं—परिषद्, नगरपालिका अध्यक्ष एवं नगरपालिका आयुक्त। नगरपालिका में इसे नगर परिषद् भी कहते हैं। वयस्क मताधिकार के द्वारा जो चुने हुए पार्षद होते हैं उनमें तीन प्रकार के सदस्य होते हैं; जैसे—पार्षद, पदेन अधिकारी तथा एल्डरमैन। परिषद् के सदस्यों का चुनाव जनता द्वारा प्रत्यक्ष रूप से वयस्क मताधिकार के आधार पर होता है।

लगभग सभी नगर परिषदों में अनुसूचित जातियों एवं जनजातियों के लिए कुछ स्थान सुरक्षित होते हैं। इसके सदस्यों का कार्यकाल 3 से 5 वर्ष है। सरकार समय से पूर्व नगर परिषद् को भंग कर सकती है और उसके कार्यों को अपने हाथों में ले सकती है।

नगरपालिका के अध्यक्ष का पद काफी प्रतिष्ठित होता है। नगरपालिका के परिषद् अपने बीच से ही अध्यक्ष का चुनाव करते हैं। यह परिषद् की बैठकों की अध्यक्षता तथा मार्गदर्शन भी करता है। यह नगरपालिका के वित्तीय तथा कार्यपालिका प्रशासन पर निगरानी रखता है।

नगरपालिका आयुक्त नगरपालिका के कार्यकारी विभाग का प्रमुख होता है, जो राज्य सरकार द्वारा नियुक्त किया जाता है। इसे नगरपालिका कोष से वेतन दिया जाता है। यह अनेक कार्य सम्पन्न करता है।

यह समितियों तथा परिषद् के सचिव के रूप में कार्य करता है। आयुक्त विभिन्न प्रशासनिक विभागों को संगठित करता है तथा उनमें कार्यों का बँटवारा करता है। नगरपालिका कार्यालय का प्रभारी होने के कारण समस्त रिकॉर्ड इसी की निगरानी में रखे जाते हैं।

नगर परिषद् के कार्य एवं आय के स्रोत

नगर परिषद् के कार्य नगर निगम के समान ही हैं और अधिनियम में नगर परिषद् के कार्यों का उल्लेख है। इनके प्रमुख अनिवार्य कार्य हैं—जल की व्यवस्था करना, सार्वजनिक गलियों का निर्माण व रख-रखाव, बिजली की व्यवस्था, खतरनाक व्यवसाय पर प्रतिबन्ध, प्राथमिक विद्यालयों की स्थापना और देखभाल, जन्म और मृत्यु का पंजीयन, गलियों का नामकरण तथा घरों पर नम्बर लगाना आदि। नगर परिषद् के ऐच्छिक कार्य हैं—खतरनाक भवनों और स्थानों को कब्जे में लेना या ध्वस्त करना, सड़क के किनारे वृक्ष लगाना, सर्वेक्षण करना तथा प्रदर्शनियों आदि का आयोजन करना।

नगर परिषद् के आय के प्रमुख स्रोत हैं—कर लगाना, गैर-कर स्रोत, लाभकारी उद्यम एवं अनुदान, नगरपालिका सम्पत्ति कर, व्यवसाय कर, चुंगी कर, पशु पर कर, वाहन कर, मनोरंजन कर आदि कर लगाती है। इसके साथ-साथ गैर-कर स्रोतों में भवनों से सम्बन्धित फीस, लाइसेन्स फीस, आदि के द्वारा आय प्राप्त करती है।

नगर पंचायत

नगर पंचायत या अधिसूचित क्षेत्र समिति का अर्थ ऐसे क्षेत्र से है, जो ग्राम से नगर बनने की संक्रमणकालीन प्रक्रिया में है। नगर पंचायत का गठन 74वाँ संविधान संशोधन द्वारा संविधान के भाग '9 क' के तहत किया गया है, जिसकी जनसंख्या 10,000 से 20,000 तक होती है।

नगर पंचायत का गठन दो प्रकार के क्षेत्र के प्रशासन कि लिए किया जाता है। औद्योगिकीकरण के कारण विकासशील कस्बा या शहर जिसने अभी तक नगरपालिका के गठन की आवश्यक शर्तें पूरी न की हों। चूँकि इसे सरकारी राजपत्र में प्रकाशित कर अधिसूचित किया जाता है, इसलिए इसे अधिसूचित क्षेत्र समिति के रूप में भी जाना जाता है। इसके सदस्य निर्वाचित और मनोनीत दोनों प्रकार के होते हैं।

नगर पंचायत की संरचना

प्रत्येक नगर पंचायत में एक समिति होती है जिसमें अध्यक्ष, महापौर के साथ वार्ड, परामर्शदाता सदस्य होते हैं। इसके सदस्य निर्वाचित और मनोनीत दोनों प्रकार के होते हैं। प्रायः राज्य सरकार ही उसके सदस्यों तथा अध्यक्ष को मनोनीत करती है। अतः न तो यह निर्वाचित इकाई है और न ही सांविधिक निकाय है। बिहार, गुजरात, हरियाणा, पंजाब, मध्य प्रदेश, कर्नाटक, हिमाचल प्रदेश, उत्तर प्रदेश आदि राज्यों में यह संरचना विद्यमान है।

नगर पंचायत के कार्य

नगर पंचायत के निम्नलिखित कार्य हैं:

1. शहरी क्षेत्र के लिए आवश्यक सेवाएँ और सुविधाएँ उपलब्ध कराना।
2. शहरों में ड्रेनेज सिस्टम को ठीक करना
3. जल आपूर्ति को सुनिश्चित करना
4. वयस्कों को साक्षरता के लिए तथा शहरों में पुस्तकालयों की स्थापना करना
5. शहरों में विद्यालयों की स्थापना करना
6. वार्ड और शहर में सड़कें उपलब्ध कराना
7. स्ट्रीट लाइटें लगाना
8. स्वच्छता कार्यक्रम को प्रोत्साहित करना
9. जन्म और मृत्यु प्रमाण-पत्र के रिकॉर्ड को सुरक्षित रखना

महानगरीय शासन (Metropolitan Governance)

महानगर क्षेत्र से तात्पर्य ऐसे क्षेत्र से है, जिसकी जनसंख्या 10 लाख या उससे अधिक हो, जो एक या एक से अधिक जिले, नगरपालिकाओं या पंचायतों का अन्य निकटस्थ क्षेत्र हो और जिसे राज्यपाल लोक अधिसूचना द्वारा इस भाग के प्रयोजन के लिए विनिर्दिष्ट करे।

महानगरीय प्रदेश को इन शब्दों में परिभाषित किया जा सकता है "महानगरीय प्रदेश अधिक विस्तृत होता है। यह मुख्य नगर के चारों ओर फैला हुआ होता है। अतः इस क्षेत्र के समस्त कार्यकलाप मुख्य नगर पर ही आधारित होते हैं।" वास्तव में, महानगरों की व्याख्या करने में जनसंख्या सबसे महत्वपूर्ण तत्त्व माना जाता है।

वर्तमान में महानगर अनेक समस्याओं का समूह बनता जा रहा है। इन नगरों के दूषित वातावरण और मशीनी जीवन से लोग ऊब गए हैं।

महानगरीय शासन के वित्त के स्रोत

महानगरीय शासन प्रणाली को सुव्यवस्थित तरीके से चलाने के लिए वित्तीय आवश्यकता की जरूरत महसूस होती है। इस वित्तीय आवश्यकता की पूर्ति के लिए हमें निम्नलिखित आय के स्रोत पर निर्भर रहना पड़ता है।

1. **अनुदानः** इसमें केन्द्र तथा राज्य सरकारों द्वारा विभिन्न योजना एवं परियोजनाओं के लिए दिया गया अनुदान शामिल है। निगम निकायों को विकास परियोजना एवं आधारभूत संरचना के लिए तथा शहरों में सुधार प्रक्रम को लागू करने के लिए राज्य सरकार तथा केन्द्र सरकार द्वारा अनुदान राशि उपलब्ध कराई जाती है।
2. **गैर-कर राजस्वः** महानगर शासन प्रणाली में गैर-कर राजस्व के अनेक स्रोत हैं; जैसे–निगम सम्पत्ति, फीस, जुर्माना, रायल्टी लाभ, लाभांश, ब्याज, उपयोग फीस तथा अन्य अदायगियाँ आती हैं।
3. **कर-राजस्वः** महानगरीय शासन प्रणाली में वित्तीय स्रोतों के लिए स्थानीय करों से प्राप्त राजस्व पर निर्भर रहना पड़ता है। कर-राजस्व के अन्तर्गत सम्पत्ति कर, मनोरंजन कर, विज्ञापन कर, पेशा कर, पानी पर कर, प्रकाश कर, तीर्थयात्रा कर, बाजार कर, मार्ग कर तथा चुंगी कर इत्यादि कर आते हैं, साथ ही निगम के निकाय कई प्रकार के शुल्क; जैसे–पुस्तकालय शुल्क, शिक्षा शुल्क आदि लगाते हैं।

   चुंगी स्थानीय क्षेत्र में आने वाली चीजों पर लगाया जाने वाला कर है, जो इनके प्रयोग तथा बिक्री पर भी लगता है। सम्पत्ति कर, कर राजस्व का सर्वाधिक महत्वपूर्ण कर है।
4. **कर्जः** महानगरीय निकाय अपने कार्यों को सम्पादित करने के लिए राज्य सरकार तथा अन्य वित्तीय संस्थानों से कर्ज लेते हैं ताकि सभी योजनाएँ एवं परियोजनाएँ सही समय पर पूरी हो सकें, परन्तु ये नगर निकाय राज्य सरकार की अनुमति से ही वित्तीय संस्थानों या अन्य संस्थानों से कर्ज ले सकते हैं।
5. **हस्तान्तरणः** इसके अन्तर्गत राज्य सरकार से शहरी स्थानीय निकायों को निधि का हस्तान्तरण किया जाता है। यह हस्तान्तरण राज्य वित्त आयोग की अनुशंसाओं के आधार पर होता है।

कार्मिक प्रशासन

भारत में महानगरीय कार्मिक प्रशासन में तीन प्रकार के कार्मिक कार्यरत् हैं, जो निम्न हैं:

1. **एकीकृत कार्मिक प्रणालीः** इस प्रणाली में राज्य सरकार महानगर कार्मिकों की नियुक्ति, प्रशासन तथा नियन्त्रण करती है। दूसरे शब्दों में, सभी नगर निकायों के लिए राज्य स्तरीय सेवाएँ सृजित की जाती हैं। इनमें कार्मिकों का विभिन्न स्थानीय निकायों में स्थानान्तरण होता रहता है। यह व्यवस्था आन्ध्र प्रदेश, तमिलनाडु, उत्तर प्रदेश, राजस्थान आदि राज्यों में लागू है।
2. **पृथक् कार्मिक प्रणालीः** इस प्रणाली में प्रत्येक स्थानीय निकाय अपने कार्मिकों की नियुक्ति, प्रशासन एवं नियन्त्रण स्वयं करती है। ये कार्मिक अन्य स्थानीय निकायों में स्थानान्तरित नहीं किए जा सकते। यह व्यवस्था सबसे अधिक प्रचलित है। यह प्रणाली स्थानीय स्वायत्तता के सिद्धान्त को कायम करती है तथा अविभक्त निष्ठा को प्रोत्साहित करती है।

3. **समेकित कार्मिक प्रणालीः** इस प्रणाली में राज्य सरकार के कार्मिक तथा स्थानीय निकायों के कार्मिक एक ही सेवा का गठन करते हैं। दूसरे शब्दों में महानगरपालिका कार्मिक राज्य सेवाओं के सदस्य होते हैं। इनका स्थानान्तरण केवल स्थानीय निकायों में ही नहीं, बल्कि राज्य सरकार के विभिन्न विभागों में भी हो सकता है। यह व्यवस्था ओडिशा, बिहार, कर्नाटक, पंजाब तथा हरियाणा राज्यों में लागू है।

नगरपालिका कर्मियों को प्रशिक्षण देने के लिए राष्ट्रीय स्तर के अनेक संस्थान कार्यरत् हैं; जैसे—

- अखिल भारतीय स्थानीय स्वशासन संस्थान, इसकी स्थापना वर्ष 1927 में हुई थी और यह एक निजी पंजीकृत सोसायटी है।
- नगरीय एवं पर्यावरणीय अध्ययन केन्द्र, इसकी स्थापना वर्ष 1967 में नगरपालिका कर्मचारियों के प्रशिक्षण के लिए गठित नूरुद्दीन अहमद समिति की अनुशंसाओं पर की गई थी।
- क्षेत्रीय, नगरीय एवं पर्यावरणीय अध्ययन केन्द्र, इसकी स्थापना वर्ष 1968 में नगरपालिका कर्मचारियों के प्रशिक्षण के लिए गठित नूरुद्दीन समिति की अनुशंसा (1963-65) पर गठित की गई थी।
- नेशनल इंस्टीट्यूट ऑफ अर्बन अफेयर्स (1967)
- ह्यूमन सेट्लमेण्ट मैनेजमेण्ट इंस्टीट्यूट (1985)

शहरी शासन में सुधार
(Reforms in Urban Governance)

भारत में 'शहरी स्थानीय शासन' का अर्थ शहरी क्षेत्र के लोगों द्वारा चुने गए प्रतिनिधियों से बनी सरकार से है। शहरी स्थानीय शासन का अधिकार क्षेत्र उन निर्दिष्ट शहरी क्षेत्रों तक सीमित है जिसे राज्य सरकार द्वारा निर्धारित किया गया है लेकिन सरकार इन उद्देश्यों को तभी पा सकती है। जब शासन के स्तर में सुधार हो शासन में नैतिकता जैसे मूल्यों का समावेश किया जाए। लक्ष्यों को पाने के लिए समय सीमा एवं मापदण्ड निर्धारित किए जाए। नये मानक शहर विकसित किए जाएं। जैसे—स्मार्ट शहर, अमृत शहर आदि का विकास।

ठोस अपशिष्ट प्रबन्धन

ठोस अपशिष्ट प्रबन्धन का सम्बन्ध अपशिष्ट पदार्थों के निकास से लेकर उसके उत्पादन व पुनः चक्रण द्वारा निपटान करने की देख-रेख से है। अतः ठोस अपशिष्ट प्रबन्धन को अनेक रूप से परिभाषित किया जा सकता है; जैसे—ठोस अपशिष्ट के उत्पादन का व्यवस्थित नियन्त्रण, संग्रह, भण्डारण, ढुलाई, निकास, पृथक्करण, प्रसंस्करण, उपचार, पुनः प्राप्ति और उसका निपटान आदि।

ठोस अपशिष्ट के स्रोत

प्रतिदिन हजारों टन ठोस अपशिष्ट पदार्थ को एक गड्ढे में भरकर निपटारा किया जाता है। ये ठोस अपशिष्ट पदार्थ घरों, दफ्तरों, उद्योगों तथा कृषि से सम्बन्धित विभिन्न गतिविधियों से उत्पन्न होते हैं। यदि इन ठोस अपशिष्ट का सही तरीके से निपटान नहीं किया जाता है, तो ये आस-पास की हवा में घुलकर प्रदूषण फैलाते हैं और ये मनुष्य के साथ-साथ वातावरण तथा अन्य जीव-जन्तुओं के लिए भी घातक सिद्ध होते हैं। ठोस अपशिष्ट के उत्पादन के विभिन्न स्रोत हैंः

1. **आवासीयः** घरों से ठोस अपशिष्टों का उत्पादन होता है। घरों से उत्पादित होने वाला कूड़ा-कचरा; जैसे—प्लास्टिक, कागज, शीशा, चगड़ा तथा बचा हुआ खाना इत्यादि हैं। इलेक्ट्रॉनिक्स, टायर, बैटरी तथा अन्य पुरानी चीजें भी ठोस अपशिष्ट के अन्तर्गत ही आती हैं।
2. **नगरपालिका सेवाएँः** आजकल कई देशों में नगरपालिका जो सेवाएँ देती हैं, वहाँ से भी ठोस अपशिष्ट का बहुत ज्यादा मात्रा में उत्पादन होता है। कुछ ठोस अपशिष्ट पदार्थ नगरपालिका द्वारा सेवाएँ देने के पश्चात् उत्पन्न होते हैं; जैसे—गलियों की सफाई, पार्कों का कचरा, जल-प्रबन्धन उपचार प्लाण्ट, भूस्खलन इत्यादि।
3. **निर्माण और विध्वंस क्षेत्रः** निर्माण और विध्वंस क्षेत्र से भी ठोस अपशिष्ट पदार्थों का उत्पादन होता है। नया निर्माण क्षेत्र जहाँ होता है वहाँ से काफी ज्यादा मात्रा में धूल या अपशिष्ट पदार्थ एकत्रित होते हैं। निर्माण क्षेत्र में नए भवन या इमारत, नई सड़कों का निर्माण तथा पुरानी सड़कों की मरम्मत करना इत्यादि शामिल हैं। इस प्रकार की जगह में कुछ ठोस अपशिष्ट पदार्थ शामिल हैं; जैसे—स्टील पदार्थ, रबर, कॉपर की तार, धूल तथा शीशे इत्यादि।
4. **संस्थाएँः** स्कूल, कॉलेज, सैन्य प्रतिष्ठान, बैरक तथा अन्य सरकारी संस्थाएँ ठोस अपशिष्ट को उत्पादित करती हैं। कुछ समान तरह के अपशिष्ट पदार्थों का यहाँ से उत्पादन होता है; जैसे—लकड़ी, धातु, रबर अपशिष्ट, प्लास्टिक, इलेक्ट्रॉनिक्स और विभिन्न खतरनाक वस्तुएँ ठोस अपशिष्ट के स्रोत हैं।
5. **व्यावसायिकः** व्यावसायिक सुविधाओं के अन्तर्गत मकान, होटल, बाजार, स्टोर, रेस्टोरेण्ट इत्यादि आते हैं। आज ये भी ठोस कचरा को उत्पादित करते हैं। यहाँ से प्लास्टिक, बचे हुए खाद्य पदार्थ, कागज, लकड़ी, धातु इत्यादि ठोस कचरे का उत्पादन किया जाता है।
6. **उद्योगः** ठोस कचरा उत्पादन करने में उद्योगों का योगदान सबसे ज्यादा है। भारी एवं हल्का उद्योग, विनिर्माण स्थल, कपड़ा उद्योग, रासायनिक उद्योग तथा ऊर्जा उत्पादन करने वाले उद्योग ठोस अपशिष्टों का सबसे ज्यादा उत्पादन करते हैं।
7. **कृषिः** कृषि सम्बन्धी क्षेत्र से भी ठोस कचरा का उत्पादन होता है। फसलों की खेती, दुग्ध उत्पादन तथा रासायनिक उर्वरकों से

भी खतरनाक पदार्थों का उत्पादन होता है। यदि ठोस अपशिष्ट प्रबन्ध नहीं किया जाता है, तो इससे कई बीमारियाँ पैदा होती हैं और इसका मनुष्य पर घातक प्रभाव पड़ता है। ठोस अपशिष्ट में विभिन्न उद्योगों द्वारा रासायनिक पदार्थों का निष्कासन तथा विषैले धातु इत्यादि का निष्कासन किया जाता है, जो वातावरण पर गलत प्रभाव डालता है। इससे मिट्टी की उर्वरता शक्ति पर भी प्रभाव पड़ता है तथा धरती का जल भी प्रदूषित हो जाता है।

ठोस अपशिष्ट प्रबन्धन की विधियाँ

ठोस अपशिष्ट प्रबन्धन की विधियाँ निम्नलिखित हैं:

1. **पायरोलिसिस विधि अर्थात् ताप अपघटन विधिः** इस विधि में ठोस अपशिष्ट पदार्थ को रासायनिक रूप से विघटित किया जाता है। इसमें अधिक उच्च तापमान पर अर्थात् 430°C पर ठोस अपशिष्ट पदार्थ को गैस में परिवर्तित कर दिया जाता है।
2. **स्वच्छ भराव क्षेत्रः** इस विधि में कचरे को एक पतले प्लास्टिक के कवर में बन्द कर दिया जाता है। इसके बाद कचरे को बहुत ही ज्यादा दबाव देकर मिट्टी और बालू से दबाकर भूमि के अन्दर दफन कर दिया जाता है। इस विधि द्वारा पानी को जमीन के अन्दर रिसने से रोका जा सकता है।
3. **महासागर डम्पिंग विधिः** इस विधि द्वारा ठोस अपशिष्ट का प्रबन्धन आज किया जा रहा है। इस विधि में ठोस कचरे को समुद्र के गहरे स्थानों में जाकर छोड़ दिया जाता है।
4. **उर्वरक बनानाः** अपर्याप्त जमीन उपलब्ध होने के कारण ठोस अपशिष्ट को जमीन के अन्दर दबाया नहीं जा सकता है। अतः कुछ ठोस अपशिष्ट को सड़ाकर उर्वरक के रूप में परिवर्तित कर दिया जाता है।
5. **पुनर्चक्रणः** इसमें ठोस अपशिष्ट पदार्थ को नष्ट कर पुनः उपयोग के लिए बनाया जाता है। पुनर्चक्रण से पहले अपशिष्टों को अच्छे तरीके से साफ किया जाता है, ताकि इसे बाद में पुनः उपयोग के लिए बनाया जा सके।
6. **भस्मीकरणः** भस्मीकरण ठोस अपशिष्ट को जलाने की प्रक्रिया है, जिसमें कचरे को सही प्रकार से बनाई गई भट्ठी में उचित तापमान व संचालन के तहत जलाया जाता है। भस्मीकरण एक रासायनिक प्रक्रिया है, जिसमें अपशिष्ट पदार्थ के जलने वाले भाग के कार्बन डाइ-ऑक्साइड और पानी के संयोजन से बनी ऑक्सीजन को वातावरण में छोड़ देते हैं।

■। स्मार्ट सिटी

भारत में वर्तमान जनसंख्या का 31% लोग शहरों में रहते हैं। उम्मीद है कि 2030 तक शहरी क्षेत्रों में भारत की आबादी का 40% लोग शहरों में रहेंगे और सकल घरेलू उत्पादन का योगदान 2030 तक 75% होगा। इस शहरी आबादी के वहन के लिए भौतिक, संस्थागत, सामाजिक और आर्थिक बुनियादी ढ़ाँचे की आवश्यकता है। इसके लिए निवेश के साथ-साथ राजनीतिक इच्छा शक्ति, नीतियों की आवश्यकता है। इसके लिए नये शहर बसाने के साथ-साथ वर्त्तमान शहरों को भी स्मार्ट बनाने की आवश्यकता है। हमें स्मार्ट सिटी के मापदण्ड तय करने की भी आवश्यकता है जो निम्नलिखित हैं:

- पर्याप्त पानी की आपूर्ति
- निश्चित विद्युत आपूर्ति
- मानकीकृत स्वास्थ्य एवं शिक्षा
- नागरिकों की सुरक्षा और संरक्षण, विशेष रूप से महिलाओं, बच्चों एवं बुजुर्गों की
- टिकाऊ पर्यावरण
- ई-गवर्नेंस, सुशासन, नागरिक भागिदारी, SHG, NGO आदि समूह
- कुशल शहरी गतिशीलता और सार्वजनिक परिवहन
- ठोस अपशिष्ट प्रबंधन एवं स्वच्छता
- गरीबों के लिए किफायती आवास

स्मार्ट सिटी की उपयोगिता

स्मार्ट सिटी की उपयोगिता का पता इससे चलता है कि यह भारत में सकल घरेलू उत्पाद का 75% योगदान देता है। स्मार्ट सिटी जीवन की गुणवत्ता में सुधार लाने एवं निवेश को आकर्षित करने के लिए महत्वपूर्ण है। स्मार्ट सिटी का विकास इस दिशा में एक महत्वपूर्ण कदम माना जाता है।

स्मार्ट सिटी स्मार्ट तभी हो सकता है जब हम अपने शहरों में आधुनिक तकनीक, आधुनिक शासन, आधुनिक मनोरंजन के साधन, आधुनिक व्यवसायिक केन्द्र, आधुनिक चिकित्सा केन्द्र, आधुनिक स्थापत्य का समावेश कर सकें। यह तभी होगा जब हम नवाचार का प्रयोग कर शहर को स्मार्ट बना पायेंगे।

भारत सरकार का भी इस दिशा में विशेष प्रयास है। भारत सरकार द्वारा स्मार्ट सिटी मिशन की शुरुआत 25 जून, 2015 को की गई है। इस मिशन के तहत 100 शहरों का विकास किया जाना है। इसके तहत देश के प्रत्येक राज्य/संघ शासित क्षेत्रों से न्यूनतम एक शहर को स्मार्ट सिटी के रूप में विकसित करने हेतु चुना जाना है। प्रत्येक चुने गए शहर को अगले 5 वर्षों तक 100 करोड़ प्रति वर्ष की दर से केन्द्रीय सहायता देने का प्रावधान है। इतनी ही राशि का योगदान समान आधार पर राज्यों द्वारा भी किया जाना है। शहर में एक स्थान से दूसरे स्थान तक गमन के लिए 45 मिनट से ज्यादा का समय न हो। शहर में 2 मीटर चौड़े फुटपाथ होने चाहिए। शहर में 800 मीटर की दूरी पर बस स्टॉप या मेट्रो की गमन सुविधा हो।

स्मार्ट शहरों का चयन

भारत में स्मार्ट सिटी मिशन के लिए कुल 5 चरणों में 100 शहरों का चयन किया जाना है। पहले चरण में 20 शहरों को स्मार्ट सिटी के लिए चुना

गया है। इन 20 शहरों में भुवनेश्वर शीर्ष पर रहा, जबकि पुणे, जयपुर दूसरे, तीसरे स्थान पर रहा है।

दूसरे चरण में 27 शहरों को स्मार्ट सिटी के लिए चुना गया है जिसमें अमृतसर प्रथम स्थान पर है। तीसरे एवं चौथे चरण के लिए कुल 39 शहरों को चुना गया है तथा पाँचवें चरण के लिए शिलांग को स्मार्ट सिटी के लिए प्रथम स्थान दिया गया है। ये 100 शहर का चयन एक समान मापदण्ड पर राज्यों और केन्द्रशासित प्रदेशों के बीच वितरित किया गया है।

अमृत शहर

कायाकल्प और शहरी परिवर्तन के लिए अटल मिशन (Atal Mission for Rejuvenation and Urban Transformation) योजना भारत सरकार द्वारा जून, 2015 में शुरू की गई, जिसमें बुनियादी ढाँचे पर ध्यान केन्द्रित किया गया है, जो शहरी पुनरुद्धार परियोजना को लागू करके शहरी परिवर्तन के लिए पर्याप्त मजबूत सीवेज नेटवर्क और पानी की आपूर्ति सुनिश्चित कर सके। अमृत मिशन के तहत वार्षिक कार्य योजना प्रस्तुत करने वाला राजस्थान देश का पहला राज्य है। यह योजना सार्वजनिक निजी भागीदारी मॉडल पर आधारित है। इस योजना में 5 वर्ष में 50000 करोड़ का बजट तय किया गया है।

अमृत शहर में अमृत योजना के अन्तर्गत प्रत्येक क्षेत्र का नियमित रूप से लेखा परीक्षण किया जाएगा। इसके अन्तर्गत जिन शहरों को चुना जाएगा उनमें बुनियादी सुविधाएँ; जैसे–बिजली, जलापूर्ति, मलप्रवाह पद्धति, कूड़ा प्रबन्धन, वर्षा जल संचयन, परिवहन, बच्चों के लिए पार्क आदि सुविधाएँ विकसित की जाएंगी।

इस योजना के अन्तर्गत निम्न बातों को शामिल किया गया है:

- कस्बों का विकास करने के लिए प्रत्येक क्षेत्र में नियमित रूप से लेखा परीक्षण किया जाएगा।
- बिजली का बिल, पानी का बिल, गृह कर आदि सुविधाएँ ई-गवर्नेन्स के माध्यम से सुनिश्चित की जाएँगी।
- पुराने जल आपूर्ति कनेक्शन का कायाकल्प कर नए जलापूर्ति का निर्माण किया जाएगा।
- भूमिगत मलप्रवाह पद्धति का निर्माण एवं रख-रखाव करना।
- जो राज्य बेहतर ढंग से इस योजना को आगे बढ़ाएंगे उनके लिए बजट में 10% की बढ़ोतरी की जाएगी।
- यह उसी कस्बे में लागू होगी जहाँ की जनसंख्या 1 लाख से ज्यादा होगी।
- यह ऐसे पहाड़ी क्षेत्रों या द्वीपों पर भी लागू होगी जहाँ पर्यटन की गुंजाइश हो।
- इस योजना के लिए नारा दिया गया है–"मेरा देश बदल रहा है, आगे बढ़ रहा है।"

अमृत योजना के तहत आवृत प्रदेश

अमृत योजना के तहत 500 शहरों को शामिल किया जाएगा। इसमें 1 लाख से अधिक जनसंख्या वाले सभी शहर और कस्बे शामिल होंगे।

ऐसे 13 शहर जो नदी के किनारे बसे हों और जिनकी जनसंख्या 75 हजार से अधिक हो और 1 लाख से कम जनसंख्या वाले शहर भी इस योजना में शामिल किए जाएंगे। प्रत्येक राज्य में कम-से-कम 1 या 10 शहर जो पहाड़ी इलाके एवं द्वीप हों जहाँ पर्यटन की गुंजाइश ज्यादा हो।

अमृत शहर के घटक

अमृत शहर के घटक निम्न प्रकार हैं:

- **जलापूर्ति:** शहर में मौजूद वर्तमान जलापूर्ति में जल शोधन संयन्त्र के साथ सुधार लाना और वहाँ मीटर लगाना चाहिए। वर्षा से होने वाले जल को संग्रह करके रखना एवं भूमिगत जल पुनः भरण के लिए जलाशय का उद्धार करना। जहाँ जल की गुणवत्ता अच्छी नहीं है वहाँ पीने के पानी की उपलब्धता सुनिश्चित करना।
- **मलप्रवाह पद्धति:** मौजूदा मलप्रवाह पद्धति में सुधार लाकर उसे मलकुण्ड से जोड़ना तथा जहाँ मलप्रवाह पद्धति की सुविधा नहीं है वहाँ मलप्रवाह पद्धति का कनेक्शन लगवाना। अमृत योजना के तहत गटर व्यवस्थापन को ऐसा बनाना है, जिससे पानी और ठोस जल का फिर से उपयोग हो सके।
- **वर्षा जल का संग्रह और निष्कासन:** बाढ़ के प्रभाव को कम करने के लिए वर्षा के जल का समुचित ढंग से संग्रह करना चाहिए, ताकि विपरीत स्थिति में उस जल का उपयोग किया जा सके। जलाशयों का निर्माण कर वर्षा जल का संग्रह करना तथा पुराने जलाशयों का पुनरुद्धार करना अमृत योजना का लक्ष्य है।
- **ठोस अपशिष्ट पदार्थ का प्रबन्धन:** जैविक सफाई द्वारा कचरा को साफ कर उसे फिर से प्रयोग हेतु तैयार करना।
- **शहरी परिवहन:** नदी से जुड़े इलाकों के परिवहन के लिए जलायान की सुविधा उपलब्ध करवाना। अमृत शहर के लिए बहुस्तरीय पार्किंग की व्यवस्था करना तथा पैदल मार्ग की सुविधा उपलब्ध करवाना।

बहुविकल्पीय प्रश्नोत्तर

1. निम्नलिखित में से कौन राज्य सरकार के अधिक सुविधाजनक कार्य संचालन के संबंध में नियम बनाने के लिए प्राधिकृत है?

A. राज्यपाल B. विधानमंडल
C. मुख्यमंत्री D. मुख्य सचिव

2. नीचे दो कथन दिए गए हैं : एक अभिकथन (A) के रूप में लिखित है तो दूसरा उसके कारण (R) के रूप में :

अभिकथन (A) : संगठन के लोकशाही और उत्तर फोर्टवादी धारणा के आधार पर नव स्थानीय शासन ने खपवाद (Formation) की अपेक्षा नेटवर्क और वार्ता को प्रोत्साहित किया।

कारण (R) : नव स्थानीय शासन में, संस्थानों को विकास का केंद्र माना जाता है।

उपरोक्त कथन के आलोक में, नीचे दिए गए विकल्पों में से सही उत्तर का चयन कीजिए :

A. (A) और (R) दोनों सत्य हैं और (R), (A) की सही व्याख्या है

B. (A) और (R) दोनों सत्य हैं, लेकिन (R), (A) की सही व्याख्या नहीं है

C. (A) सत्य है, लेकिन (R) असत्य है

D. (A) असत्य है, लेकिन (R) सत्य है

3. निम्नलिखित में से कौन-सा कथन ग्रामीण-शहरी अविच्छिन्नक (Continuum) की अवधारणा के बारे में सही है?

A. इसका अर्थ है कि गांव और कस्बे द्विभाजित (अलग-अलग) इकाइयाँ हैं

B. इसका अर्थ है कि गांव और कस्बे अंतर-संबंधित हैं, फिर भी एक-दूसरे से भिन्न हैं

C. यह शहरीकरण की प्रक्रिया दर्शाती है

D. इसका अर्थ ग्रामीण लोगों का शहरों और शहरी लोगों का गांवों में प्रवासन है

4. सूची-I के साथ सूची-II का मिलान कीजिए :

सूची-I (पद)	**सूची-II (कार्य)**
(a) हाई दीवान	*(i)* धर्मस्व निधि और परोपकार
(b) आला सदर	*(ii)* सार्वजनिक नैतिकता
(c) मुहतासिब	*(iii)* राजकोष और राजस्व
(d) शाही बक्शी	*(iv)* सैनिक खाते

नीचे दिए गए विकल्पों में से सही उत्तर का चयन कीजिए :

	(a)	*(b)*	*(c)*	*(d)*
A.	*(i)*	*(ii)*	*(iii)*	*(iv)*
B.	*(iii)*	*(i)*	*(ii)*	*(iv)*
C.	*(iii)*	*(ii)*	*(iv)*	*(i)*
D.	*(i)*	*(iv)*	*(iii)*	*(ii)*

5. निम्नलिखित में से कौन-से कथन पंचायती राज संस्थाओं में जनसंख्या के कुछ वर्गों के प्रतिनिधित्व के लिए सीटों को आरक्षित करने के बारे में सही है?

(a) राज्य में एस.सी. की जनसंख्या के अनुसार उनके लिए आरक्षण करना।

(b) अनुसूचित जनजातियों के लिए सीटों का आरक्षण उनसे संबंधित पंचायत क्षेत्र से जुड़ा हुआ है।

(c) पिछड़े वर्गों के लिए सीटों का आरक्षण उनकी जनसंख्या के साथ आवश्यक रूप से जुड़ा हुआ नहीं है।

नीचे दिए गए विकल्पों में से सबसे उपयुक्त उत्तर का चयन कीजिए :

A. *(a)*, *(b)* और *(c)* B. केवल *(a)* और *(b)*

C. केवल *(a)* और *(c)* D. केवल *(b)* और *(c)*

6. जिला में पंचायतों और नगर पालिकाओं द्वारा तैयार की गई योजनाओं को समेकित करने का प्राधिकार किस अभिकरण को प्राप्त है?

A. राज्य योजना बोर्ड B. जिला योजना समिति

C. जिला योजना विभाग D. राज्य योजना विभाग

7. निम्नलिखित में से कौन-सी शक्ति राज्यपाल के क्षेत्राधिकार में नहीं है?

A. एडवोकेट जनरल को नियुक्त करने की शक्ति

B. विधानसभा के विघटन की शक्ति

C. मंत्रिपरिषद के गठन की शक्ति

D. विधानमंडल द्वारा पारित विधेयकों को स्वीकृति प्रदान करने की शक्ति

8. यदि राज्यपाल का पद अचानक रिक्त हो जाए तो उस पद का उत्तराधिकारी कौन होगा?

A. विधान परिषद का सभापति

B. विधान सभा का अध्यक्ष

C. राज्यपाल का आयुक्त

D. संबंधित राज्य के उच्च न्यायालय के मुख्य न्यायाधीश

9. निम्नलिखित कथनों पर विचार कीजिए :

(a) राष्ट्रीय अनुसूचित जाति आयोग के पास सिविल कोर्ट के समान शक्तियां हैं।

(b) राष्ट्रीय अनुसूचित जाति आयोग के पास क्रिमिनल कोर्ट के समान शक्तियां हैं।

(c) राष्ट्रीय अनुसूचित जाति आयोग के पास सिविल कोर्ट और क्रिमिनल कोर्ट के समान शक्तियां हैं।

(d) राष्ट्रीय अनुसूचित जाति आयोग के पास सिविल कोर्ट के रूप में कार्य करने की शक्ति नहीं है।

नीचे दिए गए विकल्पों में से सही उत्तर का चयन कीजिए :

A. केवल *(a)* B. केवल *(a)* और *(b)*

C. केवल *(b)* और *(c)* D. केवल *(c)* और *(d)*

10. निम्नलिखित में से कौन-सा अनिवार्य प्रावधान 73वें संविधान संशोधन, 1992 में है?

(a) पंचायतीराज संस्थाओं में महिलाओं के लिए एक-तिहाई आरक्षण का प्रावधान।

(b) पंचायतीराज संस्थाओं में पिछड़े वर्ग के लिए एक-तिहाई आरक्षण का प्रावधान।

(c) पंचायत का चुनाव लड़ने के लिए न्यूनतम निर्धारित आयु 21 वर्ष संबंधी प्रावधान।

(d) संविधान के ग्यारहवें अनुसूची में सूचीबद्ध सभी 29 कार्य मद अथवा उनमें से कुछ कार्यों को करने का प्रावधान।

नीचे दिए गए विकल्पों में से सही उत्तर का चयन कीजिए :
A. केवल (*a*) और (*c*)
B. केवल (*a*), (*b*) और (*d*)
C. केवल (*a*), (*b*) और (*c*)
D. केवल (*a*), (*c*) और (*d*)

11. सूची-I के साथ सूची-II का मिलान कीजिए :

सूची-I (संवैधानिक प्रावधान)	सूची-II (उद्देश्य)
(*a*) 243 I	(*i*) शहरी निकायों में अनुसूचित जाति और जन जाति के आरक्षण
(*b*) 243 C	(*ii*) ग्राम सभा
(*c*) 243 T	(*iii*) राज्य वित्त आयोग
(*d*) 243 A	(*iv*) पंचायतों का गठन

नीचे दिए विकल्पों में से सही उत्तर का चयन कीजिए :

	(*a*)	(*b*)	(*c*)	(*d*)
A.	(*iii*)	(*iv*)	(*i*)	(*ii*)
B.	(*ii*)	(*iv*)	(*iii*)	(*i*)
C.	(*iii*)	(*ii*)	(*i*)	(*iv*)
D.	(*iv*)	(*i*)	(*ii*)	(*iii*)

12. निम्नलिखित में से कौन-सा 24 अप्रैल को राष्ट्रीय पंचायती राज दिवस के रूप में मनाने का कारण है?
A. भारत के प्रथम प्रधानमंत्री के पंचायती राज में योगदान की सराहना करना
B. सामुदायिक विकास कार्यक्रम के प्रारंभ का स्मरण करना
C. बलवंत राय मेहता के जन्मदिवस की स्मृति में
D. 73वें संविधान संशोधन अधिनियम के लागू किए जाने के उपलक्ष्य में मनाना

13. 73वें संविधान संशोधन अधिनिगम के अनुसार ग्राम सभा के संबंध में निम्नलिखित में से कौन-सा कथन सही नहीं है?
A. इसने इस जमीनी संस्था को संवैधानिक दर्जा दिया।
B. इस संस्था की प्रत्येक माह दो बैठकें अवश्य बुलाई जानी चाहिए अन्यथा सरपंच के पद को रिक्त घोषित कर दिया जाएगा।
C. यह विविध ग्रामीण विकास स्कीमों के क्रियान्वयन में अपने क्षेत्र की पंचायत की सहायता करती है।
D. ग्राम पंचायत सचिव इसका भी सचिव होता है।

14. जिला परिषद् (डिस्ट्रिक्ट डेवलपमेंट काउंसिल) के अध्यक्ष को निम्नलिखित में से किस राज्य में जिला प्रधान के रूप में जाना जाता है?
A. मध्य प्रदेश B. हरियाणा
C. ओडिशा D. पंजाब

15. पंचायतों के लिए सर्वप्रथम संवैधानिक मान्यता की मांग करने वाली समिति की पहचान करें :
A. अशोक मेहता समिति
B. एल.एम. सिंघवी समिति
C. जी.वी.के. राव समिति
D. गिरधारीलाल व्यास समिति

16. निम्नलिखित में से कौन-से 73वें संविधान संशोधन अधिनियम के अनिवार्य उपबंध सही तरीके से सूचीबद्ध किए गए हैं?
(*a*) प्रत्येक राज्य हर पाँच वर्ष पर एक राज्य वित्त आयोग की स्थापना करेगा।
(*b*) पंचायती राज संस्थाओं (पी.आर.आई.) का पांच वर्ष का कार्यकाल निश्चित किया गया।
(*c*) स्थानीय निकायों में संघ और राज्य विधानमंडलों के सदस्यों को मतदान का अधिकार होगा।
(*d*) ग्राम सभा का आयोजन।
नीचे दिए गए विकल्पों में से सही उत्तर चुनिए :
A. केवल (*a*) और (*b*)
B. केवल (*a*), (*b*) और (*c*)
C. केवल (*b*), (*c*) और (*d*)
D. केवल (*a*), (*b*) और (*d*)

17. सूची-I को सूची-II के साथ सुमेलित कीजिए :

सूची-I (जिला परिषद् का नाम)	सूची-II (राज्य)
(*a*) महकमा परिषद्	(*i*) आंध्र प्रदेश
(*b*) जिला विकास परिषद्	(*ii*) असम
(*c*) जिला प्रजा परिषद्	(*iii*) गुजरात
(*d*) जिला पंचायत	(*iv*) तमिलनाडु

नीचे दिए गए विकल्पों में से सही उत्तर चुनिए :

	(*a*)	(*b*)	(*c*)	(*d*)
A.	(*ii*)	(*iv*)	(*i*)	(*iii*)
B.	(*iv*)	(*ii*)	(*iii*)	(*i*)
C.	(*iv*)	(*i*)	(*ii*)	(*iii*)
D.	(*i*)	(*iii*)	(*iv*)	(*ii*)

18. सूची-I को सूची-II के साथ सुमेलित कीजिए :

सूची-I (संवैधानिक निकाय)	सूची-II (अनुच्छेद)
(*a*) राज्य निर्वाचन आयोग	(*i*) अनुच्छेद 243-I
(*b*) राज्य वित्त आयोग	(*ii*) अनुच्छेद 243-K
(*c*) जिला योजना समिति	(*iii*) अनुच्छेद 243 D
(*d*) महानगर समिति	(*iv*) अनुच्छेद 243 E

नीचे दिए गए विकल्पों में से सही उत्तर चुनिए :

	(*a*)	(*b*)	(*c*)	(*d*)
A.	(*i*)	(*ii*)	(*iii*)	(*iv*)
B.	(*ii*)	(*i*)	(*iii*)	(*iv*)
C.	(*iii*)	(*iv*)	(*i*)	(*ii*)
D.	(*iv*)	(*iii*)	(*ii*)	(*i*)

19. भारतीय संविधान के निम्नलिखित अनुच्छेदों को उनके प्रावधानों से सुमेलित कीजिए :

सूची-I	सूची-II
(*a*) अनुच्छेद 243 क	(*i*) ग्राम सभा के अधिकार एवं कर्तव्य
(*b*) अनुच्छेद 243 ख	(*ii*) अनुसूचित जातियों एवं अनुसूचित जनजातियों के लिए पंचायत में सीटों का आरक्षण
(*c*) अनुच्छेद 243 ग	(*iii*) त्रिस्तरीय पंचायती राज व्यवस्था
(*d*) अनुच्छेद 243 घ	(*iv*) पंचायत की संरचना

नीचे दिए गए विकल्पों में से सही उत्तर चुनिए :

	(*a*)	(*b*)	(*c*)	(*d*)
A.	(*i*)	(*ii*)	(*iii*)	(*iv*)
B.	(*ii*)	(*i*)	(*iv*)	(*iii*)
C.	(*iii*)	(*iv*)	(*ii*)	(*i*)
D.	(*i*)	(*iii*)	(*iv*)	(*ii*)

20. नीचे दो कथन दिए गए हैं।

कथन (I) : राज्यपाल अपने विवेकाधिकार का उपयोग उस स्थिति में करता है जब किसी मुख्यमंत्री का निधन हो जाए परंतु कोई स्पष्ट उत्तराधिकारी न हो।

कथन (II) : राज्यपाल अपने विवेकाधिकार का उपयोग राज्य के समीपस्थ केन्द्र शासित प्रदेशों में एक प्रशासक के रूप में अपने दायित्वों का निर्वहन करने के लिए भी करता है।

उपर्युक्त कथनों के आलोक में निम्नांकित विकल्पों में से सर्वाधिक उपयुक्त उत्तर चुनें :

A. कथन (I) और (II) दोनों सही हैं।
B. कथन (I) और (II) दोनों गलत हैं।
C. कथन (I) सत्य है, किंतु कथन (II) गलत है।
D. कथन (I) असत्य है, किंतु कथन (II) सही है।

21. किस संवैधानिक संशोधन अधिनियम ने राज्यपाल को राज्यों के लिए विधानसभाओं में एंग्लो-इंडियन को नामित करने का अधिकार दिया था?

A. 21वाँ संवैधानिक संशोधन अधिनियम
B. 22वाँ संवैधानिक संशोधन अधिनियम
C. 23वाँ संवैधानिक संशोधन अधिनियम
D. 24वाँ संवैधानिक संशोधन अधिनियम

22. निम्नलिखित में से किस मामले में किसी राज्य का राज्यपाल मंत्रिमंडल की सलाह के बिना कार्य कर सकता है?

(*a*) अनुच्छेद 200 के तहत राष्ट्रपति के विचार के लिए एक विधेयक का आरक्षण।
(*b*) अनुच्छेद 356 के तहत राष्ट्रपति को एक रिपोर्ट सौंपना।
(*c*) वे मामले जिस पर उसे अपनी विशेष जिम्मेदारी निभानी है।
(*d*) एक व्यक्तिगत मंत्री की बर्खास्तगी।

सही विकल्प चुनें:

A. (*a*), (*b*), (*c*) और (*d*)
B. (*a*), (*b*) और (*c*)
C. (*a*), (*c*) और (*d*)
D. (*b*), (*c*) और (*d*)

23. निम्नलिखित समितियों का उनकी सिफारिश के साथ मिलान करें:

(*a*) बलवंत राय मेहता समिति	(*i*) दो स्तरीय पंचायती राज व्यवस्था की स्थापना
(*b*) अशोक मेहता समिति	(*ii*) पंचायती राज के चुनाव
(*c*) जी.वी.के. राव समिति	(*iii*) पीआरआई नियमित रूप से गठित होनी चाहिए
(*d*) एल.एम. सिंघवी समिति	(*iv*) पीआरआई के तीन स्तरीय प्रणाली की स्थापना

सही विकल्प चुनें:

	(*a*)	(*b*)	(*c*)	(*d*)
A.	(*i*)	(*ii*)	(*iii*)	(*iv*)
B.	(*iv*)	(*i*)	(*ii*)	(*iii*)
C.	(*ii*)	(*iv*)	(*i*)	(*iii*)
D.	(*i*)	(*iii*)	(*ii*)	(*iv*)

24. निम्नलिखित में से किस प्रशासनिक संस्थान को राज्य प्रशासन का तंत्रिका केंद्र कहा जाता है?

A. राज्य सचिवालय B. राज्य निदेशालय
C. मंडलीय आयुक्त D. जिला समाहरणालय

25. निम्नलिखित में से कौन एक राज्य के मुख्यमंत्री का कार्य नहीं है?

A. राज्य के मंत्रिपरिषद में नियुक्त करने के लिए अपने पार्टी अध्यक्ष को नामों की सिफारिश करना
B. मंत्रियों के विभागों को आवंटित करने के लिए नामों की सिफारिश करना
C. राज्य के मंत्रिपरिषद की बैठकों की अध्यक्षता करना
D. मंत्रियों की गतिविधियों का मार्गदर्शन, नियंत्रण और समन्वय करना

26. निम्नलिखित में से किस केंद्रीय मंत्रालय ने नए ठोस अपशिष्ट प्रबंधन नियम (एसडब्ल्यूएम), 2016 को अधिसूचित किया?

A. शहरी विकास मंत्रालय
B. योजना मंत्रालय
C. विज्ञान और प्रौद्योगिकी मंत्रालय
D. पर्यावरण, वन और जलवायु परिवर्तन मंत्रालय

27. निम्नलिखित में से कौन-सा संस्थान पंचायती राज संस्थाओं के चुनाव आयोजित करता है?

A. भारत निर्वाचन आयोग
B. राज्य चुनाव आयोग
C. जिला कलेक्टर
D. पंचायती राज के आयुक्त/निदेशक

28. निम्नलिखित में से किस आयोग ने सिफारिश की कि राज्य के राज्यपाल का चयन करते समय प्रधानमंत्री को उपराष्ट्रपति और लोकसभाध्यक्ष से सलाह लेनी चाहिए?

A. पहला प्रशासनिक सुधार आयोग
B. दूसरा प्रशासनिक सुधार आयोग
C. सरकारिया आयोग
D. पुंछी आयोग

29. निम्नलिखित में से कौन-से पुनर्जीवन/कायाकल्प और शहरी परिवहन के लिए अटल मिशन की विशेषताएं हैं?

(*a*) यह सुनिश्चित करना कि हर घर में पानी के नल की पहुंच है।
(*b*) हरियाली को अच्छी तरह से बनाए रखने वाले खुले स्थानों (उदाहरण, पार्क) को विकसित करके शहरों की एमेनिटी वैल्यू बढ़ाना।
(*c*) प्रदूषण को कम करना।
(*d*) विरासत स्थलों का नवीनीकरण करना।

सही विकल्प चुनें:

A. (*a*), (*b*) और (*d*)
B. (*c*), (*b*) और (*d*)
C. (*a*), (*b*) और (*c*)
D. (*d*), (*c*) और (*a*)

30. भारत के संविधान के किस अनुच्छेद के तहत, राज्य का राज्यपाल मुख्यमंत्री को कोई भी मामला जिस पर मंत्रियों द्वारा निर्णय लिया गया हो, लेकिन जिसे परिषद द्वारा नहीं माना गया है, को मंत्रिपरिषद के विचार के लिए प्रस्तुत करने के लिए कह सकता है?

A. अनुच्छेद 200
B. अनुच्छेद 201
C. अनुच्छेद 167(a)
D. अनुच्छेद 167(c)

31. निम्नलिखित में से किस राज्य ने युवा स्वाभिमान योजना शुरू की है जो शहरी क्षेत्रों में आर्थिक रूप से कमजोर वर्ग के युवाओं को हर साल 100 दिन के रोजगार की गारंटी देता है?

A. हिमाचल प्रदेश
B. मध्य प्रदेश
C. असम
D. त्रिपुरा

32. निम्नलिखित में से कौन-सा जिला समाहर्ता के बारे में कथन सही है?

(*a*) द्वितीय प्रशासनिक सुधार आयोग ने जिला समाहर्ता को विकास कार्यों से दूर रखने का सुझाव दिया है।
(*b*) विभिन्न राज्यों के 1993 और 1994 के पंचायती राज अधिनियमों के बाद विकास प्रशासन में जिला समाहर्ताओं की भूमिका कम हो गई है।
(*c*) जिला समाहर्ता की वार्षिक गोपनीय रिपोर्ट जिले के संसद सदस्य द्वारा लिखी जाती है।
(*d*) जिला समाहर्ता चुनावों के संचालन की देख-रेख करता है।

नीचे दिए गए कूट से **सही** उत्तर का चयन कीजिए :

A. (*b*) और (*d*)
B. (*a*), (*b*) और (*d*)
C. (*c*) और (*d*)
D. (*a*) और (*d*)

33. राज्य चुनाव आयोग (SECs) के बारे में निम्नलिखित में से कौन-सा कथन गलत है?

A. संविधान के 74वें संशोधन अधिनियम, 1922 द्वारा SECs की स्थापना की गई है।
B. स्थानीय स्व-शासन के लिए अनुच्छेद 243K में SECs के लिए अलग प्रावधान किए गए हैं।
C. SECs के कार्यों को पूरा करने के लिए, राज्य सरकारें संबंधित राज्यों में ECI के तहत काम करने वाली चुनावी मशीनरी का उपयोग कर सकती हैं।
D. भारत निर्वाचन आयोग (ECI) और राज्य निर्वाचन आयोगों (SECs) के बीच भूमिकाओं का पूर्ण पृथक्करण है।

34. नीचे दो सूचियाँ दी गई हैं। सूची-I में संवैधानिक प्रावधान तथा सूची-II में अनुच्छेद हैं। इन दोनों सूचियों को सुमेलित कीजिए और नीचे दिए गए कूट का प्रयोग करते हुए सही उत्तर को चुनिए:

सूची-I (संवैधानिक प्रावधान)	**सूची-II (अनुच्छेद)**
(*a*) नगरपालिकाओं का गठन	(*i*) अनुच्छेद 243 J
(*b*) नगरपालिकाओं में सीटों का आरक्षण	(*ii*) अनुच्छेद 243 U
(*c*) पंचायतों के लेखाओं की संपरीक्षा	(*iii*) अनुच्छेद 243 Q
(*d*) नगरपालिकाओं की अवधि	(*iv*) अनुच्छेद 243 T

कूट :

	(*a*)	(*b*)	(*c*)	(*d*)
A.	(*iv*)	(*iii*)	(*i*)	(*ii*)
B.	(*iii*)	(*iv*)	(*i*)	(*ii*)
C.	(*ii*)	(*i*)	(*iv*)	(*iii*)
D.	(*iii*)	(*ii*)	(*iv*)	(*i*)

35. निम्नलिखित में से कौन PESA अधिनियम, 1996 से संबंधित है?

A. पंचायतों की वित्तीय शक्ति बढ़ाना
B. PRIs की शक्तियों और कार्यों को बढ़ाना
C. अनुसूचित क्षेत्रों में पंचायती राज का विस्तार करना
D. पंचायतों द्वारा कर्मियों की भर्ती करने की शक्तियाँ प्रदान करना

36. निम्नलिखित में से कौन-सा कथन राज्य के मंत्रिपरिषद के संबंध में सही है?

A. उच्च न्यायालय के मुख्य न्यायाधीश द्वारा मंत्रियों को गोपनीयता की शपथ दिलाई जाती है।
B. मंत्री गोपनीयता की शपथ से तब तक बंधे होते हैं जब तक वे मंत्रिमंडल का हिस्सा होते हैं।
C. केवल उच्चतर न्यायपालिका के पास मंत्रिमंडल की बैठक के विचार-विमर्श के विवरण की मांग करने की शक्ति है।
D. कैबिनेट के किसी भी निर्णय का समय से पहले लीक होने से सरकार की वैधता का क्षरण हो सकता है।

37. निम्नलिखित में से किसे भारत में शहरी स्थानीय स्वशासन के विकास में स्थानीय स्वशासन का मैग्नाकार्टा कहा जाता है?

A. 1720 का रॉयल चार्टर
B. 1850 के अधिनियम द्वारा स्थानीय समितियों का गठन

C. रिपन का 1882 का संकल्प
D. भारत सरकार अधिनियम, 1919

38. निम्नलिखित में से कौन-सा कथन राज्य वित्त आयोगों (SFC) के बारे में गलत है?
A. अनुच्छेद 243 I के तहत SFC प्रदान किए गए हैं।
B. SFC उन निधियों को वितरित करता है जो राज्य के स्थानीय निकायों के बीच केंद्र सरकार से प्राप्त होते हैं।
C. स्थानीय निकायों को निधियों के उचित विचलन के लिए उपाय सुझाने के द्वारा ग्रामीण और शहरी क्षेत्रों में न्यूनतम आवश्यक सेवाओं को बढ़ावा देने के लिए SFC को सौंपा गया है।
D. यह देश में राजकोषीय संघवाद को बढ़ाने में मदद करता है।

39. निम्नलिखित में से कौन-सा एक अनुसूचित क्षेत्रों तक पंचायतों का विस्तार अधिनियम, 1996 के अंतर्गत ग्राम सभा/पंचायतों की शक्तियों के बारे में सही नहीं है?
A. भूमि अधिग्रहण में अनिवार्य परामर्श का अधिकार
B. ग्रामीण बाजारों का प्रबंधन
C. अ.ज.जा./अ.जा. और अ.पि.व. को कर्ज देने पर नियंत्रण
D. मादक द्रव्यों की बिक्री और उपभोग संबंधी विनियमन

40. निम्नलिखित में से कौन-सी संस्था मनरेगा के सामाजिक अंकेक्षण के लिए उत्तरदायी है?
A. पंचायत समिति B. जिला परिषद्
C. ग्राम सभा D. ग्राम पंचायत

41. निम्नलिखित में से किस संशोधन द्वारा राज्य लोक सेवा आयोग के अध्यक्ष और सदस्यों के सेवानिवृत्ति की आयु 60 से बढ़ाकर 62 वर्ष की गई है?
A. 41वाँ B. 39वाँ
C. 42वाँ D. 40वाँ

42. निम्नलिखित में से कौन-सा एक 'वाश' कार्यक्रम तक पहुँच में शामिल नहीं है?
A. सुरक्षित जल
B. समुचित स्वास्थ्यकर स्थितियाँ
C. बिजली की आपूर्ति
D. पर्याप्त स्वच्छता

43. भारत में राष्ट्रीय रुरबन मिशन का उद्देश्य निम्नलिखित में से क्या नहीं है?
A. स्थानीय आर्थिक विकास
B. विरासत स्थलों की सुरक्षा
C. सुनियोजित रुरबन समूहों की स्थापना
D. ग्रामीण आधारभूत संरचना विकास

44. त्रि शून्य-शून्य जीवाश्म ईंधन ऊर्जा, शून्य अपशिष्ट और शून्य उत्सर्जन आधारित सिद्धांत कहलाता है:
A. हरित शहरवाद B. विकसित शहरवाद
C. संतुलित शहरवाद D. समझदार शहरवाद

45. भारत में निम्नलिखित में से कौन-सा शहर लाइव इंडेक्स रिपोर्ट-2018 के अनुसार रहने के लिए सबसे बेहतर है:
A. इंदौर B. चंडीगढ़
C. तिरुपति D. पुणे

46. 74वें संवैधानिक संशोधन अधिनियम के तहत, नगर निगम का मेयर बनने हेतु न्यूनतम आयु सीमा क्या है?
A. 30 वर्ष B. 18 वर्ष
C. 25 वर्ष D. 21 वर्ष

47. संविधान का कौन-सा भाग यह उपबंध करता है कि प्रत्येक पंचायत अपने प्रथम बैठक की नियत तिथि से पाँच वर्ष तक जारी रहेगा और इसके आगे नहीं?
A. अनुच्छेद 243 ई
B. अनुच्छेद 243 बी
C. अनुच्छेद 243 ए
D. अनुच्छेद 243 सी

48. निम्नलिखित में से यू.के. में नागरिक अधिकार पत्र की कौन-सी विशेषता **नहीं** है?
A. इसमें कामगारों की माँग निहित है।
B. नव-उदार नीतिशास्त्र के भाग के रूप में ब्रिटेन में नागरिक अधिकार पत्र की अवधारणा विकसित हो चुकी थी।
C. इसका लक्ष्य सेवा प्रदायी समूहों का बेहतर प्रबंधन करना है।
D. यह इब्बस प्रतिवेदन पर आधारित था।

49. स्वच्छ भारत मिशन का लक्ष्य कब तक भारत को खुले में शौच मुक्त (ओ.डी.एफ.) करने का था?
A. 2 अक्टूबर, 2020 B. 2 अक्टूबर, 2019
C. 30 जनवरी, 2022 D. 30 जनवरी, 2021

50. X, Y तथा Z राज्यों में P, R और T पंचायत हैं और Q, S एवं U शहरी प्रशासन हैं। निम्नलिखित में से कौन-सा कथन 14वें वित्त आयोग द्वारा की गयी सिफारिश के अनुसार मूलभूत और कार्य-निष्पादन अनुदान के रूप में सही है?
A. राज्य 'X' का 'R' कार्य-निष्पादन अनुदान के रूप में 20% प्राप्त करेगा
B. राज्य 'X' का 'P' कार्य-निष्पादन अनुदान के रूप में 15% प्राप्त करेगा
C. राज्य 'Y' का 'S' मूलभूत अनुदान के रूप में 80% प्राप्त करेगा।
D. राज्य 'Y' का 'U' मूलभूत अनुदान के रूप में 90% प्राप्त करेगा।

51. "जिला कलेक्टर एक ऐसा कछुआ है जिसकी पीठ पर हाथी सवारी करते हैं।" यह कथन किसका है?
A. रैम्से मैक्डोनाल्ड B. ए.डी. गोरवाला
C. जॉन मोन्टगोमरी D. रैम्जे म्योर

52. नीति आयोग के संदर्भ में निम्नलिखित में से क्या सही है?
A. एक लाईन अभिकरण
B. एक संवैधानिक अभिकरण
C. एक स्टॉफ अभिकरण
D. एक सहायक अभिकरण

53. 'आयुष्मान भारत योजना' (एन.एच.पी.एस) के बारे में निम्नलिखित पर विचार कीजिए:
(*a*) इसे 25 सितम्बर, 2018 में आरंभ किया गया।
(*b*) इसका लक्ष्य पूरे देश में लगभग 1.5 लाख स्वास्थ्य और आरोग्य केन्द्र स्थापित करना है।
(*c*) यह ₹ 5 लाख तक का स्वास्थ्य बीमा सुरक्षा प्रति परिवार प्रति वर्ष उपलब्ध कराता है।
(*d*) इस योजना में लगभग 10 करोड़ निर्धन और कमजोर परिवारों को शामिल किया जाएगा।

कूटः
A. (*a*), (*b*), (*c*) और (*d*) B. (*a*), (*c*) और (*d*)
C. (*a*), (*b*) और (*d*) D. (*b*), (*c*) और (*d*)

54. स्थानीय सरकार की ''पेरिश काउंसिल'' कहां पाई जाती है?
A. संयुक्त राज्य अमेरिका B. जापान
C. इंग्लैंड D. जर्मनी

55. राज्य वित्त आयोग निम्न में से क्या है?
A. विधि प्राधिकारी B. प्रशासनिक प्राधिकारी
C. नियामक प्राधिकारी D. संवैधानिक प्राधिकारी

56. निम्न में से किसने ग्राम को 'स्थानियतावाद की हौदी और अज्ञानता के अड्डे' के सिवाय कुछ भी न होने के रूप में वर्णन किया था?
A. बाबू राजेन्द्र प्रसाद B. बी.आर. अंबेडकर
C. महात्मा गाँधी C. चार्ल्स मेटकॉफ

57. निम्न में से किन्हें राज्य के राज्यपाल की विवेकाधीन शक्तियां माना जाता है?
(*a*) विधान सभा में किसी भी दल का पूर्ण बहुमत न होने पर मुख्यमंत्री की नियुक्ति
(*b*) विधान सभा के अध्यक्ष (स्पीकर) की नियुक्ति
(*c*) मंत्री की बर्खास्तगी
(*d*) विधान सभा द्वारा पारित विधेयक को स्वीकृति देना
नीचे दिए गए विकल्पों में से **सही** उत्तर का चयन कीजिए।
A. (*a*), (*b*), (*c*), (*d*) B. केवल (*a*), (*b*), (*c*)
C. केवल (*a*) और (*d*) D. केवल (*b*) और (*c*)

58. मुख्य सचिव पद हेतु, किसी अधिकारी का चयन करने के समय पर निम्न में से किन कारकों पर विचार किया जाता है?
(*a*) वरिष्ठता
(*b*) सेवा रिकार्ड, कार्य निष्पादन व मेरिट
(*c*) मुख्यमंत्री का विश्वास
(*d*) मंत्रीमंडल सचिव का परामर्श
नीचे दिए गए विकल्पों में से **सही** उत्तर का चयन कीजिए।
A. केवल (*a*) B. केवल (*a*) और (*b*)
C. केवल (*a*), (*b*) और (*c*) D. (*a*), (*b*), (*c*) और (*d*)

59. सूची-I के साथ सूची-II का मिलान कीजिए।

सूची-I	सूची-II
(*a*) राज्यपाल के पद का कार्यकाल	(*i*) अनुच्छेद-154
(*b*) राज्यपाल के पद की शर्तें	(*ii*) अनुच्छेद-156
(*c*) क्षमादान की राज्यपाल की शक्तियां	(*iii*) अनुच्छेद-158
(*d*) राज्य की कार्यकारी शक्ति	(*iv*) अनुच्छेद-161

नीचे दिए गए विकल्पों में से **सही** उत्तर का चयन कीजिए:

	(*a*)	(*b*)	(*c*)	(*d*)
A.	(*iv*)	(*i*)	(*iii*)	(*ii*)
B.	(*iii*)	(*ii*)	(*i*)	(*iv*)
C.	(*ii*)	(*iii*)	(*iv*)	(*i*)
D.	(*i*)	(*iv*)	(*iii*)	(*ii*)

60. सूची-I के साथ सूची-II का मिलान कीजिए।

सूची-I	सूची-II
(*a*) महानगर नियोजन समिति	(*i*) अनुच्छेद 243Z
(*b*) जिला नियोजन समिति	(*ii*) अनुच्छेद 243ZA
(*c*) नगरपालिकाओं के लेखों की लेखा परीक्षा	(*iii*) अनुच्छेद 243ZD
(*d*) नगरपालिकाओं के निर्वाचन	(*iv*) अनुच्छेद 243ZE

नीचे दिए गए विकल्पों में से **सही** उत्तर का चयन कीजिए:

	(*a*)	(*b*)	(*c*)	(*d*)
A.	(*iii*)	(*iv*)	(*ii*)	(*i*)
B.	(*iv*)	(*iii*)	(*i*)	(*ii*)
C.	(*ii*)	(*i*)	(*iii*)	(*iv*)
D.	(*iv*)	(*ii*)	(*i*)	(*iii*)

61. सूची-I के साथ सूची-II का मिलान कीजिए।

सूची-I (मिशन)	सूची-II (प्रयोजन)
A. इंद्रधनुष	(*i*) शहरी अवसंरचनाओं को रूपांतरित करना
B. अमृत	(*ii*) नवोन्मेष और उद्यमशीलता की संस्कृति
C. डिजिटल इंडिया	(*iii*) टीकाकरण
D. अटल नवोन्मेष मिशन (ए.आई.एम)	(*iv*) डिजिटल सशक्तीकरण और ज्ञान आधारित अर्थव्यवस्था

नीचे दिए गए विकल्पों में से **सही** उत्तर का चयन कीजिए:

	(*a*)	(*b*)	(*c*)	(*d*)
A.	(*iii*)	(*iv*)	(*i*)	(*ii*)
B.	(*iv*)	(*iii*)	(*ii*)	(*i*)
C.	(*iii*)	(*i*)	(*iv*)	(*ii*)
D.	(*iv*)	(*i*)	(*iii*)	(*ii*)

62. सूची-I के साथ सूची-II का मिलान कीजिए।

सूची-I (दिन)	सूची-II (तिथि)
A. पंचायती राज दिवस	(*i*) 21 अप्रैल
B. सिविल सेवा दिवस	(*ii*) 22 अप्रैल
C. सुशासन दिवस	(*iii*) 24 अप्रैल
D. पृथ्वी दिवस	(*iv*) 25 दिसम्बर

नीचे दिए गए विकल्पों में से **सही** उत्तर का चयन कीजिए:

	(*a*)	(*b*)	(*c*)	(*d*)
A.	(*i*)	(*iii*)	(*ii*)	(*iv*)
B.	(*ii*)	(*iv*)	(*iii*)	(*i*)
C.	(*iv*)	(*ii*)	(*i*)	(*iii*)
D.	(*iii*)	(*i*)	(*iv*)	(*ii*)

63. निम्नलिखित को भारत में उनके प्रारम्भ के अनुसार कालक्रमित रूप से व्यवस्थित कीजिए:

(*a*) विकेन्द्रीकरण आयोग की रिपोर्ट

(*b*) एन.डी.सी. की नियोजन परियोजनाओं पर समिति

(*c*) राष्ट्रीय विस्तार सेवा

(*d*) पंचायती राज का प्रारम्भ

नीचे दिए गए विकल्पों में से **सही** उत्तर का चयन कीजिए।

A. (*a*), (*c*), (*b*), (*d*) B. (*a*), (*b*), (*d*), (*c*)

C. (*c*), (*b*), (*a*), (*d*) D. (*b*), (*c*), (*a*), (*d*)

64. अमृत (AMRUT) 2.0 में नगरों को निम्न में से कैसा बनाने पर बल दिया गया है?

A. नशीले पदार्थों से मुक्त B. जल सुरक्षा

C. स्लम रहित D. यातायात सुगमता

65. भारत के संविधान के अनुच्छेद 243 के अनुसार संक्रमणकालीन क्षेत्र में निम्न में से किस प्रकार के संस्थान गठित किए जाते हैं?

A. नगरपालिका B. नगर पंचायत

C. नगर परिषद D. नगर निगम

66. ग्राम सभा के कार्यों व शक्तियों के बारे में निम्न में से कौन सही है?

A. इन्हें राज्य की विधायिका द्वारा निर्धारित किया जाता है।

B. संविधान इस संबंध में मौन है।

C. कार्य व शक्तियां भारत के संविधान में सुपरिभाषित है।

D. यह ग्राम पंचायत के प्रधान पर निर्भर करता है।

67. पंचायत का पांच वर्ष का कार्यकाल कब से आरंभ होता है?

A. इसकी प्रथम बैठक के लिए नियत तिथि।

B. निर्वाचन होने की तिथि।

C. परिणाम घोषित होने की तिथि।

D. संविधान इस संबंध में मौन है।

68. भारत के संविधान का भाग IX निम्न में से राज्यों के किस समूह पर लागू नहीं होता है?

A. नगालैण्ड, अरूणाचल प्रदेश और मणिपुर

B. मेघालय, अरूणाचल प्रदेश और नगालैण्ड

C. नगालैण्ड, मेघालय और मिजोरम

D. मिजोरम, नगालैण्ड और त्रिपुरा

69. निम्न में से किन राज्यों में द्विसदनी विधायिका है?

(*a*) बिहार

(*b*) आंध्र प्रदेश

(*c*) गुजरात

(*d*) कर्नाटक

नीचे दिए गए विकल्पों में से सही उत्तर का चयन कीजिए:

A. केवल (*a*), (*b*), (*c*) B. केवल (*b*), (*c*), (*d*)

C. केवल (*a*), (*c*), (*d*) D. केवल (*a*), (*b*), (*d*)

70. पंचायत के गठन के निम्न में से कौन-सा/से आधार है?

(*a*) जनसंख्या

(*b*) क्षेत्र का आकार

(*c*) उक्त क्षेत्र में औद्योगिक प्रतिष्ठान

(*d*) राजस्व संबंधी महत्व

नीचे दिए गए विकल्पों में से सही उत्तर का चयन कीजिए:

A. केवल (*a*) B. केवल (*a*) और (*b*)

C. केवल (*a*) और (*c*) D. केवल (*a*) और (*d*)

71. सूची-I के साथ सूची-II का मिलान कीजिए:

सूची-I	सूची-II
(*a*) राज्य प्रशासन	(*i*) संभागीय आयुक्त
(*b*) क्षेत्रीय प्रशासन	(*ii*) जिला कलक्टर
(*c*) राजस्व प्रशासन	(*iii*) मुख्य सचिव
(*d*) जिला प्रशासन	(*iv*) राजस्व मंडल

नीचे दिए गए विकल्पों में से सही उत्तर का चयन कीजिए:

	(*a*)	(*b*)	(*c*)	(*d*)
A.	(*i*)	(*iii*)	(*ii*)	(*iv*)
B.	(*iii*)	(*i*)	(*iv*)	(*ii*)
C.	(*iv*)	(*iii*)	(*ii*)	(*i*)
D.	(*i*)	(*ii*)	(*iii*)	(*iv*)

72. जिलाधीश का निम्नलिखित में किस रूप में एक कार्य नहीं है?

A. संसद और राज्य विधानसभाओं के चुनाव के लिए निर्वाचन अधिकारी

B. जिला जनगणना अधिकारी

C. मुख्य प्रोटोकॉल अधिकारी

D. जिला परिषद का अध्यक्ष

73. निम्नलिखित में से कौन-सा भारतीय संविधान का अनुच्छेद 'महानगरीय नियोजन समिति' (Metropolitan Planning Committee) का प्रावधान करता है?

A. अनुच्छेद 243 ZA B. अनुच्छेद 243 K

C. अनुच्छेद 243 ZD D. अनुच्छेद 243 ZE

74. निम्नलिखित में से किस राज्य में पंचायती राज का अस्तित्व नहीं है?

A. मेघालय B. सिक्किम
C. त्रिपुरा D. असम

75. वर्ष 1989 में पी.के. थुंगन समिति का गठन निम्नलिखित में से किसके लिए किया गया था?

A. पंचायती राज व्यवस्था B. चुनाव सुधार
C. नागरिक अधिकार पत्र D. पुलिस प्रशासन

76. शासन संबंधी वाद-विवाद में, न्यागमन से आशय है :

A. स्थानीय निकायों द्वारा संचालित किए जाने वाले सरकारी कार्य
B. स्थानीय निकायों की शक्तियों को मजबूती प्रदान करना
C. सरकार द्वारा कल्याणकारी उपायों में सुधार करना
D. विस्तृत नेटवर्क (संजाल) के माध्यम से सरकारी कार्य

77. स्थानीय निकायों के विकास के लिए बारहवीं अनुसूची में सूचीबद्ध कार्यों के अतिरिक्त द्वितीय प्रशासनिक सुधार आयोग ने निम्नलिखित में से किन कार्यों की अनुशंसा की थी?

(*a*) विद्यालय शिक्षा
(*b*) जन-स्वास्थ्य (सामुदायिक स्वास्थ्य केन्द्र/क्षेत्र अस्पताल सहित)
(*c*) यातायात प्रबंधन और धरोहर
(*d*) पंजीकरण सहित भूमि प्रबंधन

नीचे दिए गए विकल्पों में से सही उत्तर का चयन कीजिए :

A. केवल (*a*) और (*b*)
B. केवल (*a*), (*b*) और (*c*)
C. केवल (*b*), (*c*) और (*d*)
D. (*a*), (*b*), (*c*) और (*d*)

78. निम्नलिखित में से कौन-से राज्य सचिवालय के कार्य नहीं हैं?

(*a*) विधायन संबंधी मसौदा तैयार करना
(*b*) कार्यक्रमों का क्रियान्वयन
(*c*) संघ सरकार के साथ समन्वयन
(*d*) विधायन की अंतिम स्वीकृति

नीचे दिए गए विकल्पों में से सही उत्तर का चयन कीजिए :

A. (*a*), (*b*), (*c*) और (*d*)
B. केवल (*b*), (*c*) और (*d*)
C. केवल (*b*) और (*d*)
D. केवल (*a*) और (*c*)

79. पंचायती राज पर निम्नलिखित समितियों की नियुक्ति को कालानुक्रम में व्यवस्थित कीजिए :

(*a*) एल.एम. सिंघवी समिति
(*b*) बलवंतराय मेहता समिति
(*c*) जी.वी.के. राव समिति
(*d*) अशोक मेहता समिति

नीचे दिए गए विकल्पों में से सही उत्तर का चयन कीजिए :

A. (*b*), (*c*), (*d*), (*a*) B. (*b*), (*d*), (*c*), (*a*)
C. (*b*), (*a*), (*c*), (*d*) D. (*b*), (*a*), (*d*), (*c*)

80. उस कालक्रम की पहचान कीजिए, जिसमें भारत में निम्नलिखित रोजगार उत्पत्ति योजनाएँ प्रारंभ की गई थी।

(*a*) आत्मनिर्भर भारत रोजगार योजना
(*b*) पी.एम. रोजगार प्रोत्साहन योजना
(*c*) राष्ट्रीय ग्रामीण आजीविका मिशन
(*d*) पी.एम. मुद्रा योजना

नीचे दिए गए विकल्पों में से सही उत्तर का चयन कीजिए :

A. (*c*), (*a*), (*b*), (*d*) B. (*c*), (*b*), (*a*), (*d*)
C. (*c*), (*d*), (*b*), (*a*) D. (*c*), (*a*), (*d*), (*b*)

81. **अभिकथन (A) :** क्षेत्रीय संस्थान विभाग के क्रियान्वयनकारी डिविजन होते हैं।

तर्क (R) : विकास कार्यक्रमों की सफलता बहुत कुछ क्षेत्रीय संस्थानों के प्रभावी कार्य संचालन पर निर्भर करती है।

कूट :

A. (A) तथा (R) दोनों सही हैं तथा (R), (A) की सही व्याख्या है।
B. (A) तथा (R) दोनों सही हैं, परन्तु (R), (A) की सही व्याख्या नहीं है।
C. (A) सही है, परन्तु (R) गलत है।
D. (A) गलत है, परन्तु (R) सही है।

82. यू.के. के बाहर के विश्व में निम्नांकित में से कौन-सा नगर निगम सबसे पुराना है?

A. ब्रिटिश कोलम्बिया (कनाडा)
B. कोनेक्टिकट (यू.एस.ए.)
C. पेरिस (फ्रांस)
D. मद्रास (चेन्नई, भारत)

83. भारत के संविधान के कौन-से अनुच्छेद संघ एवं राज्यों के मध्य विधायी शक्तियों के वितरण से संबंधित हैं?

A. अनुच्छेद 245 से 263
B. अनुच्छेद 245 से 255
C. अनुच्छेद 246 से 290
D. अनुच्छेद 245 से 300

84. ब्रिटिश शासन के दौरान कलेक्टर के बारे में निम्नलिखित में से किसने काव्यात्मक वर्णन इस प्रकार किया है :

"प्राथमिक स्कूलों के लिए कानूनों को बनाने में
ग्रामीण पर्यवेक्षण पर
मेरा सक्रिय मस्तिष्क चाहेगा एवं तलाशेगा
अनुकूल व्यवसाय।"

A. फिलीप वुडरफ B. ओ मैले
C. रमेशचंद्र दत्त D. आनंद राम बरुआ

85. मुख्य सचिव के कार्यकाल के बारे में द्वितीय प्रशासनिक सुधार आयोग की निम्नांकित में से कौन-सी सिफारिश **सही** है?

A. 1 वर्ष B. 2 वर्ष
C. 3 वर्ष D. 4 वर्ष

86. सूची-I को सूची-II से सुमेलित कीजिए। नीचे दिए गए कूट से **सही** उत्तर का चयन कीजिए।

सूची-I (अध्यक्ष)	**सूची-II (समिति)**
(*a*) डी.एस. कोठारी	(*i*) लोक सेवाओं की भर्ती के लिए समिति
(*b*) सतीश चंद्र	(*ii*) सेवारत आई.ए.एस. अधिकारियों के प्रशिक्षण के पुनरावलोकन के लिए समिति
(*c*) वाई.के. अलघ	(*iii*) भर्ती नीति एवं चयन पद्धति के लिए समिति
(*d*) बी.एन. युगांधर	(*iv*) लोक सेवा परीक्षा के लिए समिति

कूट :

	(*a*)	(*b*)	(*c*)	(*d*)
A.	(*ii*)	(*iv*)	(*i*)	(*iii*)
B.	(*i*)	(*iii*)	(*iv*)	(*ii*)
C.	(*iii*)	(*i*)	(*iv*)	(*ii*)
D.	(*iv*)	(*ii*)	(*iii*)	(*i*)

87. भारत के संविधान के अनुच्छेद 243 के अन्तर्गत एक 'नगर पंचायत' से अभिप्राय है?

A. एक जिले की सबसे बड़ी ग्राम पंचायत
B. ग्रामीण से नगरीय की ओर संक्रमण क्षेत्र
C. एक छोटा नगरीय क्षेत्र
D. पंचायत का ऐसा क्षेत्र जो अंशतः नगर के अधीन और अंशतः गाँव के अधीन हो

88. निम्नलिखित को कालानुक्रम में व्यवस्थित कीजिए :

(*a*) विकेन्द्रीकरण पर रॉयल कमीशन
(*b*) रिपन प्रस्ताव
(*c*) मॉन्टेग्यू घोषणा
(*d*) मेयो प्रस्ताव

नीचे दिए गए कूट से **सही** उत्तर का चयन कीजिए :

A. (*b*), (*d*), (*c*), (*a*) B. (*a*), (*b*), (*c*), (*d*)
C. (*b*), (*c*), (*a*), (*d*) D. (*d*), (*b*), (*a*), (*c*)

89. संविधान की ग्यारहवीं अनुसूची में सम्मिलित निम्नांकित विषयों पर विचार कीजिए और दिए गए कूट की सहायता से **सही** उत्तर का चयन कीजिए।

(*a*) सार्वजनिक वितरण प्रणाली
(*b*) जानवरों के प्रति क्रूरता निषेध
(*c*) गैर पारम्परिक ऊर्जा स्रोत
(*d*) लाइब्रेरी

कूटः

A. (*a*), (*b*), (*c*) B. (*a*), (*c*), (*d*)
C. (*b*), (*c*), (*d*) D. (*a*), (*b*), (*c*), (*d*)

90. निम्नांकित में से प्रधानमंत्री आवास योजना-ग्रामीण (PMAY-G) के संदर्भ में क्या सही **नहीं** है?

A. PMAY-G को 1 जनवरी, 2016 से प्रारम्भ किया गया।
B. इसका उद्देश्य लाभार्थी को मूलभूत सुविधाओं से युक्त, एक पक्का मकान उपलब्ध करवाना है।
C. एक इकाई (घर) के विनिर्माण हेतु लाभार्थी को विशेषीकृत वित्तीय सहायता प्रदान की जाती है।
D. लाभार्थी मनरेगा के तहत 90-95 कार्य दिवस की अकुशल मजदूरी का हकदार है।

91. भारत के शहरों के प्रशासन द्वारा निम्नांकित में से किस विवशता (बाधा) का सामना **नहीं** किया जा रहा है?

A. राजस्व का अपर्याप्त उत्पादन
B. नगरीय कार्मिक पदों पर भर्ती न करना
C. जन सुविधाओं की विश्वसनीयता
D. महिलाओं का पर्याप्त प्रतिनिधित्व

92. संविधान के प्रावधानों के अनुसार एक "महानगर क्षेत्र" से अभिप्राय है :

A. एक क्षेत्र जिसकी जनसंख्या 5 लाख या अधिक हो।
B. एक क्षेत्र जिसकी जनसंख्या 10 लाख या अधिक हो।
C. एक क्षेत्र जिसकी जनसंख्या 15 लाख या अधिक हो।
D. एक क्षेत्र जिसकी जनसंख्या 20 लाख या अधिक हो।

93. दूसरे प्रशासनिक सुधार आयोग ने अपनी छठी रिपोर्ट में जिला ग्रामीण विकास एजेंसी (डी.आर.डी.ए.) के बारे में निम्नलिखित में से क्या सिफारिश की थी?

A. डी.आर.डी.ए. को बंद कर दिया जाना चाहिए।
B. डी.आर.डी.ए. को और शक्तियाँ प्रदान कर उसे सुदृढ़ किया जाना चाहिए।
C. डी.आर.डी.ए. का जिला समिति के साथ विलय किया जाना चाहिए।
D. डी.आर.डी.ए. को राज्य आयोजना बोर्ड के पर्यवेक्षण में कार्य करना चाहिए।

94. 'पंचायती राज संस्थाओं को राज्य सरकारों द्वारा खनिजों से संग्रहित रॉयल्टी में से पर्याप्त हिस्सा दिया जाना चाहिए' यह सिफारिश किसके द्वारा की गई थी?

A. दूसरे प्रशासनिक सुधार आयोग की छठी रिपोर्ट में
B. दूसरे प्रशासनिक सुधार आयोग की 15वीं रिपोर्ट में
C. नीति आयोग
D. केन्द्रीय वित्त मंत्रालय का निवेश एवं परिसंपत्ति प्रबंधन विभाग

95. स्थानीय संस्थाओं से संबंधित ऑम्बुड्समैन की सिफारिश निम्नांकित में से किसके द्वारा की गई थी?

A. प्रथम प्रशासनिक सुधार आयोग
B. द्वितीय प्रशासनिक सुधार आयोग
C. एल.एम. सिंघवी समिति
D. नीति आयोग

96. प्रधानमंत्री ग्राम सड़क योजना (PMGSY) के संबंध में निम्नलिखित कथनों पर विचार कीजिए :

(*a*) PMGSY, 25 दिसम्बर 2000 को आरंभ की गई थी।

(*b*) यह योजना 100 प्रतिशत केन्द्र द्वारा प्रायोजित योजना है।

(*c*) इसका उद्देश्य बिना संपर्क वाली ग्रामीण बस्तियों को बारहमासी सड़कें प्रदान करना है।

(*d*) इस योजना हेतु पर्वतीय एवं मरुस्थलीय क्षेत्रों में 500 से अधिक लोगों की आबादी वाली बस्तियों को पात्र माना गया है।

नीचे दिए गए कूट से **सही** उत्तर का चयन कीजिए :

A. (*a*), (*b*), (*c*) B. (*a*), (*c*), (*d*)
C. (*a*), (*b*), (*d*) D. (*a*), (*b*), (*c*), (*d*)

97. 1985 में पंचायती राज संस्थाओं संबंधी जी.वी.के. राव समिति की नियुक्ति किसके द्वारा की गई थी?

A. ग्रामीण विकास मंत्रालय
B. भारत का योजना आयोग
C. कृषि और किसान कल्याण मंत्रालय
D. सामाजिक न्याय और अधिकारिता मंत्रालय

98. संविधान का कौन-सा अनुच्छेद विधायन संबंधी विषयों को संघ और राज्यों के बीच विभाजित करता है?

A. अनुच्छेद 245
B. अनुच्छेद 246
C. अनुच्छेद 248
D. अनुच्छेद 249

99. भारत संघ के निम्नलिखित में से किस राज्य में माता-पिता तथा वरिष्ठ नागरिकों का भरण-पोषण और कल्याण अधिनियम 2007 लागू **नहीं** है?

A. नगालैण्ड B. मिजोरम
C. जम्मू और कश्मीर D. सिक्किम

100. जिला स्तर पर लेखापरीक्षा समितियाँ स्थापित कर स्थानीय निकायों में उत्तरदायित्व और पारदर्शिता सुनिश्चित की जा सकती है। यह सुझाव किसके द्वारा दिया गया था?

A. एल.एम. सिंघवी समिति
B. शहरी विकास मंत्रालय
C. द्वितीय प्रशासनिक सुधार आयोग
D. भारत का 14वां वित्त आयोग

उत्तरमाला

1 B	**2** B	**3** B	**4** B	**5** A	**6** B	**7** C	**8** D	**9** A	**10** D
11 A	**12** D	**13** B	**14** A	**15** A	**16** D	**17** A	**18** B	**19** D	**20** A
21 C	**22** B	**23** B	**24** A	**25** A	**26** D	**27** B	**28** C	**29** C	**30** D
31 B	**32** B	**33** C	**34** B	**35** C	**36** D	**37** C	**38** B	**39** C	**40** C
41 A	**42** C	**43** B	**44** A	**45** D	**46** D	**47** A	**48** A	**49** B	**50** C
51 A	**52** C	**53** A	**54** C	**55** D	**56** B	**57** C	**58** C	**59** C	**60** B
61 C	**62** D	**63** A	**64** B	**65** B	**66** A	**67** A	**68** C	**69** D	**70** A
71 B	**72** D	**73** D	**74** A	**75** A	**76** D	**77** D	**78** C	**79** B	**80** C
81 A	**82** D	**83** B	**84** A	**85** B	**86** C	**87** B	**88** D	**89** B	**90** A
91 D	**92** B	**93** A	**94** A	**95** B	**96** A	**97** B	**98** B	**99** C	**100** C

★ ★ ★

UNIT–V

तुलनात्मक तथा विकास प्रशासन
(COMPARATIVE AND DEVELOPMENT ADMINISTRATION)

तुलनात्मक लोक प्रशासन की अवधारणा (Concept of Comparative Public Administration)

लोक प्रशासन के अध्ययन के सम्बन्ध में यह महत्वपूर्ण है कि प्रशासनिक व्यवहार और सम्बन्ध भिन्न-भिन्न परिस्थितियों में अलग-अलग प्रकार के होते हैं। लोक प्रशासन में तुलना का केन्द्र-बिन्दु विभिन्न प्रशासनिक संगठन, क्षेत्र, प्रणाली आदि हो सकते हैं। तुलना से ही किसी प्रशासनिक व्यवस्था की अच्छाई-बुराई को समझा जा सकता है। तुलना से हम कुछ समान्य-निष्कर्ष निकाल सकते हैं जो समान्यतः सभी जगह लागू होते हैं। विज्ञान का आवश्यक आयाम तुलना है। तुलना से वैज्ञानिक ज्ञान का विकास होता है और विषय को प्रमाणिकता मिलती है। तुलना में पहले तथ्यों को एकत्र किया जाता है। तथ्यों की तुलना की जाती है और फिर निष्कर्ष पर पहुँचते हैं। इस प्रकार आगमन में विशिष्ट तथ्यों से सामान्य सिद्धान्त की ओर बढ़ते हैं। अब प्रशासन के शोध व अध्ययन के लिए तुलनात्मक लोक प्रशासन एक आन्तरिक हिस्सा बन गया है।

तुलनात्मक लोक प्रशासन के अन्तर्गत विभिन्न संस्कृतियों में कार्यरत विभिन्न राज्यों की सार्वजनिक प्रशासनिक संस्थाओं का तुलनात्मक अध्ययन किया जाता है। लोक प्रशासन का अध्ययन क्षैतिज, व्यापक, व्यावहारिक और वैज्ञानिक हो—इसके लिए यह सर्वथा उपयुक्त है कि विभिन्न समाजों के लोक प्रशासन का तुलनात्मक अध्ययन करके कुछ सामान्य निष्कर्ष प्रस्थापित किये जाएं। सम्भवतः इसी बात को ध्यान में रखते हुए निमरोड राफाली ने लिखा है—''तुलनात्मक लोक प्रशासन तुलनात्मक आधार पर लोक प्रशासन का अध्ययन है।''

रॉबर्ट जैक्सन ने तुलनात्मक लोक प्रशासन की चार मान्यताओं को निम्नलिखित रूप से स्पष्ट किया है–

1. लोक प्रशासन का विज्ञान प्राप्ति योग्य अवश्य है, यद्यपि यह पूर्णतया निष्पाप नहीं है। स्पष्टतया सभी विद्वान इस मत पर सहमत नहीं हैं। तथापि इस बात पर व्यापक सहमति है कि प्रशासनिक व्यवहार की ऐसी भी प्रवृत्तियाँ हैं जो व्यवस्थित विश्लेषण के लिए सुग्राह्य हैं तथा जो सिद्धांतों की संरचना में सहायक सिद्ध हो सकती हैं।
2. लोक प्रशासन के वैज्ञानिक अध्ययन के लिए प्रशासनिक पद्धतियों का संकर-सांस्कृतिक और संकर राष्ट्रीय सन्दर्भ में अनुसंधान किया जाना चाहिए।
3. इस प्रकार से संकर-सांस्कृतिक अध्ययनों से प्राप्त अनुभवमूलक निष्कर्षों का परीक्षण परिशुद्ध व्यवस्थित तुलनात्मक विश्लेषण के माध्यम से किया जाना चाहिए।
4. ऐसी आशा की जाती है कि इस प्रकार का तुलनात्मक विश्लेषण प्रायोगिकता और सार्वभौमिकता की भिन्न-भिन्न मात्रा के लिए सामान्यीकरण के विविध स्तरों पर प्रशासनिक प्रतिरूपों से संबंधित परिकल्पनाओं के निर्माण में सहायक सिद्ध होगा।

अन्ततः इस प्रकार की प्राज्ञप्तियों को लोक प्रशासन के सामान्य सिद्धांतों में स्वीकृत किया जा सकेगा।

तुलनात्मक प्रशासन दल (Comparative Administrative Groups) ने तुलनात्मक लोक प्रशासन को इस प्रकार परिभाषित किया है–''विभिन्न संस्कृतियों तथा राष्ट्रीय विन्यासों (Diverse Cultures and National Settings) में प्रयुक्त हुए लोक प्रशासन के सिद्धांत और तथ्यात्मक सामग्री जिसके द्वारा इनका विस्तार और परीक्षण किया जा सकता है।'' यह दूसरी बात है कि व्यवहार में तुलनात्मक प्रशासन दल ने उक्त वक्तव्य के द्वितीय भाग की अपेक्षा पहले भाग पर अधिक बल दिया है। ऐसा मुख्यतया इसलिए है कि अनुभवमूलक अनुसंधान आरम्भ करने से पूर्व, पर्याप्त संख्या में परिकल्पनाएं तैयार करना आवश्यक है, जो कि एक अत्यधिक कठिन कार्य है, साथ ही इस प्रकार के अनुसंधान के लिए प्रचुर समय और संसाधनों की आवश्यकता के कारण भी संकर-सांस्कृतिक पर्यावरणों में परिकल्पनाओं के परीक्षण की प्रक्रिया मन्द और शिथिल रही है। फ्रेडरिक रिग्स के इस कथन में तुलनात्मक लोक प्रशासन आंदोलन के सिद्धांत-निर्माण

की प्रक्रिया पर स्पष्ट बल है कि 'वास्तविक' तुलनात्मक अध्ययन वह है जो निश्चित रूप से अनुभव सम्बन्धी, 'नोमोथेटिक' तथा पारिस्थितिकीय हो। 'नोमोथेटिक से रिग्स का अभिप्राय उस उपागम से है जो मुख्यतः सिद्धांत-निर्माण से सम्बद्ध हो।

तुलनात्मक लोक प्रशासन की प्रकृति एवं क्षेत्र

सामान्यतया तुलनात्मक लोक प्रशासन से आशय दो अथवा दो से अधिक प्रशासनिक इकाइयों की संरचना एवं कार्यात्मकता की तुलना से लिया जाता है। स्वरूप में, यह तुलना अन्तर्राष्ट्रीय भी हो सकती है, जैसे भारत और श्रीलंका में म्युनिसिपल प्रशासन की तुलना अथवा ग्रेट ब्रिटेन और अमेरिका में स्थानीय प्रशासन की तुलना अथवा फ्रांस के लोक प्रशासन और भारत के लोक प्रशासन की तुलना अथवा ब्रिटेन और फ्रांस की प्रशिक्षण व्यवस्था की तुलना। यह तुलना अन्तर्देशीय भी हो सकती है, जैसे राजस्थान एवं पंजाब की म्युनिसिपल प्रशासन की तुलना अथवा राजस्थान एवं उत्तर प्रदेश के सचिवालयों की तुलना, अथवा राजस्थान एवं मध्यप्रदेश के स्थानीय शासन की तुलना। इसी प्रकार यह तुलना अन्ततः सांस्कृतिक हो सकती है, जैसे भारत और फ्रांस की प्रशिक्षण व्यवस्था की तुलना अथवा ब्रिटेन और फ्रांस की प्रशिक्षण व्यवस्था की तुलना। यह तुलना संकर-सांस्कृतिक भी हो सकती है, जैसे नेपाल के बजट प्रशासन की रूस के बजट प्रशासन से तुलना। यह तुलना संकर-सामयिक भी हो सकती है, जैसे चन्द्रगुप्त मौर्य के प्रशासन की अकबर के प्रशासन से तुलना अथवा दिल्ली सल्तनत के प्रशासन की मुगल प्रशासन से तुलना। तुलना के विभिन्न स्वरूपों से स्पष्ट है कि आधुनिक तुलनात्मक लोक प्रशासन का अध्ययन-क्षेत्र अत्यधिक व्यापक है। तथापि सामान्य रूप से 'तुलनात्मक लोक प्रशासन विषय के अंतर्गत लोक प्रशासनिक संरचनाओं के संकर-राष्ट्रीय एवं संकर-सांस्कृतिक परिप्रेक्ष्यों में तुलनात्मक विश्लेषण को सम्मिलित किया जाता है।

फैरेल हैडी ने तुलनात्मक लोक प्रशासन की प्रकृति को निम्नलिखित चार रूपों में विभाजित किया है–(1) सुधरी हुई पारस्परिक, (2) विकासमान, (3) सामान्य प्रणाली का प्रारूप एवं (4) मध्यवर्ती सिद्धांतों का प्रारूप। प्रथम रूप के अनुसार तुलनात्मक लोक प्रशासन के अन्तर्गत महत्वपूर्ण प्रशासनिक संस्थाओं के प्रशासन का तुलनात्मक अध्ययन सम्मिलित है। साथ ही इसमें विकसित देशों के प्रशासनिक संगठनों एवं संरचनाओं के तुलनात्मक अध्ययन को भी लिया जाता है। द्वितीय रूप में, तुलनात्मक प्रशासन के अन्तर्गत उन समस्याओं का तुलनात्मक अध्ययन किया जाता है जो सामाजिक एवं आर्थिक विकास में तीव्रता के कारण उत्पन्न हुई हैं। तृतीय रूप में, तुलनात्मक लोक प्रशासन में सामाजिक वातावरण के अनुरूप प्रशासनिक व्यवस्था का अध्ययन शामिल है। चतुर्थ प्रारूप में, किसी प्रशासनिक व्यवस्था की किसी निश्चित प्रक्रिया अथवा प्रारूप को लिया जा सकता है।

रिग्स के अनुसार लोक प्रशासन के तुलनात्मक अध्ययन में तीन प्रवृत्तियाँ देखी जा सकती हैं–

1. आदर्शात्मक से अनुभव सम्बन्धी उन्मुखता
2. 'इडियोग्राफिक' से 'नोमोथेटिक' उपागम की ओर उन्मुखता, एवं
3. गैर-पारिस्थितिकीय से पारिस्थितिकीय उन्मुखता।

आदर्शात्मक अध्ययनों से तात्पर्य उन अध्ययनों से है जिनमें प्रशासन-तंत्र द्वारा कतिपय अभीष्ट लक्ष्यों को प्राप्त करने की वांछनीयता पर बल दिया जाता है, तथा जिनका अधिकांश विश्लेषण 'क्या होना चाहिए' के आधार-वाक्य पर केंद्रित होता है। पारंपरिक तुलनात्मक लोक प्रशासन के अध्ययनों में आदर्शात्मकता एवं निर्देशात्मकता की यह विशेषता मुख्य रूप से पाई जाती थी।

व्यवहारवादी आंदोलन ने लोक प्रशासन के अध्ययनों को निर्देशात्मकता से दूर ले जाने का प्रयत्न किया है तथा प्रशासनिक अनुसंधान में अनुभव सम्बन्धी बातों पर बल दिया है। अनुभव सम्बन्धी उन्मुखता युक्त अध्ययनों में प्रशासनिक वास्तविकता को समझने का प्रयत्न किया जाता है तथा इस संदर्भ में तथ्यों के संग्रहण अथवा 'क्या है' के आधार-वाक्य को ही केंद्रीय स्थान दिया जाता है। रिग्स का मत है कि शनैः-शनैः तुलनात्मक लोक प्रशासन के अध्ययन अपने पारम्परिक आदर्शात्मक स्वरूप को त्यागकर अनुभव सम्बन्धी विशेषताएं ग्रहण कर रहे हैं।

'इडियोग्राफिक' तथा 'नोमोथेटिक' शब्द विशेष रूप से रिग्स द्वारा रचित हैं। 'इडियोग्राफिक' अध्ययन किसी एक विशेष ऐतिहासिक घटना, एक विशेष प्रशासनिक समस्या, एक विशेष संस्था, एक विशेष राष्ट्र, एक विशेष सांस्कृतिक क्षेत्र, अथवा एक विशेष जीवनी से संबंधित होते हैं। फलतः इन अध्ययनों में प्रशासनिक विश्लेषण की विषय वस्तु कोई एक विशिष्ट इकाई होती है। दूसरी ओर, 'नोमोथेटिक' उपागम ऐसे सामान्यीकरणों तथा परिकल्पनाओं के निर्माण का प्रयत्न करता है जो व्यवहार की नियमितताओं एवं घटकों से सह-सम्बन्धों को प्रतिपादित करते हैं। 'नोमोथेटिक' अध्ययनों में गहन तुलनात्मक विश्लेषण पर आधारित सिद्धांत-निर्माण की प्रक्रिया पर बल दिया जाता है। रिग्स का मत है कि तुलनात्मक लोक प्रशासन अपने पारम्परिक 'इडियोग्राफिक' रूप को छोड़कर 'नोमोथेटिक' रूप ग्रहण कर रहा है।

रिग्स द्वारा सुझाई गई तीसरी प्रवृत्ति पारिस्थितिकीय परिप्रेक्ष्य से संबंधित है। उसके अनुसार पारम्परिक अध्ययनों से प्रशासनिक संस्थाओं का विश्लेषण उनके आर्थिक, राजनीतिक, सामाजिक सांस्कृतिक आदि पर्यावरणों के सन्दर्भ में कम किया जाता है। अतः उनमें पर्यावरण के प्रशासन पर प्रभाव तथा प्रशासन के पर्यावरण पर पड़ने वाले प्रभाव का विश्लेषण बहुत कम था। किन्तु अब यह स्वीकार कर लिया गया है कि गतिशील पर्यावरणों में कार्यरत प्रशासनिक संस्थाओं का वास्तविक व्यवहार बिना उनकी पारिस्थितिकी के संदर्भ में नहीं समझा जा सकता। फलस्वरूप, आधुनिक तुलनात्मक लोक प्रशासन के अध्ययन में प्रशासन तथा उनके पर्यावरण के बीच होने वाली गत्यात्मक अन्तःक्रियाओं का गहन विश्लेषण करने का प्रयत्न किया जाता है।

यहाँ यह स्पष्ट करना आवश्यक है कि रिग्स द्वारा वर्णित श्रेणियों को द्विभागीकृत रूप में न देकर केवल विविध तुलनात्मक अध्ययनों में कतिपय तत्त्वों पर भिन्न-भिन्न मात्रा में बल देने की आवश्यकता के रूप में देखा जाना चाहिए। तुलनात्मक लोक प्रशासन सम्बन्धी वर्तमान साहित्य, विशेष रूप से तुलनात्मक प्रशासन दल द्वारा प्रोत्साहित साहित्य, अनुभवमूलक, नोमोथेटिक और पारिस्थितिकीय उपागमों में अधिकाधिक रुचि रखता है, यद्यपि विशिष्ट अध्ययनों में अब भी पारंपरिक एवं आधुनिक विशेषताओं

का मिश्रण पाया जाता है, उदाहरणार्थ विकास प्रशासन सम्बन्धी साहित्य में आदर्शात्मक और अनुभवोन्मुख संवादों का मिश्रण देखने को मिलता है।

तुलनात्मक लोक प्रशासन के अध्ययन का महत्त्व

लोक प्रशासन के तुलनात्मक अध्ययन को केवल कुछ बुद्धिजीवियों का बौद्धिक व्यायाम या साहसिक प्रयास मात्र ही नहीं कहा जा सकता। इसका मूल महत्त्व तुलना करने तक ही सीमित नहीं है वरन् इसके परिणामों एवं प्रविधियों का समग्र लोक प्रशासन के स्वरूप पर गंभीर प्रभाव पड़ता है। तुलना का लक्ष्य विषय के प्रति हमारे दृष्टिकोण को बदल देता है। यही कारण है कि तुलनात्मक अध्ययनों का कुछ मूल्य उनके तत्कालीन लक्ष्यों पर निर्भर रहता है। तुलनात्मक अध्ययन की मूल देन यह है कि इसने प्रान्तीयता एवं क्षेत्रीयता की संकीर्णताओं को समाप्त करने में योगदान दिया है।

तुलनात्मक अध्ययन जिस आन्दोलन का भाग है उसे व्यवहारवाद या सार्वलौकिक विज्ञान की खोज कहा जाता है। यह एक नए युग का सूत्रपात है। विलियम ले. सिफिन का कहना है कि ''यदि विज्ञान मूलतः प्रविधि की बात है तो तुलनात्मक लोक प्रशासन का प्रमुख मूल्य यह है कि इसने वैज्ञानिक दृष्टिकोण प्रदान किया है।'' जिस प्रकार तुलनात्मक अध्ययन प्रणाली ने वैज्ञानिक दृष्टिकोण के विकास को प्रभावित किया है उसी प्रकार स्वयं तुलनात्मक अध्ययन प्रणाली भी अन्य समाज शास्त्रों के प्रणाली सम्बन्धी अर्वाचीन विकासों से प्रभावित रही है। लोक प्रशासन में बढ़ती हुई तुलनात्मक प्रवृत्ति ने इस विषय को व्यापक, गहरा तथा उपयोगी बनाने में महत्त्वपूर्ण भूमिका का निर्वाह किया है।

तुलनात्मक अध्ययन के कारण प्रशासन और राजनीति शास्त्र के सम्बन्ध अधिक घनिष्ठ बने हैं तथा ये दोनों विषय समाज विज्ञानों के व्यापक क्षेत्र से अधिक गहरे जुड़ गए हैं। संक्षेप में, लोक प्रशासन की तुलनात्मक अध्ययन प्रणाली के मुख्य लाभ हैं—(*i*) तुलनात्मक अध्ययन प्रणाली के कारण सामाजिक अनुसंधान का क्षेत्र व्यापक हुआ है। पहले यह संकीर्ण सांस्कृतिक बन्धनों से मर्यादित था। (*ii*) तुलनात्मक अध्ययन की क्रांति ने सिद्धांत रचना में अधिक वैज्ञानिकता ला दी है। (*iii*) तुलनात्मक अध्ययन प्रणाली दृष्टि को व्यापक बना देती है। इसके कारण दुनिया को आत्म-केंद्रित या आत्म-संस्कृति केंद्रित देखने की संकीर्णता नहीं रह पाती। (*iv*) इससे सामाजिक विश्लेषण का क्षेत्र बढ़ाने की प्रक्रिया को प्रोत्साहन मिलता है। (*v*) इस अध्ययन से विश्व के विभिन्न देशों की प्रशासनिक व्यवस्थाओं के बीच सार्थक तुलना करके उचित निष्कर्ष निकाले जा सकते हैं। (*vi*) इससे विभिन्न देशों की प्रशासनिक व्यवस्थाओं के बारे में उपयोगी जानकारी प्राप्त होती है।

लोक प्रशासन तथा उसका पर्यावरण

जॉन एम गॉस ने लोक अधिकारीतंत्र एवं उसके पर्यावरण के बीच पारस्परिक निर्भरता के अध्ययन पर बल दिया था। उसने सरकार के कार्यों को प्रभावित करने वाले घटकों का उल्लेख किया। जैसे—जनता, स्थान, भौतिक प्रविधि, सामाजिक प्रविधि, जन-आकांक्षाएँ, आपात स्थिति एवं व्यक्तित्व। ये विभिन्न घटक पारस्परिक रूप से सम्बन्धित हैं।

रॉबर्ट डाल ने लोक प्रशासन साहित्य की सांस्कृतिक रूप से सीमित प्रकृति की आलोचना की तथा इस बात पर बल दिया कि प्रशासनिक विज्ञान के विकास के लिए उन पर्यावरण घटकों का अध्ययन करना आवश्यक है जो प्रशासनिक संरचनाओं तथा व्यवहार को प्रभावित करते हैं। डाल ने यह युक्ति प्रस्तुत की कि लोक प्रशासन ''राष्ट्रीय मनोविज्ञान'' तथा राजनीतिक, सामाजिक तथा सांस्कृतिक पर्यावरणों के प्रभावों से नहीं बच सकता।

द्वितीय विश्व युद्धोतरकाल के उपरान्त अमेरिकी विद्वानों की उदीयमान राष्ट्रों की प्रशासनिक प्रणालियों के अध्ययन में उत्पन्न रुचि को प्रतिबिम्बित कर रहा था। नवोदित राष्ट्रों के प्रशासनिक तंत्रों की विद्यमान विविधता ने विद्वानों को इस भिन्नता के कारणों पर विचार करने के लिए विवश कर दिया था। उन्होंने देखा कि प्रशासनिक भिन्नताओं का मूल कारण प्रशासन के पर्यावरण की भिन्नता थी। शोर एडगर के अनुसार पाश्चात्येत्तर राष्ट्रों के प्रशासनिक अथवा आधुनिकीकरण के किसी भी अध्ययन में पर्यावरणिक घटकों के महत्व एवं प्रासंगिकता की व्याख्या होना आवश्यक है। इसी समय में संयुक्त राज्य अमेरिकी तकनीकी सहायता कार्यक्रम अपने विकास के आरंभिक दिनों में था। अमेरिकी विद्वानों ने इस बात को भली-भाँति समझ लिया था कि नवोदित राष्ट्रों में तकनीकी सहायता कार्यक्रम तभी सफल हो सकते हैं जब इन कार्यक्रमों का कार्यान्वयन विभिन्न राष्ट्रों की विशिष्ट पारिस्थितिकी को ध्यान में रख कर किया जाए। रास्को मार्टिन ने यह मत व्यक्त किया कि पाश्चात्येत्तर राष्ट्रों में पाश्चात्य प्रशासनिक संरचनाओं का स्थानांतरण केवल कुछ सीमा तक ही हो सकता है, तथा यह सीमा विभिन्न राष्ट्रों के पर्यावरण द्वारा निर्धारित होती है। प्रशासनिक तंत्र समाज में राजनीतिक, आर्थिक और सामाजिक उपतंत्र के साथ परस्पर सम्बन्ध रखता है अर्थात इन तंत्रों से प्रभावित होता है और साथ ही उनको प्रभावित करता है। अतः एक प्रशासनिक व्यवस्था अन्य तंत्रों पर प्रभाव डालती है और उनके क्रियाकलाप द्वारा प्रभावित होकर स्वयं परिवर्तित भी होती है।

तुलनात्मक प्रशासन के अध्ययन के उपागम तथा विधियाँ

राज्य के बदलते स्वरूप तथा कार्यक्षेत्र ने लोक प्रशासन के सिद्धान्तों को भी परिवर्तित किया है। आज लोक प्रशासन में परम्परागत सिद्धान्तों का महत्व कम हो गया है और नवीन सिद्धान्तों का महत्व बढ़ गया है। समय के अनुसार लोक-विकल्प तथा नवीन प्रबन्ध जैसे—नवीन सिद्धान्त आ रहे हैं। अतः एक सामाजिक विज्ञान होने के कारण लोक प्रशासन में संगठन के अध्ययन से सम्बन्धित जो सिद्धान्त प्रचलित हैं वे अन्य सामाजिक विज्ञानों में भी प्रचलित हैं। प्रकृति, क्षेत्र तथा आवश्यकतानुसार सिद्धान्तों की उपादेयता में अन्तर देखने को मिलता है।

लोक प्रशासन में 19वीं सदी के बाद और 20वीं सदी के प्रारम्भ में संगठन सिद्धांत का व्यवस्थित अध्ययन देखने को मिलता है। लूथर गुलिक, उर्विक, हेनरी, फेयोल फ्रेडरिक टेलर, मैक्स वेबर, एल्टन मेयो, चेस्टर बर्नार्ड, हर्बर्ट साइमन, डगलस मैक्ग्रेगर, अब्राहम मैस्लो और रिग्स कास्ट एवं रेजेन्जवीज विद्वानों की रचनाओं में संगठन सिद्धान्तों का उल्लेख मिलता है तथा अन्य ने इसे तीन श्रेणियों में बाँटा है।

1. परम्परावादी शास्त्रीय सिद्धान्तों के अन्तर्गत हम हेनरी फेयोल, लूथर गुलिक, उर्विक, फ्रेडरिक टेलर और मैक्स वेबर के विचारों का अध्ययन करते हैं। फेयोल, गुलिक तथा उर्विक ने संगठन के सिद्धान्त पर बल दिया है, दूसरी तरफ टेलर ने 'वैज्ञानिक प्रबन्ध' का मॉडल प्रस्तुत किया है। बेबर ने नौकरशाही मॉडल प्रस्तुत किया है।
2. नवशास्त्रीय सिद्धान्त तथा मानव सम्बन्ध आन्दोलन– नवशास्त्रीय सिद्धान्त के अन्तर्गत मेरी पार्कर फॉलेट, एल्टन मेयो, मैक्ग्रेगर, अब्राहम मैस्लो के विचार को पढ़ते हैं। इस विचारधारा को नयी दिशा देने का कार्य हाथोर्न प्रयोगों ने किया। अब मानव सम्बन्ध और व्यवहार के अध्ययन पर बल दिया जाने लगा है।
3. आधुनिक सिद्धान्त–विचारों में भिन्नता के कारण लोक प्रशासन में संगठन से सम्बन्धित किन्हीं सर्वमान्य सिद्धान्तों का प्रतिपादन नहीं हो सका है। किसी घटना या विषय के अध्ययन के लिए अनेक सिद्धान्त हो सकते हैं। प्रशासन के भौतिक, सामाजिक, आर्थिक, मनोवैज्ञानिक, प्रशासनिक तत्वों का वर्णन करने और पूर्वानुमान करने की दिशा में किये गए प्रयासों को सिद्धान्त या उपागम कहते हैं।

संगठन के अध्ययन के सिद्धांतों को निम्नलिखित सात वर्गों में विभक्त किया जा सकता है:

1. शास्त्रीय या परम्परावादी सिद्धान्त
2. वैज्ञानिक प्रबन्ध सिद्धान्त
3. नौकरशाही सिद्धान्त
4. मानव सम्बन्ध सिद्धान्त
5. व्यवहारवादी सिद्धान्त
6. व्यवस्था सिद्धान्त
7. पारिस्थितिकीय सिद्धान्त

संरचनात्मक–कार्यात्मक उपागम

सामाजिक विश्लेषण के क्षेत्र में इस दृष्टिकोण का उपयोग टॉलकाट पारसन्स, रॉबर्ट मर्टन, मेरियम लेवी जूनियर, ग्रेबियल आलमण्ड, डेविल एप्टर ने किया है। इस उपागम में सामाजिक संगठन के रूप तथा कार्यों के आधार पर व्यवस्था का मूल्यांकन किया जाता है। इस दृष्टिकोण को समझने के लिए कुछ धारणाओं को ध्यान में रखना आवश्यक है। सामाजिक ढाँचा व्यवहारों का वैसा नमूना है जो सामाजिक व्यवस्था के द्वारा मान्य होता है।

संगठन या संरचनाएँ सरकारी विभागों की भाँति मूर्त्त और सत्ता की भाँति अमूर्त्त दोनों प्रकार की हो सकती हैं। प्रत्येक सामाजिक संरचना द्वारा कुछ कार्य किये जाते हैं और प्रत्येक संरचना के कार्यों का दूसरी संरचना के कार्यों पर प्रभाव पड़ता है। यद्यपि समस्त संरचनाएँ अपना अलग-अलग कार्य सम्पन्न करती हैं, परन्तु एक-दूसरे को प्रभावित करती हैं तथा एक-दूसरे से प्रभावित होती हैं। समस्त संरचनाओं का लक्ष्य एक-दूसरे का पूरक होता है। संरचनाएँ भिन्न होती हैं, इनकी विश्लेषणात्मक तुलना की जाती है। अतः तुलनात्मक विश्लेषण में क्रियात्मक आवश्यकताएँ भिन्न वातावरण में तुलनात्मक अन्वेषण को आधार प्रदान करती है। रिग्स के अनुसार संरचना कार्य को एवं कार्य संरचना को प्रभावित करते हैं। ऐसी स्थिति में वेहतर ढंग से प्रशासन को समझने के लिए आवश्यक हो जाता है कि संरचना के साथ-साथ कार्यों का भी अन्तर्विषयक विश्लेषण किया जाए।

संस्थागत–संरचनात्मक उपागम

संस्थागत उपागम लोक प्रशासन का औपचारिक ढंग से अध्ययन करता है। जैसे सार्वजनिक संस्थाओं का औपचारिक ढाँचा क्या है? इनको क्या कार्य दिया गया है–विधिक उपागमों की भाँति यह बहुत पुराना उपागम है। भारत जैसे विकासशील देशों में सबसे अधिक उपागम रहा है। संस्थागत उपागमों के विरुद्ध व्यवहारवादी उपागम प्रतिक्रिया रूप में आया है। व्यवहारवादी उपागम का दोष यह है कि व्यवहारिक रूप का सही ज्ञान नहीं होता है। जबकि संस्थागत उपागम व्यवस्थित उपागम है। यूरोप में लोक प्रशासन का विकास विधिक और संस्थागत उपागम के अन्तर्गत हुआ है।

व्यवहारवादी उपागम

व्यवहारवादी उपागम संस्थागत उपागम के प्रति प्रतिक्रिया का परिणाम है। व्यवहारवादी उपागम में अध्ययन का केन्द्र-बिन्दु मानव व्यवहार रहा है। व्यवहारवादी उपागम के अध्ययन में मनोविज्ञान (Psychology), समाज विज्ञान (Social Science) तथा मानव विज्ञान (Human Science) का योगदान है। इस उपागम का जन्म चतुर्थ दशक में हुआ। इसने संगठन से सम्बन्धित व्यक्तियों और समूहों का वास्तविक आचरण और व्यवहार पर ध्यान केन्द्रित किया है। व्यवहारवादी छोटे-छोटे विषयों के लघु अध्ययन (Micro studies) में विश्वास करते हैं। हर्बर्ट ए. साइमन ने इस पद्धति को सबसे पहले प्रस्तुत किया। इनकी पुस्तक का नाम Administrative Behaviour: A Studies of Decision-Making Process in Administrative Organization है।

व्यवहारवादी उपागम लोक प्रशासन में अनुभवजन्य दृष्टिकोण (Empirical Approach) को अपनाने पर बल देता है। व्यवहारवादी उपागम को सामाजिक-मनोवैज्ञानिक पद्धति (Socio-Psychological Method) भी कहा जाता है। अपनी पुस्तक The Functions of the Executive में चेस्टर बर्नार्ड ने लोक प्रशासन की व्यवहारवादी उपागम की विस्तृत व्याख्या की है। उन्होंने इस पुस्तक में प्रशासन की परिभाषा सहकारी और सामाजिक कार्यवाही के रूप में की है। यह सबसे अधिक लोकप्रिय लोक प्रशासन की अध्ययन पद्धति रहा है।

व्यवस्था उपागम

परम्परावादी तथा व्यवहारवादी दृष्टियों से भिन्न 'व्यवस्था उपागम' एक ऐसा विचार है जो 'व्यवस्था' (System) को केन्द्रीय तत्व मानकर उसी के इर्द-गिर्द अपने अध्ययन का दायरा बनाना चाहता है। यह प्रशासनिक संगठन को विभिन्न अंगों की व्यवस्था के रूप में देखता है जिनमें प्रत्येक अंग संगठन के संचालन में योगदान करता है और प्रत्येक अंग अपनी आवश्यकताओं के लिए अन्य अंगों पर निर्भर रहता है।

व्यवस्था प्रणाली के अनुसार संगठन का निर्माण किसी उद्देश्य की पूर्ति के लिए होता है। संगठन में अंगों का पृथक् कार्य होता है, किन्तु उनके कार्यों का मूल्यांकन समग्र दृष्टि से किया जाना चाहिए। संगठन के समस्त अंग एक-दूसरे पर निर्भर होते हैं तथा गतिशील होते हैं। प्रशासनिक ढाँचे में आगत (Inputs) तथा निर्गत (Outputs) में सम्बन्धात्मक गति होती है जिससे प्रशासनिक व्यवस्था का संचालन होता है।

'व्यवस्था' शब्द भौतिक विज्ञानों से लिया गया है। भौतिक विज्ञानों के अन्तर्गत "व्यवस्था का अर्थ सुपरिभाषित अन्तःक्रियाओं के समूह से है जिसकी सीमाएं निश्चित की जा सके।" शाब्दिक परिभाषा के अनुसार, व्यवस्था का अर्थ है–"जटिल सम्बन्धित वस्तुओं का समग्र समूह, विधि संगठन, पद्धति के निश्चित सिद्धान्त तथा वर्गीकरण का सिद्धान्त।" इन अर्थों में महत्वपूर्ण शब्द हैः सम्बन्धित, संगठित और संगठन अर्थात् एक व्यवस्था संगठित होनी चाहिए अथवा उसमें संगठन हो, उसके अंग सम्बद्ध हों। यदि किसी भी स्थान पर हमें संगठन मिलता है अथवा जहाँ संगठित होने के गुण पाए जाते हैं और उसके सभी अंग एक-दूसरे से सम्बद्ध हैं तो वहाँ व्यवस्था विद्यमान है। व्यवस्था में तीन गुण पाए जाते हैं: (1) व्यापकता, (2) अन्योन्याश्रय तथा (3) सीमाएं। अतः प्रशासनिक संगठन के विश्लेषण में इस दृष्टिकोण के अनुसार संगठन को ऐसी सामाजिक व्यवस्था माना जाता है जिसका अध्ययन उसकी सम्पूर्णता में ही हो सकता है। दूसरे शब्दों में, व्यवस्था अन्तर-सम्बद्ध भागों का संग्रह है जो आगतों को ग्रहण करता है, उन पर संगठित या योजनाबद्ध तरीके से कार्य करता है और फिर निर्गत प्रस्तुत करता है।

यह प्रवृत्ति बढ़ती जा रही है कि सभी प्रकार के प्रशासनिक संगठनों को सामान्य व्यवस्था सिद्धान्त (General Systems Theory) के व्यापक ढाँचे में ढालकर अध्ययन किया जाए। व्यवस्था को अन्तःआश्रित भागों (उपव्यवस्थाओं) के संयुक्त रूप में जो आपस में अन्तःक्रिया करते हैं, देखा जाता है। अन्तःआश्रय का अर्थ यह है कि यदि एक भाग में पविर्तन हो तो उससे दूसरे भाग प्रभावित होंगे और अन्त में सम्पूर्ण व्यवस्था प्रभावित हो जाएगी।

सामान्य व्यवस्था सिद्धान्त का जन्म 20वीं सदी के दूसरे दशक में जीवशास्त्री वान बर्टलेन्फी के चिन्तन से माना जा सकता है। समाजशास्त्र में टालकाट पारसन्स और राजनीतिशास्त्र में डेविड ईस्टन ने इस उपागम का प्रयोग किया है। लोक प्रशासन में व्यवस्था विश्लेषण के क्षेत्र में सबसे बड़ा योगदान हर्बर्ट साइमन तथा चेस्टर बर्नार्ड ने किया है।

चेस्टर बर्नार्ड ने 'प्रशासनिक संगठन' को एक 'व्यवस्था' के रूप में देखा जो कि मानवीय क्रियाओं से मिलकर बनती है तथा सदस्यों के प्रयास जो कि समन्वित होते हैं, इन क्रियाओं को एक 'व्यवस्था' में बदल देते हैं। इस प्रकार 'प्रशासनिक संगठन' 'सहकारी प्रयासों की एक व्यवस्था' है। उन्होंने प्रत्येक संगठन को एक बड़ी 'सहकारी व्यवस्था' (Co-operative System) जिसे समाज भी कहा जा सकता है, का एक हिस्सा माना था।

चेस्टर बर्नार्ड द्वारा प्रतिपादित संगठन के अध्ययन की व्यवस्था विश्लेषण पद्धति प्रशासन के अध्ययन की जड़ व यान्त्रिक विचारधारा को त्यागकर प्रशासन को एक 'सजीव व्यवस्था' के रूप में प्रस्तुत करती है। वे लिखते हैं, "मैं समूह प्रणालियों को, जिन्हें हम संगठन कहते हैं, एक व्यक्ति की तरह सजीव सामाजिक जीवन मानता हूँ।" इस प्रकार उन्होंने प्रशासनिक संगठनों के अध्ययन के परम्परागत 'चेतनाहीन' विचार का खण्डन किया। उन्होंने औपचारिक संगठन के निर्माण एवं संचालन में मानव तत्व के महत्व को स्पष्ट किया।

इस प्रकार यह कहा जा सकता है कि लोक प्रशासन के अध्ययन के लिए उपर्युक्त सभी पद्धतियाँ और दृष्टिकोण उपयोगी हैं। यह समझना नितान्त गलत होगा कि इन पद्धतियों में कोई पारस्परिक विरोध है। वास्तव में ये परस्पर विरोधी होने के स्थान पर एक-दूसरे की पूरक हैं और वे एक-दूसरे की भूलों को सुधारती तथा कमियों को दूर करती हैं। ये सभी पद्धतियाँ अन्योन्याश्रित हैं और इन पद्धतियों का उसी समय सफलतापूर्वक प्रयोग किया जा सकता है जबकि इन पद्धतियों का प्रयोग साथ-साथ किया जाए। न केवल निगमनात्मक और आगमनात्मक पद्धतियों में समन्वय किया जाना चाहिए, वरन् लोक प्रशासन की परम्परागत पद्धतियों और आधुनिक व्यवहारवादी पद्धतियों में भी समन्वय स्थापित करते हुए उन्हें एक साथ अपनाने की चेष्टा की जानी चाहिए। हमारे अध्ययन का मूलाधार तो परम्परागत पद्धतियाँ ही रहेंगी, लेकिन वैज्ञानिक पद्धति और प्रविधि को अपनाते हुए अधिकाधिक सम्भव सीमा तक वैज्ञानिक परिशुद्धता प्राप्त करने की चेष्टा की जानी चाहिए।

पारिस्थितिकी उपागम

लोक प्रशासन और उसका परिवेश एक-दूसरे पर परस्पर प्रभाव डालते हैं और इस अन्तःक्रिया की गतिशीलता की समझ प्रशासन की संरचना और प्रकार्यों को समझने के लिए जरूरी है। इस समझ को पारिस्थितिकीय उपागम का नाम दिया जाता है। पारिस्थितिकी जीव विज्ञान से लिया गया शब्द है। यह जीवों और उनके परिवेश के परस्पर सम्बन्धों के विज्ञान से सम्बन्ध रखता है। इसमें यह जानने की कोशिश की जाती है कि जीवों और उनके भौतिक एवं सामाजिक परिवेश के परस्पर सम्बन्ध कैसे होते हैं तथा जीव एवं पर्यावरण जीवित रहने और अन्य महत्वपूर्ण लक्ष्यों के लिए कैसे सन्तुलन कायम करते हैं। लोक प्रशासन के परिवेश में, प्रशासन और उसके पर्यावरण के परस्पर सम्बन्ध का विज्ञान होने के कारण, समाज और उसकी कार्यशीलता को प्रभावित करने वाले विभिन्न कारकों की गहरी समझ जरूरी है।

लोक प्रशासन के अध्ययन में पारिस्थितिकीय उपागम (परिवेश अध्ययन) का प्रारम्भिक सूत्रपात फ्रेड रिग्स से बहुत पहले जे.एम. गॉस, रॉबर्ट ए. डाल और रॉबर्ट ए. मर्टन ने किया था। जे.एम. गॉस के अनुसार पौधे के लिए खाद का जो महत्व है वही प्रशासन के लिए परिवेश की उपादेयता है। सन् 1947 में प्रकाशित अपनी कृति "दि इकॉलॉजी ऑफ गवर्नमेण्ट : रिफ्लेक्शंस आन पब्लिक ऐडमिनिस्ट्रेशन" में पारिस्थितिकीय उपागम का विवेचन करते हुए गॉस ने सरकारी क्रियाकलापों को उस परिवेश से जोड़ने की संकल्पना का समर्थन किया जिसमें जनता, परिवेश, वैज्ञानिक प्रौद्योगिकी, सामाजिक प्रौद्योगिकी, इच्छाएं और आकांक्षाएं, संकट और व्यक्तित्व जैसे कारक सम्मिलित हैं।

रॉबर्ट डाल ने जिस पारिस्थितिकीय उपागम का विवेचन किया है वह तीन सामयिक समस्याजन्य मसलों पर आधारित हैः प्रथम, किसी राष्ट्र-राज्य

के अनुभवों एवं ऐतिहासिक विरासत पर आधारित प्रशासनिक सामान्यीकरणों को सभी प्रकार के विभिन्न परिवेश दृश्य पटल में कार्यरत प्रशासनिक व्यवस्थाओं पर लागू नहीं किया जा सकता। द्वितीय, लोक प्रशासन के सिद्धान्तों एवं संकल्पनाओं को सूत्रबद्ध करने से पूर्व यह आवश्यक है कि सभी प्रकार के सामाजिक परिवेश में उनके औचित्य का अनुभवजन्य परीक्षण कर लिया जाये जिससे सार्वभौमिक सिद्धान्तों को समझना सरल हो जाये; तथा तृतीय, लोक प्रशासन का स्वरूप अनिवार्यतः अन्तःअनुशासनात्मक और पारिस्थितिक होना चाहिए जिससे जहाँ एक ओर इसका अध्ययन क्षेत्र विस्तृत होगा वहीं दूसरी ओर सभी प्रकार के समाजों का अध्ययन करके वैज्ञानिक सिद्धान्तों का प्रतिपादन सुगम हो सकेगा। वस्तुतः डाल ने प्रशासनिक संरचना और व्यवहार के ऊपर पर्यावरणसम्मत प्रभाव को जानने के लिए विभिन्न संस्कृतियों के तुलनात्मक अध्ययन पर बल दिया था। डाल के अनुसार लोक प्रशासन उस राष्ट्रीय मनोविज्ञान और राजनीतिक, सामाजिक और सांस्कृतिक परिवेश के प्रभाव से मुक्त नहीं रह सकता जिसमें वह स्थित है। गाइ पीटर्स के अनुसार एक देश की सामाजिक और आर्थिक व्यवस्थाएं सरकार, विशेषकर, लोक प्रशासन, के कार्यों पर परिसीमा लगा देती हैं। राजनीतिक संस्कृति भी सीमा निर्धारित करने में बराबर का महत्व रखती है। यद्यपि यह सीमाएं आर्थिक परिस्थितियों द्वारा निर्धारित सीमाओं सदृश दिखायी नहीं देतीं। यह निश्चित करके कि सरकार में क्या अच्छा है, क्या बुरा, संस्कृति सरकार को कुछ कार्य करने का लगभग आदेश दे सकती है और कुछ अन्य करना वर्जित कर सकती है।'' जे.एम. गॉस एवं रॉबर्ट ए. डाल के विचार उल्लेखनीय हैं तथापि वह फ्रेड रिग्स ही थे जिन्होंने इस उपागम को विशिष्ट योगदान प्रदान किया। वस्तुतः फ्रेड रिग्स लोक प्रशासन में पारिस्थितिक उपागम के अग्रणी प्रतिपादकों में से हैं। रिग्स ने स्पष्ट कहा कि प्रत्येक प्रकार की प्रशासनिक व्यवस्था की महत्ता उसकी स्थिति पर निर्भर करती है। रिग्स ने 'अग्रेरिया-ट्रैंजिशिया-इंडस्ट्रिया' और 'फ्यूज्ड-प्रिज्मैटिक-डिफ्रैक्टेड' समाजों के मॉडल प्रस्तुत कर यह प्रतिपादित किया कि सामान्य रूप से पर्यावरणिक घटक और विशेष रूप से सांस्कृतिक घटक, समाज में प्रभावशाली परिवर्तन लाने का प्रयास करने वालों के लिए महत्वपूर्ण प्रासंगिकता रखते हैं।

रिग्स के अनुसार किसी भी समाज के अन्तर्गत राजनीतिक, आर्थिक और सामाजिक-सांस्कृतिक क्षेत्रों में विकास की प्रक्रिया प्रशासनिक व्यवस्था से अन्तःक्रिया करती है अर्थात् सभी सामाजिक तन्त्र (प्रशासनिक तन्त्रों सहित) अपने पर्यावरण के साथ आदान-प्रदान की प्रक्रिया में संलग्न होते हैं और उससे प्रभावित होते हैं। एक प्रशासनिक व्यवस्था उसके पर्यावरण से आने वाली मांगों और समर्थन द्वारा सटीक रूप से प्रभावित होती है तथा यह मांग एवं समर्थन रूपी 'आगत' (inputs) प्रशासनिक व्यवस्था द्वारा इसके 'निर्गत' (outputs) के द्वारा नया रूप ग्रहण करते हैं। प्रशासनिक व्यवस्थाओं का सामाजिक परिवेश एक बहुपक्षीय स्वरूप लिए होता है तथा प्रशासनिक तन्त्र के साथ गतिशील पारस्परिक क्रिया करता है।

संक्षेप में, पारिस्थितिकीय उपागम प्रशासन और पर्यावरण के सम्बन्ध पर जोर देता है। पारिस्थितिकीय उपागम में यह माना जाता है कि प्रशासनिक व्यवहार प्रशासनिक संस्कृति के उन मूल्यों से विशेष रूप से परिचालित होता है जिनमें यह कार्य करता है और प्रशासनिक संस्कृति सामाजिक व्यवस्था के साथ प्रशासनिक व्यवस्था के मूल्यों और विशेषताओं की आपसी क्रिया का परिणाम है। प्रशासन और उसके परिवेश के बीच आपसी अन्तःक्रिया के परिणामस्वरूप संगठनों, संरचनाओं, प्रकार्यों और लक्ष्यों का अधिकांश रूप में सृजन और परिवर्तन होता है।

बी.पी. सिंह लिखते हैं, ''किसी भी समय प्रशासन पर सांस्कृतिक वातावरण का अचूक प्रभाव होता है।'' (Administration bears the unmistakable impact of the cultural milieu at the given time).

परिवेशीय अध्ययन के महत्व को स्पष्ट करते हुए रमेश के. अरोड़ा एवं अगस्तो फेररोस ने लिखा है कि ''परिवेशीय दृष्टिकोण की मूल मान्यता यह है कि सार्वजनिक नौकरशाही को समाज की विभिन्न संस्थाओं में से एक संस्था के रूप में माना जाए। इसकी संरचना और कार्यों को समझने के लिए अन्य संस्थाओं के साथ पाए जाने वाले इसके सम्बन्धों के सन्दर्भ में इसका अध्ययन किया जाए। नौकरशाही एक सामाजिक संस्था के रूप में निरन्तर ही सामाजिक, सांस्कृतिक, राजनीतिक और आर्थिक उपव्यवस्थाओं के साथ लेन-देन करते हुए उनसे प्रभावित होती है और पुनः पुनर्निवेशन के रूप से उसे प्रभावित करती है ...... यह माना गया है कि विभिन्न व्यवस्थाओं में लोक प्रशासन के परिवेशीय आयाम के ज्ञान द्वारा लोक प्रशासन के एक से अधिक वैज्ञानिक अध्ययन का विकास किया जा सकता है।''

संक्षेप में, लोक प्रशासन सम्बन्धी परिवेशीय उपागम निम्नलिखित बिन्दुओं पर बल देता है–

- लोक प्रशासन सामाजिक व्यवस्था की एक उपव्यवस्था है।
- सामाजिक व्यवस्था की अन्य उपव्यवस्थाओं के साथ उसकी निरंतर अन्तःक्रिया होती रहती है।
- लोक प्रशासन के कार्य समाज को, जिसमें वह अपनी भूमिका निभाता है, प्रभावित करते हैं।
- अन्य उपव्यवस्थाएं भी लोक प्रशासन को प्रभावित करती हैं।

फ्रेड डब्ल्यू. रिग्स लोक प्रशासन में परिवेशीय उपागम के आधार पर प्रशासनिक व्यवस्थाओं के अध्ययन के लिए जाने जाते हैं। प्रशासनिक व्यवस्था के अपने वृहत, परिवेशीय तथा संरचनात्मक प्रकार्यात्मक मॉडलों द्वारा उन्होंने अन्तःसांस्कृतिक, प्रशासनिक शोध के नवीन आयाम उजागर किए। वह प्रशासनिक प्रक्रिया को एक 'व्यवस्था' मानते हैं जिसका परिवेश होता है, जिसमें यह कार्य करता है और जिसके साथ यह परस्पर क्रिया करता है। यह उस उपागम का स्वाभाविक निष्कर्ष है जो समाज को एक व्यवस्था या सिस्टम समझता है और जिसमें प्रशासन एक उपव्यवस्था (Sub-system) है। रिग्स की अभिरुचि एक ओर प्रशासनिक उपव्यवस्था और दूसरी ओर सामाजिक व्यवस्था की अन्य उपव्यवस्थाओं (राजनीतिक, आर्थिक, सांस्कृतिक) के बीच परस्पर अन्तःक्रियाओं का विश्लेषण करने में थी। चूंकि रिग्स का स्पष्ट मत था कि ''किसी भी प्रशासनिक संरचना का महत्व उसकी स्थिति (Setting) के अन्तर्गत होता है'' अतः वे किसी भी देश में लोक प्रशासन की प्रकृति का अध्ययन उसके सामाजिक परिवेश में करने पर बल देते थे। किसी भी समाज के सामाजिक परिवेश के लिए रिग्स पाँच कार्यात्मक तत्वों का उल्लेख करते हैं–आर्थिक, सामाजिक, संसूचना, प्रतीक सम्बन्धी और राजनीतिक और यही कार्यात्मक तत्व प्रशासनिक उपव्यवस्था पर भी लागू होते हैं।

रिग्स ने सांस्कृतिक विविधताओं के आधार पर प्रारम्भ में समाज सम्बन्धी दो प्रकार के प्रतिमान (Models) प्रस्तुत किए। ये समाज थे– प्रधानतः औद्योगिक (Predominately Industria) और प्रधानतः कृषि संपन्न (Predominately Agraria)। ये दोनों विपरीत मॉडल हैं। दोनों समाजों के परिवेश में भिन्नता होने के कारण प्रशासनिक व्यवस्था में अन्तर आ गया। एक का प्रतिनिधित्व वर्तमान अमरीका और दूसरे का प्रतिनिधित्व साम्यवादी चीन करता है। इन दो समाजों के बीच उभरी तीसरी श्रेणी को उसने ट्रैंजिशिया (Transitia) का नाम दिया। दोनों समाजों की प्रमुख विशेषताएं अग्रलिखित हैं:

प्रो. रिग्स ने मुख्य रूप से प्रशासनिक प्रणालियों एवं वातावरण के बीच होने वाली अन्तःक्रियाओं पर संकल्पना बनाने में रूचि ली तथा अवधारणाओं एवं सिद्धान्तों की खोज की। उन्होंने अपना ध्यान विकासशील एवं परिवर्तनशील समाजों की प्रशासनिक व्यवस्था के अध्ययन पर किया और केन्द्रित प्रिज्मैटिक साला मॉडल तैयार किया।

फ्रेड रिग्स ने कहा कि ''समपार्श्वीय समाज में 'साला' अधिकारी सामाजिक कल्याण की अपेक्षा निजी उन्नति या धन प्राप्ति को प्राथमिकता देता है। उसका व्यवहार तथा निष्पादन रूढ़िवाद से प्रभावित होता है जिसके फलस्वरूप नियमों विनियमों का क्रियान्वयन व्यापक रूप से नहीं किया जा सकता।

साला प्रतिमान में क्लेक्टस (Clects) का विकास हो जाता है। 'क्लेक्ट' साला मॉडल के अन्तर्गत अधिकारियों के बीच का एक विशेष वर्ग अथवा समुदाय होता है। क्लेक्ट के द्वारा अपने वर्ग या समुदाय के लोगों से काम लिया जाता है साला मॉडल पहले से ही विषमताओं से परिपूर्ण होता है, किन्तु जब उसमें 'क्लेक्ट' का निर्माण हो जाता है तो विषमताएं और बढ़ जाती हैं परिणामतः 'साला मॉडल' प्रशासन के लक्ष्य से दूर चला जाता है।

प्रो. फेरल हैडी ने साला मॉडल की निम्नलिखित विशेषताएँ बतायी हैं (*i*) भाई-भतीजावाद, (*ii*) संस्थागत भ्रष्टाचार, (*iii*) सेवाओं में असमान वितरण, (*iv*) नियमों के क्रियान्वयन में अकुशलता (*v*) आत्मरक्षात्मक प्रवृत्तियाँ, (*vi*) औपचारिक लक्ष्य एवं कार्य सम्पादन में अन्तर। डब्लू रिग्स ने साला मॉडल की विशेषताओं का उल्लेख किया है:

(*i*) **भाई-भतीजावाद (Nepotism):** प्रिज्मैटिक समाज में परिवार एवं वंश पर आधारित सामाजिक व्यवस्था के ऊपर प्रशासन की औपचारिक संरचना को लाद दिया जाता है।

(*ii*) **बहु-सम्प्रदायवाद (Poly-communalism):** ऐसे समाज में हित-समूहों का गठन साम्प्रदायिक आधार पर होता है। इसमें बहु-साम्प्रदायिकता का विकास होता है।

(*iii*) **बाजार-कैण्टीन अर्थव्यवस्था (Bazar Canteen Economy):** समपार्श्वीय समाज में मूल्य-निर्धारण बाजारीय एवं कार्यक्षेत्रीय कारकों के संयोजन का परिणाम होता है। ऐसे समाज में मूल्यों का निर्धारण बाजार जैसा वातावरण तैयार करता है।

(*iv*) **बहु-मूल्यता (Poly-Normativism):** इस प्रकार की स्थिति का प्रभाव 'साला' पर पड़ता है जहाँ सरकारी अधिकारी सार्वजनिक रूप से वस्तुनिष्ठता, सार्वभौमिकता और उपलब्धि-उन्मुख मानकों के पालन का दावा करते हैं परन्तु व्यवहार में वे व्यक्तिवादी आरोपित मानकों एवं विशिष्टतावादी रीतियों को मानते हैं।

(*v*) **सत्ता एवं नियंत्रण की पृथकता:** रिग्स के अनुसार एक असन्तुलित राजतन्त्र पाया जाता है जिसके अन्तर्गत राजनीतिक प्रशासनिक तन्त्र पर प्रशासकों का प्रभुत्व होता है। इसके बावजूद राजनीतिज्ञों के पास औपचारिक रूप से नीति-निर्माण का अधिकार विद्यमान होता है।

रिग्स का मूल्यांकन

रिग्स ने पारिस्थितिक दृष्टिकोण के साथ लोक प्रशासन के अध्ययन को नया दृष्टिकोण दिया है।

(*i*) रिग्स ने अपने मॉडल में प्रशासनिक संरचना पर वातावरण के प्रभाव के अध्ययन को प्रथामिकता दी है। लोक प्रशासन को आश्रित रहने वाला तत्व माना है।

(*ii*) रिग्स द्वारा वर्णित समपार्श्वीय समाज में इतनी विभिन्नताएँ हैं कि केवल एक मॉडल सभी के सम्बन्ध में नहीं हो सकता है।

(*iii*) इसके प्रतिमान सहजता एवं सरलता के स्थान पर जटिलता एवं पेचीदापन ला दिया है। सिसन, रिग्स के कटु आलोचक हैं ने कहा है कि ''रिग्स के दृष्टिकोण को सही ढंग से समझने के लिए तीन बार अध्ययन करना होगा।

(*iv*) होन बीन ली ने कहा है कि ''साला प्रतिमान से सामाजिक परिवर्त्तन की प्रक्रिया को समझा नहीं जा सकता है।''

रिग्स की समाजों की प्रकारणा और उनकी विशेषताएं

फ्रेड रिग्स ने समाजों की प्रकारणा (प्रकार) और उनकी विशेषताओं का वर्णन कृषका तथा आद्योगिका मॉडल तथा बहुकार्यात्मक-समपार्श्वीय अल्पकार्यात्मक मॉडल में की है।

1. कृषका तथा औद्योगिका मॉडल

रिग्स ने प्रशासनिक सुविधा के लिए समाज को दो भागों (प्रकार) में बाँटा है– (*i*) कृषका और (*ii*) औद्योगिका

रिग्स के अनुसार कुछ समाज मुख्य रूप से औद्योगिक होते हैं तो कुछ समाज में कृषि संस्थाएँ प्रमुख होती हैं। रिग्स अमेरिका को औद्योगिक समाज तथा चीन को कृषक समाज का उदाहरण बताते हैं।

रिग्स के अनुसार औद्योगिक समाज की प्रमुख विशेषताएँ हैं–

A. इसमें सामाजिक गतिशीलता अधिक होती है।

B. इसमें व्यावसायिक प्रणाली विकसित होते हैं।

C. इसके समुदाय स्वभाव से विशिष्ट और गैर-आरोपित होते हैं।

D. इसमें सार्वजनिक, विशिष्ट तथा उपलब्धि प्रतिमान होते हैं।

कृषका समाज की निम्नलिखित विशेषताएँ हैं–

A. इसमें सामाजिक गतिशीलता कम पायी जाती है।

B. इसमें व्यावसाय सरल और टिकाऊ होते हैं।

C. इसमें पृथकता सूचक स्तरीकरण प्रणाली होती है।

D. इसमें विकीर्ण पद्धतियों की प्रधानता होती है।

2. बहुकार्यात्मक-समपार्श्वीय-अल्पकार्यात्मक समाजों के मॉडल

रिग्स ने अनुभव किया कि कृषका-औद्योगिका मॉडल संक्रमणकालीन समाजों के अध्ययन में विशेष रूप से सहायक नहीं है क्योंकि विशुद्ध औद्योगिक समाज कहीं उपलब्ध नहीं है। इसमें कृषि समाज के भी लक्षण विद्यमान रहते हैं। 1959 में रिग्स ने 'कृषका-औद्योगिका मॉडल' को त्याग कर नये मॉडल बहुकार्यात्मक-समपार्श्वीय-अल्पकार्यात्मक समाजों के वर्गीकरण की रचना की है।

I. बहुकार्यात्मक समाज (Fused Society): ऐसे समाज की आर्थिक व्यवस्था उस विनिमय के कानून तथा परिवर्तन व्यवस्था पर आधारित थी जिसे रिग्स ने पुनर्वितरण प्रारूप कहा है। इसमें लोक सेवकों की नियुक्ति योग्यता पर न होकर भाई-भतीजावाद, जाति या पहचान के आधार पर होती थी। इन समाजों में कार्यों का कोई वर्गीकरण नहीं होता है तथा एक संरचना अनेक प्रकार के कार्य करती है। आर्थिक और प्रशासनिक कार्य करने के लिए अलग-अलग व्यवस्था नहीं पायी जाती है।

II. अल्पकार्यात्मक समाज (Diffracted Society): इसमें प्रत्येक संरचना विशेष कार्य करती है तथा कार्य विशेषीकरण पाया जाता है। इसमें समाज अत्यधिक गतिशील तथा अल्पकार्यात्मक होता है। इसमें आर्थिक व्यवस्था बाजार व्यवस्था पर आधारित होता है। बाजार समाज के अन्य पहलुओं को प्रत्यक्ष, अप्रत्यक्ष रूप से प्रभावित करता है। रिग्स ने इसे बाजारीकृत समाज कहा है।

III. समपार्श्वीय समाज (Prismatic Society): रिग्स के अनुसार समपार्श्वीय समाज वह है जिसमें विशिष्टीकरण का स्तर आधुनिक प्रौद्योगिकी के लेन-देन में आवश्यक भूमिकाओं का विशेषीकरण प्राप्त कर लिया हो परन्तु इन भूमिकाओं को जोड़ने में असफल रहा हो। रिग्स ने बहुकार्यात्मक और अल्पकार्यात्मक के बीच के समाज को 'समपार्श्वीय समाज' कहा है। इसमें दोनों समाज के स्वीकृत और वियोजित लक्षण शामिल हैं।

रिग्स के अनुसार समपार्श्वीय समाज की तीन विशेषताएँ होती हैं। (A) विजातीयता (Heterogeneity) (B) औपचारिकता (Formalism) (C) अति-आच्छादन (Overlapping)।

तुलनात्मक शोध की समस्याएँ

वर्तमान में लोक प्रशासन में तुलनात्मक दृष्टिकोण आवश्यक तथा उपयोगी बन गया है, किन्तु व्यवस्थित आधार पर तुलनात्मक अध्ययन किए जाने पर निम्नांकित व्यावहारिक समस्याएँ सामने आती हैं।

प्रशासन तथा राजनीति की समस्या

विभिन्न राष्ट्रों की प्रशासन व्यवस्था की तुलना में यह ध्यान रखना चाहिए कि एक देश का शासन वहाँ की राजनीतिक व्यवस्था के कार्यरूप का एक पहलू होता है, फलतः तुलनात्मक लोक प्रशासन का अध्ययन तुलनात्मक राजनीति के अध्ययन से जुड़ जाता है जो कि आज संक्रमण की स्थिति में है। इसकी विषय-वस्तु एवं दृष्टिकोण में व्यापक परिवर्तन हुए हैं। पहले केवल अमेरिका, पश्चिमी यूरोप तथा ब्रिटिश राष्ट्रमण्डलीय देशों की राजनीति का ही अध्ययन किया जाता था, लेकिन विश्व राजनीति के मंच पर तृतीय विश्व के नए देशों के उभरने से अध्ययन विषय की संख्या एवं भिन्नता की समस्या पैदा हो गई है।

आँकड़े सम्बन्धी समस्या

लोक प्रशासन के परम्परागत स्वरूप में तुलनात्मक अध्ययन के लिए पर्याप्त आँकड़े प्राप्त नहीं हो पाते। इसके लिए समाजशास्त्र, इतिहास, अर्थशास्त्र तथा प्रजनन शास्त्र आदि विषयों का ज्ञान वांछनीय है। जब तुलनात्मक विश्लेषण के लिए आँकड़े एकत्रित किए जाते हैं, तो ये समस्याएं सामने आती हैं:

- एकत्रित आँकड़े उचित तथा समस्या सम्बद्ध होने चाहिए।
- इनका विश्लेषण करना जटिल होता है।
- इन आँकड़ों में सत्यता का होना वांछनीय है।
- आँकड़ों के प्रति कैसा दृष्टिकोण रखा जाए।
- इनकी संख्या अधिक होने से भूल-चूक का भय रहता है।

प्रशासन की इकोलॉजी समझने की समस्या

लोक प्रशासन की संस्थाएँ शून्य में व्यवहार नहीं करतीं बरन् वे एक निश्चित सामाजिक, आर्थिक, सांस्कृतिक तथा राजनीतिक परिवेश में कार्य करती हैं। प्रशासनिक व्यवहार में विभिन्न विषयों; जैसे—नौकरशाही का विकास, एक संस्कृति विशेष में प्रशासनिक संस्थाओं के व्यवहार का तरीका, सेविवर्ग के प्रबन्ध का प्रभावशाली तरीका, प्रशासकों की मूल्य व्यवस्था, निर्णय लेने की प्रक्रिया, कार्य-प्रणाली की प्रक्रिया एवं विश्लेषण, संचार-व्यवस्था, जन-सम्पर्क के रूप का विवेचन करना प्रशासन की इकोलॉजी के लिए अनिवार्य है।

मूल्य सम्बन्धी समस्या

तुलनात्मक अध्ययन की एक अन्य महत्वपूर्ण समस्या पर प्रो. डाल ने लिखा है कि "लोक प्रशासन विज्ञान की प्रथम कठिनाई यह है कि लोक प्रशासन की समस्याओं से मूल्य सम्बन्धी विचारों को हटाना असम्भव है।" मूल्य सम्बन्धी विचारों को लोक प्रशासन के लिए विदेशी समझा जाता है क्योंकि मूल्य लोक प्रशासन की उपज नहीं है वरन् सम्बन्धित सामाजिक सम्दर्भ में प्रशासन तथा समाज के अन्तर्सम्बन्धों से जन्म लेते हैं। मूल्य किसी प्रशासनिक व्यवस्था पर लादे नहीं जा सकते हैं। तुलनात्मक लोक प्रशासन के अध्ययन में मूल्यों को महत्वपूर्ण आँकड़ों के रूप में लिया जाता है।

तुलनात्मक अध्ययन-भूमण्डलीकरण का प्रभाव

भूमण्डलीकरण (Globalization) से तात्पर्य विश्व के सारे संसाधनों, ज्ञान, जानकारी, जनशक्ति और बाजारों को एक स्तर पर लाते हुए इन्हें निर्बाध

रूप से लोगों को उपलब्ध कराने के लिए सभी विकसित अर्थव्यवस्थाओं को एकीकृत व आत्म-निर्भर बनाने से होता है। इससे एक देश की अर्थव्यवस्था सुगमतापूर्वक विश्व की अर्थव्यवस्था से जुड़ जाती है। भूमण्डलीकरण (वैश्वीकरण) एकरूपता एवं समरूपता की वह प्रक्रिया है जिसमें सम्पूर्ण विश्व सिमटकर एक हो जाता है। एक देश की सीमा से बाहर अन्य देशों में वस्तुओं एवं सेवाओं का लेन-देन करने वाले अन्तर्राष्ट्रीय निगमों अथवा बहुराष्ट्रीय निगमों के साथ देश के उद्योगों की सम्बद्धता भूमण्डलीकरण है। संक्षेप में, भूमण्डलीकरण राष्ट्रों की राजनीतिक सीमाओं के आर-पार आर्थिक लेन-देन की प्रक्रियाओं और उनके प्रबन्धन का प्रवाह है। विश्व अर्थव्यवस्था में आया खुलापन, आपसी जुड़ाव और परस्पर निर्भरता के फैलाव को भूमण्डलीकरण कहा जाता है। आज जिस भूमण्डलीकरण की हम चर्चा करते हैं उसने पश्चिमी दुनिया को अपने शिकंजे में जकड़ लिया था और जिसके प्रणेता ब्रिटेन की थैचर, जर्मनी के कोहल और अमरीका के रोनाल्ड रीगन थे। बहुराष्ट्रीय निगम पूरी दुनिया में अपने चरण बढ़ाने लगे और पूंजी एवं मुद्रा पर लगे नियन्त्रणों को तोड़ते हुए विनिवेश और व्यापार के लिए मुक्त द्वार का नारा बुलन्द करने लगे। उनका तर्क था कि मुक्त बाजार से विकास दर में वृद्धि होगी, विकास से निर्धनता में कमी आएगी और निर्धनता में कमी लोकतन्त्र के विकास एवं सुदृढ़ता में सहायक होगी। वस्तुतः उदारीकरण और निजीकरण भूमण्डलीकरण से पूर्व की दो महत्वपूर्ण सीढ़ियाँ हैं जिनका प्रयोग करते हुए वैश्वीकरण की स्थिति में पहुँचने का प्रयास किया जाता है।

आज आर्थिक उदारीकरण और भूमण्डलीकरण की लहर न केवल भारत में बल्कि लगभग विश्व के सभी भागों में कहीं तेज और कहीं मन्द रफ्तार से चल रही है। सामान्य तौर पर दुनिया के अनेक भागों में आर्थिक उदारीकरण की लहर वर्ष 1980-81 से विश्व की प्रमुख मानी जाने वाली समाजवादी अर्थव्यवस्थाओं के भ्रमजाल के टूटने के फलस्वरूप प्रारम्भ हुई है और सोवियत रूस सहित पूर्वी यूरोप और चीन जैसे साम्यवादी देश में आर्थिक सुधारों की प्रक्रिया तेजी से फलती-फूलती गई। हमारे देश में भी आर्थिक सुधारों की प्रक्रिया 1980 के दशक में विशेष रूप से राजीव गांधी के प्रधानमन्त्री पद संभालने के बाद वर्ष 1985 से शुरू हुई। इन सुधारों को वर्ष 1991 में पी.वी. नरसिंहराव की सरकार ने सत्ता संभालने के बाद सुव्यवस्थित रूप प्रदान करने का प्रयास किया। इसे आर्थिक सुधारों की दूसरी लहर अथवा दूसरी पीढ़ी के सुधारों के नाम से सम्बोधित किया गया। उदारीकरण अथवा आर्थिक सुधारों के अन्तर्गत सार्वजनिक क्षेत्र को सीमित करके निजी क्षेत्र को बढ़ावा देने, उत्पादन प्रक्रिया में सुधार लाने, आधुनिक टेक्नोलॉजी को आत्मसात करने तथा उपलब्ध क्षमताओं का भरपूर प्रयोग करने हेतु लाइसेन्स प्रणाली को सरल बनाने के लिए कई महत्वपूर्ण उपायों को अमली जामा पहनाया गया।

भूमण्डलीकरण–उदारीकरण का लोक प्रशासन पर प्रभाव

उदारीकरण के परिणामस्वरूप विकास की सम्पूर्ण रणनीति में भारी बदलाव आया। अर्थव्यवस्था में राज्य की भूमिका को पुनः परिभाषित किया गया और आर्थिक विकास की प्रक्रिया में निजी क्षेत्र को अधिक प्राथमिकता दी जाने लगी। भारतीय अर्थव्यवस्था बाजार मैत्रीपूर्ण अर्थव्यवस्था की ओर उन्मुख होने लगी। अनावश्यक नियन्त्रण हटाए गए और केन्द्रीकृत नियोजन से विकेन्द्रित नियोजन की ओर चरण बढ़ाए गए। ऐसी स्थिति में लोक प्रशासन और नौकरशाही की भूमिका में भी बदलाव आने लगे। इन बदलावों को निम्नांकित शीर्षकों में अंकित किया जा रहा है:

1. **राज्य एवं सरकार की भूमिका में कटौतीः** स्वतन्त्रता के बाद भारत में राज्य एवं सरकार की भूमिका में जबरदस्त अभिवृद्धि हुई। योजनाबद्ध आर्थिक विकास के नाम पर आर्थिक गतिविधियों के नियमन, निर्देशन और संचालन का कार्य सरकार के हाथों में केन्द्रित हो गया। इसके साथ ही सरकार का अपना आकार भी फैलता गया। उदारीकरण के परिणामस्वरूप राज्य एवं सरकार द्वारा किए जाने वाले अनेक कार्य निजी क्षेत्र के लिए खोल दिए गए। राज्य एवं सरकार का कार्यभार कम किया जाने लगा। उसका स्थान बाजार, गैर-सरकारी संगठन (NGOs) तथा समुदाय आधारित संगठन (CBOs) ग्रहण करने लगे। राज्य की भूमिका का पुनर्निर्धारण किया जाने लगा और नई उभरती भूमिका में चार बातों पर जोर दिया जाने लगा—निजीकरण एवं विनियमकीकरण (Privatisation and deregulation), बाजारतन्त्र की स्थापना (Establishing market like mechanisms), विकेन्द्रीकरण (Decentralisation) तथा विनौकरशाहीकरण (Debureaucratization)। इसके परिणामस्वरूप अब राज्य एवं सरकार का आकार धीरे-धीरे सिकुड़ता जा रहा है।

2. **कोटा, परमिट एवं लाइसेन्स राज का अन्तः** स्वतन्त्रता के बाद अर्थव्यवस्था पर अनेक नियन्त्रण स्थापित किए गए और कोटा, परमिट एवं लाइसेन्स राज की स्थापना हुई। इससे नौकरशाही की शक्तियों में वृद्धि हुई और लालफीताशाही एवं भ्रष्टाचार बढ़ा। उदारीकरण और आर्थिक सुधारों से नियन्त्रण तथा नियमनों के स्थान पर बाजारीकरण व निजीकरण पर बल दिया गया और लाइसेन्स, परमिट, सब्सिडी, आदि को जारी रखने के बजाय इनको यथासम्भव कम करने पर जोर दिया जाने लगा। इससे सरकार एवं नौकरशाही की भूमिका सीमित होने लगी और अर्थव्यवस्था में खुलापन आया।

3. **लोक प्रशासन की नई भूमिका—सहायता एवं मददगार का नया रूपः** राज्य नियन्त्रित अर्थव्यवस्था में सरकार एवं नौकरशाही की भूमिका नकारात्मक एवं अड़ंगे लगाने वाली थी। उदारीकरण के इस युग में नौकरशाही की नकारात्मक भूमिका में परिवर्तन अपेक्षित है। अब नौकरशाही को सकारात्मक, रचनात्मक, सहयोगात्मक और मददगार मार्गदर्शक (Facilitator) की भूमिका का निर्वाह करना है। अब नौकरशाह अड़ंगे लगाने के बजाय 'मित्र, दार्शनिक और मार्ग दर्शक' की भूमिका का निर्वाह करेंगे।

4. **संविदा पर कार्य करानाः** एक जमाने में सरकार या राज्य सबसे बड़ा नियोक्ता बन गया था। अब सरकारी सेवाओं में कर्मचारियों की भर्ती को नियन्त्रित किया जा रहा है। ऐसी सेवाओं का कार्य विस्तृत होता जा रहा है जो इस समय सरकार विभागीय रूप से करा रही है, किन्तु जिन्हें आसानी से संविदा पर निजी क्षेत्र को सौंपा जा सकता है।

5. **प्रशासनिक सुधारः** उदारीकरण के बाद प्रशासनिक सुधारों पर पर्याप्त ध्यान दिया जाने लगा है ताकि सरकारी नौकरशाही को परिणामोन्मुखी संगठन में बदला जाए जिसमें लक्ष्य और परिणाम हासिल करने के लिए अधिकारी जवाबदेय होगा। आज लोक प्रशासन में हमें ई-गवर्नेन्स, नागरिक चार्टर, पारदशिता, गुणवत्ता, जवाबदेयता जैसी बातें देखने को मिलती हैं।

   उत्तम शासन व्यवस्था के लिए क्षमता निर्माण के साथ-साथ निम्नांकित सुधारों पर जोर दिया जाने लगा हैः

   • मूल्यांकन एवं बेंच मार्किंग • सूचना प्रौद्योगिक का अनुप्रयोग • प्रशासनिक सुधार सम्बन्धी अनुसन्धान परियोजनाएं • ज्ञान प्रबन्धन प्रणालियों का विकास • सरकार में गुणवत्ता का मूल्यांकन।

6. **लोक विकल्प (चयन) विचारधारा पर जोरः** उदारीकरण के इस दौर में लोक विकल्प सिद्धान्त (Public Choice Theory) पर जोर दिया जाने लगा है। लोक विकल्प राजनीति का आर्थिक सिद्धान्त है। लोक विकल्प सिद्धान्त पेशेवर नौकरशाही के प्रति उदासीन है तथा यह इसे अकुशल एवं जनता के प्रति उपेक्षा का भाव रखने वाला मानता है। विकल्प में प्रतिस्पर्द्धा निहित है। लोक विकल्प सिद्धान्त लोक प्रशासन में प्रतिस्पर्द्धा सम्मिलित करता है। यह सार्वजनिक वस्तुओं एवं सेवाओं के सन्दर्भ में संस्थात्मक एवं बहुलवाद का समर्थक है। सार्वजनिक सेवाओं की आपूर्ति के लिए निजी स्रोतों का अधिकाधिक प्रयोग कर नौकरशाही के लिए प्रतिस्पर्द्धा बढ़ायी जाए। संक्षेप में, लोक विकल्प सिद्धान्त सार्वजनिक सेवा आपूर्ति करने में सरकार के एकाधिकार को समाप्त करता है।

7. **नवीन लोक प्रबन्ध प्रतिमानः** आज लोक प्रशासन में नवीन प्रतिमान को जिसे 'नवीन लोक प्रबन्ध' (New Public Management) प्रतिमान के नाम से सम्बोधित किया जाता है, स्वीकार कर लिया गया है। यह प्रतिमान सार्वजनिक क्षेत्र में लोक प्रबन्धकों की इस भूमिका पर जोर देता है कि उन्हें नागरिकों के लिए उच्च स्तर की सेवाएं प्रदान करना है। यह 'सेवा उन्मुखी सरकार' तथा 'बाजार उन्मुखी सरकार' के मन्तव्यों पर बल देता है। इसका नारा है—"पहले सेवा, लचीलापन तथा शासन का पुनर्मुखीकरण।" बदलते परिवेश में सार्वजनिक क्षेत्र के प्रबन्धकों को सार्वजनिक क्षेत्र के उद्यमी में रूपान्तरित किया जाने लगा है। अब बाजारोन्मुखी लोक प्रशासन तथा उद्यमी अभिशासन की अवधारणाओं को व्यवहार में लाने की दिशा में कदम बढ़ाए जा रहे हैं।

ग्रेट ब्रिटेन तथा संयुक्त राज्य अमेरिका की प्रशासनिक व्यवस्थाओं की मुख्य विशेषताएं (Salient Features of the Administrative Systems of U.K. and U.S.A)

किसी भी देश की शासन व्यवस्था वहाँ के राजनीतिक जीवन का अभिन्न अंग होती है। यह राज्य की नीतियों को कार्यान्वित करती है, उसके लक्ष्यों को साकार बनाती है तथा उसे सार्थकता प्रदान करने में महत्त्वपूर्ण भूमिका निभाती है। राज्य के नीति निर्माता राजनीतिज्ञों के बाद उन नीतियों को कार्य रूप में परिणत करने वाला विभागीय संगठन ही वहाँ का प्रशासनिक संगठन है। इस प्रशासनिक संगठन की प्रकृति, रचना एवं कार्यों पर उस देश की भौगोलिक परिस्थिति, सांस्कृतिक परंपरा, धार्मिक रीति-रिवाज, आर्थिक स्थिति, राष्ट्रीय चरित्र आदि अनेक दृश्य एवं अदृश्य तत्त्वों का प्रभाव रहता है। यही कारण है कि कोई एक शासन व्यवस्था सभी देशों के लिए श्रेष्ठ साबित नहीं हो पाती। प्रत्येक देश के लिए श्रेष्ठ शासन व्यवस्था वहाँ के सन्दर्भ विशेष द्वारा तय की जाती है। यदि संदर्भ बदलता है तो शासन व्यवस्था में परिवर्तन भी वांछनीय बन जाते हैं। इसी प्रकार प्रत्येक देश की शासन व्यवस्था उस देश की राजनीतिक व्यवस्था के विभिन्न तत्त्वों से प्रभावित होती है। इन प्रभावक तत्त्वों में राजनीतिक तत्त्व मुख्य तथा प्राथमिक हैं।

ब्रिटिश शासन व्यवस्था की प्रमुख विशेषताएं

ग्रेट ब्रिटेन में संसदीय शासन और प्रजातांत्रिक प्रणाली की परम्पराएं काफी पुरानी हैं। यहां की शासन प्रणाली का वास्तविक सूत्र मंत्रिमण्डल के हाथों में रहता है, जो सम्राट के नाम पर इसका संचालन करता है। मंत्रिमण्डल का नेतृत्व प्रधानमंत्री करता है। यह कॉमन्स सभा में बहुमत का नेता होता है और सम्राट द्वारा नियुक्त किया जाता है। अन्य मंत्री प्रधानमंत्री के परामर्श से ही सम्राट द्वारा नियुक्त किए जाते हैं। मंत्रिमण्डल देश के प्रशासन की नीतियाँ बनाता है तथा संसद की स्वीकृति के बाद उन्हें कार्यरूप में लागू करता है। नीति कार्यान्वित करते समय मंत्रिमण्डल की सहायता प्रशासन तंत्र द्वारा की जाती है जिसकी प्रमुख विशेषताएं निम्नलिखित हैं:

1. प्रशासन का राजनीतिक नेतृत्व (Political Leadership of the Administration): ग्रेट ब्रिटेन के प्रशासन की संरचना पिरामिडनुमा है। इसके शीर्ष पर मंत्री होता है। मंत्री प्रायः संसद में बहुमत दल का सदस्य होता है। यह प्रशासन पर राजनीतिक नेतृत्व रखने के लिए उत्तरदायी है तथा विभाग में संगठन सम्बन्धी सभी समस्याओं का अन्तिम निर्णायक है। यदि प्रशासन किसी कार्य में असफल रहता है तो इसके लिए मंत्री उत्तरदायी है और यदि प्रशासन को सफलताएं मिलती हैं तो मंत्री उसके श्रेय का भागीदार है। वह अपने विभाग में पूरे प्रशासन पर छाया रहता है। उसकी वास्तविक प्रभावशीलता उसके व्यक्तित्व पर निर्भर करती है। हेरॉल्ड निकल्सन ने लिखा है कि "एक सशक्त व्यक्तित्ववाला मंत्री अपने विभाग के वातावरण को तुरन्त बदल देता है। घटनाओं के घटित होने में लिखित शब्द की अपेक्षा वातावरण एक महत्त्वपूर्ण तत्त्व है।"

प्रशासनिक संरचना में मंत्री के बाद कनिष्ठ मंत्री (Junior Ministers) होते हैं। इन्हें संसदीय अवर सचिव, संसदीय सचिव या वित्तीय सचिव आदि नामों से जाना जाता है। ये अपने विभाग के कतिपय कार्यों का सम्पादन करके मंत्री के कार्यभार को हल्का करते हैं। संसदीय सचिव या अवर सचिव द्वारा विभाग के आन्तरिक प्रशासन की विभिन्न शाखाओं का निरीक्षण किया जाता है। विंस्टन चर्चिल के कथनानुसार, "अवर सचिव के कार्य प्रायः बदलते रहते हैं, किन्तु उसके दायित्व हमेशा सीमित रहते हैं। उसे मंत्रालय से निश्चित की गई नीतियों को कार्यान्वित करने में अपने प्रमुख की सहायता करनी होती है, जबकि मंत्रिमण्डल का न तो वह सदस्य है और न वहाँ तक उसकी पहुँच है।" मंत्री तथा संसदीय सचिव के आपसी सम्बन्ध के बारे में 1949 में प्रधानमंत्री एटली ने कहा था कि कनिष्ठ मंत्री को नागरिक सेवकों का परामर्श अपने मंत्री तक पहुँचा देना चाहिए क्योंकि वही संसद के प्रति उत्तरदायी है। स्वयं कनिष्ठ मंत्री को अपनी ओर से नागरिक सेवकों के परामर्श का उल्लंघन नहीं करना चाहिए। निकल्सन के कथनानुसार, "केवल मंत्री ही नागरिक सेवक के मत की अवहेलना करने में न्यायोचित है। संसदीय सचिव का कार्य नीति निर्धारित करना अथवा उसे बदलना नहीं है, यह कार्य मंत्री का है।"

विभागीय संरचना में मंत्री और संसदीय सचिव के बाद विभाग का मुख्य नागरिक सेवक होता है। उसके दो महत्त्वपूर्ण कार्य हैं—(क) वह विभाग का मुख्य प्रबंधक होता है तथा सभी प्रशासकीय कार्यों के लिए उत्तरदायी होता है। विभाग के संगठन सम्बन्धी कार्यों के लिए वह मंत्री के प्रति उत्तरदायी है। (ख) वह विभागीय नीति एवं प्रशासन से संबंधित प्रत्येक मामले पर मंत्री के मुख्य परामर्शदाता का काम करता है। स्थायी सचिव तथा मंत्री के बीच परस्पर विश्वासपूर्ण सम्बन्ध रहना चाहिए। मंत्री को यह भरोसा रहे कि उसकी नीतियाँ विभाग में सही रूप से क्रियान्वित की जा रही हैं और स्थायी सचिव से प्राप्त परामर्श औचित्यपूर्ण है। स्थायी सचिव को लोचशील प्रकृति का होना चाहिए। उसे किन्हीं सिद्धांतों अथवा मतों से बँधा नहीं रहना चाहिए। कारण यह कि मंत्री और उनके विभागों में परिवर्तन होता रहता है। स्थायी सचिव को विभिन्न स्वभाव तथा राजनीतिक दृष्टिकोण वाले मंत्रियों के अधीन रहने का अभ्यस्त होना चाहिए।

स्थायी सचिव के बाद विभागीय संगठन अनेक पदाधिकारियों में बिखर जाता है। स्थायी सचिव की सहायता के लिए एक अथवा दो उपसचिव होते हैं। ये मंत्रालय की विभिन्न शाखाओं का निरीक्षण करते हैं। उपसचिव के अधीन एक या एक से अधिक सहायक सचिव होते हैं। उनके बाद प्रधान (Principal) तथा सहायक प्रधान होते हैं। विभाग के समस्त अधिकारी स्थायी सचिव के प्रति और उसके माध्यम से मंत्री के प्रति उत्तरदायी होते हैं।

2. विकास का परिणाम (A Result of Evolution): जिस प्रकार ग्रेट ब्रिटेन का संविधान निर्मित न होकर विकसित है उसी प्रकार वहाँ का प्रशासन भी लम्बे समय का परिणाम है। जे.ए. क्रॉस के शब्दों में, "ब्रिटिश प्रशासन की संरचना तार्किक की अपेक्षा कालक्रम के अनुसार है।" मध्यकालीन राजाओं के समय प्रशासनिक विभागों की स्थिति ऐसी थी मानो वे राजाओं की घरेलू समितियाँ हों। तत्कालीन सरकारी अधिकारियों की स्थिति भी आज से भिन्न थी। उस समय लॉर्ड चांसलर राजा का एक मुख्य क्लर्क मात्र होता था। सरकार के सीमित कार्यों को सम्पन्न करने के लिए विभागों का संगठन किया जाता था। ये विभाग राज्य की सुरक्षा, राजनयिक सम्बन्धों का संचालन, राजस्व एकत्रित करना, आन्तरिक शान्ति और सु-व्यवस्था बनाए रखना आदि कार्य सम्पन्न करते थे। राज्य के कार्यों में वृद्धि के साथ-साथ प्रशासकीय विभागों की संख्या तथा कार्यों में भी वृद्धि हुई। अनेक विभागों का जन्म हुआ और पुराने विभागों के संगठन तथा कार्यों में समयानुसार परिवर्तन किए गए। पुराने विभागों में मुख्य विभाग राजकोष (Treasury) है। स्टुअर्ट (Stuart) राजाओं के समय तक राजकोष लॉर्ड हाई ट्रेजरार के अधीन था। जेम्स प्रथम ने यह निर्णय लिया कि इस शक्तिशाली अधिकारी के दायित्वों को अन्य मंत्रियों में बाँट दिया जाए। अतः सन् 1612 में इस हेतु एक बोर्ड बनाया गया और उसे राज्य के वित्त विभाग के पर्यवेक्षण का काम सौंपा गया। बोर्ड का मुख्य कार्यकर्त्ता 'चान्सलर ऑफ दि एक्सचेकर' होता है। यह एक महत्त्वपूर्ण पदाधिकारी होता है। इसी के माध्यम से प्रधानमंत्री नागरिक सेवा पर नियंत्रण रखता है। बोर्ड के अन्य सदस्य कॉमन्स सभा के बहुमत दल के सचेतक (Whip) होते हैं। पुराने प्रशासनिक कार्यालयों में राजा की परिषद्, प्रिवी परिषद्, लॉर्ड चांसलर, राज्य सचिव का कार्यालय आदि उल्लेखनीय हैं। ज्यों-ज्यों नई चुनौतियाँ प्रशासन के सामने आती गईं, त्यों-त्यों नए विभागों का गठन होता रहा। इसी विकास क्रम ने देश के प्रशासन को गतिशील और सक्षम बनाने में महत्त्वपूर्ण योगदान दिया है।

3. एक जीवन्त संगठन (A Living Organisation): ग्रेट ब्रिटेन के प्रशासन में समयानुकूल परिवर्तन होते रहे हैं। वह परिस्थिति और आवश्यकताओं के अनुसार बदला और संशोधित हुआ है। ग्रेट ब्रिटेन में प्रशासन में समय और स्थान की परिस्थितियों के अनुसार समायोजन का प्रश्न अधिक गंभीर था। वहाँ विभागों का संगठन करते समय मंत्रालयों की संख्या एवं उत्तरदायित्व की दृष्टि से कोई योजना नहीं बनाई गई थी। जब राज्य के कार्य बढ़े तो उन्हें तत्कालीन मंत्रालयों को सौंप दिया गया अथवा नए मंत्रालयों की स्थापना कर दी गई। फलतः कालान्तर में विभागीय संगठनों में एकरूपता और कार्यकुशलता की गंभीर समस्या उपस्थित हुई। इसके लिए विभागीय पुनर्गठन के प्रयास किए गए। इन प्रयासों का लक्ष्य यह था कि अनावश्यक विभागों को समाप्त किया जाए तथा एक मंत्रालय में समान प्रकृति के कार्य रखे जाएं।

प्रथम विश्व युद्ध के अन्तिम दिनों में मंत्रालयों के पुनर्गठन पर विचार करने के लिए हेल्डेन समिति (Haldane Committee) नियुक्त की गई। इस समिति का सुझाव था कि ब्रिटिश शासन को निम्नांकित दस प्रमुख भागों में संगठित किया जाए—वित्त, राष्ट्रीय सुरक्षा, विदेशी मामले, अनुसंधान और सूचना, उत्पादन, रोजगार, पूर्ति, शिक्षा, स्वास्थ्य एवं न्याय। समिति की राय थी कि इन विषयों पर दस विभागों का संगठन करना ही अनिवार्य नहीं है बल्कि यदि कोई विषय बड़ा है तो उस पर एक से अधिक विभाग भी बनाए जा सकते हैं। यद्यपि हेल्डेन समिति के प्रतिवेदन को पर्याप्त लोकप्रियता प्राप्त हुई, किन्तु इसकी सिफारिशों के अनुसार सरकार ने अधिक कदम नहीं उठाए। बाद में प्राक्कलन समिति के आग्रह पर सरकारी संगठन समिति की स्थापना की गई। प्रधानमंत्री एटली ने प्रशासनिक

संगठन की सुव्यवस्था एवं कार्यकुशलता में पर्याप्त रुचि ली। कॉमन्स सभा की प्राक्कलन एवं जनलेखा समितियाँ समय-समय पर इस सम्बन्ध में अध्ययन करती हैं तथा उपयुक्त सिफारिशें करती हैं।

4. प्रशासन में समन्वय (Co-ordination in Administration): ब्रिटिश लोक प्रशासन में समन्वय के लिए उपयुक्त व्यवस्था की गई है। यहाँ का प्रत्येक सरकारी विभाग राष्ट्रीय नीति के अलग-अलग पहलुओं को क्रियान्वित कर रहा है। विभागों के कार्य क्षेत्र में पृथकता होते हुए भी उनके बीच आधारभूत एकरूपता रहती है। वे मूलतः एक ही लक्ष्य के लिए कार्य करते हैं। विभागों के कार्यों में प्रतिद्वन्द्विता रोकने के लिए, मानव शक्ति एवं संसाधनों का उचित प्रयोग करने के लिए तथा उपलब्ध सुविधाओं का लाभ उठाने के लिए विभागों के बीच समन्वय स्थापित किया जाता है। समन्वय द्वारा प्रशासन में कार्यकुशलता लाई जाती है, अपव्यय की रोकथाम की जाती है, अनावश्यक देरी को रोका जाता है, विभिन्न विभागों के बीच सहयोगपूर्ण सम्बन्धों की स्थापना की जाती है तथा जनता को अधिक से अधिक सेवाएं प्रदान की जाती हैं। इस समन्वय की स्थिति ने प्रशासन को जनाकांक्षाओं को पूरा करने में सक्षम बनाया है।

ब्रिटिश प्रशासन में समन्वय की स्थापना के लिए विभिन्न संस्थागत प्रबंध किए गए हैं। मंत्रालय स्तर पर कुछ समन्वय मंत्रिमण्डल द्वारा स्थापित किया जाता है। मंत्रिमण्डल की स्थायी समिति अथवा सामयिक समिति द्वारा यह कार्य सम्पन्न किया जाता है। निम्न अधिकारी स्तर पर ट्रेजरी समन्वय की स्थापना करती है। यह विभिन्न सरकारी विभागों के व्यय के अनुमान पर नियंत्रण रखती है और इस प्रकार प्रशासकीय सेवाओं में दोहराव तथा अतिराव पर रोक लगाकर उसकी कार्यकुशलता एवं मितव्ययता को बढ़ाने का प्रयास करती है। प्रत्येक विभाग ट्रेजरी को वार्षिक अनुमान प्रस्तुत करता है। इस अवसर पर ट्रेजरी सभी विभागों के कार्यों का परीक्षण कर लेती है और जहाँ समन्वय न हो वहाँ समन्वय स्थापित करने का सुझाव भी देती है। समन्वय की स्थापना के लिए अनेक अन्तर्विभागीय समितियाँ भी होती हैं। सरकारी विभागों के अधिकारी इन समितियों के सदस्य होते हैं। प्रत्येक मंत्रालय स्वयं भी समन्वय का कार्य करता है।

5. प्रजातान्त्रिक लोक सेवा (Democratic Civil Service): ग्रेट ब्रिटेन में लोक सेवक राजमुकुट या क्राउन का कर्मचारी होता है। यह पद न तो न्यायिक है और न ही राजनीतिक है। वैज्ञानिक दृष्टि से राजमुकुट का सेवक होते हुए भी व्यावहारिक दृष्टि से लोक सेवक विभागीय मंत्री के अधीन रहते हैं। ये मंत्रियों को नीति निर्माण में परामर्श देते हैं तथा उनके निर्णयों को कार्यान्वित करने में महत्त्वपूर्ण भूमिका का निर्वाह करते हैं। समय-समय पर मंत्रिगण बदल जाते हैं, किन्तु लोक सेवक स्थायी रूप से बने रहते हैं। सरकार बदलने पर लोक सेवा के सदस्यों में परिवर्तन नहीं आता। उनकी योग्यता, भर्ती का तरीका, प्रशिक्षण, सेवा की शर्तें, नियंत्रण, कार्यप्रणाली आदि की व्यवस्था प्रजातांत्रिक तरीके से सम्पन्न की जाती है।

प्रारम्भ में लोक सेवकों की नियुक्ति शासक वर्ग द्वारा मनमाने तरीके से की जाती थी, किन्तु 1910 के परिषद् आदेश के बाद प्रतियोगिता परीक्षाएं होने लगीं। भर्ती का कार्य लोक सेवा आयोग करता है जिसकी स्थापना 1885 में हो चुकी थी। भर्ती के बाद लोक सेवकों को समुचित प्रशिक्षण दिया जाता है। यह कार्य मुख्यतः विभागों द्वारा ही संचालित किया जाता है। प्रशासनिक अधिकारियों को एक विभाग से दूसरे विभाग और एक शाखा से दूसरी शाखा में स्थानान्तरित करने की व्यवस्था है ताकि वे अधिकाधिक स्थानों का प्रशासनिक अनुभव प्राप्त कर सकें। कर्मचारियों की पदोन्नति की भी समुचित व्यवस्था है। पदोन्नति कार्य की वार्षिक रिपोर्ट तथा खुली प्रतियोगी परीक्षा, दोनों आधारों पर की जाती है। प्रायः प्रत्येक विभाग में पद-वृद्धि आयोग रहता है। आयोग की सिफारिश से असंतुष्ट कर्मचारियों को अपील करने का अधिकार है। लोक सेवकों का कार्यकाल सम्राट की इच्छा-पर्यन्त है। लेकिन व्यवहार में इसका अर्थ यह है कि वे अपने पद पर सेवा निवृत्ति की आयु तक बने रहते हैं। लोक सेवकों की सेवा की शर्तें राष्ट्रीय व्हीटले परिषद् द्वारा तय की जाती हैं। परिषद् में सरकार तथा कर्मचारी दोनों के प्रतिनिधि होते हैं। इस प्रकार लोक सेवाओं का पूरा प्रबंध सुनिश्चित नियमों के अनुसार होता है, किसी व्यक्ति विशेष के स्वेच्छाचारी आदेशों के आधार पर नहीं होता।

डॉ. हरमन फाइनर ने ब्रिटिश लोक सेवा की इन मुख्य विशेषताओं का उल्लेख किया है—*(i)* यह लूट व्यवस्था से प्रभावित नहीं है। *(ii)* भर्ती खुली प्रतियोगिता के आधार पर की जाती है। *(iii)* भर्ती की व्यवस्था देश की शिक्षा प्रणाली से सम्बद्ध है। *(iv)* सामान्यतः भर्ती के लिए कम आयु निर्धारित की जाती है। *(v)* रिक्त स्थानों के लिए प्रतिवर्ष परीक्षाएं ली जाती हैं। *(vi)* एक स्वतंत्र लोक सेवा आयोग द्वारा योग्यताएं निर्धारित की जाती हैं तथा परीक्षाएं संचालित की जाती हैं। *(vii)* उच्च शिक्षा प्राप्त प्रत्याशियों को प्रशासक वर्ग में शामिल किया जाता है। *(viii)* पदोन्नति, कार्यकुशलता, प्रतिवेदन और अधीनस्थ कर्मचारी सम्बंधी समस्याओं को सुलझाने के लिए विभिन्न प्रयास किए जाते हैं। *(ix)* व्हीटले परिषद् जैसी संस्थाएं हैं जो सेवा की शर्तों सम्बन्धी विभागीय समस्याओं एवं सामान्य समस्याओं के लिए समाधान ढूंढ़ती हैं तथा कार्यकुशलता और नैतिकता को सुधारने की चेष्टा करती हैं। *(x)* नागरिक सेवा को राजनीतिक अधिकार दिए गए हैं तथा संसद से उनके सम्बन्धों की समस्या का उपयुक्त समाधान किया गया है। *(xi)* सेवाकालीन प्रशिक्षण की ओर विशेष ध्यान दिया गया है। *(xii)* सामान्यतः लोक सेवा ईमानदार है तथा संसद संबंधित मंत्रियों की मांगों तथा आवश्यकताओं के प्रति स्वामिभक्त रहती है। *(xiii)* राजनीतिक तटस्थता एवं अनामकता का पर्याप्त आदर किया जाता है। अपने प्रजातांत्रिक स्वरूप के कारण ही ब्रिटिश लोक सेवा का बड़ा महत्त्व है। भारतीय लोक सेवा का गठन भी ब्रिटिश लोक सेवा के आधार पर ही किया गया है।

6. अविशेषज्ञों तथा विशेषज्ञों का समन्वय (Co-ordination of Amateurs and Experts): ब्रिटिश शासन सूत्र का संचालन करने वाले लोग दो प्रकार के होते हैं—मंत्रिगण एवं लोक सेवक। मंत्रियों में प्रशासनिक अनभिज्ञता होती है जबकि लोक सेवकों में प्रशासनिक ज्ञान की विशिष्टता होती है। मंत्री अपने-अपने विभाग के अध्यक्ष होते हैं, किन्तु विभाग के वास्तविक अनुभवों और प्रशासनिक बारीकियों का उन्हें प्रायः ज्ञान नहीं होता। राजनीतिक आधार पर नियुक्त मंत्री का कार्यकाल अनिश्चित होता है। वह राजनीतिक प्रपंचों में इतना फँसा रहता है कि प्रशासन के वास्तविक संचालन का ज्ञान प्रायः उसे नहीं हो पाता। इसी अर्थ में वह नौसिखिया अथवा गैर विशेषज्ञ कहा जाता है। ऐसे अवसर कदाचित ही आते हैं जब

कि अर्थशास्त्री को चांसलर ऑफ एक्सचेकर, डॉक्टर को स्वास्थ्य मंत्री तथा अध्यापक को शिक्षामंत्री नियुक्त किया जाए। किसी नौसिखिये सांसद को मंत्री के रूप में नियुक्त किया जा सकता है। दूसरी ओर लोक सेवक प्रशासन के क्षेत्र में विशेषज्ञ होते हैं। वे मंत्रियों को नीति निर्धारण में सहायता देते हैं और नीतियों को कार्यान्वित करते हैं। लोक सेवकों का प्रशिक्षण और प्रशासन सम्बन्धी अनुभव उनको विशेष बना देता है। उनकी नियुक्ति योग्यता के आधार पर की जाती है तथा स्थायी रूप से अपने पद पर लंबे समय तक कार्य करते हुए वे घुट जाते हैं। राजनीतिक प्रपंचों से दूर रहकर एक जैसा काम करते हुए वे अपने विभाग की भीतरी बातों को एवं उनके परिणामों को खूब अच्छी प्रकार से जान जाते हैं। वे मंत्रियों को उचित परामर्श देते हैं तथा अपने पद की परिधियों में रहकर नीतियों को कार्यरूप देने में सहायता करते हैं। इस प्रकार ब्रिटिश प्रशासन में विशेषज्ञ तथा अविशेषज्ञ अधिकारियों के बीच पर्याप्त समन्वय रहता है।

7. गैर-विशेषज्ञ अधिकारियों की प्रभावशीलता (Dominance of Non-expert Officials): ब्रिटिश लोक प्रशासन की एक महत्त्वपूर्ण विशेषता यह है कि यहाँ विशेषज्ञ अधिकारियों की अपेक्षा गैर-विशेषज्ञ अथवा सामान्य प्रशासकों या अधिकारियों का महत्त्वपूर्ण स्थान है। मंत्रालय में मुख्य स्थायी अधिकारी सामान्य प्रशासक (Generalist) होते हैं। वे विभागीय कार्यकलापों में संबंधित मंत्री से अधिक विशेषज्ञ नहीं होते। सर वारेन फिशर के कथनानुसार, "एक सरकारी विभाग का स्थायी अध्यक्ष किसी विषय में विशेषज्ञ नहीं होता। वह मंत्री का एक सामान्य परामर्शदाता होता है। वह मंत्री के अधीन सामान्य प्रबंधक और नियंत्रक है। अपने पद तक पहुँचने से पूर्व वह संभवतः आधे दर्जन से अधिक विभागों में कार्य का अनुभव प्राप्त कर लेता है।"

8. विधि का शासन (Rule of Law): ग्रेट ब्रिटेन में विधि का शासन है। वहाँ कानून की दृष्टि से सभी समान हैं तथा साधारण नागरिकों एवं प्रशासनिक अधिकारियों में किसी प्रकार का भेद नहीं किया गया है। फ्रांस की भांति यहाँ प्रशासनिक कानून (Administrative Law) अथवा प्रशासनिक न्याय (Administrative Justice) की व्यवस्था नहीं की गई है। सरल शब्दों में विधि के शासन का अर्थ यह है कि यहाँ विधि ही देश का शासन करती है। किसी व्यक्ति को स्वेच्छापूर्ण शक्तियाँ नहीं दी गई हैं। प्रो. डायसी ने विधि के शासन की तीन मुख्य बातों का उल्लेख किया है:

(*i*) **कानून की सर्वोपरिता:** जब तक कोई व्यक्ति स्पष्टतः कानून के विरुद्ध आचरण न करे और कानून के विरुद्ध किया गया वह आचरण देश के सामान्य न्यायालय में सिद्ध न हो जाए तब तक न तो किसी को दण्ड दिया जा सकता है और न ही किसी को शारीरिक हानि पहुँचाई जा सकती है।

(*ii*) **कानून की समानता:** कोई व्यक्ति कानून के ऊपर नहीं है। वरन् प्रत्येक व्यक्ति चाहे उसका पद और स्थिति कुछ भी हो देश के सामान्य कानून से शासित होता है तथा सामान्य ट्रिब्यूनलों के क्षेत्राधिकार के अन्तर्गत रहता है। जो बात एक व्यक्ति के लिए कानून है, वह समस्त नागरिकों के लिए कानून है।

(*iii*) **संवैधानिक सिद्धांतों का न्यायिक निर्णयों की उपज होना:** बहुत से मामलों में जहाँ विधान में स्पष्टता नहीं है, न्यायालयों के निर्णय ही अंतिम माने जाते हैं। संसदीय कानूनों का निर्माण विधि के शासन की रक्षा के लिए किया जाता है। विधि के शासन ने ब्रिटिश प्रशासन पर लोक संप्रभुता के वर्चस्व को स्थापित किया है।

9. समितियों का महत्त्वपूर्ण योगदान (Important Role of the Committees): ब्रिटिश प्रशासन की एक अन्य विशेषता यह है कि इनमें प्रशासनिक क्रियाओं को समन्वित करने के लिए समितियों का बहुत अधिक सहारा लिया जाता है। प्रशासकीय पद सोपान में शीर्ष पर मंत्रिमण्डल होता है जो मंत्रियों की एक समिति है। मंत्रिमण्डल मुख्य रूप से एक नीति-निर्माता निकाय है किन्तु यह प्रशासनिक क्रियाओं से सम्बन्ध भी रखता है। यह प्रशासनिक कार्यों को निर्देशित करता है, उन्हें व्यवहृत करता है, उत्तरदायित्व निश्चित करता है तथा कार्य सम्पन्नता का निरीक्षण करता है। मंत्रिमण्डल की समितियाँ होती हैं जो नीति में समन्वय का कार्य करती हैं तथा साथ ही प्रशासन पर सामान्य दृष्टि भी रखती हैं। मंत्रिमण्डल स्तर के नीचे समिति प्रक्रिया का पर्याप्त उपयोग किया जाता है। अनेक विभाग अन्तर्विभागीय समितियों के माध्यम से अपना कार्य संपन्न करते हैं। समितियों का अत्यधिक उपयोग ब्रिटिश प्रशासन के लिए एक सरदर्द भी बन गया है। चर्चिल ने एक बार कहा था, "मुझे विशेष समितियों की स्थापना का विरोध करना चाहिए। हम उनके द्वारा उतने ही संचालित किए जा रहे हैं जितने ऑस्ट्रेलिया निवासी रेबिट्स (Rabbits) के द्वारा किए जा रहे हैं। इस समिति प्रणाली के कारण जहाँ प्रशासन पर पर्याप्त अंकुश रहता है, वहाँ दूसरी तरफ इनमें आपस में समन्वय की समस्या भी उपस्थित होती है।"

10. लोक उत्तरदायित्व (Public Accountability): ब्रिटिश लोक प्रशासन पर जनता का नियंत्रण रहता है। लोक नियंत्रण की उपलब्धि औपचारिक रूप से मंत्रिमण्डलीय दायित्व के माध्यम से की जाती है। मंत्रिमण्डल किसी भी विभाग में घटनेवाली घटनाओं के लिए संसद के प्रति उत्तरदायी रहता है। मंत्रिमण्डलीय उत्तरदायित्व दो प्रकार का होता है—सामूहिक उत्तरदायित्व एवं व्यक्तिगत उत्तरदायित्व। सामूहिक उत्तरदायित्व समस्त सरकारी नीति के प्रति सभी मंत्रियों का होता है जबकि व्यक्तिगत उत्तरदायित्व प्रत्येक मंत्री का केवल उसके विभाग के प्रति रहता है। सामूहिक उत्तरदायित्व में एक मंत्री केवल अपने कार्यों के लिए ही संसद के प्रति उत्तरदायी नहीं रहता वरन् अपने साथियों के कार्यों के लिए भी रहता है। एक मंत्री की आलोचना पूरे मंत्रिमण्डल की आलोचना समझी जाती है तथा एक मंत्री की प्रशंसा पूरे मंत्रिमण्डल की प्रशंसा बन जाती है। मंत्रिमण्डल के सभी सदस्य एक साथ तैरते और एक साथ डूबते हैं। इतने पर भी मंत्री इस सिद्धांत का दुरुपयोग नहीं कर सकते। कोई मंत्री अपनी इच्छा से मनमाना काम करके संपूर्ण मंत्रिमण्डल को उसके लिए उत्तरदायी नहीं बना सकता। मंत्रिमण्डल की स्वीकृति अथवा सहमति के बिना किए गए कार्य के लिए कोई मंत्री सामूहिक उत्तरदायित्व का नाम लेकर अपना बचाव नहीं कर सकता। ऐसी स्थिति में उस मंत्री को त्यागपत्र देने के लिए बाध्य होना पड़ता है।

11. अन्तर्राष्ट्रीयतावाद (Internationalism): वर्तमान अन्तर्राष्ट्रीयतावाद के युग में अन्तर्राष्ट्रीय समस्याएं उतनी ही महत्त्वपूर्ण बन गई हैं जितनी कि राष्ट्रीय समस्याएं होती हैं। ब्रिटिश सरकार जब नीति सम्बन्धी कोई निर्णय लेती है तो उन निर्णयों को अन्तर्राष्ट्रीय दायित्वों के अनुरूप ढालने का पूरा प्रयास करती है। आज विदेश सम्बन्धों का संचालन केवल कुछ विभागों का ही दायित्व नहीं रह गया है वरन् प्रायः सभी विभाग इससे प्रभावित रहते हैं। अन्य देशों में घटित होने वाली घटनाओं का भी ब्रिटिश प्रशासन पर प्रभाव पड़ता है।

12. प्रशासन में अभिजातवर्गीय बहुमत (Aristocratic Majority in Administration): ब्रिटिश प्रशासन की एक विशेषता उसमें अभिजात वर्गीय बहुमत का होना है। लगभग एक शताब्दी पूर्व तक तो स्थिति यह थी कि उच्च सैनिक और प्रशासनिक अधिकारी अभिजात जमींदारों के वर्ग से ही नियुक्त किए जाते थे। इसी वर्ग के लोग दोनों सदनों के सदस्य थे और उन्हें ही मंत्री-पद दिए जाते थे, इसलिए आवश्यक था कि स्थल और नौ सेनाओं के अफसर, न्यायाधीश, सरकारी विभागों के अध्यक्ष आदि धनिक वर्गों से ही लिए जाएं तथा उनकी सामाजिक शैक्षणिक पृष्ठभूमि अभिजातवर्गीय हो। आज भी ब्रिटिश जनरल, जज, सेक्रेटरी, राजदूत तथा नौकरशाही के बड़े अफसर प्रायः उच्चवर्गीय ही होते हैं। सैन्य तथा विदेश-विभाग की नियुक्तियों में उच्च वर्ग के युवकों को ही विशेष रूप से प्राथमिकता दी जाती है। प्रशासनिक सेवाओं के लिए प्रतियोगिता व्यवस्था है और तत्पश्चात् एक बोर्ड प्रत्याशियों के व्यक्तित्व की परीक्षा करता है। यह देखा गया है कि अधिकांश सफल नवयुवक उच्च वर्गीय होते हैं। जो मेधावी युवक अन्य वर्गों के प्रशासक वर्ग में सम्मिलित होते हैं वे भी कुछ ही समय में उच्च वर्गों का दर्शन स्वीकार करके उसी श्रेणी में आ मिलते हैं। अभिजातवर्गीय युवक ही उत्तरदायित्व के पदों पर आएं और वे ही देश के प्रशासनिक तथा राजनीतिक नेतृत्व में आगे बढ़ें; इस विचार ने इतना बल पकड़ रखा था कि 1948 से पूर्व तक, जब तक ऑक्सफोर्ड एवं कैंब्रिज विश्वविद्यालयों को विशेष प्रतिनिधि निर्वाचित करने का अधिकार था, उन्होंने सदैव अनुदार दल के प्रतिनिधियों अथवा स्वतंत्र सदस्यों को ही चुना है। यद्यपि 1948 में मजदूर दल की सरकार ने इस विशेष मताधिकार व्यवस्था को समाप्त कर दिया तथापि आज भी ब्रिटिश उच्च पदाधिकारी प्रच्छन्न रूप से अनुदार दल के समर्थक हैं। अनुमानतः प्रत्येक चुनाव में उच्च प्रशासकों का मतदान अधिकांशतः अनुदार दल के पक्ष में ही होता है।

13. प्रशासक वर्ग का पूंजीपति वर्ग से सम्बन्ध (Relation between the Bureaucratic Elite and the Capitalist Class): ब्रिटिश प्रशासक वर्ग की एक विशेषता पूंजीपति वर्ग से उसका प्रभावी सम्बन्ध है। ब्रिटिश नौकरशाही के बड़े व्यवसायियों के वर्ग से गहरे सम्बन्ध युद्धोत्तर काल में और भी दृढ़ हो गए हैं। इसका एक बड़ा कारण यह है कि प्रशासन का दीर्घ अनुभव प्राप्त कर बहुत से उच्चाधिकारी प्रायः औद्योगिक क्षेत्र में प्रविष्ट हो जाते हैं। सेना के अवकाश प्राप्त जनरल भी प्रायः उच्च व्यावसायिक अथवा औद्योगिक क्षेत्र में पद संभाल लेते हैं। अनेक व्यक्ति राजनीतिज्ञों के रूप में मंत्री बन जाते हैं। लंदन सिटी में उच्च प्रशासकों, मंत्रियों और धन कुबेरों के सामाजिक क्लब बने हुए हैं जिनमें मनोरंजन के साथ राजनीति, उद्योग और प्रशासन के सम्बन्ध में महत्त्वपूर्ण निर्णय किए जाते हैं। कहा जाता है कि ब्रिटिश साम्राज्य के प्रशासनिक, औद्योगिक तथा सैनिक निर्णय 'व्हाइट हॉल' में कम किन्तु 'वैस्टेण्ड क्लबों' में ज्यादा हुए हैं और व्हाइट हॉल की औपचारिक कार्यवाही प्रायः इन्हीं क्लबों के पूर्व निश्चय की तुष्टि मात्र होती है। राजकीय बोर्डों, विभिन्न कमीशनों, सलाहकार समितियों आदि में उच्च व्यवसायी वर्ग के सदस्य और प्रतिनिधि राजशक्ति का निरंतर उपभोग करते हैं।

उक्त विवेचन से स्पष्ट है कि ग्रेट-ब्रिटेन के लोक प्रशासन की अपनी कुछ विशेषताएं हैं। अनेक दृष्टियों से इसकी स्वयं की कुछ परंपराएं रही हैं। ब्रिटिश लोक प्रशासन अपनी उच्चता, श्रेष्ठता और सक्षमता के लिए विख्यात है। निष्कर्ष रूप से गि. स्टाउट के शब्दों में यह कहा जा सकता है कि "ग्रेट-ब्रिटेन के लोगों की विश्व के सर्वश्रेष्ठ प्रशासकीय संगठन द्वारा सेवा की जा रही है। यह राष्ट्रीय नीति के संचालन का एक प्रभावशाली यन्त्र है। सत्ता की दिशाएं सामान्यतः स्पष्ट एवं प्रत्यक्ष हैं। नागरिक सेवा आज्ञाकारी, सक्षम और ईमानदार है। एक बार जन-नीति घोषित कर दी जाती है तो उसकी क्रियान्विति को प्रशासकीय भ्रम अथवा अधिकारियों के विरोध के कारण कदाचित् ही तोड़ा-मरोड़ा जाता है। शांति और युद्ध में राष्ट्रीय प्रशासन ने भारी उत्तरदायित्वों को निभाने तथा कार्यकुशलता के उच्च स्तर को बनाए रखने में अपनी योग्यता का पूरा-पूरा प्रदर्शन किया है।"

अमेरिकी शासन व्यवस्था की प्रमुख विशेषताएं (Salient Features of American Administrative System)

संयुक्त राज्य अमेरिका की शासन प्रणाली ग्रेट-ब्रिटेन की शासन प्रणाली से अनेक मौलिक भिन्नताएं रखती है। दोनों देशों की राजनीतिक रूप-रचना पर्याप्त भिन्न है। संयुक्त राज्य का संविधान निर्मित, लिखित और कठोर है। यहाँ सरकार संघात्मक तथा अध्यक्षात्मक है। न्यायपालिका की स्वतंत्रता को सम्मान दिया गया है। शक्ति पृथक्करण और अवरोध एवं सन्तुलन के सिद्धांत अपनाए गए हैं। अध्यक्षात्मक कार्यपालिका होने के कारण यहाँ प्रशासन का राजनैतिक नेतृत्व करने वाली दो प्रकार की कार्यपालिकाएं नहीं हैं। राष्ट्रपति के नाम से प्रशासन संचालित होता है और वही वास्तविक सत्ताधारी है।

सन् 1789 में जब संयुक्त राज्य अमेरिका की सरकार संगठित हुई तब उसमें 5 सरकारी अधिकारी थे–राज्य सचिव, राजकोष सचिव, युद्ध सचिव, एटॉर्नी जनरल तथा पोस्ट मास्टर जनरल। इनकी सहायता के लिए कुछ नागरिक सेवक भी रखे गए। कालान्तर में नए विभाग स्थापित हुए। कुछ समय पूर्व राष्ट्रीय स्तर पर 13 विभाग तथा 50 से भी अधिक स्वतंत्र संस्थान थे। इन प्रशासनिक विभागों एवं स्वतंत्र संस्थानों का समय-समय पर विस्तार एवं पुनर्गठन होता रहा है। देश की जनसंख्या में वृद्धि और सामाजिक तथा आर्थिक जटिलताओं के बढ़ने के कारण लोक प्रशासन का कार्य क्षेत्र बढ़ा है। विश्व राजनीति में अमेरिका के महाशक्ति के रूप में उभरने के बाद यहाँ का प्रशासन भी पर्याप्त प्रभावित हुआ है। सन् 1991

में सोवियत संघ के विघटन के बाद संयुक्त राज्य अमेरिका ही विश्व की एकमात्र महानतम् शक्ति रह गई है। अतः प्रशासन की भूमिका बहुत अधिक बढ़ गई है। अमेरिकी प्रशासन की प्रमुख विशेषताएं निम्नलिखित हैं :

1. **प्रशासन का कानूनी आधार (Legal Basis of the Administration):** अमेरिकी राष्ट्रीय सरकार के प्रशासन का स्वरूप बहुत कुछ कांग्रेस द्वारा पारित कानूनों पर निर्भर है। संविधान में प्रशासनिक संगठन के लिए कोई विशेष प्रावधान नहीं मिलता। कांग्रेस अपनी वर्णित या निहित शक्तियों का प्रयोग करते हुए ऐसे अनेक अधिनियम पारित करती है जो प्रशासनिक अभिकरणों की रचना एवं सामान्य संगठन की व्यवस्था कर सके। राष्ट्रपति द्वारा समय-समय पर ऐसे कार्यपालिका आदेश भी प्रसारित किए जाते हैं जिनसे अस्थाई प्रकृति के संकटकालीन अभिकरणों की रचना होती है या स्थाई विभागों के संगठन बनते रहते हैं।
2. **एकरूपता का अभाव (Lack of Uniformity):** प्रशासनिक विभाग मुख्यतः कांग्रेस की रचना है। इनमें एकरूपता का अभाव पाया जाता है। कांग्रेस अपने कार्य में सावधानी रखते हुए सामान्यतः ऐसी व्यवस्था करती है जो तत्काल आवश्यक है। अतः यह प्रशासन व्यवस्था को समग्र एकीकृत रूप में स्थापित करने की अपेक्षा टुकड़ों में स्थापित करती है। कार्यरत विभागों में नए अभिकरण जोड़ दिए जाते हैं। कांग्रेस ऐसा इसलिए करती है क्योंकि प्रशासनिक विभागों से सदा कांग्रेस को संदेह रहा है। कांग्रेस सदस्य दलीय राजनीति में उलझे रहते हैं। प्रशासक इसकी आलोचना करते हैं, किन्तु स्वयं भी विभागीय, अन्तर्विभागीय एवं व्यक्तिगत राजनीति में गहरे उलझ जाते हैं।
3. **सामान्य स्वरूपगत भिन्नताएं (Varieties of General Form):** राष्ट्रीय स्तर पर कांग्रेस ने जिन विभागों की स्थापना की है उनमें से कई तो इतने ही पुराने हैं जितना स्वयं गणराज्य है। इन सभी विभागों की प्रकृति एकरूप नहीं है। कार्यरत सेविवर्ग की संख्या, व्यय किया गया धन, तथा दायित्वों के भार की दृष्टि से विभागों में अनेक असमानताएं रहती हैं। यहाँ अनेक तथाकथित स्वतंत्र संस्थान भी हैं। इनमें से कुछ तो पचास वर्ष पुराने हैं तथा अन्य की स्थापना कुछ ही महीनों पूर्व हो सकी है। ये स्वतंत्र अभिकरण अलग-अलग नामों से जाने जाते हैं। जैसे–कमीशन, ब्यूरोज, ऑफिस, बोर्ड, काउंसिल, अथॉरिटी तथा प्रशासन आदि।
4. **प्रशासनिक संगठन के रूप (Forms of Administrative Organisation):** अमेरिकी प्रशासन में संगठन के विभिन्न रूप हैं। इनको मोटे रूप से दो भागों में विभाजित किया जा सकता है–विभागीय संगठन एवं स्वतंत्र संस्थाएं। स्वतंत्र संस्थाएं वे हैं जो औपचारिक रूप से संगठित किसी विभाग का हिस्सा नहीं होतीं। इनमें मंडल (Board), आयोग (Commission), निगम (Corporation) आदि का नाम लिया जा सकता है। इन प्रशासनिक संगठनों की रूप-रचना एवं कार्यप्रणाली में भिन्नताएं रहती हैं–

(i) **विभागः** विभाग की अध्यक्षता एक व्यक्ति द्वारा की जाती है। अमेरिका में राष्ट्रीय स्तर पर जो विभाग हैं उनमें से कुछ मुख्य ये हैं–राज्य विभाग, युद्ध विभाग, जल सेना विभाग, ट्रेजरी विभाग, डाक घर विभाग, न्याय विभाग, गृह विभाग, कृषि विभाग, व्यापार विभाग तथा श्रम विभाग। इनके अतिरिक्त 1939 में तीन अन्य विभागों की स्थापना की गई थी, ये हैं–संघीय सुरक्षा अभिकरण, संघीय कार्य अभिकरण तथा संघीय ऊर्जा अभिकरण।

(ii) **मण्डल तथा आयोगः** संघ स्तर पर मण्डल तथा आयोगों (Boards and Commissions) की स्थापना का आंदोलन कुछ देर से प्रारंभ हुआ। तकनीकी आविष्कार एवं व्यापारिक विकास के कारण अमेरिकी सरकार का कार्यक्षेत्र सामाजिक, आर्थिक तथा श्रम सम्बन्धी समस्याओं से पर्याप्त बढ़ गया। अतः धीरे-धीरे मण्डल तथा आयोगों की व्यवस्था लोकप्रिय होने लगी। इनकी सदस्य संख्या प्रायः 3 से 11 तक होती है। इन सदस्यों को उच्च वेतन दिया जाता है। इनका कार्यकाल निश्चित रहता है, यह पाँच से सात वर्ष तक का है। ये मण्डल तथा आयोग प्रशासनिक कार्य संपन्न करने के साथ-साथ अर्द्धविधायी प्रकृति के दायित्वों का भी निर्वाह करते हैं। इस प्रकार यहाँ शक्ति-पृथक्करण का सिद्धांत प्रभावी नहीं है। मण्डल तथा आयोगों द्वारा जारी किए गए नियम कानून जैसी शक्ति रखते हैं। वे न्यायालय की भाँति मामलों की सुनवाई करते हैं तथा निर्णय देते हैं। इनके निर्णय तभी तक बाध्यकारी समझे जाते हैं जब तक कि किसी ऊपर के न्यायालय द्वारा उनको चुनौती न दी जाए।

इन मण्डल तथा आयोगों को सरकार की 'चतुर्थ शाखा' कहा जाता है। यहाँ नौकरशाही का पूरा बोलबाला रहता है। देश की अर्थव्यवस्था को इन्होंने गंभीर रूप से प्रभावित किया है तथा संविधान द्वारा स्थापित शक्ति पृथक्करण के सिद्धांत को व्यावहारिक चुनौती दी है। इनके कारण अमेरिकी प्रशासन का व्यावहारिक स्वरूप आज वह नहीं रह गया जो संविधान निर्माता चाहते थे।

(iii) **सरकारी निगमः** ये प्रशासनिक संगठन के नए रूप हैं। बीसवीं शताब्दी के आरंभ से ही विश्व के विभिन्न देशों में इनका प्रयोग हो रहा है। सरकारी निगम या तो किसी विभाग से सम्बद्ध हो सकता है अथवा यह पूर्णतः स्वतंत्र रह सकता है। इनका संगठन निजी निगमों की भाँति होता है। निगम के शीर्ष पर एक संचालक मण्डल तथा जनरल मैनेजर होता है। कुछ निगम कार्यपालिका द्वारा स्थापित किए गए हैं जबकि अन्य कांग्रेस द्वारा स्थापित हैं। 1945 से नए निगमों की स्थापना की शक्ति केवल कांग्रेस के हाथ में आ गई है। सरकारी निगम धन उधार लेने की शक्ति रखता है तथा लाभ अर्जित कर सकता है। यह सरकार के सामान्य आर्थिक एवं सेविवर्ग नियंत्रण से मुक्त रहता है।

***(iv)* आन्तरिक संगठन:** उक्त प्रशासनिक संस्थानों के आन्तरिक संगठन में साधारणतः कुछ भिन्नताएं रहती हैं, किन्तु उनकी संरचना की बाहरी रूप-रेखा में काफी समानताएं परिलक्षित होती हैं। इन संस्थानों के उप-संभाग होते हैं जिन्हें ब्यूरो सेवाएं, कार्यालय तथा संभाग आदि कहा जाता है। इनकी अध्यक्षता प्रमुख, आयुक्त, संचालक, नियंत्रक आदि द्वारा की जाती है। यद्यपि इनके नाम अलग-अलग हैं किन्तु यथार्थ में इनमें अन्तर नहीं है। दूसरे शब्दों में, एक विभाग का ब्यूरो स्वरूप तथा कार्यों की दृष्टि से दूसरे विभाग के संभाग के सदृश्य हो सकता है। सभी विभाग एवं संस्थान सुचारू कार्य संचालन के लिए विभिन्न अनुभागों (Sections) में बँट जाते हैं। एक अनुभाग की अध्यक्षता जिस अधिकारी द्वारा की जाती है वह कभी-कभी राजनीतिक आधार पर नियुक्त होता है, किन्तु उसकी पृष्ठभूमि व्यावसायिक होती है। उनका कार्यकाल बहुत कुछ स्थाई होता है। विभिन्न प्रशासनिक अभिकरणों का संचालन करने के लिए सचिव, अवर सचिव, सहायक सचिव, प्रशासक, संचालक एवं आयुक्त आदि होते हैं। इनकी नियुक्ति प्रायः राजनीतिक आधार पर होती है। वे एक राष्ट्रपति के हटते ही पद से हट जाते हैं।

5. **प्रशासनिक अभिकरणों के कार्य (Functions of the Administrative Agencies):** संविधान द्वारा कांग्रेस को प्रशासन की व्यापक शक्तियाँ सौंपी गई हैं, किन्तु इन शक्तियों का प्रगोग वह प्रत्यक्ष रूप से नहीं कर सकतीं। इस हेतु वह समय-समय पर कानून बनाती है जिनके द्वारा प्रशासकीय विभागों को उनके दायित्वों का ज्ञान कराया जाता है। ये विभाग व्यवस्थापिका के एजेंट या अभिकर्त्ता के रूप में अपने प्रदत्त कार्य सम्पन्न करते हैं। इसके अतिरिक्त राष्ट्रपति अपने दायित्वों को पूरा करने के लिए इन प्रशासकीय अभिकरणों की सहायता मांग सकता है। यहाँ उल्लेखनीय है कि राष्ट्रपति अथवा कांग्रेस में से कोई भी अपनी सत्ता पूरी तरह किसी प्रशासकीय अभिकरण को हस्तान्तरित नहीं कर सकते। कांग्रेस अथवा राष्ट्रपति द्वारा प्रशासन को सामान्य निर्देश दिए जाते हैं। अपने वास्तविक व्यवहार तथा नीतियों के निर्धारण का कार्य स्वयं प्रशासनिक अभिकरणों पर छोड़ दिया जाता है। ये अभिकरण अनेक प्रकार के कार्य संपन्न करते हैं। इनमें उल्लेखनीय ये हैं–*(i)* सरकारी कार्य, *(ii)* परामर्शदाता कार्य, *(iii)* प्रबंधात्मक कार्य, *(iv)* अर्द्धन्यायिक एवं *(v)* अर्द्धविधायी कार्य।

6. **लूट प्रणाली (Spoils System):** लोक सेवकों की भर्ती में लूट प्रणाली का प्रचलन अमेरिका की राजनीतिक व्यवस्था से संबद्ध है। लूट प्रणाली का अर्थ यह है कि चुनाव में जीतने वाला राजनीतिक दल राज्य के सभी प्रशासनिक पदों पर अपने दल के व्यक्ति नियुक्त कर दे। यह प्रथा इस कहावत पर आधारित है कि 'लूट का सम्बन्ध विजेताओं से ही होता है' (To the Victor belong the Spoils)। इस प्रकार सरकारी पदों को लूट का माल समझा जाता है। अमेरिका में बहुत समय तक अनेक आधारों पर लूट प्रणाली का समर्थन होता रहा। यह माना जाता था कि राज्य की नीतियों को सही रूप में वे लोग ही क्रियान्वित कर सकते हैं जो सत्ताधारी दल के सिद्धांतों तथा विचारधाराओं में विश्वास रखते हों। अतः असैनिक सेवाओं में दलीय व्यक्तियों को ही नियुक्त किया जाना चाहिए। विलियम टर्न ने इस व्यवस्था का पक्ष लिया है तथा योग्यता प्रणाली की आलोचना की है। उनके मतानुसार, "दलीय राजनीति से निरपेक्ष कर्मचारी उस घोड़े के समान, जिसकी दोनों आंखों की ओर आड़ के लिए पट्टियाँ लगी रहती है, केवल एक ही दिशा में देखते हैं।" लूट प्रणाली इस कारण प्रचलित थी क्योंकि विजेता दल अपने कार्यकर्ताओं तथा मित्रों को सरकारी पद देकर उनके प्रति आभार प्रदर्शित करता था। सत्ताधारी दल के बदलने के साथ ही बड़ी संख्या में लोक सेवक भी बदल दिए जाते थे।

   लूट प्रणाली की प्रेरणा और लाभ चाहे कुछ भी रहा हो, किन्तु तथ्य यह है कि इसके कारण प्रशासन में अनेक दोष आ गए। प्रशासन भ्रष्टाचारी तथा अकुशल हो गया। देश का राजनीतिक जीवन कलुषित बन गया। दल के भ्रष्टाचारी और तिकड़मी कार्यकर्त्ता उच्च प्रशासनिक पदों पर नियुक्त होने लगे। जनता में राजनीति और प्रशासन के प्रति घृणा व्याप्त हो गई। एक नौकरी के इच्छुक निराश व्यक्ति ने राष्ट्रपति गारफील्ड (Garfield) की हत्या कर दी। अब इस व्यवस्था में निहित बुराइयों की ओर विशेष ध्यान दिया गया है तथा प्रशासनिक पदों पर नियुक्तियाँ लूट प्रणाली से न होकर योग्यता के आधार पर होने लगी हैं।

   वर्तमान में लूट प्रणाली का रूप बदल गया है। यह दलीय न रहकर व्यक्तिगत बन गई है। स्टॉल का कहना है कि "आधुनिक उदार राज्यों में संयुक्त राज्य अमेरिका ही एक ऐसा राज्य है जिसमें आंशिक रूप से योग्यता प्रणाली की वर्तमान स्थिति स्वीकार की जाती है।" राष्ट्रपति बदलने के साथ ही उच्च पदों पर आसीन व्यक्तियों में प्रायः परिवर्तन हो जाता है।

7. **योग्यता प्रणाली (Merit System):** लूट प्रणाली के दोषों का निराकरण करने के लिए यह कहा जाने लगा है कि प्रशासनिक पद योग्य व्यक्तियों को दिए जाने चाहिए। कांग्रेस ने 1883 में पेन्डलटन अधिनियम (Pendleton Act) पारित किया जिसके तहत एक संघीय लोक सेवा आयोग की स्थापना की गई। 1940 में रामस्पीक अधिनियम (Ramspeck Act) पारित किया गया। इन सभी प्रयासों के परिणामस्वरूप लोक सेवाओं की भर्ती में लूट व्यवस्था का स्थान क्रमशः योग्यता लेती चली गई।

8. **सरकारी कर्मचारियों के संगठन (Organisation of Public Employees):** सन् 1889 में ही सरकारी कर्मचारियों में संगठित होने की चेष्टा जाग्रत हो चुकी थी। यह आंदोलन क्रमशः विभिन्न संघीय श्रमिकों में फैल गया। इन्होंने व्यापार संघों (Trade Unions) की भाँति अनेक संस्थाएं गठित कीं। सन् 1912 में कांग्रेस ने कर्मचारियों के संगठित होने तथा याचिका प्रस्तुत करने

के अधिकार को मान्यता दे दी। आज सरकारी कर्मचारियों के अनेक संघ हैं जो इनकी समस्याओं पर विचार करते हैं, इनके लिए उच्च वेतन तथा उचित कार्य की शर्तें दिलाने का प्रयास करते हैं। इन संघों का मुख्य लक्ष्य कर्मचारियों के लिए अधिकाधिक सुविधाएं जुटाना है।

9. **विभागीय प्रतियोगिताएं (Departmental Competitions):** अमेरिकी प्रशासन में मध्य-स्तरीय कर्मचारियों की नियुक्तियाँ विभागीय प्रतियोगिताओं के आधार पर होती हैं, इंग्लैंड के समान कोई राष्ट्रीय प्रतियोगिता नहीं होती। विभागाध्यक्ष अपने विभागों की विशेष आवश्यकताओं के आधार पर विषयों का निर्णय कर देते हैं। इस प्रकार अर्थ विभाग के लिए अर्थशास्त्र सम्बन्धी तो विदेश विभाग के लिए राजनीति सम्बन्धी विषयों में प्रतियोगिता होती है। इंग्लैंड में विभागीय आधार पर प्रतियोगिता के विषयों को सीमित नहीं किया जाता, अतः विज्ञान का कोई छात्र भी सफलतापूर्वक अर्थ विभाग का प्रशासनिक अधिकारी बन सकता है। किन्तु दूसरी ओर, अमेरिकी व्यवस्था इस दृष्टि से अच्छी है कि उसके द्वारा विभाग का प्रत्येक अधिकारी अपने विभागीय विषयों से पहले से ही परिचित रहता है। इसके साथ ही इसका सबसे बड़ा दोष यह भी है कि अधिकांश अधिकारी अपने विभागीय कार्यों में चाहे दक्ष हों, लेकिन उनमें विस्तृत सामान्य ज्ञान और उदार दृष्टिकोण की कमी होती है तथा उच्च स्तर के राजनीतिक अधिकारियों के सामने वे हीन भावना से पीड़ित रहते हैं। जहाँ ब्रिटिश प्रशासनिक अधिकारी अपने राजनीतिक प्रभुओं (राजनेताओं) को प्रभावित करने की क्षमता रखते हैं, वहाँ अमेरिकी सिविल सर्विस को यह गौरव प्राप्त नहीं हो पाता। यही कारण है कि अमेरिका में योग्य प्रशासनिक अधिकारी प्रायः औद्योगिक क्षेत्रों में चले जाना पसंद करते हैं जहाँ धन तथा सम्मान की दृष्टि से संयुक्त पूंजी की सेवाएं सरकारी नौकरियों से अधिक आकर्षण रखती हैं।

10. **उच्च पदाधिकारी तथा अर्थव्यवस्था (Top Bureaucracy and Economy):** अमेरिकी प्रशासनिक व्यवस्था में उच्च पदाधिकारी वर्ग वास्तव में वहाँ की शक्तिशाली और प्रभावपूर्ण अर्थव्यवस्था का प्रतिनिधित्व करता है। उच्च स्तर के अधिकांश पदाधिकारी पदोन्नति के आधार पर संघीय प्रशासनिक सेवाओं से नहीं आते बल्कि उनका बड़ी संख्या में आयात औद्योगिक और बैंकिंग क्षेत्र से किया जाता है। यद्यपि औपचारिक रूप से इनकी नियुक्ति दलीय आधार पर की जाती है लेकिन व्यवहार में ध्यान में यह रखा जाता है कि वे शक्तिशाली संयुक्त पूंजी के किन गुटों का प्रतिनिधित्व करते हैं। वस्तुतः अमेरिका में अर्थव्यवस्था का राजनीति और प्रशासन के साथ पूर्ण गठबंधन पाया जाता है। इस प्रकार से अमेरिकी प्रशासन ब्रिटिश प्रशासन की तरह निष्पक्ष नहीं है।

11. **प्रशासन पर दलों का प्रभाव (Influence of Parties on Administration):** अमेरिकी प्रशासन पर दलों का भारी प्रभाव है। जहाँ ब्रिटेन में प्रशासन दलबंदी से स्वतंत्र है और मंत्रिमण्डल में परिवर्तन का प्रशासनिक अधिकारियों की स्थिति पर कोई अंतर नहीं पड़ता, वहीं अमेरिका में मुख्य कार्यपालक अधिकारी के बदलते ही उच्च प्रशासनिक अधिकारी भी प्रायः बदल जाते हैं। 1883 से पूर्व मध्य और निम्न स्तरीय पदाधिकारी भी बदल दिए जाते थे, पर अब ये अधिकारी प्रतियोगिता के आधार पर प्रशासनिक आयोग द्वारा चुने जाते हैं। उच्च स्तर के प्रशासनिक पदों पर अब भी व्यापक दलीय प्रभाव है और राष्ट्रपति द्वारा राजनीतिक आधार पर होने वाली नियुक्तियों की कीमत चार्ल्स ब्रियर्ड के अनुसार 'कई करोड़ डॉलर वार्षिक' है। आयोगों, निगमों, एजेंसियों आदि के प्रधान राजनीतिक आधार पर चुने जाते हैं और प्रायः देखा गया है कि इनके अधिकांश साधारण सदस्यों की नियुक्ति भी दलबंदी के आधार पर होती है। राष्ट्रपति के परामर्शदाता मण्डल में भी राष्ट्रपति के विश्वासपात्र दलीय नेताओं और व्यक्तिगत मित्रों को स्थान मिलता है। प्रशासनिक नीतियों के निर्धारण में स्थाई प्रशासकों का, जिनकी नियुक्ति सर्विस कमीशन द्वारा होती है, व्यवहार में कोई महत्त्व नहीं है।

12. **सत्ताधारी श्रेणी (Power elite):** पिछले वर्णन से स्पष्ट है कि अमेरिकी शासन वर्ग के तीन आधार स्तम्भ हैं—संयुक्त पूंजी के संचालक और स्वामी, उच्च सैन्य अधिकारी तथा उच्च स्तर के राजनीतिज्ञ और प्रशासक। अमेरिकी राजनीति में सेनाध्यक्षों के गुट की सक्रिय भूमिका है। सी. राइट मिल्स का अभिमत है कि इस गुट के सदस्य उच्च स्तर के राजनीतिज्ञों और प्रशासकों में व्यक्तिगत रूप से भी सम्मिलित हैं तथा बाहर से भी प्रभाव डालते हैं। इनके दबाव के फलस्वरूप अमेरिकी पूंजीवाद एक सैनिक पूंजीवाद बनता जा रहा है और इस प्रकार के विचारों में बल है कि राजनीतिक दलों के परंपरागत संगठनों, जनमत-निर्माणकारी साधनों, कांग्रेस की समितियों, संघीय प्रशासनिक विभागों तथा आयोगों एवं संपूर्ण अमेरिकी अर्थव्यवस्था पर सैनिकीकरण के कार्यक्रम का व्यापक प्रभाव है। अमेरिकी राजनीति के उच्चस्तरीय निर्णय वस्तुतः सीनेट या प्रतिनिधि सदन या दल की समितियों में नहीं होते बल्कि इनके निर्णय तो अदृश्य रहने वाले उन थोड़े से सत्ताधारियों द्वारा लिए जाते हैं जिनका सेना, सरकार और पूंजी पर नियंत्रण है। सीनेट, प्रतिनिधि सदन और दलीय समितियों में लिए गए निर्णय तो इन सत्ताधारियों के विनिश्चियों की पुष्टि मात्र होते हैं।

13. **सरकार का व्यापक कार्य-क्षेत्र और नौकरशाही का बड़ा आकार (Wide Governmental Functions and Big Size Bureaucracy):** संयुक्त राज्य अमेरिका में औद्योगीकरण तथा लोक-कल्याणकारी राज्य की अवधारणा के परिणामस्वरूप सरकार के कार्यों में अभूतपूर्व वृद्धि हुई है। फलतः लोक सेवकों की एक विशाल सेना का संगठन किया गया है। आजकल प्रायः प्रत्येक मानवीय व्यवसाय लोक सेवा का अंग बन गया है। अकेले संघीय स्तर पर ही विभिन्न प्रकार के लगभग 1500 व्यवसाय हैं। संघीय स्तर के उच्च पदाधिकारी प्रायः महाविद्यालयी शिक्षा प्राप्त

होते हैं। राज्य स्तर के व्यवसायों की प्रकृति प्रायः तकनीकी होती है। प्रत्यक्ष रूप से राज्य कर्मचारी के रूप में कार्य करने वाले कर्मचारियों के अतिरिक्त ठेके के आधार पर सरकारी कार्य करने वाले लोग भी अप्रत्यक्ष रूप से सरकारी कर्मचारी होते हैं। राज्य का कार्य-क्षेत्र तथा आधुनिक जीवन में राज्य से की जाने वाली अपेक्षाओं के बढ़ जाने के कारण बड़े आकार की नौकरशाही अपरिहार्य बन गई है। नार्मन जे. पावेल के कथनानुसार, असल में संयुक्त राज्य अमेरिका की लोक-सेवा विशाल, महंगी और शक्तिशाली है। सरकार के कार्यों में वृद्धि एवं लोक-सेवाओं का बड़ा आकार अनेक परिणामों का कारण बनता है। इससे नौकरशाही की शक्तियाँ बढ़ जाती हैं और फलतः भ्रष्टाचार जन्म लेता है। जे.ओ. बाइड ने लिखा है कि ''नौकरशाही में निरन्तर वृद्धि का अर्थ प्रजातंत्र के विनाश का प्रतीक है। यह सारी प्रगति का विनाश तथा स्वतंत्र सरकार का पूर्ण दिवालियापन है। यह फासीवाद या सर्वाधिकारवाद की ओर ले जाती है। सरकार का रूप उतना ही बड़ा होना चाहिए, जिसे सुगमता से समाज के प्रति उत्तरदायी बनाया जा सके। केवल तभी उत्तरदायी सेविवर्ग प्रशासन के जन्म की आशा की जा सकती है।''

14. **तकनीक का प्रभाव (The Impact of Technology):** संयुक्त राज्य अमेरिका के प्रशासन पर तकनीक का प्रभाव मुख्यतः चार रूपों में हुआ है—(*i*) इसने ऐसी सेविवर्ग व्यवस्था को आवश्यक बताया है जो प्रत्येक स्तर पर नए प्रत्याशियों के प्रवेश को स्वीकार एवं प्रोत्साहित कर सके। ऐसा होने पर नौकरशाही का समाज से निकट सम्बन्ध स्थापित हो सकेगा। नए वातावरण में सेविवर्ग प्रशासन को भर्ती, वेतन, कार्यकाल एवं सेवानिवृत्ति के प्रावधानों में लोचशीलता रखने के लिए सदैव तैयार रहना चाहिए। (*ii*) तकनीकी विकास के फलस्वरूप सेवाकालीन प्रशिक्षण का महत्त्व बढ़ा है। आज यह उचित नहीं है कि पूर्णकालीन प्रशिक्षण के लिए कर्मचारी को बहुत समय तक सेवा से पृथक् रखा जाए तथा प्रशिक्षण के व्यय का भार उसके कंधों पर डाला जाए। इसके अतिरिक्त यह व्यवस्था कर्मचारी को द्रुतगति से होने वाले तकनीकी परिवर्तनों के साथ परिचित रखने में सक्षम नहीं है। सरकारी प्रयोगशालाओं तथा कार्यालयों में कार्य करने वाले इंजीनियरों, वैज्ञानिकों, तकनीकी विशेषज्ञों, चिकित्सकों आदि के लिए सेवाकालीन प्रशिक्षण की व्यवस्था करना नितांत आवश्यक है। (*iii*) तकनीकी विकास का एक परिणाम यह हुआ है कि व्यावसायिक कार्यकर्त्ता तथा विशेषतः वैज्ञानिक स्वयं को एक विशेष जाति का मानने लगे हैं। वे जनसाधारण की अपेक्षा पृथकता एवं विशेषाधिकार की मांग करते हैं। वे अपने कर्त्तव्यों एवं दायित्वों की ओर ध्यान देने की अपेक्षा अपने पदस्तर को ऊंचा उठाने पर अधिक समय तथा शक्ति व्यय करते हैं। (*iv*) यह सच है कि तकनीकी युग ने वैज्ञानिकों को कुछ सम्मान दिया है किन्तु साथ ही उन पर कुछ दायित्व भी डाले हैं। उनसे यह अपेक्षा की जाती है कि लोक-सेवक होने के नाते उन्हें वैज्ञानिक से कुछ अधिक होना चाहिए। उनमें वैज्ञानिक कार्यक्रमों, लक्ष्यों तथा अपने संगठन के प्रति निष्ठा होनी चाहिए। उनके कार्यों की सार्थकता एवं उपयोगिता संगठन के लक्ष्यों के संदर्भ में ही आंकी जा सकती है।

15. **अन्तःसरकारी सम्बन्ध (Inter-Governmental Relations):** अमेरिकी संविधान लागू होने के बाद से यहाँ की संघ सरकार निरंतर शक्तिशाली होती चली गई है। इसके हाथों में सहायता अनुदान की शक्ति तथा कर लगाने की भारी शक्ति है जिसके परिणामस्वरूप राज्य एवं स्थानीय स्तरों की सरकारें निरंतर कमजोर होती चली गई हैं। अब इनका स्वतंत्र अस्तित्व भी संदेहास्पद बनता जा रहा है। सन् 1940 से अमेरिका के सभी राज्यों को कल्याण, रोजगार, सुरक्षा, जन स्वास्थ्य, व्यावसायिक, पुनर्वास एवं नागरिक सुरक्षा आदि के लिए संघीय अनुदान प्राप्त हो रहे हैं। इसके फलस्वरूप संघीय सरकार और राज्य सरकारों के सरकारी क्षेत्राधिकार की अंतःनिर्भरता बढ़ी है। संघीय अभिकरणों द्वारा चलाए जा रहे प्रशिक्षण कार्यक्रमों में राज्य तथा स्थानीय स्तरों के कर्मचारी भी प्रशिक्षण प्राप्त करते हैं।

16. **राजनीतिक नेतृत्व (Political Leadership):** राज्य की निर्वाचित या नियुक्त कार्यपालिका देश की नौकरशाही को नेतृत्व प्रदान करती है और इस प्रकार प्रशासन को उत्तरदायी बनाए रखने की व्यवस्था करती है। परन्तु आशंका यह रहती है कि कहीं इसके कारण लोक सेवक अपनी व्यावसायिक ईमानदारी से न फिसल जाएं। राजनीतिक नेतृत्व के प्रति स्वामिभक्ति और कर्मचारी के स्वतंत्र विचारों के बीच एक उपयुक्त संतुलन की स्थापना की जानी चाहिए। दोनों बातें जरूरी हैं, एक के लिए दूसरे का बलिदान करना अनुचित है। लोक सेवक का अपना राजनीतिक दृष्टिकोण कुछ भी हो सकता है तथा राजनीतिक नेताओं के प्रति उसकी भावनाएं कैसी भी रह सकती हैं किन्तु उसे अपने कर्त्तव्यों के निर्वाह में इनको बाधक नहीं बनने देना चाहिए।

संयुक्त राज्य अमेरिका में नौकरशाही का परीक्षाकाल वह होता है जबकि आम चुनावों के बाद नया राजनीतिक नेतृत्व कुर्सी पर आता है। यह संक्रमण अनेक बार नए तथा पुराने दोनों ही अधिकारियों के लिए कष्टदायक बन जाता है। अतः लोक सेवकों से यह अपेक्षा की जाती है कि वे नए राजनीतिक नेतृत्व के साथ सामंजस्य स्थापित करें।

17. **विशेष हित समूहों का प्रभाव (Influence of Special Interest Groups):** हित समूह अमेरिकी राजनीतिक क्षितिज की महत्त्वपूर्ण यथार्थताएं हैं। अन्य सरकारी कार्यकलापों की भाँति प्रशासन के क्षेत्र में भी विशेष हित समूह सक्रिय रहते हैं। यहाँ इनकी सक्रियता एवं संगठन इतने सक्षम नहीं हैं कि ये श्रेष्ठ प्रशासन के हितों के समर्थन के लिए कोई संयुक्त मोर्चा बना सकें। यहाँ के कुछ मुख्य हित समूह ये हैं—National Civil League, American Society for Public Administration, Public Personnel Association, The Society for Personnel Administration आदि। ये हित समूह तकनीकी दृष्टि से

उचित कार्य संचालन तथा योग्यता व्यवस्था के प्रसार में उपयुक्त भूमिका निभाते हैं। इनकी विशेष रुचि प्रशासनिक कार्यकुशलता एवं सक्षमता में इतनी नहीं रहती। ये प्रायः अपने सदस्यों के हितों की पूर्ति के लिए प्रयास करते हैं। सेविवर्ग व्यवस्था में किए गए सुधारों पर भी इनका प्रभाव रहता है। इतने पर भी तथ्य यह है कि संयुक्त राज्य में कोई ऐसा हित समूह नहीं है जो निरंतर व्यवस्थापिका कक्षों में जाकर अधिक श्रेष्ठ कल्पनाशील और रचनात्मक सेविवर्ग प्रबंध के लिए संघर्ष करे।

फ्रांस की प्रशासनिक व्यवस्था की प्रमुख विशेषताएं (Salient Features of French Administrative Systems)

राज्य की सर्वोच्चता

फ्रांस में प्राचीनकाल से ही रोमन सभ्यता, संस्कृति तथा कानून का प्रभाव रहा है, अतः 'राज्य' को महत्वपूर्ण अवयव के रूप में देखने की प्रवृत्ति रही है। राज्य द्वारा निर्मित कानून तथा नियम, प्रशासनिक व्यवस्था के लिए मार्गदर्शक रहे हैं।

आज भी फ्रांस की शासन व्यवस्था में लोक प्रशासनिक व्यवस्था कुशलतापूर्वक कार्य कर रही है, किन्तु बड़े ही सहज ढंग से स्वयं को सर्वोच्च सत्ता अर्थात् राजनीतिक कार्यपालिका एवं संविधान के अधीन ही स्वीकारती है। सरकार, राज्य का एक आवश्यक अंग होती है तथा प्रशासन, सरकार के कार्यों के संचालन का एक माध्यम है।

केन्द्रीकृत प्रशासन

फ्रांस का लोक प्रशासन प्राचीनकाल से ही केन्द्रीकरण की प्रवृत्तियों से युक्त रहा है। सम्भवतः राजनीतिक अस्थिरता के दौर ने प्रशासनिक व्यवस्था एवं सत्ता के विकेन्द्रीकरण की राह में व्यावहारिक कठिनाइयाँ उत्पन्न की हैं। गणराज्य की स्थापना के उपरान्त नेपोलियन बोनापार्ट द्वारा पुनः राजतन्त्र स्थापित करना तथा प्रशासन को केन्द्रीकृत कर पेरिस तक समेटना तत्कालीन परिस्थितियों का प्रतिफल है, लेकिन आज भी प्रशासनिक कार्यकरण केन्द्रीकृत बना हुआ है।

यद्यपि वर्ष 1982 के सुधारों के पश्चात् विकेन्द्रीकरण के प्रयास होने लगे हैं, लेकिन अभी भी महत्वपूर्ण निर्णय पेरिस स्थित मंत्रालय तथा निदेशालय ही लेते हैं। वस्तुतः फ्रांस में शक्तियों का बँटवारा नहीं बल्कि कार्यों का विकेन्द्रीकरण है।

एकात्मक शासन

ब्रिटेन की भाँति फ्रांस में भी शासन एक स्तरीय है अर्थात् सम्पूर्ण देश की एक ही विधायिका तथा सरकार होती है। भारत या अमेरिका की तरह, राज्य सरकारों का अस्तित्व नहीं है। यद्यपि फ्रांस को प्रादेशिक क्षेत्रों में विभक्त किया गया है, लेकिन ऐसा प्रशासनिक सुविधा के लिए न कि शासन की दोहरी इकाइयाँ कार्य करती हैं। प्रादेशिक क्षेत्रों को जिलों में विभक्त किया गया है जहाँ प्रीफेक्ट नामक अधिकारी समस्त कार्य सम्पादित करता है। सम्पूर्ण देश में एक जैसा सामान्य एवं प्रशासकीय कानून तथा व्यवस्था प्रवर्तित है जो मूलतः राष्ट्रीय एकता में वृद्धि करती है।

प्रभावी लोक सेवाएँ

फ्रांस की लोक सेवाएँ अत्यन्त श्रेष्ठ तथा अनुशासित मानी जाती हैं। यहाँ पर अस्थिर सरकारों के रहने के कारण लोकसेवाओं का महत्व लगातार बढ़ता गया। राजनीतिक उलट-फेर पर भी प्रशासनिक स्थिरता बनी रही। सरकारी अधिकारियों ने स्वयं को राज्य के साथ एकाकार कर लिया तथा वे अपने आप को सम्प्रभू मानने लगे तथा जनता ने उनकी यह स्थिति स्वीकार की। वे लोकसेवक न रहकर लोक अधिकारी बन गए। आज भी उनका विशेष सम्मान है। लोकसेवकों की भर्ती, प्रशिक्षण, सेवा शर्तें निम्न प्रकार हैं:

- **लोकसेवकों की भर्तीः** फ्रांस में लोक सेवा एक आजीवन व्यवसाय है। नियुक्ति के बाद, पुनर्नियुक्ति हेतु लोक सेवक इधर-उधर नहीं जाते हैं। यहाँ भर्ती व्यवस्था को शिक्षा से जोड़ दिया गया है। उच्च पदों पर वे ही प्रत्याशी आ सकते हैं जिन्होंने उच्च शिक्षा प्राप्त की है, किन्तु शिक्षा जनसंख्या के एक छोटे से भाग तक सीमित है। अतः उच्च प्रशासनिक पदों पर एक वर्ग विशेष के लोग ही आ पाते हैं।
- **लोकसेवकों का प्रशिक्षणः** भर्ती के बाद कर्मचारियों को व्यापक प्रशिक्षण प्रदान किया जाता है। यह कार्य वर्ष 1945 में स्थापित प्रशासन के राष्ट्रीय विद्यालय द्वारा सम्पन्न किया जाता है। नए लोकसेवकों के लिए 3 साल का पाठयक्रम है। उच्च प्रशासकीय सेवा के लिए व्यावहारिक प्रशिक्षण दिया जाता है। शैक्षणिक विशेषीकरण के लिए चार क्षेत्र हैं—सामान्य प्रशासन, आर्थिक और वित्तीय प्रशासन, सामाजिक प्रशासन तथा विदेशी मामले।
- **सेवा की शर्तेंः** लोकसेवकों को सुरक्षा एवं स्तर की पूरी गारन्टी है। इनका कार्यकाल आजीवन होता है। यद्यपि अनुशासनात्मक कार्यवाही के द्वारा पहले भी पदमुक्त किया जा सकता है, किन्तु यह कार्यवाही एक लम्बी प्रक्रिया द्वारा सम्पन्न होती है। अनुशासनात्मक कार्यवाही ट्रिब्यूनल में लोकसेवकों के भी प्रतिनिधि लिए जाते हैं। पदोन्नति आदि इन्हीं लोकसेवकों द्वारा नियन्त्रित किए जाते हैं।
- **राजनीतिक कार्यः** फ्रांस में लोकसेवक सरकार के कार्यों में सक्रिय भाग लेते हैं। लोकसेवकों को राजनीतिक कार्यों में भाग लेने पर कोई प्रतिबन्ध नहीं है। एक लोकप्रिय लोकसेवक मंत्री भी बन सकता है। व्यक्तिगत रुचि के कारण लोकसेवक सक्रिय राजनीति में भाग ले सकते हैं और पुनः लोक सेवा में अपने पूर्व पद पर आ सकते हैं। राजनीतिक अस्थिरता और मंत्रिमण्डलों के शीघ्र पतन के कारण लोक प्रशासकों को राजनीति में आने का पूरा अवसर मिलता है।
- **नियंत्रण की व्यवस्थाः** फ्रांसीसी प्रशासन पर दो प्रकार के नियंत्रण हैं— बाह्य नियंत्रण और आन्तरिक नियंत्रण। बाह्य नियंत्रण, व्यवस्थापिका और कार्यपालिका द्वारा तथा आन्तरिक नियंत्रण

निर्धारित इकाइयों द्वारा रखा जाता है। फ्रांसीसी क्रान्ति के बाद यहाँ राजनीतिक अस्थिरता का वातावरण रहा है। फलस्वरूप प्रशासन की आन्तरिक नियंत्रण व्यवस्था सशक्त बनी हुई है तथा राजनीतिक निर्देशन का क्षेत्र सीमित हुआ है।

प्रशासन के बाहरी नियंत्रण का मुख्य अभिकरण व्यवस्थापिका है। यह विधायी नियंत्रण सदैव कमजोर रहा है। व्यवस्थापिका ने अपनी अनेक शक्तियाँ कार्यपालिका को हस्तान्तरित कर दीं और प्रशासन पर नियंत्रण कमजोर पड़ गया। जो नियंत्रणकारी शक्तियाँ व्यवस्थापिका के पास हैं उनका प्रयोग विधायी समितियों द्वारा किया जाता है। इन समितियों के सभापति भूतपूर्व मंत्री होते हैं, इनमें सर्वाधिक महत्वपूर्ण वित्तीय समिति है। यह अनेक उप-समितियों में विभाजित है। प्रत्येक उप-समिति में एक सभापति और रिपोर्टर होता है, प्रत्येक उप-समिति एक मंत्रालय के बजट पर नियंत्रण रखने के लिए उत्तरदायी है।

प्रशासन पर दूसरा बाहरी नियंत्रण कार्यपालिका का होता है। फ्रांस में प्रशासन पर इसका नियन्त्रण प्रभावशाली नहीं रहता। अस्थिर मन्त्रिमण्डल एवं सरकार की संविद प्रकृति से यहाँ अन्तः मन्त्रिमण्डलीय समन्वय नहीं रह पाता।

प्रशासन पर आन्तरिक नियंत्रण ही सशक्त और प्रभावशाली होता है। इसके मुख्य अभिकरण हैं—कौंसिल डी इटाट का नियंत्रण, बजट तथा वित्तीय नियंत्रण, सेविवर्ग सम्बन्धी नियंत्रण, सरकार की विकेन्द्रीकृत सेवाओं पर नियंत्रण आदि। यह जनमत एवं राजनीतिक नियंत्रण से स्वतन्त्र है।

प्रो. अल्फ्रेड डाइमण्ट ने फ्रांसीसी प्रशासन के नियंत्रण व्यवस्था की निम्न विशेषताओं का उल्लेख किया है:

- लोक सेवा कार्य सम्पन्नता को नियन्त्रित करने तथा मापने में संकीर्ण वित्तीय और कानूनी मापदण्डों पर बल दिया जाता है।
- इन मापदण्डों पर लाइन अभिकरण की अपेक्षा स्टाफ अभिकरण का महत्व बढ़ जाता है, स्टाफ में शक्ति तथा प्रभाव अधिक होने के कारण इसमें श्रेष्ठ लोग ही प्रवेश कर पाते हैं।
- उच्चतर सेवाओं के विशिष्ट वर्ग लाइन अभिकरण के उच्च पदों पर भी एकाधिकार रखते हैं।
- कौंसिल डी इटाट, वित्तीय निरीक्षक तथा ऐसे ही नियन्त्रणकारी अंगों ने प्रशासकीय स्व-विवेक एवं पहल की शक्ति को घटा दिया है।

स्थायी एवं कुशल प्रशासन

फ्रांस की प्रशासनिक व्यवस्था अनुशासित तथा राष्ट्रहितों के प्रति प्रतिबद्ध मानी जाती है। अमेरिका की भाँति लूट प्रणाली का व्यापक प्रचलन फ्रांस में कभी भी नहीं रहा। भ्रष्टाचार, रिश्वत, लापरवाही तथा अकर्मण्यता के उदाहरण फ्रांसीसी प्रशासन में बहुत कम देखने को मिलते हैं। प्रशासनिक अनियमितताओं के कारण उत्पन्न होने वाले विवादों की सुनवाई के लिए प्रशासनिक न्यायालय इसलिए स्थापित किए गए हैं ताकि सामान्य न्यायालयों की दुरुह एवं लम्बी प्रक्रिया से छुटकारा मिले तथा प्रशासनिक अधिकारी चौकस रहकर कार्य करें। 'सूचना का अधिकार' नागरिकों को प्राप्त है।

मिशनरी भावना

फ्रांस के लोकसेवक प्रत्येक सरकारी कार्य को केवल ड्यूटी मानकर पूरा नहीं करते हैं बल्कि नागरिक सेवा को अपना ध्येय मानते हैं। एसप्रिट डी कॉर्प्स की भावना के लिए फ्रांसीसी लोक सेवक मानव कल्याण को ईश्वर सेवा के समान स्वीकारते हैं। वस्तुतः फ्रांस की सरकार एक आदर्श नियोक्ता की भूमिका निभाती है तथा लोकसेवक एक आज्ञाकारी कार्मिक का दायित्व सहर्ष उठाते हैं। सामाजिक एवं मानसिक स्तर पर परिपक्वता प्राप्त फ्रांसीसी नागरिक भी प्रशासनिक कार्यों में पूर्ण सहभागिता प्रकट करना अपना दायित्व समझते हैं।

राष्ट्रीय कानूनों में आस्था प्रकट करना सर्वोच्च नैतिकता की निशानी है। यह मान्यता लोकसेवक एवं आम व्यक्ति दोनों ही स्वीकारते हैं। अधिकारों एवं कर्त्तव्यों के बोध सहित मानव धर्म को प्रधानता दी गई है।

दोहरे कानून

फ्रांस में सामान्य कानून (दीवानी तथा फौजदारी) तथा प्रशासनिक कानून पृथक्-पृथक् हैं। नागरिकों के आपसी विवाद तथा झगड़े सामान्य न्यायालयों द्वारा निपटाए जाते हैं जबकि प्रशासन एवं जनता के मध्य उत्पन्न होने वाले विवाद प्रशासनिक कानूनों के अन्तर्गत निर्धारित प्रक्रियानुसार सुलझाए जाते हैं। प्रशासनिक कानूनों के अन्तर्गत आने वाले मुकदमे प्रारम्भिक स्तर पर प्रादेशिक परिषदों या प्रशासनिक न्यायाधिकरणों द्वारा निपटाए जाते हैं। यद्यपि भारत एवं ब्रिटेन में भी प्रशासनिक न्यायाधिकरण हैं, किन्तु फ्रांस की भाँति इन देशों में स्वतन्त्र प्रशासनिक कानून नहीं है।

प्रीफेक्ट व्यवस्था

आधुनिक फ्रांस की प्रशासनिक व्यवस्था नेपोलियन बोनापार्ट की ऋणी है, क्योंकि प्रीफेक्ट, कोर्ट्स तथा तकनीकी प्रशिक्षण संस्थान इत्यादि की स्थापना नेपोलियन ने ही की थी।

फ्रांस को भौगोलिक आधार पर कुछ रीजन अर्थात् प्रादेशिक सम्भागों में बाँटा गया है जिनके पश्चात् डिपार्टमेन्ट्स होते हैं, फ्रांस के डिपार्टमेन्ट्स भी जापान की भाँति भौगोलिक इकाई हैं जो भारत के जिलों के समकक्ष हैं। इन डिपार्टमेन्ट्स के अधिकारी प्रीफेक्ट तथा सब प्रीफेक्ट कहलाते हैं। प्रीफेक्ट की पदस्थिति बहुत कुछ भारत के जिला कलेक्टर से मिलती-जुलती है।

प्रीफेक्ट नामक अधिकारी केन्द्र व स्थानीय प्रशासनिक संगठनों एवं जनता व सरकार के बीच समन्वय की भूमिका निभाता है। वह सरकार के प्रतिनिधि के रूप में कुछ छोटे-बड़े प्रशासनिक कार्य भी सम्पादित करता है। प्रीफेक्ट किसी एक विभाग का अधिकारी नहीं बल्कि सभी विभागों का सामान्य अधिकारी होता है।

बार्थलेमी ने अपनी पुस्तक 'The Government of France' में प्रीफेक्ट के कार्य बताते हुए कहा है कि यह राजनीतिक अभिकर्ता जो राजनीतिक कारणों से नियुक्त एवं पदमुक्त किया जाता है तथा यह नीति सम्बन्धी प्रश्नों के बारे में मंत्रिमण्डलीय क्रियाओं से सम्बन्धित है, न केवल गृह मंत्रालय बल्कि सभी मंत्रालयों का प्रतिनिधित्व करता है। अपने विभाग

के अन्तर्गत वह प्रशासनिक सत्ता का प्रतीक होता है तथा निर्णयन सहित कार्यपालिका सम्बन्धी नियुक्तियाँ करता है। प्रीफेक्ट का कार्य गृह मंत्रालय की अधीनस्थ संस्थाओं के निर्देशन, निरीक्षण एवं प्रबन्ध तक ही सीमित नहीं है, बल्कि सभी प्रकार के अधिकारियों, दण्डनायकों, शिक्षकों तथा कुछ अर्थों में राजनीतिक कार्यकर्ताओं पर निगरानी रखता है। वह उपर्युक्त सभी अधिकारियों के सम्बन्ध में गुप्त एवं सही रिपोर्ट गृह मंत्रालय को देता है, तथा पुलिस की निगरानी करता है। सार्वजनिक शान्ति व्यवस्था के अतिरिक्त वह अनेक तकनीकी मामलों के सम्बन्ध में निर्णय भी करता है तथा तकनीकी अधिकारियों की बड़ी संख्या में नियुक्ति भी करता है।

अर्द्धस्वायत्त स्थानीय प्रशासन

एकात्मक तथा केन्द्रीकृत फ्रांस की प्रशासनिक व्यवस्था में शहरी एवं ग्रामीण स्थानीय स्वशासन की इकाइयाँ सदैव से ही केन्द्रीय प्रशासन के अधीन रही हैं। फ्रांस में स्थानीय स्वशासन का स्वरूप उतना स्वायत्त नहीं होता जितना कि जापान, स्विट्ज़रलैण्ड तथा अमेरिका में है।

फ्रांस में समाजवादी सरकार द्वारा 2 मार्च, 1982 को पारित कानून के पश्चात् ''प्रशासन का विकेन्द्रीकरण'' प्रारम्भ हुआ जो अभी निरन्तर सुधारों की ओर अग्रसर है। इस कानून के द्वारा फ्रांस में स्थानीय प्रशासन की इकाइयों को उनके कार्य क्षेत्र में वैधानिक स्वतन्त्रता दी गई है। मूलतः नगरपालिकाएँ, डिपार्टमेन्ट्स तथा प्रादेशिक सम्भाग स्थानीय प्रशासन के तीन स्तर हैं। इनमें एरोन्टाइमेंट, कैंटन तथा कम्यून भी बने हुए हैं।

केन्द्रीय स्तर पर ''आन्तरिक एवं विकेन्द्रीकरण विभाग'' स्थानीय प्रशासन की इकाइयों को दिशा-निर्देश प्रदान करता है। कम्यून में मेयर तथा डिपार्टमेन्ट्स में प्रीफेक्ट नामक अधिकारी स्थानीय प्रशासन संचालित करते हैं। स्थानीय निकायों में एक परिषद् होती है, जो निम्न स्तरीय पदों पर भर्ती, प्रशिक्षण एवं पदोन्नति का कार्य सम्पादित करती है। भारत की भाँति ''स्थानीय निकाय निदेशालय'' नियन्त्रणकर्ता की भूमिका निभाता है। फ्रांस के स्थानीय निकायों में भी पूर्णतया योग्यता का सिद्धान्त लागू होता है।

सुदृढ़ अर्थव्यवस्था एवं दबाव समूह

फ्रांस की अर्थव्यवस्था तुलनात्मक रूप से सुदृढ़ एवं विश्वसनीय मानी जाती है। यद्यपि फ्रांस में बेरोजगारी एक विकराल समस्या बन चुकी है तथापि आम फ्रांसीसियों का जीवन स्तर अत्यन्त उच्च स्तरीय होता है। फ्रांस के नियोजन तन्त्र को निर्देशित करने वाला 'सामान्य नियोजन आयोग' आर्थिक तन्त्र में प्रभावी भूमिका निर्वाहित करता है। फ्रांस में केवल प्रतीकात्मक नियोजन किया जाता है, लोक एवं निजी दोनों ही प्रकार के उपक्रम आयोग के परामर्श को गम्भीरता से स्वीकार करते हैं।

राजनीतिक जागरूकता की दृष्टि से फ्रांस अत्यन्त उच्च श्रेणी का राष्ट्र है। अतः लोक प्रशासन एवं अर्थव्यवस्था में विभिन्न दबाव समूहों का पर्याप्त सम्मानजनक स्थान रहता है। विश्व भर में जारी आर्थिक उदारीकरण की प्रवृत्तियाँ फ्रांस में भी स्पष्ट प्रभाव दिखाने लगी हैं। 1 जनवरी, 1999 से फ्रांस में भी 'यूरो मुद्रा' प्रचलित हो गई है, जो यूरोपीय संघ के राष्ट्रों के मध्य नए समीकरण बनाएगी।

आर्थिक नियोजन

द्वितीय विश्व युद्ध के बाद फ्रांस के समक्ष सबसे बड़ी चुनौती दयनीय आर्थिक स्थिति से कैसे उबरे। युद्ध की क्षतिपूर्ति, अर्थव्यवस्था में आधुनिकीकरण और समाज के चहुँमुखी विकास के उद्देश्य से फ्रांस में आर्थिक नियोजन को अपनाया गया। वहाँ आर्थिक नियोजन के सम्बन्ध में व्यावहारिक दृष्टिकोण को अपनाया गया। अतः वहाँ सेवारत् वरिष्ठ लोकसेवकों ने फ्रांस के नियोजन के विकास को आसान बना दिया है। लोकसेवकों की रुचि के कारण ही कम समय में ही आर्थिक नियोजन ने सफलता प्राप्त करके अपना सम्मानजनक स्थान बना लिया जिसके कारण फ्रांस विश्व की महान शक्ति है। वहाँ आर्थिक नियोजन की प्रमुख विशेषताएँ हैं।

- नियोजनतन्त्र की प्रकृति निर्देशक (इण्डीकेटिव) है।
- नियोजन अर्थव्यवस्था की विभिन्न इकाइयों के समुचित विचार-विमर्श पर आधारित।
- नियोजन में लचीलापन
- नियोजन का लोकतान्त्रिक स्वरूप

उपरोक्त विवेचन से स्पष्ट है कि फ्रांस में केन्द्रीयकरण, स्थायित्व, तटस्थता, योग्यता, मिशनरी भावना जैसी विशेषताएँ विद्यमान हैं। इसने समय के अनुसार बदलते हुए परिवेश में अपनी कार्य-सम्पन्नता के मापदण्ड निश्चित किए हैं।

जापानी प्रशासनिक व्यवस्था की मुख्य विशेषताएँ (Salient Features of Japanese Administrative Systems)

जापान का लोक प्रशासन, कुशलता, प्रतिबद्धता तथा संवेदनशीलता का पर्याय माना जाता है। राजशाही शासन प्रणालियों से लेकर वर्तमान तक इसमें अनेक समयानुकूल परिवर्तन आए हैं। यह परिवर्तन जापान की आन्तरिक सामाजिक व्यवस्था तथा अन्तर्राष्ट्रीय परिस्थितियों सहित द्वितीय विश्व युद्ध के पश्चात् जापान के पुनर्निर्माण के संकल्प से प्रभावित दिखाई देता है।

विशेषीकृत एवं कुशल लोकसेवाएँ

जापान की लोक सेवा में कार्यरत् कर्मचारी किसी-न-किसी क्षेत्र या विषय में तकनीकी क्षमताओं से युक्त विशेषज्ञ होते हैं। यहाँ की प्रशासनिक संरचना जटिल है। जापान में नीति निर्माण की शक्तियाँ यहाँ के मन्त्रिमण्डल में निहित हैं तथा नीति निर्माण में विशेषज्ञों एवं उच्च लोकसेवकों का भी पर्याप्त दखल रहता है।

योग्यता एवं प्रतिष्ठा

जापान में लोकसेवाओं में प्रवेश के इच्छुक उम्मीदवार को प्रायः कड़ी प्रतिस्पर्धा का सामना करना पड़ता है। यहाँ 'द नेशनल पर्सनल अथॉरिटी' के माध्यम से लोकसेवकों का चयन किया जाता है। भारत, फ्रांस, ब्रिटेन की भाँति जापान में भी लोक सेवाओं को पर्याप्त प्रतिष्ठा प्राप्त है।

लोकसेवाओं में निरन्तर सुधार

मैजी संविधान काल के दौरान जापानी नौकरशाही कुलीन गुट, धनिक गुट, सैनिक अधिकारी गुट तथा प्रशासनिक अधिकारी गुट में विभक्त थी, जो भेदभाव को बढ़ावा देती थी। वर्ष 1885 में राजकुमार ईतो ने जापानी लोक सेवा में निम्नांकित सुधार किए:

- राजकीय कार्यों में उत्तरदायित्व का स्पष्ट वर्णन
- भर्ती अथवा नियुक्ति के निश्चित नियम
- राजकीय परिपत्रों में वृद्धि
- कार्मिक अनुशासन
- प्रशासनिक व्यय पर नियन्त्रण

इन सुधारों के पश्चात् जापानी लोक सेवा में परिवर्तन दिखाई देने लगे तथा भाई भतीजावाद पर नियंत्रण होने लगा। वर्ष 1887 से लोकसेवकों का चयन प्रतियोगी परीक्षाओं के माध्यम से होने लगा। वर्ष 1947 में नेशनल सर्विस लॉ पारित किया गया। इसकी अनुपालना में नेशनल पर्सनल अथॉरिटी अर्थात् राष्ट्रीय कार्मिक प्राधिकरण की स्थापना की गई। यह प्राधिकरण अर्द्ध-स्वायत्त संस्था है।

लोकसेवकों में वर्गीकरण एवं पद चेतना

जापानी प्रशासनिक तंत्र में कार्यरत् लोकसेवकों में उच्च, मध्यम तथा निम्न पदों के रूप में अत्यधिक चेतना का भाव पाया जाता है। पदसोपान की व्यवस्था को अधिक महत्व देने के कारण ही उच्चाधिकारियों द्वारा पारित आदेश भय सहित सम्मान के साथ तत्परता से पालन किया जाता है। जापानी लोक सेवाएँ मूलतः दो वर्गों में विभाजित हैं।

- **विशिष्ट राजकीय सेवाः** इस वर्ग में मन्त्रिमण्डल के सदस्य, डायट (जापान की संसद) के अनुमोदन से नियुक्त अधिकारी, शाही न्यायालय में नियुक्त अधिकारी, न्यायाधीश, राजदूत, डायट के कार्मिक, सामान्य श्रमिक तथा लोक उपक्रमों के पदाधिकारी सम्मिलित हैं।
- **नियमित राजकीय सेवाएँ:** इस वर्ग में केन्द्रीय प्रशासन में कार्यरत् प्रशासनिक, लिपिकीय तथा अन्य बचे हुए पद सम्मिलित किए गए हैं। जापानी लोक सेवाएँ केवल तीन श्रेणियों—प्रथम, द्वितीय एवं तृतीय श्रेणी में विभक्त हैं।

जापान का स्थानीय प्रशासन

जापान के संविधान में अनुच्छेद 92 से 95 तक जापान के स्थानीय प्रशासन का वर्णन है। यहाँ के स्थानीय स्वशासन को ग्रामीण तथा नगरीय संस्थाओं को अपने संगठन, कार्यकरण, कार्मिक प्रशासन, सम्पत्ति अधिग्रहण तथा प्रशासन के सम्बन्ध में स्वायत्तता प्राप्त है।

यहाँ के स्थानीय स्वशासन के क्रम में डायट भी तब तक कानून नहीं बना सकती जब तक कि स्थानीय मतदाता उसे बहुमत से अनुमोदित न कर दें। यहाँ स्थानीय स्वशासन की इकाइयाँ प्रिफेक्चर कहलाती है। इनको सिटी, टाउन तथा ग्रामीण सरकार में बाँटा गया है। जापान में स्थानीय संस्थाओं के कार्मिक प्रशासन के लिए वर्ष 1950 में स्थानीय लोक सेवा अधिनियम बनाया गया है।

केन्द्रीय प्रशासन

जापान का केन्द्रीय प्रशासन मंत्रिमण्डल सचिवालय के इर्द-गिर्द घूमता है। यह सचिवालय मंत्रिमण्डल की बैठकों की व्यवस्था करता है तथा मंत्रिमण्डल के निर्णयों को क्रियान्वित करता है। एक निदेशक तथा दो उप-निदेशकों वाला यह सचिवालय प्रधानमंत्री कार्यालय से समन्वय करता है।

जापान में योजना तथा विकास के लक्ष्यों के निर्धारण एवं उनकी व्यूह रचना के लिए आर्थिक योजना अभिकरण, लोकसेवा आयोग के रूप में राष्ट्रीय कार्मिक प्राधिकरण तथा सरकारी आय-व्यय की जाँच के लिए अंकेक्षण बोर्ड है। इनको मंत्रियों के अधीन रखा गया है। यहाँ मन्त्रिमण्डल का आकार छोटा रहता है।

विकास प्रशासन
(Development Administration)

प्रशासन विकास के मौलिक उद्देश्यों की पूर्ति का सर्वमान्य माध्यम है, परन्तु दुर्भाग्यपूर्ण साम्राज्यवादी विरासत के कारण जनता और प्रशासन के मध्य दूरी बनी हुई है तथा जनता प्रशासन के प्रति आशंकित है। साथ ही जनता प्रशासन की क्षमता के प्रति भी आश्वस्त नहीं है कि वह विकास की नवीन बढ़ती हुई चुनौतियों का सामना करने में सक्षम है भी या नहीं? अनेक बार प्रशासन का संगठन, ढाँचा, नियम, कार्य-प्रक्रिया विकास के कार्यों को गति, दिशा और विकास की चुनौतियों का सामना करने के लिए अपर्याप्त पाये गये हैं। भारत जैसे विकासशील देशों में देशी विदेशी विशेषज्ञों द्वारा यह मत व्यक्त किया गया है कि परम्परागत प्रशासन के स्थान पर विकास प्रशासन स्थापित किया जाए। परम्परागत प्रशासन ने पिछले वर्षों में अनेक कल्याणकारी और विकास कार्यों को सफलतापूर्वक सम्पन्न किया है और कुछ सीमा तक नवीन परिस्थितियों के अनुकूल भी हुआ है।

आज विकास प्रशासन की अति आवश्यकता है और उसने अध्ययन के विषय के रूप में स्थान सुनिश्चित कर लिया है। प्रशासन जो विकास उद्देश्यों हेतु अस्पष्टता के वातावरण में कार्य करता है, जनता की सहभागिता प्राप्त करने के लिए उसे अत्यन्त गहन सोच क्षमता की आवश्यकता होगी। यद्यपि विकास प्रशासन अनिवार्य है, तो उसमें शीघ्र प्रत्युतर की क्षमता, संसाधनों की क्षमता, निर्णय लेने एवं चुनौतियों का सामना करने की क्षमता और एकीकृत निष्पादन की सामर्थ्य होनी चाहिए। प्रशासन की कुछ सामान्य प्रक्रियाएँ हैं, जो विकास प्रशासन में भी है लेकिन कुछ नवीन विमाएँ निर्धारित करनी आवश्यक है।

विकास एक बहुआयामी अवधारणा है। यह लोक प्रशासन की वह शाखा है जो किसी देश के आर्थिक-सामाजिक विकास से सम्बन्धित होता है। इसके अन्तर्गत सामाजिक, आर्थिक, सांस्कृतिक, राजनीतिक, तकनीकी और प्रशासनिक विकास आदि आते हैं। इसका तात्पर्य है— संस्थागत परिवर्तन और प्रशासनिक विकास।

विकास के विभिन्न आयाम

विकास की चर्चा केवल आर्थिक विकास के रूप में नहीं करनी चाहिए। इसके राजनीतिक, सामाजिक, सांस्कृतिक और प्रशासनिक घटक भी होते हैं। यद्यपि विकास के आर्थिक, सामाजिक और राजनीतिक घटकों के बीच विभाजन रेखा खींचना संभव नहीं है फिर भी वे सब मिलकर विकास की प्रक्रिया में योगदान देते हैं। अतः विकास एक जटिल प्रक्रिया है जिसकी सामाजिक, राजनीतिक, आर्थिक, प्रशासनिक और सांस्कृतिक विमाएं होती हैं।

राजनीतिक विकासः राजनीतिक विकास में राजनीतिक व्यवस्था स्वयं की मौलिक समस्याओं से निपटने की क्षमता रखती हो तथा जनता की मांगों के अनुरूप बनने हेतु सक्षम हो। राजनीतिक विकास में आर्थिक-औद्योगिक विकास, आधुनिकीकरण, राष्ट्र-निर्माण, लोकतन्त्र की स्थापना, राजनीतिक स्थायित्व आदि बातें सम्मिलित हैं।

आर्थिक विकासः विकासशील देशों का आर्थिक विकास सबसे महत्वपूर्ण समस्या है। आर्थिक विकास एक लम्बी प्रक्रिया है, जिसका कोई संतोषजनक एवं सर्वमान्य सूचक निश्चित करना संभव नहीं है। प्रो. लिप्से के अनुसार, आर्थिक विकास के कुछ संभावित माप हैंः प्रति व्यक्ति आय, प्रति व्यक्ति पूंजी, प्रति व्यक्ति बचत, सामाजिक पूंजी, रहन-सहन का स्तर, राष्ट्रीय आय, आदि। आर्थिक विकास का प्रमुख उद्देश्य देश का आर्थिक दृष्टि से विकास करना है।

सामाजिक विकासः यह एक विस्तृत अवधारणा है, जो आर्थिक विकास के अधिक समीप है। सामाजिक विकास से तात्पर्य समाज में रहने वाले लोगों के सामाजिक जीवन में परिवर्तन लाते हुए उन्नति करने से है। इसमें वस्त्र, भोजन, आवास, चिकित्सा सुविधाएं, शिक्षा, सामाजिक सुरक्षा आदि बातें सम्मिलित होती हैं।

सांस्कृतिक विकासः संस्कृति का अर्थ किसी समुदाय की जीवन शैली है, जो नागरिक को अनेक आदर्शात्मक मूल्य प्रदान करता है। इन मूल्यों से प्रशासन भी अछूता नहीं है। डलैडन के अनुसार, यदि प्रशासनिक संस्कृति रूपान्तरण के कारण हुई प्रगति से सामंजस्य स्थापित नहीं करती, तो सामाजिक असंतोष और हिंसा से सामाजिक ढाँचा अंततः ध्वस्त हो जाएगा। सामाजिक संस्कृति की अनुकूल क्षमता ही प्रशासन में लोक-सामंजस्य और व्यवस्था बनाए रखने में प्रमुख भूमिका निभाती है।

प्रशासनिक विकासः प्रशासनिक विकास, विकास प्रशासन का एक महत्वपूर्ण तत्व है। यह परिवर्तन और गतिशील अवधारणा है, जो समाज में आर्थिक, सामाजिक एवं राजनीतिक परिवर्तन के लिए प्रयत्नशील है। इसका संबंध विकासशील देशों के प्रशासन से है। इसमें प्रशासनिक संरचनाओं, संगठनों, नीतियों, प्रक्रियाओं, आदि में परिवर्तन करके प्रशासन को समयानुकूल बनाने का प्रयास किया जाता है।

विकास का उद्देश्यः विकास बहुमुखी होता है और उसका उद्देश्य समाज का लोक-कल्याण करना है तथा नागरिकों को अच्छा जीवन प्रदान करना है। समस्त विकासशील राष्ट्रों का उद्देश्य लगभग एक जैसा होता है जिसमें निम्नलिखित गतिविधियाँ सम्मिलित हैंः

- राष्ट्र का उत्कृष्ट विकास।
- राष्ट्र की आय में वृद्धि।
- देश की जनता का जीवन-स्तर विकसित करना।
- देश को आत्मनिर्भरता प्रदान करना।
- नागरिकों को रोजगार उपलब्ध कराना।
- कानून व्यवस्था में सुधार करना तथा न्याय प्रदान करना।
- आर्थिक-सामाजिक क्षेत्र में प्रगति करना।
- विकास कार्यों में जनता की सहभागिता प्राप्त करना।
- नीतियों एवं योजनाओं को लागू करना।
- प्रशासन को समय की चुनौतियों तथा कठिनाइयों का सामना करने के योग्य बनाना। साथ में नवीन प्रशासनिक प्रबन्धकीय तकनीकों को स्वीकार करना।
- विकास कार्यों के लिए अन्तर्राष्ट्रीय सहायता प्रदान करना।
- लोकसेवकों को आधुनिक प्रशिक्षण प्रदान करना, आदि।

विकास में सरकार की भूमिकाः प्रशासन और सरकार का आपस में घनिष्ठ संबंध होता है। दोनों एक-दूसरे के पूरक होते हैं तथा एक-दूसरे की सहायता करते हैं। सरकार जिन लोक-कल्याणकारी एवं महत्वपूर्ण कार्यों, नीतियों और योजनाओं को निर्धारित करती है, उन्हें लागू करने का दायित्व प्रशासन पर होता है। प्रशासन गतिशीलता का प्रतीक है और सरकार की इच्छा को साकार रूप प्रदान करता है। आज के जीवन में प्रशासन का विशेषकर विकास प्रशासन का महत्व बढ़ता जा रहा है और विकास प्रशासन शासन-व्यवस्था का केन्द्र-बिन्दु बन गया है। देश के विकास में सरकार की महत्वपूर्ण भूमिका होती है। विकास के उद्देश्यों एवं लक्ष्यों को प्राप्त करने हेतु विकासशील देशों में सरकार की प्रमुख भूमिका होती है। सामान्यतः सरकार के प्रमुख कार्य निम्नलिखित हैंः

1. आंतरिक शांति एंव सुरक्षा बनाए रखना।
2. बाहरी आक्रमण से देश की रक्षा करना।
3. स्थायी सरकार की स्थापना करना।
4. राजनीतिक स्थिरता प्रदान करना।
5. मनोवैज्ञानिक एवं भौतिक सुरक्षा का वर्धन।
6. वित्तीय संसाधनों की खोज करना और राष्ट्रीय विकास में उपयोग करना।
7. उचित प्रशासनिक व्यवस्था का प्रबन्ध करना।
8. सार्वजनिक और निजी क्षेत्रों में उचित समन्वयन स्थापित करना।
9. सामाजिक कुरीतियों को समाप्त करना।
10. विकास कार्यों में सहभागिता को प्रोत्साहन देना, आदि।
11. लोक-सेवाओं की कार्यक्षमता बढ़ाना और उचित प्रबन्ध करना।
12. पूंजी निवेश का उपयोग राष्ट्रीय हित में करना।
13. अन्तर्राष्ट्रीय समुदाय का सहयोग प्राप्त करना तथा विश्व में प्रतिष्ठित स्थान प्राप्त करना।
14. आधुनिक कार्य-पद्धतियों का विकास एवं उन्हें अपनाना।

विकास तथा आधुनिकीकरण

विकास की अवधारणा

विकास की अवधारणा ने समस्त विकासशील देशों के प्रशासन को प्रभावित किया है। द्वितीय विश्वयुद्ध (1939-45) के बाद तीसरी दुनिया के देशों का लक्ष्य विकास करना था। विकासशील देशों का विकास एक मुद्दा बन गया है।

विकास एक निरन्तर परिवर्तनशील और गतिशील प्रक्रिया है। सभ्यता को विकास के साथ-साथ मानव जीवन के विकास के विभिन्न रूपों और अवधाराणाओं का विकास हुआ है। विकास एक बहुआयामी अवधारणा है। समाजशास्त्रियों ने विकास को सामाजिक परिवर्त्तनों, मूल्यों में परिपक्वता और सामाजिक संरचना में बदलाव से जोड़कर देखा है। जबकि राजनीतिशास्त्रियों ने विकास को समाज की जागरूकता, राजनीतिक परिपक्वता, समानता एवं न्याय की स्थापना तथा लोकतांत्रिक मूल्यों के प्रसार के रूप में देखा है। वहीं अर्थशास्त्रियों ने विकास को उत्पादन में वृद्धि, माँग और पूर्ति में सन्तुलन तथा आर्थिक समानता के रूप में देखा है।

प्रबन्ध-शास्त्र के समर्थकों का मानना है कि विकास कार्यक्षमता और कुशलता से सम्बन्धित है। इस प्रकार विकास उच्च से उच्चतर तथा श्रेष्ठ से श्रेष्ठत्तर स्थिति का द्योतक है। अर्थात जब तुलनात्मक रूप से किसी प्रगति में परिपक्वता आती है तो वह विकास कहलाता है।

आधुनिकीकरण की अवधारणा

आधुनिकीकरण एक विचारधारा है जिसे अपनाकर विश्व के सभी देश अपनी प्रगति करना चाहते हैं। यह एक पश्चिमी विचारधारा है जिसने दुनिया को निजीकरण, उदारीकरण, वैश्वीकरण दिया। द्वितीय विश्वयुद्ध के पश्चात इस विचारधारा के माध्यम से ही विकासशील देशों में विकास की धारा का प्रवाह हुआ है। आधुनिकीकरण ने पश्चिमी विचारधारा, मूल्यों, संस्कृतियों, संस्थाओं, राजनीतिक संस्कृतियों को नवीन रूप दिया है।

विश्व की अनेक अर्थव्यवस्थाओं के समान भारतीय अर्थव्यवस्था भी इन परिवर्त्तनों से अछूती नहीं रही तथा यहाँ भी महत्वपूर्ण परिवर्तन का दौर प्रारंम्भ हो गया। 1980 के दशक में सम्पूर्ण विश्व में आधुनिकीकरण का दौर प्रारंभ हुआ जिसे LPG (उदारीकरण, निजीकरण, वैश्वीकरण) के रूप में जाना जाता है।

भारत ने आधुनिकीकरण के माध्यम से पश्चिमी राजनीतिक संस्थाओं को स्थापित किया है। भारत ने स्वतंत्रता पश्चात पश्चिमी औद्योगिक नीतियाँ उदारीकरण एवं निजीकरण को अर्थव्यवस्था में स्थान दिया है। आधुनिकीकरण के माध्यम से भारत ने पश्चिमी विकास मूल्यों एवं मापदण्डों को अपनाया है। प्रशासन के क्षेत्र में भारत ने विकास के लक्ष्य को पाने के लिए आधुनिक विकास प्रशासन को शामिल किया है। स्वतंत्रता पश्चात भारत भी वैश्विक अन्तर्राष्ट्रीय संस्थाओं जैसे–WTO, WHO, UNO आदि में शामिल हो गया।

हम प्रशासन के क्षेत्र में पारंपरिक प्रशासन के स्थान पर आधुनिक प्रशासन के लिए प्रयत्नशील हैं। विकास प्रशासन को नये आधुनिक उद्देश्यों को प्राप्त करने योग्य बनाया जा रहा है।

स्थायी विकास लक्ष्य (S.D.G.)

आर्थिक विकास एवं पर्यावरणीय क्षय के बीच सम्बन्ध को सर्वप्रथम वर्ष 1972 में स्टॉकहोम में आयोजित मानव पर्यावरण पर संयुक्त राष्ट्र सम्मेलन के एजेंडा में रखा गया था। सम्मेलन के बाद सरकारों ने संयुक्त राष्ट्र पर्यावरण कार्यक्रम (यूनाइटेड नेशंस एनवायरमेंट प्रोग्राम/यूएनईपी) स्थापित किया जो एक प्रमुख वैश्विक पर्यावरणीय एजेंसी बना हुआ है।

वर्ष 1973 में संयुक्त राष्ट्र ने पश्चिमी अफ्रीका में मरुस्थलीकरण के विस्तार को घटाने के प्रयासों के लिए संयुक्त राष्ट्र सूडानो-सहेलियन ऑफिस (यूनाइटेड नेशंस सूडानो-सहेलियन ऑफिस-यूएनएसओ) की स्थापना की। तथापि राष्ट्रीय आर्थिक नियोजन एवं निर्णय प्रक्रिया में पर्यावरणीय चिंताओं को शामिल करने के प्रयास धीमे रहे। कुल मिलाकर पर्यावरण में क्षय होना जारी रहा और वैश्विक ताप, ओजोन क्षय एवं जल प्रदूषण जैसी समस्याएं और गम्भीर हो गयीं। दूसरी ओर प्राकृतिक संसाधनों का विनाश भी चिन्ताजनक रूप में बढ़ गया।

वर्ष 1980 का दशक पर्यावरणीय विषयों पर सदस्य राज्यों के मध्य उल्लेखनीय वार्ताओं का साक्षी रहा। इनमें ओजोन परत को सुरक्षित रखने एवं विषैले उत्सर्जन की गति को नियन्त्रि करने वाली संधियों का समावेश था। वर्ष 1983 में महासभा द्वारा स्थापित पर्यावरण एवं विकास पर विश्व आयोग (बर्टलैण्ड आयोग) ने एक नये प्रकार के विकास की जरूरत के प्रति एक नये प्रकार की समझबूझ और तात्कालिकता की भावना पैदा की। ऐसा विकास जो वर्तमान एवं भावी पीढ़ियों के आर्थिक कल्याण को सुनिश्चित करने के साथ-साथ पर्यावरणीय संसाधनों, जिन पर सारा विकास अवलम्बित है, को संरक्षित रखेगा। महासभा को प्रस्तुत आगोग की वर्ष 1987 की रिपोर्ट में सतत (टिकाऊ) विकास की अवधारणा सामने रखी गयी। ऐसा टिकाऊ विकास अनियन्त्रित आर्थिक वृद्धि पर आधारित विकास का एक वैकल्पिक तरीका होगा।

प्रतिवेदन पर विचार करने के बाद महासभा ने 1992 में संयुक्त राष्ट्र पर्यावरण एवं विकास सम्मेलन–पृथ्वी शिखर सम्मेलन–आहूत किया।

आज पर्यावरण को समर्थन देने तथा टिकाऊ बनाये रखने की जरूरत संयुक्त राष्ट्र संघ के वस्तुतः सभी क्षेत्रों में महसूस की जा रही है। संयुक्त राष्ट्र एवं सरकारों, गैर सरकारी संगठनों, वैज्ञानिक समुदाय और निजी क्षेत्र के बीच गतिशील भागीदारी पर्यावरणीय समस्याओं के लिए जो सभी देशों के लिए समान हैं, नये ज्ञान एवं ठोस कार्य को जन्म दे रही है। संयुक्त राष्ट्र की मान्यता है कि पर्यावरण को संरक्षित रखने की जरूरत सभी आर्थिक एवं सामाजिक विकास गतिविधियों का अभिन्न हिस्सा होना आवश्यक है। जब तक पर्यावरण को सुरक्षित नहीं किया जाता, विकास के लक्ष्य कदापि प्राप्त नहीं किये जा सकते।

सतत (टिकाऊ) विकास शिखर सम्मेलन

पर्यावरण एवं विकास पर संयुक्त राष्ट्र सम्मेलन (यूनाइटेड नेशंस कांफ्रेंस ऑन एनवायरनमेंट एंड डेवलपमेंट-यूएनसीईडी) रियो डी जेनेरो, 1992 को पृथ्वी शिखर सम्मेलन के रूप में भी जाना जाता है। यह स्वीकार किया गया है कि रियो सिद्धान्त पर आधारित टिकाऊ विकास के लिए पर्यावरण संरक्षण एवं सामाजिक और आर्थिक विकास बुनियादी तत्व हैं।

ऐसे विकास को प्राप्त करने के लिए विश्व नेताओं ने एजेंडा 21 नामक एक वैश्विक कार्यक्रम स्वीकार किया।

एजेंडा 21 में सरकारों ने एक ऐसी कार्यवाही की विस्तृत योजना की रूपरेखा प्रस्तुत की जिससे विश्व आर्थिक वृद्धि के मौजूदा अटिकाऊ प्रतिदर्श से पृथक् होकर ऐसी गतिविधियों की ओर उन्मुख हो सकेगा, जो पर्यावरणीय संसाधनों को संरक्षित करने के साथ-साथ उनका नवीकरण करेंगी। ऐसे ही संसाधनों पर वृद्धि एवं विकास निर्भर होगा। इस योजना में टिकाऊ विकास की प्राप्ति में स्त्रियों, श्रमिक संगठनों, किसानों, बच्चों और युवजन, देशीयजन, वैज्ञानिक समुदाय, स्थानीय अधिकारी, व्यवसाय, उद्योग तथा गैर सरकारी संगठन जैसे बड़े समूहों की भागीदारी को मजबूत करने के लिए उपाय सुझाये गये थे।

महासभा ने वर्ष 1997 में एजेंडा 21 पर अमल के लिए एक विशेष अधिवेशन (पृथ्वी शिखर सम्मेलन + 5) का आयोजन किया। वैश्विक टिकाऊ विकास के लिए वित्त जुटाने के प्रश्न पर सदस्य राज्यों ने उत्पन्न मतभेदों को दूर करने की कोशिश की, लेकिन इस बात पर जोर दिया कि आज एजेंडा 21 को अमली जामा पहनाना, पहले से अधिक जरूरी है। इस सत्र के अन्तिम दस्तावेज ने इसी उद्देश्य को लेकर सिफारिशें की, जिनमें इन बातों का समावेश है: मौसम परिवर्तन करने वाली ग्रीनहाउस गैसों के उत्सर्जन को घटाने के लिए कानूनी तौर पर बन्धनकारी लक्ष्य, ऊर्जा उत्पादन, वितरण और उपयोग के टिकाऊ ढंगों की ओर ज्यादा ताकत के साथ बढ़ना और टिकाऊ विकास के लिए एक प्राथमिक शर्त के रूप में गरीबी उन्मूलन पर ध्यान केन्द्रित करना।

टिकाऊ विकास पर विश्व शिखर सम्मेलन (जोहान्सबर्ग 2002) ने वर्ष 1992 के पृथ्वी सम्मेलन के बाद से हुई प्रगति की समीक्षा की। टिकाऊ विकास पर जोहान्सबर्ग घोषणा तथा 54 पृष्ठीय 'कार्यान्वयन योजना' ने टिकाऊ विकास के केन्द्रीय महत्व की पुनर्पुष्टी की तथा उसकी ज्यादा गम्भीर चुनौतियों पर ध्यान देने का रास्ता साफ किया। समयबद्ध विशिष्ट लक्ष्यों के लिए प्रतिबद्धताएं की गयीं। इनमें सफाई, रसायनों के उपयोग एवं उत्पादन, मत्स्य प्रजातियों को बनाये रखने तथा उनकी पुनर्स्थापना एवं जैव विविधता क्षति की दर को घटाने के लक्ष्य भी शामिल थे। अफ्रीका तथा लघुद्वीप विकासशील देशों की विशिष्ट जरूरतों पर विशेष रूप से ध्यान दिया गया।

एजेंडा 21

विभिन्न देशों की सरकारों ने पृथ्वी के भविष्य को सुनिश्चित करने की दृष्टि से उस समय एक ऐतिहासिक कदम उठाया, जब उन्होंने वर्ष 1992 के पृथ्वी शिखर सम्मेलन में एजेंडा 21 को स्वीकार किया। यह टिकाऊ विकास के सभी क्षेत्रों में वैश्विक कार्य की एक व्यापक योजना है।

एजेंडा 21 में सरकारों द्वारा कार्रवाई की एक ऐसी विस्तृत रूपरेखा पेश की गयी है, जो विश्व को उसकी आर्थिक वृद्धि के मौजूदा गैर टिकाऊ मॉडल से अलग हटाकर ऐसी गतिविधियों की ओर ले जा सकती है, जो उन पर्यावरणीय साधनों को सुरक्षित और नवीकृत करेगी जिन पर वृद्धि और विकास निर्भर करते हैं। जिन क्षेत्रों में कार्यवाही की जरूरत है उनमें शामिल हैं— वातावरण की सुरक्षा, निर्वनीकरण, मृदाक्षय और मरुस्थलीकरण से संघर्ष, वायु एवं जल का प्रदूषण न होने देना, मत्स्यधन में गिरावट को रोकना तथा विषैले उत्सर्जन के सुरक्षित प्रबन्धन को प्रोत्साहित करना।

एजेंडा 21 में विकास के उन पैटर्न्स पर भी ध्यान दिया गया है जिनसे पर्यावरण पर दबाव पड़ता है: विकासशील देशों में गरीबी और विदेशी कर्ज, उत्पादन और उपभोग के गैर टिकाऊ पैटर्न, जनांकिकीय दबाव तथा अन्तर्राष्ट्रीय अर्थव्यवस्था का ढाँचा। कार्य योजना टिकाऊ विकास की उपलब्धि में मुख्य समूहों द्वारा निभायी जाने वाली भूमिका को मजबूत करने के लिए उपायों की सिफारिश करती है। ऐसे समूह हैं, महिलाएं, मजदूर संघ, किसान, बच्चे एवं युवजन, देशीय (आदिवासी) जन, वैज्ञानिक समुदाय, स्थानीय अधिकारीगण, व्यवसाय, उद्योग एवं गैर सरकारी संगठन।

संयुक्त राष्ट्र ने टिकाऊ विकास की अवधारणा को सभी प्रासंगिक नीतियों एवं कार्यक्रमों में एकीकृत करने के लिए कदम उठाए हैं। आमदनी पैदा करने वाली परियोजनाएं पर्यावरणीय परिणामों का भी ध्यान रख रही हैं। विकास सहायता कार्यक्रमों को ज्यादा से ज्यादा महिलाओं की ओर उन्मुख किया जा रहा है जिनकी वस्तुओं, सेवाओं एवं खाद्य के उत्पादकों एवं पर्यावरण के रखवालों के रूप में केन्द्रीय भूमिकाएं हैं। गरीबी उन्मूलन के निमित्त नैतिक एवं सामाजिक अनिवार्यताओं को यह मानते हुए अतिरिक्त अविलम्बता प्रदान की जा रही है कि गरीबी उन्मूलन एवं पर्यावरणीय गुणवत्ता मिल-जुलकर चलते हैं।

सतत विकास लक्ष्य (यूएन महासभा द्वारा 2015 में स्वीकृत-लक्ष्य प्राप्ति अवधि 2030)

1. गरीबी के सभी रूपों को पूरे विश्व से समाप्त करना।
2. भुखमरी को समाप्त करना, खाद्य सुरक्षा प्राप्त करना और पोषण में सुधार लाना तथा टिकाऊ कृषि को बढ़ावा देना।
3. स्वास्थ्य सुनिश्चित करना और हर उम्र में सभी के लिए तन्दुरुस्ती को बढ़ाना देना।
4. समावेशी और साम्यपूर्ण स्तरीय शिक्षा सुनिश्चित करना और सबके लिए आजीवन पठन पाठन के अवसरों को बढ़ावा देना।
5. लिंग सम्बन्धी समानता हासिल करना और सभी महिलाओं एवं बालिकाओं का सशक्तिकरण।
6. सबके लिए जल और स्वच्छता की उपलब्धता और स्थायी प्रबन्धन सुनिश्चित करना।
7. सबके लिए वहनीय, विश्वसनीय और आधुनिक ऊर्जा की उपलब्धता सुनिश्चित करना।
8. सबके लिए स्थायी, समावेशी और सतत आर्थिक विकास, पूर्ण एवं लाभकारी तथा उचित रोजगार को बढ़ावा देना।
9. समुत्थानशील अवसंरचना निर्मित करना, समावेशी एवं सम्पोषणीय औद्योगीकरण को बढ़ावा देना तथा नवोन्मेष को प्रोत्साहित करना।
10. देशों के भीतर और आपस में भी असमानता कम करना।
11. शहरों और मानव बस्तियों को समावेशी, सुरक्षित समुत्थानशील और सम्पोषणीय बनाना।

12. सम्पोषणीय खपत और उत्पादन पैटर्न सुनिश्चित करना।
13. जलवायु परिवर्तन एवं इसके प्रभावों का मुकाबला करने के लिए तत्काल कार्यवाही करना।
14. सतत विकास के लिए महासागरों, समुद्री संसाधनों का संरक्षण करना एवं सम्पोषणीय तरीके से उपयोग करना।
15. पृथ्वी के पारिस्थितिकी तन्त्रों का संरक्षण, पुनरूद्धार करना एवं उनके सम्पोषणीय उपयोग को बढ़ावा देना।
16. सम्पोषणीय विकास के लिए शान्तिपूर्ण व समावेशी सोसाइटियों का संवर्धन करना, सबके लिए न्याय सुलभ करना और सभी स्तरों पर प्रभावी, जवाबदेही व समावेशी संस्थाओं का निर्माण करना।
17. कार्यान्वयन के तरीके सुदृढ़ करना और सम्पोषणीय विकास हेतु वैश्विक भागीदारी को पुनः सक्रिय करना।

विकास प्रशासनः अवधारणा, प्रकृति, क्षेत्र, उद्देश्य, विशेषताएँ तथा महत्व

अवधारणा

विकास प्रशासन की अवधारणा को प्रतिपादित करने वाला सबसे पहला विद्वान एडवर्ड वीडनर था। कालांतर में प्रो. रिग्ज, जोसेफ पालोम्बरा तथा एलबर्ट वॉटसन, आदि विद्वानों ने इस अवधारणा के विकास में महत्वपूर्ण भूमिका निभाई। विकास प्रशासन मूलतः तीसरी दुनिया के देशों अफ्रीका, लैटिन अमेरिका एवं एशियाई देशों के प्रशासन से ज्यादा संबंधित है। इन देशों के समक्ष आजादी के बाद अनेक गंभीर समस्याएं जैसे—अशिक्षा, कुपोषण, स्वास्थ्य प्रबंधन, अविकसित या अर्द्ध-विकसित आर्थिक एवं राजनीतिक व्यवस्था, संसाधनों का दोहन, प्रबंध एवं व्यवस्थाओं में कौशल एवं तकनीकी का अभाव, वैज्ञानिक सोच की कमी, बढ़ती हुई जनसंख्या, सामाजिक सुधारों की कमी या आंशिक जड़वादिता, ग्रामीण जीवन की दुर्दशा, आदि थीं। तीसरी दुनिया के देश इन समस्याओं पर तब ही विजय पा सकते हैं जब वे अपने प्रशासन को न केवल गतिशील बनाएं अपितु प्रशासन में उन तत्वों का भी समावेश करें जिनके सहयोग से समस्याओं का निराकरण संभव हो सके।

भारत के संदर्भ में विकास प्रशासन शब्द का प्रयोग सबसे पहले भारतीय प्रशासनिक सेवा के अधिकारी श्री यू.एल. गोस्वामी ने अपने एक लेख में वर्ष 1995 में किया था। लेख का शीर्षक था "द स्ट्रक्चर ऑफ पब्लिक एडमिनिस्ट्रेशन इन इण्डिया" जो कि इण्डियन जर्नल ऑफ पब्लिक एडमिनिस्ट्रेशन में छपा था।

विकास प्रशासन के उदय के कारण

विकास प्रशासन के उदय के निम्नलिखित कारण हैं:

1. सन् 1950 और 1960 के दशकों के दौरान, लोक प्रशासन के विद्वानों ने लोक प्रशासन के पारंपरिक दृष्टिकोणों, जिनमें पाश्चात्य मूल्य उन्मुखन था, की एक पक्षीय प्रकृति के प्रति काफी असंतोष जाहिर किया। विद्वानों को सूचना के एकमात्र आधार के रूप में अमेरिकी अनुभव पर लोक प्रशासन संबंधी अध्ययनों की अत्यधिक निर्भरता से भी असंतोष था। अतः मिला-जुलाकर इसका यह अर्थ था कि सारी बात को अमेरिकी मूल्य तंत्र से आंका जाता था जिस तंत्र में तीसरे विश्व और साम्यवादी देशों के बारे में मूल्य भारित विचार रहता था।
2. द्वितीय विश्व युद्ध के बाद अनेक अफ्रीकी और एशियाई देश स्वतंत्र हो गए थे और वे सामाजिक, आर्थिक, राजनीतिक एवं प्रशासनिक विकास के विभिन्न चरणों में थे। चूंकि इन देशों का प्रशासन अनिवार्यतः विकास उन्मुख था, अतः विद्वानों में इन देशों के प्रशासन का अध्ययन करने की उत्सुकता पनपी। उनका अध्ययन वस्तुतः विकास प्रशासन का अध्ययन बन गया।
3. द्वितीय विश्व युद्ध के बाद के युग में संयुक्त राष्ट्र संघ की कई एजेंसियाँ एवं संयुक्त राज्य अमेरिका और सोवियत संघ की सरकारें इन नए उभरते राष्ट्र राज्यों को भरपूर तकनीकी सहायता देने में जुट गईं। अमेरिका और सोवियत संघ द्वारा इन देशों को ऐसी सहायता देने का प्रयोजन संयुक्त राष्ट्र संघ में अपनी-अपनी ओर उनका समर्थन प्राप्त करना था। इन प्रौद्योगिक कार्यक्रमों में जुटे विशेषज्ञों ने शीघ्र ही महसूस कर लिया कि पश्चिमी देशों की प्रशासनिक संरचनाएं एवं सिद्धांत इन देशों के लिए भी उपयुक्त हों, कोई आवश्यक नहीं है। इन देशों को दी जानेवाली सहायता का उचित उपयोग करने में उन्हें समर्थ बनाने की विधियों की खोज करने के उद्देश्य से उनके प्रशासन तंत्रों का अध्ययन करने की आवश्यकता थी।
4. विकास प्रशासन की उत्पत्ति अमेरिकी व्यवहारपरक विज्ञानों से हुई है। राजनीतिशास्त्र में व्यवहारपरक क्रांति से प्रोत्साहित होकर लोक प्रशासन ने भी तुलनात्मक लोक प्रशासन के क्षेत्र में व्यवहारपरक अध्ययनों पर बल दिया जिसका अर्थ विकास प्रशासन में प्रशासन की भूमिका का अध्ययन भी था। यद्यपि उनका उद्देश्य परिस्थिति पर बल देते हुए केवल लोक प्रशासन का अध्ययन करना था किन्तु इसके कारण स्वाभाविक तौर पर विकास प्रशासन के भी अध्ययन हुए।
5. तीसरे विश्व के देशों में समय और प्राकृतिक संसाधनों की काफी कमी थी जबकि उनकी आवश्यकता तुरंत और तीव्र सामाजिक-आर्थिक विकास की थी। ये लक्ष्य निष्क्रिय प्रशासन की सहायता से नहीं प्राप्त किए जा सकते थे जो बन्द और यथास्थितिवादी थे। अतः एक ऐसे प्रशासन तंत्र की आवश्यकता महसूस की गई जो विकसित देशों के प्रशासनिक ढाँचे से भिन्न हो और इस प्रकार विकास प्रशासन की संकल्पना का आविर्भाव हुआ।

विकास प्रशासन का प्रकृति एवं विशेषताएं

रिग्स ने विकास प्रशासन को सामाजिक तंत्र की बढ़ती स्वायत्तता की प्रक्रिया का प्रशासन बताया है जो सामाजिक तंत्र में निवर्तन के बढ़ते स्तर

के कारण संभव है। अतः विकास प्रशासन का केन्द्र-बिन्दु क्रमिक, सामाजिक, आर्थिक एवं राजनीतिक उद्देश्यों की प्राप्ति के लिए सरकार द्वारा लाए जानेवाले परिवर्तन हैं। यहाँ सरकार द्वारा ऐसे परिवर्तन लाए जाते हैं जो वांछनीय होते हैं, व्यापक रूप से पूर्वानुमेय एवं नियोजित होते हैं। ये परिवर्तन सरकार के कदमों द्वारा प्रशासित अथवा कम-से-कम प्रभावित होते हैं। अतः एडवर्ड वीडनर के अनुसार विकास प्रशासन को कार्योन्मुख एवं लक्ष्योन्मुख प्रशासन तंत्र माना जा सकता है, यानी विकास प्रशासन में मुख्य फोकस सरकारी परियोजनाओं, योजनाओं, नीतियों आदि के जरिए (कार्य-उन्मुखन) सामाजिक-आर्थिक परिवर्तन (लक्ष्य-उन्मुखन) लाना है।

विकास प्रशासन की मुख्य विशेषताओं की चर्चा करते हुए जॉर्ज ग्रांट ने इस बात पर बल दिया कि "विकास प्रशासन अपने 'प्रयोजन', अपनी 'आस्था' एवं अपनी 'अभिवृत्ति' द्वारा चरित्रगत होना चाहिए।" विकास प्रशासन का 'प्रयोजन' मूल्य-उन्मुख परिवर्तनों को लाना है जिन्हें वांछनीय माना जाता है। विकास प्रशासन का प्रयोजन मूल्योन्मुख और लक्ष्योन्मुख होना है तथा प्रशासन को नम्य बनाना है। विकास प्रशासन की 'आस्थाएं' सेवार्थियों की ओर होती हैं। यह उपागम प्रशासन को भागीदार, उत्तरदायी एवं संवेदनशील बनाता है। विकास प्रशासन की अभिवृत्ति हमेशा धनात्मक एवं प्रत्यायक होती है। इसकी अभिवृति प्रशासन में अभिनव परिवर्तन लाना तथा इसे अधिक उत्तरदायी एवं संवेदनशील बनाना है। विकास प्रशासन की मुख्य विशेषताएं निम्नलिखित हैं :

1. परिवर्तनोन्मुख/लक्ष्योन्मुख प्रशासन;
2. कार्योन्मुख प्रशासन;
3. प्रशासन का लक्ष्योन्मुखन;
4. समाज के मूल्यों के प्रति कटिबद्धता;
5. सेवार्थी-उन्मुख अथवा भागीदारी-उन्मुख प्रशासन;
6. संवेदनशील एवं उत्तरदायी प्रशासन;
7. प्रशासन में अभिनव परिवर्तन;
8. प्रशासन में कालिक आयाम यानी एक उचित समय-सीमा के भीतर योजनाओं और परियोजनाओं को पूरा करने का लक्ष्य;
9. कार्यरत् कार्मिकों का उच्चतर अभिप्रेरण या मनोबल।

उपर्युक्त नौ विशेषताओं में से सेवार्थी-उन्मुखन, अभिनव परिवर्तन, उच्च मनोबल आदि विकास प्रशासन की सर्वाधिक चरित्रगत विशेषताएं हैं। उपर्युक्त नौ विशेषताओं के अतिरिक्त विकास प्रशासन की एक अन्य चरित्रगत विशेषता पारिस्थितिक उन्मुखन भी है। इसका तात्पर्य यह है कि विकास प्रशासन अपने चारों ओर के परिवेश यानी राजनीतिक, सामाजिक एवं आर्थिक तंत्रों को प्रभावित करता है और ये तंत्र भी विकास प्रशासन के ढाँचे, कार्यों, लक्ष्यों आदि को प्रभावित करते हैं। यह एक स्थापित तथ्य है कि किसी भी कार्यक्रम की सफलता के लिए पुनर्निवेशन अनिवार्य है। अतः परिवेश विकास प्रशासन के प्रचालन मानदंडों का निर्धारण करता है। उदाहरण के लिए, विकास प्रशासन द्वारा लाए गए केवल उन्हीं परिवर्तनों को समाज स्वीकार करता है जो वांछनीय होते हैं।

अतः विकास प्रशासन की संकल्पना में घनिष्ठ रूप से अंतःसंबद्ध दो तत्त्व होते हैं:

(*i*) समाज में आधुनिकता लानेबाले कार्यक्रमों का कार्यान्वयन, यानी विकास हेतु प्रशासन;

(*ii*) विकास के कार्यक्रम कार्यान्वित करने की इसकी क्षमता को बढ़ाने की दृष्टि से प्रशासन तंत्र में किए जानेवाले परिवर्तन यानी स्वयं प्रशासन का विकास। अतः दूसरे शब्दों में यह कहा जा सकता है कि विकास प्रशासन न केवल योजना निर्माण, समन्वयन, नियंत्रण, निगरानी एवं मूल्यांकन से (सामाजिक ढाँचे में सुधार के लिए) अपितु प्रशासनिक ढाँचे में परिवर्तन लाने से (ताकि सरकारी तंत्र के कार्यकारी यंत्र में सुधार हो) भी संबद्ध है।

विकास प्रशासन का क्षेत्र

प्रशासनिक हलकों में यह कहा जा रहा है कि विकास प्रशासन का क्षेत्र लोक प्रशासन के क्षेत्र जितना ही बड़ा है यानी विकास प्रशासन का क्षेत्र काफी विस्तृत है। तथापि, विकास प्रशासन का क्षेत्र भिन्न स्थितियों और भिन्न-भिन्न देशों में भिन्न-भिन्न होता है। जिन पर विकास प्रशासन का क्षेत्र निर्भर करता है उन्हें तीन मुख्य शीर्षकों के तहत वर्गीकृत किया जा सकता है:

1. राजनीतिक सूचक, जैसे समाज के लोकतंत्रीकरण का स्तर।
2. समाज के मानव संसाधन विकास सूचक, जैसे- आर्थिक सूचक।
3. सामाजिक सूचक, जैसे समाज में विभेदन और संशक्ति का स्तर।

विकास प्रशासन का लक्ष्य उपर्युक्त चरों की उपस्थिति का उच्च स्तर प्राप्त करने का प्रयास करना है। उपर्युक्त चरों के आधार पर लोक प्रशासन के क्षेत्र का वर्णन निम्न प्रकार से किया जा सकता है:

(*i*) विकास प्रशासन संस्कृतिबद्ध होता है: विकास प्रशासन का क्षेत्र प्रतिवेशी संस्कृति पर निर्भर करता है क्योंकि राजनीतिक नेतृत्व और प्रशासन ऐतिहासिक विरासत, अर्थव्यवस्था में संसाधन परिसीमन, समाज के व्यवहार पैटर्न आदि से आसानी से अलग नहीं हो सकते हैं। यह तो सुज्ञात तथ्य है किं सांस्कृतिक तंत्र एवं प्रशासन तंत्र एक-दूसरे को धनात्मक और ऋणात्मक दोनों प्रकार से बदल सकते हैं। तथापि, विकास प्रशासन का लक्ष्य वांछित सामाजिक-सांस्कृतिक परिवर्तनों की ओर बढ़ने में एक चालन-चक्का की तरह कार्य करने का होना चाहिए।

(*ii*) विकास कार्यक्रमों द्वारा एक विस्तृत स्पेक्ट्रम को आच्छादित करना: विकास प्रशासन के तहत आनेवाले कार्य बहुआयामी होते हैं जिनके विषय औद्योगिक एवं आर्थिक क्षेत्र से लेकर स्वास्थ्य एवं परिवार कल्याण, कृषि, संचार, शिक्षा आदि क्षेत्रों तक होते हैं। किन्तु विकास प्रशासन के इन क्षेत्रों का विस्तार उस देश के निजी क्षेत्र के विकास की हद पर निर्भर करता है।

(*iii*) राष्ट्र निर्माण एवं सामाजिक एकीकरण: पारंपरिक एवं विकासशील समाजों के सामाजिक समूह नातेदारी, जाति, धर्म आदि (जो बहुधा एक-दूसरे के प्रति वैर भाव रखते हैं) पर आधारित संकीर्ण

एवं एक-पक्षीय आस्थाओं के आधार पर बने होते हैं। अतः औद्योगीकरण, शहरीकरण, लोकतंत्रीकरण आदि की वृद्धि की प्रक्रिया को तेज करने के लिए राष्ट्र निर्माण और सामाजिक एकीकरण दोनों ही आवश्यक हैं। वे शांति और प्रशांति कायम रखने के लिए आवश्यक हैं जो विकास प्रक्रिया में सहायता करती हैं।

(iv) **योजना एवं कार्यक्रम निर्माणः** विकास हेतु सर्वोन्मुखी प्रयास करने के लिए देश की आर्थिक आवश्यकताओं को इसकी प्रशासनिक एवं प्रबंधकीय क्षमता से जोड़ना आवश्यक है। समाज के लक्ष्यों को योजनाओं के जरिए साकार करना है जिन्हें पुनः परियोजनाओं और कार्यक्रमों में विभक्त किया जाता है। यहाँ यह बताना आवश्यक है कि स्वयं कार्यान्वयन प्रक्रिया के लिए योजना निर्माण एवं कार्यक्रम निर्माण भी बहुत अनिवार्य है।

(v) **पारिस्थितिकी के साथ विकास प्रशासन का संबंधः** इन दोनों के बीच काफी घनिष्ठ संबंध होता है। विकास योजनाओं को सफल बनाने के लिए पारिस्थितिकी को दिमाग में रखते हुए उन विकास योजनाओं का विश्लेषण (इसकी व्यवहार्यता के संबंध में) आवश्यक है। ऐसा विश्लेषण असफलता की संभावना को कम कर देता है।

(vi) **विकास प्रशासन जैविक (दैहिक) हैः** विकास प्रशासन के दो महत्त्वपूर्ण अवयव होते हैं। पहला अवयव विकासार्थ प्रशासन है और दूसरा अवयव प्रशासनिक विकास है। किन्तु दोनों ही तत्व शरीर के जीवित अंगों की तरह हैं (इसलिए जैविक कहा जाता है) क्योंकि मानव तत्व दोनों के ही अभिन्न अंग हैं, जैसे– लोगों की भागीदारी, विकास के प्रति लोक प्रतिक्रिया, प्रशासन में वांछनीय अभिवृतिक परिवर्तन आदि। उन सबों में मानव तत्व निहित है। अतः विकास प्रशासन के क्षेत्र में व्यवहारपरक अध्ययन भी आते हैं क्योंकि यह कुछ निश्चित नियम-विनियम का पालन करनेवाली मशीन की तरह कार्य नहीं करता है और न ही पूर्वानुमेय तरीके से कार्य करता है।

(vii) **संस्था निर्माणः** विकास प्रशासन में संस्थाओं का निर्माण भी होता है क्योंकि कई देशों में शोध और विकास हेतु जिम्मेदार संस्थाएं एवं प्रवर्तन हेतु जिम्मेदार संस्थाएं या तो नहीं हैं या फिर शैशवावस्था में हैं। अतः नीतियों और परियोजनाओं के प्रभावी कार्यान्वयन हेतु प्रशासन को इन संस्थाओं का निर्माण और भरण-पोषण करना होता है। दूसरे शब्दों में, विकासार्थ नीतियों में कार्यान्वयन हेतु जिम्मेदार नीति और संरचना भी शामिल रहनी चाहिए।

(viii) **विकेन्द्रित समाज की ओर लोकतंत्रीकरण, आधुनिकीकरण एवं शांतिपूर्ण परिवर्तनः** विकास प्रशासन का समग्र लक्ष्य समाज में राजनीतिक और सामाजिक दोनों अर्थों में उच्चतर स्तर का लोकतंत्र कायम करना है। साथ ही, इसका उद्देश्य सर्व-मानवतावादी, परा-नृजातीय एवं गैर-वैचारिक प्रकारों की सांस्कृतिक संवेदनशीलता यानी उच्चतर स्तर की आधुनिकता लाना है।

इस प्रकार विकास प्रशासन का क्षेत्र काफी विस्तृत है, विशेषकर यदि कोई इस तथ्य को ध्यान में रखे कि विकास कार्यों को गैर-विकास कार्यों से अलग करना बहुत कठिन है। कानून एवं व्यवस्था अनुरक्षण जैसा कार्य ऊपर से गैर-विकास कार्य लग सकता है किन्तु विकास कार्यों की दृष्टि से यह बहुत आवश्यक है कि समाज में शांति और प्रशांति का वातावरण कायम रहे अन्यथा समाज के विकास के निमित्त संसाधन गिरती हुई कानून और व्यवस्था की स्थिति से निपटने में ही खर्च हो जाएंगे। अतः कानून और व्यवस्था अनुरक्षण जैसे गैर-विकास कार्य विकास कार्यों में काफी सहायता करते हैं।

विकास प्रशासन का उद्देश्य

विकास प्रशासन के उद्देश्य इस प्रकार हैं:

1. विकास संबंधी नीतियों और लक्ष्यों का सूत्रीकरण करना
2. कार्यक्रम और परियोजना का प्रबंध करना
3. प्रशासनिक संगठन और प्रक्रिया का पुनर्गठन करना
4. विकास कार्यों में जनता की सहभागिता प्राप्त करने का प्रयास
5. सामाजिक, आर्थिक और राजनीतिक संरचना की प्रगति करना
6. परिणामों का मूल्यांकन करना
7. आधुनिक वैज्ञानिक और तकनीकी साधनों का प्रयोग

विकास प्रशासन के इन उद्देश्यों की प्राप्ति में राजस्व, कानून और व्यवस्था तथा विकास अभिकरण सहयोग प्रदान करते हैं।

विकास प्रशासन का महत्त्व

विकास प्रशासन में प्रशासन के पारंपरिक उपागमों की तुलना में कई लाभदायक गुण हैं, यथाः

1. विकास प्रशासन विकास की समस्याओं एवं इनके निदान के आवश्यक उपायों का व्यापक विश्लेषण करने के एक साधन की तरह कार्य करता है। इसके पूर्व विकास एवं कल्याण सरकारी कार्य-क्षेत्र में नहीं आते थे।
2. विकास प्रशासन लोक प्रशासन के विकास में एक बहुत ही महत्त्वपूर्ण तथ्य है। इसने लोक प्रशासन के क्षेत्र में लोक नीति, इसके कार्यान्वयन एवं मूल्योन्मुखन लाकर लोक प्रशासन की सीमाओं को विस्तृत किया है।
3. कार्यरत् प्रशासकों और शिक्षाविदों के लिए इसका प्रत्यक्ष महत्त्व है क्योंकि वे लोग ही विकास की समस्याओं एवं विकास प्रक्रिया द्वारा उत्पन्न समस्याओं में प्रत्यक्ष रूप से उलझे होते हैं।
4. विकास प्रशासन ने पश्चिमी मॉडलों की अपर्याप्तताओं की ओर विद्वानों का ध्यान सफलतापूर्वक आकृष्ट किया है और विकास कार्यों के संदर्भ में उनकी अपर्याप्तता साबित की है। अतः इसने तुलनात्मक लोक प्रशासन के तुलनात्मक अध्ययनों के साथ-साथ लोक प्रशासन के सिद्धांत और व्यवहार की सार्विकता का विचार खंडित किया है।

5. विकास प्रशासन प्रशासनिक तंत्र पर संस्कृति के प्रभाव को भी मानता है और इसलिए विकास के राजनीतिक, आर्थिक एवं सामाजिक-सांस्कृतिक पक्षों के तुल्यकालन एवं समक्रमण पर बल देता है।
6. पश्चिमी मॉडलों की अपर्याप्तता को उजागर करते हुए विकास प्रशासन उनकी प्रशासनिक विधियों एवं व्यवहारों की अपर्याप्तताओं को भी उजागर करता है। चूंकि पश्चिमी मॉडल पूरब में प्रयोज्य नहीं रहे, अतः विकास प्रशासन देशज प्रशासनिक विधियों के विकास का समर्थन करता है। उदाहरण के लिए, भारत ने विकास का पंचायती राज आधारित मॉडल अपनाया है जो इसकी अपनी विधि है।
7. विकास प्रशासन, प्रशासन के मानव कारकों पर ध्यान संकेंद्रित करता है जिनकी पहले उपेक्षा की जा रही थी। यह इस अर्थ में अधिक लोकतांत्रिक है कि यह निचले स्तर से विचारों के प्रवाह एवं विकास प्रक्रिया में लोगों की भागीदारी को प्रोत्साहित करता है जो कि विकास प्रशासन की सफलता के लिए अनिवार्य है।

विकास प्रशासन की पारिस्थितिकी (Ecology of Development Administration)

विकास प्रशासन इस तथ्य में विश्वास करता है कि प्रशासन संस्कृतिबद्ध होता है। अतः इसने इस मत का प्रतिपादन किया कि प्रशासन और परिवेश दोनों ही एक-दूसरे को कभी धनात्मक रूप से तो कभी ऋणात्मक रूप से प्रभावित करते हैं किन्तु ऋणात्मक पहलुओं को हटाने के लिए विकास प्रशासन को एक चक्र की तरह कार्य करना चाहिए। विकास प्रशासन की यह भूमिका अत्यंत वांछनीय है। राजनीतिक संदर्भ, आर्थिक संदर्भ, सामाजिक-सांस्कृतिक संदर्भ आदि शीर्षकों के तहत विकास प्रशासन की पारिस्थितिकी की चर्चा नीचे की गई है।

विकास प्रशासन का राजनीतिक संदर्भ

फेरेल हेडी द्वारा प्रदत्त पारिस्थितिकी मॉडल के अनुसार समाज का राजनीतिक तंत्र उसके प्रशासनिक तंत्र को सर्वाधिक घनिष्ठ रूप से प्रभावित करता है। फेरेल हेडी ने आर्थिक और सामाजिक तंत्रों के समग्र परिवेश में समकेन्द्री वृत्तों के रूप में राजनीतिक तंत्र और प्रशासनिक तंत्र के बीच परस्पर-क्रिया की भी कल्पना की। इन तंत्रों को समकेंद्री वृत्तों के रूप में दर्शाया गया है जहाँ एक-दूसरे से अधिक घनिष्ठ तंत्रों को एक-दूसरे के पास-पास दर्शाया गया है, जैसा कि चित्र में दिया हुआ है।

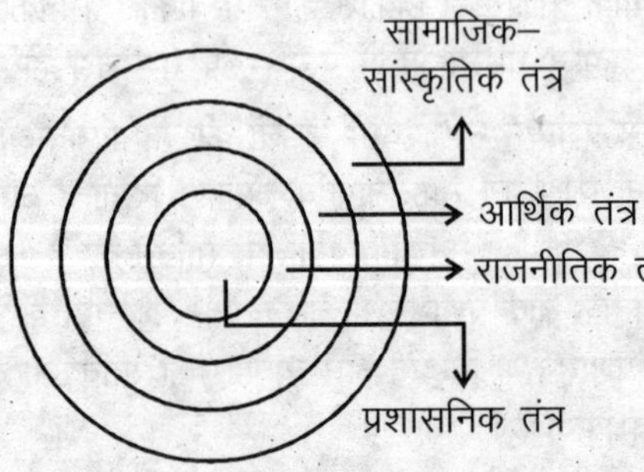

उपर्युक्त मॉडल के अनुसार, प्रशासनिक तंत्र केंद्र में है जो राजनीतिक तंत्र से सर्वाधिक प्रभावित होता है। आर्थिक तंत्र भी इसे प्रभावित करता है किन्तु राजनीतिक तंत्र की अपेक्षा इसका प्रभाव कम होता है। इसी प्रकार सामाजिक तंत्र का प्रभाव अन्य दोनों तंत्रों की अपेक्षा कम होता है। प्रशासनिक तंत्र को प्रभावित करने वाले प्रमुख कारक निम्नलिखित हैं:

(*i*) समाज में विद्यमान समूह अधिकांशतः संकीर्ण आस्थाओं पर आधारित होते हैं जिनमें राजनीतिक अशांति के बीज रहते हैं और इसलिए अधिकारी तंत्र पर अधिक बोझ आ पड़ता है।

(*ii*) राजनीतिज्ञ राजनीति में बहुत अधिक फँसे रहते हैं और इसके कारण अधिकारीतांत्रिक निर्णयन प्रभावित होता है। तब इस तरह लिए गए निर्णय सिविल सेवकों के न कि लोगों के मूल्यों और आकांक्षाओं का प्रतिनिधित्व करते हैं।

(*iii*) राजनीतिज्ञ-अपराधी सम्बन्धों के कारण बड़े पैमाने पर धन का अपव्यय होता है।

(*iv*) अधिकारीतांत्रिक संरचना की अनम्यता एवं कठोर पदसोपानिक संरचना के अनुपालन के कारण प्रशासक यह मानने लगता है कि समाज में उसकी हैसियत उसके पद पर निर्भर करती है और इसलिए वह समाज के हित की उपेक्षा करते हुए अपनी हैसियत को और अधिक बढ़ाने का प्रयास करता है।

हेडी के वर्गीकरण की एक खास विशेषता यह है कि उपर्युक्त एवं कुछ अन्य कारकों के आधार पर उन्होंने विकसित एवं विकासशील देशों के बीच भेद किया और उसके बाद प्रशासन तंत्र पर पड़ने वाले राजनीतिक तंत्र के प्रभावों के आधार पर उन्हें वर्गीकृत किया। चूंकि विकसित देशों के अनेक वर्गीकरण एवं मॉडल उपलब्ध हैं, अतः यहाँ फेरेल हेडी द्वारा प्रस्तुत केवल विकासशील देशों (क्योंकि विकास प्रशासन विकासशील समाजों के प्रशासन का करीब-करीब पर्याय है) के वर्गीकरण पर ही ध्यान देना उचित होगा। हेडी ने विकासशील विश्व में निम्नलिखित प्रकारों के अधिकारी तंत्र का वर्णन किया है:

1. **पारंपरिक निरंकुश अधिकारी तंत्रः** यह पारंपरिक देशों में पाया जाता है जहाँ राजतंत्र या तो अभी भी है या फिर कुछ वर्ष पहले तक था, जैसे यमन, सउदी अरब, अफगानिस्तान आदि।
2. **अभिजात अधिकारी तंत्रः** यह उन देशों में पाया जाता है जहाँ राजनीतिक तंत्र बहुत दुर्बल है एवं या तो सिविल प्रशासन या फिर सेना देश के प्रशासन पर हावी रहती है, जैसे–थाईलैंड, पाकिस्तान आदि।
3. **बहुशासन तुलनात्मक तंत्रः** यह उन देशों में पाया जाता है जहाँ बहुशासन तंत्रीय समाज होते हैं, जैसे–फिलीपीन्स, मलेशिया आदि।
4. **प्रबल दल संघटन तंत्रः** यह उन देशों में पाया जाता है जहाँ प्रशासन में भी केवल एक दल का प्रभुत्व रहता है, जैसे– ट्यूनिशिया।
5. **साम्यवादी सर्वसत्तावादी तंत्रः** यह उत्तर कोरिया, क्यूबा आदि में पाया जाता है। यहां समाजवाद की राजनीतिक विचारधारा प्रशासन पर भी हावी रहती है क्योंकि प्रशासकों की भर्ती दलीय चैनलों के जरिए ही होती है।

राजनीतिक तंत्र और प्रशासनिक तंत्र के बीच परस्पर क्रिया पर सबसे पहले मैक्स वेबर ने विचार किया। उनके अनुसार, यह परस्पर-क्रिया उन दोनों के बीच सत्ता के लिए निरन्तर संघर्ष जारी रखती है। अधिकारी तंत्र को तकनीकी और प्रशासनिक कार्यों पर इसके गहन ज्ञान एवं संसद में मंत्रीय जिम्मेदारी की संकल्पना से शक्ति प्राप्त होती है। जनता के प्रति अधिकारियों का नगण्य उत्तरदायित्व होता है एवं वे गोपनीयता के बहाने जनता और उसके प्रतिनिधियों से छुपाकर जानकारी रखना चाहते हैं। अतः वेबर का अनुमान था कि राजनीतिक तंत्र के कमजोर हो जाने की स्थिति में अधिकारी तंत्र राजनीतिक तंत्र की शक्तियाँ और कार्य हथिया ले सकता है। अतः उन्होंने अधिकारी तंत्र पर कठोर नियंत्रण रखने की वकालत की। उन्होंने समितियों एवं जांच-पड़तालों के जरिए तथा मंत्री को विभाग का प्रधान बनाकर अधिकारी तंत्र पर संसदीय नियंत्रण कायम करने का सुझाव दिया।

मार्ले फेन्सोड ने भी राजनीतिज्ञों और अधिकारियों के बीच के सम्बन्ध के पाँच पैटर्न बताए:

(*i*) **शासक हावी अधिकारी तंत्र:** इस पैटर्न के तहत राष्ट्र का राजनीतिक प्रधान अधिकारी तंत्र का भी प्रधान होता है और अधिकारी तंत्र के वरिष्ठ पदों पर शाही परिवार एवं कुलीन परिवारों के लोग बैठे होते हैं, जैसे—ईरान, कुवैत आदि।

(*ii*) **शासक अधिकारी तंत्र:** इस पैटर्न में राजनीतिक तंत्र या तो बिल्कुल ही नहीं होता है या फिर अपनी शैशवावस्था में होता है। अधिकारी तंत्र का प्रधान ही देश का भी प्रधान होता है। इस प्रकार के अधिकारी तंत्र का उदाहरण हांगकांग की औपनिवेशिक व्यवस्था थी।

(*iii*) **सेना हावी अधिकारी तंत्र:** यहाँ सेना इतनी अधिक प्रबल होती है कि राष्ट्र के राजनीतिक प्रधान भी सेना द्वारा ही तय होते हैं और अक्सर आकस्मिक सत्ता-परिवर्तन होता है। पाकिस्तान, थाइलैंड आदि में मौजूद तंत्र इसके अच्छे उदाहरण हैं।

(*iv*) **दल शासित अधिकारी तंत्र:** यहाँ राजनीतिक परिदृश्य पर हावी दल प्रशासन पर भी हावी होता है और अधिकारी तंत्र के महत्त्वपूर्ण पदों पर केवल दलीय सदस्यों को नियुक्त किया जाता है, जैसे—चीन, क्यूबा, उत्तर कोरिया आदि।

(*v*) **प्रतिनिधिक अधिकारी तंत्र:** यहाँ राजनीतिक परिदृश्य पर विभिन्न समूहों, जातियों आदि का वर्चस्व रहता है जिसके कारण प्रतिस्पर्धी राजनीतिक प्रक्रिया का जन्म होता है। अतः वे अधिकारी तंत्र में एक-दूसरे के हितों का ध्यान रखते हैं और इस प्रकार एक प्रतिनिधिक अधिकारी तंत्र पैदा होता है, जैसे- भारत में।

फ्रेड रिग्स ने भी राजनीतिक तंत्र और प्रशासनिक तंत्र के बीच के संघर्ष में शक्ति-संतुलन के स्थान के विश्लेषण पर आधारित अपने लेखनों में इन दोनों तंत्रों के बीच की अन्योन्यक्रिया का विश्लेषण किया है। अतः उन्होंने दो वर्ग बनाए—A संतुलित राजनीतिक तंत्र एवं B असंतुलित राजनीतिक तंत्र।

(A) संतुलित राजनीतिक तंत्र: यह एक ऐसी स्थिति है जब अधिकारी तंत्र और संघटक तंत्र के बीच पर्याप्त शक्ति संतुलन रहता है। यद्यपि 'पर्याप्त संतुलन' पद की कोई यथातथ्य परिभाषा नहीं है किन्तु यहाँ इसका प्रयोग करना बहुत सार्थक है। उदाहरण के लिए, तंत्रों के बीच का संतुलन कैबिनेट स्तर पर भर्ती का अवलोकन कर ज्ञात किया जा सकता है। यदि कैबिनेट स्तरीय पदों पर संघटक तंत्र के जरिए भर्ती की जाती है तो निष्कर्ष निकाला जा सकता है कि संघटक तंत्र में अपेक्षतया अधिक शक्ति है। किंतु यदि केवल वृत्तिक अधिकारियों की भर्ती होती है तो कहा जा सकता है कि अधिकारी तंत्र अधिक शक्तिशाली है। दोनों के बीच की स्थिति संतुलित स्थिति कही जा सकती है।

(B) असंतुलित राजनीतिक तंत्र: इसके तहत शक्ति-संतुलन या तो अधिकारियों के पक्ष में होता है या राजनीतिक तंत्र के पक्ष में। अतः असंतुलित राजनीतिक तंत्र के दो प्रकार होते हैं : दल संचालित राजनीतिक तंत्र एवं अधिकारीतांत्रिक राजनीतिक तंत्र।

रिग्स की परिकल्पना के अनुसार, लोक प्रशासन विषय के लिए संतुलित और असंतुलित राजनीतिक तंत्रों की संकल्पना का महत्त्व यह है कि असंतुलित राजनीतिक तंत्र की अपेक्षा संतुलित राजनीतिक तंत्र नीति-निर्धारण और क्रियान्वयन में अधिक प्रभावी होता है। अतः देश में विकास प्रक्रिया हेतु एक संतुलित राजनीतिक तंत्र अनिवार्य है। इसी परिकल्पना का अनुसरण करते हुए अक्सर विकसित देश तकनीकी एवं वित्तीय सहायता देते समय यह शर्त लगा देते हैं कि इसका प्रयोग उन क्षेत्रों में हो जहाँ सहायता का उपयोग करने में कोई भी अधिकारीतांत्रिक संस्था न हो। अक्सर वे सीधे स्वयंसेवी एजेंसियों एवं गैर-सरकारी संगठनों को सहायता देना पसंद करते हैं। कभी-कभी वे विकासशील देशों में ऐसी नीतियों के प्रयोग को प्रोत्साहन देते हैं जो असंतुलित राजनीतिक तंत्र को संतुलित राजनीतिक तंत्र में रूपांतरित कर सकती हों।

तथापि, संतुलित और असंतुलित राजनीतिक तंत्रों की संकल्पना और उससे जुड़ी परिकल्पना के अनेक परिसीमन हैं, यथा:

(*i*) स्वयं रिग्स ने कहा कि आधुनिकीकरण और लोकतांत्रिक बहुलवाद में उच्च धनात्मक सहसम्बन्ध नहीं भी हो सकता है। उदाहरण के लिए, भारत और फिलीपीन्स में संतुलित राजनीतिक तंत्र होने के बावजूद वे अपेक्षाकृत अल्पविकसित हैं। इसी प्रकार, कुवैत में असंतुलित राजनीतिक तंत्र है किन्तु आर्थिक क्षेत्र में वह काफी विकसित है।

(*ii*) रिग्स के विचार तटस्थ सिविल सेवकों की पाश्चात्य परंपराओं से प्रभावित लगते हैं। अतः अन्य कई पाश्चात्य विद्वानों की तरह उन्हें भी राजनीतिक दृष्टि से प्रभावशाली अधिकारी तंत्र स्वीकार करना कठिन लगता है किन्तु निर्णयन प्रक्रिया में अपने विवेक के प्रयोग का अर्थ हमेशा अधिकारी तंत्र द्वारा शक्ति का दुरुपयोग ही नहीं होता है। कभी-कभी जनता की भलाई के लिए निर्णयन प्रक्रिया में थोड़ा धनात्मक मूल्य-उन्मुखन वांछनीय होता है।

(*iii*) संतुलित राजनीतिक तंत्र पर अत्यधिक जोर देना विकासशील देशों के हित के लिए नुकसानदेह है। अधिकांश समय विकासशील देशों में उनके औपनिवेशिक विरासत के रूप में एक सुविकसित

अधिकारी तंत्र अपने शैशवकाल में होता है। अतः संघर्षशील नए स्वतंत्र राष्ट्रों के लिए यह आत्महत्या के समान होगा यदि वे तकनीकी एवं वित्तीय सहायता पाने के लिए अपने पास उपलब्ध एकमात्र विकास साधन को राजनीतिक संस्थाओं जितना ही विकास के निम्न स्तर पर ले आएं।

(*iv*) रिग्स व्यर्थ ही अधिकारी तंत्र के प्रति शंकालु दिखते हैं। यहाँ तक कि विकसित देशों में भी उच्च स्तर के विकास वाला असंतुलित राजनीतिक तंत्र के उदाहरण मिलते हैं। इस सम्बन्ध में एक स्पष्ट उदाहरण भूतपूर्व सोवियत संघ है।

(*v*) 'पर्याप्त संतुलन' की जिस संकल्पना का प्रयोग रिग्स ने किया वह भी स्पष्ट नहीं है। वस्तुतः यह संतुलन भिन्न-भिन्न संस्कृतियों में भिन्न-भिन्न होता है। एक जगह पर संतुलित माना जाने वाला राजनीतिक तंत्र दूसरी जगह असंतुलित माना जा सकता है।

(*vi*) सामाजिक-आर्थिक विकास करने हेतु अधिकारी तंत्र को दी जाने वाली सहायता से समाज के अन्य क्षेत्रों में भी विकास होता है।

अतः उपर्युक्त परिसीमनों को देखते हुए संतुलित-असंतुलित राजनीतिक तंत्र मॉडल की कुछ वैकल्पिक प्रतिज्ञप्तियां प्रस्तुत की गई हैं, यथाः

1. **मानव तकनीकी सहायता उपागमः** इस उपागम के अनुसार, विकास प्रक्रिया को राजनीतिक तंत्र में विकास की प्रतीक्षा नहीं करनी चाहिए। अतः कुछ समय तक जिस राजनीतिक तंत्र में अधिकारी तंत्र प्रचलित होता है उसकी प्रकृति के निरपेक्ष अधिकारी तंत्र की कार्यकुशलता को बढ़ावा मिलना चाहिए।

2. **असंतुलित सामाजिक विकास युक्तिः** इसके अनुसार, अधिकारी तंत्र की बुराइयों पर अंकुश लगाने के बजाय उसकी सामर्थ्य को बढ़ाने को उच्चतर प्राथमिकता प्रदान करने की युक्ति पर बल दिया जाना चाहिए। असंतुलित तंत्र में शक्ति का दुरुपयोग होगा ही किन्तु जब तक यह गंभीर रूप न धारण कर ले तब तक इस पर अंकुश नहीं लगाया जाना चाहिए क्योंकि इसके कारण अधिकारी तंत्र का मनोबल टूट सकता है। अतः इसका यह कहना है कि किसी विकासशील देश में जब तक राजनीतिक भागीदारी अपेक्षित हद तक न पहुँचे प्रशासनिक तंत्र को नेतृत्व और जिम्मेदारियों का अधिक बोझ ढोना चाहिए। अतः विकसित सहायता-दाता देशों द्वारा इच्छित राजनीतिक विकास होने की प्रतीक्षा करने के बजाय प्रशासनिक तंत्र के सामर्थ्य को विकसित करना सर्वथा व्यावहारिक उपागम होगा। विकसित देशों के पास विकास हेतु काफी समय और संसाधन थे और इसलिए उनका राजनीतिक विकास प्रशासनिक विकास की बराबरी करता चला गया। दूसरी ओर, विकासशील देशों को अपेक्षाकृत बहुत कम समय में संकट से बाहर निकलना है। अतः यदि वे प्रशासनिक विकास पर अधिक बल देते हैं तो इसमें कुछ भी गलत नहीं है।

विकास प्रशासन का आर्थिक संदर्भ

आर्थिक विकास सहज ही सिद्धांत में प्रशासनिक विकास के साथ-साथ चलता है, किन्तु व्यवहार में यह आंशिक रूप से ही सत्य है। यद्यपि आर्थिक विकास प्रशासनिक विकास के साथ-साथ ही होता है एवं लगभग हमेशा ही आर्थिक विकास और प्रशासनिक विकास के बीच समयांतराल रहता है। उदाहरण के लिए, पश्चिम में प्रशासनिक विकास के पहले आर्थिक विकास हुआ। पूरब में और विकासशील देशों में बहुत कम समय में ही आर्थिक विकास होना है, अर्थात् न्यूनतम संभव समय में अधिक विकास किया जाना है। अतः विकास की गति बढ़ाने के लिए वहाँ जोरदार प्रयास किए जा रहे हैं। इसे प्राप्त करने के लिए आर्थिक विकास के पहले प्रशासनिक विकास होना चाहिए अथवा दोनों को साथ-साथ चलना चाहिए ताकि तीव्र आर्थिक विकास हेतु आवश्यक उपकरण जुटाए जा सकें। अतः तीव्र आर्थिक विकास की युक्ति के रूप में आर्थिक एवं प्रशासनिक योजना निर्माण की विधि अपनाई जाती है। साथ ही, अधिकारी तंत्र को विकास का एक उपयुक्त उपकरण बनाने के उद्देश्य से अधिकारी तंत्र में संरचनात्मक एवं व्यवहारपरक परिवर्तन लाने के प्रयास किए जा रहे हैं।

किसी देश के आर्थिक आधार का उसके प्रशासनिक तंत्र पर काफी प्रभाव पड़ता है। उदाहरण के लिए, विकासशील देशों में निम्न स्तर का आर्थिक विकास होता है। आर्थिक विकास के इस निम्न स्तर के कारण निम्न वेतन संरचना होती है जो फिर निम्नलिखित प्रकार से प्रशासन को प्रभावित करती है :

(*i*) कम वेतन दिए जाने के कारण सरकारी एजेंसियों को निम्न कोटि के मानव संसाधन प्राप्त होंगे।

(*ii*) निम्न वेतन के कारण उच्च स्तर का भ्रष्टाचार होगा। अतः करारोपण के जरिए धन जुटाने की कुशलता भी निम्न होगी जो फिर निम्न निवेश दर और अतंतः निम्न विकास दर लाएगी।

(*iii*) चूंकि मानव संसाधनों की निम्न कोटि होती है। अतः प्रशासन में निम्न तकनीकी एवं प्रबंधकीय सामर्थ्य होती है। फलतः विदेशी सलाहकारों पर अधिक निर्भरता होती है जिससे कीमती विदेशी मुद्रा देश से बाहर जाती है।

(*iv*) निम्न स्तर की लक्ष्य प्राप्ति होती है क्योंकि जनता आमतौर पर अपना पेट पालने के लिए ही परेशान रहती है और इसलिए प्रशासन की कुशलता बढ़ाने की मांग नहीं कर पाती है और इस तरह न्यूनतम उपलब्धियों से ही अधिकारियों का काम चल जाता है।

अतः ऐसी आर्थिक स्थिति में सरकार को ही परिवर्तन एजेंट बनना चाहिए। इस प्रकार सरकार लाइसेंस, कोटा आदि के जरिए अर्थव्यवस्था को केवल विनियमित ही नहीं करती, अपितु योजना निर्माण एवं व्यापार में प्रत्यक्ष रूप से भाग भी लेती है।

विकास प्रशासन का सामाजिक–सांस्कृतिक संदर्भ

देश के सामाजिक और सांस्कृतिक विकास की स्थिति भी प्रशासन तथा विकास प्रक्रिया को प्रभावित करती है। यदि किसी देश में सामाजिक तंत्र कम विकसित हो तो उस देश के लिए विकसित देशों के संगठनों जैसे संगठन बना पाना अधिक कठिन होता है। चूंकि संगठनों की संख्या कम होने से सामान एवं सेवा प्रदान करने वाली एजेंसियों की संख्या कम होती

है, अतः सामानों और सेवाओं की कमी के कारण ऐसे देशों में विकास के केवल सीमित अवसर होते हैं। सामानों और सेवाओं की कमी के कारण भ्रष्टाचार भी काफी बढ़ जाता है। सिविल सेवाओं हेतु भर्ती प्रक्रिया पर भी सामाजिक-सांस्कृतिक कारकों का काफी प्रभाव पड़ता है। लोक सेवा में शामिल होने के पूर्व सिविल सेवक अपने निकटतम सामाजिक परिवेश से सामाजिक मूल्य, आचरण एवं परंपराएं आत्मसात् करता है और अपने दायित्वों के निर्वाह में भी उन्हें दर्शाता है। उदाहरण के लिए, जाति प्रथा पर आधारित सामाजिक स्तरीकरण का प्रशासनिक तंत्र पर निम्नलिखित तीन महत्त्वपूर्ण प्रभाव पड़ते हैं :

(*i*) अधिकारी तंत्र भी जातीय, साम्प्रदायिक आदि आधारों पर विभक्त रहता है।

(*ii*) सिविल सेवा में कार्यरत् लोगों और उनके रिश्तेदारों के बीच मजबूत बान्धव्य सम्बन्ध रहते हैं। वे अक्सर अपने रिश्तेदारों को अनुचित रूप से लाभ पहुँचाते हैं। ऐसी स्थिति में लोक प्रशासन एक निजी तंत्र और एक सार्वजनिक जंगल बन जाता है यानी आम जनता को परेशान करने के लिए नियम-विनियम का सख्ती से पालन किया जाता है जबकि सिविल सेवकों के रिश्तेदारों के लिए नियमों में अक्सर ढील दे दी जाती है।

(*iii*) इसके कारण समाज की बेहतरी में सामुदायिक प्रयास की प्रभावशीलता को भी महसूस नहीं किया जाता है।

चूंकि लोग अपने-अपने समुदाय से बाहर नहीं झाँक पाते हैं, अतः इन स्थितियों में राष्ट्र निर्माण का कार्य कठिन हो जाता है। ऐसी स्थिति में प्रशासन तंत्र को न केवल स्वयं का विकास करने, अपितु राजनीतिक, आर्थिक एवं सामाजिक तंत्रों की अंतर्निहित कमजोरियों को दूर करने के प्रयास भी करने होते हैं।

विकास प्रशासन उपागम का आलोचनात्मक मूल्यांकन

आज लोक प्रशासन के क्षेत्र में प्रत्यक्ष प्रयोग की दृष्टि से उत्कृष्ट होने के बावजूद निम्नलिखित आधारों पर विकास प्रशासन उपागम की आलोचना की गई है :

(*i*) इसमें परिभाषा सम्बन्धी समस्या है, अर्थात् इसकी कोई भी वैज्ञानिक प्रचालन दृष्टि से वैध एवं सर्वसम्मत परिभाषा नहीं है। ऐसी परिभाषा के अभाव में विकास उपागम को लोक प्रशासन के अध्ययन में किसी सिद्धांत की हैसियत नहीं प्रदान की जा सकती है।

(*ii*) यह उपागम नृजातिपरक है। लोक प्रशासन के अन्य उपागमों में पाश्चात्य मूल्योन्मुखन है किन्तु विकास उपागम में प्रबल प्राच्य मूल्योन्मुखन है। उदाहरण के लिए, वितरित न्याय एवं सामाजिक तनावों की समस्याएं इस मॉडल को पाश्चात्य सांस्कृतिक परिवेश में प्रयुक्त होने में अपर्याप्त और अपूर्ण बना देती हैं। इस प्रकार ऐसा लगता है कि यह उपागम अच्छाइयों पर अधिक ध्यान देता है एवं बुराइयों को छुपाता है।

(*iii*) यह उपागम सामाजिक कलहों को नजरअंदाज करता है एवं उन पर कोई विशेष ध्यान नहीं देता है। हम समाज में अक्सर ऐसी स्थितियों का सामना करते हैं जिनमें समाज के एक समूह का विकास अन्य समूह के हितों के प्रतिकूल होता है। इसी प्रकार, समाज के किसी एक समूह के लिए अभिप्रेत लाभ अक्सर किसी और समूह की झोली में चले जाते हैं, जैसे भारत का गरीबी निवारण कार्यक्रम। ऐसी स्थितियों के कारण सामाजिक झगड़े होते हैं और वे अंतरराष्ट्रीय व्यापार एवं आर्थिक व्यवस्था को प्रभावित करते हैं जिससे विकास प्रक्रिया की दिशा और गति पर प्रतिकूल प्रभाव पड़ता है।

(*iv*) संकल्पनात्मक दृष्टि से विकास प्रशासन एक समरूप विषय के रूप में लोक प्रशासन को खंडित करता है क्योंकि यह लोक को कृत्रिम रूप से विकासात्मक लोक प्रशासन एवं गैर-विकासात्मक लोक-प्रशासन में विभाजित करता है।

(*v*) विकास प्रशासन का व्यावहारिक महत्त्व संदेहपूर्ण है। यद्यपि विकास प्रशासन के सिद्धांत और समस्याओं का विस्तृत अध्ययन किया गया है किन्तु यह आज भी बेहतर विकास युक्ति के निर्माण में कोई सहायता नहीं करता है। इस प्रकार, सिद्धांत और व्यवहार के बीच के अंतर को पाटने की आवश्यकता अभी भी पूरी नहीं हो पाई है।

(*vi*) समस्त विश्व को आवेशित करने के अपने उत्साह में विकास प्रशासन ने अपने क्षेत्र का विस्तार तो किया है किन्तु इसकी गहराई में कोई वृद्धि नहीं हुई है यानी यह केवल वर्णनात्मक बन गया है, विश्लेषणात्मक नहीं। अतः इसमें प्रणोद और सैद्धांतिक परिष्कार का अभाव है जो लोक प्रशासन के किसी भी उपागम में आवश्यक है।

विकास प्रशासन के पक्ष में तर्क

विकास प्रशासन लोक प्रशासन के क्षेत्र के पारिस्थितिक एवं तुलनात्मक उपागमों की एक युक्तियुक्त अविस्थिति है। अतः इसे लोक प्रशासन के पश्चिमी सिद्धांतों के जवाब के रूप में विकसित किया गया था। अतः इसके कुछ अच्छे गुण भी हैं, यथाः

(*i*) इसने लोक प्रशासन विषय को समृद्ध बनाया है क्योंकि इसने बहस और परिचर्चा के लायक अनेक संकल्पनाएं और मत उभारने की लोक प्रशासन विषय की क्षमता में वृद्धि की है।

(*ii*) इसने प्रशासन के लक्ष्यों एवं इसके ऐतिहासिक, राजनीतिक, आर्थिक एवं सामाजिक-सांस्कृतिक संदर्भों से संबंधित प्रश्न उठाए हैं और इस प्रकार लोक-प्रशासन विषय को अधिक उपयोगिता-उन्मुख विषय में रूपांतरित किया है।

(*iii*) सत्ता उपकरण के बजाय विकास उपकरण के रूप में लोक प्रशासन विषय का अध्ययन करने का पहली बार प्रयास किया गया है।

एफ. डब्लू. रिग्स

रिग्स का कहना है कि विकास प्रशासन परिवर्तियों (Variables) के बीच का सम्बन्ध है अर्थात् "एक कार्य दो या दो से अधिक संरचनाओं की परस्पर निर्भरता का ढाँचा है।" कुछ संरचनाओं द्वारा किये जाने वाले कार्य स्पष्ट होते हैं, और जिन संरचनाओं के कार्य अव्यक्त प्रकृति के होते हैं उन्हें अव्यक्त कार्य कहते हैं।

एफ.डब्लू, रिग्स ने विकास प्रशासन के सम्बन्ध में कहा है कि "विकास प्रशासन का सम्बन्ध विकास कार्यक्रमों के प्रशासन, बड़े संगठनों खासकर सरकार की प्रणालियों, विकास लक्ष्यों की उपलब्धि के लिए नीतियों और योजनाओं के क्रियान्वयन करने से है।" इनके अनुसार विकास वास्तव में एक विशिष्ट दिशा में होने वाला सकारात्मक परिवर्त्तन है जिसमें कोई भी समाज परम्परागत स्थिति से आधुनिक स्थिति की ओर आता है। विकास की अवधारणा जटिल और बहुमुखी है। विकास के लक्ष्य, उद्देश्य व मान्यताएँ सदैव कल्याण की ओर अग्रसर होती हैं, जिसमें एक सभ्य समाज के नागरिकों की उच्चतर सेवाएँ तथा सुखमय जीवन प्रदान करने का प्रयास किया जाता है। विकास समाजिक गतिविधियों से प्रभावित होता है जो सदैव राष्ट्रीय विकास एवं आर्थिक - सामाजिक प्रगति की ओर निर्देशित होती है।

ड्वाइट वाल्डो

ड्वाइट वाल्डो द्वारा रचित पुस्तक The Enterprise of Public Administration 1980 में प्रकाशित हुई। इसमें उन्होंने लोक प्रशासन के तीन परिप्रेक्ष्य यथा– नागरिकोन्मुख नौकरशाही, प्रतिनिधि नौकरशाही तथा जन-प्रतिनिधित्व पर जोर देते हुए कहा कि यदि सार्वजनिक परिप्रेक्ष्यों को लोक प्रशासन में लागू किया जा सके तो लोक प्रशासन अधिक लोकतांत्रिक रूप ग्रहण कर सकता है।

वाल्डो के अनुसार "नवीन लोक प्रशासन मानकात्मक सैद्धान्तिक विचारधारा (Normative Theory), दर्शन (Philosophy), सामाजिक प्रतिबद्धता (Social concern) तथा सक्रियतावाद (Activism) की दिशा में क्रान्ति है। वाल्डो के अनुसार नवीन लोक प्रशासन सामाजिक समस्याओं के प्रति अत्यधिक संवेदनशील है। इसे अमरिकी समाज में लोकतान्त्रिक पुनरुत्थान की प्रतिक्रिया माना जाता है। वाल्डो के अनुसार नवीन लोक प्रशासन ग्राहक उन्मुखी तथा अल्पपरक है। यह जातिगत (Generic) की तुलना में जनोन्मुखी (Publicly) अधिक है। यह विवरणात्मक (Descriptive) की तुलना में निर्देशात्मक (Perspective) अधिक है।

वाल्डो के अनुसार "लोक प्रशासन मानवीय सहयोग का एक पहलू और विभिन्न वर्गों वाले प्रशासन से सम्बन्धित एक वर्ग है जो उच्च कोटि की विचार शक्ति से युक्त सामूहिक मानवीय प्रयत्न है।"

प्रो. एडवर्ड वीडनर

विकास प्रशासन को लोकप्रिय बनाने में एडवर्ड वीडनर का महत्वपूर्ण योगदान है। प्रो. एडवर्ड वीडनर के अनुसार "विकास प्रशासन राजनीतिक, आर्थिक और सामाजिक प्रगति के लिए संगठन का मार्गदर्शन करता है। यह मुख्य रूप से कार्योन्मुखी (Action-oriented) एवं लक्ष्योन्मुखी (Goal-oriented) प्रशासनिक व्यवस्था है।"

वीडनर एवं रिग्स की परिभाषा विकास प्रशासन की विस्तृत व्याख्या प्रस्तुत करती है। विकास प्रशासन की परिभाषाओं में भिन्नता है, फिर भी इस मत की ओर संकेत करते हैं कि यह लक्ष्योन्मुखी (Goal-oriented) और कार्योन्मुखी (Work oriented) है। प्रायः इसे एक निश्चित और निर्धारित कार्यक्रम की पूर्ति के लिए अपनाया जाता है, न कि प्रतिदिन के प्रशासन को कार्यान्वित करने के लिए। परिभाषाओं के विश्लेषण से विकास प्रशासन के निम्नलिखित तत्व उभरते हैं।

(*a*) विकास प्रशासन निरन्तर गतिशील प्रक्रिया है

(*b*) विकास प्रशासन निर्धारित लक्ष्यों के लिए एक संयुक्त प्रयास है।

(*c*) विकास प्रशासन उच्चतर स्थिति की ओर अग्रसर होने की प्रक्रिया है।

(*d*) विकास प्रशासन एक कार्योन्मुखी और लक्ष्योन्मुखी प्रशासनिक व्यवस्था है।

(*e*) विकास प्रशासन तीसरे विश्व की समस्याओं का समाधान करने हेतु महत्वपूर्ण साधन और यंत्र है।

(*f*) विकास प्रशासन सिर्फ विकास का प्रशासन ही नहीं, स्वयं प्रशासन का विकास भी है।

(*g*) विकास प्रशासन पिछड़े वर्ग के परिवर्तन और आधुनिकीकरण तथा उसके बहुमुखी विकास हेतु शासन-यंत्र है।

(*h*) विकास प्रशासन राजनीतिक परिवर्तन का भी साधन है। इनसे जन-सहभागिता, नागरिकता, राष्ट्र प्रेम का विकास होता है।

विकास में नौकरशाही की भूमिका

विकास प्रशासन की समस्या को प्रभावकारी ढंग से अवधारणा के रूप में प्रस्तुत करने में विद्वानों की असफलता इससे सम्बन्धी साहित्य में मिलने वाली परिभाषाओं के स्वरूप से स्पष्ट है। कुछ अपने ढंग की परिभाषाएं इस प्रकार हैंः

"यह एक कार्योन्मुख, लक्ष्योन्मुख, प्रशासकीय तन्त्र है।"

"विकास कभी पूर्ण नहीं होता; यह उसके कमोवेश सम्भव होने के सापेक्ष है, विकास मन की एक स्थिति भी है, एक प्रवृत्ति है, एक दिशा है। यह एक केन्द्रीभूत लक्ष्य होने के बजाय एक विशिष्ट दिशा में परिवर्तन की दर है।"

"विकास प्रशासन नवाचार वाले मूल्यों का संवाहक है।" राष्ट्रीय आय को बढ़ाने के लिए योजना बनाने, आर्थिक विकास प्राप्त करने और साधनों को जुटाने तथा आवंटित करने वाले तन्त्र की स्थापना इसमें शामिल है।

विकास प्रशासन के दो पहलू हैंः प्रशासन का विकास और विकास का प्रशासन। प्रशासन के विकास का अर्थ है, विकास के लिए प्रशासनिक

क्षमता में सुधार; प्रशासनिक क्षमता का अर्थ है, संगठनों के माध्यम से वांछित लक्ष्यों को प्राप्त करने की क्षमता, अर्थात् विकास लक्ष्यों को प्राप्त करने की क्षमता।

इसका अर्थ यह है कि लोक प्रशासन तन्त्र विकास प्रक्रिया का एक अन्तरंग हिस्सा है। परिवर्तन का प्रतिनिधि होने के लिए लोक नौकरशाही में अपने पर्यावरण में होने वाले महत्वपूर्ण या उल्लेखनीय परिवर्तनों की दिशा और प्रवेग की भविष्यवाणी करने, उसका निरूपण करने और उसे समझने; आवश्यक अथवा वांछनीय परिवर्तन की योजना तैयार करने; राजनीतिक तन्त्र द्वारा चाहे गए या नियोजित किए गए परिवर्तनों के साथ खुद को अनुकूलित करने और अपने आप नवाचार करने की क्षमता आवश्यक रूप से होनी चाहिए। बहरहाल, इसका यह अर्थ नहीं कि नौकरशाही में परिवर्तन की आवश्यकता नहीं है। सामाजिक और आर्थिक परिवर्तनों को शुरू करने और उनका प्रशासन करने के विशाल कार्य में जुटने से पहले, विकास-नौकरशाही के लिए जरूरी है कि वह विकास के कार्यों की सफलता के लिए अनिवार्य सही ढंग की संवेदना, प्रवृत्ति, परिवर्तन-उन्मुखता, मूल्य और कौशल अर्जित करने के लिए अपने आप में संरचनात्मक और प्रवृत्तिमूलक परिवर्तन करे। राष्ट्रसंघ की एक संगोष्ठी में लार्ड फुल्टन ने कहा था कि किसी सिविल सेवा के लिए यह पर्याप्त नहीं है कि वह यथास्थिति बनाए रखे, उसे अनिवार्य रूप से नवाचार करना चाहिए और नवाचार करने के लिए उसके पास भविष्य परखने के लिए अपना रडार तन्त्र होना चाहिए। उसे अपने आसपास के समाज में होने वाले सामाजिक, आर्थिक, वैज्ञानिक और तकनीकी परिवर्तनों में गहराई तक शामिल होना चाहिए। भविष्य में सम्भावित रूप से उठने वाली बड़ी समस्याओं को काफी पहले से उसे पहचान लेना चाहिए और उनके सम्बन्ध में कार्य करना शुरू कर देना चाहिए जिससे कि जब राजनीतिक निर्णय लिया जाए तो वह यथासम्भव तर्कसंगत हो। यद्यपि नीति बनाने का प्राथमिक उत्तरदायित्व राजनीतिक तन्त्र में बना रहेगा, क्योंकि वह उच्चतर स्तर पर नौकरशाही के तन्त्र से घने रूप से घुलामिला है और नीति बनाने के सम्बन्ध में इन दोनों के बीच का अन्तर बहुत बारीक है। इसके अतिरिक्त, एक विशेषज्ञ समूह के रूप में नौकरशाही से आशा की जाती है कि वह राजनीतिक स्वामियों को तकनीकी साधनों को उपलब्ध कराएगा और इस तरह नीति बनाने के लिए वास्तविक आधार उपलब्ध कराएगा।

विकास नौकरशाही को अनिवार्य रूप से एक 'खुले', न कि 'बन्द' तन्त्र के रूप में काम करना चाहिए, निर्णय लेने के लिए पारम्परिक श्रेणी में विभक्त और निरंकुश तरीके को 'समूह' निर्णय लेने के तरीके में निश्चित रूप से बदला जाना चाहिए, वरिष्ठ और कनिष्ठ सम्बन्ध स्थापित करने वाले प्राधिकार की अनुलम्ब और श्रेणियों में विभक्त करने वाली अवधारणा क्षैतिज और विकीर्ण किस्म के प्राधिकार से बदली जानी चाहिए। प्रशासन में अधिकारों के केन्द्रीकरण के स्थान पर ज्यादा विकेन्द्रीकरण तथा प्राधिकार और उत्तरदायित्व का अधिकार प्रत्यायोजन होना चाहिए और इन सब से भी अधिक महत्वपूर्ण बात यह है कि नागरिक लोगों को योजना बनाने तथा उसका क्रियान्वयन करने में सक्रिय रूप से भागीदार बनाने के लिए प्रेरित किया जाना चाहिए, बजाय इसके कि वे जन सेवा के असहाय निष्क्रिय प्राप्तकर्ता बने रहें। विकास प्रशासन से की जाने वाली ये कुछ अन्य अत्यावश्यक अपेक्षाएं हैं।

नौकरशाही एक जैविक तन्त्र होने की बजाय एक यान्त्रिक तन्त्र है। विकास कार्यों को सक्षमता पूर्वक सम्पन्न करना है तो शासन को एक ऐसे संगठन की जरूरत होगी जो कि लचीला, अनुकूलन करने में सक्षम और जो कार्यकारी संस्कृति का विकास करे, जो उद्देश्यों की प्राप्ति को सुविधाजनक बनाने के लिए डिजाइन किया गया हो। विकास के कार्यों में लगे लोगों के मनोवैज्ञानिक और सामाजिक परीक्षा-सिद्ध-अध्ययन से पता चला है कि ऐसे लोगों के लिए यह आवश्यक है कि उनमें नेतृत्व के गुण, असाधारण संवेदनशीलता (दबाव वाली पर्यावरणीय स्थितियों के प्रति बढ़ी हुई संवेदनशीलता), संवेदना (अन्तर्व्यक्तिगत संवेदनशीलता), आवश्यकता की उपलब्धि, आत्मविश्लेषण, आत्मविश्वास और सामाजिक बुद्धिमत्ता (समाजिक परिस्थितियों से निपटने और निर्णय लेने की क्षमता)—जैसे व्यक्तित्व के परिवर्तनशील गुण होने आवश्यक हैं। यह कहना आवश्यक नहीं है कि दिल और दिमाग के इन गुणों को विकसित करने के लिए विकास-नौकरशाही द्वारा की जाने वाली ईमानदार और सुविचारित कोशिश से उन्हें लाभ मिलेगा।

नौकरशाही के मॉडल को उस वक्त वेबर के मॉडल से आवश्यक रूप से भिन्न किस्म का होना होगा, जब उसे समग्र सामाजिक रूपान्तरण का काम सौंपा जाता है। आखिरकार सामाजिक परिवर्तन का अर्थ विचार और क्रिया के नए तरीकों के रास्ते में आने वाली रुकावटों पर विजय पाना है। जब विकास पर जोर दिया जाता है तब विचार और क्रिया के नए तरीकों को अपनाने के लिए समग्र जनता को प्रेरित करना आवश्यक है। इन परिस्थितियों में यदि उसे परिवर्तन के एजेण्ट की भूमिका प्रभावकारी रूप से निभाना है तो नौकरशाही के एक भिन्न मॉडल की आवश्यकता होती है।

भारतीय नौकरशाही को जिन लोकतान्त्रिक और विकासीय दबावों तथा सीमाओं के भीतर काम करना पड़ता है, उन्हें छोड़ भी दें तो देश की सामाजिक व्यवस्था में उच्चकोटि की जागरूकता और विकास में उसकी सहभागिता बहुत जरूरी है।

प्रो. आर.बी. जैन के शब्दों में, "किन्तु भारतीय प्रशासन तन्त्र राष्ट्र निर्माण के लिए उपयुक्त नई मूल्यपरक प्रवृत्तियाँ और संशोधित संस्थात्मक ढाँचा विकसित करने की ओर उन्मुख नहीं हो पाया। प्रशासन तन्त्र ने संस्थात्मक प्रबन्ध में नवीनताओं का विरोध किया; उसने राष्ट्र निर्माण के लिए प्रशासन के पुनर्गठन के प्रयासों में अड़ंगा डाला और वह ऐसे अनेक प्रशासनिक नित्य नियमों के साथ जकड़ा रहा जिन्होंने वस्तुतः विकास प्रशासन को गतिहीन कर दिया।"

भारत में विकास प्रशासन

भारत के सन्दर्भ में यह निश्चित हो गया है कि लोक प्रशासन का मुख्य उद्देश्य विकास कार्यों को सम्पन्न करना है, जो कि ग्रामों से आरम्भ होते हैं। दूसरे शब्दों में, विकास प्रशासन को ग्रामीण विकास तथा जनभागीदारी के सन्दर्भ में परखा जा रहा है।

स्वतन्त्रता से पूर्व की स्थिति

भारत सन् 1947 से पूर्व ब्रिटिश सरकार के अधीन था। तत्कालीन ब्रिटिश सरकार का उद्देश्य अपने उपनिवेशवादी एवं साम्राज्यवादी हितों की पूर्ति

करना मात्र था। इसके लिए ब्रिटिश सरकार ने भारत में एक सीमित सरकार की स्थापना की थी जिसका कार्य-क्षेत्र राजस्व संकलन एवं कानून-व्यवस्था बनाए रखना था। इसका स्वरूप सामन्तवादी और जड़वत् था। फिर भी ब्रिटिश सरकार एक विरोधाभास एवं विडम्बना में फँसी हुई थी, क्योंकि एक ओर तो वह अपने साम्राज्यवादी हितों की पूर्ति करना चाहती थी एवं दूसरी तरफ अपने उदारवादी दर्शन में भारतीय राष्ट्रीयता को समाहित रखने की चतुराईपूर्ण कोशिश कर रही थी।

साम्राज्यवादी हित की मांग थी कि सरकार केन्द्रीकृत और विकासोन्मुख हो तथा उसमें भारतीयों के हितों को प्राथमिकता देते हुए जन-कल्याण को बढ़ावा देने की क्षमता हो। ब्रिटिश शासकों ने इस दुविधा को सुलझाने के लिए कानून के शासन का आवरण पहनकर भारत में स्थानीय स्वायत्त शासन की स्थापना की, लेकिन सही अर्थों में इसका उद्देश्य 'विकास' नहीं बल्कि भारतीय राष्ट्रीयता को दिशाहीन करने की कोशिश थी। भारत में इसका विकास विपरीत तरीके से हुआ। स्थानीय संस्थाओं का विकास ग्राम स्तर पर होने की जगह शहरी स्तर पर किया गया।

वस्तुतः ब्रिटिश शासन में 'विकास' एक शासकीय विवशता थी जिसमें स्वेच्छा का भाव परिलक्षित नहीं होता था—जिसके फलस्वरूप जनता तथा प्रशासन के मध्य एक खाई बनी रही जो स्वाधीनता के बाद के भारतीय प्रशासन को ब्रिटिश प्रशासन की एक चुनौती है।

स्वतन्त्रता के बाद की स्थिति

स्वतन्त्रता के बाद भारत सरकार ने ब्रिटिशकालीन प्रशासनिक ढाँचे में कोई आधारभूत परिवर्तन नहीं किया, बल्कि जिला आधारित ब्रिटिशकालीन नियामकीय तथा राजस्व प्रशासन का 'विकास प्रशासन' के साथ समन्वय करने का प्रयास किया। ब्रिटिश प्रशासन जिला स्तर पर तीन भागों में विभक्त था: (*a*) जिला स्तर, (*b*) खण्ड स्तर तथा (*c*) तहसील स्तर।

भारतीय संविधान के अनुच्छेद 40 में पंचायती राज अथवा विकास प्रशासन का उल्लेख राज्य के नीति निदेशक तत्वों के अन्तर्गत किया गया है। नीति निदेशक तत्वों के क्रियान्वयन हेतु सन् 1952 में सामुदायिक विकास कार्यक्रम आरम्भ किया गया और यह अपेक्षा की गयी कि इस कार्यक्रम में जनता की ओर से सक्रिय सहयोग प्रदान किया जाएगा।

किसी लोकतन्त्र में राजनीतिक तन्त्र और नौकरशाही तन्त्र के बीच सम्बन्ध भागीदारी के होने चाहिए। वे शासन करने वाले लोगों के अन्तहीन साहसिक कामों में भागीदार रहें। जैसा कि हमने ऊपर देखा है, नौकरशाही और जनता के बीच के सम्बन्धों में न केवल तालमेल की कमी है और जनता प्रशासन से सही तौर पर अपने आपको अलग-थलग महसूस करती है, वरन् राजनीतिक नेतृत्व और प्रशासकों के बीच सम्बन्ध तनावपूर्ण रहे हैं और वे विकासीय प्रक्रिया के लिए अवरोधक सिद्ध हुए हैं। राजनीतिक नेताओं और नौकरशाही के बीच होने वाले संघर्ष केन्द्रीय, राज्य और जिला स्तर पर लोगों के ध्यान में आए हैं। एक विकासशील लोकतन्त्र ठीक तरह से कार्य कर सके उसके लिए एक पूर्व आवश्यकता यह है कि राजनीतिक नेतृत्व और नौकरशाही के बीच पूरी तरह अच्छे सम्बन्ध बने रहें। "देश में सामाजिक जीवन की गुणवत्ता संघर्ष के स्वरूप का एक पहलू है।" भारत के विभिन्न राज्यों में 'मन्त्रिमण्डलों के जल्दी-जल्दी परिवर्तन', खास करके 1967 के आम चुनाव के बाद, और अब केन्द्र में इस तरह की स्थिति, इसका एक दूसरा पहलू है। मन्त्रियों और सिविल सेवकों के बीच के सम्बन्ध इस तरह से भी तनावपूर्ण हो जाते हैं, क्योंकि उनमें परस्पर आदर का अभाव होता है और उद्देश्यों की पहचान गायब रहती है। टॉब, कोठारी और राय के द्वारा किए गए अध्ययन इस बात के प्रमाण उपलब्ध कराते हैं कि राजनीतिक नेताओं और नौकरशाहों के बीच न तो लक्ष्यों की पहचान है और न ही उनमें आपस में एक दूसरे के सम्बन्ध में अच्छी छवि है।

माण्टगोमेरी के शब्दों में, "सिविल सेवा को बदलना उतना ही कठिन है जितना कि एक किसान के निर्णय लेने की प्रणाली को।" ऐसा कहा जाता है नौकरशाही रूढ़िवादी आचरण करती है तथा यथास्थिति की समर्थक है। विकासशील देशों में सामाजिक-आर्थिक परिवर्तन लाने का बहुत कुछ दायित्व नौकरशाही के कन्धों पर होता है, अतः समस्या यह है कि नौकरशाही को विकास के यन्त्र के रूप में किस भाँति बदला जाए? इस हेतु निम्नलिखित सुझाव दिए जा सकते हैं:

1. शासन के राजनीतिक अंग को गुणात्मक एवं संख्यात्मक दृष्टि से सशक्त बनाया जाना चाहिए। राजनीतिक नेता को एक धार्मिक व्यक्ति की भाँति अपने कार्य अर्थात् स्पष्ट एवं सुपरिभाषित नीतियों, कालावधि के अनुरूप कार्यक्रम एवं उसके क्रियान्वयन सम्बन्धी व्यवस्था में लग जाना चाहिए। यह अब भली-भाँति स्पष्ट हो चुका है कि देश में बहुचर्चित भूमि सुधार योजना के क्रियान्वयन की दशा में कोई ठोस कदम नहीं उठाए जा सके। इस कार्यक्रम की असफलता का कारण है समान रूप से प्रशासनिक उपेक्षा, राजनीतिक अनिर्णयता एवं अस्थिरता अथवा घोषित कार्यक्रमों में अविश्वास। साथ ही, नौकरशाही लोक भावनाओं के प्रति तभी संवेदनशील रह सकती है जब वह ठोस राजनीतिक अधीनता, नियन्त्रण एवं निर्देशन में निरन्तर कार्य करे।
2. विकास प्रशासन के आविर्भाव ने 'लाइन' सेवाओं को अधिक महत्वपूर्ण बनाया है। योजना प्रशासन के क्रियान्वित पक्ष की यह मांग है कि केन्द्रीय और राजकीय सेवाओं तथा विशेषतः तकनीकी सेवाओं की योग्यता एवं दक्षता को ऊँचा उठाया जाए। पहले इन सेवाओं के पास 'स्टाफ' कार्य बहुत कम होते थे। आज आवश्यकता है कि इन क्षेत्रीय तथा तकनीकी सेवाओं को सचिवालय के नीति-निर्माण कार्य में भागीदार बनाया जाए।
3. राज्यस्तरीय नौकरशाही को प्रधानतः विकास सम्बन्धी नवीन कार्यों का भार वहन करना पड़ता है। अतः गुणात्मक एवं संख्यात्मक दृष्टि से इन्हें पर्याप्त शक्तिशाली बनाने की आवश्यकता है जिससे वे विकास कार्यक्रमों का सम्पादन करने के वांछित औजार सिद्ध हो सकें। इस हेतु सुपरिचित कालावधि प्रणाली (Tenure System) को जिसका आजकल पूर्णरूपेण पालन नहीं किया जाता, व्यवस्थित रूप से लागू किया जाना चाहिए। केन्द्रीय शासन में कालावधि व्यवस्था के अन्तर्गत राज्यों से आने वाले कर्मचारियों की अवधि समाप्त होने पर पुनः राज्य सेवा में लौटा देना चाहिए। इसके अतिरिक्त, कालावधि व्यवस्था को राज्यों में

भी प्रमुख कार्यालय एवं क्षेत्रीय पदों के सम्बन्ध में कठोरता से लागू करना चाहिए।

4. राज्य कर्मचारियों की प्रशासनिक क्षमता में वृद्धि हेतु श्रेष्ठ प्रशिक्षण कार्यक्रमों की व्यवस्था भी की जानी चाहिए।
5. लोक सेवा को व्यापक सामाजिक आधार प्रदान किया जाए।
6. लोक प्रशासन के विभिन्न स्तरों को नियमित रूप से जनाकांक्षा एवं इच्छाओं का पता चलते रहना चाहिए। इस दृष्टि से यह अत्यन्त महत्वपूर्ण है कि शासन की नीति-निर्माण प्रक्रिया एवं उसके क्रियान्वयन में नागरिक एवं सम्बन्धित हित समूहों को भाग लेने के अधिकाधिक अवसर हों।
7. मन्त्री एवं जिलाधीश मनरेगा, प्रधानमंत्री जन-धन योजना, डिजिटल भारत, आदि योजनाओं से लाभान्वित होने वाले परिवारों से व्यक्तिगतः सम्पर्क कर यह सुनिश्चित करें कि उन्हें योजनाओं का पूरा लाभ मिल रहा है। अपने दौरों के समय उन्हें यह भी देखना चाहिए कि हरिजन बस्तियों में बिजली तथा पेयजल की सुविधा उपलब्ध करायी गयी है अथवा नहीं।
8. शासन सचिवों को प्रति माह कुछ दिनों के लिए गांवों में जाना चाहिए और वहाँ की समस्याओं की जानकारी प्राप्त कर उनके समाधान के लिए नीति सम्बन्धी निर्णय लेने के प्रस्ताव प्रस्तुत करने चाहिए।
9. गांवों के बारे में कई बिन्दुओं पर सभी सूचना उपलब्ध नहीं होने के कारण विकास कार्यक्रमों की योजना बनाने में कठिनाई आती है। इससे प्रत्येक गांव के बारे में वहाँ उपलब्ध ग्रामीण सम्पदा का अभिलेख अविलम्ब तैयार किया जाना आवश्यक है। इस अभिलेख में ग्रामीण सम्पदा के साथ-साथ पुरातत्व, कला एवं संस्कृति के महत्व की बातों का भी उल्लेख किया जाना चाहिए।

वी.ए. पाई पनन्दीकर एवं एस.एस. क्षीरसागर ने अपनी पुस्तक *'Bureaucracy and Development Administration'* में सुझाव दिया है कि–भारतीय विकास प्रशासन के परिप्रेक्ष्य में (*i*) उच्चस्तरीय नौकरशाही का राजनीतिकरण होना चाहिए एवं उसे राज्य व्यवस्था के साथ समेकित किया जाना चाहिए; (*ii*) विकास कार्यों में जन सहभागिता बढ़ाने वाली संस्थाओं के सुझावों को मान्यता मिलनी चाहिए। पंचायत को प्रशासनिक यन्त्र के अंग के रूप में विकसित करना चाहिए।

भूमण्डलीकरण तथा विकास प्रशासन

भारतीय प्रशासन पर वैश्वीकरण के प्रभाव को निम्नलिखित रूप में रेखांकित किया जा सकता है–

1. भारतीय प्रशासनिक व्यवस्था में नीति-निर्माण तथा लोक नीति की अवधारणा का व्यापक महत्त्व है। चूँकि भारत एक लोकतान्त्रिक देश है, इसलिए नीति-निर्माण में विधायिका की भूमिका सर्वोपरि होती है। प्रत्यायोजित विधायन से भी यह स्पष्ट है कि कार्यपालिका की भूमिका भी नीति-निर्माण व लोक नीति के प्रति महत्वपूर्ण होती है। वैश्वीकरण के प्रभाव में यह अवधारणा व्यापक रूप में प्रभावित हुई है। आज विधायिका और कार्यपालिका ऐसे नीतियों को निर्मित एवं क्रियान्वित कर रही है, जो वैश्वीकरण की सहयोगी प्रकृति की हो। वैश्वीकरण से पूर्व लोक नीतियों के निर्माण पर तथा उसके क्रियान्वयन पर सरकार का ध्यान बहुत अधिक होता था, लेकिन आज सरकार अन्तर्राष्ट्रीय बाजार में एक प्रतियोगी के रूप में खड़ी हो गई है, जिसके लिए वैश्विक प्रभाव में नीतियों का निर्माण आवश्यक हो गया है तथा लोक नीति का महत्व द्वितीयक विषयक बन गया है।
2. भारतीय प्रशासन को 'विकास प्रशासन' की संज्ञा दी जाती है, क्योंकि यहाँ का प्रशासन विकास सम्बन्धी कार्यों के निष्पादन में व्यापक रूप से सम्बद्ध है। वैश्वीकरण के आगमन से पूर्व भारतीय प्रशासन एक विकास प्रशासन के रूप में भारतीय सन्दर्भ में विभिन्न चुनौतियों का सामना कर रहा था तथा आज भी विकास प्रशासन के रूप में विभिन्न चुनौतियों का सामना कर रहा है, परन्तु वर्तमान परिस्थिति, पूर्व की परिस्थितियों से परिवर्तित है। आज भारतीय प्रशासन का स्वरूप भारत में उपस्थित चुनौतियों का सामना तो कर ही रहा है तथा अन्तर्राष्ट्रीय समाज और बाजार में उपस्थित समस्याओं का भी सामना कर रहा है। भारतीय प्रशासन विकास प्रशासन के रूप में अपने अस्तित्व को कायम रखना चाहता है, परन्तु इसमें नियामकीय प्रशासन की विशेषताएँ भी दिन-प्रतिदिन बढ़ती जा रही हैं। भारत में विकास प्रशासन का स्वरूप समाजवादी अधिक तथा उदारवादी कम था, लेकिन वैश्वीकरण के प्रभाव में इसकी समाजवादी प्रकृति में क्षय हुआ है तथा उदारवादी प्रकृति में अप्रत्याशित वृद्धि हुई है। स्पष्टतः भारत के विकास प्रशासन पर वैश्वीकरण का दोहरा प्रभाव पड़ा है।
3. वैश्वीकरण के प्रभाव में भारतीय लोक प्रशासन के अन्तर्गत तकनीक के प्रयोग को बढ़ावा मिला है। चूँकि वैश्वीकरण की प्रकृति तकनीकी है, ऐसी स्थिति में भारतीय प्रशासन का तकनीक के प्रयोग से प्रभावित होना स्वाभाविक ही है। वर्तमान समय में प्रशासन के प्रत्येक क्षेत्र में तकनीक का महत्व बढ़ता जा रहा है, यह वैश्वीकृत प्रशासन की माँग भी है।
4. वैश्वीकरण ने भारतीय प्रशासन में प्रशासनिक प्रतिबद्धता को भी प्रभावित किया है। स्वतन्त्र भारत में प्रशासनिक प्रतिबद्धता जनता के प्रति थी, जिसे संविधान द्वारा न्यायिक निर्णय तथा अन्य प्रकार के कानून के द्वारा अभिनिर्धारित किया जाता था। 1991 ई. के बाद भारत में जब नवीन आर्थिक नीतियों को अमल में लाया गया, तब से प्रशासन की प्रतिबद्धता जन हित के साथ-साथ वैश्विक हित से भी सम्बद्ध हो गई है। आज भारतीय लोक सेवा से आशा की जाती है कि वह न केवल जन हित के प्रति उत्तरदायी रहे, बल्कि उसके द्वारा अन्तर्राष्ट्रीय बाजार में भारत को सफल देश के रूप में स्थापित करने में भी सहयोग प्रदान किया जाए। भारतीय प्रशासन ने इसी प्रकार की

मिश्रित प्रशासनिक प्रतिबद्धता को कायम करना शुरू कर दिया है। स्पष्टतः भारत में प्रशासनिक प्रतिबद्धता का स्वरूप दोहरे रूप में परिवर्तित तथा प्रभावित हुआ है।

5. वस्तुतः भर्ती एक व्यापक प्रक्रिया है, जिसके अन्तर्गत स्वतः प्रशिक्षण की प्रक्रिया निहित होती है। प्रशासन में प्रशिक्षण के व्यापक महत्त्व को देखते हुए, भर्ती से अलग करके अध्ययन किया जाता है। वैश्वीकरण के प्रभाव में भारतीय शासन के अन्तर्गत भर्ती तथा प्रशिक्षण की प्रक्रिया व्यापक रूप में प्रभावित हुई है। आज तकनीक के प्रभाव में मानवीय संसाधन के महत्व में तुलनात्मक कमी आयी है। भारतीय प्रशासन के अन्तर्गत कम-से-कम भर्ती करने पर जोर दिया जा रहा है तथा पूर्व में भर्ती किए गए लोगों की छंटनी की जा रही है। कार्मिकों की संख्या को कम करने के लिए भारतीय प्रशासन में 'स्वैच्छिक अवकाश योजना' को लागू किया जा रहा है। जहाँ तक प्रशिक्षण का सवाल है, तो वैश्वीकरण में इसकी प्रवृत्ति व्यापक रूप में परिवर्तित हुई है। वर्तमान समय में, भारतीय प्रशासन में प्रशिक्षण प्रदान करना सुविधाजनक हुआ है। इसे भी वैश्वीकरण के तकनीकी प्रभाव के रूप में लिया जा सकता है।
6. वैश्वीकरण के प्रभाव में भारतीय प्रशासन का लोक कल्याणकारी स्वरूप भले ही सिमटता जा रहा हो, लेकिन उसके तकनीकि प्रभाव से जन-सहभागिता को बल मिला है तथा प्रशासनिक संचार में वृद्धि हुई है। वस्तुतः प्रशासनिक संचार और जन-सहभागिता को एक-दूसरे का पूरक बनाया जा सकता है, वैश्वीकरण में सूचना व संचार को बढ़ावा मिला है, जिससे जनता और प्रशासन एक-दूसरे के समीप आयी है। अब प्रशासन के लिए यह सम्भव हो गया है कि वह जन-आवश्यकताओं एवं जन-प्रतिक्रियाओं को आसानी से समझ ले, तो दूसरी ओर जनता के लिए भी प्रशासन से सम्पर्क स्थापित करना तथा उसकी प्रशासनिक कार्य-प्रणालियों से अवगत होना आसान हो गया है। इसे वैश्वीकरण का भारतीय प्रशासन पर एक सकारात्मक प्रभाव माना जा सकता है।
7. भारतीय प्रशासन पर वैश्वीकरण का व्यापक प्रभाव पड़ा है, जिनके कई परिणामों में से एक परिणाम प्रशासनिक संचार व जन सहभागिता का विकास भी है। भारतीय प्रशासन पर संचार एवं जन सहभागिता जिस रूप में प्रभावी हुई है, उसी रूप में प्रशासनिक संस्कृति भी प्रभावित एवं परिवर्तित हुई है। आज निजी क्षेत्रों के प्रभाव में सार्वजनिक क्षेत्रों में कार्य संस्कृति का विकास हुआ है। सामान्यतः भारतीय प्रशासन की आलोचना औपनिवेशिक संस्कृति व लालफीताशाही को लेकर की जाती रही है, लेकिन आज यहाँ प्रशासनिक यथास्थितिवादी प्रवृत्तियों में कमी आई है। स्पष्टतः यहाँ यह कहा जा सकता है कि वैश्वीकरण ने भारतीय प्रशासनिक संस्कृति को सकारात्मक रूप में प्रभावित किया है।
8. वैश्वीकरण की प्रकृति तकनीकी है, इसलिए प्रशासनिक कार्यों के निष्पादन में तकनीक के प्रयोग में वृद्धि हुई है तथा इसका महत्व पूर्व से अधिक बढ़ गया है। सामान्यतः आज प्रशासन में विशेषीकरण को स्वीकार कर लिया गया है, हालाँकि इस बात से इन्कार नहीं किया जा सकता है कि भारतीय प्रशासन में आज भी सामान्यज्ञों और विशेषज्ञों में विवाद नहीं है। सामान्यज्ञ-विशेषज्ञ विवाद प्रशासन में जिस स्तर पर भी कायम हो, विशेषीकरण आज की आवश्यकता है और इसे भारतीय प्रशासन पर वैश्वीकरण के प्रभाव के रूप में लिया जा सकता है।
9. आर्थिक जीवन पर वैश्वीकरण का नकारात्मक प्रभाव पड़ा है। आज समाज में अमीर और गरीब के बीच की खाई, पूर्व से अधिक बढ़ गई है, जिससे मानवीय मूल्यों का क्षय हो रहा है। ऐसी परिस्थिति में भारतीय प्रशासन के समक्ष विषम सामाजिक-आर्थिक जीवन को लेकर विभिन्न प्रकार की चुनौतियाँ उपस्थित हो गई हैं। आज प्रशासन के लिए यह आवश्यक हो गया है कि वह इस प्रकार के कार्यक्रमों का क्रियान्वयन करे कि वैश्वीकरण से समाज कुप्रभावित नहीं हो तथा मानवीय-मूल्यों का क्षय रूक जाए। भारतीय प्रशासन वैश्वीकरण के सन्दर्भ में आर्थिक नीतियों को निर्धारित और क्रियान्वित कर रहा है।
10. यदि वैश्वीकरण के प्रभाव में भ्रष्टाचार को बल मिला है, तो दूसरी ओर भ्रष्टाचार के बढ़ते हुए स्वरूप ने प्रशासनिक सुधार को अनिवार्य बना दिया है। भारतीय प्रशासन में विभिन्न प्रकार की समस्याएँ एवं चुनौतियाँ हैं, जिनके समाधान के लिए प्रशासनिक सुधार एक व्यापक, सकारात्मक तथा निरोधात्मक प्रक्रिया है। आज यह सर्वमान्य है कि वैश्वीकरण के कुप्रभाव से बचने के लिए प्रशासनिक सुधार को एक निरोधक साधन के रूप में अपनाया जा सकता है।

उपर्युक्त विश्लेषित तथ्यों से स्पष्ट है कि वैश्वीकरण ने भारतीय प्रशासन को व्यापक रूप से प्रभावित किया है एवं भारत में वैश्वीकरण का स्वरूप स्वयं भी भारतीय प्रशासन की संरचना एवं कार्यकरण से प्रभावित हुआ है।

विकास प्रशासन में गैर-राज्य कर्त्ताओं का आविर्भाव

विकास प्रशासन एक विशेष उद्देश्य की पूर्ति के लिए विशेष कार्यक्रम, एक उन्नयन की भावना तथा एक विशेष विचारधारा है। यह प्रशासन के स्थूल रूप से उतना सम्बन्धित नहीं जितना कि इसकी प्रकृति, दृष्टिकोण, व्यवहार, अभिव्यक्ति आदि से है।

विकास प्रशासन, प्रशासन की परिवर्तन-उन्मुखी प्रशासकीय आचरण से सम्बद्ध धारणा है। यह मात्र पारम्परिक प्रशासनिक कार्यों का अध्ययन नहीं है बल्कि यह विकास योजना और कार्यान्वयन के उपकरण के रूप में व्यवस्था के भीतर परिवर्तन की ओर उन्मुख है।

विकास प्रशासन पर विचार करते समय प्रशासन को नौकरशाही से पृथक् सोचने की आवश्यकता है। विकास प्रशासन में पेशेवर नौकरशाही

के अलावा प्रशासन में राजनीतिक प्रतिनिधि, हित समूह, नागरिक दबाब समूह को भी शामिल करना अनिवार्य हो जाता है। प्रशासन जितना अधिक जनता के नजदीक होगा विकास उतना ही अधिक तेजी से हो सकेगा। क्योंकि विकास कार्य में प्रशासन के बाह्य तत्वों या गैर-राज कर्त्ताओं का प्रभाव अधिक होता है, जो निम्नलिखित हैं:

1. **मीडिया की भूमिकाः** मीडिया का प्रशासन से घनिष्ठ रूप से सम्बन्ध है। लोकतंत्र में राजनेता योजनाओं को मीडिया के सामने ले जाता है जिसके माध्यम से नीतियों के पक्ष में माहौल तैयार करता है। नीतियों को सफल बनाने के लिए राजनेता मीडिया में जागरुकता पैदा करता है तथा प्रेरक बातों को प्रचारित करता है। नीतियों का विफल होना नेताओं की छवि को धूमिल करता है और उसकी लोकप्रियता में गिरावट आती है। अतः एक सफल राजनेता मीडिया की भूमिका एवं महत्ता को जानता है और अपनी नीतियों के क्रियान्वयन के लिए उसका उपयोग करता है।
2. **दबाव-समूहः** आजकल दबाव-समूह भी नीति-निर्माण में महत्वपूर्ण भूमिका निभाने लगे हैं। विभिन्न देशों में दबाव-समूह की शक्ति भिन्न-भिन्न होती है। दबाव-समूह का कार्य मुख्यतः नीतियों को प्रभावित करने की होती है। विशेष नीतिगत प्रश्न पर बहुत से समूह परस्पर विरोधी कार्य करते हैं जिससे नीति-निर्माताओं को विरोधी मांगों के बीच चयन करने की समस्या का सामना करना पड़ता है।
3. **राजनीतिक दलः** आधुनिक समाज में राजनीतिक दल सामान्यतः हित-समूहिकरण का कार्य करते हैं।
4. **नागरिक व्यक्ति के रूप में:** प्रजातान्त्रिक सरकारें प्रतिनिधि सरकारें होती हैं, अतः यह कहा जाता है कि नागरिक समस्त नीति-निर्माण प्रक्रिया में अप्रत्यक्ष रूप से सम्मिलित होते हैं।
5. **सामाजिक आन्दोलन की भूमिकाः** सामाजिक आन्दोलन उनके सदस्यों के संगठित हितों व दृष्टिकोणों के द्वारा सामने आते हैं।
6. **बोर्ड अथवा आयोगः** सलाहकारी आयोग सरकारी संस्थाओं के प्रत्यक्ष भाग नहीं होते हैं। सामान्यतः इसका कार्य संस्था के प्रधान को सलाह देना होता है। ये न तो नीतियों और न ही उत्तरदायित्व से सीधे बँधे होते हैं। ये अपनी सलाह देते हैं जिसे विभाग का प्रमुख स्वीकार या अस्वीकार कर सकता है।
7. **नीति आयोगः** यह मात्र सलाहकारी संस्था है तथा राज्य के प्रति उत्तरदायी नहीं होता है। इसका निर्माण कार्यपालिका द्वारा किया गया है लेकिन यह उच्च अधिकार प्राप्त संस्था है। यह आयोग नीतियाँ बनाने एवं क्रियान्वयन दोनों का कार्य करता है।

लोक-निजी सहभागिता

हेनरी फेयोल, एम.पी. फॉलेट तथा एल. उर्विक जैसे-जैसे कुछ विचारक मानते हैं कि सभी प्रकार के प्रशासन एक जैसे होते हैं। सबकी आधारभूत विशेषताएँ एक समान होती हैं। फेयोल का मानना है कि लोक तथा निजी दोनों ही प्रशासनों में बहुत-सी बातें समान हैं। दोनों में अन्तर मात्रा का है, प्रकार का नहीं। लेकिन दोनों प्रशासन स्वभाव में कुछ भिन्न प्रकृति के होते हैं।

लोक प्रशासन कठोरतापूर्वक विधिक सीमा के अन्तर्गत इस रीति से कार्य करता है कि इसे सामान्य जनता का विश्वास प्राप्त हो सके। सरकारी अधिकारी निजी व्यापार के कर्मचारी की अपेक्षा कुछ सामान्य तथा विशिष्ट नियमों के अधीन कार्य करता है जिससे उसके कार्य की व्यक्तिगत स्वतंत्रता सीमित हो जाती है। उसके निर्णय व्यापार में लगे अधिकारी की अपेक्षा अधिक व्यापक तथा महत्व के होते हैं।

लोक प्रशासन में लाभ के उद्देश्य का सर्वथा अभाव होता है। इसके लक्ष्य प्रत्यक्षतः सामुदायिक या सार्वजनिक होते हैं। इसके विपरीत लाभ प्राप्त करने का उद्देश्य ही निजी प्रशासन की प्रेरक शक्ति है, न कि परोपकार।

एफ.ए. नीग्रो के अनुसार लोक प्रशासन का वास्तविक हृदय "जनता की सेवा" है जो कि लोक प्रशासन द्वारा की जाती है जबकि निजी प्रशासन कुछ सीमित और विशिष्ट क्षेत्रों में ही कार्यरत है।

आर्थिक उदारीकरण तथा वैश्वीकरण के परिणामस्वरूप दोनों प्रशासन के मध्य अन्तर कम होते जा रहे हैं। जहाँ निजी प्रशासन का विस्तार हो रहा है वहीं लोक प्रशासन में छँटनी हो रही है। एक विचार है कि नयी विचारधारा में लोक प्रशासन सिकुड़ता जाएगा और रिक्त स्थान को निजी प्रशासन भरेगा। आज उदारीकरण में लोक प्रशासन में निजी प्रशासन का प्रयोग किया जा रहा है तथा निजी प्रशासन में भी लोक प्रशासन का उपयोग बढ़ा है।

नियंत्रण एवं कठोरता के स्थान पर उदारता बरतना ही उदारीकरण कहलाता है। यह छूट अर्थव्यवस्था में प्रयोग हो तो आर्थिक उदारीकरण कहलाता है। यही प्रयोग प्रशासन में हो तो प्रशासनिक उदारीकरण कहा जा सकता है या नवीन प्रशासन कहते हैं। निजीकरण से अभिप्राय आर्थिक क्रियाओं में सरकारी हस्तक्षेप में कमी तथा प्रेरणा, प्रतिस्पर्धा, पर आधारित निजी क्षेत्र को प्रोत्साहन किया जाए। सरकारी खजाने पर बोझ बन चुके अलाभकारी सरकारी प्रतिष्ठान को विक्रय अथवा विनिवेश के माध्यम से निजी स्वामित्व एवं नियंत्रण को सौंप दिया जाए। अन्तर्राष्ट्रीय अनुभव से पता चलता है कि निजीकरण करना या निजी क्षेत्र का सहयोग लेना उत्पादक और लाभदायक है। इससे एक नागरिक के जीवन में सरकार का दखल कम हो जाता है। ग्राहकों को कम लागत पर वेहतर सुविधाएं और धन का बेहतर मूल्य मिलता है। इससे सरकार के प्रशासनिक और वित्तीय बोझ कम हुए हैं तथा कार्यकुशलता एवं उत्पादकता में वृद्धि हुई है।

लोक-निजी सहभागिता द्वारा किसी योजना को हाथ में लेते हैं और साझेदार ही तरह मिलजुलकर उसका क्रियान्वयन करते हैं। इसे PPP अथवा (P-3) भी कहते हैं। लोक-निजी सहभागिता उद्यमों के संचालन की दृष्टि से नया प्रारूप है। अनेक देशों में सार्वजनिक क्षेत्र द्वारा प्रदान की जाने वाली पारम्परिक सेवाओं को अब निजी क्षेत्र की सहभागिता से संचालित किया जा रहा है।

भारत में वास्तविक रूप से लोक-निजी सहभागिता की शुरुआत नई संचार नीति व इलेक्ट्रिसिटी बिल 2003 के बाद शुरू हुआ है। नयी संचार नीति ने देश में एक क्रांति का सूत्रपात किया। संचार के अलावा सड़क यातायात क्षेत्र में स्वर्णिम-चतुर्भुज राष्ट्रीय पथ योजना का जयपुर-किशनगढ़ खण्ड, ठेके में पारदर्शी अनुबन्ध के चलते सार्वजनिक निर्माण कार्य में निजी भागीदारी की बेहतरीन मिसाल है। इस प्रकार के अनुबन्ध विश्वस्तरीय कम्पनियों के फण्ड व उनके तकनीकी कौशल को सड़क, बन्दरगाह, हवाई अड्डे, बडे पुलों के निर्माण व कंटेनर रेलगाड़ियों के संचालन के लिए रास्ता खोलने वाले हैं।

ये कम्पनियाँ 'बनाओ-चलाओ और सरकार को सुपुर्द कर दो' यानी बी.ओ.टी. पद्धति (बिल्ट-ऑपरेट एण्ड ट्रांसफर) पर बड़े से बड़े निर्माण कार्यों को अपने हाथों में लेकर, लागत निकालने व वाजिब मुनाफा लेने के पश्चात पन्द्रह से तीस वर्षों में सरकार को स्थानान्तरित कर देगी।

निगमित सामाजिक उत्तरदायित्व

लोक प्रशासन आधुनिक समाज का आवश्यक अंग है। वर्त्तमान में लोक प्रशासन मानव जीवन की असंख्य आवश्यकताओं को पूरा करता है जैसे– शिक्षा, स्वास्थ्य, मनोरंजन, स्वच्छता, सामाजिक सुरक्षा आदि कार्य को पूरा करता है। इसकी विषयवस्तु सकारात्मक है और सुखी जीवन के लिए आवश्यक है। यह सृजनात्मक भी है क्योंकि इसका उद्देश्य 'मानव कल्याण' है।

प्रो. डब्लू.बी. डोनहैम के अनुसार यदि आधुनिक मानव सभ्यता का पतन हुआ तो मुख्यतः प्रशासन की असफलता के कारण होगा। भारत जैसे विकासशील देशों के लिए, जो निर्धनता, गन्दगी तथा रोगों से स्वयं को मुक्त करके सुख-समृद्धि के सामान्य स्तर तक आने के लिए तेजी से प्रगति कर रहा है। लोक प्रशासन वह साधन या यन्त्र है जिसके द्वारा समाज में परिवर्तन लाये जाते हैं। इसीलिए इसे 'सामाजिक परिवर्तन का यन्त्र' माना जाता है। अतः लोक प्रशासन एक ''नैतिक कार्य है और प्रशासक एक नैतिक अभिकर्त्ता।''

आधुनिक राज्य जिन कार्यों का सम्पादन करता है उसकी विभिन्नता, संख्या एवं जटिलता में असाधारण वृद्धि हुई है। यह विस्तार इतना अधिक हुआ है कि लोक प्रशासन सारे कार्यों को करने में अपने को असमर्थ पाता है। कार्य तो अधिक है पर प्रशासनिक क्षमता कम। अतः राज्य आधुनिक समय में लोक प्रशासन के कार्यों को निजीकरण एवं वैश्वीकरण के माध्यम से निजी प्रशासन से सम्पादित करवा रहा है। आर्थिक गतिविधियों में निजी क्षेत्र की भूमिका में उतरोत्तर वृद्धि हो रही है। आर्थिक क्षेत्र में सरकारी हस्तक्षेप कम होता जा रहा है। अलाभकारी सरकारी प्रतिष्ठानों को विक्रय या विनिवेश के माध्यम से निजी स्वामित्व एवं नियंत्रण को सौंपा जा रहा है।

लोक कल्याणकारी राज्य में लोक प्रशासन भी लोक कल्याणकारी चरित्र का होता है। लेकिन लोक प्रशासन अपनी क्षमता, कार्यकुशलता को बढ़ाने के लिए निजीकरण को अपना रहा है। ऐसे में निजी प्रशासन जनता के प्रति उत्तरदायी एवं लोक कल्याणकारी स्वरूप को अपना नहीं पाता है। ऐसे में निगमित सामाजिक उत्तरदायित्व की आवश्यकता को महसूस किया जा रहा है ताकि राज्य अपने लोक कल्याणकारी स्वरूप को बनाये रखे। राज्य के लोक कल्याणकारी कार्य के लिए वित्त का प्रबंध टैक्स एवं निगमों के माध्यम से ही होता है। निगमों का निजीकरण एवं विनिवेशीकरण होने से राज्य के पास वित्त स्रोत एवं शक्ति में कमी आ रही है। ऐसे में आवश्यक है कि निगमों पर कल्याणकारी कार्यों की जिम्मेदारी सीमित मात्रा में हस्तांतरण किया जा सके। अतः आज निगमित सामाजिक उत्तरदायित्व की आवश्यकता है।

मानव विकास संकेतांक तथा सामाजिक अंकेक्षण (Human Development Indicators and Social Audit)

सामाजिक अंकेक्षण

लोकतांत्रिक शासन प्रणाली में लोक प्रशासन का उद्देश्य जनता की सेवा करना है। लोकतांत्रिक कल्याणकारी राज्य की अवधारणा के प्रति वचनबद्धता के साथ जिम्मेदारियाँ बढ़ती जा रही हैं। लोकतांत्रिक कल्याणकारी राज्य की अवधारणा नागरिक केन्द्रित शासन से जुड़ी हुई है। नागरिक-केन्द्रित शासन उत्तम शासन का आधार है।

नागरिक केन्द्रित शासन की परिकल्पना तभी साकार हो सकती है जब शासन में सामाजिक अंकेक्षण को शामिल किया जाए। सामाजिक अंकेक्षण से तात्पर्य है किसी उद्योग या कार्यक्रम के सामाजिक दायित्वों के प्रति कार्यकलापों की समीक्षा करना।

उद्योगों का समाज के प्रति दायित्व है। कल्याणकारी राज्य में निजीकरण लागू होने के बाद निगम केवल लाभ कमाकर ही अपना दायित्व पूरा नहीं कर सकते हैं। जिस समाज में निगम का अस्तित्व है, उसके प्रति उनका पूरा योगदान होना चाहिए। सामाजिक अंकेक्षणकर्त्ता यह देखता है कि उद्योग या कार्यक्रम से जनता को कितना लाभ हुआ, उत्पादन की गुणवत्ता किस सीमा तक रही, पर्यावरण संरक्षण में उद्योग, निगम की क्या भूमिका रही। स्वच्छ वातावरण बना रहा अथवा नहीं, उपभोक्ताओं को उत्तम वस्तु प्रदान करना, रोजगार के अवसरों में वृद्धि करना आदि।

लेखांकन का आशय है सभी प्रकार के वित्तीय लेन देन का सुव्यवस्थित एवं लिखित रूप से हिसाब रखना। किसी भी देश के कुशल वित्तीय प्रशासन के लिए आवश्यक है कि सार्वजनिक धन का समुचित लेखे रखे जाएं। शासकीय धन के दुरुपयोग को समाप्त करने के लिए सामाजिक लेखांकन आवश्यक हो जाता है।

ब्रिटेन ऐसा प्रथम देश था जिसने सार्वजनिक लेखाओं के लेखा-परीक्षण की विधि का विकास किया था। उस समय इसका उद्देश्य मात्र यह देखना था कि संसद के आदेशों का पालन किया जाता है या नहीं। लेकिन तब से अब तक लेखा परीक्षण का विकास हो चुका है। अब लेखा परीक्षण में सामाजिक लेखा-परीक्षण को महत्वपूर्ण माना जाता है।

भारत सरकार ने महात्मा गांधी राष्ट्रीय ग्रामीण रोजगार गारण्टी अधिनियम को कार्यान्वित किया है, जिसका प्रमुख लक्षण सामाजिक लेखा परीक्षा है।

सामाजिक लेखा परीक्षा द्वारा जवाबदेयता, पारदर्शिता एवं निगरानी तन्त्र को सुदृढ़ किया गया है ताकि कार्यक्रम के क्रियान्वयन में भ्रष्टाचार न हो।

सामाजिक लेखा परीक्षा करने वाले समूह स्थान-स्थान पर जाकर देखते हैं कि कितनी राशि खर्च हुई, उस राशि के अनुपात में कार्य सम्पन्न हुआ अथवा नहीं? कितने श्रमिक कार्य कर रहे हैं? उनको नियमानुसार मजदूरी का भुगतान हुआ अथवा नहीं? सामाजिक लेखा परीक्षा करने वाले समूह में ग्राम सभा, पंचायत, स्वयंसेवी संगठन के प्रतिनिधि आदि शामिल किये जाते हैं।

सामाजिक लेखा-परीक्षण के उद्देश्य निम्नलिखित हैं:

1. फिजूल खर्ची एवं अपव्यय को रोकना।
2. धन खर्च करते समय वित्तीय औचित्य को ध्यान में रखना।
3. प्रशासन द्वारा व्यय नियमानुसार हुआ है या नहीं?
4. धन का व्यय बुद्धिमत्तापूर्ण ढंग से हुआ है या नहीं? आदि।

मानव विकास संकेतांक

आर्थिक वृद्धि और विकास को मापने के लिए अलग-अलग अर्थशास्त्रियों ने विभिन्न तरीकों के प्रस्ताव रखे हैं। आर्थिक घटनाओं के कुछ प्रमुख सूचकांक इस प्रकार हैं:

मानव विकास सूचकांक

वर्ष 1990 में संयुक्त राष्ट्र विकास कार्यक्रम से जुड़े अर्थशास्त्री महबूब-उल-हक, उनके सहयोगी अमर्त्य सेन एवं अन्य लोगों द्वारा मानव विकास सूचकांक (Human Development Index, HDI) का निर्माण किया गया, जिसका प्रकाशन मानव विकास रिपोर्ट में वर्ष 1990 से निरन्तर किया जाता रहा है।

मानव विकास सूचकांक के आयाम

मानव विकास सूचकांक के तीन आयाम हैं–जीवन प्रत्याशा सूचकांक, शिक्षा प्राप्ति सूचकांक तथा रहन-सहन स्तर का औसत सूचकांक। इस सूचकांक के तीनों आयामों को इस प्रकार स्पष्ट करते हैं:

- **जीवन प्रत्याशा सूचकांकः** प्रतिवर्ष संयुक्त राष्ट्र विकास कार्यक्रम द्वारा मानव विकास सूचकांक के आधार पर मानव विकास रिपोर्ट प्रकाशित की जाती है। इसमें जन्म के समय जीवन प्रत्याशा सूचकांक (Life Expectancy Index, LEI) को स्वास्थ्य का सूचक माना जाता है।
- **शिक्षा प्राप्ति सूचकांकः** ज्ञान या शैक्षणिक प्राप्ति सूचकांक (Educational Attainment Index, EAI) के मापन हेतु वयस्क साक्षरता तथा संयुक्त नामांकन अनुपात (प्राथमिक, माध्यमिक तथा उच्च शिक्षा में नामांकन) का उपयोग किया जाता है। यह सूचकांक स्कूलावधि के अनुमानित वर्ष और स्कूलावधि के औसत वर्ष के माध्यम से निकाला जाता है। इस सूचकांक में बालिग साक्षरता (Adult Literacy Rate, ALR) को दो-तिहाई भार तथा संयुक्त नामांकन अनुपात (Combined Enrolment Ratio, CER) को एक-तिहाई भार दिया जाता है।
- **रहन-सहन स्तर सूचकांकः** इसे मापने हेतु प्रतिव्यक्ति सकल देशीय उत्पाद को आधार बनाया गया है, जिससे जीवन स्तर प्रभावित होता है। रहन-सहन स्तर सूचकांक (Standard of Living Index, SLI) का आकलन आय के स्तर एवं क्रय शक्ति क्षमता (Purchasing Power Parity, PPP) के आधार पर किया जाता है। यह सूचकांक क्रय शक्ति क्षमता आधारित सकल राष्ट्रीय आय से प्राप्त होता है, इसलिए इसे सकल घरेलू उत्पाद सूचकांक भी कहते हैं।

इन तीनों सूचकांकों को विभिन्न पैमानों पर मापते हुए 0 से 1 के पैमाने पर मानव विकास सूचकांक का निर्माण किया जाता है। इसका अधिकतम मूल्य 1 के बराबर होता है। जिस देश का मान 1 से जितना ज्यादा समीप होता है, उसे उतना ऊँचा मानव विकास वाला देश माना जाता है।

मानव विकास सूचकांक = 1/3 (जीवन प्रत्याशा सूचकांक + शिक्षा प्राप्ति सूचकांक + रहन सहन स्तर सूचकांक)

मानव विकास सूचकांक का मूल्य के आधार पर वर्गीकरण

- अत्यधिक उच्च मानव विकास वाले देश = 0.800 और अधिक
- उच्च मानव विकास वाले देश = 0.701 से 0.800
- मध्यम मानव विकास वाले देश = 0.550 से 0.701
- निम्न मानव विकास वाले देश = 0.352 से 0.550

मानव विकास सूचकांक के प्रकार

- **असमानता समायोजित मानव विकास सूचकांकः** असमानता समायोजित मानव विकास सूचकांक (Inequality Adjusted Human Development Index, IHDI) किसी देश के मानव विकास सूचकांक के तीन घटकों पर औसत प्रदर्शन से अलग जाते हुए उसी देश के नागरिकों में उन तीनों घटकों की विभाजन में व्याप्त असमानता को दर्शाता है। इसे प्रतिशत में व्यक्त करते हैं।
- **लिंग आधारित असमानता सूचकांकः** लिंग आधारित असमानता सूचकांक (Gender Inequality Index, GII) ज्ञात करने के लिए उन्हीं तीन सूचकांकों का प्रयोग किया जाता है, जिनका HDI में प्रयोग किया गया है। इस सूचकांक से पुरुष तथा महिला की सामाजिक, सांस्कृतिक एवं आर्थिक स्थिति का अध्ययन किया जाता है। यह शून्य (जब महिलाओं और पुरुषों में न्यून असमानता हो) और एक (जब पुरुषों और महिलाओं में एक-दूसरे की तुलना में सभी आयामों में खराब प्रदर्शन हो) के बीच बदलता रहता है।

  लिंग आधारित विकास सूचकांक = 1/3 (जीवन प्रत्याशा सूचकांक + शिक्षा सूचकांक + सकल घरेलू उत्पाद सूचकांक)।

- **बहुआयामी निर्धनता सूचकांकः** बहुआयामी निर्धनता सूचकांक (Multidimensional Poverty Index, MPI) का विकास वर्ष 2010 में संयुक्त राष्ट्र विकास कार्यक्रम एवं ऑक्सफोर्ड निर्धनता एवं मानव विकास की पहल पर हुआ।

  बहुआयामी निर्धनता सूचकांक निर्धनता मापन के लिए कई मानकों का प्रयोग करता हैं, जिसमें प्राथमिक शिक्षा, कुपोषणता, शिशु मृत्यु दर, बिजली की उपलब्धता, स्वच्छ पेयजल की उपलब्धता आदि को सम्मिलित किया जाता है।

- **लिंग आधारित विकास सूचकांकः** मानव विकास रिपोर्ट, 2014 में इसका उल्लेख किया गया है। लिंग सशक्तीकरण माप (Gender Development Index, GDI) में महिलाओं के अधिकार के स्थान पर उन्हें उपलब्ध अवसरों को महत्व दिया जाता है। इसके अन्तर्गत निर्णयन क्षमता एवं राजनीतिक भागीदारी, आर्थिक भागीदारी एवं निर्णय लेने सम्बंधी एवं आर्थिक संसाधनों पर अधिकार, जिसे स्त्रियों तथा पुरुषों द्वारा अर्जित आय के माध्यम से मापा जाता है।

बहुविकल्पीय प्रश्नोत्तर

1. निम्नलिखित में से किसने लोक प्रशासन द्वारा सामाजिक रूप से स्थापित संबंध-प्रक्रिया, संवाद और कार्यवाही को सभी मानवीय उन्नयन को प्रोत्साहन देने के बारे में विचार किया?

A. नव लोक प्रशासन B. नव लोक प्रबंधन
C. II मिन्नोब्रुक सम्मेलन D. III मिन्नोब्रुक सम्मेलन

2. फ्रांस के पंचम गणराज्य का संविधान वर्ष .... में अंगीकार किया गया था।

A. 1946 B. 1953
C. 1956 D. 1958

3. निम्नलिखित में से यूनाइटेड किंग्डम के कौन-से एक स्तरीय स्थानीय निकाय हैं?

(*a*) लंदन बोरोज
(*b*) कंट्री काउंसिल्स
(*c*) मेट्रोपोलिटन बोरोज
(*d*) सिटी या डिस्ट्रिक्ट काउंसिल्स

नीचे दिए गए विकल्पों में से सबसे उपयुक्त उत्तर का चयन कीजिए :

A. केवल (*a*), (*b*) B. केवल (*a*), (*c*)
C. केवल (*a*), (*b*), (*d*) D. केवल (*b*), (*c*), (*d*)

4. फ्रेंच में लिखी हेनरी फेयोल की उत्कृष्ट पुस्तक 'एडमिनिस्ट्रेशन एण्ड इन्डस्ट्रियल एट जेनरल' (Administration and Industrielle et Generale) का अनुवाद स्टोरस द्वारा इस नाम से किया गया था।

A. Geneal and Industrial Management
B. General and Industrial Administration
C. General Administration and Industrial Management
D. Industrial Administration and General Management

5. फ्रेड रिग्स ने अपनी प्रारंभिक कृति 'प्रिज्मेटिक सोसाइटी रिविजिटेड' में निम्नलिखित में से किस पर चर्चा नहीं की है?

A. विकसित समाज
B. संरचनात्मक प्रकार्यवाद
C. नागरिक भागीदारी का महत्व
D. विभेदीकरण और एकीकरण की आवश्यकता

6. निम्नलिखित में से कौन-सा कथन 'ड्रॉयट एडमिनिस्ट्रेटिफ' से संबंधित नहीं है?

A. फ्रांसीसी प्रशासनिक कानून को 'ड्रायट एडमिनिस्ट्रेटिफ' के नाम से जाना जाता है
B. यह नियमों का एक ढाँचा है, जो लोक प्रशासन के संगठन, शक्ति और कर्तव्यों को निर्धारित करता है
C. यह संसद द्वारा अधिनियमित नियम और सिद्धांत का प्रतिनिधित्व करता है
D. यह नागरिकों के साथ प्रशासन के संबंध का विनियमन करता है

7. निम्नलिखित में से कौन-से कथन सही हैं :

(*a*) भारतीय संविधान का अनुच्छेद-23 मानव और भिखारियों की तस्करी को निषिद्ध करता है।
(*b*) राष्ट्रीय महिला सशक्तिकरण मिशन वर्ष 2010 में प्रारंभ किया गया था।
(*c*) सरकार ने 2014 में वृद्ध व्यक्तियों के लिए एक राष्ट्रीय नीति घोषित की थी।
(*d*) कल्याण मंत्रालय की स्थापना 1985 में की गई थी।

नीचे दिए गए विकल्पों में से सबसे उपयुक्त उत्तर का चयन कीजिए :

A. (*a*), (*b*), (*c*) और (*d*)
B. केवल (*a*), (*b*) और (*c*)
C. केवल (*a*), (*b*) और (*d*)
D. केवल (*b*), (*c*) और (*d*)

8. सूची-I के साथ सूची-II का मिलान कीजिए :

सूची-I (विचारक)	सूची-II (नौकरशाही के लिए प्रयुक्त होनेवाले शब्द)
(*a*) वेबलन	(*i*) ब्यूरो युक्तसंगतता
(*b*) विक्टर थॉमसन	(*ii*) व्यावसायिक मनोविकृति
(*c*) दिवे	(*iii*) ब्यूरो-विकृति विज्ञान
(*d*) एफ.डब्ल्यू. रिग्स	(*iv*) असामर्थ्य में प्रशिक्षित

नीचे दिए गए विकल्पों में से सही उत्तर का चयन कीजिए :

	(a)	(b)	(c)	(d)
A.	(iii)	(ii)	(i)	(iv)
B.	(iv)	(iii)	(ii)	(i)
C.	(ii)	(i)	(iii)	(iv)
D.	(i)	(iv)	(ii)	(iii)

9. निम्नलिखित में से कौन-सी सतत विकास की विशेषताएँ हैं?

(a) स्थानीय संसाधनों का उपयोग

(b) पर्यावरणीय विविधता का संरक्षण

(c) सामाजिक न्याय

(d) भौगोलिक समानता

नीचे दिए गए विकल्पों में से सबसे उपयुक्त उत्तर का चयन कीजिए :

A. (a), (b), (c) और (d)

B. केवल (a), (c) और (d)

C. केवल (b), (c) और (d)

D. केवल (a), (b) और (d)

10. निम्नलिखित संस्थानात्मक स्तरों को अवरोही क्रम में व्यवस्थित कीजिए:

(a) सर्जन करना (b) विश्लेषण करना

(c) मूल्यांकन करना (d) अनुप्रयोग करना

नीचे दिए गए विकल्पों में से सही उत्तर का चयन कीजिए :

A. (a), (b), (c), (d) B. (a), (c), (b), (d)

C. (d), (c), (a), (b) D. (b), (a), (c), (d)

11. शून्य-जीवाश्म ईंधन ऊर्जा पर आधारित सिद्धांत-शून्य अपशिष्ट और शून्य उत्सर्जन को क्या कहा जाता है?

A. हरित शहरीकरण B. बुद्धिमत्तापूर्ण शहरीकरण

C. संतुलित शहरीकरण D. विकसित शहरीकरण

12. कल्याणकारी राज्य उद्‌भव का मुख्य कारण है :

A. प्रथम विश्व युद्ध B. आर्थिक महामंदी

C. फ्रांसीसी क्रांति D. रूसी क्रांति

13. वी.ए. ग्राइकुनास का प्रबंधन/नियंत्रण के विस्तार का सिद्धांत आधारित था :

A. समस्त संगठनात्मक संरचना B. गणितीय गणना

C. अनुभवमूलक अध्ययन D. व्यावहारिक अनुभव

14. निम्नलिखित में से कौन-सी सहभागितापूर्ण प्रबंधन की चारित्रिक विशेषता है?

A. पदानुक्रम संरचना B. ऊर्ध्व संप्रेषण

C. दिशाविहीन गतिविधियाँ D. संकर-कार्यात्मक संबंध

15. तुलनात्मक लोक प्रशासन आंदोलन को किसने 'आत्मचेतन आंदोलन' कहा है?

A. फ्रेड रिग्स B. जॉन मॉंटगोमरी

C. ड्वाइट वाल्डो D. मार्टिन लैंडो

16. प्रशासनिक तंत्रों और प्रक्रियाओं के तुलनात्मक अध्ययनों में निम्नलिखित में से कौन-सा कारक सार्थक है?

A. प्रशासनिक संरचना परतंत्र चर है।

B. शक्ति परतंत्र चर है।

C. प्रशासनिक आचरण एक स्वतंत्र चर है।

D. परतंत्र/स्वतंत्र चर शोध समस्या की प्रकृति पर निर्भर करते हैं।

17. निम्नलिखित में से कौन-सी किसी सरकारी कंपनी की मुख्य विशेषता नहीं है?

A. कार्यपालिका के निर्णय द्वारा बनाई गई

B. ज्ञापन और नियमों द्वारा नियंत्रित

C. सेवा का उद्देश्य

D. स्वतंत्र संचालन मंडल द्वारा प्रबंधित

18. निम्नलिखित में से कौन-सा सिद्धांत लोक प्रशासन और निजी प्रशासन के अंतर को स्पष्ट करता है?

(a) एकरूपता का सिद्धांत

(b) पदसोपान का सिद्धांत

(c) उत्तरदायित्व का सिद्धांत

(d) कानूनी सत्ता का सिद्धांत

नीचे दिए गए विकल्पों में से सही उत्तर का चयन कीजिए :

A. केवल (a), (b) और (d)

B. केवल (a), (c) और (d)

C. (a), (b), (c) और (d)

D. केवल (b), (c) और (d)

19. विकास प्रशासन के विकास को निम्नलिखित में से किसने प्रभावित किया?

(a) विश्वव्यापी महामंदी

(b) वैज्ञानिक प्रबंधन आंदोलन

(c) न्यू डील का दर्शन

(d) द्वितीय विश्व युद्ध के उपरांत पुनर्निर्माण

नीचे दिए गए विकल्पों में से सही उत्तर का चयन कीजिए :

A. केवल (a), (b) और (c)

B. केवल (b), (c) और (d)

C. केवल (a), (c) और (d)

D. केवल (a), (b) और (d)

20. फ्रेड रिग्स के अनुसार 'इडियोग्राफिक' उपागम इस पर ध्यान केंद्रित करते हैं :

(a) विशिष्ट मामला

(b) व्यक्ति अध्ययन

(c) सामान्यीकरण

नीचे दिए गए विकल्पों में से सही उत्तर का चयन कीजिए :

A. केवल (a) B. केवल (b)

C. केवल (a) और (b) D. केवल (b) और (c)

21. 'तुलनात्मक सरकार' के सम्बन्ध में परंपरागत साहित्य ने इन पर ध्यान केंद्रित किया :
(*a*) चुनाव तंत्र
(*b*) केंद्रीय प्रशासकीय तंत्र
(*c*) दबाव समूह
(*d*) लोक वित्त
नीचे दिए गए विकल्पों में से सही उत्तर का चयन कीजिए :
A. (*a*) और (*b*) B. (*b*) और (*c*)
C. (*b*) और (*d*) D. (*c*) और (*d*)

22. "डेवलपमेंट एडमिनिस्ट्रेशन इन एशिया" नामक पुस्तक के लेखक हैं :
A. विलियम सिफिन B. एडवर्ड वीडनर
C. रॉल्फ ब्रेबैंटी D. मिल्टन एस्मन

23. अमेरिकी संविधान की सर्वाधिक महत्वपूर्ण विशेषताओं में से एक है :
A. राष्ट्रपति का कार्यालय B. एयरफोर्स वन
C. वाणिज्य विभाग D. चेक्स एंड बैलेन्सेस

24. 'गेरीमेंडरिंग' किस देश से संबंधित है?
A. कनाडा B. अमेरिका
C. ब्रिटेन D. नॉर्वे

25. निम्नलिखित में से कौन-सी एक स्कीम केन्द्रीय महिला व बाल कल्याण मंत्रालय द्वारा आरंभ की गई महिला सशक्तिकरण स्कीम नहीं है?
A. निर्भया
B. स्वाधार गृह
C. किशोर बालिकाओं के लिए स्कीम
D. कामकाजी महिला हॉस्टल

26. माता-पिता और वरिष्ठ नागरिकों के भरण-पोषण तथा कल्याण अधिनियम संसद द्वारा किस वर्ष में पारित किया गया था?
A. 2004 B. 2006
C. 2007 D. 2009

27. फ्रांसीसी प्रशासनिक विधि को निम्नलिखित में से किस रूप में जाना जाता है?
A. प्राकृतिक न्याय B. ड्रॉइट एडमिनिस्ट्रेटिफ
C. संवैधानिक विधि D. संसदीय विधि

28. निम्नलिखित में से किसने राजनीति-प्रशासन द्विभाजन का विरोध किया?
(*a*) शास्त्रीय विचारधारा
(*b*) लोक चयन सिद्धांत
(*c*) उत्तर-आधुनिक विचारधारा
(*d*) आलोचनात्मक सिद्धांत
नीचे दिए गए विकल्पों में से सर्वाधिक उपयुक्त उत्तर चुनिए :
A. केवल (*a*) और (*b*) B. केवल (*a*) और (*c*)
C. केवल (*a*) और (*d*) D. केवल (*b*), (*c*) और (*d*)

29. लोक प्रशासन के वैज्ञानिक उपागम की विशेषता है :
(*a*) एकरूपी ज्ञान
(*b*) एकल विषयात्मकता
(*c*) प्रत्यक्षवादी
(*d*) शब्दार्थ मीमांसीय
नीचे दिए गए विकल्पों में से सर्वाधिक उपयुक्त उत्तर चुनिए :
A. केवल (*a*), (*b*) और (*c*) B. केवल (*b*), (*c*) और (*d*)
C. केवल (*a*), (*c*) और (*d*) D. केवल (*a*), (*b*) और (*d*)

30. फ्रेड रिग्स के अनुसार 'क्लेक्ट' की विशेषताओं में निम्नांकित शामिल हैं :
(*a*) यह एक समपार्श्वीय समूह है।
(*b*) यह संगठन की पारंपरिक संबद्धात्मक प्रणालियों का उपयोग करता है।
(*c*) यह संक्रांतिक प्रकार के विसृत और अनन्य लक्ष्यों को धारण किए रहता है।
(*d*) यह सदैव लोकहित के संरक्षण हेतु शक्ति प्राप्त करने का प्रयास करता है।
नीचे दिए गए विकल्पों में से सही उत्तर चुनिए :
A. केवल (*a*) और (*b*) B. केवल (*b*) और (*c*)
C. केवल (*c*) और (*d*) D. केवल (*a*) और (*c*)

31. तुलनात्मक लोक प्रशासन के संबंध में निम्नांकित में से क्या-क्या सही हैं?
(*a*) यह परा-सांस्कृतिक, पर-सास्थानिक और परा-राष्ट्रीय प्रकृति का है।
(*b*) इसने प्रांतवाद और क्षेत्रवाद की संकीर्णता के उन्मूलन में सहायता प्रदान की है।
(*c*) यह प्रयोगकर्ता-उन्मुख है।
(*d*) यह ज्ञान मात्र के लिए ज्ञान प्राप्त करना चाहता है।
नीचे दिए गए विकल्पों में से सही उत्तर चुनिए :
A. केवल (*a*), (*b*) और (*c*) B. केवल (*b*), (*c*) और (*d*)
C. केवल (*a*), (*b*) और (*d*) D. केवल (*a*), (*c*) और (*d*)

32. फ्रेड रिग्स के अनुसार, निम्नांकित में से कौन-सी विशेषताएँ कृषक समाज की हैं?
(*a*) लाभप्राप्ति मूल्य, मुक्त प्रतिमान, अल्प स्थानिक गतिशीलता और जटिल सामाजिक स्तरीकरण।
(*b*) आरोपित मूल्य, मुक्त प्रतिमान, उच्च स्थानिक गतिशीलता और जटिल सामाजिक स्तरीकरण।
(*c*) आरोपित मूल्य, बन्द प्रतिमान, अल्प स्थानिक गतिशीलता और सरल सामाजिक स्तरीकरण।
(*d*) लाभप्राप्ति मूल्य, बन्द प्रतिमान, उच्च स्थानिक गतिशीलता और सरल सामाजिक स्तरीकरण।
नीचे दिए गए विकल्पों में से सही उत्तर चुनिए :
A. केवल (*a*) और (*b*) B. केवल (*b*) और (*d*)
C. केवल (*c*) D. केवल (*a*) और (*d*)

33. निम्नलिखित में से कौन-से कार्यक्रम वित्तीय समावेशन कार्यक्रम का हिस्सा हैं?

(*a*) प्रधानमंत्री जन-धन योजना

(*b*) अटल पेंशन योजना

(*c*) मुद्रा योजना

(*d*) प्रधानमंत्री सुरक्षा बीमा योजना

नीचे दिए गए विकल्पों में से सर्वाधिक उपयुक्त उत्तर चुनिए :

A. केवल (*a*) और (*b*)

B. केवल (*b*) और (*c*)

C. केवल (*a*) और (*c*)

D. केवल (*b*) और (*d*)

34. प्रतिसंवेदी प्रशासन की विशिष्टताओं के संबंध में निम्नलिखित में से कौन-से सही हैं?

(*a*) यह एक राजनीतिक अवधारणा है और इसका एक सुनिश्चित अर्थ है।

(*b*) यह एक सूक्ष्म स्तरीय अवधारणा है जिसकी साख और वैधता देश के लोक प्रशासन की परिदान व्यवस्था से उत्पन्न होती है।

(*c*) यह प्रशासनिक कार्य व्यवहार में नागरिक-संप्रभुत्ता को स्पष्ट रूप से स्वीकार करता है।

(*d*) लोक प्रशासन में यह प्रत्यक्ष रूप से एक नैतिक अवधारणा है।

नीचे दिए गए विकल्पों में से सही उत्तर चुनिए :

A. केवल (*a*), (*b*) और (*c*)

B. केनल (*b*), (*c*) और (*d*)

C. केवल (*a*), (*b*) और (*d*)

D. केवल (*a*), (*c*) और (*d*)

35. सूची-I को सूची-II के साथ सुमेलित कीजिए :

सूची-I (लोक प्रशासन में परिवर्धन)	**सूची-II (विशिष्टताएँ)**
(*a*) नव लोक प्रशासन	(*i*) आउटसोर्सिंग के माध्यम से सरकार के कार्यों को कम करना
(*b*) नव लोक प्रबंधन	(*ii*) भिन्न-भिन्न देशों में विकास के सामाजिक- सांस्कृतिक संदर्भ
(*c*) लोक शासन के सिद्धांत	(*iii*) नियामक और ग्राहक-उन्मुखी
(*d*) तुलनात्मक लोक प्रशासन	(*iv*) सार्वजनिक सेवाएं प्रदान करने के लिए नगर-समाज और एजेंसियों के नेटवर्क को सम्मिलित करना

नीचे दिए गए विकल्पों में से सही उत्तर चुनिए :

	(*a*)	(*b*)	(*c*)	(*d*)
A.	(*i*)	(*iii*)	(*ii*)	(*iv*)
B.	(*iv*)	(*iii*)	(*ii*)	(*i*)
C.	(*iii*)	(*i*)	(*iv*)	(*ii*)
D.	(*ii*)	(*iii*)	(*i*)	(*iv*)

36. सूची-I को सूची-II के साथ सुमेलित कीजिए :

सूची-I (लेखक)	**सूची-II (अवधारणा)**
(*a*) चेस्टर बर्नार्ड	(*i*) परिपक्वता-अपरिपक्वता सिद्धांत
(*b*) रेन्सिस लिकर्ट	(*ii*) महा और अधि नीति (मेगा और मेटा पॉलिसी)
(*c*) येजकेल ड्रोर	(*iii*) लिंकिंग पिन
(*d*) क्रिस आर्गिरिस	(*iv*) उदासीनता प्रक्षेत्र

नीचे दिए गए विकल्पों में से सही उत्तर चुनिए :

	(*a*)	(*b*)	(*c*)	(*d*)
A.	(*iii*)	(*iv*)	(*i*)	(*ii*)
B.	(*iv*)	(*iii*)	(*ii*)	(*i*)
C.	(*ii*)	(*i*)	(*iii*)	(*iv*)
D.	(*i*)	(*ii*)	(*iv*)	(*iii*)

37. सूची-I को सूची-II के साथ सुमेलित कीजिए :

सूची-I	**सूची-II**
(*a*) सामाजिक समानता	(*i*) क्लेक्ट्स
(*b*) परा-सांस्कृतिक प्रशासनिक अध्ययन	(*ii*) साला
(*c*) विकासशील समाज में सामाजिक समूह	(*iii*) तुलनात्मक लोक प्रशासन
(*d*) विकासशील देशों में प्रशासनिक उप-व्यवस्था	(*iv*) नव लोक प्रशासन

नीचे दिए गए विकल्पों में से सही उत्तर चुनिए :

	(*a*)	(*b*)	(*c*)	(*d*)
A.	(*iv*)	(*iii*)	(*i*)	(*ii*)
B.	(*i*)	(*ii*)	(*iv*)	(*iii*)
C.	(*iii*)	(*iv*)	(*ii*)	(*i*)
D.	(*ii*)	(*iv*)	(*i*)	(*iii*)

38. सूची-I को सूची-II के साथ सुमेलित कीजिए :

सूची-I (उपागम)	**सूची-II (विशेषता)**
(*a*) अधिकारी-तंत्रीय	(*i*) कृषका, ट्रांजिशिया, औद्योगिका
(*b*) व्यवहारात्मक	(*ii*) समाज में एक उप-प्रणाली के रूप में प्रशासनिक प्रणाली
(*c*) सामान्य प्रणाली	(*iii*) प्रशासनिक व्यवस्था में मानव व्यवस्था का विश्लेषण
(*d*) पारिस्थितिक	(*iv*) वैध-विवेकपूर्ण प्राधिकार

नीचे दिए गए विकल्पों में से सही उत्तर चुनिए :

	(*a*)	(*b*)	(*c*)	(*d*)
A.	(*iv*)	(*i*)	(*iii*)	(*ii*)
B.	(*i*)	(*ii*)	(*iii*)	(*iv*)
C.	(*iii*)	(*i*)	(*iv*)	(*ii*)
D.	(*iv*)	(*iii*)	(*ii*)	(*i*)

39. सूची-I को सूची-II के साथ सुमेलित कीजिए :

सूची-I (नाम)	सूची-II (क्षेत्र)
(*a*) राजा चेल्लैया	(*i*) सार्वजनिक निजी भागीदारी
(*b*) विजय केलकर	(*ii*) कर सुधार
(*c*) पी.एल. टंडन	(*iii*) वित्तीय क्षेत्र सुधार
(*d*) एम. नरसिम्हन	(*iv*) कार्यशील पूंजी

नीचे दिए गए विकल्पों में से सही उत्तर चुनिए :

	(*a*)	(*b*)	(*c*)	(*d*)
A.	(*i*)	(*ii*)	(*iii*)	(*iv*)
B.	(*ii*)	(*i*)	(*iv*)	(*iii*)
C.	(*iii*)	(*iv*)	(*i*)	(*ii*)
D.	(*iv*)	(*i*)	(*ii*)	(*iii*)

40. लोक प्रशासन में निम्नलिखित परिवर्धनों का कालक्रमानुसार पहचान कीजिए :

(*a*) प्रबंधन के रूप में लोक प्रशासन
(*b*) राजनीति-प्रशासन द्विभाजन
(*c*) नव लोक प्रबंधन
(*d*) लोक शासन

नीचे दिए गए विकल्पों में से सही उत्तर चुनिए :

A. (*b*), (*c*), (*a*), (*d*) B. (*b*), (*d*), (*a*), (*c*)
C. (*b*), (*a*), (*c*), (*d*) D. (*a*), (*b*), (*d*), (*c*)

41. निम्नलिखित में से कौन-सा विचारक लोक प्रशासन के अध्ययन के लिए पारिस्थितिक दृष्टिकोण के प्रवर्तन से संबंधित है?

A. ली फ्रीडमैन B. विलियम ए. निस्कानन
C. गॉर्डन ट्यूलॉक D. जे.एम. गॉस

42. भारत के संदर्भ में 'विकास प्रशासन' शब्दावली का प्रयोग सर्वप्रथम किसने किया?

A. राजा चेल्लैया B. यू.एल. गोस्वामी
C. अशोक मेहता D. वीरप्पा मोइली

43. निम्नलिखित में से कौन-सा संशोधन संयुक्त राज्य अमेरिका के राष्ट्रपति के चुनाव के लिए दो टर्म की सीमा निर्धारित करता है?

A. 21वाँ संशोधन B. 22वाँ संशोधन
C. 23वाँ संशोधन D. 24वाँ संशोधन

44. एफ.डब्ल्यू. रिग्स ने अपनी पुस्तक 'प्रिज्मैटिक सोसाइटी रिविजिटेड' में प्रिज्मैटिक सोसाइटी के अध्ययन के लिए निम्नलिखित में से किस आयाम का उपयोग किया है?

(*a*) वर्गीकरण
(*b*) प्रतिस्थापन
(*c*) एकीकरण
(*d*) निरंतरता

सही विकल्प चुनें:

A. (*a*) और (*d*) B. (*b*) और (*c*)
C. (*a*) और (*c*) D. (*a*) और (*b*)

45. 'अधिकतम शासन, न्यूनतम सरकार' का विचार निम्नलिखित में से किसमें निहित है?

(*a*) निर्णय सोपानों में कमी
(*b*) प्रक्रिया का सरलीकरण
(*c*) नियंत्रित सूचना प्रसार
(*d*) प्रशासन में विशेषज्ञों के आकार में वृद्धि

सही विकल्प चुनें:

A. (*a*), (*b*), (*c*) और (*d*)
B. (*a*), (*b*) और (*c*)
C. (*a*) और (*b*)
D. (*b*) और (*d*)

46. 2015 में संयुक्त राष्ट्र महासभा द्वारा निर्धारित निम्नलिखित में से कौन-सा एक सतत विकास लक्ष्य (SDG) नहीं है?

A. गरीबी उन्मूलन B. शहरीकरण
C. पृथ्वी पर जीवन D. जलवायु परिवर्तन

47. निम्नलिखित में से कौन-सा विकास प्रशासन से संबंधित नहीं है?

A. पारिस्थितिक प्रशासन
B. संस्था निर्माण
C. बाजारोन्मुख
D. अभिनव/नवोन्मेष

48. निम्नलिखित में से कौन नवीन लोक प्रशासन का विषय नहीं है?

A. मूल्य B. सामाजिक समता
C. परिवर्तन D. बाजारोन्मुख

49. किसने कहा कि 'कानूनी-तर्कसंगत' नौकरशाही तकनीकी रूप से अन्य सभी प्रशासकीय-प्रणाली से बेहतर है?

A. मर्टन रॉबर्ट B. मैक्स वेबर
C. मार्टिन एल्ब्रो D. पीटर एम. ब्लाउ

50. संयुक्त राष्ट्र महासभा के कितने सदस्यों ने 2030 के विकास एजेंडा को अपनाया जिसका नाम "ट्रांसफॉर्मिंग आवर वर्ल्ड : 2030 एजेंडा फॉर सस्टेनेबल डेवलपमेंट 2015" है?

A. 190 B. 191
C. 192 D. 193

51. ड्वाइट वाल्डो ने लोक प्रशासन में संरचनात्मक-कार्यात्मक दृष्टिकोण को अपनाया है:

A. मनोविज्ञान से B. नृविज्ञान से
C. जीवविज्ञान से D. दर्शनशास्त्र से

52. निम्नलिखित में से कौन आर. डेनहार्ट और जे.वी. डेनहार्ट के अनुसार नव लोक सेवा की विशेषता नहीं है?

A. नागरिकता से ऊपर मूल्य उद्यमिता
B. लोगों का मूल्य न कि केवल उत्पादकता
C. मार्गदर्शन के बजाय सेवा करना
D. नागरिकों की सेवा करें न कि ग्राहक की

53. मानव विकास सूचकांक की अवधारणा प्रस्तुत करने वाले प्रमुख अर्थशास्त्री महबूब-उल-हक किस देश से हैं?

A. सऊदी अरब B. ईरान
C. पाकिस्तान D. बांग्लादेश

54. निम्नलिखित में से कौन-सी विशेषताएँ गैर-सरकारी संगठनों के बारे में सही हैं?

(*a*) गैर-लाभकारी उन्मुख
(*b*) स्वशासी
(*c*) निजी या स्वायत्त
(*d*) रणनीतिक हस्तक्षेपों के लिए वैश्विक, राष्ट्रीय और क्षेत्रीय स्तरों पर साझेदारी बनाना।

नीचे दिए गए कूट से सही उत्तर को चुनिए:

A. (*a*), (*b*) और (*c*) B. (*b*), (*c*) और (*d*)
C. (*c*) और (*d*) D. (*a*), (*b*), (*c*) और (*d*)

55. निम्नलिखित में से कौन-सा संयुक्त राष्ट्र विकास कार्यक्रम का मूल संगठन है?

A. अंतर्राष्ट्रीय मुद्रा कोष
B. विश्व आर्थिक मंच
C. विश्व बैंक
D. संयुक्त राष्ट्र आर्थिक और सामाजिक परिषद्

56. निम्नलिखित में से किसने कहा कि तुलनात्मक लोक प्रशासन मुख्यतः विविध-सांस्कृतिक या अभिविन्यास में क्रॉस-नेशनल है?

A. रॉबर्ट एच. जैक्सन B. जोंग एस. जून
C. हैन-बी ली D. निमरोड रफेली

57. निम्नलिखित में से कौन-सा कारण भारत में संसदीय लोकतंत्र को अपनाने के पीछे नहीं है?

A. गत अनुभव
B. प्रणाली की सादगी
C. विभाजित प्राधिकरण के साथ एक मजबूत केंद्र की आवश्यकता है।
D. बहुसांस्कृतिक, बहुजातीय समाज का प्रतिनिधित्व कर सकता है।

58. किसने 'सतत विकास' का मुहावरा गढ़ा?

A. विश्व स्वास्थ्य संगठन
B. वायु प्रदूषण पर विश्व बैंक की रिपोर्ट
C. पर्यावरण और विकास पर विश्व आयोग
D. जैव विविधता पर अंतर्राष्ट्रीय सम्मेलन

59. 'सड़क-स्तरीय नौकरशाह' का सिद्धांत किसने विकसित किया?

A. माइकल लिपस्की
B. डेविड ईस्टन
C. एच. डी. लॉसवेल
D. जे. एल. प्रेसमैन और ए. वाइल्डवस्की

60. निम्नलिखित में से कौन फेरेल हेडी के अनुसार तुलनात्मक लोक प्रशासन में एक वैचारिक दृष्टिकोण नहीं है?

A. संशोधित पारंपरिक निरंतरता
B. लोक प्रशासन की विकासोन्मुखी समस्याएँ
C. आदर्श प्रकार का मॉडल बनाना
D. प्रशासनिक प्रणाली का सामान्य सिस्टम का मॉडल निर्माण अध्ययन

61. निम्नलिखित में से कौन-सी संयुक्त राज्य अमेरिका में 'द न्यू डील' की विशेषता नहीं है?

A. आर्थिक संवृद्धि (ग्रोथ) के लिए राजनीतिक-प्रशासनिक पहल
B. सामाजिक परिवर्तन के लिए परिष्कृत विश्लेषण
C. टेनिसी वैली अथोरिटी (टी.वी.ए.) जैसी परियोजनाएं
D. नीति निर्णयन का विकास

62. पुस्तक "मॉडर्नाइजेशन ऑफ ब्यूरोक्रेटिक पॉलिटी इन थाईलैंड" का लेखक कौन है?

A. मिल्टन इस्मैन B. फेरेल हैडी
C. जेम्स कोलमैन D. एफ. डब्ल्यू रिग्स

63. निम्नलिखित में से कौन-सा विचारक तुलनात्मक लोक प्रशासन से संबद्ध नहीं है?

(*a*) राल्फ ब्रायबन्ती (*b*) ई.एन. ग्लेडन
(*c*) फेरल हैडी (*d*) क्रिस्टोफर हुड

नीचे दिए गए विकल्पों में से **सही** उत्तर का चयन कीजिए।

A. केवल (*a*), (*b*) और (*c*)
B. केवल (*b*), (*c*) और (*d*)
C. केवल (*a*) और (*c*)
D. केवल (*b*) और (*d*)

64. निम्नलिखित में से कौन-सी विकास प्रशासन की विशेषताएं नहीं हैं?

(*a*) संगठन पर ध्यान केन्द्रित करना
(*b*) समाजीकरण को प्रोत्साहन देना
(*c*) ग्राहक-उन्मुख उपागम
(*d*) प्रशासनिक परिवर्तन को प्रोत्साहन देना

नीचे दिए गए विकल्पों में से **सही** उत्तर का चयन कीजिए।

A. केवल (*a*), (*b*) और (*c*)
B. केवल (*b*), (*c*) और (*d*)
C. केवल (*a*) और (*b*)
D. केवल (*c*) और (*d*)

65. निम्नलिखित में से कौन-सी तुलनात्मक लोक प्रशासन के बारे में इडियोग्राफिक उन्मुखता की विशेषता है?

(*a*) ऐतिहासिक उपाख्यान
(*b*) चरों के बीच सहसंबंध
(*c*) संस्कृति क्षेत्र
(*d*) व्यवहार नियमितताएं

नीचे दिए गए विकल्पों में से **सही** उत्तर का चयन कीजिए।

A. केवल (*a*) और (*b*)
B. केवल (*c*) और (*d*)
C. केवल (*a*) और (*c*)
D. केवल (*b*) और (*d*)

66. निम्नलिखित को उनके प्रारम्भ होने के अनुसार कालक्रमिक रूप से व्यवस्थित कीजिए?

(*a*) प्रधानमंत्री आवास योजना (पी.एम.ए.वाई.-शहरी)
(*b*) अटल नवोन्मेष मिशन
(*c*) राष्ट्रीय ग्रामीण स्वास्थ्य मिशन
(*d*) स्वच्छ भारत मिशन (एस.बी.एम.)

नीचे दिए गए विकल्पों में से **सही** उत्तर का चयन कीजिए।

A. (*b*), (*c*), (*a*), (*d*)
B. (*c*), (*d*), (*a*), (*b*)
C. (*d*), (*c*), (*b*), (*a*)
D. (*c*), (*b*), (*a*), (*d*)

67. समावेशी विकास के भारतीय मॉडल में सम्मिलित हैः

(*a*) सब का साथ
(*b*) सब का विकास
(*c*) सब का विश्वास
(*d*) सब का प्रयास

नीचे दिए गए विकल्पों में से **सही** उत्तर का चयन कीजिए।

A. (*a*), (*b*)
B. (*a*), (*b*), (*c*)
C. (*a*), (*b*), (*d*)
D. (*a*), (*b*), (*c*), (*d*)

68. किस देश के संविधान में युद्ध नहीं (नो वार) का उपबंध है?

A. यू.एस.ए.
B. जापान
C. यू.के.
D. भारत

69. "विकास एक मानसिक अवस्था है, एक प्रवृत्ति है, एक दिशा है" यह कथन किसका है?

A. एफ. डब्ल्यू. रिग्स
B. जोसेफ ला पलोम्बरा
C. एडवर्ड डब्ल्यू. वीडनर
D. यू.एल. गोस्वामी

70. यूनाइटेड किंगडम में इंग्लैंड, वेल्स तथा नार्थ आयरलैंड के सिविल एवं फौजदारी मामलों के लिए अंतिम अपील न्यायालय निम्नलिखित में से कौन हैः

A. अपीलेट कमेटी ऑफ हाउस ऑफ लाईस
B. सुप्रीम कोर्ट ऑफ यू.के.
C. जुडिशियल कमेटी ऑफ प्रिवी काउंसिल
D. सुप्रीम कोर्ट ऑफ स्काटलैंड

71. अमरीकी संविधान का 22वां संशोधन निम्नलिखित में से किससे संबंधित है?

A. जाति, रंग, या दासता की पूर्व अवस्था के आधार पर मताधिकार से रोके जाने का प्रतिषेध
B. राष्ट्रपति के निर्वाचन प्रक्रिया की समीक्षा
C. राष्ट्रपति के रूप में चुने जाने के समय की संख्या को सीमित करता है
D. नागरिकता की परिभाषा

72. निम्नलिखित में से कौन-सा क्या कम्पनियों के सामाजिक उत्तरदायित्व के प्रमुख तत्व का हिस्सा नहीं है?

A. आर्थिक उत्तरदायित्व
B. आचार संबंधी उत्तरदायित्व
C. राजनीतिक उत्तरदायित्व
D. लोकोपकारी उत्तरदायित्व

73. तुलनात्मक लोक प्रशासन आंदोलन का विकास आधारित हैः

(*a*) प्रथम विश्व युद्ध पश्चात
(*b*) यूनिवर्सिटी ऑफ कैलिफोर्निया से ग्रेजुएट कोर्स
(*c*) ए.एस.पी.ए. द्वारा 1963 में तैयार किया गया एक ग्रुप
(*d*) फोर्ड फाउंडेशन वित्तपोषण

नीचे दिए गए विकल्पों में से सही उत्तर का चयन कीजिएः

A. (*a*), (*b*), (*c*), (*d*)
B. केवल (*b*), (*c*), (*d*)
C. केवल (*a*), (*c*), (*d*)
D. केवल (*a*), (*b*), (*d*)

74. सूची-I के साथ सूची-II का मिलान कीजिएः

सूची-I (सिद्धांत)	**सूची-II (विवरण)**
(*a*) अपरिपक्वता परिपक्वता सिद्धांत	(*i*) धन एकमात्र प्रेरक है
(*b*) साम्या सिद्धांत	(*ii*) पुरस्कारों की तुलना
(*c*) प्रत्याशा सिद्धांत	(*iii*) साधनपरकता (इंस्ट्रूमेंटेशन)
(*d*) मौद्रिक (मॉनेस्टिक) सिद्धांत	(*iv*) आत्म विश्वासी व आत्म नियंत्रण वाला व्यक्ति

नीचे दिए गए विकल्पों में से सही उत्तर का चयन कीजिएः

	(*a*)	(*b*)	(*c*)	(*d*)
A.	(*ii*)	(*iv*)	(*iii*)	(*i*)
B.	(*iv*)	(*ii*)	(*iii*)	(*i*)
C.	(*i*)	(*ii*)	(*iii*)	(*iv*)
D.	(*iii*)	(*iv*)	(*i*)	(*ii*)

75. सूची-I के साथ सूची-II का मिलान कीजिएः

सूची-I (सामाजिक लेखा-परीक्षा सिद्धांत)	**सूची-II (व्याख्या)**
(*a*) बहु-परिदृश्यीय	(*i*) सहभागी प्रशासन सामाजिक लेखा-परीक्षा का मूल सिद्धांत है
(*b*) सहभागी	(*ii*) लेखा-परीक्षा द्वारा प्रभावित व्यक्तियों की आवाज सुनी जानी चाहिए और प्रदर्शित होना चाहिए
(*c*) बहु-दिशा सूचक	(*iii*) सभी सहभागी द्वारा सामाजिक लेखा परीक्षा के विभिन्न क्षेत्रों पर रिपोर्ट
(*d*) सत्यापन	(*iv*) यह सामाजिक संगठनों के लेखों का पूर्वाग्रहरहित सत्यापन करता है

नीचे दिए गए विकल्पों में से सही उत्तर का चयन कीजिएः

	(*a*)	(*b*)	(*c*)	(*d*)
A.	(*i*)	(*ii*)	(*iii*)	(*iv*)
B.	(*ii*)	(*i*)	(*iii*)	(*iv*)
C.	(*iii*)	(*iv*)	(*i*)	(*ii*)
D.	(*iv*)	(*iii*)	(*ii*)	(*i*)

76. सूची-I के साथ सूची-II का मिलान कीजिए:

सूची-I	सूची-II
(*a*) फ्रांस	(*i*) प्रशासन को आधुनिक बनाना
(*b*) ब्रिटेन	(*ii*) क्लासिकल प्रशासन
(*c*) जर्मनी	(*iii*) प्रिफेक्ट
(*d*) जापान	(*iv*) नागरिक संस्कृति

नीचे दिए गए विकल्पों में से सही उत्तर का चयन कीजिए:

	(*a*)	(*b*)	(*c*)	(*d*)
A.	(*iv*)	(*i*)	(*iii*)	(*ii*)
B.	(*ii*)	(*i*)	(*iii*)	(*iv*)
C.	(*iii*)	(*iv*)	(*ii*)	(*i*)
D.	(*i*)	(*iii*)	(*ii*)	(*iv*)

77. निम्नलिखित को उनके भारत में आरंभ किए जाने के काल क्रमानुसार व्यवस्थित कीजिए। उत्तर हेतु प्रदत्त कूटों का प्रयोग कीजिए:

(*a*) जवाहर लाल नेहरू राष्ट्रीय शहरी नवीकरण मिशन (JNNURM)
(*b*) स्मार्ट सिटी मिशन (SCM)
(*c*) स्वच्छ भारत मिशन (SBM)
(*d*) राष्ट्रीय शहरी आजीविका मिशन (NULM)

नीचे दिए गए विकल्पों में से सही उत्तर का चयन कीजिए:

A. (*a*), (*b*), (*c*), (*d*) B. (*d*), (*c*), (*a*), (*b*)
C. (*c*), (*d*), (*a*), (*b*) D. (*a*), (*d*), (*c*), (*b*)

78. भारत में फ्रांसीसी प्रिफेक्ट के निकटतम अनुरूप पद निम्न में से कौन-सा है?

A. जिला विकास अधिकारी B. जिला कलेक्टर
C. डीआरडीए (DRDA) D. जिला पुलिस अधीक्षक

79. भारत में सर्वप्रथम सामाजिक अंकेक्षण निम्नलिखित में से किसने करवाया था?

A. 73वें संविधान संशोधन अधिनियम के क्रियान्वयन
B. 7वें वित्त आयोग
C. टाटा आयरन एंड स्टील कंपनी (TISCO)
D. MKSS, राजस्थान

80. अंबेडकर सामाजिक नवाचार उद्भवन मिशन (ASIIM) निम्नलिखित में से किस मंत्रालय द्वारा प्रवर्तित है?

A. ग्रामीण विकास
B. सामाजिक न्याय एवं अधिकारिता
C. वाणिज्य
D. स्वास्थ्य एवं परिवार कल्याण

81. टैल्कॉट पार्सन्स के अनुसार प्रणाली (सिस्टम) में निम्नलिखित में कौन सम्मिलित हैं?

(*a*) प्रणाली के अंग
(*b*) अंशों के बीच परस्पर-क्रिया
(*c*) उप-प्रणालियों के बीच परस्पर-क्रिया
(*d*) प्रणाली और पर्यावरण के बीच परस्पर-क्रिया

नीचे दिए गए विकल्पों में से सही उत्तर का चयन कीजिए:

A. केवल (*a*), (*b*), (*c*) B. केवल (*a*), (*b*), (*d*)
C. केवल (*b*), (*c*), (*d*) D. (*a*), (*b*), (*c*) और (*d*)

82. निम्नलिखित में से किन विचारकों ने रिग्स से पूर्व पारिस्थितिकीय उपागम का अध्ययन आरम्भ किया था?

(*a*) जॉन गॉस
(*b*) रॉबर्ट ए. डहल
(*c*) रोस्को मार्टिन
(*d*) जॉर्ज फ्रेडरिक्सन

नीचे दिए गए विकल्पों में से सही उत्तर का चयन कीजिए:

A. केवल (*a*), (*b*), (*c*) B. केवल (*b*), (*c*), (*d*)
C. केवल (*a*), (*c*), (*d*) D. केवल (*a*), (*b*), (*d*)

83. नीति-प्रकारों एवं संबंधों की स्थिरता के संदर्भ में सही सुमेलित युग्म निम्नलिखित में से कौन-से हैं?

(*a*) वितरक नीति – स्थिर
(*b*) संरक्षात्मक नियामक नीति – अस्थिर
(*c*) प्रतिस्पर्धी नियामक नीति – स्थिर
(*d*) पुनर्वितरक नीति – अस्थिर

नीचे दिए गए विकल्पों में से सही उत्तर का चयन कीजिए:

A. (*a*), (*b*), (*c*) और (*d*) B. केवल (*a*), (*b*) और (*c*)
C. केवल (*b*), (*c*) और (*d*) D. केवल (*a*) और (*d*)

84. प्रशासन के क्षमता सुधार करने में शामिल है:

(*a*) शासन और प्रबंधन करने की अभिक्षमता
(*b*) कर्मचारियों को नए वातावरण (परिवेश) से तादात्म्य बनाने का प्रशिक्षण देना
(*c*) बाजार-तंत्र विस्तारित किया जाना चाहिए
(*d*) नागरिकों को सीधे तौर पर सेवा प्रदायगी

नीचे दिए गए विकल्पों में से सही उत्तर का चयन कीजिए:

A. केवल (*a*), (*b*), (*c*) B. केवल (*a*), (*b*), (*d*)
C. केवल (*b*), (*c*), (*d*) D. केवल (*a*), (*c*), (*d*)

85. बर्नार्ड की पुस्तक 'द फंक्शन ऑफ द एक्जिक्युटिव' की आलोचना केनेथ एंड्रूस द्वारा इस रूप में की गई है:

(*a*) प्रस्तुतीकरण की अमूर्तता
(*b*) उदाहरणों का अभाव और नीरस गुणवत्ता
(*c*) कठिन शैली
(*d*) अपने स्वयं के अनुभव की व्याख्या

नीचे दिए गए विकल्पों में से सही उत्तर का चयन कीजिए:

A. केवल (*a*) और (*b*)
B. केवल (*a*), (*b*) और (*c*)
C. केवल (*a*), (*c*) और (*d*)
D. (*a*), (*b*), (*c*) और (*d*)

86. सूची-I के साथ सूची-II का मिलान कीजिए :

सूची-I (विचारक)	सूची-II (नौकरशाही की संकल्पनाएँ)
(*a*) विक्टर थॉम्पसन	(*i*) नौकरशाही का प्रकार्यात्मक सिद्धांत
(*b*) वारेन बेनिस	(*ii*) उत्तर-नौकरशाही सिद्धांत
(*c*) राबर्ट मर्टोन	(*iii*) उपकरणात्मक सिद्धांत
(*d*) कार्ल मार्क्स	(*iv*) आसूचना विकृति विज्ञान

नीचे दिए गए विकल्पों में से सही उत्तर का चयन कीजिए :

	(*a*)	(*b*)	(*c*)	(*d*)
A.	(*iv*)	(*ii*)	(*i*)	(*iii*)
B.	(*iv*)	(*ii*)	(*iii*)	(*i*)
C.	(*i*)	(*iii*)	(*ii*)	(*iv*)
D.	(*iii*)	(*i*)	(*iv*)	(*ii*)

87. अमेरिका में सिविल सेवाओं में सुधारों को कालक्रमानुसार व्यवस्थित कीजिए।

(*a*) आदर्श लोक कार्मिक प्रशासन विधि

(*b*) सरकार का निष्पादन और परिणाम अधिनियम

(*c*) हैच अधिनियम

(*d*) पेन्डलटन अधिनियम

नीचे दिए गए विकल्पों में से सही उत्तर का चयन कीजिए :

A. (*d*), (*c*), (*a*), (*b*) B. (*c*), (*b*), (*d*), (*a*)
C. (*d*), (*a*), (*c*), (*b*) D. (*d*), (*c*), (*b*), (*a*)

88. निम्न में से किसके द्वारा मैक्स वेबर की पुस्तक Wirtschaft and Gesellschaft का अंग्रेजी में अनुवाद किया गया?

A. रॉबर्ट प्रेस्थस

B. एडवर्ड ए. सील्स एवं हेनरी ए. फिंच

C. टैल्कॉट पारसन्स

D. रॉबर्ट मर्टन

89. निम्नलिखित में से कौन-सा वेबर के नौकरशाही सिद्धांत से प्रशासनिक प्रबंधन की निकटता के बारे में सही ***नहीं*** है?

A. दोनों, उत्पादन में लगे कामगारों की बजाए प्रशासकों के इष्टतम संगठन के प्रति चिंतित हैं।

B. दोनों आर्थिक दक्षता को अपना मुख्य मानदण्ड मानते हैं।

C. दोनों अपने कर्मचारियों की बजाए संगठन के बारे में अधिक चिंतित होते हैं।

D. दोनों, संगठन को अपने वातावरण की एक इकाई मानते हैं।

90. निम्नांकित पुस्तकों को उनके प्रकाशन वर्ष के आधार पर कालक्रमानुसार व्यवस्थित करें।

(*i*) पॉल एप्पलबी की 'पॉलिसी एण्ड एडमिनिस्ट्रेशन'

(*ii*) अब्राहम मैस्लो की 'मोटिवेशन एण्ड पर्सनैलिटी'

(*iii*) ऑर्डवे टीड की 'द आर्ट ऑफ एडमिनिस्ट्रेशन'

(*iv*) फ्रेडरिक हर्जबर्ग की 'वर्क एण्ड नेचर ऑफ मैन'

नीचे दिए गए कूट से **सही** उत्तर का चयन कीजिए :

A. (*i*), (*ii*), (*iii*), (*iv*) B. (*i*), (*iii*), (*ii*), (*iv*)
C. (*ii*), (*iii*), (*iv*), (*i*) D. (*iii*), (*i*), (*iv*), (*ii*)

91. हैण्डरसन के तुलनात्मक लोक प्रशासन दृष्टिकोण में निम्नांकित में से क्या सम्मिलित **नहीं** है?

A. अधिकारीतंत्रीय व्यवस्था दृष्टिकोण

B. मानव संबंध दृष्टिकोण

C. निर्णय निर्माण दृष्टिकोण

D. घटक दृष्टिकोण

92. अमरीका की एक प्रक्रिया, जिसमें एक अथवा अधिक सीनेटर्स किसी प्रस्तावित विधेयक पर मतदान में विलंब करने के लिए बहस को अनिश्चित काल तक खींचने का प्रयास करते हैं, उसे निम्नलिखित में से क्या कहा जाता है?

A. गैरीमेन्डर B. फिलिबस्टर
C. कैपीटोल D. पूर्ण जनादेश

93. एफ.डब्ल्यू. रिग्स के समपार्श्वीय समाज-पुनरावलोकन संबंधी सिद्धांत के बारे में कौन-सा कथन **गलत** है?

A. उसने समपार्श्वीय समाज संबंधी अपने मूल विचारों को 1975 में संशोधित किया।

B. उसने इस नए सिद्धांत के प्रतिपादन हेतु द्वि-आयामी दृष्टिकोण अपनाया।

C. उसने विभिन्नीकरण की मात्रा को दूसरे आयाम के रूप में सम्मिलित किया।

D. समपार्श्वीय समाजों को सहपार्श्वीय, पदापार्श्वीय तथा नवपार्श्वीय में बाँटा गया।

94. विकास प्रशासन की विशेषताओं के संदर्भ में निम्नांकित में से क्या **सही** है?

(*a*) ग्राहक-उन्मुखी

(*b*) समय-उन्मुखी

(*c*) संरचना-उन्मुखी

(*d*) कार्य-उन्मुखी

नीचे दिए गए कूट से **सही** उत्तर का चयन कीजिए :

A. (*a*), (*b*), (*c*) B. (*a*), (*b*), (*d*)
C. (*b*), (*c*), (*d*) D. (*a*), (*c*), (*d*)

95. **अभिकथन (A) :** विकास प्रशासन की प्रकृति पारिस्थितिकीय है।

तर्क (R) : विकासात्मक गतिविधियों के परिणाम सामाजिक-आर्थिक एवं राजनीतिक कारकों द्वारा निर्धारित होते हैं।

कूट :

A. (A) तथा (R) दोनों सही हैं तथा (R), (A) की सही व्याख्या है।

B. (A) तथा (R) दोनों सही हैं, परन्तु (R), (A) की सही व्याख्या नहीं है।

C. (A) सही है, परन्तु (R) गलत है।

D. (A) गलत है, परन्तु (R) सही है।

96. प्रशासनिक विकास किससे संबंधित है?

(*a*) बढ़ती हुई प्रशासनिक सामर्थ्य एवं क्षमता

(*b*) नौकरशाही का आधुनिकीकरण करना

(*c*) प्रशासनिक पुनर्गठन एवं युक्तीकरण
(*d*) विकासात्मक कार्यक्रमों का प्रशासन

नीचे दिए गए कूट से **सही** उत्तर का चयन कीजिए:

A. (*a*), (*b*) B. (*a*), (*b*), (*c*)
C. (*b*), (*c*), (*d*) D. (*a*), (*b*), (*c*), (*d*)

97. विकास प्रशासन के उद्देश्यों के संदर्भ में निम्नांकित में से कौन-सा सही **नहीं** है?

A. आर्थिक वृद्धि B. सामाजिक न्याय
C. व्यवस्था का लोकतांत्रिकरण D. यथास्थिति बनाए रखना

98. सूची-I को सूची-II से सुमेलित कीजिए। नीचे दिए गए कूट से **सही** उत्तर का चयन कीजिए।

सूची-I (अवधारणा)	**सूची-II (व्याख्या)**
(*a*) सत्यनिष्ठा	(*i*) परामर्श एवं निर्णय साक्ष्यों के सही विश्लेषण पर आधारित हैं।
(*b*) ईमानदारी	(*ii*) लोकसेवा के दायित्वों को निजी हितों से ऊपर रखना
(*c*) वस्तुनिष्ठता	(*iii*) केवल कार्य की गुणवत्ता के अनुसार समानता के आधार पर कार्य करना
(*d*) निष्पक्षता	(*iv*) सत्यता एवं खुलापन

कूट :

	(*a*)	(*b*)	(*c*)	(*d*)
A.	(*iii*)	(*i*)	(*iv*)	(*ii*)
B.	(*iv*)	(*ii*)	(*iii*)	(*i*)
C.	(*i*)	(*iii*)	(*ii*)	(*iv*)
D.	(*ii*)	(*iv*)	(*i*)	(*iii*)

99. भारत में 'लोकसेवकों' को दिए जाने वाले प्रशिक्षण के आधारभूत पाठ्यक्रम के उद्देश्यों के संदर्भ में निम्नांकित कथनों पर विचार कीजिए।

(*a*) सरकार के परिवेश की मौलिक समझ देना।
(*b*) उन मूल्यों तथा मनोवृत्तियों को विकसित करना जो प्रत्येक लोक सेवक हेतु आवश्यक है।
(*c*) व्यावसायिक क्षमता को विकसित करना।
(*d*) विभिन्न सेवाओं के अधिकारियों में एस्परिट डी कोर्प्स की भावना विकसित करना।

नीचे दिए गए कूट से **सही** उत्तर का चयन कीजिए:

A. (*a*), (*b*), (*c*) B. (*a*), (*c*), (*d*)
C. (*a*), (*b*), (*d*) D. (*a*), (*b*), (*c*), (*d*)

100. लोक निजी भागीदारी का भारत में निम्नांकित में से किस क्षेत्र में प्राबल्य है?

A. स्वास्थ्य B. दूर संचार
C. ऊर्जा D. सड़क

उत्तरमाला

1	2	3	4	5	6	7	8	9	10
D	D	B	A	C	C	C	B	A	B
11	**12**	**13**	**14**	**15**	**16**	**17**	**18**	**19**	**20**
A	B	B	D	C	D	C	B	C	C
21	**22**	**23**	**24**	**25**	**26**	**27**	**28**	**29**	**30**
B	B	D	B	C	C	B	D	A	D
31	**32**	**33**	**34**	**35**	**36**	**37**	**38**	**39**	**40**
C	C	C	B	C	B	A	D	B	C
41	**42**	**43**	**44**	**45**	**46**	**47**	**48**	**49**	**50**
D	B	B	C	C	B	C	D	B	D
51	**52**	**53**	**54**	**55**	**56**	**57**	**58**	**59**	**60**
B	A	C	A	D	B	C	C	A	C
61	**62**	**63**	**64**	**65**	**66**	**67**	**68**	**69**	**70**
B	D	D	C	C	B	D	B	C	B
71	**72**	**73**	**74**	**75**	**76**	**77**	**78**	**79**	**80**
C	C	B	B	B	C	D	B	C	B
81	**82**	**83**	**84**	**85**	**86**	**87**	**88**	**89**	**90**
D	A	B	B	B	A	A	C	D	B
91	**92**	**93**	**94**	**95**	**96**	**97**	**98**	**99**	**100**
B	B	C	B	A	B	D	D	C	D

★★★

UNIT–VI

आर्थिक तथा वित्तीय प्रशासन

(ECONOMIC AND FINANCIAL ADMINISTRATION)

मिश्रित अर्थव्यवस्था से उदारीकरण, निजीकरण तथा भूमण्डलीकरण

सामान्यतया आर्थिक सुधार का तात्पर्य उस प्रक्रिया से है जिसमें किसी अर्थव्यवस्था में सरकार राज्य की भूमिका को सीमित करती है तथा निजी क्षेत्र की भूमिका को विस्तारित करती है। आर्थिक सुधार को किसी अर्थव्यवस्था में नीतिगत परिवर्तन के तौर पर देखना श्रेयस्कर होगा जिसमें एक व्यवस्था से दूसरी व्यवस्था की ओर अथवा 'वैकल्पिक विकास रणनीतियों' की ओर संक्रमण होता है। अर्थशास्त्री अर्थव्यवस्था के कार्य-प्रदर्शन में अंतरों का कारण वास्तव में उनके द्वारा अपनाई गई रणनीतियों में अंतर अथवा भिन्नता को मानते हैं। विकास की रणनीतियाँ विभिन्न देशों द्वारा परीक्षण-प्रणाली (trial and error method) की लम्बी अवधि से गुजरकर विकसित होती हैं और रणनीतियों की भिन्नता मूलतः वैचारिक भिन्नता का परिणाम है। लेकिन वास्तव में यह प्रक्रिया एक शैक्षिक दौरे की तरह होती है। भारत के संदर्भ में 'आर्थिक सुधार' पदावली अथवा इससे संबंधित विभ्रमों की स्पष्टता के लिए हमें 'विभिन्न विकास रणनीतियों' पर गौर करना चाहिए, जो कि समय के साथ विकसित हुई हैं। एक संक्षिप्त विवरण निम्नवत् है :

1. **योजना मॉडल (Planning Model):** सोवियत संघ के उत्थान तक यूरो-अमेरिकी देशों में पूंजीवादी तरीके की विकास रणनीति अपनाई जाती थी। पूंजीवादी अर्थव्यवस्था में 'अहस्तक्षेप' के सिद्धांत का पालन किया जाता था और इसमें निजी क्षेत्र की ही प्रमुख भूमिका होती थी। जब सोवियत संघ में आर्थिक नियोजन मॉडल को अपनाया गया (जिसका अनुकरण पूर्वी यूरोप के साथ ही चीन ने 1949 में किया), तब अधिकतर विकासशील देशों ने अपनी स्वतंत्रता के पश्चात् समाजवाद के विचार से प्रभावित होकर नियोजित विकास का रास्ता अपनाया। इन देशों की सरकारों ने नियोजित विकास में केन्द्रीय भूमिका अपने हाथों में ली। चूंकि इनके यहाँ अर्थव्यवस्था में विदेशी उपनिवेशवादी प्रभावी थे, इसलिए उन्हें डर था कि यदि वे अपनी अर्थव्यवस्था को विदेशी निवेश के लिए खोलेंगे तो एक नई प्रकार की अधीनता में फँस जाएंगे– बड़ी बहुराष्ट्रीय कंपनियों के चंगुल में। यही कारण है कि ऐसे ज्यादातर देशों ने 'संरक्षणवादी आर्थिक नीति' (Protectionist Economic Policy) अपनाई, जिसमें आयात प्रतिस्थापन्न का सहारा भी लिया गया। लेकिन 1970 के दशक तक दुनिया को इस बात के ठोस प्रमाण मिलने लगे थे कि समाजवादी अथवा नियोजित अर्थव्यवस्थाएँ अपनी किस्म की विकास रणनीतियों के प्रति इसलिए आकृष्ट थीं कि या तो उनके यहाँ वृद्धि दर धीमी अथवा निम्न थी, या फिर वे ठहराव का शिकार हो रही थीं। इन अनुभवों ने एक नई विचारधारा को जन्म दिया जिसे सामान्यतया 'वॉशिंगटन सहमति' (Washington Consensus) के नाम से जाना जाता है।

2. **वॉशिंगटन सहमति (Washington Consensus):** 1980 के दशक में एक नई विकास रणनीति अस्तित्व में आई। हालाँकि यह कोई एकदम नया विचार नहीं था, बल्कि उस पुराने विचार की तरह था जो कि नये विचार की विफलता के बाद दोषमुक्त मान लिया गया हो। जब दुनिया ने राज्य नियंत्रित अर्थव्यवस्था की सीमाओं को समझा, तब बाजार के पक्ष में नये तर्क गढ़े जाने लगे, अर्थात् निजी क्षेत्र को व्यापक रूप से प्रोत्साहित किया जाने लगा। अनेक देश अपनी अर्थव्यवस्थाओं को दूसरी अति (extreme) की ओर ले जाने को उद्धत हुए क्योंकि अर्थव्यवस्था में अब वे राज्य का न्यूनतम हस्तक्षेप चाहते थे। समाजवादी तथा नियोजित अर्थव्यवस्थाओं वाले देशों से यह अपील की जाने लगी कि वे निजीकरण तथा उदारीकरण की प्रक्रिया शुरू करें और इसके लिए राज्य के स्वामित्व वाली कम्पनियों को निजी हाथों में बेचें, साथ ही अर्थव्यवस्था में सरकारी हस्तक्षेप को बिल्कुल समाप्त कर दें। इन देशों को यह सलाह भी दी जाने लगी कि वे ऐसे

उपाय करें जिनसे उनकी अर्थव्यवस्थाओं में मांग पैदा हो। इस प्रकार की विकास रणनीति की रूपरेखा को मोटेतौर पर 'वॉशिंगटन सहमति' के नाम से जाना जाता है।

इस सहमति को मोटे तौर पर 'आर्थिक सुधार' के रूप में जाना जाता है, जिसका 1980 के दशक में लगभग सभी समाजवादी, साम्यवादी तथा नियोजित विकासशील अर्थव्यवस्थाओं ने किसी-न-किसी रूप में अनुसरण किया। इसी दौर में आर्थिक सुधार की शब्दावली चलन में आई। इसे शुरू में 'नंगे पूंजीवाद' के प्रोत्साहन के रूप में देखा गया, जिसमें अर्थव्यवस्थाओं में विदेशी निवेश के प्रति एक खुलापन आया। विकासशील देशों की सरकारों को अपने यहाँ विपक्ष की तीखी आलोचना झेलनी पड़ी कि वे अंतर्राष्ट्रीय मुद्रा कोष तथा विश्व बैंक के दबाव में काम कर रही हैं और 'नव-साम्राज्यवाद' को प्रोत्साहित कर रही हैं।

ये नीतियाँ यद्यपि वृद्धि को प्रोत्साहित करने में पूर्ववर्ती नीतियों से थोड़ा-सा ही बेहतर सिद्ध हुई तथापि किसी-न-किसी तरह बाजार आधारित अर्थव्यवस्था के पक्ष में रुझान बढ़ता गया। तत्कालीन प्रधानमंत्री मार्गरेट थैचर के नेतृत्व में ब्रिटेन ने राजनीतिक रूप से सबसे अधिक निजीकरण के प्रयारा किए, वह भी बिना किसी राजनीतिक चर्चा के (यह लोकतांत्रिक देशों के लिए अब तक उदाहरण बना हुआ है)। यहाँ यह ध्यान देना जरूरी है कि 1929 की महामंदी के पश्चात् जे.एम. कीन्स ने 'मजबूत राज्य हस्तक्षेप' की अनुशंसा की थी और आखिरकार इसी नीति के तहत यूरो-अमेरिकी देशों में संकट को समाप्त करने में सहायता मिली। अर्थव्यवस्था में राज्य हस्तक्षेप की नीति को 'वॉशिंगटन सहमति' द्वारा पलटा गया। लेकिन जल्द ही यह सहमति भी एक अन्य विकास रणनीति द्वारा प्रतिस्थापित की गई।

3. **मिश्रित अर्थव्यवस्था (Mixed Economy):** 1990 के दशक के मध्य तक यह बात स्पष्ट हो गई कि इन दोनों अतियों अर्थात् 'वॉशिंगटन सहमति' तथा 'राज्य नियंत्रित अर्थव्यवस्था' से विकास रणनीतियों का लक्ष्य हासिल नहीं किया जा सकता। पूर्वी एशिया के देशों की सफलता, 1997-98 के दौरान पैदा हुए आर्थिक संकट के बावजूद, उस समय वॉशिंगटन सहमति वाले विकास मॉडल का अनुसरण करने वाले देशों की तुलना में बिल्कुल अलग है।

पूर्वी एशियाई अर्थव्यवस्थाओं ने विकासात्मक कार्यनीति को बढ़ावा दिया है, जिनकी सबसे विशिष्ट विशेषता यह है कि वे अपनी अर्थव्यवस्थाओं में राष्ट्र/सरकार की भूमिका और बाजार/निजी क्षेत्र के मध्य संतुलन बनाने में कामयाब रही हैं। यह सचमुच एक नई प्रकार की मिश्रित अर्थव्यवस्था थी, जो स्थायी रूप से कभी भी राष्ट्र हस्तक्षेप या मुक्त बाजार की ओर झुकी हुई नहीं थीं, परन्तु हमेशा राष्ट्र और बाजार के संतुलित मिश्रण पर आधारित थी। पूर्वी एशियाई देशों ने बाजारोन्मुखी नीतियों का अनुसरण किया था, जिसने निजी क्षेत्र के विकास एवं बाजार को बढ़ावा दिया एवं नियंत्रित किया, इसे बदला नहीं।'

तकनीकी रूप में कहाँ जाए तो, किसी देश की आर्थिक नीति को उपरोक्त तीन वैकल्पिक विकास कार्यनीतियों में बदलना ही आर्थिक सुधार है। परन्तु विश्व इतिहास में अर्थव्यवस्थाओं के बाजार की तरफ बढ़ते झुकाव को आर्थिक सुधार माना जाता है। भारतीय मामले में हाँ इसे हमेशा इसी अर्थ में प्रयुक्त किया जाता है। यहाँ गौर करने वाली बात है कि जब 1990 के दशक के प्रारंभ में भारत ने आर्थिक सुधारों का कार्यक्रम प्रारंभ किया था, तो विश्व मत, निजीकरण, उदारीकरण, विराष्ट्रीयकरण इत्यादि के पक्ष में था, जो आर्थिक सुधारों के मुख्य आधार थे। परन्तु 1990 के दशक के मध्य तक विश्व मत मिश्रित अर्थव्यवस्था के पक्ष में हो गया, परन्तु एक अन्य परिवर्तन विश्व अर्थव्यवस्थाओं को प्रभावित करने वाला था– विश्व व्यापार संगठन (WTO) द्वारा प्रायोजित वैश्वीकरण के पक्ष में। अब, विकासशील अर्थव्यवस्थाओं (मिश्रित अर्थव्यवस्थाएं जिनकी आयोजना ही मुख्य विकास कार्यनीति थी) सहित परिवर्तनशील अर्थव्यवस्थाएं (रूस और पूरा पूर्वी यूरोप, चीन), जो कि बाजारोन्मुखी सुधार प्रक्रिया को बढ़ावा दे रही थीं, दुविधा में पड़ गईं। वैश्विक परिवेश में विकास और प्रतिस्पर्द्धा के लिए उन्हें तत्काल एक ओर जहाँ राष्ट्र प्रभुत्व वाली अर्थव्यवस्था से मुक्ति पाने की तो वहीं दूसरी ओर बाजार और राष्ट्र के मध्य संतुलन की आवश्यकता थी। प्रत्येक ने अपने ढंग से अपने पक्ष में परिणाम प्राप्त करने के प्रयास किए और मिश्रित सफलता प्राप्त की। भारत में सरकारें जनता को यह समझाने में असफल रहीं कि अर्थव्यवस्था में सुधार की आवश्यकता है और इन प्रयासों से सबको लाभ होगा। यद्यपि भारत में आर्थिक सुधारों की शुरुआत 'मानवीय चेहरे के साथ सुधार' (reform with human face) के विचार के साथ हुई थी, परन्तु इस विचार को जन-मानस का समर्थन नहीं मिला।

भारत में आर्थिक सुधार
(Economic Reforms in India)

23 जुलाई, 1991 को भारत ने राजकोषीय और भुगतान शेष (बीओपी) संकट के परिप्रेक्ष्य में आर्थिक सुधारों की प्रक्रिया प्रारंभ की। सुधार ऐतिहासिक थे और इससे आने वाले वर्षों में अर्थव्यवस्था की तस्वीर और प्रकृति बदलने वाली थी। सुधार और संबंधित कार्यक्रम अभी भी परिवर्तन पर बल देते हुए जारी हैं, परन्तु मई, 2004 में यूपीए सरकार की वापसी के साथ इसकी धीमी होती गति की आलोचना भी हुई। इससे पूर्व 1980 के दशक के मध्य में सरकारों ने आर्थिक सुधारों के लिए पहले कदम उठाए थे। यद्यपि 1980 दशक के सुधारों ने विनिमय की एक सीमित प्रकृति और अशंतः उदारीकरण को ही देखा, 1990 के दशक में उद्योग, व्यापार, निवेश के क्षेत्रों में सुधार प्रारंभ हुए और बाद में यह काफी व्यापक और गहरा हुआ। यद्यपि सरकार द्वारा 1980 के दशक में ही उदारवादी नीतियों की घोषणा कर दी गई थी, लेकिन इसमें आर्थिक सुधारों का नारा नहीं दिया गया था, इसे पूर्ण वेग के साथ 1990 के दशक के प्रारंभ में ही

लागू किया जा सका। परन्तु 1980 के दशक के आर्थिक सुधारों, जो कि 'वॉशिंगटन सहमति' विचारधारा के अंतर्गत थे, का अर्थव्यवस्था पर नकारात्मक प्रभाव पड़ा। संपूर्ण सातवीं योजना (1985-90) में निर्यात को बढ़ावा देने के लिए बाह्य ऋणों को और बढ़ावा (नीति सुधारों पर जोर के रूप में) दिया गया। यद्यपि इससे औद्योगिक वृद्धि दर को बढ़ाया जा सका (विदेशी ऋणों के साथ कीमती आयातों पर आश्रित), जिसे उद्योग वापस करने और सेवा करने में समर्थ नहीं थे। इससे विदेशी ऋणदारी में भी काफी वृद्धि हुई, जिसने 1991 के बीओपी (BoP) संकट में अहम भूमिका निभाई। इस संकट का तात्कालिक कारण खाड़ी युद्ध था, जिसने भारत के विदेशी विनिमय भंडार पर दो दीर्घकारी नकारात्मक प्रभाव डाले-पहला, युद्ध के कारण तेल की कीमतों में वृद्धि हुई जिस कारण भारत को तुलनात्मक रूप से कम अवधि में अधिक विदेशी विनिमय का प्रयोग करना पड़ा, दूसरा, खाड़ी क्षेत्र में कार्यरत भारतीयों द्वारा प्रेषण में कमी आई। परन्तु भुगतान शेष संकट इससे भी गहरा था, जिससे विदेशी ऋण बढ़ा, 8 प्रतिशत से अधिक राजकोषीय घाटा हुआ और हाइपर-मुद्रास्फीति (13 प्रतिशत से अधिक) की स्थिति उत्पन्न हुई।

उस समय की अल्पमत सरकार ने एक कड़ा और विवादास्पद कदम आर्थिक सुधारों के रूप में उठाया, जिसकी संसद में विपक्ष, वामपंथी दलों, औद्योगिक घरानों/व्यापार घरानों, मीडिया, विशेषज्ञों और जन-मानस, द्वारा आलोचना की गई। अब चूंकि सुधारों के लाभ कई लोगों तक पहुँच चुके हैं, इसकी आलोचना कम हो गई है। परन्तु अभी भी जन-मानस द्वारा इसे गरीब विरोधी और अमीर समर्थक माना जाता है– जन-मानस, अर्थात् जो लोग देश के राजनीतिक भविष्य का निर्णय करते हैं, के द्वारा एक बात तो अवश्य मानी जाती है कि आर्थिक सुधारों के लाभ वांछित गति के साथ जनता (आम आदमी) तक नहीं पहुँचे हैं। समय की मांग वितरणकारी वृद्धि की है यद्यपि सुधार अर्थव्यवस्था को उच्च वृद्धि दर पर ले गए हैं।

बाध्यकारी सुधार (Obligatory Reforms)

1980 के दशक से कुछ अन्य अर्थव्यवस्थाओं द्वारा प्रारंभ किए गये समान आर्थिक सुधार, संबंधित देशों के स्वैच्छिक निर्णय थे। परन्तु भारत के मामले में बीओपी संकट के आलोक में सरकार द्वारा लिया गया यह गैर-स्वैच्छिक निर्णय था। आईएमएफ के ईएफएफ कार्यक्रम के अंतर्गत देशों को अपने बीओपी संकट के शमन हेतु आर्थिक सहायता मिलती है, परन्तु ऐसी सहायता अर्थव्यवस्था पर कुछ शर्तो के साथ मिलती है। आईएमएफ के इस संबंध में कोई निर्धारित नियम नहीं हैं, यद्यपि इन्हें आवश्यकता के समय बीओपी संकट में चल रही अर्थव्यवस्था के लिए तैयार किया जाता है। भारत द्वारा अनुसरित सुधार भारत और उसकी जनता द्वारा अध्यादेशित सरकार द्वारा तैयार नहीं किए गए हैं, हाँ सरकार के अंदर और बाहर ऐसे अनेक विशेषज्ञ थे, जिन्होंने अर्थव्यवस्था को सही मार्ग पर लाने के लिए समान आर्थिक उपायों का समर्थन किया। कई विशेषज्ञ 1970 के दशक से ही इसकी वकालत कर रहे थे, जबकि कई अन्य मध्य 1980 के दशक से इसका समर्थन कर रहे थे। परन्तु फिर भी क्यों राव-मनमोहन सरकार को भारत में आर्थिक सुधार प्रक्रिया प्रारंभ करने का श्रेय दिया जाता है? यह इसलिए क्योंकि उन्होंने इसका अनुसरण करना उपयुक्त समझा और इसे भारत में राजनीतिक रूप से संभव बनाया।

आर्थिक सुधारों के लिए IMF के विस्तारित कोष सुविधा (EFF) से जुड़ी शर्तें, जिन्हें भारत को पूरा करना था, निम्न प्रकार थीं :

1. रुपये की विनिमय दर में 22 प्रतिशत की कमी करना (जिसके परिणामस्वरूप भारतीय रुपया अमेरिकी डॉलर के समक्ष 21 रुपये से गिरकर 27 रुपये प्रति डॉलर हो गया और डॉलर की मांग थोड़ी मंद पड़ी);
2. आयात शुल्क की शीर्ष दर को वर्तमान 130 प्रतिशत से कम करके 30 प्रतिशत पर लाना (जिसे भारत द्वारा वर्ष 2000-01 में पूरा कर लिया गया) तथा सभी आयात योग्य वस्तुओं को मुक्त सामान्य लाइसेंसिंग (Open General Licencing-CGL) के अंतर्गत करना। इसके अंतर्गत आयात पर लगे सभी मात्रात्मक प्रतिबंधों को हटाना अनिवार्य किया गया;
3. आयात शुल्क में कमी से होने वाली सरकार की कर प्राप्तियों की कमी को पूरा करने के लिए उत्पाद कर में 20 प्रतिशत वृद्धि करना, और;
4. सरकारी व्यय (वेतन, पेंशन, आकस्मिक निधि, छूट, प्रतिरक्षा व्यय, ब्याज इत्यादि) में प्रतिवर्ष 10 प्रतिशत की दर से कमी करना।

आर्थिक सुधारों की युक्तियाँ (Reform Measures)

भारत के आर्थिक सुधारों में दो प्रकार की युक्तियाँ (measures) शामिल है :

1. **समष्टि अर्थशास्त्रीय स्थिरीकरण युक्तियाँ (Macro-Economic Stabilisation Measures):** इन उपायों द्वारा लोगों की क्रय शक्ति में वृद्धि करके अर्थव्यवस्था की सकल मांग को बढ़ाने की कोशिश थी।
2. **संरचनात्मक सुधार युक्तियाँ (Structural Reforms Measures):** इन उपायों के अंतर्गत अर्थव्यवस्था में सकल आपूर्ति को बढ़ाने का उद्देश्य निहित था– उत्पादन प्रक्रिया को उन्मुक्त (unshackle) करके। इससे स्वतः ही अर्थव्यवस्था प्रभावित होगी ताकि यह संवर्द्धित उत्पादकता और उत्पादन की अपनी क्षमता की तलाश कर सके। लोगों की खरीद क्षमता को बढ़ाने के लिए अर्थव्यवस्था में बढ़ी हुई आय की आवश्यकता थी, जो कार्यकलापों में बढ़े हुए स्तरों से आती है। इस प्रकार प्राप्त आय को लोगों में वितरित किया जाता है, और उनकी क्रय शक्ति बढ़ाई जाती है। यह समष्टि अर्थव्यवस्था की नीतियों के उपयुक्त सेट को सही ढंग से प्रारंभ कर संभव होगा।

उदारीकरण (Liberalisation)

उदारीकरण से अभिप्राय आर्थिक विकास को बढ़ावा देने के लिए नियम एवं प्रतिबंधों को उदार तथा लचीला बनाने से है ताकि देश की अर्थव्यवस्था को मजबूत तथा टिकाऊ बनाया जा सके। उदारीकरण की व्याख्या हम निम्नलिखित विषयों के आधार पर कर सकते हैं–

(*i*) **सार्वजनिक क्षेत्र–** उदारीकरण का सार्वजनिक क्षेत्र पर प्रभाव देखा जा सकता है। अब इनकी पूंजी में निजी संस्थाओं का भी हिस्सा है। घाटे वाले उपक्रमों को निजी क्षेत्र को बेचा जा रहा है या फिर इन्हें लाभ वाले उपक्रमों के साथ मिलाया जा रहा है। सार्वजनिक क्षेत्र के लिए निर्धारित वस्तुओं की संख्या भी कम कर दी गई है। यह सभी कदम प्रशंसनीय हैं। इससे जनसाधारण को परोक्ष रूप से लाभ हो रहा है। करों से प्राप्त राशि का जन-साधारण के जीवन-स्तर को सुधारने में उपयोग किया जा रहा है।

(*ii*) **औद्योगिक क्षेत्र–** आर्थिक नीति का औद्योगिक क्षेत्र पर काफी प्रभाव पड़ा है। उद्योगों की स्थापना के लिए लाइसेंसिंग प्रणाली समाप्त करना, बिना सरकारी अनुमति के औद्योगिक क्षमता का विस्तार करना, लघु उद्योगों को अपनी पूंजी वृहत् उद्योगों में लगाने की अनुमति देना, सार्वजनिक क्षेत्र के लिए सुरक्षित उद्योगों की संख्या कम कर देना तथा विदेशी कंपनियों को भारत में उद्योग स्थापित करने की अनुमति देना जैसे कदमों से भारतीय उद्योगों में प्रतियोगी क्षमता पैदा होने की सम्भावनाएं हैं जिससे वस्तुओं और सेवाओं की गुणवत्ता में सुधार होगा और वे निर्यात हेतु अंतर्राष्ट्रीय बाजार में भी टिक सकेंगी। इससे देशी व विदेशी दोनों उपभोक्ताओं को न्यायोचित सन्तुष्टि मिल सकेगी।

परन्तु सरकार का यह प्रयास आलोचनाओं का विषय बना हुआ है। लोगों को आशंका है कि इससे बड़े उद्योगपतियों को लाभ होगा। छोटे उद्योग अपना विकास नहीं कर पायेंगे, विदेशी कंपनियों के द्वारा भारत का आन्तरिक व्यापार भी अपने अधिकार में कर लिया जाएगा। इसके कारण पूंजीवाद व बहुराष्ट्रीय निगमों का विस्तार होगा जो अंत में आम भारतीय नागरिकों के लिए कष्टदायक होगा।

(*iii*) **विनिमय दर–** उदारीकरण नीति के अंतर्गत सरकार ने 20 अगस्त, 1994 से चालू खाते को पूर्ण परिवर्तनीय बना दिया है। इस नीति के कारण आयातों में कमी होने की संभावना है क्योंकि आयात का मूल्य चुकाने के लिए आयातकर्ता को विदेशी मुद्रा खुले बाजार से क्रय करनी पड़ती है जो सीमित मात्रा में है। इसका कारण हमारे निर्यातों का आयातों से कम होना है।

(*iv*) **आयात-निर्यात–** नवीन आर्थिक नीति लागू करने से आयात-निर्यात की वस्तुएं एवं उनकी मात्रा में कोई विशेष परिवर्तन नहीं हुआ है परंतु खाद्यान्न व अन्य कृषि वस्तुओं के निर्यात की अनुमति देने से इनकी कमी देश में हो सकती है तथा साथ ही कृषि उत्पादन का स्वरूप बदल सकता है क्योंकि किसान उन्हीं वस्तुओं को पैदा करेगा जिनकी मांग निर्यात के लिए होने से उसे अपनी उपज का अच्छा मूल्य मिल सकता है।

सरकार ने आयात शुल्कों में जो कमी की है उसका प्रभाव उद्योगों पर पड़ना प्रारंभ हो गया है। फिक्की (FICCI) के अनुसार, आयात शुल्कों में कमी के कारण रसायन उद्योग, इन्जीनियरिंग उद्योग, इस्पात उद्योग व इलेक्ट्रॉनिक्स उद्योग पर प्रभाव पड़ रहा है। मशीनों के आयात से भारतीय मशीन निर्माता प्रभावित हुए हैं। साथ ही आयात शुल्क में छूट देने से आयात बढ़ रहे हैं जिससे व्यापार सन्तुलन में अंतर आ रहा है। निर्यातों में कोई उल्लेखनीय उन्नति नहीं हो रही है।

दूसरी पीढ़ी के आर्थिक सुधार (Second Generation Reforms)

भारत में 1991 में प्रथम पीढ़ी के आर्थिक सुधार शुरू किए गए थे। इसके बाद भारतीय अर्थव्यवस्था औसतन 6.4% प्रति वर्ष की दर से बढ़ी है। आर्थिक सुधार की प्रक्रिया शुरू होने से पूर्व औसत विकास दर 3% से 4% प्रति वर्ष थी, जिसे कुछ अर्थशास्त्रियों द्वारा "हिंदू विकास दर" भी कहा जाता था। आर्थिक सुधारों के बाद विकास दर में तीव्रता आने के साथ-साथ निर्धनता रेखा से नीचे रहने वालों की संख्या में 15% से अधिक की कमी आई। 2011-2012 में ग्रामीण क्षेत्रों में 25.7%, शहरी क्षेत्रों में 13.7% और समग्र रूप से देश में 21.9% निर्धन थे। निर्धनता के अभिशाप से शीघ्र मुक्ति पाने के लिए आर्थिक विकास की दर 9 से 10% होना आवश्यक माना गया। आर्थिक क्षेत्र में कुछ और सुधार करके यह विकास दर प्राप्त की जा सकती थी।

भारत में इस स्थिति को बदलने के लिए सार्थक प्रयास किए जाने लगे। इन प्रयासों को "दूसरी पीढ़ी का आर्थिक सुधार" नाम दिया गया। इन सुधारों का उद्देश्य राजकोषीय घाटे को कम करना, ब्याज दरों में कमी, सरकारी खर्च में कमी, निजीकरण में तीव्रता, श्रम कानूनों में संशोधन और बिजली क्षेत्र को संकट से उबारकर लाभप्रद बनाना है। इससे देश में पूंजी निवेश बढ़ेगा, रोजगार के अवसर बढ़ेंगे तथा आर्थिक विकास दर में वृद्धि होगी। दूसरी पीढ़ी के सुधारों को लागू करने के लिए पुराने कानूनों में संशोधन करना होगा और नए कानून बनाने होंगे जो पहली पीढ़ी की तुलना में अपेक्षाकृत कठिन होगा।

सरकारी खर्च में कमी करने के लिए सरकारी कर्मचारियों की संख्या में कमी करने और अनुत्पादक खर्च में कटौती करने का फैसला किया गया। सरकार ने फैसला किया कि प्रति वर्ष सेवानिवृत्त होने वाले कुल 3% सरकारी कर्मचारियों के स्थान पर केवल 1% सरकारी कर्मचारियों को भर्ती किया जाएगा। इस प्रकार सरकारी कर्मचारियों की संख्या में 10% की कमी हो जाएगी। सरकार ने 6 विभागों और मंत्रालयों में कर्मचारियों की संख्या में कमी करने का निर्णय लिया। इसका आरम्भ वित्त मंत्रालय से किया गया।

सरकार सरकारी कंपनियों के निजीकरण में तेजी लाना चाहती है तथा इसके लिए उसने अनेक उपाय किये हैं। सरकार ने लघु उद्योग क्षेत्र के लिए आरक्षित वस्तुओं में से 14 को हटाने का फैसला इसलिए किया क्योंकि ये विदेशी मुद्रा अर्जित करते हैं। अधिक विदेशी मुद्रा अर्जित करने के लिए इन उद्योगों को अधिक पूंजी एवं अधिक तकनीकी जानकारी की आवश्यकता है। सरकार द्वारा सार्वजनिक क्षेत्र के अनेक उद्यमों में विनिवेश के प्रस्तावों को मंजूरी दी गई, इनमें प्रमुख है—विदेशी संचार निगम, एयर

इंडिया, मारुति उद्योग, बाल्को इत्यादि। राजकोषीय घाटे को नियंत्रण में रखने के लिए सरकार इस काम में और तेजी लाना चाहती है।

सरकार ने 1,000 से कम श्रमिकों वाले कारखानों के लिए 'ले ऑफ' और छंटनी करना आसान बना दिया है। इसके साथ ही दूसरी ओर श्रमिकों के हितों की रक्षा करने और मनमाने तरीके से छंटनी को रोकने के लिए श्रमिकों को मिलने वाली मुआवजे की राशि जो पहले प्रत्येक वर्ष की सेवा के लिए 15 दिन का वेतन था, अब बढ़ाकर 45 दिन का वेतन कर दी है। हालांकि निजीकरण और श्रम कानूनों में संशोधन का विरोध भी हो रहा है।

सार्वभौमीकरण/वैश्वीकरण देश के लिए एक सुखद परिवर्तन और सुनहरा अवसर है, जिसका भरपूर लाभ उठाना होगा। इसका पूरा लाभ उठाने के लिए भारत को अपनी उत्पादकता और प्रतिस्पर्द्धात्मकता बढ़ानी होगी, तैयार माल की गुणवत्ता सुधारनी होगी और उसकी लागत घटानी होगी। इससे अनेक देशों की बंद मंडियों के द्वार भारतीय उत्पादों के लिए भी खुल जाएंगे। इससे औद्योगिक उत्पादन में सकारात्मक वृद्धि होगी तथा रोजगार के अवसरों का सृजन होगा। अंततः इससे देश की अर्थव्यवस्था में मजबूती आएगी।

निजीकरण (Privatisation)

जुलाई 1991 में घोषित नई औद्योगिक नीति में सार्वजनिक क्षेत्र के 'सुधार' के लिए सरकार ने निम्नलिखित चार प्रमुख कदम उठाए : (1) सार्वजनिक क्षेत्र के लिए आरक्षित उद्योगों की संख्या 17 से कम करके 8 कर दी गई (बाद के वर्षों में इसे और कम करके 3 कर दिया गया) (2) साधन एकत्रण के लिए तथा सामान्य जनता व श्रमिकों की सार्वजनिक क्षेत्र में भागीदारी को प्रोत्साहित करने के लिए कुछ चुने हुए सार्वजनिक उद्यमों के शेयरों का विनिवेश (Disinvestment) किया गया (3) अस्वस्थ सार्वजनिक इकाइयों के लिए वही नीति अपनाने की घोषणा की गई जो कि अस्वस्थ निजी इकाइयों के लिए अपनाई जाती है, तथा (4) समझौता ज्ञापनों (Memorandum of Understanding) के जरिए सार्वजनिक उद्यमों के निष्पादन में सुधार पर जोर दिया गया। इस नीति के अधीन सार्वजनिक उद्यमों के प्रबंधकों को अधिक अधिकार व स्वायत्तता देने की बात की गई परन्तु उन्हें निष्पादन के लिए उत्तरदायी बनाने की व्यवस्था की गई।

आरक्षण से मुक्ति (De-reservation)

जैसा कि 'औद्योगिक नीति' में कहा गया है, 1956 के औद्योगिक नीति प्रस्ताव में 17 उद्योगों को सार्वजनिक क्षेत्र के लिए आरक्षित रखा गया था। 1991 की औद्योगिक नीति में इनकी संख्या कम करके 8 कर दी गई। बाद में 5 उद्योगों को आरक्षित सूची में से निकाल दिया गया। इस प्रकार अब केवल 3 उद्योग ही सार्वजनिक क्षेत्र के लिए आरक्षित रह गए हैं। ये 3 उद्योग हैं : (1) परमाणु ऊर्जा (2) परमाणु ऊर्जा उत्पादन व उपयोग सूची 1995 में दर्ज खनिज तथा (3) रेल परिवहन। इस प्रकार सार्वजनिक क्षेत्र के लिए 1956 में आरक्षित 17 उद्योगों में से 14 उद्योगों को आरक्षण से मुक्त कर दिया गया है।

अस्वस्थ इकाइयों के लिए नीति (Policy Regarding Sick Units)

1991 की औद्योगिक नीति में सार्वजनिक क्षेत्र की इकाइयों को निजी क्षेत्र की इकाइयों के समकक्ष लाकर खड़ा कर दिया गया है। अब सार्वजनिक क्षेत्र की इकाइयों को भी औद्योगिक और वित्तीय पुनर्निर्माण बोर्ड (Board for Industrial and Financial Reconstruction) के दायरे में लाया गया है। इस प्रकार अब यह बोर्ड निर्धारित करेगा कि कौन-सी अस्वस्थ सार्वजनिक इकाई का पुनर्गठन संभव है और किस इकाई को बंद किया जाना है।

सार्वजनिक क्षेत्र की अस्वस्थ इकाइयों को बंद करने के निर्णय से श्रमिकों में काफी असंतोष व रोष फैल गया क्योंकि इस निर्णय से बड़ी संख्या में श्रमिक बेरोजगार हो गए। इस संभावना को मद्देनजर रखते हुए सरकार ने राष्ट्रीय नवीकरण फंड (National Renewal Fund) की स्थापना की। इस फंड का प्रयोग नौकरी से अलग हुए श्रमिकों को पुनः प्रशिक्षण देने के लिए तथा स्वैच्छिक रूप से सेवानिवृत्त हुए श्रमिकों को मुआवजा देने के लिए किया गया।

भूमण्डलीकरण (Globalisation)

सार्वभौमीकरण का अभिप्राय है देश की अर्थव्यवस्था को विश्व की अर्थव्यवस्था के साथ एकीकृत करना। भारतीय संदर्भ में इसका निम्नलिखित अर्थ है–

(*i*) विदेशी कंपनियों को भारत की विभिन्न आर्थिक गतिविधियों में निवेश करने की अनुमति देकर अर्थव्यवस्था को विदेशी निवेश के लिए खोलना।

(*ii*) विदेशी विनिमय नियमन अधिनियम जैसे कानूनों को धीरे-धीरे समाप्त करके बहुराष्ट्रीय निगमों को देश में आने की व निवेश करने की सुविधाएं प्रदान करना।

(*iii*) भारतीय कंपनियों को विदेशी कंपनियों के साथ सहयोग करने की अनुमति देना तथा दूसरे देशों में संयुक्त परियोजनाएं चालू करने के लिए प्रोत्साहित करना।

(*iv*) मात्रात्मक प्रतिबंधों को धीरे-धीरे प्रशुल्कों द्वारा प्रतिस्थापित करना और फिर धीरे-धीरे उनको भी कम कर देना जिससे आयात उदारीकरण कार्यक्रमों को व्यापक आधार पर लागू किया जा सके।

(*v*) विभिन्न प्रकार के निर्यात प्रोत्साहनों (जैसे—नकद मुआवजा सहायता, शुल्क वापसी की व्यवस्था, आयात पुनः पूर्ति योजना, राजकोषीय रियायतें आदि) के स्थान पर विनिमय दर में परिवर्तनों द्वारा निर्यातों को प्रोत्साहित करना।

भूमण्डलीकरण के लिए दबाव

1980-81 के बाद से भारत को भुगतान शेष के क्षेत्र में गंभीर समस्याओं का सामना करना पड़ा है। तेल आयात बिल में भारी वृद्धि से भारत के आयात व्यय में तीव्र वृद्धि हुई लेकिन निर्यात आय में बहुत कम वृद्धि हुई। परिणामस्वरूप व्यापार शेष में घाटा अत्यधिक बढ़ गया। 1990-91 के खाड़ी संकट से स्थिति और गंभीर हो गई तथा इस वर्ष चालू खाते में

17,369 करोड़ रुपए का भारी घाटा हुआ। पूरे 1990 के दशक में भारत की विदेशी वाणिज्यिक उधार तथा अनिवासी भारतीयों की जमा राशियों पर निर्भरता लगातार बढ़ती गई क्योंकि रियायती दरों पर प्राप्त विदेशी सहायता आवश्यकता से कहीं कम थी। वाणिज्यिक शर्तों पर जो भी उधार लिया गया वह अधिकतर अल्प-अवधि के लिए था और अत्यंत अस्थिर माध्यमों के रूप में था। इस प्रकार भारतीय अर्थव्यवस्था की विदेशी निवेशकों तथा उनकी अपेक्षाओं पर निर्भरता बढ़ गई। 1990-91 में भुगतान शेष में भारी घाटा होने पर कुछ विश्व संस्थाओं ने भारतीय साख मान को गिरा दिया जिससे विदेशी निवेशकों के भारतीय अर्थव्यवस्था में विश्वास को धक्का लगा। देश में व्याप्त राजनीतिक अस्थिरता ने समस्या को और अधिक गंभीर बना दिया जिससे विदेशी पूंजी का देश से पलायन शुरू हो गया। जनवरी, 1991 में अंतर्राष्ट्रीय मुद्रा कोष से 1800 मिलियन डॉलर की सहायता लेने, आयातों पर कठोर नियंत्रण लगाने तथा विदेशी बैंकों में स्वर्ण गिरवी रखने के बावजूद संकट से बचा नहीं जा सका। इन परिस्थितियों में अंतर्राष्ट्रीय मुद्रा कोष या विश्व बैंक से भारत को सहायता अवश्य मिली परन्तु इन अंतर्राष्ट्रीय संस्थाओं की पूर्व शर्तों पर। इस पूर्व शर्त की सबसे प्रमुख बात यह थी कि भारत सरकार 'स्थायित्व एवं संरचनात्मक समायोजन कार्यक्रम' लागू करे। वाशिंगटन स्थित ये अंतर्राष्ट्रीय संस्थाएं विकासशील देशों को ऋण देने के साथ ही पूर्व शर्त के तौर पर उनकी नीतियों में संरचनात्मक बदलाव का जो फार्मूला पकड़ाती हैं उसे आमतौर पर 'वाशिंगटन सर्वानुमति' कहा जाता है। वाशिंगटन स्थित ये संस्थाएं चाहती हैं कि सभी विकासशील देश अपनी नीतियों से बाजारीकरण लाएं, बड़े पैमाने पर निजीकरण करें और राजकोषीय घाटे में (चाहे उसका स्तर जितना भी हो) काफी कमी ले आएं।

अन्तर्राष्ट्रीय मुद्रा कोष तथा विश्व बैंक के दबाव में आकर भारत सरकार ने 1991 में जो स्थायित्व एवं संरचनात्मक समायोजन कार्यक्रम लागू किया, उसके निम्नलिखित तीन पहलू थे–

(*i*) स्थायित्व से तात्पर्य है राजकोषीय घाटे तथा मुद्रापूर्ति में वृद्धि की दर को कम किया जाए।

(*ii*) घरेलू क्षेत्र में अपनाई जाने वाली नीतियों का उदारीकरण (जिसका अर्थ है उत्पादन, निवेश, मूल्यों आदि पर लगाए जाने वाले नियंत्रणों को कम करना तथा साधनों के आवंटन को बाजार निर्देशों द्वारा निर्धारित करना)।

(*iii*) विदेशी आर्थिक नीति में उदारीकरण करना अर्थात् वस्तुओं, सेवाओं, प्रौद्योगिकी और पूंजी के अंतर्राष्ट्रीय प्रवाह पर लगाए गए नियंत्रणों को कम करना और अंततः समाप्त कर देना।

इसके अतिरिक्त कुछ महत्त्वपूर्ण कारक हैं जिनके कारण वैश्वीकरण को बल मिला है तथा राष्ट्रीय अर्थव्यवस्था का विश्व अर्थव्यवस्था के साथ एकीकरण प्रारंभ हुआ है। विश्व व्यापार संगठन (WTO) जैसे संगठनों की महत्त्वपूर्ण भूमिका से अन्तर्राष्ट्रीय स्तर पर व्यापार और निवेश के अवरोधों में कमी आई है।

भूमण्डलीकरण के लाभ

भूमण्डलीकरण के लाभों को निम्नलिखित प्रकार से देखा जा सकता है–

(*i*) आर्थिक संवृद्धि दर तीव्र हो सकती है

(*ii*) रोजगार अवसरों का अधिक सृजन किया जा सकता है

(*iii*) देश के संसाधनों और उत्पादन क्षमता का अधिक कुशल उपयोग हो सकता है

(*iv*) तकनीकी विकास की गति तीव्र हो सकती है

(*v*) आम लोगों का जीवन स्तर सुधर सकता है

(*vi*) वस्तुओं एवं सेवाओं की उपलब्धता में वृद्धि हो सकती है, आदि।

भूमण्डलीकरण का प्रभाव

भूमण्डलीकरण के कारण अर्थव्यवस्था के कुछ क्षेत्रों पर प्रतिकूल प्रभाव पड़ सकता है। भूमण्डलीकरण ने 'असमान प्रतिस्पर्द्धा' को जन्म दिया है। यह प्रतिस्पर्द्धा है 'शक्तिशाली बहुराष्ट्रीय निगमों' और 'कमजोर भारतीय उद्यमों' के बीच। भारतीय उद्यमों का आकार बहुराष्ट्रीय निगमों की तुलना में बहुत छोटा है। अपनी अत्यधिक शक्तिशाली वित्तीय शक्ति के कारण, बहुराष्ट्रीय निगम न केवल भारतीय उद्यमों की तुलना में किसी उत्पादन क्षेत्र में अधिक लंबे समय तक हानि बर्दाश्त कर सकते हैं बल्कि वे भारतीय उद्यमियों को उनके सहयोग से स्थापित उद्यमों से आसानी से बाहर कर सकते हैं तथा उद्यमों पर नियंत्रण स्थापित कर सकते हैं। वस्तुतः वे जिस उद्यम को चाहें खरीद सकते हैं। वैश्वीकरण के कारण पूरे आर्थिक ढांचे का पुनर्गठन होता है जिसका कुछ वर्गों पर प्रतिकूल प्रभाव पड़ता है। भारत में 1991 में अपनाई गई उदारीकरण की नीतियों ने एक पूर्णतया नई व्यवस्था को जन्म दिया है जिसके अधीन न केवल विदेशी पूंजी का काफी बड़ी मात्रा में अन्तर्प्रवाह हुआ अपितु भारतीय घरेलू उद्यमियों ने स्वयं को पहली बार विदेशी निवेश का लाभानुभोगी न पाकर विदेशी निवेशकों का 'निशाना' महसूस किया। साथ ही बहुराष्ट्रीय निगमों के प्रभाव से देश के आर्थिक क्षेत्र में सरकार की शक्ति भी कम होने लगती है। वैश्वीकरण से रोजगार के अवसरों पर प्रतिकूल प्रभाव पड़ सकता है तथा विश्व अर्थव्यवस्था में अस्थिरता अथवा मंदी का सीधा प्रभाव देश की अर्थव्यवस्था पर पड़ता है।

समग्र रूप में देखने पर सार्वभौमीकरण की प्रक्रिया आवश्यक ही नहीं अनिवार्य बन गई है क्योंकि विभिन्न क्षेत्रों में विकास के आर्थिक दृष्टिकोण से समान स्थितियाँ बनती जा रही हैं। अतः सार्वभौमीकरण को आर्थिक विकास का अनिवार्य अंग मानकर केवल कुछ सीमाओं तक इस पर नियंत्रण किया जाना चाहिए। इस नियंत्रण के तहत् एक सुरक्षा जाल (Safety Net) बनाया जाना चाहिए जिससे प्रतिकूल प्रभाव से ग्रसित वर्गों की सहायता के लिए प्रबंध किया जा सके। विश्व बाजार में अपनी अच्छी पहचान बनाते हुए विश्व व्यापार में 1% की भागीदारी प्राप्त करने के लिए आयात घटाने व निर्यात बढ़ाने की दिशा में विशेष उपाय करने होंगे, लघु उद्योगों को हानि से बचाने के लिए डंपिंग रोधी उपायों का प्रयोग करते हुए विश्व व्यापार में आगे बढ़ते रहना होगा। स्वदेशी उत्पादों के प्रति उपभोक्ता वर्ग में रूझान जगाना होगा जिससे स्वदेशी औद्योगिक क्षेत्र का विस्तार होगा और अंततः देश की आर्थिक व्यवस्था में मजबूती आएगी। देश में आ रही बहुराष्ट्रीय कंपनियों और नए-नए विदेशी उत्पादों में प्रतिस्पर्द्धा के लिए समयोचित कदम उठाते हुए ऐसी तकनीक को अपनाना होगा जिससे गुणवत्ता वाले स्वदेशी उत्पाद देशी उपभोक्ता की पसंद बन सके। इससे रोजगार के अवसर उपलब्ध होंगे तथा स्वदेशी के प्रति रूझान

से औद्योगिक उत्पादन में सकारात्मक वृद्धि होगी। इस प्रकार सार्वभौमीकरण या वैश्वीकरण की इस प्रक्रिया में कदम आगे बढ़ाते हुए देश की अर्थव्यवस्था में मजबूती आएगी।

नई आर्थिक नीति (New Economic Policy)

जून 1991 में नरसिंह राव सरकार ने भारत की अर्थव्यवस्था को नई दिशा प्रदान की। यह दिशा उदारीकरण, निजीकरण और वैश्वीकरण (एलपीजी मॉडल) के रूप में पूरे देश में आर्थिक सुधारों के रूप में लागू की गई। इस नई आर्थिक नीति के तहत सरकार ने कई ऐसे क्षेत्रों में निजी कम्पनियों को प्रवेश करने की अनुमति दी, जो पहले केवल सरकारी क्षेत्रों के लिए आरक्षित थे। इस नई आर्थिक नीति को लागू करने के पीछे मुख्य कारण भुगतान संतुलन (BOP) का निरंतर नकारात्मक होना था।

स्वतंत्रता के बाद 1991 का साल भारत के आर्थिक इतिहास में एक मील का पत्थर साबित हुआ। इससे पहले देश एक गंभीर आर्थिक संकट के दौर से गुजर रहा था ओर इसी संकट ने भारत के नीति निर्माताओं को नई आर्थिक नीति को लागू करने के लिए मजबूर कर दिया था। संकट से उत्पन्न हुई स्थिति ने सरकार को मूल्य स्थिरीकरण और संरचनात्मक सुधार लाने के उद्देश्य से नीतियों का निर्माण करने के लिए प्रेरित किया। स्थिरीकरण की नीतियों का उद्देश्य कमजोरियों को ठीक करना था, जिससे राजकोषीय घाटा और विपरीत भुगतान संतुलन को ठीक किया जा सके। संरचनात्मक सुधारों ने कठोर नियमों को दूर कर दिया था जिसके कारण सुधारों को भारतीय अर्थव्यवस्था के विभिन्न क्षेत्रों में भी लागू किया गया। इन्हीं नीतियों का परिणाम है कि आज भारत IMF जैसे विश्व स्तर के संस्थान को भी मदद दे सका।

एनईपी के मुख्य उद्देश्य

1991 में तत्कालीन केन्द्रीय वित्त मंत्री डॉ. मनमोहन सिंह द्वारा इस नीति को शुभारंभ करने के पीछे मुख्य उद्देश्य इस प्रकार रहे हैं:

(*i*) भारतीय अर्थव्यवस्था को वैश्वीकरण के क्षेत्र में उतारने के साथ-साथ इसे बाजार के रूख के अनुरूप बनाना था।

(*ii*) मुद्रास्फीति की दर को नीचे लाना और भुगतान असंतुलन को दूर करना।

(*iii*) आर्थिक विकास दर को बढ़ाना और पर्याप्त विदेशी मुद्रा भंडार का निर्माण करना।

(*iv*) आर्थिक स्थिरीकरण को प्राप्त करने के साथ-साथ सभी प्रकार के अनावश्यक प्रतिबंध को हटाकर एक बाजार के अनुरूप अर्थव्यवस्था के लिए आर्थिक परिवर्तन करना था।

(*v*) प्रतिबंधों को हटाकर, माल, सेवाओं, पूँजी, मानव संसाधन और प्रौद्योगिकी के अंतर्राष्ट्रीय प्रवाह की अनुमति प्रदान करना था।

(*vi*) अर्थव्यवस्था के सभी क्षेत्रों में निजी कम्पनियों की भागीदारी बढ़ाना था। यही कारण है कि सरकार के लिए आरक्षित क्षेत्रों की संख्या को घटाकर 3 कर दिया गया।

1991 के मध्य की शुरूआत में भारत सरकार ने व्यापार, विदेशी निवेश, विनिमय दर, उद्योग, राजकोषीय व्यवस्था आदि को असरदार बनाने के लिए अपनी नीतियों में कुछ क्रांतिकारी परिवर्तन किए ताकि अर्थव्यवस्था की धार को तेज किया जा सके। नई आर्थिक नीति का मुख्य उद्देश्य एक साधन के रूप में अर्थव्यवस्था की दिशा में अधिक प्रतिस्पर्धी माहौल का निर्माण करने के साथ उत्पादकता और कार्यकुशलता में सुधार करना था।

नई आर्थिक नीति के तहत निम्नलिखित कदम उठाए गए

(*i*) **वाणिज्यिक बैंकों द्वारा ब्याज दर का स्वयं निर्धारणः** उदारीकरण नीति के तहत सभी वाणिज्यिक बैंक ब्याज की दर निर्धारित करने के लिए स्वतंत्र होंगे। उन्हें RBI द्वारा निर्धारित ब्याज की दरों को मानने की कोई बाध्यता नहीं होगी।

(*ii*) **लघु उद्योग के लिए निवेश सीमा में वृद्धिः** लघु उद्योगों में निवेश की सीमा बढ़ाकर 1 करोड़ कर दी गई, जिससे ये कम्पनियाँ अपनी मशीनरी को उन्नत बनाने के साथ अपनी कार्यकुशलता में सुधार कर सकें।

(*iii*) **सामान आयात करने के लिए पूंजीगत स्वतंत्रताः** भारतीय उद्योग अपने समग्र विकास के लिए विदेशों से मशीनें और कच्चा माल खरीदने के लिए स्वतंत्र होंगे।

(*iv*) **उद्योगों के विस्तार और उत्पादन के लिए स्वतंत्रताः** इस नए उदारीकृत युग में अब उद्योग अपनी उत्पादन क्षमता में विविधता लाने और उत्पादन की लागत को कम करने के लिए स्वतंत्र हैं। इससे पहले सरकार उत्पादन क्षमता की अधिकतम सीमा तय करती थी। कोई भी उद्योग इस सीमा से अधिक उत्पादन नहीं कर सकता था। अब उद्योग बाजार की आवश्यकता के आधार पर स्वयं अपने उत्पादन के बारे में फैसला करने के लिए स्वतंत्र हैं।

(*v*) **प्रतिबंधित कारोबारी प्रथाओं का उन्मूलनः** एकाधिकार एवं प्रतिबंधात्मक व्यापार प्रथा (MRTP) अधिनियम, 1969 के अनुसार, वो सभी कम्पनियाँ जिनकी सम्पत्ति का मूल्य ₹ 100 करोड़ था उससे अधिक है, को MRTP कम्पनियाँ कहा जाता था। इसी कारण पहले उन पर कई प्रतिबंध भी थे, लेकिन अब इन कम्पनियों को निवेश निर्णय लेने के लिए सरकार से पूर्वानुमति प्राप्त करने की कोई आवश्यकता नहीं है।

स्वतंत्रता के पश्चात से औद्योगिक नीति

स्वतंत्र भारत की सरकार ने यह निर्णय लिया कि अर्थव्यवस्था में सरकार की सक्रिय भूमिका होगी, स्वाभाविक रूप से औद्योगिक क्षेत्र में राज्य का प्रभुत्व कायम रहेगा– सरकारी अधिकृत कंपनियों (अर्थात् सार्वजनिक क्षेत्र के उद्यम) का विस्तार पूर्ण रूप से होगा। यह कहा जा सकता है कि भारतीय अर्थव्यवस्था का विकास सरकारी क्षेत्र का विकास रहा है। 1990 के दशक की शुरुआत में आर्थिक सुधार द्वारा अर्थव्यवस्था में राज्य की भूमिका में मूलभूत परिवर्तन होने के बाद भी सरकार की सक्रियता अभी

भी दृष्टिगोचर होते हैं। समय-समय पर सरकार द्वारा घोषित औद्योगिक नीतियों ने मूलतः अर्थव्यवस्था की प्रकृति एवं संरचना को आकार व स्वरूप प्रदान किया। भारतीय अर्थव्यवस्था पर किसी चर्चा की शुरुआत देश की औद्योगिक नीतियों के सर्वेक्षण से होती है। यहाँ हम अभी तक की सरकारों की औद्योगिक नीतियों की एक संक्षिप्त समीक्षा करेंगे।

1948 की औद्योगिक नीति (Industrial Policy, 1948)

इसकी घोषणा 8 अप्रैल, 1948 को की गई। यह न केवल भारत की पहली औद्योगिक नीति थी, बल्कि इसने भारतीय अर्थव्यवस्था के स्वरूप (मिश्रित अर्थव्यवस्था) को भी निश्चित किया। इस नीति के मुख्य अंश निम्नलिखित थे :

(*i*) भारत एक मिश्रित अर्थव्यवस्था होगा।

(*ii*) कुछ महत्वपूर्ण उद्योगों को संघ सूची में रखा गया; जैसे– कोयला, पॉवर (बिजली), रेल, नागरिक उड्डयन, अस्त्र एवं युद्धोपकरण, रक्षा इत्यादि।

(*iii*) कुछ अन्य उद्योगों (सामान्यतः मध्यम श्रेणी के) को राज्य सूची में रखा गया; जैसे– कागज, औषधि, कपड़ा, साइकिल, रिक्शा, दो पहियों वाले वाहन इत्यादि।

(*iv*) अन्य उद्योगों को (जो संघ तथा राज्य सूची में शामिल नहीं थे) निजी क्षेत्र के निवेश के लिए रखा गया, जिनमें कई के लिए अनिवार्य अनुज्ञापन (compulsory licensing) का प्रावधान था।

(*v*) 10 वर्ष उपरांत नीति की समीक्षा।

1956 की औद्योगिक नीति (Industrial Policy, 1956)

1948 की औद्योगिक नीति के परिणामों से प्रोत्साहित होकर 8 वर्षों बाद ही भारतीय उद्योग के लिए नई तथा अधिक ठोस नीति की घोषणा की गई। 1956 की नई औद्योगिक नीति के निम्नलिखित मुख्य प्रावधान थे :

1. **उद्योगों का आरक्षण (Reservation of Industries):** उद्योगों को तीन अनुसूचियों में वर्गीकृत (जिसे "उद्योगों का आरक्षण" भी कहते हैं) किया गया है :

   (*i*) अनुसूची A (Schedule A) में 17 औद्योगिक क्षेत्र थे, जिन पर केंद्र का संपूर्ण एकाधिकार था। इस प्रावधान के अंतर्गत स्थापित उद्यमों को केंद्रीय सार्वजनिक क्षेत्र के उद्यम (CPSUs) कहते थे, जो बाद में 'PSUs' (सार्वजनिक क्षेत्र उद्यम) के नाम से प्रसिद्ध हुए। यद्यपि उद्योगों की संख्या मात्र 17 है, तथापि सरकार द्वारा स्थापित सार्वजनिक क्षेत्र उद्यमों (PSUs) की संख्या वर्ष 1991 तक 254 हो गई थी। इनमें वे औद्योगिक इकाइयाँ भी शामिल थीं जिन्हें सरकार द्वारा 1960 से 1980 के बीच राष्ट्रीयकरण के अभियान द्वारा अधिकृत किया गया। इन उद्योगों को अनुसूची B तथा C में शामिल किया गया (अनूसूची A को छोड़कर)।

   (*ii*) अनुसूची B (Schedule B) में 12 औद्योगिक क्षेत्र शामिल थे, जिनमें राज्य सरकार को पहल करनी थी तथा जिन पर निजी क्षेत्र द्वारा अधिक विस्तृत अनुगामी कार्य किया जाना था। इस अनुसूची में अनिवार्य अनुज्ञा-पत्र का भी प्रबंध था। यहाँ यह जानना आवश्यक है कि न तो राज्य तथा न ही निजी क्षेत्र का इन उद्योगों पर एकाधिकार था, यह अनुसूची A के जैसा नहीं था, जहाँ केंद्र का एकाधिकार था।

   (*iii*) अनुसूची C (Schedule C) में वे सभी औद्योगिक क्षेत्र शामिल हैं, जिन्हें अनुसूची A तथा B में शामिल नहीं किया गया था तथा जिनके तहत निजी उद्यमों द्वारा उद्योग स्थापित करने का प्रावधान था। इनमें से कई के लिए अनुज्ञा-पत्र की व्यवस्था थी तथा उन्हें राज्य के सामाजिक तथा आर्थिक नीति के ढाँचे के अनुरूप होना अनिवार्य था एवं वे औद्योगिक विकास तथा नियमन अधिनियम (Industries Development and Regulation Act, IDRA) व अन्य संबद्ध कानून के नियंत्रण और नियमन के अधीन थे।

   उद्योगों के उपरोक्त वर्गीकरण में एक अंतर्निहित झुकाव सरकारी कंपनियों (CPSUs) के पक्ष में था, जो नियोजन प्रक्रिया के अनुरूप भी था। इस तरह सार्वजनिक क्षेत्र का विस्तार लगभग आर्थिक नीति का एक निदेशक तत्व बन गया तथा सरकारी कंपनियों (PSUs) का आने वाले समय में विस्तार हुआ।

   इसी औद्योगिक नीति के अंतर्गत तत्कालीन प्रधानमंत्री पंडित जवाहरलाल नेहरू ने सरकारी कंपनियों (PSUs) को 'आधुनिक भारत का मंदिर' (Temples of Modern India) कहा एवं उनके महत्व की ओर संकेत किया। स्वतंत्रता के शीघ्र बाद एक ऐसा समय आया, PSUs को अर्थव्यवस्था में बचत को बढ़ाने तथा वृद्धि का मुख्य माध्यम माना जाता था। अर्थव्यवस्था में 1988-89 तक हुआ सार्वजनिक क्षेत्र के उद्यमों का तीव्र विस्तार आधे से अधिक सकल घरेलू उत्पाद के लिए जिम्मेदार था।

2. **अनुज्ञा पत्र का प्रावधान (Provision of Licencing):** स्वतंत्र भारत का एक महत्वपूर्ण विकास, अनिवार्य अनुज्ञा-पत्र का प्रावधान इस औद्योगिक नीति में निहित था। अनुसूची B के सभी उद्योग तथा अनुसूची C के अनेक उद्योग इस प्रावधान के तहत आते थे। इस प्रावधान ने अर्थव्यवस्था में तथाकथित "लाइसेंस-कोटा-परमिट" व्यवस्था (राज) की स्थापना की।

3. **सार्वजनिक क्षेत्र का विस्तार (Expansion of the Public Sector):** इस नीति के अनुसार, तीव्र औद्योगीकरण तथा अर्थव्यवस्था के विकास के लिए सार्वजनिक क्षेत्र का विस्तार जरूरी था। इसी औद्योगिक नीति द्वारा सरकारी कंपनियों की प्रशस्ति की गई। इसके तहत भारी उद्योगों पर बल दिया गया।

4. **क्षेत्रीय असमानता का समाधान (Regional Disparity):** बढ़ती क्षेत्रीय असमानता को कम करने के लिए यह नीति अर्थव्यवस्था के अत्यंत पिछड़े तथा अविकसित क्षेत्रों में नई सरकारी कंपनियों को स्थापित करने के लिए प्रतिबद्ध थी।

5. **लघु उद्योगों पर बल (Emphasis on Small Industries):** इस नीति के तहत लघु उद्योगों तथा खादी एवं ग्रामीण उद्योगों पर बल दिया गया।
6. **कृषि क्षेत्र (Agricultural Sector):** इस नीति के तहत कृषि क्षेत्र को प्राथमिकता दी गई।

यह विशेषज्ञों द्वारा भारत की सबसे महत्वपूर्ण औद्योगिक नीति मानी जाती है, क्योंकि इसके द्वारा न केवल औद्योगिक विस्तार को निर्धारित किया गया बल्कि 1991 तक कुछ लघु परिवर्तनों के साथ अर्थव्यवस्था की प्रकृति एवं क्षेत्र को संरचनाबद्ध भी किया गया। सभी औद्योगिक नीतियां इस नीति में लघु परिवर्तन मात्र थे, केवल 1991 की नई औद्योगिक नीति को छोड़कर जिसने इसमें गहरे तथा संरचनात्मक परिवर्तन किए, जिसके द्वारा भारत ने एक वृहत् आर्थिक सुधार की प्रक्रिया की शुरुआत की।

1969 की औद्योगिक नीति (Industrial Policy, 1969)

यह मूलतः अनुज्ञा-पत्र की नीति (Licensing Policy) थी, जिसका उद्देश्य 1956 की औद्योगिक नीति द्वारा शुरू की गई लाइसेंसिंग नीति की कमियों को दूर करना था। विशेषज्ञों तथा उद्योगपतियों की यह शिकायत थी कि औद्योगिक लाइसेंसिंग नीति अपने उद्देश्यों के विपरीत काम कर रही थी। सामाजिक आदर्शों तथा राष्ट्रवादी भावनाओं से प्रेरित लाइसेंसिंग नीति के निम्नलिखित मूलाधार थे :

(*i*) सभी के विकास के लिए संसाधनों का उपयोग।
(*ii*) संसाधन उपयोग में उद्योगों को प्राथमिकता।
(*iii*) लाइसेंस प्राप्त उद्योगों द्वारा उत्पादित वस्तुओं का मूल्य नियंत्रण।
(*iv*) आर्थिक शक्ति के केंद्रीयकरण को रोकना।
(*v*) निवेश को वांछित दिशा में निर्दिष्ट करना (नियोजन प्रक्रिया के अनुसार)।

वास्तव में लाइसेंसिंग नीति ऊपर दिए गए उद्देश्यों के लिए सही ढंग से काम नहीं कर पा रही थी। एक शक्तिशाली औद्योगिक घराना हमेशा नए लाइसेंसों को प्राप्त करने में सफल रहता था न कि नए उद्यमी। मूल्य नियंत्रण नीति का उद्देश्य लाइसेंसिंग द्वारा लोगों को सस्ते मूल्यों पर सामान प्रदान कर उनकी मदद करना था, लेकिन परोक्ष रूप से यह निजी लाइसेंस प्राप्त-उद्योगों की मदद कर रहा था (इसका कारण केंद्र द्वारा निजी कंपनियों को दी जा रही छूट थी, जिसका लाभ गरीब जनता को सस्ती उत्पादित वस्तुओं द्वारा दिया जाना था)। इसी तरह पुराने तथा सुस्थापित औद्योगिक घरानों में यह सामर्थ्य था कि वे नए उद्यमियों के लिए विभिन्न प्रकार की व्यापार प्रक्रियाओं द्वारा बाधाएं उत्पन्न कर सकते थे जिसके प्रभाव से उन्हें बेच दिया जाता या बड़े उद्योगों द्वारा उनका अधीनीकरण (take over) किया जाता। सरकार द्वारा अनेक समितियाँ स्थापित की गईं, जो इस विषय का अध्ययन कर उनके निदान के लिए सलाह दे सकें।

औद्योगिक लाइसेंसिंग नीति के पुनरीक्षण के लिए स्थापित समितियों ने नीति की कमियों की ओर संकेत किया, लेकिन औद्योगिक लाइसेंसिंग की उपयोगी भूमिका को स्वीकार भी किया। अंततोगत्वा वर्ष 1969 में नई औद्योगिक लाइसेंसिंग नीति की घोषणा की गई, जिसने इस क्षेत्र में निम्नलिखित मुख्य परिवर्तन किए :

(*i*) एकाधिकारी तथा प्रतिबंधक व्यापार प्रक्रिया (Monopolistic and Restrictive Trade Practices - MRTP) अधिनियम पारित किया गया। इस अधिनियम का उद्देश्य कंपनियों की व्यापारिक तथा वाणिज्यिक प्रक्रियाओं का नियमन करना तथा आर्थिक सुधार के एकाधिकार एवं केंद्रीयकरण को रोकना था।

(*ii*) ₹ 25 करोड़ या उससे अधिक की सम्पत्ति रखने वाली कंपनियों पर यह बाध्यता थी कि वे किसी विस्तार, ''ग्रीनफील्ड वेन्चर'' या दूसरी कंपनियों द्वारा अधीनीकरण (MRTP अधिनियम के तहत) से पहले भारत सरकार से अनुमति लें। इन कंपनियों को 'एमआरटीपी कंपनियाँ' कहा गया। इन कंपनियों के लिए ऊपरी सीमा (जिसे 'MRTP' सीमा भी कहते हैं), को 1980 में ₹ 50 करोड़ तथा 1985 में ₹ 100 करोड़ कर दिया गया।

(*iii*) व्यापार की निषिद्ध तथा प्रतिबंधक प्रक्रियाओं को सामंजित करने के लिए सरकार ने MRTP आयोग की स्थापना की।

1973 की औद्योगिक नीति (Industrial Policy, 1973)

1973 के औद्योगिक नीति वक्तव्य ने अर्थव्यवस्था में कुछ नई विचारधाराओं का समावेश किया, जिनमें कुछ मुख्य निम्नलिखित हैं :

(*i*) एक नए वर्गीकरण शब्द 'कोर' (core) अथवा मूलभूत उद्योग की उत्पत्ति हुई। इसके अंतर्गत वे उद्योग आते हैं, जो अन्य उद्योगों के बिकास के लिए मूल रूप से महत्वपूर्ण हैं, जैसे– लोहा व इस्पात, सीमेंट, कोयला, कच्चा तेल, तेल परिष्करण तथा बिजली के उद्योग। भविष्य में ये उद्योग देश में मूलभूत उद्योग या आधारभूत उद्योग के नाम से जाने जाएंगे।

(*ii*) इस नीति द्वारा उस वक्त परिभाषित 6 'कोर' उद्योगों में से निजी क्षेत्र उन उद्योगों के लाइसेंस के लिए आवेदन कर सकते थे, जो 1956 की औद्योगिक नीति की अनुसूची A में शामिल नहीं थे। ऐसे अनुज्ञा-पत्रों (लाइसेंस) के आवेदन के लिए किसी निजी कंपनी की कुल संपत्ति को 20 करोड़ रुपये या उससे अधिक का होना आवश्यक था।

(*iii*) कुछ उद्योगों को आरक्षित सूची में रखा गया, जहाँ केवल लघु अथवा मध्यम उद्योग ही स्थापित किए जा सकते थे।

(*iv*) 'संयुक्त क्षेत्र' (Joint Sector) की अवधारणा विकसित हुई, जिसके द्वारा उद्योग स्थापित करते समय केंद्र, राज्य तथा निजी क्षेत्र के बीच साझेदारी की अनुमति दी गई। सरकारों को यह विवेकाधिकार था कि भविष्य में वे ऐसी साझेदारी से अलग हो सकें। इस तरह सरकार निजी क्षेत्र को राज्य के समर्थन द्वारा प्रोत्साहित करना चाहती थी।

(*v*) भारत सरकार उस समय विदेशी मुद्रा की कमी के दौर से गुजर रही थी। विदेशी मुद्रा के विनियमन के लिए विदेशी मुद्रा विनियमन अधिनियम (Foreign Exchange Regulation Act –FERA)

को 1973 में पारित किया गया। विशेषज्ञों ने इसे एक कठोर अधिनियम की संज्ञा दी, जिसने भारतीय उद्योगों के विकास तथा आधुनिकीकरण को बाधित किया।

(*vi*) विदेशी निवेश के लिए एक सीमित अनुमति बहुराष्ट्रीय कंपनियों (Multi National Companies, MNCs) को दी गई, जो इस देश में अपने सहायक अथवा उपांग उद्योग लगा सकती थीं।

1977 की औद्योगिक नीति (Industrial Policy, 1977)

वर्ष 1977 की औद्योगिक नीति एक भिन्न राजनीतिक समूह की देन है तथा उस समय राजनीतिक सरगर्मी भी भिन्न थी। तत्कालीन शासन में इंदिरा विरोधी आवाज का प्रभुत्व था एवं इन नेताओं का झुकाव अर्थव्यवस्था की गांधीवादी-समाजवादी विचारधारा के प्रति था। इस विचारधारा के तत्व 1977 की औद्योगिक नीति में देखे जा सकते हैं :

(*i*) अनावश्यक क्षेत्रों में विदेशी निवेश पर प्रतिबंध लगाया गया (यह वर्ष 1973 की औद्योगिक नीति के विपरीत था, जिसने विदेशी निवेश को तकनीकी हस्तांतरण द्वारा उन क्षेत्रों में प्रोत्साहित किया, जहाँ पूंजी तथा आवश्यक तकनीक की कमी थी)। व्यावहारिक रूप से यदि देखा जाए तो विदेशी निवेश को पूर्ण रूप से नकार दिया गया।

(*ii*) ग्रामीण उद्योगों पर बल दिया गया तथा लघु एवं कुटीर उद्योगों को नए ढंग से परिभाषित किया गया।

(*iii*) विकेंद्रित औद्योगीकरण पर ध्यान दिया गया ताकि आम लोगों को औद्योगीकरण की प्रक्रिया से जोड़ने का उद्देश्य पूरा हो सके। लघु व कुटीर उद्योगों का विस्तार वृहत् पैमाने पर करने के लिए जिला उद्योग केंद्रों (District Industries Centres, DICs) की स्थापना की गई।

(*iv*) लोकतांत्रिक विकेंद्रीकरण पर बल दिया गया तथा खादी व ग्रामीण उद्योगों की पुनर्संरचना की गई।

(*v*) दिन-प्रतिदिन के उपयोग की आवश्यक वस्तुओं के मूल्यों तथा उत्पादन स्तर पर गंभीरता से ध्यान दिया गया।

1980 की औद्योगिक नीति (Industrial Policy, 1980)

1980 में कांग्रेस पार्टी की सरकार पुनः केंद्र में वापस आई। नई सरकार ने 1980 की औद्योगिक नीति के प्रस्ताव में 1977 की औद्योगिक नीति को कुछ अपवादों के साथ संशोधित किया। इस नीति द्वारा दिए गए कुछ मुख्य प्रस्ताव थे :

(*i*) तकनीकी हस्तांतरण मार्ग द्वारा विदेशी निवेश को फिर से अनुमति प्रदान की गई (यह 1973 की औद्योगिक नीति के प्रावधानों जैसा ही था)।

(*ii*) 'MRTP सीमा' में संशोधन कर इसे बढ़ाकर 50 करोड़ रुपये कर दिया गया ताकि बड़ी कंपनियों की स्थापना को प्रोत्साहित किया जा सके।

(*iii*) जिला उद्योग केंद्रों (DICs) को जारी रखा गया।

(*iv*) औद्योगिक लाइसेंसिंग को सरल बना दिया गया।

(*v*) आमतौर पर निजी उद्योगों के विस्तार के उदारवादी रुख को अपनाया गया।

1985 तथा 1986 की औद्योगिक नीतियाँ (Industrial Policy, 1985 & 1986)

1985 तथा 1986 में सरकार द्वारा घोषित औद्योगिक नीतियों के संकल्प प्रस्ताव लगभग एकसमान थे। 1986 की औद्योगिक नीति ने 1985 की औद्योगिक नीति को प्रोत्साहित करने की कोशिश की। इन नीतियों के मुख्य आकर्षण निम्नलिखित थे :

(*i*) विदेशी निवेश को अधिक सरल बना दिया गया तथा अनेक औद्योगिक क्षेत्रों को निवेश के लिए खोल दिया गया। विदेशी निवेश की मुख्य पद्धति पहले जैसी ही थी अर्थात् तकनीकी हस्तांतरण, लेकिन अब बहुराष्ट्रीय कंपनियाँ भारतीय उपांग उद्योगों में 49 प्रतिशत इक्विटी की साझेदार हो सकती थीं, बाकी 51 प्रतिशत शेयर इनके भारतीय साझेदार के हाथों में होना था।

(*ii*) 'MRTP सीमा' को संशोधित किया गया तथा इसे बढ़ाकर ₹ 100 करोड़ कर दिया गया ताकि बड़ी कंपनियों को प्रोत्साहित किया जा सके।

(*iii*) औद्योगिक लाइसेंसिंग की प्रक्रिया को अधिक सरल कर दिया गया। अनिवार्य लाइसेंसिंग अब मात्र 64 उद्योगों के लिए ही थी।

(*iv*) 'सनराइज' उद्योगों, जैसे- दूरसंचार, कंप्यूटर तथा इलेक्ट्रॉनिक पर अधिक ध्यान दिया गया।

(*v*) सार्वजनिक क्षेत्र के उद्यमों के आधुनिकीकरण तथा लाभ पर अधिक बल दिया गया।

(*vi*) आयात किए गए कच्चे माल पर आधारित उद्योगों को बढ़ावा मिला।

(*vii*) विदेशी मुद्रा विनियमन अधिनियम (FERA) की व्यवस्था के तहत विदेशी मुद्रा के उपयोग के संदर्भ में कुछ रियायतें दी गईं ताकि आवश्यक तकनीक को भारतीय उद्योग में सम्मिलित किया जा सके एवं अंतर्राष्ट्रीय स्तर पर प्राप्त किया जा सके।

(*viii*) कृषि क्षेत्र पर ध्यान दिया गया तथा इस क्षेत्र के लिए नई वैज्ञानिक पद्धतियों का प्रयोग किया गया, सरकार द्वारा इस संदर्भ में अनेक तकनीकी मिशनों की शुरुआत की गई।

सरकार द्वारा इन नीतियों पर विचार उस समय किया जा रहा था, जब विश्व के विकसित देश विश्व व्यापार संगठन (WTO) के निर्माण पर जोर दे रहे थे तथा एक नई विश्व आर्थिक व्यवस्था सच होती नजर आ रही थी। ज्यों ही विश्व एक वृहत्त बाजार बनेगा, इसकी आपूर्ति मात्र बड़ी कंपनियों द्वारा ही की जा सकेगी। नई औद्योगिक नीति का प्रस्ताव औद्योगिक

विस्तार के पारंपरिक व्यवधानों को दूर कर (जो पूर्व की औद्योगिक नीतियों की देन है) वैश्वीकृत विश्व (Globalised World) की तैयारी थी।

इन औद्योगिक प्रावधानों का प्रयास अर्थव्यवस्था का उदारीकरण था, यह कार्य बगैर किसी 'आर्थिक सुधार' के नारे के किया जाना था। तत्कालीन सरकार की यह इच्छा थी कि उस प्रकार के आर्थिक सुधारों की शुरुआत की जाए जैसा कि 1991 के पश्चात् हुई, लेकिन इसके लिए आवश्यक राजनीतिक समर्थन की कमी थी।

सरकार द्वारा अपनाई गई संयुक्त औद्योगिक व व्यापक व्यष्टि-आर्थिक नीति (micro economic policy) में एक प्रमुख त्रुटि यह थी कि वह विदेशी निवेश पर अधिक निर्भर था, जिसके एक बड़े भाग के लिए अधिक लागत की जरूरत थी। जब यह अर्थव्यवस्था अपने औद्योगिक प्रदर्शन पर खरी नहीं उतर पायी तो देश के लिए विदेशी उधार चुकाना मुश्किल हो गया– देश के बाहर की घटनाएं (खाड़ी युद्ध, 1990-91) स्थिति को और बिगाड़ रही थीं तथा 1980 के दशक के अंत में भारत एक गंभीर भुगतान संतुलन संकट से गुजर रहा था, मुद्रास्फीति दर (13 प्रतिशत से ज्यादा) तथा वित्तीय घाटा (8 प्रतिशत से ज्यादा) इस दौरान काफी अधिक हो गया था। इस गहरी समस्या ने अर्थव्यवस्था को एक वित्तीय संकट में डाल दिया जिस कारण से भारत ने आने वाले समय में आर्थिक प्रबंधन का एक नया तरीका अपनाया।

नई औद्योगिक नीति 1991 (New Industrial Policy, 1991)

भारतीय अर्थव्यवस्था के ढाँचे और इसकी प्रकृति को आकार पूर्व की औद्योगिक नीतियों से ही मिला था। समय की मांग थी कि 90 के दशक की शुरुआत में इसकी प्रकृति और ढाँचे को बदला जाए। भारत सरकार ने औद्योगिक नीति के मूल स्वरूप को बदलने का फैसला किया जिससे खुद-ब-खुद अर्थव्यवस्था की प्रकृति और कार्यक्षेत्र बदलाव की ओर अग्रसर होंगे। इस तरह 1991 की नई औद्योगिक नीति आई।

इस नीति के साथ सरकार ने अर्थव्यवस्था में सुधार की प्रक्रिया को शुरू किया, इसलिए इस नीति को एक नीति के बजाय प्रक्रिया ज्यादा माना गया।

जून 1991 में भारत के समक्ष एक गंभीर भुगतान संतुलन का संकट था। 1990 तथा 1991 में अनेक परस्पर जुड़ी हुई घटनाएं हुई, जो भारत के आर्थिक हितों के विपरीत थीं :

(*i*) खाड़ी युद्ध (1990-91) के कारण तेल की बढ़ती कीमतें भारत के विदेशी मुद्रा भंडार को तेज गति से खाली कर रही थीं।

(*ii*) विदेश में खासकर खाड़ी क्षेत्र में काम कर रहे भारतीय श्रमिकों द्वारा भेजे गए धन में खाड़ी युद्ध के कारण आई गिरावट।

(*iii*) मुद्रास्फीति दर लगभग 17 प्रतिशत तक पहुँच गयी थी।

(*iv*) केंद्र सरकार का सकल वित्तीय घाटा सकल घरेलू उत्पाद का 8.4 प्रतिशत था।

(*v*) जून 1991 तक भारत का विदेशी मुद्रा भंडार घट कर मात्र दो सप्ताह के आयात के लिए ही पर्याप्त रह गया था।

1991 में भारत सरकार द्वारा बाजार उदारीकरण के लिए उठाए गए कदम का मुख्य कारण गंभीर भुगतान संतुलन का संकट था तथा सरकार ने इस संदर्भ में एक क्रमिक नीति अपनाई। चूंकि आर्थिक सुधार का मुख्य कारण भुगतान संतुलन का संकट था, इसलिए इसके प्रारंभिक चरण ने व्यष्टि आर्थिक स्थिरीकरण (Macro-economic stablisation) पर बल दिया, वहीं औद्योगिक नीति, व्यापार तथा विनिमय दर नीति, विदेशी निवेश नीति, वित्तीय एवं कर सुधार तथा सार्वजनिक क्षेत्र सुधार के उपायों को शीघ्र ही इसके बाद लागू किया गया।

अंतर्राष्ट्रीय मुद्रा कोष द्वारा भारत को 1990-91 के भुगतान संतुलन संकट से लड़ने के लिए वित्तीय सहायता दी गई, इसके बदले में सरकार को कुछ शर्तों को पूरा करना था। अंतर्राष्ट्रीय मुद्रा कोष की यह शर्त थी कि भारतीय अर्थव्यवस्था का एक संरचनात्मक पुनःसामंजन (Structural re-adjustment) हो। इस समय तक भारतीय अर्थव्यवस्था की प्रकृति एवं क्षेत्र को विभिन्न औद्योगिक नीतियाँ प्रभाहित करती थीं इसलिए आर्थिक संरचना में परिवर्तन के लिए यह आवश्यक था कि इसे एक नई औद्योगिक नीति द्वारा परिभाषित किया जाए। 23 जुलाई, 1991 को सरकार द्वारा घोषित की गई नई औद्योगिक नीति ने देश में एक वृहत्त आर्थिक सुधार की प्रक्रिया की शुरुआत की, जिसका उद्देश्य अर्थव्यवस्था का संरचनात्मक पुनःसामंजन था ताकि अंतर्राष्ट्रीय मुद्रा कोष की शर्तों को पूरा किया जा सके। इस नीति के मुख्य अंश निम्नलिखित हैं :

1. **उद्योगों को अनारक्षित करना (De-Reservation of Industries):** 1956 की औद्योगिक नीति द्वारा केंद्र सरकार के लिए आरक्षित उद्योगों को घटाकर 8 कर दिया गया। आने वाले वर्षों में अनेक अन्य उद्योग निजी क्षेत्र के निवेश के लिए खोल दिये गए। वर्तमान में मात्र 2 उद्योग हैं, जो संपूर्ण या आंशिक रूप से केंद्र सरकार के लिए आरक्षित हैं :

   (*i*) नाभिकीय अनुसंधान तथा संबद्ध गतिविधियां जैसे- रेडियोधर्मी खनिजों का खनन, उपयोग, प्रबंधन, ईंधन निर्माण, निर्यात-आयात, अपशिष्ट प्रबंधन, इत्यादि (विश्व के किसी भी नाभिकीय शक्ति सम्पन्न देश ने इन गतिविधियों के लिए निजी क्षेत्र को अनुमति नहीं दी है अतः भारत के संदर्भ में ये अटकलें निराधार साबित होंगी)।

   (*ii*) रेल सेवा (रेल सेवा से संबद्ध अनेक कार्यों के लिए निजी क्षेत्र को अनुमति प्रदान की गई है, लेकिन अभी भी निजी कंपनियाँ इस क्षेत्र में एक पूर्ण विकसित रेल सेवा प्रबंधक के रूप में प्रवेश नहीं कर सकती हैं)।

2. **उद्योगों के लिए लाइसेंसिंग हटाना (De-Licencing of the Industries):** उन उद्योगों की संख्या 64 से घटाकर मात्र 17 कर दी गई, जिसके लिए अनिवार्य लाइसेंस जरूरी था (1956 की औद्योगिक नीति प्रस्ताव के तहत अनुसूची B तथा C में दर्ज उद्योग)। इस क्षेत्र में आर्थिक सुधार प्रक्रिया को आगे बढ़ाया गया तथा वर्तमान में मात्र 4 उद्योग ऐसे हैं जिनके लिए अनिवार्य लाइसेंस की जरूरत है। ये उद्योग निम्नलिखित हैं :

(*i*) वायु, आकाश तथा रक्षा से संबंधित इलेक्ट्रॉनिक,
(*ii*) बारूद, औद्योगिक विस्फोटक तथा प्रस्फोटक फ्यूज,
(*iii*) खतरनाक रसायन,
(*iv*) तंबाकू, सिगरेट तथा अन्य संबंधित उत्पाद।

3. **MRTP सीमा का समापन (Abolition of the MRTP Limit):** MRTP सीमा (100 करोड़ रुपये की सीमा) का समापन ताकि उद्योगों का विलय, अधिग्रहण तथा अधीनीकरण संभव हो सके। वर्ष 2002 में एक प्रतिस्पर्द्धा अधिनियम (Competition Act) पारित किया गया, जिसने MRTP अधिनियम को प्रतिस्थापित किया। MRTP आयोग की जगह प्रतिस्पर्द्धा आयोग ने कार्य करना शुरू किया।

4. **विदेशी निवेश को प्रोत्साहन (Promotion to Foreign Investment):** एक सीमित अथवा बंद अर्थव्यवस्था (Closed Economy) के रूप में काम करते हुए भारतीय अर्थव्यवस्था ने भारत में विदेशी पूंजी निवेश की इच्छा कभी नहीं जताई। नई औद्योगिक नीति इस संदर्भ में पथ से हटकर एक नया कदम है। न केवल कठोर अधिनियम (FERA) को सरकार तनुकृत करने के लिए वचनबद्ध थी बल्कि विदेशी निवेश (FI) को दोनों रूपों–प्रत्यक्ष तथा अप्रत्यक्ष, में सरकार ने प्रोत्साहित किया। विदेशी निवेश (FI) के प्रत्यक्ष रूप को प्रत्यक्ष विदेशी निवेश (Foreign Direct Investment–FDI) कहा गया है, जिसके तहत बहुराष्ट्रीय कंपनियों ने भारत के विभिन्न क्षेत्रों में अपने उद्यम स्थापित किए हैं। इन उद्यमों के स्वामित्व में उनका हिस्सा 26 प्रतिशत से लेकर 100 प्रतिशत तक था–एनरॉन तथा कोक इसमें अग्रणी थे। प्रत्यक्ष विदेशी निवेश (FDI) की शुरुआत 1991 में की गई। विदेशी निवेश के अप्रत्यक्ष को रूप (अर्थात् इक्विटी पूंजी में भारतीय कंपनियों की सम्पत्ति) पोर्टफोलियो निवेश योजना (Portfolio Investment Scheme-PIS) कहा गया, जिसकी औपचारिक शुरुआत 1994 में हुई। इस योजना के तहत उन विदेशी संस्थागत निवेशकों (FIIs) को भारतीय प्रतिभूति शेयर बाजार में निवेश करने की अनुमति दी गई, जिनका अन्य जगहों पर प्रदर्शन अच्छा रहा था। विदेशी संस्थागत निवेशकों को अपने आपको SEBI में एक स्टॉक ब्रोकर (शेयर दलाल) के रूप में दर्ज कराना अनिवार्य था।

5. **FEMA द्वारा FERA का प्रतिस्थापन्न (FERA Replaced by FEMA):** सरकार ने वर्ष 1991 में ही कठोर FERA अधिनियम को उदार FEMA द्वारा प्रतिस्थापित करने की वचनबद्धता जताई थी– इसे वर्ष 2000-01 में कार्यान्वित किया गया, FERA के समापन के लिए दो वर्षों की समय सीमा निर्धारित की गयी।

6. **उद्योगों की अवस्थिति (Location of Industries):** इससे संबंधित प्रावधानों को इस नीति द्वारा सरल बना दिया गया, जो पहले एक अत्यधिक बोझिल तथा समय लेने वाली प्रक्रिया थी। अब उद्योगों को दो प्रकार में वर्गीकृत किया गया– 'प्रदूषण फैलाने वाले उद्योग' तथा इसके विपरीत वे उद्योग जो प्रदूषण नहीं फैलाते हों। इन उद्योगों की अवस्थिति को निर्धारित करने के लिए दो अत्यधिक सरल प्रावधानों की घोषणा की गई :

(*i*) उन उद्योगों की स्थापना कहीं भी की जा सकती है, जो प्रदूषण नहीं फैलाते हों।
(*ii*) प्रदूषण फैलाने वाले उद्योगों को मिलियन नगरों (million cities) से कम-से-कम 25 किमी. की दूरी पर स्थापित किया जाना चाहिए।

7. **चरणबद्ध उत्पादन की अनिवार्यता का अंत (Compulsion of Phased Production Abolished):** चरणबद्ध उत्पादन की अनिवार्यता के समापन के कारण अब निजी कंपनियाँ अनेक वस्तुओं तथा मॉडलों का उत्पादन एक साथ कर सकती थीं। अब उद्योगों की क्षमता तथा पूंजी का उपयोग पूरी तरह किया जा सकता था।

8. **ऋणों को शेयरों में परिवर्तित करने की अनिवार्यता का समापन (Compulsion to Convert Loans into Shares Abolished):** सरकार द्वारा राष्ट्रीयकरण की नीति का प्रारंभ 1960 के दशक के अंत में हुआ तथा यह नीति अधिक सार्वजनिक लाभ पर आधारित थी। इस नीति की उत्पत्ति लोक कल्याणकारी राज्य की अवधारणा से हुई। इस नीति की आलोचना इससे प्रभावित लोगों तथा विशेषज्ञों द्वारा की गई। 1970 के दशक के प्रारंभ में सरकार ने देश के मुख्य बैंकों (उस समय इनकी कुल संख्या 14 थी) को पूर्ण रूप से राष्ट्रीयकृत किया। इन बैंकों को भारत के नियोजित विकास के लिए संसाधन एकत्रित करने थे। निजी कंपनियों ने इन बैंकों से उधार लिया था (जब ये बैंक निजी बैंक थे) तथा अब वे अपने ऋणों को चुकाना चाहते थे। सरकार उन कंपनियों के लिए एक नये प्रावधान के साथ सामने आई जो अपने ऋणों को चुकाने में असमर्थ थीं (ज्यादातर कंपनियाँ ऐसी थीं– वे अपने ऋण की राशि को इक्विटी शेयरों में परिवर्तित कर सकती थीं तथा बैंकों को सुपुर्द कर सकती थीं)। निजी कंपनियाँ, जिन्होंने इस रास्ते को अपनाया (यह एक अनिवार्य विकल्प था), अंततः सरकारी स्वामित्व वाली कंपनियाँ बन गईं, क्योंकि इन बैंकों का स्वामित्व सरकार के हाथों में था। यह निजी कंपनियों को राष्ट्रीयकृत करने का एक अप्रत्यक्ष मार्ग था। ऐसी अनिवार्यता, जिसने भारतीय उद्योगों की वृद्धि एवं विकास को बाधित किया, सरकार द्वारा 1991 में हटा लिया गया।

1991 की नई औद्योगिक नीति को कई विशेषज्ञों, संसद में विपक्ष तथा गणमान्य व्यक्तियों व व्यापार एवं उद्योग जगत् के लोगों ने सरकार के पीछे हटते कदम माना (Rolling back of the State)। नेहरू की अर्थव्यवस्था में सरकार की प्रदत्त अहम

भूमिका को इस नीति में दरकिनार कर दिया गया। किसी एक धारणा जिसे नई नीति ने चुनौती दी, वह सरकार द्वारा कायम की गई ''नियंत्रण व्यवस्था'' (Control Regime) थी। 'नियंत्रण व्यवस्था' द्वारा संयुक्त रूप से राजनीतिज्ञों, नौकरशाह, बहुराष्ट्रीय व घरेलू कंपनियों तथा बड़े औद्योगिक घराने के हितों की रक्षा की जाती थी। इसलिए सरकार को बड़े औद्योगिक घरानों द्वारा दिया गया ज्ञापन-पत्र, जिसमें 'नियंत्रण व्यवस्था' को विघटित करने से रोकने का आग्रह किया गया तथा ''स्वदेशी जागरण मंच'' की शुरुआत असंगत नहीं थी, लेकिन सरकार ने राजनीतिक रूप से उचित गति के साथ आर्थिक सुधार की प्रक्रिया को जारी रखा तथा एक ऐसा समय (2002) आया जब वही औद्योगिक घराने सरकार से आर्थिक सुधार प्रक्रिया को आगे बढ़ाने का आग्रह करने लगे। अब भारतीय उद्योग तथा व्यापारिक वर्ग 'खुली अर्थव्यवस्था' (उदारीकरण) तथा एक भिन्न प्रकार की मिश्रित अर्थव्यवस्था को समझने लगे थे, लेकिन आर्थिक सुधार की प्रक्रिया को अभी और आगे बढ़ना है ताकि इसका लाभ आम लोगों तक पहुँचे तथा सुधार प्रक्रिया के साथ विकास को एक जन-आंदोलन बनाया जा सके।

लोक उद्यम
(Public Enterprises)

अवधारणा

19वीं शताब्दी में व्यक्तिवादी विचारधारा यूरोप में प्रचलित थी। इस विचारधारा के आर्थिक क्षेत्र में सबसे प्रमुख विचारक एडम स्मिथ थे जिनके अनुसार वह राज्य सबसे अधिक अच्छा था जो लोगों के मामलों में कम हस्तक्षेप करता था। संक्षेप में, उन्होंने अबाध्य व्यापार या आर्थिक क्षेत्र में सरकार द्वारा व्यक्ति को अकेला छोड़ देने या अहस्तक्षेप (Laissez Faire) की नीति का प्रचार किया। इंग्लैंड में इस नीति को अपनाया गया जिसके परिणामस्वरूप आर्थिक क्षेत्र में अत्यंत भयानक परिणाम दृष्टिगोचर हुए। इसकी व्यापक प्रतिक्रिया यूरोप में साम्राज्यवाद तथा साम्यवाद के रूप में दृष्टिगोचर हुई। कार्ल मार्क्स साम्यवाद अथवा वैज्ञानिक समाजवाद का जन्मदाता था। इस सिद्धांत के अनुसार राज्य के कार्य बहुत बढ़ जाते हैं और राज्य का हस्तक्षेप प्रत्येक क्षेत्र में हो जाता है। अतः साम्यवाद के परिणामों से भयभीत होकर पश्चिमी यूरोप के देशों ने व्यक्तिवाद तथा साम्यवाद के बीच का एक मार्ग ढूंढ़ निकाला जिसे 'कल्याणकारी राज्य' का सिद्धांत कहा जाता है। इसके अनुसार राज्य को जनता के कल्याण के लिए आर्थिक क्षेत्र में कुछ कार्य करने चाहिए। प्रायः सभी देशों में यह बात मान ली गई कि देश की जनता के कल्याण के लिए राज्य को देश की अर्थव्यवस्था में प्रवेश करना होगा तथा पूंजीवादी व्यवस्था की समाप्ति, उत्पादन के साधनों के निजी स्वामित्व के उन्मूलन और मनुष्य द्वारा मनुष्य के शोषण की समाप्ति के लिए कदम उठाने होंगे। अतएव व्यावसायिक उद्यमों के सरकारी स्वामित्व, संचालन तथा नियंत्रण की प्रथा शुरू हुई और नए प्रकार के संगठनों का उदय हुआ जिनमें सबसे महत्त्वपूर्ण 'लोक निगम अथवा सरकारी निगम' (Public Corporations) हैं। रॉबसन के शब्दों में, ''लोक निगम राजनीतिक संगठन व वैधानिक व्यवहारों के अंतर्गत सबसे अनूठा आविष्कार है।''

लोक निगम : अर्थ और परिभाषा
(Public Corporation : Meaning and Definitions)

'निगम' का शब्दार्थ है 'निरन्तर चलता रहने वाला व्यापारिक संगठन।' यह आजकल अंग्रेजी के 'कॉरपोरेशन' शब्द का अनुवाद समझा जाता है किन्तु यह शब्द हमारे साहित्य में प्राचीनकाल से प्रचलित है और अंग्रेजी शब्द के एक मूलभूत विचार–सदैव बने रहने को भली-भांति प्रकट करता है। अंग्रेजी में इस कानूनी शब्द का अभिप्राय निम्नलिखित विशेषताओं वाले ऐसे व्यक्तियों के समूहों से है : (*i*) जो एक व्यक्ति के समान कार्य करते हैं (*ii*) इन्हें राज्य द्वारा अधिकार पत्र (चार्टर) अथवा कानून बनाकर विशेष प्रयोजन पूरा करने के लिए बनाया जाता है (*iii*) यह अपना पृथक् कानूनी व्यक्तित्व रखता है (*iv*) सभी प्रकार के अनुबन्ध, ठेके, समझौते कर सकता है। इनको भंग करने के लिए इस पर अभियोग चलाया जा सकता है। इसे सम्पत्ति रखने और प्राप्त करने के पूरे अधिकार होते हैं। (*v*) इसका जीवन इसका निर्माण करने वाले व्यक्तियों से अधिक लंबा होता है। इसके सदस्य भले ही मर जाएं किन्तु निगम अजर-अमर है। यह निरंतर चलता रहता है।

व्यवस्था के क्षेत्र में इसका सर्वोत्तम विकास इस शताब्दी के आरम्भ में संयुक्त राज्य अमेरिका में हुआ। वहाँ संयुक्त पूंजी वाली कंपनियों के विकास के बाद हजारों तथा लाखों हिस्सेदार रखने वाले, करोड़ों डॉलर की पूंजी वाले तथा पाँच हजार से अधिक कर्मचारियों को रखने वाले औद्योगिक तथा व्यापारिक निगमों का विकास हुआ। इन्हें अपने कार्यों में अद्भुत सफलता मिली। इससे प्रोत्साहित होकर वहाँ सरकार ने अपने विभिन्न कार्यों को इस पद्धति पर चलाने के लिए इन्हीं व्यापारिक संगठनों के आदर्श पर सरकारी निगमों का निर्माण किया। सरकारी निगम सरकार द्वारा चलाए जाने वाले ऐसे संगठन हैं जिनको व्यावसायिक निगमों की भांति चलाया जाता है।

सरकारी निगमों की विभिन्न विद्वानों ने विभिन्न परिभाषाएं दी हैं जिनमें मुख्य निम्नलिखित हैं :

डिमॉक (Dimock) के अनुसार, ''सरकारी निगम वह सरकारी उद्यम है जिसकी स्थापना किसी निश्चित व्यापार को चलाने अथवा वित्तीय उद्देश्य को प्राप्त करने के लिए किसी संघीय, राज्य अथवा स्थानीय कानून के द्वारा की जाती है।''

पिफनर (Pfiffner) के अनुसार, ''निगम एक ऐसा निकाय है जिसे अनेक व्यक्तियों के 'एक व्यक्ति' के रूप में कार्य करने के लिए स्थापित किया जाता है।''

अर्नेस्ट डेबिस (Earnest Davis) के अनुसार, ''निश्चित शक्तियों तथा कार्यों और वित्तीय स्वतंत्रता सहित सार्वजनिक शक्ति द्वारा उत्पन्न निगम संयुक्त मण्डल है।''

हर्बर्ट मौरीसन (Herbert Morrison) ने लोक निगम की परिभाषा इस प्रकार दी है, "वह सार्वजनिक स्वामित्व, सार्वजनिक उत्तरदायित्व तथा लक्ष्यों की पूर्ति के लिए व्यापारिक प्रबंध का समन्वय है।"

विलियम जे. ग्रेन्ज (William J. Grange) के अनुसार, "निगम एक कृत्रिम व्यक्ति है जिसे कानून द्वारा किन्हीं विशेष गतिविधियों तथा कार्यों को करने का अधिकार है।"

हैरॉल्ड सीडमैन के अनुसार, "सरकारी निगम को इसलिए संगठित किया जाता है कि वह कानून द्वारा स्वीकृत उद्देश्य की पूर्ति करे।"

भूतपूर्व अमेरिकी राष्ट्रपति रूजवेल्ट के अनुसार, "लोक निगम व्यवसाय का वह आदर्श स्वरूप हैं जिसके पास सरकार के अधिकार तथा निजी उद्योग का लचीलापन एवं स्वतः प्रेरणा होती है।"

संक्षेप में, निगम में वाणिज्यिक स्वाधीनता तथा सरकारी नियंत्रण का उचित एवं न्यायपूर्ण सम्मिश्रिण पाया जाता है।

लोक उपक्रमों की वृद्धि, प्रारुप तथा प्रबंध (Growth, Design & Management of Public Enterprises)

पिछले कुछ दशकों में व्यावसायिक उद्यमों के सरकारी स्वामित्व एवं संचालन की संख्या में अधिक वृद्धि हो जाने से एक मूलभूत समस्या यह उत्पन्न हो गयी कि किसी भी उद्यम की सबसे अच्छी प्रबंध व्यवस्था किस प्रकार हो सकती है? प्रबंध के किस स्वरूप को अपनाकर सर्वोत्तम परिणाम प्राप्त किये जा सकते हैं?

सार्वजनिक उद्यमों के प्रबंध हेतु सामान्यतः पाँच प्रकार के संगठनों का उपयोग किया जा सकता है। संक्षेप में वे निम्न प्रकार के हैं:

1. विभागीय प्रबंध (Departmental Management)
2. संयुक्त पूंजी कंपनी (Joint Stock Company)
3. मिश्रित संयुक्त पूंजी कंपनी (Mixed Joint Stock Company)
4. संचालन ठेका (The Operating Contract)
5. लोक निगम (Public Corporation)

1. विभागीय प्रबंध (Departmental Management)– सरकारी उद्यम चलाने का कार्य सरकार की अन्य क्रियाओं के समान ही उसी के एक विभाग द्वारा किया जाता है। विभागीय प्रबंध व्यवस्था का उपयोग अनेक देशों में रेलों, संचार के साधनों, बंदरगाहों आदि के लिए किया जाता है। भारत में रेलवे, जो कि सबसे बड़ी सरकारी उद्यम है, विभागीय प्रबंध व्यवस्था के अंतर्गत है। इसके अतिरिक्त, चित्तरंजन लोकोमोटिव वर्क्स, युद्ध सामग्री का उत्पादन करने वाली कुछ फैक्ट्रियाँ, पेरम्बूर की इण्टीग्रल कोच फैक्टरी, आदि का संचालन व उनकी वित्तीय व्यवस्था तथा नियंत्रण बहुत कुछ उसी प्रकार किया जाता है जिस प्रकार कि केंद्र सरकार के अन्य किसी विभाग का। विभागीय प्रबंध की अग्रलिखित विशेषताएं हैं:

1. उद्यम का संगठन सरकार के किसी एक विभाग के एक बड़े उपसंभाग (Sub-division) के रूप में किया जाता है। उस पर उस विभाग के अध्यक्ष का प्रत्यक्ष नियंत्रण रहता है।
2. उद्यम की वित्तीय व्यवस्था सरकारी बजट में स्वीकृत राशियों के अनुसार की जाती है।
3. उद्यम की अर्थ-व्यवस्था का नियंत्रण, लेखांकन तथा लेखा परीक्षण उन नियमों के द्वारा होता है, जो कि अन्य सरकारी विभागों में लागू होते है।
4. उद्यम के स्थायी कर्मचारी वर्ग में सिविल सेवक होते हैं। उन कर्मचारियों की भर्ती की पद्धतियाँ तथा सेवा की शर्तें आदि सामान्यतः वैसी ही होती हैं जैसा कि अन्य सिविल सेवकों की होती हैं।
5. उद्यम के कुशल संचालन के लिए विभागीय मंत्री उत्तरदायी होता है। उद्योग के संबंध में संसद सदस्यों द्वारा पूछे गए प्रश्नों का उत्तर वही देता है।
6. उद्यम को राज्य के सर्वश्रेष्ठ विशेषाधिकार प्राप्त होते हैं और सरकार की सहमति के बिना उस पर मुकदमा नहीं चलाया जा सकता।

विभागीय प्रबंध व्यवस्था के गुण इस प्रकार हैं:

(*i*) इस व्यवस्था में सरकारी उत्तरदायिता (Public Accountability) निश्चित रहती है। विभागीय मंत्री द्वारा ऐसे संगठन पर पर्याप्त नियंत्रण रखा जाता है।

(*ii*) विभागीय प्रबंध व्यवस्था वाले उद्यम का संगठन वस्तुतः पदसोपान (hierarchy) के आधार पर होता है।

(*iii*) उद्यम का प्रशासन वरिष्ठ (Senior) सिविल सेवकों के हाथों में होता है तथा वित्तीय नियंत्रण राजकोष द्वारा किया जाता है।

(*iv*) सरकारी ढाँचे के अन्य भागों के साथ स्पष्ट संबंध होना, इस प्रकार की प्रबंध व्यवस्था का एक अन्य लाभ है।

विभागीय प्रबंध व्यवस्था के दोष निम्न प्रकार हैं :

(*i*) इस व्यवस्था में उद्यम पर सरकार का अत्यधिक नियंत्रण रहता है।

(*ii*) उद्यम में उपक्रम एवं लोचशीलता (Initiative and Flexibility) का अभाव रहता है।

(*iii*) विभागीय प्रबंध व्यवस्था औद्योगिक तथा वाणिज्यिक प्रकृति के उद्यमों के अनुकूल नहीं है। ए. डी. गोरवाला ने इसी कारण ठीक ही कहा है कि "विभागीय प्रबंध का उपयोग तो कभी-कभी ही किया जाना चाहिए, एक सामान्य नियम के रूप में नहीं। अनेक प्रकार से स्वायत्तता की आवश्यकताओं का यह एक प्रत्यक्ष नकारात्मक रूप है। यह उपक्रम तथा लचीलेपन का विरोध करता है...। तथापि कुछ किस्म के उद्यमों की स्पष्ट व्याख्या होनी चाहिए, उनको पृथक् रखना चाहिए और उनकी संख्या न्यूनतम ही रहनी चाहिए।"

2. संयुक्त पूंजी कंपनी (Joint Stock Company)– सार्वजनिक उद्यमों की प्रबंध व्यवस्था के लिए संयुक्त पूंजी कंपनी का भी प्रयोग किया जाता है। संयुक्त पूंजी कंपनी की संपूर्ण पूंजी भारत सरकार द्वारा प्रदान की जाती है और वह एक या दो पदाधिकारियों के नाम से रखी जाती है क्योंकि एक प्राइवेट लिमिटेड कंपनी की स्थापना के लिए कम से कम दो हिस्सेदारों की आवश्यकता होती है। इन कंपनियों के विस्तृत संघ, स्मृतिपत्र तथा संघ विधानपत्र होते हैं जिनमें संयुक्त पूंजी लिमिटेड कंपनी के हिस्सों

(Shares) के स्थानांतरण की तथा साधारण सभाओं की व्यवस्थाएं और अन्य सभी आवश्यक बातें दी होती हैं। इन कंपनियों के निदेशक मण्डल (Board of Directors) सरकार द्वारा मनोनीत किए जाते हैं और ये मण्डल एक सामान्य प्रतिरूप के होते हैं। एक चेयरमैन होता है जो कि आमतौर पर किसी विशिष्ट उद्योग के कार्यभारी (Incharge) मंत्रालय का सचिव होता है...ये सभी निदेशक पदेन (Ex-officio) होते हैं....इन सभी मण्डलों में कुछ गैर-सरकारी व्यक्तियों (Non-officials) का लघु मिश्रण होता है जिनमें एक या दो व्यवसायी होते हैं और कभी-कभी एक श्रमिक नेता परंतु निदेशक मण्डल में सरकारी अधिकारियों का ही वर्चस्व रहता है। सरकारी उद्यमों का यह एक गंभीर दोष है।

इन कंपनियों की प्रमुख विशेषताएं हैं:

(*i*) इन कंपनियों का पृथक् वैधानिक अस्तित्व होता है।

(*ii*) ये कम्पनियाँ अपने कर्मचारियों की भर्ती स्वयं करती हैं। इन पर सिविल सर्विस कण्डक्ट रूल्स लागू नहीं होते हैं।

(*iii*) ये कंपनियाँ भी स्वायत्त संस्थाएं हैं किंतु इनकी स्वायत्तता लोक निगमों की तरह विशेष अधिनियमों से प्राप्त नहीं होती हैं अपितु कंपनी अधिनियमों से प्राप्त होती हैं जो सामान्य कानून होते हैं।

(*iv*) सरकारी कंपनियों का पूर्ण स्वामित्व सरकार के पास हो सकता है और आंशिक स्वामित्व भी सरकार चाहे तो रख सकती है किंतु ऐसा आंशिक स्वामित्व 51% अंश-पूंजी पर होना चाहिए।

(*v*) सरकारी कंपनियों की वित्त व्यवस्था राजकीय कोष एवं बजट व्यवस्था से स्वतंत्र होती है। सरकारी लेखाकर्म एवं अंकेक्षण संबंधी नियम भी इन कंपनियों पर लागू नहीं होते हैं।

इस प्रकार की कंपनियों की संगठनात्मक व्यवस्था के प्रमुख लाभ निम्नलिखित हैं :

(*i*) इसमें विभागीय प्रबंध व्यवस्था की अपेक्षा अधिक लचीलापन होता है। सरकारी कंपनियों को वित्तीय मामलों में स्वतंत्रता प्राप्त होती है। ये कंपनियाँ ऋण प्राप्त कर सकती हैं, कोषों का निर्माण कर सकती हैं, आय को स्वयं के विकास के लिए काम में ला सकती हैं एवं लिए गए ऋणों को पूंजी में बदल सकती हैं।

(*ii*) निगम की तुलना में कंपनी की स्थापना करना सरल है। निगम की स्थापना करने के लिए विधानमण्डल को कानून पास करना पड़ता है परंतु कंपनी की स्थापना के लिए इसकी कोई आवश्यकता नहीं पड़ती। कंपनी को भारतीय कंपनी ऐक्ट के अंतर्गत पंजीकृत मात्र कराना होता है।

सरकारी कंपनियों के उपर्युक्त लाभ होते हुए भी इन्हें लोक निगमों की तुलना में अधिक अच्छा नहीं समझा जाता है। डब्ल्यू.ए. रॉबसन का कहना है कि "लगभग सभी अर्थों में संयुक्त पूंजी कंपनी लोक निगम की तुलना में निम्न कोटि की है।... इनकी गतिविधियाँ तथा नीतियाँ गोपनीय रखी जाती हैं और जनता से उसके जानने योग्य बातें छिपाई जाती हैं.."

उपर्युक्त दोषों के होते हुए भी ए. डी. गोरवाला ने सार्वजनिक उद्यमों के लिए संयुक्त पूंजी कंपनियों की सिफारिश की थी। उनके मतानुसार वाणिज्यिक प्रकृति के कार्यों को संपन्न करने के लिए संयुक्त कंपनी व्यवस्था अपने लचीलेपन के कारण निगम की अपेक्षा अधिक उपयुक्त है। उनकी राय में निगम का उपयोग केवल तभी किया जाना चाहिए जब कि उद्यम किसी ऐसे कार्य को संपन्न कर रहा हो जो कि वस्तुतः कार्यों का ही एक विस्तार हो जैसे कि सिंचाई, जल विद्युत परियोजनाएं, प्रसार अथवा परिवहन सेवा।

3. मिश्रित संयुक्त पूंजी कंपनी (Mixed Joint Stock Company)– मिश्रित संयुक्त पूंजी कंपनी एक ऐसी व्यवस्था है जिसमें सरकारी तथा गैर-सरकारी स्वामित्व का मिश्रण रहता है। पश्चिमी देशों में ऐसे अनेक आर्थिक संगठन पाए जाते हैं। ऐसी कंपनियों के लिए फ्रांस विशेष रूप से प्रसिद्ध है। इनमें राज्य तथा निजी निवेशकर्ता दोनों पूंजी लगाते हैं किंतु अधिकतर राज्य का भाग निजी निवेशकर्ताओं के भाग से बड़ा होता है। फलतः कंपनी पर उसका नियंत्रण बना रहता है।

मिश्रित उद्यमों में सरकार उद्यम के नियंत्रण तथा निरीक्षण के अधिकार सुरक्षित रखती है। ऐसी कंपनियों पर नियंत्रण रखने के लिए सरकार बहुधा निम्न उपायों का प्रयोग करती है। सरकार या तो बोर्ड के चेयरमैन की अथवा अधिकांश सदस्यों की नियुक्ति का अधिकार स्वयं ले सकती है। सरकार शेयरों के हस्तांतरण पर तथा कंपनी के लाभों के वितरण पर प्रतिबंध लगा सकती है। सरकार लेखा परीक्षकों की निवृत्ति का अधिकार भी स्वयं ले सकती है।

मिश्रित व्यवस्था के पक्ष में यह कहा जाता है कि "यह व्यवस्था राज्य को इस योग्य बनाती है कि वह उन गैर-सरकारी व्यवसायियों के अनुभव का लाभ उठा सके जो मिश्रित निगमों के निदेशक मण्डलों के सदस्य होते हैं। इसके कार्यों के प्रबंध में लचीलापन पाया जाता है जिससे संचालन में सफलता की सम्भावना रहती है और यह कि आवश्यक पूंजीगत निधियों की पूर्ति के लिए यह आंशिक रूप से गैर-सरकारी स्रोतों से धन प्राप्त करती है।"

मिश्रित कम्पनियों के आलोचकों का कहना है कि इस व्यवस्था में बेमेल चीजों का मिश्रण किया जाता है। सरकारी उद्योग का लक्ष्य है सेवा और निजी उद्यम का प्राथमिक उद्देश्य है लाभ कमाना। स्पष्टतः दोनों के लक्ष्य मेल नहीं खाते। अतएव यह सम्भावना बनी रहती है कि मिश्रित उद्यम में दोनों प्रणालियों की अच्छाइयों के बदले उनके अवगुण आ जायें।

4. संचालन ठेका (The Operating Contract)– रंगून सेमिनार प्रलेख के अनुसार संचालन ठेका लोक उपक्रमों की स्थापना एवं प्रशासन का नवीन तरीका है। इस प्रारूप में सरकार किसी स्थापित निजी कंपनी के साथ सम्बद्ध लोक उपक्रम के प्रबंध संचालन के लिए एक अनुबन्ध करती है और 'ठेकेदार कंपनी' के प्रबंध संचालन संबंधी समस्त व्ययों के भुगतान का उत्तरदायित्व ग्रहण करती है। ठेकेदार कंपनी को समझौते द्वारा तय की गई 'शुल्क' राशि सेवाओं के बदले में दी जाती है। ठेकेदार कंपनी को कर्मचारियों को भर्ती करने, उनका पारिश्रमिक तय करने, आवश्यक पूर्तियाँ एवं माल खरीदने तथा कर्मचारियों को सेवा मुक्त करने की स्वतंत्रता होती है। सरकारी कानून एवं नियम ठेकेदार कंपनी पर लागू नहीं होते हैं। कर्मचारियों को कर्मचारी नहीं माना जाता है। वस्तुतः इस 'अनुबंध

प्रारूप' के अंतर्गत प्रबंध हेतु सौंपी जाने वाली इकाई का कार्य वैसे ही संपन्न होता है मानो कि वह किसी निजी कंपनी की सहायक कंपनी हो।

भारत में इस संगठनात्मक प्रारूप को सर्वप्रथम उत्तर प्रदेश की पहली सीमेंट फैक्ट्री को ब्रिटिश फर्म को सौंपकर अपनाया गया था। इसी तरह राउरकेला की स्टील प्लाण्ट जर्मनी की फर्म को संचालन हेतु सौंपा गया था। यह प्रारूप अब अधिक लोकप्रिय नहीं है।

लोक उपक्रमों के संगठन का यह प्रारूप निम्नलिखित लाभ उपलब्ध कराता है–

(*i*) निजी उद्योगपतियों के दीर्घ अनुभव एवं प्रबंधकीय योग्यताओं का लाभ उठाया जा सकता है।

(*ii*) राष्ट्रीय विकास का मार्ग अवरुद्ध नहीं हो पाता। बिदेशी सहयोग एवं तकनीकी व प्रबंधकीय ज्ञान का पूर्ण लाभ लिया जा सकता है।

(*iii*) सरकार को उपक्रमों की प्रबंध संचालन संबंधी जिम्मेदारी व झंझटों से मुक्ति मिल जाती है।

(*iv*) सरकार ऐसे उपक्रमों के लिए नीतियाँ निश्चित करती है, इसलिए राजकीय नीतियों का पालन भी सम्भव होता है।

संचालन ठेका व्यवस्था निम्न दोषों से ग्रस्त है :

(*i*) प्रायः देखा गया है कि ठेकेदार कम्पनियाँ रुचि, लगन एवं राष्ट्रीय भावना से कार्य नहीं करती हैं। हिन्दुस्तान शिपयार्ड का उदाहरण बतलाता है कि जब फ्रांस की ठेकेदार कंपनी ने ठीक तरह से कार्य नहीं किया और केवल कुछ जहाज इतने धीरे एवं ऊंची लागत पर बनाए कि संसद की अनुमान समिति को यह राय व्यक्त करनी पड़ी कि सरकार को फ्रांस की फर्म से हानियाँ वसूल करने के लिए कानूनी कार्यवाही करनी चाहिए।

(*ii*) यह संगठन प्रारूप राष्ट्रीय सेविवर्गीय नीतियों के क्रियान्वयन में सहयोग नहीं करता है क्योंकि सेविवर्गीय व्यवहारों के सम्बन्ध में ठेकेदार कम्पनी को पूर्ण स्वतंत्रता एवं स्वायत्तता प्राप्त होती है।

(*iii*) कार्य निष्पादन में देरी से कार्य कुशलता प्रतिकूल रूप से प्रभावित होती है। हिन्दुस्तान मशीन टूल्स को जब प्रारम्भ में स्वीडिश फर्म के प्रबंध नियंत्रण में सौंपा गया था तब काफी लम्बे समय तक यह निर्णय नहीं लिया जा सका था कि किस प्रकार की लेथ मशीनों का निर्माण किया जाये।

संक्षेप में यह कहा जा सकता है कि 'संचालन ठेका' व्यवस्था यद्यपि विकासमान राष्ट्रों के विकास को तीव्र गति एवं सही दिशा देने के लिए महत्त्वपूर्ण उपकरण है फिर भी इसका प्रयोग काफी सावधानी एवं अपवादपूर्ण स्थितियों में ही किया जाना चाहिए।

5. लोक निगम (Public Corporation)– लोक निगम सरकारी संस्थाओं के क्षेत्र में 20वीं शताब्दी की एक उल्लेखनीय खोज है। विश्व के सभी राष्ट्रों में लोक निगम किसी न किसी रूप में विद्यमान हैं। हेन्सन लिखते हैं कि विकसित एवं अविकसित राष्ट्रों में लोक उपक्रमों के समस्त अविभागीय प्रारूपों में लोक निगम को सर्वाधिक महत्त्वपूर्ण स्थान दिया गया है। 19वीं शताब्दी में लोक निगम प्रारूप को ऑस्ट्रेलिया में रेलवे प्रबंधन के लिए अपनाया गया था। 20वीं शताब्दी के प्रथम दशक में इंग्लैंड ने पोर्ट ऑफ लन्दन अथॉरिटी की स्थापना निगम के रूप में की थी किन्तु वास्तविक प्रारूप में लोक निगम का जन्म सन् 1926 में ब्रिटिश ब्रॉडकास्टिंग कॉरपोरेशन की स्थापना के साथ हुआ माना जाता है। डब्ल्यू.ए. रॉबसन का मानना है कि लोक उद्योगों के प्रबंध को संसदीय पर्यवेक्षण तथा इनके कर्मचारियों व वित्त को सरकारी नियंत्रण से मुक्त रखने की दोहरी इच्छा ने लोक निगमों की व्यवस्था को मौलिक प्रेरणा दी है। आज लोक निगम लोक नीति के एक यन्त्र के रूप में कार्यशील हैं किन्तु विभागीय व्यवस्था की भांति मंत्री के सतत् नियंत्रण में नहीं हैं।

सरकारी अथवा लोक निगम की विशेषताएं
(Features of a Public Corporation or Government)

प्रो. शुक्ला के अनुसार, "'लोक निगम विधान मण्डल द्वारा स्थापित सामूहिक संस्था है जिसकी शक्तियों तथा कार्यों की व्याख्या हो चुकी है तथा जो वित्तीय दृष्टिकोण से स्वतंत्र है और जिसके कार्यक्षेत्र के अंतर्गत एक निश्चित परिधि अथवा एक निश्चित प्रकार की व्यापारिक क्रिया आती है।''

निगम का निर्माण विशेष कार्य के निमित्त विशेष प्रक्रिया द्वारा सम्पन्न होता है। इसके प्रमुख लक्षण अथवा विशेषताएं निम्नलिखित हैं :

1. **विशेष अधिनियम द्वारा समामेलित संस्था**– लोक निगमों का निर्माण संसद द्वारा पारित विशेष अधिनियम द्वारा होता है। इन निगमों के अधिकारों, दायित्वों, कर्त्तव्यों, कार्यक्षेत्रों तथा प्रबंध व संचालन संबंधी नियमों आदि का उल्लेख भी इस विशेष अधिनियम में दिया गया होता है।

2. **पृथक् वैधानिक अस्तित्व**– इन निगमों का पृथक् वैधानिक अस्तित्व होता है जिससे ये निगम अन्य पर वाद प्रस्तुत कर सकते हैं; और ये निगम अनुबन्ध कर सकते हैं।

3. **राजकीय स्वामित्व**– सार्वजनिक निगमों पर सरकार का पूर्ण स्वामित्व होता है क्योंकि सम्पूर्ण पूंजी सरकार को ही लगानी होती है परन्तु भारत में मिश्रित स्वामित्व वाले निगम भी स्थापित किये गये हैं जैसे औद्योगिक वित्त निगम, राज्य वित्त निगम, आदि।

4. **स्वतन्त्र वित्त व्यवस्था**– सार्वजनिक निगम वित्तीय मामलों में पूरी तरह स्वतंत्र होते हैं। विभागीय उपक्रमों की भाँति इनकी वित्त व्यवस्था विभागीय बजट से सम्बन्ध नहीं रखती है। इन निगमों की आय तथा व्यय की राशियाँ भी सरकार के वार्षिक बजट में नहीं दिखाई जाती हैं।

5. **बोर्ड द्वारा प्रबंध**– सार्वजनिक निगम का प्रबंधक एक प्रबंधक मण्डल द्वारा किया जाता है जिसकी नियुक्ति सम्बन्धित मंत्री द्वारा की जाती है किंतु मण्डल दैनिक कार्यों में स्वतंत्र होता है। मंत्री को हस्तक्षेप करने का अधिकार नहीं होता है। यह मण्डल उस विशेष अधिनियम, जिसके अधीन निगम का निर्माण किया गया है, में दी गयी सीमाओं के भीतर प्रबंध व संचालन संबंधी नियम-उपनियम बनाता है।

6. **उद्देश्य की स्पष्टता–** सार्वजनिक निगमों की स्थापना एक विशिष्ट उद्देश्य की पूर्ति के लिए की जाती है। जिस विशिष्ट उद्देश्य या लक्ष्य की पूर्ति के लिए निगम की स्थापना की जाती है, उसका वर्णन संसद के अधिनियम में कर दिया जाता है। अन्य उद्देश्यों तथा लक्ष्यों में अमुक निगम कोई रुचि नहीं लेता है।
7. **प्रशासनिक स्वायत्तता–** निगम केवल वित्तीय मामलों में ही नहीं अपितु प्रशासनिक मामलों में भी स्वायत्त (Autonomous) रहता है। यह परमावश्यक है क्योंकि इसे व्यापार के सिद्धांत पर कार्य करना पड़ता है। इसे प्रशासनिक मानकों की बजाय व्यापारिक मानकों का अधिक ध्यान रखना पड़ता है। सरकार व्यापारिक मामलों में काफी हद तक निगमों को स्वतंत्रतापूर्वक आचरण करने देती है क्योंकि बाजार में भाव तेजी से बदलते रहते हैं और अनेक मामलों में निगम को तुरन्त निर्णय लेने पड़ते हैं।
8. **सार्वजनिक एकाधिकार–** सार्वजनिक निगम को जो उद्योग अथवा वाणिज्य सौंपा जाता है, उसमें उसका एकाधिकार होता है और किसी निजी उद्योग से उसको प्रतिस्पर्द्धा का सामना नहीं करना पड़ता है।
9. **संसद व कार्यपालिका के नियंत्रण से मुक्त–** नीति सम्बन्धी विषयों के अतिरिक्त निगमों का आन्तरिक प्रबंध संसदीय व कार्यपालिका के नियंत्रण से एक बड़ी सीमा तक स्वतंत्र रहता है।
10. **सेवा का उद्देश्य–** यद्यपि लोक निगम वाणिज्यिक प्रकृति के होते हैं फिर भी इनका मूल उद्देश्य सेवा होता है तथा लाभ कमाना गौण उद्देश्य होता है। ये निगम अर्जित लाभों को भी समाज तथा उपभोक्ता वर्ग की सेवा करने के लिए किस्म बढ़ाने, मूल्य गिराने एवं उपक्रम का विस्तार करने में व्यय कर देते हैं।
11. **भर्ती आदि में स्वतंत्रता–** निगम की व्यवस्था इस प्रकार से की गयी है कि वह अपने कर्मचारियों की भर्ती, पदोन्नति, पदावनति के विषय में पूरी तरह से स्वतंत्र है। इसके लिए वे विभागीय नियमों से आबद्ध नहीं है। निगम व्यवस्था में कर्मचारियों का चयन लोक सेवा आयोग द्वारा न होकर निगम की आवश्यकता के अनुसार किया जाता है, अतः गतिशीलता एवं विकास-शीलता बनी रहती है।

लोक निगमों के प्रकार
(Types of Public Corporation)

लोक निगमों को मुख्यतः दो वर्गों में विभक्त किया जा सकता है : कानूनी निगम (Statutory Corporations) तथा कानूनेत्तर निगम (Non-Statutory Corporations)।

कानूनी निगम वे होते हैं जिनका निर्माण संसद के किसी कानून द्वारा होता है। ये निगम अपने दैनिक प्रशासन और आन्तरिक प्रशासन में बहुत अधिक स्वतंत्र होते हैं और इनके मामलों में कार्यपालिका का हस्तक्षेप बहुत कम होता है। इस प्रकार के निगमों के उदाहरण हैं–दामोदर घाटी निगम, जीवन बीमा निगम, एयर इण्डिया इण्टरनेशनल आदि। द्वितीय प्रकार के निगम हैं– कानूनेत्तर निगम (Non-Statutory Corporations)। ये निगम कार्यपालिका के आदेशानुसार बनाये जाते हैं और इन पर कार्यपालिका का विशेष नियन्त्रण रहता है, जैसे- तेल और प्राकृतिक गैस आयोग, भारतीय खाद्य निगम, राष्ट्रीय कोयला विकास निगम आदि।

स्वामित्व व नियंत्रण की दृष्टि से लोक निगमों को तीन भागों में विभाजित किया जा सकता है:

1. प्रथम, वे निगम जिनका स्वामित्व पूरी तरह अथवा आंशिक रूप में सरकार के हाथों में रहता है और उन पर सरकार का ही नियंत्रण होता है। उदाहरण के लिए, इण्डियन एयरलाइन्स कॉरपोरेशन, राज्यीय व्यापार निगम, हस्तकरघा उद्योग निगम, आदि। सही मायने में, सरकारी निगम यही है।
2. दूसरे, वे निगम जिनमें सरकार पूंजी लगाती है और किसी न किसी प्रकार प्रतिनिधित्व रखती है किन्तु इनका नियंत्रण गैर-सरकारी हाथों में रहता है। ऐसे निगमों को 'मिश्रित निगम' की संज्ञा दी जाती है। उदाहरण के रूप में अन्तर्राष्ट्रीय वित्त निगम।
3. तीसरे, वे निगम जिनमें न तो सरकार पूंजी लगाती है और न प्रतिनिधित्व रखती है। ऐसे निगमों की स्थापना निजी व्यवसायियों द्वारा व्यक्तिगत लाभ के उद्देश्य से की जाती है। ऐसे निगम गैर-सरकारी (Private) निगम कहलाते हैं। उदाहरणार्थ, टाटा आयरन तथा स्टील कॉरपोरेशन, ओबेराय होटल्स, सिंधिया नेवीगेशन आदि।

भारतीय सन्दर्भ में एस.एस. खेरा ने लोक निगमों को स्वामित्व के आधार पर चार भागों में बाँटा है :

1. **केंद्रीय प्रशासन के निगम–** ऐसे निगमों के उदाहरण हिन्दुस्तान स्टील, भारतीय स्टेट बैंक और भारतीय जीवन बीमा निगम हैं।
2. **राज्य प्रशासन के निगम–** विद्युत बोर्ड, परिवहन निगम, वित्त निगम को इस श्रेणी में रखा जा सकता है।
3. **संयुक्त स्वामित्त्व के निगम–** जिन निगमों पर केन्द्र और राज्य सरकारों का संयुक्त स्वामित्त्व है, वे इस वर्ग में आते हैं। दामोदर घाटी निगम और भाखड़ा नांगल परियोजना इसके उदाहरण हैं।
4. **मिश्रित निगम–** सरकार और निजी प्रतिष्ठानों के सहयोग से स्थापित निगम इसके अन्तर्गत आते हैं। ऑयल इण्डिया लिमिटेड इसका उदाहरण है।

लोक निगम के उद्देश्य
(Objectives of Public Corporation)

सरकारी विभागों का उद्देश्य प्रशासन होता है परन्तु सरकारी निगमों का निर्माण तीन उद्देश्यों की प्राप्ति के लिए होता है : (*i*) साख (Credit) को बढ़ाने या सुगम बनाने के लिए (*ii*) किसी औद्योगिक, व्यापारिक या अन्य किसी आर्थिक कार्य के लिए (*iii*) किसी प्रदेश विशेष के बहुधंधी विकास के लिए। उदाहरण के लिए, भारत में पुनर्वास वित्त निगम का उद्देश्य शरणार्थियों को ब्याज की थोड़ी-सी दर पर ऋण देना है ताकि वे कुछ धंधा चला सकें। इसी तरह औद्योगिक वित्त निगम का उद्देश्य उद्योगों के विकास के लिए उन्हें ऋण आदि से सहायता पहुँचाना होता है और सड़क परिवहन निगम तथा हवाई निगम का उद्देश्य व्यापारिक आधार पर सड़क और हवाई

यातायात का प्रबंध करना है। स्थानीय या क्षेत्रीय विकास से सम्बन्धित निगम का सुन्दर उदाहरण दामोदर घाटी निगम है।

लोक निगमों के लाभ (Advantages of Public Corporation)

आजकल सरकारें लोक निगमों को अन्य संगठनों की अपेक्षा अधिक मात्रा में अपना रही हैं क्योंकि इनके कुछ बड़े लाभ हैं–

1. **स्वायत्तता एवं स्वतन्त्रता**– लोक निगमों का पहला लाभ इनकी स्वायत्तता और स्वतन्त्रता है। ये अपने कार्य संचालन में सरकारी विभागों के नियमों, जटिल प्रक्रियाओं और लाल-फीताशाही से नहीं बंधे होते हैं, अतः अपने कार्य अधिक तेजी से कर सकते हैं। इनकी वित्तीय व्यवस्था सरकारी बजट से पृथक् रहती है। ये अपने दैनिक कार्यों में मंत्रियों और सचिवों के नियंत्रण से मुक्त रहते हैं। अतः शीघ्र गति से स्वतंत्रतापूर्वक कार्य कर सकते हैं।
2. **राजनीतिक दबाव से मुक्त होना**– लोक निगम राजनीति के दुष्प्रभावों से मुक्त होते हैं क्योंकि इनके संचालन और प्रबंध की व्यवस्था सरकारी प्रबंध से पृथक् होती है। मंत्री अपने विभागों के कार्य संचालन में जैसा राजनीतिक दबाव डाल सकते हैं वैसा स्वतंत्र रूप से कार्य करने वाले निगमों पर नहीं डाला जा सकता है।
3. **निजी उद्योगों की भाँति संचालन**– निगमों का संचालन निजी उद्योगों की भाँति किया जाता है। इनमें दक्ष कर्मचारियों को काफी प्रोत्साहन दिया जाता है, अच्छा काम करने पर उनकी सरकारी कर्मचारियों की तुलना में शीघ्र पदोन्नति और वेतन वृद्धि की जाती है। ऐसे कर्मचारियों से निगमों की कार्यकुशलता बहुत बढ़ जाती है।
4. **दक्षता तथा मितव्ययिता**– निगमों के कारण आर्थिक क्षेत्र में दक्षता तथा मितव्ययिता उत्पन्न होती है।
5. **सरकार को अपने आर्थिक कार्यक्रमों को पूरा करना आसान**– लोक निगमों का यह भी एक महत्त्वपूर्ण लाभ है कि सरकार को व्यापारिक क्षेत्र में प्रत्यक्ष रूप से प्रविष्ट हुए बिना अपनी आर्थिक नीतियों को क्रियान्वित करने का अवसर प्राप्त हो जाता है।

सार्वजनिक उपक्रमों में वित्तीय स्वायत्तता एवं जवाबदेही से संबंधित समस्याएँ (Problems Pertaining to Financial Autonomy and Accountability in Public Enterprises)

भारत जैसे प्रजातांत्रिक देश में सार्वजनिक उपक्रमों की वित्तीय स्वायत्तता एवं जवाबदेही मुख्य भूमिका निभाती है। तथापि, जैसी कि वर्तमान स्थिति है, सार्वजनिक उपक्रमों के व्यक्तित्व के दो पृथक पहलू माने जाते हैं तथा बहुधा स्वायत्तता एवं जवाबदेही से संबंधित मुद्दों पर सरकार एवं सार्वजनिक उपक्रमों के दृष्टिकोण भिन्न होते हैं। इस संदर्भ में एक महत्वपूर्ण समस्या है कि सरकार इस बात पर जोर देती है कि विभिन्न वित्तीय मामलों से संबंधित मुद्दे उसके समक्ष प्रस्तुत किए जाएं एवं सार्वजनिक उपक्रम इस बात को यथासंभव टालता है कि वह आवश्यक वित्तीय जानकारी अपने स्वामियों, यानी कि संबंधित प्रशासनिक मंत्रलय को प्रकट करे। सरकार इन उपक्रमों को अपने अंग के रूप में देखती और व्यवहार करती है। ये उपक्रम सरकार की गुरुत्वाकर्षण शक्ति से निकलने के संगठित प्रयास नहीं कर रहे हैं अथवा नहीं करना चाहते हैं। संसद, प्रशासनिक मंत्रलय, नियंत्रक महालेखा परीक्षक एवं न्यायालय सार्वजनिक निधि के न्यासी माने जाते हैं। अतः वे इन उपक्रमों पर विभिन्न नियंत्रण लगाने को तत्पर रहते हैं। वे सार्वजनिक धन से कुछ भी जोखिम नहीं उठाना चाहते, वरन सुरक्षा एवं निश्चिंतता को प्राथमिकता देते हैं।

प्रोफेसर रामास्वामी अय्यर ने अपनी पुस्तक "अ ग्रामर ऑफ पब्लिक एण्टरप्राइजेज–एक्सरसाइजेज इन क्लेरिफिकेशन" में कुछ सार्वजनिक उपक्रमों के प्रबंध में सरकारी हस्तक्षेप की बहुचर्चित शिकायतों की पहचान की है। सार्वजनिक उपक्रम ब्यूरो द्वारा जारी परिपत्र कभी-कभी तो महत्वहीन एवं नगण्य मामलों से संबंधित होते हैं। सरकार द्वारा अत्यधिक नियंत्रण एक अन्य समस्या है। वार्षिक योजना पर विचार-विमर्श के समय भी, एक सार्वजनिक उपक्रम का समस्त निवेश कार्यक्रम समीक्षा के अंतर्गत आ जाता है तथा निवेश निर्णयों से संबंधित प्रश्न पूछे जाते हैं जोकि सार्वजनिक उपक्रमों की निगमित शक्तियों के अंतर्गत होते हैं। सरकार द्वारा समय-समय पर जारी किए जाने वाले मितव्ययिता निर्देश सार्वजनिक उपक्रमों की शक्तियों की अवहेलना कर उन पर लागू किए जाते हैं। सार्वजनिक उपक्रमों की प्रदत्त औपचारिक शक्तियों एवं उनके द्वारा उपयोग में लाई गई वास्तविक शक्तियों के मध्य गहरी खाई विद्यमान है।

सार्वजनिक उपक्रमों में बेहतर स्वायत्तता एवं जवाबदेही सुनिश्चित करने के लिए बहुत से सुझाव दिए जा सकते हैं। सर्वप्रथम इन उपक्रमों का व्यवसायीकरण होना चाहिए। इससे सार्वजनिक उपक्रम उपयोगकर्ताओं को प्रदान की जाने वाली वस्तुओं एवं सेवाओं की आर्थिक दरें लगाने में समर्थ हो सकेंगे। इसके परिणामस्वरूप आंतरिक साधनों की उत्पत्ति होगी एवं इनके संचालन तथा विस्तार आवश्यकताओं को पूरा करने के लिए सरकारी सहायता में कमी होगी। इसके परिणामस्वरूप वित्तीय मामलों पर सरकारी नियंत्रण में भारी कटौती होगी। इन उपक्रमों का निगमीकरण एक अन्य सुझाव है। यह सार्वजनिक उपक्रमों की व्यवस्था, संरचना एवं कार्यनीति में बदलाव लाएगा तथा इनकी स्वायत्तता एवं जवाबदेही से संबंधित कई जटिल समस्याओं का हल प्रदान करेगा।

अनेक सार्वजनिक उपक्रम स्वायत्तता की कमी की शिकायत करते हैं क्योंकि उनके पास आवश्यक सामान, स्टोर एवं पूर्ति आदि को पूरा करने के लिए समुचित शक्तियां नहीं हैं। दूसरी ओर, सरकार का यह मत है कि इन उपक्रमों का सम्पत्ति सूची पर कड़ा नियंत्रण होना चाहिए क्योंकि सार्वजनिक उपक्रमों के इस घटक पर भारी निवेश किया जा चुका है। सरकार के संदेह पर प्रश्न चिन्ह नहीं लगाया जा सकता क्योंकि बहुत से सार्वजनिक उपक्रमों के पास सामान प्रबंध नियमावली नहीं है। ऐसी नियमावली के अभाव ने इन्हें आवश्यकता से कहीं अधिक अनुपात में सामान इकट्ठा करने के लिए प्रोत्साहित किया है।

नियंत्रक महालेखा परीक्षक ने अपने लेखा जाँच प्रतिवेदन में बजट, लागत, आंतरिक लेखा जाँच, शोध एवं विकास तथा पूंजी व्यय नियमावलियों के अभाव की ओर संकेत किया है। बहुत से सार्वजनिक उपक्रमों में तो

बजट नियमावली तक नहीं है। सार्वजनिक उपक्रमों के भीतर बढ़े हुए प्रत्यायोजन एवं वित्तीय शक्तियों के विकेंद्रीकरण अति आवश्यक हैं। इस उद्देश्य की प्राप्ति के लिए सही रूप से परिभाषित संरचनाओं का विकास किया जाना चाहिए। सार्वजनिक उपक्रमों के प्रबंधक मंडल को प्रत्येक अधिकारी में निहित वित्तीय शक्तियों को सुनिश्चित करना चाहिए। इसी प्रकार से, सार्वजनिक उपक्रमों के विभिन्न कार्यकारियों को अपने से कनिष्ठ अधिकारियों को वित्तीय शक्तियां प्रत्यायोजित करने के लिए प्रोत्साहित किया जाना चाहिए। सरकार को निवेश, व्यय, ऋणों इत्यादि पर सीमाएं लगाने की बजाय केवल महत्वपूर्ण दिशा-निर्देश ही देने चाहिए। अगर एक सार्वजनिक उपक्रम सुझाई गई सीमा को तोड़ता है तो उसे उस मामले को सरकार को बताना होगा। अपवाद द्वारा प्रबंध के सिद्धांत का अनुपालन किया जाना चाहिए। सराकर को तभी हस्तक्षेप करना चाहिए जब व्यापक सार्वजनिक हित में यह आवश्यक हो।

सार्वजनिक उपक्रमों को स्पष्ट रूप से उन वित्तीय लक्ष्यों एवं कार्यनीतियों का निर्माण करना चाहिए जोकि परिमाणवाचक तथा असंदिग्ध दोनों हों। उदाहरण के लिए, सार्वजनिक उपक्रम उपयोग में लाई गई पूंजी की प्रस्तावित प्रतिफल दर को निर्धारित कर सकते हैं, उनकी भागीदारी पर एक निश्चित लाभांश की घोषणा कर सकते हैं, अपने विस्तार कार्यक्रमों को मुख्यतः आंतरिक साधनों से वित्त प्रदान कर सकते हैं तथा अपने शेष विस्तार आवश्यकताओं को धन प्रदान करने के लिए पूंजी बाजार में जा सकते हैं। वित्तीय उद्देश्यों में सुस्पष्टता सार्वजनिक उपक्रमों को सरकार से आवश्यक वित्तीय स्वायत्तता प्राप्त करने में समर्थ बनाएगा। यह आत्म-नियंत्रण में भी सहायता प्रदान करेगी। इससे सरकार द्वारा इन पर वित्तीय नियंत्रण रखने की आवश्यकता नहीं रहेगी। वित्तीय उद्देश्यों की प्राप्ति के लिए उद्देश्यों द्वारा प्रबंध को वास्तविक रूप में लागू करना होगा।

सार्वजनिक उपक्रमों में बहुल लेखा जाँच को समाप्त करना होगा चूंकि यह मुख्यतः अनुत्पादक होते हैं। यह नोट करना होगा कि सार्वजनिक उपक्रमों के समरूपों को निजी क्षेत्र में इतनी सारी लेखा जांचों से नहीं गुजरना पड़ता। लेखा जांच उपागम को इच्छित परिणाम पाने के लिए परिवर्तित करना होगा। लेखा परीक्षकों को सार्वजनिक उपक्रमों के संचालन एवं तत्व-ज्ञान से परिचित कराया जाना चाहिए।

स्वायत्तता एवं जवाबदेही की आवश्यकताओं को पूरा करने के लिए वार्षिक प्रतिवेदन एक महत्वपूर्ण माध्यम हो सकते हैं। वह सार्वजनिक उपक्रमों के लिए अधिक स्वायत्तता अर्जित करने के अच्छे साधन हो सकते हैं। साथ ही साथ संसद, नियंत्रक महालेखा परीक्षक तथा न्यायालयों की नियंत्रण की आवश्यकताओं को पूरा करती हैं। उनके निर्माण एवं संसद के समक्ष प्रस्तुतीकरण के मध्य की समयावधि एक से लेकर दस वर्ष के भीतर है। द्वितीय, अधिकांश मामलों में ये या तो अपूर्ण होते हैं अथवा निर्गत, उत्पादकता, कीमतों, लाभदेयता, तुलनात्मक निष्पादन इत्यादि की प्रवृत्तियों के बारे में महत्वपूर्ण जानकरी का अभाव रखते हैं। सार्वजनिक उपक्रमों द्वारा वार्षिक प्रतिवेदन के निर्माण एवं प्रस्तुतीकरण से संबंधित पद्धतियों में सुधार लाने के लिए आवश्यक कदम उठाए जाने चाहिए।

भारतीय संविधान की धारा 12 एवं 14 को सार्वजनिक उपक्रमों पर लागू कर दिया गया है, जहाँ पर इन उपक्रमों को राज्य के तुल्य माना गया है। जैसा कि संविधान की धारा 12 में परिभाषित किया गया है 'राज्य' में ''सरकार एवं भारत की संसद तथा प्रत्येक राज्य की सरकार एवं व्यवस्थापिका तथा सभी स्थानीय एवं अन्य सत्ताएँ जोकि भारत की सीमा के अंतर्गत आते हैं अथवा भारत सरकार के नियंत्रण में हैं''। यद्यपि आरंभ में सार्वजनिक उपक्रम धारा 12 में दी गई राज्य की परिभाषा के अंतर्गत नहीं रखे गए थे, परंतु धीरे-धीरे अर्ध-सरकारी कंपनियाँ इसके अंतर्गत आ गईं। सर्वोच्च न्यायालय एवं उच्च न्यायालयों में कई ऐसी लेखा याचिकाओं को मंजूर किया गया जिनका सार्वजनिक उपक्रमों पर वित्तीय प्रभाव है। इनमें से कुछ सामान की प्राप्ति एवं सेवा निवृत्ति के पश्चात दी जाने वाली पेंशन के भुगतान से संबंधित हैं।

जैसा कि पहले भी कहा जा चुका है, सार्वजनिक उपक्रमों में 'सार्वजनिक' तथा 'उपक्रम' दोनों ही के तत्व हैं। अतः वर्तमान प्रतियोगी परिस्थितियों में कार्य करने के लिए यह आवश्यक है कि भारतीय संविधान में संशोधन करके सार्वजनिक उपक्रमों को धारा 12 एवं 14 की परिधि से बाहर निकाला जाए।

विनिवेश (Disinvestment)

भारत सरकार के सार्वजनिक क्षेत्र उपक्रमों (PSUs/PSEs) की देश की विकास प्रक्रिया में बुनियादी भूमिका रही है। वर्ष 1991 में आर्थिक सुधारों की प्रक्रिया के अंतर्गत बदली हुई परिस्थितियों में सरकार द्वारा इन उपक्रमों की भूमिका को 'पुनर्परिभाषित' (निजीकरण एवं विनिवेश) किया गया।

विनिवेश किसी कंपनी में स्वामित्व की बिक्री की प्रक्रिया है। तकनीकी रूप से इस शब्द का प्रयोग किसी भी कंपनी (अर्थात् निजी क्षेत्र की कंपनी) के लिए किया जा सकता है लेकिन व्यवहार में इसे सिर्फ सरकारी स्वामित्व वाली कंपनियों के लिए ही प्रयोग में लाया जाता है। भारत में विनिवेश की शुरुआत तीन अंतःसबंधित नियामकों के साथ हुईः

(*i*) सार्वजनिक क्षेत्र उपक्रमों के सुधार के साधन (tool) के तौर पर;

(*ii*) आर्थिक सुधारों की प्रक्रिया के अंग के तौर पर (अर्थात् उद्योगों के अनारक्षण के अंग के रूप में), और;

(*iii*) बजटीय आवश्यकताओं के लिए संसाधन की व्यवस्था करने के साधन के तौर पर।

अन्य विकासशील देशों की तुलना में भारत में सार्वजनिक क्षेत्र के सुधारों के लिए अधिक सतर्क दृष्टिकोण अपनाया गया है। भारत ने इसके लिए आत्यंतिक समाधान नहीं अपनाया, जिसके तहत वाणिज्यिक रूप से लाभकारी सार्वजनिक क्षेत्र के उद्यमों का पूर्णतया निजीकरण किया जाता है तथा उन उद्यमों को बंद कर दिया जाता है, जो वाणिज्यिक रूप से लाभकारी नहीं होते हैं। 1980 के दशक में भारत में सार्वजनिक क्षेत्र के सुधारों के तहत सार्वजनिक क्षेत्र के संगठनों की कार्यात्मक स्वायत्तता को बढ़ाने पर बल दिया गया ताकि उनकी कार्यकुशलता बढ़े। आर्थिक सुधार की प्रक्रिया 1990 के दशक की शुरुआत में प्रारंभ हुई तथा विनिवेश सार्वजनिक क्षेत्र के सुधारों का एक भाग बना। सार्वजनिक क्षेत्र के उद्यमों के विनिवेश पर गठित सी. रंगराजन आयोग (1991) ने विश्वभर में

विनिवेश के अनुभव को देखते हुए सरकार को इस संदर्भ में एक अत्यधिक सराहनीय व सुव्यवस्थित सलाह दी। सरकार ने विनिवेश की प्रक्रिया को 1991 में ही आरंभ कर दिया। सरकार ने 1997 में एक विनिवेश आयोग की स्थापना विनिवेश प्रक्रिया के विभिन्न पक्षों पर सलाह देने के लिए की। वित्तीय वर्ष 1999-2000 में सरकार द्वारा विनिवेश को एक राजनीतिक प्रक्रिया बनाने का प्रयास किया गया ताकि इसे देश में आगे बढ़ाया जा सके–पहले एक विनिवेश विभाग तथा बाद में एक पृथक् विनिवेश मंत्रालय स्थापित किया गया। नई यू.पी.ए. सरकार ने विनिवेश मंत्रालय को विघटित कर दिया और अब केवल विनिवेश विभाग ही इस दिशा में काम कर रहा है तथा यह विभाग वित्त मंत्रालय के अधीन कार्य करता है।

विनिवेश के प्रकार (Types of Disinvestment)

भारत की विनिवेश प्रक्रिया के आधिकारिक रूप से दो मुख्य प्रकार हैं, जिनकी चर्चा नीचे की गई है :

(*i*) **सांकेतिक विनिवेश (Token Disinvestment):** भारत में विनिवेश की शुरुआत अत्यंत राजनीतिक सावधानी के साथ हुई– एक सांकेतिक रूप में जिसे 'सांकेतिक विनिवेश' कहा गया (वर्तमान में इसे 'माईनॉरिटी स्टेक सेल' कहा गया है)। सामान्यतः नीति यह थी कि सार्वजनिक क्षेत्र के उद्यमों के शेयरों को अधिकतम 49 प्रतिशत तक बेचा जाए (अर्थात् सरकारी स्वामित्व कंपनियों पर कायम रहे), परंतु व्यवहार में मात्र 5-10 प्रतिशत शेयरों को ही बेचा गया। यद्यपि विनिवेश के इस चरण ने सरकार को कुछ अतिरिक्त कोष प्रदान किया (जिसका उपयोग वित्तीय घाटे को काम करने के लिए किया गया, इससे हुए लाभ को 'पूंजी प्राप्ति' मानते हुए) परंतु इसके द्वारा सार्वजनिक क्षेत्र के उद्यमों में उनकी कार्यकुशलता बढ़ाने के लिए नए परिवर्तन नहीं किए गए। यह इस विनिवेश प्रक्रिया की मुख्य कमी थी। इस प्रकार के विनिवेश की बड़ी आलोचना हुई तथा विश्वभर के विशेषज्ञों ने सरकार को यह सलाह दी कि सरकार को ऐसा मार्ग अपनाना होगा, जिससे स्वामित्व सरकार के हाथ से निजी क्षेत्र को हस्तांतरित हो जाए। विशेषज्ञों द्वारा उठाया गया दूसरा महत्वपूर्ण मुद्दा विनिवेश के लाभ के उपयोग से संबंधित था।

(*ii*) **सामरिक विनिवेश (Strategic Disinvestment):** विनिवेश को एक ऐसी प्रक्रिया बनाने के लिए जिसके द्वारा सार्वजनिक क्षेत्र के उद्यमों की कार्यकुशलता को बढ़ाया जा सके तथा सरकार अपने आप को उन क्रियाओं से भार-मुक्त कर सके, जिसमें निजी क्षेत्र ने बेहतर कार्यक्षमता विकसित की है (ताकि सरकार उन क्षेत्रों पर ध्यान दे सके जो निजी क्षेत्र के लिए कोई आकर्षण नहीं रखते हों; जैसे– गरीब जनता के लिए सामाजिक क्षेत्र द्वारा दी गई मदद) सरकार ने सामरिक विनिवेश की प्रक्रिया की शुरुआत की। सरकार ने सार्वजनिक क्षेत्र के उद्यमों को 'सामरिक' तथा 'गैर-सामरिक' उद्यमों में वर्गीकृत किया। सरकार ने मार्च, 1991 में यह घोषणा की कि वह 'गैर-सामरिक' उद्यमों में अपनी साझेदारी को घटाकर 26 प्रतिशत कर देगी या उससे भी कम यदि जरूरी हुआ तो 'सामरिक' उद्यमों में (अर्थात् अस्त्र-शस्त्र एवं युद्धोपकरण, परमाणु ऊर्जा व संबद्ध क्रियाएं तथा रेल) सरकार अपनी अधिकांश साझेदारी (majority holding) को कायम रखेगी। विनिवेश नीति में भारी बदलाव आया– लाभ देने वाले सार्वजनिक क्षेत्र के उद्यमों के कुछ शेयरों को बेचने (अर्थात् सांकेतिक विनिवेश) से लेकर सामरिक बिक्री तक जिसमें दोनों लाभ देने वाले तथा घाटे में चल रहे उद्यमों के प्रबंधन में बदलाव लाया गया। सामरिक विनिवेश का सार निम्नलिखित है :

1. न्यूनतम 51 प्रतिशत शेयरों का विनिवेश होगा, तथा
2. शेयरों को बड़े पैमाने पर एक 'स्ट्रेटिजिक पार्टनर' (रणनीतिक साझेदार) को बेचा जाएगा, जिसे इस क्षेत्र में अंतर्राष्ट्रीय स्तर का अनुभव तथा सुविज्ञता प्राप्त हो।

इस प्रकार के विनिवेश की शुरुआत मॉडर्न फूड इंडस्ट्रीज लिमिटेड (MFIL) से हुई। इस प्रकार का दूसरा विनिवेश सार्वजनिक क्षेत्र के उद्यम 'बाल्को' में हुआ, जिसका विरोध राजनीतिक दलों (विपक्ष), छत्तीसगढ़ की सरकार तथा विशेषज्ञों ने किया। बाद में केंद्र में बनी नई सरकार ने इस प्रकार के विनिवेश को व्यावहारिक रूप में तत्काल रोक दिया तथा इस संबंध में एक नई नीति का निर्माण किया।

विनिवेश नीति (Disinvestment Policy)

1991 में शुरू होने के बाद से भारत की वर्तमान विनिवेश नीति समय के साथ विकसित हुई है। इसके दो मुख्य तत्व हैं– नीति की 'विचारधारा' और खुद 'नीति'। इस नीति की विचारधारा कहती है :

(*i*) पीएसयू में लोगों के स्वामित्व को प्रोत्साहित किया जाएगा क्योंकि वे देश की संपत्ति हैं।

(*ii*) 'सीमित हिस्सेदारी की बिक्री' वाले मामले में सरकार कम-से-कम 51 प्रतिशत शेयर अपने पास रखेगी।

(*iii*) 50 प्रतिशत तक या अधिक शेयर 'रणनीतिक विनिवेश' के तहत बेचे जा सकते हैं।

सरकार जिस वर्तमान विनिवेश नीति का अनुपालन करती है, वह नीचे दी गई है :

1. **सीमित हिस्सेदारी की बिक्री** (नवंबर 2009 की नीति जारी रहेगी) :
   - सूचीबद्ध पीएसयू को सबसे पहले लिया जाएगा ताकि न्यूनतम 25 प्रतिशत के मानक को हासिल किया जा सके।
   - ऐसे नए पीएसयू को सूचीबद्ध किया जाएगा जिन्होंने लगातार तीन सालों में शुद्ध मुनाफा कमाया है।
   - इसके बाद पूंजी की आवश्यकतानुसार हर मामले के अनुसार सार्वजनिक निर्गम की 'त्वरित दूसरी पारी' शुरू की जाएगी।
   - पीएसयू की पहचान डीआईपीएएम (निवेश एवं लोक परिसंपत्ति प्रबंधन विभाग) करेगा और संबंधित मंत्रालयों से विमर्श करके विनिवेश संबंधी परामर्श देगा।

2. **रणनीतिक विनिवेश** के अंतर्गत पीएसयू के 50 प्रतिशत या उससे अधिक शेयर बेचना तय है (फरवरी 2016 में घोषित) :
   - मंत्रियों/विभागों और नीति आयोग के बीच परामर्श के माध्यम से विनिवेश किया जाएगा;
   - नीति आयोग ऐसे पीएसयू की पहचान करेगा और इसके विभिन्न पक्ष पर सलाह देगा; और
   - विनिवेश पर सचिवों का समूह नीति आयोग की अनुशंसा को ध्यान में रखेगा जिससे सीसीईए (आर्थिक मामलों पर कैबिनेट समिति) के लिए फैसला लेना सुगम हो सके और लागू करने की प्रक्रिया का निरीक्षण/निगरानी करे।

वर्तमान नीति (Current Policy)

भारत की वृद्धिकारी (gradual) रूप से उद्भूत होने वाली विनिवेश नीति को सरकार द्वारा संघीय बजट 2021-22 में एक बार पुनः परिवर्तित किया गया तथा इसकी विशेषताओं एवं उद्देश्यों में निम्न बदलाव किए गए :

नीति के उद्देश्य (Objectives of the Policy)

(*a*) केन्द्रीय सार्वजनिक क्षेत्र के उपक्रमों (CPSEs) तथा वित्तीय संस्थानों की न्यूनतम उपस्थिति एवं निजी क्षेत्र के लिए निवेश का दायरा बढ़ाना।

(*b*) विनिवेश के उपरांत CPSE एवं वित्तीय संस्थानों की आर्थिक वृद्धि निजी पूंजी, नयी तकनीकों एवं बेहतर प्रबंधन व्यवहारों के माध्यम से होगी।

(*c*) विनिवेश से प्राप्त धनराशि को सामाजिक क्षेत्र एवं विकास संबंधी कार्यक्रमों में लगाया जाएगा।

नीतिगत विशेषताएं (Policy Features)

(*a*) इस नीति के अंतर्गत सभी CPSEs, सार्वजनिक क्षेत्र के बैंकों (PSBs) एवं सरकारी बीमा कंपनियों को शामिल किया गया।

(*b*) सार्वजनिक क्षेत्रों को सामरिक/रणनीतिक (strategic) एवं गैर-रणनीतिक (non-strategic) क्षेत्रों में विभाजित किया गया है।

(*c*) रणनीतिक क्षेत्र के अंतर्गत निम्न क्षेत्र डाले गए हैं :

(*i*) नाभिकीय ऊर्जा, अंतरिक्ष एवं प्रतिरक्षा

(*ii*) परिवहन एवं दूरसंचार

(*iii*) बिजली, पेट्रोलियम, कोयला एवं अन्य खनिज

(*iv*) बैंकिंग, बीमा एवं वित्तीय सेवाएं

(*d*) रणनीतिक क्षेत्र में सार्वजनिक उपक्रमों की उपस्थिति न्यून रखी जाएगी। बचे हुए सार्वजनिक उपक्रमों को या तो निजीकृत, विलयित, अनुषंगी बना दिया जाएगा या फिर बंद कर दिया जाएगा।

(*e*) गैर-रणनीतिक क्षेत्रों के सार्वजनिक उपक्रमों को या तो निजीकृत किया जाएगा या फिर उन्हें बंद कर दिया जाएगा।

वित्तीय प्रशासन
(Financial Administration)

लोक वित्त (Public Finance)

लोक वित्त एक विस्तृत विषय है जिसमें वे सभी मामले आते हैं, जो लोक धन (public money) से जुड़े हुए हैं, जैसे– सरकार द्वारा प्राप्त किया गया, खर्च किया गया, उधार लिया गया अथवा छापी गयी मुद्रा। लोक वित्त अथवा सरकारी वित्त को अब लोक अर्थशास्त्र (Public Economics) भी कहा जाता है। इस विषय में सिर्फ इस बात की चर्चा नहीं की जाती है कि देश के कितने संसाधन का उपयोग सरकार अपने लिए करेगी बल्कि धन का उपयोग करने की कार्यक्षमता पर भी बल दिया जाता है। लोक वित्त का उल्लेख प्राचीन ऐतिहासिक पुस्तक कौटिल्य कृत 'अर्थशास्त्र' में भी किया गया है, जिसमें राजकोष, राजस्व के स्रोत, लेखा एवं लेखा परीक्षण की विस्तार से चर्चा की गई है। यद्यपि इस विषय का द्वितीय विश्व युद्ध के बाद महत्व बढ़ गया, क्योंकि अर्थव्यवस्था में सरकार की भूमिका का विस्तार होने लगा। द्वितीय विश्व युद्ध के बाद अर्थव्यवस्था में सरकार की भूमिका का एहसास किया जाने लगा तथा यह माना जाने लगा कि अर्थव्यवस्था को पूरी तरह बाजार (निजी क्षेत्र) पर नहीं छोड़ा जा सकता है। रक्षा, कानून, स्वास्थ्य, शिक्षा, सामाजिक सुरक्षा, इत्यादि जैसे विषयों पर सरकार द्वारा ध्यान दिया जाना आवश्यक था। अर्थव्यवस्था में सरकारी भूमिका के बढ़ने के कारण विश्व में सार्वजनिक क्षेत्र का उद्गम हुआ। लोक वित्त से जुड़ी विशेष अवधारणाओं (विशेष रूप से भारत के संदर्भ में) की चर्चा निम्नवत है।

राजस्व तथा व्यय

बजट सरकार की आय (राजस्व) और व्यय का वार्षिक वित्तीय विवरण है, यहाँ तक कि कंपनियों, संगठनों आदि के भी ऐसे दस्तावेज होते हैं।

बजट फ्रांसीसी शब्द 'बूजट' (Baugette) से बना है, जिसका अर्थ– चमड़े का थैला होता है। ब्रिटेन में 18वीं सदी के मध्य में इस तरह के बैग से सरकारी आय तथा व्यय के ब्यौरों के दस्तावेजों को निकालकर संसद में प्रस्तुत किया जाता था। वर्तमान में इस शब्द को सरकार की वार्षिक आय और व्यय के ब्यौरों के वक्तव्य के लिए करते हैं।

भारत में इस ब्यौरे का प्रावधान संविधान के अनुच्छेद 112 में किया गया है, जिसे केंद्रीय/संघीय बजट कहते हैं। इसी तरह का प्रावधान राज्यों के लिए भी है।

विकासात्मक तथा गैर–विकासात्मक व्यय
(Developmental and Non-Developmental Expenditure)

सरकार द्वारा उठाए गए खर्च को दो भागों में बांटा जाता है– विकासात्मक तथा गैर-विकासात्मक। वे सभी व्यय जो प्रकृति से उत्पादनकारी होते हैं,

विकासात्मक व्यय कहलाते हैं; जैसे— कारखाने, बांध, पुल, सड़क, रेलवे इत्यादि पर किया गया खर्च यानि सभी निवेश।

वैसा सरकारी खर्च जो प्रकृति से उपभोगात्मक होते हैं तथा जिसमें किसी प्रकार का उत्पादन शामिल नहीं होता गैर-विकासात्मक व्यय कहलाता है; जैसे— वेतन, पेंशन, ब्याज आदायगी, छूट, रक्षा इत्यादि पर किया गया खर्च। इस वर्गीकरण को अब भारतीय लोक वित्त प्रबंधन में उपयोग नहीं किया जाता है।

राजस्व (Revenue)

किसी कंपनी अथवा सरकार द्वारा पैसों का उपार्जन (आय के रूप में), जिसके कारण सरकार पर वित्तीय भार नहीं पड़ता हो (जैसे— कर से प्राप्त आय, गैर-कर आय तथा विदेशी अनुदान) को राजस्व माना जाता है।

गैर–राजस्व (Non-Revenue)

किसी कंपनी अथवा सरकार के द्वारा वैसे धन की प्राप्ति, जिसे आय अथवा उपार्जन की श्रेणी में नहीं रखा जाता हो, गैर-राजस्व स्रोत कहलाता है; जैसे— ऋण के द्वारा धन की प्राप्ति।

वित्तीय प्रशासन : अर्थ, महत्व, प्रकृति एवं कार्यक्षेत्र

वित्तीय प्रशासन

अर्थ 'वित्त प्रशासन' दो शब्दों के संयोग से बना है— वित्त और प्रशासन। 'वित्त' का अर्थ है धन संसाधन जबकि 'प्रशासन' शब्द से तात्पर्य जागरूक उद्देश्य की खोज में सामूहिक मानव प्रयास का संगठन तथा प्रबंध है। अतः वित्त प्रशासन कार्यों का संग्रह है जो विभिन्न प्रकार के कार्यालय या संगठन से अपने उद्देश्य की प्राप्ति के लिए धन उपलब्ध कराने से संबंधित है चाहे यह कृषि विभाग, रेलवे, सड़क यातायात, निगम, प्रारम्भिक चिकित्सा केन्द्र, म्युनिसिपल बोर्ड हो या परिवार की दिन प्रतिदिन की क्रियाएं। सब धन की उपलब्धता पर ही निर्भर करती हैं जिससे कि वित्त प्रशासन संबंधित है।

एल.डी. व्हाइट के अनुसार, "वित्त प्रबन्ध के अन्तर्गत वे क्रियाएं सम्मिलित हैं जो अधिकारियों को धन उपलब्ध कराती हैं तथा उसका वैधानिक एवं कुशलतापूर्वक प्रयोग करने का आश्वासन देती हैं"।

जेज गैस्टन के अनुसार, "वित्त प्रशासन सरकारी संगठन का वह भाग है जो सार्वजनिक धन से संग्रह, सुरक्षा तथा आवंटन, सार्वजनिक राजस्व तथा व्यय में समन्वय, राज्य की तरफ से ऋण, क्रियान्वयन के प्रबन्ध, सार्वजनिक घरेलू वित्त मामलों के सामान्य नियंत्रण से सम्बंधित हैं"।

यद्यपि यह परिभाषा वित्तीय प्रबंधन के कुछ महत्वपूर्ण पहलुओं को दर्शाती है लेकिन वित्त प्रशासन के व्यापक कार्यक्षेत्र को दर्शाने में असफल रही है। शायद इस सीमा का अनुभव करने के बाद जी. एस. लाल लिखते हैं कि वित्त-प्रशासन राज्य के वित्तीय प्रबन्ध के समस्त पहलुओं से संबन्धित है जबकि लोक प्रशासन लोक मामलों तथा लोकहित से अधिक संबद्ध है। वित्त प्रशासन की सीमाएं बढ़ रही हैं, इसलिए वित्त प्रशासन को व्यापक परिभाषा की आवश्यकता है। इस दिशा में एक प्रयास के रूप में निम्नलिखित परिभाषा दी जा रही है।

"वित्त प्रशासन में वे समस्त क्रियाएं सम्मिलित हैं जो वित्तीय संसाधनों की उत्पत्ति, संचालन तथा विनियोजन करती हैं। ये राजनीतिक समुदाय के सदस्यों के विकास तथा जीवन के लिए आवश्यक होती हैं।"

सार्वजनिक वित्त तथा व्यक्तिगत वित्त में अन्तर

वित्तीय कार्य एक व्यापक प्रक्रिया है जो सार्वजनिक तथा निजी दोनों संगठनों में सामान्य रूप से पायी जाती है, लेकिन इससे किसी को यह निष्कर्ष नहीं निकालना चाहिए कि जो सिद्धांत या नियम निजी वित्त में लागू होते हैं वही सामान्य रूप से सार्वजनिक वित्त में भी लागू होंगे। सार्वजनिक वित्त तथा निजी वित्त में अन्तर पूरी तरह से स्पष्ट है। के.पी.एम. सुन्दरम् के अनुसार इन असमानताओं को निम्नलिखित रूप में प्रस्तुत किया जा सकता है।

सार्वजनिक वित्त	व्यक्तिगत वित्त
1. आय का व्यय के साथ सामंजस्य	1. व्यय का आय के साथ सामंजस्य
2. लचीले संसाधन	2. सीमित संसाधन
3. दमनकारी शक्ति द्वारा संसाधन का उपयोग	3. ऐसी शक्ति का अभाव
4. घाटे की प्रवृत्ति	4. सन्तुलित बजट की प्रवृत्ति
5. लोक सेवा की तरफ व्यय की दिशा	5. लाभ में अधिकाधिक वृद्धि

वित्तीय प्रशासन : महत्व

औद्योगिक क्रान्ति के बाद तक वित्त प्रशासन की महत्ता को नहीं समझा गया था। सीमित सरकार की संकल्पना कम-से-कम कर लगाए जाने के पक्ष में थी। औद्योगिक क्रान्ति के बाद जब सामाजिक जीवन बहुत जटिल हो गया तो सरकार की भूमिका अधिक व्यापक हो गयी। कल्याणकारी राज्य की संकल्पना ने राज्य के कार्यक्षेत्र में अधिकाधिक वृद्धि की। सरकार ने उन नए क्षेत्रों में प्रवेश किया जो राज्य के कार्य क्षेत्र से बाहर रखे गये थे। इस प्रकार बदलते हुए सन्दर्भ में वित्त प्रशासन ने बढ़ते हुए सार्वजनिक व्यय को पूरा करने के लिए संसाधन की उत्पत्ति के नए तरीकों तथा साधनों को ढूंढने में अधिक महत्ता प्राप्त की।

विश्वव्यापी मंदी (1929-33): मन्दी ने सरकारों की तटस्थ आर्थिक दृष्टिकोण की कमजोरी को उजागर कर दिया था। इसने आय तथा रोजगार एवं समानता तथा सामाजिक न्याय के स्थायित्व के मांग की भूख को और बढ़ा दिया था। केनेसियन (Keynesian) परिप्रेक्ष्य पर आधारित राज्य ने राष्ट्रीय आय तथा रोजगार को बढ़ाने में सक्रिय तथा सकारात्मक भूमिका निभायी। इसने एकता तथा समानता को बनाए रखने का कार्य भी संभाला। सरकार की राजकोषीय नीति लोगों के सामाजिक-आर्थिक जीवन को प्रभावित करने का शक्तिशाली हथियार बन गयी। रक्षा तथा प्रशासकीय व्यय अपनी गैर उत्पादकता का लेबिल खो चुके थे तथा आय एवं रोजगार के स्तर को बढ़ाने का नया उत्तरदायित्व सामने आ गया था। वित्त प्रशासन को राज्य के इन उद्देश्यों की प्राप्ति के लिए प्रभावशाली नीतियों के निर्धारण की जिम्मेदारी सौंपी गयी थी। इन्हें वित्तीय संसाधन को लोक उद्देश्यों में

परिवर्तित करने के लिए कहा गया था तथा विभाजित न्याय द्वारा बहुत सी नितियों में सुधार लाया गया था । लोकतंत्र के लोकप्रिय सामाजिक संस्था के रूप में उदय के साथ लोक निधि पर संसदीय नियंत्रण की संकल्पना को सार्वभौमिक मान्यता मिली। "बिना प्रतिनिधित्व के कर नहीं" सिद्धांत, जिसका अर्थ है "बिना संसदीय स्वीकृति के कोई सार्वजनिक व्यय नहीं", आधुनिक राजनीतिक समुदायों की अग्रणी नीति बन गयी। वित्तीय व्यवस्था को साधारण आदमी के समझने योग्य बनाने तथा व्यवस्थित वित्तीय प्रक्रिया विकसित करने की तुरन्त आवश्यकता जान पड़ती है। इस प्रयत्न में आवश्यक कला की विशिष्टता को नहीं खोना चाहिए। वित्त प्रशासन "लोकप्रिय सम्प्रभुता" को सामाजिक यथार्थ बनाने में आधुनिक सरकारों का हथियार बन गयी है। नियोजित विकास की संकल्पना ने विकास योजना तथा परियोजना के निर्धारण तथा कार्यान्वयन में लोक प्रशासकों को सक्रिय तथा गतिशील भूमिका निभाने का अधिकार दिया है। इस परियोजना के क्रियान्वयन में समय तथा लागत अधिक महत्वपूर्ण हो गये हैं। वित्त प्रशासन की संकल्पना निधि के आवंटन पर नियंत्रण से विभिन्न परियोजनाओं तथा कार्यक्रमों में बदल गयी है।

इस चुनौती का सामना करे में निष्पादक बजट तथा दूसरे संबन्धित बजट में सुधार ने वित्त प्रशासन की सराहनीय उपलब्धियों को प्रदर्शित किया है। आठवें दशक के पूर्वार्ध में संसाधन आधुनिक सरकार की सबसे बड़ी समस्या बन गयी थी जबकि आधुनिक सरकार पर जनता की बढ़ती हुई आकांक्षाएं तथा मांगों को पूरा करने के लिए अपने व्ययों को बढ़ाने का जबर्दस्त दबाव है। करदाता अतिरिक्त बोझ को संभालने में असमर्थ है या कर देना नहीं चाहते हैं। इस असमंजस की स्थिति में सार्वजनिक व्ययों को सावधानीपूर्वक वरीयता दी जाने की आवश्यकता है।

इस प्रकार वित्त प्रशासन तथा प्रबन्ध सीमित संसाधन के आधार पर अवांछनीय व्ययों को समाप्त करने के लिए अब उत्पाद को बढ़ाने में महत्वपूर्ण हो गया है। शुन्य आधारित बजट इस दिशा में महत्वपूर्ण प्रयास है। संक्षेप में, वित्त प्रशासन आधुनिक समयों में महत्वपूर्ण भूमिका निभा रहा है।

वित्तीय प्रशासन की प्रकृति

वित्त प्रशासन की प्रकृति को लेकर दो भिन्न दृष्टिकोण हैं:

1. परंपरागत दृष्टिकोण
2. आधुनिक दृष्टिकोण

परंपरागत दृष्टिकोण

इस दृष्टिकोण को मानने वालों का विचार है कि वित्त प्रशासन उत्पत्ति, विनियोजन तथा वित्तीय संसाधनों की खोज से सम्पादित क्रियाओं का योग है जो लोक संगठनों को जीवित रखने तथा उनके विकास के लिए आवश्यक होती है। वे इस बात पर बल देते हैं कि किसी भी लोक प्रशासन में एक प्रशासनिक ढांचा होता है, जो धन की आवाजाही को व्यवस्थित करने के साथ-साथ इसे नियंत्रित और व्यवस्थित भी करता है। इस व्यवस्था के कारण इन कोषों का सही और उत्पादक उपयोग हो पाता है। व्यवस्थाओं के परिप्रेक्ष्य में इस दृष्टिकोण पर नजर डालने से यह स्पष्ट हो जाता है कि यह सहभागिता व्यवस्था का ही एक रूप है। लोक वित्तीय संगठनों को कुशल ढंग से चलाने के लिए वित्तीय सहायता देना वित्त प्रशासन का उत्तरदायित्व है। इसका कार्य है लोक संगठनों में समस्त वित्तीय क्रियाओं को नियोजित करना, कार्यक्रम बनाना, संगठन एवं निर्देश देना ताकि लोकनीति का उचित अनुपालन हो सके। इस व्यवस्था के भागीदारों को वित्तीय प्रबन्धक समझा जाता है तथा वे वित्तीय प्रकृति के प्रबन्धात्मक कार्यों को सम्पादित करते हैं। यह दृष्टिकोण लोक वित्त के विशेषज्ञ सेलिगमैन के दृष्टिकोण को दर्शाता है। सार्वजनिक वित्त के शुद्ध सिद्धांत की केन्द्रीय धारणा यह है कि सार्वजनिक वित्त को सार्वजनिक आय, सार्वजनिक व्यय एवं सार्वजनिक ऋण की समस्याओं को वस्तुनिष्ठ ढंग से सम्पादित करना एवं सत्तारूढ़ राजनैतिक दलों के दृष्टिकोण के सम्बन्ध में बताना चाहिए। वित्त प्रशासन के विशेषज्ञ जो इस दृष्टिकोण को मानते हैं वे मूल्य की तटस्थता में विश्वास रखते हैं। उदाहरण के लिए जेज गैस्टन जब कहते हैं कि वित्तीय प्रशासन सरकारी संगठनों का वह भाग है जो लोक निधि का संग्रह, सुरक्षा तथा आवंटन को दर्शाता है तो उनके विचार में यही दृष्टिकोण दृष्टिगोचर प्रतीत होता है।

आधुनिक दृष्टिकोण

आधुनिक दृष्टिकोण वित्तीय प्रशासन को सार्वजनिक निधि बढ़ाने तथा व्यय करने के साधन के बजाय लोक संगठनों की सम्पूर्ण प्रबन्धकीय प्रक्रिया का एक आवश्यक अंग मानता है। इसके अन्तर्गत लोक प्रशासन में सम्मिलित समस्त व्यक्तियों की समस्त क्रियाएं आती हैं। इसका कारण है कि लगभग प्रत्येक लोक अधिकारी निर्णय लेता है जिसका प्रत्यक्ष या अप्रत्यक्ष परिणाम वित्तीय पहलू से भी सम्बद्ध होता है। यह परम्परागत सिद्धांत के मूल्य तटस्थता के दृष्टिकोण को नकारता है। यह इसमें सार्वजनिक वित्त के तीन महत्वपूर्ण सिद्धांतों को शामिल करता है जैसे–सामाजिक-आर्थिक सिद्धांत, जिसके अग्रदूत वैगनर, एजवर्थ तथा पिगोड हैं। केनेसियन परिप्रेक्ष्य के प्रकार्यात्मक सिद्धांत तथा आधुनिक सार्वजनिक वित्त विशेषज्ञों के कार्यात्मक दृष्टिकोण। इनके दृष्टिकोण के अनुसार वित्त प्रशासन की निम्नलिखित भूमिकाएं हैं।

- **समानता लाने वाली भूमिकाः** इस भूमिका के अन्तर्गत वित्त प्रशासन धन संबंधी असमानताओं को दूर करने का प्रयास करता है । यह राजकोषीय नीतियों के द्वारा आय को-सम्पन्न से निर्धन को हस्तांतरित करने का प्रयास करता है।
- **प्रकार्यात्मक भूमिकाः** सामान्य परिस्थितियों में अर्थव्यवस्था स्वयं कार्य नहीं कर सकती है। इस भूमिका के अन्तर्गत, वित्त प्रशासन कराधान, सार्वजनिक व्यय तथा सार्वजनिक ऋण के द्वारा अर्थव्यवस्था के उचित कार्यान्वयन का प्रयास करता है। यह उच्च आर्थिक विकास तथा पूर्ण रोजगार बनाए रखने के लिए नीति उपकरणों को विकसित करता है।
- **कार्यात्मक भूमिकाः** इस भूमिका के अन्तर्गत वित्त प्रशासन उन नीतियों का अध्ययन करता है जो निवेश के तीव्र प्रवाह को आसान तथा तीव्रता से बढ़ने तथा राष्ट्रीय आय के विस्तार को बढ़ाने के लिए सही आवंटन करता है।

- **स्थायित्व संबंधी भूमिकाः** इस भूमिका के अन्तर्गत वित्त प्रशासन का उद्देश्य है राजकोषीय तथा वित्त नीतियों द्वारा मूल्य स्तर एवं मुद्रास्फीति की प्रवृत्ति में स्थायित्व को बनाए रखा जाए।
- **सहभागी भूमिकाः** इस दृष्टिकोण के अनुसार वित्त प्रशासन समुदाय के सामाजिक कल्याण को बढ़ाने के उद्देश्य से राज्य को लोक तथा निजी उत्पादनकर्ता के रूप में लाने के लिए नीतियों का निर्धारण तथा कार्यान्वयन करता है। यह राज्य में प्रत्यक्ष या अप्रत्यक्ष भागीदारी द्वारा आर्थिक विकास को बढ़ाने का प्रयास भी करता है।

इस प्रकार वित्त प्रशासन साध्य तथा साधन के मामले में विकल्प का ढांचा प्रदान करता है जो राज्य की प्रकृति तथा चरित्र तथा इसके वैचारिक मूल्यों के आधार को दर्शाता है। उदाहरण के लिए समाजवादी देशों में वित्त प्रशासन लोकतांत्रिक देशों से भिन्न होते हैं। इस प्रकार वित्त प्रशासन की आत्मा भिन्न सामाजिक-आर्थिक परिस्थितियों में भिन्न होगी क्योंकि यह सामाजिक-आर्थिक तथा राजनैतिक शक्तियों के संचालन के विशेष साधनों पर निर्भर करता है।

वित्तीय प्रशासन का कार्य क्षेत्र

जेज गैस्टन की दी हुई परिभाषा से पता चलता है कि सरकारी संगठन निम्नलिखित चार पहलुओं को संभालते हैं। यही वित्त प्रशासन का निर्माण भी करते हैं:

1. लोक निधियों का संग्रह, रक्षा तथा आवंटन
2. लोक राजस्वों तथा व्यय का समन्वय
3. राज्य की तरफ से ऋण संचालन का प्रबन्ध
4. सरकार के वित्तीय मामले का सामान्य नियंत्रण

आधुनिक सरकारों में उपर्युक्त समस्त पहलुओं को वित्त विभाग तथा इसके सहायक अभिकरण देखते हैं। यद्यपि वित्त विभाग को आधुनिक सरकार के केन्द्रीय वित्त अभिकरणों के रूप में देख जाता है, इसे वित्त प्रशासन से नहीं जोड़ा जा सकता है। इसकी भूमिका वित्त प्रशासन की अपेक्षा वित्त प्रबन्ध से संबन्धित होती है। वित्त प्रबन्धक के रूप में यह सरकार के आर्थिक निर्णय-निर्धारण में सहयोग देने वाले उपकरणों तथा तकनीकों का विवेचन करता है। वास्तव में ये प्रक्रियाएं वित्त प्रशासन का आवश्यक अंग हैं। वित्त प्रशासन का कार्यक्षेत्र इन प्रक्रियाओं द्वारा सुझाए गए कार्यों से अधिक वृहद् है।

लोक प्रशासन के कुछ विशेषज्ञों का मानना है कि वित्त प्रशासन विधायी वित्त नियंत्रण में सन्निहित वित्त प्रक्रियाओं तथा संस्थाओं को दर्शाता है। उनके विचार में वित्त प्रशासन के कार्यक्षेत्र में अनुमानों की तैयारी, निधियों का विनियोजन, व्यय नियंत्रण, लेखांकन, लेखा परीक्षण, प्रतिवेदन, समीक्षा आदि सम्मिलित हैं। लोकतांत्रिक सन्दर्भ में इस दृष्टिकोण को अधिक मान्यता मिल सकती है क्योंकि ये व्यवस्थापिका के प्रति कार्यपालिका के उत्तरदायित्व को बताता है । लेकिन आधुनिक लोकतंत्र के अनुभव से पता चलता है कि कार्यक्रम की वांछनीय मात्रा क्षेत्र तथा निर्देशन के निर्धारण तथा प्रशासकीय अभिकरणों के आवश्यकतानुसार वित्तीय संसाधनों से संबंधित निर्णय में विधायी संलग्नता दिन प्रतिदिन कम होती जा रही है। यह सर्वविदित तथ्य है कि कार्यपालिका पर प्रभावी नियंत्रण बनाए रखने के लिए व्यवस्थापिका के साधारण सदस्य के पास सारी सूचनाएँ नहीं होती हैं। इस प्रकार इस दृष्टिकोण की अधिक उपयोगिता नहीं है। सरकार के वित्तीय पहलुओं पर विधायी नियंत्रण वित्त प्रशासन के कार्यक्षेत्र को पूरी तरह से नहीं दर्शाता है।

दूसरा दृष्टिकोण वित्त प्रशासन के कार्यक्षेत्र को स्पष्ट करने के क्रम में बजट की अनिवार्यता पर बल देता है। उनके अनुसार वित्त प्रशासन का कार्यक्षेत्र बजट की तैयारी, बजट बनाना तथा बजंट निष्पादन तक ही सीमित है। यद्यपि बजट वित्त प्रशासन का प्राण है फिर भी कुछ संचालन जो बजट की तैयारी के पहले किया जाता है वह भी बहुत महत्वपूर्ण है। नियोजन प्रक्रिया को वित्त प्रशासन के आवश्यक अंग के रूप में सम्मिलित करने की आवश्यकता है।

अन्तिम विश्लेषण में एक समन्वित दृष्टिकोण अपनाने की आवश्यकता है ताकि उपर्युक्त सभी दृष्टिकोणों को लोक प्रशासन के कार्यक्षेत्र में सम्मिलित किया जा सके। इस प्रकार के दृष्टिकोण के परिणामस्वरूप वित्त प्रशासन के निम्नलिखित पहलू घनिष्ठ क्षेत्र के रूप में उभरते हैं।

1. वित्तीय नियोजन
2. बजट बनाना
3. संसाधनों का संघटन
4. निवेश संबंधी निर्णय
5. व्यय नियंत्रण
6. लेखांकन, प्रतिवेदन तशा लेखा परीक्षण

1. **वित्तीय नियोजनः** संकुचित अर्थों में कोई बजट को नियोजन के रूप में समझ सकता है क्योंकि इसका आधारभूत उद्देश्य है सरकार के उद्देश्यों की प्राप्ति के लिए नीतियों के निर्धारण तथा कार्यान्वयन को बढ़ाना। लेकिन वृहद् अर्थों में नियोजन सरकारी नीतियों के सम्पूर्ण क्षेत्रों से सम्बंधित है। यह नीतियों में अन्तर्सबंधों की अवधारणा तथा समय संरचना की मांग करता है। यह नीति को दीर्घकालीन आर्थिक परिणामों के सन्दर्भ में देखता है। अतः समन्वय, नियोजन तथा बजट बनाने की आवश्यकता है। नियोजन निष्पादक बजट पद्धति इस दिशा में एक प्रयास है। इस स्तर पर वित्त प्रशासन को वित्त के खोतों तथा रूपों, पूर्वानुमानित व्यय की आवश्यकताओं, वांछनीय निधि विस्तार, निदर्शन आदि को ध्यान में रखना चाहिए।
2. **बजट बनानाः** यह क्षेत्र वित्त प्रशासन का आधार है। यह महत्वपूर्ण पहलुओं जैसे राजकोषीय नीति, समानता तथा सामाजिक न्याय जैसे महत्वपूर्ण मुद्दों का निर्धारण तथा परीक्षण करता है। यह बजट व्यवस्था की शुद्धता से सम्बन्धित सिद्धांतों एवं व्यवहारों का विवेचन करता है। इसका संबंध बजट की संचालित प्रक्रियाओं से भी है।
3. **संसाधनों का संघटनः** करों का आरोपण, दरों तथा करों का संग्रह आदि को संसाधन संघटन करने के प्रयास से संबन्धित माना

जाता है। सरकार की बढ़ती हुई वचनबद्धता के कारण बजट संबन्धी घाटा सरकारी वित्त की सामान्य विशेषता बन गयी है। इस सन्दर्भ में घाटे की वित्तीय व्यवस्था की महत्ता बढ़ गयी है लेकिन यदि घाटे की वित्तीय व्यवस्था का स्वतंत्र रूप में प्रयोग करें तो यह राष्ट्र की अर्थव्यवस्था की खतरनाक समस्या सिद्ध हो सकती है तथा असंयत स्फिति का कारण बन सकती है। सरकार जिन दूसरी चुनौतियों का सामना कर रही हैं वह है कर की चोरी तथा समानान्तर अर्थव्यवस्था का विकास। अतः सार्वजनिक ऋण भी राज्य संसाधन का एक महत्वपूर्ण तत्व है। ऋण उगाही का उपयोग केवल पूंजीगत वित्तीय व्यवस्था के लिए ही करना चाहिए। इस प्रकार आधुनिक वित्तीय प्रशासकों को संसाधन जुटाने के प्रयास के समस्त आयामों से पूर्ण रूप से परिचित होना चाहिए।

4. **निवेश संबंधी निर्णयः** पूंजीगत व्यय के वित्तीय तथा सामाजिक-आर्थिक मूल्यांकन को परियोजना मूल्यांकन के नाम से जाना जाता है। सार्वजनिक क्षेत्र में भारी पूंजी लगायी जा रही है, अतः वित्तीय प्रशासकों को परियोजना मूल्यांकन की संकल्पना, तकनीक तथा पद्धति से पूरी तरह अवगत होना आवश्यक है।

5. **व्यय नियंत्रणः** आधुनिक सरकारों की वित्तीय व्यवस्था को जरूरत से ज्यादा फैलाया नहीं जा सकता। लगभग प्रत्येक सरकार संसाधन की कमी से त्रस्त है। समाज पर कुछ निश्चित समयावधि के बाद अर्थव्यवस्था को बिना हानि पहुँचाए कर नहीं लगाया जा सकता। अतः संसाधनों को सावधानीपूर्वक उपयोग में लाने की अत्यधिक आवश्यकता है। कार्यपालिका नियंत्रण की एक प्रक्रिया है जिसका उद्देश्य है इस लक्ष्य की प्राप्त करना। विधायी नियंत्रण का उद्देश्य है करदाताओं के हित तथा सार्वजनिक हित की रक्षा करना। व्यवस्थापिका के प्रति कार्यपालिका की जवाबदेही बनाए रखने की भी आवश्यकता है।

6. **लेखांकन, प्रतिवेदन तथा लेखा परीक्षणः** कार्यपालिका नियंत्रण तथा विधायी नियंत्रण दोनों को सहायता देने के लिए इन पहलुओं की व्यवस्था की गयी है। भारत में, लेखा नियंत्रक एवं महालेखा परीक्षक तथा भारतीय लेखा परीक्षण तथा लेखा विभाग (जिसकी वह अध्यक्षता करता है) यह निश्चित करता है कि लेखा तथा लेखा परीक्षण संबंधी कार्यों को संवैधानिक प्रावधान के अनुसार सम्पादित किया गया है या नहीं।

बजट : अर्थ, उद्देश्य तथा महत्व

बजट आधुनिक राज्यों में राष्ट्र की आर्थिक नीति को संचालित और नियन्त्रित करने के विशिष्ट साधनों में प्रमुख स्थान रखता है। यदि यह कहा जाये कि वर्तमान राज्यों का संचालन बजट के माध्यम से होता है तो इसमें कोई अत्युक्ति न होगी। सरकार बजट की सहायता से अपना कार्य करती है तथा सार्वजनिक आय के विभिन्न स्रोतों का अधिकतम सदुपयोग करने की योजना बनाती है। जो सरकार इस कार्य को जितनी अधिक क्षमता से करती है, वह अपने नागरिकों की आर्थिक और भौतिक समृद्धि को उतनी ही तेजी से बढ़ाती है। ब्रिटिश प्रधानमंत्री ग्लैडस्टन ने एक बार कहा था, "बजट केवल गणित के आँकड़े मात्र नहीं हैं, बल्कि यह हजारों व्यक्तियों की समृद्धि, विभिन्न वर्गों के पारस्परिक संबंधों तथा राज्यों की शक्ति का मूल है।" एलन विलियम ने बजट के महत्व पर प्रकाश डालते हुए कहा है कि आजकल बजट सरकार की आर्थिक नीति को प्रस्तुत करने और क्रियान्वित करने का केन्द्रीय बिन्दु है।

बजट कई कारणों से प्रशासकों, विधायिका एवं नागरिकों के लिए अत्यन्त उपयोगी है। प्रशासन करने वाले सरकारी अधिकारी बजट की सहायता से ही अपने विभागों का प्रशासन समुचित रीति से कर सकते हैं। बजट विधायिका को देश की अर्थ-व्यवस्था पर पूरा नियन्त्रण और अंकुश रखने का साधन प्रदान करता है। बजट नागरिकों और करदाताओं के लिए भी अति उपयोगी है, क्योंकि इससे नागरिकों को यह पता लगता है कि सरकार का काम चलाने के लिए कितना धन व्यय किया जा रहा है, सरकार को किस स्रोत से कितनी आमदनी होती है और वह इस आमदनी को किस प्रकार व्यय करती है और इनसे कौन से उद्देश्य पूरा कर रही है? डॉ. बर्कहैड के अनुसार संयुक्त राज्य अमेरिका, रूस, ग्रेट ब्रिटेन तथा फ्रांस के आर्थिक उत्कर्ष में बजट पद्धति ने बड़ा सहयोग दिया है और इससे उनकी राजनीतिक शक्ति में वृद्धि हुई है।

बजट : अर्थ एवं परिभाषा
(Budget — Meaning and Definition)

'बजट' शब्द फ्रेंच भाषा के शब्द 'बूजट' (Bougette) से निकला है, जिसका अर्थ है 'चमड़े का थैला' या 'झोला'। सन् 1733 में ब्रिटिश वित्त मंत्री सर राबर्ट वालपोल ने अपने वित्तीय प्रस्तावों से सम्बन्धित कागज संसद के सामने पेश करने के लिए एक चमड़े के थैले से निकाला, तो उनका मजाक उड़ाते हुए 'बजट खोला गया' (The Budget Opened) नामक एक पुस्तिका प्रकाशित की गयी। उसी समय से 'बजट' शब्द का प्रयोग सरकार की वार्षिक आय-व्यय के विवरण के लिए किया जाने लगा।

कुछ लेखकों ने बजट की परिभाषा अनुमानित आमदनियों तथा खर्चों के विवरण मात्र के रूप में की है। कुछ अन्य लेखकों ने बजट को 'राजस्व तथा विनियोग अधिनियम' का पर्यायवाची माना है। प्रथम अवधारणा अमेरिकन विद्वानों में सामान्यतया पायी जाती है, जबकि दूसरी अवधारणा यूरोपियन विद्वानों में, विशेषतः फ्रेंच लेखकों में पायी जाती है। उदाहरण के लिए, लेरॉय ब्यूलियो ने बजट की परिभाषा निम्न प्रकार की है– 'बजट एक निश्चित अवधि के अन्तर्गत होने वाली अनुमानित प्राप्तियों तथा खर्चों का एक विवरण है ....।" रीन स्टोर्म के शब्दों में, "बजट एक लेख पत्र है जिसमें सरकारी आय तथा व्यय की एक प्रारम्भिक अनुमोदित योजना रहती है।" जी. गीज के अनुसार, "बजट सम्पूर्ण सरकारी प्राप्तियों तथा खर्चों का एक पूर्वानुमान तथा अनुमान है और कुछ प्राप्तियों का संग्रह करने तथा कुछ खर्चों को करने का एक आदेश अथवा प्राधिकरण है।"

उपरोक्त परिभाषाओं की आलोचना करते हुए विलोबी कहते हैं कि "ये लेखक बजट की आधुनिक अवधारणा से बहुत दूर थे और उन्हें वित्तीय संगठन में बजट की महत्वपूर्ण भूमिका की कोई जानकारी नहीं थी।" इन परिभाषाओं में कम से कम दो दोष हैं। पहला, इनमें यह स्पष्ट

नहीं किया गया है कि बजट में विगत संक्रिया (Post Operation) तथा वर्तमान दशाओं के साथ ही साथ भविष्य के प्रस्तावों से सम्बन्धित तथ्यों का उल्लेख होना चाहिए। दूसरे, इनमें 'बजट' और 'राजस्व तथा विनियोग अधिनियम' में कोई अन्तर नहीं माना गया है। इन दोनों के बीच भेद करना आवश्यक है क्योंकि ये अलग-अलग क्रिया का प्रतिनिधित्व करते हैं। बजट प्रशासन के कार्य का प्रतिनिधित्व करता है, जबकि राजस्व तथा विनियोग अधिनियम व्यवस्थापिका के कार्य का प्रतिनिधित्व करता है।

बजट सरकार की आय तथा व्यय का विवरण मात्र नहीं है। विलोबी के शब्दों में, "इस प्रकार बजट आमदनियों तथा खर्चों के अनुमान मात्र से बहुत अधिक है। वह एक साथ ही, एक प्रतिवेदन है, एक अनुमान है तथा एक प्रस्ताव है– अथवा उसे ऐसा होना चाहिए। वह एक ऐसा प्रलेख अथवा दस्तावेज है अथवा होना चाहिए, जिसके द्वारा मुख्य कार्यपालिका धन प्राप्त करने वाली तथा व्यय स्वीकृत करने वाली सत्ता के समक्ष इस बात का पूर्ण प्रतिवेदन रखती है कि उसने और उसके अधीनस्थ कर्मचारियों ने गत वर्ष कामकाज की व्यवस्था किस प्रकार की, सरकारी कोषागार की वर्तमान स्थिति क्या है और उन सूचनाओं के आधार पर वह आगामी वर्ष के लिए अपने कार्यक्रम की घोषणा करती है और यह बताती है कि उस कार्य के लिए वित्त व्यवस्था किस प्रकार की जायेगी।"

'बजट' से सम्बन्धित इन विभिन्न परिभाषाओं के अध्ययन से इसकी निम्न विशेषताएँ प्रकट होती हैं–

1. बजट सरकारी रीति-नीतियों को प्रतिबिम्बत करने का एक प्रशासनिक प्रयारा होता है।
2. विगत वर्ष में कार्यपालिका द्वारा सम्पादित प्रशासनिक तथा आर्थिक कार्यों का एक सन्तुलित ब्यौरा होता है।
3. सरकारी क्रियाकलापों के संचालन के लिए आवश्यक धनराशि जुटाने तथा इसे खर्च करने का एक व्यवस्थित मसौदा होता है।
4. व्यवस्थापिका की स्वीकृति के लिए पेश किये जाने के कारण बजट नियमित रूप से कार्यपालिका को व्यवस्थापिका के प्रति अपने उत्तरदायित्व का बोध कराते रहने का एक प्रभावी माध्यम है।
5. व्यवस्थापिका की स्वीकृति मिलने के पश्चात् ही सतत् पुष्टि का प्रमाण माना जा सकता है।

इस प्रकार वर्तमान काल में 'बजट' एक ऐसा महत्वपूर्ण दस्तावेज बन गया है कि बजट को समस्त वित्तीय प्रशासन-तंत्र का प्राण तथा लोकप्रिय शासन व्यवस्था के अस्तित्व का आधार माना जाता है।

बजट : उद्देश्य (Objectives of Budget)

बजट को 1 अप्रैल से शुरू होने वाले और अगले वर्ष के 31 मार्च को समाप्त होने वाले वित्तीय वर्ष के दौरान सरकार की अनुमानित प्राप्तियों और व्यय को दर्शाने वाले विवरण के रूप में परिभाषित किया गया है।

सरकार सभी स्तरों पर प्रस्तावित गतिविधियों के बारे में निर्णय लेती है और उन्हें कार्यान्वित करने के लिए धन की आवश्यकता होती है। बजट के साधन के माध्यम से धन आवंटित किया जाता है, जिसे विधायिकाओं, संसद, नागरिक निकायों आदि द्वारा पारित किया जाता है। एक बजट में अर्थव्यवस्था को सरकार द्वारा निर्धारित की गई दिशा के अनुसार चलाने की शक्ति होती है। यह महत्वपूर्ण आर्थिक नीति साधन है, जिसके द्वारा सरकार की नीतियों को आवश्यक क्षेत्रों में कार्यान्वित किया जाता है।

बजट के कुछ उद्देश्य नीचे दिए गए हैं:

1. **जवाबदेहीः** बजट नागरिकों को यह अधिकार देता है कि वे धन के प्रभावी और कुशल उपयोग को सुनिश्चित करने के लिए लोक संस्थानों को जवाबदेह ठहरा सकें। इसलिए, यह लोगों में विश्वास पैदा करता है कि धन का उपयोग विनियोजित उद्देश्यों के लिए किया जा रहा है।
2. **परिणामः** अपनी प्रक्रियाओं के माध्यम से बजट का उद्देश्य बजट में पूर्व-निर्धारित परिणामों के लिए संबंधित अधिकारियों/प्रबंधकों की जवाबदेही को भी तय करना है। यह उनकी सफलता का आकलन करने के लिए योजनाओं और परियोजनाओं की प्रगति की निगरानी करता है।
3. **दक्षता और मितव्ययिताः** बजट प्रक्रिया में यह सुनिश्चित किया जाता है कि एकत्रित राजस्व, और आवंटित संसाधन किफायती तरीके से खर्च किए जा रहे हैं या खर्च किए गए हैं।
4. **निष्पादन मूल्यांकनः** कानून द्वारा यह सुनिश्चित किया जाता है कि सरकार की अपने कार्यों के लिए जवाबदेही हो। बजट के माध्यम से कार्य संपादन मूल्यांकन यह सुनिश्चित करता है कि खर्च किए गए धन से निर्धारित लक्ष्यों को प्राप्त कर लिया गया है। वित्तीय रिपोर्टिंग सरकारों की नीतियों और प्रशासन से संबंधित कार्य संपादन का आकलन करने में मदद करती है।
5. **संसाधनों का पुनः आवंटनः** पिछले कुछ वर्षों में, बजट प्रक्रिया के एक भाग के रूप में कार्य संपादन मूल्यांकन अगले वित्तीय वर्ष के बजट अनुमानों को तैयार करने का आधार रहा है। इस प्रकार, यह अभ्यास सरकार को सामाजिक कल्याण के लिए संसाधनों को पुनः आवंटित करने में मदद करता है।
6. **आय का पुनर्वितरणः** सरकार का बजट और उसकी नीतियां धन को वांछित दिशा में व्यय करने में मदद करती हैं। यह समाज के संतुलित आर्थिक विकास के कुछ स्तर को प्राप्त करने के लिए आय के पुनर्वितरण के लिए कार्य करता है। यह एक विशिष्ट समूह या कुछ वस्तुओं पर कराधान के स्तर को बढ़ा या घटा सकता है।
7. **आर्थिक स्थिरताः** एक सरकारी बजट का उद्देश्य देश में अपनी राजस्व और व्यय नीति का उपयोग करके स्थायी आर्थिक स्थिति बनाए रखना है।
8. **आर्थिक विकासः** अंत में, सरकार धन आवंटित करके और विशेष रूप से आर्थिक और सामाजिक बुनियादी ढांचे में निवेश करके आर्थिक विकास को गति देने का प्रयास करती है।

बजट का महत्व (Importance of Budget)

बजट सरकार के वित्तीय प्रशासन का केन्द्र बिन्दु होता है। इसके सहारे प्रस्तावित व्यय को संभावित आय के साथ संतुलित किया जाता है। उपक्रमों और कार्यों को जनता के सामने लाया जाता है तथा इन कार्यों के लिए वित्त का प्रबंध किया जाता है। यह एक ऐसा आधार है जिसके बिना देश की सामाजिक तथा सार्वजनिक उन्नति नहीं हो सकती। वित्तीय प्रशासन के अंतर्गत बजट का महत्व अग्रलिखित विवरण से स्पष्ट किया जा सकता है–

1. **जवाबदेयताः** भारत जैसे राष्ट्र में सरकार जनता के प्रति इस बात के लिए जवाबदेय होती है कि सार्वजनिक धन का उपयोग किस प्रकार किया गया है और इसके पूर्व स्वीकृतियों का पालन किया गया है या नहीं। बजट के माध्यम से इस उद्देश्य की पूर्ति हो जाती है।
2. **आर्थिक क्रियाओं का विश्लेषणः** बजट से देश मे विविध आर्थिक क्रियाओं का विश्लेषण किया जा सकता है। उदाहरण के लिए यह मालूम किया जा सकता है कि सरकारी क्रियाओं से राष्ट्रीय आय में कितनी वृद्धि हुई है अथवा देश के पूंजी निर्माण में सार्वजनिक क्षेत्र का कितना भाग है आदि।
3. **आर्थिक नियोजन में सहायकः** वर्तमान समय में प्रत्येक देश में किसी न किसी रूप में आर्थिक नियोजन और आर्थिक विकास के कार्यक्रमों को अपनाया जा रहा है। नियोजन के लिए वित्तीय साधन जुटाने और नियोजन में निर्धारित आर्थिक नीतियों को लागू करने में बजट की उल्लेखनीय भूमिका है।
4. **आर्थिक और सामाजिक उन्नति का साधनः** बजट केवल आय-व्यय का विवरण मात्र ही नहीं है, परन्तु देश की आर्थिक व सामाजिक उन्नति के लिए सरकार के हाथ में एक शक्तिशाली अस्त्र है। अपनी बजट संबंधी नीति से देश में उद्योग तथा कृषि को आर्थिक सहायता प्रदान करके उत्पादन को प्रोत्साहित किया जा सकता है। इसी प्रकार प्रगतिशील करों के द्वारा धनी व्यक्तियों से धन प्राप्त करके और उसे निर्धनों पर व्यय करके धन की असमानता को दूर किया जा सकता है।
5. **आर्थिक नियंत्रण का साधनः** बजट वह अस्त्र है जिसके द्वारा विधायिका कार्यकारिणी के कार्य पर नियंत्रण रखती है और उसके लिए नीति का निर्माण करती है। बजट की अनुपस्थिति में प्रत्येक मंत्रालय और विभाग मनमाने ढंग से कार्य करने लगेगा और सार्वजनिक आय का समुचित उपयोग नहीं हो पायेगा। बजट किसी भी देश में आय और व्यय की क्रियाओं का निर्देशन करता है और उसके बिना सरकारी कार्यों में गड़बड़ी होगी। अमेरिका का उदाहरण हमारे सामने मौजूद है, जबकि 1919 तक वहाँ कोई बजट प्रथा नहीं थी और प्रत्येक विभाग अपनी वार्षिक आय तथा व्यय का अनुमान कांग्रेस के सम्मुख रखता था। कांग्रेस के लिए यह संभव नहीं हो सका कि वह प्रत्येक विभाग की लंबी चौड़ी मांग को पूरा करे। अतः 1921 के बाद वहां बजट प्रथा चालू की गई।
6. **आर्थिक स्थिरता का साधनः** प्रो. कीन्स का विचार है कि सरकारी बजट का महत्व यह है कि वह अर्थव्यवस्था को आर्थिक क्रिया के ऊंचे स्तर पर स्थिर रखता है। अर्थव्यवस्था को स्थिर करने के लिए राज्य को तेजीकाल में 'मुनाफे का बजट' और मंदीकाल में 'घाटे का बजट' बनाना चाहिए। चूंकि पूंजीवादी अर्थव्यवस्था में मूल्यों में कमी प्रधानतः व्यक्तिगत विनियोगों में कमी के कारण आती है, इसीलिये बजट के माध्यम से मूल्यों को सहारा देकर रोजगार व राष्ट्रीय अर्थव्यवस्था को स्थायित्व प्रदान किया जा सकता है।

भारत में बजट संबंधी प्रक्रिया (Budgetary Process In India)

आधुनिक युग में हमारे देश में बजट की पद्धति का श्रीगणेश भारत के पहले वायसराय लॉर्ड कैनिंग (1856-62) के कार्यकाल में हुआ। इसके विलम्ब से विकसित होने का कारण कुशल वित्त विशेषज्ञों का अभाव था। 1857 के स्वाधीनता संग्राम के बाद 1859 में पहली बार एक वित्त विशेषज्ञ जेम्स विल्सन को वायसराय की कार्यकारिणी का वित्त सदस्य नियुक्त किया गया। इन्होंने 18 फरवरी, 1860 को वायसराय की परिषद् में पहली बार बजट प्रस्तुत किया। ब्रिटिश वित्त मंत्री की परम्परा का अनुसरण करते हुए विल्सन ने अपने भाषण में भारत की वित्तीय स्थिति का बड़ा सुन्दर विश्लेषण और सर्वेक्षण प्रस्तुत किया। अतः जेम्स विल्सन को भारत में बजट पद्धति का संस्थापक और जन्मदाता कहा जा सकता है।

यहीं से प्रतिवर्ष देश की वित्तीय स्थिति का विवरण प्रस्तुत करने वाले बजट वायसराय की परिषद् में उपस्थित किये जाने लगे। किन्तु इंग्लैण्ड का उपनिवेश होने के कारण इस बजट पर भारतीय जनप्रतिनिधियों को बहस करने का कोई अधिकार नहीं था। सन् 1947 में भारत के स्वतन्त्र होने पर अन्य देशों की भाँति संसद एवं विधानसभाओं को बजट पर नियन्त्रण के पूर्ण अधिकार दिये गये।

भारत की बजट संबंधी प्रक्रिया का विवेचन करते समय यह उल्लेखनीय है कि भारत में सम्पूर्ण देश के लिए केवल एक ही बजट नहीं होता, अनेक बजट होते हैं। पूरे देश के लिए केन्द्र सरकार एक बजट बनाती है, इसके अतिरिक्त प्रत्येक राज्य अपने अलग-अलग बजट बनाते हैं। संघीय स्तर पर भी दो बजट होते हैं– (1) सामान्य बजट, तथा (2) रेलवे बजट। रेलवे बजट 1921 से सामान्य बजट से अलग कर दिया गया। 2017 से पुनः इन दोनों बजटों का एकीकरण हो गया है।

भारत में बजट का निर्माण करने का उत्तरदायित्व 'वित्त मंत्रालय' को सौंपा गया है। वित्त मंत्री, जो कि मंत्रिपरिषद् में अत्यन्त महत्वपूर्ण स्थान रखता है, राष्ट्र के कोष का संरक्षक तथा देश की वित्तीय नीति का कर्णधार माना जाता है। लोक वित्त के उचित प्रयोग के लिए वह उत्तरदायी होता है।

बजट निर्माण (Formulation of the Budget)

बजट निर्माण के मुख्यतः दो भाग हैं—प्रथम बजट की तैयारी और द्वितीय बजट का अधिनियम जिसमें बजट अनुमानों को व्यवस्थापिका में प्रस्तुत करना, व्यवस्थापिका द्वारा उसे स्वीकृति प्रदान करना, व्यवस्थापन आदि सम्मिलित है।

■। बजट की तैयारी (Preparation of Budget)

भारत में वित्तीय वर्ष 1 अप्रैल को आरम्भ होता है और 31 मार्च को समाप्त होता है। बजट अनुमान तैयार करने का कार्य आगामी वित्तीय वर्ष के आरम्भ होने के 7-8 माह पूर्व प्रारम्भ होता है। बजट की रूपरेखा तैयार करने का सारा उत्तरदायित्व वित्त मंत्रालय का होता है, किन्तु इस कार्य में प्रशासकीय मंत्रालय, नीति आयोग तथा नियन्त्रक महालेखा परीक्षक का भी हाथ रहता है। प्रशासकीय मंत्रालय और उसके अधीनस्थ कार्यालयों से वित्त मंत्रालय को प्रशासकीय आवश्यकताओं की विस्तृत जानकारी प्राप्त होती है। नीति आयोग योजनाओं की प्राथमिकता के संबंध में मंत्रणा देता है और नियन्त्रक महालेखा परीक्षक प्राक्कलन तैयार करने हेतु लेखा कौशल उपलब्ध कराता है।

बजट अनुमान तैयार करने की शुरुआत वित्त मंत्रालय द्वारा जुलाई अथवा अगस्त माह से ही शुरू कर दी जाती है जब वह विभिन्न प्रशासकीय मंत्रालयों तथा विभागाध्यक्षों को व्ययों के प्राक्कलन तैयार करने के लिए एक प्रपत्र (Form) भेजता है। विभागाध्यक्ष इन छपे हुए निर्धारित प्रपत्रों को स्थानीय कार्यालयों को भेज देता है। प्रपत्र में निम्नलिखित खाने होते हैं—

1. विनियोगों के शीर्ष तथा उपशीर्ष,
2. गत वर्ष की वास्तविक आय तथा व्यय,
3. वर्तमान वर्ष के स्वीकृत अनुमान,
4. वर्तमान वर्ष के संशोधित अनुमान,
5. आगामी वर्ष के बजट प्राक्कलन तथा
6. घटा-बढ़ी का विस्तार।

स्थानीय कार्यालयों द्वारा ये प्रपत्र तैयार करके प्रशासकीय मंत्रालयों से संबंधित विभागों को भेज दिये जाते हैं। विभागों के अध्यक्ष अनुमानों का सूक्ष्म निरीक्षण करते हैं और आवश्यकतानुसार संशोधन करके अपने-अपने विभागों के लिए उन्हें समेकित या एकीकृत करते हैं। इसके बाद प्रशासकीय मंत्रालय इन प्राक्कलनों को नवम्बर के मध्य में वित्त मंत्रालय को प्रेषित कर देते हैं। प्रत्येक विभाग अपने प्राक्कलनों की एक प्रतिलिपि भारत के 'महालेखापाल' के पास पहुँचा देता है। इस कार्यालय में विभिन्न मदों की जाँच की जाती है। उसके पश्चात् महालेखापाल अपनी टिप्पणियाँ वित्त मंत्रालय के पास भेज देता है।

वित्त मंत्रालय द्वारा बजट अनुमानों का सूक्ष्म परीक्षण किया जाता है। यह परीक्षण मुख्यतः मितव्ययिता से संबंध रखता है, नीति से नहीं। व्ययों सम्बन्धी नीति को देखना तो मुख्य रूप से प्रशासकीय मंत्रालयों का ही काम है।

प्रशासकीय मंत्रालयों द्वारा प्रेषित बजट अनुमानों को सामान्य रूप में तीन भागों में बाँटा जाता हैं—

1. **स्थायी प्रभार अथवा स्थायी व्यय (Standing Charges)–** इसमें स्थायी संस्थानों (Permanent Establishments) के वेतन, भत्ते तथा अन्य व्यय सम्मिलित हैं। इनसे सम्बन्धित अनुमान सूक्ष्म पुनरावलोकन हेतु वित्त मंत्रालय के बजट संभाग (Budget Division) को भेजे जाते हैं।
2. **प्रचलित योजनाएँ अथवा कार्यक्रम (Continuing Schemes)–** दूसरे भाग में वे विषय रहते हैं जो वर्ष-प्रतिवर्ष निरन्तर चलते रहते हैं। इन प्रचलित योजनाओं के प्राक्कलनों की जाँच व्यय-विभाग (Department of Expenditure) द्वारा की जाती है। इस सूक्ष्म परीक्षण द्वारा यह देखा जाता है कि जारी योजनाओं में कहाँ तक प्रगति हुई है, उनके संबंध में की गयी वचनबद्धताएँ कहाँ तक पूरी की गयी हैं आदि। यह निरन्तर चलता रहता है।
3. **नयी योजनाएँ या कार्यक्रम (New Schemes)–** वित्त मंत्रालय द्वारा प्राक्कलनों की वास्तविक जाँच इसी क्षेत्र में की जाती है। नवीन योजनाओं के संबंध में संसाधनों के आधार पर विभिन्न मदों की प्राथमिकता के संबंध में विचार किया जाता है। इस बारे में नीति आयोग तथा वित्त मंत्रालय के आर्थिक मामलों के विभाग (Department of Economic Affairs) से भी सलाह ली जाती है।

बजट तैयार करने के लिए निम्नलिखित पाँच विधियों का इस्तेमाल किया जाता है:

1. संवितरण अधिकारियों द्वारा प्रारम्भिक अनुमानों की तैयारी करना।
2. नियंत्रण अधिकारियों द्वारा इन अनुमानों की संवीक्षा और समीक्षा।
3. महालेखाकार तथा प्रशासनिक विभाग द्वारा संशोधित अनुमानों की संवीक्षा और समीक्षा।
4. वित्त मंत्रालय द्वारा संशोधित अनुमानों की संवीक्षा और समीक्षा
5. मंत्रिमंडल द्वारा समेकित अनुमान पर अन्तिम विचार।

उपर्युक्त विधियों का विश्लेषण निम्नवत् हैः

1. **संवितरण अधिकारियों द्वारा तैयारी (Preparation by the Disbursing Officers):** अनुमान तैयार करने का कार्य अत्यधिक महत्वपूर्ण कार्य है। श्री पी.के. वट्टल के शब्दों में, "यह विगत वर्षों के औसत निकालकर उन्हें किसी सुरक्षित आंकड़े में रखने का एक सामान्य गणितीय कार्य नहीं है जोकि बिल्कुल पिछले वर्ष के निष्पादन की पुनरावृत्ति की तरह नहीं दिखाई देगा। इन आंकड़ों के पीछे प्रशासन की वास्तविकताएं छिपी होती हैं। किसी भी एक वर्ष की परिस्थितियाँ पिछले वर्ष की परिस्थितियों के बिल्कुल समान नहीं होती हैं और वे नितान्त भिन्न भी नहीं होती हैं। इसलिए असमानताओं और समानताओं का अनुमान लगाने तथा प्रत्येक को उचित महत्व देने में स्व-विवेक का इस्तेमाल करना पड़ता है।" इसलिए अनुमान तैयार करने में

सावधानी बरती जानी चाहिए। अनुमान तैयार करते समय स्थानीय अधिकारियों को निर्धारित प्रपत्र के चार स्तंभों को भरना होता है:

(i) पिछले वर्ष के वास्तविक आंकड़े।

(ii) चालू वर्ष के स्वीकृत अनुमान।

(iii) चालू वर्ष के संशोधन अनुमान, और

(iv) अगले वर्ष के बजट का अनुमान।

कभी-कभी बजट अनुमानों तथा खर्च किए गए या खर्च किए जाने वाले वास्तविक धनराशि के बीच काफी अन्तर रह जाता है। यह मुख्यतः दो महत्त्वपूर्ण कारकों के कारण होता है। प्रथम, अनुमान लगभग 18 महीने पहले तैयार किए जाते हैं और दूसरे, भारतीय अर्थव्यवस्था मानसून का जुआ है तथा अनुमान मानसून आने से बहुत पहले ही तैयार कर लिए जाते हैं। इसके अलावा जैसा कि श्री अशोक चन्दा ने कहा है, ''बजट में शामिल किए जाते समय नए परियोजनाओं के अनुमानों की तैयारी अधिकांश मामलों में कठिन होती है। इस प्रकार के अनुमान बहुधा केवल प्रत्याशाओं पर न कि ठोस और सकारात्मक पहलुओं पर आधारित होते हैं। फिर भी जब तक कि बजट अनुमानों में शामिल किए जाने हेतु कोई आंकड़ा वित्त मंत्रलय को नहीं भेजा जाता है तब तक इस स्कीम को शुरू नहीं किया जा सकता है।''

2. **नियंत्रण अधिकारियों द्वारा अनुमानों की संवीक्षा और समीक्षा (Scrutiny and Review of Estimates by Controlling Officers):** स्थानीय अधिकारी अपने-अपने नियंत्रण अधिकारियों या विभाग प्रमुखों को संवीक्षा और समीक्षात्मक अनुमान भेजते हैं। संवीक्षा नितान्त प्रशासनिक किस्म की होती है। नियंत्रण अधिकारी को पूर्णरूपेण विभाग के संभावित अनुदान को ध्यान में रखते हुए नए व्यय के लिए अपने विभाग के विभिन्न शाखाओं और अनुभागों के अपेक्षित महत्त्व का औचित्य सिद्ध करना पड़ता है। इसलिए उसे उनमें से कुछ को स्वीकार करना पड़ता है और दूसरों को अस्वीकार करना पड़ता है। फिर वह समूचे विभाग के अनुमानों को समेकित करता है और अक्तूबर के प्रारम्भ तक के प्रपत्र बजट अधिकारियों के हाथों में चले जाते हैं।

महालेखाकार तथा प्रशासनिक विभाग द्वारा संवीक्षा और समीक्षा (Scrutiny and Review by the Accountant General and the Administrative Department): नियंत्रण अधिकारियों के पास से अनुमान प्रपत्र चले जाने के उपरान्त राजस्व तथा स्थायी प्रभारों यथा स्थायी स्थापना, यात्रा भत्ता आदि से संबंधित अनुमानों का भाग महालेखाकार तथा सामान्य प्रशासन विभाग के पास संवीक्षा तथा समीक्षा के लिएं प्रस्तुत किया जाता है। सामान्य प्रशासन विभाग राज्य सरकारों में होते हैं। सामान्य समीक्षा के अतिरिक्त, महालेखाकार के कार्यालय को ऋण, जमा तथा प्रेषण शीर्षों के अन्तर्गत अनुमान भी तैयार करने होते हैं। नवम्बर के मध्य तक ये अनुमान वित्त मंत्रालय के बजट विभाग के पास चले जाते हैं।

4. **वित्त मंत्रालय द्वारा संवीक्षा (Scrutiny by the Ministry of Finance):** विभिन्न विभागों से इस प्रकार प्राप्त हुए अनुमानों की वित्त मंत्रालय द्वारा संवीक्षा की जाती है तथा संशोधन और पुनरीक्षण के उपरान्त उन्हें सरकार के बजट में पूर्णरूपेण समेकित कर लिया जाता है। श्री पी.के. वट्टल के शब्दों में, ''वित्त विभाग द्वारा की गई संवीक्षा प्रशासनिक विभाग द्वारा की गई संवीक्षा से स्वभावतः भिन्न होती है। प्रशासनिक विभाग व्यय की नीति अथवा उसकी आवश्यकता से संबंधित है और इसीलिए उसका कार्य विभागों न की मांग को उपलब्ध निधियों के भीतर बनाए रखना है। प्रशासनिक विभागों तथा वित्त विभाग के बीच अनसुलझे मतभेदों को निर्णय के लिए सरकार को प्रस्तुत किया जाता है।'' वित्त मंत्रालय द्वारा अनुमानों की संवीक्षा वित्तीय दृष्टिकोण अर्थात् अर्थव्यवस्था एवं निधियों की उपलब्धता के अनुसार की जाती है। फिर वित्त मंत्रालय भारत सरकार के आय और व्यय का अनुमान तैयार करता है। अनुमानित व्यय के आधार पर बजट में नए करों के बारे में प्रस्ताव किए जाते हैं। दूसरे शब्दों में, बजट दो भागों में विभाजित होता है– आय पक्ष और व्यय पक्ष। इस रूप में समेकित बजट दिसम्बर माह तक तैयार हो जाता है।

5. **मंत्रिमंडल द्वारा अनुमोदन (Approved by the Cabinet):** वित्त मंत्री जनवरी में किसी समय बजट अनुमानों की जाँच करता है और प्रधानमंत्री के परामर्श से कराधान आदि के बारे में अपनी वित्तीय नीति तैयार करता है। इसके पश्चात् संयुक्त विचार-विमर्श के लिए बजट मंत्रिमंडल के समक्ष प्रस्तुत किया जाता है। ऐसा इसलिए किया जाता है कि मंत्रिमंडल की नीति ही सामान्य दिशा निर्धारित करने के लिए उत्तरदायी है। मंत्रिमंडल द्वारा बजट का अनुमोदन कर दिए जाने पर उसे संसद में पेश किए जाने के लिए प्रस्तुत किया जाता है।

भारतीय बजट, जिसे ''वार्षिक वित्तीय विवरण'' कहा जाता है, के दो भाग होते हैं–

(क) वित्त मंत्री का बजट भाषण, और (ख) बजट अनुमान। वित्त मंत्री के भाषण में देश की सामान्य आर्थिक दशाओं की जानकारी, सरकार द्वारा अपनाई जाने वाली वित्तीय नीति, चालू वर्ष के बजट अनुमानों तथा संशोधित अनुमानों के बीच पाए जाने वाले अन्तर का स्पष्टीकरण तथा व्याख्यात्मक ज्ञापन होता है जो चालू वर्ष के मूल अनुमानों में होने वाले उतार-चढ़ाव के कारणों की व्याख्या करता है। मंत्री का बजट भाषण राष्ट्र के वार्षिक क्रियाकलापों में एक अत्यन्त महत्त्वपूर्ण घटना है। केवल व्यावसायिक समुदाय ही नहीं बल्कि समुदाय के प्रत्येक वर्ग द्वारा इसकी बड़ी उत्सुकता से प्रतीक्षा की जाती है। भारत की समेकित निधि पर प्रभारित आय तथा भारत के लोक लेखा पर प्रभारित

व्यय के लिए पृथक्-पृथक् अनुमानों को दर्शाने वाला वार्षिक वित्तीय विवरण संसद में प्रस्तुत किया जाता है। संविधान के अनुच्छेद 112 के अनुसार निम्नलिखित व्ययों को भारत की समेकित निधि पर प्रभारित माना जाता है–

(क) राष्ट्रपति की परिलब्धियाँ एवं भत्ते तथा उसके कार्यालय से संबंधित अन्य व्यय।

(ख) राज्य सभा के अध्यक्ष और उपाध्यक्ष तथा लोक सभा के अध्यक्ष और उपाध्यक्ष के वेतन और भत्ते। इस रूप में बजट निर्माण की विधि पूरी होती है।

बजट अधिनियमन (Enactment of Budget)

1. **प्रस्तुतीकरणः** सभी लोकतान्त्रिक देशों में कार्यपालिका द्वारा तैयार किये जाने के बाद बजट संसद में विचार एवं स्वीकृति के लिए प्रस्तुत किया जाता है। संसद में बजट प्रस्तुत करने का उत्तरदायित्व कार्यपालिका और मंत्रिमण्डल का होता है। भारत में बजट वित्त मंत्री द्वारा प्रस्तुत किया जाता है। यहाँ यह स्पष्ट करना उचित होगा कि सामान्य विधेयक (Ordinary Bill) तथा वित्त विधेयक (Finance Bill) में आधारभूत अंतर होता है। आम विधेयक में सरकार के लिए कुछ कार्यक्रम प्रस्तावित होते हैं जबकि वित्त विधेयक में ऐसे कार्यक्रमों को पूरा करने के लिए सरकार को धनराशि खर्च करने का अधिकार दिया जाता है। इस कारण भारतीय संविधान के अनुच्छेद 112 से 117 तक वित्त विधेयक से संबंधित निम्न प्रावधान किये गये हैं–

   (*i*) बजट अनुदानों से सम्बन्धित हर एक माँग मुख्य कार्यपालिका अध्यक्ष (राष्ट्रपति) की अनुशंसा से ही की जाए।

   (*ii*) कोई भी व्यय प्रस्ताव राष्ट्रपति की सिफारिश के बिना संसद के समक्ष नहीं रखा जा सकता।

   (*iii*) विधायिका को किसी कर में कमी करने अथवा समाप्त करने का अधिकार तो है किन्तु वह नया कर लगाने या कर दर में वृद्धि करने का अधिकर नहीं रखती।

   (*iv*) भारत की संचित निधि से सम्बन्धित व्यय (Charges) पर संसद में बहस हो सकती है किन्तु मतदान नहीं किया जा सकता।

   (*v*) विनियोग विधेयक (Appropriation Bill) में संसद की ओर से कोई ऐसा संशोधन नहीं किया जा सकता जिससे किसी अनुदान का उद्देश्य या किसी प्रभारी व्यय राशि में परिवर्तन हो जाये।

   (*vi*) वित्त विधेयक के मामले में लोक सभा के अधिकार राज्य सभा की अपेक्षा बहुत अधिक है। अनुदान माँगों के लिए मत देने का अधिकार केवल लोक सभा को ही प्राप्त होता है। वित्त विधेयक पर लोक सभा की स्वीकृति मिलने के पश्चात् उसे राज्य सभा के पास भेजा जाता है जिसे 14 दिनों के भीतर पास कर अथवा अपनी सिफारिशों के साथ लोक सभा को लौटा देना होता है। लोक सभा यदि उचित समझे तो राज्य सभा के किसी सुझाव पर पुनर्विचार कर सकती है अन्यथा वित्त विधेयक को अपने मूल रूप में पारित कर देती है तथा इसे संसद के दोनों सदनों द्वारा पारित मान लिया जायेगा। यदि राज्य सभा 14 दिनों के अन्दर-अन्दर वित्त विधेयक को नहीं लौटाती है तब भी संविधान के अनुच्छेद 109 के अनुसार उसे दोनों सदनों द्वारा पारित मान लिया जाता है।

   यह बात विशेष उल्लेखनीय है कि कोई विधेयक वित्त विधेयक है या नहीं, इस बात का निर्णय भारतीय संविधान के अनुच्छेद 110 के तहत लोक सभा के अध्यक्ष (Speaker) को करने का अधिकार है।

2. **बजट पर सामान्य वाद-विवाद (General Discussion on Budget):** लोक सभा के कार्य संचालन नियम संख्या 207(1) और (2) में बजट प्रस्तुतीकरण के कुछ दिन पश्चात् सामान्य चर्चा का दिशा-निर्देशन करते हुए कहा गया है कि, 'सदन को इस बात की अनुमति होगी की वह सम्पूर्ण बजट अथवा उसमें प्रस्थापित सिद्धांत के किसी प्रश्न के बारे में विचार-विमर्श कर सके, परन्तु इस समय कोई प्रस्ताव प्रस्तुत नहीं किया जा सकेगा एवं न ही सदन में बजट पर मतदान किया जा सकेगा।' इस आम चर्चा के दौरान व्यय के किसी भी मद को परिचर्चा से बाहर नहीं रखा जाता तथा प्रत्येक मुद्दे पर प्रशासनिक नीतियों की संक्षिप्त आलोचना तथा टीका टिप्पणी की जा सकती है। करीब एक सप्ताह के अंदर बजट पर सामान्य चर्चा समाप्त हो जाती है तथा अंतिम दिन वित्त मंत्री एक संक्षिप्त जवाब भी देता है।

3. **अनुदान माँगों पर ब्यौरे-वार चर्चा तथा मतदान (Discussion and Voting on Demands):** बजट के तीसरे चरण में अलग-अलग मंत्रालयों के लिए क्रम-वार अनुदान माँगें एक प्रस्ताव के रूप में लोकसभा के समक्ष प्रस्तुत की जाती हैं जो कि निम्नवत् होता है– "31 मार्च, 200.... को समाप्त होने वाले वर्ष की अवधि में (गृह मंत्रालय से सम्बन्धित) .... व्ययों की अदायगी के लिए एक धनराशि, जो कि .... रुपये से ज्यादा न हो, को राष्ट्रपति को खर्च करने के लिए स्वीकृत की जानी चाहिए।"

   इस प्रकार की अनुदान माँगें प्रत्येक मंत्रालय के लिए अलग से प्रस्तावित की जानी चाहिए जब तक यह कठिनाई न हो कि किसी अनुदान राशि को अलग-अलग मंत्रालयों में बाँटना असम्भव हो। लोक सभा कार्यवाही नियम 131 के तहत प्रत्येक माँग को समग्र रूप में तथा उसके अन्तर्गत मद-वार ब्यौरे के रूप में प्रस्तुत किया जाना चाहिए। भारत सरकार का आम बजट 109 अनुदान माँगों में विभाजित रहता है, जिनमें से 103 माँगें लोक व्यय से सम्बन्धित तथा 6 माँगें सुरक्षा व्यय से सम्बन्धित होती हैं। अपने मंत्रालय से सम्बन्धित हर मंत्री माँगों को प्रस्तुत करते

समय एक संक्षिप्त भाषण भी देता है जो आर्थिक नीतियों का प्रतिबिम्ब होने के बजाय प्रायः राजनीतिक रंग लिये होता है।

संसदीय कार्यवाही नियम 132 तथा 133 के तहत लोकसभा का अध्यक्ष सदन के नेता से विचार-विमर्श के पश्चात् एक निश्चित अवधि निर्धारित करता है जिसमें अनुदान माँगों पर विचार-विमर्श पूरा हो जाना चाहिए। भारत में आमतौर पर 26 दिनों की अवधि इस हेतु निर्धारित की गयी है। एक-एक करके अनुदान माँगों पर विचार होते समय विपक्षी सदस्यों द्वारा बजट की तीखी आलोचना की जाती है तथा अनेक प्रकार के कटौती प्रस्ताव सदन के समक्ष प्रस्तुत किये जाते हैं। ये कटौती प्रस्ताव तीन प्रकार के होते हैं–

(*i*) **नीति संबंधी कटौती प्रस्ताव (Policy Cut Motion):** किसी अनुदान माँग के पीछे निहित सरकारी नीति को अस्वीकृत करने की सिफारिश के उद्देश्य से सदस्य द्वारा यह माँग की जाती है कि "माँग की धनराशि घटा कर एक रुपया कर दी जानी चाहिए।" इस प्रस्ताव को लाने वाला सदस्य नीति सम्बन्धी मुख्य मदों की समीक्षात्मक आलोचना करते हुए सदन के विचार-विमर्श की वैकल्पिक नीति की प्रतिस्थापना की ओर अग्रसर करने का प्रयत्न करता है। इस अवधि में प्रशासन की कमियों को उजागर करते हुए सरकार की तीखी आलोचना की जाती है।

(*ii*) **मितव्ययिता संबंधी कटौती प्रस्ताव (Economic Cut Motion):** सरकारी व्यय में सम्भावित दुरुपयोग या अपव्यय की ओर सदन का ध्यान आकर्षित करने के उद्देश्य से सदन का कोई सदस्य इस प्रस्ताव को पेश करते हुए माँग कर सकता है कि, "अनुदान माँग की राशि में से विशिष्ट धनराशि कम कर दी जानी चाहिए।" ये कटौती प्रस्ताव किसी माँग की किसी विशेष मद में कमी, उसकी पूर्ण समाप्ति अथवा सम्पूर्ण अनुदान में से एक मुश्त धनराशि कम करने के लिए पेश किये जाते हैं। वाद-विवाद के समय सदस्यों को केवल विचारणीय मुद्दे पर ही अपने विचार रखने की अनुमति दी जाती है।

(*iii*) **प्रतीकात्मक कटौती प्रस्ताव (Token Cut Motion):** संसदीय नियम 209 के अंतर्गत कोई भी सदस्य सरकार के किसी विशेष कार्य के बारे में शिकायत करते हुए यह प्रस्ताव ला सकता है कि सम्बन्धित अनुदान, "माँग की धनराशि में 100 रुपये की कटौती की जानी चाहिए।" यह प्रस्ताव प्रतीकात्मक ही होता है ताकि सरकार का ध्यान किसी विशेष समस्या की ओर आकर्षित किया जा सके।

इस प्रकार के कटौती प्रस्ताव मात्र एक संसदीय औपचारिकता का प्रतीक बन कर रह जाते हैं क्योंकि संसद किसी अनुदान माँग में वृद्धि करने का अधिकार नहीं रखती। इसके अलावा संसदीय प्रणाली में सरकार अपने दल के बहुमत के आधार पर प्रस्तावित अनुदान माँगों को पास करवा लेती है। हमारी संसदीय प्रणाली में प्रायः 'प्रतीक कटौती प्रस्ताव' ही लाये जाते हैं तथा अध्यक्ष द्वारा इन पर बहस की अनुमति देने के पश्चात् वाद-विवाद होता है। बहस की समाप्ति पर सम्बन्धित मंत्री सदस्यों की आलोचनाओं का जवाब देता है तथा सदस्यों द्वारा बतायी शिकायतों को दूर करवाने का आश्वासन भी देता है। तथापि ऐसा कहा जाता है कि भारतीय संसद में बहस का स्तर बहुत अच्छे स्तर का नहीं होता। श्री एस.एल. शकधर ने लिखा है कि, "बजट सम्बन्धी वाद-विवादों में एक प्रमुख दोष पाया जाता है और वह यह है कि बजट सम्बन्धी बहस केवल सिद्धांतों पर आधारित होती है और अनुमानों के ब्यौरों के संबंध में जरा भी बहस नहीं की जाती। सदन अपने आपको इस विषय में सन्तुष्ट नहीं करता कि अनुमानों के विस्तृत आँकड़े ठीक प्रकार से तैयार किये गये हैं। विभिन्न सेवाओं, पूर्तियों, संस्थानों, प्रयोजनाओं तथा कार्यक्रमों के लिए जो विविध धनराशियाँ दिखायी गयी हैं क्या वे न्यायोचित हैं, क्या अनुमानों में दिये गये व्यय उपलब्धियों से मेल खाते हैं और क्या सरकारी विभागों द्वारा वास्तव में व्यय की गयी धनराशियाँ विनियोग अधिनियम के अथवा उसमें निहित उद्देश्य के अनुसार थीं अथवा क्या कोई दुर्विनियोजन, अपव्यय या अन्य कोई वित्तीय अनियमितता थी?"

4. **मतदान प्रक्रिया (Voting Process):** भारतीय संसद में कुल 26 दिनों के भीतर अनुदान माँगों को पास करने की परम्परा है। अध्यक्ष द्वारा किसी अनुदान माँग पर बहस के लिए निर्धारित समय के अंतिम दिन मतदान का कार्य आरम्भ हो जाता है। इस प्रक्रिया से सभी विभागों की अनुदान माँगें गुजरती हैं। किन्तु पूरी बहस के लिए निर्धारित दिनों के अंतिम दिन शेष बची सभी माँगों पर भी मतदान हो जाता है चाहे फिर उन पर ब्यौरे-वार बहस हुई हो या न हुई हो। इस प्रकार अन्तिम दिन करोड़ों रुपयों की अनुदान माँगें बिना बहस के ही पास कर दी जाती हैं। यह दोष भारतीय वित्तीय प्रशासन व्यवस्था में ही नहीं अपितु ब्रिटिश व्यवस्था में भी पाया जाता है। हिल्टन यंग ने इस प्रक्रिया के दोषपूर्ण प्रचलन की ओर संकेत करते हुए कहा था कि, "वर्ष के कुल व्यय के एक-तिहाई से आधे भाग पर किसी आलोचना अथवा वाद-विवाद के बिना घण्टे भर में मतदान हो जाता है। इससे अधिक असन्तोषजनक स्थिति की कल्पना कदाचित ही की जा सकती है। इससे सदन द्वारा व्यय पर नियंत्रण करने सम्बन्धी सम्पूर्ण श्रम साध्य प्रक्रिया एक ढोंग प्रतीत होती है।"

5. **लेखानुदान (Vote on Account):** भारतीय संविधान के अनुच्छेद 116(1) के अंतर्गत संसद को यह अधिकार प्राप्त है कि बजट प्रक्रिया के पूर्ण होने के पूर्व ही वित्तीय वर्ष के प्रथम दो माह के लिए कार्यपालिका को अग्रिम अनुदान स्वीकृत कर खर्च करने की अनुमति प्रदान करे। इस परिपाटी के प्रारम्भ होने के कारण अब अनुदान माँगों पर 1 अप्रैल के पश्चात् भी बहस जारी रखी जाती है। इस प्रकार इस पद्धति को अपनाये जाने से संसद को

बजट सम्बन्धी प्रस्तावों पर अधिक व्यापक बहस करने का अवसर मिलता है ताकि प्रशासनिक कमियों को उजागर करके कार्यपालिका को अधिक सचेष्ट किया जा सके।

6. **विनियोग विधेयक (Appropriation Bill):** अनुदान माँगों पर संसद में मतदान हो जाने का मतलब यह नहीं होता कि सरकार को सार्वजनिक कोष (Public Fund) से पैसा निकालने का हक प्राप्त हो गया हो। संविधान की धारा 110 (1) (d) में यह कहा गया है कि "भारत की संचित निधि में से कोई भी धनराशि विधि द्वारा विनियोजन के बिना निकाली नहीं जा सकती।" जब सभी अनुदान माँगों पर मतदान हो जाता है तो इनको संचित निधि सहित विनियोग विधेयक में एकीकृत कर लिगा जाता है और इस प्रकार धन खर्च करने के अधिकार को प्राप्त करने के लिए विनियोग बिल को पास करवाने की क्रिया सम्पादित करनी होती है।

   यह विधेयक संचित निधि में से व्यय के विनियोग के लिए सरकार को कानूनी अधिकार देता है। विनियोग विधेयक पर चर्चा उसमें शामिल अनुदानों में निहित लोक महत्व के विषयों पर प्रशासनिक नीति तथा ऐसे मामलों तक, जो अनुदानों की माँगों पर चर्चा करते समय पहले उठाए गए हों, सीमित रहती हैं। इस पर कोई संशोधन पेश नहीं किए जा सकते। यह विधेयक लोकसभा और राज्यसभा से पारित होने के बाद राष्ट्रपति की स्वीकृति हेतु प्रस्तुत होता है।

7. **वित्त विधेयक (The Finance Bill):** बजट के दो हिस्से होते हैं। व्यय प्रावधान तथा आय प्राप्ति प्रस्ताव। विनियोग विधेयक (Appropriation Act) पारित होने के साथ सरकार को राजकोष से धनराशि खर्च करने का अधिकार मिल जाता है। किन्तु इस व्यय की पूर्ति के लिए वित्तीय साधनों की प्राप्ति कर प्रस्तावों द्वारा सम्भव होती है। इस प्रकार संसद के समक्ष सरकार द्वारा वित्त विधेयक प्रस्तुत किया जाता है जिसमें नये कर अथवा वर्तमान करों की दरों में संशोधन सम्बन्धी प्रस्ताव होते हैं। भारतीय संविधान के अनुच्छेद 265 में यह कहा गया है कि, "कानूनी सत्ता के बिना न तो कोई कर लगाया जा सकता है एवं न ही वसूल किया जा सकता है।"

   वित्त विधेयक में पूर्व में प्रचलित तथा नये दोनों प्रकार के कर प्रस्तावों को शामिल किया जाता है। आय-कर, उत्पाद शुल्क, निगम कर आदि कुछ स्थायी कर होते हैं, जिनकी प्रचलित दरों में सरकार आवश्यकतानुसार प्रत्येक वित्तीय वर्ष के लिए परिवर्तन प्रस्तावित करती है। यहाँ यह स्पष्ट होना चाहिए कि भारत की संघीय वित्त व्यवस्था (Federal Financial System) के अन्तर्गत केन्द्र सरकार को जिन करों को लगाने या उनकी दरों में परिवर्तन करने का अधिकार है उन्हीं को वित्त विधेयक में शामिल किया जाता है। कर प्रस्तावों को प्रस्तुत करते समय कार्यपालिका को यह देखना होता है कि अनेक अनुत्पादक करों (Unproductive Taxes) के बजाय कुछ प्रमुख उत्पादक करों (Productive Taxes) को ही वित्त विधेयक में शामिल करे।

   इसके अलावा यह तथ्य भी महत्वपूर्ण है कि विनियोग विधेयक तथा वित्त विधेयक में कुछ मौलिक अन्तर होता है। विनियोग विधेयक में प्रायः कोई परिवर्तन नहीं किया जाता जबकि वित्त विधेयक में बहस के दौरान सदस्यों द्वारा करों की दरों में परिवर्तन के लिए संशोधन प्रस्तुत किये जाते हैं (किन्तु कर बढ़ाने के नहीं) तथा कभी-कभी सरकार सदन की भावना को ध्यान में रखते हुए कर कटौती प्रस्तावों को स्वीकार भी कर लेती है। सदस्यों की आक्रोशपूर्ण आलोचनाओं के परिप्रेक्ष्य में भारतीय सरकार कई बार आय-कर, पोस्टल टैरिफ या कतिपय उपभोक्ता वस्तुओं पर लगाये गये उत्पाद शुल्क में कमी करने को तैयार हो जाती है। लोकमत के दबाव के कारण रेलवे बजट में भी यात्री भाड़े तथा माल भाड़े की दरों को घटाने सम्बन्धी संशोधन भी सरकारं द्वारा स्वीकार किये जाने के अनेक उदाहरण भारतीय संसद के इतिहास में देखे जा सकते हैं।

8. **वित्त विधेयक पर चर्चा तथा उसे पारित करना (Discussion and Approval of Finance Bill):** सदन में वित्त मंत्री यह प्रस्ताव रखता है कि 'वित्त विधेयक को विचारार्थ लिया जाना चाहिए।' वित्त मंत्री के इस प्रस्ताव के साथ विचार-विमर्श प्रारम्भ होता है। इसके पश्चात् विधेयक को सदन की प्रवर समिति (Select Committee) को सौंप दिया जाता है। विधेयक पर समीक्षात्मक टिप्पणियाँ (Critical Notes) तथा सुझाव (Suggestions) देकर समिति उसे वापस लौटा देती है। तत्पश्चात् सदन में धारा-वार बहस होती है और इसी दौरान सदस्यों द्वारा कर कटौती प्रस्ताव भी प्रस्तुत किये जाते हैं। बहस की समाप्ति वित्त मंत्री के प्रत्युत्तर के साथ होती है जिसमें सदन के रूख को ध्यान में रखते हुए वित्त मंत्री यथासम्भव कर प्रस्तावों में कटौती की घोषणा भी कर सकता है। इसके पश्चात् वित्त विधेयक को पारित करने के मामले में एक प्रस्ताव सदन में पेश किया जाता है। चूँकि सरकार बहुमत वाले दल की होती है इसलिए वित्त विधेयक को पारित करवाने में सरकार को कोई असुविधा नहीं होती। लोकसभा में वित्त-विधेयक पास हो जाने पर उसे राज्य सभा के पास भेज दिया जाता है जो 14 दिनों के भीतर उसे लौटाने को बाध्य है। विनियोग विधेयक की भाँति वित्त विधेयक पर भी राज्य सभा की शक्तियाँ सीमित हैं। जब दोनों सदन वित्त विधेयक को पारित कर देते हैं तो उसे राष्ट्रपति के हस्ताक्षर के लिए भेज दिया जाता है। राष्ट्रपति के हस्ताक्षर हो जाने के पश्चात् विधेयक कानून बन जाता है, तथा सरकार को कर राजस्व वसूल करने का अधिकार प्राप्त हो जाता है।

बजट का क्रियान्वयन (Execution of Budget)

केन्द्रीय बजट जब संसद द्वारा पारित कर दिया जाता है तब फिर उसे लागू करने की कार्यवाही प्रारम्भ होती है। इस प्रक्रिया में मुख्यतया दो सिद्धांतों का पालन किया जाना आवश्यक है–

1. बजट क्रियान्वयन विनियोग अधिनियम के अनुरूप होना चाहिए।
2. बजट क्रियान्वयन से सम्बन्धित सरकारी मशीनरी पूर्ण निष्ठा तथा कुशलता से कार्य करने को प्रेरित होनी चाहिए।

इन दो सिद्धांतों की पृष्ठभूमि में बजट क्रियान्वयन (Execution of Budget) में पाँच प्रक्रियाएँ सम्मिलित की जाती हैं जो निम्न हैं–

(*i*) वित्तीय स्रोतों का एकत्रीकरण

(*ii*) एकत्रित कोषों का संरक्षण

(*iii*) एकत्रित कोषों का वितरण

(*iv*) वित्तीय कोषों का लेखांकन

(*v*) लेखा परीक्षा

बजट क्रियान्वयन की इन अबस्थाओं की विस्तृत रूपरेखा के संदर्भ में हमारे प्रशासनिक तंत्र की कुशलता तथा निष्ठा का मूल्यांकन किया जा सकता है। अतः इन्हें ब्यौरे-वार समझना जरूरी है।

वित्तीय स्रोतों का एकत्रीकरण (Collection of Financial Sources)

वित्त विधेयक में प्रस्तावित कर प्रस्तावों के अंतर्गत सर्वप्रथम सम्भावित आय प्राप्ति का अनुमान करना होता है तथा उसके बाद वसूली का कार्य किया जाता है। आय प्राप्ति का अनुमान लगाते समय उच्च स्तर के निर्णय की आवश्यकता होती है, जबकि वसूली करने वाले व्यक्तियों से उच्च कोटि की निष्ठा, ईमानदारी तथा सुनिश्चितता (Accuracy) की अपेक्षा की जाती है।

आय स्रोतों के मूल्यांकन तथा वसूली की जिम्मेदारी अलग-अलग व्यक्तियों को सौंपी जाए अथवा किसी एक ही संस्था को, यह एक विवाद का विषय माना जाता है। क़िन्तु सामान्य राय किसी एक एजेन्सी को दोनों कार्य सौंपने के पक्ष में रही है। यद्यपि सुविधा की दृष्टि से इसके उप-विभाग बनाये जा सकते हैं। भारत में यह कार्य राजस्व विभाग को सौंपा जाता है जो सीधे वित्त मंत्रालय के नियन्त्रण में होता है। यह विभाग केन्द्रीय राजस्व बोर्ड (Central Board of Revenue) के नाम से जाना जाता है।

केन्द्रीय राजस्व बोर्ड में सचिव के स्तर का एक अध्यक्ष होता है तथा संयुक्त सचिव (Joint Secretary) स्तर के चार सदस्य होते हैं तथा इनकी सहायता के लिए नीचे के स्तर के कई और अधिकारी होते हैं। बोर्ड में तीन निरीक्षण निदेशक (Director of Inspection) होते हैं जिनमें दो आय-कर के लिए तथा एक सीमा शुल्क तथा केन्द्रीय उत्पाद शुल्क (Customs and Exicse) के लिए होता है। इस बोर्ड से जुड़े अन्य निम्न विभाग हैं–

(*i*) आय-कर, अतिरिक्त लाभ तथा व्यावसायिक कर,

(*ii*) सीमा शुल्क (भूमि तथा वायु सीमा शुल्क सहित),

(*iii*) केन्द्रीय उत्पाद शुल्क,

(*iv*) अफीम विभाग, तथा

(*v*) स्टैम्पस विभाग।

ये सभी केन्द्रीय सचिवालय स्तर पर होते हैं तथा इनकी शाखाएँ विभिन्न राज्यों के जिला स्तरों तक होती हैं। उदाहरणार्थ, जिला स्तर पर आयकर-अधिकारी होता है जो केन्द्र की ओर से आय-कर एकत्रित करने के कर्तव्य का निर्वाह करता है।

राज्यों में राजस्व एकत्रीकरण (Collection of Revenue in the States)

भारतीय संविधान में राज्यों के वित्तीय स्रोतों को अलग से परिभाषित किया गया है। राज्यों के वित्तीय स्रोतों में मुख्यतया भू-राजस्व, बिक्री-कर, उत्पाद-शुल्क (Excise), कृषि कर, मनोरंजन कर, आदि का नाम लिया जा सकता है। इनकी वसूली के लिए केन्द्रीय ढंग पर ही राज्य स्तर पर राजस्व बोर्ड का गठन किया जाता है जो राज्य के वित्त मंत्रालय के नियंत्रण में होता है। जिला स्तर पर सभी वित्तीय स्रोतों के वसूली की व्यवस्था होती है। चूँकि भू-राजस्व राज्य सरकार की आय का प्रमुख स्रोत होता है, अतः इसके लिए ही राजस्व बोर्ड का गठन किया जाता है तथा इस राजस्व की वसूली में जिला प्रशासन (कलक्टर, तहसीलदार तथा पटवारी) की महत्वपूर्ण भूमिका होती है।

एकत्रित कोषों का संरक्षण तथा वितरण (Custody of Funds & Their Disbursement)

एकत्रित राजस्व की संरक्षण व्यवस्था के संदर्भ में दो बातों को विशेष ध्यान में रखने की आवश्यकता होती है–

(*i*) वित्तीय साधनों के गबन अथवा दुरुपयोग से सुरक्षा,

(*ii*) वित्तीय लेन-देनों का सुविधाजनक तथा त्वरित संचालन।

धन के संरक्षण तथा संवितरण की व्यवस्थाएँ प्रत्येक देश में अपनी ऐतिहासिक परम्पराओं के परिप्रेक्ष्य में विकसित की जाती हैं। ब्रिटेन तथा अमेरिका में बैंकिंग संस्थाओं की भूमिका इस संदर्भ में काफी महत्वपूर्ण रही है जबकि भारत में राजकोष व्यवस्था (Treasury System) प्रचलन में है। ये राजकोष जिला स्तर तथा तहसील स्तर पर सरकार की ओर से भुगतान स्वीकार करते हैं तथा सरकार के नाम पर भुगतान (Payments) भी करते हैं। इसके अलावा भारतीय रिजर्व बैंक द्वारा भी भारत सरकार तथा राज्य सरकारों के कोषों के संरक्षण तथा संवितरण का कार्य किया जाता है। सरकार को यदि कोई भुगतान किया जाना है तो दो प्रतियों में चालान भरकर या तो कोषागार (Treasury) में या केन्द्रीय बैंक की किसी शाखा या स्टेट बैंक ऑफ इण्डिया अथवा उसकी सहायक बैंकों की किसी शाखा में पैसा जमा कराना होता है। इसके विपरीत, यदि किसी व्यक्ति अथवा इकाई को धनराशि प्राप्त करनी हो तो उस व्यक्ति के द्वारा सरकारी राजकोष के किसी उपयुक्त अधिकारी के हस्ताक्षर युक्त चैक (Cheque) अथवा प्राप्ति बिल अधिकृत बैंक की शाखा में प्रस्तुत करना होता है।

इस प्रकार की सम्पूर्ण व्यवस्था वित्त मंत्रालय के दिशा-निर्देशन में चलती है। बजट पास होने के तुरन्त बाद वित्त मंत्रालय विभिन्न मंत्रालयों को स्वीकृत अनुदानों की सूचना दे देता है। विभिन्न मंत्रालय बजट प्रावधानों (Budget Provisions) तथा प्रशासनिक स्वीकृतियों (Administrative Sanctions) की सूचना विभागाध्यक्षों को भिजवा देते हैं। यह प्रक्रिया जिला स्तर तक चलती है जहाँ से वितरण अधिकारी (Disbursing Officer) सरकारी कोषों के संरक्षण तथा संवितरण का कार्य राजकोष (Treasury), उप-राजकोष (Sub-Treasury) तथा अधिकृत बैंक की किसी शाखा के माध्यम से नियमानुसार करता रहता है।

राजकोष की भूमिका (Role of Treasury)

राजकोष के द्वारा केन्द्र तथा राज्य सरकार दोनों की ओर से धन की प्राप्ति तथा भुगतान का कार्य प्रतिदिन किया जाता है तथा दोनों के लेखे (Accounts) भी अलग-अलग रखे जाते हैं। उप-राजकोषों (Sub-Treasury) द्वारा नियमित रूप से अपने लेखे जिला राजकोष के पास भिजवाये जाते हैं, जहाँ इनका वर्गीकरण तथा सूचीबद्धता की जाती है। इसके पश्चात् उप-राजकोषों से प्राप्त लेखों तथा जिला राजकोषों के लेखों को प्रति 15 दिन के पश्चात् राज्य के महालेखापाल (Accountant General) के पास भेजा जाता है। प्रत्येक लेखे के साथ खर्च के प्रमाणक (Vouchers) तथा आय प्राप्ति की चालान रसीदें भी भिजवायी जाती हैं। इस प्रकार राजकोष व्यवस्था भारतीय वित्तीय प्रशासन की एक आधारभूत कड़ी है जो इतने विशाल क्षेत्र में फैले देश के कोने-कोने में केन्द्र सरकार की राजस्व प्राप्तियों तथा भुगतानों की समुचित व्यवस्था करती है तथा बजट लेखों के सुव्यवस्थित संचालन को सम्भव बनाती है।

यह उल्लेखनीय है कि राजकोष द्वारा भुगतान की तकनीकी पहलुओं पर बिल पास करने के पूर्व अथवा चैक का निस्तारण करने के पूर्व पूरी तरह से छानबीन की जाती है तथा सभी औपचारिकताएँ पूरी करवायी जाती हैं। संवितरण अधिकारी (Disbursing Officer) की जिम्मेदारी इससे भी अधिक रहती है। उसे किसी की धनराशि के भुगतान के पूर्व यह देखना होता है कि–

(*i*) क्या यह बजट प्रावधानों के अनुरूप है?

(*ii*) क्या प्रशासनिक तथा तकनीकी औपचारिकताएँ पूर्ण कर ली गयी हैं?

(*iii*) क्या भुगतान की माँग उचित है?

(*iv*) भुगतान के लेखे (Accounting) की समुचित व्यवस्था है या नहीं।

बैंकिग के विस्तार के कारण अब सरकारी कोषों का भण्डारण रिजर्व बैंक, स्टेट बैंक अथवा उसकी शाखाओं में किया जाता है। इसके अलावा राजकोष अथवा उप-राजकोष भी इस दायित्व का निर्वाह करते हैं।

भारत में प्रचलित वित्तीय कोषों के संरक्षण तथा संवितरण की राजकोष व्यवस्था के आलोचकों का कहना है कि इसके कारण भारत के नियंत्रक तथा महालेखा परीक्षक (Comptroller & Accountant General) को भारत की संचित निधि से भुगतान किये जाने वाली धनराशि पर प्रभावी नियन्त्रण रखने में कठिनाई होती है। इस कारण ब्रिटेन की भाँति भारत में भी एकीकृत व्यवस्था अपनायी जानी चाहिए। इस आलोचना के बावजूद भी यह बात महत्वपूर्ण है कि भारत की कोषागार पद्धति बहुत हद तक सरकारी व्यय को नियमानुसार निर्देशित करने में उपयोगी रही है। धन का पुनर्विनियोजन विधान मण्डलों द्वारा स्वीकृत धनराशियों को सम्बन्धित विभाग द्वारा बजट प्रावधानों के अनुसार प्रत्येक वित्तीय वर्ष की समाप्ति के पूर्व 31 मार्च तक खर्च करना होता है अन्यथा अनुदान की स्वीकृति समाप्त (Lapse) हो जाती है। पर यदि किसी विशिष्ट अनुदान की किसी एक मद में धन बच जाये और यदि दूसरी मद में अधिक खर्च हो जाये तो विभागाध्यक्ष को एक सीमा तक स्वविवेक का उपयोग करते हुए धन का स्थानान्तरण करने का अधिकार होता है। इस प्रकार कुल व्यय राशि को बिना परिवर्तित किये किसी एक शीर्ष की एक मद अथवा इकाई में से दूसरी इकाई में धन के हस्तान्तरण की व्यवस्था को पुनर्विनियोजन (Re-appropriation) क्रिया कहा जाता है। यह स्पष्ट होना चाहिए कि पुनर्विनियोजन एक अनुदान शीर्ष से दूसरे शीर्ष में नहीं किया जा सकता। यह तो केवल व्यवस्थापिका द्वारा ही किया जा सकता है। इसके अलावा, बजट तथा लेखों की शुद्धता की दृष्टि से भी इस प्रकार के पुनर्विनियोजन उचित नहीं माने जाते। तृतीय, यदि व्यवस्थापिका ने किसी अनुदान शीर्ष में कटौती कर दी हो तो उसे पूरा करने के लिए भी पुनर्विनियोजन की वैधानिक अनुमति नहीं होती। चतुर्थ, प्रभारित मदों में यदि कुछ बचत रही हों तो उसे मतदान वाले व्यय मदों में पुनर्विनियोजित नहीं किया जा सकता। अन्त में, राजस्व तथा पूँजीगत व्यय शीर्षों में भी पुनर्विनियोजन करने की कानूनी तौर पर कोई व्यवस्था नहीं है।

इस प्रकार पुनर्विनियोजन का अधिकार विभागाध्यक्षों को बहुत सीमित दायरे में ही अपने स्वविवेक का उपयोग करने की अनुमति देता है तथा 31 मार्च के पश्चात् अनप्रयुक्त राशि की स्वीकृति स्वतः समाप्त हो जाती है।

वित्तीय कोषों का लेखांकन (Accounting of Funds)

बजट क्रियान्वयन में लेखांकन का अत्यधिक महत्व है। भारत में लेखांकन का कार्य कार्यपालिका से अलग करके उसके लिए लेखा तथा अंकेक्षण विभाग की स्थापना की गयी है। नियन्त्रक तथा महालेखा परीक्षक इसका मुखिया होता है। महालेखापाल उसे लेखांकन कार्य में सहायता प्रदान करते हैं। लेखांकन के सामान्य नियम भारत के लेखा परीक्षक (Auditor General of India) द्वारा प्रदान किये जाते हैं। इन नियमों के अनुसार लेखाओं की तैयारी चार स्तरों पर सम्पादित होती है–

(*i*) प्रारम्भिक लेखा प्रविष्टि उस कोषागार स्तर पर होती है जहाँ किसी प्रकार का लेन-देन होता है,

(*ii*) व्यय शीर्षों के अनुसार सभी लेन-देनों का ब्यौरे-वार वर्गीकरण,

(*iii*) लेखाधिकारियों द्वारा लेखों का मासिक संकलन तथा

(*iv*) भारत के महालेखा परीक्षक द्वारा लेखों का वार्षिक संकलन।

राज्य सरकार के खर्च से जिला स्तर पर कार्यरत कोषागार केन्द्र तथा राज्य दोनों सरकारों के लेखे रखता है। रेलवे, पोस्ट तथा टेलीग्राफ,

सार्वजनिक निर्माण विभाग से सम्बन्धित भुगतान तो कोषागार द्वारा किये जाते हैं किन्तु इनके लेखे विभागीय अधिकारियों द्वारा रखे जाते हैं। प्रत्येक महीने की 11 एवं 12 तारीख को कोषाधिकारी द्वारा सम्बन्धित अवधि में किये गये भुगतानों की सूचना महालेखाकार को भेजी जाती है।

लेखा परीक्षा (Audit)

प्रत्येक माह की पहली तारीख तक गत माह के हिसाब-किताब महालेखाकार कार्यालय में पहुँच जाते हैं जहाँ प्राप्तियों तथा खर्चों का लेखा शीर्ष के अनुसार वर्गीकरण होता है। इस प्रकार के वर्गीकरण से पूरे देश भर की लेखा पद्धति में समानता स्थापित करने तथा बजट सम्बन्धी पूर्वानुमान लगाने में काफी सुविधा रहती है। महालेखाकार के कार्यालय स्तर पर भारत सरकार की ओर से निम्न चार शीर्षों में प्रमुखतया लेखा सूचनाएँ संकलित की जाती हैं–

(*i*) राजस्व खाता

(*ii*) पूँजीगत खाता

(*iii*) ऋण खाता

(*iv*) दूरस्थ प्राप्तियाँ (Remittances)।

प्रथम में करों तथा अन्य सम्बन्धित मदों से प्राप्त राजस्व तथा उससे जुड़े हुए खर्च के हिसाब को रखा जाता है जबकि पूँजीगत खाते में उधार लिये गये तथा एकत्रित हुए कोषों तथा इनसे सम्बन्धित व्यय के लेखे रखे जाते हैं। तीसरे खाते में ऐसी प्राप्तियों के भुगतानों का लेखा-जोखा रखा जाता है जिनके कारण या तो सरकार देनदार बनती है या फिर लेनदार। चौथे लेखे में उन लेन-देनों का हिसाब रखा जाता है जो मुख्यतया पोस्टल सेवाओं, सार्वजनिक निर्माण सेवाओं, सुरक्षा सेवाओं से सम्बन्धित लेन-देन हो तथा अन्य कोई राशि जो पूर्व के किसी लेखे में सम्मिलित न की गयी हो।

महालेखाकार के कार्यालय में छोटे शीर्षों तथा उप-शीर्षों में प्राप्त होने वाले लेखों को बड़े शीर्षों में वर्गीकृत किया जाता है ताकि उन्हें उस रूप में तैयार किया जा सके जिस रूप में व्यवस्थापिका द्वारा बजट अनुदान माँगें पास की गयी थीं।

बड़े शीर्षों में वर्गीकरण के पश्चात् इन लेखों का अंकेक्षण करके इन्हें लेखा अधिकारियों के पास भेजा जाता है, जो प्रत्येक माह इनका संकलन करके प्रत्येक अगले माह सरकार के समक्ष प्रस्तुत करते रहते हैं।

भारत के महालेखा परीक्षक द्वारा लेखों का वार्षिक आधार पर संकलन किया जाता है तथा उनके द्वारा वित्तीय लेखे, विनियोग लेखे तथा अपनी अंकेक्षण रिपोर्ट राज्य के राज्यपाल अथवा देश के राष्ट्रपति को प्रस्तुत की जाती है, जो प्रतिवर्ष संसद (या विधानमण्डल) के बजट सत्र के समय प्रस्तुत की जाती है।

वित्तीय प्रशासन के क्षेत्र में कार्यपालिका द्वारा बजट का प्रस्तुतीकरण, व्यवस्थापिका द्वारा उसे पास करने की प्रक्रिया तथा सरकारी आय-व्यय लेखों की सुव्यवस्थित व्यवस्था से जुड़ी क्रियाओं का महत्वपूर्ण स्थान होता है। स्वस्थ लोकतन्त्रीय व्यवस्था में ये क्रियाएँ नागरिक हितों का संवर्द्धक होती हैं तथा प्रशासकों को इस बात का अहसास कराती रहती हैं कि लोकसत्ता ही सर्वोपरि है एवं उन्हें अपने क्रिया-कलापों के लिए लोक प्रतिनिधियों के प्रति जवाबदेह होना पड़ता है।

बजट के प्रकार (Type of Budget)

योजना–क्रमानुदेशन बजट कार्य पद्धति (Planning-Programming Budgeting System)

योजना-क्रमानुदेशन-बजट कार्य अथवा (PPB) को योजना-क्रमानुदेशन बजट कार्य पद्धति (Planning–Programming-Budgeting System अथवा PPBS) के रूप में भी जाना जाता है। संसाधन आवंटन के डिजाइन की पद्धति या व्यवस्था का उद्देश्य सरकार की दक्षता में वृद्धि करना होता है तथा लम्बी दूरी या व्यापक दृष्टि की योजना का लक्ष्य स्थापित करना, विकल्पों के साथ कार्यक्रमों की लागत और लाभ का मूल्यांकन करना जिससे कि इन लक्ष्यों की प्राप्ति की जा सके तथा इन कार्यक्रमों को बजट सम्बन्धी और विधायी प्रस्तावों के रूप में परस्पर जोड़ा जा सके।

योजना-क्रमानुदेशन बजट कार्य पद्धति (पी.पी.बी.एस.) को सबसे पहले केनेडी प्रशासन के द्वारा सन् 1960 के दशक में संयुक्त राज्य अमेरिका में अपनाया गया था, जिसका उद्देश्य रक्षा क्षेत्र में प्रशासनिक कार्य निष्पादन में वृद्धि करना और नीति निर्माण प्रक्रिया में सुधार करना थ। सन् 1961 तक रक्षा विभाग में पूरी तरह से अपना लिया गया था। इसके कार्य निष्पादन के अच्छे परिणामों के कारण राष्ट्रपति लिंडन जॉनसन के द्वारा सन् 1965 में इसको सभी संघीय विभागों में लागू कर दिया गया था।

योजना-क्रमानुदेशन बजट कार्य पद्धति (पी.पी.बी.एस.) केवल निवेश और निर्गत से ही सम्बन्धित नहीं है बल्कि परिणामों (प्रभावों) और विकल्पों के साथ भी संबद्ध है। चार्ल्स शूल्टज द्वारा एक उत्तम मॉडल तैयार किया गया जिसको योजना-क्रमानुदेशन बजट कार्य पद्धति (पी.पी.बी.एस.) में निम्नलिखित बिन्दुओं में सम्मिलित किया गया है:

1. सरकार की गतिविधियों के प्रत्येक क्षेत्र में लक्ष्यों और उद्देश्यों की सावधानीपूर्वक पहचान करना और उनकी समीक्षा करना;
2. कम-से-कम लागत में कार्यक्रम के उद्देश्यों को प्राप्त करने के प्रभावी तरीकों का पता करना और उनके विकल्पों का विश्लेषण करना;
3. उद्देश्यों को परिभाषित करते हुए साधनों के रूप में दबाव अभिकरणों के कार्यक्रमों का निर्धारण करना; और
4. विषयगत कार्यक्रमों को सरकार के अंतर्गत विकल्पों और अधिक प्रभावी या दक्ष कार्यक्रमों से प्रतिस्पर्धा व तुलना करना।

योजना-क्रमानुदेशन बजट कार्य (पी.पी.बी.) दृष्टिकोण का उद्देश्य लक्ष्य स्थापित करना है और उनकी लागत तथा लाभों की कार्यनीति का विश्लेषण करना, जिन उद्देश्यों को प्राप्त करना है उन पर ध्यान केन्द्रित करना तथा परिणामों की चल रही समीक्षाओं के माध्यम से उनकी निगरानी करना है। संभावतः योजना-क्रमानुदेशन बजट कार्य एक मात्र व्यापक 'तर्कसंगत'

बजट कार्य व्यवस्था या पद्धति है (हेनरी)। यद्यपि, योजना-क्रमानुदेशन बजट कार्य पद्धति (पी.पी.बी.एस.) का संयुक्त राज्य और कुछ थोड़े से अन्य देशों में संक्षिप्त और महत्वपूर्ण इतिहास होने के बावजूद इसमें अनेक कमियाँ रही थीं। इसकी मूल कमी तर्कसंगत निर्णय-निर्माण मॉडल की सीमित सीमाएँ थी। योजना-क्रमानुदेशन बजट कार्य पद्धति (पी.पी.बी.एस.) के प्रशासकों के समक्ष संभावित लक्ष्यों, कार्यक्रमों और परियोजनाओं की पहचान करने का कार्य बहुत कठिन था। सामाजिक कार्यक्रमों की लागत और लाभों पर व्यय करने वाली धनराशि की स्वीकृति और उसको लागू करने के मामले प्रायः अव्यावहारिक रहे थे। इसके साथ ही लागत-लाभ विश्लेषण की कठिनाई उस समय उभर कर आती है जब विशिष्ट कार्यक्रमों के अप्रत्यक्ष लाभों पर मौद्रिक मूल्यों को स्थापित करने का प्रयास किया जाता है। योजना-क्रमानुदेशन बजट कार्य पद्धति विधायकों और प्रशासकों की भूमिका को बदलने का प्रयास करता है। इसके प्रशासक नीति-निर्माण वाद-विवाद पर अत्यधिक नियंत्रण रखते हैं और विधायक यह विश्वास करते हैं या मानते हैं कि ये उन सभी सूचनाओं को प्राप्त नहीं करते हैं जिनकी इनकी आवश्यकता होती है और जो लोग आँकड़े प्राप्त करते हैं उनके मूल्यांकन के लिए इनके पास किसी प्रकार का कोई उपाय या साधन नहीं है। अतः प्रशासकों द्वारा विधायी चयनों को प्रायः सीमित कर देते हैं क्योंकि ये लोग अपनी नीतियों का चयन इससे पहले ही पूरा कर लेते हैं। इसके साथ ही विधानमण्डल नीति सूत्रबद्ध करने के लिए नौकरशाही की ओर देखते हैं और उनसे इसको पूरा करने की आशा करते हैं। इसके साथ ही योजना-क्रमानुदेशन बजट कार्य पद्धति में अनेक योजनाओं का प्रायोजन भी लम्बी अवधि के लिए होता है। विधायकों की निर्धारित अवधि के पश्चात् भी यह कार्य चलते रहते हैं अथवा आगे आने वाले चुनावों तक भी इनका कार्य पूरा नहीं हो पाता है। अंतिम रूप से विधायकों की राजनीतिक शक्ति या उनके संसदीय क्षेत्र योजना-क्रमानुदेशन बजट कार्य पद्धति की उपेक्षा करते हैं अथवा उस पर अपना ध्यान नहीं देते हैं। इस तरह से योजना-क्रमानुदेशन बजट कार्य पद्धति के इन कारकों को ध्यान में रखते हुए रिचर्ड निक्सन की प्रेसीडेन्सी के दौरान सन् 1971 में संयुक्त राज्य अमेरिका की संघीय सरकार ने इसको सदा के लिए त्याग दिया था।

निष्पादक बजट (Performane Budgeting)

निष्पादक बजट की धारणा वित्त प्रशासन में अभी कुछ वर्षों से आयी है, पर आज यह इसका अंग बन गया है। जब हम वित्त-प्रशासन में सुधार की बात करते हैं तो निष्पादक बजट का नाम स्वतः ही आ जाता है। निष्पादक बजट परम्परागत बजट से बहुत भिन्न है। परम्परागत बजट जिसे "लाइन-आइटम बजट" भी कहते हैं कर्मचारी, भवन, सज्जा आदि व्यय की मदों को ध्यान में रखकर बनाया जाता है। इस बजट से इतना ही पता चलता है कि कितना सार्वजनिक धन कर्मचारियों पर खर्च हुआ, कितना अन्य मदों पर। इससे यह पता नहीं चलता कि सार्वजनिक धन के व्यय से कितनी उपलब्धियाँ प्राप्त हुई हैं। इसी कमी को निष्पादक बजट पूर्ण करता है। यह बजट विशिष्ट उद्देश्यों व कार्यों पर केन्द्रित होता है। यह बताता है कि कितने कार्य सम्पादित करने का विचार है।

निष्पादक बजट का अर्थ

परम्परागत बजट से इस बात का पता नहीं चल पाता है कि लोक-हित में कौन-सी सेवाएँ कितनी मात्रा में की गयी हैं तथा उनके क्या परिणाम सामने आये हैं। वस्तुतः बजट द्वारा किये जाने वाले कार्य व कार्यक्रम अधिक महत्वपूर्ण होते हैं और बजट बनाते समय इन पर अधिक ध्यान दिया जाना चाहिए। पहले विस्तृत कार्यक्रम तैयार कर लिया जाना चाहिए और यह देखा जाना चाहिए कि ये कार्यक्रम कितनी धनराशि में किस प्रकार पूरे किये जा सकते हैं। इन कार्यक्रमों के अनुसार कार्य को आधार मानकर जब बजट का निर्माण किया जाता है तो उसे निष्पादक बजट कहा जाता है। प्रशासनिक सुधार आयोग के अनुसार, "कार्य-निष्पादन बजट सरकार की गतिविधियों के कार्यों, प्रोग्रागों, क्रियाओं एवं परियोजना के रूप में प्रकट करने की एक प्रविधि है।" निष्पादक बजट परम्परागत बजट से इस अर्थ में भिन्न है कि परम्परागत बजट के द्वारा केवल यह पता चलता है कि कितना धन कर्मचारियों पर व्यय हुआ, कितना सामान की खरीद पर खर्च हुआ है और कितना विभिन्न योजनाओं को दिया गया है। निष्पादक बजट सरकारी क्रियाओं को कार्यों, कार्यक्रमों तथा परियोजनाओं में प्रकट करने की एक प्रक्रिया है। इस प्रकार के बजट का सबसे पहले वर्णन अमेरिका के हूवर कमीशन ने 1949 में किया था। हूवर कमीशन ने सिफारिश की थी कि बजट कार्यों, क्रियाओं तथा परियोजनाओं की रूपरेखा होनी चाहिए। जब बजट इस भाँति बनने लगेगा तो यह स्पष्ट होने लगेगा कि क्या कार्य सम्पादित किये गये हैं या क्या सेवाएँ दी जा रही हैं। सारांश में, सम्पादित होने वाला काम निष्पादक बजट का केन्द्रबिन्दु हो जाता है। यह एक संगठन के उद्देश्यों का विश्लेषण करता है, फिर इसके अनेक कार्यों के अन्तर्गत व्यय की जाने वाली धनराशि से उपलब्ध होने वाले परिणामों का पता चलता है और तब दीर्घकालीन योजना तैयार होती है।

बजट-निर्माण के क्षेत्र में अमेरिका सबसे बड़ा सुधारक रहा है और निष्पादक बजट भी अमेरिका की ही देन है। 1950 से अमेरिका ने निष्पादक बजट स्वीकार किया है। इसे एशिया, अफ्रीका तथा लैटिन अमेरिका के अनेक देशों में अपना लिया गया है।

भारत में 1955 के आसपास से निष्पादक बजट के पक्ष में वातावरण बनने लगा था। दूसरी लोकसभा की अनुमान समिति ने अपनी बीसवीं रिपोर्ट में यह सिफारिश की थी कि विकास की बढ़ती हुई क्रियाओं के संदर्भ में भारत में निष्पादक बजट श्रेष्ठतर रहेगा। इस बजट के पक्ष में इस समिति ने 1960 में पुनः सिफारिश की थी। विकास के बढ़ते हुए दौर में परम्परागत बजट की कमियाँ स्पष्ट होती जा रही थीं। भारत सरकार का रुख भी धीरे-धीरे निष्पादक बजट के पक्ष में होता जा रहा था। 1964 में भारत ने एक अमेरिकी विशेषज्ञ फ्रेंक क्राज को इस आकलन के लिए आमन्त्रित किया कि निष्पादक बजट भारत में अपनाया जा सकता है अथवा नहीं। क्राज ने तीन बातों पर जोर दिया–

(अ) निष्पादक बजट लागू करने के लिए एक विस्तृत योजना बनाना आवश्यक है,

(ब) निष्पादक बजट की सफलता के लिए सरकार तथा संसद का पूर्ण दीर्घकालीन समर्थन आवश्यक है,

(स) निष्पादक बजट की सफलता की एक आवश्यक शर्त है विकेन्द्रित लेखा-पालन।

प्रशासनिक सुधार आयोग ने वर्ष 1968 में वित्त-प्रशासन पर अपनी जो रिपोर्ट प्रस्तुत की उसमें निष्पादक बजट अपनाने का सुझाव दिया। आयोग ने कहा कि इससे कार्यक्रमों की प्रगति जाँचने में बड़ा सहयोग मिलेगा तथा गलतियाँ होने पर सुधारात्मक उपाय शीघ्रता से अपनाये जा सकेंगे। इसने यह भी कहा कि वित्त-मंत्रालय को निष्पादक बजट अपनाने में पहल करनी चाहिए तथा राज्यों को भी निष्पादक बजट स्वीकार करने के लिए प्रेरित करना चाहिए। भारत सरकार ने यह सिफारिश स्वीकार कर ली तथा 1968 में पहली बार केन्द्र के चार मंत्रालयों में निष्पादक बजट प्रस्तुत किये गये। भारत जैसे विकासशील देश में पंचवर्षीय योजनाओं को तीव्र गति से पूरा करने के लिए निष्पादक बजट व्यवस्था अत्यन्त उपयोगी है, परन्तु योजनाओं को लागू करने की गति धीमी होने के कारण इसके परिणाम पश्चिमी देशों की तुलना में आशाजनक नहीं रहे हैं।

निष्पादक बजट की रूपरेखा

इस बजट की रूपरेखा निम्न प्रकार होती है–

1. प्रस्तावना–उद्देश्यों का वर्णन
2. वित्तीय आवश्यकताएँ–
   (अ) प्रोग्राम, क्रियाओं का वर्गीकरण,
   (ब) वित्तीय साधन।
3. वित्तीय आवश्यकताओं की व्याख्या–
   (*i*) गतिविधि का नाम, वास्तविक अनुमानित व्यय,
   (*ii*) क्रिया का स्वरूप एवं उद्देश्य,
   (*iii*) मानवीय कार्य,
   (*iv*) कार्यभार, इसके मापदण्ड एवं मानक,
   (*v*) पिछले एवं वर्तमान वर्ष में प्रगति,
   (*vi*) भिन्नता की व्याख्या,
   (*vii*) अगले वर्ष के लक्ष्य,
   (*viii*) आगत के लिए आवश्यकताएँ,
   (*ix*) विस्तृत कार्य योजनाएँ।

निष्पादक बजट के लाभ

निष्पादक बजट के निम्नलिखित लाभ हैं–

1. यह बजट यह बतलाता है कि गत वर्ष कौन से कार्य पूरे किये गये और कितने खर्च पर।
2. यह प्रशासन में उत्तरदायित्व को सुनिश्चित करता है। कौन किस कार्य के लिए उत्तरदायी है, तथा किसको क्या अधिकार प्राप्त हैं, यह निष्पादक बजट स्पष्ट कर देता है।
3. यह सरकारी व्यय का सही रूप प्रस्तुत करता है। ऐसा करने से विकल्प निकालना भी आसान हो जाता है।
4. निष्पादक बजट योजना के निर्माण, नियन्त्रण तथा प्रबंध का एक अति शक्तिशाली उपकरण है।

भारतीय प्रशासनिक सुधार आयोग ने निष्पादक बजट के निम्नलिखित लाभ बताये हैं–

1. निष्पादक बजट उन उद्देश्यों को पूर्णतः स्पष्टता से प्रकट करता है जिन पर व्यय किया जाता है।
2. यह बजट कार्यक्रमों तथा उपलब्धियों पर केन्द्रित रहता है। अतः यह स्पष्ट हो जाता है कि उपलब्धियाँ कितनी हुईं तथा कितने खर्च पर हुईं।
3. यह बजट बजट-निर्माण में सुधार करता है तथा इससे सरकार में निर्माण-प्रणाली सुधारी जाती है।
4. निष्पादक बजट लेखा-परीक्षण को अधिक उद्देश्यपूर्ण एवं प्रभावी बनाता है।

निष्पादक बजट की हानियाँ

निष्पादक बजट की समस्याएँ निम्नलिखित हैं–

1. निष्पादक बजट में महत्वपूर्ण समस्या यह होती है कि अधिक महत्व के कार्यक्रम और प्रबंधकीय विचार पृष्ठभूमि में रह जाते हैं क्योंकि इस प्रकार के बजट में अत्यधिक विकेन्द्रीकरण की ओर केवल बजट के उद्देश्य से कार्यात्मक श्रेणियों के दृढ़ीकरण और विनियोजन तथा संरचना के अधिक सरलीकरण की प्रवृत्ति होती है।
2. इसमें कार्यात्मक वर्गीकरण को ध्यान में रखा जाता है लेकिन कभी-कभी राजनीतिक और संगठनात्मक वास्तविकता स्पष्ट श्रेणीकरण में बाधा उपस्थित करती है।
3. इस बजट में जिस वर्गीकरण का विकास किया जाता है वह कभी-कभी इतना विस्तृत हो सकता है कि उसे उपक्रमों में महत्वपूर्ण कार्यक्रमों एवं क्रियाकलापों का कुछ ज्ञान ही न हो और यह बात बजट संबंधी निर्णयों एवं प्रबंध के लिए एक दृढ़ आधार का कार्य न कर सके।

निष्पादक बजट तथा कार्यक्रम बजट

कुछ समय से कार्यक्रम बजट शब्द लोकप्रिय हो गया है। प्रारम्भ में तो निष्पादक बजट व कार्यक्रम बजट पर्यायवाची थे, परन्तु आगे चलकर इनमें अंतर बताये जाने लगे। यह कहा जाने लगा कि कार्यक्रम बजट निष्पादक बजट का सुधार है। निष्पादक बजट तथा कार्यक्रम बजट में निम्नलिखित भेद हैं–

1. निष्पादक बजट संगठन के कार्यों पर जोर देता है। इसके विपरीत, कार्यक्रम बजट संगठन के कार्यों को तो साधन मात्र मानता है तथा उत्पाद विश्लेषण पर जोर देता है।
2. निष्पादक बजट प्रबंध के आन्तरिक कार्यों को सुधारने पर ध्यान देता है तथा इस उद्देश्य की पूर्ति के लिए अनेक तकनीकों का प्रयोग करता है। इसके विपरीत, कार्यक्रम बजट पद्धति-विश्लेषण पर विश्वास करता है। कार्यक्रम बजट, निष्पादक बजट की तुलना में अधिक व्यापक होता है।

शून्य आधारित बजट (Zero Based Budgeting)

1960 के दशक के उत्तरार्द्ध में संयुक्त राज्य अमरीका में इस बजट प्रणाली का व्यावसायिक उपक्रमों में प्रचलन प्रारंभ हुआ, किंतु आगे चलकर सरकारी बजट निर्माण में इस प्रक्रिया को प्रायोगिक तौर पर लागू करने के बाद सरकार ने कदम पीछे हटा लिए। सर्वप्रथम 1969 में अनावश्यक व्ययों को नियंत्रित करने हेतु टैक्स इंस्ट्रूमेंट्स नामक कंपनी में प्रोफेसर पीटर ए. फिर्र द्वारा यह प्रणाली लागू की गई थी। तदुपरांत 1970 में जार्जिया प्रांत में वहां के तत्कालीन गवर्नर जिम्मी कार्टर द्वारा, 1972 में अमरीकी कृषि विभाग में एवं 1977 में अमरीकी प्रशासन के सभी विभागों में लागू की गयी, लेकिन राजनीतिक कारणों से आगे चलकर इस प्रणाली को त्यागना पड़ा, जबकि वहां के अति विशाल व्यावसायिक उपक्रमों में यह बजट प्रणाली उत्तरोत्तर अधिक लोकप्रिय होती जा रही है।

दो महत्वपूर्ण तत्वों ने ZBB के कार्यान्वयन की कठिनाइयों को कम कर दिया था। एक था PPBS को लागू करने में प्राप्त अनुभव। दूसरा था सभी देशों के सरकारी बजटों में पाया जाने वाला लगातार घाटा। इस घाटे के कारण यह धारणा जोर पकड़ने लगी कि सरकारी व्यय पर नियंत्रण रखना जरूरी है। ZBB में इस बात पर ध्यान दिया जाता है कि प्रत्येक प्रोग्राम के न्यूनतम स्तर को निर्धारित किया जाए। यह स्तर सामान्यतः शून्य से अधिक, किन्तु मौजूदा स्तर से कम होगा।

शून्य आधारित बजट प्रणाली की विशेषताएं (Salient Features of Zero-base Budgeting)

परम्परागत बजट प्रणाली में प्रमुखतया खर्च के पिछले स्तर पर मुख्य रूप से जोर दिया जाता है। प्रत्येक मद में व्यय की मात्रा, बढ़ती हुई कीमतों आदि को ध्यान में रखकर सीमांत रूप से निरंतर बढ़ाई जाती है। केवल योजनाओं की बढ़ती हुई लागतों को ध्यान में रखते हुए आमतौर पर विशेष वित्तीय संकट के समय ही संकटकालीन समीक्षा की जाती है जबकि जीरोबेस बजटिंग एक परिणामोन्मुखी एवं निर्णयोन्मुखी प्रक्रिया है जिसमें एक निर्णय इकाई को समझ में आने वाले निर्णय समूहों में बांट दिया जाता है ताकि प्रबंधन अथवा निर्णायक मण्डल केवल उन्हीं निर्णय समूहों पर अपना ध्यान केन्द्रित कर सकें जिन्हें अधिक प्राथमिकता प्रदान की गयी है। इस प्रकार परम्परागत बजट प्रणाली जहां अतिश्योक्तिपूर्ण आंकड़ों पर आधारित रोजमर्रा दृष्टिकोण को अपनाती है वहीं जीरोबेस बजट प्रणाली का दृष्टिकोण अधिक स्पष्ट, सरल, व्यावहारिक और प्रभावपूर्ण होता है जिसका आधार बजट मांगों का विवेकपूर्ण विश्लेषण होता है। जीरोबेस बजट प्रणाली की निम्नांकित विशेषताएं विशेष रूप से रेखांकित किए जाने योग्य हैं :

1. इसके प्रयोग से केवल आवश्यक व उच्च वरीयता प्राप्त योजनाओं को ही हाथ में लिया जाता है और इस प्रकार इससे सम्पूर्ण लक्ष्यों को ध्यान में रखते हुए विभिन्न विभागों के प्रयासों को एकीकृत, सन्तुलित व समन्वित करने में भी सहायता मिलती है।
2. इस बजट प्रणाली में किसी भी विभाग अथवा संगठन के लिए यह आवश्यक होता है कि वह पूर्व में संचालित सभी कार्यक्रमों तथा क्रियाकलापों की समीक्षा और मूल्यांकन क्रमबद्ध तरीके से उतनी ही गहराई से करे जैसा कि किसी भी प्रस्तावित नए कार्यक्रमों अथवा योजना के लिए किया जाना आवश्यक होता है। इस आधार पर किसी भी पूर्व संचालित कार्यक्रम अथवा योजना की उपादेयता और प्रभावशीलता का पूर्णरूपेण औचित्यपूर्ण पाए जाने पर ही आगे के लिए उसको बजट आवंटन सम्भव हो पाता है अन्यथा उसको समाप्त करने की कार्यवाही करके अनावश्यक व्ययों की रोकथाम के लिए कदम उठाए जाते हैं।
3. इस प्रणाली में किसी भी विभाग अथवा संगठन के व्यय की प्रत्येक मद के औचित्य पर बल दिया जाता है और किसी भी क्रिया अथवा गतिविधि के लिए कोई आधारभूत या न्यूनतम व्यय स्वीकार नहीं किया जाता अर्थात् पूर्व के बजटों में किसी भी मद के अन्तर्गत किए गए व्यय अथवा परिस्थिति का इसमें कोई महत्व नहीं है और वर्तमान में नए सिरे से नए आधार पर बजट के निर्माण का कार्य किया जाता है जिसमें केवल चार प्रश्नों के उत्तरों के आधार पर जैसे–(1) क्या खर्च किया जाना चाहिए? (2) कितनी मात्रा में खर्च किया जाना चाहिए? (3) खर्च कहाँ किया जाना चाहिए? (4) खर्च के उपरान्त उपलब्धियों का स्तर क्या रहेगा? बजट के सम्बन्ध में व्यावहारिक निर्णय लिए जाने की व्यवस्था रहती है।
4. इसके अंतर्गत किसी भी निर्धारित कार्य के क्रियान्वयन की विभिन्न तकनीकों और तरीकों का पता लगाकर उनपर होने वाले तुलनात्मक खर्च का आकलन कर लिया जाता है। इसके बाद सूक्ष्म विश्लेषण द्वारा सबसे सस्ते, व्यावहारिक और प्रभावी तरीके का पता लगाया जाता है। इसमें यह भी आवश्यक होता है कि सभी कार्यकलापों की जांच निर्णयन पैकेज में ही कर ली जाए जिसमें निवेश को उत्पादन से जोड़ते हुए प्रत्येक क्रियाकलाप का मूल्यांकन, क्रमबद्ध विश्लेषण और महत्व के अनुसार उनका क्रम निर्धारण किया जा सके और इसी आधार पर आवश्यक धनराशि का बजट में आवंटन किया जाए। इस प्रकार तुलनात्मक रूप से कम खर्चीले और अधिक व्यावहारिक एवं प्रभावी तकनीकों को अपनाकर जीरोबेस बजट प्रणाली विभिन्न उत्पादों अथवा सेवाओं की कीमतों में कमी लाने के लिए भी महत्वपूर्ण आधार प्रदान करती है।
5. जीरोबेस बजट में लक्ष्यों की प्राप्ति के लिए वैकल्पिक उपायों के साथ-साथ कार्यक्रम और योजनाओं के बीच में ही गहन समीक्षात्मक उपायों के माध्यम से बदलावों तथा संशोधनों की आवश्यकता की पहचान की व्यवस्था अन्तर्निहित रहती है। इससे कार्यक्रमों और योजनाओं के दोहरेपन अथवा आधिक्य जैसी परिस्थितियों का ससमय अभिज्ञान कर उसमें संशोधन अथवा उनमें बदलाव

लाकर संसाधनों के अधिकतम सदुपयोग का मार्ग प्रशस्त किया जा सकता है।

6. जीरोबेस बजट में किसी भी परियोजना अथवा कार्यक्रम के लिए धनराशि आवंटन से पहले उसके कार्यान्वयन की विविध विधाओं की वस्तुनिष्ठता की बारीकी से जांच की जाती है। इससे यह बजट प्रक्रिया अधिक-से-अधिक तार्किक, क्रमबद्ध, व्यावहारिक और प्रभावी रहती है तथा कम-से-कम राजनीतिक तथा स्वेच्छाचारितायुक्त बनी रहने की आशा रहती है जिससे इसमें लागत नियन्त्रण का सिद्धान्त व्यावहारिक रूप से लागू हो पाना सम्भव हो पाता है तथा सम्बन्धित विभागों के विचार व न्यायसंगत आवश्यकताओं की मांग को नीति-नियन्ताओं तक पहुँचाने की सबसे उपयुक्ततम तकनीक के रूप में मददगार हो सकती है।
7. जीरोबेस बजट को एक खुले तथा सहभागी प्रबंधन के वातावरण में बेहतर ढ़ंग से प्रस्तुत और क्रियान्वित किया जाना संभव है जिसमें विभागों अथवा संगठनों के प्रमुखों या प्रबन्धकों के द्वारा सभी स्तर के कर्मियों से व्यापक संगठनात्मक लक्ष्यों और उद्देश्यों पर चर्चा किए जाने की व्यवस्था अन्तर्निहित रहती है। इस प्रकार के विचार-विमर्श से कई प्रकार के नवीन विचार और संकल्पनाएं प्राप्त हो सकती हैं जिससे प्रबन्धन वर्ग विभिन्न प्रकार के निर्णय लेते समय लाभान्वित हो सकता है और विभाग अथवा संगठन को अपने निर्धारित उद्देश्यों और लक्ष्यों की पूर्ति मार्ग आसान कर सकता है।
8. जीरोबेस बजटिंग व्यय के मूल्यांकन और उसको औचित्यपूर्ण बनाने के लिए तो पूर्णरूपेण सार्थक और व्यावहारिक प्रणाली है ही, साथ ही इसके सिद्धान्तों को समस्त प्राप्तियों के मूल्यांकन के लिए भी प्रयोग में लाकर उनको अधिक तार्किक और व्यावहारिक बनाना सम्भव हो सकता है; जैसे—जीरोबेस बजटिंग के द्वारा इस प्रकार का मूल्यांकन भी किया जा सकता है कि राजस्व प्राप्तियों के लिए वर्तमान करों की दरों को जारी रखने की आवश्यकता है अथवा उनमें किसी प्रकार के संशोधन, परिमार्जन, परिवर्तन अथवा उन्हें समाप्त करना उपयोगी होगा ताकि उन्हें तर्कसंगत बनाया जा सके।
9. जीरोबेस बजटिंग में किसी भी नयी योजना, स्कीम या कार्यक्रम की रूपरेखा में बजट की मांग हेतु उसे परियोजना पद्धति पर ही तैयार करने का प्रावधान रहता है जिसके लिए निर्धारित उद्देश्यों की पूर्ति के लिए उपयुक्त स्कीम का चयन, उसकी संरचना, लाभ-लागत विश्लेषण, कार्यान्वयन की सुनिश्चित प्रविधियाँ, अनुश्रवण की तकनीकों के साथ मूल्यांकन के तरीकों आदि के सम्बन्ध में विस्तृत जानकारी उपलब्ध करानी पड़ती है जिसमें प्रत्येक दृष्टिकोण से योजना या स्कीम के कार्यान्वयन से निर्धारित लाभ सुनिश्चित हो सके।
10. जीरोबेस बजट का निर्माण वैज्ञानिक पद्धति पर किया जाता है और इसी कारण यह पद्धति काफी तार्किक एवं औचित्यपूर्ण होती है। इस पद्धति में बजट निर्माण के लिए किसी भी विभाग अथवा संगठन को किसी भी मद पर कुछ भी व्यय प्रस्तावित करने से पूर्व शून्य स्तर से चाहे गए व्यय स्तर के औचित्य को आद्योपांत सिद्ध करना आवश्यक होता है और समेकित रूप से तर्क और संगणनाएं प्रस्तुत करनी पड़ती हैं। इसमें चाहे गए व्यय स्तर के समर्थन में जो लिखित विश्लेषणात्मक आलेख प्रस्तुत किया जाता है उसे निर्णयन पैकेज कहा जाता है। सभी विभागों द्वारा प्रस्तुत निर्णयन पैकेजों का बारीकी से आलोचनात्मक परीक्षण करने के बाद ही उनके द्वारा प्रस्तावित वित्तीय प्रावधानों को अनुमोदन प्रदान किया जाता हैं।

भारत में जीरोबेस बजट प्रणाली

जीरोबेस बजटिंग के सम्बन्ध में सर्वप्रथम वर्ष 1986 में तत्कालीन केन्द्रीय वित्त मन्त्री श्री वी.पी. सिंह द्वारा घोषणा की गयी कि देश में वर्ष 1987-88 से जीरोबेस बजट की प्रक्रिया को अपनाया जाएगा। इसे प्रारम्भिक तौर पर लघु पैमाने पर प्रयोग में लाया गया। इस प्रकार केन्द्र सरकार द्वारा इसे बजट वर्ष 1987-88 से लागू करने का निर्णय लिया गया। केन्द्र सरकार के इस निर्णय के अनुक्रम में वित्त मन्त्रालय के अधीन व्यय विभाग ने केन्द्र सरकार के विभिन्न मन्त्रालयों एवं विभागों में जीरोबेस बजटिंग लागू करने के लिए विस्तृत मार्गदर्शक नियम बनाने हेतु वित्तीय सलाहकारों की एक समिति नियुक्त की। इस समिति द्वारा तैयार दिशा निर्देशों के आधार पर 1987-88 का बजट बनाते समय केन्द्र सरकार के सभी विभागों ने जीरो बेस पद्धति पर बजट बनाने का प्रयास किया। इस वर्ष जीरोबेस बजटिंग के आधार पर कुछ सुरक्षा संस्थानों, सरकारी प्रिन्टिंग प्रेस, कुछ आर्डिनेन्स कारखानों, खाद्य एवं आपूर्ति विभाग, इस्पात विभाग, दूरसंचार विभाग, इण्डियन टेलीफोन इण्डस्ट्रीज, हिन्दुस्तान टेलीप्रिन्टर्स, विदेश संचार निगम तथा सरप्लस एवं डिस्पोजल विभाग के आकार और क्रियाओं में भारी कटौती करने का निर्णय लिया गया।

भारत में राजस्थान ऐसा पहला राज्य है जिसने वर्ष 1995-96 के बजट के समय शून्य आधारित बजट प्रणाली को सभी विभागों में सभी स्तरों पर सख्ती से लागू करने का निर्णय लिया। वैसे राज्य के कुछ विभागों में तो आंशिक रूप से यह प्रणाली पहले से ही लागू थी, जबकि केन्द्र व कई राज्य सरकारों ने इसे प्रायोगिक तौर पर लागू करने के बाद राजनीतिक कारणों से अगले ही वर्ष त्याग दिया था।

जीरो बेस बजट प्रणाली के लाभः शून्य आधारित बजट प्रणाली के कई लाभ हैं। वस्तुतः इसे लागू करने के बाद राजनीतिक तुष्टीकरण हेतु शासकीय धन के दुरुपयोग का अवसर नहीं बचता है। चूंकि सरकारी बजट में सर्वत्र अधिकांशतः घाटे की स्थिति रहती है इसलिए राजकोषीय प्रबन्ध में इस प्रणाली की उपादेयता कम नहीं है। केवल दृढ़ राजनीतिक इच्छा से ही इसे क्रियान्वित किया जा सकता है। इससे बजट घाटा कम करने व शासकीय व्यय का जनहित में श्रेष्ठतम उपयोग सुनिश्चित करने में मदद मिलेगी।

जीरो बेस बजट प्रणाली : समस्याएं एवं कठिनाइयाँ: इस नई बजट प्रणाली के क्रियान्वयन से उत्पन्न कतिपय व्यावहारिक कठिनाइयाँ भी हैं। **पहली** समस्या तो यही है कि राजनीतिक प्रयोजनों के लिए शासकीय धन के दुरुपयोग पर रोक लग जाएगी। क्या कोई भी नेता या राजनीतिक दल सस्ती लोकप्रियता प्राप्त करने के मोह को छोड़कर इस बजट प्रणाली को सख्ती से लागू करने की मंशा रख पायेगा? **दूसरी** कठिनाई कागजी कार्य बढ़ जाने की है, क्योंकि प्रत्येक जरूरी एवं गैरजरूरी कार्य पर वित्तीय प्रावधानों का आद्योपान्त औचित्य सिद्ध करने हेतु जो निर्णय पैकेज बनाए जाएंगे, वह कार्य भी अत्यन्त श्रम साध्य होगा। कुछ अधिकारीगण उसमें दक्ष नहीं बन पाएंगे तो उनके अनुमोदन में भी कठिनाई आ सकती है। इस प्रणाली में **तीसरी** कठिनाई यह आ सकती है कि कुछ अधिकारीगण निर्णय पैकेजों के मूल्यांकन में मितव्ययिता लाने में अति उत्साह दिखाकर कई सामाजिक महत्व की लोक कल्याणकारी योजनाओं को परिमित या विलोपित कर सकते हैं। इस हेतु सरकार को आर्थिक उद्देश्यों के साथ-साथ सामाजिक लक्ष्यों-ध्येयों को स्पष्टता के साथ पारिभाषित कर उन्हें सभी स्तरों पर औपचारिक रूप से सम्प्रेषित भी कर देना चाहिए।

लिंग आधारित बजट (Gender Budgeting)

आज का बजट मात्र आय और व्यय का विवरण मात्र नहीं है। बल्कि व्यापक महत्व रखता है। आज पुलिस राज्य के स्थान पर लोक कल्याणकारी राज्य की धारणा ने स्थान ले लिया है। सरकार का ध्यान अब सतत नागरिकों के कल्याण पर केन्द्रित है। आधुनिक समय में बजट राष्ट्र के आर्थिक तथा सामाजिक जीवन में अत्यन्त महत्वपूर्ण भूमिका अदा करता है।

इसी को ध्यान में रखते हुए महिला अधिकारिता और महिला सशक्तिकरण के लिए बजट में प्रावधान किया गया है। वर्ष 2005-2006 में केन्द्र सरकार द्वारा पहली बार व्यावहारिक तौर पर जेण्डर बजटिंग की शुरूआत की गई।

1995 में पेइचिंग में आयोजित चतुर्थ विश्व महिला सम्मेलन में लिंग आधारित बजटीय प्रस्तावों को लागू करने पर सहमति बनी थी। केन्द्र सरकार द्वारा जेन्डर बजटिंग के माध्यम से महिलाओं के विकास, कल्याण और सशक्तिकरण से सम्बन्धित योजनाओं और कार्यक्रमों के लिए प्रतिवर्ष बजट में निर्धारित राशि की व्यवस्था सुनिश्चित किये जाने पर बल दिया गया है। अब प्रतिवर्ष 18 केन्द्रीय मंत्रालयों द्वारा विशेष रूप से अपने प्रस्तावित बजट के अन्तर्गत महिला को प्राथमिकता देते हुए प्रावधानों को स्पष्ट करना होता है। इस व्यवस्था को मूर्त्त रूप प्रदान करने की दिशा में वार्षिक योजना तैयार करने हेतु योजना आयोग द्वारा भी इन मंत्रालयों को निर्देश जारी किये गये कि उनके आयोजनागत बजट को तभी स्वीकृति मिलेगी जब उसमें मलिाओं के लिए प्राथमिकता सम्बन्धी प्रावधान होंगे।

लिंग आधारित बजट से लोगों में बजट के प्रति जागरूकता बढ़ी है। भारत में लोकतंत्र का विकास हुआ है। सरकार के प्रति विश्वास और लोकप्रियता का विकास हुआ है। इससे शासन में लिंग आधारित मुद्दे और नीतियों के विकास में सहायता मिलेगी। लोगों में लिंग के प्रति संवेदनशीलता का विकास होगा।

राजस्व उत्तरदायित्व तथा बजट प्रबन्ध अधिनियम (FRBM)

वर्ष 2000 में सरकार ने राजस्व तथा राजकोषीय घाटे के दोहरे खतरे पर विशेष ध्यान देना शुरू किया जिसके परिणामस्वरूप संसद में राजकोषीय उत्तरदायित्व एवं बजट प्रबंधन अधिनियम का प्रस्ताव रखा गया।

राजकोषीय नीति किसी भी अर्थव्यवस्था की आधारशिला मानी जाती है। इस नीति का बेहतर संचालन न सिर्फ अर्थव्यवस्था में स्थायित्व प्रदान करता है बल्कि उसके संसाधनों का प्राथमिकता वाले क्षेत्र में आवंटन को भी सुनिश्चित करता है।

अनुत्पादक सरकारी व्यय, कर की विसंगतियां तथा उच्च राजकोषीय घाटे के कारण भारतीय अर्थव्यवस्था अपनी संवृद्धि के इष्टतम् स्तर तक पहुँचने में असफल होती रही है। आर्थिक सुधारों की प्रक्रिया प्रारंभ किए जाने से पूर्व की उच्च मुद्रास्फीति दर एवं भुगतान संतुलन (BOP) के जुडवाँ संकट की जड़ में राजकोषीय असंतुलन ही रहा है, तब से राजकोषीय नीति के प्रति सरकार की मध्यम अवधि की सोच निम्न दिशा में रही है:

1. राजस्व और राजकोषीय घाटे को कम करना।
2. व्यय की प्राथमिकता अनुसार चुनाव तथा इच्छित परिणाम को सुनिश्चित करना।
3. कर की दर को निम्न रखना एवं कर के आधार को बढ़ाकर तथा इसकी चोरी एवं अपवंचन को रोककर संसाधनों में वृद्धि करना।

वर्ष 1991 में सरकार द्वारा प्रारंभ किये गये राजकोषीय समेकन (Fiscal consolidation) का इच्छित परिणाम नहीं प्राप्त किया जा सका। सरकार द्वारा 26 अगस्त, 2003 को राजकोषीय उत्तरदायित्व एवं बजट प्रबंधन अधिनियम को पारित किया गया ताकि राजकोषीय समेकन के लिए एक सांविधिक व्यवस्था स्थापित की जा सके। मध्यम अवधि में राजकोषीय घाटे को प्रबंधित करने के उद्देश्य से पारित इस अधिनियम को 5 जुलाई, 2004 से प्रभावी बनाया गया।

1. भारत सरकार द्वारा राजकोषीय एवं राजस्व घाटे को कम करने हेतु कदम उठाते हुए 31 मार्च, 2008 तक राजस्व घाटे को शून्य किया जाना था जिसे 31 मार्च, 2009 तक बढ़ा दिया गया।
2. सरकार द्वारा राजकोषीय एवं राजस्व घाटों, आकस्मिक एवं सकल देयता को कम करने के वार्षिक लक्ष्य की घोषणा की जाएगी।
3. राजकोषीय घाटा तथा राजस्व घाटा विशेष परिस्थितियों में घोषित लक्ष्यों को पार कर सकेगें, यथा—राष्ट्रीय सुरक्षा, आपदा तथा अपवादात्मक आधार पर।

4. भारत सरकार अर्थोपाय अग्रिम के अतिरिक्त किसी और प्रकार से RBI से उधार नहीं लेगी।
5. वर्ष 2006-2007 से RBI भारत सरकार द्वारा जारी की गयी प्रतिभूतियों का प्राथमिक ग्राहक नहीं होगा।
6. राजकोषीय परिचालन में पारदर्शिता लाने संबंधी कदम उठाए जाएंगे।
7. बजट एवं अनुदान की माँग के साथ सरकार द्वारा प्रतिवर्ष संसद में निम्न तीन वक्तव्य प्रस्तुत किये जाएंगे:
   (*a*) राजकोषीय नीति रणनीति वक्तव्य
   (*b*) मध्यम अवधि राजकोषीय नीति वक्तव्य
   (*c*) समष्टि-अर्थशास्त्रीय रूपरेखा वक्तव्य
8. वित्त मंत्री द्वारा आम बजट में उद्धृत लक्ष्यों के मद्देनजर सरकार की प्राप्तियों एवं व्यय की त्रैमासिक समीक्षा।

सूर्यास्त विधायन (Sunset Clause)

सूर्यास्त विधायन एक कानून, नियम का प्रावधान है जो बताता है कि कानून एक निश्चित तिथि के बाद प्रभावी नहीं रहेगा जब तक कि इसे विधायी कार्रवाई द्वारा विस्तारित नहीं किया जाता है। अधिकांश कानूनों में सूर्यास्त विधायन का अभाव होता है और इसलिए वे सदैव प्रभावी रहते हैं। इसे कभी-कभी कानून/संविधि की 'आवधिक समीक्षा' के रूप में संदर्भित किया जाता है।

सूर्यास्त विधायन के लाभः

1. यह विधायन सरकारी गतिविधियों के अनावश्यक फैलाव को रोकता है।
2. यह नए कार्यक्रम के लिए वित्तीय संसाधन उपलब्ध कराता है।
3. यह सरकारी खर्चों में मितव्ययिता को सुनिश्चित करता है।
4. यह प्रशासनिक सुसंगता को सुनिश्चित करता है।
5. कार्यक्रम के मूल्यांकन की मुख्य जिम्मेदारी विधायिका पर डालकर यह उनको समाप्त करने के मामले में कार्यपालिका के प्रतिरोध पर काबू पाने में सहायक होता है।

केन्द्र–राज्य संबंध (Centre-State Relations)

भारतीय संविधान ने केन्द्र तथा राज्यों के बीच शक्तियों के विभाजन को एक स्पष्ट रूप प्रदान किया है। संविधान के भाग 11 एवं 12 में अनुच्छेद 245 से लेकर अनुच्छेद 300 तक केन्द्र-राज्य संबंध का विशद वर्णन किया गया है। भाग 11 के अध्याय 1 में विधायी संबंध, अध्याय 2 में प्रशासनिक संबंध और भाग 12 में वित्तीय संबंध का विशद वर्णन किया गया है।

विधायी संबंध (Legislative Relations)– केन्द्र और राज्यों के बीच विधायिनी संबंधों का संचालन उन सूचियों के आधार पर होता है, जो संविधान की सातवीं अनुसूची तथा अनुच्छेद 246 में वर्णित हैं। सातवीं अनुसूची में विधि-निर्माण के विषयों को तीन सूचियों में अलग-अलग रखा गया है–केन्द्रीय सूची (संघ सूची), राज्य सूची और समवर्ती सूची।

केन्द्रीय सूची – केन्द्रीय सूची में राष्ट्रीय महत्व के विषयों को स्थान दिया गया है। इस सूची के अन्तर्गत आने वाले विषयों पर विधि बनाने का अधिकार संसद (केन्द्रीय व्यवस्थापिका) को प्रदान किया गया है। इस सूची में मूल संविधान में कुल 97 विषय थे, जो बाद में बढ़ाकर 100 कर दिए गए। इस सूची के अन्तर्गत रखे गए कुछ महत्वपूर्ण विषय इस प्रकार हैं– विदेशी मामले, नागरिकता और देशीयकरण, रक्षा, डाक-तार, टेलीफोन, मुद्रा निर्माण, बैंक, बीमा, युद्ध व संधियाँ आदि।

राज्य सूची– क्षेत्रीय महत्व के विषयों को राज्य सूची में स्थान दिया गया है। राज्य सूची के अन्तर्गत आने वाले विषयों पर विधि बनाने का अधिकार राज्य विधान-मण्डल को है। वैसे, आपातकाल में संसद भी इन विषयों पर विधि का निर्माण कर सकती है। मूल संविधान में राज्य सूची में 66 विषय थे, जिनको घटाकर अब 61 कर दिया गया है। राज्य सूची के अन्तर्गत रखे गए विषयों में कुछ प्रमुख हैं– स्थानीय स्वशासन, सार्वजनिक स्वास्थ्य, कृषि, सिंचाई, स्थानीय सड़कें, पुलिस, न्याय तथा कारागार।

समवर्ती सूची– वैसे विषय समवर्ती सूची में रखे गए हैं, जिन पर केन्द्र एवं राज्यों की समान पकड़ होनी आवश्यक है। मूल संविधान में समवर्ती सूची में 47 विषयों को रखा गया था। परन्तु, 42वें संविधान संशोधन अधिनियम, 1976 द्वारा इस सूची में 5 और विषयों को शामिल कर दिया गया। जिन पाँच और विषयों को शामिल किया गया, वे हैं वन, शिक्षा, वन्य जीव एवं पक्षी-रक्षा, न्याय का प्रशासन तथा मापतौल। ये पाँचों विषय पूर्व में राज्य सूची में रखे गए थे। इस प्रकार समवर्ती सूची में अब 52 विषय हैं। इस सूची के अन्तर्गत पूर्व में रखे गए विषयों में जो महत्त्वपूर्ण हैं, वे हैं– श्रम, आयोजन, समाजिक सुरक्षा, मूल्य-नियंत्रण आदि। समवर्ती सूची में 'बीमा' को भी सम्मिलित कर दिया गया और बाद में 'जनसंख्या नियंत्रण और परिवार नियोजन' नामक नए विषयों को जोड़ा गया। इस सूची के विषयों पर संसद और राज्य-विधानमण्डल दोनों ही को विधि बनाने का अधिकार है।

सामान्यतः समवर्ती सूची के विषयों पर विधि-निर्माण के सन्दर्भ में राज्य विधान-मण्डल पर संसद की वरीयता है। परन्तु संविधान के अनुच्छेद 254(2) के उपबंधों के अनुसार यदि समवर्ती सूची में दिए गए किसी विषय पर संसद के द्वारा कानून बनाया जा चुका है और बाद में कोई राज्य विधान-मण्डल उसी विषय पर एक कानून बनाकर उस पर राष्ट्रपति की स्वीकृति प्राप्त कर लेता है, तो ऐसी दशा में राज्य सरकार द्वारा निर्मित कानून मान्य और संसद द्वारा पारित कानून निरस्त समझा जाएगा।

अवशिष्ट शक्ति– भारतीय संविधान ने अनुच्छेद 248(1) के उपबंध के तहत अवशिष्ट शक्तियाँ केन्द्र को प्रदान की हैं। यह अमेरिकी संविधान

के विपरीत है, क्योंकि अमेरिका में अवशिष्ट शक्तियाँ राज्यों को प्रदान की गई हैं। भारत में केन्द्र को अवशिष्ट शक्तियाँ देने की व्यवस्था कनाडा के संविधान से गृहीत है।

राज्य सूची के विषयों पर संसद के कानून बनाने की शक्ति

संविधान के अनुच्छेद 249 के तहत राज्य सभा अपने उपस्थित और मतदान करने वाले सदस्यों के दो तिहाई बहुमत (2/3) से राज्य सूची के विषयों पर कानून बनाने के लिए संसद को अधिकृत कर सकती है। परन्तु यह कानून एक बार में 1 वर्ष से अधिक के लिए लागू नहीं रह सकता।

संविधान के अनुच्छेद 250 के प्रावधानों के तहत आपातकाल में राज्यसूची पर संसद द्वारा बनाए गए कानून आपातकाल की समाप्ति के बाद 6 महीने से अधिक तक लागू नहीं रह सकते।

संविधान के अनुच्छेद 252 में यह प्रावधान है कि दो या दो से अधिक राज्यों के विधान-मण्डल एक प्रस्ताव पारित कर यदि संसद से यह अनुरोध करते हैं कि राज्यसूची के विषयों पर संसद द्वारा कानून बनाया जाए, तो संसद उन विषयों पर कानून बना सकता है। संसद द्वारा बनाए गए ऐसे कानूनों को राज्य विधान-मण्डलों द्वारा न तो संशोधित किया जा सकता है और न ही निरस्त। संबंधित विधान-मण्डल उक्त कानून को निरस्त करने की प्रार्थना संसद से कर सकती है।

अनुच्छेद 253 में यह व्यवस्था है कि संसद को विदेशों के साथ की गई संधि अथवा समझौते आदि को लागू करने के उद्देश्य से किसी भी विषय पर कानून बनाने का अधिकार है। इस स्थिति में भी संसद को राज्य सूची पर कानून बनाने का अधिकार प्राप्त हो जाता है।

अनुच्छेद 356 के प्रावधानों के तहत भी संसद को राज्य सूची पर कानून बनाने का अधिकार सौंपा गया है। इस उपबंध के अनुसार, किसी राज्य में सांविधानिक तंत्र की विफलता की स्थिति में राष्ट्रपति राज्य विधान-मण्डल के सभी अधिकार संसद को सौंप सकता है।

राज्य विधान-मण्डलों को राज्य सूची पर कानून बनाने की शक्ति भी सीमित ही है। संविधान के अनुच्छेद 304 के उपखंड 'b' में यह प्रावधान है कि कुछ विधेयकों के संदर्भ में (विधान-मण्डल में प्रस्तावित किए जाने से पूर्व) राष्ट्रपति की पूर्वानुमति आवश्यक है। अनुच्छेद 31 के उपखंड 'C' में यह उपबंध है कि राज्य विधान-मण्डलों द्वारा पारित कुछ विधेयक असवैधानिक माने जाएँगे, यदि उन्हें राष्ट्रपति के विचारार्थ न रखा गया हो और उस पर राष्ट्रपति की स्वीकृति न मिल गई हो।

प्रशासकीय संबंध (Administrative Relations)

भारतीय संविधान ने केन्द्र तथा राज्यों को पृथक प्रशासकीय क्षेत्र प्रदान किए हैं। अनुच्छेद 73 में केन्द्र की प्रशासनिक शक्ति सीमित है, तो अनुच्छेद 162 में राज्य-क्षेत्र की। इन दोनों अनुच्छेदों के अनुसार, केन्द्र की प्रशासनिक शक्ति भी उन्हीं विषयों तक सीमित है जिन पर संसद विधि-निर्माण की शक्ति रखती है और राज्यों की प्रशासनिक शक्ति उन्हीं विषयों तक सीमित है, जिन पर विधि-निर्माण का अधिकार राज्य विधानमण्डल को है।

केन्द्र और राज्य सरकारों के बीच प्रशासकीय शक्तियों का विभाजन 'भारत शासन अधिनियम, 1935' के आधार पर किया गया है। वैसे तो केन्द्र और राज्य सरकारों को पृथक प्रशासनिक क्षेत्र और अधिकार प्रदान किए गए हैं परन्तु, राज्यों पर केन्द्र का नियंत्रण भी स्थापित कर दिया गया है।

संविधान के अनुच्छेद 256 के अनुसार राज्यों का यह कर्तव्य है कि वे शासन क्षेत्र में संघ की कार्यपालिका शक्ति के प्रयोग में न तो किसी प्रकार की रुकावट डालें और न ही किसी तरह का पक्षपात करें। फिर, अनुच्छेद 256 और अनुच्छेद 257 में यह प्रावधान है कि संघ सरकार राष्ट्रीय महत्व के विषयों, अपने दायित्व या नीतियों को कार्यान्वित करने के लिए राज्य सरकारों को निर्देश दे सकती है। ऊपर दोनों अनुच्छेदों के प्रावधानों के तहत संघ सरकार द्वारा दिए गए किसी निर्देश का किसी राज्य द्वारा पालन नहीं करने पर वहाँ राष्ट्रपति शासन लगाया जा सकता है। यह व्यवस्था संविधान के अनुच्छेद 356 में है। अनुच्छेद 257 के प्रावधानों के तहत संघ सरकार राज्य सरकारों को जिन विषयों पर कार्य करने के लिए निर्देश जारी कर सकती है, वे हैं—

1. राष्ट्रीय या सैनिक महत्व से संचार साधनों का सृजन एवं उसकी सुरक्षा।
2. राष्ट्रीय महत्व के राजपथों, नहरों, जलमार्गों या नौकागम्य नदियों की व्यवस्था।
3. रेलवे की सुरक्षा।

राष्ट्रपति को यह अधिकार है कि वे किसी राज्य सरकार को उसकी सहमति से किसी विषय से संबद्ध कार्य सौंप सकते हैं। ऐसे कार्य सशर्त अथवा शर्तरहित भी हो सकते हैं। ऐसे विषयों पर संघ की कार्यपालिका शक्ति का नियंत्रण रहता है। अनुच्छेद 352 के प्रावधानों के तहत राष्ट्रपति जब राष्ट्रीय आपातकाल की उद्घोषणा करता है, तब राज्यों पर संघ सरकार का नियंत्रण स्वतः ही स्थापित हो जाता है।

अनुच्छेद 312(A) के प्रावधानों के तहत राज्य सभा दो तिहाई बहुमत (2/3) से एक प्रस्ताव पारित कर संघ तथा राज्यों के लिए एकाधिक अखिल भारतीय सेवाओं को स्थापित करने की अनुशंसा कर सकती है और ऐसी अनुशंसा के आधार पर संसद विधि द्वारा अखिल भारतीय सेवाओं की स्थापना कर सकती है।

अनुच्छेद 275 के उपबंधों के तहत संसद राज्यों को वित्तीय अनुदान देने के लिए विधि का निर्माण कर सकती है और वित्तीय अनुदान के माध्यम से राज्य सरकारों पर पूर्ण नियंत्रण रख सकती है।

स्वतंत्रता-आंदोलन के बाद की देश की विकट परिस्थितियों को ध्यान में रखते हुए भारत की संघीय शासन प्रणाली में प्रशासनिक एकरूपता पर बल दिया गया और न्याय की एकीकृत व्यवस्था की गयी। इसलिए, अखिल भारतीय प्रशासनिक एवं पुलिस-सेवा की व्यवस्था की गई तथा उच्चतम न्यायालय को न्यायपालिका के शीर्ष पर रखा गया।

भारत के नियंत्रक महालेखा-परीक्षक का पद केन्द्रीय सेवा के लिए सृजित है तथा उसके अधीन भारत के लेखा-परीक्षा तथा लेखा-सेवा को

रखा गया है, परन्तु भारत का नियंत्रक महालेखा-परीक्षक केन्द्र के साथ-साथ राज्यों के व्यय की लेखा-परीक्षा का कार्य भी सम्पन्न करता है।

निर्वाचन आयोग संसद के साथ-साथ राज्य विधान मण्डलों के निर्वाचनों का भी सम्पादन करता है।

वित्तीय संबंध (Financial Relations)

केन्द्र और राज्यों के बीच वित्तीय शक्तियों का विभाजन '1935 के भारत शासन अधिनियम' के आधार पर किया गया है। कार्य क्षमता, पर्याप्तता तथा उपयुक्तता के आधार पर केन्द्र तथा राज्यों के बीच राजस्व-स्रोतों का विभाजन किया गया है।

कर-निर्धारण शक्ति का वितरण और करों से प्राप्त आय का विभाजनः भारतीय संविधान ने कर निर्धारण और उसकी वसूली से प्राप्त आय के विभाजन का सूक्ष्म एवं विशद् वर्णन किया है। राज्यों के अधिकार क्षेत्र में 19 प्रकार के राजस्व-स्रोत रखे गए हैं तथा संघ के अधिकार क्षेत्र में 12 प्रकार के राजस्व-स्रोत रखे गए हैं।

संघ के राजस्व-स्रोत हैं– निर्यात शुल्क, निगम कर, विदेशी ऋण, रेलवे, शेयर बाजार, आदि तथा राज्यों के राजस्व-स्रोत हैं– प्रति व्यक्ति कर, कृषि भूमि पर कर, पशु-कर, नौ-परिवहन कर, वाहन-कर आदि। कुछ कर ऐसे हैं, जो संघ द्वारा निर्धारित और वसूल तो किए जाते हैं, पर इन करों से प्राप्त आय राज्यों को सौंप दी जाती है। कृषि भूमि के अतिरिक्त अन्य सम्पत्ति के उत्तराधिकार पर कर एवं सम्पदा शुल्क, विदेशी ऋण, रेल, समुद्र, विमानवाहक वस्तुएँ, शेयर एवं सट्टा बाजार के आदान-प्रदान पर मुद्रांक शुल्क के अतिरिक्त कर, समाचार पत्रों के क्रय-विक्रय तथा उसमें प्रकाशित किए गए विज्ञापनों पर कर और अंतःराज्य व्यापार तथा वाणिज्य-वस्तुओं के क्रय-विक्रय पर कर आदि ऐसे करों के उदाहरण हैं, जो आरोपित एवं वसूल तो किए जाते हैं केन्द्र द्वारा, परन्तु इससे प्राप्त आय राज्य सरकारों को सौंप दी जाती है।

कर-आगमों का वितरण तीन आधारों पर किया जाता है– प्रथम आधार पर कर की वसूली केन्द्र द्वारा और उसका राज्यों में वितरण होता है, द्वितीय आधार पर करों की वसूली केन्द्र द्वारा की जाती है और उसका वितरण केन्द्र और राज्यों में होता है तथा तृतीय आधार करों की वसूली केन्द्र द्वारा की जाती है और उसका वितरण केन्द्रों में होता है।

सहायता अनुदान तथा अन्य सार्वजनिक उद्देश्य के लिए दिया जाने वाला अनुदानः संविधान के अन्तर्गत केन्द्र द्वारा राज्यों को चार प्रकार के सहायता अनुदान प्रदान करने की व्यवस्था की गई है। पटसन और उससे बनी वस्तुओं के निर्यात से प्राप्त शुल्क का कुछ हिस्सा जूट-उत्पादक राज्यों बिहार, बंगाल, असम और उड़ीसा को दिया जाता है। फिर, बाढ़, भूकम्प और सूखा की स्थिति में इन विपदाओं से ग्रसित क्षेत्रों की सहायता के लिए भी केन्द्र सरकार द्वारा राज्य सरकारों को अनुदान प्रदान किया जाता है।

ऋण लेने संबंधी उपबंधः संविधान द्वारा केन्द्र को यह अधिकार दिया गया है कि वह अपनी संचित निधि की स्थिति को देखते हुए देशवासियों और विदेशों से ऋण ले सकता है। ऋण लेने का अधिकार राज्यों को भी है, परन्तु वे विदेशों से ऋण ग्रहण नहीं कर सकते। राज्य सरकार उस स्थिति में संघ सरकार की अनुमति के बिना ऋण ग्रहण नहीं कर सकती, जब उसने संघ सरकार के किसी ऋण की वापसी न की हो।

वित्तीय आपातकालः अनुच्छेद 360 के प्रावधानों के तहत राष्ट्रपति जब वित्तीय आपातकाल की उद्घोषणा करता है, तब राज्यों की आय सीमा राज्य सूची में वर्णित राजस्व-स्रोत तक ही सीमित रहती है। वित्तीय आपातकाल में राष्ट्रपति को उन सभी प्रावधानों को स्थगित करने का अधिकार है, जो सहायता अनुदान तथा अन्य विशेष अनुदानों से संबंधित हैं। इस स्थिति में केन्द्र सरकार वित्तीय मामलों में राज्यों को निर्देश भी दे सकती है।

वित्त आयोग (Finance Commission)

वित्त आयोग एक सांविधानिक संस्था है और इसका गठन राष्ट्रपति द्वारा संविधान के अनुच्छेद 280 के प्रावधानों के तहत होता है। वित्त आयोग का अधिकतम कार्यकाल 5 वर्ष का होता है। इस आयोग में 1 अध्यक्ष और चार अन्य सदस्य होते हैं। वित्त आयोग निम्न विषयों के संबंध में राष्ट्रपति को अपनी सिफारिशें प्रस्तुत करता है–

1. उन करों की निवल या शुद्ध प्राप्तियों के प्रतिशत का वितरण, जो राज्य और केन्द्र के बीच विभाजित होने हैं।
2. उपरिलिखित करों की प्राप्तियों में प्रत्येक राज्य के भाग का प्रतिशत में निर्धारण।
3. आंतरिक सीमा शुल्कों के आरोपण के संबंध में केन्द्र सरकार द्वारा किसी भी राज्य के साथ की गई संधियों में संशोधन करना अथवा उसको यथास्थिति बनाए रखना।
4. उन सिद्धांतों का निर्धारण करना, जिनके आधार पर देश की संचित निधि से राज्यों को सहायता अनुदान की व्यवस्था की जा सके।
5. जनजातीय क्षेत्रों के लिए सहायता अनुदान की व्यवस्था।
6. किसी राज्य विशेष के लिए विशिष्ट अनुदान की व्यवस्था।

वित्त आयोग की सिफारिशों पर विचार करने के बाद ही आयकरों का वितरण राष्ट्रपति द्वारा किया जाता है। भारत में परम्परानुसार केन्द्र सरकार आयकरों के वितरण के संबंध में आयोग की इन सिफारिशों को स्वीकार कर लेती है कि इन करों का कितना प्रतिशत राज्यों को देना है। राज्यों का हिस्सा भारत की संचित निधि में न डालकर सीधे राज्यों के पास भेज दिया जाता है। परन्तु, उत्पादन-शुल्क के संबंध में केन्द्र सरकार आयोग की सिफारिशों की अनदेखी भी कर सकता है। केन्द्र सरकार वित्त आयोग की सिफारिश नहीं होने के बावजूद उत्पाद-शुल्क का कोई भी भाग राज्य को देने के लिए अपनी इच्छा के अनुसार कानून बना सकती है। परन्तु, व्यवहारतः आयकरों के वितरण, उत्पाद-शुल्क की प्राप्तियों तथा सहायक अनुदानों के वितरण के मामले में आयोग की सिफारिशें ही अंतिम तथा केन्द्र सरकार द्वारा मान्य होती हैं।

गाडगिल फार्मूला– केन्द्र द्वारा राज्यों को योजनाबद्ध सहायता देने के लिए 1969-70 में प्रोफेसर डी.आर. गाडगिल द्वारा तैयार किया गया फार्मूला 'गाडगिल फार्मूला' के नाम से विख्यात है। इस फार्मूले में अविकसित तथा अल्पविकसित राज्यों को विकसित व सम्पन्न राज्यों की अपेक्षा प्राथमिकता देने की बात कही गई है। कुल अंतरित संसाधनों में से 70% का अंतरण गाडगिल फार्मूले के अनुसार तथा 30% का अंतरण वित्त आयोग की सिफारिशों के अनुसार किया जाता है। गाडगिल ने अपने फार्मूले में जम्मू-कश्मीर, हिमाचल प्रदेश तथा उत्तर-पूर्व के सभी राज्यों को राज्यों के विशेष वर्ग में रखा था। इस फार्मूले में इन राज्यों के लिए एक निश्चित राशि पृथक रखने तथा शेष सहायता राशि का वितरण अन्य राज्यों में नए फार्मूले के तहत करने की बात कही गयी।

गाडगिल फार्मूले में कहा गया था कि विशेष राज्यों को सहायता 90% अनुदान के रूप में तथा 10% ऋण के रूप में दिए जाने की व्यवस्था की जाए, जबकि अन्य राज्यों के लिए यह व्यवस्था 70% ऋण के रूप में तथा 30% अनुदान के रूप में करने की बात कही गई थी। गाडगिल फार्मूले की सिफारिशों से केन्द्र सरकार को कुछ व्यावहारिक परेशानियाँ हो रही थीं और इसलिए राष्ट्रीय विकास परिषद् ने 1980 में परिवर्तित गाडगिल फार्मूले को स्वीकार किया। इस परिवर्तित फार्मूले के अनुसार, उन राज्यों को जिनकी प्रतिव्यक्ति आय राष्ट्रीय औसत से निम्न है, अंतरण का प्रतिशत 10 से बढ़ाकर 20 कर दिया गया। सिंचाई से संबंधित पुराने फार्मूले के भार को निकाल दिया गया। 11 अक्टूबर, 1990 को गाडगिल फार्मूले में फिर से संशोधन किया गया। पुनः इस परिवर्तित फार्मूले के अनुसार, अंतरित संसाधनों का बँटवारा निम्न आधार पर किया गया–

1. 55% जनसंख्या के आधार पर।
2. 30% विशेष वर्ग के राज्यों के आधार पर।
3. 5% राजकोषीय प्रबंध के आधार पर।
4. 10% आपदा के आधार पर।

सरकारिया आयोग– जून, 1983 में न्यायाधीश आर.एस. सरकारिया की अध्यक्षता में सरकारिया आयोग का गठन किया गया। इस आयोग का गठन केन्द्र तथा राज्यों के बीच शक्ति के समान वितरण से संबंधित सुझाव देने के लिए किया गया था। इस आयोग के दो अन्य सदस्य एस.आर. सेन तथा बी. शिवरामन थे। इस आयोग ने जनवरी, 1988 ई. में अपना प्रतिवेदन प्रस्तुत किया। इस आयोग द्वारा प्रस्तुत प्रतिवेदन बहुत ही विशाल है– इसमें 4900 पृष्ठ तथा 247 सिफारिशें हैं। सरकारिया आयोग ने अनुच्छेद 240 (कुछ संघ राज्य क्षेत्रों के लिए विनियम बनाने की राष्ट्रपति की शक्ति), अनुच्छेद 254 (संसद द्वारा निर्मित विधियों और राज्य विधान-मण्डलों द्वारा निर्मित विधियों में विसंगति) तथा अनुच्छेद 356 (राज्यों में सांविधानिक तंत्र की विफलता की स्थिति में आपातकाल की उद्घोषणा) से संबंधित सुझाव भी दिए। सरकारिया आयोग द्वारा केन्द्र और राज्यों के बीच शक्तियों के समान वितरण के संदर्भ में दिए गए सिफारिशों में कुछ प्रमुख इस प्रकार हैं–

1. **अनुच्छेद 356–** सरकारिया आयोग ने सांविधानिक तंत्र की विफलता की अस्पष्टता को ध्यान में रखते हुए यह सिफारिश की कि राज्य के विशेष अनुरोध पर ही किसी राज्य में राष्ट्रपति शासन लागू किया जाना चाहिए तथा सुरक्षा बलों को भी तैनात इसी स्थिति में किया जाना चाहिए।
2. **सुदृढ़ केन्द्र की अपरिहार्यता–** इस आयोग ने केन्द्र की शक्तियों को कम किए जाने की सभी सिफारिशों को नामंजूर करते हुए केन्द्र की सशक्तता पर अधिकाधिक बल दिया। अपने प्रतिवेदन में इस आयोग ने राष्ट्र की एकता और अखंडता को कायम रखने तथा मजबूती प्रदान करने के लिए केन्द्र को और शक्तिशाली बनाने पर बल दिया।
3. **सहकारी संघवाद–** आयोग ने संविधान के अनुच्छेद 258 (कुछ दशाओं में राज्यों को शक्ति हस्तांतरित करने आदि का केन्द्र सरकार का अधिकार) का प्रयोग केन्द्र द्वारा उदारतापूर्वक किए जाने की सिफारिश की। आयोग के विचार में सरकारी क्रिया हेतु एक कार्यात्मक व्यवस्था संघवाद है।
4. **केन्द्र-राज्य अधिकार क्षेत्र–** सरकारिया आयोग ने समवर्ती सूची में राज्य को अधिकार प्रदान करने तथा समवर्ती सूची पर केन्द्र के उदार प्रभाव की सिफारिश की। आयोग ने यह भी सिफारिश की कि समवर्ती सूची के किसी विषय पर कानून बनाने से पूर्व केन्द्र सरकार को राज्य सरकारों से विचार-विमर्श अवश्य करना चाहिए।
5. **वित्त-व्यवस्था–** इस संदर्भ में सरकारिया आयोग ने अपने प्रतिवेदन में वित्त-आयोग और योजना-आयोग के मध्य परस्पर अधिकाधिक सहयोग पर बल दिया। इस आयोग ने राजस्व के क्षेत्र में राज्य के भाग को बढ़ाने का सुझाव दिया है (विशेषकर वित्तीय दृष्टि से कमजोर राज्यों को)।
6. **राज्यों को ऋण–** आयोग ने अपने प्रतिवेदन में इस बात की सिफारिश की कि राज्यों को ऋण देने की सुविधा पर फिर से विचार-विमर्श होना चाहिए तथा केन्द्र द्वारा प्रायोज़ित योजनाओं की संख्या कम-से-कम रखी जानी चाहिए (विशेषकर योजना अवधि के मध्य में किसी भी नई परियोजना की शुरुआत नहीं की जानी चाहिए)।
7. **राज्यपाल की भूमिका–** सरकारिया आयोग ने अपने प्रतिवेदन में राज्यपाल पद के दुरुपयोग पर दृष्टिपात किया है। इस आयोग ने सिफारिश की है कि संविधान के अनुच्छेद 155 का संशोधन किया जाना चाहिए तथा राज्यपाल की नियुक्ति के संबंध में संबंधित राज्य के मुख्यमंत्री से विचार-विमर्श किया जाना चाहिए। उसने यह भी सिफारिश की है कि राज्यपाल को राजनीति से परे होना चाहिए (दलगत राजनीति से)।
8. **अन्तरराज्य परिषद्–** आयोग ने संविधान के अनुच्छेद 263 के प्रावधानों के तहत सामाजिक-आर्थिक नियोजन तथा विकास के लिए अन्तरराज्य परिषद् के गठन पर बल दिया है।

अब तक गठित विभिन्न वित्त आयोग, उसका कार्यकाल एवं उसके अध्यक्ष

वित्त आयोग	कार्यकाल	अध्यक्ष
प्रथम वित्त आयोग	1952-53 – 1956-57	श्री के.सी. नियोगी
द्वितीय वित्त आयोग	1957-58 – 1961-62	श्री के. संतानम
तृतीय वित्त आयोग	1962-63 – 1965-66	श्री ए.के. चंदा
चतुर्थ वित्त आयोग	1966-67 – 1968-69	श्री पी.वी. राजमन्नार
पंचम वित्त आयोग	1969-70 – 1973-74	श्री महावीर त्यागी
षष्ठ वित्त आयोग	1973-74 – 1978-79	श्री के. ब्रह्मानंद रेड्डी
सप्तम् वित्त आयोग	1979-80 – 1983-84	श्री जे.एम. शेलात
अष्टम् वित्त आयोग	1984-85 – 1988-89	श्री वाई.वी. चह्वाण
नवम् वित्त आयोग	1989-90 – 1994-95	श्री एन.के.पी. साल्वे
दशम् वित्त आयोग	1995-96 – 1999-2000	श्री कृष्णचंद पंत
ग्यारहवाँ वित्त आयोग	2001 – 2005	श्री ए.एम. खुसरो
बारहवाँ वित्त आयोग	2006 – 2010	डॉ. सी. रंगराजन
तेरहवाँ वित्त आयोग	2010 – 2015	श्री विजय एल. केलकर
चौदहवाँ वित्त आयोग	2015 – 2020	श्री वाई. वी. रेड्डी
पंद्रहवाँ वित्त आयोग	2021 – 2026	श्री एन.के. सिंह
सोलहवाँ वित्त आयोग	2026 – 2031	श्री अरविंद पनगढ़िया

वित्तीय नियंत्रण
(Financial Control)

विधायी (Legislative)

बजट सार्वजनिक धन पर नियंत्रण के महत्वपूर्ण उपकरण के रूप में है। विधानमण्डल सार्वजनिक धन पर नियंत्रण करके कार्यपालिका पर नियंत्रण रख सकते हैं। पहले यह नियंत्रण राजस्व वृद्धि तक ही सीमित था, कलान्तर में नियंत्रण विस्तृत होता गया और व्यय भी उसकी परिधि में आ गये। इस प्रकार विधायी नियंत्रण प्रकट करता है कि कोई भी कर पूर्वानुमति के बिना एकत्र नहीं किया जा सकता है और न कोई व्यय ही उसके पूर्वानुमोदन के बिना किया जा सकता है। यह विधायी नियंत्रण कुछ सिद्धांतों में प्रकट हुआ है, जो कार्यपालिका को नियंत्रण में रखने की संसदीय व्यवस्था के प्रभाव को दिखाता है। हैरॉल्ड ए. स्मिथ ने इन सिद्धांतों को स्पष्ट किया है।

1. **व्यापकता (Comprehensiveness):** बजट में अपवाद के बिना सभी सरकारी कार्यकलापों पर प्रकाश डालते हुए व्यय तथा राजस्व का उल्लेख समग्र रूप से होना चाहिए। इसमें ऋण से मुक्ति पाने के लिए उपलब्ध बचत या घाटा पूरा करने हेतु नवीन राजस्व विधान पृथक रूप से प्रदर्शित होना चाहिए।
2. बजट के प्रथम चरण में कार्यपालिका की सिफारिश, विधायी विचार-विमर्श और बजट निष्पादन आदि बजट संबंधी बातों को जनसाधारण के समक्ष रखना चाहिए।
3. **स्पष्टता (Clarity):** बजट, प्रत्येक नागरिक की समझ में आ सकने वाला होना चाहिए।
4. **बजट की एकता (Budget Unity):** व्यय को पूरा करने के लिए सभी प्राप्त राजस्व सामान्य निधि या कोष में जमा किया जाना चाहिए । यह सिद्धांत राजस्व के विशेष उद्देश्यों के लिए पहले से निर्धारित करने के विरुद्ध है।
5. **विस्तृत विवरण (Detailed specification):** आय तथा विनियोग को स्पष्ट एवं विस्तृत रूप से प्रकट करना चाहिए और मदों में केवल अपवादस्वरूप ही परिवर्तन किया जाना चाहिए।
6. **शुद्धता (Accuracy):** बजट का अनुमान, जहाँ तक संभव हो, शुद्ध होना चाहिए। व्ययों के अनुमानों में व्यर्थ के आँकड़े नहीं होना चाहिए। राजस्व का अवमूल्यन करके धन की व्यवस्था करने का प्रयत्न नहीं करना चाहिए। अगर ऐसा प्रतीत होता है कि सिद्धांतों एवं व्यवहारों में अंतर है और हम सिद्धांतों से हटते जा रहे हैं तो इसमें कुछ अतिक्रमण ही अक्षम्य है। कुछ अतिक्रमण एकलक्षीय और निष्पादकीय प्रबंध की आवश्यकताओं पर ध्यान न देने के कारण होते हैं। अतः ये सिद्धांत अनुपयुक्त हो रहे हैं, विशेषकर उस समय जब कार्यपालिका के सामने कठिन राजनीतिक, आर्थिक तथा सामाजिक समस्याएँ समाधान के लिए विद्यमान होती हैं।
7. **आवर्तिता (Periodicity):** विनियोजन एक निश्चित अवधि के लिए होना चाहिए। यदि कोई विनियोजन निर्धारित अवधि के अंत तक प्रयोग नहीं किया जाता तो सामान्यतः यह समाप्त हो जाना चाहिए या उसका पुनर्विनियोजन किया जाना चाहिए।

8. **पूर्व-प्राधिकरण (Prior Authorization):** जिस अवधि के लिए बजट पारित किया जाता है उसके प्रारंभ के पूर्व ही बजट प्रस्तुत किया जाना चाहिए एवं उस पर विचार भी पूर्ण रूपेण होना चाहिए तथा कार्य आरंभ कर दिया जाना चाहिए। इसमें उन सभी आवश्यकताओं के लिए भी अनुमान होने चाहिए जिसके बारे में पूर्वानुमान संभव हो सके, ताकि जहाँ तक संभव हो, घाटे के विनियोजन के लिए प्रार्थना कम ही करनी पड़े। बजट निष्पादन का अधिकार विधायी सत्ता के अधीन होना चाहिए और एक ऐसे लेखा-परीक्षा अभिकरण द्वारा उसकी जाँच की जानी चाहिए जो विधानमण्डल को प्रतिवेदन प्रस्तुत करे।

कार्यपालिका (Executive)

कार्यपालिका द्वारा वर्षभर के लिए कार्यक्रम बना लिया जाता है और विधानमण्डल को सरकार की वार्षिक वित्तीय आवश्यकताओं के बारे में सूचित करती है। इस प्रकार बजट बनाने का उत्तरदायित्व कार्यपालिका का है।

भारतीय संविधान के अनुच्छेद 112 के अंतर्गत राष्ट्रपति संसद के दोनों सदनों के समक्ष वित्तीय वर्ष के लिए भारत सरकार के व्यय तथा अनुमानित आय का एक विवरण प्रस्तुत करवाता है। इसमें भारत की संचित निधि पर व्यय-भार के लिए मतदान नहीं होता है, किन्तु शेष व्ययों पर मतदान होता है, मतदान वाले अनुमानों को लोकसभा के समक्ष प्रस्तुत किया जाता है। लोकसभा को अनुदान की अनुमति देने और उन्हें अस्वीकार या कम करने का अधिकार है। अनुदानों तथा कर प्रस्ताव के संबंध में सभी माँगे कार्यपालिका प्रस्तुत करती है।

बजट संबंधी मामलों में कार्यपालिका को समुचित अधिकार, सुविधायें तथा स्वविवेक प्राप्त होने चाहिए, ताकि बजट यथार्थ में प्रशासकीय प्रबंध का एक प्रभावशाली उपकरण बन सके। हैरॉल्ड डी. स्मिथ ने बजट कार्य के निदेशन तथा सहायता के लिए निम्नलिखित आठ सिद्धांत का उल्लेख किया है:

1. **कार्यपालिका का उत्तरदायित्व (Executive Responsibility):** कार्यपालिका को देखना चाहिए कि विभागीय कार्यक्रम द्वारा विधानमण्डल का अभिप्राय पूर्ण होता है या नहीं और कार्यक्रम के निष्पादन में यथोचित मितव्ययिता का पालन गया जाता है अथवा नहीं।
2. **कार्यपालिका का कार्यक्रम तैयार करना (Executive Programing):** बजट मुख्य कार्यपालिका का कार्यक्रम होता है। अतः बजट का कार्यक्रम बनाना उसके निर्माण के साथ प्रारंभ हो जाता है। अतः मुख्य कार्यपालिका के सीधे नियंत्रण में बजट का निर्माण होना चाहिए।
3. **प्रतिवेदन (Reporting):** बजट संबंधी प्रक्रियायें, जैसे अनुमानों को तैयार करना, विधायी कार्रवाई एवं बजट का निष्पादन, प्रशासन के सभी स्तरों से प्राप्त होने वाली समस्त वित्तीय तथा प्रवर्तन संबंधी सूचनाओं पर आधारित होना चाहिए। इन प्रतिवेदनों के बिना बजट कार्य अंधा तथा निरंकुश होता है।
4. **विविध प्रक्रियायें (Multiple Procedure):** बजट में सभी सरकारी कार्यों की झलक या सूचना होती है। बजट बनाने की रीतियाँ कार्यों की प्रकृति के अनुसार बदलती हैं। इस प्रकार अर्द्ध-वाणिज्य संबंधी क्रियाकलापों का बजट-निर्माण प्रशासकीय कार्यों के बजट-निर्माण से भिन्न होता है।
5. **समुचित उपकरण (Adequate Tools):** मुख्य कार्यपालिका पर बजट संबंधी उत्तरदायित्व होने के कारण उसे बजट निर्माण हेतु प्रशासकीय उपकरण प्राप्त होने चाहिए। जैसे उसके पास एक सुसज्जित बजट कार्यालय के अतिरिक्त विनियोजनों के मासिक या त्रैमासिक आवंटन को निश्चित करने की सत्ता भी होनी चाहिए।
6. **समय में लोच (Flexibility in Timing):** बजट में ऐसी व्यवस्था होनी चाहिए कि बदलती हुई आर्थिक परिस्थितियों के सन्दर्भ में उसमें आवश्यक परिवर्तन किये जा सकें।
7. **कार्यपालिका का स्वविवेक (Executive Discretion):** विभागों के मोटे तौर पर निर्धारित कार्यों के लिए विनियोग किया जाना चाहिए जिससे मुख्य उद्देश्य प्राप्त करने के लिए, आवश्यक कार्यों के लिए तथा उपयुक्त साधन चुनने के लिए कार्यपालिका को पर्याप्त अवसर प्राप्त हो सके।
8. **द्विमार्गी बजट संगठन (Two-way Budget Organisation):** बजट का कुशलतापूर्वक निर्माण सभी विभागों तथा उसके अंतर्विभागों के क्रियात्मक सहयोग पर निर्भर करता है। प्रत्येक अभिकरण में बजट कार्यालय होना चाहिए जिसे उस अभिकरण के लिए उसी प्रकार कार्य करना चाहिए, जैसे शासन का केन्द्रीय बजट कार्यालय कार्य करता है अभिकरण के बजट तथा कार्यक्रम बनाने के कार्य अभिकरण के प्रधान के प्रत्यक्ष उत्तरदाबित्व में पारस्परिक रूप से सम्पादित होने चाहिए। कुशल बजट अधिकारी अभिकरण के विषय के अनुविभागों पर शासकीय नियंत्रण द्वारा अपने वरिष्ठ अधिकारी की सहायता करता है। केन्द्रीय तथा अभिकरण कार्यालय में, जो बजट तथा कार्यक्रम बनाने के लिए उत्तरदायी होते हैं। आवागमन द्विमार्गी होना चाहिए न कि एकमार्गी।

संसदीय समितियाँ (Parliamentary Committees)

संसदीय प्रणाली में संसद का व्यय पर नियंत्रण आवश्यक है। अतः सरकारी व्यय पर प्रभावशाली संसदीय नियंत्रण हेतु यह आवश्यक है कि प्रथम तो संसद को अपने आपको संतुष्ट करना चाहिए कि विनियोजनों का उपयोग अनुमोदित प्रयोजनों के लिए अनुदानों की सीमाओं में रहते हुए मितव्ययितापूर्वक किया जाता है और द्वितीय संसद को सरकार के वार्षिक बजट अनुमानों का एक विस्तृत परीक्षण करना चाहिए ताकि वह उनमें निहित योजनाओं तथा कार्यक्रमों के परिपालन में मितव्ययिता संबंधी सुझाव दे सके। ये दोनों

ही कार्य सरकारी व्यय पर पूर्ण संसदीय नियंत्रण की दृष्टि से महत्व रखते हैं। भारत जैसे संसदीय प्रजातंत्र में राजनीतिक कार्यपालिका संसद के प्रति उत्तरदायी होती है। संसद वित्तीय व्ययों पर नियंत्रण निम्न प्रकार से रखती है :

1. बजटीय नियंत्रण;
2. लोक लेखा समिति के माध्यम से;
3. अनुमान या प्राक्कलन समिति के द्वारा;
4. सार्वजनिक उपक्रम समिति के द्वारा; तथा
5. विभागीय समितियों द्वारा।

बजटीय नियंत्रण (Budgetary Control)

संसद के अनुमोदन के बिना कार्यपालिका (सरकार) कोई व्यय नहीं कर सकती है। साथ ही, कार्यपालिका द्वारा किये गये प्रत्येक व्यय का लेखा परीक्षण होता है। भारत के नियंत्रक एवं महालेखा परीक्षक (CAG) के कार्यालय द्वारा संसद सरकारी व्ययों का विस्तृत लेखा-परीक्षण करवाता है। इसकी रिपोर्ट को राष्ट्रपति के पास भेजा जाता है। राष्ट्रपति इस रिपोर्ट को संसद के दोनों सदनों में प्रस्तुत करवाता है। भारत सरकार के सभी व्यावसायिक एवं औद्योगिक प्रतिष्ठानों के संबंध में भी इस कार्यालय के द्वारा रिपोर्ट तैयार की जाती है। नियंत्रक एवं महालेखा परीक्षक की रिपोर्ट को विस्तृत परीक्षण के लिए संसद लोक लेखा समिति, अनुमान समिति और लोक उपक्रम समिति के पास भेजता है।

लोक लेखा समिति (Public Accounts Committee)

संसदीय नियंत्रण संसद द्वारा होता है, लेकिन सम्पूर्ण सदन के पास न तो इतना समय होता है और न ही इतनी क्षमता व तकनीकी ज्ञान कि वह सार्वजनिक व्यय की सूक्ष्मता एवं गहराई से जाँच-पड़ताल कर सके। सामान्य रूप से संसद सदस्य सामान्य योग्यता व सामान्य ज्ञान के व्यक्ति होते हैं, वे वित्तीय तकनीकी ज्ञान से अनभिज्ञ भी होते हैं। अतः सार्वजनिक व्यय का बारीकी से लेखांकन का कार्य, कार्यपालिका के नियंत्रण से मुक्त एक स्वतंत्र लोक सेवकों के वर्ग द्वारा कराया जाता है, जो अपना प्रतिवेदन संसद के समक्ष प्रस्तुत करते हैं। संसद लेखांकन के प्रतिवेदन की जाँच के लिए एक विशेष समिति का गठन करती है जिसे लोक लेखा समिति कहा जाता है। यह समिति महालेखा परीक्षक के प्रतिवेदन की जाँच करके अपनी रिपोर्ट संसद के समक्ष प्रस्तुत करती है।

संगठन (Organization)

भारत में लोक लेखा समिति का गठन 1919 के मॉण्टफोर्ड सुधारों के फलस्वरूप सर्वप्रथम 1921 में हुआ था। "अपने प्रारंभ से ही केन्द्रीय लोक लेखा समिति सार्वजनिक व्यय के विधायी नियंत्रण की एक व्यापक शक्ति बन गयी। इसके संगठन तथा इसकी सत्ता की सीमाओं के बावजूद इसने सरकार पर सार्वजनिक धन के व्यय में मितव्ययिता के संबंध में दबाव डाला है।" केन्द्रीय सरकार के विभागों को सर्वप्रथम अपने खर्चे के औचित्य को सिद्ध करने के लिए बाध्य किया गया। लेकिन यह निकाय वास्तव में संसदीय समिति नहीं थी। सदस्य ही इसका सभापति होता था और वित्त विभाग ही समिति के सचिवालय की व्यवस्था करता था। चूँकि कार्यपालिका परिषद् का सदस्य समिति का सभापति होता था, अतः उसकी उपस्थिति में कार्यपालिका की आलोचना करने तथा विचारों को स्वतंत्रता से व्यक्त करने में कठिनाई आती थी।

स्वाधीन होने और 1950 में संविधान लागू होने के साथ इस समिति में से सरकारी तत्त्व हट गये और यह समिति सच्ची संसदीय समिति बन गयी। संसदीय कार्यवाही तथा प्रक्रिया नियम 143 में 4 मई, 1951 के संशोधन के अंतर्गत इसमें 15 सदस्य थे जो सब लोकसभा के सदस्य होते थे। 1953 में सदस्यों की संख्या बढ़ाकर 22 कर दी गयी जिनमें से 15 सदस्य लोकसभा तथा 7 सदस्य राज्यसभा से लिये जाते हैं। इस समिति के सदस्यों का कार्यकाल एक वर्ष का होता है। समिति में किसी मंत्री को नियुक्त नहीं किया जा सकता।

1967 तक शासक दल का सदस्य ही समिति का सभापति होता था 1967 से यह परम्परा पड़ी है कि विपक्षी दल का ही कोई नेता लोकलेखा समिति का सभापति होता है। विरोधी दल के नेता मीनू मसानी को सर्वप्रथम लोक लेखा समिति का अध्यक्ष मनोनीत किया गया।

कार्य (Functions)

लोकसभा के 'कारोबार तथा प्रक्रिया संबंधी नियमों' के अनुसार लोक लेखा समिति का कार्य निम्न बातों को पूर्णतः संतुष्ट कर लेना होता है:

1. लेखों में रकम का जो खर्च दिखाया गया है क्या वह रकम उसी उद्देश्य व कार्य के लिए वैधानिक रूप से उपलब्ध थी अथवा उसी के लिए प्रभूत थी जिसके लिए वह प्रयुक्त की गयी है या भारित दिखाई गयी हैं।
2. व्यय नियंत्रण करने वाली सत्ता के अनुरूप है।
3. लेखा नियंत्रक एवं महालेखा परीक्षक की रिपोर्ट के आधार पर राज्य निगमों के वित्तीय लेखों का परीक्षण, व्यापार तथा निर्माण करने वाले निगमों के लेखों का परीक्षण करना।
4. क्या प्रत्येक पुनर्विनियोजन अधिकृत व सक्षम अधिकारी के द्वारा निर्मित नियमों के अनुसार हुआ है या नहीं।
5. ऐसे विषयों के संबंध में नियंत्रक व महालेखा परीक्षक की रिपोर्ट पर विचार करना जिनके संबंध में राष्ट्रपति उससे किसी भी व्यय या आय प्राप्ति का लेखा परीक्षण करने या भण्डारों तथा शेष माल के लेखों के परीक्षण का आदेश करें।
6. स्वायत्त तथा अर्धस्वायत संगठनों की आय तथा व्यय के लेखों का परीक्षण, बशर्ते कि इनका अंकेक्षण राष्ट्रपति के आदेशों के अधीन या संसदीय विधि के अंतर्गत नियंत्रण महालेखा परीक्षक ने किया हो।

कार्य-विधि (Working Method):

लोक लेखा समिति "लोकसभा के कारोबार व प्रक्रिया संबंधी नियमों के अनुसार अपने कार्य सम्पादन हेतु प्रमाण के लिए व्यक्तियों या अभिलेखों को अपने समक्ष प्रस्तुत करने का आदेश दे सकती है।" यह विचाराधीन

लेखों के संबंध में विभागीय आधिकारियों से जानकारी ले सकती है, प्रश्न पूछ सकती है। समिति की जाँच का आधार नियंत्रक एवं महालेखा परीक्षक का प्रतिवेदन होता है। जब किसी मंत्रालय या विभाग के लेखों की जाँच की जाती है तब उस मंत्रालय का सचिव समिति के समक्ष स्वयं उपस्थित होता है। समिति और नियंत्रक एवं महालेखा परीक्षक एक-दूसरे के लिए पूरक हैं। समस्त जानकारी नियंत्रक एवं महालेखा परीक्षक से ही प्राप्त होती है। उचित ही उसे समिति का मुख्य कार्याधिकारी, मार्ग-दर्शक व मित्र कहा गया है। वह वस्तुतः समिति का कार्य करने वाली भुजा है।

समिति यह पता लगाने के लिए कि संसद द्वारा स्वीकृत धन का उपयोग सरकार द्वारा उसी मद में किया गया, लेखा-नियंत्रक एवं महालेखा परीक्षक के प्रतिवेदन की समीक्षा करती है। माँग के क्षेत्राधीन वाक्यांश का अर्थ है– (*i*) सार्वजनिक व्यय संसदीय पूर्वानुमोदन के अभाव में संसद द्वारा स्वीकृत विनियोजनों से अधिक नहीं होना चाहिए; (*ii*) अनुदान उसी प्रयोजन के लिए उपयोग में लाया जाना चाहिए जिसके लिए संसद द्वारा उसका अनुमोदन किया गया हो; तथा (*iii*) किसी माँग के अंतर्गत जिन वस्तुओं पर व्यय किया गया है, उन्हें औचित्यपूर्ण होना चाहिए।

इस प्रकार समिति इस बात की समीक्षा भी करती है कि अनुमान किस प्रकार बनाये जाते हैं जिससे मदों की संख्या कम करने की प्रवृत्ति को रोका जा सके या बड़ी धनराशि के प्रावधानों को सम्मिलित किया जा सके, क्योंकि यह माना जाता है कि इस प्रकार के अनुमानों पर संसदीय नियंत्रण कम हो जाता है। समिति लेखों की भी जाँच करती है ताकि फिजूलखर्ची पर नियंत्रण किया जा सके। लेखों के समुचित परीक्षण के बाद समिति अपना प्रतिवेदन तैयार करती है। सामान्य रूप से समिति की सिफारिशों को सरकार स्वीकार कर लेती है। यदि सरकार और समिति में मतभेद होता है तो मतभेद के मुद्दे के कारण समिति को बताये जाते हैं। समिति अपनी सिफारिशों पर पुनर्विचार कर सकती है। इसका कार्य तो नीति के अंतर्गत किये गये खर्च का औचित्य देखने तथा मितव्ययिता के सुझाव देने तक समिति है। इसका लक्ष्य सभी वित्तीय मामलों में सार्वजनिक नैतिकता का उच्च स्तर कायम रखना है।

लोक-लेखा समिति जहाँ आवश्यक समझती है वह किसी भी विषय की सूक्ष्म जाँच के लिए अपने सदस्यों की एक उपसमिति गठित कर सकती है।

प्राक्कलन या अनुमान समिति (Estimate Committee : EC)

लोक लेखा समिति केवल वैसी ही बातों की जाँच करती है जिनमें धन पहले से व्यय किया जा चुका है परन्तु विधायिका को एक ऐसी समिति की भी आवश्यकता होती है जो उसको इस विषय में सलाह दे सके कि प्रत्येक कार्य को मितव्ययिता के साथ कैसे पूर्ण किया जा सके। साथ ही संसद के अधिकांश सदस्य वित्तीय मामलों की तकनीक से परिचित नहीं होते हैं। अतः सम्पूर्ण सदन बजट में प्रस्तुत अनुदान की माँगों के औचित्य व आवश्यकता को नहीं समझ पाता। इसके लिए संसद की एक ऐसी समिति का गठन किया जाता है जो संसद के समक्ष प्रस्तुत अनुदान मांगों की ब्यौरेवार समीक्षा करती है तथा व्यय करने से पहले ही खर्च में मितव्ययिता लाने के सुझाव देती है। इसी उद्देश्य की पूर्ति के लिए विधायिका ने एक अन्य समिति का निर्माण किया है जिसे अनुमान या प्राक्कलन समिति कहा जाता है। यह भी वित्तीय नियंत्रण की दृष्टि से महत्वपूर्ण समिति है। इस समिति का मुल 1921 में स्थापित वित्तीय समिति में देखा जा सकता है। स्वतंत्रता पश्चात् पहली बार जॉन मथाई की सिफारिश पर 1950 में प्राक्कलन समिति का गठन किया गया।

संगठन (Organization)

लोक लेखा समिति से भिन्न इसमें राज्यसभा के सदस्यों को प्रतिनिधित्व नहीं दिया जाता है। इसके कार्य, नियुक्ति की रीति तथा अन्य संबंधित विषय लोकसभा की प्रक्रिया तथा कार्य-संचालन के नियमों द्वारा निर्धारित किये जाते हैं"। इस समिति के सदस्यों का निर्वाचन लोकसभा के सदस्यों में से *आनुपातिक प्रतिनिधित्व* एक *एकल-संक्रमणीय गत पद्धति* (Single Transferable Vote System) के आधार पर होता है। प्रारंभ में इसके सदस्यों की संख्या 25 थी जो 1956 में बढ़ाकर 30 कर दी गयी। अध्यक्ष समिति के सभापति को मनोनीत करता है। यदि उपाध्यक्ष इस समिति का सदस्य होता है तो वह स्वतः इसका सभापति बन जाता है। मंत्रिगण इस समिति के सदस्य नहीं होते हैं। सदस्यों का कार्यकाल एक वर्ष होता है, किन्तु उन्हें पुनः निर्वाचित होने का अधिकार है। इससे समिति की सदस्यता में निरंतरता बनी रहती है।

इसका मुख्य उद्देश्य तो इस बात से संतुष्ट रहना होना है कि निर्धारित नीति के अंतर्गत अधिकतम मितव्ययिता के साथ न्यूनतम व्यय किया जाये। सरकार द्वारा स्वीकृत योजनाओं व परियोजनाओं को कार्यान्वित करते हुए व्यय में मितव्ययिता को सुनिश्चित करना है।

कार्य (Functions)

अनुमान समिति के मुख्य कार्य निम्नलिखित हैं :

1. समिति किसी ऐसी नीति का पालन करने का सुझाव देती है जिससे प्रशासन के कार्य में कुशलता लायी जा सके।
2. प्रशासनिक सुधारों द्वारा मितव्ययिता लाने के लिए उचित सुझाव देती है।
3. अनुमान समिति अपने कार्यों को पूरा करने के लिए उपसमितियों का गठन करती है। उपसमितियों को किसी भी प्रकार का कार्य सौंपा जा सकता है और उसके द्वारा प्रस्तुत प्रतिवेदनों का वही महत्व होता है जो अनुमान समिति के प्रतिवेदनों का होता है।
4. समिति इस बात को भी देखती है कि प्रशासकीय क्रियाओं में लगाया गया धन अनुमानों में निहित सीमाओं के अंतर्गत व्यय किया गया है या नहीं।
5. समिति सरकारी अधिकारियों की सुनवाई कर सकती है और एक ऐसी प्रश्नावली तैयार करती है जिनके प्रश्नों का उत्तर विभागाध्यक्ष को देना पड़ता है।
6. यह समिति उन उपायों के विषय में सुझाव देती है जिनके द्वारा अनुमानों को संसद में प्रस्तुत किया जाता है।

इस प्रकार समिति संसद के समक्ष प्रस्तुत किये जाने वाले अनुमानों में निहित नीतियों से संगति रखते हुए मितव्ययिता संबंधी सुझाव देती है। यह नीति संबंधी प्रश्नों में हस्तक्षेप नहीं करती है।

कार्य-विधि (Working Method)

प्राक्कलन समिति सालभर के लिए अनुमानों का चयन करके अपने कार्यों की योजना तैयार करती है। समिति अपने कार्यों को सुचारु रूप से करने के लिए समय-समय पर उपसमितियों का गठन करती है। अनुमान समिति अनुमानों की जाँच करते समय सरकारी अधिकारियों को स्पष्टीकरण के लिए बुला सकती है। मंत्रालयों/विभागों के विभागध्यक्षों को प्रश्नावली भेजकर सूचना एकत्र कर सकती है। उनसे आँकड़े, चार्ट या अभिलेख माँग सकती है। समिति जिन मंत्रालय या मंत्रालयों के अनुमानों का परीक्षण करना चाहती है उनके प्राक्कलन चुन लेती है। इन प्राक्कलनों की जाँच के लिए निर्धारित प्रारूपों का उपयोग किया जाता है।

इन प्रारूपों में संबंधित मंत्रालयों से निम्न सूचनाएँ माँगी जाती हैं– 1. मंत्रालयों का गठन तथा इसके संबद्ध व अधीनस्थ कार्यालय, 2. मंत्रालय व इसके अधीनस्थ कार्यालयों के प्राक्कलन के आधारों का वर्णन, 3. मंत्रालय के अधीन चल रही योजनाएँ व परियोजनाएँ, 4. पिछले तीन वर्षों में उपशीर्षकों के अंतर्गत किया गया व्यय, 5. पिछले वर्ष के खर्च तथा वर्तमान अनुमानों में अंतर, एवं 6. अन्य कोई सूचना जो मंत्रालय देना चाहे।

समिति का प्रतिवेदन (Report of the Committee)

समिति अनुमानों की जाँच के बाद अपना प्रतिवेदन लोकसभा में प्रस्तुत करती है। प्रतिवेदन पर कोई नियमित वाद-विवाद नहीं होता, फिर भी सदस्यगण बजट पर चर्चा करते समय तथा अनुदानों की माँगों के बीच प्रतिवेदन का विस्तार से उल्लेख करते हैं। सामान्यतः समिति की सिफारिशों पर सरकार अमल करती है। मतभेद की स्थिति में अंतिम निर्णय संसद का होता है। अनुमान समिति के प्रतिवेदन में तीन प्रकार की सिफारिशें होती हैं– 1. संगठनात्मक सुधार, 2. अर्थव्यवस्था के सुनिश्चित अनुमान उपस्थित करने संबंधी और 3. मार्गदर्शन संबंधी सुझाव।

अनुमान समिति ने अपनी शर्तों की सदैव ही उदारतापूर्वक व्याख्या की है। समिति का यह मत है कि मितव्ययिता, कार्यकुशलता तथा संगठन परस्पर संबंधित होते हैं। इसका द्वितीय प्रतिवेदन भारत सरकार के विभागों तथा सचिवालय के पुनर्गठन के संबंध में था। इसका नवाँ प्रतिवेदन प्रशासकीय, वित्तीय तथा अन्य सुधारों के प्रश्नों से तथा सोलहवाँ प्रतिवेदन राष्ट्रीयकृत उद्यमों के संगठन तथा प्रशासन से संबंधित था। चौथा प्रतिवेदन नदी-घाटी योजनाओं से संबंधित था। फलस्वरूप, दामोदर घाटी निगम से संबंधित अनुमान समिति की आलोचनाओं तथा सिफारिशों की परिनिरीक्षा करने के लिए उच्चस्तरीय राव समिति की नियुक्ति की गयी थी।

अपने प्रतिवेदनों के माध्यम से इस समिति ने प्रशासकीय एवं वित्तीय दोनों क्षेत्रों में महत्वपूर्ण व उपयोगी सुझाव दिए हैं। 'बजटीय सुधार' और 'नागरिक व्यय की वृद्धि' की समस्याओं पर विस्तृत गवेषणा करके अपने सुझाव दिए हैं। इसके प्रतिवेदन प्रकाशित होते हैं जनमत बनाने में सहायता मिलती है। इसकी अधिकांश सिफारिशें स्वीकृत की गयी हैं।

लोक उपक्रम समिति (Committee on Public Undertaking : CPU)

आजादी के बाद भारत में अर्थव्यवस्था का मिश्रित मॉडल अपनाया गया जिसमें निजी एवं सार्वजनिक दोनों तरह के उद्यमों की स्थापना की ओर ध्यान दिया गया। ऐसी स्थिति में लोक उपक्रमों की संख्या में लगातार बढ़ोतरी स्वाभाविक था। फलस्वरूप लोक उपक्रमों के कार्यकरण तथा वित्तीय प्रक्रियाओं पर संसदीय नियंत्रण स्थापित करने के लिए एक समिति की आवश्यकता अनुभव की गई। सर्वप्रथम दिसम्बर, 1953 में एक निर्दलीय सदस्य डॉ. लंका सुन्दरम् ने लोकसभा में यह माँग उठायी कि लोक उपक्रमों पर नियंत्रण हेतु एक समिति का गठन किया जाए ताकि लोक उपक्रमों पर मंत्रियों के नियंत्रण, संसद के अधिकार तथा आम व्यक्ति (करदाता) के धन के समुचित उपयोग को सुनिश्चित किया जा सके। तत्कालीन लोकसभा अध्यक्ष जी.वी. मावलंकर ने प्रधानमंत्री पण्डित नेहरू को इस संबंध में पत्र लिखा जिसमें लोक लेखा समिति एवं अनुमान समिति की व्यस्तताओं के साथ-साथ लोक उपक्रमों की नीतियों, परिचालन एवं विशिष्ट कार्यप्रणाली के अंतर्गत इस समिति की उपादेयता का वर्णन था। इस मुद्दे पर आगे जाँच करने हेतु वी.के. कृष्ण मेनन समिति गठित की गयी जिसने लोक उपक्रमों पर समिति के गठन की अनुशंसा के साथ यह सुझाया था कि यह समिति लोक उपक्रमों पर सर्वोच्च प्रबंधक मण्डल या छिद्रान्वेषक के रूप में कार्य नहीं करेगी। सन् 1956 में जीवन बीमा निगम विधेयक पर चर्चा के दौरान श्री अशोक मेहता ने पुनः इस समिति के गठन का प्रश्न उठाया। ऐसी ही अनुशंसा योजना आयोग द्वारा की जा चुकी थी। अतः लोकसभा ने नवम्बर, 1963 में लोक उपक्रमों पर समिति से संबंधित एक प्रस्ताव स्वीकार कर लिया तथा 1 मई, 1964 को यह समिति अस्तित्व में आयी। शुरू में इस समिति में 15 सदस्य (10 लोकसभा तथा 5 राज्यसभा) सम्मिलित थे जिनकी संख्या वर्ष 1974-75 में बढ़ा दी गई।

संगठन (Organization)

लोक उपक्रमों पर समिति (Committee on Public Undertakings) कोपू (CPU) भी कहा जाता है, में अब 22 सदस्य होते हैं। लोकसभा से 15 सदस्य तथा राज्यसभा से 7 सदस्य आनुपातिक प्रतिनिधित्व की एकल संक्रमणीय मत प्रणाली द्वारा प्रतिवर्ष चुने जाते हैं। लोक लेखा तथा अनुमान समिति की भाँति इस समिति में भी एक-तिहाई नये सदस्य प्रतिवर्ष सम्मिलित हो जाते हैं। समिति में कोई भी मंत्री सदस्य नहीं बनता है तथा इसके अध्यक्ष की नियुक्ति लोकसभा के द्वारा की जाती है।

कार्य (Functions)

लोक उपक्रमों पर समिति को निम्न महत्वपूर्ण कार्य सौंपे गये हैं जो केन्द्र सरकार के अधीन कार्यरत सार्वजनिक निगमों तथा कम्पनियों से संबंधित हैं :

1. निर्धारित अनुसूची में वर्णित लोक उपक्रमों के प्रतिवेदन तथा लेखाओं का परीक्षण करना;
2. नियंत्रक एवं महालेखा परीक्षक की लोक उपक्रमों से संबंधित रिपोर्टों का परीक्षण करना;

3. लोक उपक्रमों की स्वायत्तता तथा कार्यदक्षता के संदर्भ में इनके प्रबंधकीय व्यवहारों का स्वस्थ व्यापारिक तथा वाणिज्यिक सिद्धांतों के क्रम में परीक्षण करना; तथा
4. लोक लेखा समिति तथा अनुमान समिति के उन कार्यों का परीक्षण करना जो लोक उपक्रमों से संबंधित हैं अथवा लोकसभा के अध्यक्ष द्वारा इन समितियों को सौंपे गये हैं।

सीमाएँ (Limitations)

लोक उपक्रमों पर समिति की कतिपय सीमाएँ भी निर्धारित की गई हैं:

1. यह समिति सरकार की प्रमुख नीतियों से संबंधित प्रकरणों पर जाँच नहीं कर सकती है।
2. लोक उपक्रमों के दैनन्दिन प्रशासन पर टिप्पणी नहीं कर सकती है।
3. किसी विशिष्ट निकाय की स्थिति प्राप्त लोक उपक्रमों के कतिपय प्रकरणों की जाँच नहीं कर सकती है।

लोक उपक्रम समिति के कार्यक्षेत्र में समस्त लोक उपक्रम नहीं आते हैं बल्कि इस हेतु एक तीन खण्डीय अनुसूची बनी हुई है जिसमें उन उपक्रमों का वर्णन है जिनकी जाँच यह समिति कर सकती है।

कार्य-प्रणाली (Working Method)

लोक उपक्रमों पर समिति का मुख्य दायित्व केंद्र सरकार के उद्यमों के लेखाओं तथा प्रतिवेदनों की जाँच करना है। समिति अपनी पूर्ण बैठक में कार्यप्रणाली निश्चित करती है। प्रतिवर्ष सभी लोक उपक्रमों की जाँच के बजाय कुछ उपक्रमों को ही चुना जाता है। यह चुनाव लोक उपक्रमों के प्रतिविदेन तथा नियंत्रक एवं महालेखा परीक्षक की रिपोर्ट के आधार पर ही होता है। समिति के सदस्य संबंधित उपक्रम के कार्यकरण तथा लेखा से संबंधित समस्त रिकॉर्ड देखते हैं। अंत में तीन प्रकार की एक रिपोर्ट अनुशंसाओं के रूप में प्रस्तुत की जाती है: *प्रथम रिपोर्ट* में व्यक्तिगत उपक्रम, *दूसरी* में उपक्रमों के विभिन्न कार्यों, यथा– वित्त, प्रबंध, कार्मिक, उत्पादन, सामग्री तथा विपणन इत्यादि का वर्णन होता है, और *तीसरी रिपोर्ट* सरकार द्वारा की गयी कार्यवाहियों से संबंधित होती है।

विभागीय (विषय) समितियाँ (Departmental Committees)

लोकसभा के नियमों की समिति की अनुशंसा पर 8 अप्रैल, 1993 को 17 'स्थायी समितियों' की स्थापना की गई थी। ये समितियाँ उपर्युक्त तीन स्थाई समितियों से पृथक् हैं। पूर्व में प्रत्येक समिति में 45 सदस्य होते थे जिनमें 15 राज्यसभा से तथा 30 लोकसभा से एक वर्ष के लिए मनोनीत किये जाते थे। ग्यारह समितियों के अध्यक्ष लोकसभा से तथा छः के राज्यसभा से लिये जाते थे। सन् 2004 में किए गए संशोधन के पश्चात् संसद की 'स्थायी समितियों' की संख्या 17 से बढ़ाकर 24 कर दी गई है। अब प्रत्येक समिति में 21 लोकसभा से तथा 10 सदस्य राज्यसभा से (कुल 31) होते हैं। इनमें से 16 समितियाँ लोकसभा की तथा 8 राज्यसभा की हैं। यह व्यवस्था मंत्रालयों की अधिक संख्या तथा विधेयकों की बढ़ती संख्या के कारण करनी पड़ी है।

कार्य (Functions)

इन समितियों के निम्नलिखित कार्य हैं:

1. भारत सरकार के विभिन्न मंत्रालयों या विभागों की अनुदान माँगों पर विचार करना और उसके बारे में सदन को सूचित करना।
2. लोकसभा अध्यक्ष तथा राज्यसभा के सभापति द्वारा समिति को भेजे गए इस प्रकार के विधेयकों की जाँच-पड़ताल करना और जैसा भी मामला हो उसके बारे में रिपोर्ट तैयार करना।
3. सदन में प्रस्तुत किए गए दस्तावेजों आदि यदि लोकसभा अध्यक्ष या राज्यसभा के सभापति द्वारा उसे समिति को भेजा गया है तो उस पर विचार करना और जैसा भी हो उसके बारे में रिपोर्ट तैयार करना।
4. मंत्रालयों और विभागों की वार्षिक रिपोर्टों पर विचार करना और उसकी रिपोर्ट बनाना।

विषय या विभागीय समितियाँ निरंतर और समवर्ती आधार पर संबंधित मंत्रालय या विभाग या संबद्ध संगठन के कामकाज और गतिविधियों की जाँच करती हैं तथा विस्तृत अध्ययन के पश्चात् सामने आने वाले समसामयिक हित के विषयों की पुनः जाँच करती हैं। बजट सत्र में विभागों की अनुदान माँगों पर पूर्ण गहराई से परीक्षण कर रिपोर्ट देती हैं। इस प्रकार विषय समितियों का गठन करके संवैधानिक संरचना और प्रशासनिक तथा विधायी कार्यों की निगरानी करने में सहायता मिलती है।

भारत का नियंत्रक एवं महालेखा परीक्षक (Comptroller and Auditor General of India)

लोकवित्त की सुरक्षा का सबसे बड़ा साधन स्वतंत्र लेखापरीक्षण है। लेखा-परीक्षण को देश के वित्तीय कार्यों पर नियंत्रण रखने का सबसे महत्वपूर्ण साधन माना गया है। भारत में इस कार्य को संपन्न करने का भार एक पदाधिकारी के जिम्मे सौंप दिया गया है। वह पदाधिकारी है– नियंत्रक एवं महालेखा परीक्षक। भारत का नियंत्रक एवं महालेखा परीक्षक (CAG) भारतीय संविधान में वर्णित (अनुच्छेद-148) सबसे महत्वपूर्ण अधिकारी है। वह ऐसा व्यक्ति है जो यह देखता है कि संसद द्वारा अनुमन्य खर्चों की सीमा से अधिक धन खर्च न होने पाए या संसद द्वारा विनियोग अधिनियम में निर्धारित मदों पर ही धन खर्च किया जाए। महालेखाकार का कार्यालय वर्ष 1858 में स्थापित किया गया था। वर्ष 1860 में सर एडवर्ड ड्रमंड को पहले ऑडिटर जनरल के रूप में नियुक्त किया गया। इसके कुछ सयम बाद भारत के महालेखा परीक्षक को भारत सरकार का लेखा परीक्षक और महालेखाकार कहा जाने लगा। वर्षा 1866 में इस पद का नाम बदलकर नियंत्रक महालेखा परीक्षक कर दिया गया और 1884 में इसे भारत के नियंत्रक और महालेखा परीक्षक के रूप में फिर से नामित किया गया। भारत सरकार अधिनियम, 1919 के तहत महालेखा परीक्षक को सरकारी नियंत्रण से मुक्त कर दिया गया क्योंकि इस पद को वैधानिक दर्जा दिया गया था। भारत सरकार अधिनियम, 1935 ने संघीय ढाँचे में प्रांतीय

लेखा परीक्षकों के लिए प्रावधान करके महालेखा परीक्षक के पद को और शक्ति दी। स्वतंत्र भारत के संविधान में कैग को देश के सार्वजनिक कोष का संरक्षक कहा गया है। उसका काम यह देखना है कि संसद की अनुमति के बिना प्रशासकीय विभागों द्वारा कोई खर्च नहीं हो। उसे ऐसे कार्य की जिम्मेदारी सौंपी गई है कि उसे कार्यपालिका के नियंत्रण से मुक्ति का आश्वासन प्रदान किया गया है और उसके पद की स्वतंत्रता की रक्षा के लिए निम्नलिखित व्यवस्थाएँ की गई हैं–

(*i*) उसकी नियुक्ति राष्ट्रपति के द्वारा अवश्य होगी, परंतु राष्ट्रपति उसे हटा नहीं सकता। उसको उसके पद से हटाने के लिए वही तरीका अपनाया गया है, जो सर्वोच्च न्यायालय के न्यायाधीश के लिए है।

(*ii*) उसके वेतन तथा उसके कार्यकाल में कमी नहीं की जा सकती। उसका कार्यकाल 6 वर्ष या 65 वर्ष की आयु तक होता है (दोनों में से जो भी पहले हो)।

(*iii*) अवकाश ग्रहण करने के बाद वह कोई दूसरी नौकरी नहीं कर सकता।

(*iv*) उसके वेतन तथा उसके कार्यालय पर होने वाले खर्च भारत की संचित निधि पर भारित होंगे, अतः उसे संसद के मत के लिए नहीं रखा जाएगा।

इस संबंध में एक जानने योग्य बात यह है कि यह शर्त रहते हुए भी कि नियंत्रक एवं महालेखा परीक्षक अवकाश ग्रहण करने के बाद कोई दूसरी नौकरी नहीं कर सकता, श्री ए.के. चंदा को नियंत्रक एवं महालेखा परीक्षक के पद से अवकाश ग्रहण करने के बाद तृतीय वित्त आयोग का अध्यक्ष बनाया गया। यही कारण है कि लोकसभा में सदस्यों द्वारा इस पर प्रश्नों की बौछार की गई। लोकसभा के सदस्यों का कहना था कि वित्त आयोग के अध्यक्ष का पद सरकारी है, अतः उस पर अवकाश प्राप्त नियंत्रक एवं महालेखा परीक्षक की नियुक्ति कर संविधान की भावना को धक्का पहुँचाया गया है। इससे नियंत्रक और महालेखा परीक्षक कार्यपालिका के प्रभाव से मुक्त नहीं हो सकता। सरकार की दलील यह थी कि वित्त आयोग के अध्यक्ष का पद कोई लाभ का पद नहीं है। वित्त आयोग के अध्यक्ष को केवल भत्ते दिए जाते हैं, वेतन नहीं। यह एक स्वतंत्र पद है, जिसे भारत सरकार के नियंत्रण से मुक्त रखा गया है। कारण चाहे जो हो, परंतु यदि हम चाहते हैं कि सर्वोच्च न्यायालय के न्यायाधीश की तरह नियंत्रक और महालेखा परीक्षक का पद स्वतंत्र रहे तो अवकाश प्राप्त करने के बाद उसे किसी दूसरे पद पर बैठाना ठीक प्रतीत नहीं होता।

नियंत्रक एवं महालेखा परीक्षक के अधिकार और कार्य

नियंत्रक एवं महालेखा परीक्षक के अधिकार और कार्यों का निश्चय लेखा व लेखा परीक्षा आदेश, 1936 के अनुसार किया गया था। हमारे संविधान के अनुच्छेद 149 में केवल इतना कहा गया है कि नियंत्रक एवं महालेखा-परीक्षक के अधिकार और कार्य जब तक संसद अधिनियम बनाकर निश्चित नहीं करती तब तक लेखा-आदेश, 1936 के अनुसार ही उसके अधिकार और कार्य माने जाएँगे। बाद में 1971 में नियंत्रक एवं महालेखा परीक्षक के कर्तव्य, अधिकार और सेवा-शर्त अधिनियम पारित किया गया। 1 मार्च, 1976 को इसमें भी संशोधन हुआ और नियंत्रक महालेखा परीक्षक का कार्य लेखा परीक्षण तक सीमित कर दिया गया। लेखांकन-कार्य के उत्तरदायित्व से उसे मुक्त कर दिया गया है।

लेखा परीक्षण–संबंधी अधिकार और कार्य

जैसा कि पहले ही स्पष्ट किया जा चुका है कि नियंत्रक एवं महालेखा परीक्षक के जिम्मे लेखा रखने के साथ-साथ लेखापरीक्षण का कार्य भी सौंपा गया है। वास्तव में लेखापरीक्षण ही उसका प्रमुख कार्य है। लेखापरीक्षण-संबंधी उसके कार्य और अधिकार निम्नलिखित हैं–

(*i*) महालेखा परीक्षक के रूप में उसे केन्द्रीय सरकार और राज्य सरकारों के हिसाब-किताब की लेखा-परीक्षा करनी पड़ती है। उसे यह देखना पड़ता है कि लेखा में जिस धन का वितरण दिखाया गया है वह प्रस्तुत प्रयोजन के लिए वैध रूप से प्राप्त था अथवा नहीं। साथ ही, उसे यह भी देखना पड़ता है कि जिस प्रयोजन में धन लगाया गया उसमें लगाया जाना चाहिए था या नहीं।

(*ii*) महालेखा परीक्षक के ऊपर केन्द्र एवं राज्यों के किसी विभाग द्वारा तैयार किए गए ऋण, जमा, भुगतान आदि सभी व्यापार, निर्माण, लाभ-हानि आदि के लेखों से संबंधित लेन-देन की जाँच करने का भी भार सौंपा गया है।

(*iii*) आवश्यकता पड़ने पर उसे केन्द्रीय तथा राज्य सरकारों को ऐसी बातों की भी जानकारी देनी पड़ती है जो वार्षिक वित्तीय विवरण तैयार करने के लिए आवश्यक समझी जाएँ।

(*iv*) महालेखा परीक्षक को वार्षिक प्रतिवेदन भी तैयार करना पड़ता है। इस प्रतिवेदन में लेखा-परीक्षा करने वाले प्राधिकारी के खर्च व अन्य वित्तीय लेन-देन के गलत-सही होने के संबंध में टिप्पणियाँ दी जाती हैं। प्रतिवेदन में कुछ वित्तीय अनियमितताओं की ओर भी ध्यान आकृष्ट किया जाता है; जैसे– बजट-अनुमान की सीमा से बाहर जाने, खर्च के लिए अपेक्षित मंजूरी न लेने, नियमों-विनिमयों का पालन न करने, अनुचित और निरर्थक खर्च, गलत विनियोग और गबन आदि। केन्द्रीय सरकार का वार्षिक प्रतिवेदन वह राष्ट्रपति के समक्ष प्रस्तुत करता है तथा राज्य सरकार का वार्षिक प्रतिवेदन राज्यपाल के समक्ष प्रस्तुत करता है– राष्ट्रपति और राज्यपालों को इन प्रतिवेदनों को क्रमशः संसद और राज्य-विधानमण्डलों के समक्ष प्रस्तुत करना पड़ता है।

महालेखा परीक्षक का कार्य प्रतिवर्ष राष्ट्रपति तथा राज्यपालों के पास अपना प्रतिवेदन भेजना है, जिसकी जाँच संसद के दोनों सदनों तथा राज्य के विधानमण्डलों द्वारा की जाती है। अतः, यह कहना गलत नहीं होगा कि भारत में संघात्मक पद्धति रहते हुए भी महालेखा परीक्षक की शक्तियों को अत्यधिक केन्द्रित बनाया गया है। इसे भारतीय लेखापरीक्षण-पद्धति की एक विशेषता कहा जा सकता है।

करारोपण नीतियाँ-करारोपण के सिद्धान्त-प्रगतिशील तथा आनुपातिक करारोपण-करारोपण नीतियों में सुधार

करारोपण नीतियाँ

वर्तमान वित्तीय नीति का स्वरूप प्राचीन वित्तीय नीति से सर्वथा भिन्न हो गया है। वित्तीय नीति को नया मोड़ देने के लिए सबसे अधिक श्रेय कीन्स को है। वित्तीय नीति के अन्तर्गत हम करारोपण, सार्वजनिक व्यय तथा सार्वजनिक ऋण की उन क्रियाओं का विवेचन करते हैं जिनके द्वारा सरकार पूर्व-निर्धारित उद्देश्यों की प्राप्ति करती है। आर्थर स्मिथीज के अनुसार, वित्तीय नीति वह नीति है जिसमें सरकार अपने व्यय तथा आगम के कार्यक्रम को राष्ट्रीय आय, उत्पादन तथा रोजगार पर इच्छित प्रभाव डालने तथा अवांछित प्रभावों को रोकने के लिए प्रयुक्त करती है।

हॉर्वे एवं जानसन के अनुसार, ''अर्थव्यवस्था की क्रियाओं के स्तर एवं स्वरूप में परिवर्तन लाने के उद्देश्य से शासकीय व्यय एवं कराधान में जो परिवर्तन लाए जाते हैं उन्हें वित्तीय नीति में शामिल किया जाता है। ''ओटो एक्सटीन के अनुसार, ''राजकोषीय नीति का अर्थ करों एवं व्यय में होने वाले परिवर्तनों से है जिसका उद्देश्य पूर्ण रोजगार और कीमतों में स्थायित्व के अल्पकालीन लक्ष्यों को प्राप्त करना होता है।''

उपर्युक्त परिभाषाओं में वित्तीय नीति के उपकरण के रूप में सार्वजनिक ऋण की उपेक्षा की गयी है।

ब्राइट और निकलस की परिभाषा इस अर्थ में व्यापक हैं। इनके अनुसार– ''वित्तीय नीति सरकारी व्यय तथा करों के प्रबन्ध और सार्वजनिक कर्जों को संचालन करने से सम्बन्ध रखती है।''

राजकोषीय नीति की निम्नलिखित विशेषताएँ है–

1. इसके प्रमुख अंग सार्वजनिक आय, सार्वजनिक व्यय, सार्वजनिक ऋण एवं घाटे की वित्त व्यवस्था है।
2. वित्तीय नीति बजट नीति है जिसका संचालन वित्त मंत्रालय द्वारा किया जाता है।
3. वित्तीय नीति के अन्तर्गत सरकार प्रत्यक्ष हस्तक्षेप करती है।
4. वित्तीय नीति एक सम्पत्तिकारक नीति है, अतः इसके प्रभाव समस्त अर्थव्यवस्था पर पड़ते हैं।
5. व्यापक तौर पर किसी देश के रोजगार, आय कीमत अथवा उत्पादन के स्तर पर वांछनीय प्रभाव डालने के उद्देश्य से इसे संचालित किया जाता है।
6. यह नीति किसी देश की आर्थिक नीति की सहभागिनी है और आर्थिक नीति के लक्ष्यों को प्राप्त करने के उद्देश्य से चलायी जाती है।

करारोपण के सिद्धान्त

करारोपण प्राचीन काल से ही सार्वजनिक आय का मुख्य स्रोत रहा है। आज तो सार्वजनिक आय का एक बड़ा हिस्सा करारोपण से ही प्राप्त किया जाता है। कर राज्य की आय का मुख्य साधन है, जो राज्य को अनिवार्य भुगतान है जो करदाता द्वारा बिना प्रत्यक्ष लाभ प्राप्त की आशा के दिये जाते हैं। प्रो. डी. मार्को के अनुसार, ''कर वह मूल्य है जो कि प्रत्येक नागरिक सरकार को सामान्य सार्वजनिक सेवाओं की लागत के बदले में जिसे वह उपभोग करता है, देता है।'' इस प्रकार, कर एक अनिवार्य भुगतान है जो सरकार व्यक्तियों से सामान्य हित की दृष्टि से प्राप्त करती है और इसके बदले करदाता को कोई प्रत्यक्ष सेवा, सुविधा या वस्तु प्रदान नहीं की जाती।

कर के तत्व

1. कर द्वारा प्राप्त आय का उपयोग सामान्य हित के लिए किया जाता है।
2. कर एक अनिवार्य भुगतान है।
3. करों में करदाता का प्रतिफल रहित त्याग है। कर सेवा का लागत मूल्य नहीं है।
4. सरकार करदाता को कर के बदले कोई विशेष लाभ प्रदान नहीं करती है।
5. कर का उपयोग न्यायोचित उद्देश्य के लिए सामूहिक हित में किया जाता है।
6. कर प्रायः वस्तु पर लगाया जाता है, परन्तु भुगतान व्यक्ति को करना पड़ता है।
7. करारोपण वैधानिक सत्ता पर आधारित होता है।

करारोपण के निम्नलिखित सिद्धान्त हैं–

1. कराधान कम से कम होना चाहिए क्योंकि कराधान उत्पादन पर प्रतिकूल प्रभाव डालता है।
2. यदि सन्तुलित बजट की नीति नहीं अपनायी जाती तो सरकारी खर्च अपव्यय या मुद्रास्फीति सम्बन्धी प्रवृत्तियों को जन्म देती है।
3. सरकार को यथासम्भव उधार का आश्रय नहीं लेना चाहिए क्योंकि जब उधार लिया जाता है तो उधार लिये हुए धन पर ब्याज की अदायगी के लिए अतिरिक्त कर लगाने होते हैं। ये अतिरिक्त कर उत्पादन पर प्रतिकूल प्रभाव डालते हैं।

प्रगतिशील तथा आनुपातिक करारोपण

इस विधि में कर की दर मूल्य या मात्रा बढ़ने के साथ-साथ बढ़ती जाती है। भारत में आय कर की वसूली इसी विधि द्वारा की जाती है जिसमें अपेक्षाकृत कम आय पर इसकी दर कम और अधिक आय पर इसकी दर अधिक है। इस विधि की आलोचना इस आधार पर की जाती है कि इसके द्वारा अनजाने में निम्न वृद्धि दर को प्रोत्साहन मिलता है, क्योंकि इस व्यवस्था में अधिक आय अर्जित करने वाले को एक तरह से दण्ड दिया जाता है और निम्न आय अर्जित करने वाले को पुरस्कृत किया जाता

है। दूसरी तरफ इस व्यवस्था में कर की चोरी होने लगती है, लेकिन यह विधि वास्तव में गरीबों के प्रति मित्रवत् है, जिस कारण विश्व में सबसे प्रचलित कराधान का तरीका है।

समानुपाती कराधान

यह न तो प्रगामी होता है न प्रतिगामी। प्रत्येक स्तर की आय एवं उत्पादन के लिए इस विधि में कर की दर समान होती है। साधारणतया अर्थव्यवस्थाओं द्वारा इसे एक स्वतंत्र कराधान विधि के रूप में उपयोग में नहीं लाया जाता।इसे वास्तव में प्रगामी और प्रतिगामी विधियों के पूरक के रूप में उपयोग में लाया जाता है– अगर प्रगामी विधि में एक स्तर के बाद समानुपातिक व्यवस्था नहीं की जाए तो कर की दर बढ़ती ही चली जाती है और इस प्रकार प्रतिगामी कर व्यवस्था को एक सीमा के बाद अगर समानुपातिक नहीं बनाया जाए तो वह घटता ही चला जाएगा, अर्थात प्रत्येक कर चाहे वह प्रगामी हो या प्रतिगामी एक स्तर के बाद समानुपातिक हो जाता है।

■। करारोपण नीतियों में सुधार

टैक्स जमा करने के संदर्भ में कर प्रशासन को अधिक पारदर्शी, कुशल और करदाता के अनूकूल बनाना भारत की कर सुधारों के प्रमुख समन्वय में एक है। इस दिशा में एक बड़ा कदम अगस्त 2020 में सरकार द्वारा ''ट्रांसपेरेंट टैक्सेशन ऑनरिंग द ऑनेस्ट'' (Transparent Taxation Honouring the Honest) प्लेटफार्म को लॉच करना है। इस प्लेटफॉर्म का उद्देश्य अधिक क्षमता, पारदर्शिता और जवाबदेही प्रदान करना है, और करदाताओं एवं कर अधिकारियों के बीच भौतिक इंटरफेस को समाप्त करना है। इसकी दो प्रमुख विशेषताएं थीं:

1. प्रौद्योगिकी द्वारा विश्लेषण तथा आर्टिफिशियल इंटेलिजेंस का उपयोग।
2. राष्ट्र निर्माण में भागीदारी के रूप में करदाताओं को पहचानना।

यह प्लेटफॉर्म तीन स्तंभों पर खड़ा है जिसकी संक्षिप्त चर्चा नीचे दी गयी है:

फेसलेस एसेसमेंट (Faceless Assessment): पहले से लागू ई-एसेसमेंट योजना का नाम बदलकर अगस्त 2020 में फेसलेस एसेसमेंट योजना कर दिया गया। पुरानी योजना इस पर आधारित थी कि इनकम टैक्स टीम के मामले का रैन्डम आवंटन और आयकर अधिकारियों एवं करदाताओं के बीच आमने-सामने के संपर्क को समाप्त करने से कार्यकुशलता, गैर-विवेकाधीन एसेसमेंट की निष्पक्ष एकल प्रणाली निर्मित हो सकती है। नयी योजना द्वारा देश भर में लंबित सभी एसेसमेंट मामलों को एकत्र कर घोषणा की गयी कि योजना के बाहर पारित कोई भी आदेश अमान्य होगा।

नेशनल फेसलेस एसेसमेंट सेंटर (NFAC) की अगुवाई प्रिंसिपल चीफ कमिश्नर ऑफ इनकम टैक्स द्वारा किया जाता है इसकी स्थापना कर विभाग एवं करदाताओं के बीच सम्पर्क बिंदु के रूप में की गयी। करदाता और विभाग को मूल्यांकन प्रक्रिया संबंधित सभी नोटिस या संचार इस सेंटर के माध्यम से करायी जाती है। मूल्यांकन की प्रक्रिया को और सुगम बनाने के लिए रीजनल फेसलेस एसेसमेंट सेन्टर स्थापित किया गया है।

फेसलेस अपील (Faceless Appeals): फेसलेस अपील स्कीम 2020 में स्थापित की गई है ताकि गंभीर धोखाधड़ी, प्रमुख कर चोरी, संवेदनशील एवं खोज मामलों, अंतर्राष्ट्रीय कर और काले धन अधिनियम से संबंधित अपीलों के अपवाद के साथ सभी आयकर अपीलों को फेसलेस ईकोसिस्टम के तहत एक फेसलेस तरीके से अंतिम रूप दिया जाएगा।

केन्द्रीय स्तर पर ई-अपील की कार्रवाई के संचालन के लिए नेशनल फेसलेस अपील सेंटर (NFApC) की स्थापना की गयी। NFApC के तहत ई-अपील की कार्रवाई को सरल बनाने के लिए रीजनल फेसलेस एसेसमेंट सेंटर (RFAC) है।

NFApC करदाता और अंतर्निहित अपील यूनिट के बीच संपर्क का एकमात्र बिंदु होगा। सभी आंतरिक और बाह्य संचार इलेक्ट्रॉनिक तरीके से होते हैं और एसेसिंग ऑफिसर को व्यक्तिगत रूप से या अधिकृत प्रतिनिधि के माध्यम से कार्यवाही में भाग लेने की आवश्यकता नहीं होती है।

करदाता चार्टर (Taxpayers' Charter): भारतीय करदाता चार्टर में आयकर विभाग और करदाताओं के दायित्व और प्रतिबद्धता शामिल हैं, जो नीचे दिए गए हैं:

1. कानून के तहत कर अनुपालन दायित्वों को पूरा करने के लिए सटीक एवं पूरी जानकारी।
2. न्यायोचित और निष्पक्ष अपील प्रक्रिया और समीक्षा तंत्र।
3. करदाताओं के साथ ईमानदारी का व्यवहार जब तक विभाग के पास अन्यथा विश्वास करने का कोई कारण नहीं हो।
4. करदाताओं के लिए विनम्र, निष्पक्ष और उचित व्यवहार।
5. कर अधिकारियों के कार्यों के लिए जवाबदेही सुनिश्चित करना।
6. जब तक कानून द्वारा अधिकृत नहीं किया जाता है, तब तक करदाता द्वारा प्रदान की गयी किसी भी जानकारी का खुलासा न करके गोपनीयता बनाए रखना।
7. विधि की सम्यक प्रक्रिया का पालन करके करदाता की गोपनीयता का सम्मान।
8. कानून के अनुसार देय कर की सही राशि का संग्रह।
9. हर आयकर कार्यवाही में समयबद्ध निर्णय (कानून के तहत निर्धारित समय के अंदर)।
10. अनुपालन की लागत कम करने के लिए प्रावधान, क्योंकि विविधवत कर कानून का पालन करते समय अनुपालन की लागत को ध्यान में रखना चाहिए।
11. विभाग द्वारा सेवा मानकों को प्रकाशित करना एवं समय-समय पर कर रिपोर्ट प्रकाशित करना।
12. न्यायोचित और निष्पक्ष प्रणाली और समयबद्ध तरीकों से कर मामलों को हल करना।
13. शिकायत दर्ज करने और इसके शीघ्र निपटान को सुनिश्चित करने के लिए एक प्रक्रिया का प्रावधान।
14. करदाता को अपनी पसंद का अधिकृत प्रतिनिधि चुनने की अनुमति देने का प्रावधान।

बहुविकल्पीय प्रश्नोत्तर

1. निम्नलिखित में से कौन-से तथ्य सचिवालय के प्राथमिक उत्तरदायित्व के बारे में सही हैं?

(*a*) बजट निर्माण और व्यय पर नियंत्रण
(*b*) समय-समय पर नीतियाँ बनाना और संशोधन करना
(*c*) सेक्टोरल नियोजन और कार्यक्रम बनाना
(*d*) विधान, नियमों और विनियमों को तैयार करना

नीचे दिए गए विकल्पों में से सबसे उपयुक्त उत्तर का चयन कीजिए :

A. केवल (*a*), (*b*) और (*c*)
B. केवल (*b*) और (*c*)
C. केवल (*a*), (*c*) और (*d*)
D. (*a*), (*b*), (*c*) और (*d*)

2. सूची-I के साथ सूची-II का मिलान कीजिए :

सूची-I (बजट के सिद्धांत)	सूची-II (विशेषताएँ)
(*a*) मियाद समाप्ति का नियम	(*i*) बजट के अनुमान और वास्तविकता में विभिन्नता न्यूनतम और यथार्थ (परिशुद्ध) होनी चाहिए
(*b*) परिशुद्धता	(*ii*) बजट मुक्त और आसानी से समझ में आने वाला होना चाहिए
(*c*) वार्षिकी	(*iii*) बिना खर्च की गयी राशि अग्रवर्ती नहीं की जा सकती है
(*d*) स्पष्टीकरण और पारदर्शिता	(*iv*) वित्तीय वर्ष के लिए बजट की तैयारी

नीचे दिए गए विकल्पों में से सही उत्तर का चयन कीजिए :

	(*a*)	(*b*)	(*c*)	(*d*)
A.	(*i*)	(*ii*)	(*iii*)	(*iv*)
B.	(*iii*)	(*i*)	(*iv*)	(*ii*)
C.	(*ii*)	(*i*)	(*iv*)	(*iii*)
D.	(*ii*)	(*iii*)	(*iv*)	(*i*)

3. निम्नलिखित में से कौन-सा प्रगतिशील कर का एक गुण नहीं है?

A. समानता का सिद्धांत
B. आय का समान वितरण
C. समाजवाद
D. रोजगार के अवसर

4. सरकार के बजट में राजकोषीय घाटे को .... कम किया जा सकता है।

A. कार्यकुशलता में कमी लाकर
B. कार्मिकों की उत्पादनशीलता में सुधार करके
C. बजट निर्माण की नई पद्धतियों को अपनाकर
D. व्यय को तर्कसंगत और मितव्ययी बनाकर

5. निम्नलिखित में से कौन-सा कथन एक सार्वजनिक बजट के कार्यों से संबंधित नहीं है?

(*a*) यह एक नीतिगत वक्तव्य होता है
(*b*) धन का पुनर्वितरण
(*c*) सूचना का एक स्रोत
(*d*) यह गैर-वित्तीय परिणामों पर विचार करता है

नीचे दिए गए विकल्पों में से सबसे उपयुक्त उत्तर का चयन कीजिए :

A. केवल (*a*) और (*b*)
B. केवल (*a*), (*b*) और (*c*)
C. केवल (*b*), (*c*) और (*d*)
D. केवल (*a*), (*d*) और (*b*)

6. निम्नलिखित बजटीय प्रक्रिया को सही क्रम में व्यवस्थित कीजिए :

(*a*) अनुदान की मांग के लिए मतदान
(*b*) विनियोग विधेयक पारित करना
(*c*) वित्त विधेयक पारित करना
(*d*) विभागीय संबंधी विषय समिति द्वारा सर्वेक्षण

नीचे दिए गए विकल्पों में से सही उत्तर का चयन कीजिए :

A. (*a*), (*b*), (*c*), (*d*)
B. (*d*), (*a*), (*b*), (*c*)
C. (*b*), (*a*), (*c*), (*d*)
D. (*b*), (*a*), (*d*), (*c*)

7. सूची-I के साथ सूची-II का मिलान कीजिए :

सूची-I (PE को आयोजन करने के प्रपत्र)	सूची-II (विशिष्टताएँ/लक्षण)
(*a*) विभागीय उपक्रम	(*i*) विलग कानूनी सत्ता
(*b*) लोक निगम	(*ii*) निगमित निकाय
(*c*) सरकारी कम्पनी	(*iii*) सरकारी नियम
(*d*) धारण कम्पनी	(*iv*) नीतियों की एकरूपता

नीचे दिए गए विकल्पों में से सही उत्तर का चयन कीजिए :

	(*a*)	(*b*)	(*c*)	(*d*)
A.	(*i*)	(*ii*)	(*iii*)	(*iv*)
B.	(*iii*)	(*iv*)	(*i*)	(*ii*)
C.	(*iii*)	(*i*)	(*ii*)	(*iv*)
D.	(*iii*)	(*iv*)	(*ii*)	(*i*)

8. भारत की संघ सरकार ने किस वर्ष से बजट और लेखों में योजनागत एवं गैर-योजनागत वर्गीकरण का विलय किया था?

A. 2015-16
B. 2016-17
C. 2017-18
D. 2018-19

9. निम्नलिखित में से कौन-सा सार्वजनिक उद्यमों को संगठित करने का सबसे पुराना और परंपरागत रूप है?

A. सरकारी कंपनी
B. सार्वजनिक निगम
C. विभाग उपक्रम
D. नियंत्रक कंपनी

10. निम्नलिखित में से किस औद्योगिक नीति को भारत के आर्थिक संविधान की संज्ञा दी गई?
A. औद्योगिक नीति संकल्प, 1956
B. औद्योगिक नीति संकल्प, 1973
C. औद्योगिक नीति संकल्प, 1977
D. औद्योगिक नीति संकल्प, 1991

11. निम्नलिखित में से किस समिति ने संस्तुति की कि नागरिक सेवकों को सार्वजनिक उद्यमों के संचालन मंडल का अध्यक्ष नहीं नियुक्त करना चाहिए?
A. कृष्ण मेनन समिति
B. अर्जुन सेनगुप्ता समिति
C. पी.एल. टंडन समिति
D. सार्वजनिक उपक्रमों पर समिति

12. राज्यों को प्रतिशत कर अंतरण के संबंध में 15वें वित्त आयोग का क्या सुझाव है?
A. 39 प्रतिशत B. 40 प्रतिशत
C. 41 प्रतिशत D. 42 प्रतिशत

13. जनवरी, 2025 तक भारत में कितने सार्वजनिक क्षेत्र उपक्रमों को 'महारत्न' की मान्यता प्रदान की गई?
A. पाँच B. सात
C. नौ D. चौदह

14. निम्नलिखित में से कौन-सा बहु-इकाई कंपनी का उद्देश्य नहीं है?
(*a*) संसाधनों का एकत्रीकरण
(*b*) विकेंद्रीकरण
(*c*) नीतियों में एकरूपता
(*d*) घटक इकाइयों का बेहतर समन्वय
नीचे दिए गए विकल्पों में से सही उत्तर का चयन कीजिए :
A. केवल (*a*), (*b*) और (*c*)
B. केवल (*b*), (*c*) और (*d*)
C. केवल (*a*), (*c*) और (*d*)
D. केवल (*a*), (*b*) और (*d*)

15. सूची-I के साथ सूची-II का मिलान कीजिए :

सूची-I (अनुदान के प्रकार)	सूची-II (उद्देश्य)
(*a*) लेखानुदान	(*i*) बजट में अनुमोदित राशि से अधिक व्यय करने का अनुमोदन
(*b*) अनुपूरक अनुदान	(*ii*) बजटीय सीमा से अधिक व्यय की जा चुकी राशि का अनुमोदन
(*c*) अतिरिक्त अनुदान	(*iii*) अनुमान के रूप में मंत्रालय/विभाग द्वारा व्यय का प्रस्ताव
(*d*) अनुदान की माँग	(*iv*) बजट के अनुमोदन तक अग्रिम अनुदान का अनुमोदन

नीचे दिए विकल्पों में से सही उत्तर का चयन कीजिए :

	(*a*)	(*b*)	(*c*)	(*d*)
A.	(*i*)	(*ii*)	(*iii*)	(*iv*)
B.	(*ii*)	(*iii*)	(*iv*)	(*i*)
C.	(*iii*)	(*iv*)	(*i*)	(*ii*)
D.	(*iv*)	(*i*)	(*ii*)	(*iii*)

16. निष्पादन बजटन के चरण नीचे दिए गए हैं। उनके सही क्रम की पहचान करें।
(*a*) संसाधन आवंटन के लिए गतिविधियों का वर्गीकरण।
(*b*) लागत और लाभों के संबंध में विकल्पों को कार्यान्वित करने की पहचान।
(*c*) स्थापित मानकों के संदर्भ में भौतिक और वित्तीय उपलब्धि का मूल्यांकन।
(*d*) हर गतिविधि के उद्देश्यों का उल्लेख और उनके आदर्श/मानक तय करना।
नीचे दिए गए विकल्पों में से सही उत्तर का चयन कीजिए :
A. (*d*), (*c*), (*b*), (*a*) B. (*d*), (*b*), (*c*), (*a*)
C. (*d*), (*a*), (*b*), (*c*) D. (*d*), (*a*), (*c*), (*b*)

17. संसद की 24 विभाग-संबंधी स्थायी समितियों का प्रमुख कार्य है :
A. वित्तीय शिकायतें दूर करना
B. सरकार की लेखा संबंधी प्रक्रियाओं की जांच करना
C. विभिन्न मंत्रालयों द्वारा प्रस्तुत अनुदान मांगों की जांच करना
D. राजकीय व्यय की निगरानी करना

18. बजट शुरूआत के कितने वर्षों के बाद वर्तमान सरकार ने रेल बजट के आम बजट में विलय को मंजूरी दी?
A. 90 वर्ष B. 91 वर्ष
C. 92 वर्ष D. 93 वर्ष

19. निम्नलिखित में से कौन विनिवेश का उद्देश्य नहीं है?
A. राजस्व संग्रहण
B. संसाधन जुटाना
C. कॉर्पोरेट उद्देश्य
D. जनता की प्रत्यक्ष भागीदारी

20. वित्त आयोग के अध्यक्ष के निम्नलिखित नामों को कालक्रमानुसार व्यवस्थित कीजिए :
(*a*) डॉ. विजय केलकर
(*b*) डॉ. सी. रंगराजन
(*c*) एन.के. सिंह
(*d*) वाई.वी. रेड्डी
नीचे दिए गए विकल्पों में से सही उत्तर चुनिए :
A. (*a*), (*b*), (*c*), (*d*) B. (*b*), (*c*), (*d*), (*a*)
C. (*c*), (*d*), (*a*), (*b*) D. (*b*), (*a*), (*d*), (*c*)

21. बजट से संबंधित निम्नलिखित में से कौन-सा दस्तावेज राजकोषीय उत्तरदायित्व और बजट प्रबंधन अधिनियम द्वारा अधिदेशित है :
(*a*) संगत वर्ष की सूक्ष्म आर्थिक रूपरेखा

(*b*) वित्तीय वर्ष के लिए राजकोषीय नीति विवरण
(*c*) मध्यावधिक राजकोषीय नीति विवरण
(*d*) प्राप्ति बजट
नीचे दिए गए विकल्पों में से सही उत्तर चुनिए :
A. (*a*), (*b*), (*c*) B. (*a*), (*b*), (*d*)
C. (*b*), (*c*), (*d*) D. (*d*), (*a*), (*c*)

22. नीचे दो कथन दिए गए हैं। एक को अभिकथन (A) और दूसरे को तर्क (R) कहा गया है :
अभिकथन (A) : सनसेट बजट की संरचना इस प्रकार की होती है कि वह एक पूर्व-निर्धारित अवधि के भीतर 'स्वयं-समाप्त' हो जाता है ताकि एक पहले से नियत तिथि तक व्यय रूक जाए।
तर्क (R) : यह नए कार्यक्रमों के लिए वित्तीय संसाधन उपलब्ध कराने में सहायक होता है।
उपर्युक्त कथनों के आलोक में निम्नांकित विकल्पों में से सर्वाधिक उपयुक्त उत्तर चुनें :
A. (A) और (R) दोनों सही हैं और (R), (A) की सही व्याख्या है।
B. (A) और (R) दोनों सही हैं और (R), (A) की सही व्याख्या नहीं है।
C. (A) सही है, परन्तु (R) सही नहीं है।
D. (A) सही नहीं है, परन्तु (R) सही है।

23. निम्नलिखित में से UNDP का लक्ष्य क्या है?
(*a*) निर्धनता न्यूनीकरण
(*b*) एच.आई.वी. और एड्स
(*c*) संकट की रोकथाम और स्वास्थ्य लाभ
(*d*) निर्धन राष्ट्रों को पूँजीगत कार्यों के लिए अनुदान
सही विकल्प चुनें :
A. (*a*) और (*d*) B. (*b*) और (*d*)
C. (*a*), (*b*) और (*c*) D. (*a*), (*b*), (*c*) और (*d*)

24. निम्नलिखित में से कौन भारत में निष्पादन बजट मॉडल का हिस्सा नहीं है?
A. कार्यक्रम और परियोजना व्यापक उद्देश्य में निहित होते हैं
B. पंचवर्षीय योजनाओं के बीच संबंध
C. विश्लेषणात्मक वित्तीय योजनाएँ
D. कार्यक्रम द्वारा संगठनात्मक संरेखण

25. निम्नलिखित में से कौन-सा सार्वजनिक उद्यम का सबसे पुराना और पारंपरिक रूप है?
A. विभागीय उपक्रम B. सार्वजनिक निगम
C. सरकारी कंपनी D. होल्डिंग कंपनी

26. निम्नलिखित में से किस औद्योगिक नीति ने लाइसेंसिंग नीति के उदारीकरण के संदर्भ में आकस्मिक पूर्ण परिवर्तन किया?
A. औद्योगिक नीति प्रस्ताव, 1956
B. औद्योगिक नीति विवरण, 1977
C. 1980 की औद्योगिक नीति
D. औद्योगिक नीति, 1991

27. निम्नलिखित में से कौन-सा कारक मिश्रित अर्थव्यवस्था में नियोजन की सफलता में प्रासंगिक नहीं है?
(*a*) किस हद तक सार्वजनिक क्षेत्र सामाजित रूप से निर्धारित लक्ष्यों का अनुगमन करने में सक्षम है।
(*b*) किस हद तक राज्य सामाजिक रूप से निर्धारित लक्ष्यों का पालन करने के लिए निजी क्षेत्र का मार्गदर्शन करने में सक्षम है।
(*c*) उत्पादन के साधनों का पूर्ण समाजीकरण और उत्पादन और वितरण का राज्य निर्देश।
(*d*) निवेश निर्णयों में विकृतियों की जाँच करने की राज्य क्षमता की सीमा।
सही विकल्प चुनें:
A. (*a*), (*b*) और (*c*) B. (*b*), (*c*) और (*d*)
C. (*a*), (*b*) और (*d*) D. केवल (*c*) और (*d*)

28. प्राक्कलन का अनुमान समिति के सदस्य संसद के किस सदन से चुने जाते हैं?
A. राज्यसभा B. लोकसभा
C. दोनों सदन D. दोनों में से कोई नहीं

29. किसी प्रकार का बजट विशेष रूप से महिलाओं में बढ़ती गरीबी, कम वेतन के कारण महिलाओं का शोषण, कठिन एवं असुरक्षित नौकरियाँ, शिक्षा में लिंग असगानता को सही करना आदि मुद्दों को संबोधित करता है?
A. योजना-प्रोग्रामिंग बजट
B. शून्य-आधारित बजट
C. जेंडर बजट
D. ग्रीन बजट

30. निम्नलिखित में से कौन-सा कथन राजकोषीय संघवाद के संबंध में सही नहीं है?
A. यह समय की अवधि के फलस्वरूप विकसित हुआ है।
B. 1992 के बाद की स्थानीय सरकारें राजकोषीय संघवाद का हिस्सा हैं।
C. केंद्र सरकार से धन हस्तांतरण पर राज्य अत्यधिक निर्भर हैं।
D. वित्त आयोग और नीति आयोग केंद्र से राज्यों को धन हस्तांतरण में महत्वपूर्ण योगदान देते हैं।

31. देश के शासन में वित्तीय प्रशासन महत्वपूर्ण स्थान रखता है क्योंकि:
(*a*) यह विकास की प्रक्रिया में सामाजिक न्याय और समावेश को बढ़ाता है।
(*b*) वित्तीय प्रशासन राष्ट्रीय लक्ष्यों को प्राप्त करने के लिए सरकार का एक उपकरण है।
(*c*) यह पारंपरिक बजट प्रथाओं और सिद्धांतों पर केंद्रित है।
(*d*) वित्तीय प्रशासन दक्षता से कार्य करता है।

नीचे दिए गए कूट से सही उत्तर का चयन कीजिए :

A. (*a*), (*b*), (*c*) और (*d*) B. (*a*), (*b*) और (*c*)

C. (*a*) और (*b*) D. (*b*) और (*d*)

32. भारत में निम्नलिखित में से वित्त मंत्रालय का कौन-सा विभाग संघीय बजट को तैयार करता है?

A. वित्तीय सेवाओं का विभाग

B. आर्थिक मामलों का विभाग

C. व्यय विभाग

D. राजस्व विभाग

33. वित्तीय वर्ष में प्रत्येक मद का नए सिरे से मूल्यांकन जाना जाता है:

A. कार्यक्रम बजट B. शून्य आधारित बजट

C. घाटे का बजट D. निष्पादन बजट

34. 16वें वित्त आयोग की सिफारिशें निम्नलिखित में से किस तारीख से लागू होंगी?

A. 1 अप्रैल, 2022 B. 1 अप्रैल, 2019

C. 1 अप्रैल, 2026 D. 1 अप्रैल, 2021

35. लाइन आधारित बजट की क्या विशेषताएँ हैं?

(*a*) यह ब्रिटिश विरासत है।

(*b*) यह जाँच और पुनः जाँच की प्रणाली है।

(*c*) यह विकेन्द्रीकरण को सुकर बनाता है।

(*d*) इसका लक्ष्य व्यय पर कठोर नियंत्रण रखना है।

नीचे दिए गए कूट में से सही उत्तर को चुनिए:

A. (*a*), (*b*), (*c*) और (*d*)

B. (*a*), (*b*) और (*d*)

C. (*a*) और (*b*)

D. (*b*), (*c*) और (*d*)

36. निम्नलिखित में से किस बजट में भारत के राष्ट्रपति का वेतन बढ़ाकर ₹ 5 लाख प्रति माह किया गया?

A. 2018-19 B. 2017-18

C. 2016-17 D. 2015-16

37. बजटीय सिद्धांत के रूप में व्यपगत का नियम किस सिद्धांत में अंतर्निहित है?

A. सभी वित्तीय लेन-देन के लिए एक बजट

B. आकलन का प्रारूप लेखा प्रारूप के अनुरूप होना चाहिए

C. आकलन निकट होना चाहिए

D. बजट की वार्षिकता

38. नियंत्रक एवं महालेखा परीक्षक के वेतन, भत्ते और पेंशन .... पर भारित होते हैं।

A. संचित निधि B. आकस्मिक निधि

C. (A) और (B) दोनों D. उपरोक्त में से कोई नहीं

39. .... भारतीय संविधान में निर्धारित एकमात्र प्राधिकरण है जिसे केन्द्र और प्रत्येक राज्य/केन्द्रशासित प्रदेश सरकारों की प्राप्तियों और व्यय की लेखा परीक्षा की जिम्मेदारी सौंप गई है।

A. भारत का महान्यायवादी

B. भारत का वित्त आयोग

C. वित्त मंत्री

D. भारत का नियंत्रक एवं महालेखा परीक्षक

40. भारत में विभागीय समितियों के सदस्यों की संख्या कितनी होती है?

A. लोकसभा से 21 और राज्यसभा से 10

B. दोनों सदनों से 10-10 सदस्य

C. लोकसभा से 10 और राज्यसभा से 21

D. दोनों सदनों से 21-21 सदस्य

41. निम्नलिखित में से कौन-सा आनुपातिक कर है?

A. आयकर

B. वस्तु और सेवाकर

C. पूंजीगत अभिलाभ कर

D. व्यावसायिक कर (प्रोफेशनल टैक्स)

42. कार्यक्रमों द्वारा बजट के आयोजन और परिणामों के मापन की विधि को किस नाम से जाना जाता है?

A. शून्य-आधारित बजट B. सनसेट बजट

C. निष्पादन बजट D. लाइन आइटम बजट

43. भारतीय संविधान के किस अनुच्छेद के अंतर्गत विनियोग विधेयकों को पारित होने संबंधी प्रावधान का उल्लेख है?

A. अनुच्छेद 112 B. अनुच्छेद 114

C. अनुच्छेद 115 D. अनुच्छेद 116

44. निम्नलिखित में से कौन-सा विभाग वित्त मंत्रालय में बैंकिंग, बीमा और निवेश के कार्यों से संबंधित है?

A. आर्थिक मामलों का विभाग

B. व्यय विभाग

C. राजस्व विभाग

D. आर्थिक नियोजन विभाग

45. तार्किक बजट निर्माण प्रणाली आगतों, निर्गतों और परिणामों से संबंधित है, जो वैकल्पिक कार्यक्रम के लागत-लाभ का विश्लेषण करती है, को कहा जाता है?

A. लाइन आइटम बजट

B. निष्पादन बजट

C. नियोजन कार्यक्रमण बजट प्रणाली

D. शून्य-आधारित बजट

46. निम्नलिखित में से कौन भारत सरकार में वित्त मंत्री थे?

(*a*) आर.के. षणमुखम चेट्टी

(*b*) चरण सिंह

(*c*) मधु दंडवते

(*d*) सुब्रह्मण्यम स्वामी

नीचे दिए गए विकल्पों में से **सही** उत्तर का चयन कीजिए।

A. (*a*), (*b*), (*c*) और (*d*)

B. केवल (*a*), (*b*) और (*c*)

C. केवल (*a*), (*c*) और (*d*)

D. केवल (*b*), (*c*) और (*d*)

47. सूची-I के साथ सूची-II का मिलान कीजिए।

सूची-I	सूची-II
(*a*) नव-उदारवाद	(*i*) सार्वजनिक क्षेत्र में बाजरों और कॉरपोरेट तकनीकों की भूमिका में वृद्धि करना
(*b*) नव लोक प्रबंधन	(*ii*) लोकतंत्र से बैंकिंग और बजट निर्माण का संरक्षण
(*c*) नव संस्थावाद	(*iii*) राज्य अंतर्निहित रूप से अकुशल है
(*d*) गैर-बहुमतवादी संस्थाएं	(*iv*) उपयोगिता अधिकतमीकरण

नीचे दिए गए विकल्पों में से **सही** उत्तर का चयन कीजिए :

	(*a*)	(*b*)	(*c*)	(*d*)
A.	(*ii*)	(*i*)	(*iii*)	(*iv*)
B.	(*i*)	(*iii*)	(*iv*)	(*ii*)
C.	(*iv*)	(*iii*)	(*ii*)	(*i*)
D.	(*iii*)	(*i*)	(*iv*)	(*ii*)

48. भारत में लगाए गए निम्नलिखित करों की कालक्रमानुसार पहचान कीजिए :

(*a*) मूल्य संवर्धन कर

(*b*) केन्द्रीय बिक्री कर

(*c*) आयकर

(*d*) धन-सम्पत्ति कर (वैल्थ टैक्स)

नीचे दिए गए विकल्पों में से **सही** उत्तर का चयन कीजिए।

A. (*c*), (*d*), (*a*), (*b*) B. (*c*), (*a*), (*d*), (*b*)

C. (*c*), (*d*), (*b*), (*a*) D. (*c*), (*b*), (*d*), (*a*)

49. निम्नलिखित विनियामक निकायों कि स्थापना को कालक्रमानुसार व्यवस्थित कीजिए:

(*a*) भारतीय टेलीकॉम विनियामक प्राधिकरण (टी.आर.ए.आई.)

(*b*) भारतीय प्रतिभूति और विनिमय बोर्ड (सेबी)

(*c*) पेंशन निधि विनियामक एवं विकास प्राधिकरण

(*d*) बीमा विनियामक एवं विकास प्राधिकरण (आई.आर.डी.ए.)

नीचे दिए गए विकल्पों में से **सही** उत्तर का चयन कीजिए।

A. (*b*), (*d*), (*a*), (*c*) B. (*b*), (*a*), (*d*), (*c*)

C. (*b*), (*c*), (*d*), (*a*) D. (*b*), (*d*), (*c*), (*a*)

50. भारत के नियंत्रक व महालेखा परीक्षक अपना प्रतिवेदन निम्न में से किसे प्रस्तुत करते हैं?

A. लोक लेखा समिति B. प्रधानमंत्री कार्यालय

C. लोक सभा D. भारत के राष्ट्रपति

51. निम्नलिखित में से कौन सूर्यास्त विधायन का एक लाभ नहीं है?

A. यह सरकारी गतिविधियों को समाहित कर लेता है।

B. यह नये कार्यक्रमों के लिए वित्तीय संसाधन उपलब्ध कराने में सहायता करता है।

C. सूर्यास्त बजट बनाने में स्वास्थ्य और मानव जीवन के लिए लाभों को परिमाणित करना सम्भव है।

D. वित्तीय संसाधनों को नियमित रूप से एक विवेकपूर्ण तरीके से पुनः आवंटित किया जाता है।

52. भारत के संविधान का कौन-सा अनुच्छेद केन्द्र या राज्य को सार्वजनिक उद्देश्यों के लिए कोई अनुदान देने की अनुमति देता है भले ही वह संसद या राज्य के कार्यक्षेत्र में न आता हो?

A. अनुच्छेद-271 B. अनुच्छेद-274

C. अनुच्छेद-280 D. अनुच्छेद-282

53. निम्नलिखित में से कौन-सा व्यय भारत की समेकित निधि से नहीं लिया जा सकता?

A. राष्ट्रपति के भत्ते और परिलब्धियाँ

B. भारत सरकार के ऋण और उनका ब्याज

C. उच्चतम न्यायालय के न्यायाधीशों की पेंशन

D. भारत के एटार्नी जनरल का वेतन और भत्ते

54. निम्नलिखित में से कौन प्रगामी कराधान का गुण नहीं है?

A. समानता का सिद्धांत B. आय का समान वितरण

C. आर्थिक D. गैर-लचीला कर

55. निम्नलिखित में से वित्त आयोग की कौन-सी अनुशंसा भारत के राष्ट्रपति के एक आदेश के माध्यम से क्रियान्वित नहीं की गई?

A. केन्द्रीय करों का अंश निर्धारण

B. शुल्क

C. सहायता अनुदान

D. केन्द्रीय सहायता की पद्धति

56. जनवरी, 1949 में जब रिजर्व बैंक ऑफ इण्डिया का राष्ट्रीयकरण हुआ था तो उसके गवर्नर कौन थे?

A. सी.डी. देशमुख B. बेनेगल रामा राव

C. एच.वी.आर. आयंगर D. आर.के. शन्मुगम चेट्टी

57. एक बजट निष्पादन व्यवस्था को एक लोक व्यय प्रबन्धन व्यवस्था के किन मुख्य उद्देश्यों को पूरा करना चाहिए?

(*a*) समस्त व्यय नियंत्रण

(*b*) रणनीतिक संसाधन आवंटन

(*c*) संचालनीय दक्षता

(*d*) सेवा अदायगी

नीचे दिए गए विकल्पों में से सही उत्तर का चयन कीजिए:

A. केवल (*a*) और (*b*)

B. केवल (*a*) और (*c*)

C. केवल (*a*), (*b*) और (*c*)

D. केवल (*b*), (*c*) और (*d*)

58. भारत की निम्न वित्तीय नियामक संस्थाओं को उनकी स्थापना के वर्ष के काल क्रमानुसार व्यवस्थित कीजिए:

(*a*) भारतीय रिज़र्व बैंक

(*b*) भारतीय प्रतिभूति व विनिमय बोर्ड (SEBI)

(*c*) भारतीय बीमा विनियामक व विकास प्राधिकरण (IRDA)

(*d*) पेंशन निधि विनियामक व विकास प्राधिकरण (PFRDA)

नीचे दिए गए विकल्पों में से सही उत्तर का चयन कीजिए:

A. (*b*), (*d*), (*c*), (*a*) B. (*a*), (*b*), (*c*), (*d*)

C. (*a*), (*c*), (*b*), (*d*) D. (*a*), (*d*), (*b*), (*c*)

59. पहले चरण से शुरू करके भारत में बजट तैयार करने और समेकित करने के चरणों को सुव्यवस्थित कीजिए।

(*a*) संवितरण अधिकारियों द्वारा प्रारम्भिक अनुमानों की तैयारी और समेकन

(*b*) विभागीय नियंत्रण अधिकारियों द्वारा जाँच

(*c*) वित्त मंत्रालय द्वारा जाँच और समेकन

(*d*) महालेखाकार और प्रशासनिक विभाग द्वारा संशोधित अनुमानों की जाँच

(*e*) मंत्रिमंडल द्वारा अनुमोदन

नीचे दिए गए विकल्पों में से सही उत्तर का चयन कीजिए:

A. (*a*), (*b*), (*c*), (*d*), (*e*)

B. (*a*), (*b*), (*d*), (*c*), (*e*)

C. (*b*), (*c*), (*d*), (*a*), (*e*)

D. (*c*), (*d*), (*a*), (*b*), (*e*)

60. निम्नलिखित अधिकरणों को भारत में उनके प्रारंभ के काल क्रमानुसार सजाएं।

(*a*) आयकर अपीली न्यायाधिकरण (ITAT)

(*b*) प्रतिस्पर्धा अपीली न्यायाधिकरण (COMPAT)

(*c*) केन्द्रीय प्रशासनिक न्यायाधिकरण (CAT)

(*d*) राष्ट्रीय हरित न्यायाधिकरण (NGT)

नीचे दिए गए विकल्पों में से सही उत्तर का चयन कीजिए:

A. (*a*), (*b*), (*c*), (*d*) B. (*a*), (*d*), (*b*), (*c*)

C. (*a*), (*c*), (*b*), (*d*) D. (*a*), (*b*), (*d*), (*c*)

61. अत्यावश्यक वित्तीय आवश्यकताओं की पूर्ति हेतु कार्यपालिका को प्रदत्त वित्तीय अनुदान, जिसकी सूचनाएँ सार्वजनिक नहीं की जाती हैं, उसे कहते हैं:

A. लेखानुदान B. अनुदानों की मांग

C. प्रत्यानुदान D. अधिक अनुदान

62. 15वें वित्त आयोग की अनुशंसाएँ किस तिथि से प्रभावी हैं?

A. 1 मार्च, 2020 B. 1 अप्रैल, 2020

C. 1 मार्च, 2021 D. 1 अप्रैल, 2021

63. निष्पादन बजटन की विशेषता निम्नलिखित में से कौन-सी नहीं है?

A. गतिविधियों को कार्यों, कार्यक्रमों एवं लागत अंश में विभाजित करना

B. परिणाम को आवंटित निधिपन से संबद्ध करना

C. यह विवेकाधीन लागत के लिए उपयुक्त है

D. परिणाम/गुणवत्ता आधारित निष्पादन बोनस निधिपन

64. 'वित्तीय समावेश', भारत सरकार की निम्नलिखित में से किस योजना का ध्येय (मिशन) है?

A. प्रधानमंत्री आदर्श ग्राम योजना

B. अटल पेंशन योजना

C. प्रधानमंत्री वय वंदन योजना

D. प्रधानमंत्री जन-धन योजना

65. "वैश्वीकरण से आशय भिन्न हितों (रुचियों) वाले भिन्न लोगों हेतु भिन्न वस्तुएँ हैं" यह उक्ति निम्नलिखित में से किसकी है?

A. फुकुयामा B. फ्रीडमैन

C. थॉम्पसन D. अली फर्जमन्द

66. सार्वजनिक वित्त के बारे में निम्नलिखित कौन-से कथन सही हैं?

(*a*) सरकारी एजेंसी किसी प्रकार के कोष (फंड) को नहीं बचाती है और इसे जो भी राजस्व और धन अर्जित हुआ है उसे खर्च करना होता है।

(*b*) सरकार प्रभावी उपायों के लिए स्रोतों को ले सकती है।

(*c*) सरकारी एजेंसियाँ अपने आय एवं व्यय को संतुलित करती हैं।

(*d*) इसका सीमित विषय-क्षेत्र है।

नीचे दिए गए विकल्पों में से सही उत्तर का चयन कीजिए:

A. केवल (*a*), (*b*), (*c*) B. केवल (*b*), (*c*), (*d*)

C. केवल (*a*), (*b*), (*d*) D. केवल (*a*), (*c*), (*d*)

67. बजट भाषण सहित बजट से संबंधित निम्नलिखित में से कौन-से दस्तावेज संसद के समक्ष अवश्य प्रस्तुत होने चाहिए:

(*a*) वार्षिक वित्तीय विवरण

(*b*) अनुदानों की मांग

(*c*) परिशोधित प्राक्कलन (चालू वर्ष)

(*d*) विनियोजन विधेयक

(*e*) वित्त विधेयक

नीचे दिए गए विकल्पों में से सही उत्तर का चयन कीजिए:

A. केवल (*a*), (*b*), (*c*), (*d*)

B. केवल (*a*), (*b*), (*c*), (*e*)

C. केवल (*a*), (*c*), (*d*), (*e*)

D. केवल (*a*), (*b*), (*d*), (*e*)

68. सूची-I के साथ सूची-II का मिलान कीजिए:

सूची-I (बजटीय संकल्पना)	सूची-II (मूल अभिविन्यास)
(*a*) लाइन आइटम बजट बनाना	(*i*) नियोजन
(*b*) निष्पादन बजट बनाना	(*ii*) निर्णयन
(*c*) आयोजना कार्यक्रमण बजट बनाना	(*iii*) प्रबंधन
(*d*) शून्य आधारित बजट बनाना	(*iv*) नियंत्रण

नीचे दिए गए विकल्पों में से सही उत्तर का चयन कीजिए :

	(a)	(b)	(c)	(d)
A.	(i)	(iv)	(ii)	(iii)
B.	(iv)	(iii)	(i)	(ii)
C.	(iii)	(ii)	(iv)	(i)
D.	(ii)	(i)	(iii)	(iv)

69. सूची-I के साथ सूची-II का मिलान कीजिए :

सूची-I (पद)	**सूची-II (व्याख्या)**
(a) राजस्व घाटा	(i) आयातित वस्तुओं और सेवाओं का मूल्य निर्यात के मूल्य से अधिक होता है
(b) राजकोषीय नीति	(ii) अनुमानित निवल आय की तुलना में कम राजस्व उत्पन्न होना
(c) राजकोषीय घाटा	(iii) अनुमानित कराधान और सरकारी व्यय की रूपरेखा
(d) चालू खाता घाटा	(iv) सरकार का कुल व्यय, कुल राजस्व से अधिक होता है

नीचे दिए गए विकल्पों में से सही उत्तर का चयन कीजिए :

	(a)	(b)	(c)	(d)
A.	(i)	(iv)	(iii)	(ii)
B.	(ii)	(iii)	(iv)	(i)
C.	(ii)	(i)	(iii)	(iv)
D.	(ii)	(iv)	(i)	(iii)

70. कर-सुधारों और विनिवेश पर निम्नलिखित समितियों को कालक्रमानुसार व्यवस्थित कीजिए :

(a) जी.वी. रामकृष्ण के अंतर्गत विनिवेश आयोग

(b) प्रत्यक्ष करों पर विजय केलकर समिति

(c) कर-सुधारों पर राजा चेलेय्या समिति

(d) अप्रत्यक्ष कराधान पर के.एल. रेखी समिति

नीचे दिए गए विकल्पों में से सही उत्तर का चयन कीजिए :

A. (c), (a), (b), (d) B. (c), (b), (a), (d)
C. (c), (d), (a), (b) D. (c), (d), (b), (a)

71. नीचे दो कथन दिए गए हैं :

कथन I: बजट सकल अनुमान के आधार पर तैयार किया जाता है, न कि निवल अनुमान पर।

कथन II: यह व्यय पर संसदीय नियंत्रण को प्रभावी बनाता है।

उपरोक्त कथन के आलोक में, नीचे दिए गए विकल्पों में से सबसे उपयुक्त उत्तर का चयन कीजिए :

A. कथन I और II दोनों सही हैं

B. कथन I और II दोनों गलत हैं

C. कथन I सही है, लेकिन कथन II गलत है

D. कथन I गलत है, लेकिन कथन II सही है

72. अभिकथन (A) : केवल राष्ट्रपति की सिफारिश पर धन विधेयक को संसद के किसी भी सदन में प्रस्तावित किया जा सकता है।

तर्क (R) : वास्तव में, राज्यसभा द्वारा धन विधेयक की स्वीकृति मात्र औपचारिक एवं नैतिक प्रक्रिया है।

कूट :

A. (A) तथा (R) दोनों सही हैं तथा (R), (A) की सही व्याख्या है।

B. (A) तथा (R) दोनों सही हैं, परन्तु (R), (A) की सही व्याख्या नहीं है।

C. (A) सही है, परन्तु (R) गलत है।

D. (A) गलत है, परन्तु (R) सही है।

73. 14वें वित्त आयोग के प्रतिवेदन के क्रियान्वयन के लिए निम्नलिखित में से कौन-सी कालावधि निश्चित की गई है?

A. 2014 - 2019 B. 2015 - 2020
C. 2016 - 2021 D. 2017 - 2022

74. भारत में निष्पत्ति बजट को लागू करने के लिए निम्नांकित में से किस समिति/आयोग ने अभिशंसा की थी?

A. सी. रंगराजन समिति

B. एल.के. झा कमीशन

C. प्रथम प्रशासनिक सुधार आयोग

D. द्वितीय प्रशासनिक सुधार आयोग

75. बजटिंग के सिद्धांत निम्नलिखित में से कौन-से हैं?

(a) संतुलित

(b) व्यापकता

(c) राजस्व आधारित अनुमान

(d) व्यपगत का नियम (Rule of Lapse)

नीचे दिए गए कूट से **सही** उत्तर का चयन कीजिए :

A. (a), (b), (c), (d)

B. (a), (b), (c)

C. (a), (b), (d)

D. (b), (c), (d)

76. नई आर्थिक नीति 1991 के तहत सार्वजनिक क्षेत्र के उद्यमों की ओर सरकारी नीति के प्रमुख तत्व थे :

(a) सभी गैर लक्षी सार्वजनिक क्षेत्र उद्यमों में यदि आवश्यक हो तो सरकारी विनिवेश 26 प्रतिशत अथवा कम हो सकता है।

(b) ये सार्वजनिक क्षेत्र उद्यम जो सशक्त रूप से विकासक्षम हैं उन्हें पुनर्संरचित एवं पुनर्जीवित किया जाना चाहिए।

(c) निजी विदेशी निवेश और विदेशी प्रौद्योगिकी का स्वागत।

(d) ऐसे सार्वजनिक क्षेत्र उद्यम जो पुनर्जीवित नहीं हो सकते उन्हें बंद कर देना चाहिए।

नीचे दिए गए कूट से **सही** उत्तर का चयन कीजिए :

A. (a), (b), (c) B. (a), (b), (d)
C. (b), (c), (d) D. (a), (b), (c), (d)

77. दावोस सम्मेलनों के विषयों को उनके वर्षवार कालक्रमानुसार व्यवस्थित कीजिए:

(*a*) पुनर्विचार, पुनःअभिकल्प एवं पुनर्निर्माण

(*b*) अनुक्रियाशील एवं जिम्मेदार नेतृत्व

(*c*) लोचदार गतिवाद

(*d*) खंडित विश्व में साझा भविष्य का सृजन

नीचे दिए गए कूट से **सही** उत्तर का चयन कीजिए :

A. (*a*), (*b*), (*c*), (*d*)
B. (*b*), (*c*), (*d*), (*a*)
C. (*a*), (*c*), (*b*), (*d*)
D. (*b*), (*d*), (*c*), (*a*)

78. राज्य करों में से निम्नांकित में से कौन-से हैं जो वस्तु एवं सेवा कर में समाहित हो गये हैं?

(*a*) राज्य वैट (State VAT)

(*b*) बिक्री कर

(*c*) सेवा कर

(*d*) प्रवेश कर (सभी प्रकार का)

नीचे दिए गए कूट से **सही** उत्तर का चयन कीजिए :

A. (*a*), (*b*), (*c*)
B. (*a*), (*b*), (*c*), (*d*)
C. (*a*), (*b*), (*d*)
D. (*b*), (*c*), (*d*)

79. अंतर्राष्ट्रीय मुद्रा कोष (IMF) के संदर्भ में निम्नलिखित में से कौन-सा **गलत** है?

A. मुख्यतः हैरी डैक्स्टर व्हाइट और जॉन मेनार्ड कीन्स के विचार पर ब्रेटोन वुड्स सम्मेलन में इसका गठन किया गया था।

B. यह वैश्विक वृद्धि तथा आर्थिक स्थिरता को बढ़ावा देने के लिए कार्य करता है।

C. IMF में मतदान का अधिकार कोटा प्रणाली पर आधारित होता है।

D. IMF बोर्ड ऑफ गवर्नर्स में प्रत्येक सदस्य देश के दो गवर्नर तथा एक वैकल्पिक गवर्नर शामिल होता है।

80. भारत में रेलवे के लिए अलग बजट प्रस्तुत करने की परिपाटी किस वर्ष से प्रारंभ की गई?

A. 1858 B. 1893
C. 1921 D. 1951

81. निम्नलिखित कारणों में से कौन-से कारण संघीय बजट 2017-18 को पूर्व के बजटों से भिन्न बनाते हैं?

(*i*) बजट का अग्रयन

(*ii*) विमुद्रीकरण

(*iii*) अच्छी आर्थिक वृद्धि

(*iv*) रेल बजट का संघ बजट के साथ विलय

नीचे दिए गए कूट से सही उत्तर का चयन करें :

कूट :

A. (*i*), (*ii*), (*iii*) और (*iv*)
B. (*i*), (*ii*) और (*iii*)
C. (*i*), (*ii*) और (*iv*)
D. (*i*) और (*iv*)

82. 'वित्त आयोग' में एक अध्यक्ष और निम्नांकित में से कितने सदस्य होते हैं?

A. पाँच सदस्य B. तीन सदस्य
C. चार सदस्य D. सात सदस्य

83. निम्नलिखित में से कौन-सा घटक भारत के संघीय बजट का भाग **नहीं** होगा?

A. कर राजस्व B. गैर-कर राजस्व
C. बिक्री बजट D. पूँजीगत प्राप्तियाँ

84. भारत में प्रथम बार विभागीय संबंधी संसदीय स्थायी समितियों को किस वर्ष स्थापित किया गया?

A. 1991 B. 1993
C. 2000 D. 2003

85. निम्नलिखित में से कौन-सी एक भारतीय अर्थव्यवस्था में सार्वजनिक क्षेत्र की भूमिका **नहीं** है?

A. आय का सृजन B. पूँजी निर्माण
C. अवसंरचना विकास D. आय एवं धन का संकेन्द्रण

86. आर्थिक उपाय के रूप में भारत में सार्वजनिक क्षेत्र के बैंकों के विलय के बारे में क्या सही **नहीं** है?

A. भारत में 21 सार्वजनिक क्षेत्र के बैंक हैं।

B. केन्द्रीय मंत्रिमंडल ने हाल ही में बैंकों के विलय पर विचार करने के लिए एक मंत्रालयीय पैनल को गठित करने का निर्णय लिया था।

C. एम. नरसिहम् द्वारा 1991 में बैंकों के विलय की सिफारिश की गयी थी।

D. 2014 में, पी.जे. नायक पैनल ने बैंक विलय के प्रस्ताव को छोड़ने का सुझाव दिया।

87. निम्नलिखित में से किस योजना के तहत भारत सरकार ने युवाओं को कौशल प्रदान करने के लिए माल और सेवा कर प्रशिक्षण कार्यक्रम प्रारंभ किया है?

A. डिजिटल इंडिया कार्यक्रम
B. आईएनएसपीआईआरई कार्यक्रम
C. राष्ट्रीय सामाजिक सहायता योजना
D. प्रधानमंत्री कौशल विकास योजना

88. इंटरनेशनल बैंक फॉर रिकंस्ट्रक्शन एण्ड डेवलपमेंट ने भारत को किस वर्ष ऋण देना आरंभ किया?

A. 1947 B. 1948
C. 1949 D. 1950

89. डब्ल्यू.टी.ओ. की सर्वोच्च निर्णय लेने वाली संस्था के संबंध में निम्नलिखित में से कौन-सा कथन सही **नहीं** है/हैं? नीचे दिए गए कूट की सहायता से सही उत्तर का चयन कीजिए:

1. डब्ल्यूटीओ की सर्वोच्च निर्णय लेने वाली संस्था मंत्रिस्तरीय सम्मेलन है।
2. इसकी बैठक आमतौर पर प्रत्येक छः माह में होती है।
3. यह डब्ल्यूटीओ के सभी सदस्यों को एक साथ लाता है।
4. यह किसी भी बहुपक्षीय व्यापार समझौते के अंतर्गत आने वाले मामलों पर सभी प्रकार के निर्णय ले सकता है।

कूटः

A. केवल 1 B. केवल 2

C. 3 और 4 D. 1 और 4

90. निम्नांकित में से वित्त मंत्रालय का कौन-सा विभाग भारत सरकार के बजट को तैयार करने के लिए जिम्मेवार है?

A. राजस्व विभाग B. व्यय विभाग

C. आर्थिक कार्य विभाग D. वित्तीय सेवा विभाग

91. आर्थिक मामलों के विभाग के अंतर्गत स्थापित अजय त्यागी समिति ने निम्न में से क्या सिफारिश की है?

A. डिजिटल भुगतान

B. वित्तीय आंकड़ा प्रबंधन (एफडीएमसी) की स्थापना

C. नीति आयोग की स्थापना

D. कृष्णा नदी प्रबंधन बोर्ड का पुनर्गठन

92. "वित्त सार्वभौमिक रूप से प्रशासन में उसी तरह घुला हुआ होता है जिस प्रकार ऑक्सीजन वातावरण में" यह किसका कथन है?

A. लार्ड हीवर्ट B. डेविड लॉयड जॉर्ज

C. मोर्सटीन मार्क्स D. डेविस कीथ

93. निम्नलिखित में से वस्तु और सेवा कर का लाभ कौन-सा **नहीं** है?

A. विनिर्माण और बिक्री का एकीकरण और सरलीकरण

B. कर से बचने के लिए अनेक गोदाम रखने का समापन

C. सेवाओं की गुणवत्ता में वृद्धि की ओर ध्यान का स्थानान्तरण

D. प्रत्यक्ष कर सुधार के क्षेत्र में महत्वपूर्ण कदम

94. निम्नलिखित में से कौन भारत में मिश्रित अर्थव्यवस्था की विशेषताएं हैं? नीचे दिए गए कूट में से सही उत्तर का चयन कीजिए:

(*i*) उत्पादन के साधनों का निजी स्वामित्व

(*ii*) बाजार तंत्र की महत्वपूर्ण भूमिका

(*iii*) बृहत सार्वजनिक क्षेत्रों के साथ स्वतंत्र उद्यमियों की उपस्थिति

(*iv*) आर्थिक नियोजन

कूट :

A. (*i*) एवं (*iv*)

B. (*i*), (*ii*) और (*iii*)

C. (*ii*), (*iii*) और (*iv*)

D. (*i*), (*ii*), (*iii*) और (*iv*)

95. 14वें वित्त आयोग ने निम्नलिखित में से किसके लिए मूल तथा कार्यनिष्पादन के लिए 80:20 प्रतिशत के अनुपात में अनुदान की अनुशंसा की है?

A. पंचायतों के लिए

B. नगरपालिकाओं के लिए

C. राज्यों के लिए

D. रुग्ण लोक उपक्रम इकाइयों के लिए

96. निम्न में से किस तारीख को योजना आयोग के स्थान पर राष्ट्रीय भारत परिवर्तन संस्थान (नीति आयोग) लाया गया था?

A. 1 जनवरी, 2014

B. 1 जनवरी, 2015

C. 15 अगस्त, 2015

D. 26 जनवरी, 2014

97. संविधान के किस अनुच्छेद द्वारा संघ अथवा राज्य सरकार को किसी ऐसे लोक उद्देश्य हेतु भी अनुदान के लिए प्राधिकृत किया जाता है जब सामान्यतः संसद इसके लिए कानून नहीं बना सकती?

A. अनुच्छेद 268 B. अनुच्छेद 269

C. अनुच्छेद 282 D. अनुच्छेद 271

98. **अभिकथन (A) :** नियंत्रक और महालेखा-परीक्षक सभी सरकारी खर्चों के औचित्य, वैधता और मान्यता की जाँच करता है।

तर्क (R) : नियंत्रक एवं महालेखा-परीक्षक सरकारी लेखा पर प्रभावी नियंत्रण करता है।

कूट :

A. (A) तथा (R) दोनों सही हैं तथा (R), (A) की सही व्याख्या है।

B. (A) तथा (R) दोनों सही हैं, परन्तु (R), (A) की सही व्याख्या नहीं है।

C. (A) सही है, परन्तु (R) गलत है।

D. (A) गलत है, परन्तु (R) सही है।

99. निम्नलिखित में किसे उसके कार्यकाल के संबंध में सवैधानिक सुरक्षोपाय प्राप्त नहीं है?

A. नियंत्रक और महालेखापरीक्षक

B. मुख्य चुनाव आयुक्त

C. प्रधानमंत्री

D. संघ लोक सेवा आयोग के अध्यक्ष

100. व्यय प्रबंधन आयोग द्वारा निम्नलिखित में से किन क्षेत्रों की जाँच नहीं की जाती है?

A. सरकारी कार्यक्रमों का वितरण तन्त्र

B. कार्यक्रमों को लागू करने हेतु प्रयुक्त प्रौद्योगिकी

C. विभिन्न कार्यक्रमों के पक्ष और विपक्ष

D. सरकार द्वारा प्रयुक्त लेखा विधि

उत्तरमाला

1	2	3	4	5	6	7	8	9	10
D	B	C	D	B	B	C	C	C	A
11	**12**	**13**	**14**	**15**	**16**	**17**	**18**	**19**	**20**
A	C	D	D	D	C	C	C	C	D
21	**22**	**23**	**24**	**25**	**26**	**27**	**28**	**29**	**30**
A	B	C	D	A	D	C	B	C	D
31	**32**	**33**	**34**	**35**	**36**	**37**	**38**	**39**	**40**
C	B	B	C	B	A	D	A	D	A
41	**42**	**43**	**44**	**45**	**46**	**47**	**48**	**49**	**50**
B	C	B	A	C	B	D	D	B	D
51	**52**	**53**	**54**	**55**	**56**	**57**	**58**	**59**	**60**
C	D	D	D	D	A	C	B	B	C
61	**62**	**63**	**64**	**65**	**66**	**67**	**68**	**69**	**70**
C	B	C	D	D	A	D	B	B	C
71	**72**	**73**	**74**	**75**	**76**	**77**	**78**	**79**	**80**
A	D	B	C	C	B	C	C	D	C
81	**82**	**83**	**84**	**85**	**86**	**87**	**88**	**89**	**90**
C	C	C	B	D	D	D	C	B	C
91	**92**	**93**	**94**	**95**	**96**	**97**	**98**	**99**	**100**
B	C	D	D	B	B	C	B	C	C

★★★

UNIT–VII

सामाजिक कल्याण प्रशासन
(SOCIAL WELFARE ADMINISTRATION)

प्रशासन राज्य के प्रारंभ से आज निरंतर कायम है लेकिन प्रशासन के स्वरूप में परिवर्तन होता रहा है। आज के राज्य लोक कल्याणकारी राज्य हैं। अतः प्रशासन में भी राज्य के स्वरुप के अनुसार परिवर्तन स्वभाविक है। आज प्रशासन से पारंपरिक प्रशासन की जगह कल्याणकारी प्रशासन की माँग की जाती है। सामाजिक कल्याण प्रशासन आज के लोक कल्याणकारी राज्य की माँग है।

सामाजिक कल्याण (Social Welfare)

समाज कल्याण एक संगठित प्रणाली है, जो सामाजिक संस्थाओं, व्यक्तियों के समूह के माध्यम से कमजोर वर्गों के लिए कल्याणकारी सेवाएँ प्रदान करती है। वाल्टर ए. फ्राइडलैंड के अनुसार, ''समाज कल्याण उन संगठित सेवाओं और संस्थाओं का समुच्चय है जिसे व्यक्तियों और समूहों के संतोषजनक जीवनस्तर व स्वास्थ्य तथा निजी व सामाजिक संबंधों की प्राप्ति में सहयोग करने के लिए बनाया गया है, ताकि वे अपनी क्षमताओं का पूर्ण विकास कर सकें और अपने परिवार व समुदाय की अवश्यकताओं के अनुरूप अपना कल्याण कर सकें। विश्वकोश ब्रिटैनिका के अनुसार, ''समाज कल्याण कानूनों और संस्थाओं की एक व्यवस्था है जिसके माध्यम से सरकारें अपने नागरिकों की आर्थिक और सामाजिक कल्याण करने तथा उन्हें बढ़ावा देने का प्रयास करती है।'' हेराल्ड विलेंस्की और चार्ल्स लिबॉक्स के अनुसार, ''समाज कल्याण औपचारिक रूप से संगठित और सामाजिक रूप से प्रायोजित वे संस्थाएँ, अभिकरण और कार्यक्रम हैं जो पूरी आबादी और उसके कुछ अंश के आर्थिक हालात, स्वास्थ्य या पारम्परिक क्षमताओं को सुधारने या कायम रखने का कार्य करते हैं''।

सामाजिक कल्याण की अवधारणा

गरीबी, बीमारी, पीड़ा और विपदा मानवता के प्राचीन काल से रहे हैं लेकिन, उन्नीसवीं और बीसवीं शताब्दी के औद्योगिक समाजों को इतनी सारी सामाजिक समस्याओं का सामना करना पड़ा कि मनुष्य की बनाई पुरानी संस्थाएँ जैसे–परिवार, पड़ोस, चर्च, स्थानीय समुदाय आदि उनसे निपटने में अपर्याप्त हो गए। सामाजिक सेवाओं की एक व्यापक व्यवस्था की जरूरत महसूस की जाने लगी। 'समाज कल्याण' की अवधारणा का विकास औद्योगिक समाज की सामाजिक समस्याओं के संबंध में हुआ है और तब से नागरिकों के कल्याण की जिम्मेदारी सरकारों ने अपने कंधों पर ले ली है।

समाज कल्याण अधिसंख्य लोगों के सर्वांगीन कल्याण व हितों को समाहित करता है जिसमें उनकी शारीरिक, मानसिक, भावनात्मक, आध्यात्मिक और आर्थिक जरूरतें सम्मिलित होती हैं। अर्थात् समाज कल्याण उन मूल संस्थाओं और प्रक्रियाओं से सम्बंधित है जिनके समक्ष सामाजिक समस्याओं को हल करने की चुनौती है। ये समस्याएं अधिकांश लोगों को प्रभावित करती हैं। यह समाधान के लिए संकल्पित सामूहिक प्रयासों की माँग करती हैं। कल्याण का मकसद जरूरतमंद व्यक्तियों को सहायता प्रदान करना है। इसका लक्ष्य कल्याण के लाभार्थियों को प्रतिकूल परिस्थितियों से निकाल कर उन्हें स्वावलंबी बनाना है। अमर्त्य सेन का कथन है, व्यक्तिगत क्षमताओं का संवर्धन समाज व व्यक्ति की सफलता की संभावनाओं को बढ़ा देता है। कुछ विद्वान लोग कल्याण को स्वतंत्रताओं के विस्तार के रूप में देखते हैं। अमर्त्य सेन तर्क देते हैं कि विश्व भर में लोग अनेक प्रकार की गुलामियों का सामना करते हैं जैसे– अकाल स्वास्थ्य संबंधी सुविधाओं का अभाव और लिंग-भेद। इस सन्दर्भ में, कल्याण का तात्पर्य व्यक्ति को सुखी जीवन जीने की तमाम जरूरतों को मुहैया कराने से है जिससे वह लोगों के लिए मौजूद सभी स्वतंत्रताओं का लाभ उठा सके। अतः वंचित व्यक्तियों, जिन्हें कल्याण के रूप में सरकारी सहायता जरूरी है के कल्याण के महत्व का ध्यान रखा जाना चाहिए। यह एक प्रकार से राष्ट्र के प्रति लगाव के बदले में किया जाने वाला सरकार या राज्य का कार्य है, इससे नागरिकों में राष्ट्र प्रेम की भावना का विकास होता है।

सामाजिक कल्याण की पहचान

1. **सामाजिक प्रयोजनः** सामाजिक प्रयोजन का संबंध सामाजिक स्वीकृति प्राप्त उद्देश्यों और प्रक्रियाओं के अस्तित्व से है, जबकि औपचारिक जवाबदेही सामाजिक कल्याणकारी सेवाओं का एक महत्वपूर्ण तत्व

है। एक बड़े समुदाय में सेवाओं की जवाबदेही तय करने के लिए किसी खास प्रक्रिया का विकास सामाजिक प्रयोजन का जरूरी हिस्सा है।

2. **लाभ की मंशा का न होनाः** लाभ की मंशा का न होना समाज कल्याण का प्रभावकारी कारक है। मुनाफे और शुल्क आधारित सेवाओं को समाज कल्याण के दायरे से बाहर रखा जाता है।
3. **कामकाजी सामान्यीकरणः** विकसित की जाने लायक मानवीय क्षमताओं की कोई सीमा नहीं होती है, इन जरूरतों को पूरा करने और क्षमताओं के संवर्द्धन के लिए जरूरी कल्याणकारी सेवाएँ भी विविध हो सकती हैं। जैसे बच्चों को पालन घर में रखना, मनोरंजन कार्यक्रम का आयोजन करना, सामाजिक बीमा का प्रबंधन करना।
4. **मानव उपयोग की जरूरतों के साथ संबंधः** सरकारी कल्याणकारी सेवाओं और अन्य सरकारी सेवाओं के बीच इस बात का अंतर पाया जा सकता है कि वे समाज की आम जरूरतों के बजाय व्यक्ति और परिवार की तात्कालिक उपभोग की जरूरतों को पूरा करती है। भूमि संरक्षण और जलीय ऊर्जा संसाधनों का विकास जिससे अंततः मानव कल्याण होता है लेकिन उसे विशिष्ट रूप से समाज कल्याण के तौर पर परिभाषित नहीं किया जा सकता है लेकिन भूखे को भोजन कराना, बेघर बच्चों को छत दिलाना समाज कल्याण के दायरे में आता है। क्योंकि कल्याणकारी सेवाओं का सीधा प्रभाव व्यक्ति और उसके परिवार के कल्याण पर होता है।
5. **औपचारिक संगठनः** सामाजिक कल्याण की गतिविधियाँ औपचारिक तौर पर संगठित होती हैं। वैयक्तिक दान-पुण्य हालांकि कल्याण में वृद्धि या कमी कर सकते हैं पर संगठित नहीं होते। आधुनिक समाज कल्याण के विचार का वास्तव में निहितार्थ है कि बजाय सगे संबंधियों की सहायता किये किसी अपरिचित को सहयोग किया जाए। इससे मददगार और मदद किये जाने वाले के बीच सामाजिक दूरी के दर्जे का एहसास होता है।

सामाजिक कल्याण और कल्याणकारी राज्य

कल्याणकारी राज्य की अवधारणा पूंजीवादी औद्योगिक राज्य और समाजवादी राज्य का विकल्प प्रदान करती है और दोनों की कमियों को पूरा करती है। इसमें राज्य की भूमिका अपने नागरिकों की सुरक्षा और आर्थिक तथा सामाजिक समृद्धि को बढ़ावा देने की होती है।

सामाजिक कल्याण और कल्याणकारी राज्य की अवधारणा अवसरों की समानता, धन के समान वितरण और बेहतर जीवन जीने के न्यूनतम प्रावधानों से वंचित लोगों के प्रति सार्वजनिक जिम्मेदारी के सिद्धान्तों पर आधारित है। टी.एच. मार्शल कल्याणकारी राज्य को लोकतंत्र, कल्याण और पूंजीवाद के विशिष्ट संयोजन के रूप में चिह्नित करते हैं।

बिस्मार्क (1815-98) ने पहली बार सामाजिक बीमा की राष्ट्रव्यापी व्यवस्था को लागू किया था। 19वीं सदी के उत्तरार्ध और 20वीं सदी के पूर्वार्ध में कई देशों के भीतर कल्याणकारी राज्य के प्रावधानों की संगठित व्यवस्था शुरू की गई। 1917 की रूसी क्रांति ने निजी संपत्ति का उन्मूलन कर केन्द्रीयकृत नियोजन के रास्ते राज्य के प्रभुत्व को संस्थागत कर दिया और इस तरह राज्य को सभी आर्थिक गतिविधियों पर नियंत्रण का अधिकार दे दिया। अमेरिका में महामंदी तक कोई संगठित कल्याणकारी व्यवस्था नहीं थी, जब राष्ट्रपति रूजवेल्ट को आपातकालीन राहत उपाय अपनाने पड़े थे। जनता के बीच पूंजीवाद को लेकर बढ़ते रोष से सरकार चिंतित थी इसलिए अपने परिवारों की सहायता के लिए एक प्रणाली का निर्माण किया। राज्य में जिसकी आय काफी कम थी या बिल्कुल नहीं थी, महामंदी के दौर में कल्याणकारी राज्य को साम्यवाद व पूंजीवाद के बीच एक वैकल्पिक 'मध्य मार्ग' के रूप में देखा जाने लगा।

ब्रिटेन में 1911 में डेविड लायड जॉर्ज द्वारा शुरू की गई राष्ट्रीय बीमा व्यवस्था (जिसका क्लिमेंट एटली ने बाद में विस्तार किया) ने आधुनिक कल्याणकारी राज्य के उदभव के संकेत दिए। बेवरिज रिपोर्ट (1942) ब्रिटेन में समाज कल्याण का दूसरा ऐतिहासिक चरण माना जाता है। यह ऐसी व्यवस्था थी जिसमें देश की समूची आबादी के लिए 'पालने से कब्र तक' सामाजिक कल्याण के प्रावधानों का प्रस्ताव था। इस रिपोर्ट के अनुसार ब्रिटेन ने व्यापक सामाजिक सुरक्षा विकसित की जिसका बेवरिज रिपोर्ट के मुताबिक उद्देश्य पाँच मुख्य बुराइयों से लड़ना था– बीमारी, अज्ञानता, गन्दगी, आलस्य और चाह। इसमें पारिवारिक भत्ते, स्वास्थ्य सेवाएं और राष्ट्रीय आय सहयोग बीमा की सार्वभौमिक योजना को प्राथमिकता दी गई थी। इसके अन्तर्गत बीमारी, बेरोजगारी और अवकाश प्राप्ति के दौरान मामूली आय के अलावा मातृत्व लाभ, विधवा कल्याण और अंत्येष्टि की लागत को भी शामिल किया गया था।

दूसरे विश्व युद्ध के अंत के साथ दुनिया में औपनिवेशिक राज्य का पतन हुआ और एशिया व अफ्रीका जैसे नए विकासशील राष्ट्रों का उदभव हुआ। नए उपनिवेशमुक्त राष्ट्र सामाजिक बीमा के लिए काफी तत्पर थे। 1945 के बाद के शुरूआती दौर में पितृसत्तात्मक, रूढ़िवादी, आधुनिक उदारवादियों और सामाजिक जनवादियों के बीच कल्याण के सिद्धान्तों पर एक आम सहमति बनी थी, लेकिन अस्सी और नब्बे के दशक में सभी दल कल्याणकारी सिद्धान्तों से डिगने लगे। यह आंशिक रूप से आर्थिक वैश्वीकरण के दबावों का असर रहा होगा। लेकिन कल्याण आज भी विमर्श और विवादास्पद मुद्दे हैं जो आधुनिक उदारवादियों तथा कल्याण विरोधी उदारवादियों व नव-दक्षिणपंथ के बीच विभाजक रेखा खींचता है।

सामाजिक न्याय (Social Justice)

न्याय एक मानवीय अवधारणा है। यह राजनीतिक जीवन का सर्वोच्च उद्देश्य है। न्याय किसी भी समाज की अन्तिम निर्णायक अवधारणा होती है। न्याय की अवधारणा अन्य अवधारणाओं जैसे अधिकार, स्वतंत्रता, समानता व सम्पति में समन्वय करती है।

प्लेटो ने न्याय को सदगुण के सन्दर्भ में परिभाषित किया है। उनके अनुसार न्याय किसी को हक दिलाना नहीं है कोल्ब सामाज के विभिन्न वर्गों और वर्णों में न्यायपूर्ण समानुपात है। इसके विपरीत समतावादी दृष्टिकोण के अनुसार न्याय वहाँ स्थापित होता है जहाँ समानता को

सर्वोच्च स्थान दिया जाता है। समाजवादी लेखक इसे 'आवश्यकता और मौलिक समानता' पर आधारित मानते हैं।

सामाजिक न्याय की अवधारणा राजनीतिक सिद्धान्तकारों में 'वितरण का गुण' (Property of distribution) माना जाता है। कोल्ब के अनुसार न्याय (1) किसी व्यक्ति को उसका हक दिलाना (2) पुरस्कार अथवा दण्ड द्वारा गलत को ठीक करना है। पहले अर्थ के अनुसार सामाजिक न्याय का सम्बन्ध समाज में अधिकार और कर्त्तव्य, भौतिक पदार्थ, सुरक्षा, प्रतिष्ठा, अवसर आदि के वितरण के सिद्धान्त को निश्चित करना होता है। आधुनिक समाजों में न्याय के मुख्यतः तीन मापदण्ड निश्चित किए गये हैं। समानता (Equality), योग्यता (Merit), आवश्यकता (Need)।

रॉल्स के अनुसार न्याय को सभी सामाजिक संस्थाओं का सर्वप्रथम एवं मौलिक गुण माना जाता है। इनके अनुसार न्याय किसी सामाजिक व्यवस्था की नींव है। रॉल्स के अनुसार न्याय वितरण का गुण है और इसका सम्बन्ध समाज में वस्तुओं और सेवाओं के वितरण से है। रॉल्स इन वस्तुओं को मौलिक पदार्थ का नाम देते हैं। ये दो प्रकार के हैं–

1. **सामाजिक पदार्थः** वे पदार्थ जो सामाजिक संस्थाओं द्वारा प्रत्यक्ष रूप से वितरित किये जाते हैं। जैसे वेतन, सम्पत्ति, अवसर, अधिकार, स्वतंत्रता, भौतिक पदार्थ आदि।
2. **प्राकृतिक पदार्थः** जैसे स्वास्थ्य, बुद्धि, साहस, शक्ति, क्षमता जो सामाजिक संस्था द्वारा वितरित नहीं किये जाते परन्तु उसे प्रभावित अवश्य करते हैं।

रॉल्स के अनुसार प्राकृतिक योग्यताएँ और जन्म की परिस्थितियाँ समाज में विशेषाधिकारों एवं असमानताओं को जन्म देती हैं क्योंकि इन असमानताओं को खत्म नहीं किया जा सकता है, अतः एक न्यायपूर्ण समाज का कर्त्तव्य है कि वह अपने स्रोतों का प्रयोग, जिसमें व्यक्तियों के प्रयत्न और क्षमताएं निहित हैं, इस ढंग से करें जिससे समाज के निम्नतम वर्ग की दशा में सुधार हो सके और विशेषाधिकार से उत्पन्न होने वाली असमानताओं की क्षतिपूर्ति हो सके। सही अर्थों में सामाजिक न्याय योग्य व्यक्तियों को पुरस्कृत करना मात्र नहीं, बल्कि निम्नतम लोगों की क्षतिपूर्ति करना है।

सामाजिक परिवर्तन की अवधारणा
(Concept of Social Change)

सामाजिक परिवर्तन का अर्थ है समाज के मानदंडों, मूल्यों, संरचनाओं और कार्यों में होने वाला बदलाव, जो मानव व्यवहार, सामाजिक संबंधों और सामाजिक संस्थाओं को प्रभावित करता है। सामाजिक परिवर्तन समाज के विभिन्न पहलुओं में होने वाले बदलावों को संदर्भित करता है, जिसमें सामाजिक संरचना, सांस्कृतिक मूल्य, व्यवहार के तरीके और सामाजिक संस्थाएं शामिल हैं। गुल्ड और कोल्ब के अनुसार, सामाजिक आर्थिक तथा राजनीतिक परिवर्तन का अर्थ है समाज के सामाजिक ढाँचों, संस्थाओं तथा आदतों में पूर्व स्थिति से दृष्टिगोचर परिवर्तन होना। ये परिवर्तन तीन कारणों द्वारा हो सकते हैं (1) वैधानिक कानूनों तथा सामाजिक नियन्त्रण के अन्य साधनों द्वारा (2) मनोवैज्ञानिक अथवा सामाजिक वातावरण में परिवर्तन द्वारा। (3) सामाजिक आकांक्षाओं एवं आवश्यकताओं को पूरा करने के लिए सामाजिक क्रियाओं में होने वाले परिवर्तन द्वारा।

रूस और चीन में साम्यवादी शासन की स्थापना 20वीं शताब्दी में सामाजिक परिवर्तन के उदाहरण है। परम्परागत दृष्टिकोण के अनुसार परिवर्तन प्रकृति का नियम है और उन सामाजिक व्यवस्थाओं को, जिनमें कोई परिवर्तन नहीं होता, गलत और अप्राकृतिक माना जाता है।

सामाजिक परिवर्तन की धारणा का विकास

सामाजिक परिवर्तन के कई कारण बताये जाते हैं। जैसे तकनीकी नवीनतायें, युद्ध, क्रान्तियाँ, जनसंख्या स्थानान्तरण, आर्थिक विषमतायें, साम्राज्यवाद वैचारिक प्रसार, सांस्कृतिक अतिक्रमण आदि। सामाजिक परिवर्तन के सिद्धान्तों को विकसित करने में ऑगस्ट कॉम्टे, टॉयनबी, रॉसतोव, अल्फ्रेड बेबर जैस्पर सोरोकिन आदि विचारकों का योगदान है।

सामाजिक परिवर्तन का स्वतंत्र सिद्धान्त हमें मानवशास्त्र (Ethnology) के अध्ययन में मिलता है, जहाँ दो विचार प्रधान रहे हैं।

(*i*) **विचार-प्रसारवादी चिन्तकः** जिनका विश्वास था कि सामाजिक विकास कुछ विशिष्ट केन्द्रों द्वारा संस्कृति के प्रसार के परिणाम स्वरूप होता है।

(*ii*) **क्रियात्मकवादी चिन्तकः** इनके अनुसार परिवर्तन और नवीनीकरण सामाजिक व्यवस्था के क्रियात्मक स्वरूप को बनाये रखने के परिणामस्वरूप होता है।

मार्क्सवाद सामाजिक परिवर्तन को उत्पादन की शक्तियों और उत्पादन के सम्बन्धों में टकराव पैदा होने वाले वर्ग-संघर्ष का परिणाम माना। कुछ अन्य विचारकों के अनुसार सामाजिक परिवर्तन सामाजिक संघर्षों के कारण होते हैं। इन संघर्षों को केवल आर्थिक न मानकर सामाजिक, सांस्कृतिक, राजनीतिक, भाषाई आदि कुछ भी माना है।

आज इन सिद्धान्तों को अधिक महत्व नहीं दिया जाता जो सामाजिक परिवर्तनों में केवल एक तत्व को प्रधान मानते हैं, चाहे वह जनसंख्या में वृद्धि हो या तकनीकी नवीनीकरण, युद्ध अथवा कुछ और। सामाजिक परिवर्तन के समकालीन सिद्धान्तों में सुनियोजित सामाजिक परिवर्तन (Planned social change) को भी काफी महत्वपूर्ण माना जाता है।

सोशल इंजीनियरिंग का सिद्धान्त

सामाजिक परिवर्तन के उदारवादी सिद्धान्त की व्याख्या में कार्ल पॉपर का विशेष स्थान है। इन्होंने अपनी पुस्तक दि ओपन सोसाइटी एन्ड इट्स एनिमीज (The open Society and its Enemies) में मार्क्स के ऐतिहासिक भौतिकवाद तथा सामाजिक विकास के शाश्वत नियमों को पूर्णतः अस्वीकार करके खंडशः सामाजिक परिवर्तन का सिद्धान्त दिया है। पॉपर ने सामाजिक परिवर्तन की अवधारणा को सामाजिक इन्जीनियरिंग में बदल दिया। सामाजिक इन्जीनियरिंग से उसका अभिप्राय है, "सामाजिक विकास को नियंत्रित करने, रोकने या उसकी गति को तेज करने के उद्देश्य से संस्थाओं का नियोजन या निर्माण करना। सामाजिक इन्जीनियरिंग का सम्बन्ध सामाजिक संस्थाओं के प्रबंधन से है और यह हमेशा खण्डशः ही होना चाहिए। यह

सिद्धान्त सामाजिक संस्थाओं को उसके वर्त्तमान रूप में स्वीकार करता है, इनकी कमियों की जाँच करता है और इन्हें बेहतर बनाने के लिए सुधार के तरीके सुझाता है। पॉपर इस तर्क को बिल्कुल अस्वीकार करते हैं कि सामाजिक परिवर्तन क्रांति अथवा एक ही झटके से प्राप्त किया जा सकता है। सामाजिक जीवन की प्रक्रिया इतनी जटिल होती है कि उसे सामाजिक निर्माण की किसी एक अन्तिम रूपरेखा या नक्शे में नहीं समेटा जा सकता है। खंडशः निर्माण की रूपरेखा किसी संस्था का नक्शा होता है जैसे स्वास्थ्य या शिक्षा सुधार। सुधार की यह पद्धति परीक्षण प्रणाली (Trial and error) पर आधारित होती है। जैस-जैसे व्यावहारिक अनुभव होता जाता है वैसे-वैसे यह अधिक सफल होती जाती है, जिससे इसे समाज में अधिक समर्थन और सहमति प्राप्त होती है।

सामाजिक न्याय में समानता तथा समावेशन की अवधारणा (Equality in Social Justice and concept of Inclusion)

द्वितीय विश्वयुद्ध के बाद प्रजातान्त्रिक समाजवाद ने न्याय को समानता, सामाजिक न्याय, और आर्थिक शक्ति के विकेन्द्रीकरण के साथ जोड़ा जो उद्योगों के व्यापक स्वामित्व, उद्योगों के राष्ट्रीयकरण तथा कल्याणकारी राज्य की स्थापना द्वारा प्राप्त किया जा सकता है। इन सभी विशेषताओं में समानता पर अधिक बल दिया गया है। समानता को न्याय का मौलिक आधार माना गया है जिसे लोगों का जीवन स्तर ऊपर उठाकर प्राप्त किया जाना चाहिए। सामाजिक न्याय में समानता की अवधारणा मिश्रित अर्थव्यवस्था, अधिक समानता हेतु धन का पुनर्वितरण और औद्योगिक विकेन्द्रीकरण के साथ सम्बद्ध हो गयी है। इसे तीन स्तरों पर समझा जा सकता है। राजनैतिक स्तर पर सामाजिक न्याय में समानता का तात्पर्य समान राजनीतिक अधिकार, राजनीतिक प्रक्रिया का प्रजातन्त्रीकरण, राजनीतिक शक्ति का विकेन्द्रीकरण तथा मूल राजनीतिक मुद्दों पर जन-सहमति। सामाजिक स्तर पर न्याय का अर्थ है विकास के समान अवसर, भेद-भावहीनता, प्राकृतिक योग्यताओं और क्षमताओं की असमानता के परिणामस्वरूप होने वाले अन्यायपूर्ण वितरण की असंगतियों को दूर करना। सुधारात्मक न्याय के रूप में इसका अर्थ हैं सामाजिक समानता, सामाजिक सुरक्षा, बेकारी भत्ता, बुढ़ापे में पेंशन आदि। आर्थिक स्तर पर न्याय का अर्थ है सम्पत्ति से उत्पन्न होने वाले असन्तुलन को आर्थिक सुधारों के माध्यम से समाप्त करना। इस प्रकार सामाजिक न्याय में समानता आर्थिक और सामाजिक संस्थाओं के पुननिर्माण द्वारा प्राप्त किया जा सकता है। अमर्त्य सेन के अनुसार व्यक्तिगत क्षमताओं का संवर्धन समाज व व्यक्ति की सफलता की संभावनाओं को बढ़ा देता है। सेन के अनुसार विश्व में लोग अनेक प्रकार के गुलामियों का सामना कर रहे हैं जैसे—अकाल, स्वास्थ्य संबंधी सुविधाओं का अभाव और लिंगभेद आदि। सेन समाजिक न्याय में समानता को तभी देखते हैं जब व्यक्ति प्रतिकूल परिस्थितियों से निकल कर स्वावलंबी बन सके।

सामाजिक समावेशन की अवधारणा

धन सम्पदा और मूल्यों का निर्माण समाज में होता है, समाज से बाहर इनका कोई औचित्य नहीं होता है। अतः धन-सम्पदा, आदि का पुनर्निवेश समाज में औचित्यपूर्ण होता है। व्यक्ति एक सामाजिक प्राणी है। वह अपनी आवश्यकताओं की पूर्ति केवल समाज में ही कर सकता है। राज्य का उद्देश्य सामाजिक स्तर पर लोगों के हितों की पूर्ति में सहायता करना है। असमानता प्रारंभ से सभी समाजों के मुद्दे रहे हैं पर इसकी पहचान अलग-अलग समय पर अलग-अलग रूप में होती रही है। आधुनिक समय में असमानता को सामाजिक समावेशन के माध्यम से दूर करने के उपाय को लोकप्रियता मिल रही है।

सामाजिक न्याय में समावेशन की अवधारणा

न्याय राजनीतिक जीवन का सर्वोतम उद्देश्य है। न्याय किसी भी समाज की अन्तिम निर्णायक अवधारणा होती है। न्याय अन्य अवधारणाओं जैसे—अधिकार, स्वतंत्रता, समानता, सम्पत्ति में समन्वय कराता है। अतः न्याय की किसी भी व्याख्या में इसके बहुपक्षीय चरित्र को ध्यान में रखना आवश्यक है।

कोलं के अनुसार, न्याय को दो अर्थों में समझा जाता हैः (*i*) किसी भी व्यक्ति को उसका हक दिलाना (*ii*) पुरस्कार-दण्ड द्वारा गलत को ठीक करना। आधुनिक प्रजातान्त्रिक सामाजों में न्याय के तीन मापदण्ड निश्चित किये गये हैं। समानता (Equality), योग्यता (Merit) और आवश्यकता (Need)। समानता और योग्यता न्यायपूर्ण समाज की आधारशिला है।

न्याय का तीसरा आधार आवश्यकता है। इसके अनुसार प्रत्येक व्यक्ति की मानव होने के नाते कुछ न्यूनतम आवश्यकताएं हैं। प्रत्येक व्यक्ति का मानव होने के नाते प्रतिष्ठा, आदर, स्वतंत्रता के कुछ मौलिक अधिकार हैं जो तब तक पूरे नहीं हो सकते जब तक व्यक्ति की रोटी, कपड़ा, मकान जैसी मौलिक आवश्यकताएं पूरी नहीं होतीं। ये आवश्यकता समाज में पुनर्वितरण की माँग करती है ताकि जरूरतमंद लोगों की आवश्यकता की पूर्ति की जा सके। अतः पुर्नवितरण के माध्यम से सामाजिक न्याय को प्राप्त किया जा सकता है। यही सामाजिक न्याय में समावेशन की अवधारणा है। समावेशन की अवधारणा में निम्नलिखित बिन्दु हैं।

1. समावेशन समग्र विकास एवं वितरणमूलक न्याय को सुनिश्चित करता है जिससे समाज की असमानता को दूर कर समाज एवं व्यक्ति को स्वाबलम्बी बनाया जा सके।
2. समावेशन की अवधारणा सभी भागीदारों के समान अवसर एवं समान लाभ पर आधारित है जिसके फलस्वरूप समतामूलक समाज की स्थापना होती है।
3. सतत् एवं टिकाऊ विकास के लिए समावेशी समाज या विकास आवश्यक है। यह हमारी 12वीं पंचवर्षीय योजना का प्रमुख लक्ष्य था।
4. समावेशी समाज निर्मित करने में विकासशील समाजों में भ्रष्टाचार सबसे बड़ी चुनौती बन कर सामने आयी है।

5. समावेशी विकास का मूल आधार सामाजिक न्याय को स्थापित करना है, इसके लिए रोजगार के अवसरों में वृद्धि और लोगों के जीवन स्तर में सुधार लाना आवश्यक है।
6. सामाजिक समावेशन के लिए वित्तीय एवं बैंकिंग सेवाओं तक सभी की वहनीय पहुँच सुनिश्चित करना आवश्यक है।
7. वित्तीय समावेशन एवं सामाजिक समावेशन के लिए डॉ. नचिकेत मोर समिति की रिपोर्ट (7 जनवरी, 2014) तथा प्रधानमंत्री जन-धन योजना (28 अगस्त, 2014 से) महत्वपूर्ण मानी जा रही है।

सकारात्मक कार्रवाई की अवधारणा-आरक्षण (Concept of Affirmative Action-Reservation)

सकारात्मक कार्रवाई (Affirmative Action) या साकारात्मक विभेद (Positive Discrimination) सरकार या संगठन के भीतर नीतियों और प्रथाओं के एक समूह को संदर्भित करता है जो प्रणालीगत भेदभाव को संबोधित करने की कोशिश करता है। इसके द्वारा ऐसी नीतियों और कार्यक्रमों को लागू किया जाता है। जिनका उद्देश्य ऐतिहासिक रूप से वंचित समूहों को शिक्षा और रोजगार में समान अवसर दिलाना है।

समाज में विशेष स्थिति के आधार पर सकारात्मक कार्रवाई को न्यायोचित ठहराया गया है। इसी आधार पर अनुच्छेद 15(3) उपबन्धित करता है कि अनुच्छेद 15 की कोई बात राज्य को स्त्रियों व बालकों के लिए कोई विशेष उपबन्ध बनाने से नहीं रोकेगी। स्त्रियों व बालकों की स्वाभाविक प्रकृति ऐसी होती है जिसके कारण उन्हें विशेष संरक्षण की आवश्यकता होती है। भारत में स्त्रियों की दशा बड़ी शोचनीय थी। वे सामाजिक कुरीतियों जैसे बाल-विवाह, बहु-विवाह आदि की शिकार थीं और पूर्णरूप से पुरुषों पर आश्रित थीं, इसी कारण राज्य को उनके लिए विशेष कानून बनाना उचित है। स्त्रियों के प्रति इस वैधानिक सहानुभूति के आधार के बारे में अमेरिका के न्यायालय में मूलर बनाम ओरेगन के मामले में कहा गया है कि "अस्तित्व के लिए संघर्ष में स्त्रियों की शारीरिक बनावट तथा उनके स्त्रीजन्य कार्य उन्हें दुःखद स्थिति में कर देते हैं। अतः उनकी शारीरिक कुशलता का संरक्षण जनहित का उद्देश्य हो जाता है जिससे जाति, शक्ति और निपुणता को सुरक्षित रखा जा सके।" इसी आधार पर अनुच्छेद 42 के अन्तर्गत स्त्रियों को विशेष प्रसूति - अवकाश प्रदान किया जा सकता है और इससे अनुच्छेद 15(1) का उलंघन नहीं होता है। राज्य केवल स्त्रियों के लिए शिक्षण संस्थानों की स्थापना कर सकता है तथा अन्य सभी संस्थाओं में उनके लिए स्थान भी आरक्षित कर सकता है।

यूसुफ अब्दुल अजीज बनाम बम्बई राज्य के मामले में भारतीय दण्ड संहिता की धारा 497 की संवैधानिकता को चुनौती दी गयी थी। इस धारा के अधीन जारकर्म (Adultery) के अपराध के लिए केवल पुरुष ही दण्डनीय होता है, स्त्री नहीं। प्रार्थी को भारतीय दण्ड संहिता की धारा 497 के अन्तर्गत जारकर्म के अपराध के लिए दण्डित किया गया। उसने उच्चतम न्यायालय में दलील दी कि धारा 497 संविधान के अनुच्छेद 15(1) का अतिक्रमण करती है क्योंकि इसके अधीन उक्त अपराध के लिए केवल पुरुष को ही मुख्य आयुक्त के रूप में दण्डित किया जाता है स्त्री को उत्प्रेरक (Abettor) के रूप में भी दण्डित नहीं किया जाता है और इस प्रकार यह लिंग के आधार पर विभेद है और अवैध है। उच्चतम न्यायालय ने धारा 497 को इस आधार पर वैध घोषित किया की वर्गीकरण केवल 'लिंग' के आधार पर नहीं बल्कि समाज में स्त्रियों की विशेष स्थिति के आधार पर किया गया है।

इसी प्रकार सकारात्मक कार्रवाई की अवधारणा के आधार पर बच्चों के लिए भी विशेष उपबन्ध किये जा सकते हैं, जैसे—बालकों के लिए निःशुल्क और अनिवार्य शिक्षा या उनको शोषण से बचाने के उद्देश्य से बनाये गये प्रावधान अनुच्छेद 15(3) के अधीन संवैधानिक होंगे। यह अनुच्छेद 15(3) स्त्रियों और बालकों के कल्याण के लिए विशेष प्रावधान की अनुमति देता है, यह प्रत्येक बात में पुरुषों के समान सुविधा देने का उपबन्ध नहीं करता है।

इसी प्रकार आन्ध्र प्रदेश राज्य ने एक नियम बनाया था जिसके अधीन राज्य की अधीनस्थ सेवाओं में स्त्रियों के लिए 30 प्रतिशत आरक्षण देने का प्रावधान था। न्यायालय ने निर्णय दिया कि उक्त नियम अनुच्छेद 15(3) के अधीन विधिमान्य और संवैधानिक है।

सकारात्मक कार्रवाई की अवधारणा राज्य को विवेकीय शक्ति प्रदान करता है अर्थात राज्य अगर उचित समझे तो पिछड़े वर्ग के नागरिकों के लिए विशेष प्रावधान बना सकता है, बशर्ते कि विशेष वर्ग सामाजिक और शैक्षिक दृष्टि से पिछड़ा हुआ हो। इसे प्रभावी बनाने के लिए संविधान (प्रथम संशोधन) अधिनियम 1951 द्वारा अनुच्छेद 15 संशोधित किया गया। अनुच्छेद 15(4) के अन्तर्गत राज्य किन्हीं सामाजिक तथा शैक्षिक दृष्टि से पिछड़े हुए वर्गों या अनुसूचित जातियों और अनुसूचित जनजातियों की उन्नति के लिए विशेष प्रावधान कर सकता है।

सामाजिक न्याय प्रशासन (Social Justice Administration)

सामाजिक न्याय प्रशासन का तात्पर्य असहाय व गरीब लोगों के सामाजिक कार्यों व सेवाओं के समुचित संचालन है। प्रत्येक समाज में कुछ ऐसे लोग होते हैं, जो स्वयं अपनी आजीविका उपार्जन नहीं कर पाते हैं। न्यायपूर्ण और संगठित रूप से सम्पन्न करने की सुविधा उनको प्रदान करना ही सामाजिक न्याय प्रशासन है।

जान. सी. किडनी के अनुसार, "समाज कल्याण प्रशासन सामाजिक नीति को सामाजिक संस्थाओं में बदलने तथा सामाजिक नीति को मूल्यांकित एवं संशोधित करने में अनुभव प्रयोग की एक प्रक्रिया है।"

प्रोफेसर राजाराम शास्त्री के अनुसार, "सामाजिक अभिकरण तथा सरकारी कल्याण कार्यक्रमों से सम्बन्धित प्रशासन को समाज कल्याण प्रशासन कहते हैं।"

केन्द्रीय समाज कल्याण बोर्ड

केन्द्रीय समाज कल्याण बोर्ड का मुख्य उद्देश्य है—समाज में महिलाओं का कल्याण, विकास और सशक्तीकरण के लिए गैर-सरकारी संगठनों और

स्वैच्छिक संगठनों के साथ रचनात्मक भागीदारी सुनिश्चित करना तथा इस कार्य के लिए ऐसे अधिक-से-अधिक संगठनों को बढ़ावा देना। इसी उद्देश्य की पूर्ति के लिए वर्ष 1953 में बोर्ड की स्थापना की गई थी। केन्द्रीय समाज कल्याण बोर्ड विभिन्न कार्यक्रमों के अन्तर्गत गैर-सरकारी/स्वैच्छिक संगठनों को सहायता उपलब्ध कराता है ताकि वे महिलाओं में शिक्षा, प्रशिक्षण, आश्रय, परामर्श सेवा तथा सहायक सेवाएँ उपलब्ध कराकर समाज में उनकी स्थिति को सुदृढ़ बना सकें और उन्हें सशक्त कर सकें।

संगठनात्मक ढाँचा

इस बोर्ड में एक अध्यक्ष, 55 निकाय सदस्य तथा 15 कार्यकारी सदस्य होते हैं।

1. अध्यक्ष
2. मन्त्रालय एवं विभाग से विभिन्न सदस्य (भारत सरकार महिला एवं बाल विकास मन्त्रालय, ग्रामीण विकास मन्त्रालय, स्वास्थ्य एवं परिवार कल्याण मन्त्रालय, माध्यमिक एवं उच्च शिक्षा विभाग, सामाजिक न्याय एवं अधिकारिता मन्त्रालय, श्रम एवं रोजगार मन्त्रालय, वित्त मन्त्रालय), व्यय विभाग, नीति आयोग, वित्तीय सलाहकार, शिक्षा मन्त्रालय
3. सामाजिक कार्यों से तीन दक्ष सदस्य
4. पाँच पेशेवर सदस्य (विधि, चिकित्सा, सामाजिक कार्य, शिक्षा सामाजिक विकास व पोषण)
5. संसद के सदस्य लोकसभा से (2) एवं राज्यसभा (1)
6. राज्य समाज कल्याण बोर्ड के सभी अध्यक्ष (33)
7. कार्यकारी निदेशक

कार्यकारी समिति

- अध्यक्ष; CSWB
- राज्य एवं केन्द्रशासित प्रदेश के समाज कल्याण बोर्ड के अध्यक्ष

भारत सरकार के विभिन्न मन्त्रालय एवं विभाग के प्रतिनिधि। महिला एवं बाल विकास मन्त्रालय, स्वास्थ्य एवं परिवार कल्याण मन्त्रालय, ग्रामीण विकास मन्त्रालय, वित्त मन्त्रालय, सेकेण्डरी एवं उच्च शैक्षणिक विभाग, शिक्षा मन्त्रालय, सामाजिक न्याय एवं अधिकारिता मन्त्रालय, वित्तीय सलाहकार, पेशेवर डॉक्टर आदि शामिल होते हैं।

केन्द्रीय समाज कल्याण बोर्ड के कार्य

केन्द्रीय समाज कल्याण बोर्ड महिलाओं और बच्चों के विकास तथा कल्याण के लिए स्वैच्छिक प्रयासों की भावना से निम्नलिखित कार्य करता है:

1. जरूरतमन्द महिलाओं, अनाथों एवं सामाजिक एवं आर्थिक विकास हेतु रोजगार योजनाएँ चलाना।
2. ग्रामीण क्षेत्रों में कल्याण कार्यक्रम के संचालन एवं नियन्त्रण हेतु महिला मण्डलों की स्थापना करना।
3. सीमावर्ती क्षेत्रों में कल्याण-विस्तार योजनाएँ संचालित करना।
4. शहरी गन्दी बस्तियाँ, झुग्गी-झोंपड़ियों के बालकों के शारीरिक एवं मानसिक विकास के लिए स्कूल-पूर्व परियोजना चलाना।
5. प्रदर्शन परियोजना द्वारा बालवाड़ियाँ चलाना।
6. अवकाश शिविर योजनाओं का संचालन करना।
7. कामकाजी महिलाओं के लिए आवासीय हॉस्टलों की व्यवस्था करना।
8. कल्याण-विस्तार योजनाएँ निर्मित एवं क्रियान्वित करना।
9. विकास कार्यक्रमों के क्रियान्वयन हेतु स्वयंसेवी संगठनों को अनुदान एवं सहायता देना।

बोर्ड के उद्देश्य

वर्तमान में केन्द्रीय समाज कल्याण बोर्ड के मुख्य उद्देश्य निम्नलिखित है:

1. ऐसे क्षेत्रों में जहाँ समाज कल्याण संगठन नहीं है और ऐसे क्षेत्रों में जहाँ ऐसे अतिरिक्त संगठनों की आवश्यकता है, उन क्षेत्रों में समाज कल्याण संगठनों को स्थापित करने में सहायता करना।
2. केन्द्रीय तथा राज्य सरकारों द्वारा सामाजिक कल्याण गतिविधियों पर दी जा रही सहायता को समन्वित करना।
3. सहायता प्राप्त कर रहे अभिकरणों के कार्यक्रमों का मूल्यांकन करना।
4. सर्वेक्षण, अनुसन्धान तथा मूल्यांकन के माध्यम से सामाजिक कल्याण-संगठनों की आवश्यकताओं तथा अपेक्षाओं का अध्ययन करना।
5. सुपात्र स्वैच्छिक संगठनों तथा पंचायती राज संस्थाओं को तकनीकी और वित्तीय सहायता प्रदान करना।
6. राष्ट्र, प्राकृतिक अथवा अन्य आपदाओं के समय आवश्यकता पड़ने पर आपातकालीन राहत कार्यक्रम आयोजित करना।
7. आवश्यकता पड़ने पर समाज-कार्य में प्रशिक्षण प्रदान करने सम्बन्धी कार्यक्रमों को बढ़ावा देना तथा मार्गदर्शक परियोजनाएँ तैयार एवं लागू करना।
8. महिलाओं, बच्चों, विकलांगों के कल्याण के लिए समाज कल्याण गतिविधियों को बढ़ावा देना तथा बेरोजगारों, अर्द्ध-बेरोजगारों, वृद्धों, रोगियों, असहायों तथा जरूरतमन्दों को सहायता प्रदान करना।

राज्य समाज कल्याण बोर्ड

जिस प्रकार केन्द्र में समाज कल्याण बोर्ड की स्थापना की गई है, ठीक उसी प्रकार प्रत्येक राज्य में समाज कल्याण-बोर्ड की स्थापना की गई है, क्योंकि उस समय यह महसूस किया गया कि केन्द्रीय समाज कल्याण बोर्ड के कार्य तथा कार्यक्रमों को सुचारु गति प्रदान करने के लिए राज्य स्तर पर भी समाज कल्याण बोर्ड होना आवश्यक है।

अतः तत्कालीन प्रधानमंत्री पण्डित जवाहरलाल नेहरू ने 23 अप्रैल, 1954 को राज्यों के मुख्यमन्त्रियों को एक पत्र लिखा, जिसमें उन्होंने राज्य

समाज कल्याण बोर्ड की स्थापना की बात कही। केन्द्रीय समाज कल्याण मण्डल की तत्कालीन अध्यक्ष डॉक्टर (श्रीमती) दुर्गाबाई देशमुख ने भी राज्य स्तर के इन मण्डलों के गठन का प्रस्ताव रखा।

केन्द्रीय समाज कल्याण मण्डल के प्रगति प्रतिवेदन में कहा गया था कि राज्य समाज कल्याण सलाहकार मण्डल सलाहकार या परामर्शदाता निकायों के रूप में कार्य करेंगे। यही कारण है कि इन मण्डलों का संगठन एवं कार्य सभी राज्यों में एक समान ही हैं। वर्तमान समय में भारत के प्रत्येक राज्य व केन्द्र शासित प्रदेश में ये मण्डल स्थापित किए जा चुके हैं। राज्य समाज कल्याण बोर्ड एक तरह से केन्द्रीय समाज कल्याण बोर्ड की प्रतिनिधि संस्था अथवा परामर्शदाता के रूप में कार्य करते हैं। अतः इन्हें राज्य समाज कल्याण सलाहकार मण्डल भी कहा जाता है।

बोर्ड का संगठन

राज्य समाज कल्याण सलाहकार मण्डल राज्य सरकार द्वारा केन्द्रीय समाज कल्याण बोर्ड के परामर्श से गठित किया जाता है। केन्द्रशासित प्रदेशों में वहाँ की सरकार तथा केन्द्रीय समाज कल्याण बोर्ड के परामर्श से राज्य समाज कल्याण सलाहकार बोर्ड का गठन किया जाता है।

बोर्ड का अध्यक्ष परम्परानुसार गैर सरकारी व्यक्ति होता है, जिसकी नियुक्ति केन्द्रीय समाज कल्याण बोर्ड के अध्यक्ष तथा राज्य सरकार के संयुक्त परामर्श के बाद की जाती है। समान्यतः बोर्ड में राज्य के प्रत्येक जिले का एक प्रतिनिधि लिया जाता है। इसके अतिरिक्त अन्य प्रतिनिधियों का चयन विश्वविद्यालयी विभागों से, सामाजिक कार्य के स्कूलों से, समाज कल्याण के कार्यों से सम्बन्धित विभागों से किया जाता है। बोर्ड में राज्य विधानसभा का भी एक प्रतिनिधि होता है।

अध्यक्ष के अतिरिक्त आधे सदस्य केन्द्रीय समाज कल्याण बोर्ड द्वारा तथा अन्य आधे सदस्य राज्य सरकार द्वारा मनोनीत किए जाते हैं। बोर्ड के अध्यक्ष का कार्यकाल 2 वर्ष है तथा वह लगातार दो बार से अधिक इस पद पर कार्य नहीं कर सकता है। बोर्ड के प्रमुख पदाधिकारियों में अध्यक्ष, उपाध्यक्ष एवं कोषाध्यक्ष होता है। अध्यक्ष के अतिरिक्त दोनों पदाधिकारी बोर्ड के सदस्यों में से ही चुने जाते हैं।

राज्य समाज कल्याण मण्डल की आवश्यकताएँ

राज्य समाज कल्याण सलाहकार अथवा परामर्शदाता मण्डलों की स्थापना की आवश्यकता निम्न कारणों से हुई है:

1. राज्य मण्डलों, राज्य सरकारों, केन्द्रीय समाज कल्याण मण्डल तथा स्वैच्छिक संगठनों के मध्य समन्वय स्थापित किया जा सके।
2. क्षेत्रीय स्तर पर सामाजिक कार्यकर्ताओं के साथ परामर्श किया जा सके।
3. राज्य स्तर पर पिछड़े क्षेत्रों, पहाड़ी क्षेत्रों व कच्ची बस्तियों में महिला, बच्चों तथा विकलांगों के कल्याण हेतु समुचित सेवाएँ दी जा सकें।
4. राज्य या क्षेत्रीय स्तर पर कार्यरत् स्वैच्छिक संगठनों या अभिकरणों को नियन्त्रित या समन्वित किया जा सके।
5. राज्य स्तर पर अनुदान माँगने वाले अभिकरणों के कार्यों का मूल्यांकन हो सके।
6. राज्य स्तर पर केन्द्रीय समाज कल्याण मण्डल के सहायक संगठनात्मक ढाँचे की स्थापना से कार्यों का विकेन्द्रीयकरण हो सके।

बोर्ड का कार्य–संचालन

राज्य समाज कल्याण सलाहकार मण्डल की एक स्थायी समिति होती है, जिसमें अध्यक्ष, उपाध्यक्ष, कोषाध्यक्ष तथा बोर्ड का एक और सदस्य रहता है। यह स्थायी समिति बोर्ड के सारे मामलों की देखभाल करती है तथा बोर्ड द्वारा प्रस्तावित सीमाओं में कोष का प्रबन्ध करती है।

बोर्ड इसके अतिरिक्त भी विशेष समस्याओं तथा विशेष उद्देश्यों के लिए अन्य स्थायी समितियाँ, तदर्थ समितियाँ, उप-समितियाँ अथवा विशेषज्ञों का पैनल बना सकता है। बोर्ड द्वारा केन्द्रीय बोर्ड से स्वीकृत पदों पर उसी के द्वारा निर्धारित शर्तों के अनुसार नियुक्तियाँ की जाती हैं।

बोर्ड अपने कार्य का दायित्व एक प्रस्ताव द्वारा अपने अध्यक्ष अथवा सचिव को हस्तान्तरित कर सकता है।

यह असाधारण बैठक के लिए 10 दिन पूर्व तथा साधारण बैठक के लिए 5 दिन पूर्व सूचना देता है। केन्द्रीय समाज कल्याण बोर्ड के प्रत्यक्ष नियन्त्रण में कार्य करते हुए राज्य समाज कल्याण बोर्ड, अपने मुख्यालय की नीतियाँ तथा कार्यक्रमों के अनुरूप स्वयं की कार्य-प्रणाली निश्चित करता है।

राज्य समाज कल्याण सलाहकार मण्डल को प्रशासनिक खर्चों के लिए धनराशि राज्य सरकार तथा केन्द्रीय समाज कल्याण मण्डल से आधी-आधी प्राप्त होती है, किन्तु केन्द्रीय समाज कल्याण मण्डल के कार्यक्रमों में संचालन हेतु समस्त धनराशि मण्डल के सचिवालय द्वारा प्रदान की जाती है, जो एक सचिव के नियन्त्रण के अधीन कार्य करता है।

बोर्ड के कार्य

राज्य समाज कल्याण बोर्ड या मण्डल द्वारा राज्य में बहुमुखी कार्य सम्पन्न किए जाते हैं। ये राज्य में कल्याणकारी कार्यक्रमों एवं गतिविधियों के सम्बन्ध में केन्द्रीय समाज कल्याण मण्डल को परामर्श प्रदान करते हैं। ये विभिन्न कार्यक्रमों के अन्तर्गत कल्याण कार्य करने वाले ऐच्छिक संगठनों से, जो सहायता अनुदान प्राप्त करना चाहते हैं, प्रार्थना-पत्र आमन्त्रित करते हैं तथा इस सम्बन्ध में केन्द्रीय समाज कल्याण मण्डल को अपनी सिफारिश प्रस्तुत करते हैं। राज्य में कल्याणकारी एवं विकास कार्यों को संचालित करने वाले विभिन्न कार्यक्रमों में समन्वय स्थापित करने का दायित्व भी मुख्यतः समाज कल्याण सलाहकार मण्डलों का ही होता है। संक्षेप में, राज्य समाज कल्याण सलाहकार मण्डल/बोर्ड के प्रमुख कार्य निम्नलिखित हैं:

1. राज्य समाज कल्याण सलाहकार बोर्ड राज्य तथा स्थायी निकायों के स्तर पर ऐच्छिक कल्याण अभिकरण के बीच प्रभावशाली समन्वय को प्रोत्साहित करता है।

2. राज्य समाज कल्याण सलाहकार मण्डल ग्रामीण, शहरी एवं जनजातीय कल्याण परियोजनाओं के कार्यक्रमों को प्रसारित करता है।
3. राज्य समाज कल्याण सलाहकार बोर्ड सहायता प्राप्त अभिकरणों के लिए क्षेत्रीय परामर्शदाता सेवा की व्यवस्था करने में केन्द्रीय समाज कल्याण बोर्ड को सहयोग देता है।
4. यह ऐच्छिक समाज कल्याण अभिकरणों के विकास को प्रोत्साहित करता है तथा उन क्षेत्रों में कल्याणकारी सेवाएँ प्रारम्भ करता है, जो अभी तक अछूते हैं।
5. यह राज्य में विभिन्न विभागों द्वारा किए जा रहे कल्याणकारी एवं विकास कार्यक्रमों में समन्वय स्थापित करता है।
6. राज्य में नए कल्याणकारी कार्यक्रमों एवं गतिविधियों की जहाँ कहीं आवश्यकता हो, उनके बारे में केन्द्रीय समाज कल्याण मण्डल को परामर्श सहायता देता है।
7. यह विभिन्न ऐच्छिक संस्थाओं एवं कल्याणकारी परियोजनाओं के कार्य रूप का पर्यवेक्षण करता है तथा केन्द्रीय समाज कल्याण मण्डल को प्रतिवेदन देता है।
8. राज्य समाज कल्याण सलाहकार मण्डल विभिन्न विकास कार्यक्रमों के अन्तर्गत ऐच्छिक कल्याणकारी संस्थाओं से सहायता अनुदान के लिए प्रार्थना-पत्र आमन्त्रित करता है।
9. बोर्ड राज्य तथा केन्द्र दोनों के बीच सूचना के आदान-प्रदान के माध्यम के रूप में कार्य करता है।

गैर-सरकारी संगठन (Non-Governmental Organizations-NGOs)

गैर-सरकारी संगठन ऐसे संगठन होते हैं जो न तो सरकार और न ही किसी लाभकारी व्यवसाय से संबंधित होते हैं। आम नागरिकों द्वारा स्थापित गैर सरकारी संगठनों को प्रायः सरकारों, फाउंडेशनों, व्यवसाय या निजी व्यक्तियों द्वारा वित्त पोषित किया जाता है। एनजीओ की गतिविधियों के अंतर्गत पर्यावरण, सामाजिक, हितार्थ और मानवाधिकार कार्य आदि आते हैं लेकिन यह इन्हीं तक सीमित नहीं है। ये संगठन व्यापक रूप से स्थानीय स्तर पर सामाजिक या राजनीतिक परिवर्तन को प्रोत्साहित करने के लिए भी कार्य कर सकते हैं। एनजीओ, समाज के विकास, समुदायों को बेहतर बनाने और नागरिक भागीदारी को बढ़ावा देने में महत्वपूर्ण भूमिका निभाते हैं।

भारतीय गैर सरकारी संगठन मुख्य रूप से तीन प्रकार के होते हैं–

- **सोसायटी (Societies):** सोसायटी पंजीकरण अधिनियम, 1860 के तहत सोसायटी को पंजिकृत कराना होता है।
- **न्यास (Trusts):** निजी न्यास को भारत सरकार के "भारतीय न्यास अधिनियम 1882" के अंतर्गत पंजीकृत कराया जाता है और सार्वजनिक न्यास को संबंधित राज्य के "राज्य कानून" के अंतर्गत पंजीकृत किया जाता है।
- **धर्मार्थ कंपनियां (Charitable Companies):** इस प्रकार की कंपनियां "कंपनी अधिनियम 2013" की धारा 8 के अनुसार स्थापित की जाती हैं। धर्मार्थ कंपनियों के लिए अनुपालन आवश्यकताएं अधिक होती हैं क्योंकि न्यास या सोसायटी की तुलना में उन्हें ऋण और अग्रिम धन सरलता से उपलब्ध होते हैं। उन्हें आईटी अधिनियम 1961 के तहत आयकर का भुगतान भी करना पड़ता है।

प्रमुख गैर सरकारी संगठन (Prominent NGOs): अक्षय पात्र (TAPF), कैलाश सत्यार्थी चिल्ड्रेन्स फाउंडेशन, एएसईआर (ASER), ऑक्सफैम (OXFAM), हेल्पएज इंडिया (HelpAge India), क्राई (CRY: चाइल्ड राईट्स एंड यू), स्माइल फाउंडेशन, नन्ही कली, गिव इण्डिया फाउंडेशन, आदि।

गैर–सरकारी संगठनों की भूमिकाएँ

भारत जैसे विशाल देश में सरकार द्वारा कार्यान्वित विकास प्रक्रिया में बहुत-सी खामियाँ होती हैं। इन कमियों को गैर-सरकारी संगठनों द्वारा पूर्ण किया जाता है, जो इस प्रकार हैं–

1. वहाँ कार्य करना जहाँ राज्य के संसाधन अपर्याप्त हैं।
2. वहाँ कार्य करना जहाँ राज्य काम करने को तैयार नहीं है।
3. आश्रय का अधिकारः मुंबई जैसे शहरों में युवा और स्पार्क (YUVA and SPARC) जैसे गैर सरकारी संगठन।
4. सामाजिक बुराइयों का विरोध करना।
5. जनजातीय अधिकारः जैसा कि वेदांत बनाम पॉस्को (Vedanta vs. Posco) मामले में देखा गया है।
6. सूचना का अधिकारः गैर-सरकारी संगठनों के प्रयासों के कारण ही भारत में आरटीआई वास्तविकता में लागू हो पाया है।
7. बुनियादी ढांचे का विकास और संचालन। उदाहरण–2004 की सुनामी के बाद गैर-सरकारी संगठनों ने उल्लेखनीय कार्य किया। बचाव कार्यों में मदद करने के अतिरिक्त, गैर-सरकारी संगठनों ने व्यावसायिक प्रशिक्षण केंद्र भी स्थापित किए।
8. कल्याणकारी योजनाओं का क्रियान्वयन।
9. संचार की सुविधाएं प्रदान करना।
10. नवप्रवर्तन, प्रतिपादन और प्रायोगिक परियोजनाओं का समर्थन करना।
11. अनुसंधान, निगरानी और मूल्यांकन करना।
12. तकनीकी सहायता और प्रशिक्षण कार्यक्रम
13. गरीबों के साथ, गरीबों के हित में वकालत–कुछ मामलों में गैर सरकारी संगठन गरीबों के लिए प्रवक्ता या लोकपाल की भूमिका में देखे जाते हैं और गरीबों की ओर से सरकारी नीतियों और कार्यक्रमों में आवश्यक परिवर्तन लाने का प्रयास करते हैं।

गैर सरकारी संगठनों के वित्त को विनियमित करने वाले कानून और विधानः

विदेशी योगदान (विनियमन) अधिनियम, 2010:

1. इस अधिनियम के अंतर्गत संगठनों को प्रत्येक 5 वर्ष में स्वयं को पंजीकृत कराना आवश्यक होता है।
2. इस अधिनियम का उद्देश्य यह सुनिश्चित करना है कि प्राप्त विदेशी योगदान जिस उद्देश्य से दिया गया है उस उद्देश्य का पालन हो।
3. भारत में स्वयंसेवी संगठनों के विदेशी वित्त पोषण को "एफसीआरए अधिनियम" के तहत नियंत्रित किया जाता है और इसका कार्यान्वयन गृह मंत्रालय द्वारा किया जाता है।

विदेशी मुद्रा प्रबंधन अधिनियम, 1999:

1. 2016 में, गैर सरकारी संगठनों की निगरानी के लिए वित्त मंत्रालय की शक्तियों को FEMA के तहत रखा गया था।
2. FEMA के अंतर्गत किए जाने वाले लेनदेन को शुल्क या वेतन कहा जाता है जबकि FCRA के तहत इसे अनुदान या योगदान कहा जाता था।
3. विदेशी मुद्रा प्रबंधन अधिनियम (1999) का उद्देश्य विदेशी मुद्रा से संबंधित कानून को समेकित और संशोधित करने के साथ-साथ बाहरी व्यापार तथा भुगतान को सुविधाजनक बनाना और भारत में विदेशी मुद्रा बाजार के व्यवस्थित विकास और रखरखाव को प्रोत्साहित करना है।

पर्यावरण के संरक्षण में गैर सरकारी संगठनों की भूमिका

अनियोजित आर्थिक विकास के कारण भारत में कई पर्यावरणीय मुद्दे पनप रहे हैं। NGOs वे नीतिगत विकास, संस्थागत क्षमता निर्माण और नागरिक समाज के साथ स्वतंत्र संवाद की सुविधा के लिए अनुसंधान आयोजित करके लोगों को अधिक स्थाई जीवन शैली प्रदान करने में महत्वपूर्ण भूमिका निभाते हैं। पर्यावरण संरक्षण के भविष्य, सतत विकास और शून्य जनसंख्या वृद्धि जैसे मुद्दे पर्यावरण संबंधी गैर-सरकारी संगठनों की कुछ प्रमुख चिंताएं हैं। NGOs सरकारों और अंतर-सरकारी संगठनों के साथ चर्चा करके अंतर्राष्ट्रीय पर्यावरण नीतियों को बनाने के लिए एक विश्वव्यापी नेटवर्क का गठन करता हैं। NGOs की प्रमुख भूमिकाएं निम्नवत हैं:

- वर्तमान पर्यावरणीय मुद्दों और समाधानों पर जनता को जागरूक करना।
- पर्यावरणीय मुद्दों पर चर्चा करते हुए विभिन्न श्रेणियों के हितधारकों की भागीदारी को सरल बनाना।
- स्वच्छ पर्यावरण से संबंधित मानव अधिकारों का संरक्षण करना।
- प्राकृतिक संसाधनों की रक्षा करना और संसाधनों के न्यायसंगत उपयोग को बढ़ावा देना।
- प्राकृतिक संसाधनों से संबंधित डेटा को एकत्रित करना।
- पर्यावरण गुणवत्ता का विश्लेषण और निगरानी करना।
- समाचार पत्र, विवरणिका, लेख, ऑडियो विजुअल आदि के माध्यम से सूचनाओं का प्रसार करना।
- पर्यावरण जागरूकता को बढ़ावा देने के लिए सेमिनार, व्याख्यान और समूह चर्चा का आयोजन करना।
- पर्यावरण संरक्षण संबंधी परियोजनाओं की तैयारी, आवेदन और निष्पादन में गांवों के प्रशासनिक अधिकारियों की सहायता करना।

गैर सरकारी संगठनों की चुनौतियाँ

- **सत्ता की विषमताः** विदेशी सरकारों और कंपनियों से बड़े पैमाने पर वित्तपोषण प्राप्त करके कुछ गैर-सरकारी संगठनों की प्रवृत्ति बहुराष्ट्रीय कंपनियों की भांति हो गई है। दूसरी ओर बहुत से गैर-सरकारी संगठनों के पास परिचालन निधि तक की व्यवस्था नहीं है।
- **धन की हेराफेरीः** गैर-सरकारी संगठन काले धन, कर चोरी इत्यादि को बढ़ावा देने के सबसे अच्छे साधन बनते जा रहे हैं। इस प्रकार के गैर सरकारी संगठन दूसरों को कर चोरी में सहायता प्रदान करके राजकोष को नुकसान पहुँचाते हैं।
- **नाममात्र के गैर-सरकारी संगठनः** ऐसा अनुमान है कि केवल 1.5 प्रतिशत गैर सरकारी संगठन ही वास्तव में विकासात्मक कार्य करते हैं।
- **राजनीतिक सक्रियतावादः** कुछ गैर-सरकारी संगठन विदेशी धन के माध्यम से राजनीति में सक्रिय हो जाते हैं। अनेक NGOs ने राजनीतिक अभियान में सक्रिय रूप से भाग लिया है, जिनमें से कुछ राजनीतिक दलों के प्रॉक्सी के रूप में भी कार्य करते हैं।
- **अप्रिय एजेंडाः** मानवाधिकार पहल या सामाजिक सशक्तिकरण के लिए कार्य करने का दावा करने वाले ये संगठन कथित रूप से विदेशी समर्थित चरमपंथी और अलगाववादी समूहों के लिए एक मंच प्रदान करते हैं। इस प्रकार की नीतियों का एक बड़ा भाग धर्मांतरण के लिए उपयोग किया जाता है, जो FCRA के तहत प्रतिबंधित है।
- **सामरिक योजना का अभावः** कई गैर सरकारी संगठनों में उनकी गतिविधियों और योजनाओं को सफलता प्रदान करने वाली सुसंगत, रणनीतिक योजना की कमी है। इस कारण वे वित्तीय सहायता प्राप्त करने और उसका प्रभावी पूंजीकरण करने में असमर्थ हैं।
- **खराब शासन और नेटवर्किंगः** गैर सरकारी संगठनों में प्रभावी शासन की कमी आम बात है। कुछ गैर सरकारी संगठनों को यह तक पता नहीं कि संगठनों में बोर्ड की क्या भूमिका होती है और इसे स्थापित कैसे किया जाता है। संगठनों के संचालक अपने निजी उद्देश्य के अनुसार NGOs का संचालन करते हैं; हालांकि शासन के प्रति पारदर्शिता आवश्यक है।

- भविष्य में अच्छे व आकर्षक अवसरों की कमी और कम वेतन के कारण युवाओं में स्वेच्छा से सामाजिक कार्य करने की इच्छा शक्ति का अभाव है। यहाँ तक कि माता-पिता भी अपने बच्चों को सामाजिक गतिविधियों में भाग लेने से हतोत्साहित करते हैं।
- शहरी और महानगरीय क्षेत्रों में केंद्रीकरण।

नागरिक समाज (Civil Society)

नागरिक समाज का तात्पर्य सरकार तथा व्यावसायिक संगठनों से इतर ऐसे सामाजिक संगठनों से है जो स्वेच्छा तथा सामाजिक कल्याण की भावना से जनता की सेवा करते हैं। गैर-सरकारी संगठन, उपभोक्ता संगठन, पर्यावरणीय समूह तथा सामाजिक उद्देश्य से निर्मित सहकारी संगठन नागरिक समाज के उदाहरण हैं।

नागरिक समाज को गैर-सरकारी संगठनों के समकक्ष नहीं समझा जाना चाहिए। गैर-सरकारी संगठन नागरिक समाज का एक हिस्सा हैं, हालांकि सामाजिक-आर्थिक विकास और राजनीति में नागरिक भागीदारी को सक्रिय करने एवं नीति को आकार देने या प्रभावित करने में ये महत्वपूर्ण भूमिका निभाते हैं। विश्व स्तर पर खासकर पूर्वी यूरोप एवं लैटिन अमेरिका में, नागरिक समाज (सिविल सोसाइटी) शब्द 1980 के दशक में अत्यधिक लोकप्रिय हुआ, जब से इसे सत्तावादी शासन को चुनौती देने वाले गैर-राज्य आंदोलनों के साथ पहचाना जाने लगा। विश्व बैंक के अनुसार, नागरिक समाज का तात्पर्य संगठनों, सामुदायिक समूहों, गैर-सरकारी संगठनों (NGOs), श्रमिक संघों, स्वदेशी समूहों, धर्मार्थ संगठनों, विश्वास-आधारित संगठनों, पेशेवर संघों तथा उनकी आधारशिला की एक विस्तृत श्रृंखला से है।

प्रसिद्ध नागरिक समाज संगठनों के उदाहरण:

- एमनेस्टी इंटरनेशनल
- अंतर्राष्ट्रीय व्यापार संघ
- प्रकृति के लिए विश्वव्यापी निधि (World Wide Fund for Nature - WWF)
- ग्रीन पीस (Greenpeace)
- डेनिश शरणार्थी परिषद् (The Danish Refugee Council-DRC)
- रिपोर्टर विदाउट बार्डर (Reporter without boarder) आदि।

भारत में नागरिक समाज

सुशासन में नागरिक समाज एक महत्वपूर्ण भूमिका निभाता है। हालांकि भारत में सहभागी लोकतंत्र नहीं है बल्कि एक प्रतिनिधि लोकतंत्र है। अतः सरकार सभी बड़े फैसले खुद लेती है। नागरिक समाज, सरकार और शासित के बीच बातचीत के इंटरफेस के रूप में कार्य करता है।

उन्हें अब प्रगति में भागीदार के रूप में देखा जाता है। नागरिक समाज संगठन, देश और बाजार दोनों के बाहर कार्य करते हैं, लेकिन उनके पास इन दोनों संस्थानों को नागरिकों की जरूरतों तथा अधिकारों के प्रति अधिक उत्तरदायी बनाने के लिए बातचीत करने, मनाने एवं दबाव बनाने की क्षमता है। नागरिक समाज संगठन आपसी सामंजस्य, सामान्य दृष्टिकोण और नेटवर्किंग के माध्यम से दो या दो से अधिक व्यक्तियों के बीच सहयोग को बढ़ावा देने हैं। लोकतांत्रिक देश स्वाभाविक रूप से ऐसे सहकारी व्यवहार को प्रोत्साहित करते हैं।

भारतीय संविधान के अनुच्छेद 19(1) के तहत अपने नागरिकों के मूल अधिकारों में से एक के रूप में "भाषण और अभिव्यक्ति की स्वंतत्रता और संघ या परिसंघ बनाने के अधिकार" को स्पष्ट रूप से मान्यता देता है तथा नागरिक समाज समूहों और सामुदायिक संगठनों के गठन को प्रोत्साहित करता है।

राज्य के साथ-साथ बाजार आधारित विकास के मॉडल अपर्याप्त पाए गए हैं और यह माना जा रहा है कि राष्ट्र निर्माण की प्रक्रिया में स्वैच्छिक क्षेत्र की सक्रिय भागीदारी की आवश्यकता है।

आर्थिक विकास के वर्तमान मॉडल में स्वैच्छिक/नागरिक समाज क्षेत्र को समान, सतत और समावेशी विकास लक्ष्यों को प्राप्त करने में एक प्रमुख अंग के रूप में मान्यता दी गई है।

स्वयंसेवा की गांधीवादी परंपरा

नागरिक समाज अपनी शक्ति, स्वयंसेवा की गांधीवादी परंपरा से प्राप्त करता है, लेकिन आज, यह सक्रियता के कई अलग-अलग रूपों में खुद को व्यक्त करता है। स्वतंत्र भारत में, गांधी और उनके शिष्यों द्वारा शुरू की गई स्वैच्छिक संगठनों द्वारा निभाई गई प्रारंभिक भूमिका, विकास प्रक्रिया में सरकार द्वारा छोड़े गए अंतराल को भरने की थी।

भारत में नागरिक समाज के प्रकार

निम्नलिखित व्यापक श्रेणियों में इसे वर्गीकृत (जैसा कि द्वितीय ARC में दिया गया है) किया गया है:

- विशिष्ट उद्देश्यों के लिए गठित पंजीकृत समितियाँ।
- धर्मार्थ संगठन एंव ट्रस्ट।
- स्थानीय हितधारक समूह, सूक्ष्म ऋण और बचत उद्यम, एसएचजी (SHGs)।
- पेशेवर स्व-नियामक निकाय।
- सहकारी समितियाँ।
- बिना किसी औपचारिक संगठनात्मक संरचना के निकाय।
- सरकार द्वारा प्रोत्साहित तृतीयक क्षेत्र के संगठन।

संगठन (Organisation)

किसी निश्चित उद्देश्य की प्राप्ति के लिये सामूहिक रुप से किया गया योजनाबद्ध प्रयास 'प्रशासन' कहलाता है। यह आवश्यक है कि सामूहिक उद्देश्यों के लिए लोग ठीक प्रकार से संगठित हों, तभी वे अपने लक्ष्य को प्राप्त कर सकते हैं। यह तब ही संभव हो सकता है, जब एक संगठन की संरचना की जाए, जिसके माध्यम से लोगों की सामूहिक शक्ति को ठीक

प्रकार से सामान्य लक्ष्य-प्राप्ति के लिये व्यवस्थित किया जा सके। अतः संगठन को प्रत्येक प्रशासकीय कार्य की पहली कड़ी कहा जा सकता है।

वर्तमान समय में संगठन मानव की प्रत्येक गतिविधि के साथ जुड़ा हुआ है। अमिताई एट्ज़ियोनी के शब्दों में, ''कुशल संगठन के अभाव में हमारा जीवन स्तर, हमारी संस्कृति और हमारा प्रजातान्त्रिक जीवन कायम नहीं रह सकता।'' मानव कल्याण और संगठनात्मक विवेक एक सीमा तक साथ-साथ चलते हैं। मनुष्य संगठन के लक्ष्यों को अपने जीवन के मूल्यों के रूप में स्वीकार करते हैं। मनुष्यों का अधिकांश समय किसी-न-किसी संगठन में व्यतीत होता है। मनुष्यों की पहचान भी इसी आधार पर होती है कि वे किस प्रकार के संगठन के सदस्य हैं। डब्ल्यू.एच. व्हाइट का यह कहना अतिशयोक्तिपूर्ण नहीं है कि हम ''संगठनात्मक मानव युग में रह रहे हैं।''

संगठन का अर्थ

सामान्य अर्थ में संगठन का तात्पर्य किसी कार्य को योजनाबद्ध रूप से सम्पन्न करना है। ऑक्सफोर्ड शब्दकोष के अनुसार, संगठन शब्द का निर्माण ''टू ऑर्गनाइज'' से हुआ है, जिसका तात्पर्य, तैयार करना एवं चालू अवस्था में रखना है। संगठन शब्द का प्रयोग तीन अर्थों में किया जा सकता है। प्रथम, संरचना का ढांचा तैयार करना, द्वितीय, उसका निर्माण करना तथा तृतीय, स्वयं संरचना है। इसी शब्दकोष के अनुसार ही संगठन का अर्थ ''किसी वस्तु के परस्पर आश्रित भागों को जोड़ने के कार्य को कहते हैं, जिससे प्रत्येक भाग को विशिष्ट कार्य मिल जाए और वह सम्पूर्ण भागों से सम्बन्ध रखता हुआ कार्य को सम्पन्न कर सके।''

एल.डी. व्हाइट के अनुसार, ''संगठन का अर्थ कर्मचारियों की उस अवस्था से है, जो निश्चित किए हुए विषयों की प्राप्ति के लिये कार्यों एवं उत्तरदायित्वों को विभाजित करके स्थापित की जाती है।''

गॉस ने संगठन की परिभाषा देते हुए लिखा है कि ''किसी एक कार्य में लगे हुए व्यक्तियों तथा समूहों के प्रयत्नों एवं क्षमताओं का सम्बन्ध ही संगठन है, जिससे कम से कम संघर्ष से वांछित उद्देश्यों की प्राप्ति हो सके, जिनके लिये वह कार्य किया जा रहा है तथा जो उस उद्यम से सम्बन्धित है, उन्हें उससे अधिकतम सन्तोष प्राप्त हो सके।''

जे.डी. मुने के अनुसार, ''संगठन सामान्य उद्देश्यों की प्राप्ति के लिए मानवीय सहयोग है।'' **एल. उर्विक के अनुसार,** ''संगठन में उन क्रियाओं का निर्धारण होता है, जो किसी भी कार्य या योजना के लिये आवश्यक है और उनका ऐसे वर्गों में क्रमबद्ध करना है कि वे विभिन्न व्यक्तियों को सौंपे जा सके'' **साइमन** ने संगठन की परिभाषा देते हुए बतलाया है कि, ''मनुष्यों के एक वर्ग में परस्पर व्यवहारों तथा सम्बन्धों की जटिल संचार व्यवस्था को ही संगठन कहा जाता है।''

संगठन की उपर्युक्त परिभाषाओं के आधार पर संगठन शब्द व्यापक अर्थ रखता है। संगठन के संरचनात्मक दृष्टिकोण से सम्बन्धित विद्वान संगठन का तात्पर्य आकार एवं निर्माण से लेते हैं जिसमें एक आकार तैयार किया जाता है और उस आकार के अनुरूप संगठन का ढांचा खड़ा किया जाता है, इकाइयों का उत्तरदायित्व निर्धारित किया जाता है तथा उचित व्यक्तियों की भर्ती की जाती है। इसमें मानवीय सम्बन्धों के पक्ष को कोई महत्व नहीं दिया गया है। डिमॉक एवं डिमॉक के शब्दों में – ''संगठन में संरचना तथा मनुष्य दोनों ही होते है।'' संगठन को केवल एक संरचना के रूप में ही देखना तथा मनुष्यों को, जो उसका निर्माण करते हैं और जिनकी सेवा में संगठन संलग्न होता है, उपेक्षा करना तथा उनका ध्यान न रखना सर्वथा अव्यावहारिक है।'' अतः आधुनिक विद्वानों ने संगठन में मानवीय पहलुओं को भी विशिष्ट स्थान दिया है। वे इसे एक जीव प्रक्रिया मानते हैं। उनके अनुसार , संगठन एक जीवित प्राणी के समान है। इसमें सभी प्रक्रियाएँ दिखाई देती हैं, जिन्हें हम नाड़ी, हृदय धड़कन, रक्त संचार इत्यादि नामों से पुकारते हैं।

संगठन का कार्य लोगों के लिए साधनों एवं अवसरों की संख्या बढ़ाना है, जिनके लिये इसकी स्थापना की गई है। इसमें परिवर्तन की सम्भावना जुड़ी रहती है। ग्लेडन के अनुसार, ''कोई भी परिवर्तनरहित संगठन मरणासन्न है।'' साइमन के अनुसार, संगठन अपने सदस्यों को निम्नलिखित प्रकार से प्रभावित करता है:

1. कार्य विभाजन द्वारा,
2. प्रामाणिक प्रयोगों को निर्धारित करके,
3. नीचे, ऊपर तथा पार्श्वों में अपने निर्णयों को प्रसारित करके,
4. संचार व्यवस्था स्थापित करके जिसमें सभी प्रकार की सूचनाएँ उपलब्ध हों तथा
5. सदस्यों को प्रशिक्षण द्वारा।

संगठन सम्बन्धी दृष्टिकोण : औपचारिक एवं अनौपचारिक संगतन

संगठन के सम्बन्ध में अलग-अलग व्यक्तियों ने अलग-अलग दृष्टिकोण व्यक्त किया है। संगठन से सम्बन्धित विद्वान संगठनों को दो प्रकार का मानते हैं– औपचारिक संगठन एवं अनौपचारिक संगठन। औपचारिक एवं अनौपचारिक संगठनों को विभिन्न नामों से भी पुकारा जाता है, जैसे– औपचारिक संगठन को नौकरशाही, पदसोपानीय, यान्त्रिक एवं शास्त्रीय तथा अनौपचारिक संगठन को सामूहिक, प्रतिस्पर्धी, खुला बाजार, मानवीय, प्राकृतिक, एवं आंगिक कह कर पुकारा जाता है। दोनों प्रकार के संगठनों के मिश्रित स्वरूप से सम्बन्धित नये दृष्टिकोण को जेम्स थॉम्पसन ने ''नयी परम्परा'' के नाम से पुकारा है।

औपचारिक संगठन

औपचारिक संगठन का तात्पर्य ऐसे संगठन से है, जिसमें संगठन का ढांचा स्पष्टतया परिभाषित रहता है। संगठन पदसोपान एवं कार्य विभाजन के सिद्धान्तों पर आधारित रहते हुए अपने वांछित उद्देश्यों को प्राप्त करने का प्रयत्न करता है। यह संगठन का परम्परागत स्वरूप है जिसका लोक प्रशासन के विचारों पर पूरा प्रभाव पड़ा है। संगठन के औपचारिक स्वरूप को कई नामों से पुकारा जाता है। जैसे यान्त्रिक संगठन, नौकरशाही संगठन, पद-सोपानीय संगठन, परम्परागत संगठन, शास्त्रीय संगठन इत्यादि। औपचारिक संगठन के ढाचें में वे रूप एवं पहलू आते हैं जो कि अपेक्षाकृत स्थायी होते हैं तथा उनमें परिवर्तन धीरे-धीरे होता है। एल.डी. व्हाइट

औपचारिक संगठन के बारे में लिखते हैं, ''यह सम्बन्धों की एक औपचारिक घोषित स्थिति है जो शासन में कानून तथा उच्चतम प्रबन्ध द्वारा निर्धारित की जाती है।'' इसे चित्र या रेखाचित्र पर अंकित किया जा सकता है, भले ही यह परिपूर्ण न हो।'' एल. उर्विक के अनुसार, ''संगठन से तात्पर्य वह औपचारिक ढांचा है जिसकी संरचना स्पष्ट सिद्धान्तों, नियमों तथा उपनियमों के आधार पर विशेषज्ञों द्वारा की जाती है।''

औपचारिक संगठन की विशेषताएं

औपचारिक संगठन की इन परिभाषाओं के आधार पर यह निष्कर्ष निकाला जा सकता है कि औपचारिक संगठन का स्वरूप स्थाई एवं सुनिश्चित रहता है। ऐसा संगठन कार्य दक्षता पर अधिक जोर देता है। इसमें निर्वैयक्तिक्ता पायी जाती है। औपचारिक संगठन की निम्न विशेषताएँ बतलायी जा सकती हैं:

1. स्थायी दशाओं में नियमित कार्य सम्पन्न किया जाना।
2. कार्य विशेषीकरण (कार्य विभाजन)
3. साधनों (कार्य करने के सही तरीकों) पर जोर दिया जाता है।
4. संगठन के आन्तरिक विभागों का निर्णय संगठन के ऊपरी अधिकारियों द्वारा किया जाता है।
5. उत्तरदायित्व (किसको क्या कार्य करना या औपचारिक कार्यों का वर्णन) पर जोर दिया जाता है।
6. संगठन का स्वरूप पदसोपानीय रहता है (संगठन पिरामिड की तरह दिखाई देता है।)
7. संगठन के बारे में ज्ञान केवल पद सोपान के शिखर पर रहता है।
8. संगठन में मनुष्यों का आपसी व्यवहार लम्बवत होता है, एक ऊपर से आदेश प्राप्त करता है तथा अपने अधीनस्थ को प्रेषित करता है।
9. व्यवहार की प्रणाली आज्ञापालन, आदेश तथा सर्वोच्च अधीनस्थ सम्बन्धों द्वारा निर्देशित होती है।
10. संगठन में प्रतिष्ठा का अंकन व्यक्ति द्वारा धारित पद या कार्यालय से होता है।

औपचारिक संगठन सम्बन्धी दृष्टिकोण

औपचारिक संगठन से सम्बन्धित दृष्टिकोणों को तीन विचारधाराओं के अन्तर्गत विभाजित किया जा सकता है।

1. नौकरशाही विचारधारा

संगठन के सम्बन्ध में नौकरशाही की विचारधारा को केन्द्रीय मानते हुए जर्मन समाजशास्त्री मैक्स वेबर द्वारा प्रतिपादित विचारधारा इस बात पर जोर देती है कि संगठन के उद्देश्यों की प्राप्ति के लिये नौकरशाही अनिवार्य है। यह आदर्श प्रारूप है। वेबर की इस विचारधारा की निम्नलिखित विशेषताएं हैं:

1. पदसोपान
2. पदोन्नति व्यावसायिक कार्य कुशलता एवं योग्यता पर आधारित।
3. नौकरशाही में जीवनवृत्ति की प्रवृत्ति पाई जाती है।
4. नियम के पालन पर जोर।
5. संगठन के कर्मचारियों एवं सम्बन्धित व्यक्तियों के बीच निर्वैयक्तिक सम्बन्ध रहता है।

मैक्स बेबर की नौकरशाही विचारधारा को मानवीय सम्बन्धों पर जोर देने वाले विद्वान स्वीकार नहीं करते हैं क्योंकि यह विचारधारा यान्त्रिक दृष्टिकोण के सम्बन्ध में सर्वाधिक महत्त्वपूर्ण है। इसे कठोर साधनों पर अधिक जोर देने तथा अमानवीय होने के कारण अव्यावहारिक माना जाता है।

2. वैज्ञानिक प्रबन्ध विचारधारा

संगठन के औपचारिक स्वरूप के सम्बन्ध में दूसरा दृष्टिकोण वैज्ञानिक प्रबन्ध का है। बीसवीं सदी में विकसित यह विचारधारा मुख्यतया फ्रेडरिक टेलर की देन है जिसके अनुसार, प्रबन्ध सच्चा विज्ञान है जो सुनिश्चित विधियों, नियमों, सिद्धान्तों पर आधारित है। प्रबन्ध से तात्पर्य उन विभिन्न सिद्धान्तों से है जो सभी प्रकार के संगठनों पर समान रूप से लागू होते हैं। इसका मुख्य उद्देश्य उत्पादन-वृद्धि में संगठनात्मक कार्य-कुशलता तथा मितव्ययता को प्राप्त करना है। वैज्ञानिक प्रबन्ध विचारधारा मनुष्य को मशीन के समकक्ष मानती हुई इस बात पर जोर देती है कि उसके द्वारा किये जाने वाले कार्यों में मशीन की भांति कार्य कुशलता आये। वैज्ञानिक प्रबन्ध से सम्बन्धित विभिन्न प्रयोगों के माध्यम से कुछ सिद्धान्तों का सामान्यीकरण किया गया है:

1. कार्यों के तरीकों का मानकीकरण।
2. मजदूरों का वैज्ञानिक चयन एवं प्रशिक्षण।
3. प्रबन्धकों एवं मजदूरों के बीच समान कार्य विभाजन।
4. प्रबन्धकों एवं मजदूरों में परस्पर विश्वास एवं सहयोग।

वैज्ञानिक प्रबन्ध विचारधारा ने संगठनीय सिद्धान्तों को एक नया दृष्टिकोण प्रदाम किया। अपने अनुभव एवं प्रयोगों द्वारा इसके प्रणेता फ्रेडरिक विन्सलो टेलर ने संगठन की कार्य कुशलता एवं मितव्ययता के लिये इस बात पर बल दिया कि प्रबन्ध को निर्धारित विधियों एवं सिद्धान्तों, जो सभी संगठनों में सार्वभौमिक रूप से लागू किये जा सकते हैं, पर आधारित होना चाहिए।

यद्यपि वैज्ञानिक प्रबन्धक विचारधारा का काफी लम्बे समय तक लोक प्रशासन में प्रचलन रहा, किन्तु आलोचकों ने इस दृष्टिकोण को स्वीकार नहीं किया कि मनुष्य मशीन के समान है।

3. प्रशासकीय प्रबन्ध विचारधारा

संगठन के औपचारिक दृष्टिकोण से जुड़ी तीसरी विचारधारा ''प्रशासकीय प्रबन्ध'' है। लूथर गुलिक, एल. उर्विक, जे. डीमूने एवं ऐलेन सी. रिले इसके प्रमुख प्रणेता हैं। यह विचारधारा यह मानती है कि प्रशासन, जहां भी है, वह अपनी शक्ति, प्रबन्ध के सिद्धान्तों के अनुसंधान में लगाता है,

ये सिद्धान्त कहीं भी प्रयोग में लाये जा सकते हैं। गुलिक एवं उर्विक ने इस सम्बन्ध में "पोस्डकोर्ब" का प्रचलन किया । मूने एवं रिले ने समन्वय, पदसोपान, कार्य– विभाजन एवं लाइन एवं सूत्र के सिद्धान्तों का प्रचलन किया। मेरी पार्कर फॉलेट एवं हेनरी फेयोल ने भी प्रशासकीय सिद्धान्त बतलाये। ये प्रशासकीय सिद्धान्त संगठन में कार्य कुशलता के लिये आवश्यक माने गये। इस विचारधारा ने औपचारिक संगठनों को जन्म दिया। यद्यपि मानवीय सम्बन्धों के पक्षधर तथा इस सिद्धान्त के आलोचक इन्हें कठोर, अमानवीय, अव्यवहारिक इत्यादि कह कर आलोचना करते हैं। हरबर्ट साइमन ने इन्हें "कहावतें" कहा है।

अनौपचारिक संगठन

कोरसन एवं हैरिस कहते हैं कि, "किसी भी संगठन का वास्तविक चित्र हमें औपचारिकता में नहीं मिलता क्योकि प्रत्येक संगठन में भिन्न-भिन्न एवं जटिल सम्बन्ध होते हैं। जिसका अध्ययन करना आवश्यक होता है। संगठन की औपचारिक योजना कार्यरूप में सदैव उससे भिन्न हो जाती है। संगठन की औपचारिक तस्वीर के आधार पर गहराई में नहीं पहुंच सकते। संगठन में अनेक प्रकार के अलिखित दबाव एवं प्रभाव होते हैं।" हरबर्ट साइमन के अनुसार, "अनौपचारिक संगठन से तात्पर्य, उन अन्तरवैंयक्तिक सम्बन्धों से है, जो संगठन के निर्णयों को प्रभावित करते हैं, जिनका उल्लेख औपचारिक योजना में होने से रह गया है या उसके भाग के रूप में नहीं है।" यह संगठन के सदस्यों के वास्तविक व्यवहार का रूप है। अनौपचारिक संगठन को कई नामों से पुकारा जाता है, जैसे "कॉलेजिगल", "प्रतियोगी", "प्राकृतिक", "आंगिक", "खुला मॉडल" इत्यादि।

एल.डी. व्हाइट ने अनौपचारिक संगठन की परिभाषा देते हुए लिखा है कि, "यह अधिक उग्र होता है। सामाजिक एवं आर्थिक अन्तर, जाति या भाषा का अन्तर, शिक्षा का स्तर एवं वैयक्तिक रूचियां या अरूचियां इत्यादि संगठन पर प्रभाव डालती हैं। यह न तो लिखा हुआ होता है और न ही निर्मित बल्कि भावना प्रधान होता है।"

अनौपचारिक संगठन की निम्नलिखित विशेषताएं हैं:

1. अस्थायी दशाओं के परिणामस्वरुप उत्पन्न कार्य।
2. विशेषीकृत ज्ञान, सामान्य कार्यों की पूर्ति के लिए।
3. लक्ष्यों पर जोर।
4. संगठन के आन्तरिक विवादों का संगठन के मुखिया द्वारा परस्पर विचार विमर्श द्वारा निराकरण।
5. प्रत्येक की निष्ठा एवं उत्तरदायित्व सम्पूर्ण संगठन के प्रति।
6. संगठन की लचीली संरचना।
7. संगठनीय ज्ञान प्रत्येक स्तर पर।
8. संगठनीय मानवों में क्षितिजीय एवं लम्बवतीय क्रिया एवं प्रतिक्रिया।
9. संगठनीय क्रियाएं एवं प्रतिक्रियाएं परामर्श के रूप में।
10. संगठन में प्रतिष्ठा का निर्धारण व्यक्तिगत, व्यावहारिक कार्यकुशलता एवं प्रतिष्ठा द्वारा।

अनौपचारिक संगठन, औपचारिक संगठन की कार्यशीलता को प्रभावित करते हैं। अनौपचारिक संगठन के सदस्य अपने मानकीकरण स्थापित कर लेते हैं जो सामान्य हितों एवं विचारों के आदान-प्रदान पर आधारित रहते हैं। ऐसे संगठनों का मूल उद्देश्य मानवीय आवश्यकताओं की पूर्ति करना होता है। बर्नार्ड के शब्दों में, "औपचारिक संगठन सामाजिक संगठन में विद्यमान भावनाओं एवं मूल्यों का ध्यान नहीं रख सकता जिसके साथ व्यक्ति एवं व्यक्तियों के समूह अनौपचारिक रूप से जुड़े हुए होते हैं।" यह बात समझ लेनी चाहिये कि अनौपचारिक संगठन, सामाजिक जीवन एवं उसके अस्तित्व का मूल रूप है।

अनौपचारिक संगठन सम्बन्धी दृष्टिकोण या विभिन्न विचारधाराएँ

अनौपचारिक संगठन से सम्बन्धित निम्नलिखित तीन विचारधाराएँ महत्वपूर्ण हैं:

1. मानव सम्बन्ध विचारधारा

अनौपचारिक संगठन से जुड़ी मानव सम्बन्ध विचारधारा अनौपचारिक सम्बन्ध, मानवीय भावनाएं तथा समूह व्यवहार को संगठन के क्रिया-कलापों का केन्द्र मानता है। एल्टन मेयो, फ्रिटज जे. रोथलिसबर्गर एवं डब्ल्यू. जे. डिक्सन द्वारा किये गए प्रयोगों के आधार पर यान्त्रिक या औपचारिक विचारधारा के सिद्धान्तों को अव्यावहारिक बताते हुए, संगठन के बारे में एक नया दृष्टिकोण प्रस्तुत किया गया। ये प्रयोग "हाथोर्न प्रयोग" के नाम से विख्यात हैं। मानव सम्बन्ध विचारधारा के अन्तर्गत निम्नलिखित निष्कर्ष प्रस्तुत किए गए–

1. मानव श्रमिक मशीन के समकक्ष नहीं हैं।
2. श्रमिक द्वारा उत्पादन, सुविधापूर्ण भौतिक दशाओं पर निर्भर नहीं करता है।
3. उत्पादन का स्तर संगठन में समूह द्वारा निर्धारित किया जाता है।
4. व्यक्तिगत सन्तुष्टि और मनोवैज्ञानिक आवश्यकताओं की पूर्ति का कार्य की दशाओं पर प्रभाव पड़ता है।

इस विचारधारा का बाद के संगठनीय विचारकों पर भी प्रभाव पड़ा। अभिप्रेरण एवं कार्य सन्तुष्टीकरण से सम्बन्धित अनुसन्धान इस विचारधारा से प्रभावित रहे। ए. एच. मैसलो, फ्रेडरिक हर्जबर्ग इत्यादि ने इसी विचारधारा से प्रेरणा ली।

2. संगठनीय विकास

संगठनीय विकास विचारधारा महत्वपूर्ण विचारधारा है, जो व्यावहारिक ज्ञान के आधार पर संगठन की कार्यकुशलता बढ़ाने के लिए ऊपर से किया गया योजनाबद्ध संगठनीय प्रयास है। इस प्रयास में बाहरी परामर्श की सहायता ली जा सकती है। इस विचारधारा की निम्नलिखित विशेषताएं हैं–

1. प्रत्येक सदस्य की दूसरों के साथ दक्षता में वृद्धि,
2. संगठन में मानवीय भावनाओं की वैधानिकता,
3. सदस्यों में परस्पर विश्वास का विस्तार,
4. तनाव में कमी,

5. ''समूह प्रबन्ध'' एवं अन्तर्समूह सहयोग को बढ़ावा,
6. गैर सत्तात्मक एवं परस्पर क्रियाओं द्वारा संघर्षों के समाधान की तकनीक का विकास और
7. कम संरचित एवं आर्थिक आंगिक संगठन।

कुर्त लेविन, लिपिट, मैकग्रेगर, बैले इत्यादि विद्वानों ने इस विचारधारा को विकसित किया।

3. संगठन अपने परिवेश में एक इकाई के रूप में

चेस्टर बर्नार्ड, डेविड सेल्जनिक तथा बर्टन क्लार्क ने संगठन को विश्लेषण की एक पूर्ण इकाई मानते हुए यह बतलाया है कि संगठनीय दबाव एवं तनाव पर्यावरण से आते हैं तथा संगठन को एक व्यूह रचना तैयार करनी चाहिए, जिससे वह पर्यावरण द्वारा उत्पन्न समस्याओं का मुकाबला कर सके। संगठन के सदस्य सामाजिक एवं मानसिक दृष्टि से पर्यावरण से प्रभावित होते हैं।

औपचारिक एवं अनौपचारिक संगठनों में अन्तर

अन्तर का आधार	औपचारिक संगठन	अनौपचारिक संगठन
संगठनीय पर्यावरण	स्थायी, नियमित	अस्थायी
मानव की प्रकृति	सिद्धान्त पर बल	व्यवहार पर बल
कार्यों का आधार	आदेश एवं आशा तथा नियम	मानववाद, संचार, खुलापन व नवोन्मेषण
संगठन की सामाजिक प्रकृति	नागरिक एवं नौकरशाही	नागरिक के रूप में ही नौकरशाही की भूमिका

औपचारिक एवं अनौपचारिक संगठन में पूर्व वर्णित अन्तर होते हुए भी एक दूसरे के विरोधी या विकल्प के रूप में नहीं है। कोई भी औपचारिक योजना, चाहे वह कितनी कुशलता के साथ बनायी गई हो, पूर्ण नहीं हो सकती है, उसमें शून्यता आ जाती है, जिसकी पूर्ति अनौपचारिक संगठन के द्वारा ही की जा सकती है। यह असमानता बढ़ती जाती है क्योंकि रेखाचित्रों की निर्धारित बातें, सामाजिक तथा आर्थिक भाषाओं के अन्तर, शिक्षा सम्बन्धी स्तर, जाति, विचार इत्यादि को ध्यान में रखकर संशोधित एवं परिवर्तित हो जाती हैं। चेस्टर बर्नार्ड के शब्दों में ''अनौपचारिक संगठन कोई बुराई नहीं है, अगर वह पहले से अस्तित्व में नहीं है तो इसकी रचना करनी होगी।''

ये दोनों विचारधाराएँ आपस में एक दूसरे का विकल्प भी नहीं हैं। ये संगठन के कार्यों के दो भिन्न पहलुओं से सम्बन्ध रखती है। अतः इन पहलुओं के आन्तरिक सम्बन्धों को ध्यान में रखकर ही संगठनीय समस्याओं का समाधान ढूंढना पड़ता है। औपचारिक संगठन सिद्धान्ततः अनुपयुक्त व अपूर्ण हो सकता है, जब तक इसमें अनौपचारिक संगठन के सिद्धान्तों से सुधार नहीं कर लिया जाता। साथ ही अनौपचारिक संगठन पर ज्यादा जोर दिया जाता है तो इससे श्रम विभाजन, कार्य-पृथक्करण एवं उत्तरदायित्व निर्धारण की समस्याएँ पैदा हो जाएंगी।

औपचारिक एवं अनौपचारिक विचारधाराओं का मूल्यांकन करते हुए एक यह पक्ष प्रस्तुत किया जाता है कि औपचारिक स्वरूप को प्राथमिकता दी जाये। अगर ऐसा नहीं होता है तो संगठन में निर्दयता, निरर्थकता एवं अकार्यकुशलता की प्रवृत्तियाँ विकसित हो जायेंगी, जो संगठन के उद्देश्य प्राप्ति में रूकावटें पैदा करेंगी। दूसरा दृष्टिकोण, प्रबन्धकीय संस्थाओं के औपचारिक एवं अनौपचारिक सम्मिश्रण को उपयुक्त मानता है। फिफनर एवं प्रेस्थस लिखते हैं कि ''एक प्रबन्धकीय संस्था जिसमें औपचारिक और अनौपचारिक संगठन मुख्य रूपरेखा से मेल खाते हैं, स्वस्थ एवं प्रसन्न है।'' संश्लेषित विचारधारा के समर्थक बर्नार्ड, साइमन, थॉमसन, इत्यादि विद्वानों ने यह बताया है कि संगठन का प्रारम्भ औपचारिक रूप से हो, परन्तु आगे कार्य संचालन में संगठनीय व्यवहार एवं उसके पर्यावरण को भी स्वीकार किया जाए। अतः निष्कर्ष के तौर पर यह कहा जा सकता है कि औपचारिक एवं अनौपचारिक संगठन में अन्तर होते हुए भी एक दूसरे के विरोधी या विकल्प के रूप में नहीं है। संगठन के लिये किसी एक ही सिद्धान्त को प्रयोग में लाना कठिन है। अतः दोनों का सम्मिश्रण उपयुक्त होगा।

स्वैच्छिक संगठन

भारतवर्ष में स्वयंसेवा और समाज सेवा का लंबा इतिहास रहा है। वैदिक काल से ही यह कल्याण और विकास का प्रमुख साधन रहा है। सिर्फ मौर्य और गुप्त काल को छोड़ कर जहाँ ठोस जन कल्याण व्यवस्था थी, ब्रिटिश काल में महात्मा गांधी और उनके गांधीवादी तौरतरीकों ने स्वयंसेवा को बढ़ाने में जबर्दस्त भूमिका निभायी थी। उनको पूरा भरोसा था कि देश के विकास में स्वैच्छिक कार्रवाई बेहतरीन जरिया है। शायद इसीलिए गांधीवादी स्वैच्छिक संस्थाओं का उद्देश्य राजनीतिक आजादी के साथ-साथ गांवों का पुनर्निर्माण करना भी था।

आजादी के बाद गांधीवादी स्वैच्छिक संगठन देश भर में छा गयी थीं। उन्होंने खेतीबाड़ी और पशुपालन कार्यक्रमों, खादी और ग्रामीण उद्योग, सहकारिता और शिक्षा पर जोर दिया। लेकिन विकास की रणनीति के तौर पर यह सहमति धीरे-धीरे साठ और सत्तर के दशक में हाशिये पर चली गयी। लेकिन वे स्वैच्छिक क्रिया के विकास को प्रभावित करते रहे। अस्सी के दशक के उत्तरार्द्ध और नब्बे के दशक के शुरू में स्वैच्छिक संगठनों का बड़ा भारी विस्तार हुआ। उसकी दो वजह थी। पहला लोगों का सरकार पर भरोसा टूटने लगा था। दूसरा देश और विदेश से खासा पैसा मिलने लगा। इस दौर की खासियत ऐसी स्वैच्छिक संगठनों का उभरना था, जो जमीनी स्वैच्छिक संगठनों को प्रशिक्षण, मूल्यांकन और दस्तावेज मुहैया करा रही थीं।

फिर देश में जनसंख्या तेजी से बढ़ रही थी। लेकिन उतनी तेजी से धन और संसाधन नहीं बढ़ रहे थे। उससे जनसंख्या-संसाधन संतुलन बिगड़ गया था। जाहिर है गरीबी, भूख, कुपोषण और तमाम सामाजिक-आर्थिक बुराइयां बढ़ रही थीं। उस माहौल में संयुक्त राष्ट्र की शब्दावली में स्वैच्छिक संस्थाएं या गैर-सरकारी संस्थाएं यानी एनजीओ विकास की वैकल्पिक रणनीति के तौर पर आगे आये। यह क्षेत्र हमेशा से समाज सेवा के भीतर नये-नये विचारों के सिलसिले में अहम भूमिका निभाता रहा है। अपनी भागीदारी सोच की वजह से जमीनी स्तर पर उन्हें जबर्दस्त कामयाबी मिली। लेकिन चिंता की बात है कि इस तरह की संस्थाओं के प्रबंधन और

कामकाज के बारे में ठोस जागरूकता आसानी से नहीं मिलती, न छात्रों को और न उस क्षेत्र में काम करने वालों को। फिर वे कई तरह की दिक्कतों का भी सामना करते हैं। मसलन, पैसे की कमी, प्रशिक्षित कार्यकर्ताओं की कमी, समुदाय का घटता समर्थन, दोहराव और अतिव्याप्ति वगैरह।

स्वैच्छिक संगठन का अर्थ

समाज कल्याण की कुंजी स्वायत्त और लचीली कार्रवाई से निकलती है, जो अपनी प्रति में स्वैच्छिक होती है। उसकी शुरुआत कुछ समान सोच के लोगों की एक केंद्रित कार्रवाई से होती है। उसका मकसद अपनी दृढ़ इच्छा से समाज के सामाजिक-आर्थिक प्रतिमानों को बदलना होता है। वह खासतौर पर कमजोर वर्गों के लिए होता है। वह महज मानवीयता और दानशीलता पर नहीं, बल्कि सामाजिक न्याय पर टिका होता है।

स्वैच्छिक प्रयास और क्रिया का फर्क तो शुरू में ही साफ हो जाना चाहिए। हालांकि अक्सर इन दोनों को एक ही अर्थ में इस्तेमाल कर लिया जाता है। स्वैच्छिक क्रिया की पहली शर्त ही किसी खास मुद्दे पर एक खास समूह की योजनाबद्ध सचेत कार्रवाई है। स्वैच्छिक प्रयास में यह जरूरी नहीं है। इसलिए स्वैच्छिक क्रिया हर हाल में समस्या से जुड़ी होती है। उसका मकसद महज समस्या उठाना ही नहीं, बल्कि उसे बार-बार होने से रोकना है। जब कोई समूह इस तरह की केंद्रित क्रिया पर औपचारिक पहल करता है, तो वह स्वैच्छिक संगठन का आकार ले लेता है।

स्वैच्छिक क्षेत्र संस्था की परिभाषा एक 'सामान्य सहायतार्थ या दानशीलता' की है। स्वैच्छिक संगठनों के राष्ट्रीय परिषद ने इस परिभाषा को दिया है।

सामान्य सहायतार्थ यानी

- सरकार और व्यापार से अलग या स्वतंत्र
- अलाभकारी
- बड़े जन लाभ दिलाना, जो किसी सदस्यता से परे हो

ब्राउन और कुर्टे ने 1991 में कहा था, 'स्वैच्छिक संस्थाएं अलग किस्म की संस्थाओं का प्रतिनिधित्व करती हैं। वे अपने सदस्यों और समर्थकों की ऊर्जा और संसाधनों पर निर्भर करती हैं। दरअसल वे संस्थागत मिशन में भरोसा करती हैं। वे महज राजनीतिक आदेशों और आर्थिक प्रोत्साहन के लिए काम नहीं करतीं।'

स्वैच्छिक क्षेत्र के घटक

स्वैच्छिक संगठन समाज के कई क्षेत्रों में काम कर रहे हैं। जैसे, अंतर्राष्ट्रीय सहायता, स्वास्थ्य, संस्कृति और पुनर्सजन, पर्यावरण, स्वयंसेवक तरक्की या संवर्धन, नागरिक और वकालत संस्थाएं, समाज सेवाएं, शिक्षा और शोध, पशु कल्याण, और अन्य एकल मुद्दे संस्थाएं। उसी में वे संगठित कार्रवाई भी आती हैं जैसे सामाजिक न्याय के लिए वकालत करना, अलग-अलग किस्म के शोषण यानी सामाजिक, राजनीतिक और आर्थिक के खिलाफ संघर्ष करना। स्वैच्छिक क्षेत्र को अलाभकारी, स्वैच्छिक और सामुदायिक क्षेत्र, तीसरा क्षेत्र या सहायतार्थ क्षेत्र भी कहा जाता है। इधर एक शब्द धुंधले तौर पर नागरिक समाज भी लिया जाने लगा है। अंतर्राष्ट्रीय स्तर पर स्वैच्छिक क्षेत्र संस्थाओं को गैर सरकारी संस्थाएं यानी एनजीओ कहा जाता है।

संभावना

यह क्षेत्र विविधता भरा है। इसमें तकरीबन हर किस्म के हित और गतिविधियाँ आ जाती हैं। इन संस्थाओं की खास विशेषता मुद्दे से जुड़े होना है। ये लाभ के बजाय कुछ खास करना चाहती हैं। सातवीं पंचवर्षीय योजना में स्वैच्छिक क्षेत्र को तीन क्षेत्रों यानी प्राथमिक स्वास्थ्य और परिवार नियोजन, पर्यावरण व महिला विकास की अहम भूमिका दी गयी थी। आठवीं योजना में उसी को दोहराया गया। इस दौरान स्वैच्छिक संस्थाओं को मिलने वाले सरकारी और विदेशी अनुदानों में खासा बढ़ोतरी हुई। फिर 1991 में शुरू हुए आर्थिक सुधारों ने सरकार की भूमिका को संतुलित करने के लिए उसके कामों को कम करने की कोशिश की। उसकी जगह निजी क्षेत्र को बढ़ाने की पहल थी। जाहिर है उसमें स्वैच्छिक क्षेत्र को शामिल होना ही था।

आकार

भारत में कुल कितने स्वैच्छिक संगठन हैं? यह तय करना मुश्किल है। ये 50 हजार से कई सौ हजार हो सकती हैं। यह स्वैच्छिक संगठनों की परिभाषा पर निर्भर करता है। यानी क्या वह स्वैच्छिक/सहायतार्थ क्षेत्र है या बड़ा व्यापार। ज्यादातर संस्थाएं समिति पंजीकरण अधिनियम, 1860 के तहत पंजीकृत होती हैं। इन संस्थाओं में ऑक्सफैम जैसी अंतर्राष्ट्रीय सहायतार्थ संस्थाएं भी हैं, जो अपने लेखाकारों, प्रबंधकों, प्रशासकों, कार्मिक और पैसा इकट्ठा करने वाले कर्मचारियों को वेतन देती हैं। दूसरी ओर वे छोटी संस्थाएं भी हैं, जो पूरी तरह से अवैतनिक कार्यकर्ताओं पर निर्भर रहती हैं।

अनुसूचित जाति/अनुसूचित जनजाति/ अन्य पिछड़ा वर्ग के लिए नीतियाँ, कार्यक्रम तथा सांस्थानिक रूप रेखा

अनुसूचित जाति

समाज के कमजोर वर्गों को भारतीय समाज में अछूत या वंचित या अस्पृश्य (दलित) कहा जाता है। ये अस्पृश्य जातियाँ औपचारिक एवं वैधानिक रूप से संविधान की अनुसूची में शामिल की गई हैं, अतः इन्हें सामूहिक रूप से अनुसूचित जाति (SC) कहा जाने लगा। इस शब्दावली का सर्वप्रथम प्रयोग साइमन कमीशन (1927) द्वारा किया गया था।

सन् 1935 में भारत सरकार ने अस्पृश्य जातियों को कुछ विशेष सुविधाएं देने के लिए एक अनुसूची तैयार की। इसमें लगभग 429 जातियां शामिल की गईं, जिनमें 5-6 करोड़ लोग आते थे। सूची में सम्मिलित होने के कारण ये जातियाँ अनुसूचित जातियाँ (Scheduled Castes) कहलाने लगीं।

भारत में अस्पृश्यता दूर करने के सरकारी प्रयत्न

भारत में अस्पृश्यता दूर करने के तथा अछूतों की स्थिति में सुधार के लिए सरकारी तथा गैर-सरकारी दोनों प्रकार के प्रयत्न हुए हैं। सरकारी प्रयत्नों में एक ओर अस्पृश्यता के विरोध का प्रयत्न और दूसरी ओर अस्पृश्यों की दशा के सुधार की चेष्टाएं की जा रही हैं। भारतीय संविधान के अनुच्छेद 46 में राज्य द्वारा अनुसूचित जातियों में शिक्षा के प्रसार तथा उनके आर्थिक हितों के संरक्षण पर जोर दिया गया है। कुछ प्रमुख प्रावधान निम्नलिखित हैं:

1. **संवैधानिक व्यवस्थाः** भारत के संविधान है में भारत के समस्त नागरिकों के लिए समानता की घोषणा की गई है। संविधान के निम्नलिखित अनुच्छेदों द्वारा अस्पृश्यता के उन्मूलन की व्यवस्था की गईः

   - अनुच्छेद 15 (1) धर्म, मूलवंश, जाति, लिंग, जन्म स्थान इत्यादि के आधार पर राज्य किसी नागरिक के विरुद्ध कोई विभेद नहीं करेगा।

     अनुच्छेद 15 (2) केवल धर्म, मूलवंश, जाति, लिंग, जन्म स्थान अथवा इनमें से किसी के आधार पर कोई नागरिक– (क) दुकानों, सार्वजनिक भोजनालयों, होटलों तथा सार्वजनिक मनोरंजन के स्थानों में प्रवेश के, अथवा (ख) पूर्ण या आंशिक रूप में राज्य निधि से घोषित अथवा साधारण जनता के उपयोग के लिए बने हुए कुओं, तालाबों, स्नानघाटों, सड़कों तथा सार्वजनिक स्थानों के उपयोग के विषय में किसी प्रकार की निर्योग्यता, दायित्व, निर्बन्धन अथवा शर्त के अधीन नहीं होगा।

   - अनुच्छेद 16 (1) राज्याधीन नौकरियों या पदों पर नियुक्ति के सम्बन्ध में सब नागरिकों के लिए अवसर की समानता होगी।

     अनुच्छेद 16 (2) केवल धर्म, मूलवंश, जाति, लिंग, उद्भव, जन्म-स्थान, निवास अथवा इनमें से किसी के आधार पर किसी नागरिक को राज्याधीन किसी नौकरी या पद के लिए अपात्र नहीं माना जाएगा और न विभेद किया जाएगा।

     अनुच्छेद 16 (3) इस अनुच्छेद की कोई बात राज्य को पिछड़े हुए किसी नागरिक वर्ग के पक्ष में, जिनका प्रतिनिधित्व राज्य की राय में राज्याधीन सेवाओं में पर्याप्त नहीं है, नियुक्तियों या पदों के आरक्षण के लिए उपलब्ध करने में कोई बाधा नहीं होगी।

   - अनुच्छेद 17 – अस्पृश्यता का अन्त किया जाता है और किसी भी रूप में उसका आचरण निषिद्ध किया जाता है। अस्पृश्यता से उत्पन्न किसी निर्योग्यता को लागू करना अपराध माना जाएगा जो विधि के अनुसार दंडनीय होगा।

   - अनुच्छेद 28 – राज्य द्वारा घोषित अथवा राज्य निधि से सहायता पाने वाले किसी शिक्षण संस्थान में प्रवेश से किसी भी नागरिक को केवल धर्म, मूल वंश, जाति, भाषा अथवा इनमें से किसी के आधार पर वंचित नहीं रखा जाएगा।

2. **नीति निदेशक तत्त्वों में व्यवस्थाः** भारत के संविधान में राज्य के नीति निदेशक तत्वों में अस्पृश्यता उन्मूलन के लिए निम्नलिखित व्यवस्था की गई है जैसे–

   अनुच्छेद 46 – राज्य जनता के दुर्बल वर्गों, विशेषतया अनुसूचित जातियों तथा अनुसूचित आदिम जातियों के शिक्षा सम्बन्धी तथा आर्थिक हितों की विशेष सावधानी से उन्नति करेगा और सामाजिक अन्याय तथा सब प्रकार के शोषण से संरक्षण करेगा।

3. **आदिम जाति कल्याण मंत्रीः** अनुच्छेद 164 (1) उड़ीसा, बिहार और मध्य प्रदेश के राज्यों में आदिम जाति के कल्याण के लिए भार साधक एक मंत्री होगा जो साथ-साथ अनुसूचित जातियों और पिछड़े वर्गों के कल्याण का अथवा किसी अन्य कार्य का भी भार साधक हो सकेगा।

4. **आरक्षण की व्यवस्थाः** अनुच्छेद 330 (1) लोक सभा में – (क) अनुसूचित जातियों के लिए (ख) असम के आदिम जातियों के क्षेत्रों की अनुसूचित जातियों को छोड़कर आदिम जातियों के लिए। (ग) असम की स्वायत्तशासी जिलों की अनुसूचित आदिम जातियों के लिए स्थान सुरक्षित रहेंगे।

   - खंड (1) के अधीन अनुसूचित जातियों का अनुसूचित आदिम जातियों के लिए किसी राज्य में रक्षित सुरक्षित स्थानों की संख्या का अनुपात लोकसभा में उस राज्य को दिए गए समस्त स्थानों की संख्या से यथासंभव वही होगा जो यथास्थिति उस राज्य की अनुसूचित आदिम जातियों की अथवा उस राज्य की या उस राज्य के भाग की अनुसूचित आदिम जातियों की, जिनके लिए स्थान सुरक्षित रखे गए हैं, जनसंख्या का अनुपात उस राज्य की समस्त जनसंख्या से है।

   - अनुच्छेद 332–(1) प्रथम अनुसूची के भाग (क) या भाग (ख) में उल्लेखित प्रत्येक राज्य की विधानसभा में अनुसूचित जातियों के लिए तथा असम की आदिम जातियों के क्षेत्र की अनुसूचित आदिम जातियों को छोड़कर अन्य आदिम जातियों के लिए स्थान सुरक्षित रहेंगे। असम राज्य की विधानसभा में स्वायत्तशासी जिलों के लिए भी स्थान सुरक्षित रहेंगे।

   - अनुच्छेद 335 – संघ या राज्यों के कार्यों से सम्बद्ध सेवाओं और पदों के लिए नियुक्तियाँ करने में प्रशासन कार्य-पटुता बनाए रखने की संगति के अनुसार अनुसूचित जातियों और अनुसूचित आदिम जातियों के सदस्यों के दावों का ध्यान रखा जाएगा।

5. **विशेषाधिकारीः** अनुच्छेद 338 – (1) अनुसूचित जातियों तथा अनुसूचित आदिम जातियों के लिए राष्ट्रपति द्वारा नियुक्त एक विशेष पदाधिकारी होगा। (2) अनुसूचित जातियों और अनुसूचित आदिम जातियों के लिए नियुक्त यह विशेष पदाधिकारी राष्ट्रपति को उनके कल्याण के विविध कार्यों के विषय में सलाह देगा।

6. **अस्पृश्यता उन्मूलन कानूनः** संविधान के अनुच्छेद 17 के अनुसार अस्पृश्यता को एक दंडनीय अपराध माना गया है। 1955 में भारत सरकार ने एक 'अस्पृश्यता (अपराध) कानून' (The Untouchability Offences Act, 1955) पारित किया जिसमें अस्पृश्यता सम्बन्धी अनर्हताओं (Disabilities) को दूसरों पर लादने वाले व्यक्ति के विरुद्ध आवश्यकता पड़ने पर यह दंड बढ़ाया भी जा सकता है।
7. **अस्पृश्यता विरोधी प्रचारः** अस्पृश्यता के विरुद्ध कानून बनाने के साथ-साथ भारत सरकार ने अस्पृश्यता के विरोध में सारे देश में प्रबल रूप से प्रचार करना आरम्भ किया। सभी राज्यों में 'हरिजन सप्ताह' और 'हरिजन दिवस' मनाए जाते हैं। राज्यों में तथा जिलों में ऐसी परामर्शदात्री समितियां बनाई गई हैं, जो सवर्ण हिन्दुओं तथा अस्पृश्यों में सम्पर्क बढ़ाती हैं।
8. **आर्थिक सुधारः** हरिजनों की आर्थिक समस्याओं को समझकर सरकार ने इस दिशा में निम्नलिखित आर्थिक सुधार किए हैंः
   - **कर्ज से बचाने के कानूनः** भारत में लगभग सभी राज्यों में अस्पृश्यों को महाजनों के ऋणों से बचाने के लिए कानून बनाए गए हैं।
   - **दास प्रथा के विरुद्ध कानूनः** बिहार, उड़ीसा में कर्ज नहीं चुकाने पर हरिजनों को महाजनों की दासता करनी पड़ती थी। अब कानून के द्वारा यह प्रथा बन्द कर दी गई है।
   - **हरिजनों को जमीन आवंटनः** आंध्रप्रदेश, बिहार, उड़ीसा, महाराष्ट्र, तमिलनाडु, उत्तर प्रदेश और गुजरात में सरकार ने बहुत-सी खाली और बेकार पड़ी जमीन को सिंचाई के द्वारा कृषि योग्य बनाकर हरिजनों को बांट दिया है।
   - **जोतने वालों को भूस्वामी बनाने के कानूनः** आंध्रप्रदेश, असम, बिहार, मध्य प्रदेश, उड़ीसा, पश्चिमी बंगाल, सरकार ने ऐसे कानून बनाए हैं जिसमें हरिजन जिस जमीन को जोत बो रहे हैं, वे उसके स्वामी माने जाएं और बेदखल न किए जा सकें।
   - **खेती में आर्थिक सहायताः** हरिजनों को खेती के उपकरण पशु, खाद, कृषि के नवीन औजार और उत्तम बीज खरीदने के लिए सरकार द्वारा आर्थिक सहायता दी जा रही है।
   - **कृषि आधारित गृह-उद्योग तथा पशुपालन आदि में सहायताः** असम, बिहार, महाराष्ट्र, उत्तर प्रदेश, आंध्रप्रदेश और पश्चिमी बंगाल में गृहोद्योगों के विकास के लिए हरिजनों को ऋण तथा अन्य प्रकार की सहायता दी जा रही है। गृहोद्योग सिखाने के लिए प्रशिक्षण केन्द्र भी खोले जा रहे हैं। हरिजनों में पशुपालन और मुर्गीपालन को भी प्रोत्साहित किया जा रहा है।
9. **अन्य सरकारी सुविधाएंः** भारतीय संविधान के अनुसार दस वर्षों तक अस्पृश्यों के लिए सरकारी नौकरियों में स्थान निश्चित कर दिए गए। केवल केन्द्र ही नहीं बल्कि प्रान्तीय सरकारी नौकरियों में भी ये स्थान निश्चित हैं। मद्रास (अब तमिलनाडु) सरकार के 'मालाबार मन्दिर प्रवेश अधिनियम' तथा 'सार्वजनिक अनर्हता निरोधक अधिनियम' से अस्पृश्यों की अवस्था में काफी सुधार हुआ। मद्रास सरकार ने हरिजनों की उन्नति की व्यवस्था करने के लिए एक लेबर कमिश्नर नियुक्त किया और हरिजनों को जमींदारों के चंगुल से छुड़ाने और भूमि दिलाने के लिए अनेक नियम बनाए। अन्य प्रान्तों की सरकारों ने भी मद्रास सरकार का अनुकरण किया।

राष्ट्रीय अनुसूचित जाति तथा जनजाति आयोग (NCSC/ST)

संविधान के 65वें संशोधन द्वारा 1990 में अनुसूचित जाति एवं जनजातियों के लिए एक राष्ट्रीग आयोग (National Commission for Scheduled Castes and Scheduled Tribes) की स्थापना की गई। इस प्रावधान के तहत संविधान के अनुच्छेद 338 में संशोधन किया गया। सरकार ने 2004 में 89वें संविधान संशोधन 2003 के माध्यम से अनुसूचित जाति तथा अनुसूचित जनजातियों के लिए पृथक-पृथक अयोगों की स्थापना की। इस संवैधानिक प्रावधान से पूर्व 1950 से 1990 तक अनुसूचित जाति एवं जनजातियों के लिए एक अधिकारी (आयुक्त) की व्यवस्था थी। राष्ट्रीय अनुसूचित जाति आयोग का प्रथम अध्यक्ष सूरजभान तथा राष्ट्रीय अनुसूचित जनजाति आयोग का प्रथम अध्यक्ष कुंवरसिंह को बनाया गया।

राज्य अनुसूचित जाति विकास निगमः इसकी स्थापना वर्ष 1978-79 में की गई थी, ताकि अनुसूचित जाति/जनजाति आबादी को गरीबी की रेखा से ऊपर उठाया जा सके।

इस प्रकार कमजोर वर्गों के कल्याण हेतु सरकारी एवं गैर-सरकारी स्तर पर अनेक योजनागत एवं वैधानिक प्रावधान किए जा रहे हैं। आज समाज के कमजोर वर्ग विकास की मुख्यधारा से जुड़ रहे हैं। माननीय उच्चतम न्यायालय ने तो वंचितों के लिए सरकारी नौकरियों में आरक्षण के प्रावधान पर यहाँ तक विचार व्यक्त किए हैं कि अब वंचितों को विशेष आरेक्षण की आवश्यकता नहीं है, क्योंकि इन वर्गों के अभ्यर्थी अब सामान्य श्रेणी में चयनित हो रहे हैं।

अनुसूचित जनजातियों के लिए नीतियाँ, कार्यक्रम तथा सांस्थानिक रूपरेखा

स्वतंत्रता प्राप्ति के बाद सन् 1950 में भारतीय जनजातीय समुदायों की पहचान कर 212 जनजातीय समुदायों की सूची तैयार करने के बाद अनुसूचित जनजातीय आदेश 1950 में शामिल किया गया। इस सूची में सभी जनजातीय समुदाय शामिल नहीं किए जा सके। फलतः काफी विरोध व्यक्त किया गया। इसे ध्यान में रखते हुए 'पिछड़ी जाति आयोग' का गठन किया गया जिसके अनुमोदन से पूर्व में बनाई गई सूची संशोधित की गई। इसके साथ ही 'राज्य पुनर्गठन कानून' लागू किया गया जिसके तहत राज्य की सूचियों में परिवर्तन हुआ। इन सूचीबद्ध जनजातियों को ही अनुसूचित जनजाति कहा जाता है। अभी भी बहुत से जनजातीय समुदाय इस सूची में शामिल नहीं हो पाए हैं।

संविधान निर्माताओं ने इनके अविकसित रूप को ध्यान में रख कर इन्हें विशेष महत्व देते हुए इनके विकास हेतु संविधान के विभिन्न भागों

और अनुच्छेदों में इनके लिए विशेष सुविधाओं की व्यवस्था की। भारतीय संविधान के तृतीय भाग – मौलिक अधिकारों, चतुर्थ भाग – राज्य के नीति निदेशक तत्व, दशम भाग – अनुसूचित एवं जनजाति क्षेत्र, द्वादश भाग – सम्पत्ति इत्यादि, सोलहवां भाग – विशिष्ट प्रयोजन के द्वारा इनके विकास को अनिवार्य माना गया है। इनके तहत जनजातीय सलाहकार परिषदों की नियुक्ति की गई है। सम्पूर्ण भारतीय जनजातियों की सहायता हेतु संविधान के 338वें अनुच्छेद में राष्ट्रपति द्वारा अनुसूचित जनजातियों एवं जातियों के कमिश्नर की नियुक्ति की गई है। इसे एक विशेष अधिकारी का दर्जा दिया गया है।

स्वतन्त्रता से पूर्व ब्रिटिश मानवशास्त्री वेरियर एल्विन ने आदिवासियों के विकास के लिए 'आदिवासी नीति' प्रस्तुत की थी। एल्विन की जनजातीय नीति को 'नेशनल पार्क पॉलिसी' कहा जाता है। सामाजशास्त्री जी.एस. घुर्ये ने आदिवासियों के विकास के लिए तीन सुझाव प्रस्तुत किए हैं। (1) पृथक्करण और संरक्षण, (2) कोई परिवर्तन किए बिना पुनर्जीवन, (3) आत्मसातकरण। एल.पी. विद्यार्थी ने क्षेत्रीय विकास नीति को जनजातीय विकास के लिए प्रस्तुत किया है।

उपर्युक्त प्रयासों के अतिरिक्त विभिन्न स्वयंसेवी संस्थाओं और ईसाई मिशनरियों द्वारा भी जनजातीय विकास के लिए अनेक प्रयत्न किए गए हैं। वास्तव में आदिवासियों के समुचित विकास के लिए आवश्यक है कि सभी तरफ से मिलजुल कर प्रयत्न किया जाए। उनकी समस्याओं का सतही अध्ययन न करके उनकी संस्कृति को बनाए रखते हुए निष्पक्ष और निःस्वार्थ भाव से उन्हें दूर किया जाए। तभी सही मायने में जनजातीय विकास होगा अन्यथा योजनाएं बनती रहेंगी और जनजातीय लोग निरन्तर शोषण का शिकार होते रहेंगे।

जनजातियों के विकास हेतु संवैधानिक प्रावधान

आदिम जातियों के कल्याण एवं विकास के लिए भारत के संविधान में विशेष प्रावधान किए गए हैं। इन्हें संरक्षणमूलक प्रावधान कहा जाता है। प्रमुख संवैधानिक प्रावधान निम्नलिखित हैं:

1. संविधान के तीसरे भाग के अनुच्छे-15 में नागरिकों के मूल अधिकारों का उल्लेख किया गया है, जिसके अनुसार किसी भी नागरिक के साथ धर्म, प्रजाति, जाति, लिंग और जन्म स्थान के आधार पर किसी प्रकार का भेदभाव नहीं किया जाएगा। जनजातियों के दृष्टिकोण से यह प्रावधान बहुत महत्वपूर्ण है, क्योंकि उपर्युक्त सभी आधारों पर जनजातियों के साथ भेदभाव किया जाता है। इस प्रावधान के कारण भारतीय जनजातियों को वही अधिकार प्राप्त हुए हैं, जो भारत के सामान्य नागरिक को प्राप्त हैं।
2. अनुच्छेद 16 में राज्य के पिछड़े वर्गों के लिए सरकारी नौकरियों में समान अवसर देने का प्रावधान है। उन क्षेत्रों में जहाँ उनका प्रतिनिधित्व अपर्याप्त है, अनुसूचित जनजातियों का ध्यान रखा जाएगा। आदिम जनजातियों को शासकीय सेवा में प्राप्त आरक्षण के आधार पर सेवारत किया जाता है। हालांकि आरक्षण की वर्तमान नीति से सम्पूर्ण जनजातियों का उत्थान अभी तक नहीं हो सका है फिर भी कुछ जनजातियाँ इस नीति से लाभान्वित हुई हैं।
3. अनुच्छेद 17 के अनुसार अस्पृश्यता का उन्मूलन तथा किसी भी रूप में उसके प्रचलन पर निषेध लगाया गया है। आदिम जनजातियों को हिन्दू वर्ण व्यवस्था के अन्तर्गत नहीं रखा जाता है परन्तु फिर भी आजादी के पूर्व तक इनकी सामाजिक स्थिति निम्न थी। कुछ क्षेत्रों में जनजातीय सदस्यों को अस्पृश्य भी माना जाता था। सवैधानिक प्रावधानों द्वारा उन्हें सामाजिक समानता का अधिकार प्राप्त हुआ है।
4. अनुच्छेद 19 में अनुसूचित जनजातियों के लिए संभाषण, अभिव्यक्ति, नागरिकों को स्वतंत्रतापूर्वक आने-जाने का अधिकार, बसने का अधिकार, सम्पत्ति का अर्जन एवं निवर्तन, व्यवसाय इत्यादि की स्वतन्त्रता का उल्लेख है। इस संवैधानिक प्रावधान के परिणामस्वरूप जनजातियों की गतिशीलता में वृद्धि हुई है।
5. अनुच्छेद 23 में अनाचार और बेगार को गैरकानूनी बताया गया है। इस प्रकार की समस्या जनजातीय लोगों के साथ बहुत थी। गैरजनजाजीय लोग जनजातियों से जबरदस्ती कार्य कराते थे। वर्तमान समाज में बंधुआ मजदूरों की समस्या को समाप्त करने का वैधानिक प्रावधान किया गया है। इससे जनजातियों के सदस्य बेगार और बंधुआ मजदूरी से मुक्त हुए हैं।
6. अनुच्छेद 25 में जनजातियों को धर्म सम्बन्धी स्वतन्त्रता का अधिकार दिया गया है कि सभी सार्वजनिक, धार्मिक संस्थाओं में जनजातियों को प्रवेश दिया जाएगा। इसके परिणामस्वरूप जनजातियाँ अपने धर्मों को स्वीकार करने तथा किसी भी धर्म को अपनाने के लिए स्वतन्त्र हैं।
7. अनुच्छेद 29 में अल्पसंख्यकों के सांस्कृतिक एवं शैक्षणिक अधिकारों को संरक्षण दिया गया है। इससे ये लोग किसी भी राज्य द्वारा सहायता प्राप्त किसी भी शैक्षणिक संस्था में प्रवेश ले सकते हैं। इस संवैधानिक सहायता के आधार पर जनजातियों में शिक्षा के प्रति अभिरुचि विकसित हुई है।
8. संविधान के चौथे भाग के अनुच्छेद 46 में प्रावधान है कि "राज्य कमजोर तबकों के लोगों को, विशेषकर अनुसूचित जातियों एवं जनजातियों के, शैक्षणिक एवं आर्थिक हितों को विशेषरूप से बढ़ावा देगा एवं हर प्रकार के सामाजिक अन्याय एवं शोषण के विरुद्ध उन्हें संरक्षण प्रदान करेगा।" इस संवैधानिक प्रावधान के परिणामस्वरूप जनजातियों को साहूकारों के ऋणों से मुक्ति मिली तथा उन पर होने वाले अन्याय नियंत्रित होने लगे।
9. अनुच्छेद 15 के अनुसार दुकानों, सार्वजनिक भोजनालयों, होटलों तथा सार्वजनिक मनोरंजन स्थलों में प्रवेश या सामान्य जन के उपयोग के लिए निर्मित कुओं, तालाबों, स्नानघाटों, सार्वजनिक समागमस्थलों, सड़कों, बगीचों इत्यादि के उपयोग में किसी भी प्रकार की अयोग्यता, दायित्व, शर्तों अथवा प्रतिबन्ध को हटाना है। यह प्रावधान जनजातियों को समानता का अधिकार प्रदान करता है।

10. अनुच्छेद 330, 332, 334 के अनुसार अनुसूचित जातियों और जनजातियों को लोकसभा तथा राज्यों की विधानसभाओं में विशेष प्रतिनिधित्व का प्रावधान है। इसके फलस्वरूप जनजातियों का प्रतिनिधित्व राष्ट्र की सर्वोच्च प्रतिनिधि सभा से लेकर ग्राम पंचायतों तक सम्भव हो सका है, जिससे जनजातियों की समस्याओं की सुनवाई में सुविधा हो सकी है।
11. अनुच्छेद 164 और 338 तथा पंचम अनुसूची में अनुसूचित जनजातीय कल्याण और हितों के लिए राज्यों में जनजाति सलाहकार परिषदों और पृथक केन्द्रों की स्थापना का प्रावधान है। इस केन्द्र में एक विशेष अधिकारी की नियुक्ति की व्यवस्था है। जनजातियों के हितों के संरक्षण के साथ-साथ विकास के कार्यक्रमों में उनकी भागीदारी बढ़ी है तथा उनके भविष्य को और भी अधिक उज्ज्वल बनाने की संभावनाएं विकसित हुई हैं।
12. अनुच्छेद 244 और पंचम तथा षष्टम अनुसूची में जनजातीय क्षेत्रों में प्रशासन और नियंत्रण के लिए विशेष उपबन्ध का उल्लेख है। इस उल्लेख के आधार पर स्थानीय समस्याएं होने पर जनजातीय क्षेत्रों में विशेष प्रशासन प्रबन्ध किए जा सकते हैं।
13. अनुच्छेद 339 में यह व्यवस्था की गई है कि संविधान लागू होने के दस वर्ष बाद अनुसूचित क्षेत्रों एवं अनुसूचित जनजातियों के विशेष प्रशासन की रिपोर्ट राष्ट्रपति के सम्मुख प्रस्तुत की जाए। राष्ट्रपति 10 वर्ष के पूर्व भी यह रिपोर्ट मांग सकता है। आवश्यकता पड़ने पर कार्यपालिका को अधिकार है कि वह राज्यों को अनुसूचित जनजातियों के प्रशासन सम्बन्धी मामलों में अनुदेश दे सके। इस प्रावधान से राष्ट्र के सर्वोच्च पदाधिकारी के पास जनजातीय सन्दर्भों से जुड़ी समस्याएं पहुँचती हैं और कार्यपालिका राज्यों के अधिकार क्षेत्र में हस्तक्षेप कर जनजातियों के हितों का संरक्षण कर सकती है।
14. अनुच्छेद 341 और 342 के अनुसार राष्ट्रपति को यह अधिकार है कि वह राज्यों के राज्यपालों से विचार-विमर्श के बाद प्रत्येक राज्य के जनजातीय समुदायों की अलग से व्याख्या करें।
15. संविधान के बारहवें भाग के अनुच्छेद 325 के अनुसार केन्द्रीय सरकार राज्यों को जनजातीय कल्याण तथा उसके उचित प्रशासन के लिए विशेष धनराशि प्रदान कर सकती है। विशेष परिस्थितियों में जनजातियों को अधिक अनुदान प्राप्त होता है।
16. अनुच्छेद 244 (2) एवं 275 (1) एवं छठी अनुसूची के अनुसार जनजातीय क्षेत्र के प्रशासन के लिए स्वायत्त जिलों एवं स्वायत्त क्षेत्रों और उसके लिए अपनी स्वतन्त्र परिषदों की स्थापना की व्यवस्था की गई है। इन परिषदों के विभिन्न कार्य हैं जैसे झूम (स्थानान्तरित) कृषि सम्बन्धी नियम, भूमि आवंटन, वन एवं नहरों के पानी का उपयोग, गांव और कस्बों की कमेटियों की स्थापना और उसके अधिकार, मुखियाओं की नियुक्ति और उत्तराधिकार, विवाह एवं अन्य सामाजिक रीतिरिवाज, सम्पत्ति उत्तराधिकार इत्यादि के कानून बनाने का अधिकार। इस संवैधानिक प्रावधान के फलस्वरूप जनजातियों के पर्यावरण एवं परम्पराओं तथा वैधानिक व्यवस्था के मध्य उत्पन्न द्वन्द्व या तनावों को कम किया जा सकता है।

पंचायतीराज एवं स्थानीय निकायों में प्रतिनिधित्वः 73वें एवं 74वें संविधान संशोधन द्वारा अनुसूचित जनजातियों के लिए ग्राम पंचायतों तथा अन्य स्थानीय निकायों में स्थान आरक्षित हैं ताकि उन्हें उचित प्रतिनिधित्व मिल सके।

शासकीय सेवाओं में आरक्षणः केन्द्रीय सेवा सम्बन्धी कार्यालयों में नियुक्ति के लिए अनुसूचित जनजातियों के लोगों के लिए 7.5 प्रतिशत स्थान आरक्षित हैं। साथ ही उन्हें अनेक प्रकार की छूट दी गई हैं, जैसे– आयु सीमा में, उपयुक्तता के मानदण्डों में, पदों के लिए चयन में (यदि वह अनुपयुक्त न हो), अनुभव सम्बन्धी योग्यता में छूट, अनुसंधान के लिए अपेक्षित समूह 'क' की सबसे निचली श्रेणी के वैज्ञानिक तथा तकनीकी पदों पर आरक्षण इत्यादि।

इस प्रकार उक्त संवैधानिक प्रावधानों के आधार पर अनुसूचित जनजातियों और आदिवासियों के लिए विशेष संरक्षण प्रदान किए गए हैं जिसके परिणामस्वरूप उनके विकास का मार्ग प्रशस्त हो रहा है तथा वे समाज की मुख्य धारा में शामिल हो रहे हैं।

अनुसूचित जनजाति एवं वनवासी अधिकार अधिनियम

अनुसूचित जनजाति एवं अन्य पारंपरिक वनवासी (वन अधिकारों को मान्यता) अधिनियम, 2006 आदिम समुदायों को वन भूमि एवं वन उत्पादों पर अधिकार देने का कानून दिसम्बर 2007 से प्रभावी हो गया है। इस वनवासी अधिकार कानून के अनुसार किसी वन संसाधन पर किसका अधिकार होगा, यह तय करने में पंचायत की ग्राम सभा की प्रमुख भूमिका होगी। इस अधिनियम की प्रमुख विशेषताएं निम्नलिखित हैं:

- कई पीढ़ियों से जंगलों या वनों में रह रहे आदिवासियों को उनके अधिकारों को मान्यता दिलाने में यह कानून महत्वपूर्ण है।
- 13 दिसम्बर 2005 से पहले कम-से-कम तीन पीढ़ियों (75 वर्ष) से वन में रहने वालों और अपने जीवनयापन के लिए वन या वनभूमि पर निर्भर रहने वालों के लिए यह लागू होगा।
- ऐसे आदिवासी या पारंपरिक वनवासियों के हर परिवार को चार हेक्टेयर भूमि देने का प्रावधान है।
- वनवासियों को छोटे वन उत्पादों के एकत्रीकरण तथा इस्तेमाल के साथ उनके स्वामित्व एवं उन तक पहुँच का अधिकार भी प्रदान किया गया है।
- पारिस्थितिकीय संतुलन एवं जैव विविधता के संरक्षण को बनाए रखने में वनवासियों की भूमिका को कानून में मान्यता दी गई है।
- आदिम जातियों एवं वनवासियों के उक्त अधिकार वंशानुगत हैं। ये अधिकार किसी को हस्तांतरित नहीं किए जा सकेंगे।
- ग्राम पंचायत स्तर पर ग्राम सभा को सामुदायिक वन अधिकारों की प्रकृति एवं उनका स्वरूप तय करने की प्रक्रिया प्रारम्भ करने का अधिकार है।

- ग्राम सभा द्वारा वन अधिकार समिति का गठन किया जाएगा जिनमें 10 से 15 सदस्य होंगे, जिसमें एक तिहाई अनुसूचित जनजातियों के पुरूष तथा एक तिहाई सदस्य महिलाएं होगी।
- पांचवीं अनुसूची के अनुसार कुल नौ राज्यों में अनुसूचित क्षेत्र स्थित हैं। इनमें आंशिक अनुसूचित क्षेत्र वाले जिलों की संख्या 53 है। जबकि पूर्ण अनुसूचित क्षेत्र वाले 21 जिले हैं। अनुसूचित क्षेत्र वाले नौ राज्य हैं–(1) आंध्रप्रदेश, (2) छत्तीसगढ़, (3) गुजरात, (4) हिमाचल प्रदेश, (5) झारखंड, (6) मध्यप्रदेश, (7) महाराष्ट्र, (8) ओडिशा, (9) राजस्थान।
- वनाधिकार संबंधी दावों का निपटारा अनुसूचित जनजाति एवं अन्य वनवासी (वनाधिकार की मान्यता) नियम, 2008 के अनुसार किया जाता है।

अन्य पिछड़े वर्गों के लिए नीतियाँ, कार्यक्रम तथा संस्थानिक रूपरेखा

सर्वप्रथम मैसूर रियासत में 'अन्य पिछड़ा वर्ग' को तकनीकी अर्थ प्रदान किया गया। मैसूर राज्य ने लोक सेवा में पिछड़े वर्ग के लोगों की भागीदारी बढ़ाने के लिए 1918 में एक समिति का गठन किया। सन् 1921 में पिछड़े समुदाय के लोगों को नियुक्ति में प्राथमिकता के सिद्धांत को मान लिया गया और इसके अन्तर्गत ब्राह्मण को छोड़कर अन्य सभी समुदायों को रखा गया, जिनका राज्य सेवा में पर्याप्त प्रतिनिधित्व नहीं था।

अन्य पिछड़ा वर्ग – एक अस्पष्ट अवधारणा

अखिल भारतीय स्तर पर इसका निश्चित अर्थ कभी नहीं रहा है। इसे राष्ट्रीय स्तर पर परिभाषित करने का कोई प्रयास नहीं हुआ। राष्ट्रीय स्तर पर पिछड़े वर्गों का काई संगठन नहीं था। संविधान में पिछड़े वर्ग के पर्यवेक्षण के लिए कोई केन्द्रीय तंत्र का भी प्रावधान नहीं था। किन्तु संविधान बनने के बाद पिछड़े वर्गों के अखिल भारतीय संघ बने हैं।

दत्तात्रेय बालकृष्ण कालेलकर (काका कालेलकर, 1885-1981) के नेतृत्व में 1953 में गठित पहले पिछड़े वर्ग आयोग की अनुशंसाओं से इस संकल्पना को समझने एवं पिछड़े वर्गों की समस्याओं और इसके निदान की तरफ देश का ध्यान आकर्षित हुआ। सन् 1961 में केन्द्रीय मंत्रिमंडल ने निर्णय किया कि पिछड़े वर्गों की संतुलित सूची बनाई जाए। सरकार के अनुसार इसे आर्थिक आधार पर तय किया जाना था, न कि जाति के आधार पर। उसी वर्ष मई में मुख्यमंत्रियों के सम्मेलन में आर्थिक आधार पर पिछड़े वर्गों की पहचान कर उन्हें व्यावसायिक एवं तकनीकी शिक्षा ग्रहण करने हेतु प्रोत्साहित करने की बात की गई थी, न कि जन्म (जाति) के आधार पर। सन् 1977 में जनता पार्टी के सरकार में आने से पिछड़े वर्ग की राजनीति ने पुनः जोर पकड़ा। राजनीतिकरण के कारण पिछड़ा वर्ग भारतीय प्रजातंत्र में एक महत्वपूर्ण वोट बैंक हो गया। समाज में इनके वृहत प्रतिनिधित्व एवं सहभागिता के कारण ओबीसी का व्यापक स्तर पर राजनीतिकरण हो गया और वे अपने अधिकारों की मांग करने लगे। बी.पी. मण्डल की अध्यक्षता में 1979 में द्वितीय पिछड़ा वर्ग आयोग का गठन किया गया जिसने सामाजिक-आर्थिक एवं शैक्षणिक पिछड़ेपन के 11 संकेतकों के आधार पर ओबीसी को आरक्षण की सिफारिश की।

अन्य पिछड़े वर्गों का कल्याण

संविधान के अनुच्छेद 15 (4) एवं 16 (4) में राज्य को यह अधिकार दिया गया है कि वह सरकारी सेवाओं तथा पदों में ऐसे किसी पिछड़े वर्ग के लिए, जिसे इनमें पर्याप्त प्रतिनिधित्व नहीं मिला, उनके लिए आरक्षण की व्यवस्था कर सकता है। अनुच्छेद 340 में पिछड़े वर्गों की स्थिति का पता लगाने के लिए पिछड़ा वर्ग आयोग (OBC Commission) गठित करने की व्यवस्था की गई है।

द्वितीय पिछड़ा वर्ग आयोग (मंडल आयोग) का गठन 1979 में किया गया। इसकी सिफारिशों के आधार पर 13 अगस्त, 1990 को एक सरकारी ज्ञापन जारी किया गया जिसमें अन्य पिछड़े वर्गों को भारत सरकार के अन्तर्गत आने वाली सिविल सेवाओं और पदों में 27 प्रतिशत आरक्षण देने का फैसला किया गया है। इसका विरोध होने पर उच्चतम न्यायालय ने हस्तक्षेप किया तथा 16 नवम्बर, 1992 को फैसला दिया कि ओबीसी में सामाजिक दृष्टि से आगे बढ़े हुए 'अति समृद्ध तबके' (Creamy Layer) को आरक्षण के दायरे से बाहर रखा जाए। अन्य पिछड़े वर्गों के लिए 04 अगस्त, 1993 को राष्ट्रीय पिछड़ा वर्ग आयोग गठित किया गया।

राष्ट्रीय पिछड़ा वर्ग वित्त और विकास निगम

इस संस्था का गठन 13 जनवरी, 1992 को किया गया था। इसका उद्देश्य गरीबी की रेखा के नीचे रहने वाले पिछड़े वर्गों के लोगों को उनके सामाजिक-आर्थिक विकास के लिए रियायती दरों पर वित्तीय सहायता उपलब्ध कराना है। निगम ने पिछड़े वर्गों की उपयुक्त महिला लाभकर्ताओं के लिए 'स्वर्णिमा' नाम से एक विशेष योजना शुरू की है। इस योजना के तहत उपयुक्त महिलाएं चार प्रतिशत सालाना ब्याज की रियायती दरों पर ₹ 50 हजार तक की वित्तीय सहायता प्राप्त कर सकती हैं।

भारत सरकार ने अन्य पिछड़े वर्गों के कल्याण के लिए वर्ष 1998-99 से अनेक कल्याणकारी योजनाएं शुरू की हैं, इनमें परीक्षा पूर्व कोचिंग, लड़के एवं लड़कियों के लिए छात्रावास, मैट्रिक पूर्व छात्रवृति, उत्तर मैट्रिक छात्रवृति तथा स्वयंसेवी संगठनों को सहायता देना प्रमुख है।

ओबीसी तथा अल्पसंख्यक वर्ग की सहायता के लिए अन्य योजनाएं

1. **पिछड़ी जातियों के लिए राष्ट्रीय आयोगः** इसका कार्य ओबीसी की केन्द्रीय सूची में प्रवेश पाने के प्रार्थना-पत्रों की जांच करना है।
2. **सफाई कर्मचारियों के लिए राष्ट्रीय आयोगः** इसका कार्य हरिजनों, चमड़े का काम करने वालों और जानवरों की खाल निकालने वालों की समस्याओं को सुलझाना है।
3. **राष्ट्रीय अल्पसंख्यक विकास निगमः** ₹ 500 करोड़ की पूंजी से आरम्भ करके इस संस्था की स्थापना पिछड़े वर्गों और अल्पसंख्यकों की आर्थिक और विकासात्मक समस्याओं को सुलझाने के लिए की गई है।
4. **मौलाना आजाद एजुकेशन फाउन्डेशनः** इसका उद्देश्य शैक्षिक रूप से पिछड़े वर्गों, अल्पसंख्यकों तथा समाज के पिछड़े वर्गों में शिक्षा का प्रसार करना है।

कमजोर वर्गों के कल्याण हेतु गैर–सरकारी प्रयास

देश में सामाजिक-धार्मिक संगठनों तथा कांग्रेस ने राजनीतिक जागृति के कार्यक्रम के साथ-साथ अस्पृश्यता निवारण के लिए प्रयत्न किए। इस ओर गांधी जी ने जो प्रयास किए वे सर्वविदित हैं। उनके प्रयास से अस्पृश्यों की सामाजिक अनर्हताएं दूर होने लगीं। उनके लिए विद्यालयों, मन्दिरों, सार्वजनिक स्थानों आदि के द्वारा खुल गए। प्रारम्भ में सवर्ण हिन्दुओं ने सुधारों का बड़ा विरोध किया परन्तु क्रमशः उनको मान्यता मिलने लगी। कांग्रेस के अतिरिक्त अनेक संगठनों ने हरिजनोद्धार में भाग लिया। इनमें डिप्रेस्ड क्लास यूनियन, दि सोशल सर्विस लीग, आंध्र दीन सेवा संघ, डिप्रेस्ड क्लासेज लीग, डिप्रेस्ड क्लासेज कांफ्रेंस तथा शिड्यूल्ड क्लास फेडरेशन के कार्य उल्लेखनीय हैं परन्तु इस दिशा में सबरो अधिक प्रयत्न 'हरिजन सेवक संघ' ने किया है। हरिजन सेवक संघ 1932 में ए.बी. ठक्कर बापा के निर्देशन में प्रारम्भ किया गया। इस संघ की अनेक शाखाएं तमिलनाडु, आंध्रप्रदेश, गुजरात, महाराष्ट्र, कर्नाटक, उत्तर प्रदेश, बिहार और दिल्ली आदि में हैं।

आरक्षण सम्बंधी संरक्षण प्रावधान

भारतीय संविधान की प्रस्तावना में सामाजिक, आर्थिक और राजनीतिक न्याय प्रदान करने का लक्ष्य निर्धारित किया गया है। संविधान में समाज के कमजोर वर्गों के कल्याण हेतु नीति तैयार करने के लिए राज्यों को निर्देश दिए गए हैं। इन नीतियों से अनुसूचित जाति, अनुसूचित जनजाति तथा अन्य पिछड़े वर्ग के लोग लाभान्वित होते हैं। इन समुदायों की अभ्युन्नति के लिए संविधान में अधिमान्य नीतियों को अपनाने की अनुमति दी गई है।

लोक सेवाओं में आरक्षण के अतिरिक्त इन उपायों के अन्तर्गत संसद, विधानसभाओं एवं अन्य निर्वाचित संस्थाओं में आरक्षण के साथ-साथ शैक्षणिक संस्थाओं में इन समुदायों के लोगों को प्रवेश में प्राथमिकता दी जाती है। इसके साथ-साथ इनकी आर्थिक उन्नति के लिए सहायता दी जाती है।

पिछड़े वर्गों के लिए तीन क्षेत्रों में मुख्य रूप से आरक्षण का प्रावधान किया गया है– निर्वाचित निकाय, शैक्षणिक संस्थान तथा सरकारी सेवा। निर्वाचित निकाय में आरक्षण का प्रावधान संविधान में समाहित है। शैक्षणिक संस्थानों में आरक्षण संसद द्वारा निर्धारित प्रावधानों के अनुरूप है। अनुसूचित जाति एवं अनुसूचित जनजाति के साथ अन्य पिछड़े वर्गों को सरकारी सेवा में प्रतिनिधित्व को ध्यान में रखकर नौकरी में आरक्षण के प्रावधान किए गए हैं।

भारतीय संविधान में आरक्षण एवं अन्य विशेष प्रावधान प्रारम्भ में केवल दस वर्ष के लिए किए गए थे। तदन्तर इसे प्रत्येक दस वर्ष के लिए संविधान संशोधन द्वारा आगे बढ़ाया गया। इस अधिमान्य प्रावधान के पक्ष एवं विरोध में तर्क दिए जाते है। पहले विरोध ने उग्र आन्दोलन का रूप ले लिया। बिहार, उत्तर प्रदेश और गुजरात में आरक्षण के विरोध में प्रदर्शन हुए। हाल ही में उच्चतर केन्द्रीय शैक्षणिक संस्थाओं (IIM-IIT) में अन्य पिछड़ा वर्गों के लिए 27 प्रतिशत आरक्षण तथा पदोन्नति में आरक्षण के प्रावधान को लेकर देशभर में प्रतिक्रियाएं हुई हैं। आरक्षण का मुद्दा अत्यन्त संवेदनशील होने के कारण यह एक गम्भीर राष्ट्रीय विमर्श का विषय है, जिस पर आम सहमति की आवश्यकता है।

महिलाओं के लिए नीतियाँ, कार्यक्रम तथा सांस्थानिक रूपरेखा

''महिला पैदा नहीं होती अपितु समाज द्वारा बनाई जाती है'' सीमोन-द-बुआ जैसी नारीवादी लेखिका का यह कथन सही लगता है जब हम सम्पूर्ण परिवेश में स्त्रियों की प्रस्थिति का अवलोकन करते हैं। पहनावे से लेकर काम करने के क्षेत्र और कैरियर तक जेण्डर के आधार पर मानदंड निर्धारित कर दिए गए हैं। लिंग भेद प्रकृति प्रदत्त है लेकिन जेण्डर भेदभाव सामाजिक सांस्कृतिक देन है। इस प्रकार जेण्डर भेदभाव के परिणामस्वरूप समाज में महिलाओं की समस्याओं का अम्बार लगा हुआ है। जेण्डर-इक्वैलिटी, जेण्डर-सेंसिटाइजेशन एवं जेण्डर-बजटिंग जैसे अवधारणाएं व्यावहारिक कम सैद्धांतिक अधिक लगती हैं।

''यत्र नार्यस्तु पूज्यन्ते रमन्ते तत्र देवता'' जहाँ महिलाओं का आदर सम्मान होता है वहाँ देवताओं का वास होता है। भारतवर्ष में ऋग्वैदिक काल में महिलाओं की स्थिति पुरुषों के समकक्ष थी। लेकिन उत्तरवैदिक काल के पश्चात् आज तक महिलाओं की स्थिति में निरन्तर गिरावट आई है।

महिला सशक्तीकरण

सशक्तीकरण एक व्यापक शब्द है, जिसमें अधिकारों और शक्तियों का स्वाभाविक रूप से समावेश है। यह एक ऐसी मानसिक अवस्था है जो कुछ विशेष आंतरिक कुशलताओं और शैक्षिक, सामाजिक, आर्थिक, राजनीतिक आदि परिस्थितियों पर निर्भर करती है जिसके लिए समाज में आवश्यक कानूनों, सुरक्षात्मक प्रावधानों और उनके भली-भांति क्रियान्वयन हेतु सक्षम प्रशासनिक व्यवस्था का होना आवश्यक है।

संक्षेप में महिला सशक्तीकरण मुख्य रूप से नीति निर्माण एवं निर्णय प्रक्रिया में महिलाओं की भागीदारी सुनिश्चित करना है। इस प्रकार महिला सशक्तीकरण से तात्पर्य एक ऐसी सामाजिक प्रक्रिया से है, जिसमें महिलाओं के लिए सर्वसम्पन्न और विकसित होने हेतु संभावनाओं के द्वार खुलें, नए विकल्प तैयार हों। भोजन, पानी, घर, शिक्षा, स्वास्थ्य सुविधाएं, शिशुपालन, प्राकृतिक संसाधन, बैंकिग सुविधाएं, कानूनी हक और प्रतिभाओं के विकास हेतु पर्याप्त रचनात्मक अवसर प्राप्त हों। महिला सशक्तीकरण की माप करने हेतु इसके अन्तर्गत सामान्य तौर पर निम्नांकित चार तत्वों को सम्मिलित किया जाता है:

1. संसद एवं विधानमंडलों में महिलाओं की भागीदारी का अंश।
2. प्रशासन एवं प्रबन्धन में उनकी भागीदारी का प्रतिशत।
3. प्रोफेशनल एवं तकनीकी सेवाओं में उनका अनुपात।
4. महिलाओं की प्रति व्यक्ति आमदनी और उनकी तुलनात्मक आर्थिक स्थिति।

महिला सशक्तीकरण की माप के लिए यद्यपि उपर्युक्त चार तत्वों के अतिरिक्त अन्य मुद्दों को भी शामिल किया जा सकता है, जैसे शैक्षिक स्थिति, स्वास्थ्य सम्बन्धी स्थिति, देशाटन की सुविधा, निर्णय का अधिकार, सत्ता के साथ-साथ सम्पत्ति में पुरुषों के बराबर हक इत्यादि।

महिला सशक्तीकरण के प्रयास

भारतीय संविधान का अनुच्छेद 14 महिलाओं और पुरुषों को राजनीतिक, आर्थिक और सामाजिक क्षेत्रों में समान अधिकार और अवसर प्रदान करता है। अनुच्छेद 15 महिलाओं को समानता का अधिकार प्रदान करता है। अनुच्छेद 16 सभी नागरिकों को रोजगार का समान अवसर देता है। अनुच्छेद 39 सुरक्षा तथा रोजगार में समान कार्य के लिए समान वेतन का अधिकार स्थापित करता है।

महिलाओं के विभिन्न संवैधानिक अधिकारों की रक्षा के लिए सरकार ने महिलाओं को विशेष ध्यान में रखकर उनसे सम्बन्धित अनेक कानून बनाए हैं, ताकि उन्हें शोषण-उत्पीड़न से बचाकर पूरा सम्मान दिया जा सके। इसके अतिरिक्त सभी पंचवर्षीय योजनाओं में महिलाओं के विकास को महत्व दिया गया है। महिलाओं के स्वास्थ्य सुधार हेतु समेकित बाल विकास योजना तथा आर्थिक विकास हेतु ग्रामीण महिला एवं शिशु विकास कार्यक्रम प्रारम्भ किया गया। वर्ष 2001 को महिला सशक्तीकरण वर्ष घोषित कर महिला सशक्तीकरण नीति तैयार की गई।

महिला कल्याण हेतु राज्यों द्वारा किए गए प्रयास

कामधेनु योजनाः महाराष्ट्र में संचालित इस योजना के तहत अपंग, परित्यक्ता एवं आश्रयहीन महिलाओं को स्वरोजगार उपलब्ध कराने के लिए सहायता दी जाती है। महाराष्ट्र में औद्योगिक प्रशिक्षण संस्थाओं में प्रत्येक व्यावसायिक शिक्षा में लड़कियों के लिए 30 प्रतिशत आरक्षण की भी व्यवस्था है।

किशोरी बालिका योजनाः बिहार सरकार ने 11 से 18 वर्ष तक की लड़कियों के पोषण तथा स्वास्थ्य स्तर में सुधार लाने एवं अनौपचारिक शिक्षा के माध्यम से उन्हें अक्षर एवं अंक ज्ञान देने के उद्देश्य से यह योजना प्रारम्भ की है। इसके अन्तर्गत कम आमदनी वाले परिवारों की किशोरियाँ लाभ प्राप्त करने की पात्र होती हैं।

स्वस्थ सखी योजनाः उत्तर प्रदेश सरकार की इस योजना के तहत आठवीं कक्षा तक पढ़ी 18 से 35 वर्ष की आयु की अनुसूचित जाति की महिलाओं को मिडवाइफ के रूप में प्रशिक्षित किया जाएगा। चयनित महिलाओं को 500 प्रतिमाह प्रदान किया जाएगा।

सैनेट्री मार्ट योजनाः उत्तर प्रदेश सरकार द्वारा सिर पर मैला ढोने की प्रथा पर रोक लगाए जाने के परिणामस्वरूप बेरोजगार हुए लोगों के पुनर्वास के उद्देश्य से महिला केन्द्रित यह योजना आरम्भ की गई है। इस प्रकार से बेरोजगार हुए लोगों को सैनेट्री की दुकानें स्थापित करने के लिए ढाई लाख रुपए तक के ऋण की व्यवस्था सरकार द्वारा की गई है। इसमें अनुदान की राशि भी शामिल है।

अपनी बेटी अपना धन योजनाः बालिकाओं के भविष्य को सुरक्षित रखने के उद्देश्य से 2 अक्टूबर, 1994 से हरियाणा सरकार ने यह योजना प्रारम्भ की। इस योजना के तहत अनुसूचित जाति एवं जनजाति के परिवारों की नवजात बालिकाओं के नाम से ₹ 2500 सरकार द्वारा इंदिरा विकास पत्र के माध्यम से निवेश कर दिया जाता है। 18 वर्ष के पश्चात यह राशि लगभग ₹ 25,000 के रूप में देय होती है यह राशि उसी को दी जाती है जिसके नाम से यह राशि निवेशित होती है।

देवी रूपक योजनाः हरियाणा सरकार द्वारा पूर्व उप प्रधानमंत्री चौधरी देवीलाल के जन्म दिवस पर 25 सितम्बर, 2002 को इस योजना की घोषणा की गई। इस योजना का मूल उद्देश्य जनसंख्या नियंत्रण कार्यक्रमों के लिए दम्पत्तियों को जागरुक करना है। प्रजनन योग्य दम्पत्तियों, विशेषतः नवविवाहितों को लक्षित करते हुए यह योजना शुरू की गई। पहले बच्चे लड़की के जन्म पर नसबंदी कराने पर ₹ 500 प्रतिमाह तथा पहले बच्चे लड़के के जन्म पर नसबंदी कराने पर ₹ 200 प्रतिमाह की राशि इस योजना के तहत दम्पत्ति को दी जाएगी। दूसरे बच्चे के जन्म पर यदि दोनों लड़कियां हो, तब नसबंदी कराने पर यह राशि ₹ 200 रुपए प्रतिमाह होगी।

बालिका संरक्षण योजनाः आंध्र प्रदेश में बालिकाओं को संरक्षण एवं समाज में उन्हें सम्मानजनक स्थान दिलाने के लिए राज्य सरकार ने यह योजना प्रारम्भ की। इस योजना में 60 हजार से अधिक ऐसी बालिकाओं को लक्षित किया जाएगा, जो निर्धन परिवारों की हैं। योजना का उद्देश्य कम-से-कम माध्यमिक स्तर तक बालिकाओं को शिक्षित करना तथा 18 वर्ष के बाद ही उनका विवाह सुनिश्चित करना है। इस योजना में कन्या के नाम से कुछ कल्याण राशि को निवेश करने का प्रावधान भी है।

पंचधारा योजनाः मध्य प्रदेश सरकार द्वारा 1 नवम्बर, 1991 से विशेषतः ग्रामीण एवं आदिवासी क्षेत्र की महिलाओं के कल्याण एवं विकास हेतु पंचधारा योजना आरम्भ की गई। इस योजना में पाँच उप-योजनाएं शामिल हैं:

- **वात्सल्य योजनाः** प्रसवकाल में महिलाओं को बुनियादी स्वास्थ्य सुविधाएं प्रदान करना।
- **ग्राम्य योजनाः** ग्रामीण महिलाओं को लघु व्यवसाय आरम्भ करने हेतु कार्यशील पूंजी प्रदान करना।
- **आयुष्मति योजनाः** अति निर्धन महिलाओं के बीमार होने पर उनके उपचार एवं पौष्टिक आहार का प्रबन्ध करना।
- **सामाजिक सुरक्षा पेंशन योजनाः** निराश्रित विधवाओं के लिए योजना।
- **कल्पवृक्ष योजनाः** आदिवासी बाहुल्य क्षेत्रों में अनुसूचित जनजाति की महिलाओं को रोजगार उपलब्ध कराना।

ग्रामीण इंजीनियर योजनाः 20 मई, 2003 से मध्य प्रदेश सरकार ने यह योजना प्रारम्भ की। इसके तहत सभी गांवों में एक-एक ग्रामीण इंजीनियर उपलब्ध कराने के लिए 25 हजार युवाओं को विभिन्न क्षेत्रों में तकनीकी प्रशिक्षण दसवीं पंचवर्षीय योजना के दौरान दिया गया। इसके लिए 10 + 2 परीक्षा उत्तीर्ण युवा-युवतियों को प्रशिक्षित किया जाता है। महिलाओं को इसमें वरीयता दी जाती है।

बेटी बचाओ, बेटी पढ़ाओ योजना

''बेटी बचाओ, बेटी पढ़ाओ'' 2015 में शुरु की गई एक महत्वपूर्ण पहल है, जिसका उद्देश्य भारत में लड़कियों को सशक्त करना है। इस अभियान का लक्ष्य कन्या भ्रूण हत्या को रोकना और लड़कियों की शिक्षा व स्वास्थ्य पर जोर देना है। हरियाणा से शुरू होकर यह योजना अब पूरे देश में लागू हैं यह न केवल शिक्षा को बढ़ावा देता है, बल्कि आर्थिक रूप से पिछड़े परिवारों की बेटियों के स्वास्थ्य पर भी ध्यान केंद्रित करता है। इस अभियान के माध्यम से जागरूकता फैलाने के लिए स्कूलों और कॉलेजों में नाटक और गतिविधियाँ आयोजित की जाती हैं, जो समाज में बदलाव लाने का प्रयास करती है।

राष्ट्रीय महिला उत्थान नीति

देश में महिलाओं को राजनीतिक, आर्थिक और सामाजिक विकास में बराबरी की भागीदारी के अवसर प्रदान करने के प्रमुख उद्देश्य को लेकर 'राष्ट्रीय महिला उत्थान नीति, 2001' की घोषणा की गई और इनमें किए गए प्रावधानों को भली-भाँति लागू करने का दृढ़ निश्चय भी व्यक्त किया गया। इस नीति के तहत महिलाओं के समुचित विकास और उन्हें पर्याप्त संरक्षण प्रदान करने के लिए आवश्यक कानूनों के निर्माण का आश्वासन भी दिया गया है। महिला उत्थान नीति, 2001 के प्रमुख बिन्दु निम्नलिखित हैं:

- देश में महिलाओं के लिए ऐसा वातावरण तैयार करना जिससे वे ऐसा महसूस कर सकें कि वे आर्थिक और सामाजिक नीतियां बनाने में शामिल हैं।
- महिलाओं को मानव अधिकारों का उपयोग करने हेतु सक्षम बनाना तथा उन्हें पुरुषों के साथ सामाजिक, राजनीतिक, आर्थिक, सांस्कृतिक और न्यायिक आदि सभी क्षेत्रों में आधारभूत स्वतंत्रता में समान रूप से हिस्सेदार बनाना।
- देश में महिलाओं की शिक्षा, स्वास्थ्य, रोजगार तथा सामाजिक सुरक्षा में सहभागिता सुनिश्चित करना।
- महिलाओं के प्रति किसी तरह के भेदभाव को दूर करने के लिए समुचित कानूनी प्रणाली और सामुदायिक प्रक्रिया विकसित करना।
- देश के सामाजिक, आर्थिक और राजनीतिक जीवन में महिलाओं को बराबर का भागीदार बनाना।
- समाज में महिलाओं के प्रति व्यवहार में परिवर्तन लाने के लिए महिलाओं और पुरुषों को समाज में बराबर की भागीदारी निभाने को बढ़ावा देना।
- महिलाओं और बालिकाओं के प्रति किसी भी प्रकार के अपराध के रूप में व्याप्त असमानताओं को दूर करना।

महिला आरक्षण अधिनियम, 2023

अप्रैल 1993 में त्रिस्तरीय पंचायती राज संस्थाओं में महिलाओं हेतु प्रत्येक स्तर पर सदस्यों और अध्यक्षों के लिए एक-तिहाई आरक्षण प्रदान करने के लिए 73वाँ और 74वाँ संविधान संशोधन किया गया। इस व्यवस्था के क्रियान्वयन से देश के सभी राज्यों में पंचायतों और नगरपालिकाओं के सभी स्तरों पर महिला जनप्रतिनिधियों के रूप में कई हजार महिलाएं अपनी अहम भूमिका का निर्वहन कर रही हैं। इसी प्रकार की व्यवस्था 'महिला आरक्षण अधिनियम, 2023' के माध्यम से संसद और राज्य विधानमंडलों में प्रस्तावित की गई है। यह अधिनियम लोकसभा और राज्य विधानसभाओं में महिलाओं के लिए एकतिहाई सीटें आरक्षित करता है। यह उपर्युक्त सदनों में SC और ST के लिए आरक्षित सीटों पर भी लागू होगा।

यह अधिनियम आगामी जनगणना के प्रकाशन के बाद प्रभावी होगा। जनगणना के आधार पर महिलाओं के लिए सीटें आरक्षित करने हेतु परिसीमन किया जाएगा। आरक्षण 15 वर्ष की अवधि के लिए प्रदान किया जाएगा। प्रत्येक परिसीमन प्रक्रिया के बाद महिलाओं के लिए आवंटित सीटों का चक्रण संसदीय कानून द्वारा नियंत्रित किया जाएगा।

महिलाओं के संवैधानिक एवं कानूनी संरक्षण हेतु प्रावधान

महिलाओं को संवैधानिक एवं कानूनी रूप से सशक्त बनाने हेतु पूर्व में अनेक व्यवस्थाओं और अधिनियमों को लागू किया जाता रहा है, जैसे संविधान के अनुच्छेद 14, 15, 17, 19, 23 और 39 में राज्य द्वारा जाति, धर्म, लिंग, जन्म स्थान, आदि से निरपेक्ष होकर अवसरों की रामानता की गारन्टी तथा जबरन काम करवाने आदि को पूरी तरह प्रतिबन्धित किया गया है। इसी प्रकार कुछ विशेष कानूनों जैसे—बागान श्रम अधिनियम (1951), खान अधिनियम (1952), बीड़ी एवं सिगार कर्मकार अधिनियम (1966), प्रसूति प्रसुविधा अधिनियम (1961), दहेज निषेध अधिनियम (1961), (संशोधन 1986), ठेका श्रम अधिनियम (1970), समान पारिश्रमिक अधिनियम (1976), बाल विवाह निषेध अधिनियम (1986), सती निषेध अधिनियम (1987), प्रसव पूर्व निदान तकनीक अधिनियम (1994), आदि से उन्हें विशेष सुरक्षा और संरक्षण प्रदान किए गए हैं। घरेलू हिंसा से निजात दिलाने के लिए 26 अक्टूबर 2006 को घरेलू हिंसा महिला संरक्षण अधिनियम 2005 लागू कर दिया गया है। विशाखा दिशानिर्देशों (1997) के आधार पर सर्वोच्च न्यायालय के निर्देशानुसार यौन शोषण के विरुद्ध कानून बनाया गया है। महिलाओं का कार्यस्थल पर लैंगिक उत्पीड़न (निवारण, प्रतिषेध एवं प्रतितोष) अधिनियम, 2013 अब लागू कर दिया गया है। वर्ष 2001 को महिला सशक्तीकरण वर्ष तथा वर्ष 2013 को महिला सुरक्षा वर्ष के रूप में घोषित किया गया है। कन्या भ्रूण हत्या जैसी कुत्सित प्रवृत्तियों को नियंत्रित करने हेतु महिला-सम्मान का एक जन-अभियान चलाए जाने की आवश्यकता है।

महिलाओं की सुरक्षा हेतु 'निर्भया कोष'

16 दिसंबर, 2013 को केन्द्रीय वित्त मंत्रालय द्वारा महिलाओं की सुरक्षा संबंधी 'निर्भया कोष' के संदर्भ में तीन प्रस्तावों को स्वीकृति प्रदान की गई। ये तीन प्रस्ताव क्रमशः सड़क परिवहन और राजमार्ग मंत्रालय, सूचना एवं संचार प्रौद्योगिकी मंत्रालय के सहयोग से गृह मंत्रालय तथा रेल मंत्रालय द्वारा तैयार किए गए हैं। इन प्रस्तावों के तहत महिलाओं की सुरक्षा सुनिश्चित करने हेतु मोबाइल हैंडसेटों में 'एसओएस' अलर्ट प्रणाली की अनिवार्यता, पुलिस प्रशासन का मोबाइल फोन नेटवर्क के साथ एकीकरण, सार्वजनिक परिवहन के वाहनों में 'जीपीएस' (Global Positioning

System) की व्यवस्था अनिवार्य किए जाने, सार्वजनिक बसों में सीसीटीवी कैमरे, विशेष क्षेत्रों में रेलगाड़ियों में 'एसओएस' अलर्ट प्रणाली की व्यवस्था एवं विशेष निर्भया कोष की स्थापना इत्यादि शामिल हैं।

उल्लेखनीय है कि 16 दिसंबर, 2012 को ही नई दिल्ली में चलती बस में सामूहिक बलात्कार की घटना हुई थी, जिसकी पीड़िता को 'दामिनी' या 'निर्भया' नाम दिया गया था और जिसकी मृत्यु 29 दिसंबर, 2012 को सिंगापुर के माउंट एलिजाबेथ अस्पताल में हो गई थी। केन्द्रीय वित्त मंत्री पी. चिदंबरम द्वारा वर्ष 2013-14 के बजट में 'निर्भया कोष' (₹ 100 करोड़ की प्राथमिक पूंजी से) की स्थापना की घोषणा की गई थी।

द वर्क इन फ्रीडम इनिशिएटिव

एशिया महाद्वीप में कम-से-कम एक लाख लड़कियों को 'मजदूरी कराने के लिए तस्करी' के चंगुल से बचाने के लिए अंतरराष्ट्रीय श्रम संगठन (ILO) और ब्रिटेन सरकार ने एक साथ मिलकर काम करने का निर्णय किया है। ILO और ब्रिटेन सरकार के अंतरराष्ट्रीय विकास मंत्रालय द्वारा मिलकर 15 जुलाई 2013 से इस योजना की शुरुआत की गई। इस संयुक्त प्रयास को 'द वर्क इन फ्रीडम इनिशिएटिव' (The Work in Freedom Initiative) नाम दिया गया। यह कार्यक्रम वर्ष 2013 से 2018 तक चलाया गया, जिस पर 83 लाख पाउंड खर्च किए गए। इस कार्यक्रम के तहत लड़कियों को इस तरह का हुनर सिखाया गया। जिसके आधार पर इनके लिए सम्मानजनक कामकाज तलाशा जा सके और बाकायदा एक कानूनी वैधता वाला अनुबंध कराया जा सके। इससे लड़कियों और महिलाओं को अच्छा वेतन मिलेगा और उनकी आर्थिक स्थिति भी मजबूत होगी। द वर्क इन फ्रीडम इनिशिएटिव के प्रमुख लक्ष्य निम्नलिखित हैं:

- दक्षिण एशियाई देशों की कम-से-कम एक लाख लड़कियों एवं महिलाओं को बाल श्रम एवं श्रम तस्करी से बचाना।
- कानूनी संरक्षण के साथ महिला श्रमिकों का सुरक्षित और सफल पलायन तथा प्रवास से पहले तस्करी के जोखिम को कम करना।
- निजी क्षेत्र की कम्पनियों और नियोक्ताओं द्वारा भर्ती और उचित रोजगार के नैतिक मानकों का पालन। इसमें कम-से-कम 100 एजेंसियों को शामिल करना। यह हजारों प्रवासी महिलाओं के लिए फायदेमंद होगा।
- दक्षिण एशिया की 30,000 प्रवासी महिला श्रमिकों का आर्थिक सशक्तीकरण करना तथा आय एवं काम की स्थितियों पर नियंत्रण, परिवार को धन के नियमित प्रेषण एवं आय को बचाने हेतु क्षमता प्रदान करना।
- लगभग 50,000 प्रवासी महिला श्रमिकों को प्रस्थान पूर्व प्रशिक्षण, कौशल और अन्य सेवाएं प्रदान करना, ताकि कानूनी अनुबंध एवं उचित मजदूरी सुरक्षित करने में मदद मिल सके।
- 16 वर्ष से कम उम्र की लड़कियों के बाल श्रम एवं पलायन को रोकना और उनकी स्कूली शिक्षा सुनिश्चित करना।
- तस्करी को रोकने के लिए एक मजबूत आधार का विकास करना।

बच्चों के लिए नीतियाँ, कार्यक्रम तथा सांस्थानिक रूपरेखा

किसी अवयस्क (18 वर्ष से कम आयु) द्वारा किए गए अवैध, असामाजिक, गैर-कानूनी कृत्य या अपराध किशोर अपचारिता कहलाता है। किशोर (Juvenile) की आयु अब 18 वर्ष सर्वमान्य घोषित कर दी गई है। किशोर अपराध को दरअसल बाल अपचारिता (Juvenile Delinquency) कहा जाता है, क्योंकि अवधारणा यह है कि बालक कभी अपराध नहीं करता। बालक के कृत्य अभद्र, अशिष्ट अथवा निन्दनीय हो सकते हैं, लेकिन दंडनीय नहीं। यही कारण है कि बालकों के साथ शब्द 'अपराध' नहीं जोड़कर 'अपचारिता' जोड़ा गया है। लेकिन नए किशोर न्याय (देखभाल एवं संरक्षण) अधिनियम, 2000 में अपचारिता शब्द को भी हटा दिया गया है। इसके स्थान पर संरक्षण की आवश्यकता वाले बालक (Children in Need of Care and Protection) एवं विधि विवादित किशोर (Juvenile in Conflict with Law) शब्दावली जोड़ी गई है। अवयस्क (18 वर्ष से कम आयु) द्वारा किए गए आपराधिक कार्य किशोर अपचार कहलाते हैं।

किशोर अपचारियों का उपचार, सुधार एवं पुनर्वास

- **मनोचिकित्सा (Psycho Therapy):** संवेग, भावना एवं व्यक्तित्व सम्बन्धी दोषों के लिए चिकित्सा।
- **यथार्थ चिकित्सा (Reality Therapy):** जिम्मेदारियों को समझना, पलायनवादी बनने से रोकना।
- **व्यवहार चिकित्सा (Behaviour Therapy):** व्यवहार के पुनर्बलन (Re-inforcement) द्वारा सकारात्मक एवं नकारात्मक रुख की ओर मोड़ना (पुरस्कार एवं दंड के माध्यम से)।
- **क्रिया चिकित्सा (Activity Therapy):** अंतःक्रिया एवं मौखिक संवाद द्वारा सात्वना का अनुभव कराना।
- **पर्यावरण चिकित्सा (Milieu Therapy):** कुसंयोजन को दूर करने के लिए संतोषजनक समायोजन द्वारा चिकित्सा।

सुधार एवं पुनर्वास की प्रमुख संस्थाएँ

1. **पालन या पोषण गृहः** दस वर्ष से कम उम्र के बालकों के लिए जो बाल अपचारी हों या बेघर हों, आवारा हो, अनाथ हों।
2. **रिमाण्ड गृह या अवलोकन गृहः** न्यायिक अभिरक्षा या पुलिस अभिरक्षा के दौरान किशोर अपचारी को पुलिस स्टेशन या जेल के स्थान पर रिमाण्ड होम्स या अवलोकन गृहों में रखा जाता है।
3. **किशोर या बाल न्यायालयः** प्रथम बाल न्यायालय कोलकाता में 1922 में स्थापित किया गया था। वर्तमान में किशोर न्याय अधिनियम, 2000 (संशोधन 2006) द्वारा देशभर में प्रत्येक जिले में किशोर न्यायालय बोर्ड गठित किये जा चुके हैं। इनमें प्रथम श्रेणी मजिस्ट्रेट एवं दो अन्य सदस्य होते हैं, जिनमें से एक महिला का होना आवश्यक है।
4. **सुधार स्कूल या सर्टिफाइड स्कूल्सः** निरोध आदेश या बाल न्यायालय द्वारा अभिरक्षा के आदेशों के बाद 18 वर्ष की आयु तक (3 वर्ष

से 7 वर्ष तक की अवधि तक) किशोर अपराधी को यहाँ रखा जाता है। इन्हें 18 वर्ष की आयु के बाद बोर्स्टल स्कूल में स्थानान्तरित कर दिया जाता है, ये जेल प्रशासन के नियंत्रण में काम करते हैं।

5. **बोर्स्टल स्कूलः** 16 से 21 वर्ष की उम्र के बाल अपचारियों के लिए ब्रिटेन के बोर्स्टल नामक स्थान से 1902 में शुरुआत। इसे भारत में 1920 में अपनाया गया। सर्वप्रथम तमिलनाडु में जेल डी.जी. के नियंत्रण एवं निगरानी में संचालित स्कूल।
6. **परिवीक्षा हॉस्टलः** प्रोबेशन अधिनियम (Probation of Offenders Act, 1958) के तहत संचालित आवासीय व्यवस्था। शिक्षा, प्रशिक्षण, स्वास्थ्य एवं अनुशासन परिवीक्षा अधिकारी की देखरेख में मिलती है।
7. **पैरोल या कारावास अवकाशः** जेल में अच्छे आचरण के आधार पर मुक्ति की यह अर्द्धन्यायिक प्रक्रिया (Quasi-Judicial Process) है।
8. **उत्तर संरक्षण सेवाएंः** किशोर अपराधियों को व्यवसाय या मुख्यधारा में स्थापित करने हेतु प्रयास किए जाते हैं। इसमें इनका फॉलोअप किया जाता है।

किशोर न्याय (बालकों की देखरेख और संरक्षण) अधिनियम, 2000

इस कानून में नवीन संशोधन 2006 (22 अगस्त 2006 से लागू) में किए गए हैं। सर्वप्रथम सन् 1960 में बाल अधिनियम पारित किया गया। तत्पश्चात् सन 1986 में किशोर न्याय अधिनियम बनाया गया। अन्ततः सन् 2000 में किशोर न्याय (बालकों की देखरेख और संरक्षण) अधिनियम (Juvenile Justice, (Care and Protection of Children), Act 2000) पारित किया गया।

किशोर न्याय कानून में अपचारियों के लिए अधिकतम तीन वर्ष तक की सजा का प्रावधान है। दिल्ली गैंग रेप केस के बाद किशोर अपचारियों की उम्र 18 से घटाकर 16 करने पर विमर्श एवं बहस चल रही है। इस बीच किशोर न्याय अधिनियम (संशोधन) 2014 द्वारा गंभीर अपराधों में संलिप्त 16 वर्ष से अधिक उम्र के किशोर-अपचारियों पर सामान्य अदालतों में मुकदमा चलाने का फैसला जुवेनाइल जस्टिस बोर्ड पर छोड़ दिया गया है।

किशोर न्याय (बालकों की देखरेख और संरक्षण) अधिनियम 2000 की मुख्य विशेषताएं निम्नांकित हैं:

- इसमें कुल पाँच अध्याय एवं 70 धाराएं हैं।
- इस अधिनियम में किशोर की आयु के सम्बन्ध में पुरुष एवं स्त्री के बीच कोई भेदभाव नहीं किया गया है। दोनों के लिए आयु 18 (अठारह) वर्ष नियत है।
- इसमें किशोर एवं बालकों के लिए अभियुक्त या अपराधी शब्द का उपयोग नहीं कर संरक्षण की आवश्यकता वाले बालक (CNCP – Child in Need of Care and Protection) एवं विधि विवादित किशोर (JCL – Juvenile in Conflict with Law) शब्द का उपयोग किया गया है।
- धारा 2(घ) में 'देखरेख और संरक्षण की आवश्यकता वाले बालक' की सुरक्षा एवं पुनर्वास हेतु विशेष व्यवस्था की गई है। इसमें ऐसे किशोरों एवं बालकों को सम्मिलित किया गया है, जो–
  1. निराश्रित हैं, आवारा या यतीम हैं।
  2. मानसिक या शारीरिक रूप से रोगग्रस्त हैं।
  3. जिनके माता-पिता बालक पर नियंत्रण स्थापित करने में सक्षम नहीं है।
  4. जिनके माता-पिता नहीं हैं
  5. जो लैंगिक दुरुपयोग अथवा अवैध कार्यों के शिकार हो रहे हैं
  6. जिनका अभिलाभों में दुरुपयोग किया जा रहा है अथवा
  7. जो किसी सशस्त्र संघर्ष, युद्ध अथवा दैवीय या प्राकृतिक आपदा के शिकार हैं।
- किशोरों से सम्बन्धित मामलों की सुनवाई के लिए किशोर न्याय बोर्ड (JJB: Juvenile Justice Board) बनाया गया है।
- किशोरों से सम्बन्धित सभी प्रकार के मामलों की सुनवाई अथवा उपचार की व्यवस्था इस अधिनियम के अन्तर्गत की गई है।
- अधिनियम की धारा 63 में विशेष किशोर पुलिस यूनिट की स्थापना की गई है।
- किशोरों की जमानत के सम्बन्ध में विशेष उपबन्ध किए गए हैं। सामान्यतः किशोरों को जमानत पर छोड़ दिए जाने का प्रावधान है।
- किशोरों के कल्याण के लिए धारा 29 के अन्तर्गत बालक कल्याण समिति (CWC: Children Welfare Committee) का गठन किया गया है।
- किशोरों एवं बालकों के लिए पुनर्वास और सामाजिक पुनःएकीकरण की व्यवस्था की गई है। (धारा 40)
- ऐसे किशोरों एवं बालकों के दत्तकग्रहण का प्रावधान किया गया है। (धारा 41)
- इस अधिनियम के अन्तर्गत किसी कार्यवाही में सम्मिलित बालकों, किशोरों के नाम एवं पते प्रकाशित नहीं किए जा सकेंगे। (धारा 21)
- किशोरों एवं बालकों का शोषण करने वाले व्यक्तियों के विरुद्ध कठोर दंड की व्यवस्था की गई है।
- बालकों एवं किशोरों के सुधार, उपचार एवं पुनर्वास के लिए निम्नांकित गृहों की स्थापना की गई है–
  1. संप्रेक्षण गृह (Observation Homes)
  2. विशेष गृह (Special Homes)

3. बालक गृह (Children Homes)
4. आश्रय गृह (Shelter Homes)
5. पश्चातवर्ती देखरेख संगठन (After Care Organisation) इत्यादि।

लैंगिक अपराधों से बालकों का संरक्षण अधिनियम (पॉक्सो)

हमारे संविधान के अनुच्छेद 15(3) में बालकों के लिए विशेष उपबंध करने का प्रावधान है। इसलिए बालकों को लैंगिक हमला, लैंगिक उत्पीड़न एवं अश्लील साहित्य के अपराधों से बचाने एवं ऐसे अपराधों पर विचारण हेतु विशेष न्यायालय की स्थापना करने के उद्देश्य से पॉक्सो (POCSO) कानून को लागू किया गया है।

बालकों का लैंगिक शोषण एवं लैंगिक दुरुपयोग जघन्य अपराध है। ऐसे अपराधों पर प्रभावी कार्यवाही करने हेतु इस कानून के निम्न उद्देश्य हैं–

1. किसी बालक को किसी विधि विरुद्ध लैंगिक क्रियाकलापों के उत्पीड़न या उत्प्रेरणा से बचाना।
2. वेश्यावृत्ति या अन्य विधि विरुद्ध लैंगिक व्यवसाय में बालकों के शोषण से मुक्ति।

वृद्धजनों के लिए नीतियाँ, कार्यक्रम तथा सांस्थानिक रूपरेखा

वृद्धावस्था की समस्या आज एक सामाजिक-आर्थिक एवं मनोवैज्ञानिक समस्या के रूप में मौजूद है। वृद्धजनों के स्वास्थ्य से सम्बंधित अध्ययन को जेरिएट्रिक्स (Geriatrics) तथा वृद्धजन अध्ययन शास्त्र को जेरॉण्टोलॉजी (Geronotology) कहा जाता है। आधुनिक वैश्वीकरण एवं उपभोक्तावादी युग में वृद्धों की समस्याएं बढ़ती जा रही हैं। संयुक्त परिवार के टूटन ने बुजुर्गों की सुरक्षा को और अधिक गंभीर बना दिया है।

वृद्धावस्था को जीवन की शाम कहा गया है। इस शाम के गहराने के साथ ही वृद्धावस्था से जुड़ी अनेक समस्याएं सिर उठाने लगती हैं और जीवन की यह शाम बोझिल होने लगती है। वस्तुतः वृद्धावस्था अपने आप में एक ऐसी बीमारी है, जिससे उबर पाना संभव नहीं हो पाता है। वेद व्यास महाभारत में कहते हैं कि वृद्धावस्था और मृत्यु के वश में पड़े हुए मनुष्य को औषधि, मंत्र, होम और जप नहीं बचा पाते हैं। इस बात से हम वृद्धावस्था की भयावहता को समझ सकते हैं।

वृद्धजनों के लिए नीतियाँ

सामाजिक न्याय एवं अधिकारिता मंत्रालय ने सन् 1999 में बुजुर्गों के लिए एक राष्ट्रीय नीति प्रस्तुत की थी, जिसका प्रमुख उद्देश्य बुजुर्गों की समस्याओं सम्बन्धी मुद्दों का व्यापक रूप से समाधान करना था। दुख की बात यह है कि सरकार इस कार्यक्रम को लागू करने के स्तर पर पूर्णतः विफल रही। अब मंत्रालय एक नई नीति तैयार करने में प्रयासरत है जिससे ऐसे समस्याग्रस्त बुजुर्गों की समस्याओं का समाधान करने का प्रयास किए जाने की आशा है। इस अपेक्षित नीति में यह विचार करने का प्रयास किया जा रहा है कि किस प्रकार बुजुर्गों को उत्पादकतापूर्ण एवं सम्मानजनक जीवन जीने में सहायता की जाए। बुजुर्गों के लिए एकीकृत कार्यक्रम नामक एक योजना में स्वैच्छिक संगठनों को बुजुर्गों के लिए परियोजनाएं चलाने हेतु सरकार द्वारा आर्थिक सहायता प्रदान करने की व्यवस्था की गई है। इन परियोजनाओं में वृद्ध आवास गृह, दैनिक देखभाल केन्द्र तथा फीजियोथैरेपी केन्द्रों को सम्मिलित किया गया है। यद्यपि यह योजना भारत के लिए महंगी विदेशी योजना के समान प्रतीत होती है, तथापि बढ़ती हुई जीवनयापन लागत के संदर्भ में मंत्रालय इन परियोजनाओं की लागत की गणना सम्बन्धी नियमों पर पुनर्विचार करने का प्रयास कर रहा है।

इस संदर्भ में सर्वाधिक महत्वपूर्ण कार्य सन् 2010 में बुजुर्गों के स्वास्थ्य की देखभाल के लिए राष्ट्रीय कार्यक्रम का आरंभ किया जा रहा है जिसका मुख्य उद्देश्य वरिष्ठ नागरिकों को पृथक एवं विशिष्ट तथा व्यापक स्वास्थ्य सुविधाएं मुहैया कराना है। इस कार्यक्रम के प्रमुख घटकों में देशभर में क्षेत्रीय आधार पर आठ जराचिकित्सा (बुढ़ापे के इलाज) केन्द्रों में पृथक रूप से जराचिकित्सा विभागों की स्थापना करना तथा 100 जिलों में विभिन्न स्तरों पर बुजुर्गों के लिए स्वास्थ्य देखभाल सम्बन्धी सुविधाओं का सशक्तीकरण करना शामिल है। 12वीं पंचवर्षीय योजना में इस पर मुख्य रूप से ध्यान केन्द्रित किया गया है।

भारत में 'माता-पिता एवं वरिष्ठ नागरिकों के रख-रखाव एवं कल्याण अधिनियम, 2007' (Maintencance and Welfare of Parents and Senior Citizens Act, 2007) को लागू करना यद्यपि एक बड़ी कानूनी उपलब्धि अवश्य ही कही जा सकती है परंतु अभी तक इसका प्रवर्तन अत्यन्त कमजोर ही रहा है। अतः इसका ठोस क्रियान्वयन किए जाने की आवश्यकता है।

वृद्धजनों की समस्याओं के प्रमुख स्वरूप

वृद्धावस्था में आर्थिक असुरक्षा दुश्वारियों को और अधिक बढ़ा देती है। आर्थिक तंगी लाचारी को और बढ़ा देती है फलस्वरूप वृद्धजन ससम्मान जीवनयापन नहीं कर पाते। परिजनों या दूसरों पर आश्रित रहने वाले वृद्धजनों को अक्सर झिड़कियों या दुत्कार का सामना करना पड़ता है। अर्थाभाव में वे अच्छे उपचार और देखभाल से वंचित रह जाते हैं। अध्ययनों से प्राप्त आंकड़ों के अनुसार शहरी क्षेत्रों में 64 प्रतिशत वृद्ध महिलाएँ तथा 46 प्रतिशत वृद्ध पुरुष अपनी बुनियादी जरूरतों को पूरा करने के लिए पूरी तरह दूसरों पर आश्रित रहते हैं। वृद्धावस्था की खुशहाली के लिए आर्थिक मजबूती बहुत आवश्यक होती है, जिसका हमारे देश में नितांत अभाव है। संयुक्त राष्ट्र भी वृद्धों की आर्थिक असुरक्षा पर चिंता जता चुका है।

वरिष्ठ नागरिकों की समस्याओं को निम्नलिखित तीन भागों में वर्गीकृत किया जा सकता हैः

1. **आर्थिक समस्याः** इसमें रोजगार का खोना, आय की कमी और आय की असुरक्षा शामिल है।
2. **शारीरिक समस्याः** स्वास्थ्य एवं चिकित्सा संबंधी समस्या, पोषण की कमी तथा आवास की समस्या आदि।

3. **मानसिक-सामाजिक समस्याः** इसके तहत वृद्धों के साथ दुर्व्यवहार एवं मानसिक तथा सामाजिक असहजता शामिल है।

माता-पिता और वरिष्ठ नागरिक समाज का भौतिक और मानसिक रूप से सक्रिय हिस्सा बनते हैं, जो वास्तव में दोहरी ताकत वाला होता है। इसे ध्यान में रखते हुए सरकार ने वर्ष 2007 में देश के वृद्ध भारतीय नागरिकों के मन से असुरक्षा के भय को समाप्त करने के लिए वरिष्ठ नागरिक अधिनियम लागू किया।

केन्द्रीय सामाजिक अधिकारिता विभाग द्वारा राष्ट्रीय वरिष्ठ नागरिक नीति 2011 का निर्माण किया गया है। वर्ष 1999 में भारत सरकार द्वारा राष्ट्रीय वृद्धजन नीति जारी की गई थी। इस दिशा में हेल्पेज इण्डिया (HelpAge India) नामक गैर-सरकारी संगठन ने भी विशेष प्रयास किए हैं।

वरिष्ठ नागरिक अधिनियम 2007

माता-पिता एवं वरिष्ठ नागरिकों के भरण-पोषण एवं कल्याण अधिनियम (Maintenance and Welfare of Parents and Senior Citizens Act, 2007) केन्द्रीय सामाजिक और अधिकारिता मंत्रालय की एक पहल है। इस अधिनियम के प्रमुख प्रावधान निम्नलिखित हैं:

- ऐसे माता-पिता जो अपनी आय अथवा अपनी संपत्ति की आय से अपना खर्च उठाने में असक्षम हैं, वे अपने वयस्क बच्चों से अपने रख-रखाव के लिए आवेदन कर सकते हैं। इस रख-रखाव में उचित भोजन, आवास, कपड़े और चिकित्सा उपचार का व्यय शामिल है।
- माता-पिता में जैविक, गोद लिए गए (दत्तक) और सोतेले माता-पिता शामिल हैं, चाहे वे वरिष्ठ नागरिक हों या नहीं।
- संतानहीन वरिष्ठ नागरिक जो 60 वर्ष या इससे अधिक के हैं, वे भी अपने रिश्तेदारों से रख-रखाव का दावा कर सकते हैं, जो उनकी संपत्ति पर कब्जा रखते हैं या बाद में इसकी संभावना है।
- रख-रखाव के लिए यह आवेदन वरिष्ठ नागरिक द्वारा स्वयं अथवा उसके द्वारा अधिकृत व्यक्ति या स्वयंसेवी संगठन द्वारा किया जा सकता है। ट्रिब्यूनल द्वारा भी इस पर संज्ञान लेकर अपने आप स्वतः (Suo Moto) कार्रवाई की जा सकती है।
- ट्रिब्यूनल में आवेदन प्राप्त होने पर बच्चों या रिश्तेदारों के खिलाफ जांच कर यह आदेश दिया जा सकता है कि वे अपने माता-पिता या वरिष्ठ नागरिकों के रख-रखाव के लिए एक अंतरिम मासिक भत्ता प्रदान करें।
- यदि ट्रिब्यूनल इस बात से संतुष्ट है कि बच्चों या रिश्तेदारों ने अपने माता-पिता या वरिष्ठ नागरिकों की देखभाल से इंकार किया है या उनकी उपेक्षा की है तो वह प्रतिमाह अधिकतम ₹ 10,000 की राशि का मासिक रख-रखाव भत्ता देने का आदेश देगा।
- राज्य सरकार द्वारा प्रत्येक उपसंभाग में ऐसे एक या इससे अधिक ट्रिब्यूनल की स्थापना की जाएगी। यह प्रत्येक जिले में एक अपीलीय ट्रिब्यूनल भी गठित करेगा, जो ट्रिब्यूनल के विरुद्ध वरिष्ठ नागरिकों की अपील की सुनवाई करेगा।
- दोषी व्यक्ति को 3 माह की कैद या ₹ 5,000 का जुर्माना अथवा दोनों का दंड दिया जा सकता है।
- लाभार्थियों के लिए वृद्धाश्रम की स्थापना तथा अस्पतालों में वृद्ध नागरिकों के लिए अलग से सुविधाएं प्रदान करने का प्रावधान भी इस अधिनियम में है।

वृद्धजनों के अधिकार

- माता-पिता को उनके आवास से बिना विहित विधिक प्रक्रिया के नहीं हटाया जा सकता, यदि वे बहुत पहले से उसमें रह रहे हैं। इसके लिए सीआरसीपी, भरण-पोषण अधिनियम एवं घरेलू हिंसा कानून में प्रावधान किए गए हैं।
- सीआरपीसी की धारा 125 के अनुसार सक्षम मजिस्ट्रेट "माता-पिता के भरण-पोषण के प्रावधान" के तहत बच्चों को उनके माता-पिता की देखभाल की आज्ञा दे सकता है।
- हिंदू उत्तराधिकार और भरण-पोषण अधिनियम के अनुसार, वरिष्ठ माता-पिता अपने बच्चों से वैसे ही रख-रखाव की मांग कर सकते हैं जैसें कि एक पत्नी अपने पति से रखती है।
- घरेलू हिंसा अधिनियम भी किसी दुरुपयोग के विरुद्ध माता-पिता को राहत प्राप्त करने का अधिकार प्रदान करता है।

राष्ट्रीय सामाजिक सहायता कार्यक्रम

राष्ट्रीय सामाजिक सहायता कार्यक्रम की शुरुआत 15 अगस्त, 1995 को हुई थी। यह संविधान के अनुच्छेद 41 एवं 42 के नीति-निदेशक तत्वों के अनुपालन की दिशा में महत्वपूर्ण भूमिका निभाता है। यह कार्यक्रम गरीब परिवारों में वृद्धावस्था, जीविकोपार्जन करने वाले मुख्य सदस्य की मृत्यु तथा मातृत्व जैसी स्थितियों में लाभ पहुँचाने के लिए सामाजिक सहायता की एक राष्ट्रीय नीति प्रस्तुत करता है। इस कार्यक्रम के तीन अंग हैं, जिनके नाम हैं–

- राष्ट्रीय वृद्धावस्था पेंशन योजना (NOAPS)
- राष्ट्रीय परिवार लाभ योजना (NFBS)
- राष्ट्रीय मातृत्व लाभ योजना (NMBS)

कई क्षेत्रों से मिले परामर्श तथा राज्य सरकारों से मिली प्रतिक्रिया के बाद वर्ष 1998 में इन योजनाओं में आंशिक सुधार किया गया। वर्तमान सुधारों के बाद कुछ प्रमुख योजनाओं की मुख्य विशेषताएं निम्न हैं–

इंदिरा गांधी राष्ट्रीय वृद्धावस्था पेंशन योजनाः इस योजना के अंतर्गत निम्न शर्तों के अनुसार केन्द्रीय सहायता उपलब्ध है:

- आवेदनकर्ता (पुरुष या महिला) 60 वर्ष या इससे ज्यादा उम्र के बी.पी. एल. हों। पहले उम्र 65 वर्ष थी पर जून 2011 में संशोधन कर इसे 60 वर्ष कर दिया गया। इस योजना के तहत 60 से 80 वर्ष के उम्र तक प्रतिमाह ₹ 200 पेंशन मिलता

है। इसके अलावा 80 वर्ष से अधिक आयु के वृद्धों को ₹ 500 प्रतिमाह पेंशन प्राप्त होता है।

- ऐसे आवेदनकर्ता जो अपने जीविकोपार्जन के स्रोतों या परिवार अथवा दूसरे स्रोतों से मिलने वाली अल्प आर्थिक सहायता या अनियमित रोजगार साधनों पर निर्भर करता/करती हो, 'दरिद्र' की श्रेणी में आएगा/आएगी।
- इस स्कीम की उपर्युक्त शर्तें पूरी करने पर ₹ 750 प्रतिमाह की राशि उपलब्ध कराई जाती है।

वृद्धजनों के लिए राष्ट्रीय नीतिः वृद्धजनों के लिए राष्ट्रीय नीति की घोषणा सर्वप्रथम जनवरी 1999 में की गई थी। नई राष्ट्रीय वृद्धजन नीति 2011 में लागू की गई। इसका मुख्य उद्देश्य है व्यक्ति को स्वयं या अपने और अपने सहयोगी के वृद्ध जीवन की तैयारी हेतु प्रोत्साहन देना, परिवारों को अपने बुजुर्ग सदस्यों की देखभाल के लिए प्रोत्साहित करना। परिवार द्वारा उपलब्ध कराई जाने वाली देखभाल में स्वयंसेवी और गैर-सरकारी संगठनों का पूरक योगदान हासिल करना। गंभीर हालत वाले वृद्ध लागों के स्वास्थ्य की देखभाल और संरक्षण, वृद्धों के लिए सेवा और संरक्षण देने वाले लोगों को अनुसंधान तथा प्रशिक्षण सुविधाएं उपलब्ध कराना तथा वृद्धों में ऐसी जागरुकता पैदा करना जिससे वे स्वयं आत्मनिर्भर बन सकें।

राष्ट्रीय वृद्धजन परिषद् (NCOA-National Council for Old Ageing): केन्द्र सरकार द्वारा वर्ष 2005 में वृद्ध व्यक्तियों के लिए राष्ट्रीय वृद्धजन परिषद् का पुनर्गठन किया गया जो वृद्धों के बारे में नीतियों और कार्यक्रमों के विकास के लिए सरकार को सलाह और सहायता देती है। यह वृद्धों के बारे में राष्ट्रीय नीति और उनके लिए विशेष उपायों पर अमल के बारे में की गई कार्रवाई की जानकारी भी देती है। परिषद् वृद्धों के कल्याण हेतु नीति तैयार करने और कार्यक्रमों पर अमल करने के मामले में सर्वोच्च सरकारी संस्था है।

वृद्धों के लिए समन्वित कार्यक्रमः इस योजना के अंतर्गत गैर-सरकारी संगठनों, पंचायती राज संस्थाओं और स्थानीय शहरी निकायों को परियोजना लागत की 90 प्रतिशत वित्तीय सहायता दी जाती है। यह सहायता राशि वृद्धाश्रम बनाने और उसकी देखभाल करने, दिन के देखभाल केन्द्र (Day Care Centres), सचल चिकित्सा सुविधा इकाइयां खोलने और उनका कार्य संचालन करने और वृद्धों को गैर संस्थागत सेवाएं उपलब्ध कराने पर व्यय की जाती है। इस कार्यक्रम के प्रमुख उद्देश्य निम्नलिखित हैं:

- निराश्रित वृद्धजनों की आधारभूत विशेषकर भोजन, आश्रय और स्वास्थ्य देखरेख की जरूरतों को पूरा करना।
- विशेषकर बच्चों/युवाओं और वृद्धजनों के बीच अंतर-पीढ़ी संबंधों को बनाना।
- सक्रिय एवं उत्पादक वृद्धावस्था को प्रोत्साहित करना।
- वृद्धजनों को संस्थागत के साथ गैर-संस्थागत देखभाल/सेवाएं प्रदान करना।
- वृद्धावस्था के क्षेत्र में अनुसंधान, एडवोकेसी और जागरुकता निर्माण के कार्यक्रम चलाना और
- वृद्धजनों के सर्वोत्तम हित में अन्य कोई कार्यक्रम तथा गतिविधियां चलाना।

वृद्धजनों के लिए भारतीय रेल में रियायतः वरिष्ठ नागरिकों को भारतीय रेल से यात्रा करने में रियायतें दी जाती हैं। ये रियायतें न्यूनतम 60 वर्ष से अधिक आयु के व्यक्तियों के लिए हैं। कुल किराए पर पुरुष वरिष्ठ नागरिकों के टिकट पर 30 प्रतिशत की छूट और महिला वरिष्ठ नागरिकों को 50 प्रतिशत तक की छूट प्रदान की जाती है।

बैंक जमाओं पर अधिक ब्याज दरः बैंकों में वरिष्ठ नागरिकों को उनके निवेश पर तुलनात्मक रूप से आधे से पौन प्रतिशत अधिक ब्याज दिया जाता है। बैंक फिक्स्ड डिपोजिट पर भी ज्यादा लाभ तभी मिलता है जब व्यक्ति की उम्र 60 साल से अधिक हो।

वरिष्ठ नागरिक बचत योजनाः वरिष्ठ नागरिक बचत योजना (एससीएसएस) पर ब्याज दर 9 फीसदी की होती है। इस योजना में प्रवेश करने की उम्र भी 60 वर्ष है। वैसे सरकार से सेवानिवृत्त हो रहे व्यक्ति की उम्र यदि 55 साल से अधिक हो तो उसे इस योजना में निवेश करने की छूट प्रदान की गई है।

दिव्यांग व्यक्तियों से सम्बन्धित कार्यक्रम, नीतियाँ तथा सांस्थानिक रूपरेखा

दिव्यांगजनों के लिए नीतियां, कार्यक्रम और संस्थागत उपाय उनके सशक्तीकरण और समावेश के लिए महत्वपूर्ण हैं। भारत सरकार ने दिव्यांगजनों के लिए नीतियां, कार्यक्रम और संस्थागत उपाय लागू किए हैं, जैसे कि दिव्यांगजन अधिकार अधिनियम, 2016, और राष्ट्रीय नीति, 2006।

नीतियाँ

दिव्यांगजन अधिकार अधिनियम, 2016: यह अधिनियम दिव्यांगजनों के अधिकारों की रक्षा करता है और उन्हें समान अवसर और भागीदारी सुनिश्चित करता है।

राष्ट्रीय नीति, 2006: यह नीति दिव्यांगजनों के लिए शिक्षा, रोजगार, पुनर्वास और अन्य आवश्यक सेवाओं तक पहुँच सुनिश्ति करती है।

राष्ट्रीय शिक्षा नीति 2020: यह नीति समावेशी शिक्षा को बढ़ावा देती है, जिससे दिव्यांग बच्चे सामान्य शिक्षा प्रणाली में शामिल हो सकते हैं।

सुगम्य भारत अभियानः यह अभियान दिव्यांगजनों के लिए सार्वजनिक स्थानों, परिवहन और सेवाओं को सुगम्य बनाने का लक्ष्य रखता है।

कार्यक्रम

एडीआईपी योजनाः यह योजना दिव्यांगजनों को सहायक उपकरण प्राप्त करने में मदद करती है।

विकलांग लोन योजनाः यह योजना दिव्यांगजनों को व्यवसाय शुरू करने या अन्य आर्थिक गतिविधियों के लिए ऋण प्रदान करती है।

प्रधानमंत्री विकलांग योजनाः यह योजना दिव्यांगजनों को कौशल विकास, पुनर्वास और अन्य सामाजिक सेवाओं तक पहुँच प्रदान करती है।

विवाह सहायता योजनाः यह योजना दिव्यांगजनों के विवाह को प्रोत्साहित करती है और उन्हें वित्तीय सहायता प्रदान करती है।

समग्र शिक्षा अभियानः यह योजना दिव्यांग बच्चों को गुणवत्तापूर्ण शिक्षा प्रदान करती है।

सुगम्य पुस्तकालयः यह ऑनलाइन मंच दिव्यांगजनों को विभिन्न प्रकार की किताबें और संसाधन उपलब्ध कराता है।

संस्थागत उपाय

राष्ट्रीय संस्थानः भारत सरकार ने दिव्यांगजनों के लिए विभिन्न राष्ट्रीय संस्थानों की स्थापना की है, जैसे कि राष्ट्रीय दृष्टि दिव्यांगजन सशक्तीकरण संस्थान, राष्ट्रीय वाक् एवं श्रवण दिव्यांगजन संस्थान और राष्ट्रीय बौद्धिक दिव्यांगजन सशक्तीकरण संस्थान।

दिव्यांगजन सशक्तीकरण विभाग (डीईपीडब्ल्यूडी)ः यह विभाग दिव्यांगजनों के लिए नीतियों और कार्यक्रमों का कार्यान्वयन करता है।

भारतीय पुनर्वास परिषदः यह परिषद पुनर्वास और विशेष शिक्षा में प्रशिक्षण, अनुसंधान और सेवा प्रदान करती है।

गैर-सरकारी संगठन (एनजीओ)ः कई एनजीओ दिव्यांगजनों के लिए पुनर्वास सेवाएं शिक्षा और रोजगार प्रदान करते हैं।

दीनदयाल दिव्यांग पुनर्वास योजना (डीडीआरएस) एक केंद्रीय योजना है, जो विकलांग व्यक्तियों के पुनर्वास और शिक्षा के लिए काम करने वाले गैर-सरकारी संगठनों को वित्तीय सहायता प्रदान करती है। यह योजना विकलांग व्यक्तियों के लिए समान अवसर, समानता, सामाजिक न्याय और सशक्तीकरण सुनिश्चित करने के लिए एक अनुकूल वातावरण बनाने का प्रयास करती है।

योजना के मुख्य उद्देश्य

- विकलांग व्यक्तियों के सामाजिक, आर्थिक और शैक्षिक एकीकरण को बढ़ावा देना
- रोजगार के लिए कौशल विकास और व्यावसायिक प्रशिक्षण प्रदान करना
- सहायक उपकरण प्रदान करना और स्वतंत्र जीवन के लिए सहायता प्रदान करना
- विकलांग व्यक्तियों के लिए सुलभ और बैरियर-मुक्त बुनियादी ढांचा सुनिश्चित करना
- समुदार-आधारित पुनर्वास कार्यक्रमों को प्रोत्साहित करना।

पात्रता

- यह योजना केंद्र सरकार द्वारा वित्त पोषित है और सभी पंजीकृत संगठनों और संस्थानों के लिए उपलब्ध है।
- गैर-सरकारी संगठन जो विकलांग व्यक्तियों के पुनर्वास और शिक्षा से संबंधित परियोजनाएं चला रहे हैं, इस योजना के तहत वित्तीय सहायता के लिए पात्र हैं।

योजना के लाभ

- विकलांग व्यक्तियों को उनकी शिक्षा और पुनर्वास के लिए वित्तीय सहायता प्रदान करता है।
- विकलांग व्यक्तियों के लिए समान अवसर और सशक्तीकरण सुनिश्चित करता है।
- गैर-सरकारी संगठनों को विकलांग व्यक्तियों की सहायता करने के लिए वित्तीय सहायता प्रदान करता है।

अल्पसंख्यकों के लिए नीतियाँ, कार्यक्रम तथा सांस्थानिक रूपरेखा

भारत एक विविधतापूर्ण देश है, जहाँ सामाजिक, आर्थिक और शैक्षिक विकास के अवसरों तक समान पहुँच सुनिश्चित करते हुए अल्पसंख्यक समुदायों को सशक्त बनाना प्राथमिकता है। भारत सरकार ने अल्पसंख्यक मामलों के मंत्रालय के माध्यम से छह अधिसूचित अल्पसंख्यक समुदायों-मुस्लिम, ईसाई, सिख, बौद्ध, जैन और पारसी को समर्थन देने के लिए कई योजनाएँ शुरू की हैं। अल्पसंख्यकों की आबादी 19.3% है, इसलिए सरकार ने उनके उत्थान के लिए संसाधनों पर ध्यान केंद्रित करते हुए 90 अल्पसंख्यक सघनता वाले जिलों, 710 ब्लॉकों और 66 कस्बों की पहचान की है। इन प्रयासों का उद्देश्य अंतर को कम करना और भारत के विकास में अल्पसंख्यकों का समावेश सुनिश्चित करना है।

अल्पसंख्यकों की सुरक्षा के लिए संस्थाएँ

अल्पसंख्यक मामलों के मंत्रालय की स्थापना 29 जनवरी 2006 को सामाजिक न्याय एवं अधिकारिता मंत्रालय से पृथक करके की गई थी ताकि अल्पसंख्यकों से जुड़े मुद्दों पर ध्यान केंद्रित किया जा सके। मंत्रालय के कार्यक्षेत्र में इन समुदायों के लिए नीति निर्माण, समन्वय, मूल्यांकन और विकास कार्यक्रमों की निगरानी शामिल है। अल्पसंख्यकों के अधिकारों की और अधिक सुरक्षा के लिए, केंद्र सरकार ने राष्ट्रीय अल्पसंख्यक आयोग अधिनियम, 1992 के अंतर्गत राष्ट्रीय अल्पसंख्यक आयोग (NCM) की स्थापना की। आरंभ में पाँच धार्मिक समुदायों को अल्पसंख्यक के रूप में अधिसूचित किया गया था और 2014 में जैन समुदाय को भी इसमें सम्मिलित किया गया। NCM और राज्य अल्पसंख्यक आयोग दोनों ही संविधान और संसद तथा राज्य विधानसभाओं द्वारा बनाए गए कानूनों के अनुसार अल्पसंख्यकों के हितों की रक्षा के लिए काम करते हैं।

अल्पसंख्यक कल्याण के लिए सरकारी पहल

भारत सरकार ने अल्पसंख्यकों के अधिकारों की रक्षा और उनके जीवन में सुधार लाने के लिए शिक्षा, रोजगार और बुनियादी ढांचे के विकास पर ध्यान केंद्रित करते हुए कई योजनाएं शुरू की हैं।

शिक्षा को बढ़ावा देने की योजनाएँ

2011 की जनगणना के अनुसार, ईसाई, जैन, सिख और बौद्ध जैसे अल्पसंख्यक समुदायों की साक्षरता दर राष्ट्रीय औसत 72.98% से अधिक

है जबकि मुसलमानों की साक्षरता दर 68.54% है। शिक्षा को बढ़ावा देने और सुलभता बढ़ाने के लिए, विभिन्न धार्मिक पृष्ठभूमि के छात्रों को विभिन्न छात्रवृत्तियाँ प्रदान की जाती हैं। अल्पसंख्यक छात्रों के लिए निम्नलिखित छात्रवृत्ति योजनाएँ उपलब्ध हैं:

प्री-मैट्रिक छात्रवृत्ति योजनाः यह योजना कक्षा 9 से 10 तक अल्पसंख्यक छात्रों को छात्रवृत्ति प्रदान करती है, जिसमें 30% छात्रवृत्ति लड़कियों के लिए निर्धारित की गई है।

पोस्ट मैट्रिक छात्रवृत्ति योजनाः अल्पसंख्यक छात्रों को कक्षा ग्यारहवीं से पीएचडी तक छात्रवृत्ति प्रदान की जाती है, जिसमें 30% लड़कियों के लिए निर्धारित है।

कौशल विकास के लिए समर्थन

केवल छात्रवृत्ति से अल्पसंख्यकों का विकास नहीं हो सकता; आर्थिक सशक्तीकरण महत्वपूर्ण है। सरकार पीएम विकास योजना जैसी पहलों के माध्यम से इस पर ध्यान दे रही है, जो उद्यमिता और नेतृत्व प्रशिक्षण पर केंद्रित है, जिससे व्यक्तियों को बेहतर नौकरियों और स्वरोजगार के लिए सशक्त बनाया जा सके।

पीएम विकास (प्रधानमंत्री विरासत का संवर्धन) का उद्देश्य उद्योग-संबंधित कौशल प्रशिक्षण प्रदान करके युवाओं की रोजगार क्षमता को बढ़ाना है। बाद में, कारीगर समुदायों को बेहतर समर्थन देने के लिए पांच योजनाओं-सीखो और कमाओ, नई मंजिल, USTTAD (विकास के लिए पारंपरिक कला/शिल्प में कौशल और प्रशिक्षण का उन्नयन), नई रोशनी और हमारी धरोहर योजना को पीएम विकास में मिला दिया गया।

उद्यमिता और आर्थिक सशक्तीकरण

अल्पसंख्यक समुदायों को आर्थिक रूप से सशक्त बनाने के लिए, सरकार अल्पसंख्यक उद्यमियों को वित्तीय सहायता प्रदान कर रही है जिससे उन्हें व्यवसाय शुरू करने या विस्तार करने और अपनी आजीविका में सुधार करने में मदद मिल रही है। इन प्रयासों के माध्यम से सतत विकास के लिए शिक्षा और उद्यमिता दोनों का समर्थन किया जा रहा है। इसे प्राप्त करने के लिए 30 सितंबर 1994 को स्थापित राष्ट्रीय अल्पसंख्यक विकास और वित्त निगम (NMDFC) अल्पसंख्यक समुदायों के भीतर नए और मौजूदा दोनों व्यवसायों को वित्तीय सहायता प्रदान करके एक महत्वपूर्ण भूमिका निभाता है। देश भर में अल्पसंख्यक उद्यमियों के लिए समावेशी आर्थिक विकास और कौशल विकास सुनिश्चित करने के लिए सूक्ष्म ऋण, एनजीओ के माध्यम से सूक्ष्म ऋण और सावधि ऋण जैसी पहलों के माध्यम से करोड़ो रुपये वितरित किए गए।

अल्पसंख्यक विरासत का संरक्षण और सांस्कृतिक विरासत को बढ़ावा देना

संस्कृति किसी भी समुदाय की आधार होती है जो उसकी पहचान और मूल्यों को आकार देती है। अल्पसंख्यक संस्कृतियों को संरक्षित और बढ़ावा देने के लिए, उनकी विरासत और परंपराओं पर ध्यान देना आवश्यक है। ऐसा करके हम यह सुनिश्चित कर सकते हैं कि ये समृद्ध विरासतें आने वाली पीढ़ियों के लिए भी फलती-फूलती रहें।

जियो पारसी योजनाः 2013-14 में शुरू की गई इस योजना का उद्देश्य लक्षित हस्तक्षेपों के माध्यम से भारत में घटती पारसी आबादी को बढ़ाना है। इसकी पहुँच और प्रभाव को बढ़ाने के लिए में तीन मुख्य घटक शामिल हैं:

चिकित्सा सहायताः मानक चिकित्सा प्रोटोकॉल के अनुसार पारसी दम्पतियों को चिकित्सा उपचार के लिए वित्तीय सहायता प्रदान की जाती है।

समुदाय का स्वास्थ्यः बच्चों की देखभाल और बुजुर्ग पारसी व्यक्तियों को सहायता के लिए वित्तीय सहायता प्रदान करता है।

वकालत और पहुंच बढ़ानाः जागरूकता बढ़ाने और पारसी समुदाय को पहल में भाग लेने के लिए प्रोत्साहित करने के लिए कार्यक्रम आयोजित करता है।

पाली भाषा को शास्त्रीय भाषा का दर्जाः 3 अक्टूबर, 2024 को पाली को शास्त्रीय भाषा का दर्जा प्रदान किया गया, जिससे विशेष रूप से बौद्ध धर्म के संबंध में इसके अध्ययन और अनुसंधान को पुनर्जीवित करने की पहल संभव हो सकेगी।

अंतर्राष्ट्रीय अभिधम्म दिवसः संस्कृति मंत्रालय ने 17 अक्टूबर 2024 को अंतर्राष्ट्रीय अभिधम्म दिवस के रूप में मनाया। यह दिन नैतिक आचरण और सजगता का मार्गदर्शन करने में अभिधम्म की भूमिका का सम्मान करता है तथा बौद्ध धर्म की विरासत को संरक्षित करने में भारत की महत्वपूर्ण भूमिका पर प्रकाश डालता है।

भाषाई अल्पसंख्यकों के लिए आयुक्तः भाषाई अल्पसंख्यकों के अधिकारों की रक्षा के लिए जिम्मेदार यह निकाय उन समुदायों की देखरेख करता है जिनकी मूल भाषा मुख्य राज्य या जिले की भाषा से अलग है। यह सुनिश्चित करता है कि उनके सांस्कृतिक और शैक्षिक अधिकारों की रक्षा की जाए, जिससे समावेशिता को बढ़ावा मिले।

सरकार के अल्पसंख्यक कल्याण कार्यक्रम हाशिए पर रह रहे समुदायों को शिक्षा, स्वास्थ्य सेवा, आर्थिक अवसर और बेहतर जीवन स्थितियों तक पहुँचने में मदद करने के लिए तैयार किए गए हैं। ये पहल व्यक्तियों को सशक्त बनाने तथा अल्पसंख्यकों को अपने दम पर आगे बढ़ने में मदद करने पर केंद्रित हैं। समावेशिता को बढ़ावा देकर, योजनाओं का उद्देश्य इन समुदायों के विकास का समर्थन करना है जो भारत के समग्र सामाजिक और आर्थिक विकास में योगदान देता है। अंततः समतापूर्ण समाज का निर्माण करना जहाँ प्रत्येक नागरिक, विशेष रूप से अल्पसंख्यकों के पास सफल होने और राष्ट्र की प्रगति में योगदान देने के लिए आवश्यक संसाधन हों यही सरकार का लक्ष्य है।

राष्ट्रीय महिला आयोग

राष्ट्रीय महिला आयोग NCW भारत सरकार का एक सांविधिक निकाय है, जो आमतौर पर महिलाओं को प्रभावित करने वाले सभी नीतिगत मामलों पर सरकार को सलाह देता है। इसका गठन जनवरी 1992 में

भारतीय संविधान के प्रावधानों के तहत किया गया था, जैसा कि राष्ट्रीय महिला आयोग अधिनियम, 1990 में परिभाषित किया गया था। NCW का उद्देश्य भारत में महिलाओं के अधिकारों का प्रतिनिधित्व करना और उनसे जुड़े मुद्दों एवं चिंताओं के लिये अभिव्यक्ति प्रदान करना है। दहेज, राजनीतिक मामले, धार्मिक मामले, नौकरियों में महिलाओं के समान प्रतिनिधित्व और श्रम क्षेत्र में महिलाओं के शोषण जैसे विभिन्न विषय उसके अवलोकन के दायरे में शामिल रहे हैं। NCW हिंसा, भेदभाव, उत्पीड़न की शिकार या अपने अधिकारों से वंचित महिलाओं की शिकायतें भी स्वीकार करता है और मामलों की जाँच करता है।

NCW के अलावा, भारत के विभिन्न राज्यों और केंद्रशासित प्रदेशों में राज्य महिला आयोगों का भी गठन किया गया है। ये आयोग संबंधित राज्य अधिनियमों या आदेशों के तहत गठित किये गए हैं और NCW के समान ही कार्य और शक्तियाँ रखते हैं। वे राज्य और केंद्रशासित प्रदेश जिनके पास महिलाओं के लिये अपने स्वयं के आयोग हैं: आंध्र प्रदेश, असम, बिहार, छत्तीसगढ़, दिल्ली, गोवा, गुजरात, हरियाणा, हिमाचल प्रदेश, जम्मू और कश्मीर, झारखंड, कर्नाटक, केरल, मध्य प्रदेश, महाराष्ट्र, मणिपुर, मेघालय, मिजोरम, नगालैंड, ओडिशा, पंजाब, राजस्थान, सिक्किम, तमिलनाडु, तेलंगाना, त्रिपुरा, उत्तर प्रदेश, उत्तराखंड और पश्चिम बंगाल।

उद्देश्य

महिलाओं के अधिकारों का प्रतिनिधित्वः राष्ट्रीय महिला आयोग का प्राथमिक उद्देश्य भारत में महिलाओं के अधिकारों का प्रतिनिधित्व और पक्षसमर्थन करना है। ये महिलाओं के मुद्दों एवं चिंताओं को अभिव्यक्ति प्रदान करते हैं और समाज में महिलाओं के समक्ष विद्यमान विभिन्न चुनौतियों को हल करते हैं।

नीतिगत सलाहः महिला आयोगों को महिलाओं को प्रभावित करने वाले नीतिगत मामलों पर सरकार को सलाह देने का कार्य सौंपा गया है। वे लैंगिक समानता को बढ़ावा देने और महिलाओं के अधिकारों की रक्षा करने से संबंधित नीतियों एवं विधान को आकार देने के लिये मूल्यवान अनुशंसाएँ और सुझाव प्रदान करते हैं।

संवैधानिक प्रावधानों की सुरक्षाः महिला आयोग भारतीय संविधान और अन्य कानूनों के तहत महिलाओं को प्रदत्त सुरक्षा उपायों से संबंधित सभी मामलों की जाँच एवं परीक्षण के लिये जिम्मेदार हैं। ये सुनिश्चित करते हैं कि महिलाओं के लिये संवैधानिक अधिकारों और सुरक्षा को बरकरार रखा जाए और प्रभावी ढंग से प्रवर्तित किया जाए।

शिकायतों का प्रबंधनः इन आयोगों को महिलाओं के अधिकारों के उल्लंघन से संबंधित शिकायतों का समाधान करने का दायित्व सौंपा गया है। ये महिलाओं के साथ भेदभाव, उत्पीड़न, हिंसा और अन्य अन्याय के मामलों की जाँच करने और समाधान प्रदान करने में महत्त्वपूर्ण भूमिका निभाते हैं।

स्वतः संज्ञान से कार्रवाईः महिला आयोग शिकायतों पर प्रतिक्रिया देने के अलावा महिला अधिकारों से वंचना और महिलाओं की सुरक्षा के उद्देश्य से बनाए गए कानूनों के गैर-अनुपालन से संबंधित मामलों का स्वतः संज्ञान भी ले सकता है। इससे उन्हें महिलाओं को प्रभावित करने वाले उभरते मुद्दों को सक्रिय रूप से संबोधित करने का अवसर मिलता है।

महिला सशक्तीकरणः महिला आयोग महिलाओं के आर्थिक विकास, शिक्षा और स्वास्थ्य को बढ़ावा देकर उन्हें सशक्त करने की दिशा में कार्य करता है। इनका लक्ष्य महिलाओं की रोजगार क्षमता को बढ़ाना और विभिन्न क्षेत्रों में उनकी उन्नति के अवसर सृजित करना है।

कार्य

अनुसंधान एवं अध्ययनः महिला आयोग महिलाओं के अधिकारों एवं लैंगिक समानता से संबंधित मुद्दों पर अनुसंधान और अध्ययन कार्य करते हैं। ये साक्ष्य-आधारित नीति अनुशंसाओं का समर्थन करने के लिये डेटा और सूचना एकत्र करते हैं।

पक्षसमर्थन और जागरूकताः ये आयोग महिलाओं के अधिकारों, लैंगिक समानता और संबंधित मुद्दों के बारे में जागरूकता बढ़ाने के लिये पक्षसमर्थक प्रयासों में संलग्न हैं। ये सामाजिक जागरूकता को बढ़ावा देने और महिलाओं के प्रति दृष्टिकोण में बदलाव लाने के लिये विभिन्न अभियानों एवं कार्यक्रमों का आयोजन करते हैं।

विधिक सहायता और समर्थनः महिला आयोग भेदभाव, हिंसा या अन्य अधिकार उल्लंघनों का शिकार हुई महिलाओं को प्रायः विधिक सहायता और समर्थन भी प्रदान करते हैं। ये महिलाओं को न्याय तक पहुँच बना सकने और कानूनी प्रक्रियाओं का उपयोग कर सकने में सहायता प्रदान करते हैं।

प्रशिक्षण और क्षमता निर्माणः यह आयोग विधि प्रवर्तन एजेंसियों सहित विभिन्न हितधारकों के लिये प्रशिक्षण कार्यक्रम और क्षमता निर्माण पहल की पेशकश करता है ताकि उन्हें महिलाओं के मुद्दों के प्रति संवेदनशील बनाया जा सके तथा लैंगिक चुनौतियों के प्रति उनकी प्रतिक्रिया में सुधार लाया जा सके।

नीतिगत अनुशंसाएँः महिला आयोग अपने शोध और निष्कर्षों के आधार पर प्रणालीगत लैंगिक असमानताओं को दूर करने तथा अधिक लिंग-समावेशी समाज का निर्माण करने के लिये सरकार को नीतिगत अनुशंसाएँ प्रदान करते हैं।

सहयोग और साझेदारीः ये आयोग महिलाओं के अधिकारों एवं लैंगिक समानता को बढ़ावा देने के लिये सामूहिक प्रयास का सृजन करने के लिये गैर- सरकारी संगठनों, नागरिक समाज संगठनों और अन्य सरकारी निकायों सहित विभिन्न हितधारकों के साथ सहयोग का निर्माण करते हैं।

अनुसूचित जाति आयोग

राष्ट्रीय अनुसूचित जाति आयोग एक संवैधानिक निकाय है। इसका गठन, संविधान के अनुच्छेद 338 के द्वारा किया गया है।

मूलतः संविधान का अनुच्छेद 338 अनुसूचित जातियों एवं जनजातियों के लिये एक विशेष अधिकारी की नियुक्ति का उपबंध करता है, जो अनुसूचित जातियों एवं जनजातियों के संवैधानिक संरक्षण से संबंधित सभी मामलों का निरीक्षण करे तथा उनसे संबंधित प्रतिवेदन राष्ट्रपति के समक्ष

प्रस्तुत करे। उसे अनुसूचित जाति एवं जनजाति आयुक्त कहा जायेगा तथा उसे उक्त कार्य सौंपे जायेंगे।

1978 में, सरकार ने (एक संकल्प के माध्यम से) अनुसूचित जातियों एवं जनजातियों के लिये एक गैर-सांविधिक बहुसदस्यीय आयोग की स्थापना की तथापि अनुसूचित जाति एवं जनजाति आयुक्त का कार्यालय भी अस्तित्वान रहा।

1987 में, सरकार ने (एक अन्य संकल्प के माध्यम से) आयुक्त के कार्यों में संशोधन किया तथा आयोग का नाम बदलकर राष्ट्रीय अनुसूचित जाति एवं जनजाति आयोग कर दिया।

बाद में, 1990 के 65वें संविधान संशोधन अधिनियम के द्वारा अनुसूचित जातियों एवं जनजातियों के लिये एक विशेष अधिकारी के स्थान पर एक उच्च स्तरीय बहुसदस्यीय राष्ट्रीय अनुसूचित जाति एवं जनजाति आयोग की स्थापना की गयी। इस सवैधानिक आयोग ने अनुसूचित जाति एवं जनजाति आयुक्त के साथ ही 1987 में सरकार द्वारा स्थापित आयोग का स्थान लिया।

पुनः 2003 के 89वें संविधान संशोधन अधिनियम के द्वारा इस राष्ट्रीय आयोग का दो भागों में विभाजन कर दिया गया तथा राष्ट्रीय अनुसूचित जाति आयोग (अनुच्छेद 338 के अंतर्गत) एवं राष्ट्रीय अनुसूचित जनजाति आयोग (अनुच्छेद 338क के अंतर्गत) नामक दो नये आयोग बना दिये गये।

वर्ष 2004 से पृथक् राष्ट्रीय अनुसूचित जाति आयोग अस्तित्व में आया। आयोग में एक अध्यक्ष, एक उपाध्यक्ष एवं तीन अन्य सदस्य हैं। वे राष्ट्रपति द्वारा द्वारा नियुक्त किये जाते हैं। उनकी सेवा शर्तें एवं कार्यकाल भी राष्ट्रपति द्वारा ही निर्धारित किए जाते हैं।

आयोग के कार्य

आयोग के कार्य निम्नलिखित हैं:

1. अनुसूचित जातियों के सवैधानिक संरक्षण से संबंधित सभी मामलों का निरीक्षण एवं अधीक्षण करना तथा उनके क्रियान्वयन की समीक्षा करना।
2. अनुसूचित जातियों के हितों का उल्लंघन करने वाले किसी मामले की जांच-पड़ताल एवं सुनवाई करना।
3. अनुसूचित जातियों के विकास से संबंधित योजनाओं के निर्माण के समय सहभागिता निभाना एवं उचित परामर्श देना तथा उनके क्रियान्वयन का निरीक्षण एवं मूल्यांकन करना।
4. इनके संरक्षण के संबंध में उठाये गये कदमों एवं किये जा रहे कार्यों के बारे में राष्ट्रपति को प्रतिवर्ष प्रतिवेदन प्रस्तुत करना।
5. इन संरक्षात्मक उपायों के संदर्भ में केंद्र एवं राज्य सरकारों द्वारा उठाये गये कदमों की समीक्षा करना एवं इस संबंध में आवश्यक सिफारिशें तथा अनुसूचित जातियों के विकास एवं लाभ के लिये प्रयास करना।
6. यदि राष्ट्रपति आदेश दें तो अनुसूचित जातियों के विकास, हितों के संरक्षण एवं सवैधानिक संरक्षण से संबंधित सौंपे गये किसी अन्य कार्य को संपन्न करना।

आयोग की शक्तियाँ

आयोग को अपने कार्यों को संपन्न करने के लिए शक्तियां प्रदान की गयी हैं।

जब आयोग किसी कार्य की जांच-पड़ताल कर रहा है या किसी शिकायत की जांच कर रहा है तो इसे दीवानी न्यायालय की शक्तियां प्राप्त होंगी, जहां याचिका दायर की जा सकती है, विशेषकर निम्नांकित मामलों में:

(*i*) भारत के किसी भी भाग से किसी व्यक्ति को समन करना और हाजिर कराना तथा शपथ पर उसकी परीक्षा करना;

(*ii*) किसी दस्तावेज को प्रकट और पेश करने की अपेक्षा करना;

(*iii*) शपथपत्रों पर साक्ष्य ग्रहण करना;

(*iv*) किसी न्यायालय या कार्यालय से किसी लोक अभिलेख या उसकी प्रति की अपेक्षा करना;

(*v*) साक्षियों और दस्तावेजों की परीक्षा के लिए समन निकालना;

(*vi*) कोई अन्य विषय जो राष्ट्रपति, नियम द्वारा अवधारित करे।

संघ और प्रत्येक राज्य सरकार अनुसूचित जातियों को प्रभावित करने वाले सभी महत्वपूर्ण नीतिगत विषयों पर आयोग से परामर्श करेगी।

अनुसूचित जनजाति आयोग

राष्ट्रीय अनुसूचित जनजाति आयोग भी एक सवैधानिक निकाय है। इसका गठन संविधान के अनुच्छेद 338-क के द्वारा किया गया है।

भौगोलिक एवं सांस्कृतिक रूप से अनुसूचित जनजातियां अनुसूचित जातियों से भिन्न हैं तथा उनकी समस्यायें भी अनुसूचित जातियों से भिन्न हैं। 1999 में अनुसूचित जनजातियों के कल्याण एवं विकास के कार्यों को गति देने के लिये एक नये जनजातीय मंत्रालय की स्थापना की गयी। यह महसूस किया गया कि अनुसूचित जनजातियों से संबंधित सभी योजनाओं में समन्वय स्थापित करने के लिये जनजातीय कल्याण मंत्रालय का होना आवश्यक है। चूंकि सामाजिक न्याय और अधिकारिता मंत्रालय के लिए इस भूमिका को निभाना प्रशासनिक दृष्टि से संभव नहीं था।

इस प्रकार अनुसूचित जनजातियों के हितों की अधिक प्रभावी तरीके से रक्षा के लिये यह प्रस्ताव रखा गया कि राष्ट्रीय अनुसूचित जाति आयोग एवं जनजाति आयोग का विभाजन कर दिया जाये तथा दोनों के लिये पृथक्-पृथक् आयोगों की स्थापना की जाये। इसकी स्थापना अंततः 2003 के 89वें संविधान संशोधन अधिनियम के द्वारा की गयी। इसके लिये संविधान के अनुच्छेद 338 में संशोधन किया गया तथा उसमें एक नया अनुच्छेद 338-क जोड़ा गया।

वर्ष 2004 से राष्ट्रीय अनुसूचित जनजाति आयोग अस्तित्व में आया। इस आयोग में एक अध्यक्ष, एक उपाध्यक्ष एवं तीन अन्य सदस्य हैं। वे

राष्ट्रपति द्वारा नियुक्त किये जाते हैं। उनकी सेवा शर्तें एवं कार्यकाल भी राष्ट्रपति द्वारा ही निर्धारित किया जाता है।

आयोग के कार्य

आयोग के कार्य निम्नलिखित हैं:

1. अनुसूचित जनजातियों के लिए इस संविधान या तत्समय प्रवृत्त किसी अन्य विधि या सरकार के किसी आदेश के अधीन उपबंधित रक्षोपायों से संबंधित सभी विषयों का अन्वेषण करे और उन पर निगरानी रखे तथा ऐसे रक्षोपायों के कार्यकरण का मूल्यांकन करे;
2. अनुसूचित जनजातियों को उनके अधिकारों और रक्षोपायों से वंचित करने के सम्बन्ध में विनिर्दिष्ट शिकायतों की जांच करे;
3. अनुसूचित जनजातियों के सामाजिक-आर्थिक विकास की योजना प्रक्रिया में भाग ले और उन पर सलाह दे तथा संघ और किसी राज्य के अधीन उनके विकास की प्रगति का मूल्यांकन करे;
4. उन रक्षोपायों के कार्यकरण के बारे में प्रतिवर्ष और ऐसे अन्य समयों पर जो आयोग ठीक समझे, राष्ट्रपति को रिपोर्ट प्रस्तुत करे;
5. ऐसी रिपोर्टों में उन उपायों के बारे में, जो उन रक्षोपायों के प्रभावपूर्ण कार्यान्वयन के लिए संघ या किसी राज्य द्वारा किए जाने चाहिए तथा अनुसूचित जनजातियों के संरक्षण, कल्याण और सामाजिक-आर्थिक विकास के लिए अन्य उपायों के बारे में सिफारिश करे, और;
6. अनुसूचित जनजातियों के संरक्षण, कल्याण और विकास तथा उन्नयन के संबंध में ऐसे अन्य कृत्यों का निर्वहन करे जो राष्ट्रपति, संसद, द्वारा बनाई गई किसी विधि के उपबंधों के अधीन रहते हुए, नियम द्वारा विनिर्दिष्ट करे।

2005 में राष्ट्रपति ने अनुसुचित जनजातियों की सुरक्षा, कल्याण तथा विकास और उन्नति के लिए आयोग के निम्नलिखित कुछ अन्य कार्य निर्धारित किए:

(*i*) वन क्षेत्र में रह रही अनुसूचित जनजातियों को लघु वनोपज पर स्वामित्व का अधिकार देने संबंधी उपाय।

(*ii*) कानून के अनुसार जनजातीय समुदायों के खनिज तथा जल संसाधनों आदि पर अधिकार को सुरक्षित रखने संबंधी उपाय।

(*iii*) जनजातियों के विकास तथा उनके लिए अधिक वहनीय आजीविका रणनीतियों पर काम करने संबंधी उपाय।

(*iv*) विकास परियोजनाओं द्वारा विस्थापित जनजातीय समूहों के लिए सहायता एवं पुनर्वास उपायों की प्रभावकारिता बढ़ाने संबंधी उपाय।

(*v*) जनजातीय लोगों का भूमि से बिलगाव रोकने के उपाय तथा उन लोगों का प्रभावी पुनर्वासन करना जो पहले ही भूमि से विलग हो चुके हैं।

(*vi*) पेसा अधिनियम, 1996 का पूर्ण कार्यान्वयन सुनिश्चित करने संबंधी उपाय।

आयोग की शक्तियां

आयोग को अपनी कार्यविधि को विनियमित करने की शक्ति प्राप्त है। आयोग को, किसी विषय का अन्वेषण करते समय या किसी परिवाद के बारे में जांच करते समय, विशिष्टतया निम्नलिखित विषयों के संबंध में, वे सभी शक्तियां होंगी, जो वाद का विचारण करते समय सिविल न्यायालय को प्राप्त हैं, अर्थातः

(*i*) भारत के किसी भी भाग से किसी व्यक्ति को समन करना और हाजिर कराना तथा शपथ पर उसकी परीक्षा करना;

(*ii*) किसी दस्तावेज को प्रकट और पेश करने की अपेक्षा करना;

(*iii*) शपथ पत्रों पर साक्ष्य ग्रहण करना;

(*iv*) किसी न्यायालय या कार्यालय से किसी लोक अभिलेख या उसकी प्रति की अपेक्षा करना;

(*v*) काई अन्य विषय, जो राष्ट्रपति, नियम द्वारा अवधारित करें।

संघ और प्रत्येक राज्य सरकार, अनुसूचित जनजातियों को प्रभावित करने वाले सभी महत्वपूर्ण नीतिगत विषयों पर आयोग से परामर्श करेंगी।

राष्ट्रीय अल्पसंख्यक आयोग

गृह मंत्रालय द्वारा वर्ष 1978 में पारित एक संकल्प में अल्पसंख्यक आयोग (Minorities Commission- MC) की स्थापना की परिकल्पना की गई थी। अल्पसंख्यक आयोग को गृह मंत्रालय से वर्ष 1984 में अलग कर दिया गया और इसे नव-निर्मित कल्याण मंत्रालय के अधीन रखा गया, जिसने वर्ष 1988 में भाषाई अल्पसंख्यकों को आयोग के अधिकार क्षेत्र से बाहर कर दिया। वर्ष 1992 में राष्ट्रीय अल्पसंख्यक आयोग अधिनियम, 1992 के अधिनियमन के साथ ही अल्पसंख्यक आयोग एक सांविधिक/वैधानिक (Statutory) निकाय बन गया और इसका नाम बदलकर राष्ट्रीय अल्पसंख्यक आयोग (NCM) कर दिया गया। वर्ष 1993 में, पहले वैधानिक राष्ट्रीय आयोग का गठन किया गया और पाँच धार्मिक समुदायों- मुस्लिम, ईसाई, सिख, बौद्ध और पारसी को अल्पसंख्यक समुदायों के रूप में अधिसूचित किया गया। वर्ष 2014 में जैन धर्म मानने वालों को भी अल्पसंख्यक समुदाय के रूप में अधिसूचित किया गया था।

NCM में एक अध्यक्ष, एक उपाध्यक्ष और पाँच सदस्य होते हैं और इन सभी का चयन अल्पसंख्यक समुदायों में से किया जाता है। केंद्र सरकार द्वारा नामित किये जाने वाले इन व्यक्तियों को योग्य, क्षमतावान और सत्यनिष्ठ होना चाहिये। प्रत्येक सदस्य का कार्यकाल पद धारण करने की तिथि से तीन वर्ष की अवधि तक होता है।

कार्य

- संघ और राज्यों के तहत अल्पसंख्यकों के विकास की प्रगति का मूल्यांकन करना;
- संविधान और संघ तथा राज्य के कानूनों में अल्पसंख्यकों को प्रदान किये गए सुरक्षा उपायों की निगरानी करना;

- अल्पसंख्यक समुदाय के हितों की सुरक्षा के लिये नीतियों के प्रभावी कार्यान्वयन हेतु आवश्यक सिफारिशें करना;
- अल्पसंख्यकों को उनके अधिकारों और रक्षोपायों से वंचित करने से संबंधित विनिर्दिष्ट शिकायतों की जाँच पड़ताल करना;
- अल्पसंख्यकों के विरुद्ध किसी भी प्रकार के विभेद के कारण उत्पन्न होने वाली समस्याओं का अध्ययन करना/करवाना और इन समस्याओं को दूर करने के लिये सिफारिशें करना;
- अल्पसंख्यकों के सामाजिक, आर्थिक और शैक्षिक विकास से संबंधित विषयों का अध्ययन, अनुसंधान और विश्लेषण करना;
- केंद्र अथवा राज्य सरकारों को किसी भी अल्पसंख्यक समुदाय से संबंधित उपायों को अपनाने का सुझाव देना;
- केंद्र और राज्य सरकारों को अल्पसंख्यकों से संबंधित किसी विषय पर विशिष्टतया कठिनाइयों पर नियतकालिक अथवा विशिष्ट रिपोर्ट प्रदान करना;
- कोई अन्य विषय जो केंद्र सरकार द्वारा उसे निर्दिष्ट किया जाए।
- यह सुनिश्चित करता है कि प्रधानमंत्री का 15 सूत्री कार्यक्रम लागू है और अल्पसंख्यक समुदायों के लिये यह कार्यक्रम वास्तव में काम कर रहा है।

अल्पसंख्यकों से संबंधित संवैधानिक और कानूनी प्रावधान

राष्ट्रीय अल्पसंख्यक आयोग अधिनियम (NCM Act) अल्पसंख्यकों को "केंद्र सरकार द्वारा अधिसूचित एक समुदाय" के रूप में परिभाषित करता है।

भारत सरकार ने देश में छः धर्मों मुस्लिम, ईसाई, सिख, बौद्ध, पारसी और जैन को धार्मिक अल्पसंख्यक घोषित किया है।

राष्ट्रीय अल्पसंख्यक शिक्षा संस्थान अधिनियम (NCMEIA), 2004: यह अधिनियम सरकार द्वारा अधिसूचित छह धार्मिक समुदायों के आधार पर शैक्षणिक संस्थानों को अल्पसंख्यक का दर्जा प्रदान करता है। भारतीय संविधान में "अल्पसंख्यक" शब्द को परिभाषित नहीं किया गया है। हालाँकि संविधान धार्मिक और भाषायी अल्पसंख्यकों को मान्यता देता है।

अनुच्छेद 15 और 16: ये अनुच्छेद धर्म, जाति, लिंग या जन्म स्थान के आधार पर नागरिकों के साथ भेदभाव का निषेध करते हैं। राज्य के अधीन किसी भी कार्यालय में रोजगार या नियुक्ति से संबंधित मामलों में नागरिकों को 'अवसर की समानता' का अधिकार है, जिसमे धर्म, जाति, लिंग या जन्म स्थान के आधार पर किसी भी प्रकार का भेदभाव निषेध है।

अनुच्छेद 25 (1), 26 और 28: यह लोगों को अंतःकरण की स्वतंत्रता और स्वतंत्र रूप से धर्म का प्रचार, अभ्यास और प्रचार करने का अधिकार प्रदान करता है। संबंधित अनुच्छेदों में प्रत्येक धार्मिक संप्रदाय या वर्ग को धार्मिक और धर्मार्थ उद्देश्यों हेतु धार्मिक संस्थानों को स्थापित करने का अधिकार तथा अपने स्वयं के धार्मिक मामलों का प्रबंधन, संपत्ति का अधिग्रहण और उनके प्रशासन का अधिकार शामिल है। राज्य द्वारा पोषित संस्थानों में धार्मिक शिक्षा या धार्मिक कार्यों में हिस्सा लेने या अनुदान सहायता प्राप्त करने की स्वतंत्रता होगी।

अनुच्छेद 29: यह अनुच्छेद उपबंध करता है कि भारत के राज्य क्षेत्र या उसके किसी भाग के निवासी नागरिकों के किसी अनुभाग को अपनी विशेष भाषा, लिपि या संस्कृति को बनाए रखने का अधिकार होगा। अनुच्छेद-29 के तहत प्रदान किये गए अधिकार अल्पसंख्यक तथा बहुसंख्यक दोनों को प्राप्त हैं। हालाँकि सर्वोच्च न्यायालय ने कहा कि इस लेख का दायरा केवल अल्पसंख्यकों तक ही सीमित नहीं है, क्योंकि अनुच्छेद में 'नागरिकों के वर्ग' शब्द के उपयोग में अल्पसंख्यकों के साथ-साथ बहुसंख्यक भी शामिल हैं।

अनुच्छेद 30: धर्म या भाषा पर आधारित सभी अल्पसंख्यक वर्गों को अपनी रुचि की शिक्षा संस्थानों की स्थापना और प्रशासन का अधिकार होगा। अनुच्छेद 30 के तहत संरक्षण केवल अल्पसंख्यकों (धार्मिक या भाषायी) तक ही सीमित है और नागरिकों के किसी भी वर्ग (जैसा कि अनुच्छेद 29 के तहत) तक विस्तारित नहीं किया जा सकता।

अनुच्छेद 350 B: मूल रूप से भारत के संविधान में भाषायी अल्पसंख्यकों के लिये विशेष अधिकारी के संबंध में कोई प्रावधान नहीं किया गया था। इसे 7वें संवैधानिक संशोधन अधिनियम, 1956 द्वारा संविधान में अनुच्छेद 350B के रूप में जोड़ा गया। यह भारत के राष्ट्रपति द्वारा नियुक्त भाषायी अल्पसंख्यकों के लिये एक विशेष अधिकारी का प्रावधान करता है।

आपदा प्रबन्धन (Disaster Management)

आपदा उन अकस्मात, अप्रत्याशित एवं दुष्प्रभावी चरम घटनाओं व प्रकोपों को कहा जाता है, जो प्राकृतिक या मानव जनित होती हैं तथा जिनके द्वारा मानव, जीव-जन्तु, सम्पत्ति तथा पादप समुदाय की अपार क्षति होती है।

आपदा प्रायः एक अनपेक्षित घटना है, जो ऐसी शक्तियों द्वारा घटित होती है, जो मानव के नियंत्रण में नहीं है। यह बहुत कम समय में और बिना चेतावनी के घटित होती है जिसके कारण मानव जीवन के क्रियाकलाप अवरुद्ध हो जाते हैं।

आपदा को अंग्रेजी में डिजास्टर (Disaster) कहा जाता है। इस शब्द की उत्पत्ति फ्रेंच शब्द डीजास्त्र (Desastre) से हुई है, जो दो शब्दों Des तथा Astre से मिलकर बना है, जिसमें Des का अर्थ–अशुभ तथा Astre का अर्थ–सितारा होता है। इस प्रकार, डिजास्टर का शाब्दिक अर्थ होता है–अशुभ सितारा।

संयुक्त राष्ट्र के अनुसार आपदाएँ बड़े पैमाने पर अचानक होने वाली ऐसी प्राकृतिक या मानवीकृत गतिविधियाँ हैं, जिनका मानव जाति तथा पर्यावरण पर नकारात्मक प्रभाव पड़ता है।

आपदा का अर्थ एवं प्रकृति

आपदा प्रबंधन अधिनियम 2005 के अनुसार, "आपदा का अर्थ किसी क्षेत्र में मानव निर्मित या प्राकृतिक कारणों से उत्पन्न हुई तबाही, दुर्घटना, या लापरवाही से है। ये कारण मानव जीवन की हानि से संबंधित नुकसान,

पर्यावरण और प्राकृतिक नुकसान, को जन्म देते हैं। जिन क्षेत्रों में मानव निर्मित या प्राकृतिक दुर्घटनाएं ऐसी प्रवृत्ति की या विशाल होती हैं वहाँ के संसाधनों द्वारा उन्हें रोकने की क्षमता सीमित होती हैं।'' अन्तर्राष्ट्रीय रेड क्रॉस समाज तथा रेड क्रिसेन्ट ने ''आपदा'' की और वृहत परिभाषा दी है। अन्तर्राष्ट्रीय रेड क्रॉस समाज के अनुसार, ''आपदा अचानक घटित हुई एक ऐसी घटना है, जो गंभीर तौर पर समाज और समुदाय की कार्यप्रणाली को नुकसान पहुँचाती है और सामाजिक, आर्थिक, पर्यावरणीय क्षति का कारण बनती है। आपदा तब घटित होती है जब विपदा संवेदनशील लोगों को प्रभावित करती है''। (UNISDR, 2009)

आपदाएं सामाजिक कार्य प्रणाली पर एक गंभीर अवरोध है, जिससे मानवीय, जैविक और पर्यावरणीय क्षति होती है, जो आगे चलकर लोगों की संसाधनों की योग्यता को भी प्रभावित करती हैं। नीचे दिये गए कुछ प्रभाव आपदाओं से संबंधित हैं।

- जीवन के समान चक्र में गिरावट
- जान एवं माल की क्षति
- आर्थिक एवं सामाजिक संरचना पर प्रतिगामी प्रभाव
- सामाजिक आवश्यकताओं, आवास, भोजन, चिकित्सीय सहायता में विघटन
- मनोवैज्ञानिक आघात का प्रारम्भ
- आजीविका की हानि
- संचार, यातायात एवं आधारभूत संरचना में विघटन
- कानून एवं व्यवस्था की समस्याएं
- महामारी का भय
- प्रव्रजन (दीर्घकालीन एवं अल्पकालीन)

आपदाओं के प्रकार

प्राकृतिक आपदाएँ

भारतीय उपमहाद्वीप प्राकृतिक आपदाओं के लिये सबसे अधिक संभावित क्षेत्र है। बाढ़, सूखा, चक्रवात और भूकम्प भारत में बार-बार और जल्दी-जल्दी आते ही रहते हैं। प्राकृतिक आपदाएं मानवनिर्मित आपदाओं, जैसे–आग आदि की पुनरावृति से मिलकर और बढ़ जाते हैं। पर्यावरण के अवक्रमण से स्थलाकृति परिवर्तित हो जाती है।

मानव जीवन की क्षति, जीविका उपार्जन के साधनों, सम्पत्ति और पर्यावरण का अवक्रमण इन आपदाओं के परिणाम होते हैं। आपदाओं से समाज के सामान्य क्रियाकलापों पर विपरीत प्रभाव पड़ता है और इसका दुष्प्रभाव दीर्घकालीन होता है। भूकम्प, चक्रवात, बाढ़ और सूखा प्राकृतिक आपदाओं के उदाहरण हैं।

बाढ़

नदियों या जल स्रोत और जलाशयों में अधिक जल आने से अचानक और अस्थाई रूप से किसी भू-भाग का जलमग्न हो जाना, बाढ़ (Flood) कहलाता है।

बाढ़ अतिवृष्टि, तेज हवाएं, चक्रवात, सूनामी, बर्फ का पिघलना या बांधों का टूटना आदि के कारण ही आता है। बाढ़ धीरे-धीरे भी आ सकता है या अतिवृष्टि या जल भंडार में दरार या पानी का अधिक भरकर फैलने से अचानक भी आ सकता है। नदियों और तालाबों में गाद जमने के कारण बाढ़ की घटनाओं और उसकी तीव्रता में वृद्धि होती है।

डूबने, गम्भीर चोट, या महामारियों जैसे डायरिया, हैजा, पीलिया या वाइरल संक्रमण के कारण मनुष्य और पशुओं की मृत्यु बाढ़ प्रभावित क्षेत्रों की सामान्य समस्या है। बाढ़ के समय कुएं तथा पेयजल के अन्य स्रोत भी जलमग्न हो जाते हैं जिसके कारण शुद्ध पेयजल की बहुत कमी हो जाती है। कभी-कभी लोगों को मजबूरी में बाढ़ का संक्रमित जल ही पीना पड़ता है जिससे गम्भीर रोग पैदा हो जाते हैं।

सूखा

किसी ऋतु या किसी काल में आशानुरूप वर्षा न होने के कारण सूखा पड़ता है। कम वर्षा होने से मनुष्य, पौधों, पशुओं और कृषि की जल की आवश्यकताएं पूरी नहीं हो पाती हैं। कम वर्षा होने से नदी, झील, जलाशयों और कुएं सूखने लगते हैं क्योंकि इनमें से पानी अधिक निकाला जाता है और भू-जल की आपूर्ति कम हो पाती है। पानी की कमी के कारण फसल भी अच्छी नहीं होती। ये सब बातें आने वाले सूखे के मुख्य सूचक हैं।

सूखा वर्षा की कमी के कारण होता है। मौसम विभाग के अनुसार यदि वार्षिक वर्षा का औसत 10% से अधिक कम हो जाता है, तब यह सूखे का सूचक है। सूखे की भीषणता का अनुमान वर्ष भर की वर्षा के औसत में होने वाली कमी से लगाया जाता है।

कृषि पर भी सूखे का भीषण प्रभाव पड़ता है। सबसे पहले सूखे से वर्षा पर निर्भर फसलें प्रभावित होती हैं। चरवाहे, भूमिहीन मजदूर, खेती पर निर्भर किसान, औरतें, बच्चे और फार्म के पशु सूखे के दुष्प्रभावों से सबसे अधिक प्रभावित होते हैं।

भूकम्प

पृथ्वी की सतह की अपकृत (Deformed) चट्टानों में जमा हुई ऊर्जा का अचानक बाहर निकलना **भूकम्प** कहलाता है। इस अचानक निष्कासन से धरती कांप जाती है। भूकम्प वर्ष में किसी भी समय बिना किसी चेतावनी के अचानक आ सकते हैं और इसके कारण जान और माल की भारी क्षति होती है।

भूकम्प की तीव्रता का अनुमान उसमें से मुक्त हुई ऊर्जा की मात्रा से संबंधित है। धरती के भीतर छिपी यह ऊर्जा चट्टानों के बीच से बाहर निकलती है। इसको एक यंत्र के द्वारा नापा जाता है जिसे ''भूकम्पलेखी'' (Seismograph) कहा जाता है। भूकम्प की तीव्रता रिक्टर स्केल (आविष्कारक सी.एफ. रिक्टर के नाम पर) पर मापी जाती है।

रिक्टर स्केल पर तीव्रता	क्षति की सीमा
3 तक	कोई क्षति नहीं
3-5	पुरानी इमारतों में दरार
5-7	सड़कों में दरार
8 के ऊपर	भवनों का भरभराकर गिरना

चक्रवात

चक्रवात एक प्रकार के तूफान होते हैं। ये एक प्रकार की तेज और बहुत उच्च वेग वाली हवाएं हैं जो निम्न वायुमंडलीय दबाव के शान्त केन्द्र के चारों ओर तीव्रता से घूमती हैं। यह शान्त केन्द्र प्रायः आगे की ओर बढ़ता है, कभी-कभी इसका वेग 50 कि.मी./घंटा होता है। चक्रवात अचानक ही घटित होते हैं जबकि इनको बनने में लम्बा समय लग जाता है। चक्रवात के बाद प्रायः तेज वर्षा होती है जिसके कारण बाढ़ भी आ जाती है।

चक्रवात संभावित क्षेत्र में किसी प्रकार के विकास कार्य की अनुमति नहीं देनी चाहिए। ऐसी इमारतें बनानी चाहिये जो हवा और बाढ़ों की तीव्रता को झेल सकें। किसी ढांचे की पकड़ रखने वाले तत्व मजबूती से जमीन में गड़े होने चाहिये जिससे वे अपने ऊपर टिके ढांचे को मजबूती से सम्भाल सकें। तट के किनारे लगे वन चक्रवात के प्रभाव को काफी हद तक कम करने में समर्थ होते हैं। अतः आवश्यक है कि समुद्री तट के किनारे-किनारे ग्रीन बैल्ट (तटों के साथ-साथ पेड़ उगाना) को विकसित किया जाए।

सुनामी

सुनामी प्रायः सिस्मिक (भूकंपीय) समुद्री लहरें, या ज्वार भाटा (Tidal) लहरें या आकस्मिक समुद्री लहरें आदि नामों से भी जाना जाता है। यह प्रायः अन्तः समुद्री भूकम्प के कारण आती है जो समुद्र सतह के नीचे 50 कि.मी. (30 मील) से कम दूरी पर उठता है जिसकी तीव्रता रिक्टर पैमाने पर 6.5 से अधिक होती है। पानी के नीचे या तट पर भूस्खलन या ज्वालामुखी फटने से भी सूनामी आ सकती है।

समुद्री पानी की बड़ी लहरें तीव्र वेग के साथ अंदर घुस आती हैं और आस पास का भूक्षेत्र जलमग्न होने से बस्तियां, फसलें और दूसरी अन्य सम्पत्ति बुरी तरह से नष्ट हो जाती हैं। दिसम्बर 2004 में आये सूनामी ने अनेक देशों में, विशेषकर इंडोनेशिया, मलेशिया, श्रीलंका, भारत में भीषण विनाश और तांडव मचाया था।

मानव–निर्मित आपदाएँ

प्रकृति में अनेक आपदाएं मानव गतिविधियों के कारण पैदा होती हैं।

आग

किसी वस्तु के जलने की घटना को आग कहते हैं। ये प्रायः विध्वंसकारी होती हैं जिसमें जीवन और सम्पत्ति (जान और माल) दोनों की ही हानि होती है।

प्रबन्धन

- आग से बचने के लिए सुरक्षा नियमों का पूरी तरह पालन करें और आग लगने पर बताये गये निकास के मार्ग को अवश्य याद रखें।
- ज्वलनशील पदार्थों और रसायन को पूर्ण सावधानी से व्यवहार में लाएं और भंडारण का सावधानीपूर्वक प्रबन्ध करें।
- घर में अग्निशमन यंत्र अवश्य रखें और उसका उपयोग करना भी मालूम होना चाहिए।
- घर से बाहर जाते समय सावधानीपूर्वक बिजली और गैस के सभी उपकरणों को बन्द कर दें।
- एक ही सॉकेट में बहुत से प्लग न लगायें।
- आग लगने पर तुरन्त ही फायर ब्रिगेड को फोन करें।
- धुएं से भरी जगह में पैरों और पेट के बल फर्श पर रेंगकर चलें क्योंकि धुआं फर्श पर कम होता है।
- अपने घर से बाहर निकलने के दो रास्ते अवश्य बना कर रखें।
- खतरनाक पदार्थ जैसे पेन्ट, सॉल्वैंट, आसंजक (Adhesive) रसायन या गैस सिलिंडर का भंडारण अलग स्थान पर करें जो आग से बहुत दूर हो।

सड़क, रेल और हवाई परिवहन दुर्घटनाएँ

- **सड़क दुर्घटनाएँः** सड़क परिवहन का विकास अधिक और सरल सम्पर्क सेवा के लिये किया गया है। गाड़ियों की संख्या में वृद्धि, सड़क के नियमों की अवहेलना, तीव्र गति से वाहन चलाना, नशे में वाहन चलाना और गाड़ियों तथा सड़कों का खराब रखरखाव सड़क दुर्घटनाओं के कुछ मुख्य कारणों में से हैं।
- **रेल दुर्घटनाएँः** रेल दुर्घटनाएँ प्रायः मनुष्य की गलती से, तोड़ फोड़ से, या पहाड़ी रेल ट्रैक पर भू-स्खलन से या आग लगने के कारण होती हैं। रेल दुर्घटना में जान और सम्पत्ति की बहुत हानि होती है। भारतीय रेलवे को प्रतिवर्ष इन दुर्घटनाओं के कारण भारी नुकसान उठाना पड़ता है।
- **हवाई दुर्घटनाएँः** हवाई दुर्घटनाएँ यांत्रिकी खराबी के कारण, आग से, खराब लैंडिंग और टेक ऑफ (असुरक्षित उतारना और उठना), मौसम की दशा, अपहरण (हाइजैक) और बम गिरने की स्थिति में होती हैं।

औद्योगिक दुर्घटनाएँ

औद्योगिक दुर्घटनाएँ विस्फोट, आग और विषाक्त तथा खतरनाक रसायनों के रिसाव के कारण होती हैं। औद्योगिक दुर्घटनाओं के कारण जीवन और सम्पत्ति का भारी नुकसान होता है। रसायनों का रिसाव मानव भूलों के कारण, यांत्रिक गड़बड़ी के कारण या भू-सम्बन्धी खतरे जैसे भूकम्प, बाढ़ आदि के कारण भी हो सकता है। किसी उद्योग में आग मनुष्य की गलती से या बिजली की गड़बड़ी (शार्ट सर्किट) के कारण लग सकती है।

वर्ष 1984 में भोपाल त्रासदी में यही हुआ जब 45 टन मिथाइल आइसोसाइनेट (MIC, मिक) गैस रिस कर पूरे वातावरण में फैल गई थी और 2500 से अधिक लोग मारे गये थे।

विषाक्त रसायनों की सीमित मात्रा ही भंडार में रखें। अग्निशमन क्षमताओं को और समृद्ध बनाएं, चेतावनी माध्यमों में सुधार लाएं। प्रदूषण को फैलने से रोकने के लिये अधिक साधन अपनाए जाएं। आपातकालीन राहत को विकसित किया जाए। कर्मचारी और आसपास रहने वाले लोगों

की सुरक्षा के लिए उचित प्रबन्ध करें। आसपास रहने वालों के लिये और कर्मचारियों के लिये बीमा योजना होनी चाहिए और उसे कानून द्वारा मान्यता मिले।

जैविक (जीव–विज्ञान सम्बन्धी) आपदाएँ

महामारियाँ (Epidemics)

महामारी उस बीमारी या स्वास्थ्य सम्बन्धी घटना को कहा जाता है जो प्रायः बहुत बड़ी संख्या को एक साथ प्रभावित करे। जब बहुत से लोगों को एक ही बीमारी अचानक होती है तो उसे महामारी अनुमानित किया जाता है। महामारियों को रोकने के लिये तुरन्त ही बहुत बड़े पैमाने पर कार्य करने की आवश्यकता होती है। किसी भी आपदा के बाद संक्रमण रो फैलने वाले रोगों की सम्भावना बहुत अधिक हो जाती है।

कुछ बीमारियां, जो महामारी का रूप ले सकती हैं उनका वर्णन निम्नलिखित है:

डेंगू

डेंगू को ब्रेक बोन फीवर (Break bone fever, हड्डी तोड़ बुखार) या डांडी फीवर (Dandy fever) के नाम से भी जाना जाता है। यह बहुत तेज, संक्रमित मच्छरों द्वारा उत्पन्न, रक्तस्राव होने वाला बुखार है। बुखार के साथ ही इसमें जोड़ों में असहनीय दर्द और अकड़न होती है इसीलिये इसका नाम ब्रेक बोन फीवर (हड्डी तोड़ बुखार) भी है। डेंगू मच्छरों द्वारा स्थानांतरित एक वायरस के कारण होता है। यह मच्छर एडिस एजिप्टी (Aedes aegypti) या एशियन टाइगर मच्छर के नाम से जाना जाता है।

यदि मच्छर किसी ऐसे व्यक्ति को प्रथम तीन दिनों में काट ले जो इस रोग से ग्रसित है तो वह उस रोग के कीटाणुओं का वाहक बन जाता है। मच्छर में 8-10 दिन इस वाइरस को प्रभावशाली बनने में लगते हैं। इसके बाद वह मच्छर जीवन भर इस वायरस को वहन करता है। त्वचा पर काटने से वायरस मानव शरीर में प्रवेश कर जाता है। इसके लिये कोई विशेष उपचार नहीं है। इसलिये बचाव और सुरक्षा पर विशेष ध्यान देने की जरूरत है। मच्छरों पर नियंत्रण करने से डेंगू को फैलने से रोका जा सकता है।

एचआईवी (HIV) और एड्स (AIDS)

एड्स को एक्वायर्ड इम्यूनो डेफिशियंसी सिंड्रोम के नाम से जाना जाता है। यह रोग प्रतिरक्षा तंत्र की विकृति का रोग है और जानलेवा है। यह बीमारी एक वायरस से फैलती है। वायरस का नाम एचआईवी (ह्यूमन इम्यून वायरस) है। यह वायरस प्रायः समागम से अथवा रक्त संचारण से फैलता है। वायरस के संक्रमण के पश्चात् इस रोग के लक्षण बहुत धीरे-धीरे प्रकट होते हैं तथा यह लक्षण स्पष्ट रूप से निश्चित भी नहीं होते हैं।

मैड काऊ रोग (Bovine Spongiform Encephalopathy)

बोवाइन स्पांजीफार्म एनसिफैलोपैथी (बीएसई या मैड काऊ रोग) पशुओं (मवेशियों) में एक संक्रमित एजेंट के कारण होता है जिसका इन्क्यूबेशन काल बहुत लंबा प्रायः दो से पांच साल के बीच का होता है। लक्षणों के प्रकट होने के बाद एक साल में मृत्यु हो जाती है। इसका कोई उपचार या बचाव के तरीके अभी तक ज्ञात नहीं हैं।

सर्वप्रथम यह रोग 1986 में यूनाइटेड किंगडम में देखा गया। वहां यह मैड काऊ रोग एक महामारी की तरह फैला था, विशेषकर दक्षिणी इंग्लैंड में।

कोरोना वायरस रोग

कोरोना वायरस या कोविड-19 एक संक्रामक रोग है जो गंभीर तीव्र श्वसन सिंड्रोम कोरोना वायरस 2 (SARS-COV-2) के कारण होती है। सर्वप्रथम इस वायरस की पहचान दिसंबर 2019 में चीन के वुहान में की गई थी।

भारत में आपदा प्रबन्धन की संस्थागत व्यवस्था (Institutional System of Disaster Management in India)

बाढ़, भूकम्प, समुद्री तूफान आदि को आने से रोका नहीं जा सकता क्योंकि ये प्राकृतिक पर्यावरण का हिस्सा हैं लेकिन इस दिशा में प्राकृतिक आपदाओं के प्रभाव को हानि रहित बनाने की दिशा में विभिन्न स्तरों पर एहतियाती उपाय अवश्य किये जा सकते हैं। यह कथन सत्य है, ''खतरे अपरिहार्य हो सकते हैं, लेकिन आपदाओं को रोका जा सकता है।''

संसार के विभिन्न देशों में आपदा प्रबन्धन की अलग-अलग व्यवस्थाएँ हैं। भारत में आपदा प्रबन्धन विषय के बारे में संविधान की 7वीं अनुसूची की तीनों सूचियों में कोई उल्लेख नहीं है। प्राकृतिक आपदा के मामले में बचाव, राहत एवं पुनर्वास की मूल जिम्मेदारी राज्य सरकारों की है तथा केन्द्र सरकार की भूमिका भौतिक एवं वित्तीय संसाधनों की कमी को पूरा करने तथा चेतावनी, परिवहन एवं अनाज की अन्तर्राष्ट्रीय आवाजाही, आदि जैसे अनुपूरक उपाय करने वाले सहयोगी की होती है।

भारत में स्वतन्त्रता के समय से केन्द्रीय स्तर पर प्रधानमंत्री की अध्यक्षता में प्रधानमंत्री राष्ट्रीय राहत कोष तथा राज्यों में मुख्यमंत्री राहत कोष बने हैं जिनमें आपदा के समय सहायता राशि प्रदान की जाती है। भारत सरकार ने आपदा जैसे विनाशकारी संकटों का सामना करने के लिए एक आपदा प्रबन्धन अधिनियम 2005 बनाया है। इस अधिनियम की धारा-3 में एक राष्ट्रीय आपदा प्रबन्धन प्राधिकरण गठित किया गया है। इसका गठन निम्नानुसार होता है–

1. प्रधानमंत्री पदेन अध्यक्ष।
2. प्रधानमंत्री द्वारा मनोनीत अधिकतम नौ अन्य सदस्य।

राष्ट्रीय आपदा प्रबन्धन प्राधिकरण के कार्य

राष्ट्रीय आपदा प्रबन्धन के कार्य निम्नलिखित हैं:

1. आपदा प्रबन्धन पर नीतियों का निर्माण करना;
2. राष्ट्रीय योजना का अनुमोदन करना;

3. राष्ट्रीय योजना के अनुसरण में केन्द्रीय मंत्रालयों या विभागों द्वारा निर्मित योजनाओं का अनुमोदन करना;
4. राज्य योजना निर्मित करने हेतु राज्य प्राधिकरणों (State Authorities) के लिए दिशा- निर्देश निर्धारित करना;
5. आपदाओं के बचाव या इनके प्रभाव के प्रशमन हेतु उपायों का एकीकरण करने एवं विकास योजनाओं एवं परियोजनाओं पर पड़ने वाले प्रभावों से बचाव हेतु विभिन्न मंत्रालयों एवं विभागों द्वारा काम में लिए जाने वाले दिशा-निर्देश निर्धारित करना;
6. आपदा प्रबन्धन के क्रम मे बनी नीतियों एवं योजनाओं के प्रवर्तन एवं क्रियान्वयन का समन्वय करना;
7. प्रशमन के उद्देश्य से निधियों के प्रावधान की अनुशंसा करना;
8. बड़ी आपदाओं से प्रभावित दूसरे देशों को वैसी सहायता प्रदान करना जैसी केन्द्र सरकार द्वारा निर्धारित की जाये;
9. आपदाओं से बचाव, उनके प्रशमन, पूर्व तैयारियों तथा आसन्न आपदा (Threatening Disaster) या वास्तविक आपदा का सामना करने हेतु क्षमता निर्माण के क्रम में उपाय करना; और
10. राष्ट्रीय आपदा प्रबन्धन संस्थान के कार्यक्रम के लिए स्थूल नीतियों एवं दिशा-निर्देश का निर्धारण करना।

राष्ट्रीय आपदा प्रबन्धन प्राधिकरण के अध्यक्ष (प्रधानमंत्री) को धारा-6(3) के अन्तर्गत यह शक्ति दी गई है कि आपातकाल की स्थिति में वह उपर्युक्त सभी या कुछ कार्य स्वयं निर्धारित कर सकेगा किन्तु उनका प्राधिकरण द्वारा कार्योत्तर अनुसमर्थन (Ex post facto ratification) अनिवार्य होगा।

परामर्शकारी समिति (Advisory Committee): अधिनियम की धारा-7 यह प्रावधान करती है कि राष्ट्रीय आपदा प्रबन्धन प्राधिकरण एक ऐसी परामर्शकारी समिति का गठन कर सकता है जिसमें राष्ट्रीय, प्रान्तीय या जिला स्तर पर आपदा प्रबन्धन का व्यावहारिक ज्ञान एवं अनुभव रखने वाले विशेषज्ञ व्यक्ति सदस्य होंगे।

राष्ट्रीय कार्यकारी समिति

राष्ट्रीय आपदा प्रबन्धन प्राधिकरण को उसके कार्य निष्पादन में सहयोग देने हेतु एक राष्ट्रीय कार्यकारी समिति के गठन का प्रावधान (धारा-8) है। इस समिति का गठन इस प्रकार है–

1. केन्द्र सरकार में आपदा प्रबंधन का कार्य सम्पादित करने वाला मंत्रालय या विभाग का सचिव (वर्तमान में गृह मंत्रालय) पदेन अध्यक्ष होता है।
2. कृषि, परमाणु, ऊर्जा, रक्षा, पर्यावरण एवं वन, वित्त, स्वास्थ्य, ग्रामीण विकास, आदि के सचिव तथा चीफ ऑफ स्टाफ कमेटी के प्रमुख इसके सदस्य होते हैं।

इस समिति का अध्यक्ष किसी अन्य व्यक्ति को भी बैठक में बुला सकता है। यह समिति चाहे तो एक या अधिक उप-समितियाँ भी गठित कर सकती है।

राष्ट्रीय कार्यकारी समिति के कार्य (Functions of National Executive Committee): राष्ट्रीय कार्यकारी समिति को निम्नांकित कार्य सौंपे गये हैं (धारा-10):

1. विभिन्न मंत्रालयों एवं विभागों द्वारा आपदा प्रशमन एवं पूर्व तैयारियों के क्रम में किए गये उपायों पर प्रबोधन एवं समन्वयन तथा निर्देशन देना;
2. आपदाओं से बचाव या इनके प्रभाव के प्रशमन हेतु उपायों का एकीकरण तथा मंत्रालयों एवं विभागों की विकास योजनाओं एवं परियोजनाओं के क्रियान्वयन के क्रम में राष्ट्रीय आपदा प्रबन्धन प्राधिकरण द्वारा निर्देशित दिशा-निर्देश के क्रियान्वयन की निगरानी करना;
3. राष्ट्रीय योजना तथा केन्द्रीय मन्त्रालयों एवं विभागों द्वारा निर्मित योजनाओं के क्रियान्वयन की निगरानी रखना;
4. राष्ट्रीय आपदा प्रबन्धन प्राधिकरण द्वारा निर्धारित दिशा-निर्देशानुसार राज्य सरकारों एवं प्राधिकरणों को तकनीकी सहायता प्रदान करना;
5. भारत सरकार के विभिन्न मंत्रालयों एवं विभागों तथा राज्य प्राधिकरणों के द्वारा तैयार किए जाने वाली आपदा प्रबन्धन योजनाओं के लिए दिशा-निर्देश निर्धारित करना;
6. राष्ट्रीय नीति के क्रियान्वयन का समन्वय एवं प्रबोधन करना;
7. राष्ट्रीय आपदा प्रबन्धन प्राधिकरण के अनुमोदन हेतु राष्ट्रीय योजना तैयार करना;
8. आपदा प्रबन्धन पर समन्वय एवं प्रबोधन निकाय की भाँति कार्य करना;

राष्ट्रीय योजना (National Plan): अधिनियम की धारा-11 के अन्तर्गत यह प्रावधान है कि राष्ट्रीय कार्यकारी समिति राज्य सरकार, विशेषज्ञों तथा राष्ट्रीय प्राधिकरण द्वारा अनुमोदित ऐसे संगठनों से जो कि आपदा प्रबन्धन करते हैं, परामर्श करके आपदा प्रबन्धन पर एक राष्ट्रीय योजना तैयार करेगी जिसमें निम्नांकित बातें सम्मिलित होंगी:

1. आपदाओं से बचाव या उनके प्रभावों के प्रशमन हेतु उठाए जाने वाले कदम;
2. विकास योजनाओं के साथ आपदा प्रशमन प्रयासों के एकीकरण हेतु उठाए जाने वाले कदम;
3. आसन्न आपदा या वास्तविक आपदा पर तत्पर कार्यवाही (अनुक्रियाशीलता) करने हेतु तैयारी एवं क्षमता निर्माण के लिए उठाए जाने वाले कदम;
4. उपर्युक्त वर्णित 1, 2 एवं 3 कार्यों के सन्दर्भ में विभिन्न मंत्रालयों या विभागों की भूमिका एवं उत्तरदायित्व।

राष्ट्रीय योजना को वार्षिक आधार पर पुनरीक्षित एवं अद्यतन किया जायेगा। राष्ट्रीय योजना के आधार पर केन्द्र सरकार के मंत्रालय या विभाग अपनी-अपनी योजना निर्मित करेंगे।

राज्य आपदा प्रबन्धन प्राधिकरण के कार्य

अधिनियम की धारा-18 के अनुसार राज्य आपदा प्रबन्धन प्राधिकरण के निम्नांकित कार्य हैं:

1. राज्य आपदा प्रबन्धन नीति का निर्धारण करना;
2. राष्ट्रीय प्राधिकरण के दिशा-निर्देशों के अन्तर्गत राज्य योजना का अनुमोदन करना;
3. राज्य सरकार के विभागों द्वारा निर्मित आपदा प्रबन्धन योजनाओं का अनुमोदन करना;
4. राज्य की विकास योजनाओं एवं परियोजनाओं में आपदा प्रबन्धन के बचाव के उपायों को एकीकृत करने हेतु राज्य सरकार के विभागों के लिए दिशा-निर्देशों का निर्धारण करना;
5. राज्य योजना के क्रियान्वयन का समन्वय करना;
6. प्रशमन एवं पूर्व तैयारी उपायों हेतु विधियों के प्रावधान की अनुशंसा करना;
7. विभिन्न विभागों की विकास योजनाओं की समीक्षा करना तथा यह सुनिश्चित करना कि उनमें आपदा प्रशासन के उपाय एकीकृत हैं; और
8. राज्य सरकार के विभागों द्वारा आपदा प्रशमन, क्षमता निर्माण तथा पूर्व तैयारियों के क्रम में उठाए जाने वाले कदमों (उपायों) की समीक्षा करना।

आपातकाल की स्थिति में राज्य आपदा प्रबन्धन प्राधिकरण का अध्यक्ष किसी एक या इन सभी कृत्यों के सम्पादन की शक्ति रखता है किन्तु राज्य प्राधिकरण द्वारा कार्योत्तर अनुसमर्थन आवश्यक होगा।

राज्य प्राधिकरण की परामर्शकारी समिति (Advisory Committee of State Authority): राज्य आपदा प्रबन्धन प्राधिकरण अपने कार्यों में सहायता प्राप्त करने हेतु विशेषज्ञों से युक्त एक परामर्शकारी समिति का गठन कर सकता है (धारा-17)।

राहत के न्यूनतम मापदण्डों का प्रावधान (Provision for Minimum Standards of Relief): अधिनियम की धारा-19 यह प्रावधान करती है कि आपदा से पीड़ित व्यक्तियों को राहत पहुँचाने के न्यूनतम मापदण्ड निर्धारित करने के लिए राज्य आपदा प्रबन्धन प्राधिकरण विस्तृत दिशा-निर्देश जारी करेगा लेकिन ये न्यूनतम मापदण्ड राष्ट्रीय आपदा प्रबन्धन प्राधिकरण द्वारा निर्धारित मापदण्डों से कम नहीं होंगे।

आपदा की स्थिति में राज्य कार्यकारी समिति की शक्तियाँ एवं कार्य (Powers and Functions of State Executive Committee in the Event of Disaster Situation): आपदा की आशंका अथवा आपदा आ जाने तथा उसका खतरा यथावत् बने रहने इत्यादि स्थिति में समुदाय को राहत एवं सहायता पहुँचाने तथा व्यवधान से बचाव हेतु धारा-24 के अन्तर्गत राज्य कार्यकारी समिति को निम्नांकित कार्य एवं शक्तियाँ सौंपी गई हैं:

1. मलबा हटाना, तलाशी लेना तथा बचाव अभियान चलाना;
2. राष्ट्रीय एवं राज्य आपदा प्रबन्धन प्राधिकारणों द्वारा निर्धारित मापदण्डों के अन्तर्गत आश्रय, भोजन, पेयजल, आवश्यक सेवाएँ एवं स्वास्थ्य सुविधाएँ प्रदान करना;
3. लोगों की जान-माल बचाने हेतु तत्काल राहत पहुँचाने, बचाव एवं निष्क्रमण (Evacuation) के लिए राज्य के सम्बन्धित विभागों, जिला प्राधिकरण, अन्य प्राधिकरणों को निर्देश देना;
4. आपातकालीन परिस्थितियों में राहत एवं बचाव कार्यों हेतु संसाधनों की उपलब्धता के लिए राज्य के लिए विभाग, निकाय, प्राधिकरण या प्रभारी अधिकारी को निर्देश देना;
5. राहत एवं बचाव कार्यों में आपदा प्रबन्धन क्षेत्र के विशेषज्ञों से परामर्श लेना;
6. किसी प्राधिकरण (सत्ता) या व्यक्ति से विशिष्टता या प्राथमिकता के रूप में सुविधाएँ प्राप्त करना;
7. गैर-सरकारी संगठन अपनी गतिविधियाँ समानतापूर्ण ढंग से क्रियान्वित करें, ऐसा सुनिश्चित करना;
8. आसन्न या वास्तविक आपदा का सामना करने हेतु जनता के लिए सूचनाएँ जारी करना; और
9. आसन्न या वास्तविक आपदा के समय केन्द्र या राज्य सरकार के निर्देशानुसार अन्य कार्य करना।

जिला आपदा प्रबन्धन प्राधिकरण की शक्तियाँ एवं कार्य (Powers and Functions of District Disaster Management Authority): जिला स्तर पर आपदा प्रबन्धन के नियोजन, समन्वय तथा क्रियान्वयन सम्बन्धी कार्य, जिला आपदा प्रबन्धन प्राधिकरण को निम्नानुसार दिए गये हैं (धारा-30):

1. आपदा बचाव, तैयारियों तथा प्रशमन के क्रम में राष्ट्रीय तथा राज्य आपदा प्रबन्धन प्राधिकरण द्वारा जारी दिशा-निर्देशों की अनुपालना सुनिश्चित करना;
2. आपदा बचाव एवं प्रशमन हेतु विभिन्न जिला स्तरीय प्राधिकरणों को निर्देश देना;
3. जिला एवं स्थानीय स्तर पर आपदा प्रबन्धन की योजना निरूपित करना;
4. राज्य सरकार के विभागों द्वारा निर्मित आपदा प्रबन्धन योजना का क्रियान्वयन एवं प्रबोधन करना;
5. आपदा प्रबन्धन तथा प्रशमन का विभागों की विभिन्न विकास योजनाओं के साथ एकीकरण करने के दिशा-निर्देश एवं तकनीकी सहायता देना;
6. जिले में आपदा से बचाव एवं प्रशमन की क्षमताओं की समीक्षा करना तथा उनमें उन्नयन के प्रयास करना;
7. आपदा बचाव, तैयारियों तथा प्रशमन के विभागीय प्रयासों की समीक्षा करना तथा बचाव तैयारियों के उस स्तर को प्राप्त करना जो कि प्रभावी आपदा बचाव हेतु आवश्यक है।

बहुविकल्पीय प्रश्नोत्तर

1. भारतीय संविधान में निम्नलिखित में से किसमें समाज के कमजोर वर्गों के उन्नयन के लिए कुछ विशेष प्रावधान किए गए हैं?

A. अनुच्छेद-41 B. अनुच्छेद-46
C. अनुच्छेद-21 D. अनुच्छेद-38

2. निम्नलिखित में से ऐसे कौन-से स्वैच्छिक प्रावधान हैं जो राज्य द्वारा तैयार किए जाते हैं, लेकिन उस पर बाध्यकारी नहीं होते हैं :

(*a*) पिछड़े वर्गों के लिए आरक्षण प्रदान करना।
(*b*) संघ और राज्य व्यवस्थापिकाओं के सदस्यों को इन निकायों में मतदान के अधिकार प्रदान करना।
(*c*) करों, प्रशुल्कों, टोल और फीस के संबंध में वित्तीय शक्तियाँ प्रदान करना।
(*d*) अध्यक्ष के रूप में महिलाओं को आरक्षण प्रदान करना।

नीचे दिए गए विकल्पों में से सबसे उपयुक्त उत्तर का चयन कीजिए:

A. केवल (*a*) और (*b*) B. केवल (*a*), (*b*) और (*c*)
C. केवल (*b*) और (*c*) D. (*a*), (*b*), (*c*) और (*d*)

3. निम्नलिखित में से किसने सामाजिक बहिष्करण (Social exclusion) की अवधारणा में दो स्थितियों– ''प्रतिकूल बहिष्करण'' (Unfavourable exclusion) और ''अनुकूल बहिष्करण'' (Infavourable exclusion) का वर्णन किया है?

A. अमर्त्य सेन
B. जगदीश भगवती
C. द्वितीय प्रशासनिक सुधार आयोग
D. अरविन्द सुब्रमण्यम

4. चाइल्ड लाइन के मूल उद्देश्य हैं:

(*a*) कठिन स्थितियों का सामना कर रहे बच्चों की आपात आवश्यकताओं पर अनुक्रिया करना।
(*b*) बाल देखभाल और संरक्षण के प्रति समर्पित सरकारी अभिकरणों और गैर-सरकारी अभिकरणों के बीच नेटवर्किंग के लिए मंच प्रदान करना
(*c*) बाल संरक्षण को सुनिश्चित करना
(*d*) कठिन परिस्थितियों का सामना करने वाले बच्चों की आवश्यकताओं के प्रति अनुक्रिया के लिए समुदायों को अवसर प्रदान करना

नीचे दिए गए विकल्पों में से सबसे उपयुक्त उत्तर का चयन कीजिए :

A. केवल (*a*) और (*b*)
B. केवल (*a*), (*b*) और (*c*)
C. केवल (*a*), (*c*) और (*d*)
D. (*a*), (*b*), (*c*) और (*d*)

5. सूची-I के साथ सूची-II का मिलान कीजिए :

सूची-I (आयोग का नाम)	सूची-II (वर्ष)
(*a*) राष्ट्रीय पिछड़ी जाति आयोग	(*i*) 2004
(*b*) राष्ट्रीय अनुसूचित जाति आयोग	(*ii*) 1994
(*c*) राष्ट्रीय सफाई कर्मचारी आयोग	(*iii*) 1978
(*d*) राष्ट्रीय अनुसूचित जनजाति आयोग	(*iv*) 1993

नीचे दिए गए विकल्पों में से सही उत्तर का चयन कीजिए :

	(*a*)	(*b*)	(*c*)	(*d*)
A.	(*iv*)	(*i*)	(*ii*)	(*iii*)
B.	(*iii*)	(*ii*)	(*iv*)	(*i*)
C.	(*iv*)	(*iii*)	(*ii*)	(*i*)
D.	(*ii*)	(*iv*)	(*iii*)	(*i*)

6. अस्पृश्यता (उन्मूलन) अधिनियम को 1976 में .... के रूप में परिवर्तित किया गया था।

A. सिविल अधिकार संरक्षण अधिनियम
B. राष्ट्रीय अस्पृश्यता (उन्मूलन) अधिनियम
C. न्यूनतम सामाजिक अधिकार संरक्षण अधिनियम
D. मानव अधिकार संरक्षण अधिनियम

7. सूची-I के साथ सूची-II का मिलान कीजिए :

सूची-I	सूची-II
(*a*) प्रधानमंत्री सुरक्षित मातृत्व अभियान	(*i*) 2021
(*b*) आयुष्मान भारत डिजिटल मिशन	(*ii*) 1982
(*c*) राष्ट्रीय मानसिक स्वास्थ्य मिशन	(*iii*) 2014
(*d*) इंद्रधनुष मिशन	(*iv*) 2016

नीचे दिए गए विकल्पों में से सही उत्तर का चयन कीजिए :

	(*a*)	(*b*)	(*c*)	(*d*)
A.	(*i*)	(*ii*)	(*iii*)	(*iv*)
B.	(*ii*)	(*iii*)	(*iv*)	(*i*)
C.	(*iii*)	(*iv*)	(*ii*)	(*i*)
D.	(*iv*)	(*i*)	(*ii*)	(*iii*)

8. भारतीय संविधान के किस अनुच्छेद द्वारा सामाजिक न्याय और सभी प्रकार के शोषण से सुरक्षा की गारंटी दी गयी है?

A. अनुच्छेद 15 B. अनुच्छेद 16
C. अनुच्छेद 18 D. अनुच्छेद 46

9. सामाजिक न्याय और अधिकारिता मंत्रालय के अंतर्गत किस वर्ष में दिव्यांगता मामले का एक अलग विभाग स्थापित किया गया?

A. अक्टूबर, 1998 B. मई, 1998
C. अक्टूबर, 2011 D. मई, 2012

10. भारतीय संविधान के किस अनुच्छेद में राष्ट्रीय पिछड़ा वर्ग आयोग का प्रावधान है?

A. अनुच्छेद 321 B. अनुच्छेद 330
C. अनुच्छेद 338 क D. अनुच्छेद 338 ख

11. माता-पिता और वरिष्ठ नागरिकों का भरण-पोषण और कल्याण अधिनियम संसद द्वारा किस वर्ष अधिनियमित किया गया?
A. 2006 B. 2007
C. 2009 D. 2010

12. निम्नलिखित में से कौन-से क्रियाकलाप आपदा तैयारी से संबंधित हैं?
(*a*) राहत
(*b*) आपात कर्मचारियों का प्रशिक्षण और पूर्णाभ्यास
(*c*) पुनर्निर्माण
(*d*) प्रभावित स्थान से लोगों को बाहर निकालने की योजनाओं का विकास

नीचे दिए गए विकल्पों में से सही उत्तर का चयन कीजिए :
A. केवल (*a*), (*b*) और (*c*) B. केवल (*a*), (*c*) और (*d*)
C. केवल (*b*), (*c*) और (*d*) D. केवल (*b*) और (*d*)

13. सूची-I के साथ सूची-II का मिलान कीजिए :

सूची-I (संस्थान)	**सूची-II (स्थान)**
(*a*) राष्ट्रीय बहु-विकलांगता पीड़ित व्यक्ति सशक्तीकरण संस्थान	(*i*) देहरादून
(*b*) राष्ट्रीय पुनर्वास प्रशिक्षण और अनुसंधान संस्थान	(*ii*) सिकंदराबाद
(*c*) राष्ट्रीय मानसिक-विकलांग संस्थान	(*iii*) कटक
(*d*) राष्ट्रीय दृष्टि-विकलांग संस्थान	(*iv*) चेन्नई

नीचे दिए विकल्पों में से सही उत्तर का चयन कीजिए :

	(*a*)	(*b*)	(*c*)	(*d*)
A.	(*iv*)	(*iii*)	(*ii*)	(*i*)
B.	(*iv*)	(*i*)	(*ii*)	(*iii*)
C.	(*iv*)	(*ii*)	(*iii*)	(*i*)
D.	(*iv*)	(*iii*)	(*i*)	(*ii*)

14. सूची-I के साथ सूची-II का मिलान कीजिए :

सूची-I (आपदाएं)	**सूची-II (से संबंधित)**
(*a*) भूकम्प	(*i*) जलवायु
(*b*) सूखा	(*ii*) दुर्घटना
(*c*) तेल का रिसाव	(*iii*) जैविक
(*d*) नाशीजीवों का हमला	(*iv*) भूगर्भिक

नीचे दिए विकल्पों में से सही उत्तर का चयन कीजिए :

	(*a*)	(*b*)	(*c*)	(*d*)
A.	(*iv*)	(*i*)	(*ii*)	(*iii*)
B.	(*iv*)	(*ii*)	(*iii*)	(*i*)
C.	(*iv*)	(*iii*)	(*ii*)	(*i*)
D.	(*iv*)	(*i*)	(*iii*)	(*ii*)

15. नीचे दो कथन दिए गए हैं :
कथन I : 'वृद्ध व्यक्तियों के लिए समेकित कार्यक्रम' योजना 2008 में संशोधित की गयी थी।
कथन II : उसमें नई परियोजनाओं जैसे कि आराम गृहों (रेस्पाइट केयर होम्स) और सतत देखभाल गृहों आदि के रखरखाव को शामिल करने के लिए संशोधन किया गया था।

उपरोक्त कथन के आलोक में, नीचे दिए गए विकल्पों में से सही उत्तर का चयन कीजिए :
A. कथन I और कथन II दोनों सत्य हैं
B. कथन I और कथन II दोनों असत्य हैं
C. कथन I सत्य है, परन्तु कथन II असत्य है।
D. कथन I असत्य है, परन्तु कथन II सत्य है।

16. नीचे दो कथन दिए गए हैं। एक अभिकथन (A) के रूप में लिखित है तो दूसरा उसके तर्क (R) के रूप में :
अभिकथन (A) : नीतिगत निर्णयों की शासनीयता विभिन्न भागीदारों से प्राप्त समर्थन पर निर्भर है।
तर्क (R) : नीतिगत निर्णयों में सभी भागीदारों से समर्थन एवं सहयोग प्राप्त करने के लिए प्रभावी राजनीतिक संप्रेषण की आवश्यकता है।
उपरोक्त कथन के आलोक में, नीचे दिए गए विकल्पों में से सही उत्तर का चयन कीजिए :
A. (A) और (R) दोनों सत्य हैं और (R), (A) की सही व्याख्या है।
B. (A) और (R) दोनों सत्य हैं, परन्तु (R), (A) की सही व्याख्या नहीं है।
C. (A) सत्य है, परन्तु (R) असत्य है।
D. (A) असत्य है, परन्तु (R) सत्य है।

17. "कुशल संगठन के अभाव में हमारा जीवन स्तर, हमारी संस्कृति और हमारा प्रजातांत्रिक जीवन कायम नहीं रह सकता।" यह कथन किस विचारक का है?
A. अमिताई एट्ज़ियोनी B. जे.डी. मूने
C. एल.डी. व्हाइट D. ग्लैडन

18. निम्नलिखित में से कौन प्रधानमंत्री आवास योजना (ग्रामीण) के अंतर्गत लाभार्थियों का सत्यापन करता है?
A. ग्राम सभा B. ग्राम पंचायत
C. पंचायत समिति D. जिला परिषद्

19. अनुसूचित जाति व अनुसूचित जनजाति (अत्याचार निवारण) अधिनियम, 1989 की धारा 3(1) के अधीन निम्नलिखित में से क्या दंडनीय नहीं है?
A. अनुसूचित जनजाति के किसी व्यक्ति को अखाद्य पदार्थ का बलपूर्वक सेवन कराना।
B. अनुसूचित जनजाति के किसी व्यक्ति के पड़ोस में अपशिष्ट पदार्थ का ढेर लगाना।

C. अनुसूचित जनजाति के किसी व्यक्ति को ऐसे पूजा स्थल में प्रवेश से रोकना जो उसी धर्म को मानने वाले अन्य व्यक्तियों के लिए खुला है।
D. अनुसूचित जनजाति के किसी व्यक्ति को बेगार करने के लिए विवश करना।

20. नागरिक अधिकार संरक्षण अधिनियम, 1955 के अधीन "अनुसूचित जाति के किसी सदस्य का "अस्पृश्यता" के आधार पर अपमान" करने अथवा अपमान का प्रयास करने वाले व्यक्ति को दंडित करने के संबंध में निम्नलिखित में से क्या सही है?
A. जुर्माने के साथ या उसके बिना अधिकतम एक माह का कारावास
B. जुर्माने के साथ या उसके बिना अधिकतम तीन माह का कारावास
C. जुर्माने के साथ या उसके बिना अधिकतम छह माह का कारावास
D. जुर्माने के साथ या उसके बिना अधिकतम एक वर्ष का कारावास

21. भारत के संविधान का कौन-सा अनुच्छेद सभी अल्पसंख्यक वर्गों को अपनी रूचि की शिक्षा संस्थानों की स्थापना और प्रशासन की गारंटी देता है?
A. अनुच्छेद 14 B. अनुच्छेद 15(1)
C. अनुच्छेद 17 D. अनुच्छेद 30

22. "आपदा प्रबंधन के लिए एक समग्र, अति सक्रिय, बहु-आपदा व प्रौद्योगिकी चालित रणनीति विकसित कर एक सुरक्षित और आपदा प्रतिस्कन्दी भारत का निर्माण करना राष्ट्रीय अंतर्दृष्टि है।"
(*a*) उच्चाधिकार प्राप्त समिति, 1999
(*b*) राष्ट्रीय आपदा प्रबंधन समिति, 2002
(*c*) राष्ट्रीय आपदा प्रबंधन प्राधिकरण, 2005
(*d*) राष्ट्रीय आपदा प्रबंधन नीति, 2009
नीचे दिए गए विकल्पों में से सर्वाधिक उपयुक्त उत्तर चुनिए :
A. केवल (*a*) और (*b*)
B. केवल (*b*) और (*d*)
C. केवल (*c*)
D. केवल (*a*), (*b*), (*c*) और (*d*)

23. राष्ट्रीय पिछड़ा वर्ग आयोग के संबंध में निम्नलिखित में से कौन-से कथन सही हैं?
(*a*) यह वर्ष 1983 में अस्तित्व में आया।
(*b*) इसके कार्य मुख्यतया आज्ञापरक प्रकृति के हैं।
(*c*) ऐसे निकाय का विचार अनुच्छेद 340 (1) के अधीन संविधान में स्पष्ट रूप से दिया गया।
(*d*) यह केन्द्र सरकार के लिए एक दायक (फीडिंग) एजेंसी के रूप में कार्य करने के लिए एक अर्द्ध-न्यायिक विशेष निकाय के रूप में अभिकल्पित है।
नीचे दिए गए विकल्पों में से सर्वाधिक उपयुक्त उत्तर चुनिए :
A. केवल (*a*) और (*b*) B. केवल (*b*) और (*c*)
C. केवल (*c*) और (*d*) D. केवल (*a*) और (*d*)

24. भारतीय संविधान की छठी अनुसूची के अधीन अनुसूचित क्षेत्रों और अनुसूचित जनजातियों के प्रशासन व नियंत्रण के संबंध में कौन-से निम्नलिखित राज्य आच्छादित होते हैं?
(*a*) मिजोरम (*b*) त्रिपुरा
(*c*) मणिपुर (*d*) मेघालय
नीचे दिए गए विकल्पों में से सही उत्तर चुनिए :
A. केवल (*a*), (*b*) और (*c*) B. केवल (*a*), (*b*) और (*d*)
C. केवल (*b*), (*c*) और (*d*) D. केवल (*a*), (*c*) और (*d*)

25. सूची-I को सूची-II के साथ सुमेलित कीजिए :

सूची-I (अनुच्छेद)	**सूची-II (उपबंध)**
(*a*) अनुच्छेद 273	(*i*) प्रतिपूरक अनुदान
(*b*) अनुच्छेद 275	(*ii*) वित्तीय आवश्यकता अनुदान
(*c*) अनुच्छेद 275(1)	(*iii*) जनजातीय क्षेत्रों के विकास के लिए अनुदान
(*d*) अनुच्छेद 282	(*iv*) विवेकाधीन अनुदान

नीचे दिए गए विकल्पों में से सही उत्तर चुनिए :

	(*a*)	(*b*)	(*c*)	(*d*)
A.	(*i*)	(*iii*)	(*ii*)	(*iv*)
B.	(*ii*)	(*i*)	(*iii*)	(*iv*)
C.	(*iii*)	(*iv*)	(*i*)	(*ii*)
D.	(*iv*)	(*i*)	(*ii*)	(*iii*)

26. सूची-I को सूची-II के साथ सुमेलित कीजिए :

सूची-I	**सूची-II**
(*a*) अनुच्छेद 330	(*i*) स्थानों के आरक्षण और विशेष प्रतिनिधित्व का सत्तर वर्ष के पश्चात नहीं रहना
(*b*) अनुच्छेद 334	(*ii*) लोकसभा में अनुसूचित जातियों/अनुसूचित जनजातियों के लिए स्थानों का आरक्षण
(*c*) अनुच्छेद 340	(*iii*) अनुसूचित जनजातियां
(*d*) अनुच्छेद 342	(*iv*) पिछड़े वर्गों की स्थितियों की जांच करने के लिए आयोग की नियुक्ति

नीचे दिए गए विकल्पों में से सही उत्तर चुनिए :

	(*a*)	(*b*)	(*c*)	(*d*)
A.	(*i*)	(*ii*)	(*iii*)	(*iv*)
B.	(*ii*)	(*iii*)	(*iv*)	(*i*)
C.	(*iii*)	(*iv*)	(*i*)	(*ii*)
D.	(*ii*)	(*i*)	(*iv*)	(*iii*)

27. भारत सरकार द्वारा आरंभ किए गए निम्नलिखित कार्यक्रमों को काल-क्रमानुसार लगाएं :
(*a*) पिछड़ा क्षेत्र महानिधि कार्यक्रम
(*b*) प्रधानमंत्री आदर्श ग्राम योजना

(c) प्रधानमंत्री ग्राम सड़क योजना
(d) भारत निर्माण योजना
नीचे दिए गए विकल्पों में से सही उत्तर चुनिए :

A. (b), (a), (c), (d) B. (a), (b), (d), (c)
C. (d), (a), (b), (c) D. (c), (d), (a), (b)

28. संबंधित उदाहरणों के साथ नीतियों की श्रेणी का मिलान करें:

(श्रेणी के प्रकार)	(उदाहरण)
(a) वितरण नीति	(i) सामाजिक अल्पसंख्यकों के लिए नागरिक अधिकारों की वृद्धि
(b) पुनर्वितरण नीति	(ii) लाइसेंसिंग पेशा जैसे कानून का दावा
(c) सुक्षात्मक विनियामक नीति	(iii) कृषि सब्सिडी
(d) प्रतिस्पर्धी नियामक नीति	(iv) असुरक्षित उपभोक्ता उत्पाद

सही विकल्प चुनें:

	(a)	(b)	(c)	(d)
A.	(i)	(ii)	(iii)	(iv)
B.	(ii)	(iii)	(iv)	(i)
C.	(iii)	(i)	(iv)	(ii)
D.	(iv)	(i)	(ii)	(iii)

29. निम्नलिखित में से किस संस्थान/विश्वविद्यालय ने 'शिक्षा और प्रशिक्षण' की शुरुआत समाज कल्याण प्रशारान में की है?

A. टाटा सामाजिक विज्ञान संस्थान
B. दिल्ली विश्वविद्यालय
C. बड़ौदा विश्वविद्यालय
D. पंजाब विश्वविद्यालय

30. निम्नलिखित संस्थानों को उनके निर्माण के वर्षों के साथ मिलान करें:

(a) नीति आयोग	(i) नवंबर, 2018
(b) नीति आयोग की गवर्निंग काउंसिल	(ii) फरवरी, 2018
(c) नॉर्थ ईस्ट के लिए नीति फोरम	(iii) जनवरी, 2015
(d) हिमालयन राज्य क्षेत्रीय परिषद्	(iv) फरवरी, 2015

सही विकल्प चुनें:

	(a)	(b)	(c)	(d)
A.	(iii)	(iv)	(ii)	(i)
B.	(ii)	(i)	(iii)	(iv)
C.	(i)	(ii)	(iv)	(iii)
D.	(iv)	(iii)	(i)	(ii)

31. निम्नलिखित में से कौन-से कॉर्पोरेट सामाजिक उत्तरदायित्व के लाभ हैं?

(a) प्रतियोगियों पर लाभ
(b) ग्राहक भागीदारी में वृद्धि
(c) ब्रांड जागरूकता और मान्यता बढ़ाना
(d) बेहतर सार्वजनिक छवि

सही विकल्प चुनें:

A. (a) और (b) B. (a) और (d)
C. (b), (c) और (d) D. (a), (b), (c) और (d)

32. निम्नलिखित में से कौन संवैधानिक मूल्यों का हिस्सा है?

(a) मानव गरिमा और गैर-जातिवाद
(b) मानव अधिकारों की समानता और उन्नति
(c) सामाजिक न्याय और समावेश
(d) विधि का शासन

नीचे दिए गए कूट से **सही** उत्तर का चयन कीजिए :

A. (a), (b), (c) और (d)
B. (a), (b) और (c)
C. (a), (c) और (d)
D. (b) और (d)

33. निम्नलिखित में से कौन सामाजिक न्याय और सकारात्मक कार्रवाई पर जोर देता है?

(a) भारत के संविधान की प्रस्तावना
(b) भारत के संविधान का भाग VIII
(c) भारत के संविधान का भाग III
(d) भारत के संविधान का भाग IV

नीचे दिए गए कूट से सही उत्तर का चयन कीजिए :

A. (a), (b), (c) और (d) B. (b), (c) और (d)
C. (a), (c) और (d) D. (a), (b) और (c)

34. निम्नलिखित में से कौन समाज कल्याण प्रशासन के उद्देश्य हैं?

(a) परिचालन नियमों में सामाजिक जनादेश का अनुवाद करना
(b) निजी स्रोतों से धन की व्यवस्था करना
(c) आवश्यक ज्ञान का चयन करना और व्यवस्थित करना
(d) व्यवस्थित और निरंतर समस्या- समाधान की सुविधा के लिए

नीचे दिए गए कूट से **सही** उत्तर का चयन कीजिए :

A. (a) और (b) B. (b) और (c)
C. (a), (b) और (c) D. (a), (c) और (d)

35. नीचे दो सूचियाँ दी गई हैं। सूची-I में नीतियो के प्रकार तथा सूची-II में उदाहरण हैं। इन दोनों सूचियों को सुमेलित कीजिए और नीचे दिए गए कूट का प्रयोग करते हुए सही उत्तर को चुनिए:

सूची-I (नीतियों के प्रकार)	सूची-II (उदाहरण)
(a) वितरण	(i) किसी विशेष पेशे के सदस्यों को पेशेवर लाइसेंस जारी करना
(b) नियामक	(ii) अनुसूचित जातियों/ जनजातियों का कल्याण
(c) पुनः वितरण	(iii) व्यावसायिक नियमों का संचालन
(d) प्रक्रियात्मक	(iv) कृषि सब्सिडी

कूट :

	(a)	(b)	(c)	(d)
A.	(i)	(ii)	(iii)	(iv)
B.	(ii)	(iii)	(iv)	(i)
C.	(iii)	(iv)	(ii)	(i)
D.	(iv)	(i)	(ii)	(iii)

36. निम्नलिखित में से कौन-सी एजेंसी आपात स्थितियों से निपटने के लिए सुरक्षा बलों अथवा खुफिया एजेंसियों के साथ मिल कर कार्य करती है?
A. राष्ट्रीय आपदा प्रबंधन प्राधिकरण
B. राष्ट्रीय संकट प्रबंधन समिति
C. राष्ट्रीय आपदा प्रतिक्रिया बल
D. गृह मंत्रालय

37. निम्नलिखित में से किस मंत्रालय के अंतर्गत राष्ट्रीय महिला कोष आता है?
A. सामाजिक न्याय और अधिकारिता मंत्रालय
B. महिला और बाल विकास मंत्रालय
C. वित्त मंत्रालय
D. कौशल विकास और उद्यमिता मंत्रालय

38. भारत में समाज कल्याण प्रशासन में शिक्षा और प्रशिक्षण की आवश्यकता को पूरा करने वाला पहला संस्थान कौन-सा था?
A. दिल्ली स्कूल ऑफ वर्क
B. सर दोराबजी टाटा ग्रेजुएट स्कूल ऑफ सोशल वर्क (अब टाटा इंस्टीट्यूट ऑफ सोशल साइंसेज के रूप में जाना जाता है)
C. बड़ौदा विश्वविद्यालय
D. सामाजिक विज्ञान संस्थान

39. निम्नलिखित में से कौन-सी संस्था अपनी पसंद के शैक्षिक संस्थानों की स्थापना और प्रशासित करने के लिए अल्पसंख्यकों के अधिकारों से वंचित या उल्लंघन से संबंधित विशिष्ट शिकायतों को देखती है?
A. राष्ट्रीय अल्पसंख्यक आयोग
B. अल्पसंख्यक शैक्षणिक संस्थानों के लिए राष्ट्रीय आयोग
C. राष्ट्रीय सामाजिक और शैक्षणिक अधिकार आयोग
D. राष्ट्रीय अल्पसंख्यक शिक्षण संस्थानों की समिति

40. भारतीय संविधान का कौन-सा अनुच्छेद पिछड़े वर्गों की स्थितियों की जाँच के लिए एक आयोग की नियुक्ति से संबंधित है?
A. अनुच्छेद 335 B. अनुच्छेद 336
C. अनुच्छेद 339 D. अनुच्छेद 340

41. सामाजिक सुरक्षा योजना से संबंधित कर्मचारियों की भविष्य निधि को निम्नलिखित में से किसके अंतर्गत रखा गया है?
A. भारत की संचित निधि (कंसोलिडेटेड फंड ऑफ इंडिया)
B. भारत का आकास्मिक निधि
C. लोक लेखा
D. कर्मचारी भविष्य निधि संगठन

42. निम्नलिखित में से कौन-सा सार्वजनिक क्षेत्र का उपक्रम नहीं है?
A. बामर लारी कंपनी लिमिटेड
B. हिन्दुस्तान ऑर्गेनिक केमिकल्स लिमिटेड
C. विदेश संचार निगम लिमिटेड
D. इंडियन ड्रग्स एंड फार्मेस्यूटिकल्स लिमिटेड

43. निम्नलिखित में से किसंके द्वारा 'एल्डरली इन इंडिया 2021' रिपोर्ट प्रकाशित की गई थी?
A. सांख्यिकी एवं कार्यक्रम कार्यान्वयन मंत्रालय
B. श्रम और रोजगार मंत्रालय
C. स्वास्थ्य एवं परिवार कल्याण
D. सामाजिक न्याय एवं अधिकारिता मंत्रालय

44. कुमार मंगलम बिरला समिति (2000) निम्नलिखित में से किससे संबंधित है?
A. व्यवसाय आचार संहिता
B. प्रशासन में आचार संहिता
C. कॉरपोरेट शासन
D. कॉरपोरेट सामाजिक उत्तरदायित्व

45. निम्नलिखित में से कौन भाषायी अल्पसंख्यकों के आयुक्त के बारे में सही **नहीं** है?
(a) भाषायी अल्पसंख्यक के आयुक्त का कार्यालय वर्ष 1959 में स्थापित किया गया था।
(b) आयुक्त के कार्यालय का मुख्यालय प्रयागराज में है।
(c) राज्य पुनर्गठन आयोग ने उपर्युक्त कार्यालय के नाम की अनुशंसा की थी।
(d) यह आयुक्त भारतीय अल्पसंख्यक आयोग के प्रति उत्तरदायी है।
नीचे दिए गए विकल्पों में से **सही** उत्तर का चयन कीजिए।
A. केवल (a) और (b) B. केवल (b) और (c)
C. केवल (c) और (d) D. केवल (a) और (d)

46. सूची-I के साथ सूची-II का मिलान कीजिए।

सूची-I	सूची-II
(a) समूह मॉडल	(i) सरकार का संगठनात्मक चार्ट
(b) प्रणाली मॉडल	(ii) सदस्य समान मूल्यों को साझा करते है और उनके पास अधिक शक्ति होती है
(c) संस्थावादी मॉडल	(iii) शक्तियों की प्रणाली और एक-दूसरे के विरूद्ध ढकेलने के लिए दबाव डालना
(d) अभिजात मॉडल	(iv) चक्रीय और अंतहीन

नीचे दिए गए विकल्पों में से **सही** उत्तर का चयन कीजिए:

	(a)	(b)	(c)	(d)
A.	(ii)	(iii)	(i)	(iv)
B.	(iii)	(iv)	(i)	(ii)
C.	(iv)	(iii)	(ii)	(i)
D.	(i)	(iii)	(ii)	(iv)

47. सूची-I के साथ सूची-II का मिलान कीजिए।

सूची-I	सूची-II
(*a*) राष्ट्रीय बाल अधिकार संरक्षण आयोग	(*i*) 2006
(*b*) यौन अपराधों से बच्चों के सरंक्षण संबंधी अधिनियम	(*ii*) 1953
(*c*) केन्द्रीय सामाजिक कल्याण बोर्ड	(*iii*) 2007
(*d*) बाल विवाह प्रतिषेध अधिनियम	(*iv*) 2012

नीचे दिए गए विकल्पों में से **सही** उत्तर का चयन कीजिए:

	(*a*)	(*b*)	(*c*)	(*d*)
A.	(*i*)	(*iv*)	(*ii*)	(*iii*)
B.	(*iv*)	(*i*)	(*iii*)	(*ii*)
C.	(*iii*)	(*iv*)	(*ii*)	(*i*)
D.	(*ii*)	(*i*)	(*iii*)	(*iv*)

48. आपदा प्रबंधन चक्र के निम्नलिखित 4 चरणों को अनुक्रम में व्यवस्थित कीजिए:

(*a*) बहाल करना (रिकवरी) (*b*) कम करना (माइटीगेशन)
(*c*) तैयारी (प्रिपेयर्डनेस) (*d*) अनुक्रिया (रिसपोन्स)

नीचे दिए गए विकल्पों में से **सही** उत्तर का चयन कीजिए।

A. (*b*), (*c*), (*d*), (*a*) B. (*b*), (*d*), (*a*), (*c*)
C. (*b*), (*a*), (*c*), (*d*) D. (*b*), (*d*), (*c*), (*a*)

49. निम्नलिखित में से कौन-सा सामाजिक विधान का उद्देश्य नहीं है?

A. सामाजिक सुरक्षा का प्रावधान
B. सामाजिक बुराइयों का उन्मूलन
C. वंचित व्यक्तियों के अधिकारों की सुरक्षा
D. धन तथा अन्य संसाधनों का साम्य वितरण

50. निम्न में से कौन-कौन संगठनीय विकास में निरोध के रूप में कार्य करते हैं?

(*a*) शक्ति व प्राधिकार से संबंधित मुद्दे
(*b*) स्वामित्व से प्रबंधन का पृथक्करण
(*c*) संगठन की संवृद्धि व क्षय से संबंधित मुद्दे
(*d*) सहकारी नेतृत्व

नीचे दिए गए विकल्पों में से सही उत्तर का चयन कीजिए:

A. केवल (*a*) और (*b*) B. केवल (*c*) और (*d*)
C. केवल (*a*) और (*c*) D. केवल (*b*) और (*d*)

51. गैर सरकारी संगठनों (एन.जी.ओ.) तथा सिविल सोसाइटी संगठनों (सी.एस.ओ.) के संबंध में सही विकल्पों को चुनें:

(*a*) ये समावेशी विकास को लक्ष्य करते हुए उभरे हैं।
(*b*) ये लोकतांत्रिक प्रणाली के मूलभूत अंग का प्रतिनिधित्व करते हैं।
(*c*) ये प्रतिनिधित्व करने वाले अभिजात्य वर्ग की आवाज हैं।
(*d*) ये नागरिकों को आंदोलन के लिए उद्वेलित करते हैं।

नीचे दिए गए विकल्पों में से सही उत्तर का चयन कीजिए:

A. केवल (*a*), (*b*), (*d*) B. केवल (*a*), (*c*), (*d*)
C. केवल (*a*), (*b*), (*c*) D. केवल (*a*), (*b*), (*c*), (*d*)

52. निम्नलिखित में से सामाजिक न्याय की विशेषताएें क्या हैं?

(*a*) कानून में समानता (*b*) भेदभाव का प्रतिषेध
(*c*) योग्यता आधारित रोजगार (*d*) मानवाधिकार

नीचे दिए गए विकल्पों में से सही उत्तर का चयन कीजिए:

A. केवल (*a*), (*b*), (*c*) B. केवल (*a*), (*b*), (*d*)
C. केवल (*b*), (*c*), (*d*) D. केवल (*a*), (*c*), (*d*)

53. सूची-I के साथ सूची-II का मिलान कीजिए:

सूची-I	सूची-II
(*a*) सहकारी शासन	(*i*) अपने बारे में रिपोर्ट देना
(*b*) क्षमता	(*ii*) सशक्त साझा मूल्यों के महत्व पर बल
(*c*) जवाबदेही	(*iii*) एन.जी.ओ. तथा गैर राजनैतिक कर्ताओं की सहभागिता
(*d*) समुदायवाद	(*iv*) लक्ष्य प्राप्ति के लिए विरोधों के निस्तारण की योग्यता

नीचे दिए गए विकल्पों में से सही उत्तर का चयन कीजिए:

	(*a*)	(*b*)	(*c*)	(*d*)
A.	(*ii*)	(*i*)	(*iv*)	(*iii*)
B.	(*iii*)	(*ii*)	(*i*)	(*iv*)
C.	(*ii*)	(*iii*)	(*i*)	(*iv*)
D.	(*iii*)	(*iv*)	(*i*)	(*ii*)

54. समाज कल्याण के उद्देश्य निम्नलिखित में से कौन-से हैं?

(*a*) लोगों के लिए निर्धनता से संरक्षोपाय
(*b*) संसाधनों के पुनर्वितरण के माध्यम से बृहत्तर समानता को प्रोत्साहन देना
(*c*) सहभागिता द्वारा लोकतंत्र को प्रोत्साहन देना
(*d*) उनकी सहायता करना जो स्वयं की सहायता नहीं कर सकते

नीचे दिए गए विकल्पों में से सही उत्तर का चयन कीजिए:

A. केवल (*a*), (*b*), (*c*) B. केवल (*a*), (*b*), (*d*)
C. केवल (*a*), (*c*), (*d*) D. केवल (*a*), (*b*), (*c*), (*d*)

55. निःशक्त व्यक्ति (समान अवसर, अधिकार संरक्षण और पूर्ण भागीदारी) अधिनियम, 1995 के अंतर्गत निम्नलिखित में से किसे निःशक्तता के रूप में माना जाता है?

(*a*) स्वपरायणता (Autism)
(*b*) कुष्ठ रोग अभिसाधित (Leprosy Cured)
(*c*) मानसिक रुग्णता (Mental Illness)
(*d*) अल्प दृष्टि (Low Vision)

नीचे दिए गए विकल्पों में से सही उत्तर का चयन कीजिए:

A. केवल (*a*) और (*b*) B. केवल (*b*) और (*c*)
C. केवल (*a*) और (*d*) D. (*a*), (*b*), (*c*) और (*d*)

56. सामाजिक न्याय के लक्षण निम्नलिखित में से कौन-से हैं?

(*a*) सामाजिक समानता
(*b*) आर्थिक समानता के साथ आजादी एवं स्वच्छदता
(*c*) मानवीय भातृत्व
(*d*) आत्म-सम्मान और गरिमा

नीचे दिए गए विकल्पों में से सही उत्तर का चयन कीजिए :

A. केवल (*a*) और (*b*)
B. केवल (*a*), (*b*) और (*c*)
C. केवल (*b*), (*c*) और (*d*)
D. (*a*), (*b*), (*c*) और (*d*)

57. सूची-I के साथ सूची-II का मिलान कीजिए :

सूची-I (अधिनियम का नाम)	सूची-II (वर्ष)
(*a*) भारतीय पुनर्वास परिषद अधिनियम	(*i*) 1992
(*b*) निःशक्तजन (समान अवसर, अधिकार संरक्षण एवं पूर्ण भागीदारी) अधिनियम	(*ii*) 1999
(*c*) राष्ट्रीय स्वपरायणता, प्रमस्तिष्क घात, मानसिक मंदता और बहु-निःशक्तताग्रस्त व्यक्ति कल्याण न्यास अधिनियम	(*iii*) 1995
(*d*) राष्ट्रीय सफाई कर्मचारी आयोग अधिनियम	(*iv*) 1993

नीचे दिए गए विकल्पों में से सही उत्तर का चयन कीजिए :

	(*a*)	(*b*)	(*c*)	(*d*)
A.	(*i*)	(*ii*)	(*iii*)	(*iv*)
B.	(*i*)	(*iii*)	(*ii*)	(*iv*)
C.	(*i*)	(*iii*)	(*iv*)	(*ii*)
D.	(*i*)	(*iv*)	(*iii*)	(*ii*)

58. सामाजिक न्याय एवं अधिकारिता मंत्रालय की विषयवस्तु के संदर्भ में क्या **सही** है?

(*a*) अनुसूचित जाति
(*b*) अनुसूचित जनजाति
(*c*) अल्पसंख्यक मामले
(*d*) विशेष योग्य जन

नीचे दिए गए कूट से **सही** उत्तर का चयन कीजिए :

A. (*a*), (*b*), (*c*)
B. (*b*), (*c*), (*d*)
C. (*a*), (*d*)
D. (*b*), (*c*)

59. सूची-I को सूची-II से सुमेलित कीजिए। नीचे दिए गए कूट से **सही** उत्तर का चयन कीजिए।

सूची-I (नीति प्रारूप)	सूची-II (मूल विचारक)
(*a*) विशिष्ट/सामान्यजन प्रारूप	(*i*) कार्ल जे. फ्रेडरिक
(*b*) समूह प्रारूप	(*ii*) आर्थर एफ. बेन्टले
(*c*) सांस्थानिक प्रारूप	(*iii*) सी. राइट मिल्स
(*d*) संगठित अराजकता प्रारूप	(*iv*) जॉन के. किंगडन

कूट :

	(*a*)	(*b*)	(*c*)	(*d*)
A.	(*iii*)	(*ii*)	(*i*)	(*iv*)
B.	(*ii*)	(*i*)	(*iii*)	(*iv*)
C.	(*i*)	(*iii*)	(*iv*)	(*ii*)
D.	(*iv*)	(*ii*)	(*i*)	(*iii*)

60. उस संगठन का नाम बताइये जिसने महाराष्ट्र में अनाज बैंकों की स्थापना हेतु गैर सरकारी संगठनों का एक नेटवर्क स्थापित किया?

A. भारतीय खाद्य निगम
B. अमूल
C. कृषि मंत्रालय, भारत सरकार
D. विकास विज्ञान अकादमी

61. निम्नांकित में से किसने 'सभी को सभी समय स्वस्थ जीवन सुनिश्चित' करने का वादा किया है?

A. सभी को स्वास्थ्य पर यू.एन. सम्मेलन
B. सहस्राब्दि विकास लक्ष्य
C. सतत् विकास लक्ष्य
D. सांझा भविष्य प्रतिवेदन

62. निम्नांकित में से कौन-सा सरकारी संगठनों के विभागीय प्रकार का एक लाभ **नहीं** है?

A. यह प्रशासन में कुशलता सुनिश्चित करता है।
B. यह प्रशासनिक प्रक्रियाओं के मानकीकरण में सहयोग देता है।
C. यह प्राधिकार और उत्तरदायित्व की रेखा में तालमेल बैठाता है।
D. यह अपनी कार्यप्रणाली में स्वायत्तता और लचीलापन (flexibility) से युक्त रहता है।

63. निम्नलिखित में से कौन-सी सामाजिक न्याय और सशक्तिकरण योजना, सामाजिक न्याय और अधिकारिता मंत्रालय द्वारा शासित **नहीं** होती है?

A. सर पर मैला ढोने वालों के पुनर्वास के लिए स्वरोजगार योजना (एस आर एम एस)
B. प्रधानमंत्री आदर्श ग्राम योजना (पी एम ए जी वाई)
C. प्रधानमंत्री ग्रामीण आवास योजना
D. नागरिक अधिकारों के संरक्षण और उत्पीड़न का निषेध

64. अनुसूचित जाति और अनुसूचित जनजातियों के कल्याण संबंधी संसदीय समिति के संबंध में निम्नलिखित में से क्या सही **नहीं** है/हैं?

1. समिति में 30 सदस्य होते हैं—20 सदस्य लोकसभा से और 10 राज्य सभा से चुने जाते हैं।
2. समिति का कार्यकाल एक वर्ष का होता है।
3. कोई मंत्री समिति में निर्वाचित होने की योग्यता रखता है।
4. समिति की निर्वाचन पद्धति में लोकसभा और राज्य सभा दोनों से 15 सदस्य होते हैं।

A. केवल 1
B. 1 और 2
C. 3 और 4
D. 2 और 3

65. 'स्टार्ट अप इंडिया' के ग्रामीण भारत संस्करण को किस नाम से जाना जाता है?

A. दीन दयाल उपाध्याय स्वनियोजन योजना
B. डी.डी. उपाध्याय ग्राम ज्योति योजना
C. डी.डी. उपाध्याय कौशल विकास योजना
D. डी.डी. उपाध्याय ग्राम सड़क योजना

66. भारत में लोक सेवा बोर्ड के पदेन अध्यक्ष कौन हैं?

A. प्रधानमंत्री कार्यालय का प्रधान सचिव
B. गृह सचिव
C. संघ लोक सेवा आयोग का अध्यक्ष
D. मंत्रिमंडल सचिव

67. निम्नांकित में भारत में 2011 की जनगणना के अनुसार, भौगोलिक क्षेत्र के आधार पर सबसे छोटा जिला कौन-सा है?

A. सेण्ट्रल दिल्ली B. यनम

C. माहे D. दमन

68. निम्नांकित में से किसने भारत में सामाजिक नियोजन की प्रक्रिया को प्रारंभ किया?

A. जवाहर लाल नेहरू B. एम. विश्वेश्वरय्या

C. सरदार पटेल D. महात्मा गाँधी

69. निम्न में से कौन-सा विषय सामाजिक न्याय और अधिकारिता मंत्रालय के क्षेत्राधिकार में नहीं है?

A. दिव्यांगों से संबंधित कार्य

B. वरिष्ठ नागरिकों से संबंधित कार्य

C. अनुसूचित जनजातियों से संबंधित कार्य

D. सामाजिक और शैक्षणिक रूप से पिछड़े वर्गों से संबंधित कार्य

70. निम्नलिखित में से कौन-सा एक सिविल समाज की विशेषता **नहीं** है?

A. यह गैर-सरकारी कर्ता/संस्था है

B. इसमें सरकार की स्वायत्तता एवं प्राधिकार निहित है

C. यह जनसामान्य के हितों को स्वीकार कराता है

D. यह शासन में नागरिकों की भागीदारी को सुकर बनाता है

71. निम्नलिखित में से कौन निःशुल्क एवं अनिवार्य बाल शिक्षा-अधिकार (संशोधन) विधेयक, 2017 का एक उपबंध है?

A. 6 से 15 वर्ष के बच्चों के लिए निःशुल्क एवं अनिवार्य शिक्षा

B. माध्यमिक विद्यालयों में न्यूनतम मानकों का विनिर्देश

C. विद्यालयों के अयोग्य शिक्षकों द्वारा न्यूनतम अपेक्षित डिग्री की प्राप्ति

D. भारतीय संविधान में नए अनुच्छेद 22 (क) का समावेशन

72. राष्ट्रीय रू-अर्बन मिशन के निम्नांकित उद्देश्यों पर विचार कीजिए और नीचे दिए गए कूट की मदद से सही उत्तर का चयन करें:

(*i*) आर्थिक विकास को उत्प्रेरित करना

(*ii*) मौलिक सेवाओं में सुधार

(*iii*) सुनियोजित रू-अर्बन समूहों का सृजन

(*iv*) ग्रामीण आत्मा और शहरी सुविधाओं से युक्त समूह आधारित विकास का सृजन

कूट :

A. (*iii*) और (*iv*) B. (*ii*), (*iii*) और (*iv*)

C. (*i*), (*ii*), (*iii*) और (*iv*) D. (*i*), (*iii*) और (*iv*)

73. ग्रामीण विकास में पशुधन महत्वपूर्ण भूमिका निभाता है। इस संबंध में निम्नलिखित में से कौन-सा कथन सही नहीं है?

A. यह लाभप्रद रोजगार सृजन में सहायता करता है।

B. यह भूमिहीन, लघु और सीमान्त किसानों की सहायता करता है।

C. यह देश को पोषण और खाद्य सुरक्षा उपलब्ध कराता है।

D. यह जाति पदसोपान में सामाजिक प्रतिष्ठा में वृद्धि करता है।

74. निम्नलिखित में से कौन-कौन ग्रामीण विकास नीति के घटक हैं?

(*i*) आत्म-निर्भरता

(*ii*) अनुपाती न्याय

(*iii*) उत्पादन का माध्यम और समुचित प्रौद्योगिकी

(*iv*) मानव और उसका परिवेश

नीचे दिए गए कूट से **सही** उत्तर का चयन कीजिए :

A. (*i*), (*ii*), (*iii*) और (*iv*) B. (*i*), (*ii*) और (*iii*)

C. (*ii*), (*iii*) और (*iv*) D. (*i*) और (*iv*)

75. निम्नलिखित कार्यक्रमों को भारत में ग्रामीण आबादी की सामाजिक-आर्थिक स्थितियों में सुधार के अनुसार कालक्रम में व्यवस्थित कीजिए:

(*i*) एकीकृत ग्रामीण विकास कार्यक्रम

(*ii*) सामुदायिक विकास कार्यक्रम

(*iii*) बीस सूत्री कार्यक्रम

(*iv*) कार्य के लिए भोजन कार्यक्रम

कूट :

A. (*i*), (*ii*), (*iii*), (*iv*) B. (*ii*), (*iii*), (*iv*), (*i*)

C. (*iv*), (*iii*), (*ii*), (*i*) D. (*iii*), (*ii*), (*i*) और (*iv*)

76. संयुक्त राष्ट्र द्वारा घोषित सतत विकास के लिए एजेंडा 2030 में जलवायु परिवर्तन एवं उसके प्रभावों को निम्नांकित में से किस रूप में घोषित किया गया है?

A. लक्ष्य 2 B. लक्ष्य 8

C. लक्ष्य 13 D. लक्ष्य 17

77. निम्न में से किस अधिनियम के अन्तर्गत केन्द्रीय प्रदूषण बोर्ड का गठन किया गया है?

A. पर्यावरण (संरक्षण) अधिनियम, 1986

B. जल (प्रदूषण प्रतिरोध एवं नियन्त्रण) अधिनियम, 1974

C. वायु (प्रदूषण प्रतिरोध एवं नियन्त्रण) अधिनियम, 1981

D. वायु (प्रदूषण प्रतिरोध एवं नियन्त्रण) अधिनियम, 1987

78. निम्नलिखित में से किस राज्य या संघशासित क्षेत्र में किसी भी समुदाय को अनुसूचित जनजाति के रूप में अधिसूचित नहीं किया गया है?

A. पंजाब B. हरियाणा

C. पांडिचेरी D. उपरोक्त सभी

79. निम्नांकित में कौन-सा संगठन सामाजिक न्याय और अधिकारिता मंत्रालय के नियंत्रण के अंतर्गत **नहीं** है?

A. भारतीय पुनर्वास परिषद

B. राष्ट्रीय अनुसूचित जनजाति आयोग

C. राष्ट्रीय सफाई कर्मचारी आयोग

D. राष्ट्रीय पिछड़ा वर्ग आयोग

80. निम्नांकित में कौन-सा कथन राष्ट्रीय पिछड़ा वर्ग आयोग से संबंधित सही **नहीं** है?

A. इसे उच्चतम न्यायालय के दिशानिर्देश पर वर्ष 1993 में स्थापित किया गया।

B. इसमें एक अध्यक्ष और चार अन्य सदस्य होते हैं।

C. इसे अन्य पिछड़े वर्ग के लोगों की शिकायतों की जांच करने का अधिकार नहीं दिया गया है।

D. यह एक सांविधिक निकाय है।

81. अभिकथन (A) : निजीकरण सार्वजनिक क्षेत्र की तुलना में निजी क्षेत्र को बृहत्तर भूमिका देने से संबंधित है।

कारण (R) : स्वामित्व और प्रबंधन निजी क्षेत्र को अन्तरित किया जाता है यदि इसे विनिवेश की प्रक्रिया में 51 प्रतिशत स्टेक प्राप्त होता है।

कूट :

A. (A) और (R) दोनों सही हैं और (A) की सही व्याख्या (R) है।

B. (A) और (R) दोनों सही हैं, किन्तु (A) की सही व्याख्या (R) नहीं है।

C. (A) सही है, परन्तु (R) गलत है।

D. (A) गलत है, परन्तु (R) सही है।

82. निम्नलिखित में से कौन-सा अभिविन्यास गैर-सरकारी संगठनों के बारे में सही **नहीं** है?

A. सेवा अभिविन्यास B. भागीदारी अभिविन्यास

C. समर्थकारी अभिविन्यास D. लाभ अर्जन अभिविन्यास

83. निम्नांकित में कौन-सी विशेषताएं "प्रोब्लेम्स इन द प्रैक्टिस ऑफ सोशल एडमिनिस्ट्रेशन" (1965) के बारे में पी.डी. कुलकर्णी के निबंध के सामाजिक प्रशासन का अंग है?

(*a*) यह लक्ष्यों में प्रगतिशील है।

(*b*) यह समुदाय की आवश्यकताओं, समस्याओं तथा आकांक्षाओं के साथ प्रत्यक्ष रूप से संबंधित है।

(*c*) प्रशासनिक अभिकरणों की संरचना में नवाचार के लिए लोचशीलता।

(*d*) अनुसंधान और मूल्यांकन के बीच कोई संबंध नहीं है।

नीचे दिए गए कूटों में से **सही** उत्तर का चयन कीजिए।

A. (*a*) और (*b*) B. (*b*) और (*c*)

C. (*a*), (*b*) और (*c*) D. (*a*), (*c*) और (*d*)

84. मिश्रित अर्थव्यवस्था के संबंध में निम्नांकित में कौन-सा एक कथन सही **नहीं** है?

A. मिश्रित अर्थव्यवस्था का मुख्य उद्देश्य सामाजिक कल्याण को अधिकतम करना है

B. मिश्रित अर्थव्यवस्था में एक केंद्रीय नियोजन प्राधिकरण होता है

C. किसी मिश्रित अर्थव्यवस्था में निजी संपत्ति रखने, लाभ अर्जित करने, उपभोग करने, उत्पादन करने तथा वितरण करने तथा कोई पेशा रखने की स्वतंत्रता नहीं होती है

D. सार्वजनिक क्षेत्र राज्य के नियंत्रण तथा निर्देश के अंतर्गत होता है

85. मनरेगा योजना के अंतर्गत ओम्बड्समैन की नियुक्ति के संबंध में निम्नांकित में क्या **सही** है?

(*a*) यह जिला स्तर पर गठित एक प्रभावी शिकायत निवारण अभिकरण है।

(*b*) यह केंद्र अथवा राज्य सरकार के प्रत्यक्ष नियंत्रण से स्वतंत्र होगा।

(*c*) यह मनरेगा कामगारों की शिकायतों पर विचार करेगा तथा उनका निपटान करेगा।

(*d*) ओम्बुड्समैन की नियुक्ति केंद्र सरकार द्वारा की जाएगी।

नीचे दिए गए कूटों में से **सही** उत्तर का चयन कीजिए।

A. (*a*), (*b*) और (*c*) B. (*b*), (*c*) और (*d*)

C. (*a*), (*b*) और (*d*) D. (*a*), (*b*), (*c*) और (*d*)

86. राष्ट्रीय ग्रामीण आजीविका मिशन (एन.आर.एल.एम.) के बारे में निम्नांकित में क्या **सही** है?

(*a*) इसे आजीविका के रूप में भी जाना जाता है।

(*b*) ग्रामीण विकास मंत्रालय ने जून, 2014 में इस कार्यक्रम को आरम्भ किया।

(*c*) इसका उद्देश्य ग्रामीण गरीबों को अपनी घरेलू आय में वृद्धि के लिए समर्थ बनाने के लिए कुशल एवं प्रभावी संस्थागत मंच का सृजन करना है।

(*d*) इसका जोर वित्तीय सेवाओं को ग्रामीण गरीबों की पहुँच में सुधार लाना है।

नीचे दिए गए कूटों में से **सही** उत्तर का चयन कीजिए।

A. (*a*), (*b*) और (*c*) B. (*b*), (*c*) और (*d*)

C. (*a*), (*c*) और (*d*) D. (*a*), (*b*) और (*d*)

87. इंटेग्रेटेड वाटरशेड मैनेजमेंट प्रोग्राम (आई.डब्ल्यू.एम.पी.) के संबंध में निम्नांकित में क्या **सही** है?

(*a*) इसमें अवक्रमित प्राकृतिक संसाधनों के दोहन, संरक्षण तथा विकास के द्वारा पारिस्थितिकीय संतुलन को पुनर्बहाल करने पर जोर दिया जाता है।

(*b*) इसमें बहु-फसल तथा विविध कृषि-आधारित कार्यकलापों की शुरुआत को सक्षम बनाया गया है।

(*c*) इसे 01-04-2011 को 3 विद्यमान कार्यक्रमों का विलय करके बनाया गया था।

(*d*) वर्षा जल दोहन तथा भूजल का पुनर्भरण इसके प्रमुख उद्देश्य हैं।

नीचे दिए गए कूटों में से **सही** उत्तर का चयन कीजिए।

A. (*a*), (*b*) और (*c*) B. (*a*), (*c*) और (*d*)

C. (*a*), (*b*), (*c*) और (*d*) D. (*a*), (*b*) और (*d*)

88. भारत सरकार की 'ए.एम.आर.यू.टी.' योजना में 'आर' से क्या तात्पर्य है?

A. सुधार B. नवीकरण

C. पुनर्जीवन D. पुनरुद्धार

89. दीन दयाल उपाध्याय ग्राम ज्योति योजना के बारे में निम्नांकित में कौन-से कथन **सही** हैं?

(*a*) यह भारत सरकार की योजना है।

(*b*) इस योजना को राजीव गांधी ग्रामीण विद्युतीकरण योजना के स्थान पर लाया गया है।

(*c*) यह ग्रामीण भारत में सभी घरों में अबाधित विद्युत आपूर्ति के उद्देश्य से शुरू किया गया है।

(*d*) भारत सरकार की योजना ग्रामीण विद्युतीकरण के लिए ₹ 75,600 करोड़ का निवेश करने की है।

नीचे दिए गए कूटों में से **सही** उत्तर का चयन कीजिए।

A. (*a*) और (*b*) B. (*a*), (*c*) और (*d*)
C. (*b*), (*c*) और (*d*) D. (*a*), (*b*), (*c*) और (*d*)

90. राष्ट्रीय पिछड़ा वर्ग आयोग से सम्बन्धित निम्नलिखित में से कौन-से कथन सही हैं?

(*a*) इसका गठन भारत के सर्वोच्च न्यायालय के आदेश से किया गया है।

(*b*) इसका गठन दिनांक 14-8-1993 को किया गया।

(*c*) अध्यक्ष सहित पाँच सदस्यों वाला यह एक सांविधिक निकाय है।

(*d*) इस सम्बन्ध में सामाजिक न्याय एवं आधिकारिता मन्त्रालय नियंत्रक मन्त्रालय है।

नीचे दिए कूटों में से सही उत्तर का चयन कीजिए:

कूट :

A. (*a*), (*b*) और (*c*) B. (*b*), (*c*) और (*d*)
C. (*a*), (*b*), (*c*) और (*d*) D. (*b*) और (*c*)

91. सूची-I को सूची-II के साथ सुमेलित कीजिए। नीचे दिए गए कूटों की सहायता से सही उत्तर का चयन कीजिए।

सूची-I (उपागम)	**सूची-II (मूल उद्देश्य)**
(*a*) क्षेत्रीय विकास उपागम	(*i*) मानव विकास एवं कल्याण, समानता आदि समाविष्ट हैं।
(*b*) लक्ष्य-समूह उपागम	(*ii*) सामाजिक न्याय के साथ आर्थिक विकास प्रमुख सिद्धान्त है।
(*c*) न्यूनतम आवश्यकता कार्यक्रम उपागम	(*iii*) ग्रामीण निर्धनता का उन्मूलन
(*d*) जन केन्द्रित उपागम	(*iv*) सामाजिक विकास एवं मानव विकास में निवेश

कूट :

	(*a*)	(*b*)	(*c*)	(*d*)
A.	(*i*)	(*ii*)	(*iii*)	(*iv*)
B.	(*ii*)	(*iii*)	(*iv*)	(*i*)
C.	(*iii*)	(*ii*)	(*iv*)	(*i*)
D.	(*iv*)	(*ii*)	(*iii*)	(*i*)

92. ऐसी विधि, जो किसी समुदाय, संगठन, समूह इत्यादि के व्यवस्थित तथा विस्तृत अध्ययन पद्धति ताकि किसी सामाजिक समस्या का विश्लेषण किया जा सके तथा निदानात्मक संस्तुतियाँ प्रस्तुत की जा सके उसे निम्न में से किस रूप में जाना जाता है?

A. ऐतिहासिक पद्धति B. केस-अध्ययन पद्धति
C. सर्वेक्षण पद्धति D. सांख्यिकी पद्धति

93. अनुसूचित जाति एवं अनुसूचित जनजाति (अत्याचारों की रोकथाम) अधिनियम 1989, किन निम्नलिखित संवैधानिक प्रावधानों से प्रवाहित है?

(*a*) अनुच्छेद 15(1) (*b*) अनुच्छेद 15(2)
(*c*) अनुच्छेद 17 (*d*) अनुच्छेद 46

नीचे दिए गए कूटों में से सही उत्तर का चयन कीजिए।

A. (*a*), (*b*) और (*c*) B. (*b*) और (*c*)
C. (*a*) और (*c*) D. (*a*), (*b*), (*c*) और (*d*)

94. ग्यारहवीं योजना (2007-2012) निम्नलिखित में से किस पर बल देती है?

(*a*) सामाजिक क्षेत्र तथा इसकी सेवाओं पर बल

(*b*) लिंग असमानता में कमी

(*c*) पर्यावरणीय संधारणीयता

(*d*) वर्ष 2009 तक सब के लिए स्वच्छ पेयजल की व्यवस्था

नीचे दिए गए कूटों में से सही उत्तर का चयन कीजिए।

A. (*a*) और (*d*) B. (*b*) और (*c*)
C. (*a*), (*b*) और (*c*) D. (*a*), (*b*), (*c*) और (*d*)

95. निम्नलिखित में से कौन-सा एक सामाजिक कल्याण का उद्देश्य नहीं है?

A. गरीब एवं कमजोरों की सहायता।
B. सामाजिक समस्याओं का शमन करना।
C. शासन में जनसहभागिता को बाध्यकारी बनाना।
D. कमजोर वर्गों का विकास।

96. **अभिकथन (A) :** 'समाज सेवा', 'सामाजिक कार्य' और 'सामाजिक सुरक्षा' जैसे पद लोगों के कल्याण की ओर निर्दिष्ट हैं।

तर्क (R) : सामाजिक कल्याण को नागरिकों के कल्याण हेतु प्रमुख कार्यकलाप के रूप में अभिहित करना उचित नहीं होगा।

कूट :

A. (A) और (R) दोनों सही हैं और (A) का (R) सही स्पष्टीकरण है।
B. (A) और (R) दोनों सही हैं, परन्तु (A) का (R) सही स्पष्टीकरण नहीं है।
C. (A) सही है, परन्तु (R) गलत है।
D. (A) गलत है, परन्तु (R) सही है।

97. निम्नलिखित में से कौन-सा कथन राष्ट्रीय अनुसूचित जनजाति आयोग के बारे में सही नहीं है?
A. इसकी स्थापना 2004 ई. में की गई।
B. अध्यक्ष तथा सदस्यों का कार्यकाल 3 वर्ष का होता है और उनकी दूसरी अवधि के लिए पुनः नियुक्ति की जा सकती है।
C. अध्यक्ष को केन्द्रीय कैबिनेट मन्त्री का तथा सदस्यों को भारत सरकार के सचिव का स्तर प्राप्त रहता है।
D. इसमें एक अध्यक्ष तथा पाँच सदस्य होते हैं।

98. राष्ट्रीय अल्पसंख्यक आयोग के बारे में निम्नलिखित में से कौन-सा कथन सही नहीं है?
A. यह एक सांविधिक निकाय के रूप में 5 जुलाई, 1993 को अस्तित्व में आया।
B. इसमें एक अध्यक्ष एवं तीन सदस्य होते हैं।
C. यह सरकार द्वारा अधिसूचित अल्पसंख्यक समुदायों के मामले देखता है।
D. अल्पसंख्यकों के संवैधानिक एवं कानूनी अधिकारों की सुरक्षा इसका प्रमुख उद्देश्य है।

99. नागरिक समाज की महत्ता के बारे में निम्नलिखित में से कौन-सा एक कथन सही नहीं है?
A. नागरिक समाज की विविधता यह सुनिश्चित करेगी कि राज्य कुछ समूहों द्वारा आबद्ध नहीं किया जाता है।
B. नागरिक समाज नए राजनीतिक नेतृत्व की भर्ती का एक स्थान है।
C. नागरिक समाज सरकारी कार्यकलापों को नियन्त्रण- मुक्त करने के सम्बद्ध है ताकि यह परिणामोन्मुखी बन सके।
D. नागरिक समाज सत्तावाद का प्रतिरोध करता है।

100. भारत सरकार द्वारा आपदा प्रबन्धन अधिनियम और राष्ट्रीय आपदा प्रबन्धन नीति क्रमशः किन वर्षों में अस्तित्व में आए?
A. 2003 और 2005
B. 2005 और 2009
C. 2007 और 2009
D. 2010 और 2013

उत्तरमाला

1	2	3	4	5	6	7	8	9	10
B	B	A	D	C	A	D	D	D	D
11	**12**	**13**	**14**	**15**	**16**	**17**	**18**	**19**	**20**
B	D	A	A	A	B	A	A	B	C
21	**22**	**23**	**24**	**25**	**26**	**27**	**28**	**29**	**30**
D	C	C	B	A	D	D	C	A	A
31	**32**	**33**	**34**	**35**	**36**	**37**	**38**	**39**	**40**
D	A	C	D	D	B	B	B	B	D
41	**42**	**43**	**44**	**45**	**46**	**47**	**48**	**49**	**50**
C	C	A	C	D	B	C	A	D	C
51	**52**	**53**	**54**	**55**	**56**	**57**	**58**	**59**	**60**
A	B	D	B	D	D	B	C	A	D
61	**62**	**63**	**64**	**65**	**66**	**67**	**68**	**69**	**70**
C	D	C	C	A	D	C	B	C	B
71	**72**	**73**	**74**	**75**	**76**	**77**	**78**	**79**	**80**
C	C	D	A	B	C	B	B	B	C
81	**82**	**83**	**84**	**85**	**86**	**87**	**88**	**89**	**90**
B	D	C	C	A	C	D	B	D	C
91	**92**	**93**	**94**	**95**	**96**	**97**	**98**	**99**	**100**
C	C	D	D	C	C	D	B	C	B

★★★

UNIT–VIII

लोक नीति

(PUBLIC POLICY)

जनता की अनेक समस्याओं एवं माँगों के समाधान के लिए सरकार जो नीतियाँ बनाती हैं, लोक नीतियाँ कहलाती हैं।

लोक नीति और लोक प्रशासन का घनिष्ठ सम्बन्ध है। लोक नीति का निर्माण, क्रियान्वयन, मूल्यांकन और संशोधन करना लोक प्रशासन का कार्य है। इस प्रकार लोक नीति-निर्गाण लोक प्रशासन का सार है। नीतियाँ ऐसी प्रामाणिक मार्गदर्शक हैं जो प्रबन्धकों को योजना बनाने, कानूनी आवश्यकताओं के अनुकूल कार्य करने तथा निर्धारित उद्देश्यों को प्राप्त करने में सहायता देती हैं। सच तो यह है कि नीति ही एक ऐसे ढाँचे का निर्धारण करती है जिसके भीतर संगठनात्मक उद्देश्यों को प्राप्त किया जाता है। प्रत्येक संगठन में कार्रवाई करने के पहले नीति-निर्माण आवश्यक है। नीति प्रत्येक प्रबन्ध के लिए पूर्व अपेक्षित शर्त है। अतः नीति-निर्माण की प्रक्रिया शासन की केन्द्रीय प्रक्रियाओं में से एक है। किसी भी संगठन के उद्देश्य प्रायः सामान्य भाषा में लिखे रहते हैं, नीतियाँ इन्हीं उद्देश्यों को मूर्तरूप प्रदान करती हैं।

लोक नीति : अर्थ एवं परिभाषाएँ
(Public Policy : Meaning and Definitions)

अर्थ

'लोक नीति' शब्द का प्रयोग प्रायः लोग लापरवाही या शिथिलता से करते हैं। इसे गलती से नियम, रीति-रिवाज तथा विनिश्चय की खिचड़ी समझ लिया जाता है, जबकि सत्य यह है कि नियम मार्गदर्शक होते हैं, वे करने और न करने योग्य कार्यों में अन्तर करते हैं, किन्तु नियम नीतियों के विपरीत कठोर तथा विशिष्ट होते हैं। नीतियों को हम रीति-रिवाज भी नहीं कह सकते। नीतियाँ निर्मित की जाती हैं जबकि रीति-रिवाज एक 'स्वाभाविक प्रवाह' के रूप के होते हैं और विकसित होते हैं। नीतियाँ मौलिक समस्याओं से सम्बन्धित होती हैं जबकि रीति-रिवाज का उद्देश्य नीति को प्रभावशाली बनाने के साधनों से है। वास्तव में जनता की विविध माँगों और कठिनाइयों का सामना कर सकने के लिए सरकार को बहुत-सी नीतियाँ बनानी पड़ती हैं जिन्हें हम लोक नीतियाँ कहते हैं। लोक नीति का अर्थ यह निर्णय करना है कि क्या किया जाये, कैसे किया जाये, कब किया जाये और कहाँ किया जाये।

परिभाषाएँ

टैरी के अनुसार, "नीति उस कार्रवाई की शाब्दिक, लिखित या विहित बुनियादी मार्गदर्शक है, जिसे प्रबन्धक अपनाता है तथा जिसका अनुगमन करता है।"

डिमॉक नीतियों की परिभाषा इस प्रकार करते हैं: "नीतियाँ सजगता से निर्धारित आचरण के वे नियम हैं जो प्रशासकीय निर्णयों को मार्ग दिखाते हैं।"

कार्ल जे. फ्रेडरिक का विचार है कि "अमुक परिस्थितियों में क्या करना है या नहीं करना है, के सम्बन्ध में किये गये निर्णय ही नीतियाँ हैं।"

थॉमस डाई ने संक्षिप्त परिभाषा देते हुए कहा है कि लोक नीति "कुछ भी वह है, जो सरकार करने का अथवा न करने का निश्चय करती है।"

विलियम जेनकिन्स के अनुसार, "लोक नीति किसी राजनीतिक कार्यकर्ता या कार्यकर्ताओं के समूह द्वारा किये गये निर्णयों की माला है, जिसका सम्बन्ध लक्ष्यों के चयन और एक निश्चित स्थिति के भीतर उन लक्ष्यों को प्राप्त करने के लिए अपनाये जाने वाले साधनों से है, जहाँ सिद्धान्त रूप में ऐसे निर्णयों को करने का अधिकार उन राजनीतिक कार्यकर्ताओं की सत्ता के दायरे में है।"

उपर्युक्त परिभाषाओं से स्पष्ट है कि सामान्यतया सार्वजनिक नीतियाँ सरकार द्वारा किये गये निर्णयों का परिणाम होती हैं। किसी भी संगठन में, चाहे वह निजी या सार्वजनिक क्षेत्र में हो, कोई भी कार्य प्रारम्भ करने से पहले नीति का निर्माण करना अनिवार्य है। किसी भी प्रबन्ध व्यवस्था के लिए ऐसा करना आवश्यक होता है। किसी संगठन के लक्ष्यों, जो प्रायः अस्पष्ट और सामान्य होते हैं, को नीति के मुद्दों से सुस्पष्ट किया जाता है और वही प्रशासन के पहियों को गति प्रदान करते हैं। निम्नलिखित सूत्र लोक नीति की प्रकृति को समझाने में हमारी सहायता करते हैं:

1. लोक नीतियाँ लक्ष्योन्मुख होती हैं। इनका निर्माण और क्रियान्वयन जनसामान्य के हित के लिए सरकार के विचाराधीन उद्देश्यों की पूर्ति के लिए किया जाता है।
2. लोक नीतियाँ सरकारी निकायों एवं सरकारी अधिकारियों द्वारा विकसित एवं निर्मित की जाती हैं, यद्यपि गैर-सरकारी संस्थाएँ भी नीति-निर्माण प्रक्रिया को प्रत्यक्ष या अप्रत्यक्ष रूप से प्रभावित करते हैं।
3. लोक नीति वह है जो सरकार वास्तव में करती है न कि वह क्या करना चाहती है।
4. लोक नीति स्वरूप में सकारात्मक या नकारात्मक दोनों हो सकती है। सकारात्मक रूप में इसमें किसी प्रश्न या समस्या के सम्बन्ध में किसी प्रकार की कार्रवाई सम्मिलित हो सकती है। नकारात्मक रूप में जहाँ सरकारी कार्रवाई की अपेक्षा की जाती है, वहाँ सरकारी अधिकारियों द्वारा कार्रवाई न करने का निर्णय शामिल हो सकता है।
5. लोकनीति सामान्य या विशिष्ट, व्यापक या संकीर्ण, सहज या जटिल, सार्वजनिक या निजी, लिखित या अलिखित, स्पष्ट या धुंधली, संक्षिप्त या विस्तृत और गुणवत्ता सम्पन्न या संख्या सम्पन्न हो सकती है।
6. लोक नीति वैधानिक है इसलिए वह बाध्यकारी होती है।

लोक नीति का महत्व
(Importance of Public Policy)

लोक नीति किसी भी राजनीतिक व्यवस्था का महत्वपूर्ण घटक है। यह मुख्य रूप से जनता और उसकी समस्याओं से सम्बन्धित है। लोक नीति की भूमिका समाज की बेहतरी के लिए उसको आकार देना है। विद्वानों के अनुसार लोक नीति सहभागी और लोकतांत्रिक होती है। इसमें समाज के प्रत्येक व्यक्ति का सर्वांगीण विकास और सहमति, सामाजिक जागरुकता तथा वैधता का विकास शामिल है न कि साधारण रूप से माल और सेवाओं का वितरण।

लोक नीति की विकासात्मक भूमिका भी है। अच्छी तरह से नियोजित नीतियाँ राष्ट्र के सामाजिक - आर्थक विकास में मदद करती हैं। स्वतंत्रता प्राप्ति के पश्चात देश में कई नीतियों को तैयार किया गया है। जैसे–योजना आयोग का गठन, कृषि विकास, औद्योगिक विकास, गरीबी उन्मूलन, ग्रामीण विकास, आदि के बारे में नीतियाँ तैयार की गई थीं। लोक नीति से भारत न केवल खुद को बाहरी आक्रमण से बचा सकता है, बल्कि अलग-अलग समूहों, जाति, भाषाई और धार्मिक सम्प्रदाय को एकजुट रखने में सफल हुआ है। इस प्रकार, स्वतंत्रता प्राप्ति के बाद से, भारत में सार्वजनिक नीतियों ने सामाजिक-आर्थिक विकास को प्राप्त करने और राष्ट्रीय एकता और अखण्डता को बनाए रखने में मदद की है।

लोक नीति तथा नीति विज्ञान का उद्भव
(Evolution of Public Policy and Policy Science)

लोक नीतियाँ सरकार के समान ही प्राचीन हैं। सरकार का स्वरूप जो भी रहा हो – राजतंत्र कुलीनतंत्र, तानाशाही, लोकतंत्र आदि, जब और जहाँ सरकारें रही हैं, लोक नीतियों का निर्माण एवं क्रियान्वयन हुआ है।

नीति और प्रशासन के बीच भेद करने का प्रयत्न वुडरो विल्सन ने 1887 में प्रकाशित अपने लेख 'प्रशासन का अध्ययन' में किया था। उनके विचार में नीति-निर्माण एक राजनीतिक कार्य है, जबकि प्रशासन केवल नीतियों को लागू करने मात्र से सम्बन्ध रखता है। उनके शब्दों में, "प्रशासन का क्षेत्र व्यापार का क्षेत्र है। यह राजनीति की हड़बड़ी तथा कलह से अलग होता है। प्रशासन तो राजनीति के उचित क्षेत्र से बाहर ही रहता है। 1926 में ह्वाइट ने अपनी पुस्तक Introduction to the Study of Public Administration के प्रथम संस्करण में राजनीति तथा प्रशासन के बीच स्पष्ट विभाजक रेखा खींची है। इन्होंने लोक प्रशासन की परिभाषा 'लोक-नीति के प्रवर्तन' के रूप में की।

लोक नीति एक गतिशील अवधारणा है इसमें निरन्तर बदलने की सतत् प्रवृत्ति होती है। जब उद्देश्य बदलते हैं, पर्यावरण में परिवर्तन होता है तथा परिस्थितियों में भिन्नता आती है, तो उसी के अनुसार नीति का निर्धारण किया जाना स्वभाविक हो जाता है। विद्वानों के अनुसार नीति-निर्धारण एक निरन्तर चलने वाला दायित्व है। सरकारी नीतियों का उद्भव सरकारी, संस्थानों में होता है।

लोक नीति तथा लोक प्रशासन
(Public Policy and Public Administration)

लोक नीति और लोक प्रशासन का घनिष्ठ सम्बन्ध है। लोक नीति का निर्माण, क्रियान्वयन, मूल्यांकन और संशोधन करना लोक प्रशासन का कार्य है। इस प्रकार लोक नीति-निर्माण लोक प्रशासन का सार है। नीतियाँ प्रमाणिक मार्गदर्शक हैं जो प्रबन्धकों को योजना बनाने, कानूनी आवश्यकताओं के अनुकूल कार्य करने तथा निर्धारित उद्देश्यों को प्राप्त करने में सहायता देती है। नीति ऐसे ढाँचे का निर्धारण करती है जिसके भीतर संगठनात्मक उद्देश्यों को प्राप्त किया जाता है। प्रत्येक लोक प्रशासन के संगठन में कार्रवाई करने के पहले नीति-निर्माण आवश्यक है। लोक नीति प्रत्येक प्रबन्ध के लिए पूर्व अपेक्षित शर्त है। अतः नीति-निर्माण की प्रक्रिया शासन की केन्द्रीय प्रक्रियाओं में से एक है। लोक प्रशासन संगठन के सामान्य उद्देश्य होते हैं, जिन्हें नीतियाँ इन उद्देश्यों को मूर्त रूप प्रदान करती है।

वुडरो विल्सन के विचार में नीति-निर्माण राजनीतिक कार्य है, जबकि प्रशासन केवल नीतियों को लागू करने मात्र से सम्बन्ध रखता है। उनके शब्दों में, "प्रशासन का क्षेत्र व्यापार का क्षेत्र है। यह राजनीति की हड़बड़ी तथा कलह से अलग होता है।" प्रशासन राजनीति के क्षेत्र से बाहर रहता है। प्रशासकीय प्रश्न राजीतिक नहीं होते हैं।

जबकि लूथर गुलिक, ऐप्पलबी का नाम प्रायः इस तर्क के साथ जुड़ा है कि राजनीति तथा प्रशासन अलग नहीं किये जा सकने वाले युगल हैं। उनके अनुसार, "प्रशासन राजनीति है, क्योंकि लोक-हित के प्रति उत्तरदायी होना उनके लिए आवश्यक होता है। उनके ही शब्दों में, "प्रशासकगण निरन्तर भविष्य के लिए नियम निर्धारित करते रहते हैं, और प्रशासक ही निरन्तर यह निश्चित करते हैं कि कानून क्या है। प्रशासक नीति-निर्माण में भाग लेते हैं, वे विधान मण्डल के लिए प्रस्तावों एवं सुझावों का स्वरूप निश्चित करते हैं। इस प्रकार प्रशासक नीति-निर्धारण और नीति-निष्पादन दोनों ही कार्यों में संलग्न होते हैं। पीटर ओडेगार्ड का कथन है कि "नीति तथा प्रशासन राजनीति के जुड़वाँ बच्चे हैं जो एक-दूसरे से अलग नहीं किये जा सकते हैं।"

लोक नीति के उपागम (Approaches to Public Policy)

लोक नीति सरकार की समस्त गतिविधियों को दर्शाती है जिसके द्वारा नागरिकों या लोक नीति के लिए कार्य किए जाते हैं। बी. गाई पीटर्स के अनुसार किसी सरकार की सफलता व विफलता का आकलन लोक नीतियों के आधार पर होता है। लोक नीति के अध्ययन के लिए अनेक उपागम प्रचलित हैं। अन्य सामाजिक विज्ञानों की तरह लोक नीति के सन्दर्भ में प्रश्न उठता है कि लोक नीति की कौन-सी उपागम ठीक है। लोक नीति के अध्ययन के लिए निम्न उपागमों का प्रयोग प्रमुख हैः

(A) प्रक्रिया उपागमः लोक नीति के प्रक्रिया उपागम को जोन्स ने निम्नलिखित चरणों गें विभाजित कर समझाया हैः

1. **एजेन्डा निर्धारणः** एजेन्डा निर्धारण उन मुद्दों को आधार बनाता है, जो राजनीतिक, सामाजिक आर्थिक रूप से जनता को प्रभावित करते हैं।
2. **नीति निर्माणः** नीति निर्माण उपलब्ध विकल्पों में से चयन करना है। इसमें विकल्पों का चुनाव किया जाता है कि कौन से विकल्प उत्तम (श्रेष्ठ) होगा।
3. **क्रियान्वयनः** क्रियान्वयन लोकनीति की अन्तर्निहित क्रिया है, जो प्रशासनिक प्रक्रिया को परिलक्षित करती है।
4. **मूल्यांकनः** यह एक निर्धारण की प्रक्रिया है। यह व्यवस्थित तरीके से गतिविधियों का परीक्षण करता है जो सरकार की लोक नीति के क्रियान्वयन के लिए उपयोगी है।

(B) तार्किक प्रत्यक्षवाद उपागमः तार्किक प्रत्यक्षवाद का अर्थ नीति निर्माण में तथ्यों के आधार पर लोक नीति का निर्माण करना है। हरबर्ट साइमन ने अपनी पुस्तक 'प्रशासनिक व्यवहार' में तार्किक प्रत्यक्षवाद का उल्लेख किया है। इसमें प्रशासनिक संगठन में निर्णय निर्माण की प्रक्रिया का अध्ययन किया गया है। तार्किक प्रत्यक्षवाद से न केवल सरकार के दृष्टिकोण की बल्कि नागरिकों के परिप्रेक्ष्य से भी प्रशासकों की क्षमता का आकलन होता है।

(C) घटनात्मक उपागमः घटनात्मक उपागम में किसी तथ्य या घटना का विश्लेषण व्यवस्थावादी रूप से किया जाता है। लोक प्रशासनिक संगठन के सभी अंग पारस्परिक रूप से जुड़े हुए तथा आत्मनिर्भर हैं। इस उपागम में किसी घटना या तथ्य का विस्तृत अध्ययन किया जाता है।

(D) आदर्शमूलक उपागमः आदर्शमूलक उपागम आदर्शात्मिक और मौलिक है। इसके विचारक वर्तमान व्यवस्था से सन्तुष्ट नहीं हैं। ये अपेक्षा करते हैं कि वह सामाजिक समस्याओं के प्रति जागरूक हों। ये मूल्यहीन या मूल्य-निरपेक्ष शोध प्रयास को त्यागने पर बल देते हैं। आदर्शमूलक उपागम के समर्थक सामाजिक न्याय के अनुरुप उपागम को अपनाने के समर्थक हैं। आदर्शमूलक उपागम के समर्थक उन्हीं मूल्यों को महत्व देते हैं जो समाज में उत्पन्न समस्याओं का समाधान करे तथा समाज के दुर्बल वर्गों के लिए सक्रिय कदम उठाये।

(E) सहभागी मूलक उपागमः सहभागी मूलक उपागम प्रशासन में व्यक्तियों के सहभागिता का समर्थन करता है। यह उपागम लोक नीति निर्माण, क्रियान्वयन और संशोधन आदि के मामलों में नागरिकों द्वारा सहयोग, सहभागिता और क्रियान्वयन में नागरिकों के प्रति जवाबदेह बनाना चाहता है।

नीति-निर्माण के सिद्धान्त एवं प्रतिमान (Theories and Models of Policy Making)

नीति-निर्माण राजनीति शास्त्र और लोक प्रशासन में अपेक्षाकृत एक नया उपक्षेत्र है। इसे अध्ययन के एक क्षेत्र के रूप में मान्यता मिली है।

आधुनिक सामाज और औद्योगीकरण के उद्‌भव के साथ सार्वजनिक नीति प्रक्रिया पर केन्द्रित विकास हुआ है। उन्नसवीं सदी के दौरान, दुनिया के कुछ हिस्सों में प्रतिनिधित्व वाली सरकारें विकसित हुई हैं। जनता के बड़े हिस्से द्वारा राजनीतिक भागीदारी में बढ़ोतरी के साथ, सरकार के फैसलों ने अधिक महत्व और वैधता ग्रहण की। सामाजिक, आर्थिक और राजनीतिक प्रश्नों के सम्बंध में मूल्यों को दबाने से राजनीति और सरकार पर गहरा असर पड़ता है। इन परिवर्तनों के साथ, सरकार ने अपने नागरिकों की समस्याओं पर ध्यान केन्द्रित करना शुरू किया है।

अमेरिका में, लोक नीति की समस्याओं और नीति के अध्ययन के लिए एकीकृत दृष्टिकोण की पहल शुरू हुई थी। हेराल्ड लॉसवेल की पुस्तक 'साइकोपैथोलॉजी एंड पॉलिटिक्स' (1930) और 'द एनालिसिस ऑफ पॉलिटिकल बिहेवियर' (1948) में इसका महत्वपूर्ण उल्लेख किया गया है।

लोक नीति आंदोलन की शुरूआत के पीछे हेराल्ड लॉसवेल थे। 1960 के दशक के अंत में, एडवर्ड एस क्वाड के अनुसार युद्ध, गरीबी, अपराध और प्रदूषण जैसे कारकों को नीति निर्माण में उत्कृष्ट श्रेय दिया जा सकता है।

चार्ल्स लिण्डबॉम

चार्ल्स लिण्डबॉम ने 1954 में प्रकाशित एक लेख में नीति-निर्माण के तरीके का वर्णन किया है जिसे तर्कसम्मत बोधगम्य उपागम कहते हैं। बोधगम्य पद्धति में प्रशासक को अपने सामने प्रस्तुत लक्ष्य का सामना करना पड़ता है, जिसमें प्राथमिकताओं के रूप में मूल्यों की सूची के सापेक्ष महत्व के अनुसार निर्धनता कम करने जैसी चुनौती होती है। सर्वोत्तम नीति का चयन करते समय नीति-निर्माता निर्धनों के स्वास्थ्य सुधार करने, अपराध कम करने और निरक्षरता का उन्मूलन करने जैसे उद्देश्यों को प्राप्त करने के लिए सभी मूल्यों या लाभों को तर्कसम्मत रूप में श्रेणीबद्ध करता है। इसके पश्चात वह निधारित उद्देश्य को प्राप्त करने के लिए कई सम्भव विकल्पों को सूत्रबद्ध करता है। फिर अनेक विकल्पों में से ऐसे सर्वोत्तम विकल्प का चयन करता है जो मूल्यों की श्रेणीबद्ध सूची को पूर्ण बनाने में सहायक होता है।

नीति-निर्माण का तर्कसंगत नमूना अधिकारी से यह अपेक्षा करता है कि वे प्रत्येक प्रश्न पर विचार करें और स्पष्ट रूप से ऐसे निर्णय लें जो अधीनस्थ कर्मचारियों का मार्गदर्शन कर सकते हों। इसके परिणामस्वरूप एकीकृत नीतियों का निर्माण होगा जो परस्पर विरोधी न होकर पूरक होंगी।

चार्ल्स लिण्डबॉम मॉडल की आलोचना

1. यह मॉडल समाज में तेजी से बदलते परिवेश के साथ तालमेल नहीं बैठा सकता है।
2. यह लक्ष्यों, समस्याओं, नीति-प्रतिबद्धताओं का बाहुल्य जो प्रशासनिक इकाई के वातावरण में सक्रिय तत्वों द्वारा लाद दिया जाता है, नीति-निर्माताओं पर हावी हो जाता है।
3. विभिन्न प्रकार के स्वीकार्य लक्ष्यों और नीतियों के विषय में पर्याप्त सूचना एकत्र करने में बाधाएँ आती हैं।
4. प्रशासकीय इकाइयों के भीतर की संरचनात्मक कठिनाइयों और सरकार की विधायी व कार्यकारी शाखाओं के साथ इन इकाइयों के सम्बन्धों को समाविष्ट करने में कठिनाइयाँ आती हैं।
5. अलग-अलग प्रशासकों का पथभ्रष्ट व्यवहार।

इन समस्याओं का सामना करते समय नीति-निर्माता ऐसे निर्णयों की खोज करते हैं जो सन्तोषप्रद हों।

येज्केल ड्रोर

येज्केल ड्रोर ने अपनी पुस्तक Public Policy Making Re-examined में इष्टतम-प्रतिमान का सिद्धान्त प्रस्तुत किया है। इसमें उन्होंने निर्णयों को नीति-निर्माण से संयुक्त करके विश्लेषित किया है। उनके अनुसार उनका प्रतिमान निर्णय के सभी आदर्शात्मक प्रतिमानों में श्रेष्ठ है क्योंकि इष्टतम प्रतिमान में आर्थिक विवेकशीलता के साथ-साथ 'अतिरिक्त तार्किकता' भी सम्मिलित है। यह नीति-निर्माण का तार्किक तथा इष्टतम प्रतिमान है।

हेराल्ड लॉसवेल

हेराल्ड लॉसवेल ने परम्परागत उपागमों को चुनौती देने और नये उपागमों का सुझाव देने में अधिक से अधिक योग दिया है। बर्नार्ड के शब्दों में "लॉसवेल की असंख्य वैचारिक संरचनाएँ सामाजिक विज्ञानों की प्रमुख देन हैं।"

लॉसवेल के अनुसार "राजनीतिक विश्लेषण समाज के मूल्य प्रतिमान के स्वरूप और गठन में होने वाले परिवर्तनों का अध्ययन है।" उनकी दृष्टि में प्रमुख 'मूल्य सुरक्षा' सम्पति और मान है। लॉसवेल मानता है कि सामाजिक परिवर्तन तब तक नहीं लाया जा सकता जब तक हम यह न समझ लें कि समाज क्या है, और समझने के लिए परिमाणीकरण पर आधारित विश्लेषण की अत्यधिक परिष्कृत प्रविधियों का सम्पादन आवश्यक होगा।

नीति-निर्माण की प्रक्रिया को समझने की एक प्रणाली होने के कारण, लॉसवेल की दृष्टि में विकासात्मक विश्लेषण का सम्बन्ध नीति-विज्ञान से निकट का है। नीति का उद्देश्य कुछ निश्चित मूल्यों की प्राप्ति होने के कारण यह आवश्यक हो जाता है कि शोधकर्त्ता उन मूल्यों के सम्बन्ध में, जिन्हें वह निर्णय-निर्माण की प्रक्रिया के माध्यम से प्राप्त करना चाहता है, स्पष्ट हो। लॉसवेल के अनुसार 'नीति विज्ञान' में स्पष्ट उद्देश्यों के लिए ज्ञान का संग्रह किया जाता है और उसे विकल्पों के साथ पूर्ण रूप से जोड़ दिया जाता है। लॉसवेल के अनुसार नीति-विज्ञानों के आवश्यक कार्यों में से एक कार्य "भूतकाल में क्या प्रवृत्तियाँ थीं और सामाजिक लक्ष्यों की दृष्टि से भविष्य में वे किस ओर जा रही हैं, यह स्पष्ट करके उनकी दिशा को बदलने की प्रक्रिया को सरल बनाना है।

गेब्रियल आलमंड

आलमंड द्वारा प्रतिपादित पद्धति संरचनात्मक - क्रियात्मक विश्लेषण कहा जाता है। इनका उद्देश्य यह समझना है कि व्यवस्थायें किस प्रकार परम्परागत रूप को छोड़कर आधुनिक रूप में प्रवेश करती हैं। इसके पीछे यह मान्यता स्पष्ट है कि राज्य में उत्पन्न होने वाली राजनीतिक समस्याओं का सामाधान तलाश करने की आधुनिक व्यवस्थायें परम्परागत व्यवस्थाओं से अधिक उन्नत है। आमण्ड ने व्यवस्था की तीन विशेषतायें बतायी हैं (1) व्यापकता (2) अन्तर्निर्भरता (3) सीमाओं का अस्तित्व।

आलमंड ने व्यवस्थाओं को संगठन और शैली दोनों ही दृष्टियों से वर्गीकृत किया है– (1) संगठन की दृष्टि से वे आधिकारिक और अधिशासी हो सकती हैं अथवा अनाधिकारिक, प्रतिद्वन्दात्मक द्विदलीय और प्रति स्पर्धात्मक अनेक-दलीय और (2) शैली की दृष्टि से धर्म-निरपेक्ष-प्रयोजनात्मक समझौतावादी। आलमंड से व्यवस्था की तुलना शरीर के रक्त प्रवाह से की है और उसका वर्णन यह कह कर किया कि वह ऐसा माध्यम है जिसके द्वारा व्यवस्था में सभी कृत्यों को पूरा किया जाता है। इनके अनुसार व्यवस्था के स्वरूप को निर्धारित करने की दृष्टि से भी संचरण सुविधाओं का बहुत महत्व है। आलमंड लिखते हैं, "व्यवस्था स्वस्थ रक्त से प्राप्त नहीं होता है अपितु उन तत्वों से प्राप्त होता है जो रक्त में प्रवाहित होते हैं। अतः रक्त एक ऐसा तटस्थ माध्यम है जो दावों, विरोधों और माँगों को शिराओं के द्वारा हृदय तक ले जाता है और हृदय से धमनियों के रास्ते दावों और माँगों के प्रत्युत्तर के रूप में नियमों, आदेशों और अधिनिर्णयों का निर्गमन करता है।

नीति-निर्धारण प्रतिमान

वस्तुतः प्रतिमान वास्तविक संसार का प्रतिरूप होता है। लोक नीति के अध्ययन के प्रतिमान संकल्पनात्मक स्वरूप के होते हैं। प्रतिमान अनेक उद्देश्य सिद्ध करते हैं। प्रथम, प्रतिमान राजनीति के विषय के बारे में लोक नीति बनाने के विचारों को सरल एवं स्पष्ट बनाने में सहायता प्रदान करते हैं। द्वितीय, नीति सम्बन्धी समस्याओं को सुलझाने का प्रयास करते हैं। तीसरे, प्रतिमान सही एवं गलत की पहचान करके सही लोक नीति बनाने में सहायता प्रदान करते हैं। चौथे, वे राजनीतिक जीवन के अत्यन्त आवश्यक तत्त्वों पर ध्यान देते हैं तथा स्पष्टीकरणों का सुझाव देते हैं।

लोक नीति के सम्बन्ध में प्रचलित प्रतिमान निम्नांकित हैं:

1. **संभ्रान्त या अभिजात्य वर्ग प्रतिमानः** सभ्यता के उदय से समाज में दो वर्ग प्रचलित रहे हैं—प्रथम संभ्रान्त वर्ग जो शासन करता है तथा दूसरा जिस पर शासन किया जाता है। इस सिद्धान्त का मुख्य तर्क यह है कि समाज में ज्यादातर लोग उदासीन होते हैं और उनमें नीति-निर्माण करने के लिए आवश्यक जानकारी नहीं होती है। इसलिए वस्तुतः अभिजात्य वर्ग ही लोक नीतियों के सम्बन्ध में जनता की राय को अपनी इच्छा के अनुरूप ढाल लेता है। दूसरे शब्दों में, संभ्रान्त या अभिजात्य वर्ग शासकों के मूल्यों को प्रतिबिम्बित करने वाली नीतियाँ बनाता है। आज अधिकांश विकासशील देशों में पाश्चात्य ढंग से शिक्षित और उच्च सामाजिक-आर्थिक वर्गों के ही नेताओं का वर्चस्व है, इसलिए लोकनीतियों के निर्माण में उनका बोलबाला है।
2. **संस्थापरक प्रतिमानः** इस प्रतिमान के प्रतिपादक ए.एफ. बैंटले हैं। इस प्रतिमान के अन्तर्गत लोक नीतियों के निर्माण, कार्यान्वयन एवं उन्हें प्रभावशील करने में संसद, मंत्रिपरिषद्, न्यायालयों जैसी विभिन्न सरकारी संस्थाओं की भूमिका महत्वपूर्ण होती है। दुर्भाग्यवश विकासशील देशों में लोक नीतियों के निर्धारण में इन संस्थाओं का योगदान नगण्य होता है। इस सिद्धान्त का तर्क है कि समाज में अनेक संगठित समूहों तथा लाबियों का बोलबाला रहता है। अतः लोक नीतियों का निर्माण इन छोटे समूहों के हाथों में होता है। इस प्रकार लोक नीतियाँ वास्तव में उन्हीं समूहों को लाभान्वित करती हैं, जो कि लोक नीतियों से सीधे प्रभावित होने वाले होते हैं। यह सशक्त प्रतिकारी संगठित समूहों के अभाव के कारण होता है।
3. **संवृद्धिवादी प्रतिमानः** इस नीति का मुख्य उद्देश्य किसी नवीन नीति के सम्भावित जोखिम को कम करना है। इसलिए उनमें नवीन नीतियों के निर्धारण का क्षेत्र पहले लागू की गयी नीतियों द्वारा निर्धारित किया जाता है। इस प्रकार इस प्रतिमान में नीतियों के निर्माण में केवल क्रमिक परिवर्तन ही सम्भव है। अतः यह प्रतिमान तेजी से विकास करने वाले विकासशील देशों के लिए अधिक उपयोगी नहीं है। 'संवृद्धिवादी' अथवा 'अल्पवृद्धिक' प्रतिमान का तर्क है कि "नीति-निर्माताओं को केवल सीमित नीति विकल्प प्रदान किये जाते हैं और इनमें केवल छोटे परिवर्तन की गुंजाइश होती है। इस प्रकार यह प्रतिमान रूढ़िवादी एवं संकुचित है।"
4. **निहितवर्ग क्रियाशीलता प्रतिमानः** इस प्रतिमान से यह पता चलता है कि विभिन्न वर्गों की प्रतियोगी माँगों के प्रति सरकार की प्रतिक्रिया क्या होती है। साथ में यह स्पष्ट होता है कि सरकारी नीतियाँ विभिन्न प्रतिस्पर्द्धा निहित वर्गों की कशमकश में अस्थायी सन्तुलन स्थिति का प्रतिफल होती हैं। लोकतांत्रिक सरकारों को निहित वर्गों के निरन्तर दबाव को ध्यान में रखकर कार्य करना पड़ता है। अतः इन प्रतिस्पर्द्धा निहित वर्गों के तुलनात्मक प्रभाव में परिवर्तन के साथ-साथ सरकार की नीतियों में भी परिवर्तन होता है।
5. **पद्धति विश्लेषण प्रतिमानः** इसमें देश में प्रचलित राजनीतिक प्रणाली के सन्दर्भ में लोक नीति की व्याख्या की जाती है। लोकतांत्रिक प्रणाली न्यायपालिका, कार्यपालिका, विधायिका, राजनीतिक दल, चुनाव आदि विभिन्न संस्थाओं का एक मिला-जुला रूप है। इन संस्थाओं में कार्यालय, अभिजात्य वर्ग, जन-सामान्य के अन्तर्गत विभिन्न वर्गों की रुचियों, रीति-रिवाजों, विचारधाराओं आदि से प्रभावित होते हैं। इनके साथ-साथ राष्ट्रीय परिवेश, तकनीकी विकास का स्तर, शहरीकरण एवं औद्योगीकरण की स्थिति, विकास का स्तर, वर्ग-प्रणाली, व्यावसायिक ढाँचा आदि भी लोक नीतियों के निर्माण में योगदान देते हैं। यह प्रतिमान लोकनीतियों के विश्लेषण में सहायक है।

उपर्युक्त प्रतिमानों के अतिरिक्त—'समूह प्रतिमान', 'खेल सिद्धान्त प्रतिमान', 'वैकल्पिक प्रतिमान', 'निर्णयन का तर्कवादी प्रतिमान' भी प्रचलित हैं।

नीति-निर्मात्री संस्थाएँ
(Institutions of Policy Making)

लोक नीति का निर्माण सरकार की सबसे महत्वपूर्ण गतिविधि है, क्योंकि यह राष्ट्र के प्रत्येक नागरिक के जीवन को प्रभावित करती है। सामान्यतया नीति-निर्माण में दो प्रकार की संरचनाएँ हिस्सा लेती हैं: (1) सरकारी तथा (2) गैर-सरकारी।

सरकारी नीति-निर्मात्री संरचनाएँ

इसकी प्रमुख संरचनाएँ निम्नलिखित हैं:

1. **विधानमण्डल (Legislature):** औपचारिक रूप से विधानमण्डल नियम बनाने का कार्य करते हैं। आवश्यक रूप से इसका तात्पर्य यह नहीं है कि उनके पास स्वतन्त्र निर्णय करने की शक्तियाँ होती हैं या वे वास्तव में सरकारी नीति का निर्माण करते हैं। प्रायः यह कहा जाता है कि ब्रिटिश और भारतीय संसद केवल उन नियमों को अपनी सहमति प्रदान करती हैं जिनका प्रारम्भ राजनीतिक दलों और दबाव-समूहों द्वारा होता है, जिनकी रचना

अधिकारीतन्त्र द्वारा की जाती है और जिनको विधानमण्डल में समुचित बहुमत रखने वाली सरकार यह जानती है कि वह अपने द्वारा चाहे किसी नियम को संसद द्वारा पारित करा सकती है। विधि-निर्माण का अनुमोदन करने के दौरान संसद जनता के लिए सरकारी नीतियों और उसके परिणामों पर विचार-विमर्श करने, छानबीन करने, आलोचना करने और उनका प्रसार एवं प्रचार करने जैसी अन्य महत्वपूर्ण कार्य करती है। फिर भी, शक्ति-पृथक्करण की अमरीकी पद्धति में विधानमण्डल प्रायः नियम-निर्माण के मामले में स्वतन्त्र और अन्तिम निर्णय लेते हैं। अमरीका की कांग्रेस में स्थायी समिति को प्रस्तावित विधि-निर्माण पर पर्याप्त अधिकार प्राप्त है और वह सदन के सदस्यों के बहुमत के विरोध में भी अपना कार्य कर सकती है। विधायक मत देते समय व्यक्तिगत या सैद्धांतिक अभिविन्यास की अपेक्षा अपने दलीय सम्बन्ध से अधिक नियन्त्रित होते हैं। कुछ विशिष्ट मामलों में उसका निर्णय अपने निर्वाचन-क्षेत्र की अपेक्षाओं से भी नियन्त्रित हो सकता है; जबकि संसदीय प्रणाली वाले प्रजातान्त्रिक देशों में मतदान आवश्यक रूप में दलीय आधार पर होता है। निष्कर्ष में यह कहा जा सकता है कि तानाशाही देशों की अपेक्षा प्रजातान्त्रिक देशों में किये जाने वाले नीति-निर्माण में विधानमण्डल अधिक महत्वपूर्ण होते हैं। इसके विपरीत, प्रजातान्त्रिक देशों में विधानमण्डलों को नीति-निर्माण में संसदीय पद्धति की अपेक्षा अध्यक्षीय पद्धति (अमरीका) में अधिक स्वतन्त्रता प्राप्त होती है।

2. **कार्यपालिका (Executive):** आज के कार्यपालिका-केन्द्रित युग में सभी जगह सरकारें नीति-निर्माण एवं उसके कार्यान्वयन में अधिकाधिक रूप में कार्यकारी नेतृत्व पर निर्भर करती हैं। संसदीय पद्धति वाले देशों में सभी नीतियों को मन्त्रिमण्डल का अनुमोदन प्राप्त करना पड़ता है और संसद में समस्त महत्वपूर्ण विधेयक सरकार के मन्त्रियों द्वारा ही प्रस्तुत किये जाते हैं। अमरीका में कानूनों को लागू करने के लिए राष्ट्रपति के अधिकारों को मान्यता प्राप्त है। समिति पद्धति के परिणामस्वरूप कांग्रेस के विभाजन और सशक्त दलीय नेतृत्व की कमी के कारण वह संस्था स्थिर एवं सुसम्बद्ध विधायी कार्यक्रमों का विकास करने में अक्षम हो जाती है। इसके परिणामस्वरूप धीरे-धीरे कांग्रेस राष्ट्रपति से यह अपेक्षा करने लग जाती है कि वह विधि-निर्माण के लिए प्रस्ताव रखने की पहल करे। किन्तु इसका यह आशय नहीं है कि कांग्रेस राष्ट्रपति के आदेशों पर कार्य करती है या केवल उसके प्रस्तावों का अनुमोदन ही करती है। राष्ट्रपति के प्रस्तावों को अधिनियम बनाने से पहले प्रायः रद्द या पर्याप्त रूप से संशोधित कर दिया जाता है। घरेलू नीति की अपेक्षा विदेशी या रक्षा नीतियों के क्षेत्र में राष्ट्रपति को बड़ी संवैधानिक शक्ति एवं सक्रियात्मक स्वतन्त्रता प्राप्त है। अमरीका की विदेश-नीति अधिकाधिक रूप में राष्ट्रपति के नेतृत्व और उसकी कार्यपद्धति का परिणाम होती है। विकसित देशों की अपेक्षा विकासशील देशों में सम्भवतः कार्यपालिका का नीति-निर्माण में अधिक योगदान रहता है।

3. **प्रशासकीय इकाइयाँ (Administrative Units):** संसार की प्रशासनिक पद्धतियाँ आकार एवं जटिल सोपानी संगठन और स्वायत्तता की मात्रा के हिसाब से विभिन्न प्रकार की हैं। पहले इसे राजनीति विज्ञान का स्वीकृत सिद्धान्त माना जाता था कि प्रशासक सरकार के अन्य अंगों द्वारा निर्धारित नीतियों को कार्यान्वित करने वाले होते हैं किन्तु अब इस स्वीकृति की भ्रामकता अधिकाधिक रूप से सामने आने लगी है। अब यह आम समझ की बात बन गयी है कि राजनीति और प्रशासन एक-दूसरे से घुलमिल गये हैं और प्रशासन अनेक तरीकों से नीति-निर्माण प्रक्रिया में संलग्न है।

   विशेषतः जटिल औद्योगिक समाजों में नीति विषयक बहुत से मामलों में प्राविधिकता एवं जटिलता, लगातार नियन्त्रण की आवश्यकता और विधायिकाओं के पास समय तथा सूचना की कमी के कारण प्रशासनिक इकाइयों को, जिन्हें औपचारिक रूप से नीति-निर्माण करने वाला समझा जाता था, अब पर्याप्त विवेकाधिकार प्राप्त हो गये हैं। अमरीका जैसी अध्यक्षीय तथा ब्रिटेन जैसी संसदीय सरकारों में ये इकाइयाँ नीति-निर्माण के लिए प्रस्तुत किये जाने वाले प्रस्तावों का प्रमुख स्रोत हैं। सरकारी कर्मचारी तीन प्रमुख तरीकों से नीति-निर्माण से सम्बद्ध होते हैं। प्रथम, नीति की व्यावहारिकता के सम्बन्ध में उन्हें मन्त्रियों को तथ्य, आँकड़े ओर आलोचना सामग्री की आपूर्ति करनी पड़ती है और यदि नीति-निर्माण के लिए विधायकों द्वारा पहल होती है तो विधायकों को यह कार्य करना पड़ता है। संसद-सदस्य और मन्त्री गैर-पेशेवरों का परिवर्तनशील निकाय होता है जिनमें राजनीतिक सूझबूझ, निपुणता या लोकप्रियता हो सकती है लेकिन उनमें विद्वत्ता और अनुभव की कमी भी हो सकती है। इसलिए उन्हें पेशेवर लोक-सेवकों पर निर्भर रहना पड़ता है तथा उनके सुझावों को समुचित महत्व देना पड़ता है। दूसरे, नीति-निर्माण के लिए प्रायः प्रशासन द्वारा पहल की जाती है क्योंकि प्रशासक ही सतत् रूप से नागरिकों के सम्पर्क में रहते हैं।

4. **न्यायपालिका (Judiciary):** जिन देशों में न्यायालय को 'न्यायिक समीक्षा' की शक्ति प्राप्त है, वहाँ नीति-निर्माण में न्यायपालिका की महत्वपूर्ण भूमिका होती है। न्यायालयों के समक्ष जो विषय लाये जाते हैं, उनके सम्बन्ध में न्यायिक समीक्षा और वैधानिक अर्थ-निरूपण की शक्ति के प्रयोग के माध्यम न्यायालयों ने विषय-वस्तु को प्रायः अत्यधिक प्रभावित किया है।

   मुख्यतः न्यायिक समीक्षा का अर्थ विधायी एवं कार्यकारी शाखाओं की कार्रवाइयों की संवैधानिकता का निर्धारण करना है। यदि इस प्रकार की कार्रवाई संवैधानिक उपबन्धों के विपरीत हो तो उन्हें रद्द करने की शक्ति प्राप्त होती है। न्यायपालिका ने अमरीका में आर्थिक, सामाजिक एवं राजनीतिक क्रियाकलापों के बहुत-से क्षेत्रों में नीति-निर्माण में प्रमुख भूमिका निभायी है। भारत में भी

न्यायालयों ने अपने न्यायिक समीक्षा के अधिकार के द्वारा नीति-निर्माण प्रक्रिया को पर्याप्त रूप से प्रभावित किया है। भारत में न्यायपालिका पर अक्सर आरोप लगाया जाता रहा है कि न्यायालय संविधान की व्याख्या में रूढ़िवादी भूमिका निभाया है। अक्सर विधायिका और न्यायपालिका में तनाव बनी रहती है। न्यायालय पर आरोप रहा है कि न्यायालय सरकार के प्रगतिशील नियमों के विरूद्ध व्याख्या करता रहा है। न्यायालय की बाधा को पार करने के लिए सरकार संवैधानिक संशोधन करती रही है।

गैर–सरकारी नीति–निर्माता संरचनाएँ

सरकारी नीति-निर्माताओं के अतिरिक्त दबाव-समूह, राजनीतिक दल और नागरिक जैसे अन्य लोग भी नीति-निर्माण प्रक्रिया में भाग लेते हैं। अनिवार्य नीतिगत निर्णय करने के कानूनी प्राधिकार के बिना ये लोग नीति-निर्माण को पर्याप्त रूप से प्रभावित करते हैं।

1. **दबाव-समूह (Pressure Groups):** दबाव-समूह आजकल अधिकांश देशों में नीति-निर्माण में महत्वपूर्ण भूमिका निभाते हैं। विभिन्न देशों में दबाव-समूह की शक्ति या प्रभाव विभिन्न प्रकार की होती है। यह इस बात पर निर्भर करती है कि देश प्रजातान्त्रिक है या तानाशाही, विकसित या विकासशील। दबाव-समूह की मूल चिन्ता किन्हीं विशिष्ट मामलों में नीति को प्रभावित करने की होती है। किसी विशेष नीतिगत प्रश्न पर अक्सर बहुत-से समूह परस्पर विरोधी कार्य करते हैं जिससे नीति-निर्माताओं को विरोधी माँगों के बीच चयन करने की समस्या का सामना करना पड़ता है। सुसंगठित, सक्रिय, नेतृत्व-कुशल, संसाधन शक्ति से सम्पन्न समूहों का असंगठित, मूक सदस्यता वाले समूहों की अपेक्षा अधिक प्रभाव पड़ता है।
2. **राजनीतिक दल (Political Parties):** आधुनिक समाज में सामान्यतया राजनीतिक दल हित समूहीकरण का कार्य करते हैं। जिन तरीकों से दल हितों को संकलित करते हैं, यह दलों की संख्या तथा प्रभाव से प्रभावित होता है। अमरीका और ब्रिटेन जैसे देशों में जहाँ प्रमुख रूप से द्विदलीय प्रणालियाँ हैं, वहाँ दोनों दलों का विस्तृत निर्वाचन, समर्थन प्राप्त करने की इच्छा, अपने-अपने नीति-प्रस्तावों में जन-हित की माँगों को सम्मिलित करने के लिए प्रेरित करेगी और सर्वाधिक महत्वपूर्ण सामाजिक समूहों में विमुख होने से बचने का प्रयास करेगी। दूसरी ओर बहुदलीय प्रणाली में दल कम-से-कम समूहीकरण का प्रयत्न करेंगे, जैसा फ्रांस में देखने को मिलता है। भारत में बहुदलीय प्रणाली है जिसमें राष्ट्रीय एवं क्षेत्रीय दोनों दल हैं। अधिकांश दलों के चुनाव घोषणा-पत्र ऐसे हैं जो विषय-वस्तु की अपेक्षा विशेष बातों में बल देने के आधार पर ही विभिन्नता दर्शाते हैं। उनकी सर्वमान्य इच्छा यह होती है कि वे अपने निर्वाचन आधार को यथासम्भव व्यापक बनायें। संसदीय प्रणाली वाले देशों में जिस राजनीतिक दल का संसद में बहुमत होता है वह सरकार बनाता है और मुख्य सरकारी नीति-निर्माता होता है।
3. **नागरिक व्यक्ति के रूप में (Citizen as an Individual):** चूँकि प्रजातान्त्रिक सरकारें प्रतिनिधि सरकारें होती हैं, अतः यह कहा जाता है कि नागरिक समस्त नीति-निर्माण प्रक्रिया में अप्रत्यक्ष रूप से सम्मिलित होते हैं। वस्तुतः यह सत्य नहीं है, क्योंकि प्रजातान्त्रिक देशों में भी नीति-निर्माण में नागरिक सहभागिता कम ही होती है। बहुत-से लोग न तो अपने मताधिकार का प्रयोग करते हैं और न ही देश की राजनीति में रुचि लेते हैं। न तो वे दबाव-समूह में होते हैं और न जनकार्यों में कोई सक्रिय रुचि ही दिखाते हैं, यहाँ तक कि मतदान करते समय मतदाता नीतिगत विचारों से अपेक्षाकृत कम प्रभावित होते हैं। फिर भी नागरिकों की इस प्रकार की राजनीतिक अनुरुचि के बावजूद कुछ नागरिक निर्णय लेने की प्रक्रिया में प्रत्यक्ष रूप से अवश्य भाग लेते हैं।
4. **जनसंचार माध्यम (Print Media):** इसके अन्तर्गत समाचार-पत्र, पत्रिकाएँ, रेडियो, टेलीविजन एक जगह से दूसरी जगह की अधिकांश सूचनाएँ जनता तक पहुँचाने का कार्य करते हैं। जनसंचार माध्यम विभिन्न वर्गों तथा समूहों की वास्तविक जनजीवन की समस्याओं, आवश्यकताओं और अपेक्षाओं को प्रतिबिम्बित करते हैं। यह जानकारी नीति-निमाण के लिए मूल्यवान निवेश प्रदान करती है। जनसंचार माध्यम समाचार-पत्रों के माध्यम से सरकारी नीतियों पर आलोचनात्मक टिप्पणियाँ करते हैं तथा साथ में वैकल्पिक नीतियाँ तथा सुझाव भी देते हैं।
5. **सामाजिक आन्दोलनों की भूमिका (Role of Social Movements):** ऐसे आन्दोलन सामाजिक संरचनाओं की वह पौधे हैं जो नीति-निर्माण को प्रभावित करते हैं। सामाजिक आन्दोलन जो कि उनके सदस्यों के संगठित हितों तथा दृष्टिकोणों के द्वारा सामने आते हैं, नीति बनाने वालों को नीति में परिवर्तन करने के लिए बाध्य करते हैं और नयी नीति बनाने के लिए भी प्रेरित करते हैं।

नीति विश्लेषण (Policy Analysis)

पेट्टॉन और सॉविकी के अनुसार शब्द ''नीति विश्लेषण'' संभवतः पहली बार लिण्डब्लाम द्वारा 1958 में प्रयुक्त किया गया था। नीति विश्लेषण के मुख्य पहलू कुछ विशेषज्ञों द्वारा निम्नलिखित प्रकार से परिभाषित किए गए हैं:

(*i*) डन इस बात पर बल देता है कि नीति विश्लेषण अनुप्रयुक्त विधा है। उसके शब्दों में नीति विश्लेषण ''अनुप्रयुक्त विधा (Applied Discipline) है जो नीति-प्रासंगिक सूचना (Policy&relevant Information) उत्पन्न करने के लिए और रूपांतरित करने के लिए जाँच और तर्क की बहुविधियाँ प्रयोग करता है उसे सार्वजनिक समस्याओं का समाधान करने के लिए राजनीतिक व्यवस्थाओं में प्रयुक्त किया जा सकता है।''

(*ii*) जैकब बी. यूकेलिस उल्लेख करता है कि "नीति विश्लेषण वैकल्पिक नीति विकल्पों का क्रमबद्ध अन्वेषण और प्रत्येक विकल्प के पक्ष और विपक्ष के साक्ष्य का संयोजन तथा एकीकरण है। इसमें समस्या समाधान सूचना का संग्रह और व्याख्या तथा कार्यवाही के वैकल्पिक मार्गों के परिणामों का पूर्वानुमान करने के कुछ प्रयास हैं।"

(*iii*) पेट्टॉन और साविकी का मत है कि नीति विश्लेषण "...कार्यान्वयन के लिए वैकल्पिक नीतियों, कार्यनीतियों का तकनीकी मूल्यांकन और आर्थिक व्यवहार्यता तथा राजनीतिक व्यवहार्यता और नीति अंगीकरण के परिणाम हैं।"

नीति विश्लेषण के प्रकार

नीति विश्लेषण को निम्नलिखित प्रकार से वर्गीकृत किया जा सकता है।

आनुभविक, मूल्यांकनीय या मानकीय नीति विश्लेषण

नीति विश्लेषण के लिए सूचना संसाधित करते समय तर्क के लिए तीन प्रकार के प्रश्नों की उत्पत्ति होती है। ये हैं:

(*i*) पहले समस्या के लिए क्या हुआ?

(*ii*) क्या नीति के उद्देश्य पूरे किए गए थे?

(*iii*) कार्यवाही का भावी तरीका क्या होगा?

आनुभविक दृष्टिकोण (Empirical Approach) पिछली नीतियों की व्याख्या पर आधारित है। इस दृष्टिकोण का सम्बन्ध निश्चित लोक नीतियों के कारणों और प्रभावों के विश्लेषण करने और मुख्य रूप से पहले प्रश्न का उत्तर देने के प्रयासों से है। उदाहरण के लिए, हम कुछ अवधि के लिए शिक्षा पर सरकारी व्यय का विश्लेषण और पूर्वानुमान कर सकते हैं।

नीति विश्लेषण का मूल्यांकनीय दृष्टिकोण (Evaluative Approach) कार्यक्रम मूल्यांकन पर ध्यान केन्द्रित करता है। यह नीति विकल्प का महत्व या मूल्य निर्धारित करता है। उदाहरण के लिए प्राथमिक शिक्षा पर सरकार के व्यय का अध्ययन खास उद्देश्य पर ध्यान केन्द्रित कर सकता है, जैसे क्या दिया गया लक्ष्य पूरा किया गया है? मानकीय नीति विश्लेषण का सम्बन्ध मुख्यतया निश्चित समस्या के लिए कार्यवाही की भावी योजना की सिफारिश करने से है। इस मामले में सूचना का प्रकार समर्थनकारी होता है। उदाहरण के लिए, नदी में समीपवर्ती बस्तियों का अपशिष्ट छोड़ने से प्रदूषक रोकने की नीति बन सकती है। इस नीति के भाग के रूप में सरकार सम्बन्धित स्थानीय प्राधिकारियों से प्रदूषकों को नदी में पहुँचने से रोकने के लिए आवश्यक उपाय करने की सिफारिश कर सकती है।

पूर्वव्यापी/प्रत्याशित नीति विश्लेषण

पूर्वव्यापी नीति विश्लेषण का सम्बन्ध पिछली नीतियों के ऐतिहासिक विश्लेषण और व्याख्या से है। इस प्रकार का नीति विश्लेषण विचाराधीन समस्या पर उपलब्ध ऐतिहासिक नीति अनुसंधान के प्रमुख पहलुओं की पुष्टि करने के लिए किया जाता है। उदाहरण के लिए, किसी ऐसी कम्पनी में श्रमिक अशांति पर अध्ययन, जिसमें पहले स्वचालन कार्यान्वित किया गया था, पूर्वव्यापी अध्ययन होगा। पूर्वव्यापी नीति विश्लेषण भी कभी-कभी कार्योत्तर या उत्तर तदर्थ नीति विश्लेषण कहा जाता है।

संभावित नीति विश्लेषण प्रस्तावित नीति के भावी परिणामों पर ध्यान केन्द्रित करता है। उदाहरण के लिए, निर्णयकर्त्ता के शहर के पूर्व, पश्चिम, दक्षिण या मध्य भागों में अग्निशमन केन्द्र स्थापित करने के चार नीति विकल्प हैं। संभावित नीति विश्लेषण को कभी-कभी प्रत्याशित पूर्वाभावी नीति विश्लेषण भी कहते हैं।

पूर्वव्यापी नीति विश्लेषण उस सूचना को उत्पन्न करता है जो प्रत्यक्ष रूप में निर्णय कार्य के लिए उपयोगी है। यह उन वैज्ञानिक विधियों के विकास के कारण है जिससे नीति निर्माताओं द्वारा डेटा अथवा आँकड़ों का विरूपण नहीं किया जा सकता है। दूसरी ओर से, संभावित नीति विश्लेषण बहुधा एक ओर समस्या के वरीयता समाधानों और सम्बन्धित संस्थाओं द्वारा उनका समाधान करने के लिए गए प्रयासों के बीच विशाल अंतर उत्पन्न करता है।

भविष्यसूचक/आदेशात्मक/वर्णनात्मक नीति विश्लेषण

निर्धारक नीति विश्लेषण का सम्बन्ध भविष्य के राज्यों के पूर्वानुमान करने से है जिनसे खास नीति विकल्पों का कार्यान्वयन होता है। आदर्शनिष्ठ विश्लेषण ऐसी कार्यवाहियों की सिफारिश करता है, जिनसे खास परिणाम निकलते हैं। जब नीति विश्लेषण समस्या के समाधान के स्वरूप के बारे में निश्चित नहीं होता है या विकल्पों में से खास समाधान चुनने का क्रमादेशित तरीका नहीं है, तब वे आदर्शनिष्ठ नीति विश्लेषण के लिए विकल्प चुन सकते हैं। यहाँ नीति निर्माता की मनोवृत्ति, वरीयताएँ और विश्वास विकल्पों में से विकल्प चयन को प्रभावित कर सकते हैं। उदाहरण के लिए, उन लोगों की बचत की आदत पर बदलती हुई आयकर की दरों के प्रभाव का अध्ययन, प्रभाव देखने के लिए अध्ययन कर सकते हैं जो आयकर दरें कम करने की सिफारिश करते हैं, यह आदर्शनिष्ठ नीति विश्लेषण है क्योंकि आयकर की दरें कम करने से प्रत्याशित आधार पर लोगों की बचत की आदत सुधर सकती है या नहीं भी सुधर सकती है।

वर्णनात्मक नीति विश्लेषण का सम्बन्ध पिछली नीतियों के ऐतिहासिक या पूर्वव्यापी विश्लेषण से है। इसका सम्बन्ध नई नीति के मूल्यांकन से है जैसा कि यह कार्यान्वित किया गया। यह नीति विश्लेषण नीति कार्यान्वयन के बाद किया जाता है। मुख्य विषय समाधान करने के बजाय समस्या को समझना है। फिर भी, वर्णनात्मक नीति विश्लेषण बहुधा संभावित नीति विश्लेषण में समाविष्ट किए जाते हैं। कार्यान्वित नीतियाँ यह निर्णय करने के लिए पर्यवेक्षण या मूल्यांकित की जाती हैं कि क्या पिछली नीतियों को जारी रखा जाए या संशोधित किया जाए। इस संदर्भ में उत्पन्न की गई सूचना भी समस्याओं का समाधान करने में सहायक होगी।

पूर्वानुमान या आदेश पर आधारित सिफारिशें लागू होती हैं, इससे पहले सिफारिशें अंगीकृत की जाती है। इसलिए वर्णनात्मक या निर्धारक विश्लेषण कार्यवाही की भावी दिशा पर विचार करता है जबकि वर्णनात्मक और मूल्यांकन विश्लेषणों का सम्बन्ध पिछली कार्यवाहियों से है।

लोक-नीति क्रियान्वयन (Public-Policy Implementation)

नीति के वास्तविक फल का आनंद तब उठाया जा सकता है, जब नीति को प्रभावी ढ़ंग से लागू किया जाता है। भारत में विधायिका, कार्यपालिका, न्यायपालिका, सिविल सेवा, गैर सरकारी संगठन और अन्य लोग नीतियाँ लागू करने की प्रक्रिया में प्रत्यक्ष या अप्रत्यक्ष रूप से भाग लेते हैं। प्रश्नकाल के दौरान अपनी राय व्यक्त करते हुए विधायिका नीति क्रियान्वयन की प्रक्रिया में एक महत्वपूर्ण भूमिका निभाती है। संसद सदस्य सरकार से कोई भी महत्वपूर्ण प्रश्न पूछ सकते हैं। लोक लेखा समिति, आकलन समिति और चयन समितियाँ सदस्यों को सरकार के फैसले की छानबीन करने में सक्षम बनाती है। बजटीय चर्चा में हर वर्ष सांसद अपने विचार व्यक्त कर सकते हैं। न्यायपालिका नीति क्रियान्वयन प्रक्रिया में एक महत्वपूर्ण भूमिका निभाती है। सरकार द्वारा तैयार की गई किसी भी नीति का संविधान के साथ विसंगति होने पर भारत के सर्वोच्च न्यायालय द्वारा अकृत और शून्य घोषित किया गया है। लोक हित की मुकदमेबाजी ने भी सर्वोच्च न्यायालय को सरकार को दोषपूर्ण नीति में बदलाव करने और गलत नीति के क्रियान्वयन की जाँच करने के लिए सक्षम बनाया है। नीति क्रियान्वयन की प्रक्रिया में कार्यपालिका की भूमिका काफी महत्वपूर्ण है। सिविल सेवा के सहयोग से, कार्यपालिका मुख्यतः नीतियों के कार्यान्वयन के लिए जिम्मेदार है। सिविल सेवक अपने कौशल, ज्ञान और अनुभव की वजह से नीति को सही दायरे में ला सकता है। लोक-नीति नागरिकों के कल्याण के लिए होती है। इसलिए, सिविल सेवक सार्वजनिक नीति को लागू करने में नागरिकों का सहयोग बनाए रखते हैं।

लोक-नीति मूल्यांकन (Public-Policy Evaluation)

लोक-नीति का विश्लेषण आवश्यक है। इसका उद्देश्य नीति की कर्मियों में सुधार, गुणवत्ता को सुधारना तथा क्रियान्वयनता को बढ़ाना है। इसमें व्यापक स्तर पर अध्ययनों तथा शोध क्रियाओं को अपनाया जाता है। नीति विश्लेषण समस्याओं की संरचना का पता लगाने, नियन्त्रण करने तथा भविष्यवाणी करने, अनिवार्य मूल्यांकन करने, सिफारिशें प्रस्तुत करने तथा प्रत्यक्ष प्रभावों का अनुमान लगाता है।

लोक-नीति के निम्न पाँच चरण होते हैं– (1) कार्य-सूची निश्चित करना (Agenda Setting); (2) नीति-निर्माण (Policy Formulation); (3) निर्णय करना (Decision Making); (4) नीति-क्रियान्वयन (Policy Implementation); तथा (5) नीति-मूल्यांकन (Policy Evaluation)।

कार्य-सूची निश्चित करना उस प्रक्रिया को कहते हैं जिसके द्वारा समस्याएँ सरकार के समक्ष या ध्यान में आती हैं; नीति-निर्माण उसे कहते हैं जिसके द्वारा सरकार के अन्दर नीति के विकल्पों को बनाया जाता है; निर्णय करना उस प्रक्रिया को कहते हैं जिसके द्वारा सरकारें एक विशेष कार्य मार्ग अपनाती हैं या नहीं अपनातीं; नीति-क्रियान्वयन वह प्रक्रिया है जिसमें सरकारें नीतियों को लागू करती हैं; नीति-मूल्यांकन उन प्रक्रियाओं को कहते हैं जिनके द्वारा राज्य तथा सामाजिक कार्यकर्ता नीतियों के परिणामों पर दृष्टि रखते हैं, जिसके परिणामस्वरूप हो सकता है कि नीति की समस्याओं तथा उपचारों को पुनः संकल्पित करना पड़े।

नीति प्रभाव का आशय यह जानना है कि नीति का क्या निष्कर्ष रहा, कितने लोगों को लाभ मिला, किन कठिनाइयों का सामना करना पड़ा, क्रियान्वयन कितना प्रभावी रहा, आदि। नीति प्रभाव का निश्चय एवं आकलन मूल्यांकन के द्वारा ही किया जाता है। नीति-मूल्यांकन एक पुरानी प्रक्रिया है। यह किसी नीति सम्बन्धी समस्या के सम्बन्ध में समस्या का सामना करने, उसे कम करने या उसका निराकरण करने के लिए पहले की तथा मौजूदा रणनीतियों की आपेक्षिक अर्थपूर्णता एवं प्रभावोत्पादकता के बारे में तथा विशिष्ट नीतियों के विषय में नीति-निर्माताओं को प्रासंगिक सूचनाएं तथा जानकारी प्राप्त करने का एक साधन है। थॉमस डाई के अनुसार, "नीति-मूल्यांकन अनुसन्धान का उद्देश्य चल रही नीतियों तथा सार्वजनिक कार्यक्रमों के उन परिणामों का निरपेक्ष, व्यवस्थित तथा अनुभूतिमूलक परीक्षण करना है जो उनके लक्ष्यों पर वांछनीय उद्देश्यों को प्राप्त करने के लिए होते हैं।" सामान्य रूप से नीति-मूल्यांकन उस प्रक्रिया को कहते हैं जो कार्य रूप में लोक नीति का पता लगाये कि जो साधन अपनाये जा रहे हैं और जिन उद्देश्यों को पूरा कर रही है, उचित हैं या नहीं। संक्षेप में, जिन लोगों के लिए नीतियाँ बनायी जाती हैं, उन लोगों पर नीति की विषय-वस्तु और प्रभावों का आकलन करने का प्रयत्न करना ही लोक नीति का मूल्यांकन है।

नीति-मूल्यांकन के तीन प्रकार होते हैं–प्रशासनिक मूल्यांकन, न्यायिक मूल्यांकन तथा राजनीतिक मूल्यांकन।

डेनियल लर्नर ने नीति-मूल्यांकन की निम्न तीन विधियों का वर्णन किया है–

1. **नीति-प्रभाव मूल्यांकनः** समग्र कार्यक्रम और उसकी प्रभाविकता के मूल्यांकन के लिए इस बात पर बल दिया जाता है कि कार्यक्रम मूलभूत उद्देश्यों को प्राप्त करने में किस सीमा तक सफल हुए हैं। राष्ट्रीय कार्यक्रमों के तुलनात्मक मूल्यांकन पर भी जोर दिया जाता है।
2. **नीति की कार्यनीति का मूल्यांकनः** यह मूल्यांकन कार्यक्रम, कार्य-नीतियों और कार्यों की सापेक्ष प्रभाविकता का आकलन है। इसमें इस बात का निर्धारण करने पर जोर दिया जाता है कि कौन-सी कार्य-नीतियाँ, प्रणालियाँ और कार्यविधियाँ अधिक प्रभावी हैं।
3. **नीति परियोजना मूल्यांकनः** यह नीति प्रबन्धकीय तथा प्रचलन दक्षता पर जो देते हुए अन्य क्रियाकलापों के जरिए अलग-अलग परियोजनाओं के मूल्यांकन की प्रक्रिया है।

नीति-मूल्यांकन पर विचार करते समय हमें नीति-निर्णय और नीति-परिणामों के बीच बुनियादी अन्तर को जान लेना चाहिए। नीति-निर्णय का आशय सरकार की परिणामबोधक कार्रवाइयों से है जिनको ठोस रूप

में मापा जा सकता है; जैसे—सरकारी कार्यालयों, स्कूलों, राजमार्गों का निर्माण, कल्याणकारी हित, लाभों की अदायगी, अनाथालयों एवं जेलों के संचालन के क्रियाकलापों को ठोस रूप से मापा जा सकता है, लेकिन इनसे सम्बन्धित आँकड़े नीति-परिणामों अथवा जन-जीवन पर लोक-नीतियों के गुणात्मक प्रभाव के विषय में बहुत कम तथ्य उजागर कर पाते हैं। प्रति व्यक्ति के आधार पर यह जान लेना कि स्कूल-व्यवस्था में किसी विद्यार्थी पर कितना व्यय हुआ है, इससे शैक्षिक पद्धति को सामाजिक परिणामों को जानने की बात तो दूर रही, यह पता भी नहीं चलता कि स्कूली शिक्षा का विद्यार्थियों की ज्ञानात्मक एवं अन्य क्षमताओं पर क्या प्रभाव पड़ा। फिर भी, नीति-मूल्यांकन के लिए यह जान लेना आवश्यक है कि निर्धारित नीति में कौन-कौन से लक्ष्य प्राप्त करने हैं, इन्हें किस प्रकार कार्यान्वित करना है और क्यों? उद्देश्यों (परिणाम) को प्राप्त करने में कोई सफलता मिली है? उससे नीति का क्या सम्बन्ध है? नीति-निर्धारकों एवं प्रशासकों के लिए नीति-मूल्यांकन की अत्यधिक उपयोगी प्रणाली यह है कि कार्य-कारण सम्बन्ध का निर्धारण करने और नीति के प्रभाव को सही रूप से मापने के लिए प्रणालीबद्ध मूल्यांकन किया जाये। वास्तव में, लोक-नीतियों, विशेष रूप से सामाजिक नीतियों के प्रभाव को वास्तविक परिशुद्धता से मात्रात्मक रूप में मापना प्रायः असम्भव होता है। कुछ बाधाएँ हैं जो नीति-मूल्यांकन के लिए समस्याएँ उत्पन्न करती हैं; जैसे—नीति-लक्ष्यों के सम्बन्ध में अनिश्चितता, कार्य-कारण के निर्धारण में कठिनाई, असंगठित नीति का प्रभाव, आधार सामग्री, आँकड़े-तथ्यों की प्राप्ति में कठिनाई आदि।

संक्षेप में, यह कहा जा सकता है कि आधुनिक प्रजातान्त्रिक प्रणालियों में लोक-नीति का निर्माण और मूल्यांकन एक जटिल प्रक्रिया है। इसमें बहुत-से भागीदार और कारण हो सकते हैं जो इनके परिणामों को प्रभावित करते हैं। नीति-प्रक्रिया का विश्लेषण करते समय इन सभी बातों को ध्यान में रखना चाहिए, जिससे सम्भावित बातों की जाँच हो सके।

लोक-नीति के अवरोध
(Difficulty of Public-Policy)

नीति का निर्माण शून्यता में नहीं होता। जिनके कन्धों पर नीति-निर्माण का उत्तरदायित्व होता है, उनको विभिन्न प्रकार के तत्त्वों द्वारा प्रभावित करने का प्रयास किया जाता है:

नीति-निर्माण पर सर्वाधिक प्रभाव उस पर्यावरण का होता है जिसमें कि एक राजनीतिक व्यवस्था कार्य करती है। पर्यावरण में आर्थिक और सामाजिक संस्थान, इतिहास, कानून, नैतिकता, दर्शन, धर्म, शिक्षा, परम्परा, विश्वास, मूल्य, राजनीतिक सोच आदि आते हैं। गाई पीटर्स का कथन है कि "किसी देश की आर्थिक और सामाजिक व्यवस्थाएँ वहाँ की सरकार के कार्यों की सीमाएँ निर्धारित करती हैं .... इस बात की व्याख्या करके कि सरकार में क्या अच्छा है और क्या बुरा, संस्कृति कुछ कार्यों को लगभग अनिवार्य बना देती है और अन्य कार्यों पर रोक लगा देती है।" इसका कारण यह है कि नीति का निर्धारण करने वाले चाहे वे राजनेता हों, चाहे सरकारी अधिकारी, अपने समाज की ही उपज होते हैं। नेता या अधिकारी बनने के पूर्व वे समाज के मूल्यों, परम्पराओं और आचार-व्यवहारों को अपना चुके होते हैं, सामाजिक वातावरण में जिन दृष्टिकोणों और व्यवहारों को वे विकसित कर लेते हैं, वे बहुत हद तक उनके निर्णयों को प्रभावित करते हैं।

लोक–नीति के प्रमुख अवरोधक तत्व

सांस्थानिक–नीति निर्माण एक गतिशील और लम्बी प्रक्रिया है जिसमें विभिन्न स्तरों पर बड़ी संख्या में अधिकारी कार्य करते हैं। देखने में कोई नीति किसी विशेष संस्था अथवा अधिकारी का निर्णय जान पड़ता है, किन्तु यह संस्था या अधिकारी उस विषय के पिछले इतिहास की लम्बी श्रृंखला में अन्तिम जोड़ होता है। अतः किसी नीति निर्माण में सांस्थानिक अवरोध का सामना करना पड़ता है।

प्रत्येक राज्य की एक विचारधारा होती है जिससे राज्य बंधा होता है। लोकतंत्र, राष्ट्रवाद, फासीवाद, साम्यवाद, पूँजीवाद ये विचारधाराएँ हैं। ये सरकारी नीतियाँ और कार्यक्रमों को प्रभावित करते हैं।

सांस्कृतिक–सामजिक जीवन में संस्कृति को सम्पूर्ण प्रतिमान और जीवनयापन की विरासत में प्राप्त आचरण को कहा जाता है जिन्हें व्यक्ति अपने समुदाय व वातावरण से प्राप्त करता है। अधिकांश समाजों में इस बात पर सहमति है कि संस्कृति उन कारकों में से एक है जो सामाजिक क्रिया को निर्धारित एवं प्रभावित करते हैं। उसमें व्यापक रूप से संस्थापित विश्वास और अभिवृत्तियाँ होती हैं, जिसका सम्बन्ध सरकारी नीतियों और कार्यवाहियों से होता है। इस संस्कृति के कतिपय निहितार्थ और महत्व का सम्बन्ध नीति-प्रतिपादन से होता है। विभिन्न देशों में लोक-नीति और निर्माण के अन्तर को, कम-से-कम आंशिक रूप में राजनीतिक संस्कृति के सन्दर्भ में स्पष्ट किया जा सकता है।

राजनीतिक–सहगामी राजनीति अमरीका में देखने को मिलती है। वहाँ नागरिकों में उच्च स्तर की राजनीतिक जागरुकता और जानकारी होती है और समग्र रूप में राजनीतिक पद्धति के प्रति सुस्पष्ट अभिविन्यास व राजनीति में सार्थक नागरिक सहभागिता की अवधारणा होती है। संकीर्ण राजनीति नीति-निर्माण को कम प्रभावित करती है लेकिन सहभागी राजनीति सरकारी कार्यवाहियाँ या नीति-निर्माण को अधिक प्रभावित करती है। जबकि अधीनस्थ राजनीति संकीर्ण से अधिक और सहभागी से कम अर्थात् मध्यम रूप से नीति-निर्माण को प्रभावित करती है।

सामाजिक-आर्थिक–आधुनिक समाजों में संघर्ष का एक प्रमुख स्रोत आर्थिक क्रियाकलाप है पूंजीवादी देशों में नियोक्ताओं द्वारा निर्धारित मजदूरी से असन्तुष्ट संगठित श्रमिकों ने अक्सर निम्नतम मजदूरी के सम्बन्ध में सरकार द्वारा कानून बनाने पर दबाव डाला है।

एक सामान्य तथ्य है कि समाज के आर्थिक विकास का स्तर उस पर सीमाएँ आरोपित करता है, जिसके सम्बन्ध में सरकार समाज को जन-कल्याण और सेवाएँ उपलब्ध करा सकती है। आर्थिक संसाधनों की कमी सम्पन्न देशों की अपेक्षा विकासशील देशों की अकांक्षाओं को सीमित कर देती है। जिन तरीकों से सामाजिक-आर्थिक दशाएँ लोक-नीतियों को प्रभावित या बाधित करती हैं उनका पर्याप्त विश्लेषण किया गया है।

नीति निर्माण में संचार माध्यम की भूमिका

संचार माध्यम के अन्तर्गत समाचार-पत्र, पत्रिकाएँ, रेडियों टेलीविजन आदि साधन आते हैं। संचार माध्यम एक स्थान से दूसरी स्थान सूचनाएँ जनता तक पहुँचाने का कार्य करते हैं। संचार माध्यम विभिन्न वर्गों तथा समूहों की वास्तविक जनजीवन की समस्याओं, आवश्यकताओं और अपेक्षाओं को प्रतिबिम्बित करते हैं यह जानकारी नीति-निर्माण के लिए मूल्यवान निवेश प्रदान करती है। संचार माध्यम समाचार-पत्रों के माध्यम से सरकारी नीतियों पर आलोचनात्मक टिप्पणियाँ करते हैं तथा साथ में वैकल्पिक नीतियाँ तथा सुझाव भी देते हैं।

नीति निर्माण में जनमत की भूमिका

लोगों के विचार, उनकी रूचियाँ एवं आकांक्षाएँ (जनमत) लोकतांत्रिक शासन प्रणाली की रीढ़ होती हैं। सत्ता जनमत के प्रति उत्तरदायी होता है। अतः लोकतांत्रिक सरकार नागरिकों के बड़े हिस्से द्वारा विरोध किये जाने पर उन नीतियों को नहीं अपना सकती है। इस प्रकार जनमत ने नीति बनाने पर अप्रत्यक्ष प्रभाव डाला है। मतदान के अधिकार का प्रयोग नागरिकों को सार्वजनिक नीतियों का विकल्प बनाने में सक्षम बनाता है। चुनावों के दौरान नागरिकों को राजनीतिक दलों प्रस्तुत की गई वैकल्पिक नीतियों के चयन का अवसर उपलब्ध होता है।

नीति निर्माण में दबाव समूहों की भूमिका

दबाव समूह औपचारिक संरचना वाले संगठन होते हैं, जिसके सदस्य समान हितों को प्रतिबिम्बित करते हैं। वे राजनीतिक कार्यालयों पर कब्जा करने की कोशिश किए बना सरकार की नीतियों को प्रभावित करने का प्रयास करते हैं। इन समूहों का मुख्य कार्य माँगों को व्यक्त करना और नीतिगत कार्रवाई के लिए विकल्प पेश करना है। वे लगातार अपने सदस्यों के हितों की रक्षा करने का प्रयास करते हैं या फिर सरकार या नौकरशाही पर निर्णय लेने के लिए दबाव डालते हैं, जो उनके सदस्यों के हित के अनुरुप होते हैं। वे प्रचार, अभियान, अधिकारियों या विधायकों के साथ व्यक्तिगत बैठकों के माध्यम से अपने उद्देश्यों को प्राप्त करने का प्रयास करते हैं।

नीति निर्माण में नागरिक समाज की भूमिका

वर्तमान युग में, नागरिकों पर बार-बार ऐसी नीतियाँ लागू करना सरकार के लिए संभव नहीं है, जो उनकी इच्छा को प्रतिबिंबित न करें। अतः लोक नीति नागरिक समाज के हितों के अनुरूप होना चाहिए। नागरिक समाज की असन्तुष्टि आंदोलन के रूप में संगठित होकर बाहर निकलती है, इस प्रकार नागरिक समाज नीतियों को प्रभावित करता है। नागरिक समाज, हितधारी समूह, राजनीतिक दल आदि कानूनी तौर पर नीतिगत फैसले लेने के लिए कानूनी अधिकार के बगैर नीति निर्माता को काफी हद तक प्रभावित करते हैं।

बहुविकल्पीय प्रश्नोत्तर

1. सूची-I के साथ सूची-II का मिलान कीजिए :

सूची-I (विचारक)	**सूची-II (पुस्तक)**
(*a*) मेरी पार्कर फॉलेट	(*i*) उदासीनता का क्षेत्र
(*b*) लूथर गुलिक	(*ii*) स्वीकार्यता का क्षेत्र
(*c*) चेस्टर आई बर्नार्ड	(*iii*) निर्वैयक्तिकरण आदेश के आधार पर
(*d*) हरबर्ट साइमन	(*iv*) विभागीकरण

नीचे दिए गए विकल्पों में से सही उत्तर का चयन कीजिए :

	(*a*)	(*b*)	(*c*)	(*d*)
A.	(*i*)	(*iii*)	(*iv*)	(*ii*)
B.	(*iii*)	(*iv*)	(*i*)	(*ii*)
C.	(*ii*)	(*iii*)	(*i*)	(*iv*)
D.	(*iv*)	(*i*)	(*ii*)	(*iii*)

2. पेट्टॉन और सॉविकी के अनुसार 'नीति विश्लेषण' शब्द संभवतः पहली बार किसके द्वारा प्रयुक्त किया गया था?

A. लिण्डब्लाम
B. डन
C. जैकब बी. यूकेलिस
D. डेनियल लर्नर

3. वॉन स्लाइके ओ' लिअरी और किम ने लोक प्रशासन को मजबूत और प्रभावी बनाने के लिए निम्नलिखित में से किस सक्रिय चरणों को सूचीबद्ध किया था?

(*a*) समर्थनकारी सहयोगात्मक शोध
(*b*) प्रणालीतंत्रीय और ज्ञान मीमांसीय बहुलतावाद को बताए रखने की माँग करना
(*c*) गैर-पश्चिमी संस्कृति को समझना
(*d*) सीमा विस्तार को प्रोत्साहन देना

नीचे दिए गए विकल्पों में से सबसे उपयुक्त उत्तर का चयन कीजिए :

A. केवल (*a*), (*b*)
B. केवल (*a*), (*b*), (*c*)
C. केवल (*a*), (*c*), (*d*)
D. केवल (*a*), (*b*), (*d*)

4. राबर्ट टी. गोलेम्बीव्स्की ने निम्न में से कौन-सी पुस्तकें लिखी हैं?

(*a*) मेन, मैनेजमेंट और मोरालिटी
(*b*) आयरनीस ऑफ आर्गेनाइजेशनल डेवलपमेंट
(*c*) हैंडबुक ऑफ आर्गेनाइजेशनल बिहेवियर
(*d*) एनसाइक्लोपीडिया ऑफ पॉलिसी स्टडीज

नीचे दिए गए विकल्पों में से सही उत्तर का चयन कीजिए :

A. (*a*), (*b*), (*c*) B. (*a*), (*b*), (*d*)
C. (*a*), (*c*), (*d*) D. (*b*), (*c*), (*d*)

5. निम्नलिखित में से कौन-से एकीकृत ग्रामीण विकास कार्यक्रमों के तत्व हैं?

(*a*) श्रम-केन्द्रित कृषि का विकास
(*b*) नकदी फसलों को प्रोत्साहन देना
(*c*) लघु लोक कार्यों के माध्यम से रोजगार का सृजन करना
(*d*) लघु स्तरीय श्रम-केन्द्रित उद्योग

नीचे दिए गए विकल्पों में से सही उत्तर का चयन कीजिए :

A. (*a*), (*b*), (*c*), (*d*) B. केवल (*b*), (*c*), (*d*)
C. केवल (*a*), (*c*), (*d*) D. केवल (*a*), (*b*), (*d*)

6. निम्नलिखित में से कौन-सी तर्कसंगत नीति निर्माण में एक बाधा नहीं है?

A. समुन्नत कम्प्यूटरीकृत विश्लेषणात्मक तकनीकों में सटीक लागत और लाभों की गणना के लिए पर्याप्त बुद्धिमत्ता नहीं होती है
B. कार्यक्रमों और नीतियों में भारी निवेश नीति निर्माताओं को विकल्पों पर पुनर्विचार में सहायता करता है
C. अनेक विरोधाभासी लाभ और लागत की तुलना या मूल्यांकन नहीं किया जा सकता
D. विभिन्न नीति विकल्पों के प्रभावों के बारे में अनिश्चितता नीति निर्माताओं को यथासंभव निकट रूप से जुड़े रहने को बाध्य करती है

7. निम्नलिखित में से किन घटक के कारण लोक नीति के अध्ययन में प्रमुख परिवर्तन हुआ है?

(*a*) केनेसियन आर्थिक सिद्धांत
(*b*) उपकरण के रूप में संगठन
(*c*) नव-उदार दार्शनिकता
(*d*) लोक नीति में अवधारणाओं और सिद्धांतों का विकास

नीचे दिए गए विकल्पों में से सही उत्तर का चयन कीजिए :

A. केवल (*a*) और (*b*) B. केवल (*a*) और (*c*)
C. केवल (*a*) और (*d*) D. (*a*), (*b*), (*c*) और (*d*)

8. लोक नीति का संभ्रांत वर्ग सिद्धांत निम्नलिखित में से किससे संबंधित है?

A. वर्गों और जनता में विभाजित समाज लोक नीति निर्धारित करता है
B. गैर-संभ्रांत वर्ग, जिसने मूल संभ्रांत वर्ग को स्वीकार कर लिया है
C. संभ्रांत वर्ग जनता और उनके मूल्यों से प्रभावित होता है
D. लोक नीति में परिवर्तन क्रमिक के बजाए क्रांतिकारी होंगे

9. पुस्तक 'ए प्री-व्यू ऑफ पॉलिसी साइंसेज' के लेखक की पहचान कीजिए :

A. थॉमस आर. डाई B. हेरॉल्ड डी. लॉसवेल
C. चार्ल्स ई. लिंडबॉम D. एलिनोर ऑस्ट्रोम

10. किसने कहा कि लोक प्रशासन के विज्ञान को विकसित करने में तीन मूल समस्याएँ हैं–नियामक मूल्य, मानव व्यवहार की समस्या और लोक प्रशासन तथा उसके सामाजिक परिवेश में संबंध है:

A. रॉबर्ट डाहल B. हरबर्ट साइमन
C. अली फराजमरद D. क्रिस्टोफर हूड

11. निम्नलिखित लोक नीति निर्माण मॉडलों/प्रारूपों को सही क्रम में व्यवस्थित कीजिए :

(*a*) तर्कसंगत चयन/विकल्प : लोक चयन प्रारूप
(*b*) प्रौद्योगिकीय मूल्यांकन प्रारूप
(*c*) संवर्धनात्मक नीति निर्माण
(*d*) नीति विज्ञानों का प्रारूप

नीचे दिए गए विकल्पों में से सही उत्तर का चयन कीजिए :

A. (*a*), (*b*), (*c*), (*d*) B. (*b*), (*a*), (*c*), (*d*)
C. (*c*), (*b*), (*a*), (*d*) D. (*c*), (*a*), (*d*), (*b*)

12. लोक नीति में ज्ञान-प्रबंधन किनको संदर्भित करता है?

(*a*) सूचना प्रौद्योगिकी का प्रबंधन
(*b*) सूचना संसाधनों और प्रणालियों का प्रबंधन
(*c*) ज्ञान-कार्मिकों का प्रबंधन
(*d*) नीति-समर्थनकारी प्रणालियाँ

नीचे दिए गए विकल्पों में से सबसे उपयुक्त उत्तर का चयन कीजिए :

A. केवल (*a*), (*b*) और (*c*)
B. केवल (*b*), (*c*) और (*d*)
C. केवल (*a*), (*c*) और (*d*)
D. केवल (*a*), (*b*) और (*d*)

13. लोक नीति और प्रबंधन साहित्य में निम्नलिखित में से किसे बाजार और अधिक्रम के विकल्प के रूप में देखा जाता है?

A. व्यावसायिकता B. नेटवर्क
C. सामूहिकता D. कार्यविधिक रीति

14. निम्नलिखित में से किसने सार्वजनिक नीति को सम्पूर्ण समाज के लिए मूल्यों के साधिकार आवंटन के रूप में परिभाषित किया है?

A. डेविड ईस्टन B. थॉमस डाई
C. हैरॉल्ड लासवेल D. येजकेल ड्रोर

15. सार्वजनिक नीति अध्ययन के लिए क्रमिक उपागम का प्रस्ताव किसने किया?

A. निकोलस हेनरी B. डेविड ईस्टन
C. लिंडब्लाम चार्ल्स ई D. गेब्रियल आमंड

16. सार्वजनिक नीति निर्माण का ड्रोर का ऑप्टिमल मॉडल किससे संबंधित है?

A. मात्रात्मक पैरामीटरों से न कि गुणात्मक पैरामीटरों से

B. तार्किक और अतिरेक-तार्किक कारक
C. सामान्य मानव के सन्तुष्टिकारक मॉडल से
D. समाज में बदलावों से

17. निम्नलिखित में कौन जन सेवा कार्य के मार्ग का अवरोध नहीं है?
(*a*) जनसेवा उपलब्ध कराने वाले कर्मचारियों का अनुपस्थित होना।
(*b*) उच्चाधिकारियों द्वारा प्रभावहीन पर्यवेक्षण।
(*c*) तकनीकी एवं व्यावसायिक ज्ञान एवं कौशल का अभाव।
नीचे दिए गए विकल्पों में से सही उत्तर का चयन कीजिए :
A. केवल (*a*) और (*b*)　　B. केवल (*a*) और (*c*)
C. केवल (*c*)　　D. केवल (*a*)

18. लोकतंत्रों में सार्वजनिक नीतियां विभिन्न समूहों द्वारा समझौते पर पहुँचने का परिणाम होती हैं। इनमें निम्नलिखित में से कौन शामिल होते हैं?
(*a*) राजनीतिक-कर्ता
(*b*) दबाव समूह
(*c*) गैर-राज्य कर्ता
(*d*) प्रशासक
नीचे दिए गए विकल्पों में से सही उत्तर का चयन कीजिए :
A. केवल (*a*), (*b*) और (*c*)　　B. केवल (*b*), (*c*) और (*d*)
C. केवल (*a*), (*c*) और (*d*)　　D. (*a*), (*b*), (*c*) और (*d*)

19. लोक नीति :
(*a*) एक सुविचारित ज्ञात आचार नियम है जो लोक प्राधिकारियों को राजनीतिक व्यवस्था में कार्य करने के लिए मार्ग दर्शन करता है।
(*b*) यह परिणामोन्मुखी कार्य है।
(*c*) यह विधि मान्य/प्राधिकारी नहीं है।
(*d*) यह लोक प्रशासक के निर्णयात्मक पद्धति से संबंधित है।
नीचे दिए गए विकल्पों में से सही उत्तर का चयन कीजिए :
A. केवल (*a*) और (*b*)'　　B. केवल (*c*) और (*d*)
C. केवल (*a*) और (*c*)　　D. केवल (*b*) और (*d*)

20. सूची-I के साथ सूची-II का मिलान कीजिए :

सूची-I	सूची-II
(*a*) संस्कृति-केंद्रिक ढाँचा	(*i*) शास्त्रीय उपागम
(*b*) संरचना-केंद्रिक ढाँचा	(*ii*) मानव संबंध उपागम
(*c*) संगठन का आंतरिक भाग	(*iii*) व्यवहारवादी उपागम
(*d*) पुरुष/व्यक्ति का आंतरिक भाग	(*iv*) पारिस्थितिक उपागम

नीचे दिए विकल्पों में से सही उत्तर का चयन कीजिए :

	(*a*)	(*b*)	(*c*)	(*d*)
A.	(*i*)	(*ii*)	(*iii*)	(*iv*)
B.	(*iv*)	(*i*)	(*ii*)	(*iii*)
C.	(*iii*)	(*iv*)	(*ii*)	(*i*)
D.	(*ii*)	(*iii*)	(*i*)	(*iv*)

21. "आज समस्त प्रशासन राजनीतिक है चूंकि इसे अवश्य ही लोक हित के प्रति संवेदी होना चाहिए," यह किसका कथन है?
A. ब्रायन चैपमेन　　B. पॉल एप्पलबी
C. ई.एन. ग्लेड्डन　　D. ओ. ग्लेन स्टेह्ल

22. नीति विज्ञान को ज्ञान की विभिन्न शाखाओं से ज्ञान एकीकृत कर तथा लोक नीति निर्माण पर विशेष बल देकर इसे एक उच्च-विषय बनाना चाहिए।
उपरोक्त कथन किस लेखक का है?
A. हेरॉल्ड लॉसवेल　　B. थॉमस आर. डाई
C. डेविड ईस्टन　　D. येज्कल ड्रोर

23. "नीति विश्लेषण की भूमिका राजनीति में सुधार लाने में योगदान करने का है न कि यह उसका विकल्प है।" यह कथन किस लेखक का है?
A. चार्ल्स लिंडब्लॉम　　B. हेरॉल्ड लॉसवेल
C. रॉबर्ट डेनहार्ट　　D. एरॉन विल्डोवस्की

24. लोक नीति एक सामाजिक कार्य क्षेत्र है जो अन्य सामाजिक कार्य क्षेत्र को जब प्रभावित करता है, इसे कहते हैं :
A. बाह्यपरकता　　B. ब्लैक बॉक्स
C. अभिजात्यता　　D. वार्धिकतावाद

25. नीति निर्धारण संबंधी नीति का उल्लेख नीति निर्धारण व्यवस्था की विशिष्टताओं को निम्नवत संदर्भित किया गया है :
A. मेगा नीति　　B. मेटा नीति
C. मेटा नियंत्रण　　D. मेटा निर्णय

26. नीति विश्लेषण का उद्देश्य है :
A. नीति निर्धारण में अन्वेषणात्मक सहयोग करना
B. नीतियों का पुर्ननिर्धारण करना
C. क्रियान्वयन के लिए विकल्पों को चिह्नित करना
D. निर्णय पद्धति का अध्ययन और उस पर शोध करना

27. अमिताई एटजियोनी ने मिश्रित विश्लेषणात्मक दृष्टिकोण में स्पष्टता के साथ सम्मिलित करने का प्रयास किया है :
(*a*) उच्च स्तरीय मूलभूत नीति निर्धारण प्रक्रिया जो बुनियादी दिशानिर्देश तय करता है।
(*b*) तर्क संगत मूल तत्वों को असंगत घटकों के साथ संयोजन करना।
(*c*) अभिवर्धी जिससे मौलिक निर्णय तैयार किए जाते हैं और विश्लेषण के पश्चात् निष्कर्ष पर पहुँचते हैं।
(*d*) विधायिका के माध्यम से नौकरशाह का कड़ा नियंत्रण और प्रतिस्पर्धा को बढ़ाना।
नीचे दिए गए विकल्पों में से सही उत्तर चुनिए :
A. केवल (*a*) और (*b*)　　B. केवल (*b*) और (*c*)
C. केवल (*a*) और (*c*)　　D. केवल (*a*) और (*d*)

28. निम्नलिखित में नीति आकलन के उद्देश्य कौन-कौन से हैं?
(*a*) प्राथमिकताओं और राजनीतिक उद्देश्यों का निर्धारण
(*b*) नीति की कुशलता का आकलन
(*c*) नीति के प्रभाव को समझना
(*d*) क्रियान्वयन के दौरान सुधार निष्पादित करना
नीचे दिए गए विकल्पों में से सही उत्तर चुनिए :
A. केवल (*a*) और (*b*)
B. केवल (*b*) और (*c*)
C. केवल (*c*) और (*d*)
D. केवल (*a*), (*c*) और (*d*)

29. लोक नीति चक्र के निम्नलिखित चरणों को काल- क्रमानुसार सजाएँ :
(*a*) निर्माण
(*b*) क्रियान्वयन
(*c*) कार्यसूची निर्धारण
(*d*) वैधानिकीकरण
नीचे दिए गए विकल्पों में से सही उत्तर चुनिए :
A. (*c*), (*d*), (*b*), (*a*) B. (*a*), (*c*), (*d*), (*b*)
C. (*a*), (*c*), (*b*), (*d*) D. (*c*), (*a*), (*d*), (*b*)

30. नीचे दो कथन दिए गए हैं। एक को अभिकथन (A) और दूसरे को तर्क (R) कहा गया है :
अभिकथन (A) : लोक नीति के कारण और परिणामों के संबंध में सामान्य विवरणों की जांच और उसे विकसित करने का प्रयास करना लोक नीति विश्लेषण का कार्य है और सामान्य संगत विश्वसनीय शोध को एकत्र करना शामिल है।
तर्क (R) : लोक नीति के संबंध में सामान्य सिद्धांत विकसित करना जो विश्वसनीय और सरकारी निकायों तथा विभिन्न नीति क्षेत्रों पर लागू हों, नीति विश्लेषण स्पष्ट रूप से ऐसी व्याख्या विकसित करने का प्रयास करता है जो एक से अधिक, नीति निर्णय या एक विषय पर अपनी व्याख्या विकसित करता है जो हर परिस्थिति में लागू है।
उपर्युक्त कथनों के आलोक में निम्नांकित विकल्पों में से सर्वाधिक उपयुक्त उत्तर चुनें :
A. (A) और (R) दोनों सही हैं और (R), (A) की सही व्याख्या है।
B. (A) और (R) दोनों सही हैं और (R), (A) की सही व्याख्या नहीं है।
C. (A) सही है, परन्तु (R) सही नहीं है।
D. (A) सही नहीं है, परन्तु (R) सही है।

31. नीचे दो कथन दिए गए हैं। एक को अभिकथन (A) और दूसरे को तर्क (R) कहा गया है :
अभिकथन (A) : निर्वाचित प्रतिनिधियों द्वारा क्रियान्वयन के लिए मूल्य, नीति और उपकरण विकल्प बनाना मात्र ही शासन नहीं है।
तर्क (R) : शासन में सरकार के काम में जनता की भागीदारी की पद्धतियाँ और प्रक्रियाएँ भी सम्मिलित हैं।
उपर्युक्त कथनों के आलोक में निम्नांकित विकल्पों में से सर्वाधिक उपयुक्त उत्तर चुनें :
A. (A) और (R) दोनों सही हैं और (R), (A) की सही व्याख्या है।
B. (A) और (R) दोनों सही हैं परन्तु (R), (A) की सही व्याख्या नहीं है।
C. (A) सही है, परन्तु (R) सही नहीं है।
D. (A) सही नहीं है, परन्तु (R) सही है।

32. निम्नलिखित में से कौन-सा सार्वजनिक उद्यमों पर मंत्रिस्तरीय नियंत्रण का तरीका नहीं है?
A. नीति निर्देशन
B. गवर्निंग बोर्ड्स में सदस्यों की नियुक्ति
C. वार्षिक और अन्य रिपोर्टों पर चर्चा
D. जानकारी और मूल्यांकन प्राप्त करना

33. निम्नलिखिंत में से कौन-सा सिद्धांत सार्वजनिक नीति को संगठित हित समूहों के बीच निरंतर संघर्ष के परिणाम के रूप में देखता है?
A. समूह सिद्धांत
B. संस्थागत सिद्धांत
C. तार्किक चयन
D. राजनीतिक प्रणाली सिद्धांत

34. नीति प्रक्रिया में समाचार मीडिया की भागीदारी के बारे में निम्नलिखित में से कौन-सा सही नहीं है?
A. समाचार मीडिया सरकार के कार्यों पर रोशनी डालता है
B. बिना समाचार मीडिया के लोकतंत्र अपंग हो सकता है
C. मीडिया की सूचना और प्रक्रियाएं बनाने वाले सभी का सार्वजनिक नीति तक पहुंच है
D. समाचार मीडिया की नीति निर्माण में औपचारिक और निश्चित भूमिका नहीं है

35. किसने कहा कि "जो भी सरकारें ऐसा करना या न करना चुनती हैं" को लोक नीति कहा जाता है?
A. हेराल्ड लासवेल B. थॉमस डाई
C. बी. गाईपिटर्स D. एफ. मैलोन

36. निम्नलिखित में से कौन से अनौपचारिक कर्ता नीति निर्माण की प्रक्रिया में भाग लेते हैं?
(*a*) ससंद
(*b*) संस्थागत समूह
(*c*) सर्वोच्च न्यायालय
(*d*) व्यक्तिगत नागरिक
सही विकल्प चुनें:
A. (*a*) और (*b*) B. (*b*) और (*c*)
C. (*c*) और (*d*) D. (*b*) और (*d*)

37. नीति मूल्यांकन प्रक्रिया में मात्रात्मक माप ध्यान केंद्रित करती हैः
(*a*) नीतिगत कथन में किए गए प्रयोजन के संदर्भ में परिणाम
(*b*) नीति के परिणाम का मूल्य
(*c*) उस हद तक कार्यान्वयन अभिकरण ने नीति निर्देशों के अनुसार अपना काम किया है
(*d*) योजना के अनुसार नीति कार्यान्वयन प्रक्रिया का पालन

नीचे दिए गए कूट से **सही** उत्तर का चयन कीजिए :
A. (*a*) और (*b*) B. (*a*), (*b*) और (*c*)
C. (*a*), (*c*) और (*d*) D. (*a*), (*b*), (*c*) और (*d*)

38. निम्नलिखित में से कौन-सा कथन नीति-निर्माण में मीडिया की भूमिका के बारे में सही नहीं है?
A. यह जनमत बनाने में महत्वपूर्ण भूमिका निभाता है।
B. यह जनमत प्रसारण के माध्यम से उपयोगी जानकारी और सार्वजनिक मांग प्रदान करता है।
C. यह लोकतांत्रिक प्रणाली के दबाव को स्पष्ट करने में अक्षम है।
D. यह प्रहरी की भूमिका निभाता है और सार्वजनिक नीतियों के कार्यान्वयन पर निगरानी रखता है।

39. भारत सरकार की भूमिका कारोबारी माहौल को आकार देना निम्न से संबंधित है?
(*a*) व्यापार का विनियमन
(*b*) व्यवसाय को बढ़ावा देना
(*c*) उद्यमी सरकार
(*d*) सरकार–एक योजनाकार के रूप में

नीचे दिए गए कूट से सही उत्तर को चुनिए:
A. (*a*), (*b*) और (*c*) B. (*b*), (*c*) और (*d*)
C. (*a*), (*b*) और (*d*) D. (*a*), (*b*), (*c*) और (*d*)

40. किस सार्वजनिक उद्यम में, कर्मचारियों की भर्ती और सेवा की शर्तें लोक सेवकों के समान हैं?
A. लोक निगम B. सरकारी कंपनी
C. विभागीय उपक्रम D. बहु इकाई कंपनी

41. निकोलस हेनरी द्वारा नव लोक प्रबंधन के मूल रूप में निम्नलिखित में से किसकी पहचान नहीं की गई है?
A. सतर्कता
B. फुर्ती
C. संरेखण
D. प्रबंधन के निजी क्षेत्र की शैलियों का अपनाना

42. नीति कार्यान्वयन के बॉटम-अप के प्रमुख प्रस्तावक कौन हैं?
A. कार्ल वान हॉर्न B. रिचर्ड एलमोर
C. डोनाल्ड वैन मीटर D. पॉल सबेटियर

43. नीति कार्यान्वयन के टॉप-डाउन दृष्टिकोण की परिकल्पना नहीं करती है:
A. नीतिगत उद्देश्यों की स्पष्टता और स्थिरता
B. नीति की एकल संविधि या आधिकारिक वक्तव्य का अस्तित्व
C. नीतिगत साधनों का पुलिंदा
D. नीति प्रक्रिया के विभिन्न चरणों के कार्यान्वयन शृंखला का अस्तित्व

44. निम्नलिखित में से कौन-सा कथन कॉर्पोरेट सामाजिक उत्तरदायित्व के संबंध में सही है?
(*a*) यह कंपनी अधिनियम, 2013 के तहत परिभाषित किया गया है।
(*b*) यह केवल निजी स्वामित्व वाली कंपनियों के लिए अनिवार्य है।
(*c*) यह 500 करोड़ रूपये या उससे अधिक की निवल संपत्ति वाली कंपनियों पर लागू है।
(*d*) यह उन कंपनियों पर लागू होता है, जिनका वार्षिक मुनाफा ₹ 10 करोड़ या उससे अधिक है।

नीचे दिए गए कूट से **सही** उत्तर का चयन कीजिए :
A. (*a*) और (*b*) B. (*a*) और (*c*)
C. (*a*) और (*d*) D. (*a*), (*b*) और (*c*)

45. निम्नलिखित में से कौन-सा सिद्धांत नीति-निर्माण के इस बात पर जोर देता है कि राजनीतिक निर्णय और नीतिगत विकल्प बड़े सामाजिक, आर्थिक और सांस्कृतिक संदर्भ पर अधिक जोर देते हैं?
A. कुलीन सिद्धांत
B. संस्थागत सिद्धांत
C. राजनीतिक प्रणाली सिद्धांत
D. तर्कसंगत विकल्प सिद्धांत

46. निम्नलिखित में से कौन-सा नीति-निर्माण का सिद्धांत मानता है कि शक्ति केवल कुछ विशिष्ट वर्गों में केंद्रित होने के बजाय बहुलवादी है?
A. समूह सिद्धांत
B. संस्थागत सिद्धांत
C. तर्कसंगत विकल्प सिद्धांत
D. राजनीतिक प्रणाली सिद्धांत

47. निम्नलिखित में से कौन-सा नीति मूल्यांकन का एक आनुभविक आयाम है?
A. मूल्यों का आचरण
B. तथ्यों की समझ
C. विश्वासों की अनुपालना
D. अभिवृत्तियों को उचित महत्व

48. लोक नीति का विकास किससे आरम्भ होता है?
A. नीति संबंधी माँगों से
B. लक्षित समूहों की पहचान से
C. एजेण्डा/कार्यसूची के विनिर्माण से
D. मुद्दों के विनिर्माण से

49. लोक उद्यमों पर नियंत्रण का प्रमुख उद्देश्य क्या है?

(*a*) कुशलता को प्रोत्साहन
(*b*) राष्ट्रीय लक्ष्य की प्राप्ति
(*c*) लक्षित परिणामों को प्राप्त करना
(*d*) शक्ति केन्द्रीकरण का विनियमन

नीचे दिए गए कूट से **सही** उत्तर का चयन कीजिए :

A. (*a*), (*b*) और (*c*) B. (*a*), (*b*), (*c*) और (*d*)
C. (*b*), (*c*) और (*d*) D. (*a*), (*c*) और (*d*)

50. लोकनीति के संस्थावादी प्रतिमान की निम्नलिखित विशेषताओं पर विचार कीजिए।

(*a*) यह सरकार के संगठन चार्ट पर केन्द्रित होता है।
(*b*) यह ब्यूरो की रिपोर्टिंग व्यवस्था एवं कर्तव्यों का वर्णन करता है।
(*c*) यह संवैधानिक उपबंधों, प्रशासनिक एवं सामान्य कानूनों को ध्यान में रखता है।
(*d*) ब्यूरो के बीच सक्रिय संपर्कों को भी महत्वपूर्ण मानता है।

नीचे दिए गए कूट से **सही** उत्तर का चयन कीजिए :

A. (*a*), (*b*) और (*c*) B. (*a*), (*c*) और (*d*)
C. (*b*), (*c*) और (*d*) D. (*a*), (*b*), (*c*) और (*d*)

51. निम्नलिखित में से कौन-सा लोक नीति निर्णयन का प्रतिमान (पैरेडाइम) नहीं है?

A. अभिवृद्धिवाद B. औचित्यपूर्ण
C. शक्ति का विनयमन D. व्यूह रचनात्मक नियोजन

52. रेखीय क्रमादेशन (प्रोग्रामिंग) निम्नलिखित में से क्या है?

A. इसका प्रयोग सहलग्न स्थितियों की श्रृंखला में किया जाता है
B. यह प्रतीक्षा सूची सेवा तंत्र है
C. सीमित संसाधनों हेतु गणितीय तकनीक
D. माल की प्रमात्राओं में प्रयोग किया जाता है

53. 'न्यू इंडिया' के लिए सुझावित साक्ष्य-आधारित नीति निर्णयन में सम्मिलित है:

(*a*) राष्ट्रीय डेटा साझाकरण और सुगम्यता योजना (एन.डी.एस.ए.पी.)
(*b*) डेटा समेकन और गुणवत्ता आश्वासन
(*c*) विभिन्न स्रोतों से डेटा के भंडारण और समेकन के लिए संग्रहण सुविधाओं का विस्तार करना
(*d*) विद्यमान सरकारी अवसंरचना का उपयोग करते हुए मापन-योग्य नए मानदंडों के लिए डेटा का संग्रह करना

नीचे दिए गए विकल्पों में से **सही** उत्तर का चयन कीजिए।

A. केवल (*a*), (*b*) और (*c*) B. केवल (*a*), (*b*) और (*d*)
C. केवल (*b*), (*c*) और (*d*) D. (*a*), (*b*), (*c*) और (*d*)

54. निम्नलिखित में से कौन-से लोक नीति निर्णयन के अभिवर्धी प्रतिमान की सही अभिव्यक्तियां हैं?

(*a*) इसका चार्ल्स ई. लिंडब्लोम ने प्रतिपादन किया था।
(*b*) नीति निर्णयन प्रक्रिया के विवरण के रूप में असंयुक्त अभिवृद्धिवाद।
(*c*) इसका कहना है कि नीति निर्माता त्वरित परिवर्तनों पर विचार और क्रियान्वयन करते हैं।
(*d*) यह प्रतिमान सामाजिक मूल्यों के वितरण की तुलना में राजनीतिक अधिक है।

नीचे दिए गए विकल्पों में से **सही** उत्तर का चयन कीजिए।

A. केवल (*a*), (*b*) और (*c*)
B. केवल (*a*), (*b*) और (*d*)
C. केवल (*a*), (*c*) और (*d*)
D. (*a*), (*b*), (*c*) और (*d*)

55. निम्नलिखित में से कौन-से घटक नीतिगत परिणाम के आकलन से संबंधित है?

(*a*) नीतिगत लक्ष्य
(*b*) कार्यक्रम संबंधी परिणाम
(*c*) लक्षित जनसंख्या की पहचान करना
(*d*) संकेतकों के उपाय

नीचे दिए गए विकल्पों में से **सही** उत्तर का चयन कीजिए।

A. केवल (*a*), (*b*), (*c*) B. केवल (*b*), (*c*), (*d*)
C. केवल (*a*), (*b*), (*d*) D. केवल (*a*), (*c*), (*d*)

56. लोक नीति क्रियान्वयन के संगठित अराजकता मॉडल संबंधित है:

(*a*) समस्या संबंधी प्रवाह से
(*b*) राजनीतिक प्रवाह से
(*c*) नीति प्रवाह से
(*d*) बजट प्रवाह से

नीचे दिए गए विकल्पों में से **सही** उत्तर का चयन कीजिए।

A. (*a*), (*b*), (*c*) और (*d*) B. केवल (*a*), (*b*) और (*d*)
C. केवल (*a*), (*b*) और (*c*) D. केवल (*a*), (*c*) और (*d*)

57. लोक नीति के प्रारम्भ से उसकी अवधारणाओं के सही क्रम की पहचान कीजिए:

(*a*) तार्किक चयन मॉडल
(*b*) प्रौद्योगिकी मूल्यांकन मॉडल
(*c*) लोक नीति विश्लेषण
(*d*) लोक नीति निर्माण का व्यूह रचनात्मक नियोजन प्रतिमान

नीचे दिए गए विकल्पों में से **सही** उत्तर का चयन कीजिए।

A. (*a*), (*c*), (*d*), (*b*) B. (*a*), (*d*), (*b*), (*c*)
C. (*c*), (*a*), (*b*), (*d*) D. (*c*), (*d*), (*a*), (*b*)

58. निम्नलिखित कदमों के अनुक्रम की पहचान कीजिए, जो साक्ष्य-आधारित नीति निर्णयन के लिए अभिन्न हैं?

(*a*) समय पर संतुलित डेटा का प्रचार
(*b*) डेटा विश्लेषण का समेकन

(*c*) डेटा के भंडारण और समेकन के लिए संग्रहण की सुविधाएं
(*d*) मापन योग्य मानदंडों के आधार पर डेटा का एकत्रण

नीचे दिए गए विकल्पों में से **सही** उत्तर का चयन कीजिए।

A. (*d*), (*b*), (*c*), (*a*) B. (*d*), (*c*), (*b*), (*a*)
C. (*d*), (*a*), (*c*), (*b*) D. (*d*), (*b*), (*a*), (*c*)

59. लोक नीति के संदर्भ में, उन व्यक्तियों को निम्न में से किस रूप में जाना जाता है जिनकी एक विशेष विश्वास प्रणाली है और जो दीर्घकाल में गैर-नगण्य अंश में समन्वित क्रियाकलाप दर्शाते हैं?

A. बहुस्तरीय शासन
B. बहुकेन्द्रिक सहभागिता
C. पक्ष समर्थन सम्मिलन
D. नाभीय (फोकल) समूह क्रियाकलाप

60. लोक नीतियों के कारणों व परिणामों हेतु कड़ाई से की गई तलाश का नीति विश्लेषण के रूप में वर्णन किया जाता है। इस कथन का श्रेय निम्न में से किसे जाता है?

A. स्टुअर्ट नागेल B. थॉमस आर डाई
C. राल्फ चांडलर D. हेराल्ड लासवेल

61. हेराल्ड लासवेल के अनुसार निम्न में से कौन-कौन नीति निर्माण के प्रकार्यात्मक आधार के रूप में कार्य करते हैं?

(*a*) बुद्धि
(*b*) अभिचार (इन्वोकेशन)
(*c*) समापन
(*d*) आकलन
(*e*) संवर्धन

नीचे दिए गए विकल्पों में से **सही** उत्तर का चयन कीजिए:

A. (*a*), (*b*), (*c*) और (*d*)
B. केवल (*a*), (*c*) और (*d*)
C. केवल (*b*), (*d*) और (*e*)
D. (*a*), (*b*), (*c*), (*d*) और (*e*)

62. निम्न में से वितरणात्मक नीतियों की कौन-कौन सी विशिष्टताएं हैं?

(*a*) ये नीतियाँ नए संसाधनों के वितरण से संबंधित हैं।
(*b*) प्रौढ़ शिक्षा कार्यक्रम, खाद्य राहत, सामाजिक बीमा इन नीतियों के उदाहरण हैं।
(*c*) ये नीतियाँ विद्यमान संसाधनों के वितरण को परिवर्तित करने से भी सरोकार रखती हैं।

नीचे दिए गए विकल्पों में से **सही** उत्तर का चयन कीजिए:

A. केवल (*a*), (*b*) और (*c*)
B. केवल (*a*) और (*c*)
C. केवल (*b*) और (*c*)
D. केवल (*a*) और (*b*)

63. तर्कसंगत नीति निर्माण में नीति निर्माता के निम्न में से कौन-कौन से प्रकार्य हैं?

(*a*) नीति निर्माता मूल समस्या की पहचान करता है।
(*b*) नीति निर्माता नीति विकल्पों की रेंज की पहचान करता है।
(*c*) नीति निर्माता विकल्पों की लाभों से कदापि तुलना नहीं करता है।
(*d*) नीति निर्माता वैकल्पिक नीतियों व भारों सहित संसाधनों का एक पूरा सेट तैयार करता है।

नीचे दिए गए विकल्पों में से **सही** उत्तर का चयन कीजिए:

A. (*a*), (*b*), (*c*) और (*d*)
B. केवल (*a*), (*b*) और (*c*)
C. केवल (*b*), (*c*) और (*d*)
D. केवल (*a*), (*b*) और (*d*)

64. नीचे दो कथन दिए गए हैं: एक अभिकथन (A) के रूप में लिखित है तो दूसरा उसके कारण (R) के रूप में:

अभिकथन (A): लोक नीतियाँ राजनीतिज्ञों द्वारा बनाई जाती हैं और प्रशासनिक अधिकारियों द्वारा कार्यान्वित की जाती हैं।

कारण (R): सार्वजनिक संस्थाएं विकेन्द्रित होने पर उत्तम प्रदर्शन करती हैं।

उपरोक्त कथन के आलोक में नीचे दिए गए विकल्पों में से सही उत्तर का चयन कीजिए:

A. (A) और (R) दोनों सत्य हैं और (R), (A) की सही व्याख्या है
B. (A) और (R) दोनों सत्य हैं, लेकिन (R), (A) की सही व्याख्या नहीं है
C. (A) सत्य है, लेकिन (R) असत्य है
D. (A) असत्य है, लेकिन (R) सत्य है

65. कौन-सा नीति निर्माण मॉडल (प्रतिरूप) जिसका एक विकल्प, दूसरे की अपेक्षा स्पष्ट रूप से बेहतर वाले दो विकल्पों से संबंधित है?

A. शुद्ध तार्किकता मॉडल
B. आर्थिक रूप से तर्कणापरक मॉडल
C. अनुक्रमिक विनिश्चय मॉडल
D. अतिरिक्त तर्कणापरक मॉडल

66. नीतिगत विज्ञान की विशेषताएँ निम्नलिखित में से कौन-सी हैं?

(*a*) अनुक्त ज्ञान की स्वीकार्यता
(*b*) 'मूल्य रहित विज्ञान' की प्राप्ति
(*c*) 'ऐतिहासिक उपागम' अंगीकार न करना
(*d*) अतिरिक्त-तार्किक प्रक्रिया स्वीकार करना

नीचे दिए गए विकल्पों में से **सही** उत्तर का चयन कीजिए:

A. केवल (*a*) और (*c*) B. केवल (*b*) और (*c*)
C. केवल (*a*) और (*d*) D. केवल (*b*), (*c*) और (*d*)

67. निम्नलिखित कौन-से कथन नीति-प्रक्रिया में एजेंडा (कार्यसूची) के बारे में सही हैं?

(*a*) एजेंडा का सर्वाधिक-बड़ा स्तर, एजेंडा समष्टि (विश्व) है।

(*b*) एजेंडा का लघुत्तम-स्तर, विनिश्चय एजेंडा है।

(*c*) राजनीतिक समुदाय के सदस्यों द्वारा सामान्य रूप से अनुभूत किए गए सभी मुद्दे सुव्यवस्थित एजेंडा में सम्मिलित होते हैं।

नीचे दिए गए विकल्पों में से **सही** उत्तर का चयन कीजिए :

A. केवल (*a*) और (*b*) B. केवल (*b*) और (*c*)
C. केवल (*a*) और (*c*) D. (*a*), (*b*) और (*c*)

68. नीचे दो कथन दिए गए हैं : एक अभिकथन (A) के रूप में लिखित है तो दूसरा उसके कारण (R) के रूप में :

अभिकथन (A): सभी लोक नीति नवाचार समय में निहित होते हैं और लोकतंत्र में समय राज्य-शिल्प (क्राफ्ट) के हॉलमार्क होते हैं।

कारण (R): समय किसी भी संगठन हेतु अत्यावश्यक होता है जैसा कि यह कोई मशीन नहीं है बल्कि एक जीव है।

उपरोक्त कथन के आलोक में, नीचे दिए गए विकल्पों में से सबसे उपयुक्त उत्तर का चयन कीजिए :

A. (A) और (R) दोनों सही हैं और (R), (A) की सही व्याख्या है
B. (A) और (R) दोनों सही हैं, लेकिन (R), (A) की सही व्याख्या नहीं है
C. (A) सही है, लेकिन (R) सही नहीं है
D. (A) सही नहीं है, लेकिन (R) सही है

69. निम्नलिखित में से क्या वैज्ञानिक पद्धति की विशेषता **नहीं** है?

A. अनुभवजन्य साक्ष्यों पर निर्भरता
B. वस्तुनिष्ठता के प्रति वचनबद्धता
C. मूल्य अभिमुखीकरण
D. सामान्यता

70. ''नीति अनंत काल तक उद्भूत कार्यान्वित, समायोजित, पुनःकार्यान्वित पुनःसमायोजित होती है।''

यह कथन कौन-सा प्रतिमान दर्शाता है?

A. अभिजन प्रतिमान B. समूह प्रतिमान
C. व्यवस्था प्रतिमान D. संस्थावादी प्रतिमान

71. अभिकथन (A) : लोक नीति एक सप्रयोजन क्रिया है, जिसे व्यक्ति अथवा समूह किसी समस्या से निपटने हेतु निरंतर अपनाते हैं।

तर्क (R) : नीति एक ऐसा साधन है, जिसके माध्यम से समाज मानव व्यवहार को स्वीकार्य दिशा में विनियमित तथा संयोजित करने का प्रयास करता है।

कूट :

A. (A) तथा (R) दोनों सही हैं तथा (R), (A) की सही व्याख्या है।
B. (A) तथा (R) दोनों सही हैं, परन्तु (R), (A) की सही व्याख्या नहीं है।
C. (A) सही है, परन्तु (R) गलत है।
D. (A) गलत है, परन्तु (R) सही है।

72. लोक नीति के संस्थावादी प्रतिमान की निम्नलिखित विशेषताओं पर विचार कीजिए।

(*a*) यह सरकार के संगठन चार्ट पर केन्द्रित होता है।

(*b*) यह ब्यूरो की रिपोर्टिंग व्यवस्था एवं कर्त्तव्यों का वर्णन करता है।

(*c*) यह संवैधानिक उपबंधों, प्रशासनिक एवं सामान्य कानूनों को ध्यान में रखता है।

(*d*) ब्यूरो के बीच सक्रिय संपर्कों को भी महत्वपूर्ण मानता है।

नीचे दिए गए कूट से **सही** उत्तर का चयन कीजिए :

A. (*a*), (*b*), (*c*) B. (*a*), (*c*), (*d*)
C. (*b*), (*c*), (*d*) D. (*a*), (*b*), (*c*), (*d*)

73. किसने कहा था कि :

''लोक नीति सरकार में इस संघर्ष का परिणाम है कि किसे क्या मिलता है?''

A. बी. गाई पीटर्स
B. इलोइस एफ. मेलोन
C. इयूलन और प्रीविट
D. क्लार्क ई. कोचरन एट. अल

74. अभिकथन (A) : उन्नत पदोन्नति नीति लोक प्रशासन में बेहतर कार्यकुशलता लाती है।

तर्क (R) : पदोन्नति कर्मचारियों को लोगों की आकांक्षाओं के प्रति अधिक संवेदी बनाती है।

कूट :

A. (A) तथा (R) दोनों सही हैं तथा (R), (A) की सही व्याख्या है।
B. (A) तथा (R) दोनों सही हैं, परन्तु (R), (A) की सही व्याख्या नहीं है।
C. (A) सही है, परन्तु (R) गलत है।
D. (A) गलत है, परन्तु (R) सही है।

75. निम्नलिखित में से किस वर्ष नई राष्ट्रीय प्रशिक्षण नीति आरम्भ की गई थी?

A. 2012 B. 2013
C. 2014 D. 2015

76. शासन में जन भागीदारी अनेक कारणों से बढ़ी है, जैसे:

(*i*) सरकार की जिम्मेदारियों का विस्तार

(*ii*) आर्थिक विविधिकरण और इसके परिणामस्वरूप आई सम्पन्नता
(*iii*) ज्ञान और संप्रेषण का विस्फोट
(*iv*) बढ़ती मांगों को पूरा करने में नौकरशाही की विफलता

कूट :

A. (*i*) और (*ii*) B. (*i*), (*ii*) और (*iii*)
C. (*i*), (*iii*) और (*iv*) D. (*i*), (*ii*) और (*iv*)

77. निम्नलिखित में से कौन कथन लासवेल के 'विजन ऑफ पॉलिसी साइंसेज' के बारे में सही **नहीं** है?

A. यह बहुविषयक है B. यह वर्णनात्मक है
C. यह प्रासंगिक है D. यह समस्यान्मुखी है

78. सामाजिक विज्ञान विद्या एवं अभ्यास के रूप में 'नीति विज्ञान' का वर्ष 1951 में हैरोल्ड लासवेल के निबंध के प्रकाशन के साथ आविर्भाव हुआ। निम्नलिखित में से कौन उस निबंध का सही शीर्षक है?

A. नीति अभिविन्यास B. नीति विज्ञान
C. नीति उपागम D. नीति एवं प्रजातंत्र

79. ऐसे निर्णय जो असंरचित एवं प्रमुख प्रतिबद्धता के साथ जुड़े रहते हैं उन्हें निम्नलिखित में से क्या कहा जाता है?

A. तार्किक निर्णय B. अतार्किक निर्णय
C. कार्यबद्ध निर्णय D. अकार्यबद्ध निर्णय

80. सामाजिक परिवर्तन के संबंध में निम्नलिखित कथनों में से कौन-सा कथन सही नहीं है?

A. यह प्रत्येक समाज में घटित होने वाली स्वाभाविक प्रक्रिया है।
B. यह समान गति के साथ एक निरंतर प्रक्रिया है।
C. इसमें सामाजिक ढाँचा और प्रक्रियाओं में बदलाव शामिल हैं।
D. यह बदलाव पूर्ण अथवा आंशिक हो सकता है।

81. अभिकथन (A) : भारत में आंतरिक आर्थिक विकास नीतिगत स्वायत्ता की कमी से सीमित होते हैं।

तर्क (R) : वैश्वीकरण ने अर्थव्यवस्थाओं के बीच अन्तर्निर्भरता एवं प्रतिस्पर्धा को गहरा किया है।

कूट :

A. (A) तथा (R) दोनों सही हैं तथा (R), (A) की सही व्याख्या है।
B. (A) तथा (R) दोनों सही हैं, परन्तु (R), (A) की सही व्याख्या नहीं है।
C. (A) सही है, परन्तु (R) गलत है।
D. (A) गलत है, परन्तु (R) सही है।

82. निम्नलिखित में से कौन-से कथन नागरिक समाज संगठनों के बारे में सही है?

(*i*) ये राजनीतिक जीवन में सक्रिय तथा रचनात्मक भूमिका निभाते हैं।
(*ii*) ये लोगों को सहभागी अनुभव अर्जित करने के लिए अवसरों का सृजन कर सकते हैं।
(*iii*) ये समाज के विकास के लिए विधियों का निर्माण करते हैं।
(*iv*) ये ईमानदार, पारदर्शी, लोकतान्त्रिक तथा उत्तरदायी शासन को पोषित करने में सहायक होते हैं।

नीचे दिए गए कूटों में से **सही** उत्तर का चयन कीजिए :

कूट :

A. (*i*), (*ii*), (*iii*) और (*iv*) B. (*ii*), (*iii*) और (*iv*)
C. (*i*), (*ii*) और (*iii*) D. (*i*), (*ii*) और (*iv*)

83. निम्नलिखित में से कौन से उपाय नई आर्थिक नीति, 1991 के भाग थे?

(*i*) अवमूल्यन
(*ii*) विनिवेशन
(*iii*) विदेशी प्रत्यक्ष निवेश
(*iv*) विदेशी निवेशकों को प्राप्त सुविधाएँ अनिवासी भारतीयों को दिया जाना।

नीचे दिए गए कूटों से **सही** उत्तर का चयन कीजिए :

कूट :

A. (*i*), (*ii*), (*iii*) और (*iv*) B. (*i*), (*ii*) और (*iii*)
C. (*i*), (*ii*) और (*iv*) D. (*ii*), (*iii*) और (*iv*)

84. अभिकथन (A) : सरकार का वक्तव्य जिसमें यह उल्लेख किया जाता है कि वह विधि, विनियमन, निर्णय, आदेश अथवा इनके संयोजन आदि के बारे में वह क्या करना चाहती है, नीति कहलाती है।

तर्क (R) : नीति वक्तव्य का नहीं होना भी अंतर्निहित नीति वक्तव्य माना जाएगा।

कूट :

A. (A) तथा (R) दोनों सही हैं तथा (R), (A) की सही व्याख्या है।
B. (A) तथा (R) दोनों सही हैं, परन्तु (R), (A) की सही व्याख्या नहीं है।
C. (A) सही है, परन्तु (R) गलत है।
D. (A) गलत है, परन्तु (R) सही है।

85. यह किसने लिखा है : 'पॉलिटिक्स : हू गेट्स व्हाट, व्हेन, हाउ'?

A. हेराल्ड डी. लासवेल B. जॉन रॉल्स
C. बी. गाय पीटर्स D. जैकी कॉम्स

86. निम्नलिखित में से कौन-सा सिद्धांत यह मानता है कि लोक नीति के बारे में जनता निष्क्रिय, उदासीन एवं भ्रमित जानकारी रखती है?

A. समूह सिद्धांत B. अभिजात्य सिद्धांत
C. संस्थागत सिद्धांत D. खेल सिद्धांत

87. नीति कार्यान्वयन के उर्ध्वगामी उपागम का मुख्य प्रतिपादक कौन है?

A. रिचर्ड एल्मोर B. कार्ल वान हार्न
C. डोनाल्ड वान मीटर D. डेनिएल मजमाहिएन

88. "बैकवर्ड मैपिंग" शब्दावली का निम्नांकित में से क्या अभिप्राय है?
A. नीति क्रियान्वयन का अधोगामी उपागम
B. नीति कार्यान्वयन का उर्ध्वगामी उपागम
C. नीति कार्यान्वयन उपागम की तीसरी पीढ़ी
D. नीति अभिकल्प के अध्ययन का एक तरीका

89. **अभिकथन (A) :** लोक नीति सरकार के कार्य और इरादों को इंगित करती है।
तर्क (R) : इरादे वास्तव में सरकार के कार्य को तय करते हैं।
कूट :
A. (A) तथा (R) दोनों सही हैं तथा (R), (A) की सही व्याख्या है।
B. (A) तथा (R) दोनों सही हैं, परन्तु (R), (A) की सही व्याख्या नहीं है।
C. (A) सही है, परन्तु (R) गलत है।
D. (A) गलत है, परन्तु (R) सही है।

90. वर्तमान में राष्ट्रपति एवं मंत्रिपरिषद् के सम्बन्ध निम्नांकित में से किस भारतीय संविधान संशोधन अधिनियम द्वारा शासित होते हैं?
A. 54वाँ संशोधन अधिनियम
B. 52वाँ संशोधन अधिनियम
C. 44वाँ संशोधन अधिनियम
D. 42वाँ संशोधन अधिनियम

91. निम्नलिखित में से कौन-सा दूसरे प्रशासनिक सुधार आयोग द्वारा सुझाया गया मंत्रियों की नैतिक आचार संहिता का अंश नहीं है?
A. प्रधानमंत्री तथा मुख्यमंत्री के कार्यालय में एक पूरी तरह समर्पित इकाई होनी चाहिए जो मंत्रियों के लिए निर्धारित आचार संहिता के अनुपालन की निगरानी करे।
B. नैतिक आचार संहिता, आचार संहिता तथा वार्षिक रिपोर्ट को सार्वजनिक किया जाना चाहिए।
C. नैतिक आचार संहिता का अनुपालन सुनिश्चित करने के लिए प्रधानमंत्री को कर्तव्य आबद्ध बनाया जाना चाहिए।
D. नैतिक आचार संहिता में अन्य बातों के साथ-साथ मंत्री-लोक सेवक संबंधों के निश्चित सिद्धान्त भी सम्मिलित किए जाने चाहिए।

92. निम्नलिखित में से किसकी संस्तुति नैतिकता बनाए रखने के लिए नागरिक पहल के संदर्भ में दूसरे प्रशासनिक सुधार आयोग ने नहीं की थी?
A. नागरिक अधिकार-पत्र को प्रभावी बनाया जाए।
B. नागरिक समाज को सक्रिय बनाया जाए।
C. नैतिक आचार के निर्वहन और मूल्यांकन में नागरिकों को सहभागी बनाया जाए।
D. विद्यालयों में जागरूकता कार्यक्रम आरंभ किए जाएं।

93. "असंकेन्द्रण शासकीय कार्य पर, अन्तरण राजनीतिक और विधिक कार्यों पर और विकेन्द्रीकरण राजनीतिक, विधिक और शासकीय कार्यों पर आधारित है।" उक्त कथन किसके द्वारा दिया गया है?
A. एम.ए. मुतालिब B. मोहित भट्टाचार्य
C. जे.डी. मूने D. टैरी

94. विधायिका मोटर वाहनों के पंजीकरण के संबंध में कानून का अधिनियमन करती है। कार्यपालिका (सरकार और इसके अधिकारी) लाइसेंस प्रदान किए जाने की प्रक्रिया के संबंध में प्रावधान बनाते हैं। विधान की इस प्रक्रिया को निम्नांकित में किस रूप में जाना जाता है?
A. प्रशासनिक अधिनिर्णयन B. अधीनस्थ विधायन
C. प्राथमिक विधायन D. कार्यपालिका आदेश

95. **अभिकथन (A) :** नीति निर्माण एक राजनीतिक कार्य है परन्तु विधिकर्ताओं के अलावा अनेक लोग इसमें शामिल होते हैं।
कारण (R) : विविध अभिकरण और व्यक्ति राजनीतिक निर्णयों को व्यापक रूप से आशयी बनाने के लिए विचार-विमर्श करते हैं।
कूट :
A. (A) और (R) दोनों सही हैं और (A) की सही व्याख्या (R) है।
B. (A) और (R) दोनों सही हैं, किन्तु (A) की सही व्याख्या (R) नहीं है।
C. (A) सही है, परन्तु (R) गलत है।
D. (A) गलत है, परन्तु (R) सही है।

96. उत्तम नीति निर्माण प्रक्रिया होती है :
(*a*) अग्रदर्शी तथा बहिर्दर्शी
(*b*) नवाचारी तथा लोचशील
(*c*) साक्ष्य आधारित तथा अनुभवगत सबक
(*d*) सुव्यवस्थित मूल्यांकन तथा निरंतर समीक्षा
नीचे दिए गए कूटों में से **सही** उत्तर का चयन कीजिए।
A. (*a*), (*b*) और (*c*) B. (*a*), (*c*) और (*d*)
C. (*a*), (*b*) और (*d*) D. (*a*), (*b*), (*c*) और (*d*)

97. निम्नांकित में से कौन-सा एक कारक नीति विज्ञान के प्रादुर्भाव के लिए उत्तरदायी **नहीं** है?
A. समस्याओं का दबाव
B. अमेरिका में सफल प्रयोग
C. नीति अध्ययनों की बढ़ती संख्याओं पर बल
D. जनता की मांग

98. वाई ड्रॉर द्वारा विवेचित नीति निरूपण के प्रतिमानों (मॉडलों) में से निम्नलिखित में से किस प्रतिमान की सबसे अधिक आलोचना हुई है?
A. वृद्धियुक्त परिवर्तन प्रतिमान
B. विशुद्ध तार्किकता प्रतिमान
C. अनुक्रमिक निर्णय प्रतिमान
D. सन्तुष्टिदायक प्रतिमान

99. निम्नलिखित में से तार्किक नीति निर्माण की पूर्व आवश्यकताएँ क्या हैं?
(*a*) सामाजिक मूल्यों की पर्याप्त समझ
(*b*) वैकल्पिक कार्यवाही से सम्बन्धित आँकड़ों एवं सूचना की उपलब्धता
(*c*) निधियों की उपलब्धता
(*d*) संगठन में निर्णय-निर्माण की निश्चित प्रणाली
नीचे दिए गए कूटों में से सही उत्तर का चयन कीजिए।
A. (*a*), (*b*) और (*c*)
B. (*b*), (*c*) और (*d*)
C. (*a*), (*b*) और (*c*)
D. (*a*), (*c*) और (*d*)

100. नीति विज्ञान की अवधारणा के बारे में हैराल्ड लासवैल के निम्नलिखित कथनों पर विचार कीजिए:
(*a*) नीति विज्ञान एक समस्या समाधानकारी क्रिया है।
(*b*) नीति विज्ञान का रुझान केवल शैक्षणिक सरोकार से वास्तविक विश्व की ओर है।
(*c*) नीति वैज्ञानिकों को वैकल्पिक प्रतिमान निर्मित करने चाहिए।
(*d*) नीति विज्ञान की प्रजातंत्र में अधिक भूमिका है।
नीचे दिए गए कूटों की सहायता से **सही** उत्तर का चयन कीजिए।
A. (*a*) और (*b*)
B. (*a*), (*b*) और (*c*)
C. (*b*), (*c*) और (*d*)
D. (*a*), (*b*), (*c*) और (*d*)

उत्तरमाला

1	2	3	4	5	6	7	8	9	10
B	A	D	A	C	B	B	B	B	A
11	**12**	**13**	**14**	**15**	**16**	**17**	**18**	**19**	**20**
D	B	B	A	C	B	C	D	A	B
21	**22**	**23**	**24**	**25**	**26**	**27**	**28**	**29**	**30**
B	D	D	A	B	A	C	B	D	A
31	**32**	**33**	**34**	**35**	**36**	**37**	**38**	**39**	**40**
A	C	A	C	B	D	C	C	D	C
41	**42**	**43**	**44**	**45**	**46**	**47**	**48**	**49**	**50**
D	B	C	B	C	A	B	D	B	A
51	**52**	**53**	**54**	**55**	**56**	**57**	**58**	**59**	**60**
C	C	A	B	C	C	D	B	C	A
61	**62**	**63**	**64**	**65**	**66**	**67**	**68**	**69**	**70**
D	D	D	B	C	C	D	A	C	C
71	**72**	**73**	**74**	**75**	**76**	**77**	**78**	**79**	**80**
B	A	D	C	A	C	B	A	D	B
81	**82**	**83**	**84**	**85**	**86**	**87**	**88**	**89**	**90**
A	D	A	B	A	B	A	B	B	C
91	**92**	**93**	**94**	**95**	**96**	**97**	**98**	**99**	**100**
D	B	A	D	A	D	D	B	C	D

★ ★ ★

UNIT–IX

शासन तथा सुशासन

(GOVERNANCE AND GOOD GOVERNANCE)

सुशासन की खोज अन्तहीन तथा सतत प्रक्रिया है। शासन में अच्छाई को सम्मिलित करना सदियों से समाज की इच्छा रही है।

प्रारंभ में राज्य और सुशासन एक-दूसरे के पर्यायवाची रहे हैं। प्लेटो के शब्दों में "यदि दार्शनिक शासक बुद्धिमता और न्याय के नियमों पर चलते हैं और अपनी शक्ति का प्रयोग सबकी सुविधा और उत्थान के उद्देश्य से करते हैं, तो वे जिस नगर पर शासन करते हैं और जिस नगर में ऐसी विशेषताएँ पायी जाती हैं उसी को आदर्श राज्य की संज्ञा दी जा सकती है।

मध्य युग में शासक और शासित के बीच सत्ता और दायित्व की अवधारणा ने जन्म लिया तथा संवैधानिक सरकार की अवधारणा का महत्व बढ़ा।

आधुनिक युग के विचारकों की यह मान्यता रही है कि समाज में व्यक्तियों ने राज्य को बाध्यकारी शक्ति सुशासन की स्थापना के लिए प्रदान की है, और अन्तिम निर्णय करने का फैसला जनता पर छोड़ दिया।

सुशासन पर प्राचीन संवाद
(Ancient Discourse of Governance)

शासन में अच्छाई को सम्मिलित करना सदियों से समाज की इच्छा रही है। सुशासन की खोज इतिहास में हर समय रही है चाहे वह प्राचीन काल हो या मध्य काल हो या आधुनिक काल रहा हो। सुशासन की अवधारणा गतिशील अवधारणा है। यह हर काल में विकसित होता रहा है। इस प्रकार सुशासन की खोज दुनियाँ के हर हिस्से में इतिहास के प्रत्येक काल में रहा है। प्राचीन काल में सुशासन पर संवाद करने वाले विद्वानों में भारत के कौटिल्य, यूनान के प्लेटो और अरस्तू आदि का नाम प्रमुख है।

कौटिल्य

कौटिल्य प्राचीन काल के विचारक हैं। ये प्लेटो, अरस्तू के समकालीन विचारक माने जाते हैं। प्राचीन काल में राज्य सद्शासन के प्रतीक या समकक्ष माने जाते थे। सद्शासन के अन्त से राज्य की शक्तियों में वृद्धि हुई। इसिलए कौटिल्य ने अर्थशास्त्र में सद्शासन के दस सूचकों को स्थान दिया है। कौटिल्य ने ही केवल राजा को राज्य का सेवक कहा है। लोकतंत्र के युग में आज भी यह अमूल्य सुझाव है। तीसरी दुनिया के देशों में आज भी सेवक जनता के स्वामी के रूप में व्यवहार करते हैं।

कौटिल्य द्वारा सुझाये गये दस सूचक निम्नलिखित हैं :

1. **राजा को अपना व्यक्तित्व कर्तव्य में विलय करना :** सद्शासन के लिए आवश्यक है कि शासक को अपनी वैयक्तिकता कर्तव्यों के हित में त्याग देना चाहिए। के.पी. जायसवाल ने कौटिल्य के राजा के लिए संवैधानिक दास शब्द का प्रयोग किया है। इसका आशय यह है कि संवैधानिक सरकार पर प्रतिबन्ध होते हैं। सद्शासन में शासक निरंकुश, असीमित तथा सत्तावादी नहीं हो सकता। प्लेटो के दार्शनिक शासक के विपरीत कौटिल्य का राजा सप्तांग की सलाह पर कार्य करता था। शासक का नेतृत्व इस बात पर निर्भर करता है कि वह अपने सहयोगियों से मिलकर सामूहिक निर्णय लेकर अपने कार्यों को समय पर सुचारू रूप से परिपालित करे। आधुनिक भारतीय राजनीतिक दर्शन में राजनीति पर लोकनीति का नियन्त्रण देखने को मिलता है। कौटिल्य ने दूरदर्शिता का परिचय देते हुए यह व्यवस्था की थी कि–"केवल राजनीति और सरकार पर ही नहीं, अपितु समाज पर भी अंकुश होना चाहिए। इसके लिए कौटिल्य ने दण्डनीति का प्रावधान किया था। दण्डनीति का प्रयोग न्यायसंगत होना चाहिए।" अतः आज के लोक-कल्याणकारी राज्य की अवधारणा के कारण राज्य और उसके साथ शासकों के अधिकार बढ़ते जा रहे हैं। ऐसी स्थिति में कौटिल्य द्वारा बताये गये शासक पर प्रतिबन्ध लगाने की बात पर विचार करने की आवश्यकता है।
2. **उचित निर्देशित प्रशासन :** जनता के कल्याण के लिए दूसरा सूचक उचित निर्देशित प्रशासन का होना है। उचित मार्गदर्शन में व्यक्तिगत प्रतिबद्धता, परिवार अथवा उसकी इच्छा और सनक सम्मिलित नहीं हैं। इसका आशय यह है कि लोक सेवा, अपनी प्रकृति के कारण संवेदनशील और उत्तरदायी नहीं होती है।

औपनिवेशिक विरासत के कारण, यह और भी सत्य है। संघात्मक व्यवस्था में लोक-सेवक, सेवक बनने के बजाय 'स्वामी' की तरह बर्ताव करते हैं। लोक-सेवक, लोभी बालक की तरह होते हैं, अतः उन पर निगाह और निर्देशन की आवश्यकता है न कि प्रलोभन और नियन्त्रण की।

3. **लक्ष्य की उपेक्षा किये बिना अतिशय से बचना :** सद्शासन में लक्ष्य की उपेक्षा किये बिना अतिशय से बचना चाहिए। इसका आशय है कि राज्य को जनहित में कार्य करना चाहिए न कि विदेशी इकाइयों के दबाव में कठोर कदम उठाना चाहिए। भारत के तत्कालीन राष्ट्रपति के आर. नारायणन ने 15 अगस्त, 1998 की पूर्व संध्या पर अपने सम्बोधन में चेतावनी देते हुए कहा था कि लापरवाह उदारीकरण से, समाज के कुछ लोगों की उन्नति होगी, जबकि बहुसंख्यक बेरोजगार और निःसहाय हो जायेंगे। कौटिल्य ने कहा है कि 'राज्य कृषि, व्यापार, उद्योग तथा पशुपालन के विकास के लिए प्रत्यक्ष रूप से उत्तरदायी है।''

4. **राजा और मन्त्रियों का अनुशासित जीवन :** कौटिल्य ने राजा के लिए ''अनुशासित जीवन तथा आचरण-संहिता की व्यवस्था'' की थी। यह मन्त्रियों तथा अन्य अधिकारियों के लिए भी लागू थी। सद्शासन के लिए अनुशासित जीवन व्यतीत करने पर बल दिया गया है। यही करण है प्राचीन भारत में सद्शासन विद्यमान था क्योंकि राजा, मन्त्री, अधिकारी तथा अधिकांश नागरिकों का चरित्र तथा आचरण अनुशासित था। वर्तमान समय में न तो अनुशासित जीवन है और न ही चरित्र। फलस्वरूप सद्शासन का अभाव है।

5. **राजा और नागरिक रोबकों का निश्चित वेतन :** समस्त नागरिक सेवकों के वेतन तथा भत्ते उचित और निश्चित होने चाहिए। कौटिल्य ने राजा के लिए ''एक निश्चित वेतन का प्रावधान'' किया था और उससे अधिक कुछ नहीं। राजा के परिवार के सदस्यों को निश्चित भत्ता दिया जाता था जिसमें मन्त्रिपरिषद् की स्वीकृति के बिना वृद्धि नहीं की जा सकती थी। यूनान में कौटिल्य के प्रतिरूप और लगभग उसके समकालीन प्लेटो के शासक को कोई निर्धारित वेतन तथा भत्ता नहीं मिलता था। शासक राज्य के खर्चे पर रहते थे। इसके विपरीत, भारत में सांसदों, विधायकों, प्रधानमन्त्री और मुख्यमन्त्रियों आदि के वेतन और भत्ते में वृद्धि, विधायिका में बिना विरोध के होना खेदजनक है। उनके टेलीफोन और विद्युत बिल चकित करने वाले हैं। उनके रहन-सहन का स्तर और सम्पत्ति उत्तम है जबकि कर्मचारियों को वेतन में वृद्धि के लिए हड़ताल पर जाना पड़ता है। असंगठित संगठनों के कर्मचारियों को कम वेतन मिलता है। इस प्रकार भारत में सद्शासन केवल शासकों (मन्त्री, अधिकारी आदि) तक ही सीमित है, साधारण नागरिक के लिए यह केवल एक काल्पनिक अवधारणा ही है।

6. **कानून-व्यवस्था राजा का मुख्य कर्तव्य :** कौटिल्य के अनुसार, ''राजा को जनता की सेवा के लिए वेतन मिलता है और उसका मुख्य कर्तव्य कानून और व्यवस्था बनाये रखना, और लोगों के जीवन तथा स्वतन्त्रता की रक्षा करना है। यदि इस दिशा में राजा अपने कर्तव्य के प्रति लापरवाही करता है तो राजा को अपनी जेब से भुगतान करना पड़ेगा।'' इसी प्रकार यदि नागरिकों की सम्पत्ति की चोरी होती है, और वह प्राप्त नहीं होती है, तो राजा को अपनी जेब से नुकसान का भुगतान करना पड़ेगा। यह एक क्रान्तिकारी व्यवस्था थी जिसकी आज कल्पना नहीं की जा सकती, परन्तु आवश्यक है। कौटिल्य के इस सूचक से यह स्पष्ट है कि वह सद्शासन की स्थापना के प्रति कितना गम्भीर और इसके लिए क्रान्तिकारी कदम उठाने में संकोची नहीं था। उसका यह सूचक वर्तमान सन्दर्भ में भारत के लिए आवश्यक है।

7. **लेखपाल अथवा लेखकों का विशेष महत्त्व :** कौटिल्य ने लेखपाल अथवा लेखक को विशेष महत्व दिया है जिसका समाज में उच्च स्थान था और वे अमात्य तुल्य थे। उनका चयन बहुत सावधानी से किया जाता था, क्योंकि उनमें शाही आदेश, परिपत्र, विज्ञप्ति और रिट का प्रारूप लिखने की क्षमता का होना आवश्यक था। वर्तमान में त्रुटिपूर्ण प्रारूप तैयार किये जाते हैं और सर्वोच्च न्यायालय द्वारा उन आदेशों को अवैध घोषित किया जाता है।

8. **भ्रष्ट अधिकारियों के विरुद्ध दण्ड की व्यवस्था :** कौटिल्य के अनुसार, 'सद्शासन' के लिए भ्रष्ट शासकीय कर्मचारियों, न्यायाधीशों, आदि के विरुद्ध निवारक और दण्डात्मक कार्रवाई करने की आवश्यकता है। शासकीय कर्मचारी शासकीय धन का दुरुपयोग करते हैं, अतः उन पर कठोर नियन्त्रण और निरीक्षण आवश्यक है। आज के विपरीत भ्रष्ट अधिकारियों के प्रति कौटिल्य ने अधिक कठोर सजा की व्यवस्था की थी। आज समय की माँग है अधिक कठोर एवं व्यावहारिक सजा के तरीकों में सुधार की।

9. **सचिवों तथा अधिकारियों की नियुक्ति :** कौटिल्य के अनुसार राजा को समय-समय पर अच्छे और स्वच्छ छवि वाले मन्त्रियों की नियुक्ति पुराने मन्त्रियों के स्थानों पर करते रहना चाहिए।

10. **प्रशासन में योग्यता का महत्त्व :** कौटिल्य ने प्रशासन की कुछ योग्यताओं का वर्णन किया है। जैसे–प्रशासन में व्यावहारिक एकरूपता; योग्य मन्त्री; नेतृत्व करने की क्षमता; बुद्धिसम्पन्न; कर्मठ, अच्छा नैतिक आचरण। इसके अतिरिक्त निर्णय लेने में विलम्बकारी नहीं होना चाहिए।

इस प्रकार हम देखते हैं कि कौटिल्य द्वारा बताये गये सूचक भले ही प्राचीन काल के हों, परन्तु वे आज भी आधुनिक प्रतीत होते हैं। अतः उपर्युक्त सूचकों को सद्शासन की स्थापना के लिए अपनाने में संकोच नहीं करना चाहिए। आज हम लोकतांत्रिक युग में रह रहे हैं जहाँ शासक संवेदनशील, उत्तरदायी, जिम्मेदार होते हैं। संक्षेप में, सद्शासन जनता के कल्याण और प्रसन्नता में है।

प्लेटो तथा अरस्तू के सुशासन सम्बन्धी विचार

प्राचीन विचारकों में प्लेटो तथा अरस्तू जैसे विचारकों ने राज्य की आदर्श अवधारणा पर विचार किया है। प्राचीन काल में सुशासन और आदर्श राज्य

समान थे। प्लेटो के अनुसार राज्य तभी आदर्श स्वरूप प्राप्त कर सकता है जब उसका शासक योग्य, कुशल, ज्ञानी, स्वार्थहीन और दार्शनिक हो। प्लेटो के शब्दों में "दार्शनिक शासक बुद्धिमता और न्याय के नियमों पर चलते हैं और शासक बुद्धिमता का प्रयोग सबकी सुविधा और उत्थान के उद्देश्य से करते हैं। जिस नगर पर शासन करते हैं और जिस नगर में ऐसी विशेषताएँ पायी जाती हैं, उसी को आदर्श राज्य की संज्ञा दी जा सकती हैं।" वास्तव में प्लेटो शासन की बागडोर विवेकी, विशेषज्ञ, प्रशिक्षित शासकों के हाथ में सौंपने का हिमायती है।

प्लेटो के यूनानी समाज में जो अराजकता व्याप्त थी उसी का निराकरण करने के लिए सुशासन या आदर्श राज्य की परिकल्पना की थी। उसने अपने समय में राज्य में उपस्थित बुराइयों को दूर करने के लिए आदर्श राज्य की परिकल्पना की थी। प्लेटो सुशासन के लिए शासन का अधिकार दार्शनिक शासकों के हाथ में देना चाहता है।

प्लेटो व्यक्ति और राज्य में जीवाणु और जीव का सम्बन्ध मानता है। उनका विश्वास है कि जो गुण और विशेषताएँ, अल्प मात्रा में व्यक्ति में पायी जाती हैं वे ही विशाल रूप से राज्य में पायी जाती हैं। राज्य मूलतः आत्मा का बाह्य तत्व है। अर्थात् प्लेटो के अनुसार आत्मा अपने पूर्ण रूप से बाहर प्रकट होती है तो राज्य का रूप धारण कर लेती है। राज्य व्यक्ति के विशेषताओं का विराट रूप है। व्यक्तियों की चेतना और गुण ही राज्य की चेतना का निर्माण करते हैं। व्यक्ति की संस्थाएँ उसके विचार का संस्थागत स्वरूप है। राज्य के नैतिक कानून व्यक्ति के नैतिक विचारों से उत्पन्न होते हैं। आधुनिक राज्य सुशासन की संस्थाएँ व्यक्ति के नैतिक विचारों की देन हैं।

प्लेटो के अनुसार मनुष्य की आत्मा में तीन तत्व होते हैं—विवेक, क्षुधा और उत्साह। आत्मा में भूख, क्षुधा का जो अबौद्धिक तत्व होता है उससे व्यक्ति में राग, द्वेष, प्रेम, वासना और सन्तुष्टि की इच्छाएँ, आकांक्षाएँ उत्पन्न होती हैं। दूसरा तत्व साहस या उत्साह का तत्व है। इसका कार्य मनुष्यों को युद्ध की प्रेरणा देना है। महत्वाकाँक्षा और प्रतिस्पर्धा की भावनाएँ इसी से उत्पन्न होती हैं। तीसरा गुण (तत्व) विवेक का है। विवेक के दो कार्य हैं। इसके कारण मनुष्य ज्ञान प्राप्त करना चाहता है और अपने वातावरण को समझता है। इस गुण के कारण वह मनुष्यों को बताता है कि उन्हें कौन से कार्य करने चाहिए और कौन से कार्य नहीं करने चाहिए। विवेक के गुण के कारण ही मनुष्य अच्छे बुरे की पहचान कर पाता है। इसलिए राजा दार्शनिक होगा तो वह विवेकशील होगा। राज्य की बुराइयों की पहचान कर सकता है। राजा के पास सत्ता की शक्ति होने के कारण बुराईयों को दूर भी कर सकता है। इस प्रकार राज्य में सुव्यवस्था की स्थापना कर सकता है।

राजा विवेकशील होने के कारण निजी स्वार्थ में कार्य न कर सार्वजनिक हित में कार्य कर पाएगा। राजा विवेकी होने के कारण कानून का निर्माण भी अच्छाई को स्थापित करने के लिए करेगा। प्लेटो के अनुसार क्षुधा प्रधान व्यक्ति को राजा बना दिया जाए तो वह लालच वश कानून का निर्माण निजी स्वार्थ के लिए करने लगेगा। इससे राज्य में अंशाति और अव्यवस्था का वातावरण पैदा होगा। अतः ऐसे राज्य में सुशासन की स्थापना नहीं हो सकती है। इसी प्रकार साहस प्रधान व्यक्ति को राजा बना दिया जाये तो राज्य को अपने गुण के अनुसार प्रतिस्पर्धा या विदेशी राज्यों से संघर्ष में लिप्त रखेगा। इससे राज्य के आन्तरिक भाग में अच्छे कानून का निर्माण नहीं हो पाएगा। राज्य में सार्वजनिक हित और नैतिकता का अभाव रहेगा तथा राज्य में कभी भी विद्रोह या असन्तोष उभर सकता है। इसीलिए राज्य आदर्श को तभी प्राप्त कर सकता है जब राज्य में आन्तरिक संतोष, सार्वजनिक हित, नैतिकता, आदि पर आधारित व्यवस्था का निर्माण हो। इस प्रकार आदर्श राज्य की स्थापना के लिए प्लेटो के अनुसार विवेक पर आधारित दार्शनिक राजा का शासन ही उपयुक्त है।

प्लेटो का सुशासन या आदर्श राज्य की अवधारणा

जिस प्रकार मन अथवा मानवीय आत्मा का निर्माण वासना, साहस और विवेक तीनों तत्वों से हुआ है, उसी प्रकार राज्य को उत्पन्न करने में निम्नलिखित तीन तत्व सहायक होते हैं।

1. आर्थिक तत्त्व
2. सैनिक तत्त्व
3. दार्शनिक तत्त्व

1. **आर्थिक तत्त्व :** प्लेटो आदर्श राज्य का निर्माण करते समय आर्थिक तत्व पर विचार करता है जो उसके अस्तित्व के लिए आवश्यक है। वासना अर्थात आर्थिक तत्व से अभिप्राय यह है कि मनुष्य अपनी आवश्यकताओं को एकांकी रूप में पूर्ण नहीं कर सकता। इसके लिए उसे अनेक व्यक्तियों के सहयोग की अपेक्षा होती है। इससे समाज में श्रम विभाजन तथा कार्यों का विशेषीकरण उत्पन्न होता है। मानव जाति के भोजन, वस्त्र, आवास आदि की विभिन्न आवश्यकताएँ राज्य को आवश्यक बनाती हैं। मनुष्य अपनी आवश्यकताओं की पूर्ति के लिए एक-दूसरे को सहयोग देकर आर्थिक संघों का निर्माण करता है। कुछ व्यक्ति कृषि का कार्य करते हैं, कुछ वस्त्र तैयार करते हैं तो कुछ घर बनाते हैं। उत्पादों का विनिमय होता है। विभिन्न वस्तुओं का उत्पादन सरलता से हो जाता है और माल का स्तर भी ऊँचा रहता है। मानव की आवश्यकताओं की वृद्धि के साथ-साथ आवश्यकताओं को पूर्ण करने वाले लोगों के वृत्त का भी विस्तार होने लगता है। समाज में बढ़ई, सुनार, लुहार, व्यापारी, वकील, चिकित्सक आदि वर्ग उत्पन्न होते हैं। पारस्परिक अन्योन्याश्रितता और आदान-प्रदान की यह आवश्यकता ही समाज का आधार है। इसी के ऊपर सारा सामाजिक जीवन टिका है और इसकी प्रक्रिया स्वयं श्रम-विभाजन के सिद्धान्त पर आधारित है।

   जब कार्य विभाजन तथा विशेषीकरण के प्रति रुचि रखते हुए लोग अपने कार्यों का कुशलतापूर्वक सम्पादन कर वस्तुओं का अधिकाधिक उत्पादन करते हैं तब शनैः शनैः ऐसी स्थिति हो जाती है कि प्रत्येक व्यक्ति केवल एक कार्य में ही रुचि रखने लगता है और वह भी ऐसे कार्य में जिसमें उसकी योग्यता अधिकतम हो। ऐसी स्थिति में 'एक व्यक्ति एक कार्य' का

सिद्धान्त व्यापक हो जाता है। सेवाओं के आदान-प्रदान से सबकी आवश्यकताओं की पूर्ति हो पाती है। प्लेटो का कथन है कि आदर्श राज्य की स्थापना के लिए आवश्यकताओं की सर्वोत्तम तुष्टि और सेवाओं के समुचित आदान-प्रदान की महती आवश्यकता है।

चूँकि राज्य एक जैविक इकाई और नैतिक समग्रता है, अतः प्रत्येक का यह कर्त्तव्य है कि वह अपना-अपना काम ठीक ढंग से करे, अधिकतम योग्यता के साथ करे और इसके प्रति सदैव सजग रहे। प्लेटो के अनुसार यही न्याय है और इसी न्याय-भावना के अनुसार कार्य करते रहने पर राज्य की आवश्यकताएँ भली-भाँति पूर्ण होती हैं। प्लेटो के शब्दों में, ''प्रत्येक व्यक्ति सदैव अपनी प्रकृति के अनुकूल एक ही कार्य में लगाया जाए, प्रत्येक व्यक्ति एक ही व्यवसाय करे अनेक कार्य न करें, तभी सारा नगर-राज्य एक ही होगा।''

2. **सैनिक तत्त्व :** राज्य-निर्माण करने वाला दूसरा वर्ग 'सैनिक वर्ग' है। आर्थिक तत्व राज्य के संगठन का सबल तत्व नहीं कहा जा सकता। आवश्यकताओं में वृद्धि के साथ ही राज्य को अधिक भू-भाग की आवश्यकता होती है। ऐसी स्थिति में वह अपने पड़ोसी राज्य के भू-भाग की ओर ताकने लगता है, जिसका परिणाम होता है—युद्ध। इस तरह लालसा युद्ध का मूल कारण है और राज्य का एक प्रधान कार्य पर्याप्त भू-क्षेत्र को प्राप्त करना और उसे अपने अधिकार में बनाए रखना है। इस कार्य हेतु तथा युद्ध की सम्भावना और उससे रक्षण की आवश्यकता के फलस्वरूप राज्य में उत्साह, साहस या शूरवीरता के तन्त्र का उदय होता है। इससे सैनिक-वर्ग का आविर्भाव होता है जिसे युद्ध से सर्वाधिक आनन्द आता है। इस वर्ग को समाज से भी प्रेम होता है और इसलिए वह उसकी रक्षा के लिए तत्पर रहता है। विशेषीकरण के सिद्धान्त के अनुसार राज्य में संरक्षकों का सैनिक दल बनाया जाता है। इस दल के द्वारा राज्य एक ओर अपनी रक्षा करता है और दूसरी ओर अपने प्रदेश का विस्तार करता है। प्लेटो का मत है कि सैनिक-वर्ग में केवल ऐसे ही लोगों को लिया जाना चाहिए जो उत्साही हों और युद्ध में रुचि रखते हों। इनके प्रशिक्षण का भी विशेष प्रबन्ध किया जाना चाहिए। यहाँ प्लेटो का 'रिपब्लिक' सुखी योद्धा की शिक्षा का ग्रन्थ बन जाता है।

3. **दार्शनिक तत्त्व :** राज्य निर्माण का तीसरा आधार दार्शनिक तत्त्व है जिसका सम्बन्ध आत्मा के विवेक बुद्धि से है। प्लेटो कहता है कि उत्साह विवेक की सहायता से अन्याय का विनाशक और न्याय का रक्षक होता है। उसका मानना है कि राज्य के रक्षकों में विवेक का गुण विद्यमान होना अनिवार्य है ताकि वह विभिन्न वर्गों की क्रियाओं को भली प्रकार नियन्त्रित और सम्बद्ध कर सके। प्लेटो के अनुसार सैनिक योद्धा में सामान्यतः 'विवेक' का यह गुण मिलता है, किन्तु विशेष रूप से यह पूर्ण संरक्षक या शासक में ही पाया जाता है। उसके मत में ये संरक्षक दो प्रकार के होते हैं—(क) सहायक या सैनिक संरक्षक तथा (ख) दार्शनिक संरक्षक। सैनिक या सहायक संरक्षकों का विशेष गुण शौर्य होता है जबकि दार्शनिक संरक्षकों का विवेक। वास्तव में दार्शनिक ही राज्य के सच्चे संरक्षक होते हैं।

प्लेटो विवेक को राज्य का सबसे महत्वपूर्ण तत्त्व मानता है, अतः उसके अनुसार विवेक सम्पन्न दार्शनिक को ही राज्य का शासक बनाया जाना चाहिए। प्लेटो का अभिमत है कि विवेक-सम्पन्न दार्शनिक प्रकृति केवल इने-गिने लोगों में ही मिल सकती है। 'समूचा राष्ट्र दार्शनिकों का राष्ट्र नहीं हो सकता', अतः सच्चे शासक की अन्तिम परीक्षा उसकी दार्शनिक शक्ति की बौद्धिक परीक्षा है। दार्शनिक शासक को 'न्याय' सौंदर्य और संयम के सार' का ज्ञान होना चाहिए ताकि वह अपने शासितों के चरित्र इन्हीं गुणों के अनुरूप ढाल सके। प्लेटो ने विवेक के दो गुण माने हैं—प्रथम, विवेक से व्यक्ति को ज्ञान प्राप्त होता है। दूसरे, विवेक व्यक्ति को प्रेम करना सिखाता है। यह अपेक्षित है कि दार्शनिक शासक विवेकशील हो और पर्याप्त मात्रा में स्नेहशील हो। उसमें विवेक और बुद्धि के गुण की परकाष्ठा हो। दार्शनिक राजा का विचार प्लेटो के राज्य सम्बन्धी विचारों का स्वाभाविक और तर्कसंगत परिणाम है।

आदर्श—राज्य में वर्ग

राज्य के निर्माण के उपरोक्त तीन तत्वों के आधार पर अथवा कार्यगत विशेषीकरण तथा श्रम-विभाजन के आधार पर प्लेटो ने अपने आदर्श राज्य का विभाजन तीन वर्गों में किया है। ये तीन वर्ग हैं :

1. **संरक्षक वर्ग :** यह वर्ग 'विवेक' गुण का प्रतिनिधित्व करने वाला है। इस वर्ग के लोगों का कार्य सहायक-संरक्षक वर्ग तथा उत्पादक वर्ग के बीच संतुलन बनाए रखना है। यह वर्ग बुद्धि प्रेमी होगा और इसलिए इसका मुख्य कार्य समाज का सामान्य कल्याण करना है। इस वर्ग के लोग जब दार्शनिक होंगे तब ही वे सामान्य कल्याण के कार्य को पूर्ण कर पाएँगे।
2. **सहायक संरक्षक या सैनिक वर्ग :** इस वर्ग का मुख्य कार्य उत्पादक-वर्ग की सुरक्षा एवं राज्य की भूमि को सुरक्षित रखना है। यह वर्ग 'उत्साह तत्व' का प्रतिनिधित्व करने वाला है। उत्पादक वर्ग के लिए वृहत्तर प्रदेश की पूर्ति भी इसी वर्ग के द्वारा की जाएगी और इस हेतु यह वर्ग पड़ोसी राज्यों से युद्ध करने के लिए सदैव सन्नद्ध रहेगा।
3. **उत्पादक-वर्ग :** यह वर्ग 'वासना' या 'क्षुधा' तत्व की पूर्ति करने वाला है। इसमें कृषक, कारीगर, शिल्पकार, व्यापारी आदि आते हैं। इसका मुख्य कार्य राज्य की भौतिक आवश्यकताओं की पूर्ति करना है। प्लेटो के आदर्श राज्य के निर्माण करने वाले तत्व और वर्ग निम्नलिखित प्रकार से हैं :

1. क्षुधा	आर्थिक तत्व	उत्पादक वर्ग
2. साहस	सैनिक तत्व	सैनिक वर्ग
3. विवेक	दार्शनिक तत्व	शासक वर्ग

आदर्श राज्य के मौलिक सिद्धान्त

(क) **न्याय :** न्याय आदर्श राज्य का प्राण है जिसका कार्य उत्पादक, सैनिक और शासक वर्गों में सन्तुलन रखकर उन्हें एकता के सूत्र में बाँधे रखना है ताकि राज्य के सभी अंग अपने कर्त्तव्यों का पालन करते रहें।

(ख) **राज्य व्यक्ति का विराट रूप है :** व्यक्ति की सभी विशेषताएँ राज्य में पाई जाती हैं।

(ग) **विशेष कार्य का सिद्धान्त :** राज्य या समाज में श्रम-विभाजन होना चाहिए ताकि प्रत्येक व्यक्ति अपने विशेष कार्य को पूर्ण दक्षता और योग्यता से पूरा करे और राज्य की आर्थिक आवश्यकताओं की पूर्ति करे।

(घ) **शिक्षा :** 'न्याय' का ज्ञान ही शिक्षा है। श्रेष्ठ नागरिकों, स्वस्थ सैनिकों व दार्शनिक शासकों के निर्माण के लिए उन्हें उचित शिक्षा दी जाए। प्लेटो राज्य द्वारा नियन्त्रित अनिवार्य शिक्षा की विस्तृत योजना प्रस्तुत करता है।

(च) **नागरिकों के तीन वर्ग :** प्लेटो आत्मा के तीन तत्त्वों (वासना, उत्साह और विवेक) के आधार पर राज्य के नागरिकों को उत्पादक, सैनिक और संरक्षक नामक तीन वर्गों में बाँटता है।

(छ) **दार्शनिक राजा का शासन :** आदर्श राज्य में दार्शनिक राजा का शासन होगा। जब तक राजा दार्शनिक नहीं होंगे तब तक राज्यों में शान्ति और सुशासन स्थापित नहीं हो सकता।

(ज) **सम्पत्ति और पत्नियों का साम्यवाद :** प्लेटो ने व्यवस्था की कि सैनिक और शासक-वर्ग वैयक्तिक सम्पत्ति और परिवार न रखें। ये कंचन और कामिनी के मोह से मुक्त होकर अपना कर्त्तव्य पालन करें। यह साम्यवाद उत्पादक वर्ग पर लागू नहीं होता।

अरस्तू

प्लेटो के समान अरस्तू ने भी सुशासन के लिए राज्य के आदर्श रूप की कल्पना की है। अरस्तू ने सुशासन की स्थापना के लिए प्लेटो के समान क्रान्तिकारी आदर्शवाद को नहीं अपनाया है बल्कि पर्यायवाद के स्वरूप को अपनाया है।

अरस्तू का दृढ़ विश्वास है कि शुभ जीवन की प्राप्ति के लिए विशेष परिस्थितियों का होना आवश्यक है और ये परिस्थितियाँ ही सुशासन या आदर्श राज्य का निर्माण कर सकती हैं। इस प्रकार अरस्तू शुभ जीवन के लिए कुछ आदर्शों की स्थापना करता है जिन्हें प्राप्त किया जा सकता है। उनके ये ही आदर्श एक आदर्श राज्य का निर्माण करता है।

अरस्तू के आदर्श राज्य की विशेषता है : "कानूनों की प्रभुता तथा एक सन्तुलित मात्रा में सम्पत्ति एवं निजी पारिवारिक जीवन की उपलब्धता।" अरस्तू के अनुसार जो शासन अपनी प्रजा की भलाई के हेतु होता है वह कानून के अनुसार होता है, उसका आधार मानव प्रकृति के स्वरूप पर निर्भर होता है।

अरस्तू के आदर्श राज्य की विशेषताएँ

1. **जनसंख्या :** अरस्तू के अनुसार राज्य में जनसंख्या न बहुत अधिक और न बहुत कम होनी चाहिए। जनसंख्या का इतना अधिक होना अनुचित है कि राज्य में व्यक्तियों को न व्यवसाय मिले और न रहने के लिए स्थान। इसी प्रकार जनसंख्या इतनी कम नहीं होनी चाहिए कि शनैः शनैः राज्य का अस्तित्व ही खतरे में पड़ जाए। इस सम्बन्ध में अरस्तू एक जहाज का उदाहरण देते हुए कहता है कि 6 इंच लम्बा और 1200 फीट लम्बा, दोनों ही बेकार हैं। इसी तरह राज्य की जनसंख्या भी बहुत कम या बहुत अधिक होना ठीक नहीं है। अरस्तू प्लेटो की भाँति राज्य की कोई निश्चित जनसंख्या नहीं देता। उसके अनुसार एक अच्छे राज्य में इतनी जनसंख्या होनी चाहिए कि प्रत्येक नागरिक एक-दूसरे को जानता हो जिससे वह विभिन्न स्थानों के लिए उपयुक्त व्यक्तियों का निर्वाचन कर सके। राज्य की इतनी जनसंख्या होनी चाहिए जो राज्य को आत्म-निर्भरता प्रदान करे और उसकी आवश्यकताएँ पूरी करने के लिए पर्याप्त हो। इस तरह अरस्तू का संकेत नगर-राज्य की ओर ही है, क्योंकि वर्तमान राज्यों में तो यह सम्भव नहीं लगता है कि नागरिक एक-दूसरे से परिचित हों।

   अरस्तू का कहना है कि राज्य को चाहिए कि वह ऐसा हर-सम्भव प्रयत्न करे जिससे जनसंख्या न तो आवश्यकता से अधिक बढ़े और न ही उससे कम हो। राज्य आवश्यकता पड़ने पर विवाह आदि के नियम निर्धारित करे। विवाह के लिए कम से कम और अधिक से अधिक आयु निश्चित की जाए। साथ ही ऐसी माता को सन्तान उत्पन्न नहीं करने दिया जाए जो अस्वस्थ या विकृत हो।

2. **प्रदेश :** राज्य का क्षेत्र भी आवश्यकतानुसार होना चाहिए। वह न इतना छोटा होना चाहिए कि आजीविका कठिन हो जाए और न इतना बड़ा हो कि लोग बिलासिता का जीवन बिताएँ। राज्य की भूमि इतनी होनी चाहिए कि जिससे जीवन की आवश्यकताएँ पूर्ण हो सकें और उस पर निवास करने वाली जनता 'संयम और उदारता से समन्वित अवकाशपूर्ण जीवन' बिता सके। राज्य का प्रदेश और उसकी सीमाएँ ऐसी होनी चाहिए कि राज्य बाह्य आक्रमण से सुरक्षित हो तथा आर्थिक दृष्टि से सम्पन्न हो। अरस्तू का यह विचार है कि भूमि समुद्र के समीप होनी चाहिए ताकि आवश्यक सामग्री का आयात हो सके। भूमि का इतना छोटा होना उचित है कि किसी ऊँचे स्थान या ऊँची चोटी से भली प्रकार से देखा जा सके, क्योंकि ऐसी भूमि की रक्षा सरलता से हो सकती है। इसके साथ ही राज्य की भूमि ऐसे स्थान पर होना उत्तम है जहाँ जल और स्थल दोनों भागों से सरलता से पहुँचा जा सके। इस सम्बन्ध में प्लेटो के विचार अरस्तू से भिन्न हैं। वह अपने आदर्श राज्य को समुद्र से दूर रखना चाहता है ताकि अवाँछनीय विदेशी और व्यापारिक तत्त्वों का आगमन न हो सके। अरस्तू तो राज्य की सुरक्षा के लिए शक्तिशाली जल

सेना और राज्य के चारों ओर एक सुदृढ़ परकोटे की भी व्यवस्था करता है। अरस्तू का यह भी मत है कि राज्य की भूमि दो भागों में बँटी हुई होनी चाहिए—सार्वजनिक एवं व्यक्तिगत। पूजा-गृह एवं राज्योपयोगी भूमि सार्वजनिक तथा शेष व्यक्तिगत होगी।

3. **जनता का चरित्र :** अरस्तू के अनुसार आदर्श राज्य के नागरिकों का चरित्र और उनकी योग्यता यूनानी विशेषताओं के अनुरूप होनी चाहिए जिमसें उत्तरी जातियों का उत्साह और एशियन लोगों का विवेक—दोनों का मिश्रण पाया जाता हो। अरस्तू की धारणा है कि आदर्श राज्य में मनुष्य और नागरिक गुण समान होने से सभी अच्छे मनुष्य ही अच्छे नागरिक होंगे।

4. **राज्य में आवश्यक वर्ग :** अरस्तू के आदर्श राज्य में 6 प्रकार की आवश्यकताएँ मुख्य हैं—भोजन, कला-कौशल, शस्त्र, सम्पत्ति, सार्वजनिक देव-पूजा और सार्वजनिक हित का निर्धारण। इन आवश्यकताओं की पूर्ति के लिए आदर्श राज्य में 6 प्रकार के वर्ग होने चाहिए—कृषक, शिल्पी, योद्धा, सम्पत्तिशाली वर्ग, पुरोहित और प्रशासक। इन 6 वर्गों में से प्रथम दो वर्गों अर्थात् कृषक और शिल्पियों को अरस्तू नागरिकता के अधिकार नहीं देता। शेष अन्य चार वर्गों को वह यह अधिकार प्रदान करता है।

   अरस्तू के इस सामाजिक वर्गीकरण की एक विशेषता यह है कि जन्मजात अथवा जातिगत या कर्म के आधार पर व्यतियों को विभिन्न वर्गों में नहीं बाँटता। वह यह वर्गीकरण आयु के अनुसार करता है। उसकी व्यवस्था यह है कि नागरिक युवावस्था में योद्धा के रूप में कार्य करें, प्रौढ़ावस्था में शासन सम्बन्धी विषयों का चिन्तन करें और वृद्धावस्था में सार्वजनिक देव-पूजा और पुरोहितों का काम करें। इसका स्वभाविक परिणाम यह होगा कि प्रत्येक वर्ग का दूसरा वर्ग आदर करेगा क्योंकि सभी व्यक्ति किसी न किसी आयु में सभी वर्ग में रह चुकेंगे।

   अरस्तू की उपर्युक्त सामाजिक व्यवस्था से प्रकट होता है कि वह अवस्थानुसार प्रत्येक नागरिक को तीन कार्य सौंपता है जबकि प्लेटो एक व्यक्ति को एक ही काम देने के पक्ष में है।

   अरस्तू की इस वर्ग-व्यवस्था में कृषकों और शिल्पियो को नागरिकता से वंचित करना तथा दासों के बारे में की गई प्रतिकूल व्यवस्था को आदर्श राज्य के अनुकूल नहीं कहा जा सकता है।

5. **शिक्षा :** प्लेटो की भाँति ही अरस्तू भी आदर्श-राज्य में शिक्षा पर बहुत महत्व देता है। आदर्श राज्य का उद्देश्य एक शुभ जीवन की प्राप्ति है और शुभ जीवन के लिए व्यक्ति का चरित्रवान, स्वस्थ और कर्त्तव्यपरायण होना अनिवार्य है। यह कार्य शिक्षा द्वारा ही हो सकता है। शिक्षा ही मनुष्य का भौतिक, मानसिक और नैतिक विकास करती है। अरस्तू अवकाश प्राप्त वर्गों के लिए एक-सी अनिवार्य और सार्वजनिक शिक्षा प्रस्तावित करता है। उसके अनुसार शिक्षा बाल्यकाल से ही राज्य की देख-रेख में प्रारम्भ होनी चाहिए। 7 से 14 वर्ष की अवस्था तक स्वास्थ्य और नैतिक विकास सम्बन्धी शिक्षा तथा 14 से 21 वर्ष की आयु तक बौद्धिक शिक्षा और बाद में व्यापार सम्बन्धी शिक्षा पर बल दिया गया है। प्लेटो की भाँति अरस्तू भी अनिवार्य सैनिक शिक्षा की व्यवस्था करता है जिसमें गणित तथा संगीत को विशेष स्थान देता है।

6. **अन्य विशेषताएँ :** अरस्तू अपने आदर्श राज्य के लिए अन्य विशेषताओं का भी वर्णन करता है, जैसे बाह्य आक्रमणों से बचने के लिए रक्षा के अच्छे साधन हों, राज्य में पानी, सड़कों, किलों आदि की सुन्दर व्यवस्था हो।

सुशासन के तत्व एवं प्रारूप

प्राचीन काल के आदर्श राज्य अथवा 'रामराज्य' सद्शासन के समकक्ष थे। स्वतंत्रता संग्राम के समय गाँधी ने भी राम-राज्य की अवधारणा को प्रस्तुत किया। गाँधी ने इसी राम-राज्य की अवधारणा से अंग्रेजों की नीतियों का विरोध कर स्वतंत्रता प्राप्त की थी।

सद्शासन के अन्त से राज्य की शक्तियों में वृद्धि हुई है। इसीलिए सुशासन के लिए उपचारात्मक तरीके खोजे गये हैं। इसके मुख्य उपचार के तरीके निम्नलिखित हैं।

1. निर्वाचित संस्थाओं में आपराधिक तत्वों के प्रवेश पर प्रतिबन्ध
2. राजनीतिक दलों में प्रभावी आन्तरिक लोकतन्त्र और दल की धनराशि का ऑडिट
3. न्यूनतम स्थिरता का होना
4. विधायकों के नैतिक स्तरों में सुधार
5. अच्छे चरित्रवान नेताओं का निर्माण
6. राजनीतिज्ञ और दलों को अनुशासित करना
7. जनसहभागिता पर जोर
8. सद्शासन के सिद्धान्तों को शिक्षा द्वारा नागरिकों पर लागू करना
9. राजनीति का आपराधीकरण रोकना

सुशासन के सिद्धान्त तथा अवधारणा
(Concept and Theory of Good Governance)

'शासन' शब्द 'सरकार' की अपेक्षा अधिक व्यापक होता है। 'सरकार' का आशय एक मशीनरी और संस्थानों की व्यवस्था से है जिसके द्वारा प्रभुसत्ता का उपभोग राजनीतिक समुदाय के आन्तरिक एवं बाह्य हितों को पूर्ण करना है। इसके विपरित 'शासन' का आशय एक प्रक्रिया तथा परिणाम से है जिसमें समाज के हित के लिए अधिकृत निर्णय लेना होता है। साधारण शब्दों में 'सद्शासन' का आशय समस्त जनता के हित के लिए कार्य करना है। सद्शासन एक विशेषण की तरह अभिव्यक्ति है जिसमें कुछ मूल्यों को धारण किया जाता है, जबकि शासन एक मूल्यहीन प्रबन्ध करने की प्रक्रिया है।

मनन्दीकर के अनुसार, "सद्शासन का आशय उस राष्ट्र राज्य से है जो जनता को शान्तिपूर्ण, व्यवस्थित, समृद्ध, उचित व सहभागितापूर्ण जीवन व्यतीत करने के लिए निर्देशित करता है।"

मिनोचा के शब्दों में, "सद्शासन वह शासन है जहाँ, राजनीतिक उत्तरदायित्व, स्वतंत्रता की उपलब्धि, कानूनपालन, नौकरशाही उत्तरदायित्व, सूचना में पारदर्शिता, प्रभावी एवं कुशल सरकार तथा समाज में सहयोग हो।" जे.एस. मिल के शब्दों में, "सुशासन किसी सरकार की अच्छाई को देखने का एक तरीका है कि वह शासन चलाने में कितनी कुशलता से काम लेती है।"

"गवर्नेंस' की इस परिभाषा को अन्य इकाइयों द्वारा और व्यापक कर दिया गया है और इसमें निम्नांकित को सम्मिलित किया गया है : राज्य सत्ता की वैधानिकता को सिद्ध करने के लिए लोकतान्त्रीकरण, प्रेस स्वतंत्रता, प्रशासन में पारदर्शिता जिससे सरकार में उत्तरदायित्व का विकास हो, प्रशासन में जनसहभागिता, विधि का शासन, मानव अधिकारों में विश्वास और सरकार की नीतियों के निर्माण एवं जनता की सेवा करने की क्षमता।

इस प्रकार सद्शासन की अवधारणा लक्ष्य के रूप में, साधन के रूप में, पूर्णतः लोकतांत्रिक निर्धारित उद्देश्य के रूप में की जाती है। स्मरणीय है कि समय के अनुसार सद्शासन की परिभाषा में विस्तार होता आया है। आज के भूमण्डलीकरण युग में उसकी वैचारिक कठिनाई तब प्रारम्भ होती है जब विश्व के समृद्धशाली देश तथा इकाईयों द्वारा विकासशील देशों को विकास के लिए दी जाने वाली आर्थिक सहायता के लिए पहले से शर्तें निर्धारित की जाती हैं।

नौकरशाही द्वारा संचालित प्रशासनिक व्यवस्था में लालफीताशाही, औपचारिकता, नियमों एवं विनियमों पर इतना अधिक जोर दिया जाने लगा कि कार्यशील सरकार के बजाय निकम्मी सरकार की छवि सर्वत्र परिलक्षित होने लगी। परिणामस्वरूप अनेक अन्तर्राष्ट्रीय संगठनों द्वारा व्यवस्थाओं में सुधार के परिप्रेक्ष्य में अनेक अध्ययन किए गए। विश्व बैंक रिपोर्ट, 1992 ने 'सुशासन' की नई अवधारणा का प्रतिपादन किया, जिसके बारे में सभी देशों में विचार-मन्थन किया जाने लगा है। 1997 के बाद की विश्व विकास रिपोर्ट में संधारणीय आर्थिक उन्नति के लिए राज्य की प्रभाव क्षमता को एक अनिवार्य पूर्वापेक्षा के रूप में महत्व दिया गया है। ब्रेटन वुड्स संस्थानों ने भले ही बहुत देरी से, यह महसूस किया है कि आर्थिक उदारीकरण के सुधार तब तक सफल नहीं हो सकते जब तक कि उससे पूर्व उत्तम स्तर का और साफ-सुथरा अभिशासन सुनिश्चित नहीं किया जाता। सच तो यह है कि ऋण स्वीकृत करने के लिए अन्तर्राष्ट्रीय मुद्रा कोष ने सुशासन (उत्तम अभियान) को एक मानदण्ड माना है।

हाल के वर्षों तक गवर्नेंस कार्य सरकार का विशेषाधिकार माना जाता था, चूंकि उसके पास संप्रभु शक्ति थी। बाद में व्यापारिक निगामें की दुनिया ने भी गवर्नेंस शब्द का प्रयोग करना प्रारम्भ कर दिया और 'कॉर्पोरेट गवर्नेंस' का उच्चारण एक फैशन हो गया।

'गवर्नेंस' शब्दबन्ध में प्रशासन कम और प्रबन्ध का पुट अधिक होता है।

'गवर्नेंस' शब्दबंध 'प्रशासन' या 'सरकार' का ही पर्याय नहीं है। इसमें व्यक्ति और संस्थाएं, सार्वजनिक और निजी सभी संयुक्त रूप से अपने साझे मामलों का प्रबन्ध करती हैं।

प्रोफेसर अशोक मुखोपाध्याय लिखते हैं : "The term 'governance' has wider meaning and implications than those of the term 'government'. Government refers to the machinery and institutional arrangements of exercising the sovereign power for serving the internal and external interests of the political community, whereas 'governance' means the process as well as the result of making authoritative decisions for the benefit of the society."

विश्व बैंक ने 'गवर्नेंस के तीन विशिष्ट पहलुओं को रेखांकित किया है:

(अ) राजनीतिक सत्ता का प्रकार (The from of political regime); (ब) विकास के लिए देश के आर्थिक और सामाजिक संसाधनों के प्रबन्ध हेतु सत्ता के प्रयोग की प्रक्रिया (The process by which authority is exercised for managing a country's economic and social resource for development) तथा (स) नीति निर्माण एवं क्रियान्वयन के लिए कार्यक्रमों की संरचना हेतु सरकार की क्षमता (The capacity of government to design, formulate and implement policies and discharge functions)।

'गवर्नेंस' की इस परिभाषा में आगे चलकर अनेक अन्य बिन्दुओं को भी जोड़ दिया गया—राज्य की वैधता सिद्ध करने के लिए लोकतन्त्रीकरण की मात्रा, सरकार की जवाबदेयता विकसित करने के लिए संचार साधनों की स्वन्त्रता एवं प्रशासन में पारदर्शिता, व्यक्तिगत और समूहगत अधिकार, प्रशासन में लोगों की भागीदारी, विधि के शासन की स्थापना और नीति निर्माण में सरकार की योग्यता एवं लोगों को सेवा प्रदान करने की क्षमता।

'सुशासन' की अवधारणा की प्रासंगिकता इसलिए है कि कुशासन (misgovernance) के लक्षण सर्वत्र आसानी से परिलक्षित हो जाते हैं। आज सभी देशों में सत्ता का दुरुपयोग, घोटाले, भ्रष्टाचार और सार्वजनिक धन को हड़पने के आये दिन उदाहरण मिल जाते हैं। अतः सुशासन की अवधारणा ऐसी प्रवृत्तियों को रोकने वाला एक आकर्षक निदान है।

आधुनिक युग में 'गवर्नेंस' शब्दबन्ध का प्रचलन कब से हुआ, यह बताना सम्भव नहीं है तथापि ओसबोर्न और गैबलर की ऐतिहासिक रचना '*Reinventing Government*' में उक्त अवधारणा की घोषणा की गई है।

प्लेटो के अनुसार सुशासन का अर्थ है न्याय पर आधारित शासन और महाभारत के शान्तिपर्व में लिखा है कि सुशासन की नींव है धर्मनिष्ठ शासन। अलेक्जेण्डर पोप के अनुसार वही सरकार अच्छी है जिसका प्रशासन अच्छा हो। व्यक्तिवादी विचारक फ्रीमैन के अनुसार, "वही सरकार अच्छी है जो कम से कम शासन करे।" महात्मा-गांधी ने रामराज्य की कल्पना की थी।

डेविड ओसबोर्न और टेड गैबलर ने सुशासन को उद्यमी सरकार का पर्यायवाची मानते हुए ऐसे शसन की कल्पना की जिसमें निम्नांकित 10 लक्षण पाए जाते हैं :

(1) उत्प्रेरक सरकार, (2) समुदाय आधारित सरकार, (3) प्रतिस्पर्द्धी सरकार, (4) सेवा प्रायोजित सरकार, (5) परिणामोन्मुखी सरकार, (6) ग्राहकोन्मुखी सरकार, (7) उद्यमी सरकार, (8) पूर्वानुमान लगाने वाली सरकार, (9) विकेन्द्रित सरकार एवं (10) बाजारोन्मुखी सरकार।

सब-सहारा-अफ्रीकी राज्यों से सम्बन्धित विश्व बैंक के 1989 के दस्तावेज में 'सुशासन' की अवधारणा का उल्लेख 'ठोस विकास प्रबन्ध' के परिप्रेक्ष्य में किया गया है। इस सम्बन्ध में चार प्रमुख बिन्दुओं को रेखांकित किया गया :

(1) सार्वजनिक क्षेत्र का प्रबन्ध, (2) जवाबदेयता, (3) विकास के लिए वैधानिक ढांचा, और (4) सूचना एवं पारदर्शिता।

विश्व बैंक संकेतकों के अनुसार सुशासन (उत्तम अभिशासन) में शामिल लोकतन्त्र, पारदर्शिता और जवाबदेही के अलावा यह कहा जा सकता है कि उत्तम अभिशासन का समग्र आशय एक ऐसी सहभागितापूर्ण प्रणाली से है जिसमें जिन लोगों को जनता की ओर से शासन करने के लिए आमन्त्रित किया जाता है वे ऐसे हों जो कि अपना सर्वोत्तम देने, लोगों की सेवा और भलाई करने, उनकी समस्याओं को हल करने और उनका जीवन जीने योग्य, सन्तोषपूर्ण तथा उल्लासपूर्ण बनाने की इच्छा से अभिप्रेरित हों।

ओईसीडी (OECD) देशों से सम्बन्धित दस्तावेज में सुशासन से सम्बन्धित रेखांकित बिन्दु हैं : (1) सरकार की वैधता, (2) सरकार के राजनीतिक एवं नौकरशाही तत्वों की जवाबदेयता, (3) नीति निर्माण एवं सेवा वितरण में सरकार की दक्षता तथा (4) मानव-अधिकार एवं विधि के शासन का सम्मान।

'सुशासन' के लिए कतिपय आवश्यक बिन्दु निम्न रूप से रेखांकित किए जा सकते हैं :

1. उत्तरदायी, मैत्रीपूर्ण एवं नागरिकों की देखभाल करने वाला प्रशासन
2. संस्थाओं की वैधता एवं पैठ बनाना
3. प्रभावी और कुशल प्रशासन
4. मितव्ययी प्रशासन
5. जवाबदेयता सुनिश्चित करने वाला प्रशासन
6. परिणामोन्मुखी प्रशसन
7. नागरिकों के जीवन-स्तर में सुधार
8. लोकसेवाओं की गुणवत्ता में सुधार करने वाला प्रशासन
9. प्रभावी और कुशल प्रशासन
10. ई-गवर्नेंस पर आधारित नागरिक और सरकार को आमने-सामने लाने वाला प्रशासन।
11. कार्मिकों की उत्पादकता में वृद्धि करने वाला प्रशासन
12. सत्ता के प्रयोग में स्वेच्छाचारिता से मुक्त प्रशासन
13. भ्रष्टाचार से राहत दिलाने वाला प्रशासन

संयुक्त राष्ट्र विकास कार्यक्रम (UNDP) द्वारा बताए गए सुशासन के 8 सिद्धांत

भागीदारी

लोगों को वैध संगठनों या प्रतिनिधियों के माध्यम से अपनी राय देने में सक्षम होना चाहिये। इसमें पुरुष एवं महिलाएँ, समाज के कमजोर वर्ग, पिछड़े वर्ग, अल्पसंख्यक आदि शामिल हैं। भागीदारी का तात्पर्य संघ एवं अभिव्यक्ति की स्वतंत्रता से भी है।

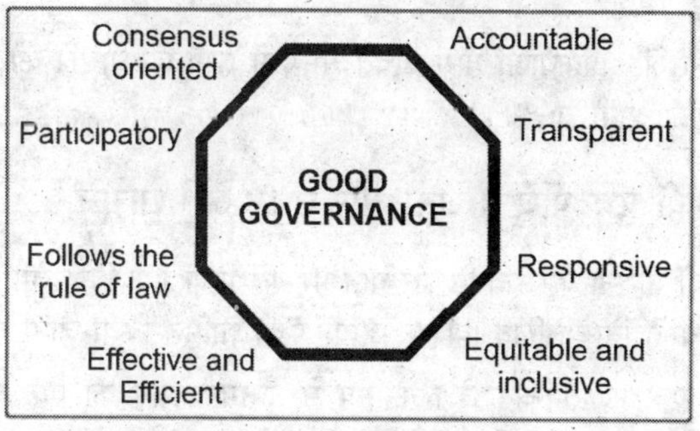

कानून का शासन

कानूनी ढाँचे को निष्पक्ष रूप से लागू किया जाना चाहिये विशेषकर मानवाधिकार कानूनों के परिप्रेक्ष्य में। 'कानून के शासन' के बिना राजनीति, *मत्स्य न्याय* के सिद्धांत अर्थात् *मछली के कानून* (Law of Fish) का पालन करेगी जिसका अर्थ है ताकतवर कमजोरों पर प्रबल होगा।

आम सहमति उन्मुख

आम सहमति उन्मुख निर्णय लेने से यह सुनिश्चित होता है कि हर किसी की सामान्य न्यूनतम जरूरत पूरी की जा सकती है जो किसी के लिये हानिकारक नहीं होगा। यह एक समुदाय के सर्वोत्तम हितों को पूरा करने के लिये व्यापक सहमति के साथ साथ विभिन्न हितों की मध्यस्थता करता है।

न्यायसंगत एवं समावेशी

सुशासन एक समतामूलक समाज के निर्माण का आश्वासन देता है। लोगों के पास अपने जीवन स्तर में सुधार करने या उसे बनाए रखने का अवसर होना चाहिये।

प्रभावशीलता एवं दक्षता

विभिन्न संस्थानों को अपने समुदाय की जरूरतों को पूरा करने वाले परिणाम उत्पन्न करने में सक्षम होना चाहिये। समुदाय के संसाधनों का उपयोग अधिकतम उत्पादन के लिये प्रभावी रूप से किया जाना चाहिये।

जवाबदेही

सुशासन का उद्देश्य लोगों की बेहतरी पर आधारित है और यह सरकार के बिना लोगों के प्रति जवाबदेह नहीं हो सकता है। सरकारी संस्थानों,

निजी क्षेत्रों और नागरिक संगठनों को सार्वजनिक एवं संस्थागत हितधारकों के प्रति जवाबदेह ठहराया जाना चाहिये।

पारदर्शिता

आवश्यक सूचनाएँ जनता के लिये सुलभ हों और उनकी निगरानी होनी चाहिये। पारदर्शिता का मतलब मीडिया पर किसी भी प्रकार का नियंत्रण न हो और लोगों तक सूचनाओं की पहुँच भी हो।

अनुक्रियाशीलता

संस्थानों और प्रक्रियाओं द्वारा उचित समय में सभी हितधारकों को सेवाएँ प्रदान की जानी चाहिये।

ग्यारहवीं पंचवर्षीय योजना और उत्तम अभिशासन

ग्यारहवीं योजना के अन्तर्गत इस बात पर बल दिया गया कि उत्तम शासन के अन्तर्गत निम्नलिखित विशिष्ट आयामों को शामिल किया जाना चाहिए:

"एक प्रजातान्त्रिक देश के रूप में, उत्तम शासन की एक केन्द्रीय विशेषता, जनता के सभी वर्गों द्वारा प्रभावी भागीदारी के साथ एक उचित ढंग से विभिन्न स्तरों पर सरकार का चुनाव करने का संवैधानिक रूप से सुरक्षित अधिकार है। यह सरकार की वैधता और मतदाता के प्रति इसकी जिम्मेदारी हेतु एक बुनियादी आवश्यकता है।"

- सभी स्तरों पर सरकार जवाबदेह और पारदर्शी होनी चाहिए। जवाबदेही से निकटतः जुड़े भ्रष्टाचार को समाप्त करने की जरूरत है, जिसे व्यापक रूप से शासन में एक बड़ी कमी के रूप में देखा जाता है। पादर्शिता भी, जवाबदेही सुनिश्चित करने और वास्तविक भागीदारी का समर्थन करने के लिए दोनों ही दृष्टि से महत्वपूर्ण है।
- सरकार, सामाजिक और आर्थिक सार्वजनिक सेवाएं प्रदान करने में प्रभावी और कुशल होनी चाहिए, जो इसकी प्रमुख जिम्मेदारियां हैं। इसके लिए अपने कार्यक्रम तैयार करने में सतत रूप से मॉनिटरिंग और ध्यान देने की जरूरत है। हमारी देश में, जहां प्राथमिक शिक्षा और स्वास्थ्य जैसी प्रमुख सेवाएं प्रदान करने की जिम्मेदारी स्थानीय स्तर पर है, इसके लिए स्थानीय शासन की कारगरता और कार्यकुशलता सुनिश्चित करने पर विशेष ध्यान दिए जाने की जरूरत है।
- सरकार निचले स्तरों पर केवल तभी सुचारू रूप से कार्य कर सकती है यदि उसे ऐसा करने के लिए सशक्त बनाया जाए। यह पीआरआई के सम्बन्ध में विशेष रूप से प्रासंगिक है जो उसे संवैधानिक रूप से सौंपे गए कार्यों को निष्पादित करने के लिए निधियों और साथ ही कार्यकर्ताओं के अपर्याप्त अन्तरण से पीड़ित है।
- एक अत्यन्त महत्वपूर्ण आवश्यकता यह है कि कानून का शासन मजबूत रूप से कायम किया जाए। यह व्यक्तियों को अपने अधिकारों की मांग करने के लिए समर्थ बनाने के वास्ते न केवल सरकार और व्यक्तियों के बीच सम्बन्धों के लिए प्रासंगिक है बल्कि व्यक्तियों अथवा व्यवसायों के बीच सम्बन्धों की दृष्टि से भी प्रासंगिक है। एक आधुनिक आर्थिक सोसायटी निजी इकाइयों के बीच अधिकाधिक जटिल विचार-विमर्श पर निर्भर है और ये विचार-विमर्श केवल तभी सुचारु रूप से निष्पादित किए जा सकते हैं यदि कानूनी अधिकार स्पष्ट हों और इन अधिकारों के प्रवर्तन हेतु कानूनी उपचार तीव्र हों।
- अन्त में, सम्पूर्ण पणाली को इस ढंग से कार्य करना चाहिए जिसे उचित और समावेशी समझा जाए। यह एक बोधात्मक मुद्दा है, किन्तु यह फिर भी वास्तविक है। असुविधाप्राप्त समूह, विशेष रूप से अनुसूचित जातियां, अनुसूचित जनजातियां, अल्पसंख्यक व अन्यों को यह महसूस होना चाहिए कि उनकी बराबरी की साझेदारी है और राज्य की वैधता सुनिश्चित करने के लिए लाभों के पर्याप्त प्रवाह की समझ होनी चाहिए।

भारत में शासन के बारे में बोध

भारत में सार्वजनिक प्रशासन आमतौर पर अप्रतिक्रियाशील और असंवेदी समझा जाता है। राज्यों के दौरों के दौरान द्वितीय प्रशासनिक सुधार आयोग को जनता से अनेक बार भेंट करने और उन्हें सुनने का अवसर मिला तथा नागरिकों द्वारा की गई अधिकांश टिप्पणियां सरकार द्वारा प्रदान की जाने वाली सेवाओं की घटिया कोटि, सरकारी सेवकों के उदासीन रुख, भ्रष्टाचार और प्राधिकार के दुरुपयोग व जवाबदेही के अभाव के बारे में थी। एक आम शिकायत अत्यधिक लालफीताशाही और किए जाने वाले नैत्यक किस्म के कार्य में लगने वाले लम्बे समय के बारे में थी। इस सम्बन्ध में छठे केन्द्रीय वेतन आयोग की सिफारिशें नोट करने योग्य हैं :

"आम आदमी के लिए नौकरशाही का अर्थ नैत्यक और दोहराई जाने वाली प्रक्रियाएं, कागजी कार्य और देरियां हैं। ऐसा इस तथ्य के बावजूद है कि सरकार और नौकरशाही नागरिकों को उनकी कानूनी गतिविधियों के सही अनुसरण में सुविधा प्रदान करने के लिए है। पद्धति में कठोरताओं, शक्तियों के अत्यधिक केन्द्रीकरण, अत्यन्त पदक्रम परम्परा और मध्यवर्ती स्तरों के साथ कामकाज की ऊपर से नीचे की पद्धति, जिसकी वजह से कोई निर्णय लेने में देरी होती है। प्राधिकार का जवाबदेही से परित्याग और लघु प्रबन्धन की ओर प्रवृत्ति के कारण एक ऐसी पद्धति कायम हो गई है, जिसमें किसी ठोस बात की बजाय स्वरूप ज्यादा महत्वपूर्ण है तथा प्रक्रियाओं को परिणामों व आउटकम की तुलना में अधिक महत्व दिया जाता है। प्रशासनिक प्रणालियों द्वारा निष्पादन न करना, सेवा की घटिया कोटि और प्रतिक्रियाशीलता का अभाव व प्राधिकार के वस्तुपरक व नकारात्मक दुरुपयोग की वजह से सरकारी प्रणालियों में भरोसा समाप्त हो गया है, जिसे तत्काल बहाल किए जाने की जरूरत है।"

पांचवें केन्द्रीय वेतन आयोग ने सिविल सेवकों के आम प्रभाव के बारे में निम्नलिखित राय व्यक्त की थी :

"तथापि, यदि जनता के किसी सुविज्ञ सदस्य की राय के बारे में कहा जाए तो सार्वजनिक सेवाओं के बारे में उसकी अनेक शिकायतें हैं। ये

उनके आकार, उत्पादकता, जवाबदेही, पारदर्शिता और सत्यनिष्ठा के सम्बन्ध में हैं।''

एक आम धारणा है कि नौकरशाही का निरपेक्ष आकार मूलभूत आवश्यकता से बहुत त्यादा हो गया है। इसे प्रायः ''फुलाया हुआ'' कहा जाता है। यह भी महसूस किया जाता है कि कार्य भार पर बहुत कम ध्यान के साथ, उनकी संख्या में तीव्र गति से वृद्धि हो रही है। लोग नौकरशाही के ऊपरी शीर्ष पर अत्यधिक भार होने की बात भी कहते हैं।

सरकारी सेवाओं के बारे में न केवल यह समझा जाता है कि उनकी संख्या बहुत अधिक है, यह भी विश्वास किया जाता है कि सकल घरेलू उत्पाद में उनका कोई योगदान नहीं होता। कहा जाता है कि सरकारी सेवक कार्यालय में अनिवार्य रूप से देर से आते हैं, अपना बहुत अधिक समय चाय पीने, धूम्रपान और गपबाजी में बिताते हैं और समय से पहले ही कार्यालय छोड़ देते हैं। परिणामस्वरूप कहा जाता है कि उत्पादकता अत्यन्त न्यून है, उनके वास्तविक कार्य के घण्टों का अनुमान एक दिन में एक से ढाई घण्टे के बीच है।

महसूस किया जाता है कि नौकरशाह खुद ही कानून होते हैं। वे अपने आपको कागजों के ढेर में छिपा लेते हैं, सार्वजनिक मुद्दों के सम्बन्ध में अपनी डीलिंग में अनावश्यक गुप्तता बरतते हैं, किसी चीज के बदले में रूढ़िवादी निर्णय लेते हैं जिनका सादा कागजों में लेख नहीं होता और वे किसी के प्रति भी जवाबदेह नहीं होते। उनका आजीवन सेवा संविदा होता है जिसे किसी भी आधार पर कम नहीं किया जा सकता, ये संविधान के अनुच्छेद 311 के अन्तर्गत सुरक्षोपायों द्वारा सुरक्षित हैं। उनके गलत कार्यों का कभी पता नहीं लगाया जाता। यदि पता चल जाए तो वे समितियों में सामूहिक निर्णय निर्माण के कवच का सहारा लेते हैं जिसे कभी सामने नहीं लाया जा सकता। उनके विरुद्ध लगाया जाने वाला एक सर्वाधिक गम्भीर आरोप सत्यनिष्ठा और ईमानदारी का अभाव होना है। इस प्रकार, आरोप लगाया जाता है कि उनमें न केवल इस दृष्टि से कमी है कि वे अपनी प्रभुसत्तासम्पन्न शक्तियों का प्रयोग करने में सरकारी सेवकों के रूप में उनके द्वारा लिए जाने वाले निर्णयों के लिए धन अथवा पुरस्कार प्राप्त करते हैं, बल्कि दूरदृष्टि से भी वे अपने विचारों, शब्दों और कार्यों के बीच सामंजस्य कायम रखने में भी असमर्थ रहते हैं। प्रत्येक दिन किसी-न-किसी घोटाले का पर्दाफाश हो रहा है तथा सरकारी सेवकों के बारे में पता चले साक्ष्य से न केवल भ्रष्टाचार से लिप्त होने का पता चलता है बल्कि खुले लाभ प्राप्तकर्ता होने का भी पता चलता है।

सरकारी सेवाएं किस चीज से पीड़ित हैं?

सेंटर फॉर मीडिया स्टडीज (सीएमएस) के हाल ही में एक अध्ययन से पता चलता है कि अधिकांश नागरिक सार्वजनिक सेवाएं प्रदान किए जाने से सन्तुष्ट नहीं हैं। अध्ययन के अन्तर्गत सम्मिलित 11 विभागों में से 7 विभागों में एक-तिहाई से कम नागरिक प्रदत्त सेवाओं से सन्तुष्ट थे। वस्तुतः अधिकांश जरूरत-आधारित सेवाओं में जैसे कि पुलिस, न्यायपालिका और नगरपालिकाओं (जहां अधिक विवेक और शक्तियां प्राप्त हैं) 20 प्रतिशत परिवार भी उनकी सेवाओं से सन्तुष्ट नहीं थे। अनिवार्य सेवाओं जैसे कि पीडीएस, अस्पताल और बिजली और जलापूर्ति के मामले में भी मात्र 30-40 प्रतिशत परिवार सेवाओं से खुश हैं।

अध्ययन से पता चलता है कि अधिकांश विभागों में शायद ही कोई प्रभावी शिकायत समाधान पद्धति मौजूद है। अधिकांश मामलों में नागरिकों को यह भी ज्ञात नहीं है कि ऐसी पद्धति विद्यमान है तथा विभाग उन्हें जानकारी देने का कोई प्रयास नहीं करते। जिन्हें इस बात की जानकारी है उन्हें इसमें बहुत कम विश्वास है। आश्चर्य की बात नहीं है कि परिणाम लाचारी की एक भावना है। कटिंग एज स्तर कर्मचारियों का व्यवहार चिन्ता का एक अन्य विषय है। सार्वजनिक सेवाओं के अधिकांश कर्मचारिय लोगों की बदलती आकांक्षाओं के अनुसार नहीं बदलते हैं। विभागीय स्तर पर अनेक सम्भावित उपाय हैं जैसे कि सेवाओं की नीतिगत आउटसोर्सिंग, प्रौद्योगिकी का उपयोग (जैसे कि आन्ध्र प्रदेश में ई-सेवा), बेहतर वाणिज्य प्रथाएं, स्टाफ के लिए निष्पादन-सम्बद्ध प्रोत्साहन, उपभोक्ता सन्तुष्टि पर समय-समय पर नजर रखना और निवासी कल्याण एसोसिएशनों को शामिल करना। सार्वजनिक सेवाओं की कोटि सुधारने में इन उपायों से काफी लाभ हो सकता है।

इसके साथ ही सार्वजनिक सेवा प्रदाता को उपभोक्ता समितियों के माध्यम से नागरिक के प्रति और अधिक जवाबदेह बनाए जाने की जरूरत है। मध्य प्रदेश में रोग कल्याण समितियों के मामले में इस प्रयोग ने अपनी क्षमता प्रदर्शित कर दी है।

इसके साथ ही, समय की मांग है कि हम परिव्यय को आउटकम के साथ सम्बद्ध करें। हम, स्थानीय शासनों के साथ सार्वजनिक सेवा करारों (पीएसए) वाले ब्रिटिश प्रयोग से बहुमूल्य पाठ सीख सकते हैं–जिसके अन्तर्गत विभिन्न सेवाओं के लिए उद्देश्यपरक और मापयोग्य लक्ष्य एक आकलन पद्धति के साथ मिलाकर निश्चित किए जाते हैं। स्थानीय शासनों के लिए निधियों का आवंटन पीएसए के सम्बन्ध में उनकी उपलब्धि के आधार पर किया जाता है।

उत्तम शासन में बाधाएं

यद्यपि विधानमण्डल द्वारा बनाए गए कानून उत्तम और संगत हो सकते हैं, तथापि उन पर सरकारी कार्यकर्ताओं द्वारा प्रायः उचित रूप से अमल नहीं किया जाता। कभी-कभी उपलब्ध कराई जाने वाली संस्थागत पद्धति भी कमजोर और कुविचारित हो सकती है और इस प्रकार उनमें न तो क्षमता होती है और न ही कानूनों को सच्ची भावना के साथ लागू करने के लिए संसाधन। इस सन्दर्भ में प्रधानमन्त्री ने कहा था:

''प्रभावी और कुशल संस्थान, सफल विकास और शासन प्रक्रिया का आधार है। संस्थापकों ने आवश्यक संस्थागत संरचना का निर्माण करने की परिकल्पना की थी, जिसके फलस्वरूप हम यहां तक पहुंचे हैं। हमें इस बात पर विचार करने की जरूरत है कि क्या यह संरचना आने वाले वर्षों के लिए पर्याप्त है; क्या कामकाज के पुराने तरीकों से तेजी से बदलते विश्व में भावी मांगों का समाधान हो सकता है; क्या विगत में अपनाई गई दक्षताओं और क्षमताओं की प्रासंगिकता समाप्त हो गई है। क्या इन प्रश्नों को पूछने और इनके उत्तरों से हम उन संस्थागत सुधारों का विनिर्धारण

करने में समर्थ हो सकेंगे जिनसे हमारे समय की जरूरतें पूरी हो सकती हैं।''

पद्धति प्रायः अत्यधिक केन्द्रीकरण की समस्याओं से पीड़ित है तथा नीतियां व कार्यवाही योजनाएं नागरिकों की जरूरतें पूरा करने से बहुत दूर हैं। परिणाम यह है कि जो अपेक्षित है और जो उपलब्ध कराया जा रहा है, उसके बीच बेमेलपन है। कानूनों को लागू करने वाले कार्मिकों की अपर्याप्त क्षमता की वजह से भी नीतियों और कानूनों का उचित ढंग से कार्यान्वयन नहीं हो पाता। इसके अतिरिक्त, अधिकारों और कर्तव्यों के बारे में जागरूकता की कमी और कुछेक नागरिकों की ओर से कानूनों के पालन के प्रति बेदर्दी दृष्टिकोण की वजह से भी उत्तम शासन में बाधाएं पहुंचती हैं।

सिविल सेवकों की अभिवृत्तिमूलक समस्याएं

इस बात की चिन्ता है कि प्रशासन सामान्यतः निष्ठुर, अशिथिलनीय और अकर्मण्य हो गया है। परिणामस्वरूप इनका रुख नागरिकों की जरूरतों के प्रति उदासीनतापूर्ण और असंवेदी हो गया है। इसकी और साथ ही सभी स्तरों पर शक्ति प्राप्त करने में अपार बेमेलपन की वजह से स्थिति और ज्यादा बिगड़ गई है। अन्ततः परिणाम यह है कि अधिकारीगण अपने आपको नागरिकों की सेवा करने की बजाय और अत्यन्त गरीबी, निरक्षरता आदि को देखते हुए, उन्हें अपनी दया का पात्र समझते हैं, प्राधिकारी के प्रति घोर अवमानना की परम्परा आज का मानदण्ड बन गया है।

जवाबदेही का अभाव

शासन में अकार्यकुशलता के लिए आमतौर पर बताया जाने वाला एक कारण पद्धति के अन्दर उनके कार्यों के लिए सिविल सेवकों को जवाबदेह बनाने की असमर्थता है। दोषी सरकारी सेवकों के विरुद्ध शायद ही अनुशासनात्मक कार्यवाही की जाती है और दण्ड का आरोपण तो और भी दुर्लभ है। इसका प्रमुख कारण यह है कि अधिकांश स्तरों पर प्राधिकार का जवाबदेही से परित्याग होता है, जिसकी वजह से वास्तविक और स्पष्ट बहानों की एक पद्धति कायम हो गई। अनुशासन के प्रति सामान्य निरुत्साह पैदा हुआ। इसके अतिरिक्त, सिविल सेवकों के लिए प्रदत्त सुरक्षोपायों, जो सुविचारित थे, का प्रायः दुरुपयोग किया गया है। जवाबदेही के अभाव का एक अन्य कारण यह है कि सरकार के अन्दर निष्पादन आकलन पद्धतियां प्रभावी ढंग से संरचित नहीं हैं। पद्धति से कर्मचारियों में जो उदासीनता आई है उसकी वजह से कर्मचारियों द्वारा नागरिकों और उनकी शिकायतों के प्रति निरुत्साही अथवा उदासीनतापूर्ण अभिवृत्ति का अपनाया जाना है।

लालफीताशाही

विश्वभर में नौकरशाहों द्वारा नियमों और प्रक्रियाओं का पालन किए जाने की उम्मीद की जाती है, जो वास्तव में उत्तम शासन के लिए महत्वपूर्ण हैं। तथापि, कभी-कभी ये नियम और प्रक्रियाएं प्रारम्भ में ही कु-विचारित और बोझिल होती हैं और इसलिए इनसे कोई प्रयोजन सिद्ध नहीं होता। इसके साथ ही सरकारी सेवक कभी-कभी नियमों और प्रक्रियाओं में बहुत अधिक उलझ जाते हैं और इन नियमों को अपने आप में ही अन्त समझते हैं। प्रक्रियात्मक सुधारों पर बल देते हुए प्रधानमंत्री डॉ. मनमोहन सिंह ने कहा था:

''प्रायः सरकार में सुधार का सर्वाधिक कठिन क्षेत्र प्रक्रिया और प्रक्रियात्मक सुधार का है। क्षमताओं और प्रौद्योगिकियों में कितनी ही मात्रा में निवेश से एक सीमा से अधिक निष्पादन और सेवा प्रदान करने में सुधार नहीं हो सकता, यदि हम पुरानी पद्धतियों और प्रक्रियाओं के ही गुलाम बने रहेंगे। कभी-कभी नीतिगत सुधार उपायों से, सरकारी प्रक्रियाओं में सुधार की प्रक्रिया में प्रगति न होने के कारण, वांछित परिणाम प्राप्त नहीं होते। आखिरकार, यही कारण है जिससे तथाकथित 'निरीक्षक राज' को बढ़ावा मिलता है। इसी वजह से सरकार के साथ आम नागरिक की अन्योन्यक्रिया बोझिल और भयावह बन जाती है। प्रायः यही भ्रष्टाचार का मूल कारण भी है। जब मैं व्यक्तियों अथवा उद्योगपतियों से मिलता हूं, सरकार का यही पहलू है, जिसमें परिवर्तन की मांग की जाती है।''

नागरिकों के अधिकारों और कर्तव्यों के बारे में जागरूकता के निम्न स्तर

अपने अधिकारों के बारे में अपर्याप्त जागरूकता नागरिकों को दोषी सरकारी सेवकों को जवाबदेह ठहराने से रोकती है। इसी प्रकार, नागरिकों द्वारा नियमों के अनुपालन के निम्न स्तर भी उत्तम शासन में एक बाधा का काम करते हैं; जब नागरिक अपने कर्तव्यों का पालन नहीं करते तो वह अन्य नागरिकों की आजादी और कर्तव्यों का उल्लंघन करते हैं। इस प्रकार, अधिकारों के सम्बन्ध में जागरूकता और कर्तव्यों का अनुपालन एक ही सिक्के के दो पहलू हैं। अपने अधिकारों और साथ ही, अपने कर्तव्यों के प्रति पूरी तरह से जानकार एक सतर्क नागरिक सम्भवतः यह सुनिश्चित करने का एक सर्वोत्तम उपाय है कि अधिकारीगण और साथ ही नागरिक भी अपने कर्तव्यों का प्रभावी और ईमानदारीपूर्वक निर्वहन करें।

नवीन लोक प्रबन्ध

अर्थव्यवस्था के उदारीकरण और भूमण्डलीकरण की उदीयमान प्रवृत्तियों के कारण मुद्रास्फीति को कम करने, करों को घटाने, निजीकरण को बढ़ावा देने, नियमों को शिथिल करने, सार्वजनिक क्षेत्र में बाजार शक्तियों के प्रयोग और संविधान एवं शासन प्रणाली में इस प्रकार के बदलाव पर जोर दिया जाने लगा जिससे कि सामाजिक क्षेत्र के साथ बाजार के क्षेत्र में राज्य के हस्तक्षेप को कम किया जा सके।

द्वितीय महायुद्ध के बाद बड़े पैमाने पर होने वाली वैज्ञानिक और तकनीकी क्रान्ति के बावजूद विश्व स्तर पर गरीबी की समस्या विकराल रूप से बनी रही। 'दि चैलेन्ज ऑफ डेवलपमेंट रिपोर्ट, 1991' के आंकड़े यह इंगित करते हैं कि विश्व की 20 प्रतिशत जनसंख्या प्रतिदिन एक डॉलर से कम पर गुजारा करती है। अतः रिपोर्ट में जोर दिया गया है कि विकास को बाजार-उन्मुखी (Market-friendly) बनाना होगा क्योंकि प्रतियोगी बाजार व्यवस्था कार्यक्षमता एवं कार्य उत्पादन की दृष्टि से आदर्श हैं। विश्व बैंक रिपोर्ट, विकास के सम्बन्ध में, राज्य बनाम बाजार प्रश्न पर बाजार पक्ष को वरीयता प्रदान करती है, क्योंकि राज्य के हस्तक्षेप ने जैसा कि रिपोर्ट में उल्लेखित है, विकासशील देशों की अर्थव्यवस्था में विकृतियां,

प्राथमिकताओं में विषमता, अतार्किक सार्वजनिक व्यय, उत्पादकता में बिना पर्याप्त वृद्धि किए रोजगार के अवसरों का निर्माण और आय का पुनर्वितरण किया जिससे राज्य के ऊपर भारी आर्थिक भार बढ़ा है।

यह एक आम धारणा है कि सार्वजनिक क्षेत्र में अधिकारी तन्त्र में कर्मचारियों की संख्या बहुत अधिक है। यह भी महसूस किया जाता है कि काम की मात्रा को ध्यान में न रखने के कारण इनकी संख्या में तेज गति से वृद्धि हो रही है। सरकारी कर्मचारी न केवल संख्या में बहुत अधिक माने जाते हैं बल्कि यह भी समझा जाता है कि उनका योगदान सकल घरेलू उत्पाद में बहुत कम अथवा कुछ नहीं है। किसी कर्मचारी के उत्पादन कार्य के मापन के लिए कोई मानदण्ड निर्धारित करने की ओर पर्याप्त ध्यान नहीं दिया जाता है। अधिक उत्पादन के लिए कोई प्रोत्साहन नहीं है। नियमों और प्रक्रिया पर अनावश्यक बल दिया जाता है जबकि उत्पादन पर नहीं।

अवधारणा का विकास

राष्ट्रपति जिम्मी कार्टर लोक सेवकों की प्रबन्धकीय तकनीक में सुधार हेतु विशेष चिंतित थे। उन्हीं के प्रयासों से एलन कैम्पबेल की संस्तुतियों के आधार पर अमरीका में 1978 का सिविल सर्विस रिफॉर्म अधिनियम पारित हुआ। कैम्पबेल ने कहा कि लोक पशासन के सिद्धान्त एवं क्रियान्वयन दोनों में 'प्रबन्धकीय पुट' का अभाव पाया जाता है। इन्हीं दिनों नेशनल एसोसिएशन ऑफ स्कूल्स ऑफ पब्लिक अफेयर्स तथा एडमिनिस्ट्रेशन ने 274 कार्यक्रमों का सर्वेक्षण किया और 'पब्लिक मैनेजमेंट रिसर्च डायरेक्टरी' प्रकाशित की।

आगे चलकर उदारीकरण और बाजारोन्मुखी प्रबन्ध की अवधारणा का उदय हुआ और नए प्रकार के प्रबन्ध (New managerialism) की आवश्यकता महसूस की गई। उदारीकरण के दौर में इस बात पर जोर दिया जाने लगा कि लोक प्रशासकों को भी उद्यमियों द्वारा अपनायी जाने वाली तकनीकों में पारंगत होना चाहिए। अर्थशास्त्रियों ने लोक प्रशासन को एक बौद्धिक विषय बनाने के विचार की बड़ी आलोचना की। अर्थशास्त्रियों का दृष्टिकोण था कि किसी भी संगठन में व्यक्तिगत स्वार्थ से आशय लाभ की इच्छा है और यह आर्थिक बाजार में होता है जहां प्रतिस्पर्धा है।

नवीन लोक प्रबन्ध : अर्थ

जेन एरिक लेन के अनुसार निजी क्षेत्र में प्रयुक्त होने वाली प्रबन्धकीय तकनीकों को सार्वजनिक क्षेत्र में लागू करना नवीन लोक प्रबन्ध है।

नवीन लोक प्रबन्ध का जोर प्रबन्ध पर है, कार्य निष्पादन पर है, दक्षता पर है न कि नीति पर। नवीन लोक प्रबन्ध तीन Es को हासिल करना चाहता है–Efficiency, Economy and Effectiveness (कुशलता, मितव्ययिता तथा प्रभावशीलता)।

नवीन लोक प्रबन्ध लोक विकल्प विचारधारा एवं प्रबन्धवाद पर निर्भर है। यह बाजार और निजी क्षेत्र प्रबन्ध के महत्व पर आधारित अवधारणा है। यह लोक प्रशासन में प्रतिस्पर्धात्मक तत्व का समावेश करता है। यह राज्य पर बाजार के वर्चस्व को अंगीकार करता है। इसके अनुसार सार्वजनिक अधिकारी तन्त्र के सिकुड़ने से जो खाली जगह बनेगी उसे बाजार द्वारा भरा जाना है। यह वेबर के नौकरशाही प्रतिमान की आलोचक है, बाजार मूल्यों के प्रति प्रतिबद्ध है तथा एकाधिकारों का प्रबल विरोधी है। यह वाणिज्य क्षेत्र की प्रबन्ध विधियों एवं तकनीकों का लोक प्रशासन में प्रयोग पर जोर देता है। इसके प्रमुख लक्षण हैं : व्यापार समान-प्रबन्ध, सेवा एवं ग्राहक उन्मुखीकरण तथा बाजार जैसी प्रतिस्पर्धा।

'नवीन लोक प्रबन्ध' (NPM) शब्द को सन् 1991 में क्रिस्टोफर हुड ने गढ़ा था। आज इस विचारधारा से सम्बन्धित विद्वानों में गेराल्ड, काइडन, पी. हौगेट, सी. पौलिट, आर. रोड्स, आर.एम. कैली तथा एल. टेरी के नाम उल्लेखनीय हैं। ओसबोर्न और गैबलर की 'रिइन्वेन्टिंग गवर्नमेण्ट' (1992) तथा अलगोर की 'नेशनल परफॉरमेन्स रिव्यू' ने इस उपागम को काफी समृद्ध किया है।

मोहित भट्टाचार्य ने 'नवीन लोक प्रबन्ध' की निम्नांकित विशेषताओं का उल्लेख किया है :

- प्रबन्ध की ऐसी व्यवस्था जिसमें निर्गत लक्ष्यों, अल्पकालिक ठेके, आर्थिक प्रोत्साहन और प्रबन्ध सम्बन्धी स्वायत्तता पाई जाती है।
- लागत व्यय को कम करके लोक प्रशासन को मितव्ययी बनाना।
- अर्द्ध-बाजारों का प्रयोग और ठेके द्वारा प्रतिस्पर्द्धा को प्रोत्साहन।
- सार्वजनिक नौकरशाही का ऐसे अभिकरणों में विघटन जो ठेके/संविदा के आधार पर कार्य करती है।
- नीति के बजाय प्रबन्ध, निष्पादक मूल्यांकन और कार्यकुशलता पर ध्यान केन्द्रित करना।

ओसबोर्न और गैबलर ने अपनी प्रसिद्ध कृति 'Re-inventing Government' (1992) में 'उद्यमी सरकार' (Entrepreneurial Government) के लिए 10 बिन्दुओं वाले कार्यक्रम को प्रस्तावित किया है, जो इस प्रकार हैं :

1. उत्प्रेरक सरकार (Catalytic Government)
2. सामुदायिक स्वामित्व की सरकार (Community Owned Government)
3. सेवा प्रायोजित सरकार (Mission-driven Government)
4. प्रतिस्पर्धात्मक सरकार (Competitive Government)
5. परिणामोन्मुखी सरकार (Results Oriented Government)
6. ग्राहकोन्मुखी सरकार (Customer-driven Government)
7. कार्यशील सरकार (Enterprising Government)
8. बाजार उन्मुखी सरकार (Market Oriented Government)
9. विकेन्द्रीकृत सरकार (Decentralized Government)
10. पूर्वानुमान सरकार (Anticipatory Government)

नौकरशाही का विरोध करने वाले आन्दोलनकर्ताओं और विद्वानों ने 'Re-inventing Government' का स्वागत करते हुए इसे लोक प्रबन्ध के नवीन युग का सूत्रपात करने वाली युगान्तरकारी कृति के रूप में देखा। तत्कालीन अमरीकी उपराष्ट्रपति अलगोर के नेतृत्व में 'नेशनल फरफॉरमेन्स

रिव्यू' (National Performamce Review—NPR) प्रतिवेदन के माध्यम से सरकारी प्रशासन में कार्यशील प्रशासन की संस्कृति विकसित करने के लिए निम्नांकित दस सूत्रों को अपनाने की सिफारिश की गई :

- सार्वजनिक सेवा प्रदान करने के साथ-साथ निजी, स्वयंसेवी एवं सामुदायिक संगठनों की समस्याओं का समाधान ढूंढने में सहायता देना।
- नौकरशाही तन्त्र के बजाय बाजार तन्त्र को प्रोत्साहित करना,
- सत्ता का विकेन्द्रीकरण करना तथा सहभागी प्रबन्ध को प्रोत्साहन देना,
- धनार्जन पर ऊर्जा लगाना न कि धन के व्यय पर,
- पैदा होने से पूर्व ही समस्याओं की रोकथाम,
- अपने मुवक्किलों के साथ ग्राहक जैसा बर्ताव और उनके समक्ष चयन के विकल्प प्रस्तुत करना,
- लक्ष्यों से प्रेरित होना न कि नियमों एवं विनियमों से,
- सरकारी अभिकरणों का मूल्यांकन उत्पादन के आधार पर करना न कि निवेश के आधार पर,
- नौकरशाही से नियन्त्रण हटाकर समुदाय को देना तथा नागरिकों को सशक्त करना,
- सेवादायकों के मध्य प्रतिस्पर्धा में वृद्धि करना,

क्रिस्टोफर हुड ने अपने प्रसिद्ध शोध निबन्ध A Public Management for All Seasons में 'नवीन लोक प्रबन्ध' अवधारण से सम्बन्धित निम्नांकित लक्षण बतलाए हैं :

- विशालकाय अभिकरणों को लघु इकाइयों में विभक्त कर अधिक कारगर सेवादाता बनाना।
- संसाधनों के उपभोग में अनुशासन एवं मितव्ययिता,
- संसाधन आवंटन से सम्बन्धित उत्पाद के प्रति चिन्ता,
- मानक निर्धारण, कार्य मापन तथा लक्ष्य निर्धारण पर जोर,
- प्रतिस्पर्धा की ओर उन्मुख होना, लागत में कटौती तथा उत्पाद एवं सेवा का स्तर बढ़ाना
- लोक प्रशासन के क्षेत्र में निजी क्षेत्र की प्रबन्ध शैली का अनुसरण,
- लोक प्रशासन के क्षेत्र में पेशेवर प्रबन्ध अपनाने पर जोर,

सारकेर ने एन पी एम की महत्वपूर्ण विशेषताओं का निम्न प्रकार उल्लेख किया है :

- आउटपुट और आउटकम को शामिल करने के लिए मात्र इनपुटों और प्रक्रियाओं में बदलाव।
- मानक, निष्पादन संकेतकों आदि की दृष्टि से और अधिक माप की दिशा में बदलाव।
- 'महीन', 'सपाट' विशेषज्ञतापूर्ण और स्वायत्त संगठनात्मक रूपों के लिए प्राथमिकता, जैसे कि कार्यकारी एजेन्सियां।
- सरकारी सेवाएं प्रदान करने के लिए, बाजार अथवा बाजार जैसी पद्धतियों का और अधिक उपयोग, जैसे कि आंशिक और पूर्ण निजीकरण, आउटसोर्सिंग और आन्तरिक बाजारों का विकास।
- कहीं अधिक सरकारी क्षेत्रक–निजी क्षेत्रक/सिविल सोसायटी भागीदारियां तथा संकर संगठनों का उपयोग।
- कार्यकुशलता और वैयक्तिक पहल पर कहीं अधिक बल।
- सरकारी कार्यों का प्रभावी (सार्वजनिक नीतियों की दृष्टि से) और समान रूप से निपटान करने की अधिक योग्यता।

सिद्दीकी ने निम्नलिखित अतिरिक्त विशेषताएं शामिल कीं :

- व्यापक किस्म की वैकल्पिक सेवा सुपुर्दगी पद्धतियों के साथ, ठेका देने और अर्ध-निजीकरण सहित प्राधिकार का विकेन्द्रीकरण;
- सरकारी क्षेत्रक में आकार कम करना, ... विनियमन और कर्मचारी सशक्तीकरण,
- निजी क्षेत्रक–शैली प्रबन्धन और नम्यता,
- स्थापित पद्धतियों से बाहर कार्यक्रम सुपुर्दगी, ठेके के सम्बन्ध में सेवाएं प्रदान करने के लिए सार्वजनिक और निजी एजेन्सियों के बीच प्रतिस्पर्धा का पालन करने के लिए कर्मचारियों/दलों को अनुमति देकर लागत वसूली, उद्यमशीलता विनियमन की कोटि सुधारना और मानव संसाधनों का प्रबन्धन,
- एक प्रबन्धन संस्कृति जहां नागरिकों/ग्राहकों की केन्द्रिकता और परिणामों की जवाबदेही पर बल दिया जाता है।

पश्चिमी देशों की सरकारों ने लोक प्रबन्ध के इस नवीन प्रतिमान को सतर्कतापूर्वक अपनाते हुए व्यवहार में निम्नलिखित बदलाव की ओर कदम बढ़ाने का निर्णय लिया :

1. लोकहित का संरक्षण करते हुए लाभ अर्जित करने का लक्ष्य
2. बाजार प्रतिस्पर्द्धा के लिए तैयार रहना
3. कानूनी पचड़ों के बजाय प्रभावशीलता (Effectiveness) पर जोर
4. नियमों की जंजीरों में बंधने के बजाय दक्षता पर जोर
5. उच्च स्तर की सेवा प्रदान करना
6. प्रशासनिक और राजनीतिक भ्रष्टाचार से जूझना
7. सरकारी कर्मचारियों को अधिकतम उत्पादन के लिए सजग करना
8. प्रशासन में सूचना प्रौद्योगिकी का अधिकतम प्रयोग
9. पारदर्शिता एवं खुलापन
10. राज्य की भूमिका को सीमित करना
11. नागरिक को सशक्त करना
12. चयनित सेवा क्षेत्रों में ठेके प्रदान करना
13. सार्वजनिक उद्यमों का निजीकरण
14. सरकार के आकार में कटौती
15. बजट कटौती
16. निष्पादन मापन और मूल्यांकन द्वारा लोक प्रबन्ध में सुधार

वस्तुतः 'नवीन लोक प्रबन्ध' अवधारणा लोक प्रशासन में उन तकनीकों को अपनाने पर जोर देती है जिन्हें निजी क्षेत्र में अपनाया जा रहा है। यह सार्वजनिक क्षेत्र के अभिकरणों के लिए प्रतिस्पर्धा और विकेन्द्रीकरण की वृद्धि पर बल देती है। मानव संसाधनों के प्रबन्ध में सुधार, कार्य नियन्त्रण एवं जवाबदेही सुनिश्चित करना, प्रक्रियाओं के स्थान पर परिणामों पर बल देना, नीति से हटकर प्रबन्ध को अपनाना तथा सार्वजनिक व्यय में मितव्ययिता, आदि इसके प्रमुख स्तम्भ हैं।

कुल मिलाकर जोर इस बात पर है कि नौकरशाही को परिणाम उन्मुखी (result oriented) संगठन में बदला जाए जिसमें लक्ष्य और परिणाम हासिल करने के लिए प्रबन्धक जवाबदेह होगा। अब सरकार के आकार में कटौती, नौकरशाही के कार्यभार को हल्का करना, शीघ्रता से कार्य निष्पादन, परिणाम प्राप्ति, उत्पादकता और जवाबदेयता जैसे शब्द लोक प्रशासन के क्षेत्र में गुंजायमान होने लगे हैं। ये सुधार जड़वत् सार्वजनिक नौकरशाही और उसके निराशाजनक निष्पादन के प्रति प्रतिक्रिया की शुष्कता, सेवाओं की अपर्याप्तता और भ्रष्टाचार के कारण कड़ी आलोचना का मुद्दा बन गई थी। आज लोक प्रशासन में नए प्रतिमान को, जिसे 'नवीन लोक प्रबन्ध' (New Public Management) प्रतिमान के नाम से सम्बोधित किया जाता है, स्वीकार कर लिया गया है। यह प्रतिमान सार्वजनिक क्षेत्र में लोक प्रबन्धकों की इस भूमिका पर जोर देता है कि उन्हें नागरिकों के लिए उच्च स्तर की सेवाएं प्रदान करना है, जिसके लिए उन पर केन्द्रीय अभिकरण के नियन्त्रण को कम करते हुए कार्य करने की प्रबन्धकीय स्वायत्तता प्रदान की जाए। यह वैयक्तिक और संगठनात्मक समस्याओं के शीघ्र निदान और उपलब्धियों को पुरस्कृत करने पर जोर देता है। यह 'सेवा उन्मुखी सरकार' तथा 'बाजार उन्मुखी सरकार' के मन्तव्यों पर जोर देने लगा। इसका नारा है—'पहले सेवा' (Service first), लचीलापन तथा शासन का पुनर्मुखीकरण।

'नवीन लोक प्रबन्ध' प्रतिमान के कतिपय प्रमुख विचार घटक निम्नलिखित हैं जो प्रशासन की परम्परागत शैली से एकदम भिन्न हैं:

- नागरिकों को उच्चस्तरीय सेवा प्रदान जिसका वे सम्मान करें।
- उच्चस्तरीय मानकात्मक सेवा उपलब्ध कराने के लिए प्रबन्धकों को स्वायत्तता प्रदान करना।
- व्यक्ति और संगठनों की उपलब्धियों का कठोर मूल्यांकन एवं नापलौत/पुरस्कार अथवा वेतन ढांचे का आधार कार्य निष्पादन की गुणवत्ता होगी।
- सफल प्रबन्धकीय उपलब्धियों को समुचित मानवीय और तकनीकी सहयोग प्रदान करना।
- खुले दिमाग से निर्णय लेना कि कौन-सा कार्य सार्वजनिक क्षेत्र में अथवा निजी क्षेत्र में समुचित ढंग से किया जाना सम्भव है।

नव लोक प्रबन्ध जिन सात सिद्धान्त से सम्बद्ध माना जाता है वे निम्नांकित हैं :

1. पेशेवर प्रबन्धन
2. मानकता निर्धारण एवं उपलब्धियों का मापन
3. निर्गत नियन्त्रण
4. सार्वजनिक क्षेत्र की बड़ी इकाइयों को लघु इकाइयों में बांटना
5. सार्वजनिक क्षेत्र में अधिक प्रतियोगिता को बढ़ावा देना
6. निजी क्षेत्र की प्रबन्धकीय शेली पर बल
7. अधिक अनुशासन पर बल।

आलोचनात्मक मूल्यांकन

'नवीन लोक प्रबन्ध' (New Public Management) प्रतिमान का जोर बाजारोन्मुखी और निजीकरण की ओर है, लेकिन इसके आलोचकों का मत है कि सार्वजनिक प्रबन्ध विशिष्ट प्रकार का होता है जिसे 'बाजार' द्वारा प्राप्त नहीं किया जा सकता। तीसरी दुनिया में तो इसे नव-उपनिवेशवाद के रूप में देखा जा रहा है और सामाजिक न्याय, सामाजिक विषमता का उन्मूलन आदि कुछ ऐसे विषय हैं जिनमें बाजार शक्तियों की अपेक्षा राज्य ही सकारात्मक भूमिका निभा सकता है।

आलोचकों के अनुसार लोक प्रशासन में अनेक कमियां और कमजोरियां हो सकती हैं जो कि संरचनात्मक और प्रक्रियात्मक अधिक हैं। नवीन लोक प्रबन्ध जहां एक ओर निजी प्रबन्ध के नकारात्मक लक्षणों को भी स्वीकार करने के लिए तत्पर है वहीं यह लोक प्रशासन के महान योगदान और सकारात्मक पक्ष की सराहना भी नहीं करता। यह लोकहित और कल्याणकारी राज्य जैसी अवधारणाओं के प्रति थोड़ा बहुत भी संवेदनशील नहीं है। यह 'लोक' से सम्बन्धित मामलों में प्रशासनिक नैतिकता की कदापि चिन्ता नहीं करता। वस्तुतः नवीन लोक प्रबन्ध बाजार को सरकार का सही विकल्प मानता है तथा निजी प्रशासन के मूल्यों और तकनीकों को अपनाने पर ज़ो देता है जबकि निजी प्रशासन कभी भी लोक प्रशासन का विकल्प या उपागम नहीं बन सकता।

फिर भी यह तो मानना ही पड़ेगा कि 'नवीन लोक प्रबन्ध' के फलस्वरूप लोक प्रशासन और पेशेवर नौकरशाही के क्षेत्र में सुधार लाने की दिशा में चिन्तन प्रारम्भ हुआ। ब्रिटेन में 'नेक्स्ट स्टेप्स', कनाडा में 'पब्लिक सर्विस', 2000' तथा संयुक्त राज्य अमेरिका में 'अलगोर प्रतिवेदन (नेशनल परफोर्मेन्स रिव्यू) इस दिशा में किए गए कुछ प्रमुख प्रभावी कदम हैं। परिणामस्वरूप अब लोक प्रशासन में प्रतिस्पर्धात्मकता, कार्यक्षमता, उत्पादकता, लागत, ग्राहक संतोष, सेवा शुल्क जैसे शब्द गुंजायमान होने लगे।

राज्य, बाजार तथा नागरिक समाज

ऐसा माना जाता है कि राज्य एवं सरकार की प्रकृति एवं भूमिका पर समाज और व्यक्ति का विकास निर्भर करता है। विकासशील समाजों की समस्याएं इतनी जटिल और विविध होती हैं कि उन्हें बाजार की आर्थिक शक्तियों के स्वतन्त्र कार्यकारण पर नहीं छोड़ा जा सकता। इन समस्याओं को निजी उद्यम भी हल नहीं कर सकता। अतः ऐसे देशों के आर्थिक विकास हेतु राज्य एवं सरकार का नेतृत्व एवं अंकुश अनिवार्य माना जाता है। "ऐसे देशों में सामाजिक तनावों के हल और आर्थिक विकास के लिए उपयुक्त मनोवैज्ञानिक, आदर्शगत, सामाजिक तथा राजनीतिक स्थिति का निर्माण करना राज्य का सर्वोपरि कर्तव्य माना जाता है।" इसी कारण राज्य क्रिया

का क्षेत्र विस्तृत तथ सर्वत्र प्रसरणशील हो गया। यह कहा जाता है कि "बिना बुद्धिमान सरकार की प्रेरणा से कोई भी राष्ट्र आर्थिक विकास नहीं कर पाया है; उदाहरणार्थ, इंग्लैण्ड में औद्योगिक शक्ति की नींव एडवर्ड द्वितीय एवं उसके उपरान्त योग्य प्रशासकों द्वारा डाली गई थी तथा संयुक्त राज्य अमरीका में, जहां देश की आर्थिक क्रियाओं में सरकार ने सदैव महत्वपूर्ण भाग लिया है।" संयुक्त राष्ट्र अध्ययन समूह ने लिखा है : "उन सामान्य शर्तों के अतिरिक्त, जो एक सरकार करती है, ऐसे अनेक कार्य हैं जिन्हें उसे इस कारण करने होते हैं कि वे महत्व के हैं या ये कार्य निजी प्रयासों द्वारा नहीं किए जा सकते हैं। ये कार्य किसी भी राष्ट्र के लिए आवश्यक हो सकते हैं परन्तु अर्द्धविकसित राष्ट्रों में अत्यावश्यक हैं।"

विकासशील देशों में राज्य एवं सरकार की भूमिका के विस्तार के निम्नांकित कारण हैं :

1. **बाजार का विस्तार करना**—विकासशील राष्ट्रों में प्रायः बाजार संकुचित होता है और इन बाजारों को विस्तृत करने के लिए सरकारी हस्तक्षेप आवश्यक समझा जाता है।
2. **दुर्लभ साधनों का अधिकतम उपयोग**—विकासशील राष्ट्रों में साधनों की न्यूनता पाई जाती जाती है तथा इन साधनों का अधिकतम उपयोग करने के लिए सरकारी हस्तक्षेप आवश्यक माना जाता है।
3. **बड़े धक्के की आवश्यकता**—इन राष्ट्रों के आर्थिक विकास के लिए जनसंख्या को सीमित करके जीवन स्तर में बड़े धक्के (Big push) के सिद्धान्त की आवश्यकता है, जो सरकारी प्रयास के बिना सम्भव नहीं है।
4. **आर्थिक विकास एवं सामाजिक ऊपरी पूंजी का निर्माण**—ऐसे राष्ट्रों में आर्थिक विकास के लिए सामाजिक ऊपरी पूंजी (Social Overhead Capital) का निर्माण करना आवश्यक होता है और इस प्रकार की पूंजी का विनियोग सरकार द्वारा ही सरलता से किया जा सकता है।
5. **सन्तुलित आर्थिक विकास**—देश के सन्तुलित आर्थिक विकास के लिए सार्वजनिक क्षेत्र का विशेष हाथ है। आर्थिक विकास का कार्य निजी क्षेत्र पर छोड़ने से कुछ भाग, जो प्राकृतिक साधनों से सम्पन्न हैं, अधिक विकसित हो जाते हैं तथा अन्य भाग पिछड़ जाते हैं। यदि सभी उद्योगों का विकास सरकार द्वारा किया जाए तो देश के विभिन्न भागों का सन्तुलित ढंग से विकास किया जा सकेगा।
6. **पूंजी संचय तथा आर्थिक विषमता दूर करना**—विकासशील राष्ट्रों में राजनीतिक स्वाधीनता ही महत्वपूर्ण नहीं होती बल्कि इसके साथ ही आर्थिक स्वतन्त्रता भी प्राप्त करना आवश्यक माना जाता है। सरकार द्वारा पूंजी संचय में वृद्धि करके वितरण की समस्या का भी समाधान सम्भव हो सकेगा तथा देश से आर्थिक विषमता भी दूर हो जाएगी।

पिछली शताब्दी से राज्य आर्थिक विकास में निम्नांकित तरीकों से भाग ले रहा है:

1. **अनुदेशक एवं उत्पादक**—राज्य अनुदेशक के रूप में ऋणों की गारण्टी देने, गृह निर्माण हेतु ऋण देने, फसलों का बीमा करने, विदेशी विनियोग पर गारण्टी देने, व्यापारिक क्रियाओं के लिए ऋण देने आदि का कार्य करता है। उत्पादक के रूप में सरकार कई प्रकार के उद्योगों का स्वयं संचालन करती है या उद्योग के विकास में सहयोग प्रदान करती है।
2. **उपभोक्ता एवं बचतकर्ता के रूप में**—बचतकर्ता के रूप में सरकार को ही यह निश्चय करना पड़ता है कि सम्पूर्ण राष्ट्रीय आय का कितना भाग बचत के रूप में रखा जाए जिससे उसे विकास के लिए विनियोग किया जा सके।
3. **साधन धारक एवं नव-प्रवर्तक**—राज्य प्राकृतिक साधनों को अपने अधिकार में रखता है; वह उन साधनों का धारक है तथा उसके उपयोग के लिए निजी व्यक्तियों को आवश्यक लाइसेन्स आदि प्रदान करता है। इसी प्रकार सरकार नव प्रवर्तक के रूप में भी कार्य करती है।

आर्थिक विकास की दृष्टि से सरकारी कार्यों को दो भागों में विभाजित किया जा सकता है : (अ) प्रत्यक्ष उपाय,. एवं (ब) अप्रत्यक्ष उपाय।

प्रत्यक्ष उपायों में निम्नलिखित को शामिल किया जा सकता है—

1. **उत्पादन के साधनों की पूर्ति एवं गतिशीलता में वृद्धि**—विकासशील राष्ट्रों में प्रायः आवश्यक साधनों की पूर्ति की कमी तथा उसमें गतिशीता का अभाव है। राष्ट्रीय और प्रति व्यक्ति आय कम होने से पूंजी का अभाव बनी रहती है। इस कमी को सरकार द्वारा ही पूरा किया जाता है। सरकार ही बाजार के विस्तार के लिए यातायात एवं संचार के साधनों का विकास करती है, क्योंकि निजी उद्यमी इनको बढ़ाने में समर्थ नहीं होता। कुशल श्रमिकों के अभाव को दूर करने के लिए सरकार देश में शिक्षा एवं प्रशिक्षण केन्द्रों की स्थापना, तकनीकी शिक्षा, श्रमिकों की गतिशीता आदि में सुधार लाने सम्बन्धी उपयों को अपनाती है।
2. **आर्थिक एवं सामाजिक ऊपरी पूंजी की सुविधाएं**—अधिकांश विकासशील देशों में ऊपरी सुविधाओं का अभाव पाया जाता है तथा निजी उद्यमी लाभ न मिलने तथा भारी विनियोग के कारण इन क्षेत्रों में धन विनियोग करना पसन्द नहीं करते। अतः इन राष्ट्रों में सरकार द्वारा ही सार्वजनिक क्षेत्र में विनियोग करके इस कमी को पूरा कर दिया जाता है। सामाजिक ऊपरी व्ययों में शिक्षा, लोक स्वास्थ्य एवं परिवार नियोजन, आदि में धन व्यय करना पड़ता है।
3. **संस्थागत एवं संगठनात्मक परिवर्तनों को लाकर**—विकासशील देशों में लोगों की सामाजिक तथा सांस्कृतिक वृत्तियों में परिवर्तन लाने हेतु राज्य द्वारा उत्तराधिकार, भूस्वामित्व, भूमि सुधार आदि क्षेत्रों में सुधार सम्बन्धी संस्थागत परिवर्तन किए जाते हैं। राज्य द्वारा संस्थागत एवं संगठनात्मक परिवर्तन लाकर पूंजी बाजार की व्यवस्था करके वित्तीय क्रियाएं बढ़ाने के प्रयास किए जाते हैं।

4. **औद्योगीकरण में प्रत्यक्ष भाग एवं निजी उद्योगों को सहायता**—सार्वजनिक उद्यमों की स्थापना करके, निजी उद्यमों को प्रोत्साहित करके राज्य आर्थिक विकास की गति को तीव्रता प्रदान करता है।

आर्थिक विकास के लिए अप्रत्यक्ष उपाय में निम्नांकित को सम्मिलित किया जाता है—

1. **मौद्रिक नीति**—राज्य देश की उचित मौद्रिक नीति द्वारा मुद्रास्फीति पर नियन्त्रण लगाता है, साख का सृजन करता है और भुगतान सन्तुलन की स्थिति बनाए रखता है।
2. **प्रशुल्क नीति**—प्रशुल्क नीति द्वारा सरकार बचत, निवेश तथा पूंजी निर्माण की दर को बढ़ाकर राष्ट्रीय आय तथा रोजगार में वृद्धि करती है।
3. **विदेशी व्यापार एवं विदेशी विनिमय का नियन्त्रण करना**—सरकार व्यापार एवं विदेशी विनिमय का नियन्त्रण करके देश के आर्थिक विकास के लिए पर्याप्त मात्रा में विदेशी विनिमय कोष की उपलब्धि सम्भव बनाती है तथा आर्थिक विकास के लिए विदेशी साधनों का उचित ढंग से उपयोग करती हे जिससे विदेशी मुद्रा का अपव्यय न हो सके।

'राज्य बनाम बाजार' बहस के उदय का वैचारिक आधार लोक चयन उपागम में देखा जा सकता है जिसकी दलील है कि उपभोक्ताओं की प्राथमिकताओं को बढ़ावा देने के लिए सार्वजनिक वस्तुओं और सेवाओं को उपलब्ध कराने की प्रक्रिया में 'संस्थागत बहुलवाद' होना चाहिए। लोक चयन उपागम ने प्रभावी बाजार निर्धारण वाले नए प्रतिमान को जन्म दिया जिसे 'नवीन लोक प्रबन्ध' या 'उद्यमी सरकार' कहा गया। इसने सरकार को 'सार्वजनिक गतिविधियों के कर्ता' से 'सार्वजनिक लाभों के वितरक' और अर्थव्यवस्था में बदलाव हेतु 'सहायक' और 'प्रेरक' के रूप में देखा।

बाजार के समर्थकों ने राज्य की असफलता के अनेक कारण बताए :

1. राज्य एकाधिकारिता वाले साम्यवादी देश जैसे सोवियत संघ, पूर्वी जर्मनी, यूगोस्लाविया आदि भीषण आर्थिक संकट में आ गए और राज्य नियन्त्रित अर्थव्यवस्था के सिद्धान्त पर पुनर्विचार आवश्यक हो गया।
2. विकासशील देशों में समाजवाद के नाम पर राज्य द्वारा संचालित सार्वजनिक उपक्रम घाटे में चल रहे हैं।
3. अवांछित आर्थिक गतिविधियों में भाग लेने से राज्य अपने सामाजिक कार्यों जैसे, शिक्षा, स्वास्थ्य आदि को ठीक ढंग से नहीं कर पाया।
4. बजट घाटे को पूरा करने के लिए अपनाए गए उपाय—हीनार्थ प्रबन्धन और अत्यधिक करारोपण ने आम जनता पर करों का बोझ बढ़ाया।
5. लोक कल्याण के नाम पर राज्य ने ऐसे काम हाथ में लिए जिनसे बजट घाटा बढ़ा।
6. राज्य ने अवांछित कार्यों के लिए नौकरशाही का आकार बढ़ाया जिससे जनता पर अनावश्यक आर्थिक बोझ बढ़ा।
7. राज्य अपने मूलभूत कार्यों के साथ ही ऐसे अनेक कार्य हाथ में ले लिए जिनको करने की दक्षता उसके पास नहीं है।

बाजार-आधारित व्यवस्था द्वारा होने वाली कठिनाइयाँ:

1. बाजार द्वारा कुल मांग और कुल पूर्ति के मध्य समानुपात नहीं लाया जा सकता।
2. बाजार आधारित निर्णय संसाधनों के युक्ति-युक्त वितरण को सुनिश्चित नहीं करते हैं।
3. राज्य की तुलना में बाजार किसी भी देश को एकीकृत स्वरूप की सेवाएं प्रदान नहीं कर सकता।
4. तीसरी दुनिया के विकासशील देशों में राज्य का हस्तक्षेप एक अनिवार्य बुराई है।
5. संकटकालीन परिस्थितियों में बाजार पर भरोसा गम्भीर संकट को जन्म दे सकता है।
6. बाजार सदैव प्रतिस्पर्धा से ग्रस्त रहता है और लोककल्याण के कार्यों की उपेक्षा कर सकता है।
7. राज्य द्वारा सम्पादित किए जाने वाले अनेक कार्य ऐसे हैं जो बाजार नहीं कर सकता, मसलन कानून व्यवस्था का कार्य।

अतः विकास में राज्य की भूमिका और हस्तक्षेप को आवश्यक माना गया है, किन्तु यह हस्तक्षेप 'बाजार सहायक' (Market-Friendly) होना चाहिए। विश्व बैंक रिपोर्ट (1991) में बाजार सहायक राज्य हस्तक्षेप की व्याख्या इस प्रकार रेखांकित की गई है:

अनिच्छा से हस्तक्षेप करो—बाजार को तब तक काम करने दिया जाना चाहिए जब तक कि हस्तक्षेप करना अनिवार्य न हो।

नियन्त्रण एवं सन्तुलन लागू करना—अन्तर्राष्ट्रीय और घरेलू बाजारों के अनुशासन के लिए अनवरत हस्तक्षेप करना। हस्तक्षेप पारदर्शी एवं खुला हो—हस्तक्षेप के तौर तरीके अस्पष्ट न होकर सरल, पारदर्शी एवं नियमों के अन्तर्गत हो।

विश्व बैंक रिपोर्ट (1991) में स्पष्ट कहा गया है कि विकास का एक प्रमुख मुद्दा राज्य और बाजार का सम्बन्ध है। यह हस्तक्षेप बनाम मुक्त व्यापार का सवाल नहीं है। वस्तुओं और सेवाओं के उत्पादन एवं वितरण को संगठित करने के लिए खोजा गया अब तक सर्वश्रेष्ठ मार्ग प्रतियोगी बाजारों का है....लेकिन बाजार अकेले काम नहीं कर सकते, उन्हें एक कानूनी और नियामक ढांचे की जरूरत होती है; जो केवल राज्य ही दे सकता है....।

रिपोर्ट के अनुसार हर सरकारी अभियान के मर्म में पांच कार्य होते हैं :

1. कानून की बुनियाद रखना;
2. दीर्घकालीन आर्थिक स्थिरता कायम करना;
3. सामाजिक सेवाओं में निवेश करना;
4. दुर्बल वर्गों की रक्षा करना;
5. पर्यावरण की रक्षा एवं संवर्द्धन।

लोक प्रशासन ने सार्वजनिक हितों को आगे बढ़ाने में अपनी जिम्मेदारी का निर्वाह बहुत ही कम किया। बहुत सामान्य प्रशासनिक जिम्मेदारियों का निर्वाह भी नहीं किया गया। काम हुआ भी तो बहुत देर से या खर्च बढ़ाकर।

अतः अनेक कारणों से आज राज्य एवं सरकार की भूमिका का पुनर्मूल्यांकन किया जा रहा है। इनमें से निम्नांकित प्रमुख हैं :

1. धीमी गति से विकास,
2. निजी बचत एवं विनियोग का पिछड़ जाना,
3. मुद्रास्फीति की ऊंची दर,
4. आन्तरिक एवं बाह्य ऋणों का बढ़ता प्रभाव,
5. निर्धनता एवं बेरोजगारी का बना रहना,
6. आन्तरिक एवं बाह्य ऋणों का बढ़ता प्रभाव,
7. भ्रष्टाचार एवं रिश्वतखोरी।

जुलाई 1991 में लागू किए गए आर्थिक सुधार धीरे-धीरे एक नए दृष्टिकोण तथा विचारधारा के अंग बन गए जिसमें नियन्त्रणों तथा नियमनों के स्थान पर बाजारीकरण, निजीकरण व भूमण्डलीकरण पर बल दिया गया और लाइसेन्स, परमिट, नौकरशाही, सब्सिडी आदि को जारी रखने के बजाय इनको यथासम्भव कम करने पर जोर दिया जाने लगा। कुल मिलाकर नई आर्थिक नीति को बाजार-मैत्रीपूर्ण कहा जा सकता है। इसमें प्रमुख आर्थिक निर्णय उद्यमकर्ताओं व बाजार पर छोड़े जाते हैं। साधन-आवंटन कीमत संयंत्र के माध्यम से मांग व पूर्ति की शक्तियों के सन्तुलन से निर्धारित किया जाता है। आर्थिक जीवन में सरकार की भूमिका पुनः परिभाषित करनी होती है और उसे यथासम्भव सीमित किया जाता है। कुछ विचारक इसे पूंजीवादी अर्थतन्त्र कहना पसन्द करते हैं, लेकिन मूलतः यह मिश्रित अर्थव्यवसथा का ही मॉडल है जिसमें सार्वजनिक क्षेत्र और निजी क्षेत्र दोनों काम करते हैं, लेकिन सार्वजनिक क्षेत्र का योगदान सामाजिक आधार संरचना, जैसे–शिक्षा, चिकित्सा आदि एवं आर्थिक संरचना जैसे–परिवहन, संचार आदि में बढ़ाया जा सकता है। आर्थिक नियोजन संकेतात्मक रूप धारण कर लेता है बनिस्पत व्यापक रूप के और अर्थव्यवस्था में आन्तरिक व बाह्य प्रतिस्पर्द्धा, कार्यकुशलता, आधुनिकीकरण, भूमण्डलीकरण आदि पर बल दिया जाता है। अर्थव्यवस्था में खुलापन लाया जाता है, देश में विदेशी निजी कम्पनियों का विनियोग बढ़ाया जाता है और देशी कम्पनियां विदेशी बाजारों से अधिक मात्रा में कर्ज ले सकेंगी।

बाजारीकरण के इस दौर में सरकार की भूमिका शासन व्यवस्था सम्बन्धी नीतियों के निर्माण में अधिक तथा उनके वास्तविक कार्यान्वयन में कम होगी। अधिकांश सरकारी विभागों को विकास के मार्ग में रोड़े अटकाने की भूमिका का त्याग कर उन्हें सुविधाएं प्रदान करने का कार्य करना होगा। निर्देशित कीमत पद्धति के बजाय बाजार द्वारा निर्धारित कीमतों पर आधारित पद्धति को अपनाना होगा।

बदलते आर्थिक परिदृश्य में राज्य की भूमिका को निम्नलिखित क्षेत्रों तक सीमित रखना होगाः

- आर्थिक कार्यकलापों में सुविधा प्रदान करने का कार्य
- आधारभूत सुविधा के विकास के लिए कदम
- सामाजिक सेवाओं में निवेशक के रूप में कार्य
- गरीबी उन्मूलन कार्यक्रमों का कार्यान्वयन

अन्तर्राष्ट्रीय अनुभव से पता चलता है कि उदारीकरण और बाजार-मैत्रीपूर्ण अर्थव्यवस्था के इस दौर में निजीकरण करना और संविदा पर निजी क्षेत्र को कार्य सौंपना बहुत ही उत्पादक और लाभदायक माना गया है, क्योंकि इससे एक नागरिक के जीवन में सरकार का दखल कम हो जाता है, रुग्ण सार्वजनिक उद्यमों को सहारा देने के व्यर्थ प्रयासों में सार्वजनिक धन की कम बर्बादी होती है, ग्राहकों को कम लागत पर बेहतर सुविधाएं और धन का बेहतर मूल्य मिलता है।

भारत का नीति–सम्बन्धी परिप्रेक्ष्य

1. **ऐसे क्षेत्र जिनमें अपेक्षाकृत अधिक प्रतियोगिता के साथ मिश्रित अर्थव्यवस्था की धारणा बनी रहनी चाहिए :** हमें ऐसे क्षेत्रों का स्पष्टतः पता लगाना चाहिए जिन्हें लोक कल्याण की दृष्टि से, न तो पूर्णतः सार्वजनिक क्षेत्र में रखा जाना चाहिए और न ही पूर्णतः निजी क्षेत्र में। निजी क्षेत्र को चाहिए कि वह इन क्षेत्रों में अधिक-से-अधिक सक्रिय रूप से कार्य करें, किन्तु सार्वजनिक क्षेत्र की भी पर्याप्त मौजूदगी बनी रहनी चाहिए ताकि जनता को उपयुक्त दरों पर बेहतरीन सेवाएं उपलब्ध हो सकें।

   इन क्षेत्रों में निम्नलिखित सेवाएं शामिल हैं : सड़क, रेल और वायु परिवहन; दूरसंचार सेवाएं, बैंकिंग, बीमा, विद्युत्, चिकित्सा एवं शिक्षण सेवाएं, कुरियर सेवाएं, रक्षा विमानों, टैंकों और अन्य उपस्करों का निर्माण व अनुरक्षण, टकसालों के लिए कोरे सिक्कों का उत्पादन आदि।

2. **ऐसे कार्य जिनमें सरकार की अनन्य जिम्मेदारी बनी रहनी चाहिए :** कुछ कार्य ऐसे है जिनमें सरकार का एकाधिकार बना ही रहना चाहिए; जैसे–रक्षा, परमाणु ऊर्जा, अन्तरिक्ष, रेलवे के लिए बुनियादी ढांचे का विकास, संवेदनशील संस्थापनाओं को सुरक्षा प्रदान करना आदि। हां, इस सम्बन्ध में यह किया जा सकता है कि कच्चा माल, संघटक, उप-समुच्चय और कुछ गैर-संवेदनशील तैयार उत्पाद के स्रोत के रूप में निजी क्षेत्र को साथ जोड़ने की सम्भावनाओं का पता लगाया जाए।

3. **ऐसे कार्यों का निजीकरण जिनमें सरकार की कोई प्रत्यक्ष भूमिका नहीं होनी चाहिए :** ऐसे कई क्षेत्र हैं जिनमें सरकार को प्रत्यक्षतः अथवा अपने सार्वजनिक क्षेत्र के उपक्रमों के माध्यम से, मजबूरन कार्य करना पड़ा है। यदि यथार्थ और निष्पक्ष समीक्षा से यह पता चलता है कि सरकार की इस भूमिका की कोई आंवश्यकता नहीं है तो सरकार को चाहिए कि वह अपने आपको उस कार्य-क्षेत्र से अलग करने के शीघ्र उपाय करें।

   ऐसे क्षेत्रों के असंख्य उदाहरण हैं। यह जरूरी नहीं कि नेशनल टेक्सटाइल कॉरपोरेशन एक सार्वजनिक क्षेत्र का उपक्रम हो। आयुध फैक्टरी बोर्ड में कपड़े और वाहनों की फैक्टरियों का

लाभप्रद ढंग से निजीकरण किया जा सकता है। सभी प्रिंटिंग प्रेस, दूरसंचार फैक्टरियां, दिल्ली दुग्ध योजना, डाक मोटर सेवा, डाक-लेखन सामग्री, डाक-टिकटों और पोस्टल ऑर्डर का विक्रय, सूचना एवं प्रसारण मन्त्रालय का गीत एवं नाटक प्रभाग आदि ऐसे क्षेत्र हैं जिनका निजीकरण किया जा सकता है।

4. **संविदा पर काम करवाना :** ऐसी सेवाओं का कार्य-क्षेत्र विस्तृत होता जा रहा है जो इस समय सरकार विभागीय रूप से करा रही है किन्तु जिन्हें आसानी से निजी क्षेत्र को सौंपा जा सकता है।

   ये कार्य हैं—सरकारी भवनों, कारखानों, वर्कशॉप, आवासीय कॉलोनियों, रेलवे स्टेशनों, उपस्कर एवं परिवहन के डिजाइन तैयार करना, इनका निर्माण एवं रखरखाव, सफाई, स्वच्छता एवं हाउसकीपिंग, स्मारकों, लॉन तथा बागों के रखरखाव, खान-पान प्रबन्धन डाक-वितरण, डाक लाना-ले जाना, गैर-संवेदनशील भवनों और संस्थापनाओं की सुरक्षा, रेलवे और एयरलाइंस में आरक्षण, प्रिंटिंग, फोटोग्राफी, दृश्य-श्रव्य प्रचार-प्रसार, अनुवाद, भाषान्तर, कम्प्यूटर सम्बन्धी सेवाएं, लेखे रखना आदि।

जहां तक निजीकरण का प्रश्न है, इसके लिए अन्य देशों की तरह कई मार्ग अपनाए जा सकते हैं :

- निर्माण-प्रचालन-अन्तरण जैसी स्कीमें भी अपनाकर देखी जा सकती है ताकि निजी कम्पनी द्वारा निवेश की गई राशि की वसूली हो जाने के बाद परिसम्पत्तियां सरकार को वापस की जा सकें।
- लोक सेवाओं में सुधार के लिए निजी क्षेत्र की सहभागिता ली जा सकती है।
- कपितय क्षेत्रों में, प्रबन्धन की संविदाएं निजी कम्पनियों को दी जा सकती हैं।
- परिसम्पत्तियां पट्टे पर दी जा सकती हैं।
- सार्वजनिक क्षेत्र के उद्यमों में सरकारी इक्विटी का सीधे विनिवेश किया जा सकता है।

भारत में प्रारम्भ की गई पहलकदमियां

हाल ही के आर्थिक सुधारों के परिणामस्वरूप निजीकरण के लिए कई प्रयास किए गए हैं। इनमें से कुछ प्रयास इस प्रकार हैं:

- डाक लेखन सामग्री के मुद्रण का आंशिक रूप से निजीकरण किया जा चुका है।
- रेलों में खान-पान का प्रबन्धन निजी संविदाकारों को सौंपा जा रहा है।
- रेलवे स्टेशनों और कॉलोनियों के रखरखाव का निजीकरण करके देखा जा रहा है।
- रेलवे द्वारा वैगनों के अभिग्रहण के द्वारा रेल सेवा का इस्तेमाल करने वालों के लिए निवेश की शर्त पर अपनी वैगन-स्कीम भी शुरू की गई है जिसके बदले में उन्हें वैगनों का आवंटन सुनिश्चित किया जाता है तथा पट्टा-प्रभारों का भुगतान रेलवे स्वयं करती है।
- रेल परियोजनाओं में पट्टे की शर्तों पर निजी वित्त आकर्षित करने के उद्देश्य से निर्माण-स्वामित्व-पट्टा अन्तरण (बी ओ एल टी) स्कीम शुरू की गई है। पट्टे की अवधि समाप्त होने पर परिसम्पत्तियां नाममात्र भुगतान पर रेलवे को अन्तरित कर दी जाती हैं। चल स्टॉक, गेज-परिवर्तन, डबलिंग, विद्युतीकरण, दूरसंचार आदि के लिए निजी पूंजी आकृष्ट करने के प्रयास किए जा रहे हैं।
- आठवें दशक के उत्तरार्ध तक लाइसेंस प्राप्त डाक एजेंसियों की स्कीम मौजूद थी, किन्तु इसमें प्राधिकार के दुरुपयोग की शिकायतें मिलीं और स्टाफ संघों ने इसका विरोध किया।
- ग्रामीण और अर्द्ध-शहरी क्षेत्रों में कई दशकों से डाक निजी और सार्वजनिक वाहकों द्वारा सफलतापूर्वक लाई-ले जाई जाती रही है।
- दूरसंचार विभाग में, मूल्य वर्धित सेवाएं और सेल्यूलर फोन सेक्टर का पूर्ण निजीकरण पहले ही किया जा चुका है।
- कई विभागों ने सफाई, रख-रखाव, सुरक्षा, कम्प्यूटर, कैंटीन और परिवहन सेवाएं संविदाओं पर निजी क्षेत्र को सौंप दी है।
- कई आयुध फैक्टरियां निजी क्षेत्र से कल-पुर्जे खरीद रही हैं।
- सैनिक इंजीनियरी सेवा अपने भवन निर्माण के कार्य संविदा पर निजी क्षेत्र को सौंपता है और इसके साथ ही अनुरक्षण कार्य भी निजी ठैकेदारों को देना आरम्भ कर दिया गया है।

निष्कर्ष : निजीकरण के लिए किए गए प्रयास बहुत सफल रहे हैं, क्योंकि इनसे न केवल सरकार पर प्रशासनिक और वित्तीय बोझ कम हुए हैं बल्कि इनसे निजीकृत निकायों की कार्य-कुशलता और उत्पादकता में भी वृद्धि हुई है।

भारत में निगमीकरण, निजीकरण और संविदा पर निजी क्षेत्र को सेवाएं सौंपे जाने की दिशा में कुछ उपाय तो किए गए हैं परन्तु ये उपाय तदर्थ प्रकार के, अव्यवस्थित ढंग से और गलत ढंग से किए गए थे। इस महत्वपूर्ण क्षेत्र में स्पष्ट और व्यापक नीति की आवश्यकता है ताकि राष्ट्र के औद्योगिक और वाणिज्यिक कार्यों में सार्वजनिक क्षेत्र की भूमिका को धीरे-धीरे कम किया जा सके।

लोकविकल्प (लोकचयन) सिद्धान्त

डेनिस मूलर के अनुसार, ''यह गैर-बाजार निर्णयन का आर्थिक अध्ययन या केवल 'अर्थशास्त्र के प्रयोग के रूप में है। यह वेबेरियन मॉडल की भाँति तार्किततता तथा कौशल को केन्द्र-बिन्दु मानकर चिन्तन करता है। लेकिन यह मूलतः 'नौकरशाही प्रशासन' के स्थान पर 'लोकतांत्रिक प्रशासन' को रखना चाहता है।''

लोकविकल्प के अनुसार जनता के लिये नौकरशाही, सरकार के अतिरिक्त अन्य सेवाओं के विकल्प भी होने चाहिए। लोकविकल्प सिद्धान्त

केन्द्रीकृत व्यवस्था, राजनीति प्रशासन के द्विविभाजन, पदसोपान आधारित प्रशासन या औपचारिकता से भरी नौकरशाही का विरोधी है। यह नवीन विचारधारा मानवतावाद, विनौकरशाहीकरण तथा प्रशासन के लोकतंत्रीकरण का समर्थक है।

लोकविकल्प राजनीति का आर्थिक सिद्धान्त है। यह लोक प्रशासन सहित राजनीति के अध्ययन में अर्थशास्त्र का प्रयोग है। इस परिभाषा से राजनीतिशास्त्र और लोक प्रशासन की अन्तर–अनुशासनात्मक प्रकृति का पता चलता है। राजनीति में अर्थशास्त्र का यह प्रवेश साहसिक है। कई ऐसे क्षेत्र हैं जहाँ आर्थिक व राजनीतिक शक्तियाँ अन्तरप्रतिक्रिया करती हैं और ये अर्थशास्त्र के लिए स्वाभाविक आकर्षण हैं। लोक प्रशासन में लोकविकल्प सिद्धान्त पहली बार बीसवीं शताब्दी के छठे दशक के मध्य में प्रचलित हुआ। लोकविकल्प सिद्धान्त के अग्रणी प्रणेताओं में विन्सेन्ट ओस्ट्रोम प्रमुख हैं, उन्होंने नौकरशाही प्रशासन के परम्परागत विचार के स्थान पर लोकतान्त्रिक प्रशासन की अवधारणा की स्थापना पर बल दिया।

विन्सेन्ट ने अपनी प्रसिद्ध पुस्तक The Intellectual Crisis in American Public Administration में लिखा है "नौकरशाही संरचनायें आवश्यक हैं लेकिन एक उत्पादक और उत्तरदायी सार्वजनिक अर्थव्यवस्था के लिए पर्याप्त संरचनाएँ नहीं हैं।" वह आगे लिखते हैं, "पद सोपान पर आधारित एक पेशेवर नौकरशाही, जो एक ही केन्द्रीय व्यवस्था के प्रति उत्तरदायी हो, सार्वजनिक वस्तुओं और सेवाओं की आपूर्ति की दृष्टि से नागरिकों की विभिन्न पसन्दों को अभिव्यक्त करने की दृष्टि से अनुपयुक्त होगी।"

डेनिस मूलर के शब्दों में, "लोक विकल्प से अभिप्राय गैर-बाजार निर्णय निर्माण उपागम का अध्ययन अथवा राजनीतिशास्त्र के अध्ययन में अर्थशास्त्र के प्रयोग से है।"

लोक विकल्प सिद्धान्त के अंग्रेजी लेखकों में विन्सेन्ट ओस्ट्रोम तथा विलियम निस्कानेन प्रमुख हैं। लोकविकल्प सिद्धान्त के विकास में महत्वपूर्ण भूमिका अदा करने वाले प्रमुख विद्वान हैं–डंकन ब्लेक, एंथोनी डाउन्स, केनेथ एरो, जेम्स बुकानन, गॉर्डन टुलॉक, विलियम राइकर, मैंकस ओल्सन। लोकविकल्प सिद्धान्त मूलरूप से अर्थशास्त्रियों की देन है।

लोकविकल्प सिद्धान्त प्रजातान्त्रिक सरकार की परम्परागत एवं स्थापित जनहित सिद्धान्त को चुनौती देती है। जनहित सिद्धान्त की मान्यता है कि सरकार में निर्णय-निर्माण जननिर्वाचित प्रतिनिधियों या पूर्णकालीन सरकारी कर्मचारियों के निःस्वार्थ जनित भावना से प्रेरित होता है। दूसरे शब्दों में, जनहित सिद्धान्त की धारणा है कि लोक-सेवक समाज-कल्याण को अत्यधिक लोकप्रिय बनाने की इच्छा से प्रेरित होते हैं। लोकविकल्प सिद्धान्त इस दृष्टिकोण का खण्डन करता है। लोकविकल्प सिद्धान्त पेशेवर नौकरशाही के प्रति उदासीन है तथा यह इसे अकुशल एवं जनता के प्रति उपेक्षा का भाव रखने वाली मानता है। ऐसा इसलिए है कि नौकरशाही बाजार शक्तियों के अधीन नहीं है। विकल्प में प्रतिस्पर्धा निहित है। लोकविकल्प सिद्धान्त लोक प्रशासन में प्रतिस्पर्धा सम्मिलित करता है क्योंकि इससे ही यह कार्यकुशल एवं संवेदनशील बन सकता है। लोकविकल्प सार्वजनिक वस्तुओं और सेवाओं के प्रावधान में संस्थात्मक एवं बहुलवाद का समर्थक है। अनेक सार्वजनिक अभिकरणों का अस्तित्व एक व्यक्ति के समक्ष आवश्यक विकल्प प्रस्तुत करता है। एक व्यक्ति अपने व्यक्तिगत हित को अच्छी तरह समझता है और चयन करने में वह इसे अधिकतम बना सकता है।

लोक प्रशासन में लोकविकल्प सिद्धान्त का प्रयोग इस प्रकार समझा जा सकता है–एक व्यक्ति को कार खरीदने में विकल्प दिये जाने चाहिए। दूसरे शब्दों में, बाजार में कई प्रकार की कारें होनी चाहिए। व्यक्ति का विकल्प करारोपण व्यवस्था से निर्धारित होना चाहिए। कुछ कारों में ज्यादा पेट्रोल की खपत होती है और कुछ कारों में कम पेट्रोल लगता है और वे प्रदूषण भी कम फैलाती हैं। उसे स्वतन्त्रता है कि वह एक लम्बी कार (लिमोसिन) खरीदे लेकिन ऐसी लम्बी कार का मूल्य अधिक होगा क्योंकि उसे पेट्रोल पर व प्रदूषण नियन्त्रण के लिए अधिक व्यय करना होगा। करारोपण व्यवस्था से हम ऊर्जा संकट एवं प्रदूषण समस्या से निपटते हैं। इस प्रकार से अर्जित धन का प्रयोग ऊर्जा के परम्परागत संसाधनों के विकल्पों का विकास करने के लिए शोधों और प्रदूषण समस्या से निपटने के लिए प्रयोग कर सकते हैं। ज्यादा प्रदूषण और पेट्रोल और उतना ही अधिक कर। व्यक्तियों को अपनी पसन्द प्रकट करने की आजादी है लेकिन उन्हें अधिक मूल्य चुकाने के लिए तैयार भी रहना होगा। इस प्रकार सामान्य नागरिक को कुछ विशेष नागरिकों की इच्छा का बोझ वहन नहीं करना पड़ेगा।

लोकविकल्प सिद्धान्त में निस्कानेन का योगदान

लोकविकल्प सिद्धान्त के प्रतिपादन के लिए विलियम ए. निस्कानन को उत्तरदायी माना जाता है। निस्कानेन का तर्क है कि "पेशेवर नौकरशाही स्वार्थ सिद्ध करने वाली होती है तथा इसमें विस्तार की अनिश्चित क्षमता होती है।" विलियम निस्कानेन ने सरकारी विकास के नौकरशाही कारणों का विश्लेषण अपनी 'पुस्तक नौकरशाही एवं प्रतिनिधि सरकार' में बहुत भलीभाँति किया है। उनकी यह कृति अनेक औपचारिक 'ब्यूरो उपागमों" में सर्वप्रथम है। जोनाथन बेण्डर के शब्दों में, "आज भी, यह (नौकरशाही एवं प्रतिनिधि सरकार) शायद एकमात्र सबसे अधिक उद्धृत पुस्तक है।" यह निःसन्देह, एक अद्वितीय कृति है क्योंकि यह एक प्रशिक्षित अर्थशास्त्री की रचना है। अधिकांश अध्ययन या तो समाजशास्त्रियों या राजनीतिशास्त्रियों या लोक प्रशासन के विद्वानों के रहे हैं। अतः अपेक्षानुकूल, निस्कानेन ने एक नौकरशाही के रूपांकन और कार्यान्वयन की समस्याओं पर आर्थिक अवधारणाओं को लागू किया है तथा क्रान्तिकारी परिवर्तन हेतु कतिपय सुझाव भी दिए हैं।

निस्कानेन का मुख्य विचार है कि नौकरशाही वैकल्पिक कार्य सम्पन्न करे। उनका योगदान नौकरशाही अध्ययन में एक प्रकार की क्रान्ति है। पेशे से एक अर्थशास्त्री, निस्कानन ने नौकरशाही का अध्ययन अर्थशास्त्रीय विधि से किया है तथा इसके सुखद एवं लाभप्रद परिणाम भी हुए हैं। नौकरशाही के प्रति खिन्नता सार्वभौमिक है, परिणामस्वरूप, समाज वैज्ञानिक विकल्प की तलाश में रहे हैं, क्या ब्यूरो की संवेदनशीलता और कार्यक्षमता में आशाजनक सुधार किया जा सकता है? क्या कतिपय लोक सेवाओं को कार्यकुशलता से कोई अन्य संगठन कर सकते हैं? क्या प्रतिनिधि सरकार लोक सेवाओं की अपेक्षा हमारी माँगें और अधिक भलीभाँति अभिव्यक्त कर सकती है?

विलियम निस्कानेन ने अपनी पुस्तक ब्यूरोक्रेसी एण्ड रिप्रजेण्टेटिव गवर्नमेण्ट में पेशेवर नौकरशाही की कई आधारों पर आलोचना की है :

एक, लोक-सेवक का दृष्टिकोण उसकी सेवा के उपभोक्ता के प्रति निजी क्षेत्र के उत्पादक का अपने ग्राहक के प्रति दृष्टिकोण से सर्वथा भिन्न होता है। उतपादक का राजस्व उसके ग्राहक से प्राप्त होता है लेकिन सरकार में सार्वजनिक राजस्व और व्यय के मध्य कोई पारस्परिक सम्बन्ध नहीं है। राजस्व वित्त मंत्रालय से आता है।

द्वितीय, लोक-सेवक के समक्ष कीमत कम करने तथा लाभ अधिक बनाने के लिए कोई प्रलोभन नहीं होता है। सरकार में ऐसी किसी भी सौदेबाजी से उसे कोई धनालाभ नहीं होता।

तृतीय, लोक प्रशासन में एकाधिकार की प्रवृत्ति होती है और प्रतिस्पर्धा का अभाव होता है।

चतुर्थ, निस्कानन के अनुसार एक नौकरशाह बजट को अधिकतम बनाने वाला होता है। वह अपने ब्यूरो के लिए बजट में अधिक से अधिक धन आवंटन चाहता है जिससे वेतन, अन्य सुविधाएँ शक्ति, संरक्षण और सार्वजनिक प्रतिष्ठा बढ़ सके। नौकरशाह की बजट बनाने की प्रवृत्ति के कारण सार्वजनिक सेवा की आपूर्ति में अपरिहार्य वृद्धि हो जाती है जिससे कि ब्यूरो के विस्तार, इसके कर्मचारियों और उपकरणों की वृद्धि का औचित्य सिद्ध हो सके।

पाँचवीं, ब्यूरो का प्रति इकाई उत्पाद व्यय निःसन्देह बढ़ता है क्योंकि इसमें कोई प्रलोभन व्यवस्था नहीं है। करदाता के धन की बचत का कोई प्रलोभन नहीं है।

निस्कानेन के अनुसार इसका उपचार यह है कि नौकरशाही में प्रतिस्पर्धा हो जिससे और अधिक श्रेष्ठ सार्वजनिक सेवा की आपूर्ति सुनिश्चित हो सके। लोक नौकरशाही की कार्यकुशलता बढ़ाने के लिए इलाज निजी बाजार व्यवस्था में निहित है जहाँ सार्वजनिक सेवाओं के निजी स्रोतों को खोजकर कम किया जा सकता है। नौकरशाही की कार्यशीलता के प्रति असन्तोष निजी क्षेत्र की सफलता के बिल्कुल विपरीत है जिससे हमारा झुकाव सार्वजनिक सेवाओं की आपूर्ति के लिए निजी क्षेत्र की ओर हो जायेगा। यही कारण है कि निस्कानेन ने निम्नलिखित सुधारों के सुझाव दिये हैं :

1. ब्यूरो के मध्य वैसी ही या समान सार्वजनिक सेवाओं के लिए प्रतिस्पर्धा बढ़ायी जाए।
2. नौकरशाही में प्रलोभनों के लिए परिवर्तन किया जाए जिससे वरिष्ठ नौकरशाहों द्वारा अधिक कार्यकुशल व्यवहार किया जाए।
3. सार्वजनिक सेवाओं की आपूर्ति के लिए, निजी स्रोतों का अधिकाधिक प्रयोग कर नौकरशाही के लिए प्रतिस्पर्धा बढ़ायी जाए।

ऐसी व्यवस्थाओं के मिश्रण के प्रयोग से लोक नौकरशाही उच्चकोटि की कार्यशील सेवा बन जाएगी। निस्कानेन का दृढ़ विश्वास है कि "एक श्रेष्ठतर सरकार लघुतर सरकार होगी।"

सत्तर के दशक से लोकविकल्प सिद्धान्त (Public Choice Theory) नीति-निर्माण में एक सशक्त सिद्धान्त के रूप में उभरी है क्योंकि यह लोक प्रशासन को एकदम भिन्न स्वरूप देने का प्रयास करती है। यह स्वयं को बाजार मूल्यों के प्रति प्रतिबद्ध कर एकाधिकारों का विरोध करती है। बाजार व्यवस्था प्रतिस्पर्धा के सिद्धान्त पर आधरित है : एक उपभोक्ता प्रतिस्पर्धी सेवा प्रदान करने वालों के मध्य चुनने का अवसर प्राप्त करता है। इस प्रकार लोकविकल्प सिद्धान्त सार्वजनिक सेवा आपूर्त करने में सरकार के एकाधिकार को समाप्त करता है। इसके स्थान पर यह 'बाजार' का प्रयोग करता है। लोकविकल्प सिद्धान्त के अन्तर्गत लोक ब्यूरो (Public Bureau) प्रतिस्पर्धा में धकेल दिये जायेंगे जिससे सेवा मानको में निरन्तर सुधारों की खोज होगी। इससे विकेन्द्रीकरण भी प्रोत्साहित होगा क्योंकि सेवा लेने वालों को प्रतिस्पर्धी सेवा प्रदान करने वालों में से किसी को चुनने की स्वतन्त्रता होगी और शक्ति विकेन्द्रीकृत हो जायेगी।

संक्षेप में, लोकविकल्प सिद्धान्त या विचारधारा की निम्नलिखित प्रमुख मान्यतायें हैं :

1. यह नौकरशाही विरोधी विचारधारा है।
2. यह उपभोक्ताओं की पसन्द के परिप्रेक्ष्य में सार्वजनिक संस्थाओं (एजेन्सियों) की बहुलता पर बल देती है।
3. यह सार्वजनिक सेवाओं की आपूर्ति हेतु निजी स्रोतों का अधिक प्रयोग हो, पर बल देती है।
4. यह संस्थानात्मक बहुलवाद को प्रोत्साहित करती है।
5. यह प्रशासनिक अधिकार के विकेन्द्रीकरण पर बल देती है।
6. यह प्रशासन में जन सहभागिता का समर्थन करती है।
7. यह लोकतान्त्रिक निर्णय प्रक्रिया के विकेन्द्रीकरण में विश्वास करती है।
8. यह नौकरशाही में प्रलोभन में बदलाव चाहती है।
9. यह मूलरूप से अर्थशास्त्र की देन है।

लोक मूल्य सिद्धान्त

आधुनिक राज्य के लोक मूल्य अधिकार, स्वतंत्रता, समानता और न्याय है। इस आधार पर ये न्यायोचित ठहराये जाते हैं कि ये सार्वजनिक हित में कार्य करते हैं। सामाजिक समुदाय के सदस्य होने के नाते लोगों का सामान्य हित होता है और राज्य का प्रमुख कार्य इन हितों का देखभाल करना और इन्हें प्रोत्साहन देना होता है।

मनुष्य एक सामाजिक प्राणी है और वह अपनी क्षमताओं और आवश्यकताओं की पूर्ति केवल समाज में ही करता है। समाज लोगों का भीड मात्र नहीं है बल्कि लोगों की सभी विरासतों, मूल्यों, व्यवहारों पर आधारित सामाजिक समुदाय है। राज्य सामाजिक समुदाय के अंग के रूप में लोक मूल्य की रक्षा करता है।

लोक मूल्य का कोई सर्वमान्य परिभाषा नहीं है। फिर भी लोक मूल्य का अर्थ नैतिक मूल्य से लिया जाता है। लोक मूल्य को सामान्य इच्छा के साथ जोड़ा जाता है। इसका तात्पर्य (*i*) सारे नागरिक समाज का लाभ (*ii*) समाज के प्रत्येक सदस्य का लाभ।

लोक मूल्य का अर्थ सरकार के स्तर पर एक निष्पक्ष सरकार से है। वैसे माना जाता है कि किसी निषपक्ष सरकार की नीतियों से सबका भला

कभी नहीं होता है परन्तु लोक मूल्य के सन्दर्भ में इसका अर्थ होता है वह सरकार समाज के सभी सदस्यों के हितों को समान महत्व देती है।

शासन सिद्धान्त के रूप में शासन तथा लोकशासन

शासन का आशय एक प्रक्रिया तथा परिणाम से है जिसमें समाज के हित के लिए अधिकारी निर्णय आदि लेता है। शासन एक मूल्यहीन प्रबन्ध करने की प्रक्रिया है।

विश्व बैंक ने 'गवर्नेस' के सम्बन्ध में तीन पहलुओं की पहचान की है (*i*) राजनीतिक सत्ता का रूप (*ii*) ऐसी प्रक्रिया जिसके द्वारा सत्ता देश की आर्थिक और सामाजिक संसाधनों के विकास के लिए समुचित प्रबन्ध द्वारा की व्यवस्था करती है (*iii*) सरकार योजना निरूपण और नीतियाँ को कार्यान्वित तथा कार्यों को करने की क्षमता है।

''गवर्नेस की इस परिभाषा को अन्य इकाइयों द्वारा और व्यापक कर दिया गया है और इसमें निम्नांकित को सम्मिलित किया गया है : राज्यसत्ता की वैधानिकता को सिद्ध करने के लिए लोकतांत्रीकरण, प्रेस स्वतंत्रता, प्रशासन में पारदर्शिता जिससे सरकार में उत्तरदायित्व का विकास हो, प्रशासन में जनसहभागिता, विधि का शासन, मानव अधिकारों में विश्वास, और सरकार की नीतियों के निर्माण एवं जनता की सेवा करने की क्षमता।

शासन की अवधारणा प्राचीन काल से चली आ रही है। शासन एक परिवर्तनशील अवधारणा है। जब-जब कार्यकारी पर्यावरण में परिवर्तन आया है शासन की अवधारणा में भी परिवर्तन होता रहा है।

शासन एक मूल्यहीन प्रबन्ध करने की प्रक्रिया है। 1970 के दशक के आर्थिक संकट एवं सोवियत संघ के विघटन, विकाशील देशों में घाटे की वित्त व्यवस्था आदि से शासन में नवीन सार्वजनिक प्रबन्ध का मार्ग प्रशास्त हुआ है। जिससे जनहित के स्थान पर बाजार व्यवस्था एवं लोक के स्थान पर प्रतिस्पर्धा एवं मित्तव्ययिता ने स्थान लिया है। इससे शासन में लोक शब्द का ह्रास हुआ है।

लोक शासन की सार्वजनिकता धूमिल पड़ती जा रही है। लोक शासन में सार्वजनिकता या जनहित को बढ़ाने के लिए विकल्पों की खोज की जा रही है। आज शासन में सिद्धान्तों के प्रति चिन्ता नहीं बल्कि शासन में लोक की चिन्ता है। अतः लोक शासन की माँग बढ़ती जा रही है।

लोक शासन का तात्पर्य लोक को केन्द्र में रख कर शासन करना है। अर्थात् शासन में लोक की भागेदारी को बढ़ाना है। लोक के अनुसार शासन का विकल्प तलाशना है। शासन में जितने अधिक लोगों या लोक का समावेशन हो सकता है लोक शासन उतना ही अधिक मजबूत होगा। लोक शासन को लोग केन्द्रित बनाने के निम्नलिखित निर्धारक हैं जैसे जन-जवाबदेही, जन-सुनवाई, शिकायत और निवारण प्रक्रिया, लोकपाल, सनशाइन कानून (Sunshine Law) इत्यादि। इससे शासन की जवाबदेही बढ़ाई जा सकती है।

तंत्र व्यवस्था (नेटवर्किंग) तथा सहयोगी शासन

नेटवर्किंग दो या दो से अधिक व्यक्तियों के समूह-संगठन के बीच सहयोग उत्पन्न करता है। लोकतंत्र में इसी प्रकार की तंत्र व्यवस्था है। लोकतंत्र स्वभाविक रूप से सहयोगात्मक आचरण को प्रोत्साहित करता है। लोकतंत्र में सिविल समाज समूह और सामुदायिक संगठन बनाने में प्रोत्साहन देता है। सिविल समाज के कार्यों को सम्पन्न करने में नेटवर्किंग का अहम योगदान रहा है। सिविल समाज में लोग नेटवर्किंग द्वारा ही जुड़ते हैं। इसमें किसी का निजी हित नहीं होता है बल्कि सामूहिक लाभ के लिए जुड़ाव होते हैं।

सिविल समाज और नेटवर्किंग बहुलवादी विचारधारा पर टिकी हुई है। बहुलवादी विचारधारा ने ही 'सिविल सोसायटी आन्दोलन' को प्रेरणा प्रदान की है। ग्राम्शी के अनुसार नागरिक समाज सहमति का प्रतीक है। इसमें राज्य और उसकी शक्ति के बिना नागरिक परस्पर संगठित होकर स्वप्रेरणा और सौहार्द से प्रशासन करता है। सिविल समाज का केन्द्र बिन्दु नागरिक, समुदाय, स्वयंसेवी संस्थाएं एवं स्वयं सेवक होते हैं। ये सिविल समाज नेटवर्किंग द्वारा नागरिक, समुदाय की सहायता से कार्यों को सम्पन्न करते हैं। ये भय, बल, दबाव से काम न कर स्वैच्छिक सहमति, सेवाभाव, दायित्व भाव से कार्य करते हैं। ये राज्य और प्रशासन से सहयोग लेते हैं पर निर्भर नहीं रहते हैं। ये सत्ता के बजाय लोगों की सहमति से नेटवर्किंग द्वारा कार्य करते हैं।

नेटवर्किंग व्यवस्था आधुनिक व्यवस्था नहीं है बल्कि इसकी प्राचीन परम्परा रही है। भारत में समाज सेवा, स्वैच्छिक सेवा कार्य की उच्च भावना रही है। ब्रिटिश काल में स्वैच्छिक संस्थाएँ सामाजिक कल्याण गतिविधि—जैसे निर्धनों की सहायता, शिक्षा का प्रसार इत्यादि में संलग्न रही हैं। महात्मा गाँधी ने राष्ट्रीय स्वतंत्रता आंदोलन में भी लोगों को जोड़कर सहयोग से सामाजिक पुनर्निर्माण का कार्य किया था।

आज कल नेटवर्किंग द्वारा जो कार्य सम्पन्न किये जा रहे हैं वे समकालीन सामाजिक मुद्दों जैसे पर्यावरण संरक्षण, गरीबों को मुफ्त कानूनी सहायता, उपभोक्ता संरक्षण, मानव अधिकार की रक्षा, बाल कल्याण आदि कार्य रहे हैं। छठी पंचवर्षीय योजना के प्रलेख में सहभागी विकास के महत्व को पहचानते हुए गैर सरकारी संगठनों के माध्यम से जनता में जागृति उत्पन्न करने पर बल दिया गया था।

आई.सी.टी. तथा शासन
(I.C.T and Governance)

आई.सी.टी. (Information and Communication Technology) और शासन का आशय है I.C.T का शासन में प्रयोग कर अच्छे शासन (सुशासन) को बढ़ावा देना।

आज आधुनिकीकरण के युग में E (Electronic) का प्रयोग उत्पाद में हो रहा है जैसे : E-commerce, e-service, e-learning। हमारी भारत सरकार भी E (Electronic) का शासन में प्रयोग कर अपनी दक्षता और कार्यकुशलता को बढ़ाया है, जिससे इस शासन के मॉडल को I.C.T शासन कहा जाने लगा है।

I.C.T शासन से सरकार ने अपने नीतियों और कार्यक्रमों को हाइटेक बनाने में सफलता पायी है। I.C.T शासन ने हमारे लोकतांत्रिक व्यवस्था को मजबूत करने में महत्वपूर्ण भूमिका निभायी है।

ई–तत्परता

E का अर्थ Electronic और तत्परता का अर्थ तीव्रता अतिशिघ्रता है। अर्थात शासन में Electronic communication का प्रयोग कर जनता तक शिघ्रतम-शिघ्र पहुँचना है।

- ई-तत्परता से शासन में गुणवत्ता एवं क्षमता का विस्तार होगा।
- ई.तत्परता से शासन और जनता के बीच निरन्तर सम्बन्ध होता रहता है।
- जनता सरकार के कार्यों के प्रति अधिक जागरूक रहती है।
- सरकार पर जनता का विश्वास बढ़ता है।

ई-तत्परता के सफलता में सहायक तत्व

ई-तत्परता के सफल होने के लिए सरकार का डिजिटल सम्बंध बहुत मजबूत होना चाहिए। जनता की डिजिटल-साक्षरता या जागरूकता को बढ़ाना होगा। दूर-दराज वाले इलाके में जहाँ निजी क्षेत्र डिजिटल सेवा नहीं दे पा रहे हैं सार्वजनिक क्षेत्र को वहाँ तक पहुँचना होगा। सरकारी कर्मचारियों को डिजिटल ट्रेनिंग प्रोग्राम देना होगा। कमजोर एवं गरीब वर्गो तक डिजिटल डिवाईस की पहुँच करवाने की जरूरत है।

ई–शासन या ई–गवर्नेंस

ई-गवर्नेंस में **'ई'** का अर्थ है–इलेक्ट्रॉनिक और **गवर्नेंस** का अर्थ है–प्रशासन/शासन।

ई-गवर्नेंस का अर्थ : किसी देश के नागरिकों को सरकारी सूचना और सेवाएं प्रदान करने के लिए सूचना और सूचना प्रौद्योगिकी का समन्वित उपयोग करना होना होता है। इसे आईटी प्रशासन (IT Administration) भी कहते हैं। ई-शासन अथवा इलेक्ट्रॉनिक गवर्नेंस का तात्पर्य सभी सरकारी कार्यों को ऑनलाइन (Online) सेवा के माध्यम से जनता तक आसानी एवं सुविधापूर्वक पहुँचाना होता है। इसके माध्यम से सरकारी कार्यालयों और आम लोगों अर्थात् नागरिकों दोनों के धन तथा समय की बचत की जाती है।

यूरोपीय परिषद् ने ई-शासन को निम्न प्रकार परिभाषित किया है–

''सार्वजनिक कार्यवाही के तीन क्षेत्रों में इलेक्ट्रॉनिक प्रौद्योगिकी का प्रयोग करना :

- सार्वजनिक अधिकारियों और नागरिक समाज के बीच सम्बन्ध,
- लोकतान्त्रिक प्रक्रिया के सभी चरणों में सार्वजनिक प्राधिकरणों के कामकाज,
- सार्वजनिक सेवाओं (इलेक्ट्रॉनिक सार्वजनिक सेवाओं) का प्रावधान।''

साधारण शब्दों में ई-गवर्नेंस के तहत सरकारी कार्यालयों एवं विभागों को ऑन लाइन कर दिया जाता है जिससे आम जनता घर बैठे अपने विभिन्न कार्यों के लिए ऑन लाइन ही आवेदन कर सकते हैं और तदुपरान्त अपने प्रमाणपत्र प्राप्त करने जैसे कार्य ऑनलाइन ही प्राप्त कर लेते हैं। इसमें नागरिकों के लिए नीति और कार्यक्रम से सम्बन्धित जानकारी का प्रकाशन भी शामिल होता है।

ई–शासन के उद्देश्य

- नागरिकों को बेहतर सेवा प्रदान करना।
- सरकार के निर्णयों में सुधार करना।
- सरकार की जवाबदेही एवं पारदर्शिता को बढ़ाना।
- शासन एवं प्रशासन में लोगों के विश्वास को बढ़ाना।
- सूचनाओं के माध्यम से लोगों को सशक्त बनाना।
- ब्यापार एवं उद्योग-धन्धों का सुधार करना।
- नयी चुनौतियों का सामना करने में गैर-सरकारी संगठनों, व्यवसायियों और इच्छुक नागरिकों को सम्मिलित रूप से साथ लाना।

ई–शासन के चरण/स्तम्भ

ई-गवर्नेंस मूल रूप से कम्प्यूटर प्रौद्योगिकी, कम्प्यूटरों एवं संचार प्रणालियों के नैटवर्किंग के विकास के साथ जुड़ा हुआ है। भारत में ई-गवर्नेंस की उत्पत्ति 1970 के दशक में चुनाव, जनगणना, कर-प्रशासन आदि से सम्बन्धित आंकड़ों (data) के प्रबन्ध के लिए प्रयोग करने से हुई। भारत में इसके 4 चरण परिलक्षित होते हैं–

1. **कम्प्यूटरीकरण :** पहले चरण में व्यक्तिगत कम्प्यूटरों की उपलब्धता के साथ-साथ सरकारी कार्यालयों में कम्प्यूटर स्थापित किए गए। कम्प्यूटरों का प्रयोग शब्द संसाधन (Word Processing) के साथ शुरु हुआ।
2. **नेटवर्किंग :** इस चरण में कुछ सरकारी संस्थाओं की कुछेक इकाईयों को विभिन्न सरकारी संगठनों के साथ सूचनाओं के आदान-प्रदान एवं आंकड़ों के प्रवाह के लिए एक हब के माध्यम से जोड़ा गया।
3. **ऑनलाइन उपस्थिति :** इस चरण में इंटरनेट सम्पर्क बढ़े और वेब पर उपस्थिति बनाए रखने की आवश्यकता महसूस की जाने लगी। अतः सरकारी विभागों और अन्य संस्थाओं द्वारा वेबसाइट का रख-रखाव किया गया।
4. **ऑनलाइन अन्तरक्रियाशीलता :** ऑनलाइन उपस्थिति का एक स्वाभाविक महत्त्व सरकारी संस्थाओं एवं नागरिकों, नागरिक एवं सामाजिक संगठनों, आदि के मध्य संचार चैनलों को सम्प्रेषण माध्यम के रूप में खोला जाना था। इस चरण का प्रमुख उद्देश्य डाउनलोड करने योग्य प्रपत्रों (forms), नियमों एवं अधिनियमों (rules and acts), आदि को उपलब्ध कराना था।

ई–शासन के प्रकार या श्रेणियाँ

1. **जी2जी (सरकार से सरकार तक) :** जब किसी सरकारी विभाग का दूसरे किसी सरकारी विभाग से ई-गवर्नेंस के माध्यम से सम्पर्क होता है, तो वह जी2जी कहलाती है। यह विभिन्न

सरकारी संस्थाओं तथा राष्ट्रीय, राज्यीय एवं स्थानीय सरकारी संस्थाओं के मध्य कार्य करती है। जैसे—खाद्य एवं नागरिक आपूर्ति मन्त्रालय खाद्यान्नों सम्बन्धी आवश्यकताओं की सूचना कृषि मन्त्रालय को भेजता है।

2. **जी2सी (सरकार से नागरिक तक)** : संघीय एवं राज्य सरकारों और आम जनता के मध्य होने वाले वार्तालाप एवं सम्पर्क जी2सी श्रेणी में आते हैं। इसमें 'सरकार' एवं नागरिकों के मध्य एक प्रक्रिया/सम्पर्क स्थापित होते हैं जिससे आम नागरिक सरकार तक कभी भी और कहीं से भी सम्पर्क स्थापित कर सकते हैं, शिकायतें कर सकते हैं अथवा सरकारी नीतियों पर अपने विचार व्यक्त कर सकते हैं। उदाहरण के लिए आयकर विवरणी (It Returns) जमा करना, विद्युत एवं जल-कल विभाग सम्बन्धी शिकायतें करना आदि।
3. **जी2बी (सरकार से व्यवसाय तक)** : इसमें ई-गवर्नेंस का प्रयोग सरकार के साथ बिना अवरोध के व्यवसाय सम्बन्धी सामग्री एवं सेवाओं के मध्य परस्पर सम्पर्क और सहायता की जाती है। इसका मुख्य उद्देश्य व्यापार एवं उद्योगों के अनुसार, लाइसेंसीकरण, परमिट आदि देना और पारदर्शिता लाना होता है। जैसे—ऑनलाइन ट्रेडिंग करना, वस्तु एवं सेवा कर (GST) सम्बन्धी प्रकरण आदि।
4. **जी2ई (सरकार से कर्मचारी तक)** : देश की सरकार अधिकतर देशों में सबसे बड़ी नियोक्ता होती है। वह नियन्त्रित रूप से कर्मचारियों के साथ सम्पर्क करती है। ई-गवर्नेंस सरकार और कर्मचारियों के मध्य कुशलता, मितव्ययिता एवं कार्य-प्रगति में तीव्रता बनाने का काम करती है। जैसे—ऑनलाइन एफआईआर करना, ऑनलाइन ट्रांसफर करना आदि।
5. **सी2सी (नागरिक से नागरिक तक)** : इसमें नागरिकों के मध्य परस्पर सम्पर्क स्थापित होता है।

भारत में ई-गवर्नेंस

- भारत में 1970 में इलेक्ट्रॉनिक विभाग की स्थापना की गई। यह ई-गवर्नेंस की दिशा में पहला बड़ा कदम था क्योंकि इसके द्वारा सूचना और संचार पर ध्यान दिया जाने लगा।
- 1970 के दशक से देश में चुनाव, कर प्रशासन, जनगणना आदि से सम्बन्धित डेटा के प्रबन्धन पर ध्यान दिया जाने लगा।
- 1977 में स्थापित राष्ट्रीय सूचना विज्ञान केन्द्र (एनआईसी) ने देश के सभी जिले कार्यालयों को कम्प्यूटरीकृत करने के लिए जिला सूचना प्रणाली कार्यक्रम की शुरुआत की।
- ई-गवर्नेंस की दिशा में एक महत्वपूर्ण काम 1987 में NICNET (राष्ट्रीय उपग्रह आधारित कम्प्यूटर नेटवर्क) को लॉन्च करना था।
- 1995 से इन्टरनेट सुविधा विदेश संचार निगम उपलब्ध लिमिटेड के अन्तर्गत की गई और जनसाधारण के लिए करा दी गई।
- वर्ष 2002 में राष्ट्रीय ई-गवर्नेंस योजना की शुरूआत प्रधानमन्त्री ने 15 अगस्त को स्वतन्त्रता दिवस के अवसर पर किया।

आंगुलिक विभाजन

आधुनिक युग में इंटरनेट और संचार प्रौद्योगिकी के उपयोग और प्रभाव के सम्बन्ध में आर्थिक और सामाजिक असमानता को 'आंगुलिक विभाजन' की संज्ञा दी जाती है।

आर्थिक और सामाजिक असमानता हरेक युग में रही है। सामाजिक-आर्थिक असमानता राजनीतिक असमानता को भी जन्म देती है। किसी भी प्रकार की असमानता बुरी होती है। 'आंगुलिक विभाजन' की असमानता आधुनिक युग की असमानता है। यह असमानता भी समाज के लिए बुरी है।

आंगुलिक विभाजन से लोकनीतियों को प्रभावी ढंग से लागू नहीं कर सकते हैं। आंगुलिक विभाजन मुख्य रूप से तृतीय विश्व की समस्या है जहाँ पिछड़ेपन, भूख, गरीबी आदि जैसी विशाल समस्याएँ हैं।

आधुनिक युग में इंटरनेट और संचार प्रौद्योगिकी का प्रयोग कर तीव्र विकास कर सकते हैं। संचार प्रौद्योगिकी के प्रयोग के बिना हम वित्त क्षेत्र में समावेशन को नहीं अपना सकते हैं जो कि किसी भी देश में व्यापार, रोजगार, विकास को बढ़ावा देने के लिए अति आवश्यक है।

आंगुलिक विभाजन के रहते महिला सशक्तीकरण के लाभ को नहीं पा सकते हैं। हमारे प्रधानमंत्री ने जनधन आदि योजनाओं को सफलतापूर्वक लागू किया है जो कि आंगुलिक विभाजन के रहते नहीं किया जा सकता था।

हम स्वास्थ्य, शिक्षा, कृषि में भी विकास को हासिल करना चाहते हैं। आंगुलिक विभाजन के रहते हम दूर-दराज क्षेत्र में लोगों का स्वास्थ्य जागरूकता, कृषि जागरूकता नहीं बढ़ा सकते हैं।

मार्च 2020 में पूरे देश में आचानक लॉक डाउन की घोषणा कर दी गयी थी, सारे स्कूल, कॉलेज ऑफलाईन बन्द थे। फिर भी बच्चे, शिक्षक बिना रूके काम में लगे थे तो इसका कारण था संचार और इंटरनेट का व्यापक स्तर पर प्रयोग किया जाना। आंगुलिक विभाजन के रहते हम कोविड-19 के समय में शिक्षा जागरूकता को लोगों तक नहीं पहुँचा सकते थे। इस प्रकार हम कह सकते हैं कि आंगुलिक विभाजन के रहते देश, दुनिया में सामाजिक, आर्थिक, राजनीतिक असमानता को दूर नहीं कर सकते हैं। संयुक्त राष्ट्र संघ ने भी इसे दूर करने के लिए सराहनीय प्रयास किया है।

भारत में डिजिटल डिवाइड के कारण

- देश के विभिन्न क्षेत्रों में टेली घनत्व का अन्तर है जो बड़े पैमाने पर डिजिटल डिवाइड का कारण बनता है।
- कुछ पूर्वी राज्यों के मामले में टेलीकॉम सर्विस प्रोवाइडर्स का रूख अनुकूल नहीं है। इसके अलग-2 कारण हैं। इसमें बिजली की उपलब्धता जैसे बुनियादी ढाँचे का अभाव तथा व्यापार अवसरों को लेकर उदासीनता भी है।

- भारत के दूर-दराज इलाके में इलेक्ट्रिसिटी की असुविधा डिजिटल डिवाइड का प्रमुख कारण है, क्योंकि लोग इलेक्ट्रिसिटी के अभाव में मोबाइल, कम्प्यूटर आदि का प्रयोग नहीं कर पाते हैं।
- भारत के ग्रामीण क्षेत्रों में इंटरनेट कनेक्टीविटी काफी कमजोर स्थिति में है।
- एनएसओ की रिपोर्ट में विभिन्न वर्गों की आय में असमानता को डिजिटल डिवाइड का कारण भी बताया गया है। गरीबों में इंटरनेट के उपयोग की स्थिति चिंताजनक है।
- भारत में लैंगिक असमानता ने भी डिजिटल डिवाइड को बढ़ाने में भूमिका निभाया है। यहाँ आज भी लड़कियों को लड़कों के समान डिजिटल संसाधनों के उपयोग की समानता नहीं है।
- भारत में आज भी परंपरागत पाठ्यक्रम पर जोर दिया जा रहा है जिसके कारण डिजिटल शिक्षा का अभाव है।
- भारत में आज भी इंटरनेट का उपयोग अंग्रेजी भाषा के अतिरिक्त क्षेत्रीय भाषा में सुनिश्चित नहीं हो पा रहा है।
- भारत में भौगोलिक स्थिति भी डिजिटल डिवाइड में भूमिका अदा करती है।

डिजिटल डिवाइड का प्रभाव

- जहाँ शिक्षा का स्तर और गुणवत्ता डिजिटल डिवाइड न होने पर बढ़ती है, वहीं डिजिटल डिवाइड होने पर शिक्षा के क्षेत्र पर नकारात्मक प्रभाव पड़ता है।
- डिजिटल डिवाइड किसी देश के व्यवसाय को भी प्रभावित करता है। डिजिटल डिवाइड के कारण देश में ई-बिजनेस का विस्तार नहीं हो सकता है।
- डिजिटल डिवाइड से दूर-दराज तक सूचनाओं की पहुँच बाधित होती है। आवश्यक सूचनाओं की कमी के कारण बाढ़, सूखा, आपदा, विपदा की स्थिति में राहत कार्य में विलम्ब होता है।
- भारत में, डिजिटल डिवाइड ने 'डिजिटल इंडिया मिशन' को भी प्रभावित किया है। आज सरकार गवर्नेंस हेतु डिजिटल माध्यमों पर अधिक जोर दे रही है ताकि शासन में पारदर्शिता, जवाबदेही, आदि को लागू किया जा सके।
- डिजिटल डिवाइड के कारण शासन में पारदर्शिता को प्रभावी नहीं बनाया जा सकता है तथा भ्रष्टाचार पर काबू भी नहीं पाया जा सकता है।

जवाबदेयता

जवाबदेयता अधिकार के प्रयोग का एक दायित्व है। अर्थात् जवाबदेयता अपने उच्च अधिकारी के प्रति स्पष्टीकरण प्रस्तुत करने का दायित्व है। जवाबदेयता जवाब देने का दायित्व है, स्पष्टीकरण देना या किसी कार्य को उचित ठहराना जवाबदेयता है। एल.ए. ऐलन के शब्दों में, "जवाबदेयता उत्तरदायित्व को पूर्ण करने का बन्धन है।"

किसी बाह्य व्यक्ति अथवा उच्च सत्ताधारी के प्रति उत्तरदायी होना जवाबदेयता है। इसकी प्रमुख विशेषता है—(1) जवाबदेयता में उत्तरदायित्व भी निहित है, बिना उत्तरदायित्व के जवाबदेही नहीं हो सकती है। (2) जवाबदेयता का भारार्पण नहीं हो सकता है। (3) यह उच्चगामी होती है। (4) इसका क्षेत्राधिकार दायित्व की सीमा से परे नहीं हो सकती है। (5) एक से ज्यादा उच्च अधिकारियों के प्रति जवाबदेयता नहीं हो सकती है। (6) जवाबदेयता का सम्बन्ध कार्य निष्पादन के परिणाम से सम्बन्धित होता है। (7) जवाबदेयता की उत्पत्ति अधिकार से होती है।

जवाबदेही सृजित करना

जवाबदेही का अर्थ यह देखने से है कि कार्य आशानुरूप हो रहा है अथवा नहीं। प्रत्येक अधीनस्थ का कर्त्तव्य होता है कि वह अपने उच्चाधिकारी को इस बात की सन्तुष्टि उपलब्ध कराए कि सौंपा गया कार्य निर्धारित रीति के अनुसार हो रहा है और वांछित परिणाम प्राप्त हो रहे हैं। कोई भी अधीनस्थ, जिसे कार्य सौंपा गया है, वह कार्य की जवाबदेही को अन्य व्यक्तियों को पुनः नहीं सौंप सकता है।

मान लें कि कोई संचालक मण्डल ने निर्णय लिया कि हमें व्यापार का विकास व विस्तार करने के लिए दस स्थानों पर शाखाएँ खोलनी हैं। वह निर्णय कार्यभार के रूप में महाप्रबन्धक को सौंप दिया गया है। महाप्रबन्धक ने इसे विक्रय प्रबन्धक को सौंप दिया है। निर्धारित समय में केवल पाँच शाखाएँ ही खोली जा सकी। ऐसी स्थिति में महाप्रबन्धक संचालक मण्डल के प्रति जवाबदेह होगा। महाप्रबन्धक यह नहीं कह सकता है कि मैंने अपना कार्य विक्रय प्रबन्धक को सौंप दिया है क्योंकि दायित्व का भारार्पण नहीं किया जा सकता है।

खुलापन तथा पारदर्शिता

'जानकारी की सुलभता' ही खुलापन तथा पारदर्शिता है। वहीं सरकार के खुलेपन का अर्थ सरकार द्वारा लिये गये निर्णयों एवं निर्णयों के तर्क के बारे में सभी को जानकारी प्राप्त करने का अधिकार देना है।

सभी देशों में प्रशासनिक सुधार किये जा रहे हैं ताकि सरकार के कार्यकलापों सम्बन्धी नीति, कार्य-निष्पादन के ब्योरे और अन्य जानकारी जन-सामान्य को मिल सके। विकसित देशों ब्रिटेन, अमेरिका जैसे देशों के नागरिक चार्टर में सरकार द्वारा लिये गये निर्णयों के कारणों के बारे में और अधिक खुलापन बरतने के लिए विशिष्ट उपबन्ध किए गए हैं। वर्ष 1998 में, शासकीय गुप्त बात अधिनियम, 1923 के संबंध में एक श्वेत-पत्र जारी किया गया, जिसमें व्यक्ति को सरकार द्वारा धारित अभिलेखों को देखने के कानूनी अधिकार की गारन्टी दी गयी है। कनाडा में, सूचना अभिगम अधिनियम (एक्सेस टू इन्फॉर्मेशन एक्ट) है जो कनाडा के सभी नागरिकों को साथ-ही-साथ कनाडा में मौजूद लोगों और निगमों को परिसंघीय सरकार के ऐसे अभिलेखों की जानकारी हासिल करने का अधिकार देता है, जो व्यक्तिगत स्वरूप के नहीं हैं। सरकार ने इस बात को सुनिश्चित करने के उपाय किए हैं कि उसके कार्यकलापों की जानकारी लोगों के लिए व्यापक तौर पर उपलब्ध रहे, इसमें अपवाद बहुत कम हैं और स्पष्ट रूप से

परिभाषित हैं। और इस प्रकार के अपवादों के प्रयोग से होने वाले विवादों को सरकार के सहयोग के बिना स्वतन्त्र रूप से हल करने के लिए उपबन्ध भी हैं। उपर्युक्त अधिनियम के बारे में जनता से मिलने वाली शिकायतों की जांच करने के लिए एक सूचना आयुक्त नियुक्त किया गया है। निर्णय लेने के सम्बन्ध में एक खुली और पारदर्शी सरकार देने के लिए मलेशिया की सरकार ने भी विभिन्न उपाय किए हैं। इनमें जनता की शिकायतों, सरकार द्वारा किए गए प्रशासनिक प्रयासों की प्रगति की रिपोर्ट का प्रकाशन शामिल है। जैसा कि उपर्युक्त से स्पष्ट है, विश्व भर में शासन-पद्धति में और अधिक खुलापन लाने की प्रवृत्ति दिखाई दे रही है। बदलते सामाजिक-आर्थिक परिवेश, जनता में अपने अधिकारों के प्रति बढ़ती जागरूकता, पूर्ण रूप से ज़वाबदेह और अनुकूल प्रशासन बनाने की आवश्यकता और अधिकांश जनता की यह राय कि गोपनीयता बरतने के प्रयासों से सरकारी पदाधिकारियों द्वारा अधिकारों के दुरुपयोग की सम्भावनाएं बढ़ जाती हैं, जैसे विभिन्न कारकों से सरकारी कार्य-पद्धति में अधिक पारदर्शिता की मांग की गई है। हालांकि, पूरी तरह से खुलापन बरता जाना न तो व्यवहार्य है और न ही वांछनीय। तदनुसार, सरकारी कार्य-पद्धति में खुलेपन के प्रति एक सन्तुलित दृष्टिकोण विकसित किया जाना चाहिए।

लिंग तथा शासन

पूरे विश्व में लैंगिक असमानता व्याप्त है। राजनीतिक, आर्थिक, व्यावसायिक आदि असमानता ही शासन में लिंग असमानता को जन्म देता है। शासन में लिंग असमानता से लोगों के पास समान निर्णय के अधिकार प्राप्त नहीं हैं।

सामाजिक लैंगिक असमानता रजानीति और शासन में भी पहुंच गया है। लोगों के पास स्वयं के निर्णय लेने का अधिकार नहीं है। लिंग असमानता बताता है कि कुछ लोग शासन करने के लिए पैदा हुए हैं और कुछ लोग शासित होने के लिए। जो शासन करते हैं जैसे पुरुष वर्ग उनके पास अधिक अधिकार है और जो शासित हैं उनके पास कम अधिकार है जैसे महिला, यूनक आदि। शासन में लैंगिक असमानता के कारण ही कुछ लोगों का ही सशक्तीकरण हो सका है तथा कुछ का सशक्तीकरण नहीं हो सका है।

आज विकास की समस्यायें लैंगिक असमानता की समस्यायें लगती हैं। भारत में अशिक्षा लैंगिक असमानता के कारण बढ़ी है। बच्चा खराब, स्वास्थ्य, बेरोजगारी में सबसे अधिक योगदान लैंगिक असमानता से बढ़ी है। वैश्विक समस्याओं में भी लैंगिक असमानता का योगदान दिखता है। विश्व में अशांति, युद्ध, पर्यावरण की समस्या महिलाओं के शासन में निम्न भागीदारी और निर्णय लेने से दूर रखे जाने के कारण पैदा हुई है। कहा जाता है कि स्त्री पर्यावरण प्रेमी होती है, यदि निर्णय में उनका साथ लिया जाता तो पर्यावरण केन्द्रित निर्णय लेती और विश्व पर्यावरण समस्याओं में नहीं फंसता। महिलाओं को शांति, प्रेमी एवं प्यार करने वाली माना जाता है। अगर महिलाओं को शासन में निर्णय लेने का अवसर मिलता तो दुनिया को दो विश्व युद्ध देखना नहीं पड़ता। युद्ध आदि में महिलायें सबसे ज्यादा प्रभावित हुई हैं। ऐसे में महिलायें युद्ध से बचा सकती थीं। इस प्रकार देखते हैं कि शासन में लैंगिक निर्णय का महत्वपूर्ण प्रभाव पड़ता है।

सूचना का अधिकार

लोकतांत्रिक समाजों में, सूचना आम जनता के हाथों में शक्ति है। लोकतंत्र खुलेपन की अपेक्षा करता है और खुलापन मुक्त समाज का सहवर्ती है। खुलापन तभी संभव है जब लोगों द्वारा "जानने के अधिकार" का प्रयोग किया जा सके। लोकतंत्र में लोग संप्रभु होते हैं, उन्हें यह जानने का अधिकार होता है, कि उनके प्रतिनिधि क्या कर रहे हैं। इसलिए एक सच्ची लोकतांत्रिक सरकार के पारदर्शी और जवाबदेह कामकाज के लिए सूचना अनिवार्य है। यह दुर्व्यवहार, कुप्रबंधन और भ्रष्ट प्रथाओं के विरूद्ध सुरक्षा प्रदान करता है। यह सरकार के लिए भी लाभप्रद है, क्योंकि निर्णय निर्माण प्रक्रिया में खुलापन और पारदर्शिता सरकारी कार्यों में नागरिकों के विश्वास को विकसित करने में सहायता प्रदान करती है। 200 वर्षों से भी अधिक समय पूर्व, अमेरिका के चौथे राष्ट्रपति, जेम्स मैडिसन ने कहा था, "लोकप्रिय जानकारी या इसे प्राप्त करने के साधनों के बिना, एक लोकप्रिय सरकार, एक मजाक या त्रासदी या शायद दोनों के लिए एक प्रस्तावना है। ज्ञान हमेशा के लिए अज्ञान पर शासन करेगा और जो लोग अपने स्वयं के शासक होने का अर्थ रखते हैं, उन्हें अपने आप को उस शक्ति से सज्जित करना चाहिए जो ज्ञान देता है।"

भाषण की स्वतंत्रता, प्रेस की स्वतंत्रता, अभिव्यक्ति की स्वतंत्रता और सूचना की स्वतंत्रता चार अलग-अलग धारणाएं हैं, हालांकि, ये एक दूसरे से संबंधित हैं। "यद्यपि वे समान चीजों से संबंधित हैं, परन्तु समान नहीं हैं।" भाषण की स्वतंत्रता का अर्थ है व्यक्ति की अपने विचारों को व्यक्त करने और संप्रेषित करने की क्षमता।

अभिव्यक्ति की स्वतंत्रता में स्वतंत्र भाषण के कई मूल तत्व शामिल हैं। इसकी अधिक व्यापक और विस्तृत धारणा में, बोलने, लिखने, प्रिंट करने और प्रकाशित करने की स्वतंत्रता शामिल है। अभिव्यक्ति की स्वतंत्रता में संकेतों के माध्यम से विचारों या विचारों का संचार भी शामिल हो सकता है। सूचना की स्वतंत्रता-भाषण की स्वतंत्रता, प्रेस की स्वतंत्रता या अभिव्यक्ति की स्वतंत्रता से बहुत भिन्न है। सूचना की स्वतंत्रता का अर्थ है, राज्य के अधिकारियों के अधिकार में सूचना तक पहुँच प्राप्त करने की व्यक्ति की क्षमता। यह व्यक्ति का अधिकार है कि उसे अपने राज्य के अतीत, वर्तमान और भविष्य की गतिविधियों के बारे में सूचित किया जाए। "सूचना तक पहुँच" और "सूचना की स्वतंत्रता" वाक्यांशों का पर्यायवाची रूप से उपयोग किया जाता है।

सूचना के अधिकार के महत्व पर प्रकाश डालते हुए, संयुक्त राष्ट्र महासभा ने 1946 के अपने प्रथम सत्र में संकल्प/प्रस्ताव 59(1) को अपनाया, जिसमें कहा गया था, "सूचना की स्वतंत्रता एक मौलिक मानव अधिकार है और सभी स्वतंत्रताओं की कसौटी है, जिसके लिए संयुक्त राष्ट्र ज्ञान देता है।" इसके पश्चात्, विश्वभर की सरकारें अपनी गतिविधियों के बारे में अधिक से अधिक जानकारी उपलबध करा रही थीं। विश्वभर के पचास से अधिक देशों ने सरकारी निकायों द्वारा रखे गए रिकॉर्ड तक पहुँच की सुविधा के लिए सूचना अधिनियम या सूचना के अधिकार अधिनियमों की व्यापक स्वतंत्रता को अपनाया।

वाक्यांश 'सूचना की स्वतंत्रता' की उत्पत्ति संयुक्त राज्य अमेरिका से हुई। 20वीं सदी के उत्तरार्ध में, यूएस उच्चतम न्यायालय ने सूचना के उपयोग के अधिकार को शामिल करने के लिए संविधान में प्रथम संशोधन की व्याख्या की। उस समय तक, सूचना के अधिकार की व्याख्या केवल परोक्ष रूप से भाषण की स्वतंत्रता और प्रेस के माध्यम से जनता के जानने के अधिकार की गारंटी देने के लिए की जाती थी। संयुक्त राज्य अमेरिका में सूचना के अधिकार का पता संयुक्त राज्य अमेरिका (यू.एस.ए.) बनाम द प्रोग्रेसिव इंक (1979) और न्यूयॉर्क टाइम्स कंपनी बनाम यू.एस. (1971) के मामलों के माध्यम से लगाया जा सकता है–

जिसमें जिला न्यायालय के न्यायाधीश रॉबर्ट डब्ल्यू वॉरेन ने एक लेख के प्रकाशन के विरूद्ध प्रारंभिक निषेधाज्ञा दी थी। यह कहते हुए कि "निषेधाज्ञा (जनता के) जानने और सूचित किए जाने के अधिकार का उल्लंघन करेगा"। हालांकि, स्वीडन पहला देश था, जिसने 1766 में सूचना की पहुँच के अधिकार को सुनिश्चित किया था। सूचना के सबसे पुराने स्वतंत्रता कानून को प्रेस अधिनियम की स्वीडिश स्वतंत्रता कहा जाता है, हालांकि, इसके प्रावधानों तक पहुँच के अधिकार प्रेस तक ही सीमित नहीं है। सूचना का अधिकार शेष विश्व में दो शताब्दियों के बाद ही प्रस्तुत किया गया था।

एक खुली सरकार की अवधारणा प्रत्यक्ष रूप से जानने के अधिकार से निकलती है, जो भारतीय संविधान के अनुच्छेद 19(1)(a) बोलने/वाक् और अभिव्यक्ति की स्वतंत्रता के मौलिक अधिकार में निहित है। सरकार के लोकतांत्रिक रूप में, सरकार के कामकाज के संबंध में जानकारी के प्रकटीकरण का नियम होना चाहिए। गोपनीयता को केवल एक अपवाद के रूप में उचित ठहराया जा सकता है, जहां जनहित की यथातथ्य आवश्यकता की इतनी मांग है। न्यायालय गोपनीयता की सुरक्षा को केवल जनहित की आवश्यकता के आधार पर संतुष्ट कर सकते हैं, यह ध्यान में रखते हुए कि प्रकटीकरण भी लोक हित का एक महत्वपूर्ण पहलू है।

बोलने और अभिव्यक्ति की स्वतंत्रता में सूचना प्राप्त करने और उसे प्रसारित करने का अधिकार शामिल है। स्व-अभिव्यक्ति के लिए यह आवश्यक है, जो कि स्वतंत्र अंतःकरण और आत्मपूर्ति का एक महत्वपूर्ण साधन है। यह लोगों को सामाजिक और नैतिक मुद्दों पर वाद-विवाद में योगदान करने में सक्षम बनाता है। किसी भी चीज़ का सबसे उचित मॉडल खोजने का यह सबसे अच्छा तरीका है, क्योंकि केवल इसके माध्यम से ही विचारों की व्यापक संभव सीमा प्रसारित हो सकती है। यह लोकतंत्र के लिए आवश्यक राजनीतिक विमर्श का एकमात्र माध्यम है। बोलने/वाक् और अभिव्यक्ति की स्वतंत्रता में प्रेस की स्वतंत्रता शामिल है। प्रेस की स्वतंत्रता के बदले प्रसारित करने का अधिकार और इस तरह के प्रसार की मात्रा निर्धारित करने का अधिकार भी शामिल है।

सूचना का अधिकार निर्विवाद रूप से एक मौलिक अधिकार है। सरबजीत शर्मा और कृष्ण गोपाल के अनुसार, "सूचना का अधिकार सामाजिक कल्याण का एक आवश्यक साधन है। वे बताते हैं, कि यह अधिकार समाज में कई सामाजिक बुराइयों का मुकाबला करने और लोगों के मौलिक अधिकारों की रक्षा के लिए एक शक्तिशाली उपकरण है।" नागरिक स्वतंत्रता की रक्षा के लिए सूचना का अधिकार आवश्यक है। निवारक निरोध कानून के दुरूपयोग जैसे गलत कामों की निगरानी करना आसान बनाता है। भारत में मजदूर किसान शक्ति संगठन (MKSS), सूचना के अधिकार के लिए राष्ट्रीय अभियान (National Campaign for People's Right to Information- NCPRI), भारतीय प्रेस परिषद (Press council of India) (PCI) और अन्य लोगों द्वारा एक राष्ट्र व्यापक अभियान ने सूचना के अधिकार की मांग को जन्म दिया। जब संसद ने सूचना की स्वतंत्रता अधिनियम, 2002 पारित किया तो इसे लोगों ने प्रकाश के रूप में देखा। यह पहली बार था कि इस अधिकार को भारत की विधायिका द्वारा मान्यता दी गई, लेकिन यह एक कानून नहीं बन सका, क्योंकि इसे सरकार द्वारा अधिसूचित नहीं किया गया था। सूचना का अधिकार अधिनियम, 2005,

जिसने सूचना की स्वतंत्रता अधिनियम, 2002 को प्रतिस्थापित किया, भारत में संवैधानिक और प्रशासनिक कानून और सामाजिक लेखा परीक्षा के क्षेत्र में एक महत्वपूर्ण विकास है। यह कहा जा सकता है, कि 2005 का सूचना का अधिकार अधिनियम, "संविधान के लोकतांत्रिक ढांचे के एक भाग के रूप में सरकार के विरूद्ध लोगों के जानने के अधिकार को उपलब्ध कराने के संवैधानिक मानदंड का केवल विधायी कार्यान्वयन है"

सूचना का अधिकार अधिनिमय, 2005 : प्रमुख प्रावधान

- इस अधिनियम का नाम 'सूचना का अधिकार अधिनियम, 2005' रखा गया है। यह दिनांक 12 अक्टूबर, 2005 से लागू कर दिया गया है।
- इस अधिनियम के मुख्यतया निम्नांकित उद्देश्य हैं : (क) लोक प्राधिकारियों के कार्यकरण में पारदर्शिता लाना तथा उनके उत्तरदायित्व में संवर्धन करना; (ख) लोक प्राधिकारियों के नियन्त्रणाधीन सूचना तक पहुंच सुनिश्चित करना, (ग) नागरिकों के सूचना के अधिकार की व्यावहारिक शासन पद्धति स्थापित करना; (घ) केन्द्रीय सूचना आयोग तथा राज्य सूचना आयोगों का गठन करना; (ङ) भ्रष्टाचार को रोकना; (च) शासन तथा उसके उपक्रमों को उत्तरदायी बनाना; (छ) सरकारों का दक्ष प्रचालन सुनिश्चत करना; (ज) सीमित राज्य वित्तीय संसाधनों का अधिकतम उपयोग करना; (झ) संवेदनशील सूचनाओं की गोपनीयता बनाए रखना; (ञ) लोकतंत्रात्मक आदर्श की संप्रभुता को बनाए रखना; (ट) विरोधी हितों के बीच सामंजस्य स्थापित करना।
- सूचना प्राप्त करने के इच्छुक व्यक्ति को इस आशय का एक लिखित आवेदन पत्र प्रस्तुत करना होगा या इलेक्ट्रॉनिक युक्ति के माध्यम से आवेदन करना होगा। आवेदन हिन्दी, अंग्रेजी या क्षेत्रीय राजभाषा में किया जाएगा। आवेदन निम्नांकित में से किसी अधिकारी को किया जाएगा–(क) केन्द्रीय लोक सूचना अधिकारी; (ख) राज्य लोक सूचना अधिकारी; (ग) केन्द्रीय सहायक लोक सूचना अधिकारी या (घ) राज्य सहायक लोक सूचना अधिकारी।

- धारा 7 चाही गई सूचना के आवेदनों/अनुरोधों के निपटान के बारे में प्रावधान करती है। इसके अनुसार (क) सामान्य आवेदनों का निपटारा 30 दिनों में कर दिया जाना चाहिए अर्थात् 30 दिनों में वांछित सूचना आवेदक को उपलब्ध करा दी जानी चाहिए। (ख) यदि ऐसी सूचना किसी व्यक्ति के जीवन या स्वतन्त्रता से सम्बन्धित है तो संबंधित आवेदन/अनुरोध का निपटारा 48 घंटों में कर दिया जाना चाहिए।
- अधिनियम द्वारा प्रदत्त शक्तियों का प्रयोग तथा कृत्यों का निर्वहन करने के लिए धारा 12 में केन्द्रीय सूचना आयोग के गठन का प्रावधान किया गया है। केन्द्रीय सूचना आयोग का गठन निम्नांकित से मिलकर होगा—(1) मुख्य सूचना आयुक्त (एक) तथा (2) केन्द्रीय सूचना आयुक्त (अधिकतम दस)। मुख्य सूचना आयुक्त तथा केन्द्रीय सूचना आयुक्तों की नियुक्ति हेतु नामों की सिफारिश एक समिति द्वारा की जाएगी जिसमें निम्नांकित सदस्य होंगे—(क) प्रधानमंत्री (अध्यक्ष); (ख) लोकसभा में विपक्ष का नेता (सदस्य); (ग) प्रधानमंत्री द्वारा नाम निर्दिष्ट केन्द्रीय मंत्रिमण्डल का एक मंत्री (सदस्य)। मुख्य सूचना आयुक्त तथा अन्य सूचना आयुक्तों की नियुक्ति राष्ट्रपति द्वारा की जाएगी।
- मुख्य सूचना आयुक्त की नियुक्ति 5 वर्षों के लिए की जाएगी लेकिन वह 65 वर्ष की आयु प्राप्त करने के बाद पद धारण नहीं कर सकेगा तथा पुनर्नियुक्ति का पात्र नहीं होगा। सूचना आयुक्तों की नियुक्ति भी 5 वर्षों के लिए की जाएगी लेकिन वह *(i)* 65 वर्ष की आयु प्राप्त करने पर पद धारण नहीं कर सकेगा; *(ii)* पुनर्नियुक्ति का पात्र नहीं होगा; *(iii)* मुख्य सूचना आयुक्त का पद रिक्त होने पर ऐसे पद पर नियुक्त किया जा सकेगा, लेकिन दोनों पदों की अवधि कुल मिलाकर 5 वर्षों से अधिक नहीं हो सकेगी।
- मुख्य सूचना आयुक्त और सूचना आयुक्त को राष्ट्रपति के आदेश द्वारा साबित कदाचार या असमर्थता के आधार पर उसके पद से तभी हटाया जाएगा, जब उच्चतम न्यायालय ने राष्ट्रपति द्वारा उसे दिए गए निर्देश पर जांच के बाद यह रिपोर्ट दी हो कि, यथास्थिति मुख्य सूचना आयुक्त और सूचना आयुक्त को उस आधार पर हटा दिया जाना चाहिए।
- धारा 15 में 'राज्य सूचना आयोग' के गठन का प्रावधान किया गया है। राज्य सूचना आयोग का गठन निम्नांकित से मिलकर होगा—(क) राज्य मुख्य सूचना आयुक्त (एक) तथा (ख) राज्य सूचना आयुक्त (अधिकतम दस)।

1 अगस्त, 2019 से सूचना का अधिकार अधिनियम, 2005 और सूचना का अधिकार (संशोधन) अधिनियम, 2019 के प्रावधानों की तुलना

प्रवधान	सूचना का अधिकार अधिनियम, 2005	सूचना का अधिकार (संशोधन) अधिनियम, 2019
धारा (13) और धारा (16) की शर्तें	मुख्य सूचना आयुक्त और सूचना आयुक्त (केंद्र और राज्य स्तर पर) पाँच वर्ष की अवधि या 65 वर्ष की आयु तक, जो भी पूर्व हो, तक पद पर रहेंगे।	अधिनियम इस प्रावधान को हटाता है और कहता है कि केंद्र सरकार मुख्य सूचना आयुक्त और सूचना आयुक्त के लिए पद की अवधि को अधिसूचित करेगी।
वेतन की मात्रा	मुख्य सूचना आयुक्त और सूचना आयुक्त (केंद्रीय स्तर पर) का वेतन क्रमशः मुख्य चुनाव आयुक्त और चुनाव आयुक्तों को दिए जाने वाले वेतन के बराबर होगा। इसी तरह, मुख्य सूचना आयुक्त और सूचना आयुक्त (राज्य स्तर पर) का वेतन क्रमशः चुनाव आयुक्तों और राज्य सरकार के मुख्य सचिव को दिए जाने वाले वेतन के बराबर होगा।	अधिनियम इन प्रावधानों को हटाता है और कहता है कि केंद्र और राज्य मुख्य सूचना आयुक्त और सूचना आयुक्त के वेतन, भत्ते और सेवा के अन्य नियम और शर्तें केंद्र सरकार द्वारा निर्धारित किए जाएंगे।
वेतन में कटौती	अधिनियम में कहा गया है कि मुख्य सूचना आयुक्त और सूचना आयुक्त (केंद्र और राज्य स्तर) की नियुक्ति के समय, यदि वे पिछली सरकारी सेवा के लिए पेंशन या कोई अन्य सेवानिवृत्ति लाभ प्राप्त कर रहे हैं, तो उनके पेंशन के बराबर राशि द्वारा उनका वेतन कम हो जाएगा। पिछली सरकारी सेवा में निम्नलिखित के तहत सेवा शामिल हैः *(i)* केंद्र सरकार, *(ii)* राज्य सरकार, *(iii)* केंद्र या राज्य के कानून के तहत स्थापित निगम और *(iv)* केंद्र या राज्य सरकार के स्वामित्व या नियंत्रण वाली कंपनी	अधिनियम इन प्रावधानों को हटाता है।

प्रशासनिक सुधार

भारतीय प्रशासनिक ढाँचा प्रमुखतः ब्रिटिश शासन प्रणाली पर ही आधरित है। भारतीय प्रशासन के विभिन्न ढाँचागत और कार्यप्रणालीगत पक्षों, जैसे– सचिवालय प्रणाली, अखिल भारतीय सेवाएँ, भर्ती, प्रशिक्षण, कार्यालय पद्धति, स्थानीय प्रशासन, जिला प्रशासन, बजट प्रणाली, लेखापरीक्षा, केंद्रीय करों की प्रवृत्ति, पुलिस प्रशासन, राजस्व प्रशासन आदि ब्रिटिश शासन में भी निहित हैं।

प्रशासनिक सुधारों का अर्थ

प्रशासनिक सुधारों के माध्यम से प्रशासन में इस प्रकार के सुनियोजित बदलाव लाए जाते हैं जिससे प्रशासनिक क्षमताओं में वृद्धि होती है तथा निर्धारित लक्ष्यों की प्राप्ति की दिशा में आगे बढ़ने में सहूलियत होती है। आर्थिक व सामाजिक लक्ष्यों की प्राप्ति के लिये प्रशासनिक क्षेत्र को चौकस और चाक-चौबंद रहना जरूरी है। यदि ऐसा नहीं है तो अपेक्षित सुधार किया जाना आवश्यक है। प्रशासनिक सुधारों के माध्यम से किसी भी विभाग या संगठन को आवश्यकताओं के अनुरूप परिवर्तित किया जा सकता है। सामान्यतया योजनाओं का अपेक्षित परिणाम न मिलने या सार्वजनिक हित के कल्याणकारी कार्यक्रमों के क्रियान्वयन में कोताही दिखाई देने पर प्रशासनिक सुधारों की प्रक्रिया को अपनाया जाता है और यह प्रक्रिया विकसित देशों में भी दिखाई देती है और विकासशील देशों में भी।

ब्रिटिश काल में शासन से तात्पर्य मुख्यतः कानून एवं व्यवस्था की स्थिति को बनाए रखना था, लेकिन देश के आजाद होने के बाद नए माहौल में आवश्यकताएँ बदलने के साथ ही प्रशासनिक सुधारों की जरूरत महसूस की गईं आजादी के बाद देश में सामाजिक व आर्थिक संरचना में बड़े परिवर्तनों के लक्ष्य के मद्देनजर पंचवर्षीय योजनाएँ आरंभ की गईं, जिनके लिये प्रशासनिक ढाँचे में सुधार अपेक्षित था। इसके अलावा सार्वजनिक क्षेत्र में निरंतर बढ़ते भ्रष्टाचार व अन्य खामियों को नियंत्रित करने के लिये भी प्रशासनिक सुधारों की आवश्यकता थी। इसके अलावा लोगों की आवश्यकताएं निरंतर बदलती रहती हैं और प्रशासन को भी उन्हीं के अनुरूप बदलना पड़ता है। यह परिवर्तन ही है, जो प्रशासनिक प्रक्रिया के दोषपूर्ण कार्य संचालन को ठीक करने का काम करता है अर्थात् प्रशासनिक सुधारों की मांग करता है।

भारत में प्रशासनिक सुधारों का क्रम

ब्रिटिश काल में प्रशासनिक सुधारों के लिये एचिसन आयोग, ली आयोग तथा इस्लिंगटन आयोग गठित किये गए थे। इसके अलावा लोक सेवा के विकासक्रम में वर्ष 1918 में मांटेग्यू-चेम्सफोर्ड रिपोर्ट सामने आईं स्वतंत्रता प्राप्ति के पश्चात वर्ष 1947 में 'सचिवालय पुनर्गठन समिति', वर्ष 1948 में उद्योगपति कस्तूरभाई लालभाई के नेतृत्व में 'मितव्ययिता समिति', वर्ष 1949 में 'आयंगर समिति' ने अपने-अपने सुझाव दिये।

ए.डी. गोरेवाला समिति

इसके बाद मार्च 1951 में ए.डी. गोरेवाला समिति ने 70 पृष्ठों में 'लोक प्रशासन पर रिपोर्ट' पेश की। इसमें प्रशासन में सर्वोत्तम महत्व के विषयों को प्राथमिकता, निश्चित परिणामों की आशा में अत्यधिक खर्च न करना, कर्मचारियों का ईमानदार, सत्यनिष्ठ एवं निष्पक्ष होना, मंत्रियों, विधायकों तथा प्रशासकों में उत्तरदायित्व की भावना होना तथा भर्ती, प्रशिक्षण आदि की उचित व्यवस्था होने जैसी महत्त्वपूर्ण अनुशंसाएँ की गईं।

पॉल एप्पलेबी की रिपोर्ट

इसके बाद प्रशासनिक सुधारों पर विचार करने के लिये सरकार ने सितंबर 1952 में अमेरिका के लोक प्रशासन विशेषज्ञ पॉल एप्पलेबी (Paul Appleby) से भारत आने का आग्रह किया। उन्होंने 15 जनवरी, 1953 को 'भारत में लोक प्रशासन सर्वेक्षण' रिपोर्ट पेश की जिसे एप्पलेबी रिपोर्ट के नाम से जाना जाता है। इस रिपोर्ट में कहा गया कि ''भारत विश्व के उन 10-12 देशों में शामिल है जहाँ का लोक प्रशासन पर्याप्त रूप से संगठित एवं विकसित है।''

वर्ष 1956 में एप्पलेबी रिपोर्ट का दूसरा भाग सामने आया। इन दोनों रिपोर्ट्स में राज्यों को अधिक स्वायत्तता, लोक प्रशासन में अनुसंधान, भारतीय लोक प्रशासन संस्थान की स्थापना, केंद्र में संगठनात्मक एवं प्रक्रिया इकाई की स्थापना, योजना आयोग का कार्य केवल योजना बनाने तक सीमित रखना, प्रत्येक विभाग में मध्यवर्गीय अधिकारियों की बहाली, सभी राज्यों में कृषि आयकर लगाने, कर्मचारियों के लिये प्रशिक्षण कार्यक्रम चलाने तथा प्रशासनिक विकेंद्रीकरण करने जैसी सिफारिशें की गईं।

संथानम समिति

भारत जब आजाद हुआ तब भी लोक प्रशासन में भ्रष्टाचार व्याप्त था। वर्ष 1948 में सेना का जीप खरीद घोटाला सामने आया और देश में भ्रष्टाचार कमोबेश यूं ही चलता रहा। वर्ष 1957 का मूंदड़ा घोटाला भ्रष्टाचार का ऐसा बड़ा मामला था, जिसमें केंद्रीय मंत्री शामिल पाए गए थे। इस मामले में तत्कालीन वित्तमंत्री टी.टी. कृष्णमाचारी को इस्तीफा तक देना पड़ा था। इन परिस्थितियों में तत्कालीन गृह मंत्री लाल बहादुर शास्त्री ने भ्रष्टाचार रोकने के तात्कालिक तंत्र की समीक्षा और सुझाव के लिये तमिलनाडु के वरिष्ठ कांग्रेसी नेता के. संथानम की अध्यक्षता में एक समिति का गठन किया। वर्ष 1962 में गठित इस समिति की सिफारिशों के आधार पर ही प्रथम और द्वितीय श्रेणी के सरकारी अधिकारियों पर भ्रष्टाचार के आरोपों की जाँच के लिये 1964 में केंद्रीय सतर्कता आयोग का गठन हुआ। इसके अलावा पहली बार 'लोकपाल' नामक संस्था का विचार भी संथानम की रिपोर्ट से ही निकला हुआ माना जाता है।

प्रथम प्रशासनिक सुधार आयोग (First ARC)

5 जनवरी, 1966 को मोरारजी देसाई की अध्यक्षता में प्रशासनिक सुधार आयोग का गठन हुआ। बाद में मोरारजी के केंद्रीय मंत्रिपरिषद में शामिल हो जाने की वजह से के. हनुमंतैया को अध्यक्ष नियुक्त किया गया। आयोग ने अपनी पहली रिपोर्ट 20 अक्तूबर, 1966 को तथा दूसरी रिपोर्ट 30 जून, 1970 को पेश की जिनमें कुल 578 सुझाव दिये गए थे। इनमें प्रमुख थेः

- लोक प्रशासकों के विरुद्ध जनता के अभियोगों के निराकरण हेतु 'लोकपाल' एवं 'लोकायुक्त' की नियुक्ति की जाए
- मंत्रिपरिषद का आकार आवश्यकतानुसार रखा जाए
- प्रधानमंत्री के अधीन कार्मिक विभाग की स्थापना की जाए
- प्रधानमंत्री, वित्तमंत्री एवं किसी भी मंत्री को योजना आयोग का अध्यक्ष अथवा सदस्य नहीं बनाया जाए
- योजना आयोग की अधिकतम सदस्य संख्या 7 रखी जाए
- संविधान के अनुच्छेद 263 के तहत 'अंतर्राज्य परिषद' की स्थापना की जाए
- सरकारी कर्मचारियों को हड़ताल का अधिकार न देना तथा उनकी समस्याएँ संयुक्त विचार-विमर्श एवं 'नागरिक सेवक न्यायाधिकरण' के माध्यम से हल की जाएँ
- वित्त वर्ष की शुरुआत 1 नवंबर से होनी चाहिये
- सार्वजनिक उपक्रमों के लिये 'क्षेत्रक निगम प्रणाली' तथा 'लेखा परीक्षा मण्डल' आदि की व्यवस्था की जाए
- सरकारी अधिकारियों को अस्थायी रूप से लोक उपक्रमों में भेजने की प्रथा समाप्त की जाए
- प्रशासनिक एवं सार्वजनिक जीवन का दीर्घ अनुभव रखने वालों को ही राज्यपाल पद पर नियुक्त किया जाए
- सरकार के दायित्वों व कार्यों में वृद्धि के मद्देनजर सेवाओं का गठन कार्यात्मक आधार पर किया जाए और इस आधार पर सेवाओं को आठ भागों में बांटा जाए
- राज्यों में राष्ट्रपति शासन के दौरान अधिक हस्तक्षेप नहीं किया जाए
- राज्यों में 'कार्मिक विभाग' एवं 'लोक आयुक्त' के पद की स्थापना की जाए
- जिला प्रशासन को दो भागों- नियामकीय तथा विकासात्मक में बाँटा जाए

सरकार की अनिच्छा तथा नौकरशाही की उदासीनता की वज़ह से उपरोक्त अनुशंसाओं पर कोई उल्लेखनीय कार्यवाही नहीं हो पाई और ये ठंडे बस्ते में चली गईं।

द्वितीय प्रशासनिक सुधार आयोग (Second ARC)

31 अगस्त, 2005 को सरकार ने कर्नाटक के पूर्व मुख्यमंत्री वीरप्पा मोइली की अध्यक्षता में 'द्वितीय प्रशासनिक आयोग' का गठन किया। आयोग के अध्यक्ष ने जब वर्ष 2009 में पद त्यागा, तब तक यह अपनी सिफारिशों की 15 रिपोर्ट्स दे चुका था। इस पाँच सदस्यीय आयोग का प्रमुख कार्य मंत्रालयों एवं विभागों का पुनर्गठन करने तथा उनकी भूमिका को वैश्वीकरण के अनुरूप बनाने के लिये सिफारिशें देना था। इस आयोग को सरकार के सभी स्तरों पर देश के लिये एक सक्रिय, प्रतिक्रियाशील, जवाबदेह, सतत् प्रशासन के लिये सुझाव देने की जिम्मेदारी भी दी गई थी। इसके अलावा आयोग ने निम्नलिखित पर भी अपने सुझाव दियेः

- भारत सरकार का संगठनात्मक ढाँचा
- शासन में नैतिकता
- कार्मिक प्रशासन की पुनर्संरचना
- वित्तीय प्रबंधन प्रणालियों का सुदृढ़ीकरण
- राज्य स्तर पर प्रभावी प्रशासन सुनिश्चित करने के उपाय
- प्रभावी जिला प्रशासन सुनिश्चित करने के उपाय
- स्थानीय स्व-शासन और पंचायती राज संस्थान
- नागरिक केंद्रित प्रशासन
- ई-प्रशासन को प्रोत्साहित करना
- संकट प्रबंधन या आपदा प्रबंधन
- सार्वजनिक व्यवस्था

नौकरशाही में सुधार के लिये द्वितीय प्रशासनिक आयोग की सबसे महत्वपूर्ण सिफारिश में कहा गया था कि 14 वर्षों की सेवा के बाद की जाने वाली समीक्षा मुख्यतः लोक सेवकों को उनके मजबूत और कमजोर पहलुओं से अवगत कराने के उद्देश्य से होनी चाहिये। वहीं, 20 वर्षों की सेवा के बाद की जाने समीक्षा का उद्देश्य यह तय करना होना चाहिये कि सरकारी कर्मचारी/लोक सेवक आगे सेवा में रहने योग्य हैं अथवा नहीं।

प्रशासनिक सुधार और लोक शिकायत विभाग

प्रशासनिक सुधार और लोक शिकायत विभाग, भारत सरकार के प्रशासनिक सुधार के साथ-साथ सामान्य रूप से राज्यों से संबंधित लोक-शिकायतों और विशेष रूप से केंद्रीय सरकार के अभिकरणों से संबंधित शिकायतों के निवारण के लिये एक नोडल एजेंसी है। यह विभाग लोक सेवा सुधारों की प्रगति हेतु अंतर्राष्ट्रीय विनिमय और सहयोग के क्षेत्र में भी कार्य करता है।

मार्च 1954 में पॉल एप्पलेबी की सिफारिशों के आधार पर मंत्रिमंडल सचिवालय में संगठन एवं पद्धति प्रभाग बनाया गया था।

मार्च 1964 में गृह मंत्रालय के अधीन प्रशासनिक सुधार विभाग बनाया गया और संगठन एवं पद्धति प्रभाग का कार्यभार मंत्रिमंडल सचिवालय से प्रशासनिक सुधार विभाग को हस्तांतरित कर दिया गया।

7 फरवरी, 1973 को प्रशासनिक सुधार से संबंधित कार्यों को मंत्रिमंडल सचिवालय के अधीन दिनांक 1 अगस्त, 1970 को बनाए गए कार्मिक विभाग को हस्तांतरित कर दिया गया और इसका नाम बदलकर कार्मिक तथा प्रशासनिक सुधार विभाग कर दिया गया।

अप्रैल 1977 में कार्मिक तथा प्रशासनिक सुधार विभाग को मंत्रिमंडल सचिवालय से गृह मंत्रालय में स्थानांतरित किया गया।

मार्च 1985 में कार्मिक तथा प्रशिक्षण, प्रशासनिक सुधार, लोक शिकायत एवं पेंशन मंत्रालय के रूप में पूर्ण मंत्रालय बना दिया गया। 10 दिसम्बर, 1985 को इसे तीन विभागों- कार्मिक तथा प्रशिक्षण विभाग (DoPT), प्रशासनिक सुधार और लोक शिकायत विभाग एवं पेंशन तथा पेंशनभोगी कल्याण विभाग सहित कार्मिक, लोक शिकायत तथा पेंशन मंत्रालय के रूप में पुनर्नामित किया गया।

संविधान की उद्देशिका और नीति निदेशक तत्त्व सरकार और प्रशासन तंत्र के मार्गदर्शी हैं। ये सुस्थापित विधि नहीं, बल्कि सरकार और प्रशासन के कामकाज का आईना हैं। प्रशासन तंत्र इन सूत्रों से नहीं जुड़ता और कोई भी लोकतंत्र स्पष्ट, कुशल एवं निष्पक्ष प्रशासन के अभाव में सफल नियोजन नहीं कर सकता। द्वितीय प्रशासनिक आयोग की रिपोर्ट में यह उल्लेख किया गया है कि सरकार के दृष्टिकोण में आवंटन आधारित विकास कार्यक्रमों से पात्रता आधारित विकास कार्यक्रमों की ओर अंतरण हुआ है। सभी क्षेत्रों में विकास पर जोर दिया जा रहा है और केंद्रीय बजट बढ़ा है। इस सबके कारण संस्थागत प्रशासनिक और वित्तीय प्रबंधन का सुदृढ़ीकरण जरूरी है। विकास के सभी कार्यक्रमों के क्रियान्वयन के लिये प्रशासनिक प्रबंधन पर जोर दिया गया है, लेकिन परेशानी यह है कि सभी कार्यक्रमों को अंतिम परिणति तक पहुँचाने वाले प्रशासन तंत्र की प्रथम वरीयता परिणाम देना नहीं, अपितु अपनी नौकरी बचाना है। आज के भारत की चुनौतियाँ सर्वथा नई हैं और इनके बरक्स प्रशासन के सामने भी चुनौतियों का नया स्वरूप आया है। लेकिन प्रशासनिक सुधारों के अभाव में इच्छित लक्ष्य प्राप्त करना बहुत कठिन हो गया है।

राष्ट्रीय सूचना आयोग

केंद्रीय सूचना आयोग की स्थापना वर्ष 2005 में केंद्र सरकार द्वारा की गयी थी। इसकी स्थापना सूचना का अधिकार अधिनियम (2005) के अंतर्गत शासकीय राजपत्र अधिसूचना के माध्यम से की गयी थी। इस प्रकार यह एक संवैधानिक निकाय नहीं है।

केंद्रीय सूचना आयोग एक उच्च प्राधिकारयुक्त स्वतंत्र निकाय है, जो इसमें दर्ज शिकायतों की जांच करता है एवं उनका निराकरण करता है। यह केंद्र सरकार एवं केंद्र शासित प्रदेशों के अधीन कार्यरत कार्गालयों, वित्तीय संस्थानों, सार्वजनिक क्षेत्र के उपक्रमों आदि के बारे में शिकायतों एवं अपीलों की सुनवाई करता है।

संरचना

इस आयोग में एक मुख्य आयुक्त एवं सूचना आयुक्त होते हैं, जिनकी संख्या 10 से अधिक नहीं होनी चाहिये। इन सभी की नियुक्ति राष्ट्रपति द्वारा एक समिति की सिफारिश पर की जाती है, जिसमें प्रमुख के रूप में प्रधानमंत्री, लोकसभा में विपक्ष का नेता एवं प्रधानमंत्री द्वारा मनोनीत एक कैबिनेट मंत्री होता है। इस आयोग का अध्यक्ष एवं सदस्य बनने वाले सदस्यों को सार्वजनिक जीवन का पर्याप्त अनुभव होना चाहिये तथा उन्हें विधि, विज्ञान एवं तकनीकी, सामाजिक सेवा, प्रबंधन, पत्रकारिता, जनसंचार या प्रशासन आदि का विशिष्ट अनुभव होना चाहिये। उन्हें संसद या किसी राज्य विधानमंडल का सदस्य नहीं होना चाहिये। वे किसी राजनीतिक दल से संबंधित कोई लाभ का पद धारण न करते हों तथा वे कोई लाभ का व्यापार या उद्यम भी न करते हों।

कार्यकाल एवं सेवा शर्तें

मुख्य सूचना आयुक्त एवं अन्य आयुक्त पांच वर्ष या पैंसठ वर्ष की आयु, दोनों में से जो भी पहले हो, तक पद पर बने रह सकते हैं। उन्हें पुनर्नियुक्ति की पात्रता नहीं होती है।

राष्ट्रपति मुख्य सूचना आयुक्त एवं अन्य आयुक्तों को निम्न प्रकारों से उनके पद से हटा सकता है;

1. यदि वे दीवालिया हो गये हों;
2. यदि उन्हें नैतिक चरित्रहीनता के किसी अपराध के संबंध में दोषी करार दिया गया हो;
3. यदि वे अपने कार्यकाल के दौरान किसी अन्य लाभ के पद पर कार्य कर रहे हों;
4. वे किसी ऐसे लाभ को प्राप्त करते हुये पाये जाते हैं, जिससे उनका कार्य या निष्पक्षता प्रभावित होती हो;
5. यदि वे राष्ट्रपति की नजर में शारीरिक या मानसिक रूप से अपने दायित्वों का निर्वहन करने में अक्षम हों।

इसके अलावा, राष्ट्रपति आयोग के अध्यक्ष एवं अन्य सदस्यों को सिद्ध कदाचार या अक्षमता के आधार पर भी पद से हटा सकते हैं। हालांकि, इन मामलों में, राष्ट्रपति मामले को जांच के लिये उच्च न्यायालय के पास भेजते हैं तथा यदि उच्चतम न्यायालय जांच के उपरांत मामले को सही पाता है तो वह राष्ट्रपति को इस बारे में सलाह देता है, उसके उपरांत राष्ट्रपति अध्यक्ष एवं अन्य सदस्यों को पद से हटा देते हैं।

शक्तियां एवं कार्य

केंद्रीय सूचना आयोग के कार्य एवं शक्तियां इस प्रकार हैं :

1. आयोग का यह दायित्व है कि वे किसी व्यक्ति से प्राप्त निम्न जानकारी एवं शिकायतों का निराकरण करे :
   (*i*) जन सूचना अधिकारी की नियुक्ति न होने के कारण किसी सूचना को प्रस्तुत करने में असमर्थ रहा हो;
   (*ii*) उसे चाही गयी जानकारी देने से मना कर दिया गया हो;
   (*iii*) उसे चाही गयी जानकारी निर्धारित समय में प्राप्त न हो पायी हो;
   (*iv*) यदि उसे लगता हो कि सूचना के एवज में मांगी फीस सही नहीं है;
   (*v*) यदि उसे लगता है कि उसके द्वारा मांगी गयी सूचना अपर्याप्त, झूठी या भ्रामक है; तथा
   (*vi*) सूचना प्राप्ति से संबंधित कोई अन्य मामला।
2. यदि किसी ठोस आधार पर कोई मामला प्राप्त होता है तो आयोग ऐसे मामले की जांच का आदेश दे सकता है। (स्व-प्रेरणा शक्ति)
3. जांच करते समय, निम्न मामलों के संबंध में आयोग को दीवानी न्यायालय की शक्तियां प्राप्त होती हैं :
   (*i*) वह किसी व्यक्ति को प्रस्तुत होने एवं उस पर दबाव डालने के लिये सम्मन जारी कर सकता है तथा मौखिक या लिखित रूप से शपथ के रूप में साक्ष्य प्रस्तुत करने का आदेश दे सकता है;
   (*ii*) किसी दस्तावेज को मंगाना एवं उसकी जांच करना;

(*iii*) किसी न्यायालय या कार्यालय से सार्वजनिक दस्तावेज को मंगाना;

(*iv*) किसी गवाह या दस्तावेज की जांच करने के लिये सम्मन जारी करना, तथा;

(*v*) कोई अन्य मामला जो निर्दिष्ट किया जाए।

4. शिकायत की जांच करते समय, आयोग लोक प्राधिकारी के नियंत्रणाधीन किसी दस्तावेज या रिकॉर्ड की जांच कर सकता है तथा इस रिकॉर्ड को किसी भी आधार पर प्रस्तुत करने से इंकार नहीं किया जा सकता है। दूसरे शब्दों में, जांच के समय सभी सार्वजनिक दस्तावेजों को आयोग के सामने प्रस्तुत करना अनिवार्य होता है।

5. आयोग को यह शक्ति प्राप्त है कि वह लोक प्राधिकारी से अपने निर्णयों का अनुपालन सुनिश्चित कराए, इसमें सम्मिलित हैं।

(*i*) किसी विशेष रूप में सूचना तक पहुंच;

(*ii*) जहां कोई भी जन सूचना अधिकारी नहीं है, वहां ऐसे अधिकारी को नियुक्त करने का आदेश देना;

(*iii*) सूचनाओं के प्रकार या किसी सूचना का प्रकाशन;

(*iv*) रिकॉर्ड के प्रबंधन, रख-रखाव एवं विनष्टीकरण की रीतियों में किसी प्रकार का आवश्यक परिवर्तन;

(*v*) सूचना के अधिकार के बारे में प्रशिक्षण की व्यवस्था;

(*vi*) इस अधिनियम के अनुपाल के संदर्भ में लोक प्राधिकारी से वार्षिक प्रतिवेदन प्राप्त करना;

नागरिक एवं शासन : नागरिक समाज–भूमिका एवं सीमाएँ

आधुनिक लोक प्रशासन में दो नई महत्वपूर्ण बातें सामने आयी हैं– पहली बात यह है कि सरकारी प्रशासन का क्षेत्र, शक्तियां और गतिविधियां बहुत व्यापक हो गई हैं; दूसरे शिक्षा तथा राजनीतिक एवं सामाजिक चेतना बढ़ने के साथ-साथ लोगों को लोक प्रशासन से अपेक्षाएं बढ़ गयी हैं।

इसी पृष्ठभूमि में अनेक विद्वान, प्रशासक, राजनेता और न्यायविद् नागरिकों और प्रशासन के परस्पर सम्पर्क और सम्बन्धों को बहुत महत्व दे रहे हैं। जहां तक आदर्श स्थिति का सवाल है, यह आपसी सम्बन्ध भरोसे का और सक्रिय होना चाहिए। लेकिन व्यवहार में इस सम्बन्ध में बड़े विवाद और तनाव हैं। नागरिकों की प्रशासन से शिकायतें बढ़ती जा रही हैं, लेकिन दूसरी ओर सरकार नागरिकों में बढ़ते असंतोष को कम करने के लिए, उनकी शिकायतें दूर करने के अनेक उपाय करने में लगी है।

आधुनिक राज्य कानून व्यवस्था का पालन करवाने वाला पुलिस राज्य नहीं है बल्कि जनकल्याण से संबंधित अनेक सकारात्मक कार्य करने वाला लोककल्याणकारी राज्य है। वह नागरिकों के जीवन को खुशहाल बनाने के लिए अनेक सुविधाएं जुटाने का महत्वपूर्ण काम भी करता है। इन सुविधाओं में शिक्षा, स्वास्थ्य, रोजगार के व्यापक अवसर और बेहतर परिवहन व्यवस्था का प्रबंध भी शामिल है। इन सब गतिविधियों से नागरिक के जीवन पर असर पड़ता है। वस्तुतः आज नागरिक और प्रशासन के आपसी सम्पर्क में बहुत अधिक वृद्धि हो गयी है, इसलिए नागरिक और प्रशासन के सम्बन्ध बड़े जटिल और व्यापक हो गये हैं।

ब्रिटिश शासन के दौरान भारत में लोकतांत्रिक, कल्याणकारी राज्य नहीं था, इसलिए प्रशासन में भावनाओं के लिए कोई स्थान नहीं था। नागरिक और प्रशासन के बीच कुछ प्रशासनिक विभागों में ही सीमित सम्पर्क हो पाता था। ब्रिटिश प्रशासन तो राजा और प्रजा की धारणा पर टिका था। जब तक नागरिक नियमों का पालन करके तथा नियमित रूप से करों का भुगतान करके व्यवस्था का सम्मान करता रहता है, प्रशासन भी नागरिकों को कुछ ऐसे निर्णयों की ही जानकारी देता था, जिनकी जानकारी देना वह जरूरी समझता था।

आधुनिक राज्य की विकासमूलक और कल्याणकारी भूमिका के निरंतर बढ़ते जाने के कारण प्रशासन के लिए समाज सेवा की भावना से काम करना अनिवार्य हो गया है। प्रशासन लोगों की जरूरतें पूरी करने के लिए ही है। प्रशासन का मुख्य उद्देश्य अब नागरिक को संतुष्ट करना है, जैसे अर्थशास्त्र में वस्तुओं के उत्पादन और वितरण का उद्देश्य उपभोक्ता को संतुष्ट करना है। लेकिन व्यवहार में प्रशासक आदि भी पुराने ढर्रे से बंधे और अधिकार जमाने वाली प्रवृत्ति के हैं। प्रशासन और नागरिकों के बीच परिवर्तन केवल बाहर से आया हुआ लगता है और पुरानी प्रवृत्तियां बदली नहीं हैं। नागरिक प्रशासन से अपने काम करवाते समय असंतुष्ट, कुंठित और अप्रसन्न लगता है। नौकरशाही के बढ़ने और सरकारी काम की प्रक्रिया में अनेक जटिलताओं के कारण पद के दुरुपयोग और मनमाने निर्णय लेने की आशंका बढ़ती जाती है। नागरिकों और प्रशासकों के बीच अलगाव के कई कारण हैं। व्यक्तिगत व्यवहार, प्रशासनिक ढांचा या प्रशासनिक प्रक्रिया तथा कायदे-कानून इस अलगाव के कारण बन सकते हैं। लोगों की अपेक्षाओं और प्रशासन की कार्यकुशलता में बहुत अंतर होने से नागरिकों में असंतोष पैदा होता है। आधुनिक काल में यह बात काफी आम हो गई है। यही असंतोष अक्सर शिकायत का रूप ले लेता है। इसका मतलब है कि नागरिक किसी स्थिति को गलत और दमनपूर्ण मानता है। कभी-कभी जब सरकारी नीतियां समाज के किसी संगठित समूह के हितों के प्रतिकूल जाती हैं, तो नागरिकों को नीति से ही शिकायत हो जाती है। इन शिकायतों का समाधान यही है कि विभिन्न दबाव गुटों के द्वारा सरकार पर जोर डालकर नीतियां बदलवायी जाएं या उनमें अपेक्षित सुधार किया जाए।

लोग सामान्यतः यह बात भी सोचते हैं कि नीतियों पर उचित तरीके से अमल नहीं किया जा रहा है। कई बार प्रशासनिक प्रक्रिया बड़ी बोझिल और काम करने का तरीका अन्यायपूर्ण लगता है। भ्रष्टाचार के कारण राजनीति और प्रशासन में ईमानदारी तथा निष्ठा की कमी एक अन्य समस्या है। कायदे-कानूनों का कट्टर तरीके से पालन, नागरिकों की शिकायतें तथा प्रतिवेदनों की प्रति स्वीकार न करना, विभिन्न मामलों को निपटाने में अनावश्यक देरी आदि से लोगों का प्रशासन से विश्वास उठ जाता है।

मोहित भट्टाचार्य के अनुसार, प्रशासन के प्रति लोगों की आम धारण में निम्न बातें शामिल हैं :

1. कर्मचारियों, खास तौर से निचले स्तर के कर्मचारियों का मदद न करने का रवैया;
2. नागरिकों को अपना काम करवाने की सही सरकारी प्रक्रिया की जानकारी न होना;
3. अनावश्यक देरी और इंतजार;
4. प्रशासन में पक्षपात;
5. कर्मचारियों में भ्रष्टाचार;
6. काम करवाने में बिचौलियों पर भरोसा करना;
7. प्रशासन में गरीबों और अमीरों के बीच भेदभाव अमीर लोगों की प्रशासन में पहुंच होती है और कर्मचारियों की आम प्रवृत्ति गरीबों को टालने और उनकी जरूरतों और हितों को अनदेखा करने की होती है।

डब्ल्यू.ए. रॉबसन के अनुसार, "आम नागरिक यह सोचता है कि नौकरशाही अभी भी परंपरागत बुराइयों से मुक्त नहीं हुई है। अधिकारियों में खुद को बहुत बड़ा समझने की प्रवृत्ति होती है या वे अपने पद के नाजायज लाभों के बारे में ऐसा सोचते हैं। नागरिकों की सुविधाओं और भावनाओं के प्रति वे बिल्कुल उदासीन होते हैं। कायदे-कानून और औपचारिकताओं का पालन वे सनक की हद तक करते हैं। लोकतांत्रिक प्रक्रिया में शासकों और लोगों के बीच जो सम्बन्ध होने चाहिए, वे उन्हें नहीं समझ पाते।" अगर प्रशासन के प्रति नागरिकों के असंतोष को दूर करने के प्रयास नहीं किये गए तो इससे समाज में व्याप्त तनाव और अव्यवस्था और बढ़ जाएगी। इससे विकास की गतिविधियों में नागरिकों का सहयोग भी नहीं मिल सकेगा। इन सब बातों को ध्यान में रखते हुए, सरकार हर स्तर पर नागरिकों की शिकायतें दूर करने का प्रयास कर रही है। प्रशासनिक सुधार आयोग ने नागरिकों की शिकायतें दूर करने के बारे में अपनी अंतरिम रिपोर्ट में कहा है कि अगर देश की शक्ति उसकी समृद्धि में निहित है तो लोकतंत्र की सुरक्षा और स्थिरता नागरिकों के संतुष्ट होने पर ही निर्भर करती है।

नागरिक–केन्द्रित प्रशासन की अवधारणा

उत्तम अधिशासन की अवधारणा नई नहीं है। कौटिल्य ने अपने ग्रन्थ 'अर्थशास्त्र' में राजा के गुणों और एक सु-शासित राज्य की इस प्रकार परिभाषा की थी : "अपनी प्रजा की खुशी में उसकी खुशी निहित है, प्रजा के कल्याण में राजा अपना कल्याण समझता है, जिससे उसे खुद को खुशी मिलती है, जिन्हें वह अच्छा नहीं समझता, किन्तु जिस किसी भी बात से प्रजा को खुशी होती है, उसे वह उत्तम समझता है।" महात्मा गांधी ने 'सु-राज' की अवधारणा का प्रतिपादन किया था। उत्तम अधिशासन के चित्र में अंकित आठ गुण हैं जो उन्हें अपने नागरिकों के साथ जोड़ते हैं।

उत्तम शासन का उद्देश्य एक ऐसा माहौल उपलब्ध कराना है जिसमें सभी नागरिक, चाहे वे किसी भी श्रेणी, जाति और लिंग के हों, अपनी पूर्ण क्षमता का विकास कर सकें। इसके अतिरिक्त, उत्तम शासन का उद्देश्य नागरिकों को प्रभावी, सुचारु और समतापूर्ण सार्वजनिक सेवाएं प्रदान करना भी है। निष्कर्ष रूप में जिन 4 सिद्धान्तों पर उत्तम शासन आधारित है, निम्न प्रकार हैं :

- लोकाचार (नागरिकों के प्रति सेवा का)
- नैतिकता (ईमानदारी और पारदर्शिता)
- साम्यता (सभी नागरिकों के साथ एकसमान व्यवहार करना, कमजोर वर्गों के लिए सहानुभूति के साथ) और
- कार्यकुशलता (उत्पीड़न के बगैर और आईसीटी का अधिकाधिक उपयोग करके प्रभावी ढंग से सेवा प्रदान करना)।

संविधान में इस देश के लोगों के लिए संस्थापकों की कल्पना निहित है तथा राज्य के तीन अंगों–विधायी, कार्यपालिका और न्यायपालिका की भूमिका और कार्यों का भी उल्लेख किया गया है। इसमें मूलभूत अधिकारों का, जो प्रजातन्त्र के लिए महत्वपूर्ण हैं और राज्य के निदेशात्मक सिद्धान्तों का उल्लेख किया गया है, जिसमें एक कल्याण की अवधारणा वर्णित है जो हमारे संविधान की एक अनूठी विशेषता है। इसलिए सभी स्तरों पर सरकार का प्रयास एक नागरिक-केन्द्रित प्रशासन उपलब्ध कराना है। इस उद्देश्य हेतु एक कानूनी रूपरेखा का निर्माण किया गया है। राष्ट्रीय मानवाधिकार आयोग, राष्ट्रीय महिला आयोग, राष्ट्रीय उपभोक्ता विवाद समाधान आयोग और लोकायुक्त आदि जैसी संस्थाओं की स्थापना की गई है। समाज के कमजोर वर्गों के सशक्तीकरण के लिए सकारात्मक कार्यों सहित अनेक अन्य उपाय किए गए हैं।

नागरिक–केन्द्रित प्रशासन के मार्ग में बाधाएं

नागरिक-केन्द्रित प्रशासन के मार्ग में निम्नांकित बाधाएं हैं :

1. जवाबदेही का अभाव
2. सिविल सेवकों की अभिवृत्तिमूलक समस्याएं
3. कानूनों और नियमों का अप्रभावी कार्यान्वयन
4. नागरिकों के अधिकारों और कर्तव्यों के बारे में जागरूकता के निम्न स्तर
5. लालफीताशाही

नागरिक–केन्द्रित प्रशासन के लिए द्वितीय प्रशासनिक सुधार आयोग द्वारा प्रस्तुत सात उपाय मॉडल

यह मॉडल आईएस 15700 : 2005 "सेवोत्तम" मॉडल और यू.के. ग्राहक सेवा उत्कृष्टता मॉडल के सिद्धान्तों पर आधारित है। प्रत्येक संगठन को कदम-वार दृष्टिकोण अपनाना चाहिए, जिससे इसे अधिकाधिक नागरिक केन्द्रित बनने में मदद मिलेगी। इस दृष्टिकोण को न केवल शीर्ष प्रबन्धन द्वारा अपनाया जाना चाहिए, बल्कि संगठन की प्रत्येक यूनिट द्वारा भी अपनाया जाना चाहिए, जिसकी जनता के साथ अन्योन्यक्रिया हो। शीर्ष प्रबन्धन की, अपने लिए मानक निर्धारित करने और साथ ही अपने खुद के मानक स्थापित करने में अधीनस्थ कार्यालयों को मार्गदर्शन प्रदान करने की भी दोहरी जिम्मेदारी है। इसके अलावा, सभी पर्यवेक्षी स्तरों पर यह

सुनिश्चित किया जाना चाहिए कि अधीनस्थ कार्यालयों द्वारा स्थापित मानक वास्तविक हों और सामान्य संगठनात्मक लक्ष्यों के साथ मेल खाते हों। इस प्रकार, यद्यपि कार्यालय को मानक स्थापित करने में स्वायत्तता होगी तथापि, ये संगठनात्मक नीतियों के अनुरूप होने चाहिए।

(क) आप प्रदान की जाने वाली सभी सेवाओं की परिभाषा करें और अपने ग्राहकों का विनिर्धारण करें।

(ख) प्रत्येक सेवा के लिए मानक और मानदण्ड निश्चित करें।

(ग) निश्चित लक्ष्यों की प्राप्ति हेतु क्षमता का विकास करें।

(घ) मानक प्राप्त करने के लिए निष्पादन करें।

(ङ) निश्चित मानकों के विरुद्ध निष्पादन का मानीटरिंग करें।

(च) एक स्वतन्त्र पद्धति के जरिए प्रभाव का मूल्यांकन करें।

(छ) मानीटरिंग और मूल्यांकन परिणामों के आधार पर सतत रूप से सुधार।

उपाय

1. क्षमता का विकास करना
2. मानक निर्धारित करना
3. सेवाओं की परिभाषा
4. सतत सुधार
5. आकलन करना
6. मानीटरिंग
7. निष्पादन

जनसहभागिता

जनसहभागिता से तात्पर्य है कि आम जनता शासन के कार्यों में भागीदारी का निर्वाह करे। मुमताज के अनुसार, जनसहभागिता से तात्पर्य है वे सभी कार्य एवं गतिविधियां जिनके माध्यम से नागरिक प्रशासन के संचालन में भाग लें। 'भाग लेने से' तात्पर्य है कि ग्राम से लेकर राष्ट्रीय स्तर पर तथा यह अनेक प्रकार का हो सकता है; जैसे—परामर्श देने का कार्य, निर्णय लेने का कार्य अथवा क्रियान्वयन सम्बन्धी कार्य। जनता शासकीय और स्वैच्छिक संगठनों के माध्यम से भाग ले सकती है। स्टेसीन के अनुसार, "जनसहभागिता एक प्रकार के प्रशासन कार्यों में नागरिकों का हस्तक्षेप है।" सोसियल लिखते हैं, "जनसहभागिता आम नागरिक को सृजनात्मक सार्वजनिक कार्यों में भाग लेने का अवसर प्रदान करती है।" संक्षेप में, जनसहभागिता से अभिप्राय है प्रशासन में जनता की स्वैच्छिक भागीदारी, प्रशासन का संचालन लोक सेवकों के बजाय जन इच्छा और आकांक्षा से करना तथा सरकारी कार्यों को जनता की मांग के अनुसार क्रियान्वित करना।

प्रशासनिक निर्णय निर्माण, नीति निर्माण, नीति क्रियान्वयन, नीतियों के प्रति सहमति एवं मूल्यांकन में नागरिकों की प्रत्यक्ष भागीदारी ही जनसहभागिता है। जनसहभागिता केवल विकास प्रशासन का एक तत्व ही नहीं है बल्कि यह विकास की प्रक्रिया का लक्ष्य भी है। वी.सुब्रह्मण्यम ने स्पष्ट लिखा है कि किसी भी विकास कार्यक्रम की सफलता जनप्रतिक्रिया पर निर्भर करती है, विशेषकर जनता के उस वर्ग की प्रतिक्रिया पर जिसके हित के लिए कार्यक्रम प्रदान किया जा रहा है।

अवधारणा

आधुनिक समाज नागरिक जीवन के हर मोड़ पर लोक प्रशासन पर निर्भर है। उसमें सेवक और स्वामी दोनों के गुण हैं। एक जनतन्त्रात्मक समाज में नागरिक ही उसके वास्तविक सम्राट हैं। निश्चित रूप से लोक प्रशासन के मूल्य और उसका ढांचा मनुष्य की उद्भावना है। औपनिवेशिक व्यवस्था से लेकर जनतन्त्रात्मक प्रणाली में आए परिवर्तन के साथ राज्य के कार्यों में मूलभूत परिवर्तन आ गया है। आज पुलिस राज्य से बदलकर राज्य का लोक कल्याणकारी रूप उभर आया है। एक प्रशासक के कर्तव्य की गरिमा तथ जटिलता में स्वाभाविक रूप से परिवर्तन आ गया है। आज उसके समक्ष राष्ट्र का बहुआयामी जीवन है। उसे विकासात्मक कार्यों की पूर्ति में महत्वपूर्ण दायित्व निभाना पड़ता है। यह एक सर्वमान्य धारणा है कि आज के बदलते परिवेश में प्रशासकों का पुराना तौर-तरीका अधिक दिनों तक जीवित नहीं रह सकता, क्योंकि उनमें अपने आपको उच्च एवं शक्तिमान समझकर अधिकारों का दुरुपयोग करने की प्रवृत्ति है। आज उन्हें नागरिकों की आकांक्षाओं के अनुरूप नागरिकों के साथ एक होना पड़ेगा, साथ रहना पड़ेगा और उनकी वास्तविक मांग को समझना पड़ेगा। यह दुर्भाग्यपूर्ण है कि कुछ रूपों में प्रशासकों का पुराना तौर तरीका जीवित है। प्रशासन में जन सामान्य की आशाओं और इच्छाओं की झलक होनी चाहिए और सभी समस्याओं के तहत इसे मानवीय तौर-तरीके से रंगा होना चाहिए। प्रशासक के पास आने वाली प्रत्येक फाइल में एक समस्या होती है। इसलिए प्रत्येक फाइल को सद्भावना, संवेदनशीलता और सूझ-बूझ से निपटाना चाहिए। लोक प्रशासन का जनता के लिए एक साधन के रूप में अस्तित्व है।

आधुनिक युग में ऐसे शासन की आवश्यकता है जिसका संचालन समाज द्वारा किया जाता हो और तभी जनता अपने आप पर शासन कर सकती है। एक जनतन्त्रात्मक शासन में नागरिकों की आवश्यकता है न कि मुवक्किलों (Clients) की। मुवक्किल ऐसे लोग होते हैं, जो कि बिचौलिए नेताओं पर निर्भर होते हैं, मुवक्किल, प्रायः दूसरों पर निर्भर होते हैं, दूसरों के द्वारा नियन्त्रित होते हैं और इन्तजार करते रहते हैं कि दूसरे उनके लिए काम करेंगे। दूसरी तरफ नागरिक अपनी समस्याओं को स्वयं समझते हैं और उनका समाधान स्वयं ढूंढ़ते हैं। अच्छे नागरिक सुदृढ़ समुदायों का निर्माण करते हैं और सुदृढ़ समुदाय एक मजबूत राष्ट्र का निर्माण करते हैं।

जनसहभागिता राजनीतिक विकास की एक प्रमुख समस्या और चुनौती है। जनसहभागिता की कमी अथवा अधिकता राजनीतिक विकास का एक प्रमुख संकेतक है। जनसहभागिता शब्द उन स्वैच्छिक गतिविधियों की ओर संकेत करता है जिनके माध्यम से किसी समाज के लोग निर्णय प्रक्रिया में भाग लेते हैं। प्रशासनिक प्रक्रिया में जनसहभागिता प्रशासन की सफलता का मूल आधार है। जनसहभागिता प्रतीकात्मक ही नहीं होनी चाहिए अपितु उत्साहवर्द्धक, सक्रिय एवं सृजनात्मक होनी चाहिए।

जनसहभागिता की आवश्यकता

प्रशासन में नागरिक सहभागिता को 'सहभागी लोकतन्त्र' के पर्याय के रूप में लिया जाता है जिसका विस्तार ग्रामीण स्तर से लेकर राष्ट्रीय स्तर तक हो सकता है। संकुचित अर्थ में सहभागिता सरकार की ओर अभिमुखता का व्यवहार है अर्थात् सरकारी या प्रशासनिक इकाइयों में भाग लिए बिना ही प्रशासनिक व्यवहार पर प्रभाव डालने का सामर्थ्य रखना। व्यापक अर्थ में इसका अर्थ है स्वयं प्रशासनिक इकाइयों में हिस्सा लेकर नीति निर्माण, नीति क्रियान्वयन और मूल्यांकन कार्यों को सम्पन्न करना।

प्रशासन अथवा विकास कार्यों में जन भागीदारी के अनेक लाभ हैं:

1. यह स्थानीय जनता की भावनाओं, विचारों और आवश्यकताओं को प्रकट करने का साधन है।
2. यह उस कार्यक्रम को नया प्रतिबल प्रदान करता है जिनके हित के लिए यह बनाया गया है।
3. यह परम्परागत निर्णय निर्माण करने वाली इकायों के अनुत्तरदायी एवं शोषण प्रवृत्ति को संयमित करने का समाधान प्रस्तुत करता है।
4. यह सरकार के कार्यभार को कम करने में सहायक है, क्योंकि अनेक सरकारी कार्य समुदाय के स्वयंसेवियों द्वारा किए जाने वाले लगते हैं।

जनसहभागिता के प्रकार

शासन में नागरिक भागीदारी, एक द्विपक्षीय कार्यकलाप है, जिसके अन्तर्गत सरकारी एजेंसियों और साथ ही सभी नागरिकों के लिए भी पूरी भागीदारी अनिवार्य है जिससे कि ऐसी भागीदारी के सुधरे आउटकम प्राप्त हो सकें, जैसे कि बेहतर सेवा प्रदान करना; सार्वजनिक नीति में परिवर्तन, शिकायतों का समाधान आदि। ऐसी भागीदारी की पद्धति को विभिन्न किस्म के कार्यकलापों के साथ एक सीढ़ी के रूप में बताया गया है जो भागीदारी की भिन्न-भिन्न मात्राओं अथवा गहनता की द्योतक है। उदाहरण के लिए, उन्हें परामर्श करके शुरू किया जा सकता है, जिससे कि नागरिकों की जरूरतों और मांगों पर ध्यान दिया जा सके और जिसके अन्तर्गत परामर्श बैठकें, ग्राहक फीडबैक, सर्वेक्षण, गृह दौरे आदि सम्मिलित होंगे। अधिक गहनतापूर्वक भागीदारी से, कार्यकलापों की संस्थागत पद्धतियों का निर्माण होगा जैसे कि योजना, बजट पद्धति में सक्रिय भागीदारी और ऑडिट व बजट समितियों आदि में सदस्यता के माध्यम से कार्यक्रमों का मानीटरिंग।

द्वितीय प्रशासनिक सुधार आयोग का विचार है कि शासन में नागरिकों की भागीदारी के सम्बन्ध में पद्धति की निम्नलिखित प्रमुख रूपों में परिकल्पनाएं की जाएं :

(*i*) जानकारी चाहने वाले नागरिक,

(*ii*) सुझाव देने वाले नागरिक,

(*iii*) बेहतर सेवाओं की मांग करने वाले नागरिक

(*iv*) नागरिकों द्वारा सेवा प्रदाता व अन्य सरकारी एजेंसियों को जवाबदेह ठहराया जाना और

(*v*) प्रशासन/निर्माण में सक्रिय नागरिक भागीदारी।

प्रशासन में जनसहभागिता : भारत में समस्याएं और चुनौतियां

एक जनतन्त्रात्मक और प्रभावशाली लोक प्रशासन के सम्बन्ध में धारणा है कि लोक प्रशासन जनता की इच्छानुसार या सहयोग पर टिका होना चाहिए। सरकारी एजेन्सियों और अधिकारियों द्वारा किए गए कार्यों में जनता की इच्छाओं, लिप्साओं तथा मांगों की झलक होनी चाहिए।

स्वतन्त्रता के बाद भारत ने लोकतान्त्रिक शासन व्यवस्था का ऐसा प्रतिमान अपनाया जिसमें शासन कार्यों के प्रबन्ध में जनसहभागिता की आवश्यकता को विशेष तौर से स्वीकार किया गया है। भारत के राजनीतिक और आर्थिक विकास में जनसहभागिता को उसके अभिन्न अंग के रूप में मान्यता मिली। भारत में पंचायती राज और लोकतान्त्रिक विकेन्द्रीकरण की योजना की जिम्मेदारी स्वयं झेले। 1952 में अपनाए गए सामुदायिक विकास कार्यक्रम का आरम्भ इसलिए किया गया ताकि आर्थिक नियोजन एवं सामाजिक पुनरुद्धार की राष्ट्रीय योजनाओं के प्रति देश की ग्रामीण जनता में सक्रिय रुचि पैदा की जा सके। पहली से ग्यारहवीं पंचवर्षीय योजनाओं के प्रारूप दस्तावेजों में योजना निर्माण और कार्यान्वयन प्रक्रियाओं में नागरिकों की सहभागिता की आवश्यकता का उल्लेख बार-बार किया गया है, जिसका आवर्ती विषय विकास योजनाओं में स्वयं जनता की सक्रिय प्रेरणा, सहभागिता और उन्हें शामिल करके भारतीय जनमानस का सामाजिक, आर्थिक और राजनीतिक विकास करना है।

भारत में प्रशासन में जनसहभागिता को मूर्त रूप देने के निम्नांकित मंच हैं :

1. जिला स्तर पर जिला जन शिकायत निवारण समितियां।
2. स्वयंसेवी संस्थाओं द्वारा आयोजित की जाने वाली संगोष्ठियां एवं विचार-विमर्श।
3. विश्वविद्यालयों द्वारा आयोजित की जाने वाली गोष्ठियां और विचार-विमर्श।
4. दबाव तथा हित समूह।
5. राजनीतिक दलों के संगठन, सभाएं और गोष्ठियां।
6. गांव, प्रखण्ड तथा जिला स्तर पर पंचायती राज संस्थाएं। "निम्नतम स्तर पर पंचायती राज संस्थाएं विकास कार्यों में जनता की अधिकाधिक सहभागिता और रुचि को सुनिश्चित करती हैं।"

जनता के विचारों, आकांक्षाओं और मांगों को राजनीतिक दलों, दबाव समूहों, प्रेस और स्वयंसेवी संस्थाओं जैसे विभिन्न अभिकरणों द्वारा भी व्यक्त किया जाता है। संस्थागत सहभागिता से संसद, राज्य विधानमण्डलों अथवा पंचायती राज संस्थाओं द्वारा सरकार की नीति तैयार करने में नागरिकों की सहभागिता का बोध है।

भारत में पुलिस प्रशासन, ग्रामीण विकास और नगरीय सरकार पर किए गए अध्ययन लोक प्रशासन के विषय में नागरिकों के ज्ञान को

अभिव्यक्त करते हैं। इन अध्ययनों से अग्रांकित निष्कर्ष उभरकर सामने आए हैं :

1. प्रशासन द्वारा धनी-निर्धन का भेदभाव करना और अधिकारियों की सामान्य प्रवृत्ति निर्धनों की उपेक्षा करने की;
2. कार्यों को करवाने के लिए मध्यस्थों की आवश्यकता;
3. प्रशासनिक अधिकारियों में व्याप्त भ्रष्टाचार;
4. प्रशासन में निष्पक्ष आचरण का अभाव;
5. प्रशासन में अत्यधिक विलम्ब एवं टालमटोल;
6. प्रशासनिक प्रक्रियाओं के बारे में नागरिकों की अनभिज्ञता।

वस्तुतः भारत में प्रशासन में जनता की सहभागिता की अभिवृद्धि के मार्ग में कई बाधाएं हैं। भारत में साक्षरता का निम्न स्तर पाया जाता है। निर्धनता, निष्क्रियता और न्यस्त स्वार्थों में व्यस्तता के कारण सार्वजनिक कार्यों में आम जनता में उदासीनता की प्रवृत्ति पाई जाती है। औपनिवेशिक विरासत, सामाजिक एकता का अभाव और निरक्षरता के कारण लोग प्रशासनिक कार्यों में रुचि नहीं लेते। आम जनता की निष्क्रियता और जीहुजूरी की प्रवृत्ति के कारण नागरिक और प्रशासन के बीच सन्तुलित सम्बन्ध विकसित नहीं हो पाए हैं।

चूंकि भारत में विकास प्रशासन के प्रतिमान को क्रियान्वित किया जा रहा है, अतः प्रशासन में जनसहभागिता की अपरिहार्यता एक जन आन्दोलन के रूप में प्रतिबिम्बित होनी चाहिए, क्योंकि यह केवल विकास का साधन ही नहीं अपितु अपने आप में एक विकास लक्ष्य भी है।

आलोचकों के अनुसार, "प्रशासन में जनसहभागिता एक लोकतान्त्रिक शब्दाडम्बर मात्र है जिसे जब व्यवहार में बदला जाता है तो वह नागरिकों के कष्टनिवारण की स्थिति मात्र बन जाती सी प्रतीत होती है।" एक अन्य आलोचक के अनुसार, "भारत में प्रशासन में जनता की भागीदारी बहुत हद तक एक कल्पना रही है।"

नागरिक अधिकार पत्र : अवधारणा, उद्देश्य तथा महत्व

नागरिक चार्टर एक ऐसा दस्तावेज है जिसका उद्देश्य किसी संगठन को पारदर्शी, जवाबदेह और नागरिक-अनुकूल बनाना है। एक नागरिक चार्टर मूलतः संगठन द्वारा प्रदान की जाने वाली सेवा के मानकों के सम्बन्ध में की गई वचनाबद्धताओं का एक सेट है। प्रत्येक नागरिक चार्टर में, उसे सार्थक बनाने के लिए अनेक अनिवार्य घटक होते हैं : पहला, संगठन की दूरदृष्टि और मिशन वक्तव्य होता है। इसमें वांछित आउटकम और उन लक्ष्यों और आउटकमो को प्राप्त करने के लिए सामान्य कार्यनीति का उल्लेख होता है। दूसरे, नागरिक चार्टर में संगठन द्वारा इस बात का स्पष्ट उल्लेख होना चाहिए कि वह किन विषयों से सम्बन्धित है और उसके मुख्य-मुख्य सेवा क्षेत्र क्या हैं। इससे उपभोक्ताओं को उन सेवाओं की किस्म को समझने में मदद मिलती है जिनकी वे किसी विशेष सेवा प्रदाता से उम्मीद कर सकते हैं। ये प्रतिबद्धताएं/वायदे नागरिक चार्टर के केन्द्र-बिन्दु होते हैं। यद्यपि ये वायदे किसी न्यायालय में प्रवर्तनीय नहीं हैं फिर भी प्रत्येक संगठन को यह सुनिश्चित करना चाहिए कि किए गए वायदे पूरे किए जाएं और किसी चूक के मामले में उपयुक्त क्षतिपूर्ति/उपचारात्मक पद्धति की व्यवस्था की जानी चाहिए। तीसरे, नागरिक चार्टर में चार्टर के सन्दर्भ में नागरिकों की जिम्मेदारियां भी निर्धारित की जानी चाहिए।

नागरिक चार्टर की अवधारणा

नागरिक चार्टर, जब 1990 के दशक के प्रारम्भ में लागू किए गए थे, उस समय ये सार्वजनिक सेवाएं प्रदान करने में उल्लेखनीय बदलाव का द्योतक थे। नागरिक चार्टर के अन्तर्गत सार्वजनिक सेवाओं के ग्राहकों के रूप में नागरिकों पर बल दिया जाता है। नागरिक चार्टर स्कीम, अपने वर्तमान रूप में सर्वप्रथम यू.के. में 1991 में प्रारम्भ की गई थी। इसका उद्देश्य यह सुनिश्चित करना था कि सार्वजनिक सेवाओं को उन नागरिकों के प्रति प्रतिक्रियाशील बनाया जाए जिनकी वे सेवा करती हैं। "नागरिक चार्टर पर प्रथम रिपोर्ट की प्रस्तावना" में, जिसे 1992 में प्रधानमन्त्री जॉन मेजर ने जारी किया था, निम्न प्रकार परिभाषा स्पष्ट की गई थी :

"नागरिक चार्टर के अन्तर्गत सार्वजनिक सेवाओं को उन लोगों की दृष्टि से देखा जाता है जो इनका उपयोग करते हैं। काफी समय तक प्रदाताओं का प्रभुत्व था अब उपभोक्ता की बारी है। नागरिक चार्टर से गुणवत्ता में सुधार होगा, चयनात्मकता में वृद्धि होगी, बेहतर मूल्य प्राप्त होगा तथा जवाबदेही का विस्तार होगा।"

नागरिक चार्टर एक सार्वजनिक वक्तव्य होता है, जिसमें विशिष्ट सेवा के सम्बन्ध में नागरिकों की हकदारी, सेवा के मानकों, उपभोक्ताओं द्वारा पूरी की जाने वाली शर्तों और मानकों का अनुपालन न किए जाने की स्थिति में उपभोक्ताओं के लिए उपलब्ध उपचारों का उल्लेख होता है। चार्टर अवधारणा नागरिकों को सेवा के वचनबद्ध मानकों की मांग करने के लिए सशक्त बनाती है। इस प्रकार, नागरिक चार्टर के अन्तर्गत यह सुनिश्चित करके कि ये सेवाएं आपूर्ति प्रेरित न होकर मांग प्रेरित हों, सार्वजनिक सेवाओं को नागरिक-केन्द्रित बनाना है। इस सन्दर्भ में नागरिक चार्टर अभियान के मूल रूप से परिकल्पित छः सिद्धान्त निम्न प्रकार थेः

1. **गुणवत्ता :** सेवाओं की गुणवत्ता में सुधार करना;
2. **चयन :** उपभोक्ताओं के लिए जहां कहीं सम्भव हो;
3. **मानक :** यह विनिर्दिष्ट करते हुए कि एक समय सीमा के अन्दर क्या उम्मीद की जानी चाहिए;
4. **मूल्य :** करदाता के धन के लिए;
5. **जवाबदेही :** सेवा प्रदाता की (अलग-अलग और साथ ही संगठन की); और
6. **पारदर्शिता :** नियमों, प्रक्रियाओं, स्कीमों और शिकायत समाधान में।

इनमें 1998 में संशोधन करके सेवा प्रदाय के नौ सिद्धान्त बना दिए गए :

1. सेवा के निर्धारित मानक;

2. पारदर्शी होना चाहिए और पूरी जानकारी दी जानी चाहिए;
3. परामर्श और भागीदारी;
4. सुलभता को प्रोत्साहन और चयन को बढ़ावा;
5. सभी के साथ उचित व्यवहार;
6. गलत मार्ग पर जाने पर उन्हें सही दिशा में मोड़ना
7. संसाधनों का प्रभावी ढंग से उपयोग;
8. नवाचार और सुधार; और
9. अन्य प्रदाताओं के साथ काम करना।

चार्टर के लाभ

1. इससे व्यवस्था में समयबद्धता आएगी;
2. इससे संगठन के प्रति प्रतिबद्धता उत्पन्न होगी;
3. जनता की सहभागिता प्राप्त होगी;
4. उपभोक्ता शिक्षित होगा तथा उसमें जागरूकता की भावना उत्पन्न होगी;
5. इससे पादर्शिता, जागरूकता का विस्तार होगा;
6. इससे सेवा की गुणवत्ता में विस्तार होगा;
7. समस्याओं का समाधान हो सकेगा;
8. प्रशासन अधिक कुशल और उत्तरदायी हो सकेगी;
9. लोक सेवा का सुधार होगा;
10. जनता को सूचना का अधिकार प्राप्त होगा।

सी.एन.र के अनुसार नागरिक चार्टर का लाभ लेने के लिए निम्न बातों का ध्यान रखना पड़ेगा।

1. चार्टर का निर्माण और मन्त्री से स्वीकृति;
2. चार्टर का प्रचार-प्रसार;
3. इकाइयों से चार्टर के सिद्धान्तों पर समझौता;
4. नियन्त्रक एवं क्रियात्मक स्टाफ को उचित प्रशिक्षण;
5. प्रत्येक स्तर पर इकाई के स्टाफ से संचार;
6. प्रत्येक सेवा के लिए बजट, कम्प्यूटरीकरण आदि;
7. नागरिक एवं उपभोक्ता द्वारा जाँच की व्यवस्था
8. विभाजित प्रक्रिया की जानकारी जनता एवं स्टाफ को देना
9. अधिकारी तक पहुँच की व्यवस्था।

नागरिक चार्टर के उद्देश्य

नागरिक चार्टर का उद्देश्य सार्वजनिक सेवाओं के वितरण में नागरिक भागीदारी को बढ़ाना, जनता और सरकार के बीच संचार को बढ़ावा देना और नागरिकों की आवश्यकताओं को बेहतर ढंग से पूरा करने के लिए सरकारी कार्यों को सुव्यवस्थित करना है। नागरिक चार्टर के कुछ अन्य महत्वपूर्ण उद्देश्य निम्नलिखित हैं।

मानक

चार्टर में स्पष्ट रूप से उन शर्तों को परिभाषित किया जाना चाहिए जिन्हें सेवाएं प्रदान करने से पहले पूरा किया जाना चाहिए ताकि यह सुनिश्चित किया जा सके कि ग्राहकों को यह जानकारी हो कि उन्हें सेवा प्रदाताओं से क्या अपेक्षा करनी चाहिए। ये आवश्यकताएं विशिष्ट, मापनीय, सटीक, समयानुकूल और प्रासंगिक होनी चाहिए। निर्धारित आवश्यकताओं के संबंध में वास्तविक प्रदर्शन की स्वतंत्र रूप से पुष्टि करना तथा उसे सार्वजनिक करना आवश्यक है। संगठनों को ऐसे मानक और उद्देश्य निर्धारित करने से रोकना अत्यंत आवश्यक है, जो उनकी सुविधा को सम्पूर्ण समाज की आवश्यकताओं से ऊपर रखते हैं।

सूचना और खुलापन

उत्कृष्ट ग्राहक सेवा प्रदान करना लोगों को सही समय और स्थान पर सटीक, उपयोगी जानकारी देने पर निर्भर करता है। प्रदान की जाने वाली सेवाओं, अपेक्षित सेवा के स्तर और गुणवत्ता, शिकायत निवारण के लिए उपलब्ध माध्यमों आदि के संबंध में चार्टर व्यापक, विशिष्ट और समझने में आसान होने चाहिए। वेबसाइट, पोस्टर, पुस्तिकाएं और मैनुअल, सूचना एकत्र करने के लिए निवासियों के पास उपलब्ध कुछ उपकरण मात्र हैं।

विकल्प और परामर्श

जब भी संभव हो, चार्टर को उपयोगकर्ताओं को विविध विकल्प प्रदान करने चाहिए। सेया मानक स्थापित करने और सेवा वितरण की क्षमता का मूल्यांकन करने के लिए, सेवा उपभोक्ताओं के साथ नियमित और व्यवस्थित संचार होना चाहिए।

शिष्टाचार और सहायकर्ता

चार्टर एक ऐसा माहौल बनाने में मदद कर सकता है जहां सार्वजनिक कर्मचारी स्वागतपूर्ण और विनम्र तरीके से सेवाएँ प्रदान करते हैं। इसके अतिरिक्त, 'नाम बैज', 'क्या मैं आपकी मदद कर सकता हूँ' और इसी तरह की अन्य अभिव्यक्तियों जैसे शिष्टाचार के छोटे-छोटे कार्य क्लाइंट के आत्मविश्वास को काफी बढ़ा सकते हैं।

प्रभावी शिकायत निवारण और बेहतर ग्राहक सेवा एक साथ चलते हैं

सबसे पहले, समस्याओं के कारणों को सुगम बनाकर और उन पर ध्यान देकर कम किया जा सकता है। दूसरा, सेवा प्रदाता शिकायतों में 'प्रवृत्ति' का पता लगाकर लगातार और प्रणालीगत मुद्दों का समाधान कर सकता है।

नागरिक चार्टर का महत्व

नागरिक चार्टर सार्वजनिक सेवाएं प्रदान करने के लिए जिम्मेदार लोगों की जवाबदेही बढ़ाता है। आवश्यकतानुसार नागरिकों को सेवाएं उपलब्ध कराता है। आपूर्ति में अत्यधिक देरी के लिए मुआवजा मांगने की शक्ति रखता

है और एक पेशेवर और उत्तरदायी वातावरण की गारंटी देता है। उदाहरण के लिए, यूरोप में, जिन लोगों की ट्रेनें देरी से चलती हैं, उन्हें मुआवजा मिलता है। सार्वजनिक छवि की उपस्थिति संगठन के प्रदर्शन और दक्षता को बढ़ाती है। जिस परिवेश में सेवाएं प्रदान की जाती हैं उसका उनकी विशेषज्ञता और ग्राहक-केन्द्रितता पर प्रभाव पड़ता है। भ्रष्टाचार की संभावना कम हो जाती है।

भारत में नागरिक चार्टर

भारत में नागरिक चार्टर पहल 1997 में शुरू की गई थी। इसका उद्देश्य सार्वजनिक सेवाओं में सुधार करना और नागरिकों की आवश्यकताओं के प्रति जवाबदेही बढ़ाना था। प्रशासनिक सुधार एवं लोक शिकायत विभाग (डीएआरपीजी) ने नागरिक चार्टर के आयोजन, निर्माण और कार्यान्वयन में अग्रणी भूमिका निभाई। डीएआरपीजी भारत सरकार के कार्मिक, लोक शिकायत और पेंशन मंत्रालय के अंतर्गत नोडल एजेंसी है। यह राज्य और केंद्र सरकार दोनों स्तरों पर प्रशासनिक सुधारों और सार्वजनिक शिकायतों के निवारण पर ध्यान केंद्रित करता है। इसका मुख्यालय नई दिल्ली में स्थित है। मई 1998 में मुख्यमंत्रियों के बीच कार्य योजना के तहत संघीय और राज्य स्तर पर नागरिक चार्टर बनाने का निर्णय लिया गया था। प्रारंभिक कार्यान्वयन व्यापक सार्वजनिक संपर्क वाले सरकारी विभागों पर केंद्रित था, जैसे—भारतीय रेल, डाक विभाग, दूरसंचार विभाग, और सार्वजनिक वितरण प्रणाली विभाग।

राज्य सरकार और प्रशासनिक एजेंसियों ने 629 नागरिक चार्टर बनाए। केन्द्रीय सरकार के मंत्रालयों, विभागों और संगठनों ने 107 चार्टर विकसित किये। कई राष्ट्रीय चार्टर सरकारी वेबसाइटों पर सार्वजनिक समीक्षा के लिए उपलब्ध हैं। नागरिक चार्टर वाले संगठनों को जागरूकता अभियानों और अन्य माध्यमों से उन्हें बढ़ावा देने के लिए प्रोत्साहित किया जाता है।

नैतिकता तथा जन जवाबदेयता

किसी भी संगठन में कार्यकुशलता के लिए मनोबल और नैतिकता का स्तर ऊँचा होना चाहिए। लेकिन हमारे देश में लोककर्मचारियों का विद्यमान नैतिक स्तर पर्याप्त ऊँचा नहीं है और उसमें सुधार की काफी गुंजाइश है। जनता की अपने शासकों की नैतिकता तथा ईमानदारी पर से आस्था डिग गयी है। भ्रष्टाचार, पक्षपात, सगे-सम्बन्धियों के प्रति पक्षपातपूर्ण व्यवहार जैसे दोषों से वातावरण परिपूर्ण है।

शासन का व्यापक आकार और समाज के जीवन पर उसका बढ़ता प्रभाव—इसके कारण सरकारी कर्मचारियों के नैतिक स्तर का अधिक ऊँचा होना आवश्यक है। ताकि वे आचरण का अनुकरणीय उदाहरण प्रस्तुत करें, क्योंकि समाज के चरित्र पर उनके कार्यों का व्यापक प्रभाव पड़ता है।

सम्भवतः किसी अधिकारी के अनुचित आचरण को रोकने का सबसे अच्छा तरीका है कि उसे प्रत्यक्षतः अपने वरिष्ठ अधिकारी के प्रति और अप्रत्यक्षतः मन्त्री के द्वारा संसद के प्रति अपने आचरण के औचित्य के लिए उत्तरदायी होना चाहिए। निर्णयों के प्रकाशन भी इस कार्य में सहायक हो सकते हैं। उदाहरण के लिए परमिट, लाइसेन्स, टेण्डर तथा ठेके जिन व्यक्तियों को दिये जायें उनकी सूची प्रकाशित की जानी चाहिए। ऐसी व्यवस्था से अधिकारी के कार्यों की सार्वजनिक परिनिरीक्षा सम्भव हो सकेगी।

विधि का शासन

विधि के शासन का आदर्श मॉडल ब्रिटेन है। ब्रिटेन में विधि का शासन है जिसमें कानून के समक्ष सभी बराबर हैं और कानून सभी के सम्बन्ध में एक समान लागू होता है। वहाँ सरकारी कर्मचारी और साधारण नागरिक में कोई अन्तर नहीं किया गया है। डायसी ने विधि के शासन (Rule of Law) की व्याख्या तीन अर्थों में की है।

1. किसी को शारीरिक या आर्थिक दण्ड केवल कानून के अनुसार ही, कानून का उल्लंघन करने पर और साधारण न्यायालय में उसके सिद्ध होने पर दिया जा सकता है।
2. प्रत्येक नागरिक कानून के समक्ष बराबर है एवं कोई भी व्यक्ति कानून से ऊपर नहीं है। प्रत्येक नागरिक देश के सामान्य कानून के अधीन है। सभी के लिए एक ही कानून है और सभी कानून के समक्ष बराबर हैं।
3. संविधान के सामान्य सिद्धान्त उन न्यायिक निर्णयों के परिणाम हैं जो न्यायालयों के सामने समय-समय पर लगाये गये अभियोगों में दिए गए हैं और जिनके द्वारा नागरिकों के अधिकारों की रक्षा हुई है।

फ्रांस के कर्मचारी प्रशासकीय विधि के अधीन होते हैं। साधारण नागरिक सामान्य विधियों के अधीन होते हैं। इस प्रकार प्रशासकीय विधि सामान्य विधि से फ्रांस में अलग होने के कारण वहाँ विधि का शासन नहीं है।

प्रशासकीय कानून

अपने व्यापक अर्थ में प्रशासकीय कानून शासन के सभी अंगों के प्रशासन से सम्बन्धित कानून या विधि है। प्रशासकीय कानून उन सिद्धान्तों का सामूहिक रूप है जिसका सम्बन्ध प्रशासन के उस भाग से है जो कानूनों को लागू करता है। सार्वजनिक कानून के दो प्रकार हैं—प्रशासकीय कानून एवं संवैधानिक कानून। संवैधानिक कानून सरकारी संगठनों के निर्माण से सम्बन्धित हैं, जबकि प्रशासकीय कानून उस संगठन के विभिन्न अंगों एवं उनके पारस्परिक सम्बनधों की व्याख्या करते हैं। परन्तु कुछ लोग संवैधानिक कानून को ही प्रशासकीय कानून मानते हैं। सामान्यतः प्रशासकीय कानून में हम संवैधानिक नियम, अधिनियम, प्रस्ताव, न्यायिक निर्णय, प्रशासकीय अधिकारियों के कार्य और उत्तरदायित्व की व्यवस्था अथवा व्याख्या विषयक निर्देश प्रस्तुत करने वाले आदेशों को रखते हैं। संकुचित अर्थ में प्रशासकीय कानून प्रशासकीय अधिकारियों की स्वविवेक सत्ता के प्रयोग से सम्बन्धित हैं जिसका प्रयोग उन्हें कुछ सीमाओं में करना होता है।

प्रशासकीय कानून की परिभाषा विभिन्न विद्वानों ने भिन्न-भिन्न प्रकार से की है:

प्रो. डायसी ने फ्रांस के सन्दर्भ में इसे परिभाषित करते हुए कहा है कि "फ्रांस की प्रशासकीय विधि प्रशासनिक अधिकारियों के अधिकारों एवं कर्तव्यों के वे सिद्धान्त हैं जिनके आधार पर राजसत्ता के प्रतिनिधि के रूप में राज्य के कर्मचारियों और जनता के पारस्परिक व्यवहार का निर्णय एवं नियन्त्रण होता है।"

आइवर जेनिंग्स के शब्दों में, "प्रशासकीय कानून प्रशासन से सम्बन्धित कानून है। यह प्रशासकीय अधिकारियों के संगठन, कार्यों एवं उनकी शक्तियों का निर्धारण करता है तथा व्यक्ति को उसके अधिकारों के उल्लंघन की दशा में उपचारों का पता देता है।"

एफ. जी. गुडनाऊ के अनुसार, "प्रशासकीय कानून सार्वजनिक कानून का वह भाग है जो प्रशासकीय पदाधिकारियों के संगठन तथा उनकी समर्थता का निश्चय करता है तथा व्यक्ति को सूचित करता है कि उसके अधिकारों का उल्लंघन होने पर क्या उपचार प्राप्य हैं।"

सी.एफ. स्ट्रांग के शब्दों में, "प्रशासकीय कानून उन नियमों का संग्रह है जो नागरिकों के प्रति प्रशासकीय अधिकारियों के सम्बन्धों का नियमन करते हैं तथा राज्य अधिकारियों के पद एवं दायित्वों तथा इन अधिकारियों एवं राज्य के प्रतिनिधियों के साथ व्यवहार करते समय नागरिकों के अधिकारों और दायित्वों तथा इनको लागू करने की क्रियाविधियों का भी निर्धारण करते हैं।"

रेने डेविड के शब्दों में, "प्रशासकीय कानून का अर्थ उन नियमों से है जो लोक प्रशासन के संगठन तथा कर्तव्यों का ज्ञान कराते हैं और प्रशासनिक अधिकारियों तथा नागरिकों के पारस्परिक सम्बन्धों को नियमित करते हैं।"

प्रशासकीय कानून की उपर्युक्त परिभाषाओं से स्पष्ट होता है कि प्रशासकीय कानून वैसे कानून हैं जिनसे सरकारी कर्मचारियों तथा साधारण जनता का सम्बन्ध निर्धारित होता है तथा जो सामान्य कानून से भिन्न हैं, क्योंकि सामान्य कानून जनता के आपसी सम्बन्धों को निर्धारित करते हैं। इस कानून के अन्तर्गत सरकार अथवा सरकारी कर्मचारियों तथा नागरिकों के बीच के विवादों का निर्णय सामान्य न्यायालय में नहीं होता। ऐसे विवादों का निर्णय प्रशासकीय कानून के आधार पर प्रशासकीय न्यायालयों में होता है, ताकि सरकारी कर्मचारी अपने कर्तव्यों का निर्वाह करते समय अथवा सरकारी आदेशों और कानूनों को लागू करते समय यदि कोई गलती कर जायें तो उन्हें इसके लिए व्यक्तिगत रूप से दोषी न ठहराया जाये।

प्रशासकीय कानून की विशेषताएँ

विभिन्न लेखकों के विचारों के आधार पर प्रशासकीय कानून की निम्न विशेषताएँ हो सकती हैं–

1. यह सरकारी अधिकारियों को उनके सरकारी कार्यों के लिए साधारण न्यायालयों के क्षेत्राधिकार से उन्मुक्ति प्रदान करता है।
2. जब नागरिक अधिकारियों के विरुद्ध उनके गलत कार्यों के लिए कोई मुकद्दमा चलाना चाहते हैं तो इसके तहत् 'विशेष न्यायाधिकरण' जैसे–'CAT' की स्थापना की जाती है।
3. प्रशासकीय कानून आदेशों की वैधता से सम्बन्धित नियमों का विवरण प्रस्तुत करता है।
4. प्रशासकीय विधि सरकारी कार्यों और वैयक्तिक कार्यों के मध्य अन्तर स्पष्ट करती है।
5. प्रशासकीय कानून नागरिकों को राज्य अधिकारियों के निरंकुश कार्यों से हुई हानि की क्षतिपूर्ति दिलाने में मदद करता है।
6. प्रशासकीय कानून प्रशासकीय अधिकारियों की समर्थता का निर्धारण करता है।
7. यह नागरिकों के प्रति प्रशासकीय अधिकारियों के सम्बन्धों का नियमन करता है।
8. प्रशासकीय कानून राज्य अधिकारियों के पदों और नागरिकों के दायित्वों एवं अधिकारों का निर्धारण करता है।
9. यह इन अधिकारों और दायित्वों को लागू करने की विधि का निर्धारण करता है।
10. प्रशासकीय विधि पीड़ितों को उपचार प्राप्त करने के तरीकों का ज्ञान कराता है।

प्रशासकीय कानून के स्रोत

प्रशासकीय कानून में विभिन्न प्रकार के नियम, उपनियम, आदेश, निर्देश, प्रावधान और व्यवस्थाएँ तथा सीमाएँ और निर्णय शामिल हैं। इसके प्रमुख स्रोत हैं :

1. देश का संविधान,
2. विधायिका द्वारा पारित विधि या प्रस्ताव क्षेत्र,
3. आज्ञापत्र, स्थानीय निकाय कानून,
4. अध्यादेश, नियम, विनियम, प्रस्ताव, आदेश, निर्देश एवं निर्णय आदि जो प्रशासनिक अधिकारियों के द्वारा जारी किये गये हों; न्यायालय के निर्णय या न्यायिक निर्णय; तथा
5. रीति-रिवाज एवं परम्पराएं।

वास्तव में प्रशासन प्रशासकीय कानून की उपज और उसका जनक दोनों ही है। कुछ नियम एवं विनियम ऐसे हैं जो इसको शासित करते हैं तथा कुछ ऐसे भी हैं जिनके द्वारा यह शासित होता है।

प्रशासकीय कानून का क्षेत्र

प्रशासनिक कानून समस्त लोक प्रशासन को आच्छादित करता है, जहाँ तक कि औपचारिक कानूनों और नियमों द्वारा इस पर प्रभाव पड़ता है। वास्तविकता यह है कि यूरोप महाद्वीप के देशों में लोक प्रशासन का अध्ययन प्रशासनिक कानून के नाम के अन्तर्गत किया गया है। अमरीका में सामाजिक अनुसंधान परिषद् की लोक प्रशासन समिति ने 1938 में प्रशासनिक कानून के क्षेत्र में निम्न बातों को सम्मिलित किया था :

1. लोक कार्मिकों की समस्याएँ,
2. वित्तीय प्रशासन की समस्याएँ,

3. प्रशासकीय विवेक के सम्बन्ध में कानूनी शर्तें,
4. प्रशासनिक कानूनों तथा प्रशासनिक न्यायालय की समस्यायें,
5. प्रशासनिक नियन्त्रण अथवा नियमन,
6. प्रशासनिक परीक्षण की समस्यायें,
7. सरकारी ठेके,
8. सरकार के विरुद्ध मुकद्दमें,
9. प्रशासनिक कार्य के विरुद्ध उपचार,
10. व्यावसायिक संगठनों की मान्यता से सम्बन्धित प्रश्न,
11. प्रशासनिक समूहों की स्थिति और मान्यता सम्बन्धी कानून।

प्रत्यायोजित विधान

आधुनिक राज्यों के बढ़ते दायित्वों ने विधि के क्षेत्र में जिस अवधारणा को विकसित होने का अवसर दिया है, उनमें प्रत्यायोजित या प्रदत विधायन (Delegated Legislation) सर्वप्रमुख है। इससे आशय है– विधि बनाने की अपनी सत्ता का व्यवस्थापिका द्वारा कार्यपालिका एजेंसी को हस्तांतरण। इसे अधीनस्थ या द्वितीयक विधान भी कहा जाता है। इसी कारण यह कार्यपालिका विधि-निर्माण के नाम से भी प्रसिद्ध है। इस प्रकार के विधि-निर्माण का अधिकार दूसरों से प्राप्त किया जाता है, इसका अपना निजी स्वत्वाधिकार नहीं है, अतः इसे अधीनस्थ विधि-निर्माण (Subordinate Legislation) भी कहते हैं; अर्थात् जिस अधिनियम के अन्तर्गत इसका प्रयोग किया गया है, यह उसके ही अधीन होते हैं। यदि यह अपने मूल अधिनियम का अतिक्रमण करता है या उस अधिनियम के अधिकारों का उल्लंघन करता है तो यह अवैध होता है। मन्त्रियों के अधिकारों से सम्बन्धित समिति ने [इसे डोनोमोर समिति (Donoughmore Committee) भी कहते हैं क्योंकि अर्ल ऑव डोनोमोर इसके सभापति थे] प्रदत्त-विधान की परिभाषा इस प्रकार की है : "व्याकरण में 'विधि-निर्माण' शब्द के दो अर्थ हैं—कानून निर्माण या प्रवर्तन सम्बन्धी कार्य और उसके फलस्वरूप निर्मित कानून। अतः 'प्रदत्त विधि-निर्माण' का अर्थ किसी अधीनस्थ अधिकारी, जैसे मन्त्री द्वारा (जिसे संसद प्रदत्त विधायी शक्ति के प्रयोग का अधिकार देती है) निर्मित कानूनों से है, या उसका अर्थ उन सहायक कानूनों से होता है जो मन्त्रियों द्वारा विभागीय विनियमों के रूप में एवं अन्य सांविधिक नियमों तथा आदेशों के रूप में पारित किये जाते हैं।"

फिर भी, प्रदत्त विधि-निर्माण का विकास अपेक्षाकृत नवीन है। राज्य के सकारात्मक कार्यों का यह प्रतिबिम्ब है। सरकारी दृष्टिकोण अब पूर्णतः बदल गया है। इसका कारण यह है कि समाज में लोगों के आर्थिक एवं राजनीतिक विचार बदल गये हैं और प्रौद्योगिकी तथा विज्ञान के क्षेत्र में उत्तरोत्तर प्रगति के फलस्वरूप मानव जीवन में परिवर्तन आ गया है। राज्य अब सामाजिक जीवन रूपी नदी के तट पर ही बैठकर देखने से सन्तुष्ट नहीं है। इसके कार्य अब निश्चय ही सकारात्मक हैं और राज्य के अन्तर्गत दोनों के 'आद्योपान्त' जीवन की व्यवस्था भी सम्मिलित हो गयी है। इसका लक्ष्य जन-कल्याण की सचेत उन्नति है। सरकार के कार्यों की अवधारणा में जो यह परिवर्तन हुआ है उसका गम्भीर प्रभाव सांविधिक पुस्तक (Statute Book) पर पड़ा है। स्पष्ट है कि राज्य के इस भावात्मक कार्य के लिए बड़ी संख्या में विधान की आवश्यकता है। संसद के पास इतना समय (तथा क्षमता) नहीं है कि वह लोक प्रशासन की योजनाओं को क्रियान्वित करने के लिए बड़ी संख्या में विस्तृत अधिनियम पारित करे। विधानमण्डल पर कार्यभार की वृद्धि का परिणाम अपरिहार्यतः प्रदत्त विधि-निर्माण है। संसद के कानूनों से इसका सीधा सम्बन्ध सरकार के विचार में—उसी प्रकार है "जैसे बच्चे का माता-पिता से सम्बन्ध होता है और जिस प्रकार बच्चे को बड़ा होने पर माता-पिता के कार्य के बोझ को हल्का करना पड़ता है तथा माता-पिता मुख्य-मुख्य कार्यों की देखभाल करते हैं और छोटे-मोटे अन्य कार्यों की देखभाल बालकों द्वारा की जाती है।"

प्रदत्त विधि-निर्माण कई नामों से जाना जाता है, जैसे—विनियम, नियम, आदेश, योजनाएँ, अधिपत्र, निदेशन, अनुज्ञप्तियाँ, उपविधियाँ, अनुमोदन, सलेख, विवरण इत्यादि। संयुक्त राज्य अमरीका में अधीनस्थ कानूनों को नियम, विनियम, अनुदेश, सामान्य आदेश, परिपत्र, सूचनापत्र, विवरणिका, स्मृतिपत्र इत्यादि कहते हैं। ये विभिन्न शब्द अस्पष्ट हैं और इनका प्रयोग बिना किसी भेदभाव के किया जाता है।

प्रदत्तीकरण की आवश्यकता

भारत जैसे एक कल्याणकारी राज्य में प्रदत्त विधि-निर्माण निर्विवाद रूप से अपरिहार्य है, इसके कारण निम्नवत् हैं :

1. **संसद पर कार्याधिक्य के कारण दबाव :** कल्याणकारी राज्य में विधायी कार्य बहुत अधिक होते हैं। विधायी कार्य के आधिक्य ने यह अनिवार्य बना दिया है कि संसद ऐसे कानूनों का निर्माण करे जिनमें मुख्य-मुख्य सिद्धान्त समंगीकृत हों और उनकी विस्तृत बातों का भार कार्यपालिका के विभागों पर छोड़ दिया जाये। इस तथ्य के बावजूद कि संसद ने कार्य करने के दिनों की संख्या में वृद्धि कर दी है, कार्य की गति बढ़ाने हेतु वादविवाद का समापन (Guillotine Closure) जैसे युक्तियों का प्रयोग प्रारम्भ कर दिया है तथा प्रशासकीय विभागों को अधीनस्थ विधायी शक्तियों का प्रदत्तीकरण करके विधान के कार्य में वृद्धि कर दी गयी, प्रदत्तीकरण अपरिहार्य है। स्वतन्त्रता प्राप्ति के पूर्व भारत में प्रति वर्ष लगभग 25-30 ऐसे अधिनियम निर्मित किये जाते थे। यह संख्या स्वातन्त्र्योत्तर काल में लगभग तीन गुनी हो गयी है और अब संसद वर्ष में औसतन 70-80 विधेयकों का अधिनियमन करती है।
2. **विषय-वस्तु का वैज्ञानिक तथा प्राविधिक रूप :** सामान्य शब्दों में, संसद जनसाधारण का निकाय है। इसके सदस्य जनसाधारण के प्रतिनिधि होते हैं। यह भी निश्चित है कि वे ज्ञान तथा विद्या के विभिन्न क्षेत्रों के प्रतिनिधि नहीं होते हैं। अतः वैज्ञानिक तथा प्राविधिक विषयों पर विचार-विमर्श करने सम्बन्धी संसद की क्षमता सीमित होती है। फिर भी, ऐसे मामले संसद के सम्मुख आते ही रहते हैं। संसद तकनीकी विवरणों पर विचार-विमर्श करने में असमर्थ है, अतः वह कार्यपालिका को इन्हें सौंप देती

है और कार्यपालिका ऐसे कार्यों को अन्तिम रूप देने से पूर्व विशेषज्ञों तथा उनसे सम्बंधित पक्षों से परामर्श करती है।

3. **लचीलेपन की आवश्यकता :** स्थानीय परिस्थितियों के अनुकूल प्रशासन चल सके, इसके लिए कानूनों में कुछ लचीलापन आवश्यक है। इस लचीलेपन की दृष्टि से कार्यपालिका को कुछ विधायी शक्तियाँ प्रदान करना आवश्यक है, अर्थात् सत्ता प्रदान की जानी है। डोनोमोर समिति के अनुसार, "अनेक कानून मनुष्य के जीवन पर इतना व्यापक प्रभाव डालते हैं कि उनमें लचीलापन अनिवार्य है। यह असम्भव है कि खसरा (measles) या पदास्य रोग (foot-and-mouth disease) को रोकने के सम्बन्ध में संसद द्वारा कोई अधिनियम बनाया जाये या वह यह निश्चित करे कि लोक स्वास्थ्य अधिनियम (Public Health Act) को देश के विभिन्न भागों में किस प्रकार से लागू करे।"

4. **अनपेक्षित आकस्मिकताओं की दृष्टि से आवश्यकता :** महायुद्ध, अकाल, महामारी, आर्थिक संकट जैसी संकटकालीन स्थितियों का सामना करने के लिए सरकार को शीघ्रतापूर्वक कार्य करने की आवश्यकता होती है। ऐसे मामलों में देर करना घातक होता है। इस बात की प्रतीक्षा करना न तो व्यावहारिक है और न ही बुद्धिमत्तापूर्ण कि संसद आपातस्थिति का सामना करने के लिए आवश्यक कार्रवाई के लिए कोई कानून पारित करे और तभी कार्य किया जाये। परिणामतः संसद ऐसी अनपेक्षित स्थितियों का सामना करने के लिए कार्यपालिका को विधायी शक्ति प्रदान कर देती है। महायुद्ध सबसे बड़ी आपात स्थिति है। इसके कारण बहुत-से प्रदत्त कानून बनाये जाते हैं। डोनोमोर समिति का कथन है कि "सच्चाई तो यह है कि संसद विधि-निर्माण की शक्ति के प्रदत्तीकरण के लिए तैयार नहीं होती तो वह (संसद) स्वयं आधुनिक लोकमत की आवश्यकता के अनुरूप विधान पारित करने के योग्य नहीं रह सकेगी।"

समाज-विज्ञानों के विश्वकोश में प्रदत्त विधि-निर्माण के बढ़ते हुए महत्व के सम्बन्ध में यह उल्लिखित है कि "व्यापक विधायी प्रदत्तीकरण को आधुनिक सकारात्मक राज्य की एक विशेषता समझना चाहिए। जटिल आर्थिक जगत् में सरकार के कार्यों सम्बन्धी बदलती हुई अवधारणाओं ने आधुनिक विधानमण्डलों पर निरन्तर बढ़ता भार डाल दिया है। व्यापार की वृद्धि के कारण भी प्रदत्तीकरण आवश्यक हो गया है। प्रजातन्त्र के प्रसार के कारण शासक वर्ग समाप्त हो गया है और विधायी निकायों के आधार पर वृद्धि हो गयी है तथा सदस्यों के कार्यों का स्वरूप बदल गया है .... शीघ्रता से परिवर्तित आर्थिक तथा सामाजिक व्यवस्था के लिए यह आवयक है कि सरकारी नियन्त्रण एवं विनियमन की हर योजना नमनीय होनी चाहिए। प्रशासकीय अभिकरणों से विशेषज्ञों की सेवाएँ प्राप्त होती हैं और ये अभिकरण प्रयोग कार्य के लिए विधानमण्डलों की अपेक्षा कहीं अधिक उपयुक्त होते हैं।"

प्रदत्त विधि–निर्माण की सर्वव्यापकता

प्रदत्त विधि-निर्माण के उत्थान एवं उसकी उन्नति के लिए उत्तरदायी तत्व विश्वव्यापी हैं तथा किसी भी विशेष शासकीय प्रणाली तक ही सीमित नहीं हैं। अतः प्रदत्त विधि-निर्माण एक सर्वव्यापी विकास की प्रक्रिया का परिणाम है। नवीन शक्तियों के अभाव के कारण इसकी गति में तीव्रता आयी है। ब्रिटेन में संसदीय अधिनियम, 1952 की सांविधिक पुस्तक में 375 पृष्ठ थे, जबकि सांविधिक संलेखों (Statutory Instruments) के प्रदत्त विधि-निर्माण सम्बन्धी प्रजातीय शब्द 3,980 पृष्ठों में थे। भारत में भी प्रदत्त विधि-निर्माण में पर्याप्त वृद्धि हो गयी है। इस विषय में आवश्यक संख्या उपलब्ध नहीं है। यही नहीं, संयुक्त राज्य अमरीका में भी, जहाँ का संविधान स्पष्ट रूप से शक्तियों के पृथक्करण के सिद्धान्त पर आधारित है, प्रदत्त विधि-निर्माण का आकार तथा क्षेत्र बढ़ रहा है। संयुक्त राज्य अमरीका के संविधान के अनुसार "सभी अनुदत्त विधायी शक्तियाँ कांग्रेस में निहित हैं [अनुच्छेद 1] तथा "कार्यपालिका शक्ति संयुक्त राज्य के राष्ट्रपति में निहित हैं [अनुच्छेद 2]।" संविधान प्रकटतः प्रदत्त विधि-निर्माण का निषेध करता है। फलस्वरूप, एक उलझन खड़ी हो गयी थी जो उच्चतम न्यायालय की समझदारी से समाप्त हो गयी है। उच्चतम न्यायालय ने हेम्पटन एण्ड कम्पनी बनाम यू. एस., 1928 (Hampton and Co. vs U.S., 1928) के प्रसिद्ध विवाद में प्रदत्त विधि-निर्माण का समर्थन किया है।

प्रदत्त विधि–निर्माण के प्रकार

प्रदत्त विधि-निर्माण के विकास के संबंध में न तो कोई दर्शन है, न तर्क और न ही कोई व्यवस्थित पद्धति। इसका जन्म किसी स्पष्ट उद्देश्य को पूरा करने के लिए नहीं हुआ है। इसका क्षेत्र तथा सीमाएँ अचानक ही आवश्यकतानुसार निर्धारित कर ली जाती हैं। वे किसी अवस्था पर आधारित नहीं हैं। डोनोमोर समिति ने प्रदत्त विधि-निर्माण के साधारण (Normal) तथा असाधारण (Exceptional) रूपों के मध्य भेद किया है।

1. **साधारण प्रदत्त विधि-निर्माण :** इसकी दो विशेषताएँ हैं : प्रथम, यह कि इसको जन्म देने वाले अधिनियम द्वारा इसकी सीमाएँ स्पष्टतः निर्धारित की जाती हैं, फलस्वरूप, न्यायपालिका द्वारा इसका प्रयोग किया जा सकता है; दूसरे, सिद्धान्तों के मामले में विधि-निर्माण या कर लगाने सम्बन्धी अधिकार को इसके द्वारा प्रदान नहीं किया जाता।

2. **असाधारण प्रदत्त विधि-निर्माण :** इसके अन्तर्गत निम्नलिखित प्रदत्तीकरण किये जाते हैं : प्रथम, सिद्धान्तों सम्बन्धी मामलों पर विधान बनाने, यहाँ तक कि कर लगाने के लिए विधायी शक्तियाँ प्रदान की जाती हैं; द्वितीय, संसदीय अधिनियमों को उस अधिनियम, जिसके द्वारा शक्तियाँ प्रदान की जाती हैं, या अन्य अधिनियम द्वारा संशोधित करने के लिए विधायी शक्तियाँ प्रदान की जाती हैं; जिससे संसद की सीमाओं का अनुमान लगाना कठिन हो जाता है; तथा अन्तिम, प्रदत्त सत्ता की कोई सीमा नहीं होती क्योंकि औपचारिक रूप से ही नहीं बल्कि यथार्थ रूप से न्यायालयों के नियन्त्रण का निषेध कर दिया जाता है।

प्रदत्त विधि–निर्माण के लाभ

1. व्यवस्थापिका के ऊपर से विधि निर्माण के दायित्व या बोझ को हल्का करता है।
2. विधि निर्माण में विशेषज्ञों की सहायता और योग्यता का उपयोग संभव होता है।
3. इसमें लचीलापन पाया जाता है। प्रत्यायोजित विधि को परिवर्तित परिस्थितियों के अनुरूप बदलना जहां संसद के लिए समय व श्रम साध्य है, वहीं कार्यपालिका के लिए यह अधिक आसान है।
4. आपात या आकस्मिक अवस्थाओं जैसे युद्ध, बाढ़ आदि के समय तत्काल निर्णय प्रत्यायोजित विधि के माध्यम से कार्यपालिका ले पाती है ।
5. प्रभावित व्यक्तियों से परामर्श करके विधि निर्माण जहां व्यवस्थापिका के लिए संभव नहीं है, वहीं कार्यपालिका के लिए यह आसान है और इससे 'विधि' अधिक लोकतांत्रिक हो जाती है।
6. कार्यपालिका अपनी कार्य, आवश्यकताओं के अनुरूप विधियों का निर्माण कर प्रशासन को अधिक प्रभावशाली बनाने में सफल हो पाती है।

प्रत्यायोजित विधि की हानियाँ

उपयुक्त लाभों के बावजूद प्रत्यायोजित विधि की कड़ी आलोचना की जाती है। विधि का कार्यपालिका को हस्तांतरण, हेवार्ट की दृष्टि में नवीन निरंकुशता को जन्म दे रहा है। डोनोमर समिति ने लिखा है कि ''भय यह है कि सेवक स्वामी न बन जाए।''

इसके निम्नलिखित दोष या खतरे बताए जाते हैं:

1. नागरिकों की स्वतंत्रता खतरे में पड़ जाती है। कार्यपालिका प्रत्यायोजित विधि की आड़ में नागरिक स्वतंत्रता पर अनेकानेक प्रतिबन्ध आरोपित करती है।
2. कभी-कभी संसद आवश्यकता से अधिक प्रत्यायोजन कर देती है, जैसे कर लगाने या स्वविवेकीय शक्तियों का हस्तांतरण। इससे कार्यपालिका निरंकुश बन जाती है और लोकतंत्र खतरे में पड़ जाता है।
3. अभिकरण प्रत्यायोजित विधि के तहत प्राप्त अधिकारों का स्वहित में प्रयोग करने लगते हैं।
4. कभी-कभी संसद संबंधित अधिनियम द्वारा प्रत्यायोजित विधि को न्यायिक निर्णय से भी मुक्त कर देती है।
5. बारम्बार विधि में परिवर्तन से कानून की अराजकता का राज्य खडा हो जाता है, और अव्यवस्था फैल जाती है।
6. जनता को भी प्रत्यायोजित विधि की सही समय पर जानकारी न होने से एक ओर तो वे इसका लाभ नहीं ले पाते, दूसरी ओर इससे होने वाली हानि का प्रतिकार भी नहीं कर पाते।

प्रत्यायोजित विधि के संरक्षक उपाय या नियंत्रण के उपाय

सेसिलकार के अनुसार उपयुक्त दोषों के बावजूद प्रत्यायोजित विधि एक आवश्यक बुराई है।

अतः इस पर नियंत्रण के उपाय किये जाने चाहिये, इसके उन्मूलन के नहीं, जो इस प्रकार हो सकते हैं:

1. निश्चित सीमा में प्रत्यायोजन हो। जितने से काम चल सकता है उससे अधिक प्रत्यायोजन नहीं किया जाये।
2. प्रत्यायोजित विधि में उसके उद्देश्य और कारणों का स्पष्टीकरण होना चाहिये।
3. प्रत्यायोजित विधि को संसद में अनुमोदन हेतु प्रस्तुत करना अनिवार्य हो।
4. प्रत्यायोजित विधि से संबंधित संसदीय अधिनियमो की समीक्षा संसद अपनी समिति के माध्यम से समय पर करे।
5. प्रत्यायोजित विधि को न्यायिक समीक्षा के योग्य बनाया जाये।
6. इसका उपयोग साधारण और सीमित उद्देश्यों के लिए होना चाहिये, करारोपण जैसे अतिमहत्व के विषय का नहीं।
7. जहां तक संभव हो प्रदत्त व्यवस्थापन मंत्री जैसी संसद के प्रति उत्तरदायी एजेन्सी को हो, निम्न स्तर पर नहीं।
8. प्रभावितों से परामर्श करके प्रत्यायोजित विधि का निर्माण हो।
9. प्रत्यायोजित विधि का व्यापक प्रचार प्रसार हो।
10. सामान्यतया सभी प्रत्यायोजित विधि निर्माण की एक समान प्रक्रिया हो। उल्लेखनीय है कि भारत में भी प्रदत्त व्यवस्थापन की समीक्षा हेतु संसदीय समिति होती है, जिसका सर्वप्रथम प्रयोग इंग्लैंड में किया गया था।

प्रदत्त व्यवस्थापन आज के समाज की एक अनिवार्यता है जिससे छूट नहीं पायी जा सकती। वस्तुतः जटिल होती परिस्थितियों और निरन्तर उद्भूत होने वाली भिन्न-भिन्न स्वरूप की समस्याओं के परिप्रेक्ष्य में प्रत्यायोजित विधि के विकास की आवश्यकता अधिक है।

यह अनिवार्य है क्योंकि उपयुक्त समस्याओं से निपटने के लिए संसद के पास समय नहीं है और बुराई इसलिए है कि यह शासक को वह सत्ता देती है जो मूलतः लोकतन्त्र में उसकी नहीं होनी चाहिए, अन्यथा उसका दुरुपयोग होता है। इस अनिवार्य बुराई को विवेच्य संरक्षक उपायों का सुरक्षा कवच पहनाकर उद्देश्योन्मुख बनाए रखने की प्रणाली विकसित करना ही सर्वप्रमुख आवश्यकता है।

प्रशासकीय अधिनिर्णय

प्रशासनिक न्यायनिर्णयन (Administrative Adjudication) गहन शसन प्रणाली और उसके परिणामस्वरूप कानून के समाजीकरण का उपोत्पाद है। अतः प्रशासनिक न्यायनिर्णयन और प्रत्यायोजित विधान के विकास के कारण समान हैं। पारंपरिक न्यायिक प्रणाली लोगों को न्याय की वह मात्रा और गुणवत्ता प्रदान नहीं कर सकती जो कल्याणकारी राज्य में आवश्यक

है। अतः प्रशासनिक अधिनिर्णय का विचार अस्तित्व में आया है। प्रशासकीय अधिनिर्णय के कई माध्यम हो सकते हैं; जैसे–(1) मन्त्री, (2) विभाग का स्थायी प्रधान, (3) प्रशासी न्यायाधिकरण, (4) कोई विशेष समिति या आयोग, (5) विशिष्टीकृत विधि न्यायालय, (6) एक-सदस्यीय न्यायाधिकरण अथवा (7) मिश्रित न्यायाधिकरण।

सरकारी कार्यों में असाधारण वृद्धि होने के परिणामस्वरूप कार्यपालिका के हाथों में अत्यधिक शक्ति केन्द्रित होती जा रही है। राज्य में बहुत-से विषयों पर विधि-निर्माण करना अत्यन्त आवश्यक होता है। परिणामतः कानूनों की संख्या बहुत अधिक बढ़ जाती है। यह स्थिति दो अपरिहार्य किन्तु दुःखद परिणामों को जन्म देती है : (1) अधिक मुकदमेबाजी तथा (2) व्यक्तियों की स्वतन्त्रता पर प्रतिबंध।

एक कल्याणकारी राज्य में सामान्य व्यक्ति के जीवन में सत्ता का हस्तक्षेप अपेक्षाकृत अधिक होता है। सत्ता तथा व्यक्तियों के मध्य विवाद उत्पन्न होते हैं। संविधि या न्यायाधिकरण के माध्यम से ऐसे विवादों का निर्णय किया जाता है। व्यक्ति के अधिकार तथा स्वतन्त्रता को बहुधा चुनौती दिया जाना एक अत्यन्त गम्भीर बात है। वैयक्तिक अधिकारों तथा लोकहित की माँग के मध्य समन्वय में कोई प्रयत्न उठा नहीं रखना चाहिए। ऐसे वांछित समझौते करना ही प्रशासकीय न्यायाधिकरणों का लक्ष्य है और होना भी चाहिए। प्रशासकीय सत्ता को चाहिए कि वह नागरिकों के सामान्य निकाय को 'सन्तोष' प्रदान करे कि लोकहित जिसकी उन्नति के लिए वह कृतसंकल्प है तथा वैयक्तिक हित जिसमें वह बाधक होता है, के मध्य सन्तुलन के प्रति वांछित सम्मान रखते हुए वह अग्रसर हो रहा है।

1957 में इण्डियन लॉ इन्स्टीट्यूट में राष्ट्रपति डॉ. राजेन्द्र प्रसाद के भाषण का सारांश भी यही था। उनका कथन था कि "जहाँ तक व्यक्ति की स्वतन्त्रता पर प्रतिबन्धों का सम्बन्ध है, हमें इस बात पर बिल्कुल भिन्न पहलू से ही विचार करना चाहिए। जहाँ पर एक ओर हम यह मानते हैं कि व्यक्ति को अधिकाधिक स्वतन्त्रता दी जाये वहाँ दूसरी ओर हमें यह भी मानना होगा कि एक कल्याणकारी राज्य में स्वयं के साथ तथा दूसरों के साथ व्यवहार करने में व्यक्ति की स्वतन्त्रता पर अधिक से अधिक नियन्त्रण होते हैं। श्रेष्ठ सरकार को ऐसे उत्तम साधन खोजने चाहिए जिनसे इन दो विरोधी विचारों में समन्वय किया जा सके। इसके लिए मध्य मार्ग खोज निकालना आवश्यक होता है।" राज्य तथा व्यक्ति के मध्य कराधान सम्बन्धी या औद्योगिक विवादों में स्वामी तथा कर्मचारी के बीच या किराया नियन्त्रण सम्बन्धी मामलों में मकान मालिक तथा किरायेदार के मध्य विवाद पाये जाते हैं।

अर्द्ध–न्यायिक कार्य

'अर्द्ध-न्यायिक' (Quasi-judicial) शब्द का प्रयोग कुछ ऐसी शक्तियों का वर्णन करने के लिए किया जाता है जो प्रशासकीय प्राधिकारियों में निहित तो हैं, किन्तु अपने प्रयोग के ढंग से एक सीमा तक उनका स्वरूप न्यायिक होता है एवं उसी के नियन्त्रण के अधीन होता है। Concise Oxford Dictionary ने 'quasi' (अर्द्ध) शब्द के अर्थ दिये हैं–'as if' (मानो), 'not exactly' (पूर्णतः नहीं), 'seemingly' (लगभग अनुरूप), 'half almost' (लगभग आधा)। किसी कार्य को न्यायिक कार्य तब कहा जाता है जब वह कार्य न्यायालय द्वारा किया जाता है। वही कार्य जब प्रशासकीय न्यायाधिकरण द्वारा सम्पन्न किया जाता है, तो 'अर्द्ध-न्यायिक' कहलाता है। भारत बैंक बनाम भारत बैंक के कर्मचारी नामक विवाद में न्यायाधीश जे. महाजन ने कहा था कि "औद्योगिक न्यायाधिकरण ने एक न्यायिक कार्य किया था, क्योंकि स्वविवेक के स्थान पर उसके द्वारा कानून का प्रयोग किया गया था। चूँकि इसका सम्बन्ध सामान्य न्यायिक प्रणाली से नहीं है, अतः इसे अर्द्ध-न्यायिक कहना ही ठीक होगा। किसी अर्द्ध-न्यायिक कार्य को सम्पन्न करने वाला अभिकरण कोई न कोई प्रशासकीय निकाय ही होता है, किन्तु वह न्यायिक रीतियों का अनुगमन करने तथा तथ्यों के सम्बन्ध में कानून लागू करने के लिए बाध्य है। न्यायिक तथा अर्द्ध-न्यायिक कार्य में समानता यह होती है कि किसी तथ्य या तथ्यों के समूह के प्रति कानून लागू किया जाता है। जहाँ तक न्यायिक अधिकारियों का सम्बन्ध है, उनके आदेश या तो न्यायिक हो सकते हैं या प्रशासकीय। वे अर्द्ध-न्यायिक नहीं हो सकते, क्योंकि अन्य (अर्थात् न्यायिक से अन्य) अधिकारी न्यायिक नहीं, चाहे उनके आदेश न्यायिक भले ही हों, वे केवल अर्द्ध-न्यायिक ही हो सकते हैं।" न्यायिक तथा अर्द्ध-न्यायिक कार्यों के बीच यही भेद है। प्रशासकीय न्यायाधिकरणों को पहले अर्द्ध-न्यायिक प्रक्रिया का अनुगमन करना चाहिए और उसके पश्चात् ही उन्हें सम्बद्ध अधिनियम द्वारा प्रदत्त स्वविवेक के प्रयोग की अनुज्ञा दी जानी चाहिए। यह चर्चा 'उत्प्रेषण लेख' (Writ of Certiorari) के मुकद्दमे से सीधे सम्बन्धित है। ऐसे मुकद्दमे केवल तभी मंजूर किये जा सकते हैं जब निरस्त आदेश न्यायिक या अर्द्ध-न्यायिक होते हैं। अर्द्ध-निर्णय की कसौटी बम्बई प्रान्त बनाम खुसालदास एम. अडवानी के विवाद में सर्वोच्च न्यायालय द्वारा निर्धारित की गयी है।

प्रशासकीय न्यायाधिकरण : उद्भव एवं विकास

प्रशासकीय न्यायाधिकरण व्यक्ति तथा सार्वजनिक सत्ता के बीच समुचित सम्बन्ध स्थापित करने की दृष्टि से विकसित होते हैं। वे नागरिक के लिए स्वतन्त्रता तथा न्याय और आधुनिक ढंग की सरकार की आवश्यकताओं के मध्य सन्तुलन स्थापित करने का प्रयत्न करते हैं। एक प्रश्न जो अपरिहार्यतः हमारे सामने उपस्थित है, यह है कि विधानमण्डल में इन विवादों के निर्णय हेतु सामान्य न्यायालय की अपेक्षा प्रशासकीय न्यायाधिकरण को ही क्यों पसन्द किया जाता है? इसमें कोई सन्देह नहीं है कि साधारण विधि न्यायालयों के कार्य अति प्रशंसनीय रहे हैं किन्तु सामाजिक तथा आर्थिक क्षेत्रों में आधुनिक सामाजिक सेवा वाले राज्यों के लिए जो दैनंदिन कार्य अधिकाधिक महत्वपूर्ण होते जा रहे हैं, सामान्य न्यायालय बहुत अधिक उपयुक्त नहीं हैं। एक नवीन प्रकार का न्याय, जिसमें समाज कल्याण की भावना पायी जाती हो, वांछनीय है; वस्तुतः यह समय की माँग भी है। प्रशासकीय न्यायाधिकरणों के उद्भव एवं विकास से लोकहित की भावना से युक्त न्याय सम्भव होता है। उन्नीसवीं शताब्दी में सरकार के कार्यों का प्रसार एक क्षेत्र से दूसरे क्षेत्रों में होने, समुदाय के सामान्य कल्याण, सुरक्षा तथा स्वास्थ्य के हित में व्यक्ति के अधिकार उत्तरोत्तर सीमित होने, सेवायोजन की शर्तों पर सामूहिक नियन्त्रण का विकास होने और रहने के ढंग तथा लोगों की प्रारम्भिक आवश्यकताओं के विकास के फलस्वरूप अधिनिर्णयन की एक ऐसी तकनीक की आवश्यकता उत्पन्न हो गयी है जो विधि न्यायालयों की जटिल एवं महँगी मुकदमेबाजी की तुलना में सामाजिक आवश्यकता के अधिक अनुकूल है।

एक नवीन प्रकार के न्याय की माँग उत्पन्न हो गयी है। रोस्को पाउण्ड के शब्दों में, ''जब व्यक्ति अपनी बात कहते हैं उस समय हस्तक्षेप मत करो वाली पद्धति से वह कम मिलती-जुलती है एवं 'सामाजिक उद्देश्यों के लिए विद्यमान सामाजिक संस्था से अधिक मिलती-जुलती है......।' उनका अस्तित्व वांछनीय हो या न हो किन्तु इसमें कोई सन्देह नहीं है कि प्रशासकीय कानून के पुनर्जीवन के कई कारण हैं, जैसे—समाज के विरुद्ध नवीन प्रकार के अपराधों का उद्‌भव, सामाजिक अधिकारों की एक नवीन अवधारणा का विकास, सामान्य कल्याण की तीव्र इच्छा तथा उन्नीसवीं शताब्दी के अति व्यक्तिवादी अधिकारों की दिव्यता में पूर्ण विश्वास का अभाव।''

अतः प्रशासकीय न्यायाधिकरण का सभी देशों में शीघ्रता से विकास स्वाभाविक है। यह किसी विशेष संवैधानिक प्रणाली से ही सम्बद्ध नहीं है। जब डोनोसार समिति की नियुक्ति की गयी थी, उस समय इंग्लैण्ड में बेकारी, बीमा तथा अंशदायी और युद्ध-सेवानिवृत्ति वेतन के क्षेत्र में पहले से ही कुछ प्रशासकीय न्यायाधिकरण विद्यमान थे और स्थानीय अधिकारियों को निजी भूमि को प्रयोग में लाने या उसके प्रयोग को नियन्त्रित करने के पर्याप्त अधिकार प्राप्त थे। तब से बड़ी संख्या में प्रशासकीय न्यायाधिकरण की स्थापना हो रही है। सरकार के क्रियाकलापों तथा उत्तरदायित्वों का प्रसार ही इनका प्रधान कारण है।

प्रशासकीय अधिनिर्णय के प्रकार

किन्हीं दो देशों में प्रशासकीय अधिनिर्णय की एक जैसी प्रणाली नहीं है। प्रशासकीय न्यायाधिकरणों का उन देशों की अपनी राजनीतिक संस्थाओं तथा जीवन-प्रणाली के ढाँचे के अनुकूल होना आवश्यक है। प्रशासकीय न्यायाधिकरणों को सामान्यतः दो मुख्य प्रकारों में विभाजित कर सकते हैं—1. *आंग्ल-सेक्सन* तथा 2. *महाद्वीपीय* अर्थात् *यूरोपीय*। प्रशासकीय अधिनिर्णय की भारतीय प्रणाली आंग्ल-सेक्सन प्रणाली पर आधारित है।

1. आंग्ल-सेक्सन : आंग्ल-सेक्सन प्रकार के प्रशासकीय नयायाधिकरणों की मुख्य विशेषताएँ निम्नलिखित हैं :

(*i*) प्रशासकीय न्यायाधिकरण किसी निश्चित व्यवस्था या प्रणाली में संगठित नहीं किये जाते हैं।

(*ii*) प्रशासकीय न्यायिक कार्य प्रायः सरकार के विभागों द्वारा ही सम्पन्न किये जाते हैं।

(*iii*) विनियामक (regulatory), प्रशासकीय तथा न्यायिक कार्य प्रायः एक ही अभिकरण में केन्द्रित होते हैं।

(*iv*) न्यायाधिकरणों में योग्यता प्राप्त न्यायाधीश के स्थान पर बहुधा ऐसे सरकारी कर्मचारी काम करते हैं, जिन्हें न्याय सम्बन्धी कार्यों का न तो प्रशिक्षण प्राप्त होता है और न उसका अनुभव ही होता है।

(*v*) इनमें प्रक्रिया की प्रणाली का अभाव होता है।

(*vi*) इनमें अपील के लिए कोई निश्चित पद-सोपान नहीं है।

(*vii*) अपीलें प्रायः साधारण विधि न्यायालयों में होती हैं।

2. महाद्वीपीय अर्थात् यूरोपीय : दूसरी तरफ महाद्वीपीय या यूरोपीय देशों के न्यायाधिकरणों की मुख्य विशेषताएँ निम्न हैं :

(*i*) प्रशासकीय न्यायाधिकरण एक निश्चित प्रणाली में संगठित होते हैं।

(*ii*) अपीलों सम्बन्धी एक सुनिर्धारित पद—सोपान होता है।

(*iii*) न्यायाधिकरण नियमित प्रशासन से प्रायः अंशतः या पूर्णतः पृथक् होते हैं। कम से कम उच्चतर स्तरों पर तो ऐसा होता ही है।

(*iv*) न्यायाधिकरण एक सुनिर्धारित प्रक्रिया का अनुगमन करते हैं।

(*v*) उनमें प्रशिक्षित जज तथा अनुभवी प्रशासक भर्ती किये जाते हैं और उनकी पदावधि निश्चित होती है।

(*vi*) वे साधारण विधि न्यायालयों के नियन्त्रण से मुक्त होते हैं। उच्चतम न्यायाधिकरणों के निर्णय अन्तिम होते हैं।

इन दोनों प्रकार के न्यायाधिकरणों के गुण-दोष कुछ भी हों, किन्तु यह बात स्पष्टतः समझ लेनी चाहिए कि उनमें परस्पर परिवर्तन सम्भव नहीं है। यह आवश्यक है कि प्रशासकीय अधिनियम की प्रणाली देश की परिस्थितियों से मेल खाती हो। उसे राज्य के राजनीतिक संगठन या ढाँचे से पृथक् नहीं किया जा सकता। जो वस्तु एक के लिए अमृत है, यह आवश्यक नहीं है कि वह दूसरे के लिए भी अमृत ही हो।

शासन के नैतिक आधार

कोई भी शासन स्वेच्छाचारी मनमाना नहीं होता है बल्कि शासन किसी स्थायी विचारधारा एवं नियमों के अनुसार संचालित होता है। जिसे संविधानवाद की संकल्पना भी कहते हैं। जिसे शासन के नैतिक आधार भी कहते हैं अर्थात् शासन जिससे शक्ति प्राप्त करता है उसके प्रति शासक को उत्तरदायी होना चाहिए। शासन के नैतिक आधार हमें बताता है कि शासन के कुछ संवैधानिक मूल्य हैं जिसे पालन करना चाहिए।

संवैधानिक मूल्य

भारत के शासन को चलाने के लिए संविधान का निर्माण किया गया है और हमारे संविधान में कुछ संवैधानिक मूल्य निर्धारित किये गये हैं। संवैधानिक मूल्य संविधान की प्रस्तावना के साथ-साथ अनुच्छेदों में वर्णित हैं।

संवैधानिक मूल्य, किसी देश के संविधान में निहित, उन सिद्धांतों और मूल्यों को कहते हैं जो समाज और सरकार के संचालन के लिए आधारभूत होते हैं। इन मूल्यों का पालन करने से समाज में न्याय, स्वतंत्रता, समानता और भाईचारे की भावना का विकास होता है।

संवैधानिक मूल्य निम्नलिखित हैं।

न्यायः सभी के समान कानूनी अधिकार और अवसर होना।

स्वतंत्रताः अभिव्यक्ति, विचार, आस्था, उपासना और विश्वास की स्वतंत्रता।

समानताः सभी के लिए प्रतिष्ठा और अवसर की समानता।

भाईचाराः समाज में एकता और सद्भाव।

धर्मनिरपेक्षताः किसी भी धर्म को राज्य द्वारा वरीयता न देना।

व्यक्ति की गरिमाः लोकतांत्रिक शासन की सभी प्रक्रियाओं में प्रत्येक व्यक्ति की समान भागीदारी।

विधि का शासनः सभी के लिए समान कानून और कानून के अनुसार शासन करना।

लोकतांत्रिक सिद्धांतः नागरिकों को सरकार में भाग लेने और अपने प्रतिनिधियों को जवाबदेह ठहराने का अधिकार।

मौलिक अधिकारः संविधान द्वारा प्रदत्त मौलिक अधिकारों का सम्मान और सुरक्षा।

शक्तियों का पृथक्करणः सरकार का विभिन्न शाखाओं के बीच शक्तियों का विभाजन ताकि किसी भी एक शाखा का अधिकार अधिक न हो।

नियंत्रण और संतुलनः सत्ता के दुरुपयोग को रोकने के लिए विभिन्न संस्थानों और तंत्रों का उपयोग।

संवैधानिक व्याख्याः संविधान की इस तरह व्याख्या करना कि वह बदलती सामाजिक और राजनीतिक स्थितियों के साथ तालमेल बनाए रखे।

नैतिक शासन व्यवस्थाः शासन में ईमानदारी, पारदर्शिता और जवाबदेही सुनिश्चित करना।

परिवार

परिवार व्यक्ति की प्रथम पाठशाला होती है, यहीं बालक को प्रथम बार मूल्यों का बोध होता है। जन्म के समय बालक का मस्तिष्क कोरे कागज की तरह होता है। अच्छे वातावरण का सकारात्मक प्रभाव बच्चे के मस्तिष्क पर पड़ता है।

बच्चा जन्म के साथ परिवार का सदस्य बन जाता है। परिवार प्राथमिक समूह होते हैं। इसलिए इसके सदस्यों माता-पिता, भाई-बहन, दादा-दादी, चाचा-चाची आदी का बच्चों से घनिष्ठ सम्बन्ध होता है, जिसका प्रभाव बच्चे के सामजीकरण पर पड़ता है। परिवार ही वह पहली संस्था है, जो. बच्चे को नैतिक एवं शिष्टाचार विकास की शिक्षा देकर उसे योग्य व्यक्ति बनाता है।

संस्कृति एवं सामाजीकरण की बातों को बच्चों को बताने एवं व्यक्तिगत विकास का दिशा-निर्देशन करने की जिम्मेदारी हमेशा परिवार पर ही होती है। बचपन ही वह आधारशिला है, जिस पर पूरे जीवन की इमारत खड़ी होती है।

बच्चे के सामाजीकरण में परिवार का महत्व पहला है। बच्चे परिवार के बीच रहकर ही लोगों से व्यवहार करना सिखता है। बच्चे परिवार में ही सिखते हैं कि बड़ो से कैसे व्यवहार किया जाए, बड़ों का आदर एवं छोटे को प्यार परिवार के बीच ही सिखता है। परिवार ही बच्चे की नैतिकता की प्रथम पाठशाला है। बच्चे परिवार में ही सिखते हैं कि बड़ा होने की क्या जिम्मेदारियाँ हैं, छोटे होने के क्या कर्तव्य हैं। बच्चे परिवार में ही सिखते हैं दादा-दादी का सम्मान, माता-पिता का सम्मान ये सब परिवार के शासन में नैतिक आधार का निर्माण करते हैं। परिवार में ही बच्चे शासन के नैतिक आधार को सिखता है और उसके विचार मजबूत होते हैं।

बच्चे के विकास में परिवार के भौतिक वातावरण का महत्वपूर्ण योगदान है। बच्चा सामाजीकरण के द्वारा ही शासन के नैतिक आधार को मजबूत बनाता है। सामाजीकरण वह प्रक्रिया है जिसमें बच्चे पारिवारिक शासन के स्वरूप को देखते हैं और बड़े होकर राज्य के अच्छे नागरिक कहलाते हैं। शासन के नैतिक आधार का प्रथम पाठशाल परिवार ही है।

सामाजीकरण करने वाली संस्थाओं में परिवार सर्वाधिक महत्वपूर्ण है। क्योंकि बालक परिवार में ही जन्म लेता है और सर्वप्रथम परिवार के सदस्यों के ही सम्पर्क में आता है। परिवार में ही उसे समाज के रीति-रिवाजों, लोकाचारों, प्रथाओं एवं संस्कृति का ज्ञान कराया जाता है। बच्चा परिवार का सदस्य है, तो उसे चार प्रकार की भूमिकाओं का ज्ञान होता है। वे हैं: पति-पिता, पत्नी-माता, पुत्र-भाई और पुत्री-बहन। चूँकि परिवार एक सर्वभौमिक संस्था है, अतः विश्व के सभी समाजों में सामाजीकरण की आधारभूत संस्था है।

परिवार के अन्य सदस्यों एवं भाई-बहन का भी बच्चे की नैतिकता पर गहरा प्रभाव पड़ता है। सदस्यों के पारस्परिक सहयोग, प्रेम, अधिकार, सेवा से बच्चे में सदगुण जन्म लेता है। परिवार में आयु, लिंग की दृष्टि से विभिन्न प्रकार के व्यक्ति होते हैं जिनके सम्पर्क से बच्चा उनके आचरणों का अनुकरण करता है। वह माँ, बहन, पिता तथा भाई में लिंग भेद होने से विषय लिंगियों के प्रति समाज में प्रचलित व्यवहारों एवं मूल्यों को ग्रहण करता है। अधिकारों एवं दायित्वों की शिक्षा परिवार से ही मिलता है। परिवार का सहयोग एवं भावनात्मक पर्यावरण बच्चे के व्यक्तित्व निर्माण में महत्वपूर्ण भूमिका निभाता है। अनेक महापुरुषों के उदाहरणों से स्पष्ट है कि उनके महान बनने में परिवार की भूमिका प्रमुख रही है। पुरस्कार एवं दण्ड के आधार पर बच्चा उचित एवं अनुचित में भेद करना सीखता है, उसमें नैतिकता के भाव पैदा होते हैं। बच्चा सभी के साथ अनुकूलन करना सिखता है। अनुकूलन के दौरान उसमें सहिष्णुता का गुण पैदा होता है। परिवार में छोटा होने के कारण दूसरे के व्यवहारों को सहन करना पड़ता है। इससे उसमें सहनशीलता पैदा होती है। छोटा होने के कारण बड़ों की आज्ञा का पालन करना होता है, इससे बच्चे में आज्ञाकारिता का गुण पैदा होता है। परिवार में ही बच्चा खान-पान, वस्त्र धारण करने, अभिवादन करने, पूजा-पाठ करने का आचरण एवं अन्य नियमों को सीखता है। पारिवारिक आदर्श और मूल्य बच्चे के आदर्श और मूल्य बन जाते हैं। परिवार ही उसे आदर्श नागरिक बनाता है।

समाज

मानव एक सामाजिक प्राणी है। वह जन्म से मृत्यु तक समाज में रहता है। अरस्तू ने कहा था कि देवता या पशु ही समाज से पृथक रह सकता है अर्थात् मनुष्य समाज में रहकर ही मनुष्य बना रह सकता है। समाज से बाहर रहने वाला मानव भी पशु के समान है। आज तो पशु भी समाज पर निर्भर हो गया है।

मानव अपनी रक्षा, भरण-पोषण, शिक्षा, मनोरंजन, व्यक्तित्व के विकास, सुख-सुविधाओं की प्राप्ति एवं अनेक उपलब्धियों के लिए समाज पर ही निर्भर होता है। इस प्रकार मानव अपनी प्रकृति एवं आवश्यकता के कारण एक सामाजिक प्राणी है। समाज के अभाव में लोगों का जीवन कठिन और कष्टमय हो जाता है। जिन लोगों को आजीवन कारावास मिलता है, वे कभी-कभी पागल तक हो जाते हैं। समाज से पृथक रहने वाला साधु-संन्यासी कभी-कभी असाधारण व्यवहार करते हैं। समाज के सम्पर्क से ही मानव का सामाजीकरण होता है। असामाजिक व्यक्ति का व्यवहार जंगली जानवरों जैसा ही होता है।

मानव शिशु जन्म के समय किसी भी मानव समाज में भाग लेने योग्य नहीं होता है। वह केवल प्राणीशास्त्रीय इकाई के रूप में संसार में आता है। उनमें किसी प्रकार का सामाजिक गुण नहीं होता है। लेकिन सीखने की कला सामाजिक सम्पर्क से ही विकसित होती है। सामाजिक सम्पर्क के कारण ही व्यक्ति समाज के रीति-रिवाजों, प्रथाओं, मूल्यों, विश्वासों, संस्कृति एवं सामाजिक गुणों को सीखता है। इस प्रकार समाज ही मानव को पशु स्तर से ऊँचा उठाकर मानव समाज में सम्मिलित करता है।

मानव समाज में रहकर ही नैतिकता को भी ग्रहण करता है। मानव समाज में ही अच्छे-बुरे का समझ विकसित करता है। समाज में हमारी नैतिकता को विकसित करने वाली बहुत-सी संस्थाएँ हैं जैसे—परिवार, विवाह, नातेदारी आदि। मानव समाज से ही नैतिक नियमों को सिख कर अच्छे नागरिक बनते हैं। मानव समाज के बीच रह कर ही भिन्न-भिन्न चरणों में अपनी नैतिकता को मजबूत करता है। मनुष्य जब तक जीता है सिखता रहता है इसी कारण अलग-अलग उम्र में उसकी नैतिकता अलग होती है। इन्हीं नियमों को मानव प्रशासन में भी प्रयोग करता है। देखा गया है कि जो मानव अपने सामाजिक जीवन में जितना नैतिक होता है वह अपने सार्वजनिक जीवन में भी उतना ही नैतिक रूप से कठोर होता है। इस प्रकार मानव समाज में नैतिकता को सिखकर शासन में भी नैतिकता को मजबूत करता है और अपने राष्ट्र को महान बनाता है।

शिक्षा

ज्ञान संचय करने की परंपरा आदिकाल से चली आ रही है। प्रत्येक नयी पीढ़ी को पुरानी पीढ़ी द्वारा कुछ ज्ञान सामाजिक विरासत में प्राप्त होता है और कुछ स्वयं अर्जित करती है। मानव की प्रत्येक पीढ़ी में सीखने की प्रक्रिया की सहायता से और हस्तांतरण द्वारा ज्ञान की वृद्धि होती गयी है। ज्ञान की यह परम्परागत शृंखला ही शिक्षा है। शिक्षा के द्वारा मानव ने अपनी मानसिक, आध्यात्मिक और सामाजिक प्रगति की है। शिक्षा ही मानव को पशु-स्तर से ऊंचा उठाया है। ज्ञान एवं सांस्कृतिक विरासत के हस्तांतरण का कार्य शैक्षणिक संस्थानों द्वारा किया जाता है। शिक्षा का उद्देश्य शिशु में उन भौतिक, बौद्धिक, और नैतिक विशेषताओं का विकास करना है जो उसके लिए सम्पूर्ण समाज और पर्यावरण से अनुकूल करने के लिए आवश्यक है।

आदिम सामाजों में शिक्षा में धर्म और नैतिकता के तत्वों की प्रधानता पायी जाती है। भारत में भी प्राचीन समय में शिक्षा का तात्पर्य व्यक्ति को नैतिक नियमों एवं धार्मिक क्रियाओं का ज्ञान कराना मात्र था। आदिम शिक्षा सार्वभौमिक न होकर केवल कुछ लोगों एवं वर्गों तक ही सीमित था। भारत में केवल द्विज जातियों को ही पठन-पाठन एवं शिक्षा का अधिकार प्राप्त था।

आधुनिक एवं सभ्य सामाजों में शिक्षा के स्वरूप में भिन्नता आयी है। अब शिक्षा सार्वभौमिक बन गयी है और सभी जातियों एवं वर्गों के लिए उपलब्ध है। अब शिक्षा देने का कार्य औपचारिक रूप से शिक्षण संस्थाओं द्वारा किया जाने लगा है तथा शिक्षा में विशेषीकरण की प्रवृत्ति पनपी है, जिससे शिक्षा में धर्म और नैतिकता का प्रभाव कम हुआ है और शिक्षा धर्म-निरपेक्ष हो गयी है।

दुर्खीम का मत है कि शिक्षा समाज के आदर्श नियमों एवं मूल्यों को पुरानी पीढ़ी से नयी पीढ़ी को हस्तांतरित करती है। यह व्यक्तियों को सामूहिक जीवन से जोड़ती है। सामूहिकता के अभाव में किसी समाज-व्यवस्था का बना रहना असम्भव है। डेविस एवं मूर शिक्षा को सामाजिक स्तरीकरण की प्रक्रिया का अंग मानते हैं। शिक्षा व्यवस्था ही समाज के योग्य एवं प्रतिभावान व्यक्तियों को समाज में महत्वपूर्ण पदों को धारण करने में सहायता प्रदान करती है। औद्योगिक अर्थव्यवस्था के विस्तार ने औपचारिक शिक्षा का विस्तार किया है। शिक्षा व्यक्ति में तर्क एवं विवेक पैदा करती है, उसमें आत्म-नियंत्रण की शक्ति पैदा करती है जिससे कि वह स्वयं ही उचित एवं अनुचित को ध्यान में रखकर सामाजिक नियमों, प्रतिमानों एवं कानूनों का पालन करता है।

शिक्षा का प्रमुख कार्य मानव ज्ञान एवं बुद्धि का विकास करना है। बहुत समय पहले हेलवीटिस ने कहा था कि "मनुष्य जन्म से अज्ञानी है, जड़बुद्धि नहीं, शिक्षा उन्हें जड़बुद्धि बनाती है।" यह बात उस समय ठीक थी जब प्राचीन एवं आदिम सामाजों में शिक्षा रूढ़िगत निर्देश देती थी और व्यक्ति को बिना तर्क एवं आलोचना के उन्हें स्वीकार करना पड़ता था, किन्तु आज के वैज्ञानिक एवं प्रौद्योगिक युग में यह बात सही नहीं है। आज की शिक्षा तर्क एवं विज्ञान पर आधारित है। वह मानव मस्तिष्क का विकास करती है, ज्ञान के द्वार खोलती है, मनुष्य को चिन्तनशील बनाती है। बुद्धिमान एवं ज्ञानवान व्यक्ति से यह अपेक्षा की जाती है कि वह उचित-अनुचित में भेद करे और सम्मानजनक व्यवहार करे। शिक्षा व्यक्ति में सद्गुणों का विकास करती है। ज्ञान सामाजिक प्रगति एवं नियंत्रण दोनों के लिए आवश्यक है।

शिक्षा मानवीय नैतिक गुणों जैसे सहयोग, सहिष्णुता, दया, ईमानदारी आदि का विकास करती है। शिक्षा द्वारा चरित्र-निर्माण भी होता है। सद्गुणों एवं सद्चरित्र के अभाव में मानव में पशु-प्रवृत्तियां बलवती हो जाती हैं। वह निर्दयी, निर्मम, ईर्ष्यालु, अत्याचारी एवं चरित्रहीन बन जाता है। ऐसी दशा में व्यक्ति पर नियंत्रण रखना समाज की समस्या बन जाती है। नैतिक गुणों से युक्त व्यक्ति ही निष्ठावान एवं कर्तव्य-परायण होता है। ऐसे व्यक्ति ही समाज में व्यवस्था, एकता, संगठन बनाए रखने में योग देते हैं। इस प्रकार शिक्षा मानव में नैतिक गुणों का विकास एवं चरित्र का निर्माण कर सामाजिक नियंत्रण बनाए रखने में योग देती है।

राष्ट्रीय शिक्षा नीति ने भारत की साझा संस्कृति विरासत को बढ़ावा देने में शिक्षा को महत्वपूर्ण माना है। शिक्षा में सांस्कृतिक व नैतिक मूल्यों को बढ़ावा देने के लिए केन्द्र द्वारा प्रायोजित योजनाएं लागू की जा रही हैं।

बहुविकल्पीय प्रश्नोत्तर

1. द्वितीय प्रशासनिक सुधार आयोग ने निम्नलिखित में से किसको सुशासन की कुंजी के रूप में वर्णन किया है?
A. ई-शासन को प्रोत्साहन देना
B. शासन में नैतिकता
C. सूचना का अधिकार
D. जन-भागीदारी

2. प्रशासनिक कानून में 'निष्पक्ष सुनवाई के अधिकार' को कहा जाता है :
A. नैसर्गिक न्याय
B. ऑडी आल्टेरम पार्टेम
C. प्रत्यायोजित विधान
D. कानून के समक्ष समानता

3. निम्नलिखित में से कौन-सा ई-क्रांति का एक सिद्धांत नहीं है?
A. रूपांतरण
B. सेवाओं को एकीकृत करना
C. सरकारी प्रक्रिया
D. पूरे देश में समान भाषा

4. प्रशासन पर नागरिक नियंत्रण की तकनीकें हैं :
(*a*) जनमत (*b*) चुनाव
(*c*) सलाहकार समितियाँ (*d*) प्रत्याह्वान (Recall)
नीचे दिए गए विकल्पों में से सबसे उपयुक्त उत्तर का चयन कीजिए :
A. (*a*), (*b*), (*c*) और (*d*)
B. केवल (*b*), (*c*) और (*d*)
C. केवल (*a*), (*b*) और (*c*)
D. केवल (*a*), (*b*) और (*d*)

5. निम्नलिखित में से कौन-से लोक नीति निर्माण को प्रभावित करते हैं?
(*a*) लॉबिंग (*b*) सोशल मीडिया
(*c*) थिंक टैंक्स (*d*) लोक हित समूह
नीचे दिए गए विकल्पों में से सबसे उपयुक्त उत्तर का चयन कीजिए :
A. केवल (*a*), (*b*) और (*c*)
B. केवल (*b*), (*c*) और (*d*)
C. केवल (*a*), (*c*) और (*d*)
D. (*a*), (*b*), (*c*) और (*d*)

6. शासन संबंधी सिद्धांतकार शासन की पहचान करते हैं, जो किसके साथ निकटस्थ रूप से संबंधित है?
A. सरकार की क्षमता
B. निर्वाचित प्रतिनिधि
C. सामुदायिक विकास की गतिविधियाँ
D. सरकार का टॉप डाउन (अधोगामी) उपागम

7. सन् 1804 में नेपोलियन बोनापार्ट के शासन काल में आरंभ की गई नेपोलियन-कोड का उद्देश्य था :
A. नौकरशाही को समाप्त करना
B. नौकरशाही को मजबूत करना
C. नौकरशाही में सुधार करना
D. नौकरशाही तानाशाही को बढ़ाना

8. 'पंचायती राज संस्थाओं को राज्य सरकारों द्वारा खनिजों से संग्रहित रॉयल्टी में से पर्याप्त हिस्सा दिया जाना चाहिए' यह सिफारिश किसके द्वारा की गई थी?
A. दूसरे प्रशासनिक सुधार आयोग की छठी रिपोर्ट में
B. दूसरे प्रशासनिक सुधार आयोग की 15वीं रिपोर्ट में
C. नीति आयोग
D. केन्द्रीय वित्त मंत्रालय का निवेश एवं परिसंपत्ति प्रबंधन विभाग

9. शासन की नवउदारवादी अवधारणा प्राथमिकता देता है :
A. अधिक विनियमन
B. न्यून शासन
C. सार्वजनिक क्षेत्र
D. नौकरशाही के पद सोपान

10. सूची-I के साथ सूची-II का मिलान कीजिए :

सूची-I (कार्यक्रम)	**सूची-II (दृष्टि/लक्ष्य)**
(*a*) डिजिटल इंडिया	(*i*) सेवाओं की इलेक्ट्रॉनिक प्रदानता
(*b*) अक्षय	(*ii*) जाली एल.पी.जी. कनेक्शन का विलोपन
(*c*) ई-क्रांति	(*iii*) सशक्त समचेज और ज्ञान की अर्थव्यवस्था
(*d*) पहल (DBTL)	(*iv*) डिजिटल साक्षरता

नीचे दिए विकल्पों में से सही उत्तर का चयन कीजिए :

	(*a*)	(*b*)	(*c*)	(*d*)
A.	(*iii*)	(*iv*)	(*i*)	(*ii*)
B.	(*iii*)	(*i*)	(*ii*)	(*iv*)
C.	(*iii*)	(*ii*)	(*i*)	(*iv*)
D.	(*iii*)	(*iv*)	(*ii*)	(*i*)

11. निम्नलिखित में से कौन-सी अवधारणा अंतःसंबंधित है?
A. उत्तरदायित्व व नियंत्रण B. पर्यवेक्षण व व्यवस्था
C. जिम्मेदारी व उत्तरदायित्व D. जिम्मेदारी व नियंत्रण

12. कुप्रशासन संबंधी शिकायतों की पड़ताल के लिए ब्रिटेन में 1967 में निम्नांकित में से कौन-सी संस्था बनायी गयी थी?

A. व्हिट्‌ले काउंसिल B. प्रॉक्यूरेटर जनरल
C. पार्लियामेंट्री कमिश्नर D. सिटीजन चार्टर

13. निम्नलिखित में से कौन एआरसी की दूसरी रिपोर्ट से सही ढंग से मेल नहीं खाती है?

A. राज्य और जिला प्रशासन : 15वीं रिपोर्ट
B. नागरिक-केंद्रित प्रशासन : 10वीं रिपोर्ट
C. स्थानीय शासन : छठी रिपोर्ट
D. सुदृढ़ वित्तीय प्रबंधन प्रणाली : 14वीं रिपोर्ट

14. निम्नलिखित में से कौन द्वितीय प्रशासनिक सुधार आयोग द्वारा अनुशंसित मुख्य सचिव के चयन के लिए कॉलेजियम का सदस्य नहीं है?

A. मुख्यमंत्री द्वारा नामित एक मंत्री
B. राज्य विधानसभा में विपक्ष के नेता
C. पदधारी प्रमुख सचिव
D. उच्च न्यायालय का एक न्यायाधीश

15. निम्नलिखित में से कौन प्रशासन में जवाबदेही सुनिश्चित करने में महत्वपूर्ण भूमिका नहीं निभाता है?

A. सिटीजन चार्टर B. सूचना का अधिकार
C. ई-गवर्नेंस D. चुनाव आयोग

16. निम्नलिखित में से किसने 'शासन' शब्द की वैचारिक अस्पष्टता को इसकी सफलता का रहस्य बताया?

A. फराजमंड B. श्नाइडर
C. हैए D. पॉलीट

17. निम्नलिखित में से कौन-सा कारक ई-शासन परियोजनाओं की सफलता में महत्वपूर्ण भूमिका निभाते हैं?

(*a*) सूचना नीतियाँ
(*b*) मानव संसाधन
(*c*) निजी क्षेत्र का विकास
(*d*) बजटीय संसाधन

नीचे दिए गए कूट में से सही उत्तर को चुनिए:

A. (*a*), (*b*), (*c*) और (*d*) B. (*b*), (*c*) और (*d*)
C. (*a*), (*b*) और (*d*) D. (*b*) और (*d*)

18. निम्नलिखित में से सुशासन के बारे में कौन-सा विचार सही नहीं है?

A. सुशासन की अवधारणा प्रभावी और कुशल प्रशासन से जुड़ी है।
B. यह विकास अभिविन्यास के साथ उद्देश्यपूर्ण प्रशासन का निर्वाह करता है।
C. इसमें नौकरशाही और स्वतंत्र न्यायपालिका की परिकल्पना है।
D. यह सरकार और नागरिक समाज के बीच साझेदारी को रेखांकित करता है।

19. निम्नलिखित में से कौन प्रशासन के खिलाफ सामान्य शिकायतों के संबंध में सही ढंग से मेल नहीं खाता है?

A. अव्यवस्था : लक्ष्यों को प्राप्त करने में अक्षमता
B. भेदभाव : गरीब और अप्रभावी नागरिक की वास्तविक शिकायत की अनदेखी करना
C. असफलता : प्रशासन के खिलाफ सार्वजनिक शिकायतों में भाग लेने में विफलता
D. अनुकूलता : सत्ता में बैठे लोगों तथा प्रभावशाली लोगों के लिए मेहरबानी दिखाते हुए काम करना या न करना

20. निम्नलिखित में से किसने 'लोकपाल' (शब्द) पद की रचना की?

A. अन्ना हजारे B. लक्ष्मी मल सिंघवी
C. मोरारजी देसाई D. के. संथानम

21. निम्नलिखित में से किस सिद्धांत में नागरिकों को 'ग्राहकों' के रूप में और लोक सेवकों को 'लोक प्रबंधकों' के रूप में देखा जाता है?

A. नव लोक प्रबंधन में B. वैज्ञानिक प्रबंधन में
C. मानव संबंध में D. नव लोक प्रशासन में

22. द्वितीय प्रशासनिक सुधार आयोग के निम्नलिखित में से किस प्रतिवेदन में 'सात कदम प्रतिमान' की अनुशंसा की गई है?

A. ई-शासन को प्रोत्साहित करने संबंधी प्रतिवेदन
B. नागरिक केन्द्रित प्रशासन संबंधी प्रतिवेदन
C. सूचना के अधिकार संबंधी प्रतिवेदन
D. शासन में आचार संबंधी प्रतिवेदन

23. लोक सेवकों को प्रेरित करने के प्रयोजन से राज्य और जिला स्तरों पर अच्छे कार्य-निष्पादन की पहचान करने के लिए पुरस्कारों को आरंभ किया जाना चाहिए। द्वितीय प्रशासनिक सुधार आयोग के किस प्रतिवेदन में यह सिफारिश शामिल है?

A. शासन में आचार संबंधी प्रतिवेदन
B. स्थानीय शासन संबंधी प्रतिवेदन
C. ई-शासन के संवर्धन संबंधी प्रतिवेदन
D. कार्मिक प्रशासन की स्वच्छता संबंधी प्रतिवेदन

24. नीचे दो सूचियाँ दी गई हैं। सूची-I में अवधारणाएँ, तथा सूची-II में व्याख्याएँ हैं। इन दोनों सूचियों को सुमेलित कीजिए और नीचे दिए गए कूट का प्रयोग करते हुए सही उत्तर को चुनिए:

सूची-I (अवधारणा)	**सूची-II (व्याख्या)**
(*a*) विशिष्टीकरण	(*i*) विकल्पों में से चयन की योग्यता
(*b*) स्वनिर्णय	(*ii*) प्रत्येक कार्य के निष्पादन हेतु विशेषीकृत संरचना का अस्तित्व
(*c*) विवर्तन	(*iii*) सामूहिक निर्णय लेने एवं निष्पादित करने की वर्धित योग्यता
(*d*) विकास	(*iv*) सामाजिक व्यवस्था में विशिष्टीकरण एवं एकीकरण की मात्रा

कूटः

	(a)	(b)	(c)	(d)
A.	(iii)	(i)	(ii)	(iv)
B.	(ii)	(i)	(iv)	(iii)
C.	(i)	(ii)	(iii)	(iv)
D.	(ii)	(iii)	(iv)	(i)

25. यू.एस. सिविल सेवा के बारे में निम्नलिखित कथनों में से कौन-सा सही है?

(i) सिविल सेवा सुधार अधिनियम, 1883 के अधिनियम के साथ लूट प्रणाली क्षय होने लगी।

(ii) योग्यता प्रणाली नियमित रूप से विस्तरित हुई है और लगभग सभी फेडरल कर्मचारियों तक इसका विस्तार हुआ है।

(iii) नौकरशाहों का भारी अनुपात वे पेशेवर सिविल सेवक हैं जो प्रतिस्पर्धात्मक परीक्षा के आधार पर चयनित हुए हैं।

(iv) फेडरल कार्यबल के अन्तर्गत लगभग 15,000 काम के कौशल निरुपित होते हैं।

नीचे दिये कूटों के उपयोग में से सही उत्तर का चयन करें:

कूटः

A. (i) (ii) एवं (iii) B. (i), (iii) एवं (iv)

C. (ii), (iii) एवं (iv) D. (i), (ii), (iii) एवं (iv)

26. फ्रांसिसी सिविल सेवाओं के बारे में निम्नलिखित कथनों में से कौन-सा सही नहीं है?

A. प्रशासनिक कानून में विशेष विशेषज्ञता के साथ ग्राण्ड कोर ने पाँचवें गणतंत्र का मसौदा बनाया।

B. अधिकांश फ्रांसिसी प्रधानमंत्री सिविल सेवक रहे हैं।

C. जिन मंत्रियों की संसद में सीट है उनके विरुद्ध संवैधानिक प्रतिषेध के द्वारा सिविल सेवकों की राजनीतिक भूमिका को प्रोत्साहित किया जाता है।

D. सिविल सेवक जो मंत्री का पोर्टफोलियो भी स्वीकार करते हैं, उन्हें यदि अपने पद का त्याग करना पड़ता है, तो वे अपनी सेवा में लौट नहीं सकते हैं।

27. अभिकथन (A): नागरिक सहभागिता में वृद्धि का कारण ज्ञान और संचार का विस्फोट है।

तर्क (R): नागरिक सहभागिता भ्रष्टाचारी प्रक्रियाओं पर रोक का एक साधन (उपाय) है।

कूटः

A. (A) और (R) दोनों सही हैं और (A) का (R) सही स्पष्टीकरण है।

B. (A) और (R) दोनों सही हैं और (A) का (R) सही स्पष्टीकरण नहीं है।

C. (A) सही है, परन्तु (R) गलत है।

D. (A) गलत है, परन्तु (R) सही है।

28. सूची-I को सूची-II के साथ सुमेलित कीजिए। नीचे दिए गए कूटों की सहायता से सही उत्तर का चयन कीजिए:

सूची-I (द्वितीय ए.आर.सी. का प्रतिवेदन)	सूची-II (शीर्षक)
(a) दूसरा प्रतिवेदन	(i) नागरिक केन्द्रित प्रशासन– शासन का सारभाग
(b) दसवाँ प्रतिवेदन	(ii) कार्मिक प्रशासन की स्वच्छता-नई उच्चाइयाँ
(c) ग्यारहवाँ प्रतिवेदन	(iii) मानव सम्पदा का व्यापक विस्तार– हकदारी एवं शासन
(d) बारहवाँ प्रतिवेदन	(iv) ई-गवर्नेस को प्रोत्साहन– उन्नति की ओर विवेक- पूर्ण रास्ता

कूट :

	(a)	(b)	(c)	(d)
A.	(i)	(iii)	(ii)	(iv)
B.	(ii)	(iii)	(iv)	(i)
C.	(iii)	(ii)	(iv)	(i)
D.	(ii)	(i)	(iii)	(iv)

29. भारत में लोक सेवकों के प्रशिक्षण के बारे में द्वितीय प्रशासनिक सुधार आयोग ने निम्न में से कौन-सी अभिशंसा नहीं की थी?

A. राष्ट्रीयता प्रशिक्षण नीति के क्रियान्वयन को देखने के लिए एक प्रबोधनकारी क्रियाविधि स्थापित की जानी चाहिए।

B. समूचे भारत में जिला स्तर तक प्रशिक्षण संस्थानों का विक्रेन्द्रीकरण किया जाना चाहिए।

C. प्रतिष्ठित जर्नलों में लेख लिखने के लिए लोक सेवकों को प्रोत्साहित किया जाना चाहिए।

D. सुशासन का एक राष्ट्रीय संस्थान स्थापित किया जा सकता है।

30. 'नवीन लोक प्रबन्ध निष्क्रिय (मृत) है, शासन का डिजिटल युग सदा रहे', यह विचार निम्नलिखित में से किसने व्यक्त किया है?

A. वेन स्लाइक, ओ' लियरी एवं किम

B. पैटरिक डनलीवी

C. जन कुईमैन

D. हबीबुल्लाह वज़ाहत

31. लोक चयन उपागम के बारे में निम्न में से क्या सही नहीं है?

A. यह 1950 के दशक में अस्तित्व में आया।

B. यह संस्थागत बहुलवाद की पैरवी करता है।

C. यह नौकरशाही प्रशासन की आलोचना करता है।

D. यह राजनीति - प्रशासन द्विभाजन को अस्वीकार करता है।

32. संकुचित अर्थ में शासन की अवधारणा से तात्पर्य है:

A. क्षमता निर्माण B. प्रौद्योगिकी का उपयोग

C. नेटवर्क प्रबंधन D. नीति कार्यान्वयन

33. नागरिक चार्टर आंदोलन के मूलतः छः सिद्धांत हैं। निम्नलिखित में से कौन-सा इसमें शामिल नहीं है?

A. चयन B. पारदर्शिता
C. मूल्य D. सौदा

34. 'गवर्नमेंट प्रोसेस री-इंजीनियरिंग' (जी.पी.आर.) का उद्देश्य है:

A. प्रक्रियागत जटिलता को न्यून करना
B. अच्छा शासन प्राप्त करना
C. सरकारी एवं निजी सहभागिता की ओर
D. सरकारी सेवाओं में भ्रष्टाचार को नियन्त्रित करना

35. निम्न में से किस विचारक ने सिविल समाज को लोकतंत्र से जोड़ा?

A. कैरोलिन इलियट B. एलेक्सिस डी. टॉकविले
C. जीन कोहेन D. लैरी डायमंड

36. निम्न में से किस-किसने नवीन लोक प्रबंधन को प्रभावित किया है?

(*a*) शिकागो स्कूल ऑफ इकोनॉमिक्स
(*b*) नवीन लोक प्रशासन
(*c*) लोक चयन (पब्लिक च्वायस) सिद्धांत
(*d*) आलोचनात्मक (क्रिटिकल) सिद्धांत

नीचे दिए गए विकल्पों में से सही उत्तर का चयन कीजिए:

A. केवल (*a*) और (*b*)
B. केवल (*b*) और (*d*)
C. केवल (*a*) और (*c*)
D. केवल (*b*), (*c*) और (*d*)

37. निम्नलिखित में से कौन-सी बातों ने सार्वजनिक शासन दृष्टिकोण के उदय को प्रभावित किया है:

(*a*) नवीन लोक प्रबंधन
(*b*) लोक चयन दृष्टिकोण
(*c*) सरकार से इतर संस्थाओं की बढ़ती भूमिका
(*d*) प्रभावकारी सार्वजनिक सेवा की अदायगी में औपचारिक सरकारी ढांचे की विफलता

नीचे दिए गए विकल्पों में से सही उत्तर का चयन कीजिए:

A. केवल (*a*), (*b*), (*c*), (*d*)
B. केवल (*a*) और (*b*)
C. केवल (*b*) और (*c*)
D. केवल (*c*) और (*d*)

38. सुशासन की संकल्पना निम्नांकित किसके द्वारा रचित (गढ़ी गयी) थी?

A. संयुक्त राष्ट्र B. यूनेस्को
C. विश्व बैंक D. अन्तर्राष्ट्रीय मुद्रा कोष

39. 'सरकार एक समस्या के रूप में, न कि एक समाधान' यह कथन निम्नांकित में से किसकी उक्ति है?

A. रोनाल्ड रीगन और अल्गोर
B. मार्ग्रेट थैचर और रोनाल्ड रीगन
C. मार्ग्रेट थैचर और जॉन मेजर
D. एलेनॉर ऑस्ट्रम और विलियम्सन

40. निम्नलिखित में से किसे सुशासन के चार स्तंभों में सम्मिलित नहीं किया जाता है?

A. नैतिकता B. साम्या
C. कार्यदक्षता D. प्रभावकारिता

41. विश्व बैंक द्वारा कल्पित 'सुशासन' के संकेतकों को पहचानिए :

(*a*) विधि का शासन और स्वतंत्र न्यायपालिका
(*b*) संघ बनाने की स्वतंत्रता और जन-भागीदारी
(*c*) सिविल सोसायटी संगठनों पर नियंत्रण तंत्र
(*d*) प्रशासन में पारदर्शिता और खुलापन

नीचे दिए गए विकल्पों में से सही उत्तर का चयन कीजिए :

A. केवल (*a*), (*b*), (*c*) B. केवल (*a*), (*b*), (*d*)
C. केवल (*a*), (*c*), (*d*) D. (*a*), (*b*), (*c*), (*d*)

42. नीचे दो कथन दिए गए हैं : एक अभिकथन (A) के रूप में लिखित है तो दूसरा उसके कारण (R) के रूप में :

अभिकथन (A): सुशासन, आर्थिक विकास के परिणामों की संधारणीयता एवं समान वितरण को सुनिश्चित करता है।

कारण (R): लोक पदधारियों की जवाबदेही किसी भी सुशासन या संघटन का अभिन्न अंग होती है।

उपरोक्त कथन के आलोक में, नीचे दिए गए विकल्पों में से सबसे उपयुक्त उत्तर का चयन कीजिए :

A. (A) और (R) दोनों सही हैं और (R), (A) की सही व्याख्या है
B. (A) और (R) दोनों सही हैं, लेकिन (R), (A) की सही व्याख्या नहीं है
C. (A) सही है, लेकिन (R) सही नहीं है
D. (A) सही नहीं है, लेकिन (R) सही है

43. नव लोक प्रशासन के बारे में निम्नलिखित में से क्या सही **नहीं** है?

A. इसके दृष्टिकोण में मूल्य तटस्थता
B. ढाँचागत परिवर्तनों पर बल देता है
C. ग्राहक केन्द्रितता पर ध्यान देता है
D. सामाजिक वास्तविकताओं के प्रति प्रासंगिक

44. निम्नांकित में से नव लोक प्रबन्धन के प्रमुख क्षेत्र के बारे में क्या **सही** है?

(*a*) अधिकारीतंत्र का आकार कम करना
(*b*) न्यूनतम राज्य
(*c*) अधिकतम सरकार
(*d*) लोक सेवाओं की प्रदायता के नए तरीके

नीचे दिए गए कूट से **सही** उत्तर का चयन कीजिए:
A. (*a*), (*b*), (*c*) B. (*b*), (*c*), (*d*)
C. (*a*), (*b*), (*d*) D. (*a*), (*c*), (*d*)

45. अभिकथन (A) : लोक प्रशासन सूचना तकनीकी के अनुसरण में संचार के नये उपकरणों की सरलतापूर्वक उपलब्धि से लाभान्वित हुआ है।
तर्क (R) : ई-गवर्नेंस समकालीन अभिशासन में न केवल लागत कुशलता के कारण अपितु यह खुलापन एवं समय की बचत के कारण भी स्वीकार्य है।
कूट :
A. (A) तथा (R) दोनों सही हैं तथा (R), (A) की सही व्याख्या है।
B. (A) तथा (R) दोनों सही हैं, परन्तु (R), (A) की सही व्याख्या नहीं है।
C. (A) सही है, परन्तु (R) गलत है।
D. (A) गलत है, परन्तु (R) सही है।

46. निम्नलिखित में से किसने शिकायत निवारण के तंत्र एवं प्रभावी नागरिक अधिकारपत्र के नेटवर्क को मजबूत बनाने के लिए आई. एस.ओ. प्रमाणित सेवोत्तम प्रारूप की बात की है?
A. षष्ठम वेतन आयोग प्रतिवेदन
B. केन्द्रीय सूचना आयोग, 2008 की राष्ट्रीय उपसमिति का प्रतिवेदन
C. द्वितीय प्रशासनिक सुधार आयोग का नागरिक केन्द्रित प्रशासन पर 12वाँ प्रतिवेदन
D. 2017 का केन्द्रीय सूचना आयोग का वार्षिक सम्मेलन

47. पुलिस सुधारों के बारे में भारत में उच्चतम न्यायालय द्वारा 2006 में जारी सात सूत्री निर्देशों में निम्नलिखित में से कौन-सा शामिल **नहीं** है?
A. राज्य सुरक्षा आयोग (एस एस सी) का गठन
B. पुलिस शिकायत प्राधिकरण (पी सी ए) की स्थापना
C. पुलिस संगठनों की नेटवर्किंग की स्थापना
D. पुलिस संस्थापन बोर्ड की स्थापना

48. व्हिसल ब्लोअर (संशोधन) बिल, 2015 के बारे में निम्नांकित में से क्या **सही** है?
(*a*) लोक सेवक शब्द में उच्च न्यायपालिका सम्मिलित है।
(*b*) यदि कोई कार्य देश की सुरक्षा से संबंधित है तो उसके भ्रष्टाचार के कृत्य को रिपोर्ट करने के लिए निषेध करता है।
(*c*) यह उन बातों के खुलासे का निषेध करता है जो सरकारी गोपनीयता अधिनियम 1923 के अन्तर्गत निषेध की गई है।
(*d*) कोई व्यक्ति ऐसा खुलासा करता है जो झूठा या दिग्भ्रमित करने वाला है तो उसे 2 वर्ष तक की सजा या ₹ 30,000 (तीस हजार) तक दण्डित किया जा सकता है।

नीचे दिए गए कूट से **सही** उत्तर का चयन कीजिए:
A. (*a*), (*b*), (*c*) B. (*b*), (*c*), (*d*)
C. (*a*), (*c*), (*d*) D. (*a*), (*b*), (*c*), (*d*)

49. ए.वी. डाइसी के अनुसार निम्नलिखित में से कौन-सा ब्रिटिश संविधानवाद का घटक तत्व **नहीं** है?
A. संसद की संप्रभुता B. कानून का शासन
C. न्यायिक सर्वोच्चता D. संवैधानिक अभिसमय

50. निम्नलिखित में से किसने 'न्याय सिद्धांत' का प्रतिपादन लोक प्रशासन के एक प्रमुख नैतिक ढांचे के रूप में किया था?
A. जॉन स्टूआर्ट B. जॉन राल्स
C. रॉबर्ट डॉहल D. हर्बर्ट ए. साइमन

51. अभिकथन (A) : नव लोक प्रबंधन की अवधारणा का उदय अच्छे प्रशासन के परम्परागत सैनिक-नौकरशाही विचारों के विरुद्ध हुआ।
तर्क (R) : नया लोक प्रबंधन अनेक अन्य प्रशासनिक दर्शनों की तरह ही सामान्य अनुप्रयोज्यता के ढाँचे के रूप में प्रस्तुत किया गया था।
कूट :
A. (A) तथा (R) दोनों सही हैं तथा (R), (A) की सही व्याख्या है।
B. (A) तथा (R) दोनों सही हैं, परन्तु (R), (A) की सही व्याख्या नहीं है।
C. (A) सही है, परन्तु (R) गलत है।
D. (A) गलत है, परन्तु (R) सही है।

52. निम्नलिखित में से कौन-से कथन प्रत्यायोजन की विशेषताओं के बारे में सही हैं? दिए गए कूट से सही उत्तर का चयन कीजिए:
(*i*) यह अपरिवर्तनीय है
(*ii*) यह प्राधिकार से संबंधित है
(*iii*) यह सामान्य या विशिष्ट हो सकता है
(*iv*) यह पद से संबंधित है
कूट :
A. (*i*), (*ii*) और (*iii*) B. (*ii*), (*iii*) और (*iv*)
C. (*i*), (*ii*) और (*iv*) D. (*i*), (*iii*) और (*iv*)

53. अभिकथन (A) : प्रति-संस्कृति और प्रति-लौकिक उपागम वेबर के प्रशासनिक विश्लेषण के चरित्र को काफी पर्यावरणीय बनाता है।
तर्क (R) : वेबर ने उन सामाजिक-सांस्कृतिक और आर्थिक स्थितियों का अध्ययन किया जिसने विशेषकर पश्चिम में नौकरशाही के विकास को उत्प्रेरित किया।
कूट :
A. (A) तथा (R) दोनों सही हैं तथा (R), (A) की सही व्याख्या है।

B. (A) तथा (R) दोनों सही हैं, परन्तु (R), (A) की सही व्याख्या नहीं है।
C. (A) सही है, परन्तु (R) गलत है।
D. (A) गलत है, परन्तु (R) सही है।

54. राज्य और इसके अधिकारियों के बारे में नागरिकों की अवधारणा प्राथमिक रूप से किस पर आधारित होती है?
1. सेवा प्रदाता के रूप में भूमिका
2. नागरिक और जन सेवाओं के बीच में एक संवेदनशील संक्रिया उपलब्ध कराने में इसकी भूमिका
3. प्रशासन की गुणवत्ता सुधार में भूमिका
4. कानून लागू करने वाले और विनियामक कर्ता के रूप में भूमिका

नीचे दिए गए कूट से **सही** उत्तर का चयन कीजिए:
A. 2 और 3 B. 3 और 4
C. 1, 2 और 3 D. 1, 2, 3 और 4

55. निम्नलिखित में से कौन यह कहते हैं कि प्रशासन सरकार की चतुर्थ शाखा है?
A. वुडरो विल्सन B. एल.डी. व्हाइट
C. डब्ल्यू.एफ. विलोबी D. जॉन पिफनर

56. नीचे दिए गए कूटों का उपयोग करते हुए नौकरशाही एकाधिकार की बुराइयों के शमन के लिए विलियम ए.निस्कनेन द्वारा सुझाए गए सही कदमों का चयन कीजिए :
(*i*) कार्यकारी अथवा विधायिका के माध्यम से नौकरशाही पर कड़ा नियंत्रण।
(*ii*) लोक सेवाओं को प्रदान करने में अधिक स्पर्धा।
(*iii*) अपव्यय को कम करने के लिए निजीकरण अथवा अनुबंधीकरण।
(*iv*) लोक सेवाओं के लिए विकल्पों की उपलब्धता के बारे में जन लाभों हेतु अधिक जानकारी का प्रचार-प्रसार।

कूट :
A. (*i*) और (*ii*) B. (*i*), (*ii*) और (*iii*)
C. (*ii*), (*iii*) और (*iv*) D. (*i*), (*ii*), (*iii*) और (*iv*)

57. बाजारोन्मुखी नव प्रबंधवाद स्व-शासन के प्रतिकूल चलता है जैसे कि इसकी संरचना नागरिकों की भागीदारी के साथ न करके प्रसन्न उपभोक्ता के विचार के साथ की गई है, निम्नलिखित में से यह किसकी विशेषता है?
A. नवीन लोक प्रशासन B. नवीन लोक प्रबंधन
C. पारंपरिक लोक प्रशासन D. नवीन लोक सेवा सिद्धांत

58. प्रधान-अभिकर्ता संबंधों के संदर्भ में निम्नलिखित में से क्या सही नहीं है?
A. आधुनिक लोकतांत्रिक राज्य प्रधान-अभिकर्ता संबंध पर आधारित होते हैं।
B. प्रधान-अभिकर्ता संबंधों को अनुबंधीय शर्तों तक न्यून किया जा सकता है।
C. संबंध 'जनसंख्या' और इसके 'शासकों' के बीच हैं।
D. 'शासक' अनुबंध प्रदान करने से जुड़े कर्मचारियों का 'प्रधान' नहीं हो सकता।

59. भारत सरकार का निम्न में से कौन-सा संस्थान/मंत्रालय लोक सेवकों को लोक प्रशासन में प्रधानमंत्री उत्कृष्टता पुरस्कार दिए जाने के लिए उत्तरदायी है?
A. प्रधानमंत्री कार्यालय
B. मंत्रिमंडलीय सचिवालय, भारत सरकार
C. कार्मिक, लोक शिकायत एवं पेंशन मंत्रालय
D. गृह मंत्रालय

60. दूसरे प्रशासनिक सुधार आयोग की कौन-से प्रतिवेदन ने भारत में सुशासन की बाधाओं की पहचान की है?
A. सूचना का अधिकार – उत्तम शासन के लिए मास्टर कुंजी
B. मानव संपदा का व्यापक विस्तार – हकदारियाँ और अधिशासन
C. ई-शासन का संवर्धन – मार्ट आगे बढ़ते कदम
D. नागरिक केन्द्रित प्रशासन – शासन का केन्द्र बिन्दु

61. लोक विकल्प सिद्धांत के बारे में निम्नलिखित कथनों पर विचार कीजिए :
(*i*) इसका उद्‌भव प्रशासन के अधिकारी तंत्र मॉडल की आलोचना के रूप में हुआ।
(*ii*) यह लोकतांत्रिक प्रशासन को बढ़ावा देता है।
(*iii*) यह लोक प्रशासन को राजनीति के प्रभावक्षेत्र में रखता है।
(*iv*) यह संस्थागत एकाधिकार का समर्थन करता है।

नीचे दिए गए कूट से सही उत्तर का चयन कीजिए :
कूट :
A. (*i*), (*ii*) और (*iii*) B. (*ii*), (*iii*) और (*iv*)
C. (*i*), (*iii*) और (*iv*) D. (*i*), (*ii*), (*iii*) और (*iv*)

62. निम्नलिखित में से कौन नव लोक प्रबंधन का दार्शनिक आधार नहीं है?
A. नव लोक प्रशासन B. लोक विकल्प सिद्धांत
C. नव उदारवादी विचारधारा D. नव अधिकार दर्शन

63. निम्नलिखित में से कौन-सी उद्यमी सरकार की विशेषताओं के बारे में सही नहीं है?
A. यह परिणाम उन्मुखी है।
B. यह बाजार उन्मुखी है।
C. यह नौकरशाही व्यवस्था को बढ़ावा देती है।
D. यह उत्प्रेरक सरकार है।

64. निम्नलिखित में से किसने 'गोफर प्रत्यायोजन' और 'स्टेवर्डशिप प्रत्यायोजन' का उल्लेख किया है?
A. जे.डी. मिलेट B. स्टीफेन आर. कोवे
C. जॉर्ज आर. टेरी D. अल्बर्ट के. विक्सबर्ग

65. 'सेवोत्तम' के बारे में निम्नलिखित पर विचार कीजिए और नीचे दिए गए कूट की सहायता से सही उत्तर का चयन कीजिए :

(*i*) यह सेवा वितरण में निर्देश का चिह्न उत्कृष्टता से संबंधित है।
(*ii*) यह नागरिकों को दी जाने वाली सेवाओं की गुणवत्ता में सुधार पर जोर देता है।
(*iii*) इसका केन्द्रक (नोडल) मंत्रालय गृह मंत्रालय है।
(*iv*) इसका लक्ष्य नागरिकों की शिकायतों का शीघ्र निपटान करना है।

कूट :

A. (*i*), (*ii*) और (*iii*) B. (*i*), (*ii*), (*iii*) और (*iv*)
C. (*i*), (*ii*) और (*iv*) D. (*ii*), (*iii*) और (*iv*)

66. केन्द्रीय सूचना आयुक्तों के बारे में निम्नांकित में से कौन-सा कथन सही नहीं है?

A. उनकी नियुक्ति भारत के राष्ट्रपति द्वारा की जाती है।
B. प्रधानमंत्री, लोकसभा में नेता प्रतिपक्ष तथा प्रधानमंत्री द्वारा नामांकित एक संघीय कैबिनेट मंत्री से युक्त एक समिति, नियुक्ति हेतु उनके नामों की अनुशंसा करती है।
C. उन्हें उनके पद से उसी तरीके से हटाया जा सकता है, जैसे कि नियंत्रक एवं महालेखा परीक्षक को हटाया जाता है।
D. वे 5 वर्ष या 65 वर्ष की आयु जो भी पहले हो, तक अपने पद पर बने रहते हैं।

67. "सार्वजनिक और निजी क्षेत्र को एक-दूसरे के साथ समाकलित होना चाहिए। सरकार का उद्देश्य समाजवाद के एक अखण्ड राज्य का निर्गाण न होकर लोगों को एकसमान उद्यम में सहभागी बनाना है।" निम्नलिखित में से यह किसका कथन है?

A. टी.टी. कृष्णमाचारी B. जे.एल. नेहरू
C. एस.एस. खेड़ा D. नरेन्द्र मोदी

68. भारत में सामुदायिक विकास कार्यक्रम की असफलता के निम्नलिखित में से किन कारणों को उत्तरदायी ठहराया जा सकता है? नीचे दिए गए कूटों का उपयोग करते हुए उत्तर दीजिए :

(*i*) कार्यक्रम के लाभों का असमान वितरण
(*ii*) अप्रशिक्षित कार्मिक
(*iii*) कार्यात्मक उत्तरदायित्व की कमी
(*iv*) कार्यक्रम में स्पष्ट रूप से निर्धारित प्राथमिकताओं की अनुपस्थिति

कूट :

A. (*ii*), (*iii*) और (*iv*) B. (*iii*) और (*iv*)
C. (*i*), (*ii*), (*iii*) और (*iv*) D. (*i*), (*iii*) और (*iv*)

69. प्रत्यायोजन के सम्बन्ध में सही कथन क्या हैं?

(*i*) वरिष्ठ के कार्यभार को कम करना।
(*ii*) प्रशासनिक प्रक्रिया में विलंब नहीं होने देना।
(*iii*) दूसरी पंक्ति के नेतृत्व को विकसित करने में सहायता करना।
(*iv*) नयी नीतियों को स्वीकृति प्रदान करने तथा पुरानी प्रथाओं से हटकर कार्य करने की शक्ति प्रदान करना।

नीचे दिए गए कूट की सहायता से सही उत्तर का चयन कीजिए :

कूट :

A. (*i*), (*ii*), (*iii*) B. (*ii*), (*iii*), (*iv*)
C. (*iii*), (*iv*) D. (*iv*), (*i*)

70. नवीन लोक प्रशासन किसका समर्थन नहीं करता है?

A. ग्राहक केन्द्रित
B. सामाजिक समता
C. प्रासंगिकता
D. प्रशासन में संरचनात्मक परिवर्तन

71. समस्तरीय जवाबदेयता बढ़ाने वाली निम्नांकित संस्थाओं में से कौन-सी, राज्य की कार्यपालिका शाखा से बाहर की है?

A. लोकायुक्त
B. नियंत्रक और महालेखा परीक्षक
C. केन्द्रीय सतर्कता आयोग
D. केन्द्रीय जाँच ब्यूरो

72. निम्नलिखित में से कौन-सा स्वयं सहायता समूह योजना का लाभ नहीं है?

A. कार्यक्रम संरचना में एकरूपता
B. सामुदायिक पहलों के लिए स्थान
C. स्व-प्रबंध की क्षमताओं का विकास
D. स्थानीय संस्कृति की स्वस्थ परम्पराओं को अंगीकार करता है।

73. अभिकथन (A) : प्रशासनिक प्रक्रिया के सरलीकरण की आवश्यकता है क्योंकि नौकरशाही भ्रष्टाचार को बढ़ावा देने के लिए पेचीदगियों वाली रणनीति अपनाती है।

तर्क (R) : प्रशासनिक प्रक्रिया का सरलीकरण स्थानीय सरकार के साथ सहभागी शासन एवं जनता के सशक्तीकरण की व्यवस्था वाली विकेन्द्रित शक्ति को अपनाकर किया जाता है।

कूट :

A. (A) तथा (R) दोनों सही हैं तथा (R), (A) की सही व्याख्या है।
B. (A) तथा (R) दोनों सही हैं, परन्तु (R), (A) की सही व्याख्या नहीं है।
C. (A) सही है, परन्तु (R) गलत है।
D. (A) गलत है, परन्तु (R) सही है।

74. कौटिल्य के बारे में निम्नलिखित में से क्या सही हैं?

(*i*) वह सम्राट चंद्रगुप्त मौर्य का दार्शनिक सलाहकार था।
(*ii*) उसने राज्य का सप्तांग सिद्धान्त दिया था।
(*iii*) उसने सम्राट की असीमित शक्तियों को न्यायोचित माना है।
(*iv*) अर्थशास्त्र सम्पत्ति विज्ञान और शासन विज्ञान का संयोजन है।

नीचे दिए गए कूट की सहायता से सही उत्तर का चयन कीजिए :

कूट :

A. (*i*) और (*ii*) B. (*i*), (*ii*) और (*iii*)
C. (*i*), (*ii*) और (*iv*) D. (*i*), (*ii*), (*iii*) और (*iv*)

75. निम्नलिखित में से कौन-सी नवीन लोक प्रबन्ध की विशेषताएँ हैं?
(*i*) निजी क्षेत्र की प्रबन्धकीय प्रक्रियाओं को लोक प्रशासन में अपनाने पर जोर देता है।
(*ii*) सार्वजनिक क्षेत्र के अन्दर प्रतियोगिता को बढ़ावा देना।
(*iii*) प्रक्रियाओं की अपेक्षा परिणामों पर बल देना।
(*iv*) प्रबन्ध से नीति की ओर स्थानान्तरण।
नीचे दिए कूटों में से सही उत्तर का चयन कीजिए :
कूट :
A. (*i*), (*ii*) तथा (*iii*) B. (*ii*), (*iii*) तथा (*iv*)
C. (*i*), (*ii*) तथा (*iv*) D. (*i*), (*iii*) तथा (*iv*)

76. निम्नलिखित में से कौन-सा कारण प्रत्यायोजित विधान के लिए आवश्यक नहीं है?
A. किसी आपात स्थिति में द्रुत तथा उचित कार्रवाई की आवश्यकता होती है।
B. जटिल तथा तकनीकी मामलों पर विचार करने के लिए संसद के पास समय नहीं है।
C. प्रत्यायोजित विधान में शामिल कुछ विषय तकनीकी स्वरूप के हैं जिनका निपटान विशेषज्ञों द्वारा किया जाना चाहिए।
D. प्रत्यायोजित विधान लोगों की स्वतंत्रता को सुकर बनाता है तथा उसकी रक्षा करता है।

77. 'शासन में डिजिटल युग का विचार' निम्नलिखित में से किससे सम्बद्ध है?
A. जेम्स एम. बुचानन B. डेनिश सी. मुल्लर
C. पैट्रिक डनलेवी D. गॉर्डन टुल्लॉक

78. अखिल भारतीय सेवा (आचरण) नियमावली, 1968 जो 2014 में संशोधित किए गए हैं, में निम्नलिखित में से क्या शामिल हैं?
(*i*) उच्च नैतिक मानदण्ड, सच्चरित्रता और ईमानदारी
(*ii*) राजनीतिक तटस्थता
(*iii*) जवाबदेही और पारदर्शिता
(*iv*) जनता के साथ शिष्ट एवं अच्छा व्यवहार
नीचे दिए गए कूट की मदद से सही उत्तर का चयन कीजिए :
कूट :
A. (*i*), (*ii*) B. (*i*), (*ii*), (*iii*)
C. (*ii*), (*iii*) ,(*iv*) D. (*i*), (*ii*), (*iii*), (*iv*)

79. पुलिस सुधारों के बारे में भारत के उच्चतम न्यायालय द्वारा संघ सरकार को निम्नलिखित में से क्या निर्देश दिया गया है?
A. पुलिस स्थापना बोर्ड की स्थापना करना।
B. पुलिस महानिदेशक के चयन की प्रक्रिया की रूपरेखा बनाना।
C. राष्ट्रीय सुरक्षा आयोग का गठन करना।
D. कानून व्यवस्था के कार्य को जाँच कार्यों से पृथक करना।

80. जनता से संबंधित समस्याओं के समाधान के लिए सरकारी संस्थानों या अधिकारियों द्वारा की जाने वाली ऐच्छिक कार्रवाई को किस रूप में जाना जाता है?
A. लोक विधि B. लोक नीति
C. लोक कथन D. व्यूह रचना

81. सूची-I को सूची-II से सुमेलित करें। नीचे दिए गए कूट से सही उत्तर का चयन करें :

सूची-I (अवधारणाएँ)	सूची-II (दृष्टांत)
(*a*) नीति कार्यान्वयन	1. पुलिस नियुक्ति, जेलों का निर्माण
(*b*) नीति प्रभाव (निर्गत)	2. गिरफ्तारी और दोषसिद्धि की उच्च दर
(*c*) इच्छित (निर्गत)	3. अपराध दर, सुरक्षा की भावना
(*d*) अनैच्छिक (निर्गत)	4. कैदियों के परिवार द्वारा ज्यादा जन सहयोग का उपयोग

कूट :

	(*a*)	(*b*)	(*c*)	(*d*)
A.	1	2	3	4
B.	1	3	2	4
C.	1	3	4	2
D.	2	3	4	1

82. राज्य के नीति निदेशक तत्वों के किस प्रावधान के अन्तर्गत लैंगिक विषमता का निषेध किया गया है?
A. अनुच्छेद 39 B. अनुच्छेद 40
C. अनुच्छेद 41 D. अनुच्छेद 42

83. निम्नलिखित में से किसे भारत सरकार के सामाजिक न्याय एवं अधिकारिता विभाग के अधिकार क्षेत्र से बाहर रखा गया है?
A. अनुसूचित जाति
B. अनुसूचित जनजाति
C. आर्थिक रूप से पिछड़ा वर्ग
D. सामाजिक तथा शैक्षिक रूप से पिछड़ा वर्ग

84. राष्ट्रीय स्वास्थ्य मिशन के अंतर्गत सामुदायिक स्वयंसेवकों को आशा (ASHA) कहा गया है। इस परिवर्णी शब्द में प्रथम एवं अंतिम 'A' क्रमशः निम्नलिखित में से किसके लिए प्रयुक्त हुआ है?
A. एक्टिव एंड एसिस्टेन्ट्स
B. एक्रेडिटेड एंड एक्टिविस्ट्स
C. एक्रेडिटेड एंड एक्टर्स
D. एक्टिव एंड एटेंडेन्ट्स

85. मध्याह्न भोजन योजना का किस तिथि को शुभारम्भ किया गया?
A. 15 अगस्त, 1994 B. 15 अगस्त, 1995
C. 26 जनवरी, 1994 D. 26 जनवरी, 1995

86. पिछले दौर की जनगणना में भारत में मलिन बस्तियों की तीन प्रकारों में पहचान की गई है। निम्नलिखित में से कौन इन श्रेणियों में शामिल नहीं है?
A. अभिनिर्धारित B. अधिसूचित
C. मान्यताप्राप्त D. उभरती हुई

87. अभिकथन (A) : भारत के ग्रामीण विकास एजेंडा में अभी भी ऊर्ध्वगामी (नीचे से ऊपर) दृष्टिकोण शामिल नहीं है।

तर्क (R) : विश्वास, समानुभूति, आकांक्षा तथा सशक्तिकरण ग्रामीण समुदायों के जीवन के सुधार की कुंजी हैं।

कूट :

A. (A) तथा (R) दोनों सही हैं तथा (R), (A) की सही व्याख्या है।

B. (A) तथा (R) दोनों सही हैं, परन्तु (R), (A) की सही व्याख्या नहीं है।

C. (A) सही है, परन्तु (R) गलत है।

D. (A) गलत है, परन्तु (R) सही है।

88. निम्नलिखित विकास कार्यक्रमों को शुरू किए जाने के संबंध में नीचे दिए गए कूट की सहायता से उनके आरोही क्रम में व्यवस्थित कीजिए :

(*i*) अटल पेंशन योजना

(*ii*) जवाहरलाल नेहरू राष्ट्रीय शहरी नवीकरण मिशन

(*iii*) इन्दिरा आवास योजना

(*iv*) दीन दयाल उपाध्याय ग्राम ज्योति योजना

कूट :

A. (*iii*), (*ii*), (*iv*), (*i*) B. (*ii*), (*iii*), (*i*), (*iv*)

C. (*iii*), (*ii*), (*i*), (*iv*) D. (*ii*), (*iv*), (*i*), (*iii*)

89. निम्नलिखित में से कौन-सी स्कीम के अन्तर्गत ग्रामीण गरीबों को मकान बनाने हेतु वित्तीय सहायता का प्रावधान किया गया है?

A. इन्दिरा गांधी मातृत्व सहयोग योजना

B. इन्दिरा आवास योजना।

C. राजीव आवास योजना

D. जन आवास योजना

90. यू.के. में नागरिक अधिकार पत्र निम्नांकित में से किस समिति के प्रतिवेदन पर आधारित है?

A. कमैटी ऑन कॉरपोरेट गवर्नेन्स

B. सर रोबिन्स इब्बस कमैटी

C. कर्मटी ऑन स्टैण्डर्डस् इन पब्लिक लाइफ

D. कमैटी ऑन कन्ज्यूमर वायस इन ट्रांसफोर्मिंग पब्लिक सर्विसेस

91. निम्न में से किस वर्ष केन्द्रीय सतर्कता आयोग को केन्द्रीय सतर्कता आयोग अधिनियम के अधिनियमन द्वारा सांविधिक दर्जा प्राप्त हुआ?

A. 1964 B. 1988

C. 1998 D. 2003

92. निम्नांकित में से कौन ई-प्रशासन संबंधी द्वितीय ए.आर.सी. की सिफारिश **नहीं** है?

A. सौहार्दपूर्ण माहौल का निर्माण

B. ई-प्रशासन परियोजनाओं की पहचान तथा उनकी प्राथमिकता का निर्धारण

C. व्यवसाय प्रक्रिया पुनर्अभियांत्रिकीकरण

D. स्थायी लेखा संख्या कार्ड

93. निम्नांकित में कौन भारत में भ्रष्टाचार-रोधी उपाय हैं?

(*a*) सूचना का अधिकार अधिनियम, 2005

(*b*) धनशोधन निवारण अधिनियम, 2002

(*c*) लोकपाल और लोकायुक्त अधिनियम, 2013

(*d*) व्हिसल ब्लोअर संरक्षा अधिनियम, 2011

नीचे दिए गए कूटों से **सही** उत्तर का चयन करें:

A. (*c*) और (*d*) B. (*a*) और (*b*)

C. (*b*), (*c*) और (*d*) D. (*a*), (*b*), (*c*) और (*d*)

94. द्वितीय प्रशासनिक सुधार आयोग द्वारा निम्नांकित में से किसकी भारत में नागरिक-केन्द्रीय प्रशासन में एक अवरोध के रूप में पहचान नहीं की गई है?

A. लोक सेवकों का कम उत्तरदायित्व

B. प्रशासन में अमीर-गरीब संबंधी भेदभाव

C. लालफीताशाही

D. नागरिकों के अधिकारों एवं कर्तव्यों की जागरुकता का निम्न स्तर

95. नव लोक प्रबंधन के सिद्धांतों पर विचार कीजिए :

(*a*) प्रबंधन पर ध्यान देना, नीति पर नहीं

(*b*) कार्य-निष्पादन मूल्यांकन और कार्यक्षमता पर ध्यान देना

(*c*) ठेके पर देना

(*d*) प्राधिकार का अन्तरण

नीचे दिए गए कूटों से सही उत्तर का चयन करें :

A. (*a*), (*b*) और (*c*) B. (*b*), (*c*) और (*d*)

C. (*a*), (*c*) और (*d*) D. (*a*), (*b*), (*c*) और (*d*)

96. कौटिल्य के कार्मिक प्रशासन संबंधी विचारों के बारे में कौन-सा कथन सही नहीं है?

A. उन्होंने अधिकारियों के उच्च स्तर पर जोर दिया।

B. उन्होंने भ्रष्टाचार की समस्या के समाधान के लिए कार्मिकों के अन्तरण को निर्धारित किया।

C. उन्होंने निम्नतर अधिकारियों की शिक्षा एवं प्रशिक्षण संबंधी मुद्दों का विस्तृत विश्लेषण किया।

D. उन्होंने काम के दौरान मरने वाले कार्मिकों के लिए कुटुम्ब पेंशन की बात की।

97. 'आतंकवाद का मुकाबला करने' के संबंध में द्वितीय प्रशासनिक सुधार आयोग की 8वीं रिपोर्ट पर निम्नांकित किस मंत्रालय द्वारा कार्यवाही की जा रही है?

A. विदेश मंत्रालय B. गृह मंत्रालय

C. रक्षा मंत्रालय D. विधि और न्याय मंत्रालय

98. कथन (A) : मानव संसाधन का विकास किए जाने की आवश्यकता है।

कारण (R) : नई बाजार दशाओं के अंतर्गत भारतीय उद्यमों को उच्च क्षमता, कौशल तथा प्रशिक्षण वाले लोगों की आवश्यकता है।

कूट :

A. (A) और (R) दोनों सही हैं और (R), (A) की सही व्याख्या है।

B. (A) और (R) दोनों सही हैं, किन्तु (R), (A) की सही व्याख्या नहीं है।

C. (A) सही है, परन्तु (R) गलत है।

D. (A) गलत है, परन्तु (R) सही है।

99. निम्नलिखित में से कौन-सा घटक प्रभावी एवं प्रत्युत्तरकारी प्रशासन से सम्बन्धित कार्य योजना में शामिल नहीं है?

A. उत्तरदायित्व एवं नागरिक अनुकूल सरकार

B. शिकायत निवारण तंत्र का विकास

C. पारदर्शिता एवं सूचना का अधिकार

D. लोक सेवाओं के कार्य-निष्पादन एवं सत्यनिष्ठा में सुधार

100. राज्य स्तरीय सूचना का अधिकार अधिनियमों का संबंधित सरकारों द्वारा अधिनियमों को कालक्रमानुसार व्यवस्थित कीजिए।

(*a*) हरियाणा

(*b*) तमिलनाडु

(*c*) राजस्थान

(*d*) जम्मू और कश्मीर

नीचे दिए कूटों में से सही उत्तर का चयन कीजिए:

कूट :

A. (*a*), (*b*), (*d*) और (*c*)

B. (*b*), (*a*), (*d*) और (*c*)

C. (*b*), (*c*), (*d*) और (*a*)

D. (*b*), (*a*), (*c*) और (*d*)

उत्तरमाला

1	2	3	4	5	6	7	8	9	10
C	B	D	A	D	A	C	A	B	A
11	**12**	**13**	**14**	**15**	**16**	**17**	**18**	**19**	**20**
C	C	B	D	D	B	A	C	C	B
21	**22**	**23**	**24**	**25**	**26**	**27**	**28**	**29**	**30**
A	B	D	B	B	D	B	C	B	B
31	**32**	**33**	**34**	**35**	**36**	**37**	**38**	**39**	**40**
A	C	D	A	B	C	A	C	B	A
41	**42**	**43**	**44**	**45**	**46**	**47**	**48**	**49**	**50**
B	B	A	C	A	C	C	B	C	B
51	**52**	**53**	**54**	**55**	**56**	**57**	**58**	**59**	**60**
B	B	A	D	C	D	B	D	C	D
61	**62**	**63**	**64**	**65**	**66**	**67**	**68**	**69**	**70**
A	A	C	B	C	C	A	C	A	D
71	**72**	**73**	**74**	**75**	**76**	**77**	**78**	**79**	**80**
D	A	B	D	A	D	C	D	C	B
81	**82**	**83**	**84**	**85**	**86**	**87**	**88**	**89**	**90**
B	A	B	B	B	D	B	A	B	B
91	**92**	**93**	**94**	**95**	**96**	**97**	**98**	**99**	**100**
D	D	D	B	D	C	B	A	B	C

★★★

UNIT–X

शोध प्रविधि

(RESEARCH METHODOLOGY)

सामाजिक विज्ञान अनुसंधान : अर्थ तथा महत्व

सामाजिक शोध का अर्थ

मनुष्य ने प्रारम्भ में काल्पनिक या दार्शनिक आधार पर घटनाओं का विश्लेषण किया। उसने ईश्वर या अलौकिक शक्ति को सभी प्रकार की घटनाओं का स्रोत माना। पूर्व में उसके ज्ञान का आधार अंतःप्रज्ञा, परम्परा, वैयक्तिक अनुभव तथा 'प्रयत्न एवं मूल' की विधियाँ रही है। इस प्रकार से प्राप्त ज्ञान में विश्वसनीयता एवं प्रामाणिकता का अभाव था। आज व्यक्ति इस स्थिति से आगे बढ़ गया है और अब वह उसी घटना पर विश्वास करता है जिसे वह नेत्रों से देख सके, स्पर्श द्वारा अनुभव कर सके तथा कानों द्वारा सुन सके अर्थात् अब वह तार्किक आधार पर घटनाओं को समझने तथा वास्तविकता का पता लगाने लगा है। इस प्रकार वह अब व्यवस्थित ढंग से ज्ञान को संचित करता है। यही शोध या अनुसंधान का प्रारम्भ है। शोध में व्यक्ति अपनी जिज्ञासा के अनुरूप गहन अध्ययन करता है। उसकी जिज्ञासा का आधार चाहे प्राकृतिक दशाएं हो अथवा सामाजिक जटिलताएं इनसे संबंधित ज्ञान का स्पष्टीकरण करना तथा प्राप्त ज्ञान का सत्यापन करना, नए सिद्धांतों का निर्माण करना तथा पुराने सिद्धांतों की सत्यता का परीक्षण करना ही अनुसंधान (शोध) है।

मानव अब संपूर्ण ज्ञान वैज्ञानिक शोध के द्वारा ही प्राप्त कर रहा है। इसी के द्वारा मनुष्य ने अपने संपूर्ण सामाजिक संगठन, अपने पर्यावरण व अनेक प्रचलित नियमों के बारे में जानकारी प्राप्त की है।

वास्तव में सामाजिक शोध वह क्रमबद्ध तथा वैज्ञानिक अध्ययन विधि है जिसके आधार पर सामाजिक घटनाओं के संबंध में हम नवीन ज्ञान की प्राप्ति करते हैं या पहले से प्रतिपादित नियमों की पुनः परीक्षा करते हैं तथा साथ ही तथ्यों व कार्य-कारण को स्पष्ट करते हैं। सामान्यतः सामाजिक शोध को सामाजिक अनुसंधान का ही एक रूप माना जाता है।

श्री मोसर के अनुसार–सामाजिक घटनाओं व समस्याओं के संबंधों में नवीन ज्ञान की प्राप्ति के लिए किए गए सुव्यवस्थित अनुसंधान को सामाजिक शोध कहते हैं।

बोगार्डस के अनुसार–"एक साथ रहने वाले लोगों के जीवन में क्रियाशील अन्तर्निहित प्रक्रियाओं का अनुसंधान ही सामाजिक शोध है।"

सामाजिक शोध की आधारभूत मान्यताएँ हैं :

1. सामाजिक घटनाओं में कार्य-करण संबंध का होना
2. सामाजिक घटनाओं में अनुक्रम या नियम होना
3. आदर्श प्रारूपों की सम्भावना होना
4. प्रतिनिधि निदर्शन की सम्भावना का होना
5. तटस्थ अध्ययन की सम्भावना

सामाजिक शोध के प्रमुख कारण :

1. अज्ञात को जानने की इच्छा
2. कारण तथा अप्रत्याशित परिस्थितियों को प्रकट करना
3. सिद्धांतों की पुर्नस्थापना करना, इन्हीं कारकों द्वारा प्रेरित होकर सामाजिक शोध दिशा पकड़ती है।

शोध के प्रकार–सामाजिक शोध के निम्नांकित तीन प्रमुख प्रकार हैं–

1. **मौलिक या विशुद्ध शोध**–इसका उद्देश्य ज्ञान की प्राप्ति, वृद्धि तथा प्रामाणीकरण होता है। इसकी प्रकृति सैद्धांतिक होती है।
2. **व्यावहारिक शोध**–इसका संबंध सामाजिक जीवन के व्यावहारिक पक्ष से होता है। इसका उद्देश्य व्यावहारिक होता है और इसमें केवल ज्ञान प्राप्त किया जाता है।
3. **क्रियात्मक शोध**–यह व्यावहारिक शोध का अगला चरण है क्योंकि व्यावहारिक शोध के द्वारा निकाले गए परिणामों को विभिन्न योजनाओं के द्वारा क्रियात्मक रूप प्रदान किया जाता है। इस प्रकार कहा जा सकता है कि क्रियात्मक शोध वह है जो सामाजिक घटना या किसी समस्या के क्रियात्मक पक्ष पर कार्य करता है। गुडे व हर्ट के अनुसार–क्रियात्मक शोध उस कार्यक्रम का भाग होता है जिसका लक्ष्य विद्यमान अवस्थाओं को परिवर्तित करना होता है

चाहें गंदी बस्ती की अवस्थाएँ हों या प्रजातीय तनाव व पक्षपात हो या एक संगठन की प्रभावशीलता हो।

सामाजिक अनुसंधान का महत्व

विभिन्न क्षेत्रों में सामाजिक अनुसन्धान की उपयोगिता अथवा महत्व को निम्नांकित रूप से समझा जा सकता है।

1. **नवीन ज्ञान की प्राप्तिः** सामाजिक अनुसन्धान का सबसे महत्वपूर्ण उपयोग नवीन ज्ञान की प्रप्ति से सम्बन्धित है, उपयोगी ज्ञान की सहायता से ही प्रगति के मार्ग पर आगे बढ़ा जा सकता है।
2. **अज्ञानता की समाप्तिः** सामाजिक अनुसंधान ही एकमात्र ऐसा आधार है जिसके द्वारा मानव धीरे-धीरे अपनी अज्ञानता को समाप्त कर सकता है। हमारे समाज में आज क्षेत्रवाद, भाषावाद, जातिवाद, वर्गवाद, भ्रष्टाचार, युवा तनाव, अपराध, धर्म, नैतिकता और मनोरंजन में पतन जैसी जो विषम समस्यायें विद्यमान हैं, उनके वास्तविक कारणों को अनुसंधान के द्वारा ज्ञात करके ही इसके प्रभाव को कम किया जा सकता है।
3. **समाज कल्याण में सहायकः** समाज कल्याण वर्तमान जीवन की प्रमुख आवश्यकता है। विभिन्न सामाजिक अनुसंधानों से यह स्पष्ट हो चुका है कि समाज की संरचना में विद्यमान तत्व ही विभिन्न समस्याओं का वास्तविक कारण होते हैं। सामाजिक अनुसंधान के द्वारा इन तत्वों का ज्ञान प्राप्त करके समाज को अधिक संगठित किया जा सकता है। आज की वास्तविकता यही है कि समाज कल्याण से सम्बन्धित कोई भी कार्यक्रम तब तक सफल नहीं हो सकता है जब तक अनुसंधान से प्राप्त निष्कर्षों के आधार पर उसे एक व्यावहारिक स्वरूप न प्रदान किया जाये।
4. **सामाजिक नियंत्रण में सहायकः** आज अनेक कारणों से सामाजिक परिवर्तन की गति तेज हुई है। द्रुतगामी परिवर्तनों के कारण सामाजिक व्यवस्था में असंतुलन की स्थिति उत्पन्न हुई है। परिणामस्वरूप वैयक्तिक, पारिवारिक एवं सामाजिक विघटन बढ़ा है। सामाजिक अनुसन्धान के द्वारा ही मानवीय सम्बन्धों को व्यवस्थित बनाने वाली प्रक्रियाओं का पता लगाया जा सकता है और असन्तुलन व विघटन की स्थिति से छुटकारा प्राप्त किया जा सकता है। ऐसा करके ही सामाजिक नियंत्रण के लिये दृढ़ आधार प्रदान किया जा सकता है।
5. **प्रशासन एवं समाज-सुधार में उपयोगिताः** एक प्रशासक विभिन्न दशाओं में एक प्रभावपूर्ण भूमिका तभी निभा सकता है जब वह अपने चारों ओर की वास्तविक दशाओं से परिचित हो तथा विभिन्न समस्याओं के आधारभूत कारणों को जानता हो। ऐसा ज्ञान उसे अनुसंधान पर आधारित निष्कर्षों से ही प्राप्त हो सकता है। समाज-सुधारक अपने सीमित ज्ञान के आधार पर विभिन्न समस्याओं की वास्तविक प्रकृति को ठीक से नहीं समझ पाते। वे समाज-सुधारक के रूप में अपनी भूमिका प्रभावशाली ढंग से उसी समय निभा सकते हैं जब उन्हें सामाजिक अनुसंधान द्वारा आवश्यक ज्ञात प्रदान किया जाये।
6. **भविष्यवाणी का आधारः** सामाजिक अनुसंधान द्वारा प्राप्त ज्ञान की इस रूप में विशेष उपयोगिता है कि इसके आधार पर वर्तमान को समझकर भविष्य के बारे में अनुमान लगाया जा सकता है,. भविष्य की सामाजिक घटनाओं के बारे में बताया जा सकता है। जब अनुसंधान द्वारा भविष्य में उत्पन्न होने वाली दशाओं का पता लगा लिया जाता है तो उनके साथ सफलतापूर्वक समायोजन और सामाजिक जीवन में सन्तुलन स्थापित किया जा सकता है।
7. **सामाजिक विज्ञानों के विकास में योगदानः** सामाजिक अनुसन्धान के द्वारा जब अध्ययन की नयी प्रविधियों और उपकरणों का विकास होता है तो इससे प्रत्येक समाज विज्ञान को अपना विकास करने के अवसर प्राप्त होते हैं। सभी सामाजिक विज्ञान किसी न किसी रूप में मानवीय सम्बन्धों, सामाजिक प्रक्रियाओं तथा सामाजिक घटनाओं का ही अध्ययन करते हैं। इस प्रकार सामाजिक अनुसन्धान सामाजिक ज्ञान की किसी भी शाखा से सम्बन्धित हो, वह विभिन्न सामाजिक विज्ञानों के बीच पारस्परिक निर्भरता को प्रोत्साहन देकर उनके विकास का मार्ग प्रशस्त करता है।
8. **उपकल्पना की जाँच का आधारः** सामाजिक अनुसंधान वह महत्वपूर्ण आधार है जिसके द्वारा हम विभिन्न उपकल्पनाओं की जाँच करके किसी वास्तविक निष्कर्ष तक पहुँचते हैं। उपकल्पना की जाँच के द्वारा सामाजिक अनुसन्धान ऐसे तार्किक निष्कर्ष प्रदान करता है जिनकी सहायता से उपयोगी सिद्धान्तों का निर्माण संभव हो जाता है। वास्तव में, अधिकांश सामाजिक सिद्धान्त सर्वकालिक नहीं होते। सामाजिक आवश्यकताओं, मूल्यों और मानवीय ज्ञान में परिवर्तन के साथ इनकी उपयोगिता में परिवर्तन होता रहता है। सामाजिक अनुसंधान के द्वारा ही यह ज्ञात किया जा सकता है कि अतीत के सिद्धान्त वर्तमान दशाओं में किस सीमा तक उपयोगी अथवा अनुपयोगी हैं।
9. **मध्यवर्ती सिद्धान्तों का विकासः** मर्टन ने मध्यवर्ती सिद्धान्तों (Middle Range Theories) के निर्माण में सामाजिक अनुसंधान को विशेष रूप से महत्वपूर्ण माना है। हम जिन घटनाओं के बीच रहते हैं, साधारणतया हम उन्हें बहुत सामान्य रूप से देखते हैं। यदि आनुभविक रूप से हम अपने चारों ओर फैली विभिन्न घटनाओं के कारणों और परिणामों पर विचार करने लगें तो इससे किसी समूह, संगठन या समुदाय के बारे में ऐसे निष्कर्ष प्राप्त होने लगते हैं जिनकी सहायता से वृहत् समाजशास्त्रीय सिद्धान्तों को विकसित किया जा सकता है।

सामाजिक अनुसंधान के इस सम्पूर्ण विवेचन से स्पष्ट होता है कि सामाजिक जीवन का आज कोई भी पक्ष ऐसा नहीं है जिसे अनुसंधान के अभाव में समुचित रूप से समझा जा सके। सामाजिक अनुसंधान का उद्देश्य केवल सैद्धान्तिक ज्ञान में वृद्धि करना ही नहीं होता बल्कि मानवीय समस्याओं का समाधान खोजने तथा भावी चुनौतियों का प्रत्युत्तर देने में भी यह उतना ही अधिक सहायक है। आज यह कल्पना भी नहीं की जा सकती कि सामाजिक अनुसंधान के बिना सामाजिक जीवन को संगठित और प्रगतिशील बनाया जा सकता है।

प्रविधि तथा विधियों में अन्तर

प्रविधि

प्रविधि उसे कहते हैं जो विधि बनने की प्रक्रिया में होता है। यह एक प्रकार का क्रिया है जिसका भविष्य में निर्माण हो सकता है। प्रविधि दो प्रकार के हो सकते हैं। प्रथम प्रथागत कानून जो व्यवस्थापिका में निर्माणाधीन हो सकता है, दूसरा नई परिस्थितियों, समस्या के अनुसार पूर्णतः नये कानून बनाने की प्रक्रिया हो सकता है। इसे हम दो उदाहरण से समझ सकते हैं।

प्रथम अगर समाज में परिवर्तित परिवेश के अनुसार नये कानून की माँग होती है तो उस पर व्यवस्थापिका कानून बनाने की पहल कर सकता है और तब विधि को प्रविधि कहते हैं।

दूसरे समाज में मान्यता प्राप्त प्रथागत कानून आदि हैं जिसे लोग समाज में पालन करते हैं और वयोवृद्ध लोगों की परिषद द्वारा पालन कराया जाता है। अर्थात् यह जनरीतियों एवं पूर्ण विकसित कानूनों के बीच की अवस्था होती है।

विधि

जब लोकाचार के प्रवर्तन के लिए किसी संगठन का जन्म होता है तब हम उन्हें विधि कहते हैं। आधुनिक जटिल समाजों में केवल जनमत, औपचारिक शक्ति और नैतिक चेतना के द्वारा ही व्यवस्था स्थापित नहीं की जा सकती, बल्कि किसी प्रकार का राजनैतिक संगठन आवश्यक हो जाता है। इसके लिए पुलिस की व्यवस्था की जाती है। रक्षा तथा निर्णय करने के लिए न्यायालय होते हैं।

हॉबल के अनुसार, "कानून एक सामाजिक नियम है जिसका उल्लंघन होने पर धमकी देने या वास्तव में शारीरिक बल प्रयोग करने का एकाधिकार एक समूह के पास होता है, जिसे ऐसा करने का समाज द्वारा मान्य विशेषाधिकार प्राप्त है।"

मैकाइवर के अनुसार, "कानून मानव व्यवहार को नियन्त्रित करने वाले औपचारिक विशिष्ट नियमों का वह स्वरूप है, जो उन लोगों द्वारा बनाये जाते हैं जिन्हें राज्य में राजनीतिक शक्ति प्राप्त होती है और किसी विशेष परिस्थिति के अनुसार ही उन्हें लागू किया जाता है।"

लोकाचार एवं जनरीतियों का विकास होता है, जबकि कानून का निर्माण विधिनिर्मात्री सभा द्वारा किया जाता है। कानून के पीछे राज्य की बाध्यमूलक शक्ति होती है तथा दण्ड की मात्रा निश्चित होती है।

कई बार हमें कानून एवं लोकाचार में टकराव देखने को मिलता है। उदाहरणार्थ कानून दहेज एवं बाल-विवाह का विरोधी है, जबकि लोकाचार उन्हें स्वीकार करते हैं। इसका यह अर्थ नहीं कि सदैव ही वे एक-दूसरे के विरोधी होते हैं। हम देखते हैं कानूनों का निर्माण प्रथा एवं लोकाचार के आधार पर ही किया जाता है। वे कानून सफल नहीं हो सकते जिन्हें लोकाचार और प्रथाओं का समर्थन नहीं मिलता है। इस प्रकार कहीं ये परस्पर विरोधी होते हैं तो कहीं एक-दूसरे के पूरक हैं। नवीन परस्थितियाँ पैदा होने पर जब उनसे सम्बन्धित कोई लोकाचार एवं प्रथाएं न हों अथवा वे अपर्याप्त हों तो कानून का निर्माण आवश्यक हो जाता है। उदाहरण के लिए भारत में औद्योगिकरण एवं यातायात साधनों का विकास हुआ तो सड़क कानून बनाना पड़ा है। इस प्रकार नवीन परिस्थितियों से अनुकूलन में सहयोग देते हैं। कानून द्वारा सामाजिक परिवर्तन एवं नियन्त्रण का कार्य किया जाता है। अतः कह सकते हैं कि समाज के विकास के साथ-साथ कानून पर निर्भरता भी बढ़ती जाती है।

शोध में तथ्य तथा मूल्य

तथ्यों के व्यवस्थित विश्लेषण के आधार पर वह सिद्धान्तों व अवधारणाओं का निर्माण करता है। तथ्य और सिद्धान्त सामाजिक शोध के दो प्रमुख आधार हैं। किन्तु किन्हीं सिद्धान्तों का प्रतिपादन करना एवं समझना तभी सम्भव होता है जब हम इनसे सम्बन्धित अवधारणाओं को जान लें। अवधारणाओं से अध्ययन कार्य में बहुत सुविधा हो जाती है क्योंकि किसी भी घटना, परिस्थिति या प्रक्रिया को हम अवधारणा के माध्यम से एक या दो शब्दों में ही सरलतापूर्वक समझ सकते हैं। अवधारणाएं सिद्धान्तों के प्रतिपादन को सरल बना देती हैं। सामाजिक शोध में वस्तुनिष्ठता अथवा वैज्ञानिकता बनाए रखने के लिए तथ्य, सिद्धान्त और अवधारणाओं को सही अर्थों में जानना आवश्यक होता है। इस सन्दर्भ में गुडे तथा हाट ने कुछ ऐसी सावधानियों का उल्लेख किया है जो एक शोधकर्ता को ध्यान में रखनी चाहिए, वे हैं :

1. एक शोधकर्ता को यह ध्यान में रखना चाहिए कि तथ्य और सिद्धान्त परस्पर विरोधी नहीं होते वरन् एक-दूसरे से सम्बन्धित होते हैं।
2. सिद्धान्त कोई मनमाना विचार अथवा अटकलबाजी नहीं है वरन् यह पूर्णतया तथ्यों पर आधारित होता है।
3. एक वैज्ञानिक का सम्बन्ध सिद्धान्त एवं तथ्य दोनों से घनिष्ठ रूप से होता है क्योंकि इनकी समुचित जानकारी एवं उपयोग के बिना उसका सारा अध्ययन अर्थहीन हो सकता है।

इस सन्दर्भ में हम यहां तथ्य, सिद्धान्त एवं अवधारणा की परिभाषा, विशेषताओं एवं पारस्परिक सम्बन्धों को जानने का प्रयत्न करेंगे।

शोध में तथ्य

तथ्य की परिभाषा एवं विशेषताएं

वैज्ञानिक अध्ययन का सारा दारोमदार वास्तविक तथ्यों पर ही निर्भर होता है। प्रश्न उठता है कि तथ्य किसे कहते हैं? सामान्यतः तथ्य का अर्थ किसी भी ऐसी घटना के सन्दर्भ से है जो निश्चित और स्पष्ट होने के साथ-साथ वास्तविक रूप में घटित हुई हो तथा जिसकी वास्तविकता में किसी प्रकार की शंका न की जाती हो। विभिन्न समाज वैज्ञानिकों द्वारा तथ्यों की भिन्न-भिन्न व्याख्या के कारण ही कई बार इसका अर्थ भ्रामक हो जाता है इसलिए श्रीमती पी.बी. यंग ने लिखा है—"यह एक ऐसा शब्द है जिसको परिभाषित करना बहुत ही कठिन है।" हम यहां विभिन्न विद्वानों द्वारा दी गई तथ्य की परिभाषाओं का उल्लेख करेंगे :

अमेरिकन कॉलेज शब्दकोश में तथ्य को परिभाषित करते हुए लिखा गया है–तथ्य वह है 'जो वास्तव में घटित हुआ है।' (What has really happened)।

श्रीमती पी.बी. यंग के अनुसार, "तथ्य एक ऐसा अनुभवसिद्ध अवलोकन है जिसकी सत्यता की परीक्षा की जा सके।"

फेयरचाइल्ड के अनुसार, "तथ्य एक ऐसी घटना है जिसके अवलोकन तथा अनुमाप के विषय में सभी के बीच बहुत अधिक सहमति पाई जाती है।"

दुर्खीम सामाजिक तथ्य को एक वस्तु के रूप में देखते हैं और इसी आधार पर उनका वैज्ञानिक अध्ययन करने पर बल देते हैं।

उपर्युक्त परिभाषाओं के आधार पर निष्कर्ष रूप में हम यह कह सकते हैं कि तथ्य एक ऐसी घटना है जो वास्तव में घटित हो। तथ्यों की विशेषताओं व प्रकृति के आधार पर हम उन्हें और अधिक स्पष्ट रूप से समझ सकते हैं।

तथ्य की विशेषताएँ

1. तथ्य कोई भी वह घटना है जो वास्तव में घटित हुई हो, वास्तविक रूप में विद्यमान हो।
2. तथ्य सदैव मूर्त ही नहीं होते बल्कि अमूर्त भी हो सकते हैं।
3. तथ्य एक स्थिति या घटना की वह वास्तविकता है जिसे सभी लोग सच मान सकते हैं। अगर किसी को सन्देह है तो वह उसकी जांच (verification) कर सकता है।
4. तथ्य का सम्बन्ध सत्य से है। यह एक ऐसी घटना है जिसे अधिकांश अध्ययनकर्ताओं द्वारा एक वास्तविकता के रूप में स्वीकार किया जा सकता है।
5. तथ्य एक ऐसी घटना है जिसे कि भाष्य की दुनिया में सच कहकर स्वीकार किया जाता है।
6. प्रत्येक तथ्य कुछ वास्तविकताओं पर आधारित होता है।
7. थॉमस तथा जैननकी का कथन है कि एक तथ्य किसी विशेष घटना अथवा प्रक्रिया को पूर्णरूप से स्पष्ट नहीं करता बल्कि उसके किसी एक पक्ष को ही स्पष्ट करने में सहायक होता है।
8. तथ्यों का मानवीय अनुभवों से घनिष्ठ सम्बन्ध होता है।
9. तथ्यों के सामाजिक स्वरूप को स्पष्ट करते हुए दुर्खीम लिखते हैं–"सामाजिक तथ्य व्यवहार का वह पक्ष है जिसका निरीक्षण वस्तुनिष्ठ रूप में सम्भव है और जो कि एक विशेष ढंग से व्यवहार करने को बाध्य करता है।" श्री दुर्खीम के अनुसार सामाजिक तथ्य की दो प्रमुख विशेषताएं हैं–एक तो बाह्यता और दूसरी बाध्यता।

सामाजिक तथ्यों के अन्तर्गत हम उन सभी क्रियाओं, घटनाओं, विचारों तथा अनुभवों को सम्मिलित करते हैं जो व्यक्ति को एक विशेष ढंग से व्यवहार करने के लिए बाध्य करते हैं।

शोध में मूल्य

निरन्तरता और परिवर्तन सामान्यतः प्रत्येक समाज की वास्तविकता है। किसी समाज या सामाजिक संरचना को स्थिर रूप में नहीं देख सकते क्योंकि स्थिरता जड़ता की सूचक है और परिवर्तन प्रगति या विकास का सूचक है।

प्रत्येक विज्ञान में कुछ मूल्य अवश्य होते हैं। इन मूल्यों के माध्यम से अनुसंधान में निकाले गये निष्कर्षों को प्रकट किया जाता है। अनुसंधानकर्ता तथ्यों के बीच अन्तःसम्बन्धों का अध्ययन करता है।

शोध कार्य में मूल्यों का महत्व : वैज्ञानिक अन्वेषण का अन्तिम उद्देश्य सामान्य सिद्धान्त का निर्माण करना है। अनुसंधानकर्ता जो अनुभवजन्य अवलोकन करना चाहता है और उसका विश्लेषण करना चाहता है तो उसे मूल्यों का सहारा लेना पड़ता है।

मर्टन का कथन है कि सिद्धान्त मूल्यों एवं तथ्यों से निर्मित होते हैं। तथ्य स्वयं में सिद्धान्त नहीं हो सकते हैं। अनुसंधान में मूल्यों के माध्यम से प्रघटनाओं को समझने में सहायता मिलती है।

सिद्धान्त निर्माण में मूल्यों का अमूर्तिकरण अवश्य होना चाहिए। अमूल्य मूल्यों के माध्यम से ही सिद्धान्त निर्मित कर विशिष्ट आनुभविक प्रघटनाओं के घटित होने को दर्शाया जा सकता है। इस प्रकार मूल्य के अभाव में किसी शोध का महत्व नहीं होता है।

सिद्धान्त निर्माण में शोध की भूमिका

सिद्धान्त निर्माण

पर्सी एस. कोहन ने लिखा है कि सिद्धान्त शब्द एक खाली चैक की भांति है जिसका सम्भावित मूल्य उस चैक को काम में लेने वाले व्यक्ति पर निर्भर करता है। किसी कथन को सिद्धान्त कह देने का तात्पर्य कोहन के अनुसार उसके मूल्य को बढ़ा देना है कि वह (कथन) मात्र तथ्यों से अधिक है। यदि तथ्य सिद्धान्त के रूप में स्थापित नहीं हो पाते तो उसका कोई महत्व शेष नहीं रह जाता है। तथ्य तो घटित होने वाली विशिष्ट घटनाओं के बारे में ऐसे कथन मात्र हैं जिनके सत्य होने का विश्वास किया जा सकता है। सिद्धान्त विशिष्ट घटनाओं से सम्बन्धित नहीं होकर घटनाओं की सम्पूर्ण श्रेणियों या शृंखलाओं से सम्बन्धित होते हैं।

यदि कोई यह कहता है कि उसने पेड़ से पत्ती को गिरते हुए देखा है तो वह तथ्य बता रहा है। यदि कोई यह कहता है कि उसने पेड़ों से पत्तियों को गिरते हुए देखा तो उसने विशिष्ट घटनाओं से सम्बन्धित अनेक कथनों को एक साथ जोड़ा है जो कि एक जटिल तथ्य है। लेकिन यदि वह यह कहता है कि सभी पत्तियों को अनिवार्यतः गिरना ही है, तो वह एक तथ्य को नहीं बता कर एक सिद्धान्त प्रस्तुत कर रहा है। इसका कारण यह है कि वह सब पत्तियों के बारे में जो कुछ कह रहा है, उसने सब कुछ अवलोकित नहीं किया है। कोई भी सब पत्तियों को गिरते हुए देख भी नहीं सकता है क्योंकि गिरने वाली पत्तियाँ अनन्त हैं।

निकोलस तिमाशेफ ने बताया कि, एक सिद्धान्त कुछ ऐसे तर्कवाक्यों का एक समूह है जो आदर्श रूप में निम्नलिखित शर्तों को पूरा करते हैं :

(i) तर्कवाक्यों को निश्चित परिभाषित अवधारणाओं के रूप में प्रस्तुत किया गया हो।

(ii) तर्कवाक्य परस्पर एक-दूसरे के साथ सामन्जस्यपूर्ण हों।

(iii) तर्कवाक्य ऐसे हों ताकि उनसे मौजूदा सामान्यीकरण निगमनात्मक तौर पर निकाले जा सकें।

(iv) तर्कवाक्य निश्चित रूप से फलदायक हो।

■| शोध की भूमिका

शोध-कार्य का एक तथ्य प्रकल्पनाओं या सिद्धान्तों का निर्माण तथा सत्यता की जाँच करना भी होता है। किसी सामाजिक घटना के पीछे छिपे कारणों को शोधकर्त्ता ढूँढ़ना चाहता है ताकि किसी समस्या के सैद्धान्तिक एवं व्यावहारिक पक्ष के सम्बन्ध में पर्याप्त ज्ञान प्राप्त हो सके। इस प्रकार के शोध का उद्देश्य किसी समस्या के सम्बन्ध में प्राथमिक जानकारी प्राप्त करके प्राक्कल्पना या सिद्धान्त का निर्माण और अध्ययन की रूपरेखा तैयार करना है। 'हंसराज' के अनुसार ''अन्वेषणात्मक शोध किसी भी विशेष अध्ययन के लिए प्राक्कल्पना का निर्माण करने तथा उससे सम्बन्धित अनुभव प्राप्त करने के लिए अनिवार्य है।'' इस प्रकार के शोध द्वारा विषय अथवा समस्या का कार्य-कारण सम्बन्ध ज्ञात हो जाता है।

लूमिस ने सिद्धान्त को परिभाषित करते हुए बताया है, ''तर्कसंगत ढंग से अन्तःसम्बन्धित, वे अवधारणाएं जिन्हें कि वैज्ञानिक अवलोकनों द्वारा सुझाये गये तर्कवाक्यों में सम्मिलित किया गया हो एक सिद्धान्त निर्मित करते हैं।'' इस परिभाषा में सिद्धान्त की तीन प्रमुख विशेषताओं पर जोर दिया गया है। (i) सिद्धान्त कुछ अवधारणओं का संयुक्तीकरण है। (ii) ये अवधारणायें तर्कसंगत ढंग से अन्तःसम्बन्धित होती हैं। (iii) इस अवधारणाओं को वैज्ञानिक द्वारा निरीक्षण-परीक्षण एवं सामान्यीकरण के आधार पर सुझाये गये तर्कवाक्यों को शामिल किया जाता है।

पारसन्स ने बताया है, ''सिद्धान्त कुछ ज्ञात तथ्यों से निकाले गये सामान्यीकरण से बनता है।'' स्पष्ट है कि सिद्धान्त निर्माण हेतु प्रयोगसिद्ध तथ्यों से कुछ सामान्य निष्कर्ष निकाले जाते हैं और उन्हें कुछ सामान्य कथन के माध्यम से व्यक्त किया जाता है। ज्ञात तथ्य समूह द्वारा ही इन कथनों का औचित्य प्रमाणित किया जाता है। अतः सिद्धान्त निर्माण हेतु प्रयोग सिद्ध तथ्यों से सामान्यीकरण किया जाता है।

■| वैज्ञानिक विधि

किसी भी विषय के विज्ञान कहलाने के लिए अग्र बातें आवश्यक हैं :

1. तथ्यों को एकत्रित करने के लिए वैज्ञानिक पद्धति का प्रयोग किया गया हो।
2. अवलोकन विधि को काम में लिया गया हो।
3. वास्तविक तथ्यों का यथावत् चित्रण किया गया हो, अन्य शब्दों में 'क्या है' का स्पष्टतः उल्लेख किया गया हो।
4. कार्य-कारण सम्बन्धों की स्पष्टतः विवेचना की गयी हो।
5. निष्कर्ष प्रामाणिक हों अर्थात् उनकी सत्यता की जांच की जा चुकी हो।
6. निष्कर्ष प्रामाणिक हों अर्थात् उनकी सत्यता की जांच की जा चुकी हो।
7. एकत्रित तथ्यों के आधार पर भविष्यवाणी की जा सकती हो।

वैज्ञानिक पद्धति का अर्थ

इसमें अध्ययनकर्ता तटस्थ या निष्पक्ष रहकर किसी विषय, समस्या या घटना का अध्ययन करता है। इस हेतु वह अवलोकन करता है, प्रश्नावली, अनुसूची या किसी अन्य प्रविधि की सहायता से तथ्य संकलित करता है, उनका वर्गीकरण एवं सारणीयन करता है, विश्लेषण एवं व्याख्या करता है, कार्य-कारण सम्बन्धों का पता लगाता है, सामन्यीकरण करता है, वैज्ञानिक निष्कर्ष निकालता और नियमों व सिद्धान्तों का प्रतिपादन करता है, उनका सत्यापन करता है। इससे उसकी पूर्वानुमान या भविष्यवाणी करने की क्षमता बढ़ जाती है।

वैज्ञानिक पद्धति के अर्थ के सम्बन्ध में लुण्डबर्ग ने लिखा है, ''व्यापक अर्थ में वैज्ञानिक पद्धति तथ्यों के व्यवस्थित अवलोकन, वर्गीकरण तथा व्याख्या से निर्मित है।'' इसे अन्य शब्दों में स्पष्ट करते हुए आपने अन्यत्र लिखा है, ''समाज-वैज्ञानिकों में यह दृढ़ विश्वास पाया जाता है कि उनके सम्मुख जो समस्याएं हैं, उनका समाधान सामाजिक घटनाओं के बुद्धिमत्तापूर्ण और व्यवस्थित अवलोकन, सत्यापन, वर्गीकरण तथा विश्लेषण द्वारा ही सम्भव है। अपने यथार्थ (परिशुद्ध) स्वरूप में इसी उपागम को वैज्ञानिक पद्धति कहते हैं।''

वुल्फ ने लिखा है, ''व्यापक अर्थों में कोई भी अनुसन्धान विधि जिसके द्वारा विज्ञान की रचना और विस्तार होता है, वैज्ञानिक-पद्धति कहलाती है।''

एनसाइक्लोपीडिया ब्रिटेनिका में लिखा है, 'वैज्ञानिक पद्धति एक सामूहिक शब्द है जो उन अनेक प्रक्रियाओं को व्यक्त करता है जिनकी सहायता से विज्ञानों का निर्माण होता है। व्यापक अर्थ में, अन्वेषण की कोई भी पद्धति जिसकी सहायता से वैज्ञानिक या अन्य निष्पक्ष तथा व्यवस्थित ज्ञान प्राप्त किया जाता है वैज्ञानिक पद्धति कहलाती है।'' स्पष्ट है कि वैज्ञानिक पद्धति का सम्बन्ध व्यस्थित ढंग से ज्ञान के संचय से है। इस पद्धति की सहायता से संचित ज्ञान के आधार पर ही कोई विषय विज्ञान का रूप ग्रहण करता है।

वैज्ञानिक पद्धति की विशेषताएं

वैज्ञानिक पद्धति की प्रमुख विशेषताएं निम्नलिखित हैं:

1. तथ्यों का वर्गीकरण एवं विश्लेषण किया जाता है
2. अवलोकन द्वारा तथ्यों को एकत्रित किया जाता है
3. ज्ञान का आधार वैज्ञानिक पद्धति है
4. कार्य-कारण सम्बन्धों की विवेचना की जाती है

5. क्या है का उल्लेख किया जाता है
6. सिद्धान्तों की पुनर्परीक्षा सम्भव है
7. सिद्धान्तों की स्थापना की जाती है
8. सिद्धान्त सार्वभौमिक होते हैं
9. वस्तुनिष्ठता
10. तर्क की प्रधानता
11. भविष्यवाणी करने की क्षमता

वैज्ञानिक पद्धति के चरण

लुण्डबर्ग ने वैज्ञानिक पद्धति के चार चरणों का वर्णन किया है : प्रथम–कार्यशील प्राक्कल्पना का निर्माण, द्वितीय–अवलोकन एवं तथ्यों का आलेखन, तृतीय–संकलित तथ्यों का वर्गीकरण एवं संगठन तथा चतुर्थ–सामान्यीकरण। श्रीमती पीबी. यंग ने वैज्ञानिक पद्धति के छः चरणों का उल्लेख किया है : (*i*) अध्ययन हेतु समस्या का चुनाव, (*ii*) कार्यशील प्राक्कल्पना का निर्माण, (*iii*) वैज्ञानिक प्रविधियों की सहायता से समस्या या घटना का अवलोकन एवं खोज, (*iv*) संकलित तथ्यों का आलेखन, (*v*) तथ्यों का विभिन्न वर्गों में वर्गीकरण, तथा (*vi*) वैज्ञानिक सामान्यीकरण।

यहां हम वैज्ञानिक पद्धति के विभिन्न चरणों का विवरण प्रस्तुत करेंगे। ये चरण निम्नलिखित हैं :

1. सर्वप्रथम अध्ययनकर्ता को किसी समस्या का चुनाव और उससे सम्बन्धित साहित्य या उपलब्ध सूचनाओं का अध्ययन करना होता है। समस्या का चुनाव काफी सोच-विचार के पश्चात् पूर्व-ज्ञान एवं पूर्व-अवलोकन को ध्यान में रखकर किया जाना चाहिए।
2. समस्या का चुनाव कर लेने के पश्चात् अध्ययन के उद्देश्यों का निर्धारण किया जाता है। ये उद्देश्य सामान्य और विशिष्ट दोनों प्रकार के हो सकते हैं।
3. समस्या का चुनाव हो जाने के पश्चात् प्राक्कल्पना का निर्माण किया जाता है। लुण्डबर्ग के अनुसार प्राक्कल्पना एक कामचलाऊ निष्कर्ष या सामान्यीकरण है, जिसकी सत्यता की परीक्षा करना शेष है। प्राक्कल्पना अध्ययन की दिशा और क्षेत्र निर्धारित करने में योग देती है।
4. अध्ययन-क्षेत्र एवं अध्ययन की इकाई का निर्धारण भी वैज्ञानिक पद्धति का एक प्रमुख चरण है। अध्ययन-क्षेत्र को निश्चित कर लेना इस दृष्टि से आवश्यक है कि अध्ययनकर्ता स्वयं यह जान ले कि उसे किस क्षेत्र का अध्ययन करना है ताकि वह व्यर्थ की सामग्री एकत्रि करने से बच सके। यदि अध्ययन क्षेत्र काफी बड़ा है और क्षेत्र की प्रत्येक इकाई का अध्ययन करना सम्भव नहीं है तो निदर्शन विधि की सहायता से कुछ इकाइयों का चुनाव कर लिया जाता है और उन्हीं का अध्ययन किया जाता है।
5. क्षेत्र का निर्धारण कर लेने के पश्चात् अध्ययन हेतु अध्ययन-पद्धतियों एवं उपकरणों का चुनाव किया जाता है। अध्ययनकर्ता उद्देश्यों एवं प्रकृति को ध्यान में रखकर यह निश्चित करता है कि उसे सूचनाएं एकत्रित करने के लिए साक्षात्कार विधि, अनुसूची अथवा प्रश्नावली का प्रयोग करना है या वैयक्तिक अध्ययन पद्धति या किसी अन्य विधि का। यदि वह साक्षात्कार विधि का प्रयोग कर रहा है तो अध्ययन के उपकरण के रूप में वह साक्षात्कार-निर्देशिका (Interview guide) भी तैयार करता है।
6. अब विषय-सामग्री या घटना का सूक्ष्म एवं सावधानीपूर्वक अवलोकन किया जाता एवं तथ्य संकलित किये जाते हैं। अवलोकन के अतिरिक्त अध्ययन की किसी अन्य विधि का सहारा भी तथ्य-संकलन हेतु लिया जाता है। संकलित तथ्यों को लिखा जाता है।
7. तथ्यों का वर्गीकरण, विश्लेषण एवं व्याख्या भी वैज्ञानिक पद्धति का प्रमुख चरण है। एकत्रित तथ्यों को समानताओं के आधार पर अलग-अलग वर्गों में बांटा जाता है। फिर सारणियां तैयार की जाती हैं एवं तथ्यों का विश्लेषण किया जाता है, कार्य-कारण सम्बन्धों का पता लगाया जाता है।
8. तत्पश्चात् सामान्यीकरण किया जाता है, अर्थात् वर्गीकृत तथ्यों के प्रतिमान के आधार पर निष्कर्ष निकाले एवं सामान्य नियम बनाये जाते हैं। इन्हीं समान्य निमयों को वैज्ञानिक सिद्धान्त कहा जाता है।
9. फिर सामान्य नियमों की जांच एवं पुनर्परीक्षण किया जाता है। निष्कर्षों एवं नियमों की जांच की जाती है, यह पता लगाया जाता है कि वे सार्वभौमिक रूप से सही हैं या नहीं अथवा उनमें किसी प्रकार के संशोधन की आवश्यकता है।
10. तत्पश्चात् एकत्रित तथ्यों से प्राप्त निष्कर्षों के आधार पर भविष्यवाणी की जाती है, भविष्य की घटनाओं के सम्बन्ध में पूर्वानुमान लगाया जाता है।

इस प्रकार जब किसी विषय की अध्ययन-वस्तु इस वैज्ञानिक पद्धति (Scientific Method) को काम में लेते हुए प्राप्त की जाती है, वह विषय विज्ञान कहलाने का अधिकारी है। सही ज्ञान के संचय का आधार वैज्ञानिक पद्धति ही है। कार्ल पियर्सन ने लिखा है, "सत्य के लिए लघु (संक्षिप्त) मार्ग नहीं है, विश्व का ज्ञान प्राप्त करने के लिए वैज्ञानिक पद्धति के द्वार से गुजरने के अतिरिक्त कोई अन्य मार्ग नहीं है।"

सामाजिक अनुसंधान में निष्पक्षता या वस्तुनिष्ठता

अध्ययनकर्ता किसी घटना को अपने विचारों, भावनाओं, पूर्वाग्रहों, कल्पना, व्यक्तिगत पक्षपात, आदि से प्रभावित होकर उन्हीं के अनुरूप ग्रहण करता है, वहां उसे व्यक्तिनिष्ठ अध्ययन (Subjective Study) कहते हैं। इस प्रकार के अध्ययन के आधार पर वैज्ञानिक निष्कर्ष नहीं निकाले जा सकते हैं क्योंकि वैज्ञानिक निष्कर्ष तो वस्तुनिष्ठ या यथार्थ तथ्यों व घटनाओं पर

आधारित होते हैं। वैज्ञानिक या वस्तुनिष्ठ अध्ययन व्यक्ति-प्रधान नहीं होकर तथ्य-प्रधान होते हैं। ये तथ्य वास्तविक अवलोकन, परीक्षण एवं विश्लेषण पर निर्भर करते हैं। विज्ञान चूंकि सत्य की खोज का एक माध्यम है, अतः वह सदैव वस्तुनिष्ठ अध्ययनों पर ही जोर देता है। लेकिन घटनाओं या तथ्यों के अध्ययन में वस्तुनिष्ठता की प्राप्ति उतनी आसान नहीं है जितनी साधारणतः सोची जाती है। इसका कारण यह है कि अध्ययनकर्ता स्वयं उस, समाज, समूह, घटना या समस्या का एक अंग होता है जिसका कि वह अध्ययन कर रहा होता है। अतः अध्ययन में व्यक्तिगत पक्षपात के समाविष्ट होने की सम्भावना रहती है। ऐसी दशा में अध्ययन वस्तुनिष्ठ नहीं होकर व्यक्तिनिष्ठ हो जाता है और इस प्रकार के अध्ययन को वैज्ञानिक नहीं कहा जा सकता। अतः स्पष्ट है कि सत्य तक पहुंचने के लिए वैज्ञानिक अध्ययन आवश्यक है और वैज्ञानिक अध्ययन के लिए वस्तुनिष्ठता की प्राप्ति अत्यन्त आवश्यक है। अतः यहां हम यह समझने के लिए प्रयत्न करेंगे कि वस्तुनिष्ठता का अर्थ एवं महत्व क्या है, वस्तुनिष्ठता की प्राप्ति में प्रमुख बाधाएं क्या हैं तथा किन साधनों से अध्ययन में वस्तुनिष्ठता प्राप्त की जा सकती है और अध्ययन को वैज्ञानिक बनाया जा सकता है।

वस्तुनिष्ठता का अर्थ

वस्तुनिष्ठता का अर्थ स्पष्ट करते हुए प्रो. ग्रीन ने लिखा है, "प्रमाणों या तथ्यों का निष्पक्ष रूप से परीक्षण करने की इच्छा और योग्यता ही वस्तुनिष्ठता है।" इस परिभाषा में दो बातों पर जोर दिया गया है, एक तो निष्पक्ष अध्ययन की इच्छा पर और दूसरा योग्यता पर। इसका तात्पर्य यह है कि घटनाओं को उनके यथार्थ रूप में देखने और व्यक्त करने की अनुसन्धानकर्ता में दृढ़ इच्छा होनी चाहिए। योग्यता का तात्पर्य तटस्थ दृष्टिकोण अपनाकर यानि स्वयं के विचारों, भावनाओं, मूल्यों, संस्कारों, पूर्व-धारणाओं, आदि से पूर्णतः मुक्त होकर वैज्ञानिक दृष्टिकोण बनाये रखते हुए अध्ययन करने से है।

लावेल जे. कार ने लिखा है, "वस्तुनिष्ठता का अर्थ है कि विभिन्न प्रकार की घटनाओं से युक्त संसार किसी व्यक्ति के विश्वासों, आशाओं अथवा भयों से स्वतन्त्र एक वास्तविकता है जिसका सब कुछ हम अन्तर्दृष्टि एवं कल्पना से नहीं, बल्कि वास्तविक अवलोकन के द्वारा ही समझ सकते हैं।" इस परिभाषा से स्पष्ट है कि घटनामय संसार का अध्ययन निष्पक्ष अवलोकन द्वारा ही सम्भव है जिसमें अध्ययनकर्ता के स्वयं के विचारों, मूल्यों, विश्वासों, आशाओं, इच्छाओं व कल्पनाओं का कोई महत्व नहीं है।

फेयरचाइल्ड के अनुसार, "वस्तुनिष्ठा का तात्पर्य एक ऐसी योग्यता से है जिसके द्वारा अध्ययनकर्ता या अनुसन्धानकर्ता अपने को उन स्थितियों से अलग रख सके जिनका वह स्वयं एक भाग है एवं किसी भी प्रकार की प्रतिबद्धता (लगाव) या भावना के बजाय निष्पक्ष एवं पूर्वाग्रहों से स्वतन्त्र होकर तर्कों के आधार पर विभिन्न तथ्यों को उनके स्वभाविक रूप में अवलोकन कर सके।"

उपर्युक्त परिभाषाओं के आधार पर हम कह सकते हैं कि निष्पक्ष रहकर घटनाओं को उनके यथार्थ रूप में देखना और ठीक उसी रूप में उनका चित्रण कर देना ही वस्तुनिष्ठता (Objectivity) है। अध्ययनकर्ता को पक्षपात-रहित दृष्टिकोण, यथार्थ अवलोकन एवं तथ्यों का उनके स्वभाविक रूप में विश्लेषण एवं प्रस्तुतीकरण वस्तुनिष्ठता के मूल आधार हैं।

वस्तुनिष्ठता का महत्व

जब निष्कर्षों में वस्तुनिष्ठा का अभाव होगा तो यथार्थ ज्ञान प्राप्त नहीं किया जा सकेगा, सत्य तक नहीं पहुंचा जा सकेगा। अतः घटनाओं की सत्यता का पता लगाने के लिए अध्ययन में, विशेषकर सामाजिक अनुसन्धानों में वस्तुनिष्ठता का होना अत्यन्त आवश्यक है। इसका कारण यह है कि व्यक्ति जिस घटना, समाज, समूह अथवा समस्या का अध्ययन करना चाहता है, वह स्वयं भी उससे किसी न किसी रूप में जुड़ा होता है, उसका अंग होता है। उसकी स्वयं की भावनाएं, संस्कार, मूल्य एवं अभिवृत्तियां उसे सामाजिक घटनाओं का निष्पक्ष होकर अध्ययन करने में बाधा पहुंचाते हैं। वस्तुनिष्ठता का महत्व निम्नलिखित कारणों से है।

1. प्रतिनिधित्वपूर्ण तथ्यों को प्राप्त करने हेतु
2. वैज्ञानिक पद्धति के सफल प्रयोग हेतु
3. समाजशास्त्रीय अध्ययनों को वैज्ञानिक बनाने हेतु
4. निष्पक्ष निष्कर्षों की प्राप्ति हेतु
5. तथ्यों के सत्यापन हेतु
6. अनुसन्धान के नये क्षेत्रों का पता लगाने हेतु
7. वास्तविक ज्ञान की वृद्धि हेतु
8. सामाजिक समस्याओं के समाधान हेतु
9. भ्रान्तियों की समाप्ति हेतु
10. अनुसन्धानकर्ता पर नियन्त्रण बनाये रखने हेतु

वस्तुनिष्ठता प्राप्त करने में कठिनाइयां

सामाजिक घटनाएं अमूर्त, परिवर्तनशील, गुणात्मक, विभिन्नतापूर्ण एवं जटिल होती हैं। इसके विपरीत, भौतिक विज्ञानों की अध्ययन-वस्तु इस प्रकार की होती है कि उनके साथ अध्ययनकर्ता का किसी प्रकार का कोई व्यक्तिगत लगाव या रोग-द्वेष नहीं होता है। अतः उनका वस्तुनिष्ठता के साथ अध्ययन करना सम्भव होता है। सामाजिक अनुसन्धान में अध्ययनकर्ता के लिए अपने स्वयं के समाज, समूह, जाति, धर्म, परम्पराओं व मूल्यों का पक्षपात-रहित होकर अध्ययन करना कठिन रहता है क्योंकि वह स्वयं भी इनसे किसी न किसी रूप में सम्बन्धित होता है। वस्तुनिष्ठता के मार्ग में निम्नलिखित कठिनाईयाँ हैं।

1. **असत्य प्रतिमाएं :** फ्रांसिस बेकन का कहना है कि अनुसन्धानकर्ता कई असत्य प्रतिमाओं से प्रभावित होकर अध्ययन के दौरान कुछ त्रुटियां कर बैठता है। आपने ऐसी चार प्रतिमाओं का उल्लेख किया है : गुफा की प्रतिमाएं, न्यायालय की प्रतिमाएं, बाजार की प्रतिमाएं एवं जनजाति की प्रतिमाएं। गुफा की प्रतिमाओं के अन्तर्गत उन त्रुटियों को लिया गया है जो अनुसन्धानकर्ता अपने संकीर्ण या एकाकी विचारों के कारण किसी वस्तु या घटना को समझने के सम्बन्ध में कर बैठता है। न्यायालयों की

प्रतिमाओं के अन्तर्गत वे गलतियाँ आती हैं जो एक अनुसन्धानकर्ता केवल शब्दों पर बहुत अधिक भरोसा करने के कारण कर बैठता है। बाजार की प्रतिमाओं में वे त्रुटियां आती हैं जो एक अनुसन्धानकर्ता प्रथा, परम्परा, रूढ़ि, आदि पर जरूरत से ज्यादा जोर देने एवं उन्हीं के आधार पर निष्कर्ष निकालने के कारण कर बैठता है। जनजाति की प्रतिमाओं के अन्तर्गत वे त्रुटियां आती हैं जो एक अनुसन्धानकर्ता अपने विशेष प्रकार से सोचने-विचारने एवं देखने के तरीके के कारण कर बैठता है। इन सब परिस्थितियों में अपने एकाकी दृष्टिकोण एवं सीमित ज्ञान के क्षेत्र से बाहर निकलकर वस्तुनिष्ठता के साथ कुछ निष्कर्ष निकालना अनुसन्धानकर्ता के लिए कठिन हो जाता है।

2. **भावनात्मक-प्रवृत्तियों का प्रभाव :** प्रत्येक व्यक्ति के अपने कुछ सामाजिक एवं सांस्कृतिक मूल्य होते हैं, नैतिकता सम्बन्धी धारणाएं होती हैं। वह प्रारम्भ से ही कुछ बातों को अच्छा और कुछ को बुरा मानने लग जाता है। व्यक्तित्व-निर्माण की प्रक्रिया के दौरान उसकी जो भावनात्मक प्रवृत्तियां बन जाती हैं, वे उसके व्यवहार-प्रतिमानों को प्रभावित करती हैं। ऐसे स्थिति में यदि कोई अध्ययनकर्ता संयुक्त परिवार, जाति-व्यवस्था, अस्पृश्यता, वेश्यावृत्ति, छात्रों में अनुशासनहीनता, आदि का अध्ययन करता है तो उसकी भावात्मक प्रवृत्तियां उसके वस्तुनिष्ठ तरीके से अध्ययन करने में कठिनाई उत्पन्न करती हैं।

3. **विशिष्टतामूलक भ्रान्ति :** उदाहरण के रूप में, यदि अनुसन्धानकर्ता यह कहे कि 'बाल-उपराध के लिए बुरी संगति ही उत्तरदायी है, अथवा यह कहे कि धर्म-परिवर्तन का एकमात्र कारण निर्धनता है' तो ऐसी स्थिति में वह अन्य पक्षों या कारकों की अवहेलना करेगा, परिणामस्वरूप अध्ययन में वस्तुनिष्ठता नहीं आ पाएगी।

4. **सामान्य ज्ञान का प्रभाव :** हार्ट का यह कथन पूर्णतः सही है कि वस्तुनिष्ठता का सम्बन्ध वास्तविक ज्ञान से है, न कि सामान्य ज्ञान से। लेकिन कई बार अनुसन्धानकर्ता सामान्य ज्ञान को ही वास्तविक ज्ञान समझने की गलती कर बैठता है। ऐसी स्थिति में अध्ययन में वस्तुनिष्ठता नहीं आ सकती।

5. **अनुसन्धानकर्ता का व्यक्तिगत स्वार्थ :** वह या तो ऐसे तथ्यों का संकलन करता है जो उसके स्वार्थों के अनुरूप हों या वह तथ्यों को इस प्रकार से तोड़-मरोड़कर प्रस्तुत करता है कि उनसे ऐसे निष्कर्ष निकल सकें जो उसके स्वार्थों की पूर्ति में सहायक हों। ये दोनों ही स्थितियां वस्तुनिष्ठा के मार्ग में बाधक हैं। जब अनुसन्धानकर्ता अध्ययन में अपने स्वार्थ को सर्वोपरि मान बैठता है तो वह वस्तुनिष्ठ ढंग से अध्ययन कर ही नहीं सकता।

6. **अध्ययन में अति शीघ्रता :** सामाजिक घटनाओं की प्रकृति ही कुछ ऐसी होती है कि उनका धैर्यपूर्वक लम्बे समय तक अध्ययन करना होता है, तभी कहीं प्रामाणिक तथ्य प्राप्त किए और सही निष्कर्ष निकाले जा सकते हैं। इसके विपरीत, जहां किसी अनुसन्धान को इसलिए जल्दबाजी में पूरा किया जाता है कि अनुसन्धानकर्ता के पास समय की कमी है या अध्ययन के निष्कर्ष शीघ्र ही किसी सरकारी या गैर-सरकारी एजेन्सी के सम्मुख प्रस्तुत करने हैं, वहां ऐसी दशा में अध्ययन में वस्तुनिष्ठता नहीं आ पाती। यही कारण है कि अनेक विकास-कार्यक्रमों का मूल्यांकन वस्तुनिष्ठ तरीके से नहीं हो पाता।

7. **सजातिवाद :** इस धारणा के वशीभूत होकर जब अनुसन्धानकर्ता कोई अध्ययन करता है तो वह अपने समाज की परम्पराओं, मूल्यों, आदर्शों, संस्थाओं, धर्म, संस्कृति, आदि को सर्वोत्तम प्रमाणित करने का और अन्य लोगों के सामाजिक एवं सांस्कृतिक जीवन को अपने से नीचा दिखाने का प्रयत्न करता है। इस प्रकार के प्रयत्न से अध्ययन में वस्तुनिष्ठता नहीं आ पायेगी, अनुसन्धानकर्ता निष्पक्ष दृष्टिकोण अपनाकर अध्ययन नहीं कर सकेगा। किसी एक राजनीतिक विचारधारा से प्रतिबद्धता और उसे ही सर्वश्रेष्ठ मानने की भूल वस्तुनिष्ठता के मार्ग में बहुत बड़ी बाधा है।

8. **स्वार्थ-समूहों का दबाव :** स्वार्थ समूहों के अन्तर्गत प्रथम, आर्थिक दृष्टि से सम्पन्न व्यक्ति और द्वितीय, सत्ताधारी या राजनीतिक रूप से शक्तिशाली व्यक्ति आते हैं। यदि किसी अनुसन्धान के निष्कर्ष से इनके हितों पर प्रतिकूल प्रभाव पड़ने की सम्भावना हो तो ये लोग अनुसन्धानकर्ता पर दबाव डालकर निष्कर्ष को प्रकाश में ही नहीं आने देते। कभी-कभी अनुसन्धानकर्ता ऐसे सम्पन्न लोगों के दबाव में आकर तथ्यों को इस प्रकार प्रस्तुत करते हैं कि उनके हितों को किसी प्रकार की कोई चोट नहीं पहुंचे। श्रमिकों से सम्बन्धित अध्ययनों में स्वार्थ-समूहों के दबाव के कारण ही वस्तुनिष्ठता नहीं आ पाती।

9. **प्रशिक्षण का अभाव :** शोधकर्ता को इस दृष्टि से प्रशिक्षित होना चाहिए कि समग्र का निर्धारण कैसे किया जाए, इकाइयों को कैसे चुना जाए, तथ्य-संकलन हेतु कौन-सी प्रविधि अपनायी जाए, प्राप्त तथ्यों का विश्लेषण कैसे किया जाए, विभिन्न तथ्यों में सह-सम्बन्ध कैसे बताया जाए। साधारणतः देखा यह जाता है कि अधिकांश अनुसन्धानों में कार्यकर्ताओं के प्रशिक्षण पर पूरा ध्यान नहीं दिया जाता, फलस्वरूप अध्ययनों में वस्तुनिष्ठता नहीं आ पाती।

10. **सामाजिक घटनाओं की जटिल प्रकृति :** सामाजिक घटनाएं परिवर्तनशील हैं। इनमें समय के साथ-साथ परिवर्तन आते रहते हैं। इसका कारण यह है कि सामाजिक घटनाओं से सम्बन्धित विभिन्न व्यक्तियों में अनेक भिन्नताएं पायी जाती हैं; उनके व्यक्तित्व, विचार, भावनाएं, मूल्य, परिस्थितियां एवं भूमिकाएं, आदि भिन्न-भिन्न होते हैं। ऐसे स्थिति में विभिन्न व्यक्तियों के बीच पनपने वाले सामाजिक सम्बन्ध भी जटिल हो जाते हैं। ऐसी दशा में अध्ययनकर्ता कई बार स्वयं के विचारों, विश्वासों, भावनाओं एवं मूल्यों के आधार पर सामाजिक घटनाओं के सम्बन्ध में निष्कर्ष निकालता है। परिणामस्वरूप अध्ययन में वस्तुनिष्ठता नहीं आ पाती।

11. **मिथ्या-झुकाव (अभिनति) एवं पूर्वाग्रह :** लुण्डबर्ग ने लिखा है कि मिथ्या-झुकाव (अभिनति) तथा पूर्वाग्रह सभी विज्ञानों में जटिलता पैदा करने वाले कारक हैं, लेकिन सामाजिक विज्ञानों की तुलना में भौतिक विज्ञानों में उनका महत्व काफी कम है। इसका मुख्य कारण यह है कि भौतिक विज्ञानों की विषय-वस्तु सामान्य उद्वेगात्मक भाव-ग्रन्थियों (Common Emotional Complexes) के प्रभाव से काफी मुक्त होती हैं जबकि सामाजिक घटनाएं प्रायः इससे प्रभावित होती हैं और इसी कारण सामान्य इन्द्रियों द्वारा भौतिक तथ्यों का प्रत्यक्ष ज्ञान बहुत कुछ एक-समान या समरूप होता है। लुण्डबर्ग के इस कथन से स्पष्ट है कि सामाजिक विज्ञानों में भौतिक विज्ञानों की तुलना में मिथ्या-झुकाव एवं पूर्वाग्रहों का प्रभाव काफी अधिक होता है और इसी वजह से सामाजिक अध्ययनों में वस्तुनिष्ठता की प्राप्ति बहुत कठिन है।
12. **नैतिक आदर्श व मूल्य :** अनुसन्धान-कार्य में अनुसन्धानकर्ता के स्वयं के नैतिक मूल्यों का कोई स्थान नहीं होना चाहिए अन्यथा वह तथ्यों को तोड़-मरोड़कर प्रस्तुत कर सकता है और ऐसी स्थिति में अध्ययन की वस्तुनिष्ठता समाप्त हो सकती है। लुण्डबर्ग ने इस स्थिति के सम्बन्ध में लिखा है कि अध्ययन में गलतियों का एक अधिक सामान्य और कम सचेत स्रोत वैज्ञानिक की, और विशेषकर समाज-वैज्ञानिकों की, यह प्रवृत्ति है कि वे समुदाय की प्रचलित नैतिक संहिता (Code of Morals) या नैतिकता सम्बन्धी स्वयं के विचारों को तथ्यों के संकलन एवं उन्हें तोड़-मरोड़ रखने हेतु प्रभावित होने की छूट दे देते हैं। स्पष्ट है कि अनुसन्धानकर्ता के स्वयं के नैतिक आदर्श एवं मूल्य वस्तुनिष्ठता की प्राप्ति में बाधक हैं।

वस्तुनिष्ठता प्राप्त करने के साधन एवं विधियां

इसके लिए सर्वाधिक आवश्यक है कि अनुसन्धानकर्ता स्वयं पर नियन्त्रण रखे, अपने को पूर्वाग्रहों से मुक्त रखे और वैज्ञानिक दृष्टिकोण सर्वत्र बनाये रखे।

आज अनुभव व अनुसन्धान के आधार पर ऐसी विधियां व साधनों का विकास हो चुका है जो सामाजिक घटनाओं के अध्ययन में वस्तुनिष्ठता प्राप्त करने में योग देते हैं। यहां हम उन्हीं का संक्षेप में उल्लेख करेंगे।

1. **दैव निदर्शन के उपयोग को प्रधानता :** अध्ययन में वस्तुनिष्ठता लाने की दृष्टि से आवश्यक है कि समग्र में से इकाइयों का चुनाव दैव निदर्शन विधि द्वारा किया जाए ताकि प्रत्येक इकाई के चुने जाने की समान सम्भावना रहे। दैव निदर्शन विधि द्वारा इकाईयों का चुनाव करने से अध्ययनकर्ता के पक्षपात या मिथ्या-झुकाव के अध्ययन में सम्मिलित होने की सम्भावना समाप्त हो जाती है और साथ ही प्रतिनिध इकाइयों का चुनाव हो जाता है।
2. **पारिभाषिक शब्दों एवं अवधारणाओं का मानकीकरण :** समाजशास्त्र में सामान्यतः बोल-चाल के शब्दों का प्रयोग किया जाता है जिनका कई बार समान अर्थ नहीं लगाया जाता है। परिणामस्वरूप समाजशास्त्रीय अध्ययनों के आधार पर प्राप्त निष्कर्ष में स्पष्टता का अभाव पाया जाता है। इस स्थिति से बचने के लिए यह आवश्यक है कि समाजशास्त्र में जिन पारिभाषिक शब्दों एवं अवधारणाओं का प्रयोग किया जाए, उनका मानकीकरण किया जाए, उनका सभी लोगों के द्वारा सभी स्थानों पर समान अर्थों में प्रयोग किया जाए। इससे सामाजिक घटनाओं के अध्ययन में वस्तुनिष्ठता आ सकेगी।
3. **प्रश्नावली व अनुसूची का प्रयोग :** प्रश्नावली व अनुसूची में निर्धारित प्रश्न होते हैं, मानक शब्दावली का इनमें प्रयोग किया जाता है। परिणामस्वरूप तभी सूचनादाता प्रश्नों के समान अर्थ लगाते हैं और उनके द्वारा प्राप्त उत्तर भी प्रमाणीकृत होते हैं। इनके प्रयोग का लाभ यह है कि स्वयं अनुसन्धानकर्ता पर भी नियन्त्रण रहता है, वह मनमाने ढंग से प्रश्न नहीं पूछ पाता है। इससे अध्ययन में वस्तुनिष्ठता बनी रहती है।
4. **क्षेत्रीय कार्यकर्ताओं पर कम से कम निर्भरता :** जहां वैयक्तिक अनुसन्धान-कार्यों में स्वयं अनुसन्धानकर्ता द्वारा तथ्यों का संकलन किया जाता है, वहां वह अपने को नियन्त्रित करके पूर्वाग्रहों व मिथ्या-झुकाव से बच सकता है। लेकिन जहां अनुसन्धान-कार्य हेतु तथ्यों का संकलन अनेक क्षेत्रीय-कार्यकर्ताओं द्वारा एक-साथ किया जाता है, वहां अभिनति या पक्षपात से बचने के लिए यह आवश्यक है कि उन्हें किसी भी प्रकार की वैयक्तिक स्वतन्त्रता न दी जाए और उन पर पूरा नियन्त्रण रखा जाए।
5. **प्रयोगात्मक पद्धति का उपयोग :** सामाजिक घटनाओं के अध्ययन में अधिक से अधिक वस्तुनिष्ठता लाने के उद्देश्य से प्रयोगात्मक पद्धति का प्रयोग दिनोंदिन बढ़ता ही जा रहा है। जहां इस पद्धति का प्रयोग किया जाता है, वहां दो समान समूहों का चुनाव कर लिया जाता है। इनमें से एक को नियन्त्रित समूह और दूसरे को प्रयोगात्मक समूह के रूप में रखा जाता है। नियन्त्रित समूह में किसी भी प्रकार का कोई परिवर्तन नहीं लाया जाता है जबकि प्रयोगात्मक समूह में किसी एक कारक के द्वारा परिवर्तन लाने का प्रयास किया जाता है। यहां प्रयोगात्मक समूह में एक कारक के प्रभाव को देखा जाता है। तत्पश्चात् नियन्त्रित व प्रयोगात्मक समूहों की एक-दूसरे से तुलना की जाती है। यदि तुलना के आधार पर प्रयोगात्मक समूह में कोई अन्तर पाया जाता है तो इससे स्पष्ट हो जाता है कि यह परिवर्तन अमुक कारक का प्रभाव है। स्पष्ट है कि सामाजिक घटनाओं के अध्ययन में वस्तुनिष्ठता लाने में प्रयोगात्मक पद्धति का काफी योग है।
6. **यान्त्रिक साधनों का प्रयोग :** तथ्यों के संकलन, सारणीयन एवं विश्लेषण हेतु यान्त्रिक साधनों का उपयोग अध्ययन में वस्तुनिष्ठता को बढ़ाने में योग देता है। तथ्यों के संकलन में फोटोग्राफ व

टेप-रिकार्डर काफी सहायक हैं। तथ्यों के सारणीयन एवं विश्लेषण में पंचिग मशीन, सॉर्टर, कैल्क्यूलेटर व कम्प्यूटर, आदि का विशेष उपयोग होता है। इन यान्त्रिक साधनों के प्रयोग का सबसे बड़ा लाभ यह है कि अध्ययन में तथ्यों को तोड़-मरोड़कर प्रस्तुत नहीं किया जा सकता, उनमें कोई परिवर्तन नहीं किया जा सकता। अतः अध्ययनकर्ता पर नियन्त्रण बना रहता है और अध्ययन में वस्तुनिष्ठता आ जाती है।

7. **समूह अनुसन्धान पद्धति का प्रयोग :** पक्षपात, मिथ्या-झुकाव व व्यक्तिनिष्ठता को कम करने या समाप्त करने की दृष्टि से सामूहिक अनुसन्धान पद्धति का विशेष महत्व है। इस पद्धति का प्रयोग दो रूपों में किया जा सकता है। प्रथम, एक सामूहिक घटना का अध्ययन अलग-अलग रूप में तथा अलग-अलग समय पर दो या अधिक अनुसन्धानकर्ताओं द्वारा एक ही पद्धति को काम में लेते हुए करना। फिर वह प्राप्त निष्कर्षों की तुलना करता है तथा यथार्थ स्थिति का पता लगाता है। इससे अध्ययन में वस्तुनिष्ठता आने की सम्भावना अधिक रहती है।

8. **सांख्यिकीय अनुमापों का प्रयोग :** यदि अध्ययन के निष्कर्षों को सामान्य विवरण के रूप में ही प्रस्तुत किया जाए तो अध्ययन में वस्तुनिष्ठता आ सकती है क्योंकि इसमें अध्ययनकर्ता तथ्यों को तोड़-मरोड़कर अपनी इच्छानुसार प्रस्तुत कर सकता है। इस कमी को सांख्यिकीय गणनाओं एवं सांख्यिकीय अनुमापों द्वारा दूर किया जा सकता है। सांख्यिकीय अनुमापों की सुगमता से जांच भी की जा सकती है। इसी वजह से सामाजिक गणनाओं व सांख्यिकीय अनुमापों का प्रयोग सामाजिक घटनाओं के अध्ययन में दिनोंदिन बढ़ता ही जा रहा है।

9. **मिश्रित सांस्कृतिक उपागम का उपयोग :** जब किसी सांस्कृतिक क्षेत्र से सम्बन्धित किसी घटना या समस्या का अध्ययन विभिन्न सांस्कृतिक क्षेत्रों से सम्बन्धित लोग (विशेषज्ञ) करते हैं तो वे यह कार्य अधिक निष्पक्षता एवं वस्तुनिष्ठता के साथ कर सकते हैं। यही मिश्रित सांस्कृतिक उपागम कहलाता है।

10. **अन्तर-वैज्ञानिक पद्धति का प्रयोग :** विभिन्न विज्ञानों के सहयोग पर आधारित अध्ययन को ही अन्तर-वैज्ञानिक अध्ययन कहते हैं और समाज-विज्ञानों में वर्तमान में इस प्रकार के अध्ययनों का महत्व बढ़ता ही जा रहा है। आजकल यह स्पष्टतः महसूस किया जाने लगा है कि किसी भी घटना के लिए कोई एक ही कारक उत्तरदायी नहीं है। उदाहरणार्थ, अपराध, निर्धनता या भ्रष्टाचार जैसी समस्याओं के लिए सामाजिक, आर्थिक, राजनीतिक, सांस्कृतिक एवं मनोवैज्ञानिक कारक उत्तरदायी हैं। जब तक इन कारकों को भली-भांति नहीं समझ लिया जाता है, तब तक किसी समस्या, घटना या विषय का यथार्थ व वस्तुष्ठि ज्ञान प्राप्त नहीं किया जा सकता। यही कारण है कि विभिन्न विज्ञानों के बीच दिनोंदिन सहयोग बढ़ता ही जा रहा है। परिणामस्वरूप सामाजिक घटनाओं सम्बन्धी अध्ययन अधिकाधिक वस्तुनिष्ठ एवं यथार्थ होते जा रहे हैं।

शोध के प्रकार

सामाजिक शोध -अध्ययनों में कई आधारों पर भिन्नता पाई जाती है। कुछ शोध-कार्य किसी जिज्ञासा को शांत करने के लिए, तो कुछ केवल ज्ञान प्राप्त करने के लिए किए जाते हैं, कुछ का लक्ष्य प्राक्कल्पनाओं का निर्माण तथा कुछ का किसी प्राक्कल्पना की सत्यता की जांच करना होता है। किसी शोध का लक्ष्य किसी घटना का यथार्थ चित्रण करना, किसी का सामाजिक समस्याओं के निराकरण हेतु विकल्पों का पता लगाना, तथा कुछ का सामाजिक नियोजन एवं नियोजित परिवर्तन की प्रभावकता का पता लगाना और समाज-कल्याण व विकास कार्यक्रमों के सफल संचालन में योग देना है। इन विभिन्न लक्ष्यों के आधार पर सामाजिक शोध के निम्नलिखित प्रकार हो सकते हैं:

I. अन्वेषणात्मक अथवा निरूपणात्मक शोध

इस प्रकार के शोध का उद्देश्य किसी समस्या के सम्बन्ध में प्राथमिक जानकारी प्राप्त करके प्राक्कल्पना (Hypothesis) का निर्माण और अध्ययन की रूपरेखा तैयार करना है। हंसराज नामक विद्वान ने बताया है, "अन्वेषणात्मक शोध किसी भी विशेष अध्ययन के लिए प्राक्कल्पना का निर्माण करने तथा उससे सम्बन्धित अनुभव प्राप्त करने के लिए अनिवार्य है।" इस प्रकार के शोध द्वारा विषय अथवा समस्या का कार्य-कारण सम्बन्ध ज्ञात हो जाता है। परिणामस्वरूप घटनाओं में व्याप्त नियमितता एवं श्रृंखलाबद्धता को स्पष्टतः समझा जा सकता है। इस प्रकार के शोध के माध्यम से शोध-विषय की उपयुक्तता का पता भी लगाया जाता है। उदाहरण के रूप में, यदि हम यह जानना चाहते हैं कि किशोरों एवं युवकों में विचलित व्यवहार या अपराधी व्यवहार के लिए कौन-कौन से कारण उत्तरदायी हैं तो इसके लिए हमें अन्वेषणात्मक शोध का सहारा ही लेना पड़ेगा।

इस प्रकार के शोध की सफलता के लिए कुछ अनिवार्य दशाओं का होना आवश्यक है। अन्य शब्दों में ऐसे शोध के लिए निम्नलिखित अनिवार्यताओं पर विशेष रूप से ध्यान दिया जाना चाहिए :

1. **अनुभव सर्वेक्षण :** कभी-कभी शिक्षा के अभाव, साधनों की सीमितता एवं कुछ अन्य कारणों से कुछ अनुभव प्राप्त व्यक्ति अपने अनुभवों को लिखित में मूर्त रूप नहीं दे पाते। ऐसे व्यक्तियों को खोज निकालना और उनके अनुभवों से विषय के सम्बन्ध में जानकारी प्राप्त करना शोधकर्ता के लिए नितान्त आवश्यक है। यह जानकारी उसके लिए पथ-प्रदर्शक के रूप में कार्य करेगी।

2. **सम्बद्ध साहित्य का अध्ययन :** विषय से सम्बन्धित प्रकाशित साहित्य का अध्ययन प्रथम अनिवार्यता है। इसके अभाव में हम विषय को सही रूप से नहीं समझ सकेंगे और न ही ठीक से प्राक्कल्पना का निर्माण कर पायेंगे। अतः आवश्यक है कि सर्वप्रथम विषय से सम्बन्धित उपलब्ध साहित्य का गहनता के साथ अध्ययन किया जाए। इससे श्रम, समय तथा व्यय में बचत होगी।

3. **सही सूचनादाताओं का चुनाव :** सूचनदाताओं का चुनाव प्रत्यक्ष एवं अप्रत्यक्ष दोनों ही विधियों के द्वारा किया जाना चाहिए। उदाहरण के रूप में, यदि ग्राम पंचायतों का अध्ययन करना है तो प्रत्यक्ष विधि के अन्तर्गत सरपंचों, पंचों तथा ग्राम पंचायतों से सम्बन्धित अधिकारियों व कर्मचारियों में से कुछ का चयन किया जाना चाहिए। अप्रत्यक्ष-विधि के अन्तर्गत उन लोगों का चयन किया जाना चाहिए जो प्रत्यक्ष रूप से ग्राम पंचायत से सम्बन्धित तो नहीं हैं, परन्तु जिनके पास इससे सम्बन्धित महत्वपूर्ण जानकारी है। ऐसे व्यक्तियों में स्कूल अध्यापकों, अन्य सरकारी कर्मचारियों तथा गांव के कुछ सम्मानित एवं समझदार नागरिकों को लिया जा सकता है। इससे विषय के विभिन्न पक्षों को समझने में मदद मिलेगी।
4. **अन्तर्दृष्टि-प्रेरक घटनाओं का विश्लेषण :** सभी पक्षों को उजागर करने वाली घटनाओं का सूक्ष्म अवलोकन एवं अध्ययन किया जाये। ऐसा करने से विषय के सम्बन्ध में एक ऐसी अन्तर्दृष्टि प्राप्त होगी जो शोध-कार्य की सफलता के लिए अत्यन्त आवश्यक है।
5. **उपयुक्त प्रश्न पूछना :** शोधकार्य की सफलता इस बात पर निर्भर करती है कि सूचना प्राप्ति हेतु प्रश्न बहुत सावधानीपूर्वक बनाये जायें। साथ ही किसी उपयुक्त विधि द्वारा प्रश्न पूछे जायें ताकि विषय से सम्बन्धित सही जानकारी मिल सके। इसके अभाव में महत्वपूर्ण सूचनाएं उपलब्ध नहीं हो सकेंगी।

अन्वेषणात्मक शोध के प्रमुख कार्य

अन्वेषणात्मक शोध के प्रमुख कार्य इस प्रकार हैं :

(*i*) विभिन्न शोध-पद्धतियों के प्रयोग की उपयुक्तता की सम्भावना का पता लगाना।

(*ii*) अन्तर्दृष्टि-प्रेरक घटनाओं का विश्लेषण करना एवं अध्ययन के नवीन क्षेत्रों को विकसित करना।

(*iii*) अनुसन्धान हेतु नवीन प्राक्कल्पनाओं को विकसित करना।

(*iv*) महत्वपूर्ण सामाजिक समस्याओं की ओर शोधकर्ता के ध्यान को आकर्षित करना।

(*v*) पूर्व निर्धारित प्राक्कल्पनाओं का तात्कालिक दशाओं के सन्दर्भ में परीक्षण करना।

(*vi*) शोध-कार्य से सम्बन्धित अनिश्चितता की स्थिति को दूर कर उसे निश्चित स्वरूप प्रदान करना।

(*vii*) अध्ययन हेतु महत्वपूर्ण विषयों पर ध्यान केन्द्रित करने हेतु शोधकर्ता को प्रेरित करना।

(*viii*) विज्ञान की सीमाओं का विस्तार कर उसके क्षेत्र को विकसित करना।

(*ix*) शोध-कार्य को एक विश्वसनीय रूप में प्रारम्भ करने हेतु आधार-शिला तैयार करना।

अन्वेषणात्मक शोध के उपर्युक्त कार्यों से स्पष्ट है कि यह उन आधारों को प्रदान करता है जो सफल शोध-कार्य के लिए अत्यन्त महत्वपूर्ण हैं। इसी बात को स्पष्ट करने हेतु सेलटिज एवं उनके साथियों ने बताया है ''अन्वेषणात्मक शोध (अनुसन्धान) उस अनुभव को प्राप्त करने के लिए आवश्यक है जो कि अधिक निश्चित शोध हेतु उचित प्राक्कल्पना के निर्माण में सहायक होगा।''

II. वर्णनात्मक अथवा विवरणातक शोध

यहां मुख्य जोर इस बात पर दिया जाता है कि विषय से सम्बन्धित एकत्रित किये गये तथ्य वास्तविक एवं विश्वसनीय हों अन्यथा जो वर्णनात्मक विवरण प्रस्तुत किया जायेगा, वह वैज्ञानिक होने के बजाय दार्शनिक ही होगा। यदि हमें किसी जाति, समूह या समुदाय के सामाजिक जीवन के सम्बन्ध में कोई जानकारी प्राप्त नहीं है तो हमारे लिए आवश्यक है कि किसी वैज्ञानिक प्रविधि को काम में लेते हुए वास्तविक तथ्य एकत्रित किये जायें। तथ्यों को प्राप्त करने हेतु अवलोकन, साक्षात्कार, अनुसूची, प्रश्नावली अथवा किसी अन्य प्रविधि का प्रयोग किया जा सकता है। इन प्रविधियों के प्रयोग का उद्देश्य यही है कि यथार्थ सूचनाएं एकत्रित की जायें। ऐसे शोध में घटनाओं को यथार्थ रूप में चित्रित करने पर विशेष बल दिया जाता है।

वर्णनात्मक शोध की विशेषताएं

वर्णनात्मक शोध की प्रमुख विशेषताएं निम्नलिखित हैं :

(*i*) इस प्रकार के शोध (अनुसंधान) में विषय या समस्या के विभिन्न पक्षों पर सविस्तार प्रकाश डाला जाता है।

(*ii*) यदि किसी विषय से सम्बन्धित कोई अध्ययन पूर्व में नहीं किया गया हो तो उसके अध्ययन के लिए वर्णनात्मक शोध को ज्यादा उपयुक्त समझा जाता है।

(*iii*) इस प्रकार के अध्ययन में सामान्यतः किसी प्राक्कल्पना का निर्माण नहीं किया जाता।

(*iv*) वर्णनात्मक शोध के विभिन्न चरण वैज्ञानिक विधि के चरणों के समान ही होते हैं। इसमें विषय का सावधानीपूर्वक चुनाव, उचित प्रविधियों का प्रयोग, निदर्शन-प्रणाली द्वारा उत्तरदाताओं का चयन, वास्तविक तथ्यों का संकलन तथा पक्षपात-रहित होकर परिणामों का विश्लेषण करना, आदि बातें आती हैं।

(*v*) वर्णनात्मक अनुसन्धान में शोधकर्ता की भूमिका एक समाज-सुधारक या भविष्यवक्ता के रूप में नहीं होकर एक वैज्ञानिक अर्थात् निष्पक्ष अवलोकन-कर्ता के रूप में होती है।

शोध कार्य में आवश्यक

वर्णनात्मक शोध में निम्नलिखित बातों पर ध्यान देना अत्यन्त आवश्यक है :

(*i*) शोध विषय या समस्या का चुनाव सावधानीपूर्वक इस प्रकार से किया जाना चाहिए कि उससे सम्बद्ध सभी आवश्यक एवं निर्भर-योग्य तथ्य एकत्रित किये जा सकें।

(*ii*) शोध-कार्य को वैज्ञानिक आधार प्रदान करने के लिए आवश्यक है कि तथ्यों के संकलन के लिए प्रविधियों का चुनाव पूर्ण सावधानी के साथ किया जाए।

(*iii*) वर्णनात्मक शोध में वस्तुनिष्ठ दृष्टिकोण बनाये रखने की अत्यन्त आवश्यकता है। इसका कारण यह है कि पक्षपात, मिथ्या झुकाव एवं पूर्वधारणा, आदि के अध्ययन में प्रवेश कर जाने की काफी सम्भावना रहती है। अपने अध्ययन-विवरण को वस्तुनिष्ठता की कीमत पर रोचक बनाने के लोभ से शोधकर्ता को अपने आपको बचाना चाहिए।

(*iv*) वर्णनात्मक शोध-कार्य काफी विस्तृत होता है, अतः उसे समयबद्ध एवं व्यय में मितव्ययतापूर्ण होना आवश्यक है। ऐसे अध्ययन में समय एवं धन की काफी आवश्यकता पड़ती है। अतः इस बात की सावधानी रखी जानी चाहिए कि अनावश्यक मदों पर श्रम, समय एवं धन को नष्ट नहीं किया जाए।

वर्णनात्मक शोध-कार्य के श्रेणी

(*i*) **निदर्शन का चुनाव :** समूह या समग्र की प्रत्येक इकाई का समय एवं साधनों की सीमितता के कारण अध्ययन किया जाना सम्भव नहीं होता। अतः सम्पूर्ण जनसंख्या में से निदर्शन की किसी उपयुक्त विधि की सहायता से कुछ प्रतिनिधि इकाइयों का चुनाव कर लिया जाता है। इन इकाइयों का अध्ययन कर जो निष्कर्ष निकाले जाते हैं, वे सम्पूर्ण जनसंख्या पर लागू होते हैं तथा साथ ही काफी विश्सनीय भी होते हैं।

(*ii*) **तथ्य-संकलन की प्रविधियों का चुनाव :** तथ्य-संकलन की विभिन्न प्रविधियों में से विषय या समस्या की प्रकृति के अनुरूप उपयुक्त प्रविधि में से विषय या समस्या की प्रकृति के अनुरूप उपयुक्त प्रविधि का चुनाव शोध-कार्य को सफलतापूर्वक आगे बढ़ाने की दृष्टि से नितान्त आवश्यक है। इसके अभाव में विषय से सम्बद्ध प्रामाणिक तथ्यों एवं आंकड़ों को एकत्रित नहीं किया जा सकता।

(*iii*) **शोध के उद्देश्यों का प्रतिपादन :** सर्वप्रथम शोध के उद्देश्यों को निर्धारित किया जाता है, तत्पश्चात् उद्देश्यों को स्पष्टतः परिभाषित किया जाता है। यहां शोध से सम्बद्ध मौलिक प्रश्नों को स्पष्ट किया जाता है। ऐसा करने से अनावश्यक तथ्यों के संकलन एवं धन व श्रम की बर्बादी को रोका जा सकता है।

(*iv*) **प्रतिवेदन (रिपोर्ट) का प्रस्तुतीकरण :** यहां अध्ययन विषय के सम्बन्ध में तथ्य-युक्त विवरण एवं सामान्य निष्कर्ष प्रस्तुत किये जाते हैं। यहां इस प्रकार की भाषा का प्रयोग किया जाना चाहिए कि लोग उसका भिन्न-भिन्न अर्थ नहीं लगा सकें।

(*v*) **तथ्यों का विश्लेषण :** इसका तात्पर्य यह है कि जिन तथ्यों को संकलित किया गया है, उनका समानता एवं भिन्नता के आधार पर अलग-अलग समूहों में वर्गीकरण किया जाता है, उनका सारणीयन किया जाता है। साथ ही तथ्यों की सांख्यिकीय विवेचना भी की जाती है। इस कार्य हेतु वस्तुनिष्ठ एवं प्रशिक्षित अध्ययनकर्ता का होना परम आवश्यक है।

(*vi*) **आंकड़ों का संकलन एवं उनकी जांच :** अध्ययन की इकाइयों का किसी निदर्शन-पद्धति द्वारा चुनाव कर लेने के पश्चात् वैज्ञानिक प्रविधियों अर्थात् अवलोकन, साक्षात्कार, अनुसूची अथवा प्रश्नावली का सहारा लेते हुए आवश्यक तथ्य एकत्रित किये जाते हैं। साथ ही उचित रीति से इन तथ्यों की जांच भी की जाती है ताकि अध्ययन में अनावश्यक बातें सम्मिलित नहीं हो सकें।

III. परीक्षाणात्मक शोध (प्रयोगात्मक शोध)

चेपिन ने लिखा है, "समाजशास्त्रीय शोध में परीक्षणात्मक रचना की अवधारणा नियन्त्रण की दशाओं के अन्तर्गत अवलोकन द्वारा मानवीय सम्बन्धों के अध्ययन की ओर संकेत करती है।" स्पष्ट है कि जिस प्रकार भौतिक विज्ञानों में विषय को नियन्त्रित अवस्थाओं में रखकर उसका अध्ययन किया जाता है, इस प्रकार के शोध में सामाजिक घटनाओं के कुछ पक्षों या चरों (Variables) को नियन्त्रित कर लिया जाता है और शेष चरों पर नवीन परिस्थितियों के प्रभाव का पता लगाया जाता है। इस प्रकार के शोध द्वारा यह ज्ञात किया जा सकता है कि किसी समूह, समुदाय, सामाजिक तथ्य, सामाजिक घटना, आदि पर किसी नवीन परिस्थिति का कैसा और कितना प्रभाव पड़ा है। इस प्रकार शोध का अर्थ स्पष्ट करते हुए चेपिन ने बताया है, "प्रयोग नियन्त्रित दशाओं में किया जाने वाला अवलोकन मात्र है। जब केवल अवलोकन किसी समस्या को प्रभावित करने वाले कारकों का पता लगाने में असफल रहता है, तब वैज्ञानिक के लिए प्रयोग का सहारा लेना आवश्यक हो जाता है।" इसी बात को श्री विमल शाह ने इस प्रकार प्रस्तुत किया है, "प्रयोग शब्द शोध के उस भाग की ओर निर्देश करता है जिसमें कुछ चरों को नियन्त्रित कर लिया जाता है जबकि अन्य में परिवर्तन लाया जाता है और उनके प्रभावों को नियन्त्रित चरों पर देखा जाता है।" स्पष्ट है कि प्रयोगात्मक या परीक्षणात्मक शोध का सामाजिक विज्ञान में वही महत्व है जो भौतिक विज्ञानों में प्रयोगशाला-पद्धति का है।

परीक्षणात्मक शोध तीन प्रकार के होते हैः

1. **पश्चात् परीक्षण :** इसमें सर्वप्रथम समान विशेषताओं एवं प्रकृति वाले दो समूहों को चुन लिया जाता है। इनमें से एक समूह नियन्त्रित समूह और दूसरा समूह परीक्षणात्मक के नाम से जाना जाता है। नियन्त्रित समूह में किसी प्रकार का कोई परिवर्तन लाने का प्रयत्न नहीं किया जाता है, उसे किसी चर, कारक या नवीन परिस्थिति द्वारा बदलने का प्रयास नहीं किया जाता। परीक्षणात्मक समूह में किसी नवीन परिस्थिति का प्रभाव नहीं पड़ा। यदि नियन्त्रित-समूह की तुलना में परीक्षणात्मक-समूह में परिवर्तन अधिक होते हैं तो इसका अर्थ यह हुआ कि नवीन परस्थिति या कारक का प्रभाव पड़ा है। यहां उदाहरण के रूप में दो समान समूह या गांवों को लिया जा सकता है जिनमें बाल-विवाह का काफी प्रचलन है। इनमें से एक समूह में जिसे परीक्षणात्मक समूह मान लिया गया है, बाल-विवाह के विरुद्ध काफी प्रचार-प्रसार किया जाता है। कुछ समय के बाद इस

समूह की तुलना नियन्त्रित समूह से की जाती है जिसमें ऐसा कोई प्रचार-प्रसार नहीं किया गया। यदि बाल-विवाह के प्रचलन की दृष्टि से इन दोनों में अन्तर देखने को मिले और परीक्षणात्मक-समूह में बाल-विवाहों की मात्रा काफी कम हो जाये, तो इसे नवीन कारक अर्थात् बाल-विवाह विरोधी प्रचार-प्रसार का प्रभाव माना जायेगा।

2. **पूर्व-पश्चात् परीक्षण** : इस विधि के अन्तर्गत दो समूहों का चुनाव नहीं करके केवल एक ही समूह का चुनाव किया जाता है। यहां इस समूह का अध्ययन दो विभिन्न अवधियों में किया जाता है और पूर्व तथा पश्चात् के अन्तर को ज्ञात किया जाता है। पूर्व और पश्चात् किये गये अध्ययन के आधार पर यह मापा जाता है कि पूर्व की अवस्था और बाद की अवस्था में क्या अन्तर आया। यह अन्तर ही नवीन परिस्थिति या कारक का प्रभाव (परिणाम) है। उदाहरण के रूप में, अध्ययन के लिए एक गांव को चुन लिया जाता है जहां परिवार-कल्याण कार्यक्रम के प्रभावों को मापा जाता है। एक अनुसूची की सहायता से यह पता लगा लिया जाता है कि गांव वालों ने इस कार्यक्रम को कहां तक स्वीकार किया है। यह पूर्व की स्थिति है जिसे अध्ययन की दृष्टि से हम प्रथम स्तर कह सकते हैं। फिर इस गांव में रेडियो, दूरदर्शन, ग्राम-सेवक, स्कूल-अध्यापक, डॉक्टर, नर्स, आदि की सहायता से लोगों को परिवार कल्याण कार्यक्रम की अच्छाइयों से भली-भांति परिचित कराया जाता है। इस काल को उपचार-काल या द्वितीय स्तर के नाम से जाना जा सकता है। इस निर्धारित अवधि के पश्चात् इस गांव का पूर्व में निर्मित अनुसूची की सहायता से पुनः अध्ययन किया जाता है। यह पश्चात् की स्थिति है जिसे तृतीय स्तर माना जा सकता है। अब पूर्व की स्थिति और पश्चात् की स्थिति में अन्तर ज्ञात हो जायेगा। पूर्व की बजाय अब यदि गांव वाले परिवार-कल्याण कार्यक्रम का लाभ उठाते हैं तो इसे उपचार-काल (द्वितीय स्तर) में किये गये प्रयत्न का परिणाम माना जायेगा।

3. **कार्यान्तर (ऐतिहासिक) तथ्य परीक्षण** : अतीत से सम्बन्धित तथ्यों या किसी ऐतिहासिक घटना का अध्ययन करने के लिए इस विधि का प्रयोग किया गया है। अतीत की घटनाओं को दोहराया नहीं जा सकता, उनकी पुनरावृत्ति शोध-कर्ता के लिए सम्भव नहीं है। उन्हें न तो नियन्त्रित किया जा सकता है और न ही उनमें कोई परिवर्तन लाया जा सकता है। ऐसी स्थिति में इस शोध-विधि को काम में लेते हुए प्राचीन अभिलेखों के भिन्न-भिन्न पक्षों का तुलनात्मक अध्ययन करके महत्वपूर्ण निष्कर्षों तक पहुंचा जा सकता है, उपयोगी परिणाम निकाले जा सकते हैं। अभिलेखों की तुलना से महत्वपूर्ण परिणामों को मापना सम्भव हो पाता है। इस विधि द्वारा अध्ययन हेतु सामान्यतः दो ऐसे समूहों का चुनाव किया जाता है जिनमें से एक समूह में जिसका कि उसे अध्ययन करना है, कोई ऐतिहासिक घटना घटित हो चुकी होती है एवं दूसरा ऐसा समूह जिसमें वैसी कोई घटना घटित नहीं हुई है। इन दोनों समूहों की पुरानी परिस्थितियों के तुलनात्मक अध्ययन के आधार पर यह ज्ञात करने का प्रयास किया जाता है कि एक समूह विशेष में उस घटना के घटित होने के क्या कारण हैं, कौन-सी परिस्थितियों ने उस घटना के घटित होने में योग दिया है। इस विधि के द्वारा ऐतिहासिक घटना-चक्रों का पता लगाकर वर्तमान अवस्थाओं या घटनाओं के कारण की खोज की जाती है।

इस विधि द्वारा अध्ययन का एक अन्य उदाहरण प्रस्तुत करना भी यहां उचित होगा। मान लिया कि हमें अनुसूचित जनजातियों पर विभिन्न कल्याण-कार्यक्रमों के प्रभाव का अध्ययन करना है। इसके लिए हमें ऐतिहासिक तथ्यों को चुनना पड़ेगा, यह पता लगाना पड़ेगा कि इन कल्याण-कार्यक्रमों की जानकारी किन-किन लोगों को है या इन कार्यक्रमों का लाभ किन्हें मिला है। फिर यह पता लगाना होगा कि जो लोग इन कार्यक्रमों से लाभान्वित हुए हैं, उनकी आयु क्या है, उनका शैक्षणिक स्तर क्या है, वे किस-किस जनजाति के सदस्य हैं, उनकी आजीविका का स्रोत क्या है, वे किस क्षेत्र के रहने वाले हैं। ऐसे अध्ययन का लाभ यह होगा कि तुलना के आधार पर यह पता लगाया जा सकेगा कि कल्याण-कार्यक्रमों का लाभ उठाने में कौन-सी जनजातियां और विशेषतः किन क्षेत्रों में रहने वाली जनजातियां आगे हैं। जिन जनजातीय लागों ने इन योजनाओं का लाभ उठाया है, वे शिक्षित हैं या अशिक्षित तथा वे प्रमुखतः किस आयु-समूह में आते हैं। साथ ही यह भी ज्ञात हो सकेगा कि कार्यक्रम का लाभ उठाने वाले लोगों में प्रमुख कौन हैं, क्या वे कृषक हैं, कृषि श्रमिक हैं, दस्तकारी का काम करने वाले हैं या वन सम्पदा को एकत्रित कर अपनी आजीविका चलाने वाले हैं या कारखानों में काम करने वाले मजदूर हैं। कुछ समय के पश्चात् इन्हीं कारकों को ध्यान में रखते हुए उन्हीं लोगों का पुनः अध्ययन किया जायेगा और तत्पश्चात् तुलना के आधार पर महत्वपूर्ण निष्कर्ष निकाले जा सकेंगे।

IV. विशुद्ध शोध

विशुद्ध शोध व्यावहारिक उपयोगिता को दृष्टि में रखकर नहीं किया जाता। किसी समस्या के कारणों को ढूंढ निकालना और उसका हल प्रस्तुत करना भी इस शोध के अंतर्गत नहीं आता है। विशुद्ध शोध तो 'ज्ञान के लिए ज्ञान' के लक्ष्य को लेकर आगे बढ़ता है। जब किसी घटना की खोज ज्ञान-प्राप्ति हेतु की जाय और वह भी वैज्ञानिक तटस्थता या वस्तुनिष्ठता बनाये रखकर तो उसे विशुद्ध, मौलिक या आधारभूत शोध कहते हैं। इस प्रकार के शोध-कार्य में नीति-निर्माण या उपयोगिता का दृष्टिकोण सम्मिलित नहीं होता है। विशुद्ध शोध का लक्ष्य किसी समस्या को हल करना या किन्हीं आवश्यकताओं की पूर्ति करना नहीं है बल्कि-ज्ञान की प्राप्ति, मौजूदा ज्ञान-भण्डार में वृद्धि और पुराने ज्ञान का शुद्धिकरण है। इसी दृष्टि से वह निरन्तर प्रयत्नशील रहता है। ज्ञान की प्राप्ति तथा मौजूदा ज्ञान के परिमार्जन एवं परिवर्द्धन के लिए वैज्ञानिक प्रविधियों को काम में लेते हुए जो

शोध-कार्य किया जाता है, उसे ही विशुद्ध या मौलिक शोध कहते हैं। इस प्रकार के शोध-कार्य द्वारा सामाजिक जीवन के सम्बन्ध में मौलिक सिद्धान्तों एवं नियमों की खोज की जाती है।

साथ ही इस प्रकार के शोध-कार्य द्वारा घटनाओं में निहित या घटनाओं को संचालित करने वाले नियमों का पता लगाया जाता है। प्रत्येक घटना चाहे वह प्राकृतिक हो या सामाजिक, कुछ निश्चित नियमों के अनुसार ही घटित होती है। इन नियमों को खोज निकालना विशुद्ध शोध का प्रमुख लक्ष्य है। प्राकृतिक घटनाओं को संचालित करने वाले अनेक नियमों का पता प्राकृतिक वैज्ञानिकों द्वारा विशुद्ध शोध के माध्यम से ही लगाया जाता है। समाजशास्त्र भी सामाजिक घटनाओं के पीछे छिपे नियमों को खोज निकालने की दिशा में प्रयत्नशील है। इन नियमों की खोज के लिए विशुद्ध शोध का सहारा लेना आवश्यक है।

सामाजिक जीवन एवं घटनाओं के सम्बन्ध में मौलिक सिद्धान्तों एवं नियमों की खोज विशुद्ध शोध का एक प्रमुख कार्य है। इस प्रकार की शोध द्वारा न केवल नवीन ज्ञान की प्राप्ति एवं ज्ञान भण्डार में वृद्धि ही की जाती है बल्कि पुराने ज्ञान का पुनः परीक्षण द्वारा शुद्धिकरण भी किया जाता है। विशुद्ध शोध के द्वारा यह पता लगाया जाता है कि परिस्थितियों के बदल जाने से पुराने सिद्धान्त एवं नियम वर्तमान में ठीक हैं या नहीं, हो सकता है कि वे सही उतरें। यह भी सम्भव है कि वर्तमान में बदली हुई परिस्थितियों में उनमें संशोधन करना पड़े। अतः नवीन सिद्धान्तों एवं नियमों का प्रतिपादन तथा पुरानों का सत्यापन विशुद्ध शोध का एक मुख्य लक्ष्य है।

विशिुद्ध शोध सम्बन्धित विज्ञानों की प्रगति एवं विकास में काफी योग देता है। इस प्रकार के शोध-कार्यों में सम्बंधित विज्ञान के लिए अवधारणाओं एवं शब्दावली का विकास होता है। विशुद्ध शोध के अन्तर्गत शोध-विधियों की उपयुक्तता की जांच भी आ जाती है।

विशुद्ध शोध के सम्बन्ध में कुछ लोगों का कहना है कि 'ज्ञान के लिए ज्ञान' की पिपासा आज के इस भौतिकवादी युग में निरर्थक है। लेकिन यह बात सही नहीं है। आज भी ऐसे अनेक वैज्ञानिक हैं जो सत्य की खोज में निरन्तर लगे हुए हैं, उनमें अपने शोध-कार्य के प्रति लगन है, अपूर्व उत्साह है। यहां हमें इस बात को ध्यान में रखना है कि नवीन ज्ञान की प्राप्ति एवं घटनाओं के पीछे छिपे नियमों की खोज अन्ततः मानव कल्याण में सहायक ही होती है। विशुद्ध शोध द्वारा प्राप्त ज्ञान का प्रयोग व्यावहारिक शोध के अन्तर्गत किया जा सकता है और किया जाता है।

V. व्यावहारिक शोध

फेस्टिंगर तथा काज ने बताया है कि जब उपयोगितावादी दृष्टिकोण को लेकर उद्योग या प्रशासन के लिए तथ्यों का संकलन किया जाता है एवं नीति-निर्माताओं को इसकी आवश्यकता होती है तो इसे व्यावहारिक शोध के नाम से जाना जाता है। होर्टन तथा हण्ट ने बताया है कि जब किसी ऐसे ज्ञान की खोज के लिए वैज्ञानिक पद्धति का प्रयोग किया जाता है जिसकी व्यावहारिक समस्याओं को हल करने में उपयोगिता है, तो इसे व्यावहारिक शोध कहा जाता है। ज्ञान के व्यावहारिक पक्ष पर जोर देते हुए श्रीमती पी.वी. यंग ने लिखा है, "ज्ञान की खोज का लोगों की आवश्यकताओं एवं कल्याण के साथ एक निश्चित सम्बन्ध पाया जाता है। वैज्ञानिक यह मानकर चलता है कि समस्त ज्ञान मूलतः उपयोगी है, चाहे उसका उपयोग निष्कर्ष निकालने में या किसी क्रिया अथवा व्यवहार को कार्यान्वित करने में, एक सिद्धान्त के निर्माण में या एक कला को व्यवहार में लाने में किया जाए। सिद्धान्त तथा व्यवहार अक्सर आगे चलकर एक-दूसरे में मिल जाते हैं।"

व्यावहारिक शोध का सम्बन्ध सामाजिक जीवन के व्यावहारिक पक्ष से है। इसका प्रयोग केवल सामाजिक समस्याओं को यथार्थ रूप में समझने के लिए ही नहीं किया जाता बल्कि सामाजिक नियोजन, समाज-कल्याण, स्वास्थ्य-रक्षा, समाज-सुधार, धर्म, शिक्षा, सामाजिक अधिनियम, मनोरंजन, आदि के सम्बन्ध में यथार्थ जानकारी प्रापत करने के लिए भी किया जाता है। वर्तमान में तो उद्योग, व्यापार, प्रशासन, साम्प्रदायिक, प्रजातियों की समस्या, आदि क्षेत्रों में व्यावहारिक शोध को उपयोगी माना जाता है। व्यावहारिक शोध में इन सबके सम्बन्ध में अध्ययन किया जाता है और तथ्यों की कारण सहित विवेचना की जाती है। इससे ज्ञान में वृद्धि होती है, सामाजिक समस्याओं एवं व्याधिकीय लक्षणों को समझने में मदद मिलती है। लेकिन यहां हमें यह ध्यान में रखना है कि व्यावहारिक शोध के अन्तर्गत समाज-सुधार, नीति-निर्धारण, सामाजिक नियोजन, सामाजिक समस्याओं का समाधान, आदि नहीं आते हैं। ये सब तो समाज-सुधारकों, नेताओं, प्रशासकों, अधिकारियों, आदि के क्षेत्र में आते हैं। व्यावहारिक शोधकर्ता तो सामाजिक समस्याओं, व्याधिकीय परिस्थितियों तथा सामाजिक जीवन के विभिन्न पक्षों का यथार्थ चित्रण कर तर्कयुक्त ज्ञान के रूप में इनके कार्य में योग देता है।

व्यावहारिक शोध में भी उन्हीं प्रविधियों एवं उपकरणों का प्रयोग किया जाता है जिनका प्रयोग विशुद्ध शोध में किया जाता है। अतः व्यावहारिक शोध द्वारा प्राप्त ज्ञान व्यावहारिक जीवन से सम्बन्धित समस्याओं को हल करने में और सामाजिक घटनाओं को नियन्त्रित करने में काफी योग देता है। शोधकर्ता अपने अध्ययन के निष्कर्षों या परिणामों के समाधान में काफी सहायक सिद्ध हो सकते हैं।

उपयोगिता एवं महत्व पर प्रकाश डालते हुए स्टाउफर ने लिखा है कि यदि समाज-विज्ञानों को अपना महत्व बढ़ाना है तो उन्हें अपने व्यावहारिक पक्ष को सफल बनाना होगा। स्टाउफर ने अन्यत्र लिखा है कि व्यावहारिक शोध सामाजिक विज्ञान को तीन रूपों में महत्वपूर्ण योग देता है : (*i*) कौन-से सामाजिक तथ्य किस प्रकार समाज के लिए उपयोगी हैं—इस बारे में विश्वसनीय प्रमाणों को प्रस्तुत करके, (*ii*) ऐसी प्रविधियों का उपयोग एवं विकास करके जोकि विशुद्ध शोध के लिए भी उपयोगी प्रमाणित हों तथा (*iii*) ऐसे तथ्यों व विचारों को प्रस्तुत करके जो सामान्यीकरण की प्रक्रिया को आगे बढ़ायें।

विशुद्ध एवं व्यावहारिक शोध दोनों ही समाज के लिए उपयोगी हैं। विशुद्ध शोध में सामाजिक जीवन के सैद्धान्तिक पक्ष का, तो व्यावहारिक शोध में व्यावहारिक पक्ष का अध्ययन किया जाता है। ये दोनों ही प्रकार के शोध एक-दूसरे के विकास में योग देते हैं। जहां विशुद्ध शोध सिद्धान्त एवं नियमों को ज्ञात करता है, वहां व्यावहारिक शोध वास्तविक जीवन के सम्बन्ध में ज्ञान संकलित करता है। सिद्धान्त एवं नियम विभिन्न समस्याओं

को समझने और उनके हल खोजने में मदद करते हैं जबकि उन सिद्धान्तों व नियमों की विश्वसनीयता एवं प्रामाणिकता का पता व्यावहारिक शोध द्वारा प्राप्त ज्ञान के आधार पर ही होता है।

व्यावहारिक शोध का महत्वपूर्ण योगदान है। व्यावहारिक शोध के अन्तर्गत प्राप्त किये गये नवीन तथ्य मौजूदा ज्ञान के संशोधन एवं परिवर्द्धन में योग देते हैं। साथ ही सिद्धान्तों के परीक्षण के लिए ये अवसर प्रदान करते हैं। व्यावहारिक शोध प्रत्येक विषय से सम्बन्धित अवधारणाओं का वास्तविक परिस्थितियों के सन्दर्भ में अध्ययन कर स्पष्ट करता है कि वे अवधारणाएं कहां तक उपयुक्त हैं। साथ ही व्यावहारिक शोध के अन्तर्गत जिन शोध-विधियों का विकास किया गया है, उनका विशुद्ध शोध-कार्य हेतु भी उपयोग किया जा सकता है।

VI. क्रियात्मक शोध

क्रियात्मक शोध को व्यावहारिक शोध का ही एक प्रकार माना जा सकता है क्योंकि इसका संबंध भी शोध द्वारा प्राप्त ज्ञान के व्यावहारिक उपयोग से है। क्रियात्मक शोध का प्रारम्भ अमेरिका में हुआ। प्रो. कोलियर, लेविन तथा स्टेफन एम. कोरी ने क्रियात्मक शोध नामक अवधारणा को मूर्त रूप देने का प्रयास किया। इन लोगों की मान्यता है कि क्रियात्मक शोध के माध्यम से सामाजिक सम्बन्धों को ज्यादा अच्छा बनाया जा सकता है।

मैकग्रेथ एवं उनके सहयोगियों ने बताया है कि क्रियात्मक शोध एक संगठित व खोजपूर्ण क्रिया है जिसका लक्ष्य व्यक्तियों या समूह से सम्बन्धित परिवर्तन एवं सुधार लाने हेतु उनका अध्ययन करना और साथ ही मौलिक परिवर्तन लाना है।

स्टेफन एम. कोरी ने क्रियात्मक शोध का अर्थ स्पष्ट करते हुए बताया है कि ''यह ऐसी प्रक्रिया है जिसके द्वारा व्यावहारिक कार्यकर्ता अपनी समस्या का एक दृष्टि से वैज्ञानिक तरीके से अध्ययन करते हैं ताकि वे आवश्यकतानुसार अपने निर्णयों एवं क्रियाओं को दिशा दे सकें, उनमें परिवर्तन व सुधार कर सकें, उनका मूल्यांकन कर सकें।''

शोध के निष्कर्षों का उपयोग किन्हीं सामाजिक अवस्थाओं में परिवर्तन लाने की योजना के एक भाग के रूप में किया जाता है। जब शोध अध्ययन के निष्कर्षों को किसी तात्कालिक या भविष्य की किसी योजना के अन्तर्गत मूर्त रूप देना हो तो उसे क्रियात्मक शोध नाम दिया जाता है। यदि शिक्षा-प्रणाली में आमूल-चूल परिवर्तन लाने की दृष्टि से कोई शोध-कार्य हाथ में लिया जाये और उसके आधार पर प्राप्त निष्कर्षों को लागू करने पर जोर दिया जाये तो उसे क्रियात्मक शोध कहा जायेगा। इसी प्रकार से बाल-अपराधियों को सुधारने एवं गन्दी-बस्तियों की सफाई, आदि से सम्बन्धित कार्यक्रम भी क्रियात्मक शोध के अन्तर्गत आते हैं।

किसी सामाजिक दशा, स्थिति या समस्या को बदलने, उसमें सुधार करने या उसे हल करने हेतु साधन खोज निकालने के लिए क्रियात्क शोध का सहारा लिया जाता है। इसमें तथ्यों को एकत्रित कर किसी समस्या के निवारण हेतु प्रयत्न किया जाता है। क्रियात्मक शोध का लक्ष्य परिवर्तन को नियोजित करना, व्याधिकीय या विघटनातमक परिस्थितियों को नियन्त्रित करना तथा सुधार व कल्याण-कार्य को आगे बढ़ाना है। इसी हेतु, प्रामाणिक तथ्य एकत्रित किये और समाधान खोज निकाले जाते हैं। बन्धुआ मजदूरों, भूमिहीन कृषकों, कृषि-श्रमिकों तथा समाज के अन्य दुर्बल वर्गों की समस्याओं को हल करने तथा उन्हें चहुंमुखी विकास की दिशा में आगे बढ़ाने हेतु किसी कल्याण कार्यक्रम को सफलतापूर्वक संचालित करने के लिए क्रियात्मक शोध का ही सहारा लिया जाता है।

क्रियात्मक शोध के तीन प्रमुख प्रकार हैं : प्रथम, निदानात्मक क्रियात्मक शोध; द्वितीय, सहकारी क्रियात्मक शोध; तथा तृतीय, प्रयोगात्मक क्रियात्मक शोध। क्रियात्मक शोध में वैज्ञानिक विधि में प्रयुक्त होने वाले सभी चरणों का प्रयोग किया जाता है।

सारांश रूप में हम कह सकते हैं कि क्रियात्मक शोध में तात्कालिक उपयोग पर ध्यान दिया जाता है, न कि सिद्धान्त के विकास पर। इस प्रकार के शोध में वैज्ञानिक दृष्टिकोण सर्वत्र बनाये रखते हुए तात्कालिक समस्याओं के निराकरण, सामाजिक परिवर्तन को दिशा देने तथा सामाजिक नियोजन एवं समाज-कल्याण से सम्बन्धित कार्यक्रमों के क्रियान्वयन पर जोर दिया जाता है।

■। शोध समस्या की पहचान

शोध की समस्या के पहचान के लिए विद्वान हंसराज ने बताया है, ''अन्वेषणात्मक शोध किसी भी विशेष अध्ययन के लिए प्राक्कल्पना का निर्माण करने तथा उससे सम्बन्धित अनुभव प्राप्त करने के लिए अनिवार्य है।'' इस प्रकार के शोध द्वारा विषय अथवा समस्या का कार्य-कारण सम्बन्ध ज्ञात हो जाता है। इस प्रकार शोध की सफलता के लिए कुछ अनिवार्य दशाओं का होना आवश्यक है, जो निम्नलिखित प्रकार के हैं:

(*i*) अनुभव सर्वेक्षण : विषय से सम्बन्धित अनुभव रखने वाले लोगों का पता लगाना, अध्ययन हेतु उनका चुनाव करना, उनसे सम्पर्क स्थापित करना, ये सब कठिन समस्या है।

(*ii*) सही सूचनाओं का चुनाव : सही सूचनाओं को प्राप्त करना (अप्रत्यक्ष या प्रत्यक्ष विधियों द्वारा) शोध की सफलता के लिए अनिवार्य शर्त है।

(*iii*) उपयुक्त प्रश्न पूछना : शोध कार्य की सफलता के लिए सूचना प्राप्ति हेतु प्रश्न का सावधानीपूर्वक पूछा जाना आवश्यक है। उपयुक्त प्रश्न के अभाव में महत्वपूर्ण सूचनाएं उपलब्ध नहीं हो सकेंगी।

(*iv*) अन्तर्दृष्टि-प्रेरक घटनाओं का विश्लेषण : शोध-कार्य की सफलता के लिए आवश्यक है सभी पक्षों को उजागर करने वाली घटनाओं का सूक्ष्म अवलोकन एवं अध्ययन किया जाये तभी विषय के सम्बन्ध में अन्तर्दृष्टि प्राप्त हो सकेगी।

(*v*) समस्या का चुनाव : शोध के विषय हेतु समस्या का चुनाव में सावधानी बरतने की आवश्यकता है तभी योग्य तथ्य प्राप्त किया जा सकता है।

(*vi*) दृष्टिकोण को बनाये रखना : अपने अध्ययन-विवरण को वस्तुनिष्ठता की कीमत पर रोचक बनाने के लोभ से शोधकर्ता को बचना चाहिए।

(*vii*) समयबद्धता एवं व्यय में मितव्ययिता की समस्या : अध्ययन में समय एवं धन की काफी आवश्यकता पड़ती है। अतः इस बात की सावधानी रखनी चाहिए कि अनावश्यक मदों पर श्रम, समय व धन को नष्ट नहीं किया जाए।

उपकल्पना (प्राक्कलपना अथवा परिकल्पना)

उपकल्पना वैज्ञानिक अनुसंधान का अत्यंत महत्वपूर्ण चरण है। उपकल्पना दो अथवा दो से अधिक चरों के बीच अनुभवमूलक संबंध का अनुमानित विवरण है। यह मात्र अनुमान है जिसका परीक्षण करना अभी बाकी है। उदाहरण के लिए, हम 'भारत में बढ़ती हुई अपराध-प्रवृत्ति' नामक समस्या का अध्ययन करना चाहते हैं। इस समस्या के कार्य-कारण सम्बन्धों के बारे में हम सामान्य ज्ञान एवं अनुभव के आधार पर यह अनुमान लगाते हैं कि "निर्धनता ही बढ़ती हुई अपराध-प्रवृत्ति के लिए प्रमुख कारण है।" हमारा यह कथन ही हमारे अध्ययन विषय की प्राक्कल्पना कहलायेगी। हम अपने अध्ययन में यह देखने का प्रयास करेंगे कि निर्धनता और अपराध के बीच क्या सम्बन्ध है? क्या हमारा पूर्वानुमान सही है अथवा नहीं? यह कामचलाऊ अनुमान या पूर्व चिन्तन हमारे अध्ययन कार्य को आधार प्रदान करेगा और उसे आगे बढ़ायेगा। हमारे वास्तविक अध्ययन के बाद हमारी यह उपकल्पना या प्राक्कल्पना सही थी सिद्ध हो सकती है और गलत भी। हमारा उद्देश्य प्राक्कल्पना को सही साबित करना नहीं होता है, वरन् वास्तविक तथ्यों के आधार पर वैज्ञानिक सत्य को ढूंढना होता है। प्राक्कल्पना निर्माण का उद्देश्य तो विषय से सम्बन्धित तथ्यों को संकलित करना और शोधकर्ता का मार्गदर्शन करना तथा उसे अनिश्चय के अन्धकार में भटकने से रोकना है।

काहेन तथा नागेल लिखते हैं, "किसी भी गवेषणा में हम एक पग भी आगे नहीं बढ़ सकते जब तक कि हम उसको जन्म देने वाली कठिनाइयों के सुझावात्मक स्पष्टीकरण कुछ विषय-वस्तु द्वारा तथा हमारे पूर्व ज्ञान द्वारा हमें सुझाव प्रस्तुत करते हैं। जब वे प्रस्तावों के रूप में सूत्रबद्ध कर लिये जाते हैं, तो उन्हें प्राक्कल्पना कहा जाता है।" गुडे एवं हाट ने भी लिखा है, "प्राक्कल्पना अनुसन्धान और सिद्धान्त के बीच एक आवश्यक कड़ी है जो ज्ञान वृद्धि की खोज में सहायक होती है।" प्राक्कल्पना के निर्माण के अभाव में किसी भी प्रकार का प्रयोग एवं वैज्ञानिक अनुसन्धान असम्भव है।

एक प्राक्कल्पना दो या दो से अधिक चरों के बीच पाये जाने वाले सम्बन्धों का अनुभवात्मक रूप से परीक्षण करने योग्य कथन है। प्राक्कल्पना एक तीक्ष्ण अनुमान है जिसका प्रतिपादन तथा अस्थायी स्वीकृति अवलोकित तथ्यों अथवा दशाओं की व्याख्या करने और अनुसन्धान का आगे मार्गदर्शन करने के लिए किया जाता है। सामाजिक घटनाओं के अध्ययनों को वैज्ञानिक रूप प्रदान करने में प्राक्कल्पना का निर्माण अति आवश्यक है। यह सफल अनुसन्धान की एक आवश्यक शर्त है। विभिन्न परिभाषाओं के आधार पर हम प्राक्कल्पना को और भी अधिक उत्तमता से समझ सकते हैं।

प्राक्कल्पना की परिभाषा एवं अर्थ

विभिन्न विद्वानों ने प्राक्कल्पना को निम्न प्रकार परिभाषित किया है :

'वेबस्टर न्यू इण्टरनेशनल डिक्शनरी के अनुसार, "प्राक्कल्पना एक विचार, दशा या सिद्धान्त होती है जोकि सम्भवतः बिना किसी विश्वास के मान ली जाती है जिससे कि उससे तार्किक परिणाम निकाले जा सकें और ज्ञात या निर्धारित किये जाने वाले तथ्यों की सहायता से इस विचार की सत्यता की जांच की जा सके।"

पी.बी. यंग के अनुसार, "एक कार्यवाहक विचार जो उपयोगी खोज का आधार बनता है, कार्यवाहक प्राक्कल्पना माना जाता है।"

गुडे एवं हाट के अनुसार, "प्राक्कल्पना एक ऐसी मान्यता होती है जिसकी सत्यता सिद्ध करने के लिए उसका परीक्षण किया जा सकता है।"

लुण्डबर्ग के अनुसार, "एक प्राक्कल्पना एक कामचलाऊ सामान्यीकरण है, जिसकी सत्यता की परीक्षा अभी बाकी है।"

एम.एच. गोपाल के अनुसार, "यह ज्ञात व प्राप्त तथ्यों के सामान्य अवलोकन पर आधारित एक कार्यकारी अस्थायी उपचार अथवा हल होती है जो कि कुछ विशेष घटनाओं को समझने व अन्य खोज में मार्गदर्शन के लिए अपनायी जाती है।"

टाउन सैण्ड के अनुसार, "प्राक्कल्पना अनुसन्धान की समस्या के लिए सुझाया गया उत्तर है।"

बोगार्डस के अनुसार, "एक प्राक्कल्पना एक प्रस्थापना है जिसका परीक्षण किया जाना है।"

उपर्युक्त परिभाषाओं से स्पष्ट है कि प्राक्कल्पना एक ऐसा पूर्व विचार, निष्कर्ष, कथन, सामान्यीकरण, अमूर्तीकरण, अनुमान या प्रस्थापना है जिसे अनुसन्धानकर्ता अपनी शोध की समस्या हेतु निर्मित करता है और उसकी सत्यता की जांच करने के लिए आवश्यक सूचनाओं का संकलन करता है। एक प्राक्कल्पना विभिन्न चरों के बीच सम्बन्धों को स्थापित करती है। प्राक्कल्पना सामाजिक अनुसन्धान और खोज को आधार प्रदान करती है, नवीन ज्ञान प्राप्ति की प्रेरणा प्रदान करती है। प्राक्कल्पना की तुलना हम ध्रुव तारे या कुतुबनुमा से कर सकते हैं जो अध्ययनकर्ता का मार्गदर्शन करती है और उसे सही दिशा बताती है। प्राक्कल्पना के अभाव में अनुसन्धान के क्षेत्र में हम एक कदम भी आगे नहीं बढ़ सकते।

एक अच्छी प्राक्कल्पना की विशेषताएं

एक उत्तम और उपयोगी प्राक्कल्पना में निम्नांकित विशेषताएं अथवा गुण होने चाहिए :

(*i*) **स्पष्टता :** प्राक्कल्पना में प्रयुक्त शब्द और उनके कार्य तथा विचार स्पष्ट तथा भ्रमरहित होने चाहिए। जहां सम्भव हो विशिष्ट शब्दों की परिभाषा और व्याख्या भी दी जानी चाहिए। प्राक्कल्पना में प्रयुक्त शब्द ऐसे हों कि दूसरे लोग भी उनका सही अर्थ समझ सकें। प्राक्कल्पना की स्पष्टता अनुसन्धानकर्ता की सूझबूझ और अनुभव पर भी निर्भर करती है।

(ii) **प्रयोगसिद्धता :** प्राक्कल्पनाओं में इस प्रकार की अवधारणाओं का उपयोग होना चाहिए जिनकी सत्यता की जांच वास्तविक तथ्यों के आधार पर की जा सके। प्राक्कल्पना में किसी नैतिकता अथवा आदर्श को प्रस्तुत करने का प्रयत्न नहीं करना चाहिए अर्थात् उसमें 'अच्छे' और 'बुरे' जैसे शब्दों का प्रयोग नहीं किया जाना चाहिए। प्राक्कल्पनाएं वास्तविक तथा वैज्ञानिक आधार पर जांच करने योग्य होनी चाहिए। इस प्रकार की आदर्शात्मिक प्राक्कल्पनाएं जैसे दहेज हिन्दू समाज पर एक कलंक है, संयुक्त परिवार वर्तमान परिस्थितियों में अनुपयोगी हैं, जीव हत्या पाप है, दान देना अच्छी बात है, आदि, शोध की दृष्टि से अनुपयुक्त मानी जाती हैं।

(iii) **विशिष्टता :** सामान्य शब्दों में व्यक्त की गयी प्राक्कल्पना का परीक्षण करना कठिन होता है एवं उसका क्षेत्र भी विस्तृत एवं अनिश्चित होता है। ऐसी प्राक्कल्पनाएं तथ्य संकलन की दृष्टि से अनुपयोगी होती हैं। अतः यह आवश्यक है कि उपयोगी अध्ययन के लिए हम विशिष्ट और छोटी-छोटी प्राक्कल्पनाएं बनाएं जो हमें तथ्यों के संकलन में, शोध को व्यवस्थित करने में एवं निष्कर्ष निकालने में सहायता प्रदान कर सकें।

(iv) **उपलब्ध-प्रविधियों से सम्बद्ध :** इसके लिए यह भी आवश्यक है कि अनुसन्धानकर्ता को उपलब्ध प्रविधियों की जानकारी हो। ऐसी प्राक्कल्पनाएं अनुसन्धान की दृष्टि से व्यर्थ मानी जाती हैं जिनके परीक्षण के लिए हमारे पास प्रविधियां उपलब्ध न हों। इस सम्बन्ध में गुडे एवं हाट लिखते हैं कि "जो सिद्धान्तकार यह नहीं जानता है कि उसकी प्राक्कल्पना की जांच के लिए कौन-कौन सी प्रविधियां उपलब्ध हैं, वह उपयोगी प्रश्नों के निर्माण में असफल रहता है।" अतः स्पष्ट है कि प्राक्कल्पनाएं प्रचलित प्रविधियों की पहुंच में हों, किन्तु इसका यह तात्पर्य नहीं है कि हम प्राक्कल्पनाओं की जांच के लिए नवीन प्रविधियों का निर्माण नहीं कर सकते। वर्तमान में विभिन्न समस्याओं एवं प्राक्कल्पनाओं के अध्ययन हेतु वैज्ञानिकों ने अनेक नवीन प्रविधियों को विकसित किया है।

(v) **सिद्धान्त-समूह से सम्बन्धित :** गुडे एवं हाट कहते हैं कि सामाजिक अनुसन्धान के नौसिखिये विद्यार्थी इस नियम की अक्सर अवहेलना कर जाते हैं कि उनकी प्राक्कल्पना किसी सिद्धान्त से सम्बद्ध नहीं होती है। वे इस बात का भी ध्यान नहीं रखते कि उनका अनुसन्धान कार्य पूर्व प्रचलित किसी सिद्धान्त को गलत प्रमाणित करने अथवा उसकी पुष्टि करने या उसे संशोधित करने में सहायक होगा या नहीं। वे लिखते हैं, "एक विज्ञान तभी संचयी बन सकता है यदि वह उपलब्ध तथ्यों तथा सिद्धान्त समूह पर पूर्णतया लागू होता है। यदि प्रत्येक अध्ययन एक पृथक् सर्वेक्षण के रूप में होगा तो विज्ञान का विकास नहीं हो सकता।" प्राक्कल्पनाएं और सिद्धान्त एक-दूसरे पर निर्भर हैं और विज्ञान के लिए प्राक्कल्पनाओं का निर्माण सिद्धान्तों के सन्दर्भ में ही किया जाना चाहिए।

(vi) **सरलता :** श्रीमती यंग का मत है कि जो अनुसन्धानकर्ता अपनी समस्या से पूरी तरह परिचित है एवं सूझबूझ रखता है, वह प्राक्कल्पना का निर्माण आसानी से कर सकता है। वे लिखती हैं, "सरलता एक तेज धार वाला यन्त्र है जो व्यर्थ की प्राक्कल्पनाओं तथा विवेचनाओं को काट भी सकता है, अतः इसे विलियम ओकम का उस्तरा (Occam's razor) कहा गया है।" सरलता का यह अर्थ नहीं है कि प्राक्कल्पनाएं सामान्य जन के लिए भी बोधगम्य हों। बहुत अधिक सरल प्राक्कल्पनाएं घातक भी सिद्ध हो सकती हैं।

प्राक्कल्पना के प्रकार

गुडे तथा हाट ने निम्नांकित तीन प्रकार की प्राक्कल्पनाओं का उल्लेख किया है :

1. **अनुभवात्मक समानताओं से सम्बन्धित :** ये प्राक्कल्पनाएं मानव के सामान्य ज्ञान, तर्कवाक्य, दैनिक जीवन के अनुभवों, मान्यताओं, लोकोक्तियों, कहावतों, वक्तव्यों, वार्ताओं तथा विश्वासों पर आधारित होती हैं। उदाहरण के लिए, सामान्यतः ऐसी कहावतें प्रचलित हैं कि गंजा व्यक्ति धनवान होता है, पशुओं में सियार, पक्षियों में कौआ, मनुष्यों में नाई तथा स्त्रियों में मालिन चतुर होते हैं। ऐसी प्राक्कल्पनाओं में समान तथ्यों की जांच करना ही अध्ययन का मुख्य बिन्दु होता है।

2. **जटिल आदर्श-प्रारूपों से सम्बन्धित :** इस प्रकार की प्राक्कल्पनाओं में प्रायः एक सामान्य तथ्य अथवा निष्कर्ष को पूर्वाधार मानकर अन्य तथ्यों की तर्कपूर्ण रूप से परीक्षा की जाती है। ऐसी प्राक्कल्पनाएं अल्पसंख्यक समूहों तथा पारिस्थितिकी दशाओं (ecological conditions) से सम्बन्धित होती हैं। उदाहरण के लिए, बर्गेस ने अपने अध्ययन में यह प्राक्कल्पना की थी कि "केन्द्रीभूत गोलाकार नगर विकास की प्रकृति के लक्षण होते हैं।" इस प्रकार की प्राक्कल्पनाओं का उद्देश्य आनुभविक एकरूपताओं में तार्किक रूप से निकाले गये सम्बन्धों की उपस्थिति का परीक्षण करना होता है। ऐसी प्राक्कल्पनाओं में विभिन्न कारकों के बीच तार्किक अन्तर्सम्बन्धों के आधार पर निष्कर्ष निकाले जाते हैं, इसलिए इन्हें सम्बन्धात्मक प्राक्कल्पनाएं (Relational Hypotheses) भी कहते हैं। चूंकि ये प्राक्कल्पनाएं तार्किक निष्कर्षों पर आधारित होती हैं, अतः ये सिद्धान्त निर्माण में भी सहायक होती हैं। दुर्खीम ने अपनी प्रसिद्ध कृति 'आत्महत्या' में निम्नांकित सम्बन्धात्मक प्राक्कल्पनाओं को विकसित किया था :

   (अ) गांवों की अपेक्षा नगरों में आत्महत्या की दर अधिक पायी जाती है।

   (ब) स्त्रियों की अपेक्षा पुरुष अधिक आत्महत्या करते हैं।

3. **विश्लेषणात्मक चरों से सम्बन्धित :** कुछ प्राक्कल्पनाएं विश्लेषणात्मक चरों के सम्बन्ध से सम्बन्धित होती हैं। कोई भी सामाजिक घटना अनेक कारकों का परिणाम होती है, फिर भी इनमें से

कोई एक कारक ही प्रमुख कारक होता है और अन्य कारक सहायक कारक होते हैं। उदाहरण के लिए, बाल-अपराध के लिए मनोविश्लेषणवादी सिद्धान्तकार मानसिक विकृति और दुर्बलता को, तो वंशानुक्रमणवादी 'बुरे वंशानुक्रम' को उत्तरदायी मानते हैं। इस प्रकार की प्राक्कल्पना को कारणात्मक प्राक्कल्पना भी कहते हैं। उदाहरण के लिए, उत्तम फसल उत्तम-खाद, बीज, भूमि, पर्यावरण एवं पानी की पर्याप्त मात्रा पर निर्भर करती है। यदि इनमें से किसी एक कारक में परिवर्तन कर दिया जाता है तो फसल पर क्या प्रभाव पड़ेगा, यह जानने का प्रयत्न करना कारणात्मक प्राक्कल्पना है।

प्राक्कल्पना के स्रोत

लुण्डबर्ग का मत है कि हम एक उपयोगी प्राक्कल्पना की खोज कविता, साहित्य, दर्शन, समाजशास्त्रीय साहित्य, मानव जाति शास्त्र एवं सिद्धान्तों में कर सकते हैं। हम यहां प्राक्कल्पना के प्रमुख स्रोतों का उल्लेख करेंगे।

1. **सामान्य संस्कृति :** प्रत्येक समाज की एक संस्कृति होती है, उसके सदस्यों की रहन-सहन, खान-पान और वस्त्र की एक शैली होती है। परिवार, विवाह, नातेदारी और सामाजिक संस्थाओं तथा आचरण के नियमों में एकरूपता पायी जाती है जोकि उनकी एक सामान्य संस्कृति का निर्माण करती है। यह सामान्य संस्कृति भी प्राक्कल्पना के विकास में सहायक होती है। सामान्य संस्कृति के अन्तर्गत तीन बातें प्रमुख हैं—सांस्कृतिक पृष्ठभूमि, लोक विश्वास तथा सामाजिक परिवर्तन।
2. **वैज्ञानिक सिद्धान्त :** कई प्राक्कल्पनाओं का आधार समाज में पूर्व-प्रचलित वैज्ञानिक सिद्धान्त होते हैं। अनुसन्धानकर्ता इन सिद्धान्तों पर ही कई अन्य समान्यीकरण करते हैं और ये सामान्यीकरण ही प्राक्कपनाओं के रूप में ग्रहण कर लिए जाते हैं। मार्क्स के वर्ग संघर्ष के सिद्धान्त पर ही समाज-वैज्ञानिकों ने वर्ग से सम्बन्धित अनेक प्राक्कल्पनाओं का निर्माण किया है।
3. **सादृश्यताएं :** हरबर्ट स्पेन्सर ने सामाजिक सावयव (social organism) की कल्पना जीवों की शरीर रचना से ही ग्रहण की थी। वे समाज को भी एक शरीर की ही भांति मानते हैं। जूलियन हक्सले का मत है कि किसी विज्ञान की प्रकृति के सम्बन्ध में किए गए अवलोकन, प्राक्कल्पनाओं के आधार हो सकते हैं। कुछ विशेष प्रकार के व्यवहार मानव और पशु में समान रूप से पाए जाते हैं। पेड़ पौधों तथा पशु पक्षियों पर पड़ने वाले पर्यावरण के प्रभाव के आधार पर ही मानव समाज पर भी पर्यावरण के प्रभाव की समान कल्पना की गई। लूई पाश्चर ने चेचक के टीके का आविष्कार गायों में होने वाले चेचक की सादृश्यता के आधार पर ही किया था।
4. **व्यक्तिगत अनुभव :** उदाहरण के लिए, लोम्ब्रोसो ने "अपराधी जन्मजात होते हैं", इस प्राक्कल्पना को सैनिकों के अध्ययन से सम्बन्धित अपने व्यक्तिगत अनुभवों के आधार पर ही ग्रहण किया था। न्यूटन की पृथ्वी की गुरुत्वाकर्षण शक्ति की प्राक्कल्पना तथा माल्थस की जनसंख्या-वृद्धि की प्राक्कल्पना, आदि उनके व्यक्तिगत अनुभव का ही परिणाम है। इस प्रकार विविध घटनाओं या अवस्थाओं में एक अध्ययनकर्ता को जो विशेष अनुभूतियां होती हैं, उसी के आधार पर वह विभिन्न प्राक्कल्पनाओं को जन्म देता है।
5. **अन्तःप्रज्ञा :** जीवन की अनेक घटनाओं के प्रति हमारे निष्कर्ष अन्तर्दृष्टि पर ही आधारित होते हैं। कई बार हम लोगों को यह कहते हुए सुनते हैं—"मेर मन ऐसा कहता है", यही उसकी अन्तःप्रज्ञा कही जा सकती है। अन्तःप्रज्ञा पर आधारित प्राक्कल्पनाओं का कई बार परीक्षण करना बहुत कठिन होता है। महापुरुषों तथा आध्यात्मिक पुरुषों द्वारा अनेक निष्कर्ष अन्तःप्रज्ञा के आधार पर दिये जाते हैं।
6. **अनुसन्धान एवं साहित्य :** लुण्डबर्ग की मान्यता है कि हम कविता, साहित्य, दर्शन, समाजशास्त्र, नृजाति विज्ञान एवं वर्णनात्मक साहित्य तथा कलाकारों और चिन्तकों के मानव के सामाजिक सम्बन्धों पर आधारित सिद्धान्तों के आधार पर भी प्राक्कल्पनाओं का निर्माण कर सकते हैं।

प्राक्कल्पना का महत्व

मैक्स वेबर का मत है कि प्राक्कल्पना से प्रत्येक वैज्ञानिक गवेषणा में नये प्रश्नों को प्रोत्साहन मिलता है। गुडे एवं हाट का मत है कि एक प्राक्कल्पना यह बताती है कि हम किसकी खोज कर रहे हैं।" उन्होंने आगे फिर लिखा है, "अच्छे अनुसन्धान में प्राक्कल्पना का निर्माण एक केन्द्रीय चरण है।" कोहेन तथा नागेल लिखते हैं, "एक प्राक्कल्पना का प्रकार्य हमारी खोज में तथ्यों के बीच व्यवस्था लाने के लिए पथ-प्रदर्शन करना है।"

इस प्रकार स्पष्ट है कि किसी भी अनुसन्धान में प्राक्कल्पना के अभाव में निश्चयात्मक निष्कर्ष प्राप्त करना कठिन है। इसके अभाव में अध्ययनकर्ता अपने मार्ग से भटक सकता है। इसी के द्वारा वह सत्य और असत्य की पुष्टि करता है एवं विषय से सम्बन्धित वास्तविकता का पता लगाता है। प्राक्कल्पना के अभाव में अनुसन्धान पतवारबिहीन जहाज की भांति होता है। प्राक्कल्पना के महत्व की विवेचना हम निम्न प्रकार कर सकते हैं :

1. **अध्ययन के उद्देश्य का निर्माण :** कौन से तथ्य हमारे उद्देश्य के अनुरूप और सार्थक हैं तथा कौन से निरर्थक। कोहेन एवं नागेल लिखते हैं, "प्राक्कल्पना के अभाव में अनुसन्धान एक अनिश्चित तथा विचारहीन भटकाव की भांति है। उसके निष्कर्षों को स्पष्ट अर्थ वाले तथ्यों के रूप में प्रकट नहीं किया जा सकता है।" अध्ययन के उद्देश्य हमारे संकलन स्रोतों का भी निर्धारण करते हैं।
2. **उचित दिशा प्रदान करना :** प्राक्कल्पना उसे विभिन्न मार्गों में से केवल उचित और सही मार्ग पर ही ले जाती है। वान डलेन प्राक्कल्पना को ऐसे शक्तिशाली आकाशदीप के रूप में मानते हैं जो अनुसन्धानकर्ता का मार्ग प्रशस्त करता है। पी.वी. यंग लिखते हैं, "इस प्रकार प्राक्कल्पना का प्रयोग एक दृष्टिहीन

खोज तथा अंधाधुन्ध तथ्य-संकलन से रक्षा करता है जो बाद में अध्ययन-समस्या के लिए अप्रासंगिक और अनुपयुक्त सिद्ध हो सकते हैं।''

3. **अध्ययन क्षेत्र को सीमित करना :** लुण्डबर्ग के अनुसार प्राक्कल्पना के आधार पर, ''हम जानबूझकर अपनी विचार शक्तियों को स्वीकार करते हैं और अपने अनुसन्धान के क्षेत्र को सीमित करके त्रुटियों को कम करते हैं। अध्ययन को निश्चित सीमा में बाँधते हैं।''

नकारात्मक उपकल्पना

नकारात्मक उपकल्पना में कथनों को नकारात्मक रूप में प्रस्तुत किया जाता है, इसमें कथनों को सापेक्षिक रूप से प्रस्तुत किया जाता है तथा कथनों में तुलना किया जाता है। इस प्रकार तुलनात्मक रूप से एक को अच्छा और एक को बुरा बताया जाता है।

नकारात्मक प्राक्कल्पनाएं प्रायः विश्लेषणात्मक चरों से सम्बन्धित होते हैं। कोई सामाजिक घटना अनेक कारकों का परिणाम होती है, फिर भी इनमें से कोई एक कारक ही प्रमुख कारक होती है अन्य कारक सहायक होते हैं। उदाहरण के लिए, बाल-अपराध के लिए मनोविश्लेषणवादी सिद्धान्तकार मानसिक विकृति और दुर्बलता को, तो वंशानुक्रमवादी 'बुरी वंशानुक्रम' को उत्तरदायी मानते हैं। इस प्रकार की प्राक्कल्पना को कारणात्मक प्राक्कल्पना भी कहते हैं। इससे यह ज्ञात किया जाता है कि यदि एक चर (कारक) में परिवर्तन होता है तो वह किस सीमा तक दूसरे चर (कारक) को प्रभावित करता है।

नकारात्मक उपकल्पना के उदाहरण इस प्रकार दिये जा सकते हैं जैसे गरीबों की अपेक्षा धनवान अधिक दयालु नहीं होते हैं। पुरुषों के अपेक्षा स्त्रियाँ अधिक शक्तिशाली नहीं होती हैं।

उपकल्पना का पुष्टिकरण

उपकल्पना का पुष्टिकरण अति आवश्यक कार्य है। उपकल्पना के पुष्टिकरण के लिए अवधारणाओं का उपयोग होना चाहिए जिसकी सत्यता की जाँच वास्तविक तथ्यों के आधार पर की जा सके। उपकल्पना में किसी नैतिकता या आदर्श को प्रस्तुत करने का प्रयत्न नहीं करना चाहिए। उपकल्पना में 'अच्छे' और 'बुरे' जैसे शब्दों का प्रयोग नहीं किया जाना चाहिए। प्राक्कल्पनाएँ वास्तविक तथा वैज्ञानिक आधार पर जाँच करने योग्य होनी चाहिए।

आज विभिन्न सामाजिक विज्ञानों में वैज्ञानिक पद्धति का प्रयोग किया जाता है। इसके लिए तथ्यों को एकत्रित किया जाता है, उन तथ्यों के आधार पर नियमों को प्रतिपादित किया जाता है और ये नियम सार्वभौमिक होते हैं। ऐसी स्थिति में यह कहा जा सकता है कि सामाजिक विज्ञानों एवं सामाजिक अनुसन्धानों की प्रकृति वैज्ञानिक है। विज्ञान की प्रमुख विशेषतायें निम्नलिखित प्रकार है। (*i*) अवलोकन, (*ii*) सत्यापन तथा वर्गीकरण, (*iii*) सामान्यीकरण, (*iv*) भविष्यवाणी, (*v*) वैज्ञानिक प्रवृत्ति।

शोध प्रारूप

सामाजिक अनुसंधान के सफल और उचित कार्यान्वयन के लिए एक सटीक और स्पष्ट शोध प्रारूप होना आवश्यक है। शोध प्रारूप का तात्पर्य संपूर्ण शोध योजना के निर्धारण से है। अनुसंधान के वास्तविक क्रियान्वयन से पहले यह तय किया जाता है कि विभिन्न विषयों पर चरणबद्ध तरीके से कैसे कार्य किया जाए और अंतिम चरण (निष्कर्ष) पर पहुंचा जाए।

यह शोध की स्पष्ट रूपरेखा पर निर्भर करता है कि शोधकर्ता अनावश्यक समय और संसाधनों को इधर-उधर बर्बाद न करे। उन्हें अनुसंधान के दायरे का ज्ञान है और वे लगातार समस्याओं का पूर्वानुमान लगाकर अपने शोध कार्य को आगे बढ़ाते रहते हैं।

शोध प्रारुप का अर्थ

अनुसंधान के कुछ उद्देश्य होते हैं और उन उद्देश्यों को तब तक प्राप्त नहीं किया जा सकता जब तक कि शोध कार्य योजनाबद्ध तरीके से शुरू नहीं किया गया हो। इस योजना की रूपरेखा को शोध प्रारूप कहते हैं।

उद्देश्य की प्राप्ति से पहले लिए गए निर्णय को शोध प्रारंभ कहते हैं। अभिकल्प या प्रारूप शब्द का अर्थ किसी विवरण की योजना या रूपरेखा का आयोजन करना है। यह एक ऐसी स्थिति उत्पन्न होने से पहले निर्णय लेने की प्रक्रिया है जिसमें निर्णय को लागू किया जाना बाकी है।

शोध प्रारूप अनुसंधान कार्यों की तैयारी के लिए रणनीति बनाती है। अनुसंधान पद्धति अनुसंधान प्रक्रिया की सीमाओं को निर्धारित करती है और संभावित समस्याओं की भविष्यवाणी करके अन्वेषण को आसान बनाती है।

कम प्रयास, कम समय और कम लागत के साथ अनुसंधान को व्यवस्थित और प्रभावी ढंग से करना तभी संभव है जब हम ठीक से शोध प्रारूप के बुनियादी ढांचे का निर्माण करें।

शोध प्रारुप की परिभाषा

शोध प्रारूप को निम्नलिखित परिभाषाओं के माध्यम से समझा जा सकता हैः

''शोध प्रारूप अनुसंधान के लिए एक योजना, एक संरचना और एक प्रणाली है, जिसका एकमात्र उद्देश्य अनुसंधान से संबंधित प्रश्नों के उत्तर प्राप्त करना और प्रसरणों को नियंत्रित करना है।'' *(एफ.एन. करलिंगर)*

''निर्णय लेने की परिस्थिति उत्पन्न होने से पहले निर्णय लेने की प्रक्रिया को प्रारुप कहा जाता है।'' *(आर.एल. एकॉफ)*

''शोध प्रारुप अनुसंधान की तार्किक और व्यवस्थित आयोजन और निर्देशन है।'' *(पी.वी. यंग)*

उपरोक्त परिभाषाओं से स्पष्ट है कि शोध अभिकल्प ढाँचा या शोध प्रारूप कार्य प्रारम्भ करने से पूर्व निर्मित एक व्यवस्थित रूपरेखा है जो विशेष उद्देश्यों के सन्दर्भ में अध्ययन विषय के विभिन्न पक्षों की व्याख्या करता है।

शोध प्रारूप तैयार करते समय, शोधकर्ता न केवल इस तथ्य को ध्यान में रखता है कि उसके अध्ययन की प्रकृति वर्णनात्मक या खोजपूर्ण है, बल्कि उसे यह भी ध्यान रखना होगा कि वह किन विधियों का उपयोग निर्धारित समय और सीमित समय के भीतर अधिकतम वस्तुनिष्ठ निष्कर्ष प्राप्त करने के लिए कर सकता है।

सामाजिक परिघटनाओं के अध्ययन में शोध अधिक महत्वपूर्ण है क्योंकि उपयोगी, तार्किक और तर्कसंगत तथ्यों को सामाजिक जीवन के अनंत विस्तार से तब तक प्राप्त नहीं किया जा सकता जब तक शोधकर्ता एक निर्धारित क्षेत्र में काम नहीं करता।

शोध प्रारूप की विशेषताएं

उपरोक्त परिभाषाओं के अध्ययन एवं अवलोकन से शोध प्रारूप की निम्नलिखित विशेषताएँ स्पष्ट होती हैं:

- शोध प्रारूप सामाजिक अनुसंधान से संबंधित है।
- सामाजिक परिघटनाओं की जटिल प्रकृति को सरल रूप में प्रस्तुत करना इसकी प्रमुख विशेषता है।
- यह शोधकर्ता को अनुसंधान की एक निश्चित् दिशा का आभास कराता है। इस अर्थ में शोध प्रारूप एक प्रकार की निदेशक है।
- यह शोध के दौरान आने वाली कठिनाइयों को कम करने में शोधकर्ता की मदद करता है।
- शोध प्रारूप शोध का वह ढाँचा है जो शोध कार्य प्रारम्भ करने से पूर्व तैयार किया जाता है।
- अनुसंधान प्रारूप मानव श्रम के साथ-साथ लागत को कम करके अधिकतम उद्देश्य प्राप्त करने में मदद करता है।
- अनुसंधान प्रारूप समस्या प्रतिस्थापन से लेकर शोध प्रतिवेदन के अंतिम चरण तक सभी विषयों से संबंधित उपलब्ध विकल्पों के बारे में व्यवस्थित रूप से सर्वोत्तम निर्णय लेने में मदद करता है।

शोध प्रारुप के उद्देश्य

मैनहाईम के अनुसार, अनुसंधान प्रारूप के निम्नलिखित पाँच उद्देश्य हैं:

- अपनी परिकल्पना का समर्थन करने और वैकल्पिक परिकल्पना का खंडन करने के लिए पर्याप्त सबूत इकट्ठा करने के लिए।
- एक शोध करने के लिए जिसे अनुसंधान की सामग्री और शोध पद्धति के संदर्भ में दोहराया जा सकता है।
- चरों के बीच सहसंबंधों का इस प्रकार परीक्षण करने में सक्षम होना कि सहसंबंध का ज्ञान हो सके।
- एक संपूर्ण शोध परियोजना की भविष्य की योजनाओं को चलाने के लिए एक मार्गदर्शक अध्ययन की आवश्यकता दिखाने के लिए।
- अनुसंधान सामग्री के चयन की उपयुक्त तकनीकों के चयन द्वारा समय और साधनों की बर्बादी को रोकने में सक्षम होना।

तथ्य या आँकड़े संकलन की विधियाँ

आँकड़ों का संग्रहण का आशय आँकड़ों के एकत्र किए जाने से है। सांख्यिकीय अनुसंधानों में आँकड़ों का संग्रहण प्रथम चरण है।

आंकड़ों के प्रकारः आँकड़े दो प्रकार के होते हैं :

1. **प्राथमिक आँकड़ेः** ये वे आँकड़े हैं जिन्हें अनुसंधान करने वाला अपने प्रयोग में लाने के लिए पहली बार इकट्ठा करता है। प्रथम बार संकलित होने के कारण इन्हें प्राथमिक आँकड़ा कहा जाता है। होरेस सेक्राइस्ट के अनुसार, ''प्राथमिक आँकड़ों से यह आशय है कि वे मौलिक हैं, अर्थात् जिनका समूहीकरण बहुत ही कम या नहीं हुआ है, घटनाओं का अंकन या गणन उसी प्रकार किया गया है जैसा पाया गया है''। जैसे—यदि कोई व्यक्ति ग्रामीण समाज के विषय में प्रथम बार नए सिरे से आँकड़े एकत्र करता है तो संकलित सामग्री उसके लिए प्राथमिक कहलाएगी।
2. **द्वितीयक आँकड़ेः** ये वे आँकड़े हैं जिनका संकलन पहले से किसी अन्य व्यक्ति या संस्था द्वारा किया जा चुका है और अनुसंधानकर्त्ता उनको ही अपने प्रयोग में लाता है। यहां वह संग्रहण नहीं करता वरन् किसी अन्य उद्देश्य के लिए संकलित सामग्री को प्रयोग में लाता है। उदाहरण के लिए, यदि कोई व्यक्ति सरकार द्वारा प्रकाशित विदेशी आयात-निर्यात के आँकड़ों का प्रयोग करता है तो यह उसके लिए द्वितीयक आँकड़े होंगे। एम.एम. ब्लेयर के शब्दों में, ''द्वितीयक आँकड़े वे हैं जो पहले से अस्तित्व में हैं और जो वर्तमान प्रश्नों के उत्तर हेतु नहीं बल्कि किसी दूसरे उद्देश्य के लिए एकत्र किए गए हैं।''

प्राथमिक एवं द्वितीयक आँकड़ों में अन्तर

प्राथमिक आँकड़े	द्वितीयक आँकड़े
1. प्राथमिक आँकड़े मौलिक होते हैं, अर्थात् मौलिक रूप से प्रथम बार एकत्रित किए जाते हैं।	1. द्वितीयक आँकड़े मौलिक नहीं होते हैं अर्थात् वह पहले से विद्यमान होते हैं, अनुसंधानकर्ता केवल उनका उपयोग करता है।
2. प्राथमिक आँकड़े अनुसंधान के उद्देश्य के सर्वथा अनुकूल होते हैं। इन्हें बिना किसी संशोधनों के काम में लाया जा सकता है।	2. द्वितीयक आँकड़े किसी दूसरे उद्देश्य से एकत्रित किए हुए होने के कारण वर्तमान उद्देश्य के अनुकूल नहीं होते हैं। इन्हें काम में लाने से पहले आवश्यक संशोधन करने पड़ते हैं।
3. प्राथमिक आँकड़ों के संकलन में अधिक समय, परिश्रम व धन की आवश्यकता होती है।	3. द्वितीयक आँकड़े अधिकतर पत्र-पत्रिकाओं, सरकारी तथा गैर-सरकारी प्रकाशनों आदि से सरलता से उपलब्ध हो जाते हैं।
4. प्राथमिक आँकड़ों के प्रयोग में सतर्कता की आवश्यकता नहीं होती।	4. द्वितीयक आँकड़ों के प्रयोग में सतर्कता की आवश्यता होती है।

प्राथमिक आँकड़ों को एकत्र करने की रीतियाँ

प्राथमिक आँकड़ों को एकत्र करने की प्रमुख रीतियाँ निम्नलिखित हैं :

1. प्रत्यक्ष व्यक्तिगत अनुसंधान
2. अप्रत्यक्ष मौखिक अनुसंधान
3. स्थानीय स्रोतों द्वारा सूचना प्राप्ति
4. सूचना देने वालों से प्रश्नावली भरवाकर सूचना प्राप्त करना
5. प्रगणकों द्वारा अनुसूचियों को भरना

प्रत्यक्ष व्यक्तिगत अनुसंधान

इस रीति में अनुसंधानकर्ता सूचना देने वालों से प्रत्यक्ष रूप में संबंध स्थापित करके आँकड़े एकत्र करता है। यह रीति बहुत सरल है। इसमें अनुसंधानकर्ता स्वयं उन लोगों के सम्पर्क में आता है जिनके विषय में आँकड़े एकत्र करना चाहता है।

उपयुक्तता

यह प्रणाली निम्नलिखित परिस्थितियों में उपयुक्त है :

1. जहाँ शुद्धता पर अधिक जोर देना हो।
2. जहाँ अनुसंधान का क्षेत्र सीमित हो या स्थानीय प्रकृति का हो।
3. जहाँ अनुसंधान के विषय की जटिलता के कारण यह आवश्यक समझा जाता हो कि अनुसंधानकर्ता स्वयं उपस्थित रहे।
4. जहाँ आँकड़ों की मौलिकता पर जोर देना है।

गुण

1. **उच्चस्तर की शुद्धता :** अनुसंधानकर्त्ता के स्वयं उपस्थित रहने के कारण परिणाम में उच्च स्तर की शुद्धता मिलती है।
2. **मौलिकता :** आँकड़ों में मौलिकता रहती है।
3. **लोचदार :** यह प्रणाली लोचदार है क्योंकि अनुसंधानकर्ता आवश्यकतानुसार प्रश्नों में हेर-फेर कर सकता है।
4. **अन्य सूचनाओं की प्राप्ति :** वांछित सूचनाओं के अतिरिक्त और बहुत-सी सूचनाएँ प्राप्त हो जाती हैं जिन्हें भविष्य में अन्य किसी अनुसंधान में आवश्यकतानुसार प्रयोग किया जा सकता है।
5. **सजातीय व तुलनीयता :** अनुसंधानकर्ता द्वारा आँकड़े स्वयं एकत्र किए जाते हैं, अतः उनमें सजातीयता के साथ-साथ तुलनीयता का भी गुण पाया जाता है।
6. **शुद्धता की जांच का अवसर :** अनुसंधानकर्ता अपने निरीक्षण में ही सूचना देने वाले की सत्यता की जांच कर सकता है।

दोष

1. **विस्तृत क्षेत्रों के लिए अनुपयुक्त :** विस्तृत क्षेत्रों के अध्ययन के लिए यह रीति उपयुक्त नहीं है।
2. **व्यक्तिगत पक्षपात :** इस रीति में अनुसंधानकर्ता के व्यक्तिगत पक्षपात के आ जाने की पूरी संभावना रहती है और इस प्रकार निष्कर्ष के अशुद्ध हो जाने का डर रहता है।
3. **समय एवं धन का अधिक व्यय :** इस रीति के अन्तर्गत समय अधिक लगता है तथा धन भी अधिक खर्च होता है। अनुसंधान के परिणाम भी विलम्ब से प्राप्त होते हैं।

सावधानियाँ

इस रीति का प्रयोग करते समय निम्न सावधानियाँ आवश्यक हैं :

1. अनुसंधानकर्ता को व्यवहारकुशल, परिश्रमी व धैर्यवान होना चाहिए ताकि वह सूचना देने वालों का विश्वास व सहयोग प्राप्त कर सके।
2. प्रश्न सरल, स्पष्ट और ऐसे होने चाहिए जिसे उत्तर देने वाले को बुरा न लगे।
3. संदिग्ध उत्तरों की सच्चाई जांचने के लिए ऐसे प्रश्न पूछे जाने चाहिए जिससे उत्तरों की सत्यता की जांच हो सके।
4. यथासंभव अनुसंधानकर्ता को अपनी व्यक्तिगत भावनाओं और पक्षपात भाव को दूर रखना चाहिए।

अप्रत्यक्ष मौखिक अनुसंधान

अनुसंधान का क्षेत्र विस्तृत होने पर अनुसंधानकर्ता के लिए यह संभव नहीं हो पाता कि वह प्रत्यक्ष रूप से अनुसंधान के क्षेत्र की सभी इकाइयों से प्रत्यक्ष संपर्क स्थापित कर आँकड़े एकत्रित कर सके। ऐसी दशा में वह किसी ऐसे व्यक्ति से सूचनाएँ प्राप्त करता है जिसे उस विषय की जानकारी हो। इस रीति में अनुसंधानकर्ता अप्रत्यक्ष एवं मौखिक रूप से संबंधित व्यक्तियों के बारे में अन्य जानकार व्यक्ति से जिन्हें साक्षी कहते हैं, सूचना प्राप्त करता है।

अप्रत्यक्ष मौखिक अनुसंधान तब भी आवश्यक होता है जब सूचनादाता सही उत्तर नहीं देना चाहता (जैसे–अशिक्षित व्यक्ति के बारे में जानकारी)।

उपयुक्तता

आँकड़ों के संग्रहण की इस रीति का प्रयोग निम्न दशाओं में किया जा सकता है :

1. यदि अनुसंधान का क्षेत्र विस्तृत हो।
2. सूचना देने वाले व्यक्तियों से व्यक्तिगत संपर्क करना संभव न हो, वे उसमें रुचि न ले रहे हों, वे जानबूझकर सूचना न देना चाहते हों या सूचना देने में असमर्थ हों, आदि।
3. जब समस्या से संबंधित व्यक्तियों से संपर्क करना उचित नहीं समझा जाए।

साधारणतया सरकार द्वारा नियुक्त जांच समितियां और आयोग इस रीति का प्रयोग करते हैं।

गुण

1. **मितव्ययिता :** यह रीति मितव्ययी है क्योंकि इस रीति में समय, धन व परिश्रम कम खर्च होता है।
2. **विस्तृत क्षेत्र :** यह रीति वहां के लिए उपयुक्त है जहां अनुसंधान क्षेत्र विस्तृत है।
3. **पक्षपात का कम प्रभाव :** अनुसंधानकर्ता के व्यक्तिगत पक्षपात का प्रभाव नहीं पड़ता है।
4. **गुप्त सूचना प्राप्त :** इस विधि के अन्तर्गत उन सूचनाओं को भी प्राप्त किया जा सकता है जिनको देने के लिए सूचना देने वाला या तो तैयार नहीं होता अथवा सही नहीं देता।

दोष

1. **उच्च मात्रा की शुद्धता नहीं :** परिणाम में उच्च मात्रा की शुद्धता की आशा नहीं रहती क्योंकि अनुसंधानकर्ता प्रत्यक्ष रूप से सूचना देने वालों के संपर्क में नहीं आता।
2. **सूचना देने वालों की अरुचि :** जिन व्यक्तियों से सूचना एकत्र की जाती है वे प्रश्नों के उत्तर देने में लापरवाही बरतते हैं क्योंकि उनका निजी हित या अहित प्रत्यक्ष रूप से इन प्रश्नों में नहीं होता।

सावधानियां

इस रीति का प्रयोग करते समय निम्न सावधानियां आवश्यक हैं :

1. यह पूर्ण रूप से निश्चित कर लेना चाहिए कि सूचना देने वाले को तथ्यों का पूर्ण ज्ञान है तथा सूचना देने में वे रुचि रखते हैं।
2. इस बात को ध्यान में रखना आवश्यक है कि जिस व्यक्ति की सहायता से सामग्री एकत्र की जा रही है वह उस विषय के पक्ष या विपक्ष में पूर्व धारणाएं नहीं रखता है।
3. यह भी आवश्यक है कि सूचना देने वाला प्रश्न को ठीक से समझ रहा है।

स्थानीय संवाददाता द्वारा जानकारी प्राप्त करना

इस रीति के अन्तर्गत अनुसंधानकर्ता विभिन्न स्थानों पर स्थानीय व्यक्ति नियुक्त कर देता है जो समय-समय पर अपने अनुभवों के आधार पर अपेक्षित सूचनाएं भेजते रहते हैं। ये व्यक्ति संवाददाता कहलाते हैं।

उपयुक्तता

आँकड़ों के संग्रहण की यह रीति निम्न दशाओं में अधिक उपयोगी है :

1. जब उच्च स्तर की शुद्धता की आवश्यकता न हो।
2. जबकि केवल अनुमान और प्रवृत्तियां ही ज्ञात करनी हों।
3. जब अनुसंधान का क्षेत्र विस्तृत हो।

समाचार-पत्रों व पत्रिकाओं, आकाशवाणी, दूरदर्शन आदि द्वारा इसी रीति का प्रयोग अधिकतर किया जाता है।

गुण

1. **विस्तृत क्षेत्रः** इस रीति द्वारा दूर-दूर तक फैले अनुसंधान क्षेत्र से सूचनाएं प्राप्त की जा सकती हैं।
2. **मितव्ययीः** इस रीति में धन, समय व श्रम की बचत होती है।
3. **नियमितताः** इस रीति द्वारा सूचनाएं नियमित रूप से प्राप्त की जा सकती हैं।

दोष

1. **शुद्धता की कमीः** संवाददाताओं द्वारा सूचनाओं का संकलन अपने ही ढंग, रुचि आदि के आधार पर किया जाता है तथा कभी-कभी सूचनाएं स्वयं एकत्र न करके अनुमानतः सूचनाएं भेजते हैं जिससे कुछ अशुद्धियों की सम्भावना बढ़ जाती है।
2. **मौलिकता का अभावः** यदि संवाददाता अपने अनुमान को ही अधिक महत्व देकर सूचनाएं भेजता है तो उनमें मौलिकता की कमी हो जाती है।
3. **एकरूपता का अभावः** विभिन्न संवाददाताओं द्वारा विभिन्न स्थानों तथा विभिन्न विधियों द्वारा सूचना एकत्र किए जाने के कारण आँकड़ों में एकरूपता का अभाव रहता है।
4. **पक्षपातः** संवाददाताओं के पक्षपात व पूर्व-धारणाओं के कारण निष्कर्ष अभिनत हो सकते हैं।

सावधानियां

इस रीति का प्रयोग करने में निम्न बातों का ध्यान रखना चाहिए :

1. निष्पक्ष, कुशल एवं अनुभवी तथा व्यक्तिगत धारणाओं की भावना से दूर रहने वाले व्यक्तियों को संवाददाता नियुक्त किया जाना चाहिए।
2. संवाददाता को अनुसंधान के विषय में परिचित होना चाहिए।
3. संवाददाता ज्यादा आशावादी या निराशावादी नहीं होना चाहिए।

प्रश्नावली द्वारा सूचना प्राप्त करना

इस रीति के अन्तर्गत अनुसंधानकर्ता आँकड़े एकत्र करने के लिए प्रश्नावली तैयार करता है और उन व्यक्तियों को भरने के लिए दे देता है जिनसे उसे सूचनाएं प्राप्त करनी हैं। यदि सूचकों के पास प्रश्नावली को डाक द्वारा भेजा जाता है तो इस रीति को डाक प्रश्नावली रीति कहा जाता है। प्रश्नावली के साथ एक अनुरोध पत्र भी लगाया जाता है जिसमें आँकड़े एकत्र करने का उद्देश्य बताया जाता है। सूचकों को यह आश्वासन दिया जाता है कि उनके द्वारा दी गई सूचनाएं गुप्त रखी जाएंगी और उनसे प्रश्नावलियां समय पर तथा सही-सही भरकर भेजने का अनुरोध भी किया जाता है।

उपयुक्तता

यह रीति निम्न दशाओं में उपयोगी हैः

1. जब अनुसंधान का क्षेत्र विस्तृत हो।
2. सूचक शिक्षित हों तथा आँकड़ों की उपयोगिता समझते हों।

गुण

1. विस्तृत क्षेत्र
2. मितव्ययिता
3. मौलिकता एवं विश्वसनीयता

दोष

1. सीमित उपयोग
2. अपर्याप्त एवं अपूर्ण सूचना
3. सूचकों की अरुचि एवं भय
4. भ्रमात्मक निष्कर्ष
5. विश्वसनीयता की कमी
6. सूचकों के सन्देह का कोई समाधान नहीं

सावधानियां

1. सूचकों का सहयोग प्राप्त करना आवश्यक है। इसके लिए उन्हें अनुसंधान के उद्देश्य आदि के बारे में स्पष्ट रूप से बता देना चाहिए। अनुरोध पक्ष की भाषा नम्र परन्तु प्रभावशाली होनी चाहिए।
2. प्रश्नावली सरल एवं स्पष्ट होनी चाहिए। पूछे गए प्रश्न इस प्रकार के होने चाहिए जिससे सूचक की मानसिक, धार्मिक, सांप्रदायिक, सामाजिक आदि भावनाओं को ठेस न पहुंचती हो।
3. प्रश्नावलियों की वापसी का प्रबंध ऐसा होना चाहिए जिससे कि वे शीघ्र प्राप्त हो सकें।

प्रगणकों द्वारा अनुसूचियों को भरना

इस रीति के अन्तर्गत प्रगणकों को अनुसूचियां देकर भिन्न-भिन्न क्षेत्रों में भेजा जाता है जहां वह सूचकों से संपर्क करके उनके उत्तर अनुसूची में लिखते हैं। इस रीति में प्रगणकों (Enumerators) के वेतन व प्रशिक्षण पर काफी धन खर्च करना पड़ता है। इसी कारण इस रीति का प्रयोग केवल सरकार या वे संस्थाएं जो सुदृढ़ वित्तीय स्थिति में हों, कर सकती हैं। यह पद्धति सार्वजनिक प्रतिष्ठानों और शोध संस्थानों आदि द्वारा काम में लायी जाती है। जनगणना इसी रीति द्वारा की जाती है।

गुण

1. शुद्धता
2. विश्वसनीयता
3. निष्पक्षता
4. अशिक्षित सूचकों में भी उपयोगी
5. अपर्याप्त एवं अपूर्ण सूचनाएं मिलने की संभावना कम

दोष

1. अधिक खर्च
2. जटिलता
3. आँकड़ों में भिन्नता

उपयुक्त रीति का चुनाव

आँकड़ों के संकलन की सभी रीतियां अपनी दृष्टि से उचित हैं। प्रत्येक रीति के अपने गुण-दोष हैं। अतएव यह कहना कि कौन-सी रीति उपयुक्त है, कठिन है। कहीं कोई रीति उपयुक्त होगी और कहीं पर कोई। उपयुक्त रीति का चुनाव अनुसंधान की प्रकृति, समस्या का स्वरूप, अनुसंधान का क्षेत्र, उद्देश्य, उपलब्ध धन, शुद्धता का स्तर, उपलब्ध समय एवं अन्य परिस्थितियों पर निर्भर करता है।

यद्यपि आँकड़ों में संकलन की उपयुक्त प्रणाली का चुनाव अनेक बातों को ध्यान में रखकर किया जाना चाहिए फिर भी आँकड़े संग्रहण की सफलता उपयुक्त प्रणाली के चुनाव के अतिरिक्त अनुसंधानकर्ता की व्यक्तिगत योग्यता एवं उसके अनुभव पर निर्भर करती है।

■। द्वितीयक आँकड़ों का संग्रहण

''किसी अन्य अनुसंधानकर्ता द्वारा एकत्रित, विश्लेषित एवं प्रकाशित सांख्यिकीय सामग्री 'द्वितीयक आँकड़े', कहलाती है।'' द्वितीयक आंकड़ों के प्रयोग में आँकड़े के मौलिक संकलन की समस्या उत्पन्न नहीं होती है। अतः यह कहा जा सकता है कि द्वितीयक आँकड़ों का संग्रहण नहीं बल्कि उनका उपयोग किया जाता है।

द्वितीयक आँकड़ों के प्रमुख स्रोत

द्वितीयक आँकड़ों के प्रमुख स्रोत निम्नलिखित हैं :

1. प्रकाशित स्रोत 2. अप्रकाशित स्रोत

1. प्रकाशित स्रोत

विभिन्न विषयों पर सरकारी व गैर-सरकारी संस्थाएं तथा अन्य अनुसंधानकर्ता महत्वपूर्ण आँकड़े एकत्र करके उन्हें समय-समय पर प्रकाशित करते रहते हैं। प्रकाशित आँकड़ों के प्रमुख स्रोत निम्नलिखित हैं :

(A) सरकारी प्रकाशन : प्रत्येक देश की सरकारें संबंधित आँकड़े एकत्र और प्रकाशित करवाती रहती हैं। ये आँकड़े बहुत विश्सनीय और महत्वपूर्ण होते हैं। आजकल भारत में लगभग सभी मंत्रालयों द्वारा अनेक प्रकार की सूचनाएं व आँकड़े प्रकाशित कराए जाते हैं। प्रमुख सरकारी प्रकाशन :

(*i*) भारतीय रिजर्व बैंक बुलेटिन
(*ii*) स्टैटिस्टिकल एब्स्ट्रैक्ट ऑफ इण्डिया
(*iii*) आर्थिक सर्वेक्षण
(*iv*) पंचवर्षीय योजना का प्रारूप
(*v*) उद्योगों पर वार्षिक सर्वेक्षण
(*vi*) इण्डियन ट्रेड जर्नल
(*vii*) जनगणना रिपोर्ट
(*viii*) मुद्रा एवं वित्त रिपोर्ट

(B) अर्ध-सरकारी संस्थाओं के प्रकाशन : नगरपालिकाएं, नगर-निगम जिला बोर्ड आदि विभिन्न प्रकार के आँकड़े संकलित कराकर प्रकाशित करवाते हैं; जैसे, जन्म-मरण, स्वास्थ्य, शिक्षा से संबंधित आँकड़े आदि।

(C) अन्तर्राष्ट्रीय प्रकाशन : अन्तर्राष्ट्रीय संस्थाएं जैसे, संयुक्त राष्ट्र संघ (U.N.O) अन्तर्राष्ट्रीय श्रम संघ (L.L.O), अन्तर्राष्ट्रीय मुद्रा कोष (I.M.F) आदि समय-समय पर आँकड़ों का संकलन तथा प्रकाशन करती हैं। कुछ मुख्य अन्तर्राष्ट्रीय प्रकाशन निम्नलिखित हैं।

1. U.N. Statistical Year Book
2. Annual Report of International Monetary Fund
3. Annual Report of the Economic and Social Commission for Asia and Pacific
4. Annual Report of Word Bank

(D) आयोग व समितियों की रिपोर्ट : सरकार या किसी अन्य संस्था द्वारा आयोग या समितियां नियुक्त की जाती रहती हैं। देश की विभिन्न समस्याओं के अध्ययन के लिए ये आयोग या समितियां संबंधित आँकड़े संकलित करके अपना प्रतिवेदन प्रस्तुत करती हैं। जैसे :

(*i*) वित्त आयोग के प्रतिवेदन
(*ii*) वेतन आयोग के प्रतिवेदन
(*iii*) योजना आयोग के प्रतिवेदन

(E) विश्वविद्यालय एवं शोध संस्थाओं के प्रकाशन : विश्वविद्यालयों, रिसर्च ब्यूरो व शोध संस्थाओं द्वारा अनेक प्रकार के आँकड़े एकत्र किए जाते हैं और प्रकाशित किए जाते हैं। जैसे–

(*i*) भारतीय सांख्यिकी संस्थान
(*ii*) व्यावहारिक आर्थिक शोध की राष्ट्रीय परिषद्
(*iii*) राष्ट्रीय प्रतिदर्श सर्वेक्षण संगठन
(*iv*) विश्वविद्यालय शोध ब्यूरो
(*v*) केन्द्रीय सांख्यिकीय संगठन

(F) समाचार-पत्र एवं पत्रिकाएं : बहुत-सी पत्र तथा पत्रिकाएं अनेक प्रकार के आँकड़े एकत्र करके प्रकाशित करती हैं। जैसे :

(*i*) Economic Times
(*ii*) The Financial Express
(*iii*) Kurukshetra
(*iv*) Yojna

(G) व्यक्तिगत शोधकर्ताओं के प्रकाशन : बहुत से व्यक्ति शोध या अनुसंधान के लिए आँकड़े एकत्र करते हैं और उन्हें प्रकाशित करवाते हैं।

2. अप्रकाशित स्रोत

अनेक शोध संस्थाओं, गैर-सरकारी संस्थानों, विश्वविद्यालयों, महाविद्यालयों आदि में योग्य एवं अनुभवी व्यक्तियों द्वारा एकत्र बहुत-से आँकड़े अप्रकाशित रह जाते हैं। यदि ये आँकड़े उपलब्ध हो जाएं तो इन्हें द्वितीयक आँकड़ों के रूप में प्रयोग किया जा सकता है।

द्वितीयक आँकड़े के प्रयोग में सावधानियां : द्वितीय आँकड़ों का प्रयोग करते समय बहुत सावधानी रखने की आवश्यकता होती है, क्योंकि द्वितीयक आँकड़े अनेक त्रुटियों से पूर्ण हो सकते हैं। अतः यह आवश्यक है कि द्वितीयक आँकड़ों का प्रयोग करते समय उनकी आलोचनात्मक जांच तथा विश्वसनीयता की परख कर लेनी चाहिए।

द्वितीयक सामग्री का प्रयोग करने से पूर्व उनकी विश्वसनीयता, उपयुक्तता तथा पर्याप्तता की जांच करने के लिए निम्न बातों की ओर ध्यान देना आवश्यक है :

1. **जांच का अभिप्राय :** प्राथमिक जांच का अभिप्राय क्या था? यदि प्राथमिक जांच का प्रयोजन और बाद का प्रयोजन समान या मिलता-जुलता है तब उन आँकड़ों का प्रयोग किया जा सकता है अन्यथा नहीं।
2. **इकाई की परिभाषा :** पूर्व-अनुसंधान में इकाइयों को किस प्रकार परिभाषित किया गया था तथा प्रस्तुत अनुसंधान के लिए वे इकाइयां अनुकूल व उपयुक्त हैं या नहीं, यह देखना अति आवश्यक है। यदि इसका अभाव हुआ तो द्वितीयक आँकड़े प्रयोग के उपयुक्त नहीं रहेंगे।
3. **शुद्धता का स्तर :** पूर्व-अनुसंधान में शुद्धता का स्तर क्या था? यदि शुद्धता का स्तर वर्तमान समस्या के अनुकूल रहा हो तो उन आँकड़ों पर विश्वास किया जा सकता है अन्यथा नहीं।
4. **उद्देश्य की पूर्ति के लिए उपयुक्तता :** इस बात की जांच की जानी चाहिए कि उपलब्ध द्वितीयक सामग्री वर्तमान अनुसंधान के उद्देश्य को किस सीमा तक पूरा कर सकती है।

उपरोक्त बातों के आधार पर द्वितीयक आँकड़ों का परीक्षण करने पर यदि वे विश्वसनीय, पर्याप्त एवं उपयुक्त प्रतीत हों तब तो उनका प्रयोग प्रस्तुत अनुसंधान के लिए करना चाहिए अन्यथा नहीं।

साक्षात्कार

साक्षात्कार का उद्देश्य व्यक्ति के विचारों, विश्वासों, मूल्यों, भावनाओं, अतीत के अनुभवों तथा भविष्य के इरादों को ज्ञात करना है। साक्षात्कार लोगों के बारे में हमारे ज्ञान एवं अनुभव में वृद्धि करता है तथा साक्षात्कार के अतिरिक्त अन्य प्रविधियों द्वारा संकलित सामग्री के सत्यापन एवं नियंत्रण में सहायता करता है। मनोचिकित्सकों, मनोविश्लेषकों द्वारा रोगियों के चिकित्सा सम्बन्धी साक्षात्कार भी किए जाते हैं। मानवीय मूल्यों एवं मनोवृत्तियों को जानने में साक्षात्कार का बहुत महत्व है।

साक्षात्कार विधि के अनेकों गुणों एवं पुकारों के कारण इसे सामाजिक अनुसंधान में एक विशेष स्थान प्राप्त है। इस विधि के द्वारा उन तथ्यों को एकत्र किया जाता है जो अन्य विधियों–अवलोकन, प्रश्नावली, आदि से सामान्यतया संभव नहीं है। पी.वी. यंग ने इस गुण पर प्रकाश डालते हुए लिखा है कि साक्षात्कर पद्धति के द्वारा व्यक्तियों के आंतरिक जीवन

में प्रवेश करके जानकारी एकत्रित की जाती है। सूचनादाताओं के आंतरिक जीवन में प्रवेश की संभवना के कारण साक्षात्कार पद्धति व्यक्तियों की भावनाओं, आंतरिक विचारों और मनोवृत्तियों का अध्ययन करने के लिए विशेष उपयोगी प्रणाली है।

साक्षात्कार के उद्देश्य

1. व्यक्तिगत तथ्यों को प्राप्त करना
2. प्रत्यक्ष सम्पर्क द्वारा सूचनाएं प्राप्त करना
3. उपकल्पनाओं के निर्माण के लिए सामग्री प्राप्त करना
4. साक्षात्कार में अवलोकन और प्रश्नावली दोनों गुण होते हैं।
5. साक्षात्कार का उद्देश्य प्रश्नावली, अवलोकन एवं अन्य विधियों द्वारा प्राप्त सामग्री की विश्वसनीयता एवं प्रामाणिकता ज्ञात करना है।
6. मानव जीवन से सम्बन्धित गुणात्मक तथ्यों आदि का अध्ययन साक्षात्कार से ही संभव है।
7. साक्षात्कार द्वारा किसी घटना की उत्तरदायी कारकों की खोज की जा सकती है।
8. साक्षात्कार का उद्देश्य समस्या के बारे में विचारों एवं सूचनाओं का ज्ञान करना है।

साक्षात्कार के प्रकार

(1) सम्पर्क के आधार पर

सूचनादाता से सम्पर्क के आधार पर साक्षात्कार को निम्न दो भागों में बांटा गया है :

1. **प्रत्यक्ष साक्षात्कार :** इस प्रकार के साक्षात्कार में साक्षात्कारकर्ता एवं सूचनादाता परस्पर आमने-सामने होकर वार्तालाप करते हैं। इसमें साक्षात्कारकर्ता सूचनदाता के हाव-भाव, चेहरे की अभिव्यक्ति, आदि को देखकर उसके मनोभावों का अध्ययन कर सकता है।
2. **अप्रत्यक्ष साक्षात्कार :** इस प्रकार के साक्षात्कार में साक्षात्कारकर्ता उत्तरदाता के आमने-सामने की स्थिति में नहीं होता है। टेलीफोन के द्वारा साक्षात्कार लेना अथवा पर्दे में रहने वाली स्त्रियों से पर्दा डालकर अथवा किसी मध्यस्थ व्यक्ति के माध्यम से सूचना एकत्रित करना अप्रत्यक्ष साक्षात्कार कहलाता है।

(2) औचारिकता के आधार पर

1. **औपचारिक साक्षात्कार :** इसमें पहले से ही कुछ प्रश्न बनाकर लिख लिए जाते हैं। इनके अतिरिक्त नये प्रश्न बनाने व शब्दों में परिवर्तन करने की छूट साक्षात्कारकर्ता को नहीं होती है। इसे नियमित, संचालित व निर्देशित साक्षात्कार भी कहते हैं।
2. **अनौपचारिक साक्षात्कार :** इसमें साक्षात्कारकर्ता को प्रश्नों को बनाने, क्रम परिवर्तन करने, अर्थ की व्याख्या करने, नये प्रश्न बनाने एवं प्रश्नों की शब्दावली में परिवर्तन करने की छूट होती है। इसमें साक्षात्कार के समय किसी भी प्रकार की अनुसूची की सहायता नहीं ली जाती है। इसे अनियन्त्रित एवं अनिर्देशित साक्षात्कार भी कहते हैं।

(3) अध्ययन पद्धति के आधार पर

अध्ययन पद्धति के आधार पर साक्षात्कार को निम्नांकित दो भागों में बांटा गया है :

1. **केन्द्रित साक्षात्कार :** उदाहरण के लिए, किसी रेडियो कार्यक्रम को सुनने अथवा किसी फिल्म को देखने के बाद उसके प्रभाव को जानने के लिए श्रोताओं एवं दर्शकों का साक्षात्कार लिया जाता है। चूंकि इसमें किसी विशेष घटना अथवा परिस्थिति के प्रभाव पर ही साक्षात्कार केन्द्रित होता है, इसलिए इसे 'केन्द्रित साक्षात्कार' कहा जाता है। इसकी निम्नांकित विशेषताएं हैं :

   (*i*) यह साक्षात्कार केवल उन्हीं लोगों का लिया जाता है जो उस विषय विशेष से सम्बन्धित रह चुके हों। (*ii*) इस प्रकार के साक्षात्कार में 'साक्षात्कार पथ-प्रदर्शिका' (Interview guide) का सहारा लिया जात है जिसमें विषय से सम्बन्धित ज्ञात की जाने वाली बातों का उल्लेख होता है। (*iii*) इस प्रकार का साक्षात्कार एक विशिष्ट परिस्थिति के प्रति सूचनादाता के अनुभवों, मनोवृत्तियों एवं भावनाओं को जानने के लिए किया जाता है। (*iv*) इसमें साक्षात्कारकर्ता सूचनादाताओं के उत्तरों को प्रभावित नहीं कर सकता है। (*v*) इसमें घटना का पूर्व विश्लेषण कर प्रश्नों की एक सूची तैयार कर ली जाती है।
2. **अनिर्देशित साक्षात्कार :** इसे अनियन्त्रित एवं असंचालित साक्षात्कार भी कहते हैं। इसमें किसी कठिन समस्या के बारे में सूचनदाता से स्वतन्त्रतापूर्वक प्रश्न पूछे जाते हैं। इसमें प्रश्नों की पूर्व निर्धारित अनुसूची नहीं होती है और न ही सूचनदाता पर उत्तर देने के सन्दर्भ में कोई नियन्त्रण ही होता है। इसमें सूचनदाता मुक्त होकर विषय के बारे में सूचनाएं देता है और साक्षात्कारकर्ता धैर्यपूर्वक उन्हें सुनता जाता है। यदि कोई सूचना छूट जाए तो सूचनादाता के द्वारा सारी बात कह देने के बाद ही अन्य प्रश्न पूछे जाते हैं। यह साक्षात्कार अनौपचारिक साक्षात्कार के समान ही है।

साक्षात्कार की प्रक्रिया एवं तकनीक

इस सम्बन्ध में हरबर्ट हाईमैन, बिंघम, वाल्टर एवं मूर, ओल्डफील्ड, वेनलैंड व गोस, रोजर्स, स्टेस्ली, आदि के नाम विशेष रूप से उल्लेखनीय हैं जिन्होंने साक्षात्कार की प्रक्रिया, तकनीक एवं समस्याओं, आदि के बारे में विस्तृत विवरण दिया है। किसी भी साक्षात्कार की प्रक्रिया के मुख्यतः तीन चरण होते हैं : (*i*) साक्षात्कार के बारे में प्रारम्भिक तैयारी, (*ii*) साक्षात्कार की प्रक्रिया, (*iii*) साक्षात्कार की समाप्ति एवं प्रतिवेदन। हम इन सब पक्षों पर यहां विचार करेंगे।

साक्षात्कारकर्ता के गुण

(*i*) साक्षात्कारकर्ता का व्यक्तित्व हंसमुख, प्रभावशाली एवं आकर्षक होना चाहिए।

(*ii*) उसमें धैर्य एवं सहनशीलता होनी चाहिए।

(*iii*) उसमें आत्म-नियन्त्रण रखने की क्षमता होनी चाहिए।

(*iv*) उसमें वाक्पटुता तथा हाजिरजवाबी का गुण होना चाहिए।

(*v*) उसमें बौद्धिक ईमानदारी एवं निष्पक्षता होनी चाहिए।

(*vi*) उसमें शीघ्र निर्णय लेने की क्षमता होनी चाहिए।

(*vii*) उसमें समय एवं परिस्थिति के अनुसार अनुकूलन करने का गुण होना चाहिए।

साक्षात्कार का महत्व

साक्षात्कार के महत्व अथवा गुणों को हम निम्नांकित रूप से व्यक्त कर सकते हैं।

1. **मनोवैज्ञानिक महत्व :** साक्षात्कार में व्यक्ति के उद्वेगों, भावनाओं, धारणाओं, इच्छाओं, आकांक्षाओं, विचारों, आदि का आसानी से अध्ययन सम्भव है। साक्षात्कार के दौरान सूचनादाता द्वारा प्रकट किये गये भावों, चेहरे की मुद्राओं, आदि के आधार पर सूचनादाता के मनोवैज्ञानिक व्यवहार एव मानसिक स्थिति का अध्ययन किया जा सकता है। बातचीत के दौरान भी सूचनादाता के कई मानसिक पक्ष उजागर होते हैं। इस प्रकार साक्षात्कार के द्वारा मानव व्यवहार को प्रभावित करने वाले मनोवैज्ञानिक तथ्यों का अवलोकन एवं अध्ययन आसानी से किया जा सकता है।

2. **सभी स्तर के लोगों से सूचना प्राप्ति :** साक्षात्कार के द्वारा शिक्षित और अशिक्षित तथा विभिन्न संस्कृतियों से सम्बन्धित सभी प्रकार के लोगों से सम्पर्क कर सूचनाएं प्राप्त की जा सकती हैं।

3. **भूतकालीन घटनाओं का अध्ययन :** कई घटनाएं ऐसी होती हैं जिनकी पुनरावृत्ति नहीं हो सकती। उनके बारे में जानकारी प्राप्त करने के लिए हमें उन लोगों का साक्षात्कार लेना होगा जिन्होंने उस घटना को देखा है।

4. **अमूर्त घटनाओं का अध्ययन :** व्यक्ति की मानसिक स्थिति, विचारों, भावनाओं, धारणाओं, संवेगों, आदि का अध्ययन साक्षात्कार के द्वारा आसानी से किया जा सकता है। ये सभी अमूर्त तथ्य मानव व्यवहार को प्रभावित करते हैं, अतः इनका अध्ययन अनुसन्धान की दृष्टि से आवश्यक है।

5. **पारस्परिक प्रेरणा :** साक्षात्कार में कम से कम दो व्यक्ति (साक्षात्कारकर्ता तथा सूचनादाता) आमने-सामने होते हैं, अतः वे परस्पर एक-दूसरे को प्रेरित, प्रोत्साहित एवं प्रभावित करते हैं। इस मित्रतापूर्ण वातावरण में दोनों एक-दूसरे से घनिष्ठता एवं मित्रता स्थापित कर लेते हैं। इसके परिणामस्वरूप सूचनादाता गोपनीय एवं महत्वपूर्ण तथ्यों को प्रकट कर देता है।

6. **सूचनाओं का सत्यापन :** साक्षात्कार में सूचनादाता द्वारा दी गई सूचनाओं की विश्वसनीयता एवं सत्यता साक्षात्कार के दौरान ही ज्ञात की जा सकती है। साक्षात्कार के दौरान खोजपूर्ण प्रश्न एवं प्रतिप्रश्नों के द्वारा सूचनाओं की सत्यता ज्ञात की जा सकती है। अपनी उपस्थिति के कारण साक्षात्कारकर्ता सन्देहास्पद और अस्पष्ट बातों को भी सूचनादाता के समक्ष स्पष्ट कर देता है।

7. **घटनाओं का अवलोकन :** साक्षात्कार के दौरान न केवल पूछने की सुविधा होती है वरन् वह कई घटनाओं का अपनी आखों से अवलोकन भी कर सकता है, तथा इस आधार पर संग्रहीत सामग्री की सत्यता को भी ज्ञात कर सकता है।

8. **विविध सूचनाओं की प्राप्ति :** साक्षात्कार के द्वारा विभिन्न प्रकार के सूचनादाताओं से कई प्रकार की सूचनाएं प्राप्त की जा सकती हैं। विभिन्न वर्ग, जाति, धर्म, व्यवसाय, आय, आयु, लिंग तथा सामाजिक एवं शैक्षणिक स्तर के लोगों का साक्षात्कार लेकर अनुसन्धान से सम्बनिधत सूचनाओं का संकलन किया जा सकता है।

9. **लचीली विधि :** साक्षात्कार विधि विषयवस्तु एवं संचालन दोनों ही दृष्टियों से एक लचीली विधि है जिसका प्रयोग विभिन्न प्रकार के तथ्यों का संकलन करने के लिए किया जाता है।

साक्षात्कार विधि के दोष अथवा सीमाएं

श्रीमती यंग ने लिखा है, "साक्षात्कारकर्ता समझदार होने पर भी दोषपूर्ण अन्तर्दृष्टि, दोषपूर्ण स्मृति, सूक्ष्म दृष्टि की कमी तथा स्पष्ट अभिव्यक्ति की अयोग्यता से ग्रसित हो सकते हैं।" हाईमैन ने भी लिखा है, "साक्षात्कारकर्ता प्रायः अपने सूचनादाताओं के पास एक निश्चित प्रकार की आशा लेकर जाते हैं कि वे किस रूप में विशेष प्रश्नों का उत्तर देंगे। कभी-कभी तो साक्षात्कार के दौरान ही शीघ्रतापूर्वक अथवा अपूर्ण स्तरों के आधार पर ही यह आशा कर लेते हैं।" इन कथनों से साक्षात्कार की कुछ सीमाएं प्रकट होती हैं। हम यहां साक्षात्कार के प्रमुख दोषों अथवा सीमाओं का उल्लेख करेंगे :

1. **दोषपूर्ण स्मरणशक्ति :** प्रत्येक साक्षात्कारकर्ता से यह अपेक्षा नहीं की जा सकती कि वह सभी बातों को याद रखा पायेगा, अतः कुछ तथ्यों के भूल जाने या गलत नोट कर लिये जाने की सम्भावना रहती है। सूचनादाता से भी यह अपेक्षा नहीं की जा सकती कि उसे भूतकाल की सभी घटनाओं का सारा वृत्तान्त याद रहे। ऐसी स्थिति में संकलित तथ्य अपूर्ण एवं दोषयुक्त होते हैं।

2. **अभिनति की सम्भावना :** सूचनादाता तो अपने विचार प्रकट करते समय अपने व्यक्तिगत भावों एवं पक्षपात को जोड़ता ही है, स्वयं साक्षात्कारकर्ता भी उन्हें ग्रहण करने में पक्षपात से बच नहीं सकता। इसीलिए संकलित सामग्री की विश्वसनीयता संदिग्ध बनी रहती है।

3. **हीनता की भावना :** साक्षात्कार के लिए साक्षात्कारकर्ता को सूचनादाता के कई चक्कर लगाने पड़ते हैं, उसकी चापलूसी

तक करनी पड़ती है। साक्षात्कार हेतु उसे अनेक प्रकार के लोगों के पास जाना पड़ता है जो उसके साथ अच्छा और बुरा सभी तरह का व्यवहार करते हैं, फलस्वरूप उसमें हीनता की भावना पनप जाती है।

4. **साक्षात्कारदाता पर निर्भरता :** साक्षात्कार में सूचना का संकलन पूर्णतः साक्षात्कारदाता पर निर्भर करता है। कई बार वह अपनी इस स्थिति का दुरुपयोग भी करता है।

5. **अशुद्ध रिपोर्ट :** साक्षात्कारकर्ता द्वारा लिखित प्रतिवेदन में उसके व्यक्तिगत पक्षपात, विचारों एवं भावनाओं का समावेश होने के कारण रिपोर्ट में अशुद्धता आने की सम्भावना रहती है जो वैज्ञानिक अध्ययन की दृष्टि से ठीक नहीं है।

6. **कुशल साक्षात्कारकर्ता की समस्या :** साक्षात्कार की सफलता साक्षात्कारकर्ता की योग्यता, कुशलता, प्रशिक्षण, बुद्धि, वाक्पटुता एवं बौद्धिक ईमानदारी पर निर्भर है। सभी साक्षात्कारकर्ताओं से इन गुणों की अपेक्षा नहीं की जा सकती। ऐसी स्थिति में या तो वे साक्षात्कार का संचालन सफलतापूर्वक नहीं कर पाते या उनके द्वारा संकलित तथ्य अप्रामाणिक एवं अविश्वसनीय होते हैं।

7. **खर्चीली प्रणाली :** साक्षात्कारदाताओं से सम्पर्क करने के लिए कई बार चक्कर लगाने पड़ते हैं जिसमें अधिक समय चाहिए तथा कार्यकर्ता भी अधिक चाहिए। कार्यकर्ताओं के प्रशिक्षण, वेतन एवं यात्रा व्यय, आदि के लिए धन भी अधिक चाहिए। इस प्रकार यह विधि एक महँगी विधि है।

8. **पृष्ठभूमि की भिन्नता :** साक्षात्कारकर्ता एवं सूचनादाता के बीच सामाजिक पर्यावरण, मूल्यों, आदर्शों, भाषा, आदि में पर्याप्त अन्तर पाये जाते हैं जो कि उनके बीच एक दीवार बन जाते हैं। अतः वे साक्षात्कार में कठिनाई अनुभव करते हैं तथा शब्दों एवं घटनाओं का भिन्न-भिन्न अर्थ लगाते हैं जिसका अध्ययन के उद्देश्य पर प्रतिकूल प्रभाव पड़ता है।

9. **अविश्वसनीय एवं अप्रामाणिक सूचनाएं :** ऐसी कोई विधि नहीं है जो साक्षात्कार में आने वाली पक्षपातता एवं कृत्रिमता को रोक सके। अतः साक्षात्कारकर्ता एवं सूचनादाता दोनों के पक्षपात होने की पूरी सम्भावना रहती है।

10. **झूठी प्रतिष्ठा का भाव :** कोई भी राजनेता जातिवाद, बाल-विवाह, शराबवृत्ति, आदि के पक्ष में अपनी राय नहीं देना चाहेगा। क्योंकि उसे इस बात का डर रहता है कि ऐसा करना समाज में प्रचलित मूल्यों एवं विश्वासों के विपरीत होगा तथा लोग उसकी आलोचना कर सकते हैं तथा उसकी छवि बिगड़ सकती है।

11. **अपूर्ण सूचनाएं :** कई बार सूचनादाता कुछ सूचनाओं को महत्वहीन समझकर छोड़ देता है अथवा उसे घटना के बारे में अपर्याप्त जानकारी हो सकती है या वह अपने विचारों को बताने में असमर्थ हो सकता है। ऐसी स्थिति में साक्षात्कार द्वारा संकलित सूचनाएं अधिक उपयोगी नहीं हो पातीं।

12. **प्रशिक्षण का अभाव :** साक्षात्कार के लिए ऐसे कुशल एवं प्रशिक्षित साक्षात्कारकर्ताओं की आवश्यकता होती है जिन्हें मनोविज्ञान एवं मानव-व्यवहार का ज्ञान हो, साक्षात्कार संचालन का अनुभव हो। किन्तु सदैव ही ऐसे दक्ष एवं प्रशिक्षित साक्षात्कारकर्ता उपलब्ध नहीं होते।

प्रश्नावली

वर्तमान में यातायात एवं सन्देश-वाहन के साधनों के विकास के कारण प्रश्नावली विधि द्वारा दूर दराज क्षेत्रों में बसे लोगों का अध्ययन सरल हो गया है। जब सूचनादाता शिक्षित हो, समग्र, विशाल एवं विस्तृत हो तो इस विधि के द्वारा अध्ययन करना अधिक उपयोगी सिद्ध होता है। कई बार ऐसा होता है कि जिस विषय या समस्या का हम अध्ययन करना चाहते हैं, उससे सम्बन्धित लोग हुत बड़े क्षेत्र में फैले हुए रहते हैं, जिनका अध्ययन अवलोकन या साक्षात्कार-विधि द्वारा करने पर बहुत अधिक समय एवं धन की आवश्यकता होती है और सूचनाएं भी शीघ्र संकलित नहीं की जा सकतीं। ऐसी स्थिति में समय, श्रम एवं धन की बचत करने तथा शीघ्र सूचनाएं प्राप्त करने के लिए प्रश्नावली-विधि का प्रयोग किया जाता है।

प्रश्नावली का अर्थ एवं परिभाषा

विभिन्न विद्वानों ने प्रश्नावली को इस प्रकार से परिभाषित किया है :

1. **सिन पाओ यंग** के अनुसार, "अपने सरलतम रूप में प्रश्नावली प्रश्नों की एक ऐसी अनुसूची है जिसे कि निदर्शन (Sample) के रूप में चुने हुए व्यक्तियों के पास डाक द्वारा भेजा जाता है।"

2. **विल्सन गी** के अनुसार, "प्रश्नावली बहुत बड़ी संख्या में लोगों से अथवा छोटे चुने हुए एक समूह से, जिसके सदस्य विस्तृत क्षेत्र में फैले हुए हैं, सीमित मात्रा में सूचना प्राप्त करने की एक सुविधाजनक प्रणाली है।"

3. **गुडे** तथा **हाट** के अनुसार, "सामान्यतः प्रश्नावली शब्द से तात्पर्य प्रश्नों के उत्तर प्राप्त करने के एक उपकरण से होता है, जिसमें एक प्रपत्र का प्रयोग किया जाता है जिसे उत्तरदाता स्वयं ही भरता है।"

4. **बोगार्डस** के अनुसार, "प्रश्नावली विभिन्न व्यक्तियों को उत्तर देने के लिए प्रेषित की गई प्रश्नों की एक सूची है।"

5. **पोप** (Pope) के अनुसार, "एक प्रश्नावली को प्रश्नों के एक समूह के रूप में परिभाषित किया जा सकता है जिसका उत्तर सूचनादाता को बिना एक अनुसन्धानकर्ता अथवा प्रगणक की सहायता के देना होता है।"

उपर्युक्त परिभाषाओं से स्पष्ट है कि प्रश्नावली किसी भी अध्ययन-विषय से सम्बनिधत प्रश्नों की एक सूची होती है जिसे डाक द्वारा सूचनादाताओं के पास भेजा जाता है जिसे सूचनादाता स्वयं भरकर पुनः लौटाता है।

प्रश्नावली के उद्देश्य

शुद्ध सम्प्रेषण तभी सम्भव है जब सूचनादाता अध्ययन के उद्देश्य को समझते हों तथा शुद्ध उत्तर भी तभी उपलब्ध हो सकते हैं, जब इच्छित सूचनाएं प्राप्त हों और उनसे सारणी बनाने तथा विषय का विश्लेषण करने में सहायता मिलती हों। प्रश्नावली के प्रमुख उद्देश्य इस प्रकार हैं :

(1) विस्तृत, विशाल, विविध एवं व्यापक रूप में बिखरे हुए लोगों से सूचनाएं संकलित करना, (2) प्रामाणिक तथा विश्वसनीय सूचनाएं संकलित करना, (3) सूचनाओं का व्यवस्थित संकलन, (4) वैषयिक अध्ययन के लिए, (5) अनावश्यक तथ्यों को छोड़ना, (6) कम खर्च, (7) संख्यात्मक अनुमापन, (8) एक साथ तथा शीघ्र सूचनाओं का संकलन।

प्रश्नावली के प्रकार

किस प्रकार की प्रश्नावली का उपयोग कहां किया जाएगा, यह बहुत कुछ उत्तरदाताओं एवं क्षेत्र की विशेषताओं पर निर्भर करता है। लुण्डबर्ग, पी.वी. यंग, गुडे एवं हाट, सेल्टिज, जहोदा तथा उनके सहयोगियों ने प्रश्नावली के विभिन्न प्रकारों का उल्लेख किया है। लुण्डबर्ग ने दो प्रकार की प्रश्नावलियों–तथ्य सम्बन्धी एवं मनोवृत्ति सम्बन्धी का उल्लेख किया है। पी.वी. यंग ने प्रश्नों की प्रकृति के आधार पर–बन्द एवं खुली प्रश्नावली तथा प्रश्नावली की संरचना के आधार पर–संरचित एवं असंरचित प्रश्नावली की विवेचना की है। यहां प्रश्नावली के विविध प्रकारों की संक्षेप में विवेचना करेंगे।

1. **मत एवं मनोवृत्ति सम्बन्धी प्रश्नावली :** जब हम किसी विषय पर सूचनादाता की रुचि, राय, मत, विचारधारा, विश्वास एवं दृष्टिकोण जानना चाहते हैं, तो इस प्रकार की प्रश्नावली का प्रयोग करते हैं। बाजार-सर्वेक्षण, जनमत संग्रह, विज्ञापन तथा टेलीविजन एवं रेडियो कार्यक्रमों के बारे में लोगों के विचार जानने के लिए इसी प्रकार की प्रश्नावलियों का निर्माण एवं प्रयोग किया जाता है।
2. **तथ्य सम्बन्धी प्रश्नावली :** इस प्रश्नावली का उपयोग किसी समूह की सामाजिक-आर्थिक दशाओं से सम्बन्धित तथ्यों का संग्रह करने के लिए किया जाता है। जब हम किसी व्यक्ति की आय, आयु, धर्म, जाति, शिक्षा, विवाह, व्यवसाय, पारिवारिक रचना, ऋणग्रस्तता, आदि के बारे में सूचना संकलित करना चाहते हैं तो इस प्रकार की प्रश्नावली का प्रयोग किया जाता है।
3. **असंरचित प्रश्नावली :** इस दृष्टि से असंरचित प्रश्नावली साक्षात्कार-पथ-प्रदर्शिका (Inverview guide) के समान ही होती है। इसे स्पष्ट करते हुए श्रीमती पी.वी. यंग लिखती हैं, "असंरचित प्रश्नावलियां प्रायः साक्षात्कार पथ-प्रदर्शिका के रूप में लिखित की जाती है जिनका उद्देश्य निश्चित विषय-वस्तु क्षेत्रों को रखना तथा शुद्धता भी होता है जिसके साक्षात्कार के अन्तर्गत सम्मिलित किये जाने की आवश्यकता होती है। साक्षात्कारकर्ता सीमाओं में रहते हुए आकार को व्यवस्थित करने तथा पूछताछ के समय को निर्धारित करने में स्वतन्त्र रहता है।" प्रश्नावली में साक्षात्कार नहीं होता है क्योंकि वे डाक द्वारा प्रेषित की जाती हैं। अतः असंरचित प्रश्नावली अनुसूची का ही एक रूप होती है। इस प्रकार की प्रश्नावली का उपयोग मनोविश्लेषणात्मक साक्षात्कारों तथा अनौपचारिक एवं गहन अध्ययनों के लिए किया जाता है। असंरचित प्रश्नावली का प्रमुख गुण इसका लचीलापन है अर्थात् इसमें अनुसन्धानकर्ता अनुसन्धान के तरीकों में परिवर्तन कर सकता है। संरचित प्रश्नावली में उत्तरदाता उत्तर देने में बंधा होता है, जबकि असरंचित प्रश्नावली में उत्तरदाता खुलकर अपने को अभिव्यक्त करता है। सूचनादाता के विश्वासों, दृष्टिकोणों एवं विचारों को जानने के लिए इस प्रकार की प्रश्नावलियां अधिक उपयोगी होती हैं।
4. **संरचित प्रश्नावली :** इसमें प्रश्नों की भाषा, शब्द, वाक्य, आदि पहले से ही तय कर लिये जाते हैं जिनमें अनुसन्धानकर्ता अथवा साक्षात्कारकर्ता को अनुसन्धान के दौरान परिवर्तन करने की कोई छूट नहीं होती है। इसमें प्रश्नों का क्रम भी पूर्व निर्धारित होता है। इस प्रकार की प्रश्नावली का मुख्य उद्देश्य सुनिश्चित एवं समरूप उत्तर प्राप्त करना है। संरचित प्रश्नावली को परिभाषित करते हुए श्रीमती पी.वी. यंग लिखती हैं, "संरचित प्रश्नावली वह होती है जिसमें कि निश्चित, ठोस तथा पूर्व-निर्धारित प्रश्नों के अतिरिक्त ऐसे आवश्यक सीमित प्रश्न भी रहते हैं जो अपर्याप्त उत्तरों के स्पष्टीकरण करने या अधिक विस्तृत प्रत्युत्तर पाने के लिए आवश्यक होते हैं।
5. **खुली, असीमित या अप्रतिबन्धित प्रश्नावली :** इन प्रश्नावलियों के प्रश्नों में काफी लचीलापन पाया जाता है। इसका प्रयोग सूचनादाता के व्यक्तिगत विचारों, भावनाओं, सुझावों, आदि को ज्ञात करने, गहन अध्ययन करने एवं विषय से सम्बन्धित प्रारम्भिक सूचनाएं संकलित करने के लिए किया जाता है। विवरणात्मक एवं गुणात्मक सूचनाएं प्राप्त करने के लिए भी ऐसी प्रश्नावलियों का प्रयोग किया जाता है। इनमें प्रश्नों के सामने उत्तर देने के लिए कुछ स्थान खाली छोड़ दिया जाता है। ऐसी प्रश्नावलियों के प्रश्नों के कुछ उदाहरण इस प्रकार हैं:

(1) भारत में आतंकवाद के प्रमुख कारण क्या हैं?

____

____

____

(2) छात्र असंतोष को समाप्त करने के लिए आप क्या सुझाव देंगे?

____

____

____

(3) आपकी राय में वर्तमान शिक्षा-पद्धति में क्या-क्या सुधार किये जाने चाहिए?

____

____

____

6. **बन्द, सीमित प्रतिबन्धित प्रश्नावली :** इसमें पूर्वनिर्धारित उत्तरों में से ही किसी एक को चुनकर उसके आगे निशान लगाना होता है। इस प्रकार की प्रश्नावली का प्रयोग श्रेणीबद्ध सूचनाएं प्राप्त करने के लिए किया जाता है। सिन पाओ यंग के अनुसार "प्रतिबिन्धित प्रश्नावली में प्रायः पूछे गये प्रश्नों के मद के अनुसार उत्तर देने होते हैं तथा उत्तर देने की जटिलता से वह मुक्त हो जाता है।" ऐसी प्रश्नावलियों के भरकर लौट आने की सम्भावनाएं भी अधिक रहती हैं। ऐसे प्रश्नावलियों के प्रश्नों के कुछ उदाहरण निम्नांकित हैं :

(1) क्या आप अनुसूचित जाति के छात्र हैं? हां/नहीं

(2) क्या आप विधवा पुनर्विवाह के पक्ष में हैं? हा/नहीं

(3) आपके अपने अध्यापकों से किस प्रकार के सम्बन्ध हैं?
(क) मधुर (ख) सामान्य (ग) तनावपूर्ण (घ) पता नहीं।

इस प्रकार की प्रश्नावली में सामग्री के वर्गीकरण में सुविधा रहती है।

7. **चित्रमय प्रश्नावली :** इस प्रकार की प्रश्नावली में प्रश्नों के सम्भावित उत्तर चित्र द्वारा प्रकट किये जाते हैं और सूचनादाता अपने उत्तर का चयन उन चित्रों में ही करके उस पर निशान लगा देता है। चित्रों के कारण प्रश्नावली रोचक एवं आकर्षक बन जाती है जिसके कारण सूचनादाता उत्तर देने के लिए प्रेरित हो जाता है।

प्रश्नावली के उदाहरण

1. नाम
2. स्थायी पता
3. आयु
4. धर्म
5. जाति
6. व्यवसाय
7. शिक्षा
8. वैवाहिक स्थिति
9. मासिक आय
10. आपके परिवार का आकार क्या है?

क्र. संख्या	नाम	सूचनादाता से सम्बन्ध	आयु	शिक्षा	आय

11. आपने अपराध करने की आदत सर्वप्रथम किससे ग्रहण की?
(अ) परिवार के सदस्यों से (ब) पड़ोसियों से
(स) मित्रों से (द) फिल्मों से
(य) उपन्यासों से (र) अन्य
12. आप किस प्रकार के अपराध में पकड़े गये हैं?
13. आपके माता-पिता के आपसी सम्बन्ध कैसे हैं?
(क) मधुर (ब) सामान्य (स) तनावपूर्ण (घ) पता नहीं
14. क्या आपके परिवार में किसी ने अपराध किया है? हां/नहीं
15. यदि हाँ तो किसने ....
16. परिवार में आप पर किस प्रकार का नियंत्रण रखा जाता है?
(अ) कठोर (ब) सामान्य (स) शिथिल (घ) पता नहीं
17. क्या आपके परिवार में अन्य बच्चों की तुलना में आपके साथ पक्षपात किया जाता है? हां/नहीं
18. यदि हां तो किस प्रकार का? ....
19. क्या आपके परिवार की आय सभी सदस्यों के भरण-पोषण के लिए पर्याप्त है? हां/नहीं
20. यदि हां तो कमी को पूरा करने के लिए क्या तरीका अपनाया जाता है? ....
21. आप मनोरंजन के लिए किन साधनों का उपयोग करते हैं।
22. क्या आप मनोरंजन के प्रयुक्त साधन से सन्तुष्ट है? हां/नहीं
23. क्या आपके परिवार के सदस्यों के रहने के लिए पर्याप्त व्यवस्थाएं हैं?..............
24. आपके स्कूल का वातावरण कैसा है?
(अ) असन्तोषजनक (ब) बहुत अच्छा (स) खराब (घ) संतोषजनक
25. आपकी राय में बाल-अपराध को रोकने के लिए क्या उपाय अपनाये जाने चाहिए?

निरीक्षण या अवलोकन

निरीक्षण-प्रविधि सामाजिक विज्ञानों से सम्बन्धित अनुसन्धान-कार्यों के सन्दर्भ में कोई नवीन प्रविधि नहीं है। सामाजिक विज्ञानों की बात तो और है, प्राकृतिक विज्ञानों में तो इस प्रविधि का सम्भवतः शुरू से ही प्रयोग होता आया है। प्रो. गुडे एवं हॉट ने उचित ही लिखा है कि "विज्ञान निरीक्षण से प्रारम्भ होता है, और फिर सत्यापन के लिए अन्तिम रूप से निरीक्षण पर ही लौटकर आना पड़ता है।" वास्तव में कोई भी वैज्ञानिक किसी भी घटना या अवस्था को उस समय तक स्वीकार नहीं करता, जब तक कि वह स्वयं उसका अपनी इन्द्रियों से निरीक्षण न कर ले। सामाजिक विज्ञानों के बारे में भी यही तथ्य सत्य है। कोई भी सामाजिक अनुसन्धान-कार्य तब तक अधिक सफलता प्राप्त नहीं कर पाता, जब तक कि उसमें निरीक्षण-प्रविधि का प्रयोग न किया गया हो। इसी निरीक्षण-प्रविधि का, समाज-वैज्ञानिक द्वारा, अपने ही साथी एवं स्वजातीय मनुष्यों तथा संस्थाओं के निरीक्षण हेतु प्रयोग किया जाता है। समाजशास्त्र के पिता श्री ऑगस्ट कॉम्टे जब समाजशास्त्र की रूपरेखा बना रहे थे, तब उन्होंने यह अनुभव किया कि यदि समाजशास्त्र को वैज्ञानिक आधारों का विषय बनाना है तो निरीक्षण-प्रविधि द्वारा उसकी विषय-वस्तु का अध्ययन होना चाहिए। उन्होंने प्रत्यक्ष निरीक्षण द्वारा सामाजिक घटनाओं के अध्ययन पर बल दिया। प्रो. मोजर ने इसीलिए इसको वैज्ञानिक अनुसन्धान की 'शास्त्रीय पद्धति' कहा है।

अर्थ एवं परिभाषा

निरीक्षण शब्द अंग्रेजी भाषा के शब्द 'Observation' का पर्यायवाची है, जिसका अर्थ होता है 'देखना', 'अवलोकन करना' या 'निरीक्षण करना'। किन्तु सामाजिक अनुसन्धान की एक व्यवस्थित पद्धति के रूप में निरीक्षण का अपना एक पृथक् ही अर्थ है। यदि संक्षेप में कहा जाए तो निरीक्षण का अर्थ है 'कार्य-कारण अथवा पारस्परिक सम्बन्ध को जानने के लिए स्वाभाविक रूप से घटित होने वाली घटनाओं का सूक्ष्म निरीक्षण'।

डॉ. पी.वी. यंग के अनुसार, "निरीक्षण को नेत्रों द्वारा सामूहिक व्यवहार एवं जटिल सामाजिक संस्थाओं के साथ-ही-साथ सम्पूर्णता की रचना करने वाली पृथक् इकाइयों के अध्ययन की विचारपूर्ण पद्धति के रूप मे प्रयुक्त किया जा सकता है।" प्रो. सी.ए. मोजर ने निरीक्षण के बारे मे कहा है कि 'ठोस अर्थ में निरीक्षण में कानों तथा वाणी की अपेक्षा आँखों के प्रयोग की स्वतन्त्रता है।" ऑक्सफोर्ड कॉन्साइज शब्दकोष में निरीक्षण की परिभाषा इस प्रकार दी गई है, "घटनाएँ कार्य-कारण अथवा पारस्परिक सम्बन्धों के सम्बन्ध, जिस रूप में वे उपस्थित होती हैं, का यथार्थ निरीक्षण एवं वर्णन है।"

उपरोक्त परिभाषाओं के अध्ययन से यह स्पष्ट है कि निरीक्षण-प्रविधि प्राथमिक सामग्री (Primary Data) के संग्रहण की प्रत्यक्ष प्रविधि है। निरीक्षण का तात्पर्य उस प्रविधि से है जिसमें नेत्रों द्वारा नवीन अथवा प्राथमिक तथ्यों का विचारपूर्वक संकलन किया जाता हो, साथ ही इस प्रविधि में अनुसन्धानकर्त्ता अध्ययन के अन्तर्गत आए समूह के दैनिक जीवन मे भाग लेते हुए अथवा उससे दूर बैठकर उनके सामाजिक एवं व्यक्तिगत व्यवहारों का अपनी ज्ञानेन्द्रियों द्वारा निरीक्षण करता है।

अवलोकन प्रणाली की विशेषताएँ

विभिन्न विद्वानों द्वारा दी गई अवलोकन प्रणाली की परिभाषाओं के आधार पर इस प्रणाली की कुछ विशेषताएँ बताई जा सकती हैं, जो निम्नलिखित हैं:

1. **प्राथमिक सामग्री :** अवलोकन प्रणाली का उपयोग प्राथमिक सामग्री की प्राप्ति के लिए किया जाता है। सामाजिक अनुसंधान के क्षेत्र में अवलोकन के द्वारा तथ्यों के संकलन का महत्त्वपूर्ण स्थान है। अध्ययनकर्त्ता को समस्त सामग्री प्रत्यक्ष सम्पर्क के द्वारा ही नहीं मिलती है कुछ तथ्य ऐसे भी होते हैं जिनको अवलोकन के द्वारा नोट किया जाता है।
2. **प्रत्यक्ष अध्ययन :** अवलोकन प्रणाली की एक विशेषता यह है कि इसमें प्रत्यक्ष रूप से अध्ययन किया जाता है। अध्ययनकर्त्ता स्वयं भी अपने अध्ययन क्षेत्र में जाता है, अवलोकन करता है और आँकड़ों का संकलन करता है। यही प्रत्यक्ष अध्ययन प्रणाली है।
3. **मानव इन्द्रियों का पूर्ण उपयोग:** अवलोकन करने मे मानव इन्द्रियों का प्रयोग प्रधान है, यद्यपि अवलोकन करते समय कानों का भी प्रयोग करते हैं, परन्तु इनका उपयोग अपेक्षाकृत कम होता है। इसमें अधिकतर आँखों के प्रयोग पर अधिक महत्व दिया जाता है। जो मानव इन्द्रियाँ अवलोकन करती हैं उसी को अध्ययनकर्त्ता संकलित कर लेता है।
4. **विचारपूर्वक अध्ययन :** अवलोकन प्रणाली में सदैव ही विचारपूर्वक अध्ययन किया जाता है। मानव कुछ न कुछ सदैव अपने चारों ओर देखता रहता है, परन्तु वैज्ञानिक दृष्टिकोण से इसे अवलोकन नहीं कहा जा सकता है। अवलोकन का तो एक विशेष प्रयोजन होता है। इसीलिए उसका गहन व विचारपूर्वक अध्ययन किया जाता है।
5. **सामूहिक व्यवहार :** अवलोकन प्रणाली की अत्यन्त महत्वपूर्ण विशेषता यह है कि इस प्रणाली का प्रयोग सामूहिक व्यवहार के अध्ययन के लिए किया जाता है।
6. **सूक्ष्म अध्ययन :** इस पद्धति के द्वारा विषय-वस्तु के बारे मे सूक्ष्म अध्ययन सम्भव है जिससे किसी भी प्रकार की गलती की सम्भावना नहीं रहती है। अध्ययन करते समय इसके अन्तर्गत विषय-वस्तु के किसी भी पक्ष को छोड़ा नहीं जाता है। प्रत्येक दृष्टिकोण से हर प्रकार के परीक्षण की प्रक्रिया सम्भव है।
7. **कारण-सम्बन्ध का पता लगाना :** अवलोकन प्रणाली का उद्देश्य विषय-वस्तु से सम्बन्धित घटनाओं एवं तथ्यों का पता लगाना भी है।

अवलोकन प्रणाली के गुण अथवा महत्व

वैज्ञानिक अनुसन्धान के क्षेत्र में मानव द्वारा प्रस्तुत की जाने वाली यह सर्वप्रथम प्रणाली है। इतना ही नहीं ज्ञान की समस्त शाखाओं में इस प्रणाली का व्यापक उपयोग किया जा रहा है। साथ ही सामाजिक अनुसंधान के क्षेत्र में भी इसका विस्तृत प्रयोग हो रहा है। दूसरे शब्दों में कहा जा सकता है कि सामाजिक तथा प्राकृतिक सभी विज्ञानों में अवलोकन प्रणाली का अत्यधिक महत्वपूर्ण स्थान है। अनुसंधान के हर स्तर पर अवलोकन प्रणाली का प्रयोग किया जाता है। इस सम्बन्ध में प्रो. गुडे एवं हॉट ने लिखा है कि "विज्ञान अवलोकन से आरम्भ होता है तथा अपनी अन्तिम सत्यापनशीलता के लिए भी इसे अवलोकन पर निर्भर रहना पड़ता है।"

अवलोकन के गुणों अथवा महत्व को निम्नलिखित रूप से समझा जा सकता है:

1. **सत्यापन की सुविधा :** इस प्रविधि का एक प्रमुख गुण यह है कि इसके द्वारा प्राप्त सूचनाओं के सत्यापन को भी आसानी से आँका जा सकता है। अध्ययनकर्त्ता एक ही सामाजिक घटना का कई बार अवलोकन करके उस घटना की सत्यता परख सकता है। इस प्रकार की सुविधा अन्य प्रविधियों में देखने को कम मिलती है।
2. **विश्वसनीयता :** अवलोकन प्रणाली एक विश्वसनीय प्रणाली है क्योंकि इसके द्वारा घटनाएँ जिस रूप में घटित होती हैं, उसका उसी रूप में आलेखन करना सम्भव होता है। इसमें कोई सन्देह नहीं है कि इस प्रविधि द्वारा प्राप्त सूचना अन्य पद्धतियों द्वारा प्राप्त सूचना से कहीं अधिक विश्वसनीय होती हैं। इस सम्बन्ध

में मोजर ने लिखा है कि, "व्यक्तियों से यह पूछने के बजाय कि वे क्या करते हैं, एक अध्ययनकर्त्ता विभिन्न प्रकार की अतिशयोक्तियों, प्रतिष्ठा सम्बन्धी विचारों और स्मृति की त्रुटियों से उत्पन्न होने वाले पक्षपात को दूर करने के लिए लोगों के व्यवहारों को स्वयं अधिक अच्छी तरह देख सकता है।"

3. **सरलता :** अन्य प्रविधियों की तुलना में अवलोकन प्रविधि अधिक सरल है क्योंकि अपनी जिज्ञासा का समाधान करने के लिए मानव सदैव से ही विभिन्न तथ्यों और घटनाओं का अवलोकन करता रहता है। यह विधि इसलिए भी सरल है कि इसके उपयोग के लिए विशेष प्रशिक्षण तथा धन की आवश्यकता नहीं होती है।
4. **सर्वाधिक प्रचलित प्रविधि :** इसमें कोई संदहे नहीं है कि अवलोकन प्रविधि सर्वाधिक प्रचलित पद्धति है। प्रायः प्रत्येक प्रकार के विज्ञानों में अनुसंधान कार्यों में इस पद्धति का प्रयोग होता है। इस रूप में यह और भी अधिक परिमार्जित पद्धति है।
5. **परिकल्पना में सहायक :** परिकल्पनाओं के निर्माण में भी अवलोकन पद्धति अत्यधिक सहायक होती है। अध्ययनकर्त्ता अनेक घटनाओं का अध्ययन करता रहता है और इस तरह उसका ज्ञान बढ़ता रहता है। इस तरह ज्ञान का बढ़ना परिकल्पनाओं के निर्माण के मुख्य साधन हैं। दूसरे शब्दों में कहा जा सकता है कि घटनाओं के इन विशाल अनुभवों के आधार पर वह विभिन्न परिकल्पनाओं का निर्माण कर सकता है।
6. **यथार्थता :** इस प्रणाली के द्वारा एकत्रित किये गये तथ्यों में वास्तविकता की सम्भावना रहती है जो कि अध्ययन विषय के दृष्टिकोण से काफी महत्वपूर्ण है।

अतः अन्त में यह कहा जा सकता है कि केवल अवलोकन ही एक ऐसी प्रणाली है जो सबसे अधिक उपयुक्त है एवं जिसका उपयोग सभी विज्ञानों में समान रूप से किया जाता है।

अवलोकन प्रणाली के अवगुण या दोष

गुणों के साथ ही इसके कुछ दोष भी हैं। इस सम्बन्ध में डॉ. पी.वी. यंग ने लिखा है कि, "वास्तव में सभी घटनाएँ अवलोकन के लिए उपयुक्त भी नहीं होती, सभी घटनाओं के घटित होते समय अवलोकनकर्त्ता वहाँ उपस्थित भी नहीं होता तथा न ही विभिन्न अवलोकन प्रविधियों के द्वारा सभी प्रकार की घटनाओं का अध्ययन किया जा सकता है।" इस तरह कहा जा सकता है कि अवलोकन प्रविधि स्वयं में अपूर्ण है एवं इसके दोषों को निम्न प्रकार से समझा जा सकता है।

सामान्यतया लोगों में यह प्रवृत्ति पायी जाती है कि जब उनका अवलोकन किया जाता है तो वे अपने व्यवहार में बनावटीपन लाने का प्रयत्न करते हैं और अपने आपको वास्तविकता से परे करने का प्रयत्न करते हैं। साधारणतया यह स्थिति उस समय तक बनी रहती है जब लोगों को पता चलता है कि उनका अवलोकन किया जा रहा है। इस प्रकार अवलोकन के समय लोग अपने सामान्य व्यवहार में कुछ न कुछ परिवर्तन कर देते हैं। इस तरह अध्ययनकर्त्ता द्वारा सही परिणाम प्राप्त नहीं हो सकते हैं। अतः अवलोकनकर्त्ता को इस बात की सावधानी बरतनी होगी कि अवलोकन के समय उसके अध्ययन विषय (लोगों को) से अवलोकन का बिल्कुल भी आभास न हो तभी परिणाम प्राप्त हो सकते हैं।

अवलोकनकर्त्ता की अवलोकन क्षमता की मात्रा द्वारा भी अवलोकन की उपयोगिता न्यूनाधिक होती रहती है। कभी-कभी ऐसा भी होता है कि अध्ययनकर्त्ता किन्ही तथ्यों को बेकार एवं अनुपयोगी समझकर उसके अवलोकन को महत्त्व नहीं देता लेकिन वे वास्तव में समस्या के अध्ययन की दृष्टि से अत्यधिक उपयोगी एवं महत्वपूर्ण हो सकते हैं। इस तरह अध्ययनकर्त्ता के सीमित ज्ञान के कारण सही परिणाम प्राप्त नहीं हो पाते हैं। इस प्रकार की कमी को दूर भी किया जा सकता है। इसके लिए अध्ययनकर्त्ताओं को उनके अध्ययन स्थल के बारे में प्रशिक्षित करना जरूरी है। इस प्रशिक्षण से वे सही बातें प्राप्त कर सकते हैं अन्यथा "अवलोकन किए जाने वाले समूह को जब यह पता चल जाता है कि उनके क्रिया-कलापों का अध्ययन किया जा रहा है तो वे जान-बुझकर एक विशेष प्रकार से व्यवहार करना आरम्भ कर देते हैं।" इस सम्बन्ध म आगे जॉन मैज ने लिखा है कि, "हमारी ज्ञानेन्द्रियाँ अत्यधिक विभिन्नतायुक्त त्रुटिपूर्ण और एक विशेष वेग से कार्य करने वाली होती हैं। इसके अतिरिक्त विभिन्न प्रकार की तुलनायें करने के लिए भी वे ज्ञानेन्द्रियाँ मूल रूप से ही दोषपूर्ण होती हैं।"

इन दोषों के अतिरिक्त श्रीमती पी.वी. यंग ने भी अवलोकन प्रणाली की सीमाओं की ओर संकेत किया है। उनके अनुसार अवलोकन प्रणाली के प्रयोग मे निम्नलिखित तीन प्रकार की कठिनाइयाँ उत्पन्न होती हैं–

(*a*) कुछ घटनायें ऐसी होती हैं जिनका अवलोकन निषिद्ध होता है।

(*b*) अवलोकन की जा सकने वाली कुछ घटनायें ऐसी होती हैं जिनके घटित होने का समय व स्थान पूर्ण निर्धारित न होने के कारण अवलोकन सम्भव नहीं होता है, एवं

(*c*) कुछ घटनाओं की प्रवृत्ति ही ऐसी होती है जिनका अवलोकन करना सम्भव नहीं है। इस प्रकार की घटनाओं की प्रकृत्ति के स्पष्टीकरण के आधार पर श्रीमती यंग ने अवलोकन प्रणाली के सीमित उपयोग की ओर संकेत किया है। अवलोकन की सफलता के लिये सर्वप्रथम अध्ययनकर्त्ता द्वारा यह निर्धारित कर लेना आवश्यक है कि अवलोकन किन व्यक्तियों अथवा तथ्यों का करना है। अवलोकन का कौन-सा दिन सबसे अधिक उपयुक्त हो सकता है, साथ ही अवलोकित तथ्यों का आलेखन किस प्रकार किया जायेगा। कोई भी अध्ययनकर्त्ता अकेले तथ्यों का तब तक अवलोकन नहीं कर सकता जब तक कि उसे अध्ययन स्थल के लोगों से सहयोग प्राप्त न हो। अवलोकन की सम्पूर्ण प्रक्रिया में अवलोकन निर्देशिका, अवलोकन कार्ड तथा अवलोकन चार्ट के समुचित उपयोग का विशेष महत्व होता है।

अवलोकन के प्रकार

अध्ययन की सुविधा के दृष्टिकोण से अवलोकन को प्रायः निम्नलिखित 6 भागों में विभाजित किया जाता है:

1. अनियन्त्रित अवलोकन या निरीक्षण
2. नियन्त्रित अवलोकन या निरीक्षण
3. सहभागी निरीक्षण या अवलोकन
4. असहभागी निरीक्षण या अवलोकन
5. अर्द्धसहभागी निरीक्षण या अवलोकन
6. सामूहिक निरीक्षण या अवलोकन

पुस्तकालय एवं इंटरनेट का उपयोग

पुस्तकालय दो शब्दों से मिलकर बना है पुस्तक + आलय अर्थात् पुस्तकों का घर। लेकिन ये पुस्तक व्यवस्थित न हों तो पुस्तकालय नहीं होगा। क्योंकि कोई भी पुस्तक को ढूंढना असान नहीं रहेगा। इसके लिए हमें वैज्ञानिक पद्धति का इस्तेमाल करने की आवश्यकता है ताकि हम पुस्तकों को व्यवस्थित रख सकें तथा समय पर ढूंढकर निकाल सकें।

पुस्तकालय में पुस्तक को व्यवस्थित करने का वैज्ञानिक तरीका है जिसे इंटरनेट के माध्यम से भी उपयोग कर सकते हैं। पुस्तकालय में प्रत्येक विषय की अलग आलमीरा या स्थान होता है ताकि नये व्यक्ति भी विषय से सम्बन्धित पुस्तक के उपयोग तक पहुँच सकें।

भौतिक लाइब्रेरी इन्टरनेट के पहुँच में होती है जिससे हम घर बैठे ढूंढ सकते हैं कि किसी विषय की पुस्तक कौन-सी लाइब्रेरी में मौजूद है। पुस्तकालय का इंटरनेट पर उपलब्ध होने से पाठक का पहुँच पुस्तकालय तक आसान हो गया है। इससे पुस्तकालय की उपयोगिता में वृद्धि हुई है तथा पुस्तकालय में पाठकों की संख्या में वृद्धि दर्ज की गयी है।

आज के आधुनिक युग में हम घर बैठे ही इन्टरनेट के माध्यम से पुस्तक के पढ़ने का ज्ञान और आनंद उठा सकते हैं। इस प्रकार इंटरनेट के प्रयोग से पुस्तकालय की उपयोगिता में वृद्धि हुई है।

निदर्शन तथा निदर्शन विधियाँ

निदर्शन का अर्थ

किसी समग्र में से चयनित उसका प्रतिनिधित्व करने वाली इकाइयों का एक समूह न्यादर्श या प्रतिदर्श (Sample) कहा जाता है। जब समस्त समग्र की जांच न करके इसमें से किसी विशिष्ट आधार पर न्यादर्श (Sample) के रूप में थोड़ा-सा भाग जांच के लिए लिया जाता है, तो उसे निदर्शन अनुसंधान (Sampling Investigation) या न्यादर्श अनुसंधान (Sample Investigation) कहते हैं। जैसे–एक नगर के मध्यम श्रेणी के केवल 5000 व्यक्तियों की औसत आय ज्ञात करने के लिए यदि हम उस नगर के मध्यम श्रेणी के केवल 500 लोगों की जांच करें और उस परिणाम के आधार पर नगर के मध्यम श्रेणी के 5000 लोगों का औसत आय निर्धारित करें तो इस प्रकार का अनुसंधान निदर्शन रीति का अनुसंधान कहलाएगा।

निदर्शन अनुसंधान प्रणाली के लाभ

1. सरल एवं कम खर्चीला
2. वैज्ञानिक
3. विस्तृत जांच
4. सांख्यिकीय विभ्रम ज्ञात होना

निदर्शन अनुसंधान प्रणाली की हानि

1. उच्च स्तर की शुद्धता के लिए अनुपयुक्त
2. परिणाम भ्रमात्मक
3. सजातीयता के अभाव में अनुपयुक्त

निदर्शन अनुसंधान के लिए उपयुक्त दशाएं

निदर्शन प्रणाली द्वारा अनुसंधान निम्न परिस्थितियों में उपयुक्त है :

1. **विस्तृत क्षेत्र :** जब अनुसंधान का क्षेत्र विस्तृत होता है तो निदर्शन प्रणाली का उपयोग किया जाता है।
2. **समग्र अनन्त हो :** जब समग्र की इकाइयां अनन्त हों तो यह विधि ही उपयुक्त होती है।
3. **अपर्याप्त साधन :** जहां पर्याप्त मात्रा में धन, समय व कर्मचारी उपलब्ध न हों।
4. **शुद्धता कम :** जहां बहुत उच्च स्तर की शुद्धता प्राप्त करनी आवश्यक न हो।
5. **सजातीयता :** समग्र की इकाइयों में सजातीयता होनी चाहिए, क्योंकि नमूने की इकाइयों में वही लक्षण होने चाहिए जोकि समग्र की इकाइयों में हैं। संक्षेप में, नमूना, समग्र का सच्चा प्रतिनिधि होना चाहिए।

न्यादर्श के आवश्यक तत्त्व

निष्पक्ष और यथार्थ निष्कर्ष निकालने के लिए न्यादर्श में निम्नलिखित गुणों का होना आवश्यक है :

1. **प्रतिनिधित्व :** उचित निष्कर्ष प्राप्त करने हेतु न्यादर्श ऐसा होना चाहिए जिसमें समग्र के सभी मौलिक गुण सम्मिलित हों। इसके लिए इकाइयों का चुनाव निष्पक्ष होना चाहिए।
2. **स्वतंत्रता :** किसी एक इकाई का न्यादर्श में शामिल होना किसी दूसरी इकाई के न्यादर्श में शामिल होने या न होने से स्वतंत्र होना चाहिए।
3. **समानता व सजातीयता :** समग्र तथा नमूना (Sample) की इकाइयों की प्रकृति व विशेषताओं में कोई विशेष प्रकार का आधारभूत परिवर्तन नहीं होना चाहिए। यदि एक समग्र से विभिन्न प्रतिदर्श लिए जायें तो उनसे प्राप्त निष्कर्षों में समानता होनी चाहिए।
4. **पर्याप्तता :** नमूना में इकाइयों की संख्या पर्याप्त होनी चाहिए।

निदर्शन की रीतियां

न्यादर्श लेने की क्रिया (To Take Sample) को निदर्शन (Sampling) कहा जाता है।

नमूना/न्यादर्श चुनने की कई रीतियाँ हैं। इनमें से निम्नलिखित प्रमुख रूप से उल्लेखनीय हैं–

1. सविचार निदर्शन (Deliberate, Purposive, Conscious or Representative Sampling)
2. दैव अथवा आकस्मिक अथवा यादृच्छिक निदर्शन (Random or Chance Sampling)
3. मिश्रित निदर्शन (Mixed Sampling)

निदर्शन विधियाँ

अनुसंधान आंकड़े दो प्रकार से एकत्रित किए जा सकते हैं : (1) संगणना विधि द्वारा, तथा (2) निदर्शन विधि द्वारा।

1. **संगणना विधि :** संगणना विधि (Census Method) में अनुसन्धानकर्ता समग्र (Universe) अर्थात् सम्पूर्ण क्षेत्र का अध्ययन करता है। वह उस क्षेत्र की प्रत्येक इकाई अथवा प्रत्येक सदस्य से सम्पर्क स्थापित कर जानकारी प्राप्त करता है। हमारे देश में प्रति दस वर्ष बाद की जाने वाली जनणना में इसी विधि का प्रयोग किया जाता है।
2. **निदर्शन विधि :** निदर्शन विधि (Sampling Method) में समग्र में से कुछ इकाइयों को प्रतिनिधि के रूप में चुन लिया जाता है और उनके सम्बन्ध में आवश्यक जानकारी प्राप्त की जाती है। उदाहरण के लिए, यदि हम दिल्ली विश्वविद्यालय के सभी छात्रों के बारे में जानकारी प्राप्त करना चाहते हैं तो इसके लिए कुछ छात्रों को प्रतिनिधि इकाई के रूप में चुनकर समग्र का अवलोकन कर सकते हैं।

■| गापन के पैमाने

समाजशास्त्र की विषय-वस्तु गुणात्मक है जिसे संख्यात्मक रूप में व्यक्त करना एक कठिन कार्य है। फिर भी पिछले कुछ वर्षों से इरो सही-सही माप पर संख्यात्मक रूप में प्रकट करने के प्रयास किये गये हैं और इसे मापने के लिए समाजशास्त्र में अनेक प्रणालियों को जन्म दिया गया है।

पैमाना किसी वस्तु या घटना को मापने का यन्त्र होता है। विभिन्न प्रकार की वस्तुओं को मापने के पैमाने अलग-अलग होते हैं। ताप को मापने के लिए थर्मामीटर का प्रयोग किया जाता है तो भार को मापने के लिए बाट का, लम्बाई, चौड़ाई और ऊंचाई को मापने के लिए गज, फीट, इंच व मीटर का, तो द्रव्यों को मापने के लिए लीटर एवं गैलन का। स्पष्ट है कि वस्तुओं के गुणों एवं प्रकृति के अनुसार उनके माप के पैमाने भी अलग-अलग प्रकार के होते हैं। सभी वस्तुओं और विशेषकर सामाजिक तथ्यों जैसे–अपराध की संख्या, लोगों की आय, उम्र, परिवार का आकार, जनसंख्या, आदि को तो मापा जा सकता है किन्तु गुणात्मक और अमूर्त सामाजिक तथ्यों जैसे लोगों की मनोवृत्तियों, विचारों, सामाजिक स्थिति, व्यक्तित्व, नैतिकता, रुचि, आदि को विशुद्ध एवं प्रत्यक्ष रूप से मापना सम्भव नहीं है। किसी व्यक्ति की सामाजिक स्थिति को हम माप द्वारा उसी प्रकार व्यक्त नहीं कर सकते जिस प्रकार से एक लोहे की अलमारी के माप को वजन, लम्बाई, ऊँचाई और चौड़ाई में व्यक्त कर सकते हैं। यद्यपि व्यक्ति की सामाजिक स्थिति को मापने के लिए उसकी आय, व्यय, रहन-सहन का स्तर, शिक्षा, रुचि, सामाजिक सम्पर्क, आदि को आधार बनाया जा सकता है। इसी प्रकार से कोई व्यक्ति समाजवाद के कितना पक्ष में है, जाति-प्रथा को कितना मानता है, संयुक्त परिवार के प्रति उसका क्या रुख है, आदि को संख्यात्मक माप में प्रकट करना सम्भव नहीं है।

श्रीमती पी.वी. यंग ने लिखा है, ''तथापि इस क्षेत्र में (पैमाना-पद्धतियों के विकास के क्षेत्र में) बहुत-सा कार्य अभी प्रारम्भिक अवस्था में ही है फिर भी यह कहा जा सकता है कि जैसे ही समाजशास्त्र एक विज्ञान के रूप में परिपक्व होगा, सामाजिक घटनाओं के मापक यन्त्रों एवं पद्धतियों का विकास होगा तो नवीन एवं अधिक सही मापक यन्त्र विकसित होंगे।''

पैमाने की आवश्यकता

सामाजशास्त्र में पैमाने की आवश्यकता अग्रांकित कारणों से है :

1. **तथ्यों के मात्रात्मक (संख्यात्मक) प्रस्तुतीकरण के लिए :** उन्हें संख्यात्मक रूप में प्रकट करने के लिए वैज्ञानिक पैमाना आवश्यक है। चूंकि गुणात्मक माप व्यक्ति प्रधान (Subjective) होता है, अतः उसके स्थान पर संख्यात्मक माप आवश्यक है। किसी विषय की परिपक्वता एवं वैज्ञानिकता का प्रधन लक्षण यह है कि वह तथ्यों की वैषयिक एवं संख्यात्मक माप प्रस्तुत कर सके।
2. **वैषयिकता की प्राप्ति के लिए :** पैमाना के द्वारा ही हम समस्या का विवेचन गणितीय आधार पर कर सकते हैं। तथ्यों की वैषयिक एवं वैज्ञानिक माप सांख्यिकीय आधार पर ही की जा सकती है। यही कारण है कि सभी विज्ञान अध्ययन की संख्यात्मक पद्धतियों पर ही जोर देते हैं।
3. **विश्वसनीयता तथा वैधता की प्राप्ति के लिए :** चूँकि गुणात्मक तथ्य व्यक्ति प्रधान होते हैं, अतः हर व्यक्ति उनके अपने-अपने अर्थ लगाते हैं। जबकि संख्यात्मक तथ्यों का सर्वत्र एक ही अर्थ होता है, अतः वे अधिक विश्वसनीय और वैध माने जाते हैं। सामाजिक तथ्य हमारे लिए तभी जटिल है जब तक हम उसे नहीं जानते हैं या उसके बारे में हमारा ज्ञान सीमित है। ज्ञान के विकास के साथ-साथ यह जटिलता भी कम होती जाती है।

पैमाने की समस्याएं

गुडे तथा हाट ने पैमाने के निर्माण से सम्बन्धित निम्नांकित समस्याओं का उल्लेख किया है :

1. **सातत्य की परिभाषा :** माप या पैमाना केवल उन्हीं तथ्यों के लिए बनाया जा सकता है जो माप योग्य होते हैं। यदि घटनाओं के विभिन्न अंगों या पक्षों में कोई सातत्य या अनुक्रम है तो उनका माप किया जा सकता है अन्यथा नहीं। मान लीजिए कि हमें अछूतों के प्रति निकटता अथवा दूरी का पता लगाना है। सभी लोग अछूतों से न तो समान रूप से प्रेम करते हैं और न घृणा ही। हम लोगों को अछूतों से घृणा करने वाले तथा प्रेम

करने वाले इन दो वर्गों में विभाजित नहीं कर सकते। इनके बीच में कई डिग्रियां हैं। कुछ लोग बहुत प्रेम कर सकते हैं तो कुछ अत्यधिक घृणा तो कुछ उनके प्रति उदासीन हो सकते हैं। प्रेम का सबसे बड़ा प्रतीक उनमें विवाह हो सकता है तथा घृणा का सर्वोच्च रूप उन्हें समाज से बहिष्कृत कर देने के रूप में हो सकता है। इन दोनों चरम सीमाओं के बीच हमें अन्य बिन्दु तय करने होंगे जैसे अछूतों को पास बैठने की स्वीकृति देना, मित्र बनाना, साथ-साथ भोजन करना, आदि। इन बिन्दुओं को इस प्रकार से निर्धारित किया जाना चाहिए कि वे एक के बाद एक बढ़ती हुई दूरी को प्रकट करें।

2. **विश्वसनीयता :** गुडे एवं हाट ने विश्वसनीयता की परख के लिए अग्रांकित तीन विधियों का उल्लेख किया है :

   (i) **पुनः परीक्षा विधि :** इस विधि के अनुसार पैमाने को एक ही समूह पर दो बार प्रयोग में लाया जाता है और उनसे प्राप्त परिणामों की तुलना की जाती है। यदि दोनों में अधिक समानता हो तो पैमाने को विश्वसनीय माना जाना चाहिए।

   (ii) **बहुरूपीय विधि :** इसके लिए एक ही पैमान को दो रूपों में अलग-अलग प्रकार से प्रकट किया जाता है तथा उन्हें एक-एक करके उसी समूह पर लागू किया जाता है। यदि उनके परिणामों में पर्याप्त समानता पायी जाती है तो पैमाने को विश्वसनीय माना जाना चाहिए।

   (iii) **अर्द्ध-भागों में बांटना :** इस विधि में पैमाने को दो समान भागों में बांट लिया जाता है और प्रत्येक भाग को पूर्ण पैमाना मानकर एक ही समूह पर लागू किया जाता है। इसके बाद दोनों में सहसम्बन्ध ज्ञात किया जाता है। यदि दोनों भागों के परिणामों में पर्याप्त समानता हो तो पैमाना विश्वसनीय माना जाता है।

3. **वैधता :** विश्वसनीयता एवं वैधता में अन्तर है। जब एक ही परिणाम समान स्थितियों में बार-बार प्राप्त हो तो पैमाना विश्वसनीय माना जाता है, जब पैमाना तथ्य का सही माप प्रदान करता है तो वह वैध कहलाता है। गुडे एवं हाट ने पैमाने की वैधता को ज्ञात करने के निम्नांक्ति चार आधार बताये हैं :

   (i) **तार्किक वैधता :** इसके अनुसार पैमाने को वैध उस समय माना जाना चाहिए जब वह सामान्य ज्ञान और तर्क के आधार पर सही प्रतीत होता है।

   (ii) **पंचों की राय :** इस विधि के अनुसार पैमाने से प्राप्त होने वाले परिणामों को पंचों के सामने रखा जाता है। यदि अनेक व्यक्ति के अनुसार पैमाना उपयुक्त है तो वह वैध माना जाता है।

   (iii) **ज्ञान समूह :** इस विधि के अनुसार पैमाने का प्रयोग उन व्यक्तियों पर किया जाता है जिनके बारे में पहले से ही जानकारी है। यदि पैमाने से भी वही निष्कर्ष निकलते हैं जो हमें पहले से ज्ञात हैं तो पैमाने को वैध माना जाना चाहिए।

   (iv) **स्वतन्त्र मापदण्ड :** इस विधि में पैमाने की वैधता को ज्ञात करने के लिए पैमाने की परीक्षा समस्त घटना पर न करके विभिन्न स्वतन्त्र कारकों पर की जाती है और यदि उन परिणामों द्वारा समान परिणाम आते हैं तो पैमाने को वैध मान लिया जाता है।

4. **भार की समस्या :** असमान महत्व वाले पदों को यदि भार प्रदान नहीं किया जाता है तो पैमाना दोषपूर्ण हो सकता है। अतः यदि पैमाने में असमान महत्व के पद हैं तो उन्हें उपयुक्त भार दिया जाना चाहिए। यदि अभारित पैमाने के प्रयोग के द्वारा वैध परिणाम निकलते हैं तो समझ लेना चाहिए कि पैमाने में भार देने की आवश्यकता है।

5. **पदों की प्रकृति :** पैमाने के प्रयोग में अध्ययनकर्ता पक्षपातपूर्ण व्यवहार कर सकता है तथा उन्हें अपने रंग में रंग सकता है। चूंकि सामाजिक तथ्य गुणात्मक प्रकृति के होते हैं, अतः उनकी व्याख्या पैमाने का उपयोग करने वाला प्रत्येक व्यक्ति अपने-अपने ढंग से कर सकता है।

6. **इकाइयों की समानता :** सम्पूर्ण मानव समाज को एक ही इकाई मान कर पैमाना बनाना वैध नहीं होगा क्योंकि विभिन्न भौगोलिक एवं सांस्कृतिक क्षेत्र में रहने वाले लोगों में अनेक असमानताएं पायी जाती हैं जिन्हें एक ही पैमाने पर दर्शाना कठिन होता है।

पैमाना निर्माण की कठिनाइयां

इसके निर्माण में आने वाली प्रमुख कठिनाइयां निम्नलिखित हैं :

1. **सामाजिक तथ्यों की जटिलता :** ये कारक स्थायी भी नहीं रहते हैं। कारकों को यदि ज्ञात भी कर लिया जाय तो उनके सापेक्ष प्रभाव को ज्ञात करना कठिन है। इस प्रकार सामाजिक तथ्यों की जटिल प्रकृति पैमाने के निर्माण में प्रमुख बाधा उपस्थित करती है।

2. **सामाजिक घटना की अमूर्तता :** हम सामान्यतः किसी व्यक्ति का मूल्यांकन करते समय कहते हैं—वह एक श्रेष्ठ व्यक्ति है, वह निम्न कोटि का व्यक्ति है, वह बहुत बुरा व्यक्ति है, वह एक साधारण व्यक्ति है, किन्तु श्रेष्ठ, निम्न कोटि, बहुत बुरा तथा साधारण इन सभी शब्दों का कोई स्पष्ट, निश्चित और ठोस अर्थ नहीं है। अतः इन्हें गणनात्मक रूप से प्रकट करना कठिन है।

3. **सार्वभौमिकता का अभाव :** सार्वभौमिकता सामाजिक तथ्यों पर लागू नहीं होती। प्रत्येक समूह की अपनी संस्कृति, प्रथाएं, मूल्य और विश्वास होते हैं, अतः प्रत्येक समूह किसी भी सामाजिक घटना का मूल्यांकन अपने-अपने सांस्कृतिक मूल्यों के अनुसार करती है।

पैमानों के प्रकार

समाजशास्त्रियों में अभी दो प्रकार के पैमाने प्रचलित हैं।

(A) प्रथम प्रकार के पैमाने का उपयोग व्यक्तित्व, मानसिक एवं सामाजिक मापन के लिए किया जाता है। इसके अन्तर्गत मनोवृत्तियों, नैतिकता, चरित्र, ज्ञान, मनोबल, सहयोग को मापते हैं।

(B) दूसरे प्रकार के पैमाने का उपयोग संस्कृति एवं सामाजिक पर्यावरण को मापने के लिए किया जाता है। इसके अन्तर्गत सामाजिक-आर्थिक प्रस्थिति, सामाजिक संस्थाओं, समुदायों आदि को मापते हैं।

तथ्यों का विश्लेषण तथा सामाजिक विज्ञान अनुसंधान में कम्प्यूटर का उपयोग

सामाजिक घटनाओं की प्रकृति जटिल होती है, सामाजिक घटनाएँ होती रहती हैं, सामाजिक घटनाओं में प्रायः सार्वभौमिकता का अभाव पाया जाता है। आज सामाजिक विज्ञान अनुसंधान में कम्प्यूटर का प्रयोग किया जा रहा है। कम्प्यूटर में तथ्यों का भण्डार होता है। कम्प्यूटर के माध्यम से तथ्यों को एकत्रित किया जाता है, उन तथ्यों के आधार पर नियमों का प्रतिपादन किया जाता है। इससे हमें समय और धन की बचत होती है। कम्प्यूटर के इस्तेमाल से सटीकता की अधिक संभावना होती है क्योंकि कम्प्यूटर तटस्थ होकर तथ्यों का प्रयोग करते हैं। सामाजिक अनुसंधान में कम्प्यूटर के उपयोग से तथ्यों की प्रामाणिकता बढ़ जाती है क्योंकि कम्प्यूटर द्वारा तथ्यों के इस्तेमाल में स्वार्थ और भावनात्मकता की सम्भावना नहीं रहती है।

सामाजिक विज्ञान के अनुसंधान में कम्प्यूटर के इस्तेमाल से वैज्ञानिकता की सम्भावना बढ़ जाती है। अनुसंधान में कम्प्यूटर के उपयोग से विज्ञान के सभी विशेषताओं का उपयोग होता है जो निम्नलिखित हैं :

(1) अवलोकन, (2) सत्यापन या वर्गीकरण, (3) सामान्यीकरण, (4) भविष्यवाणी, (5) वैज्ञानिक प्रवृत्ति।

समाजशास्त्रीय अध्ययनों में 'क्या है' में रूचि ली जाती है, न कि 'क्या होना चाहिए'। अर्थात् समाजशास्त्र में घटनाओं का वस्तुनिष्ठ तरीके से अध्ययन किया जाता है। उनका यथार्थ चित्रण किया जाता है। समाजशास्त्रीय अध्ययन में बाल विवाह से सम्बन्धित तथ्यों का अध्ययन किया जाता है। वह यह नहीं बताता की प्रथा अच्छा है या बुरा है। ये आदर्शात्मक बातें नहीं बताता है। समाजशास्त्रीय अध्ययन में कार्य-कारण सम्बन्धों की विवेचना की जाती है तथा प्राप्त तथ्यों का सामान्यीकरण किया जाता है। इसमें कम्प्यूटर की बहुत उपयोगिता है। समाजशास्त्र ने कम्प्यूटर से तथ्यों का विश्लेषण कर भविष्य में होने वाली घटनाओं की सम्भाव्यता का भी पता लगाता है। इस प्रकार हम देखते हैं कि सामाजिक अनुसन्धान में कम्प्यूटर का प्रयोग कर सामाजिक विज्ञान की उपयोगिता में वृद्धि हुई है।

वर्तमान वैज्ञानिक काल में अनुसंधान की प्रणालियों में बहुत वृद्धि हुई है जिसके बारे में सभी को जानकारी नहीं है। आज सामाजिक सम्बन्धों का अध्ययन एवं अभिव्यक्ति गणितीय सूत्रों में की जाने लगी है। कम्प्यूटर द्वारा अध्ययन में मदद ली जाती है। अतः आवश्यक है कि समाज विज्ञानी अध्ययनकर्ता भी इसे ध्यान में रखें ताकि अध्ययन में समय, श्रम और ध ान की बचत की जा सके।

उद्धरण पद्धति तथा अनुसंधान में नैतिकता

उद्धरण पद्धति

गुणात्मक एवं संख्यात्मक दोनों ही प्रकार के अध्ययनों के लिए उद्धरण पद्धति उपयुक्त हैं। सर्वप्रथम मोर्नियो ने अपनी '*Who Shall Survive*' नामक पुस्तक में इस पद्धति पर प्रकाश डाला है। हेलन जिनिंग्स ने इस पद्धति को समझाते हुए लिखा है, "एक दिये हुए समूह के सदस्यों में दिए हुए समय में पाये जाने वाले सम्बन्धों के ढाँचे का साधारण रूप से और ग्राफों के रूप में प्रस्तुत करने की यह विधि है।" ब्रोनफेनबैनर ने उद्धरण पद्धति को परिभाषित करते हुए लिखा है, "समूह में व्यक्तियों के बीच स्वीकृति एवं अस्वीकृति की मात्रा के माप के द्वारा सामाजिक स्थिति, ढाँचा एवं प्रगति का पता लगाने, विवरण देने तथा मूल्यांकन करने की विधि है।"

उद्धरण पद्धति में नैतिकता : इस पद्धति का प्रयोग करते समय अध्ययनकर्ता के लिए सभी प्रकार के पक्षपात से अपने को बचाना चाहिए। पैमाने तैयार करते समय निष्पक्षता और सतर्कता की पूरी आवश्यकता है। कुछ लोगों ने इस पद्धति की इसी आधार पर आलोचना की है कि साधारण व्यक्ति के लिए निष्पक्ष होकर वास्तविक पैमाने तैयार करना सम्भव नहीं है और इनके अभाव में निकाले गये निष्कर्ष अप्रमाणिक हो सकते हैं। इस पद्धति की एक कमी यह है कि इसकी सहायता से किसी बड़े समूह का अध्ययन करना सम्भव नहीं है।

अनुसंधान

सामाजिक अनुसंधान में हमें भिन्नता का पता चलता है। कुछ अनुसंधान कार्य जिज्ञासा को शान्त करने के लिए, कुछ केवल ज्ञान-प्राप्ति के लिए किये जाते हैं, कुछ का लक्ष्य प्राक्कल्पनाओं का निर्माण एवं सत्यता की जाँच करना होता है। किसी शोध का लक्ष्य किसी घटना का यथार्थ चित्रण करना, किसी का सामाजिक समस्याओं के निराकरण हेतु विकल्पों का पता लगाना तथा कुछ का सामाजिक नियोजन एवं नियोजित परिवर्तन की प्रभावकता का पता लगाना तथा समाज कल्याण व विकास कार्यक्रमों के सफल बनाने में योगदान देना है।

अनुसंधान में नैतिकता

सामाजिक अनुसंधान में अध्ययनकर्ता का किसी प्रकार का कोई लगाव या राग-द्वेष नहीं होना चाहिए। सामाजिक अनुसंधान में अध्ययनकर्ता के लिए स्वयं के समाज, समूह, जाति, धर्म, परम्पराओं व मूल्यों से पक्षपात-रहित होकर अध्ययन करना कठिन होता है। क्योंकि वह स्वयं किसी न किसी रूप में उससे सम्बन्धित होता है। इसके लिए हमें निम्नलिखित सावधानियाँ बरतनी चाहिए।

(*i*) अनुसंधानकर्ता को नैतिकता का पालन करने के लिए व्यक्तिगत स्वार्थ को त्याग कर काम करना चाहिए।

(*ii*) स्वार्थ-समूह के दबाव से बचना चाहिए।

(*iii*) अनुसंधानकर्ता को स्वजातिवाद (Ethnocentrism) से बचना चाहिए।

(*iv*) अनुसंधानकर्ता को मिथ्या झुकाव व पूर्वाग्रह से बचना चाहिए।

(*v*) अनुसंधानकर्ता को भावनात्मक प्रवृतियों पर नियंत्रण करना चाहिए।

सन्दर्भ ग्रन्थ सूची

सन्दर्भ ग्रन्थ सूची शोध का संलग्न पत्र होती है जिसमें पुस्तकों की सूची होती है। सन्दर्भ सूची में उन कार्यों को समाहित करना चाहिए जिसे शोध के दौरान प्रति के रूप में उपयोग किया जाता है। सन्दर्भ सूची में इस बात का भी ध्यान रखना चाहिए कि सूची वर्णमाला क्रम में व्यवस्थित हो।

सन्दर्भ ग्रन्थ सूची लिखने के तरीके :

A. लेखक का नाम, अन्तिम नाम पहले लिखा जाता है

B. शीर्षक

C. स्थान, प्रकाशन, तथा प्रकाशन तिथि

D. संस्करण संख्या

या

A. लेखक का नाम

B. शीर्षक

C. सामाजिक विषय का नाम

D. अंक

E. तिथि

F. पृष्ठ पर अंक लिखना

प्रतिवेदन लेखन

शोध कार्य में प्रतिवेदन लेखन महत्वपूर्ण कार्य है। प्रतिवेदन लेख का सुव्यवस्थित और स्पष्ट होना जरूरी होता है। हमने कितने ही अच्छे उप-कल्पनाओं, वर्गीकरण, सिद्धान्तों का प्रतिपादन क्यों न किया हो प्रतिवेदन लेखन के बिना उसका महत्व नहीं है।

परिभाषा

प्रतिवेदन किसी घटना का लिखित रूप होता है। प्रतिवेदन के अंग्रेजी शब्द रिपोर्ट की उत्पत्ति लैटिन शब्द पोरटेयर (Portare) से हुई है जिसका अर्थ संवहन करना है। रिपोर्ट (RE + PORT) शब्द से बना है। जिसमें RE का आशय पुनः तथा PORT का आशय 'वहन करना'। अतः इस शब्द का अभिप्राय सूचना का पुनः वहन करना है। जॉनसन एवं सिवेज के अनुसार, "एक उत्तम प्रतिवेदन ऐसा सन्देश वाहक है, जिसमें स्पष्ट, शुद्ध एवं संगत भाषा में व्यवस्थित एवं प्रस्तुत तथ्यात्मक वृत्तान्त का समावेश होता है।"

प्रतिवेदन का ढाँचा तैयार करना

- **शीर्षक :** किसी प्रतिवेदन के ढाँचे को तैयार करने के लिए प्रतिवेदन का अर्थपूर्ण, स्पष्ट एवं आकर्षक शीर्षक होना चाहिए। शीर्षक ऐसा होना चाहिए, जो प्रतिवेदन के विषय की ओर इशारा करता है।
- **पता :** प्रतिवेदन किसी एक व्यक्ति के बारे में लिखा जाता है। इसमें पाठकों अथवा पाठक का नाम, पता लिखा होना आवश्यक होता है।
- **समंकों का संकलन एवं विश्लेषण :** प्रतिवेदन के आलेखन के प्रथम चरण हेतु आवश्यक सूचना तथ्यों एवं समंको का संकलन करना है। समंक प्राथमिक अथवा द्वितीयक श्रोतों से संकलित किये जाते हैं। इन समंकों को अनुसन्धान, सर्वेक्षण, अवलोकन, साक्षात्कार आदि के माध्यम से संकलित किया जाता है और फिर व्यवस्थित कर लिया जाता है।
- **प्रतिवेदन का प्रारूप :** प्रारूप का अभिप्राय इसके ढाँचे से होता है, जिसका वर्णन ऊपर किया गया है।
- **प्रतिवेदन लिखना :** यह एक कला है। प्रतिवेदन लिखते समय पाठक की आवश्यकताओं और उसके पसन्द की शैली को ध्यान में रखना चाहिए।
- **प्रतिवेदन का प्रस्तुतीकरण :** प्रतिवेदन का सामान्य अभिविन्यास सुन्दर लगने वाला होना चाहिए। प्रतिवेदन मुद्रित, टंकित, हस्तलिखित हो सकता है। प्रतिवेदन के बायें छोर पर स्थान छोड़ना चाहिए तथा दो पंक्तियों के बीच भी स्थान छोड़ना चाहिए।
- **प्रतिवेदन की विशेषताएँ :** एक प्रतिवेदन को सुन्दर होना चाहिए। प्रतिवेदन में ग्राफ आदि का उपयुक्त स्थान पर प्रयोग होना चाहिए। प्रतिवेदन में तथ्य को तार्किक क्रम में प्रस्तुत करना चाहिए। रिपोर्ट में जो निष्कर्ष निकाले जाते हैं वे सब प्रामाणिक, विश्वसनीय तथा वैज्ञानिक विकास के लिए उपयुक्त होना चाहिए। प्रतिवेदन में तथ्यों का विश्लेषण अथवा व्याख्या वैज्ञानिक स्तर पर स्पष्ट रूपों में की जानी चाहिए। प्रतिवेदन में अध्ययन पद्धति, अध्ययन क्षेत्र, प्रविधियों, निर्देश आदि के सम्बन्ध में स्पष्ट एवं विस्तृत विवरण होना चाहिए।

प्रतिवेदन का उद्देश्य

- **ज्ञान का प्रलेख प्रस्तुत करना :** प्रतिवेदन ऐसा होना चाहिए कि पढ़ने वाले को लगे कि यह अद्वितीय प्रलेख है।
- **ज्ञान के विस्तार के लिए :** प्रत्येक प्रतिवेदन ऐसा होना चाहिए जैसे यह एक समस्या का समाधान हो। प्रत्येक प्रतिवेदन पढ़कर लगे कि ये ज्ञान के नये क्षेत्र हैं।
- **शोध के परिणामों को दूसरे के सूचनार्थ प्रस्तुत करना :** प्रत्येक प्रतिवेदन को शोध कार्य से प्राप्त परिणामों को सम्बन्धित लोगों के सामने प्रकट करना प्रत्येक शोधकर्त्ता का कर्त्तव्य होता है।
- **विषयों में अन्तर्निहित वास्तविक स्थिति को समझना :** इसके द्वारा शोध के परिणाम अथवा निष्कर्ष को ही व्यक्त नहीं किया जा सकता बल्कि उनसे प्राप्त परिणामों एवं निष्कर्षों को वैज्ञानिक ढंग से भी प्रस्तुत किया जा सकता है।

बहुविकल्पीय प्रश्नोत्तर

1. निम्नलिखित में से कौन-सा शोध का एक उपकरण नहीं है?

A. पुस्तकालय B. आँकड़े
C. रिपोर्ट-लेखन D. भाषा

2. निम्नलिखित में से किसके द्वारा 'स्केलिंग एरर्स' पैमाने संबंधी त्रुटियों का उन्मूलन किया जा सकता है?

A. जनसंख्या के मानदंडों के सही मान का समायोजन करना
B. पूर्वाग्रह से बचना
C. प्रतिदर्श आकार में वृद्धि करना
D. प्रतिदर्श आकार में कमी करना

3. निम्नलिखित में से किसे सामान्यतः विसर्जन का माप कहा जाता है?

(*a*) परिसर
(*b*) बहुलक
(*c*) चतुर्थक विचलन
(*d*) योगात्मक माध्य

नीचे दिए गए विकल्पों में से सबसे उपयुक्त उत्तर का चयन कीजिए :

A. केवल (*a*) और (*b*) B. केवल (*a*), (*c*) और (*d*)
C. केवल (*b*) और (*d*) D. केवल (*a*) और (*c*)

4. शोध प्रस्ताव के निम्नलिखित चरणों को अनुवर्ती क्रम में व्यवस्थित कीजिए :

(*a*) समस्या कथन
(*b*) परिकल्पना
(*c*) संदर्भ
(*d*) अध्ययन का महत्व
(*e*) तकनीक/प्रविधि

नीचे दिए गए विकल्पों में से सबसे उपयुक्त उत्तर का चयन कीजिए :

A. (*b*), (*a*), (*e*), (*c*), (*d*) B. (*a*), (*c*), (*b*), (*d*), (*e*)
C. (*c*), (*b*), (*a*), (*e*), (*d*) D. (*d*), (*a*), (*b*), (*c*), (*e*)

5. शोध में संभाव्यता और वैधता .... को परिलक्षित करती हैं।

A. अनूठापन
B. उपयोगिता
C. गुणवत्तापरकता
D. डेटा युक्तियुक्तता और पुनरावृत्तितता

6. निम्नलिखित में से कौन-सा रिपोर्ट लेखन में सहायता करने वाला अनिवार्य कारक है?

A. प्रणालीतंत्र (प्रविधि) B. प्रतिचयन
C. डाटा विश्लेषण D. अनुमाप-तकनीकें

7. शोध में अनुमाप तकनीकों का उद्देश्य :

A. मानव व्यवहार का अध्ययन करना
B. मानव व्यवहार का परिमाणीकरण
C. व्यवहारपरक चरों की पहचान करना
D. मानव व्यवहार का गुणात्मक अध्ययन

8. निम्नलिखित में से कौन-सा गुणात्मक शोध है :

A. सहसंबंधी शोध B. प्राक्कल्पना परीक्षण
C. प्रायोगिक विधि D. घटनाविज्ञान-संबंधी विधि

9. शोध में डेल्फी तकनीक का उद्देश्य है :

A. विशेषज्ञों/लोगों की राय सुनिश्चित करना
B. तय करना कि विशेषज्ञ/लोग किसी विशेष मुद्दे पर सहमत हैं या असहमत
C. विशेषज्ञों द्वारा दी गई राय की विश्वसनीयता का सत्यापन करना
D. विशेषज्ञों द्वारा दी गई राय की वैधता का सत्यापन करना

10. निम्नलिखित में से कौन-सी नई शिक्षा नीति, 2020 के प्रमुख घटक हैं?

(*a*) 3 वर्ष की आयु से स्कूलिंग
(*b*) 5 + 3 + 3 + 4 की शिक्षा संरचना
(*c*) उच्चतर शिक्षा के पाठ्यक्रमों में अनेक स्तरों पर प्रवेश करने/बाहर निकलने का प्रावधान नहीं।
(*d*) 2035 तक उच्चतर शिक्षा में 50% सकल नामांकन अनुपात का लक्ष्य प्राप्त करना।

नीचे दिए गए विकल्पों में से सही उत्तर का चयन कीजिए :

A. केवल (*a*), (*b*) और (*c*) B. केवल (*b*), (*c*) और (*d*)
C. केवल (*a*), (*c*) और (*d*) D. केवल (*a*), (*b*) और (*d*)

11. निम्नलिखित में से कौन-से प्रायिकता नमूना-चयन हैं?

(*a*) स्तरित यादृच्छिक
(*b*) स्नोबॉल नमूना-चयन
(*c*) बहुचरण नमूना-चयन
(*d*) गुच्छ नमूना-चयन

नीचे दिए गए विकल्पों में से सही उत्तर का चयन कीजिए :

A. केवल (*a*), (*b*) और (*c*) B. केवल (*b*), (*c*) और (*d*)
C. केवल (*a*), (*c*) और (*d*) D. केवल (*a*), (*b*) और (*d*)

12. कार्योत्तर शोध में चरं की स्थिति :

(*a*) स्वतंत्र होती है और शोध के पहले होती है।
(*b*) एकल परतंत्र और स्वतंत्र चरों से प्रारंभ होती है।
(*c*) शोधकर्ता संभव संबंधों का प्रतिगामी रूप में अध्ययन करता है।

नीचे दिए गए विकल्पों में से सही उत्तर का चयन कीजिए :

A. केवल (*a*) और (*c*) B. केवल (*a*), (*b*) और (*c*)
C. केवल (*b*) और (*c*) D. केवल (*a*) और (*b*)

13. निम्नलिखित में कौन-सा कथन सही है/हैं?

(*a*) उद्देश्यों को विशिष्ट होना चाहिए।
(*b*) उद्देश्यों को कथन अथवा प्रश्नवाचक आकार में लिख सकते हैं।
(*c*) समस्या के लिए दूसरा शब्द चर है।
(*d*) उद्देश्य शोध ग्रंथों के प्रथम अध्याय में कहे जाने हैं।

नीचे दिए गए विकल्पों में से सही उत्तर का चयन कीजिए :

A. केवल (*a*) और (*b*) B. केवल (*a*), (*b*) और (*c*)
C. केवल (*a*) और (*d*) D. केवल (*a*), (*c*) और (*d*)

14. सूची-I के साथ सूची-II का मिलान कीजिए :

सूची-I (अनुसंधान के प्रकार)	**सूची-II (मुख्य उद्देश्य)**
(*a*) वर्णनात्मक अनुसंधान	(*i*) मानवीय व्यवहारों के अन्तर्निहित लक्ष्यों की खोज करना
(*b*) अनुप्रयुक्त अनुसंधान	(*ii*) राज्य के मामले जैसा कि यह वर्तमान में मौजूद है, की व्याख्या
(*c*) गुणवत्तापरक अनुसंधान	(*iii*) तत्कालीन समस्या का सामना करते हुए एक समाज के लिए हल निकालना
(*d*) मौलिक अनुसंधान	(*iv*) एक सिद्धान्त के सामान्यीकरण और सूत्रनिर्धारण के साथ संबंधित

नीचे दिए विकल्पों में से सही उत्तर का चयन कीजिए :

	(*a*)	(*b*)	(*c*)	(*d*)
A.	(*i*)	(*ii*)	(*iii*)	(*iv*)
B.	(*iv*)	(*iii*)	(*ii*)	(*i*)
C.	(*ii*)	(*iii*)	(*i*)	(*iv*)
D.	(*ii*)	(*i*)	(*iv*)	(*iii*)

15. सूची-I के साथ सूची-II का मिलान कीजिए :

सूची-I (मापन तकनीक)	**सूची-II (स्वरूप या माप)**
(*a*) निर्धारण मापनी	(*i*) किसी दूसरे व्यक्ति, वस्तु या घटना के प्रति किसी व्यक्ति की प्रवृत्ति को मापने के लिए
(*b*) अभिवृत्तिक मापनी	(*ii*) परिमाणात्मक मूल्यों के बिना चरों की पहचान कर उन्हें लेबल करना
(*c*) नामित मापनी	(*iii*) किसी सांतत्यक के सहारे या किसी कोटि में व्यक्ति, वस्तु या घटना को मापना
(*d*) क्रमसूचक मापनी	(*iv*) संतुष्टि, प्रसन्नता जैसे गैर-संख्यात्मक, गुणात्मक अवधारणाओं को मापना

नीचे दिए विकल्पों में से सही उत्तर का चयन कीजिए :

	(*a*)	(*b*)	(*c*)	(*d*)
A.	(*i*)	(*ii*)	(*iii*)	(*iv*)
B.	(*i*)	(*iii*)	(*ii*)	(*iv*)
C.	(*iii*)	(*i*)	(*ii*)	(*iv*)
D.	(*ii*)	(*i*)	(*iii*)	(*iv*)

16. निम्नलिखित में से कौन-सी सामाजिक एकल कार्य (सोशल केस वर्क) की तकनीक नहीं है?

A. साक्षात्कार लेना B. परामर्श
C. लॉबिंग करना D. अवलोकन

17. समाज-आलेख और समाजमिति तकनीकों का किसके मापन में उपयोग किया जाता है?

A. अभिवृत्ति B. व्यवहार
C. अंतर्वैयक्तिक संबंध D. बुद्धि

18. सामाजिक शोध में 'कारणात्मक अध्ययन' का संकेत निम्नलिखित में से किसकी ओर है?

A. कारण के प्रभाव का अभिकल्प बनाना
B. कारण और प्रभाव के संबंधों का विश्लेषण करना
C. आगमन व निगमन के बीच के संबंध का निर्धारण करना
D. शोध अभिकल्प की उपयुक्तता की जांच करना

19. आंकड़ा प्रक्रमण के निम्नलिखित सोपानों को उनके क्रमानुसार लगाएं :

(*a*) आंकड़ा वर्गीकरण
(*b*) आंकड़ा कूट संकेतन
(*c*) आंकड़ा संपादन
(*d*) आंकड़ा सारणीयन

नीचे दिए गए विकल्पों में से सही उत्तर चुनिए :

A. (*a*), (*b*), (*c*), (*d*) B. (*b*), (*c*), (*d*), (*a*)
C. (*c*), (*b*), (*a*), (*d*) D. (*c*), (*d*), (*a*), (*b*)

20. शोध प्रक्रिया के निम्नलिखित सोपानों को क्रमानुसार लगाएँ :

(*a*) शोध अभिकल्प तैयार करना
(*b*) अवधारणाओं और सिद्धांतों की समीक्षा
(*c*) प्रतिदर्श अभिकल्प निर्धारण
(*d*) आंकड़ों का सामान्यीकरण और निर्वचन
(*e*) प्राक्कल्पना परीक्षण

नीचे दिए गए विकल्पों में से सही उत्तर चुनिए :

A. (*a*), (*b*), (*c*), (*d*), (*e*)
B. (*b*), (*a*), (*c*), (*d*), (*e*)
C. (*b*), (*a*), (*c*), (*e*), (*d*)
D. (*a*), (*b*), (*c*), (*e*), (*d*)

21. निम्नलिखित मूल्यों में से किस मूल्य में गिनी गुणांक जो एक सांख्यिकीय उपकरण है डिग्री की भिन्नता को मापने के लिए उपयोग किया जाता है?

A. गरीबी दर B. माध्य आय
C. आय असमानता D. निर्भरता अनुपात

22. निम्नलिखित में से किस साक्षात्कार या अवलोकन कार्यक्रम की सावधानीपूर्वक परीक्षण/संपादन करने लिए जाँच नहीं की जाती है?

A. बोधगम्यता B. स्पष्टता
C. विश्वसनीयता D. विसंगतियां

23. निम्नलिखित में से कौन-सा प्रारूप राष्ट्रीय शिक्षा नीति, 2019 की परिकल्पना नहीं है?

A. अनुसंधान विश्वविद्यालय
B. शिक्षण विश्वविद्यालय
C. अनुसंधान सह शिक्षण विश्वविद्यालय
D. महाविद्यालय

24. निम्नलिखित में से किस शोध तकनीक में सबसे अधिक आकस्मिक, अनियंत्रित अनुभव और साथ ही प्रयोगशाला प्रयोग के सबसे सटीक फिल्म रिकॉर्ड शामिल हैं?

A. सर्वेक्षण B. अवलोकन
C. साक्षात्कार D. प्रयोग

25. निम्नलिखित में से कौन विशुद्ध अनुसंधान की उपयोगितायें हैं?

(*a*) यह व्यावहारिक समस्या में केंद्रीय कारकों को खोजने में मदद करता है।
(*b*) यह सिद्धांत का परीक्षण कर सकता है।
(*c*) यह वैचारिक स्पष्टीकरण में सहायता कर सकता है।
(*d*) यह कई वैकल्पिक समाधान विकसित करता है।

सही विकल्प चुनें:

A. (*a*) और (*b*) B. (*b*) और (*c*)
C. (*c*) और (*d*) D. (*a*) और (*d*)

26. निम्नलिखित में से कौन-सा शोध रिपोर्ट लिखते समय सही चेतावनी है?

(*a*) परिकल्पना को रिपोर्ट में अंतर्निहित तरीके से प्रस्तुत किया जाना चाहिए।
(*b*) रिपोर्ट में परिकल्पना का बौद्धिक औचित्य दिया जाना चाहिए।
(*c*) लेखक को रिपोर्ट की सामग्री का वर्णन करने के लिए शब्दावली का एक सेट विकसित करना चाहिए।
(*d*) सारांश लिखते समय शोध अध्ययन में जो प्रदर्शित किया गया है, उससे अधिक दावा करने के प्रलोभन से बचना चाहिए।

सही विकल्प चुनें:

A. (*a*) और (*b*) B. (*b*) और (*c*)
C. (*c*) और (*d*) D. (*b*) और (*d*)

27. निम्नलिखित में से किस क्षेत्र में सामान्य रूप से नैतिक मुद्दे उठते हैं?

(*a*) अनुसंधान में भाग लेने वालों को नुकसान पहुंचाने की संभावना
(*b*) सूचित सहमति का अभाव
(*c*) स्थिति जिसमें शोधकर्त्ता उत्तरदाताओं को किसी विशेष प्रतिक्रिया को प्राप्त करने के लिए सूचना देता है
(*d*) अपर्याप्त आँकड़ों से निष्कर्ष निकालना

सही विकल्प चुनें:

A. (*a*), (*b*) और (*c*) B. (*b*), (*c*) और (*d*)
C. (*c*), (*d*) और (*a*) D. (*a*), (*b*) और (*d*)

28. "पर्यवेक्षक और पर्यवेक्षित दोनों समान हैं ______। (इसलिए) सामाजिक विज्ञान अनुसंधान में एक वस्तुनिष्ठ दृष्टिकोण बनाना मुश्किल है। यह कथन निम्नलिखित में से कौन दर्शाता है?

A. सामाजिक विज्ञान अनुसंधान में उपयोग किया जाने वाला उद्देश्य
B. सामाजिक विज्ञान अनुसंधान की विषमता
C. सामाजिक विज्ञान अनुसंधान की जटिल प्रकृति
D. सामाजिक विज्ञान अनुसंधान की संभाव्यता क्षमता

29. निम्नलिखित में से कौन-सा एक शोध सर्वेक्षण आयोजित करने के लिए प्रश्नावली तैयार करने का महत्वपूर्ण उद्देश्य नहीं है?

A. सफलतापूर्वक उन जानकारियों का इकट्ठा करना जो प्रत्येक अध्ययन प्रश्न का उत्तर देने वाली हों।
B. उत्तरदाताओं को अपनी क्षमता के अनुसार सभी प्रश्नों का उत्तर देने के लिए प्रेरित करना।
C. शोध सर्वेक्षण को समय पर पूरा करना।
D. सभी संभावित त्रुटियों को न्यूनतम रखना।

30. निम्नलिखित में से कौन डेटा के प्राथमिक स्रोत का उदाहरण नहीं है?

A. साक्षात्कार B. जीवन का इतिहास
C. पेशेपर पत्रिकाओं में लेख D. मुकदमा का विश्लेषण

31. निम्नलिखित में से कौन-सा एक शोध प्रतिवेदन घटकों का सही अनुक्रमिक क्रम है?

(*a*) अध्ययन के लिए परिचय या औचित्य
(*b*) अध्ययन के लिए इस्तेमाल की जाने वाली कार्यप्रणाली पर चर्चा
(*c*) परिणामों या निष्कर्षों की पूरी चर्चा
(*d*) अध्ययन के लिए परीक्षित साहित्य की समीक्षा

नीचे दिए गए कूट से सही उत्तर का चयन कीजिए :

A. (*a*), (*b*), (*c*) और (*d*) B. (*a*), (*c*), (*d*) और (*b*)
C. (*a*), (*d*), (*b*) और (*c*) D. (*a*), (*d*), (*c*) और (*b*)

32. नीचे दो कथन दिए गए हैं, जिनमें से एक अभिकथन (A) और दूसरा कारण (R) है। कथनों को पढ़िए और नीचे दिए गए कूट का प्रयोग कर सही उत्तर चुनिए।

अभिकथन (A) : वैचारिक अनुसंधान कुछ अमूर्त विचार(ओं) या सिद्धांत से संबंधित हैं।

कारण (R) : यह डेटा-आधारित अनुसंधान है जो कि सत्यापित होने में सक्षम निष्कर्षों के साथ आ रहा है।

कूट :

A. (A) और (R) दोनों सही हैं, परन्तु (R), (A) की सही व्याख्या है।

B. (A) और (R) दोनों सही हैं तथा (R), (A) का सही स्पष्टीकरण नहीं है।
C. (A) सही है, परन्तु (R) गलत है।
D. (A) गलत है, परन्तु (R) सही है।

33. निम्नलिखित में से कौन-सा शोध अध्ययन के लिए अवलोकन करने से पहले आवश्यक नहीं है?
A. चीजों का अवलोकन
B. अभिलेख के अवलोकन के लिए विधि
C. पूछे जाने वाले प्रश्नों की पहचान करना
D. अवलोकन में शुद्धता सुनिश्चित करने के लिए उपकरण

34. किसी प्रकार के संक्षिप्त और तार्किक क्रम में डेटा के द्रव्यमान की व्यवस्था निम्न प्रकार से की जाती है:
A. डेटा का संपादन B. डेटा का वर्गीकरण
C. आंकड़ों का सारणीकरण D. डेटा समायोजन

35. "पीछे देखते हुए मैं सोचता हूँ कि यह देखना अत्यंत कठिन था कि उन्हें हल करने के लिए क्या समस्याएं थी।" डार्विन के इस कथन से क्या प्रभावित होता है?
A. शोध करने के लिए मुद्दों की पहचान करने में कठिनाई
B. एक शोध समस्या की उत्पत्ति में कठिनाई
C. डेटा एकत्र करने के लिए साधनों के चयन में कठिनाई
D. शोध अभिकल्प तैयार करने में कठिनाई

36. निम्नलिखित में से कौन-सा एक परिकल्पना का सही अर्थ नहीं है?
A. यह एक साधारण कथन है जो किसी घटना की व्याख्या करता है
B. यह किसी चीज के बारे में एक सत्य कथन है
C. यह किसी चीज के बारे में एक धारणा है
D. यह एक भविष्यवाणी है जो कुछ निष्कर्ष बताती है।

37. निम्नलिखित में से केन्द्रीय प्रवृत्ति के किस पैमाने का उस समय उपयोग किया जाना चाहिए जब संख्या सममित न हो, जैसे कि जब वे गहनतापूर्वक समूह में हों परन्तु कुछ अत्यधिक उच्च या अत्यंत कम संख्याओं के साथ हों?
A. ज्यामितीय औसत B. माध्यिका
C. अंकगणितीय औसत D. माध्य

38. परिकल्पना की विशेषताओं का चित्रण करने वाले निम्नलिखित कथनों पर विचार कीजिए:
(*a*) इसे आनुभविक रूप से सिद्ध किया जाना चाहिए।
(*b*) इसे विशिष्ट और सटीक होना चाहिए।
(*c*) इसे प्रश्न के रूप में आरंभ होना चाहिए।
(*d*) इसमें केवल एक ही मुद्दे का वर्णन करना चाहिए।

नीचे दिए गए कूट से **सही** उत्तर का चयन कीजिए :
A. (*i*), (*ii*) और (*iv*)
B. (*ii*), (*iii*) और (*iv*)
C. (*i*), (*ii*), (*iii*) और (*iv*)
D. (*i*), (*ii*) और (*iii*)

39. अनुसंधान की वैज्ञानिक विधि का तात्पर्य यह नहीं है:
A. विषयनिष्ठता से बचना
B. बिना किसी पूर्वधारित मान्यता के अनुसंधान समस्या का हल ढूँढना
C. अनुसंधान समस्या पर बिना किसी सोच-विचार के कूदना
D. परिकल्पना के साथ आगे बढ़ना

40. नीचे दिए गए कोड का प्रयोग करके अच्छी नीति निर्माण प्रक्रिया की विशेषताओं का चयन करें:
(*a*) अग्रसारित और बहुगामी
(*b*) अभिनव और लचीला
(*c*) साक्ष्य आधारित और अनुभव जन्य
(*d*) व्यवस्थित मूल्यांकन और निरंतर समीक्षा

विकल्प
A. (*a*), (*b*) और (*c*) B. (*a*), (*b*), (*c*) और (*d*)
C. (*a*) और (*b*) D. (*a*), (*b*) और (*d*)

41. शिक्षा के क्षेत्र में 'राष्ट्रीय महत्त्व के संस्थान' की स्थिति किसके द्वारा प्रदान की जाती है?
A. विश्वविद्यालय अनुदान आयोग द्वारा
B. भारत के राष्ट्रपति द्वारा
C. मानव संसाधन विकास मंत्रालय द्वारा
D. भारतीय संसद के अधिनियम द्वारा

42. ज्ञान के लिए ज्ञान की तलाश के उद्देश्य से किए गए शोध को इस रूप में जाना जाता है
A. मूल शोध B. वैचारिक अनुसंधान
C. शुद्ध शोध D. सैद्धांतिक शोध

43. निम्नलिखित में से कौन-सी आंकड़ा संग्रहण विधि 'लगभग असीम प्रकार की अर्थपूर्ण सूचना दे सकती है'?
A. साक्षात्कार B. प्रेक्षण
C. प्रश्नावली D. विषय-वस्तु विश्लेषण

44. ज्ञान का सृजन करने वाले अनुसंधान, जिसका कतिपय वैचारिक साध्यों के लिए उपयोग किया जा सकता है, को किस नाम से जाना जाता है?
A. अनुप्रयुक्त अनुसंधान B. सैद्धांतिक अनुसंधान
C. आधारभूत अनुसंधान D. शुद्ध अनुसंधान

45. एक शोध रिपोर्ट के निम्नलिखित घटकों को सही अनुक्रम में व्यवस्थित करें:
(*a*) अध्ययन के लिए परीक्षित साहित्य की समीक्षा
(*b*) निष्कर्ष या सिफारिशें
(*c*) अध्ययन के लिए उपयोग की जाने वाली कार्यप्रणाली की चर्चा
(*d*) संदर्भों की विस्तृत सूची

कूट :
A. (*b*), (*c*), (*d*), (*a*) B. (*d*), (*c*), (*b*), (*a*)
C. (*a*), (*b*), (*c*), (*d*) D. (*a*), (*c*), (*b*), (*d*)

46. आनुभाविक शोध में निम्न में से क्या अधिक उपयुक्त है?

A. आगमनात्मक विधि B. निगमनात्मक विधि

C. वैज्ञानिक विधि D. मानक विधि

47. निम्न में से कौन एक सर्वेक्षण शोध का अभिलक्षण नहीं है?

A. जनसंख्या का सटीक माप देना

B. जनसंख्या से प्रतिदर्श आहरित करना

C. जनगणना में उपयोगी

D. अनेक चरों से व्यवहार कर सकता है

48. समाजमितीय विश्लेषण निम्न में से किसे स्पष्ट करता है?

A. व्यक्तियों का व्यवहार

B. एक समूह में व्यक्तियों के बीच के संबंध

C. समूहों के बीच के संबंध

D. एक समूह में व्यक्तियों के बीच के व्यवहार का संशोधन

49. शोध एक ऐसा क्रियाकलाप है जो हमें निष्कर्ष तक ले जाता है?

(*a*) उपलब्ध ज्ञान का सत्यापन

(*b*) भावी शोध हेतु सुझाव

(*c*) नवीन तथ्य व सूचना

(*d*) उन चीजों के बारे में प्रश्न उठाना जिन्हें विद्यमान डाटा के आधार पर समझना कठिन है

नीचे दिए गए विकल्पों में से सही उत्तर का चयन कीजिए।

A. केवल (*a*), (*b*), (*c*)

B. केवल (*b*), (*c*) और (*d*)

C. केवल (*a*), (*c*) और (*d*)

D. (*a*), (*b*), (*c*), (*d*)

50. सांगठनिक व्यवहार के अध्ययन हेतु निम्न में से कौन-सी विधियां उपयोगी हैं?

(*a*) प्रतिभागी प्रेक्षण (*b*) गैर प्रतिभागी प्रेक्षण

(*c*) साक्षात्कार अनुसूची (*c*) ऐतिहासिक विधि

नीचे दिए गए विकल्पों में से सही उत्तर का चयन कीजिए।

A. (*a*), (*b*), (*c*) और (*d*)

B. केवल (*a*), (*b*) और (*d*)

C. केवल (*a*), (*b*) और (*c*)

D. केवल (*b*), (*c*) और (*d*)

51. शोध में प्रायोगिक विधि की विशिष्टताएं हैं:

(*a*) यह बहुचर नियम का अनुसरण करता है

(*b*) यह शोध की प्रयोगशाला विधि है और इसे विशुद्ध विज्ञान से लिया गया है

(*c*) यह वैज्ञानिक विधि का अनुसरण करता है

(*d*) शोधकर्ता सौद्देश्यपूर्ण तरीके से पर्यावरण में कुछ-कुछ परिवर्तन कर सकता है

नीचे दिए गए विकल्पों में से सही उत्तर का चयन कीजिए।

A. केवल (*a*), (*b*) और (*c*)

B. केवल (*b*), (*c*) और (*d*)

C. केवल (*a*), (*c*) और (*d*)

D. (*a*), (*b*), (*c*) और (*d*)

52. प्रकरण अध्ययन शोध में निम्न में से क्या उपयोगी है?

(*a*) व्यक्ति अथवा समूह का अध्ययन

(*b*) शिक्षा के क्षेत्र में

(*c*) तुलनात्मक अध्ययन के क्षेत्र में

(*d*) सिद्धांत रचना में

नीचे दिए गए विकल्पों में से सही उत्तर का चयन कीजिए।

A. केवल (*a*), (*b*) और (*c*)

B. केवल (*b*), (*c*) और (*d*)

C. केवल (*a*), (*c*) और (*d*)

D. केवल (*a*), (*b*) और (*d*)

53. निम्न में से कौन-सी भौगोलिक सूचना प्रणालियों की डाटा प्रक्रिया की विशेषताएं हैं?

(*a*) प्राप्त करना

(*b*) भण्डारण

(*c*) स्थानान्तरण करना

(*d*) प्रदर्शन करना

नीचे दिए गए विकल्पों में से सही उत्तर का चयन कीजिए।

A. केवल (*a*), (*b*) और (*c*)

B. केवल (*b*), (*c*) और (*d*)

C. केवल (*a*), (*c*) और (*d*)

D. केवल (*a*), (*b*) और (*d*)

54. सूची-I के साथ सूची-II का मिलान कीजिए।

सूची-I (मापनी का प्रकार)	**सूची-II (अभिलक्षण)**
(*a*) नामिक	(*i*) एक मान दूसरे से अधिक है
(*b*) क्रमसूचक	(*ii*) पूर्ण शून्य बिंदु से आरंभ होता है
(*c*) अंतराल	(*iii*) चरों के मध्य गुणात्मक अंतर
(*d*) अनुपात	(*iv*) प्रत्येक मान के मध्य समान दूरी

नीचे दिए गए विकल्पों में से **सही** उत्तर का चयन कीजिए:

	(*a*)	(*b*)	(*c*)	(*d*)
A.	(*iii*)	(*ii*)	(*i*)	(*iv*)
B.	(*ii*)	(*i*)	(*iii*)	(*iv*)
C.	(*iii*)	(*i*)	(*iv*)	(*ii*)
D.	(*i*)	(*ii*)	(*iii*)	(*iv*)

55. प्रतिचयन प्रक्रिया में निम्न कदमों को सही क्रमानुसार व्यवस्थित कीजिए:

(*a*) लक्ष्य जनसंख्या की पहचान करना

(*b*) प्रतिचयन फ्रेम

(*c*) प्रतिचयन विधि का चयन

(*d*) प्रतिदर्श का आकार

(*e*) प्रतिदर्श डाटा का संग्रहण

नीचे दिए गए विकल्पों में से सही उत्तर का चयन कीजिए।

A. (*b*), (*a*), (*c*), (*d*), (*e*) B. (*b*), (*d*), (*c*), (*a*), (*e*)
C. (*b*), (*d*), (*a*), (*e*), (*c*) D. (*b*), (*a*), (*d*), (*c*), (*e*)

56. प्रायिकता प्रतिचयन (प्रोबेबिलिटी सैम्पल) की सीमा होती है:

(*a*) यह जनसंख्या से लिए गए सैम्पल के प्रतिनिधिक होने की गारंटी नहीं देता है।

(*b*) आंकड़े नार्मल प्रोबेबिलिटी कर्व के मानकों पर खरे उतरते हैं।

(*c*) इसमें परिणामों के सामान्यीकरण का जोखिम नहीं होता।

(*d*) यह संवेदनशीलता के विश्लेषणों और चार्टों का समर्थन करता है।

नीचे दिए गए विकल्पों में से सही उत्तर का चयन कीजिए:

A. केवल (*a*) और (*b*)
B. केवल (*b*) और (*c*)
C. केवल (*b*), (*c*) और (*d*)
D. केवल (*a*)

57. सूची-I के साथ सूची-II का मिलान कीजिए:

सूची-I	सूची-II
(*a*) क्लस्टर सैम्पलिंग	(*i*) सैम्पलिंग जनसंख्या को समूहों में बांटना
(*b*) सिम्पल रैन्डम सैम्पलिंग	(*ii*) जनसंख्या के हर तत्व को चुने जाने का एक समान अवसर देना
(*c*) जजमेंटल सैम्पलिंग	(*iii*) एक ऐतिहासिक यथार्थ के निर्माण में अत्यन्त उपयोगी
(*d*) स्नो बॉल सैम्पलिंग	(*iv*) नेटवर्क का उपयोग करके सैम्पल चुनना

नीचे दिए गए विकल्पों में से सही उत्तर का चयन कीजिए:

	(*a*)	(*b*)	(*c*)	(*d*)
A.	(*i*)	(*ii*)	(*iii*)	(*iv*)
B.	(*ii*)	(*i*)	(*iii*)	(*iv*)
C.	(*iii*)	(*iv*)	(*i*)	(*ii*)
D.	(*iv*)	(*iii*)	(*ii*)	(*i*)

58. निम्नलिखित में से कौन से कारक अनुसन्धान उपकरण की विश्वसनीयता को प्रभावित करते हैं?

(*a*) प्रश्नों की शब्दावली

(*b*) उत्तरदाता की मनःस्थिति

(*c*) अन्योन्य क्रिया (इन्टरैक्शन) की प्रकृति

(*d*) उपकरण का प्रतिगमन प्रभाव

नीचे दिए गए विकल्पों में से सही उत्तर का चयन कीजिए:

A. केवल (*a*), (*b*) और (*c*)
B. केवल (*b*), (*c*) और (*d*)
C. केवल (*a*) और (*d*)
D. (*a*), (*b*), (*c*) और (*d*)

59. मात्रात्मक अध्ययनों में मात्रात्मक और गुणात्मक आंकड़ों को कूटबद्ध करने के निम्नलिखित चरणों को सही क्रम में लगाइए।

(*a*) कूटबद्ध आंकड़ों का पुष्टीकरण

(*b*) आंकड़ों को कूटबद्ध करना

(*c*) कूट पुस्तिका का पूर्व-परीक्षण

(*d*) कूट-पुस्तिका का विकास

नीचे दिए गए विकल्पों में से सही उत्तर का चयन कीजिए:

A. (*a*), (*b*), (*c*), (*d*) B. (*a*), (*b*), (*d*), (*c*)
C. (*c*), (*d*), (*b*), (*a*) D. (*d*), (*c*), (*b*), (*a*)

60. नीचे दो कथन दिए गए हैं: एक अभिकथन (A) के रूप में लिखित है तो दूसरा उसके कारण (R) के रूप में:

अभिकथन (A): आश्रित चर वह वस्तु है जिसमें होने वाले बदलाव का कारण कोई अन्य चर होता है।

कारण (R): स्वतंत्र चर में होने वाला बदलाव आश्रित चर में बदलाव उत्पन्न करेगा।

उपरोक्त कथन के आलोक में नीचे दिए गए विकल्पों में से सही उत्तर का चयन कीजिए:

A. (A) और (R) दोनों सत्य हैं और (R), (A) की सही व्याख्या है
B. (A) और (R) दोनों सत्य हैं, लेकिन (R), (A) की सही व्याख्या नहीं है
C. (A) सत्य है, लेकिन (R) असत्य है
D. (A) असत्य है, लेकिन (R) सत्य है

61. निम्नलिखित में से कौन-सी शोध प्रविधि किसी वर्णनात्मक शोध में अनुप्रयुक्त नहीं हो सकती है?

A. प्रेक्षण B. प्रश्नावली
C. गवेषणा D. प्रतिचयन

62. प्रतिचयन में, जनसंख्या का लघु उप-समूहों में विभाजन कहलाता है :

A. वर्गीकरण B. कोटियाँ (श्रेणी)
C. स्तरीकरण D. विभेदन

63. सामाजिक-शोध में दो चरों के मध्य का संबंध कहलाता है :

A. कारणता B. कारणात्मक
C. स्वतंत्र संबंध D. सह-संबंध

64. प्राक्कल्पना की अच्छाई का निम्नलिखित में से किससे परीक्षण किया जाता है?

A. एनोवा
B. T-परीक्षण
C. Z-परीक्षण
D. काई-स्क्वायर परीक्षण

65. एक लघु समूह, जिसमें कोई शोधकर्ता प्रत्येक व्यक्ति के साक्षात्कार का प्रयास करता है जिसे प्रतिचयन के .... प्रकार के रूप में जाना जाता है।

A. गुच्छ (Cluster) प्रतिचयन
B. क्षेत्र प्रतिचयन
C. सूची प्रतिचयन
D. स्तरीकृत प्रतिचयन

66. जब कोई शोधकर्ता प्रतिदर्श के संग्रहण हेतु नेटवर्क का उपयोग करता है तब वह विधि .... रूप में जानी जाती है।

A. सांयोगिक प्रतिचयन
B. नियतांश (कोटा) प्रतिचयन
C. स्नोबॉल प्रतिचयन
D. सामाजिक प्रतिचयन

67. एक शोध उपकरण के रूप में विषय-वस्तु विश्लेषण निम्नांकित किससे संबंधित है?

(*a*) प्रलेखों का अध्ययन
(*b*) प्रतिरूपों (Pattern) और प्रतीकों का उपयोग
(*c*) शब्दों और संकल्पनाओं का विश्लेषण
(*d*) गुप्त और प्रकट विषयवस्तु का अध्ययन

नीचे दिए गए विकल्पों में से सही उत्तर का चयन कीजिए :

A. (*a*), (*b*), (*c*), (*d*) B. केवल (*a*), (*c*), (*d*)
C. केवल (*b*), (*c*), (*d*) D. केवल (*a*), (*b*), (*d*)

68. निम्नलिखित में से कौन-से कारक, किसी शोध लिखत (साधन) की विश्वसनीयता पर प्रभाव डालता है?

(*a*) प्रश्नों की शब्दावली
(*b*) भौतिक परिवेश
(*c*) प्रतिवादी की मनोदशा
(*d*) अन्योन्य-क्रिया की प्रकृति
(*e*) किसी लिखत (साधन) का प्रतिगमन प्रभाव

नीचे दिए गए विकल्पों में से सही उत्तर का चयन कीजिए :

A. केवल (*a*), (*b*), (*c*), (*d*)
B. केवल (*b*), (*c*), (*d*) और (*e*)
C. केवल (*a*), (*c*), (*d*) और (*e*)
D. (*a*), (*b*), (*c*), (*d*) और (*e*)

69. निम्नलिखित में से कौन-से कथन परिमाणात्मक और गुणात्मक शोध के मध्य अंतर के बारे में सही हैं?

(*a*) गुणात्मक शोध चरों के मापन अथवा वर्गीकरण पर बल देता है।
(*b*) गुणात्मक शोध, चरों के विवरण पर बल देता है।
(*c*) गुणात्मक शोध में विश्वसनीयता और वस्तुनिष्ठता एक प्रबल शोध मूल्य है।
(*d*) गुणात्मक शोध में अनुभव, अर्थ, धारणा और अनुभूतियों की गवेषणा की जाती है।

नीचे दिए गए विकल्पों में से सही उत्तर का चयन कीजिए :

A. (*a*), (*b*), (*c*) और (*d*)
B. केवल (*b*), (*c*) और (*d*)
C. केवल (*a*) और (*d*)
D. केवल (*a*), (*c*) और (*d*)

70. शोध-प्रक्रिया के निम्नलिखित चरणों को अनुक्रम ढंग से व्यवस्थित कीजिए :

(*a*) शोध-समस्या का सूत्रीकरण करना
(*b*) शोध डिजाइन का संप्रत्ययीकरण
(*c*) दत्त-संग्रहण हेतु : उपकरणिका निर्मित करना
(*d*) प्रतिदर्श का चयन
(*e*) शोध-प्रस्ताव लिखना

नीचे दिए गए विकल्पों में से सही उत्तर का चयन कीजिए :

A. (*e*), (*a*), (*b*), (*c*), (*d*) B. (*a*), (*b*), (*c*), (*d*), (*e*)
C. (*e*), (*a*), (*c*), (*b*), (*d*) D. (*a*), (*e*), (*b*), (*c*), (*d*)

71. यह किसका कथन है कि "विज्ञान विचारों के समूह और प्रघटनाओं के समूह के मध्य संबंधों को खोजने का मानव मस्तिष्क का प्रयास है।"

A. पी.वी. यंग
B. जे.जे थाम्पसन
C. आइंस्टाइन ओर इनफेल्ड
D. गुडे एवं हाट

72. निम्नलिखित में से कौन-सा सिद्धांत प्रायोगिक शोध अभिकल्प आधारित अध्ययन में बाह्य कारकों के प्रभावों से संरक्षण प्रदान करता है?

A. प्रतिरूप का सिद्धांत
B. यादृच्छिकीकरण का सिद्धांत
C. स्थानीय नियंत्रण का सिद्धांत
D. सुमेलन का सिद्धांत

73. साक्षात्कार पद्धति में गुण के बारे में निम्नलिखित में से क्या **गलत** है?

A. अधिक उत्तर प्राप्त होना।
B. उत्तरों की अधिक विश्वसनीयता
C. अनुपूरक जानकारी का प्राप्त होना
D. मानव समीकरणों के प्रभावों की अनदेखी संभव होना

74. निम्नलिखित कथनों को पढ़िए और नीचे दिए गए कूट का प्रयोग करते हुए प्रयोज्य परिकल्पना की **सही** विशेषताओं का चयन कीजिए।

(*a*) परिकल्पना किसी सिद्धांत के प्रारूप से संबंधित होनी चाहिए।
(*b*) परिकल्पना को आनुभविक दृष्टि से परीक्षण योग्य होना चाहिए।
(*c*) परिकल्पना का दायरा विशाल होना चाहिए।
(*d*) परिकल्पना विशेषीकृत होनी चाहिए।

कूट :

A. (*a*), (*b*), (*c*) B. (*a*), (*c*), (*d*)
C. (*b*), (*c*), (*d*) D. (*a*), (*b*), (*d*)

75. निम्नांकित में से कौन-सा प्रारूप कुल मूल्य की अधिकतम प्राप्ति के लिए निरूपित किया गया है?

A. तार्किक B. क्रमिक
C. मिश्रित विश्लेषण D. व्यवस्थित

76. लेस्ली किश के अनुसार निम्नलिखित में से कौन-सी प्रतिदर्श ढाँचे (सैंपलिंग फ्रेम्स) की मूल समस्या/समस्याएँ हैं?

(*a*) लापता तत्व (Missing Elements)
(*b*) बाह्य तत्व (Foreign Elements)
(*c*) दोहरी प्रविष्टियाँ (Duplicate Entries)
(*d*) समूह/क्लस्टर (Groups/Clusters)

नीचे दिए गए कूट से **सही** उत्तर का चयन कीजिए :

A. केवल (*a*) B. केवल (*b*), (*c*)
C. केवल (*b*), (*c*), (*d*) D. (*a*), (*b*), (*c*), (*d*)

77. फेरेल हेडी के अनुसार निम्नलिखित में से शोध संबंधी कौन-सा केन्द्र-बिन्दु अपने केन्द्रित विषय के बारे में अधिक स्पष्ट है तथा प्रशासनिक तंत्र के कतिपय विशेष संघटकों अथवा विशेषताओं पर ध्यान केन्द्रित करता है?

A. संशोधित परंपरागत
B. विकासोन्मुख
C. सामान्य प्रणाली प्रतिमान निर्माण
D. मध्य स्तरीय सिद्धांत सूत्रीकरण

78. निम्नलिखित में से कौन प्रयोज्य परिकल्पना की विशेषता **नहीं** है?

A. इसे आनुभविक रूप से जाँच योग्य होना चाहिए।
B. इसे विशिष्ट होना चाहिए।
C. इसका क्षेत्र सामान्य एवं भव्य होना चाहिए।
D. इसे सिद्धांत के मुख्य भाग से संबंधित होना चाहिए।

79. निम्नलिखित में से कौन-सा एक फिशर द्वारा उल्लेखित प्रयोगात्मक डिजाइन का सिद्धांत **नहीं** है?

A. प्रतिकृति का सिद्धांत
B. मिलान का सिद्धांत
C. यादृच्छिकीकरण का सिद्धांत
D. स्थानीय नियंत्रण का सिद्धांत

80. निम्नलिखित में से किसमें प्रतिदर्शन अशुद्धि अनुपस्थित है?

A. जनगणना सर्वेक्षण B. छोटा प्रतिदर्श
C. बृहत प्रतिदर्श D. सुविधा प्रतिदर्श

81. निम्नलिखित में से किसने "ज्ञान के सामान्यीकरण, उसके विस्तार, सही अथवा जांचने के प्रयोजन से वस्तुओं, अवधारणाओं या प्रतीकों की प्रभावशीलता, जबकि वह ज्ञान सिद्धांत की रचना या कला के अभ्यास में सहायता करती है", के रूप में अनुसंधान को परिभाषित किया?

A. आइंस्टीन
B. आइंस्टीन एवं इनफ्लेड
C. डी. स्लेसिंगर
D. डी. स्लेसिंगर एवं एम. स्टीफेनसन

82. किसी संस्कृति में प्रचलित लोक विवेकः

A. परिकल्पना के स्रोत के रूप में कार्य करता है।
B. उस संस्कृति के मूल्य अभिविन्यास को परिलक्षित करता है।
C. यह निर्दिष्ट करता है कि संस्कृति का मूल्य अभिविन्यास परिकल्पना का स्रोत है।
D. किसी भी तरह से परिकल्पना से संबंधित नहीं होता है।

83. अनुसंधान कार्य प्रणाली में पूर्व परीक्षण से क्या अभिप्राय है?

A. परिकल्पना का परीक्षण
B. आंकड़ा संग्रहण उपकरणों की जांच
C. आंकड़ा संग्रहण प्रक्रिया में कार्यक्षमता सुनिश्चित करना
D. आंकड़ा विश्लेषण प्रक्रिया में मानकों का अनुरक्षण करना

84. निम्नलिखित में से कौन आंकड़ों के संपादन की प्रक्रिया के संबंध में सही **नहीं** है?

A. यह आंकड़ों की काट-छांट करने की एक प्रक्रिया है।
B. इसमें कूटबद्धता के लिए आंकड़ों की गुणवत्ता में सुधार लाया जाता है।
C. संपादन से कूटबद्धता समस्या से बचने में सहायता मिलती है।
D. आंकड़ों के सारणीयन के लिए कूटबद्धता आवश्यक है।

85. समुचित शोध अभिकल्प तैयार करने के लिए ध्यान में रखे जाने वाले कारकों के बारे में निम्नलिखित में से कौन-सा कथन सही है?

(*i*) शोध की समस्या के प्रकार, जिसका अध्ययन किया जाएगा
(*ii*) सूचना प्राप्त करने के तरीके
(*iii*) शोधार्थी के कौशलों की उपलब्धता
(*iv*) शोध कार्य के लिए समय और धन की उपलब्धता

निम्नलिखित कूटों में से सही उत्तर का चयन कीजिए :

कूट :

A. (*i*), (*ii*) और (*iii*)
B. (*i*), (*ii*) और (*iv*)
C. (*ii*), (*iii*) और (*iv*)
D. (*i*), (*ii*), (*iii*) और (*iv*)

86. वैयक्तिक अध्ययन को "एक व्यक्ति, एक समूह, एक सामाजिक संस्थान, एक जिला अथवा एक समुदाय रूपी सामाजिक इकाई के व्यापक अध्ययन के रूप में" किसने परिभाषित किया है?

A. एच. ओडम B. विलियम हीले
C. बर्गेस D. पॉलाइन वी. यंग

87. सरकार द्वारा गठित आयोगों तथा समितियों द्वारा जाँच कार्य हेतु निम्नलिखित में से किस विधि का उपयोग किया जाता है?

A. अवलोकन B. वैयक्तिक साक्षात्कार
C. असंरचित साक्षात्कार D. केन्द्रित साक्षात्कार

88. निम्नलिखित में से आँकड़ा विश्लेषण हेतु वर्ग अंतराल के आकार के निर्धारण हेतु एच.ए. स्टर्जेस द्वारा सुझाया गया सही सूत्र कौन-सा है?

A. $i = R/(1 + 2.3 \log N)$
B. $i = R/(1 + 3.3 \log N)$
C. $i = R/(1 + 4.3 \log N)$
D. $i = R/(1 + 3.3 \times N)$

89. निम्नलिखित में से किसे अनुसंधान प्रतिवेदन के सारांश भाग में शामिल नहीं किया जाना चाहिए?

A. संक्षेप में अनुसंधान समस्या
B. शोध पद्धति
C. अध्ययन क्षेत्र का विवरण
D. प्रमुख निष्कर्ष

90. कुछ नैसर्गिक परिघटना से संबंधित शोध निम्नलिखित में से किसका उदाहरण है?

A. वर्णनात्मक शोध B. विश्लेषणात्मक शोध
C. अनुप्रयुक्त शोध D. मौलिक शोध

91. प्रतिदर्श में शामिल करने के लिए चयन किए जाने वाले समष्टि के तत्वों की आसान पहुँच पर निम्नलिखित में से कौन-सा प्रतिदर्श अभिकल्प आधारित है?

A. निर्णयन प्रतिदर्श अभिकल्प
B. आकस्मिक प्रतिदर्श अभिकल्प
C. सुविधा प्रतिदर्श अभिकल्प
D. क्षेत्र प्रतिदर्श अभिकल्प

92. निम्नलिखित में से कौन-से कथन आँकड़ा संकलन की साक्षात्कार विधि के गुणों के विषय में सही हैं?

(*i*) यह विधि जानकारी प्राप्त करने हेतु अधिक लचीलापन प्रदान करती है।
(*ii*) इसके आसान तरीके से वैयक्तिक जानकारी प्राप्त करने में मदद मिलती है।
(*iii*) भेंटकर्ता की उपस्थिति कभी-कभी उत्तरदाताओं को सीमा से अधिक प्रेरित करती है।
(*iv*) मौखिक उत्तरों को रिकॉर्ड करने के लिए अवलोकन विधि का भी उपयोग किया जा सकता है।

नीचे दिए गए कूटों से सही उत्तर का चयन कीजिए :

कूट :

A. (*i*), (*ii*) और (*iii*)
B. (*ii*), (*iii*) और (*iv*)
C. (*i*), (*ii*) और (*iv*)
D. (*i*), (*ii*), (*iii*) और (*iv*)

93. सामाजिक अन्वेषण के क्षेत्र में 'केस स्टडी' प्रणाली की शुरुआत किसने की थी?

A. विलियम हीले B. फ्रेडरिक ल प्ले
C. चार्ल्स होर्टन कूले D. एच. ओडम

94. अनुसंधान के महत्त्व के संबंध में निम्नलिखित में से कौन-से कथन सही हैं?

(*a*) वर्तमान ज्ञान में नए ज्ञान को जोड़ना।
(*b*) जारी लोक नीतियों और कार्यक्रमों का मूल्यांकन करना।
(*c*) प्रचालन संबंधी समस्याओं के समाधान हेतु सुझाव देना।
(*d*) पेशेवरों को रोजगार देना।

नीचे दिए गए कूट का उपयोग करते हुए सही उत्तर का चयन कीजिए :

A. (*a*), (*b*) तथा (*c*)
B. (*b*) (*c*) तथा (*d*)
C. (*a*), (*b*) तथा (*d*)
D. (*a*), (*b*), (*c*) तथा (*d*)

95. निम्नलिखित में से कौन-सा यादृच्छिक प्रतिदर्श है?

A. नियतांश प्रतिदर्श
B. बहुमंच प्रतिदर्श
C. सुविधा प्रतिदर्श
D. निर्णय प्रतिदर्श

96. कुछ चरों के सम्बन्धों की खोज और जाँच करने वाले शोध अध्ययन को क्या कहा जाता है?

A. अन्वेषणात्मक अध्ययन
B. वर्णनात्मक अध्ययन
C. नैदानिक अध्ययन
D. सूत्रात्मक अध्ययन

97. ''विज्ञान कभी भी कुछ थोपता नहीं है, विज्ञान सिर्फ उल्लेख करता है, विज्ञान का उद्देश्य अपनी वस्तुओं के सम्बन्ध में सत्य एवं पर्याप्त कथन के अलावा कुछ नहीं है।'' इस कथन में वैज्ञानिक विधि की कौन-सी विशेषता परिलक्षित होती है?

A. वस्तुनिष्ठता के प्रति प्रतिबद्धता
B. नैतिक तटस्थता
C. सामान्यता
D. सम्भाव्यता पर आधारित भविष्यवाणी

98. निम्न में से कौन संदर्भिका (ग्रंथविज्ञान) का एक प्रमुख प्रकार नहीं है?

A. अमेरिकन सायकोलॉजी एसोसिएशन (ए.पी.ए.)
B. मॉडर्न लैंग्वेज एसोसिएशन ऑफ अमेरिका (एम.एल.ए.)
C. शिकागो स्टाइल (शिकागो मैनुएल ऑफ स्टाइल)
D. यूनाइटेड प्रेस इंटरनेशनल स्टाइल (यू.पी.आई.)

99. आंकड़ा संकलन की निम्नलिखित में से कौन-सी विधि से सूचनादाता की व्यक्तिगत विशेषताओं के बारे में पूरक जानकारी एकत्र करने में मदद मिलती है?

A. प्रश्नावली B. साक्षात्कार
C. प्रक्षेपी तकनीकें D. अन्तर्वस्तु विश्लेषण

100. प्रश्नावली निर्माण प्रक्रिया का चित्रण करने वाले निम्नलिखित कथनों को क्रमिक रूप में व्यवस्थित करें :

(*i*) प्रश्न के प्रकार का चयन करें और प्रश्न संरचना पर निर्णय लें।

(*ii*) प्रश्नों को तार्किक क्रम में व्यवस्थित करें।

(*iii*) प्रत्येक पृथक प्रश्न के लिए सर्वोत्तम शब्दों का चयन करें।

(*iv*) प्रश्नावली की पूर्व जांच करें और यदि आवश्यक हो तो उसमें संशोधन करें।

नीचे दिए गए कूट में से सही उत्तर का चयन कीजिए :

कूट :

A. (*i*), (*ii*), (*iii*) और (*iv*) B. (*i*), (*iii*), (*iv*) और (*ii*)

C. (*i*), (*iii*), (*ii*) और (*iv*) D. (*i*), (*iv*), (*ii*) और (*iii*)

उत्तरमाला

1	**2**	**3**	**4**	**5**	**6**	**7**	**8**	**9**	**10**
C	C	D	B	D	C	B	D	B	D
11	**12**	**13**	**14**	**15**	**16**	**17**	**18**	**19**	**20**
C	B	C	C	C	C	C	B	C	C
21	**22**	**23**	**24**	**25**	**26**	**27**	**28**	**29**	**30**
C	C	C	B	D	D	D	C	C	C
31	**32**	**33**	**34**	**35**	**36**	**37**	**38**	**39**	**40**
C	C	C	C	B	B	B	A	C	B
41	**42**	**43**	**44**	**45**	**46**	**47**	**48**	**49**	**50**
D	B	A	A	D	C	A	B	D	C
51	**52**	**53**	**54**	**55**	**56**	**57**	**58**	**59**	**60**
B	A	D	C	B	D	A	D	D	A
61	**62**	**63**	**64**	**65**	**66**	**67**	**68**	**69**	**70**
C	C	D	D	A	C	B	D	A	B
71	**72**	**73**	**74**	**75**	**76**	**77**	**78**	**79**	**80**
C	B	D	D	A	D	D	C	B	A
81	**82**	**83**	**84**	**85**	**86**	**87**	**88**	**89**	**90**
D	C	B	D	D	D	B	B	C	D
91	**92**	**93**	**94**	**95**	**96**	**97**	**98**	**99**	**100**
C	C	B	D	B	C	B	D	B	C